自由人（五）

自由人總目錄

動盪時代的印記——《自由人》三日刊始末

陳正茂（北台灣科學技術學院通識教育中心教授）

一、前言：《自由人》三日刊創刊之背景

民國三十八年是中國歷史上驚天動地的一年，隨著戡亂戰局的逆轉，中共席捲大陸，國府敗退遷台，真是國命如絲風雨飄搖的危急存亡之秋。處此動盪時代中，除大批軍民同胞隨政府播遷來台外；尚有一部分人士選擇避難香江，南下港九一隅，這些人當中，有不少是失意政客和知識份子。基本上，當年選擇避秦來港的知識份子，其心態上有兩種，一則對國、共兩黨均感不滿；再則係看上香港為自由民主之地，較能有揮灑發展的空間。此情勢考量，誠如雷嘯岑所言：「在一九四九－五〇年之間，因大陸淪陷，香港乃成了反共非共的中國人士望門投止的逋逃之藪」。

這些投奔港九的政治難民，以高級知識份子居多；兼以香港時為英屬自由之地，所以只要不違背港府法令，一般而言從事任何活動是百無禁忌，相當自由的。不僅可以高談政治問題，甚至於從事政治活動亦不加以限制。於是，「從大陸流亡到港九的高級知識份子群，乃相率呼朋引類，常舉行座談會，交換對國事意見，而美國國務院的巡迴大使吉塞普（Philip Jessup），斯時亦在香港鼓勵中國人組織『第三勢力』運動，目的以反共為主。」在此背景下，港九地區的自由民主人士，在美國幕後撐腰下，「各種座談會風起雲湧，熱鬧非凡；而諸多以反共為職志的大小刊物，更是應運而興，琳瑯滿目了。」[1]所以，《自由人》三日刊，就是在此大時代氛圍下孕育而生的。

二、《自由人》三日刊誕生之經過

《自由人》三日刊醞釀誕生之經過，最早鼓吹者，一般而言，說法有二，一為由王雲五號召發起。據其《岫廬八十自述》書中提及：「自民國三十九年開始以來，由於中共匪幫建立偽政權，並先後獲得蘇俄、緬甸、印度、巴基斯坦及英國的承認，於是匪幫的勢力在香港突然大振，不少反共分子漸呈動搖態度。旅港有識之士深感囂風日長，漸使全港華人隨而動搖，乃相與集議挽救之道。我因在港主辦一個小規模出版事業（按：即華國出版社），尤以一貫堅持反共方針，遂由多數參加集議人士推任領導。由臨時的集會，變為固定的座談；其地點經常利用國民黨在銅鑼灣某街所租賃之四樓房屋一層。每次參

[1] 馬五，〈「自由人」之產生與夭折〉，見馬五（雷嘯岑）著，《政海人物面面觀》（香港：風屋書店出版，一九八六年十二月初版），頁二一二。又此種座談會多在週末舉行，也有人稱之為「週末座談會」或「星期六座談會」。見馬五先生著，《我的生活史》（台北：自由太平洋文化事業公司出版，民國五十四年三月一日初版），頁一六一。

加座談者，多至三十餘人，少亦一二十人，皆為文化界人士，或為舊日與政治有關係者，各政黨及無黨派人士皆有之。後來我以香港政府最忌政治性的集會，凡參加人數較多，尤易引起猜疑，動輒干涉。加以如此散漫的座談，亦未必能持久，因於某次座談中提議創辦一小型之定期刊物，每週或半週出版一次，既可藉此刊物益鞏固反共人士之維繫，且刊物一經向港政府註冊，則在刊物辦公處所舉行的座談，皆可諉稱編輯會議，可免港政府之干涉。此議一出，諸人咸表贊同，遂計劃如何組織與籌款。結果決辦三日刊，定名為自由人，其資金由參加坐談人士各自量力提供。我首先代表華國出版社提供港幣一千五百元，此外各發起人分別擔任，或一千，或五百不等；並經決定撰文者一律用真姓名，以明責任。其後，又決定委託香港時報代為印刷發行。因是，籌備進行益力，發起人等每星期至少集會一次，間或二次，一切進行甚為順利。」[2]

二為眾人集議，早有志於此，雷嘯岑即主此說。雷言：「這時候，即有原在大陸上服務新聞界的報人成舍我、陶百川、程滄波，協同青年黨人左舜生、民社黨人金侯成，以及國民黨人阮毅成、無黨無派的王雲五，外加香港時報社長許孝炎、新聞天地雜誌社社長卜少夫一干人等，於每週末午後在香港高士威道某號住宅中，舉行文化座談會。大家談來談去，得到一項結論，要辦一份刊物，以闡揚民主自由思想，在文化上進行反共鬥爭。……適韓戰爆發，預料東亞局勢將有變化，刊物必須及時問世，刊物取名「自由人」，由程滄波書寫報頭兼撰〈發刊詞〉，標題是〈我們要做自由人〉。」[3]

然由當事人之一的阮毅成事後追記，似乎《自由人》三日刊能草創成功，仍是由王雲五一手主導的。阮說：「民國三十九年十二月二十日，雲五先生在香港高士威道約大家茶敘，其中特別提及『今日我約諸位來，是想創辦一份反共的刊物，以正海外的視聽。間接幫助臺灣，說幾句公道話。我們讀書人，今日所能為國家效力的，也只有此途。』」[4]由阮之記載，合理推論，《自由人》三日刊能順利催生問世，王氏為登高呼籲之首倡者，可能性是很高的！

但就在王氏積極創辦《自由人》三日刊之際，突發一件暗殺事件，則頗值得一述；且對後來《自由人》三日刊的發展不無影響。事緣於三十九年十二月下旬，王氏在《自由人》三日刊諸人集會散會後，在香港寓所遭遇暗殺，幸子彈未命中，逃過一劫，這突如其來之舉，使王氏決定立即離港赴台定居。此事來台後，王氏曾將真相告訴繼我而來的成舍我。王氏謂：「到臺以後，除將此次提前來臺的秘密暗中告知兒女外，他人皆不使知。後來事過境遷，才漸漸透露給若干至好的朋友，首先是對於不久繼我而來的成舍我君；因為他覺得我向

2 王雲五，《岫廬八十自述》（台北：商務版，民國五十六年七月一日初版），頁一〇四～一〇五。

3 馬五，〈「自由人」之產生與夭折〉，同註一，頁二一二～二一三。又見馬之驌，《雷震與蔣介石》（台北：自立晚報社文化出版部出版，一九九三年十一月一版），頁八一。

4 阮毅成，〈王雲五先生與自由人三日刊〉，見蔣復璁等著，《王雲五先生與近代中國》（台北：商務版，民國七十六年六月初版），頁三〇～三一。有關《自由人》之發起，另有一說為萬麗鵑博士論文所言：「《自由人》為『自由中國協會』成員所辦之三日刊。」見萬麗鵑，〈一九五〇年代的中國第三勢力運動〉（台北：國立政治大學歷史研究所博士論文，民國九十年七月），頁一六四。但根據「自由人」社發起人之一的雷嘯岑回憶說：「自由中國協會」為當時在美國的胡適、蔣廷黻、曾琦等人所發起，胡、蔣、曾諸氏希望以『自由人』全體發起人為主幹，先在香港成立總會，台灣暨歐美各省都設立分會。嗣經提出座談會詳細研討，大家認為總會以設在台灣為妥，香港亦只設分會，庶合體制。結果不知如何，這個會沒有成立，終於流產了。」馬五，〈「自由人」之產生與夭折〉，同註一，頁二一四～二一六。故萬氏此說，恐不確。

來很少患病，在約定聯合宴客之日，我竟稱病缺席，舍我不免將信將疑。其後到我家探病，見我毫無病容，更不免懷疑。及我不別而赴臺，他懷疑益甚，所以在他來臺後，偶爾和我詳談及此，我也就不好意思對朋友有所隱瞞了。」[5]

上述言及之十二月下旬，實際上是民國三十九年十二月三十一日，除夕。阮氏說：是日「王雲五先生約在高士威道午餐，我應約前往，王臨時以腹瀉未到，由成舍我兄代作主人，謂『自由人』籌備事，大致已妥。」而四十年的元月三日，阮氏也說到是日，「應卜少夫、程滄波二兄之約，到高士威道二十二號四樓午膳。據滄波兄言，是日原應由王雲五先生作東，而王於當天上午，離港飛台，臨行前以電話托其代為主人。」[6]

王氏的不告而別倉促離港赴台，也使得後續有不少參與「自由人」社同仁跟進，紛紛來台，這對於原本人力吃緊資金短絀的《自由人》三日刊之發展，當然有不小的影響。至於《自由人》三日刊籌組的經過梗概，雖在王氏離港來台後，仍按部就班的進行。四十年元月十日下午，阮毅成與程滄波及左舜生又約至高士威道聚談。關於創辦刊物事，左舜生主張宜立即出版，卜少夫則以須現款收有相當數目，方能創刊。是月三十一日，雷震自台灣來，亦參加「自由人」社活動。會中大家一致決定《自由人》三日刊，於農曆年後出版。並在職務安排上初步有了規劃，即推程滄波撰〈發刊詞〉，以辦報經驗豐富的成舍我任總編輯，陶百川為副總編輯。又另推編輯委員十四人，分別是劉百閔、雷嘯岑、陶百川、彭昭賢、程滄波、陳石孚、許孝炎、張丕介、吳俊升、金侯城、成舍我、左舜生、王雲五、卜少夫。[7]

四十年二月九日，內定為總編輯的成舍我自香港致函王雲五，說到：「自由人半週刊已將登記手續辦妥，『館主』係由少夫出名，因渠後來未再提出不能兼任之困難，……編輯人經由弟以本名登記。股款雖交者仍不太多，但讀者則頗踴躍。……據弟觀察，維持六個月，在經濟上當可辦到。惟編輯方面，則危機太大，因主力軍如我兄及秋原兄均不在此，其他如滄波兄等不久亦將赴臺，（即弟本身亦恐將於三月間來臺）稿件來源，異常枯涸，然既已決定辦，弟亦只有勉力一試。」[8]尚未正式創刊，但資金人才捉襟見肘的窘境，已被成氏料中，這對好事多磨的《自由人》三日刊日後之發展，已埋下艱困之伏筆。

二月十四日，成舍我向雷震、洪蘭友等人報告，《自由人》三日刊已得港府核准登記，一俟台灣方面准予內銷，即行出版。二十八日，成舍我向「自由人」社同仁報告：台灣內銷事已辦好，《自由人》三日刊即將出版，並出示創刊號大樣。因與會者多係辦報老手，提供不少意見，而成舍我也很有風度，博採眾議，為慎重起見，同意改遲數日出版，以便從容改正，並呼籲社員踴躍撰稿以光篇幅。[9]可見在王氏離港後，《自由人》三日刊真正之台柱角色，已責無旁貸的落到成舍我肩上。

5 王壽南編，《王雲五先生年譜初稿》第二冊（台北：商務版，民國七十六年六月初版），頁七四三。

6 阮毅成，〈「自由人」參加記〉，《傳記文學》第四十三卷第六期（民國七十二年十二月），頁一四～一五。

7 見《自由人》創刊號（民國四十年三月七日）第一版的編輯委員會名單。《自由報二十年合集》（一）（香港：自由報社出版，民國六十年十月十日）。阮毅成說為十六人，疑有誤。見阮毅成，〈「自由人」參加記〉，同上註。

8 〈成舍我致王雲五函〉，同註五，頁七四六。

9 阮毅成，〈「自由人」參加記〉，同註六，頁一五。

三月七日，《自由人》三日刊正式創刊，社址位於香港德輔道中一四九號四樓。目前所知參與的發起人有王雲五、王新衡、王聿修、端木愷、程滄波、胡秋原、吳俊升、黃雪村、閻奉璋、樓桐孫、陳石孚、陳訓悆、陶百川、雷震、阮毅成、劉百閔、左舜生、雷嘯岑、徐道鄰、徐佛觀、陳克文、成舍我、金侯城、張丕界、彭昭賢、許孝炎、卜少夫、卜青茂、范爭波、陳方、張純鷗、張萬里、丁文淵等三十餘人。[10]

發刊後，一紙風行，各方咸予重視，發行之初，每期印八千份。為打開台灣銷路市場，內容安排方面，特別增加一些軟性文字，勿使論文過多，淪為說教。雷嘯岑即言：「『自由人』的作者確實很自由，各人所寫的文字題材雖相同，而見解不必一致，祇要不違背民主憲政與反共抗俄的大前提，儘可各抒己見，言人人殊，真有百家爭鳴，百花齊放的景象，……首任的『自由人』主編是成舍我兄，他包辦大陸通訊版，把大陸上的共報消息，參以陸續從國內逃到香港的難民所述情形，寫成有系統的通訊稿，可謂費苦心。」[11]

誠然如是，由於文章精彩，見解深入，內容多元，析論入理，所以出版後不久，南洋各地僑報即紛紛轉載《自由人》文章。故在香港一隅辦一刊物，無形中等於在數地辦了幾個刊物，影響所及，至為廣大。不僅如此，有關《自由人》所發揮的影響力，可以曾任該刊主編雷嘯岑之回憶為證，雷說：「自由人半週刊，頗受台灣以及海外；尤其是美國一般華僑的注意，原有的每週座談會照常舉行，參加的人亦陸續增多了，風聲所播，國際人士來到香港的，亦來參加我們的座談會，交換政治意見，如美聯社遠東特派員竇定，南韓內閣總理李範，日本工商與新聞界人士前來訪談者尤多，……唯有駐在香港鼓勵華人組織『第三勢力』的美國巡迴大使吉塞普，始終沒有接觸過，大概是他認為『自由人』半週刊這些人，多數係國民黨員，氣味不相投，我們亦以對『第三勢力』之說，不感興趣，因而絕交息游，毫無來往。」[12]

雷氏這段記載很重要，不只說明了《自由人》發刊後之影響力；也道出了《自由人》與「第三勢力」毫無瓜葛，這對坊間有不少人一直以為《自由人》是「第三勢力」刊物有澄清作用。《自由人》三日刊甫發行，負責盡職之成舍我隨即寫信給王雲五提到：「連日為自由人半週刊事，頭昏腦暈，尊函稽答，至為罪歉。現半週刊已於今日出版，附奉一份，即希鑒察。大著分兩期刊佈，並盼源源見賜。今後應如何改進之處，統希指示為荷。」[13]另針對其後外界對《自由人》諸多揣測，如與「自由中國協會」之關係等等，「自由人」社也在三月二十一日的高士威道聚會中也做出決議，大家皆一致表示，「自由人」應獨立組織，以別於其他團體，乃推定董事九人，以左舜生為董事長。監事三人，為金侯城、王雲五、雷儆寰。成舍我為社長兼總編輯，卜少夫為總經理。[14]

10 「自由人」社成員，據筆者統計為此三十餘人，且各會員加入時間先後不一，有關會員名單散見於雷嘯岑、阮毅成等人之回憶文章及《雷震日記》中。

11 馬五先生著，《我的生活史》，同註一，頁一六一。

12 馬五，〈「自由人」之產生與夭折〉，見其著，《政海人物面面觀》，同註一，頁二一三～二一四。另萬麗鵑博士論文也提到，為打擊「第三勢力」運動，「國民黨亦透過黨報如《香港時報》、新加坡《中興日報》、美國《美洲日報》，及其所資助的報刊如《自由人》報、《民主評論》等，展開對第三勢力的文宣戰，此即是《香港時報》社長許孝炎所說的以『輿論對輿論』的鬥爭。」萬麗鵑，〈一九五〇年代的中國第三勢力運動〉，同註四，頁一六四～一六五。又見〈許孝炎意見〉，《總裁批簽》，台（四一）央秘字第〇〇八五號（一九五二年二月二十二日），黨史會藏。

13 〈成舍我致王雲五函〉，同註五，頁七四七。

14 阮毅成，〈「自由人」參加記〉，同註六，頁一五。至於《自由人》與「自由中國協會」之關係，馬五在〈「自由人」之產生與夭折〉已言之甚為了稿源，三月二十二日總編輯成舍我又致函王雲五拉稿，其中說到：「自由人在香港銷路尚好，一般觀感亦不錯。惟共匪刊物正以全力抨擊，弟等亦一反過去自由派刊物置之不理的辦法，強烈反攻。臺灣發行未辦好，少夫兄不日來臺，或能有所改進。同人撰稿，此間仍不太踴躍，盼公能以日撰五千字之精神，多寫數篇，並乞即賜惠寄，無任感幸。又此間稿酬，公議千字港幣十元，前稿之款，已送託香港書局轉交。此數雖微細不足道，然吾輩合力創業，知識勞動之所獲，在道德標準上說，固遠勝於以吃人為業之共匪萬萬矣。盼尊稿如望歲，望即賜寄，以慰饑渴。」[15]除簡略報告社務外，重點仍是稿源問題，而此問題也是《自由人》三日刊以後長期揮之不去的夢魘。

三、《自由人》之命名與經費及發刊宗旨

華路藍縷，創業維艱，有關《自由人》之命名，似乎是由阮毅成所起。原本成舍我欲名為《自由中國》，因與台灣雷震負責的《自由中國》半月刊同名而不獲採納。故阮毅成認為可參考台灣趙君豪所辦之《自由談》，而稍改其為《自由人》，卒獲大家一致同意，名稱問題因此而敲定。[16]其實若從五〇年代的背景去觀察，刊物取名為《自由人》並不足為奇。蓋彼時海外正刮起一陣「自由中國反共運動」浪潮，其中尤以香港地區為最。為壯大「自由中國反共運動」，於是乎，海內外的一些知識份子刻意以「自由」二字為雜誌刊物名稱，以凸顯有別於大陸的獨裁極權。職係之故，各種以「自由」為名之刊物如《自由中國》、《自由陣線》、《自由談》、《自由世界》等雜誌，如雨後春筍般紛紛出籠，《自由人》三日刊之命名，應該是在此時代背景下而正名的，且的確有其時空的特殊意義存在。[17]

至於現實的經費來源問題，早在三十九年十二月二十日的聚會中，王雲五即定調說：「我要先與諸位約定，這是一份自由的刊物，所以，一不能接受外國的幫助，二不能接受政府的支援。同仁不但要寫稿，還要負擔經費。」[18]王氏之所以要如此約法三章，是要避免外界將《自由人》視為拿美國人錢所辦的「第三勢力」之刊物的疑慮或揣測；另外，不接受政府支援，也是想以獨立身分之姿，能在言論上暢所欲言，而不受政府掣肘，更不想貼上政府刊物之標籤。揆之《自由人》草創之初，因經費來源由各會員出資，確實能夠如此。例如在籌備階段，王雲五首捐港幣三千元，各會員至少認捐港幣一千元，所以誠如雷嘯岑言：「大家分途進行，未到一個月，即籌募到港幣一萬七千元了。」[19]

創刊經費有著落，但接下來長期的經費支出，恐怕就不是由會員認捐可解決。到最後仍不得不仰賴台灣國府的金錢支助，在《雷震日記》中即披露不少箇中內幕，茲舉日記一則為證。民國四十年五月二十五日：「雪公（按：指王世杰（字雪艇），時任總統府秘書長）

詳，同註一。

15 〈成舍我致王雲五函〉，同註五，頁七四七～七四八。為稿源及素質起見，成舍我亦曾寫信向阮毅成拉稿，信上提到：「在臺同人寫稿，原約每期供給八千字。希望以兄之熱忱毅力，催請同人，公誼私交，達此標準。」又說：「自由人聲譽，雖日有增進。惟經濟及稿件，均危機太大。現此間已只賸左（舜生）、許（孝炎）、雷（嘯岑），及弟共四人，稿荒萬分。如濫用一般投稿，則水準即無法維持。」阮毅成，〈「自由人」參加記〉，同註六，頁一六。可見身為主編的成舍我，為稿源及《自由人》之內容水準，真是心力交瘁，煞費苦心。

16 同註六，頁一四。

17 馬之驌，《雷震與蔣介石》，同註三。

18 同註六，頁一四。

19 同註一二，頁二一三。

來電話，可助《自由人》三千港幣，但不可明言，因《新聞天地》一再要求援助而未允許也。……《自由人》因經費困難，而負責又無專人，致有停頓之可能，由予（雷震）約集雲五、滄波、孝炎、毅成、端木愷、少夫諸君會商，由予等籌款接濟，每月假定虧二千五百元，至年底約為一萬七千五百港元，改組組織，推定成舍我為社長，左舜生代理董事長，予負臺北催稿及催款之責，總統府之三千元，由予負責，予另外再籌五百元。」[20]由《雷震日記》可知，創刊才二月餘之《自由人》，經費已拮据如此，而不得不靠政府補貼，在此情況下，其日後之文章言論，就頗受台灣國府當局之制約影響了。

另有關《自由人》之創刊宗旨，其實早在刊物出版以前，對於未來言論與編輯方針，「自由人」社同仁即做了幾點規約：（一）、發揚民主自由主義；（二）、發起人按期撰寫頭條論文，且須署出真姓名；（三）、文責各人自負，但須不違背民主自由思想暨反共救國的大原則；同時將全體發起人的姓名亦在報頭下面，表示集體責任。[21]創刊後，首由程滄波撰發刊詞，題為〈我們要做自由人〉，擲地有聲的強調：「我們今天大膽向全世界人類提出一個問題：便是世界人類，現在與將來，要不要做人？如果想做人，從什麼地方去著手奮鬥？……今天世界人類只有兩個壁壘，一個是『人的社會』之壁壘，一個是「非人社會」之壁壘。這兩個社會的磨擦，今天已到了白熱化的程度。『人的社會』中每一個人，是有人性，有人格，根據人性與人格，發揮其個性，以增加社會之幸福與個人之生活水準，從而增進世界的和平與人類的文明。反觀『一個非人社會』中，人除了具備人的形態外，沒有思想與靈魂。『非人社會』中，人只是一群動物，既不許其有人性，亦不讓其有人格，他們是奴隸、是機器。」

程滄波言：很不幸的，今天的中國大陸，全大陸數萬萬同胞一年來，即陷入共匪的非人社會中。因此我們和全世界愛好和平民主的人們，要發動正義的呼聲，救自己，救同胞，救人類。我們要揭著自由的大纛，叫著「做人」的口號，開始「自由人」的運動。爭自由，爭人性，發動全人類自由人性的力量，去打倒與剷除共產帝國主義反人性的非人社會。不殘殺，不掠奪，在不流血革命的原則下，使人人有飯吃。本此目的，以建立新中國新世界。所以，「從今天起，根據以上主張，我們謹以此小小刊物『自由人』，貢獻於全世界凡是不願做奴隸的人們，也就是我們這一群人，決心獻身於這一運動的開始。全世界和平民主的人士：我們要做人，我們要做自由人。每個人爭取了自由，世界才有民主和平，人類才有幸福與光明。」[22]我們要做人，我們要做自由人，起來，不願做奴隸的人們！程滄波這篇發刊詞，簡直是一篇慷慨激昂的宣示詞，代表全世界不願在「非人社會」生活下的自由人，向共產專制極權政權，發出堅決的怒吼。[23]

《自由人》三日刊，每星期出兩次，每次十六開一張。主編人規定由原先的「座談會」同仁輪流擔任，一年一換，為義務職，故內部人事組織極為簡單，只有一主編，一助理員和事務員，共三人而已。

20 《雷震日記》（民國四十年五月二十五日），見傅正主編，《雷震全集》（三三）（台北：桂冠版，一九八九年八月初版），頁一〇〇～一〇一。

21 同註一二，頁二一三。吳相湘，〈成舍我為新聞自由奮鬥〉，見其著，《民國百人傳》第四冊（台北：傳記文學出版社印行，民國六十年元月初版），頁二七五。

22 程滄波，〈「自由人」發刊詞〉，見其著，《滄波文存》（台北：傳記文學出版社印行，民國七十二年三月十五日初版），頁一五七～一六〇。

23 阮毅成也說到，這是一篇代表知識份子愛國反共心聲的大文章，義正辭嚴，擲地有聲。同註六，頁一五。

該刊內容，第一版分「專論」、「時局漫談」、「自由談」各欄；第二版刊大陸共區消息；三版則記述港、台的社會新聞；四版是「副刊」。「專論」亦由座談會同仁分別撰寫，或徵用外界志同道合人士之作品；唯「時局漫談」和「自由談」二專欄，係由左舜生與雷嘯岑二氏負責包辦。《自由人》三日刊，因撰寫團隊堅強，且作者大多具有清望，故在海隅香港頗有號召力，銷路亦不壞；又可以銷台灣，雖無廣告收入，仍可勉強維持下去，在五〇年代的香港，可謂雜誌期刊界之奇葩。[24]

四、《自由人》的艱苦經營

平情言，《自由人》三日刊從四十年三月七日發行，到四十八年九月十三日停刊，維持約八年餘。這八年多的歲月，可謂艱辛撐持，多災多難。

首先為組織渙散不健全，於是才有民國四十年下半年的重組之舉。此中最大原因為「自由人」社大多數同仁均已離港在台，分別有：王雲五、王新衡、端木愷、程滄波、胡秋原、吳俊升、黃雪村、閻奉璋、樓桐孫、陳石孚、陶百川、陳訓悆、雷震，及阮毅成，幾乎佔了一半以上；而在港的僅有左舜生、金侯城、許孝炎、成舍我、劉百閔、卜少夫、雷嘯岑等人。其後在台參加的，又增加徐道鄰，共二十二人。為連絡方便起見，在台同仁乃公推王雲五為董事長，但又因刊物在港出版，故推左舜生為在港之代理董事長，就近處理刊物，成舍我則為社長。[25]

然因「自由人」社未有組織章程，也未在台辦理社團登記，所以才有民國四十一年一月十日，在台同仁在王新衡家為此商議之事。時適值端木愷甫自香港返台，報告港方同仁最近決定取消社長制，亦推左舜生代董事長，成舍我為總經理，劉百閔為總編輯。此事，在台「自由人」社同仁有不同意見，在三月七日及十五日的兩次餐敘商討論中，均決定仍採社長制，並仍推成舍我兄任社長。只是一個三十餘人的「自由人」社，就為了區區的刊物人事組織問題，港、台同仁即不同調，其他之事就可想而知了。所幸意見儘管有異，但同仁感情尚佳，阮毅成即言：「自由人在香港創辦之初，同仁常有餐會，交換意見。在臺同仁，於民國四十年七月十二日起，舉行聚餐或茶會，由同仁輪流作東，平均每兩週一次。除談自由人社各事外，亦泛論時局，交換見聞。」[26]

民國四十一年二月九日，「自由人」社在台同仁餐敘時，有鑒於《自由人》三日刊創刊已近一年，但組織與人事及編輯立論之困擾問題仍在，因此大家有必要提出意見交換，以尋求解決之道。席間程滄波首次提出編輯態度問題，但遭雷震反對。程又謂：「劉百閔不宜任總編輯，上次，此間同仁推成舍我任社長，何以改變？此間皆未知悉。」雷震與陶百川又認為，台方不宜干涉港方人事，雙方爭論甚久。最後由阮毅成提出折衷解決方案為：（一）、自由人本係超黨派立場。只知民主、自由、反共，不知其他。此後仍須守定此項立場。（二）、港方報刊如對台灣中華民國政府，有惡意攻訐，或無理批評，自由人不可自守中立，須起而加以駁斥。（三）、人事問題，另函在港之許孝炎查詢，不作決議。

24 雷嘯岑：《憂患餘生之自述》（台北：傳記文學出版社印行，民國七十一年十月十五日初版），頁一七六。

25 同註二三，頁一六。

26 同上註，頁一七。

眾皆贊成阮毅成之方法，並請其起草一函，致在香港之左舜生、許孝炎、成舍我、劉百閔、雷嘯岑諸人。阮函送各人簽名後發出，信中報告：「弟等今午聚餐，談及自由人編輯態度。回溯創辦之初，原屬超於黨派之外。……兄等在港主持，辛勞至佩，自亦必贊同弟等態度也。邇後港方報刊如對於臺灣中華民國政府惡意攻訐，或無理批評，自由人似不便自居中立，宜即加以駁斥。如有中國之聲作者來稿，希勿予以刊登，以嚴立場。再則，此間對第三方面各事，多持私人消息。語多片斷，難窺全貌。斯後尚懇時將各方動態，擇要見示。既可為撰稿時之參考，亦為知彼知己之一道。自由人素以民主反共為宗旨。署名：王雲五、程滄波、黃雪村、王新衡、樓桐孫、吳俊升、陳石孚、陶百川、雷震、阮毅成。」[27]

民國四十一年三月十五日，《自由人》創刊已屆滿一年，留台「自由人」社舉行全體會議。會議主席推王雲五擔任，其中：

（一）報告事項：（甲）、經費小組許孝炎報告——擬募集港幣三萬元（其中成舍我、許孝炎約洪蘭友，被分配擬向各紗廠募台幣一萬元）。（乙）、編輯小組成舍我報告：1、組織擬仍採現制，並請加推一人為必要時接替編務工作之用。2、發行擬請先行籌集基金以期達到日後之自給自足。3、編輯方針方面：積極在倡導民主自由，消極在反共抗俄，至對於台灣態度應仍許有批評，但不可損及自由中國之根本。4、在台同人集體意見推定專人執筆寄港，決登載第一版，並不易一字，如係個人稿件，在編輯方面擬請仍保有斟酌之權。5、每期需要稿件二萬四千字，在港同人無多未能盡任，在台同人時惠稿件。

（二）討論事項：（甲）、《自由人》三日刊社是否仍採社長制案。決議：仍採社長制，成舍我擔任社長。（乙）、《自由人》三日刊社費應如何加募案。決議：1、經費小組在進行籌募之港幣三萬元，於兩個月內籌足，作為基金，備日後擴充發行之用。2、另由經費小組加募港幣一萬元，作為最近數月經常費不足之需，在未募起前由許孝炎、成舍我負責維持現狀。3、加推樓桐孫、程滄波參加經費小組，並以王董事長雲五兼經費小組召集人。（丙）、《自由人》立論態度應如何確定案。決議：1、除積極的主張民主自由，消極的反共抗俄外，並須維護現行憲法倡導議會政治。2、凡外界對台灣有惡意攻擊影響國本時，應予駁斥，立場務須堅定，態度務須明確。3、除專門問題研究外，宜多載通訊及趣味性文字，理論文字及新聞性宜各佔三分之一。[28]此次會議至關重要，它為已紛擾年餘的《自由人》定調，但此為台方同仁之共識，港方同仁只是被動告知，並不見得完全同意，所以日後港、台雙方仍存有歧見。

其次更嚴重的是經費短絀，入不敷出，以至於時有停刊之議。這棘手問題其實打從創刊起即已浮現，只是苦撐待變，能維持多久算多久，但情況並沒改善且持續惡化中。四十一年六月十四日，王雲五、阮毅成與程滄波等聚會，商議如何應付《自由人》三日刊之困難。王雲五謂得左舜生與成舍我二君信，信上，成舍我堅辭社長，又每月不足港幣二千元。如無法解決，則自本月十八日起停刊。劉百閔則說香

27 〈阮毅成致左舜生諸氏函〉，見王壽南編，《王雲五先生年譜初稿》第二冊，同註五，頁七六八。

28 同註五，頁七七〇～七七一。

港紙價日跌，印刷係由《香港時報》代辦，印費可以欠付。以往亦每月虧空，並不自今日始。

對此，王雲五建議是否能改為月刊，移台出版，但眾意覺得移台出版，則《自由人》功用全失，仍宜繼續在港發行。最後決定由王雲五函復，請成舍我維持至七月底止。[29]是年十二月二日，「自由人」社同仁又再行會商，由王雲五主持，會中卜少夫表示願接辦，至少可免招致停刊命運。然未幾（十二月六日），卜少夫以有人表示異議，乃謂其《新聞天地社》同仁不贊成其再兼辦另一刊物，打消原意。王雲五即席宣布仍在港出版，推成舍我兄回港主持，並改為有給職。[30]

29 同註五，頁七七四。《自由人》經費之窘困，自創刊伊始至結束均如此，阮毅成即言：「我只記得在創刊第一年中，就賠去了港幣參萬參仟元。時歷八年半，為數甚為可觀。這尚是距今三十多年前的幣值，如以現在幣值計算，則更為巨大。」阮毅成，〈王雲五先生與自由人三日刊〉，同註四，頁三四。到《自由人》停刊止，其經費仍入不敷出，茲舉結束前致王雲五等人之二信函為證。四十八年九月十一日許孝炎自港來信王雲五，報告「自由人」結束時經費情況。「雲五先生並轉鑄秋舍我儆寰滄波新衡秋原佩蘭少夫諸兄惠鑒：關於自由人停刊事，前經兄等決定函達克文。兄弟回港後，復經再三磋商，始於前日由在港各有關友人舉行特別會議議決定停刊，並於本月十三日起實行。茲將會議紀錄抄奉敬祈鑒察。」「預計自由人可能收入之款（連登記費在內）約為乙萬四千餘元，支出除舊欠稿費約乙萬三千元；及克文兄之欠薪近九千三百元暫不計入外，此外薪工紙張印刷房租，今年稿費應退報費及空運費等，共計約為二萬乙千餘元，不敷之數約為七千餘元。倘預計可能收入之款有一部分不能收入時則虧欠之數將必更多，如何籌還以資結束頗費周章。而有把握之登記費乙萬元則尚待少夫兄回港簽字後始能提出備用。」又十二日社長陳克文亦致函王雲五。「岫公賜鑒：茲奉上『自由人』在港同人特別會議紀錄一份，請　察閱。『自由人』經濟情形截至本年九月十二日止，共欠債務三萬餘元，除登記費一萬元外，尚可能收回之款二千餘元，結束用費約五百餘元，並此奉告，統請轉知在台各位同人為禱。」見王壽南編，《王雲五先生年譜初稿》第三冊（台北：商務版，民國七十六年六月初版），頁一〇五二～一〇五三。

30 同註五，頁七七九。《自由人》主編是不支薪的，可見其艱困於一般。同為主編的雷嘯岑曾說：「首任主編人成舍我兄苦幹了一年之後，因為

成謙辭未果，旋即表示接受。後當場推定王雲五、程滄波、樓桐孫、胡秋原、陶百川、黃雪村為在臺撰述委員，程為召集人。另推成舍我、程滄波、胡秋原三人起草言論方針。王雲五、端木愷、王新衡為財務委員。香港方面撰稿委員，由成到港後約定人員擔任。事後，當事者之一的阮毅成，對是晚之會的結果表示很滿意，還稱為是《自由人》中興之會，同仁莫不興奮。但其後，主要的重點之一，《自由人》未來的言論方針並未草成。[31]四十二年三月十四日下午，「自由人」社同仁聚集在成舍我處，參加茶會。會中，成舍我出示香港許孝炎來信，謂自由人又不能維持。因已積欠《香港時報》印刷費港幣六千元，稿費十一期。且人力亦明顯不足，雷嘯岑將來台灣，左舜生又將赴日本旅行，主持無人，不如停刊。經同仁交換意見，仍認為不能停辦，並催成舍我兄速赴港負責。

因茲事體大，三月二十一日，「自由人」社另一要角阮毅成，也在家中約集在台同仁茶敘。會上，成舍我表示其有困難不願赴港，而港方近日來函，支持為難。眾意乾脆移台編印，仍推成舍我主持。[32]二十五日下午阮氏親訪成舍我，成表示三點立場：（一）、決不去香港。（二）、《自由人》如移台出版，願意主持。（三）、未移台前，可先在台編輯，寄港印行。同月二十八日下午，以《自由人》問

準備移家台灣，不能繼續盡義務了——主編人不支薪——大家公推下走承其乏，因係義務職，唯有接受而已。」馬五，〈「自由人」之產生與夭折〉，同註一，頁二一六。

31 同註五，頁七七九。

32 雷震日記當天即記載：「下午三時半至《自由人》座談會，阮毅成提議《自由人》表面在港，實際遷台，無一人反對。我內心不贊成，但不願表示，因《自由人》遷台完全失去效用。今日雲五未到，他們囑我報告。」《雷震日記》（民國四十二年三月二十一日），見傅正主編，《雷震全集》（三五）（台北：桂冠版，一九九〇年七月二十日初版），頁四八。

題緊迫，急待解決。「自由人」社同仁乃在端木愷家中餐敘。對《自由人》前途，共有四種主張：（一）、停刊。（二）、移台出版。（三）、在台編輯，寄港印行。（四）、推成舍我赴港主持。討論結果，決定用第四法，成亦首肯。然成謂：《自由人》除發行收入外，每月須虧四千元，此問題亟需解決。[33]

四月十八日，因港方同仁頻頻催促速做決定，眾議又思移台編印，王雲五亦同意移台出版，但謂須改為半月刊或月刊。三十日下午，成舍我與端木愷、阮毅成、王新衡、程滄波等人，又應王雲五約茶敘。時端木愷甫自港返，謂港方「自由人」社已無現款，勢不能繼續。因以由今日到會者商定：（一）、香港方面自五月十日起停刊。（二）、在台登記改為月刊，推王雲老為發行人，成舍我兄為總編輯。[34]然不久，港方同仁又變掛，五月十一日，阮毅成訪成舍我，成即謂卜少夫前日到台，攜有左舜生致王雲五函，主張《自由人》仍在港出版。

此事經緯，雷震在其日記亦提到：「見到雷嘯岑來函，對我們囑香港停刊，決議移臺辦月刊則大不以為然，來信措詞甚劣，決定去電並去函說明，以免誤會。」[35]雷嘯岑甚至為此來函欲辭去社長職務。

33 雷震日記載：「下午四時，在端木愷處討論《自由人》移台問題，王雲五、徐佛觀、端木愷及我均不贊成，程滄波、阮毅成、成舍我願移台，最後決定請成舍我至港辦至六月再說，因行政院之款發至六月底止，如停刊或移台亦須至六月底再說。」《雷震日記》（民國四十二年三月二十八日），見傅正主編，《雷震全集》（三五），同上註，頁五二。

34 這問題一直延伸至四十三年依舊如此。雷震日記：「《自由人》在港不易維持，決遷台辦週刊，由成舍我任社長，王雲五任發行人。」《雷震日記》（民國四十三年八月七日），見傅正主編，《雷震全集》（三五），同上註，頁三一四。

35 《雷震日記》（民國四十二年五月九日），見傅正主編，《雷震全集》（三五），同上註，頁七四。

《雷震日記》記載：「今日午間約來臺之《自由人》報有關各位來鄉午膳，除端木鑄秋、阮毅成、吳俊升、胡秋原外，到有十五人，即王新衡、樓桐孫、陶百川、張純鷗、陳訓悆、卜少夫、卜青茂、程滄波、范爭波、王雲五、成舍我、黃雪村、閻奉璋等及另約陳方。飯後討論雷嘯岑來函辭去社長職務一事，經決議慰留。」為此事，雷震感慨的說：「《自由人》發起人在臺者，不過十餘人，港方不過數人，兩方意見不合，終會扯垮。民主自由人士之不易合作，於此可見一班。」[36]

由於雷嘯岑堅決辭社長職務，八月一日，《自由人》在台同仁藉由茶敘機會，聽取甫自香港來台之劉百閔報告，劉謂：在港同仁意見為（一）、必須在港繼續出版。（二）、改推陳克文任社長。（三）、每月不足港幣八百元，在港有辦法可以籌得。王雲五說：「左舜生有信來，克文係其物色，本人絕對贊同。」眾亦皆表示贊成。但成舍我認為每月八百元之說，計算必有錯誤，至少每月亦需賠二千五百元，所以決定請王雲五再去函新社長，請重為估計。其實《自由人》經費之短絀，可由總其事的總編輯都不支薪一事更可看出，四十三年七月十日，左舜生自香港致函王雲五即說到：「弟意，自由人編輯者，原規定每月可支三百元，以舍我、百閔兩兄任編輯時，未支此款，後任編輯一年，亦即未支。」[37]如此窘境，要不是有台灣國府當局在幕後經費贊助，《自由人》三日刊能支撐八年餘，根本是不可能的。[38]

36 《雷震日記》（民國四十二年六月二日），見傅正主編，《雷震全集》（三五），同上註，頁八五。

37 〈左舜生致王雲五函〉，同註五，頁八二四。

38 雷震日記：「王雲五約『自由人』社在台同仁晚餐，以「自由人」在港經濟困難，重申移台出版，由成舍我任編輯之議。」《雷震日記》（民國最後為文章之尺度問題，除上述言及《自由人》三日刊甫創刊即面臨稿源不濟的困難外，更麻煩的為自從接受政府補助後，基本上，《自由人》的言論立場在相當程度上已受政府箝制。以至於在很多議題上，不僅不能秉公立論、暢所欲言；且須為政府妝抹門面，極力辯解。稍一不慎，隨即惹禍，遭致抗議。如民國四十一年六月一日，「自由人」社王新衡即訪阮毅成，談話重點就說到，《自由人》最近兩期，刊載左舜生〈論中國未來的政黨〉一文，有人表示不滿。[39]為避免誤會，乃一起同訪王雲五，請其以董事長身份，致函香港總編輯成舍我，請其勿再刊出此類文字。[40]

雖係如此，但言論自由乃是知識份子的普世價值觀，用強制力約束是沒用的。果然到民國四十四年又發生更嚴重的文字賈禍事件，差一點讓《自由人》無法在台銷售。事緣於是年三月二十三日，王雲五即接到司法行政部部長谷鳳翔來函，表示《自由人》三日刊，登載雷嘯岑文章，影響政府信譽，要求王雲五代向該社方面解釋。全函內容為：「頃閱本月二十三日自由人刊載『自由談』及『半週展望』雷嘯岑先生文內謂，揚子公司貪污案牽涉本部，曷勝駭異，此種無稽之詞，殊足影響政府信譽，茲特寄上函稿二份，送請　察閱，並祈賜檢一份轉致雷君查明更正，仍乞代向該報社方面照拂解釋為幸。」[41]

由於《自由人》所刊文章得罪當道，引起了國民黨中央黨部對《自由人》言論的不滿。三月二十六日，時任《中央日報》社長，亦是「自由人」社同仁的阮毅成至中央黨部參加宣傳政策指導小組會議時，即受到中央黨部秘書長張厲生的警告：「香港《自由人》三日刊，近日言論記載，愈益離奇，須採取停止進口處分。」幸阮毅成趕快緩頰，除報告《自由人》艱難創辦經過外，並謂：「現在台北各同仁，久未與聞港事。王雲老曾去函港方，請以後勿再刊載不妥文字。又以所載台省情形，與事實相距甚遠，曾通知港方，以後遇有記載台省情形稿件，先行寄台複閱。認為可用者，方予刊布，亦未承照辦。惟自由人參加者，多為各方知名之人。如忽予停止進口，恐反而使海外人士，對政府有所批評。不如一面先採取警告程序，依照出版法，由內政部為之。一面通知在台之董事長王雲五氏，促其改組。如再有違反政府法令之事發生，則採取停止進口處分。」[42]

為此，是晚十時，阮氏尚先訪成舍我，說明會議經過；再與成同訪王雲五，報告此事。王雲五似乎對此頗為不悅，乃決定於三月三十日下午五時，在端木愷家中，約集「自由人」社在台全體同仁會商。在三月三十日的決議中，提到《自由人》的現實問題，「本刊如不能銷台，勢必停刊。為避免使政府蒙受摧殘言論之嫌，希望政府妥慎處理，使其能繼續出版。在台同仁，願意退出。惟在港同仁意見如何，亦盼政府遲與洽商。」並推阮毅成與許孝炎二人將此項決議，轉達黃少谷，另函告在港同仁。[43]

四十三年七月十一日），見傅正主編，《雷震全集》（三五），同註三二，頁三〇二。有關國民黨高層提供《自由人》之經費支援，尚可參閱〈對港澳政治活動之指示〉，見中國國民黨中央改造委員會第一六五次會議紀錄（一九五一年七月四日——附件），黨史會藏。

39 左舜生〈中國未來的政黨〉（上）、〈中國未來的政黨〉（下）二文分別發表在《自由人》第一二九期（民國四十一年五月二十八日）、《自由人》第一三〇期（民國四十一年五月三十一日）。

40 同註五，頁七七三。

41 雷嘯岑，〈半週展望〉，《自由人》第四二三期（民國四十四年三月二十三日）。雷文所寫之論揚子公司案，因涉及上海時期之揚子公司，對孔祥熙有所批評，遂奉命查辦。又〈谷鳳翔致王雲五函〉，同註五，頁八四七。

42 同註五，頁八四七～八四八。

43 同上註，頁八四九。

換言之，針對當局對《自由人》的不滿，「自由人」社在台同仁採取了委曲求全的態度，一方面願意退出，此舉可能有兩層深意，一為逼香港「自由人」社同仁，小心謹慎，莫再刊登批評政府之文章，否則與渠無關，二為多少有向政府交心之意，明哲保身，不想惹禍上身；再方面亦有請政府介入之意，希望儘量保留能讓《自由人》繼續在台銷售。[44]果然如此，四月七日，王雲五即致函總統府秘書長張群，說明「自由人」之情形，並建議將「自由人」社改組，由政府指定負責主持言論之人實行接辦。信的內容為：「惟是該刊經費本奇絀，全恃內銷而維持，一旦停止內銷，勢必停止刊行，外間不察，或不免對政府妄加揣測，弟愛護政府，耿耿此心，竊認為消極制裁，不如積極輔導，將該刊改組，由政府指定負責主持言論之人實行接辦，可變無用為有用，弟當力勸原發起各人，本擁護政府之初衷，竭誠合作。」[45]

一週後，以國民黨並無接手之意，在恐不能銷台的情況下，成舍我與王雲五、陶百川、徐道鄰、陳訓悆、程滄波、胡秋原、吳俊升、端木愷、黃雪村、阮毅成等決議：「茲因環境困難，經濟無法支持，決議停刊，由主席（王雲五）根據本決議徵求在港同人意見。」其後，在台同仁復在成舍我宅聚餐，決定在台同仁既已必須退出，而中央黨部又規定不得再與《香港時報》，發生關聯，則無地可以印刷，亦無處可再欠印刷費。外界聞知中央處分，亦必不願再行認指，環境困難如此，只可宣布停刊。並請王雲五函詢港方同仁意見，如港方同仁堅持續辦，在台同仁自不能再行參加。[46]

由於文章得罪當局，以致有禁止銷台之聲，在港負責《自由人》編輯工作之陳克文旋致函阮毅成、王雲五等人，表示「咎衍實無可辭」，「自由人停止出版，唯覺可惜，形勢如此，亦復無可如何，文與左劉兩公對此均無成見，惟此間尚有其他股東，又年來出錢出力者，頗不乏人，此事似不宜由文等三人遽作決定，即為港方同人之全體意見，擬於最近邀集會議，提出報告，徵求多數意見，再作正式答覆。」[47]但不久，事情又有變化，四月二十九日，一向敢言的左舜生，終於自香港來函，明確表示反對《自由人》停刊，並謂在港「自由人」社同人決暫予維持。信中言：

「雲老賜鑒：四月七日阮毅成兄來信，並附有留台同人退出決議一紙，十八日奉　公手書，知同人復有集議，以經濟環境關係，主張停刊；均已誦悉。此間於當地環境，已洞悉無遺；對　公等所採態度，並無不能諒解之處。惟念同本刊宗旨，一面在『堅決反共』，一面在『爭取民主』，四年以來，奉此週旋，雖不無一、二開罪他人之處，但大體上並未

44 《自由人》三日刊，國民黨中央當指示「扶助」之，以批判中共，擁護政府並同情國民黨為原則。故該刊早期立場為中間偏右，後來對國民黨的批評言論日益激烈，台灣當局乃禁止其輸入，並停止所有經費資助。故《自由人》能否銷台，對該刊影響至鉅。萬麗鵑，〈一九五〇年代的中國第三勢力運動〉，同註四，頁一六四。

45 〈王雲五致總統府秘書長張群函〉，同註四三。

46 同註五，頁八五〇。有關王雲五在此問題之角色，阮毅成有相當持平之看法，阮說：「雲五先生名為董事長，出錢出力，卻不便範圍各黨及無黨人士，一定均作統一的宣傳，致反而完全成為俗套，失去向海外為政府說話的影響力。於是在發刊期中，常常發生選稿欠當的問題。每次有問題發生，雲五先生首當其衝，常為他人所不諒解，致生煩惱。臺港兩地同仁，為此書信往返，謀求各種補救辦法，效果均不甚彰。」阮毅成，〈王雲五先生與自由人三日刊〉，同註四，頁三六。

47 〈陳克文致王雲五、阮毅成信〉，同註五，頁八五一～八五二。

逾越範圍。今赤燄正復高張，而民主亦勢非實現不可；大約在二、三月內或有變化，前途殊未可知！故此間同人，經過再三考慮，仍決定暫予維持，並囑舜代為奉復，即乞轉達諸友為荷。公等即不得已而必須退出，仍望不遺在遠，隨時予以指導，除宗旨不能犧牲以外，同人無不樂於接受。海天遙望，曷勝悲憤憂念之至！」[48]

從此以後，《自由人》三日刊似乎終於渡過了這段風風雨雨的歲月，儘管港、台大多數「自由人」社同仁情誼依舊，但經費、稿源、立論尺度等問題仍在。《自由人》三日刊即帶此痼疾，跌跌撞撞的支撐八年餘，在民國四十八年九月十三日宣佈停刊。[49]

五、結論——從《自由人》到《自由報》

無論如何，在五〇年代那段風雨飄搖的歲月，《自由人》能以香江一隅之地，在內外環境相當險惡的情況下，擎起「我們要做自由人」的大旗，反抗共產極權，與中共做誓不兩立的言論鬥爭，其勇氣和決心仍另人刮目相看的。另一方面，《自由人》雖義無反顧的支持台灣國府當局，但在恨鐵不成鋼的期待心理下，對台灣當局若干錯誤的舉措，仍一本忠言逆耳之立場，毫不留情的提出批判或建言，即使在經費斷炊的威脅下，亦不為所動，這份苦心孤詣之意，也令吾人感佩。

而此即所以《自由人》在發行的八年餘中，雖屢有遷台之議，但大多數同仁始終仍以在香港立足為佳之看法，因其言論立場較客觀中立，雖稍偏向國府，但非無原則的一面倒，兼以香港為基地，較少政府、政黨色彩之觀感，且因對國、共雙方均有批評，是以其在香港作用較大之故也。當然《自由人》之悲劇，除上文已詳述之經費、稿源、言論立場受到制約等外緣因素外，尚有深一層內緣因素存在，此即中國傳統知識份子屬性使然。知識份子主性強的「書生本色」，誰也不服誰之個性，長落人「秀才造反，三年不成」之譏，因渠主觀意識強，所以容易堅持己見，是其所是，不大能夠為大局著想，且因自視太高，未能屈己就人，所以較乏團隊精神。

這情況在「自由人」社這批高級知識份子間亦是如此，雷嘯岑曾舉一事證明之，在《自由人》是否遷台之際，「王雲五以董事長資格，致函於我，囑將自由人報遷赴臺北發行，且將繳存港府的押金萬元一併匯去。旋由代董事長左舜生召集在港同仁會商，決議仍在香港出版，但在臺北的同仁，亦可刊行臺灣版，然王雲五很不高興，說我不以他為對象，悻悻然嘖有煩言，殊堪詫異。未幾，許孝炎由臺北回港，主張自由人停刊，他怕我不贊成，先囑我莫持異議，我表示無所謂，而自由人三日刊，即於一九五八年九月十二日宣告停刊了。現代中國高級知識份子之沒有團隊精神，於此又得一實驗的證明，曷勝慨嘆！」[50]所以當年左舜生在《自由人》創辦之初，樂觀的夸談「自由人」社同仁可以組織聯合政府，永遠合作無間之見解，雷嘯岑說，實係幼稚幻想。文人相輕，自古而然，《自由人》三日刊的緣起緣滅，依然落得一個「殺雞聚會，打狗散場」的結局，這也是中國現代高級知識份子的悲劇，想來仍不禁令人浩歎！[51]

48 〈左舜生致王雲五函〉，同上註。

49 雷嘯岑說為四十八年九月十二日停刊，恐有誤。雷嘯岑，《憂患餘生之自述》，同註二四，頁一八二。

50 同上註。

51 馬五，〈「自由人」之產生與夭折〉，同註一，頁二二〇。其實雷嘯岑自己亦如是，當《自由人》剛成立時，「大家的情感很融洽，精神上團結

《自由人》雖然走入歷史停刊了，但未及五個月，一份延續《自由人》餘波的《自由報》在民國四十九年二月十七日，另起爐灶又在香港創刊了。《自由報》社址位於香港銅鑼灣高士威道二十號四樓，也是採取半週刊（三日刊）的形式，於每個星期三、六發行。社長為雷嘯岑，督印人黃行奮，出版第一期有由以本社同人署名撰寫的〈我們的志願和立場〉為發刊詞。該文強調「我們是一群崇尚自由主義的文化工作者。對社會生活篤信『人是生而平等的』這項義理，珍重個人的人格尊嚴；對政治生活認定『政府是為人民而存在的』，要求基本人權之確立與保障。……我們膺受著共產極權主義的荼毒，深感國破家亡之痛苦，流落海隅，於茲十載，內心上大家不期然而然地具有強烈的愛國情操和政治理想，要從文化思想方面，努力培育民主自由精神，發揚其潛能，成為救國救民的偉大力量。職是之故，本報的言論方針是國家至上，民生第一，我們的立場是超黨派的。」[52]

簡言之，民主、自由、愛國、反共乃為《自由報》創刊之四大宗旨，嚴格而言，此宗旨仍是延續《自由人》三日刊的精神而來。阮毅成曾說：「後來，雷嘯岑兄在香港出版自由報，乃係另一新刊物，與原來的自由人，完全無關。」[53]此話恐有商榷之餘地。《自由報》在《自由人》的基礎上，發行至民國六十幾年才結束，期間刊布了《香港自由報二十年合集》、《自由報》合訂本、《自由報二十週年年鑑》，影響力不在《自由人》之下。

無間，對任何事體決無爾詐我虞，或以多數箝制少數的作風。我（雷嘯岑）當時曾聲言：假使憑這種精神組織『聯合政府』，擔當國家政務，國事沒有不振興的。」馬五先生著，《我的生活史》，同註一，頁一六一。

52 本社同人，〈我們的志願和立場〉，《自由報二十年合集》（一九）（香港：自由報社出版，民國六十年十月十日）。

53 阮毅成，〈「自由人」參加記〉，同註六，頁一八。

自由人

THE FREEMAN

（第四五二期）

中華民國僑務委員會
准發登記證台教新字第一〇二號
中華郵政台字第五〇〇號
執照登記爲第一類新聞紙類
（半週刊每星期三 六出版）
每份港幣壹毫
台北市售價台幣壹元
督印人：陳文華
地址：香港高士威道二十號四樓
3 rd. fl. 20 GAUSEWAY RD
HONG KONG
香港發行及事務接洽
高士打道66號　電話：七四〇五三
承印者：東南印務出版社
地　址：高士打道六十四號
海外總經銷
友聯書報發行公司
香港：德輔道中二十六號A二樓
台灣特派員辦事處
台北市館前街五十號
台灣總經銷處
台北市西寧南路壹壹叁號二樓
台郵儲金戶九二五二

對當前形勢的分析
共產集團的狠處是不打！

左舜生

今天海外一般流亡人士的心理，我們大致是清楚的：他們決不以確保台澎及中國沿海若干島嶼爲滿足，他們所熱烈期待的，是終有一天能夠返回大陸。[illegible]所用以團結海外人心的，便也正是這個『反攻[illegible]中共自身[illegible]基於若干的矛盾而發生內潰，乃至分裂；三、大陸人民，不堪中共的暴政，不斷發生各種積極或消極的動亂，陷中共於無法鎮壓。

[illegible]一方自動向人挑釁，[illegible]可能性很小，極權[illegible]他們也充分懂[illegible]那種束縛馳[illegible]體系[illegible]和，以[illegible]戰爭，[illegible]現代的戰爭，實在太無把握。至於說十年以來，武器特別進步，戰爭的破壞力過度可怕，因此相戒不敢以戎首自居，這反而僅僅是不敢打仗的次要原因之一。

共方明白自身的弱點

現在的和平聲浪，以極權一方叫得最響，他們這種畏戰的心理，實已情見乎辭，果然大戰爆發，首先潰敗的便是蘇聯，中共及其他附庸，當然也要隨之瓦解。大家看見上次大戰，蘇聯居然戰勝了德國，便誤會着蘇聯的戰鬥力值是如何的了不起，實際乃是希特拉犯了戰略上嚴重的錯誤，而又自信太深；同時蘇聯並非單獨作戰，乃是混在民主陣綫中的共同行動；再加上日本又並不忠於軸心，不肯在東方與德國協力以收夾擊之效；吾則這一共產主義的祖國早已壽終正寢，何至貽禍至今呢？

現在蘇聯眼見德日兩國均已復興，其重建武裝的心理又異常積極，而且都和民主一方拉得很緊，這實在使得蘇聯十分膽寒，因此她不能不抬出和平的幌子，以調整國際的形勢，而中共以武力『解放台灣』的這一企圖，也就不能不暫予放棄。當去年六月中共開始發動侵台的時候，我們便早知道不會有這麼一回事，因爲這實在與蘇聯所處的國際形勢太不相容；中共可能根本沒有這種決心，即有，也終必被蘇聯加以制止。這一看法有一年來本刊的文字可查，並非我們以事後諸葛亮自居也。

巨頭會議不會違反大勢

現在這一普遍的和平攻勢，與尼赫魯、狄托等的中立運動相得益彰，本月的巨頭會議，也不會和這一大勢相反。因而，自由中國想利用世界突變以從事反攻，這一機會確已暫告消釋。

中共的內潰有待

其次，中共內潰的因素，確實是有的，而且不會不有，可是表面化還早。今天台澎金馬還屹然存在，朝鮮越南的統一無期，日本的態度未定，美國的潛力未竭，中共內部總還可相安無事，或者他們會把一次的大清算，變爲無數次的小清算，（例如最近的高饒事件）以求得這一大潰縫的趨於和緩，也正難說。本來，中共的領導分子，如毛、周、劉這三頭，恐也並無過人之處，但在此時即發動內部的衝突，確於他們不利，這一點常識他們是有的。因此，自由中國想把反攻大陸的機會寄望於中共的內潰，至少在最近的將來還是希望甚微。

大陸人民難於起來

復次，今天大陸的人民，除少數在這五年以來經過中共特別泡製的青年以外，絕大多數對中共政權十分厭惡，自屬事實。但中共政權的基礎爲暴力與組織，也可說是有組織的暴力，蘇共三十多年來鎮壓所謂『反革命』的經驗，他們也確習經過一番學習；不有外面的反共力量進入大陸，說一類零零星星的反抗或破壞，便可給予中共以基本打擊，而不致隨時被中共加以撲滅，這便未免把中共的力量估計過低。上面的三點形勢，我們僅就客觀的形勢，加以概括的分析，至於積極的對策，只好避免不談。因爲根據過去數年的經驗，我們知道積極的對策，不曾引起重視，而且可能被曲解爲別有懷抱。

共方做法的要點

現在共產集團的一個總方針是孤立美國，中共的一個小做法是孤立台灣。其具體的行動可以看得出來的：一、除美國以外，對一切方面都可表示妥協，必要時且可實行讓步，即對美國也還可因時因事加以不同的處理；二、擴大所謂中立路綫，不惜對一般標榜中立的國家，特別表示親熱；三、從四面八方煽動反美的情緒，以種種方法擴大反美的事實；四、在歐洲積極的爭取德國，在亞洲積極的爭取日本；五、蘇聯對她的所有附庸，但求大體上的步調一致，一切小處也可相當的放鬆。說到中共對台灣的特別做法：一、凡可以分化台灣加強統戰的一切工作，他們還要積極推進；二、從海外各方面去煽動華僑，爭取華僑；三、力求打進聯合國；四、對台澎乃至金馬，竭力避免施用武力；五、對東南沿海集中兵力，以打破台灣反攻的企圖；六、對海外各方加強貿易關係，以解救其自身經濟的窘迫，並減低別人對她恐懼。

以美國當前的世界政策，尤其是亞洲政策，蘇聯覺得大可施展她的發謀；以台灣的現狀，中共也覺得她們還大有運用的餘地；以蘇共和中共的這兩種做法配合起來，便是他們標榜的所謂『和平』！總而言之，共產集團的凶狠處不是『打』，而是『不打』！民主一方，在不打的情勢之下，吃了大虧，這真是活該！

【本報瑪德里特約航訊】

最近在歐洲政治和戰略性的地圖上，所發生的大事，莫過於西德重整軍備一事。

西德建軍的歷史觀

德被限制軍備已不止一次　國防政治勾心鬥角的結果

奔流

無條件投降與復興

二次大戰後，僅僅十年光陰，西德聯邦政府又恢復了她統治下的地區之完全獨立與自由的領土和主權。這種從一個以無條件投降的國家，而又幾乎『無條件的』——雖然那些對西德重整軍備的條件有所規定，但在國際政治舞台上，[illegible]的不必把牠看得太過重要，也不必估價過高！——讓她重新復興，在戰爭的殘酷性方面看，這是何等的矛盾，但在國際政治的勾心鬥角言之，又卻是司空見慣的事。不信且看一些歷史事實的說明，便勝於無理的強辯。

雅爾達，與德黑蘭會議，祇是三四個人的一時想法，便決定了德國應該無條件投降的命運。十年後，同樣的，由一位法國人，一位英國人和一位美國人，三個人代表了西方自由世界，把自己征服了的敵人，反敵爲友，再度扶植起來。並且從來就沒有跟這次一樣，再生之後，不只馬上成爲友邦，並且即刻把她重新武裝起來。

西德的資源和人口

西德的土地不超過廿五萬平方公里，與蘇聯固不必比，在歐洲就是和法國，西班牙，瑞典等國比，尚不及其一半。和芬蘭、挪威、波蘭、英國、意大利、和南斯拉夫等國比則差不多。可是在人口方面，僅次於蘇聯英國。她在歐洲，除蘇聯和英國外，是居第三位的。若從工業方面言，那就驚人了，煤礦的產量，在歐洲，除蘇聯和英國居其上外，她在歐洲居第三位；此外電力、發電、鐵、鋼之產量，同樣是和蘇聯，英國爭一日之高下；士敏土的產量更超過英國而有餘。

所以西德之復興，在歐洲實是一件大事。尤其是在今天這個國際政治局面之下，莫斯科的陰謀者對於德國復興的阻撓工作，是始終不會停止的。那麼，西德建軍的真正後果，是怎樣呢？這是大家要找尋的答案：

永遠鬥爭不完的悲劇

實際上，德國以往在歷史上所有的悲劇，似乎常是有國而無邊界一樣的。德國——被解釋做『那邊』——是一個從山上伸展到海洋的國家。這在德國是一句名言。這就是說從阿爾卑斯山至北海，這條走廊的兩邊之無邊無際，造成了德國歷史上地形的實際困難，永遠不能結束的悲劇，例如，從古遠的時候起，日耳曼民族和其他的部落被消離去的鬥爭；再如，強大的外來的武力之壓迫，這樣就把德國的歷史造成一頁永遠鬥爭不完的悲劇；在這種有時是德國有時又不是的情勢之下，他的軍事力量，尤其是陸軍，發生過許多不可思議的影響力量。

復興的往事

十八世紀的時候，有一例子，甚似今日。沙貢都（SARGENTO）皇帝，非常苛刻的統治着普魯士，養精蓄銳，大整軍備，傳至他的兒子，菲德利高（FEDERICO II）第二，雖然在古美士多夫（KUMERSDORF）地方失敗，但在羅斯巴和利登（ROSSBACHY LEUTHEN）地方，卻創立了英雄史功，普魯士之命運，從此決定。十九世紀初，普魯士於耶拿（JENA）和奧士底特（AUERSTAED）二役，被拿破侖的軍隊征服了，法國稱爲「普魯士的失敗」，但未經幾時，有史德英（STEIN）等幾位大政治家出，普魯士復興的命運又回到他們的手裏了。當時普魯士軍隊，依拿破侖之規定祇許有四萬二千人，但有了上述幾位能人，一種連續更換的軍營，始終看不出被征服者玩的是什麼把戲。滑鐵盧一役，由於普軍領袖卜魯西（BLUCHER）將軍之能幹，一聲「前進」的命令，決定了歷史的命運。

唯恐德國建軍不速

第一次歐戰於一九一八年的十一月結束後，德國再度作階下之囚，當時西方政治家們的不能諒解，祇有麥克爾將軍（MERCKER）手下的志願兵，把德國於布爾雪維克主義之下救出來。凡爾賽條約的第一六零條，明文的規定，德國最多不能超過有十萬的軍隊；當時爲了滑鐵盧一役的教訓，先規定入伍兵，十二年不能更換。這一次，由萬西克特（VONSKECK）將軍主持軍事。他馬上決定將這十萬軍隊，一律訓練成軍官。至一九三五年，希特勒上台，他更變本加厲，將這十萬幹部，分發出去，組織他的武裝軍隊。這次滑鐵盧之役，首當其衝的不是法國人而是波蘭人。這次希特勒的軍隊先將其精銳部隊，指向波蘭，其次挪威、荷蘭、比利時，盧森堡和法國，一一變成二次大戰初期希特勒鐵蹄下之犧牲品。然而，這次德國於一九四五年的失敗卻是「無條件的投降」。於是再來一次自凡爾賽和約後，廿年期間的解除武裝，中立，禁止有海陸空三軍，戰車，特別是「參謀部」之存在，甚至連小孩子作兵操遊戲都在禁止之列，然而，不過十年功夫，西方國家卻又誠惶誠恐的，唯恐德國新軍未能快點建立起來了。

建軍後的德國軍力

德國現在建軍隊了？在北海，她將有一小隊的兵艦參加防禦西方的文化，其實也就是她自己的文化。德國今日在哲學，科學和藝術仍是具有舉足輕重之影響力量。在空軍德國將自製一隊有一千四百架的戰鬥機。陸軍——這是最重要的，爲了西方將先有十二師德國陸軍的裝備，完全機動，機械化之裝甲步隊。（下轉第三版）

半週展望

軍旭

蘇聯在兩極點中搖擺

這三天以來，美英雙方都表示四國會議舉行時，西方不會上蘇聯的當，因爲美英已洞燭蘇聯的虛僞笑容，與和平攻勢的狡計。六月三十日美國又與西德簽署了一項共同防衛互助協定，以使數百萬美元的美國年援，能供應西德的新軍。在英法的「歐洲第一」主義與西德總理阿丹諾之堅持不脫離西方軍事集團的主張下，蘇聯的「歐洲」破壞已感到棘手。

自史太林逝世後蘇聯對外交政策有兩派的分歧意見，但其主張內容並非絕對相異。祇是程度的不同而已。這話是怎樣說呢？蘇聯的外交政策，爲了原子核子武器落後，及經濟已無負起對西方大戰準備的重担能力，故對西方的冷戰，以緊張到不致釀成世界大戰爲限度。但依照世界革命的原則，他們絕不能與「資本主義」（其實指非共產世界）妥協，換而言之，即局勢和緩以不能打開鐵幕爲限。蘇聯的外交政策，今正在這兩極點之間搖擺中。

馬林可夫的政策較傾向於和緩點，但在外交上的讓步與軍備上的鬆弛，又令另一派人不滿。赫魯曉夫與布爾加寧這一組，欲扭轉這一趨勢，而欲恢復史太林原有政策，因爲馬林柯夫的政策雖然在遠東的越南打了一次外交戰勝仗，但在歐洲終無法使歐洲防衛集團瓦解，眼見西德終能重整軍備，與巴黎協定終能簽訂，馬林可夫路綫便不能扭轉。但對着不能釀成大戰的極限，莫洛托夫不能不發動微笑攻勢了。

明乎此我們便可了解馬林可夫與赫魯曉夫的歧異，不在本質，而在蘇聯在兩極限的搖擺綫。有人展望蘇聯的外交政策回轉到馬林可夫路綫。這是出於不明蘇聯目前在兩極限進退維艱的苦惱。

可怕的在四頭會議之外

可是這是對歐洲方面而言，自由世界可慮的，乃在東方而不在西方。因此四頭會議不可怕，可怕者在四頭會議之外，美國能堅持絕不談遠東問題於四頭會議，是一良策。但弊在彼，誘導起另舉行討論遠東問題的會議，不單在蘇聯的詭計、英國之欲維持其在西方陣營的重量，及遠東貿易，難免對遠東生出錯覺。英國與大英聯邦不能分離，否則英國不特在經濟上困難，而且在外交上失去重量，故對於印度以及諸可倫坡會議國家之意見不能分歧。印度尼赫魯之訪蘇聯，已充份表露其喪失中立的資格，而幾乎一只腳踏入蘇聯集團的陣容中，蘇印聯合宣言充分表現蘇聯對尼赫魯唆擺，如何瓜分亞洲勢力的陰謀。其致力點在「孤立自由中國」。現共黨的國際統戰，已滲入美國了。他們力促美對中共談判，遊說聯合國會員國准許中共加入聯合國。強調中共如能洗其血手便可踏入聯合國。同時製造英美對中國問題許多紛歧，透過大英聯邦諸國，造成虛僞的國際輿論，向美國大施壓力，又來一個幕後談。這是今後半年中我們所當提高警惕的。

拒絕馬共求和的態度

西方國家對於有關自己利害的事，對共產黨知所強硬。可惜對於東方若干方面，便失去此種正義勇氣。拿一個最近事實作例：

星加坡毅然拒絕馬共之求和，這是一件值得鼓掌的事。英國輿論都說：星加坡政府完全明瞭共黨的戰略詭計配合蘇聯的和平攻勢。拒絕與馬共談判之主要理由，是馬共是不法之徒OUTLAW。沒有地位和他們舉行談判。然則中共出兵侵略韓國，聯合國早已斥責其爲侵略者。中共何嘗不是OUTLAW，爲何屢次口口聲聲說歡迎和這不法之徒談判呢？因何又說准許這國際匪徒進入聯合國呢？

法國爲甚麼討厭吳廷琰

殖民主義者爲利是視　和共黨妥協推倒吳氏

・李世光・

【西貢通訊】四月間，好些人都以爲越南總理吳廷琰必倒了。保大派教軍閥勾通法國殖民地主義者武裝叛變，想把吳氏趕走。這一次的戰爭，是吳廷琰和殖民地主義者的鬥爭，也是民族主義和封建勢力的鬥爭。

阮文輝和教派軍閥向吳氏進攻的前夕，美國駐越代表高林斯將軍也電華盛頓說，『吳廷琰必倒，越南國民軍不至幫助吳氏抵抗保大。』

但事實上國民軍竟効忠吳氏。教派軍進犯的時候，法軍雖暗中支持，但國民軍卒以少數隊伍，把平服教派的主力擊破。吳氏和越南的新國民軍本無關係，但國民軍協力支持吳氏，擁護吳氏做反共及反殖民地主義的領袖。因爲吳氏主持正義，及其無畏精神感動了安南人民，使安南人民有了自由的信念。

世家子初做縣長

吳廷琰本是越南世家子弟，天主教信徒。他篤信宗教，幼年入神學院，決心做教越南人民靈魂的工作。到了十七歲，吳氏的思想轉變了。越南在法國殖民地主義的統治下，人民衣食不給。於是吳氏放棄神學，參加河內的文官訓練學校。畢業不久，便做了縣長。當時胡志明從事共產黨地下活動。吳廷琰讀過許多共黨傳單、刊物、和書籍，他曉得共黨的目的在奴役越南人民，所以他對共產黨從來沒有半點好感。

一九二九年，吳氏升任省長，那時他才二十八歲。三十二歲那一年，他是法國越南政府的內政部長。吳氏要求法國准許越南獨立，被拒絕了，他因此辭去部長的職務。

辭職後七年，吳氏對於法國殖民地主義始終作消極抵抗。奠邊府丟了，法國才接納越南獨立的要求，請吳氏出來組閣，保衛越南的殘局。

做過胡志明俘虜

吳廷琰是一個十分純潔的人，以身許國，至今沒有結婚，生平寡言笑，喜歡看書，藏書達萬冊。他的辦公室外面，掛着『婦女不得入內』的牌子，他怕婦女長舌，浪費了他的寶貴時間。

一九五四年，胡志明的共軍攻入吳氏家鄉，把他的書燒了，活埋他的長兄吳廷開，更把吳氏拉去做俘虜。過了四個月，胡志明認爲國家主義的領袖吳廷琰對於共產主義不無用處，才把吳氏從獄裏放出，並且說，『我要你幫我的忙，請你搬來這裏和我一起居住。』

吳氏說，『你無故殺害我的兄長，你是一個兇手。』討論了許久，吳廷琰始終不肯和胡志明合作。最後胡志明把他放了。

本年春，胡志明的參謀長說，『現在越南有兩個領袖，一個是胡志明，另一個是吳廷琰。越南人民只好在他們當中選擇一個。』

不錯，越南只能夠有一個領袖。現在越南南部選擇了吳廷琰，因爲他是越南一個最純潔的人，沒有家室，沒有兒女，只知有國，不知有己。法國統治下的越南，人人視財如命，只有吳氏不要錢。吳氏是一個正直人，生平從不肯使用手段。

法國竟和北越做生意

現在教派軍閥的主力打破了，四郊叛軍望風而逃，軍閥不足爲患了。現在越南抗共的最大障礙，不在國內，而在法國殖民地主義者了。

以前北越共黨電台，每日攻擊法國，攻擊殖民地政策。現在改變了論調，每日攻擊吳廷琰，罵他不服從保大，反叛保大；更罵他仇視法國，驅逐法國軍民離開越南。爲什麼胡志明改變態度呢？因爲法國殖民地主義和吳廷琰不能兩立。胡志明希望法國和吳廷琰火併，這樣可以達到傾覆越南南部的野心。

上個月法國派了一個代表團到越北，和胡志明商議有關法國越北的貿易權益。法國建議由海防建造一條新貿易路綫直達共產中國。被胡志明拒絕了，法國仍擬心不息。把越北一處最大的煤礦，以一百萬噸煤的代價售給共黨。礦是送去了，法國能否把煤拿到，還要看將來。法國代表又建議以電器和鐵道設備，布匹、汽車、西藥，和食物等售給越北。法國代表團說，『爲了共存，他們準備爲越北謀經濟的總建設。』這便是法國殖民地主義者的眞面目。

法國想犧牲吳氏

前幾天，筆者會見一位越南國民軍官長。談起法國遠征軍留戀越南不肯撤走的事情，這位將軍憤憤地說，『如若可能，我要親手把留戀越南的法軍殺盡。』越南人憤恨法人，可謂達於極點。

法國殖民地主義者只知道本身利益，吳廷琰對於殖民地主義極爲憤慨。法政府和商人因此陰謀犧牲吳氏。教派軍閥的叛變失敗了，於是殖民地主義者進行和胡志明妥協。法國商人時常說，他們能夠在胡志明手裏，取得比較吳廷琰更大的利益。不錯，法國殖民地主義者的目的是錢，若果胡志明肯把利益分給他們，他們是願意跟共產黨合作的。

法軍留戀越南的後果

現在越南到處都是『法國人回去』的標語。法國在越南駐有軍隊九萬，這些軍隊不駐在前綫，而分駐西貢等商業區。因北非反法，摩洛哥，突尼西亞等地發動劇烈遊擊戰，法國最近調去越南隊伍一師，當留存的不過五萬人。爲了美國每年有一億美元的津貼，法軍是不肯全數撤離越南的。

法國隊伍撤離越南之後，會影響該處的安全嗎？筆者曾拿這個問題詢問越南國民軍的人。他的答復是，『法國殖民地的軍隊是世界最沒有出息的隊伍，只能守，不能攻。奠邊府丟了，遠征軍的精銳十去其五，士氣喪盡，不堪一戰。法軍的撤退絕不致影響越南的安全。』

他又說：『胡志明得到半個越南，心滿意足之餘，改取傾覆政策來征服南方的半個越南。越南總選定期明年七月。若果南部的法軍不退，南部的法國殖民地主義還是照樣橫行無忌，胡志明可能於明年七月席捲南方半個越南。』

吳廷琰是越南共黨的死對頭，共黨對付不了他，只好利用法國殖民地主義者，和越南的惡勢力，聯合一起，來攻擊他。吳廷琰能夠對付這樣的雙重攻擊嗎？越南人民能夠始終不二的支持吳氏嗎？明年七月越南大選，才能有事實的答覆。（六月廿日西貢）

日蘇交涉的前途

早日成立和約已成必然之勢　其他懸案的解決一時難成功

（中）

安世

本文上篇已說明此次倫敦日蘇交涉可能早日成立和約。惟日蘇間懸案諸如貿易，漁業，戰犯，領土等問題，恐不容易獲得解決，茲篇所論述者即爲懸案問題。——編者附誌——

一般日本人認爲今天過着這種艱難困苦的生活，完全『非戰之罪，』而是美國人之罪，所以今天日本的政黨，不但左派各黨，得了蘇聯和中共的後援，無論言論行動，處處都是反美，就是以財閥支持的各政黨，也不見得對於美國有十分親善的表情，蘇聯深深了解這一點，所以從停戰到今天，對於日本，曾有八次以上的誘和，所以日本從前不肯就範，一則由於吉田內閣的基礎，本建立在親美外交之上，二則由於日本財閥對於美國經濟援助，還抱有莫大幻想，一直到了吉田訪美，還張了二十萬萬元的大口，結果『無所得，（只得了一萬萬元口頭援助。）於是蘇聯和中共又大施其誘惑技術，收買了很多經濟學者，製造成一種日本經濟中立的流行學說，於是財閥們藉此想和中共大批通商，又進而想恢復日蘇交涉，正式恢復蘇國交，以提高其國際發言地位，而給美國以一種顏色看看，所以說重光這段談話，雖然充分流露出日本政府的眞意，但並不是鳩山重光少數人的意思，實是各黨各派的用心。

蘇日互相利用

但是日蘇交涉的前途，是否可以一氣呵成？當然荊棘甚多，不過據重光表示，雙方對於恢復國交的意見，已趨一致，這就是說明雙方無論如何困難必須訂立一個正式和約。因爲不僅日本想利用和蘇聯拉手以提高他們的國際地位，就是蘇聯也很久就想利用日本拉手以提高他們在遠東的國際地位，假使在四頭會議以前，日蘇和約得以正式成立，則蘇聯必竭力以支持日本加入聯合國，但交換條件，必須日本支持中共，不僅如此，還是四頭會議中討論遠東外題，日本能對蘇聯搖旗吶喊，必增加勢力不小。並且到那時亞洲各國眞正反共的便不到五國了。

日蘇和約即使很快可以成立，可是其他交涉，如貿易問題，北岸漁業問題，戰犯問題，領土問題，並不十分簡單，茲試將各種問題分析於下：

日蘇貿易問題

要說明日蘇貿易的將來，得先明瞭日蘇貿易的過去和現狀，自蘇聯革命以後，日蘇貿易陷於長期停頓，直到大正十四年日蘇基本條約成立以後，昭和元年（一九二六年）日蘇兩國互設通商機構以後，才有日蘇貿易可言。在二次大戰前，日蘇貿易情形，約如左列：

對英國人的認識

・吳本中・

吳本中先生，兩年多以前，到倫敦經濟學院從事研究工作，未赴英前曾在香港大學任教職。這一篇文章，是他最近應英國廣播公司作十五分鐘廣播的中譯稿。——編者——

（倫敦航訊）在遠東，很多人以爲英國人是冷淡而不甚有表情的。但英國人的幽默卻是特別出名的，已成爲他們人民的特點。一個中國人就很難想像，爲甚麼這樣冷酷的性格能夠和默幽合而爲一？這彷彿是水與火之不能相容的。可是，英國人是眞的幽默，他們不僅懂幽默，而且往往是幽默大家。

懂生意也懂幽默

另一方面，英國人也是最懂得買賣的人，百份之百的生意經。大多數的亞洲人都以爲『在商言商』！是不講情感的。因此，一個錙銖計較的商人，竟能變成一個富於情感的朋友，願意爲朋友犧牲，爲朋友幫忙，亞洲人也是不易明白的。

在公共場所裏，法國人往往喜歡談笑，手舞足蹈，很像可以做朋友的樣子。英國人的態度就不一樣了，他時常帶一把傘子，他可能坐在你的傍邊，終日不發一言。不過你如果需要什麼，或者要查問一點重要事情，那位法國人固然願意幫忙，也許會同你開玩笑，並不給你一個具體答覆。英國人呢？一定馬上鄭重其事的幫助你。

賣報紙無須看守

我們都知道，英國人是最守法的，民主國家中，英國是惟一沒有成文憲法的國家，『王所作的沒有錯』，『天鵝屬於王』，諸如此類的成語，並無法律的根據。但大家嚴謹遵守，因此社會秩序，有條不紊。曠野上的天鵝，固然優哉遊哉，無人打擾。就是街邊的賣報童子，他只要把報紙放在一個地方，傍邊再放一隻收錢盒子，並不需要自己在那裏看守，買報的路人自然會拿一張報紙，放下一張報紙的錢，絕對沒有人拿報紙而不給錢的。

英國人遵守秩序的習慣，到處可以看到。不僅政府機關門前，民衆排隊等候，就是游玩的地方，像電影院、戲館、遊藝園、甚至飯館的門前，也一樣的，大家很耐煩的自動排起隊來，停立等候，不以爲苦。

重實際並非陰沈無味

他們是注重實際的民族，他們明白，忍耐的排隊，不去爭先恐後，是一種好辦法。因爲能夠保持秩序，教人人有同等的機會，也便是最快捷的方法。這樣每人都可以確能得到一份他們所需要的享受，這便是平等與民主的精神。

這是一種很重要的精神。而且這是他們自發自動的，並無半點强迫性質存在其間。

我們不要以爲英國人是一個乾枯無味的民族，不知享受生活興趣的民族。看英國民族不要如同看他們的冬季天氣一樣，因爲濃霧重重，不見陽光，便以爲是無味陰沈。其實，你若被他們請到家裏，你便會覺得他們認你是眞正的朋友。你可以在他們家裏，看到英國人生活的鏡頭。你在英國人的溫暖家庭招待會裏，便能發覺他們的幽默與快活是如何教人滿意。他們的生活是如何豐富而且可愛，他們的娛樂又如何的自然而高尚了。

英人幽默不易看得出

現在我願意把一個現代英國作家一段文章介紹出來，作一結論。浦利斯萊先生關於英國人的幽默曾這樣說過：『一個外國人到英國觀察英國人，是不容易的。他看見的是外牆而不知牆內的花園是怎樣的。他眼看英國人在街上忽忙忙的趕回家去，而不懂得他們忽忙的原因。其實他們是要回到家裏，自己寬鬆一下，變成一個外人不易知道的人』，『外國人很容易誤會，認爲倫敦是淒涼的城市。正像旅行的英國人以爲巴黎是個快樂的城市，是一樣不對的。大概他們都是被外表所誤。法國的生活興趣在智慧，英國的生活興趣則在幽默。』『英國人幽默，在私人家庭中特別表現出來。這是屬於英國的一種氣氛，一種靈光照物。這要在平常的微笑與談吐之中反映出來，不是倉卒間可從語言中看得出的。要從一種微妙深入的領悟中獲得的。所以，這種幽默在英國雖到處皆有，但一個外國旅客往往是不容易覺察出來的』。浦利斯萊這一段話，我以爲描寫得恰到好處。（六月廿三日）

編者・讀者

台南農職教員來函

本刊頃接台灣省立台南農業職業學校教員鄭禮需鄭瑞聰等四十七人簽名來函一件，全文如下：

自由人編輯先生大鑒：逕啓者，頃閱貴刊第四四六期編者與讀者欄內，有自稱本校教員（匿名）來函內稱：本校將貴刊列入言論不正確之雜誌類，並剝奪我們同仁閱覽書刊的自由等語，顯與事實不符，查本校所訂報章雜誌，曾有分置於毗接教務所之教員休息室陳覽，貴刊亦陳列於該室公開供人閱讀，均由教務處保管，凡我同人，有目共睹，更無所謂封存之事實，同人等爲免混淆視聽，用特一致列名，函請查照更正，敬祈賜予披露。無任感荷！並頌

撰安

台灣省立台南農業職業學校教員：鄭禮需　鄭瑞聰　蘇鳴琦　張性之　郭金江　甯有讀　韓榮齡　倪仲黎　王修功　張允中　王清江　婁文治　秦鏡　劉基聚　陳鵠　史坤富　陳行德　羅學道　晏雲符　李國源　周觀章　戴麒　王瑜　許振江　盧瑞邦　宋仕煌　李夢賓　曾憲光　邵永耀　于聞遠　陸思明　羅四維　館蒼江　陳君適　秦瑜　陸國彥　施育芳　褚家穆　龔遠鈞　牧遠　崔銘昌　常安國　何啓生　李勁秋　張亞藩　尉遲華章　葛文安等謹啓

共黨操縱下的——馬來亞獨立運動

·唐璞·

（星洲通訊）星洲工潮平息之後，馬共竟聲言願與政府和平談判，此項要求，已為馬來亞政府斷然拒絕。

星馬共黨的主要策略

為了解星馬共黨的活動情勢，首先要對共產國際指揮馬共的主要策略，有所了解。

基本上說，共黨直到今天還服膺着一九二〇年六月列寧在共產國際第二次代表上的報告，作為其從事民族殖民地鬥爭的主要行動綱領。

根據星馬共黨活動事實，結合上述綱領，其有關的幾項為：

一、「共產國際是世界革命無產階級底集中化了的意志。它的使命是：…推翻資本主義制度和傳播共產主義。共產國際是一個戰鬥單位」。因此所謂「馬來亞獨立運動」，實際上是隸屬於共產國際戰鬥單位內的。

二、「共產國際應當與殖民地資產階級民主派成立聯盟，但必須無條件地保持無產階級運動的獨立性」。因此，可知星馬的有錢佬，為甚麼會起勁參加政治鬥爭？原來已在共黨統一戰線之下被「聯盟」起來了。但由於共黨堅持要保持運動的獨立性，所以有錢佬不過是徒供共黨驅使而不自知的。

三、「革命的第一步，應當推翻外國的壓迫，但並非贊成土著資產階級底民族主義的趨向」。因此，共黨便在星馬煽動反英、反美的風潮，工潮中便有暴徒擊斃美記者的事件。

四、「共產國際反對資產階級民主的民族主義運動實現政治獨立，必要的任務是建立農民和工人底共產主義組織」。因此共黨要求建立的，是受共產國際控制的政府，而非真正獨立的政府。星馬現在的政治制度，自然成了馬共的「革命」對象了。

五、「殖民地革命從頭起就應為共產主義先鋒隊領導，在第一階段，應按照純粹小資產階級改良主義各點綱領去進行。其領導權放在資產階級民主派手中」。故共黨在星馬發動的學潮、工潮和有錢佬反政府運動，完全將自己隱蔽起來，在表面上活躍的，并非共黨黨員，實際上是聽命於共產國際組織的共黨操縱。

中共指揮馬共的機構

共產國際公開向世界作「馬來亞獨立運動」的活動，始於本年四月新德里的亞洲國家會議。中共在該會議提出要求予馬來亞獨立的提案。最後決議的公報，雖無「獨立」字樣，但決議原文「我們要求給予馬來亞人民完全的自由」一點來看，也可看出他們的真意了。

共黨的操縱「馬來亞獨立運動」，特別在印尼成立一個「馬來亞獨立運動促進委員會」，這個組織之設在印尼，當然是為便於受中共駐印尼官員的指揮。根據五月廿六日中共「人民日報」的記載，該委員會的活動目的，是動員一切力量爭取馬來亞獨立。該委員會係由「全馬來亞馬來青年大會新加坡人民行動黨，和馬來半島馬來人協會的代表，及旅印尼的馬來人及馬來青年運動的代表所組織」。實際上，這些組織都是共黨領導的，或為其外圍組織。「人民日報」對於該委員會的活動方式也說得很清楚，「先成立一個爭取馬來亞的統一戰線」，進而「傳佈馬來亞人民民族解放鬥爭的情況，（即宣傳武裝暴動奪取政權），動員一切力量，（當然包括城市的罷工、罷課、暴動等鬥爭活動），來爭取馬來亞的獨立。」

於此，星馬反政府的活動，完全出於中共——亞洲共產國際的領導者——的指揮操縱，事至顯明。馬來亞政府堅決拒絕與馬共談判，確不失為明智之舉。否則不僅徒供共黨利用作為宣傳，而且可予共黨以佈置更廣泛的顛覆活動的機會。

可憐的有錢佬

至星馬華僑有錢佬的態度，並不是對中共有甚麼信仰。他們因經濟和政治的壓力，不得不與中共往來，為了保存私人生命財富，不得不向共黨表好感。否則馬共可對其基業加以騷擾或襲擊，破壞橡樹園或縱火、暗殺。故華僑闊佬之與共黨勾搭，實在出於無奈。他們另一種想法，與其讓共黨奪取政權，喪盡財富，何如贊助「獨立運動」。因此他們出力支持工潮、學潮。這是西方觀察家所不易了解的。他們不了解這一愚蠢的所謂「馬來亞獨立」一旦成功了，也就是變相的獨立，樹立了共產政權。這樣的結果，等於中共在印尼的附庸，甚或還不如印尼！因為所謂「馬來亞獨立運動」是完完全全由中共控制操縱的。

當前馬共之要求和談，是由於政府壓力加大，城市工潮學潮和暴動，均未產生預期的效果，而東南亞八國聯防的實力又日在增長中，逐迫使共黨非退縮不可。不過馬來亞當局對馬共措施，僅拒絕談判還是不夠的，應該正式宣佈共黨非法，極力爭取反共華僑知識份子和土著人民的同情，更積極的採取武力勦共的政策，以期徹底消滅共黨的潛服力量。（六月廿五日）

政治成敗論

·辛植柏·

陳啓天著　自由出版社出版

（一）

本書是陳啓天先生的近作，是一本以政治的成敗來談民憲理論的。著者說：『凡是談論政治，或從事政治活動，或執掌政治權力的人，幾無一不想政治成功，但是近五十六年來的中國歷史，充滿着政治失敗，而迄今猶不見有任何政治成功，其原因究竟在什麼地方呢』？關於這問題，著者認為『民國以來的政治，雖名色與從前不同，然仍多不外以個人成功為政治成功，這可以說是死人支配活人，傳統支配現狀』。著者為證實此一論點，舉出下列的事實說：『民國初元所建立的民主憲政制度，所以被破壞的主要原因，一般人多歸咎於袁世凱及北洋軍閥，固然不錯，但是我們再追究袁世凱及北洋軍閥所以敢於破壞新建的民主憲政制度之背後根源，即可發現舊政治的傳統在暗中作祟，豈但袁世凱及北洋軍閥有舊政治的傳統在暗中作祟，便是原來主張民主憲政的革命黨人，也難免間有舊政治傳統在暗中作祟的，所謂籌安會的六君子，有三個人原是革命黨，便是一個鐵證』（四四頁）。

（二）

著者把近幾十年來我國政治的病根找出來了，如何醫治這病根呢？著者在本書裏提供一個丹方，即『逐漸創造新政治傳統，以代替舊政治傳統』。這丹方雖不是急救辦法，卻是根治的良劑。著者認為『新政治傳統，在過去數十年中，已經創造出兩大成就；第一大成就，是中華民國的名義已經確定，不能改變。第二大成就，是民主憲政的趨向已經確定，不能改變。今後所當繼續創造的，不外將這兩大成就，逐步確切加以充實與擴大，使新政治傳統完全確立而已』（四五頁）。

（三）

如何去充實與擴大呢？歸納本書意見，主要的有如下三項：

一、須認清政治成敗的基本要義。　著者認為今後政治成功的方法，就是確使民主政治成功的方法，不能確使民主政治成功的方法，則祇足使政治的失敗而已。至民主政治須如何才易於成功而不至於失敗？著者認為下列各項政治成敗的要義，必須首先確切瞭解；第一，態度開明，與時進步的政治，則易成功，態度頑固，與時背馳的政治，則必失敗。第二，以天下為公的政治，易於成功，以天下為私的政治，則必失敗。第三，容許民意與論與反對派批評監督的政治，則易成功，否則必失敗。第四，對法律有信用的政治，則易成功，對法律無信用的政治，則必失敗。第五，善用權力的政治，則易成功，濫用權力的政治，則必失敗。（第一篇均有詳細說明）。

（四）

二、須培養民主憲政的風度　著者認為任何一種政治制度，都應有與之相應的一種政治風度，才能圓滿運用。民主憲政在我國還是一種新的政治制度，自應有一種與之相應的新政治風度。故實行民主憲政，必須同時培養民主憲政的風度。這種風度，乃是由下列各種必要信條構成的；凡從事政治活動者，第一，不應以外援做背景。第二，不應以武力做後盾。第三，不應以陰謀做手段。第四，不應以專利為目的。第五，必須尊重民意。第六，必須尊重公道。第七，必須尊重法紀。第八，必須尊重責任，（第四篇）。這八大信條，就信條說，是風度，就信念說，就是態度，必須遵守這些信條，才能使民主憲政的風度培養起來，以與新政治制度相適應。

（五）

三、須養成民主的政黨　著者說：『民主政治在原則上需要全體人民來管理政治，但在實際上則需要政黨來運用政治』。需要那一類政黨？需要有民主作風的政黨，要利多弊少，功多罪少。著者繼續說：『今後中國為必須將現有各政黨改造成為「民主政黨」，以便共同運用民主政治，促進國家改革，只有民主政治，才能養成民主政黨，只有民主政黨，方能運用民主政治』。

（六）

上述各項意見，並不是什麼高調，更不是空洞無物的說法。本書內容豐富，理論充實，卓見頗多，且大都是與現實政治有密切關聯者。凡關心中國現實政治的人，對這本書確有一讀之必要。至於作者的學養與其多年來對現實政治的經驗，早為社會人士所共知，無待筆者贅陳矣。

擴大社會福利事業　各區機構組成聯會

香港人口衆多，民生困苦日甚。社會各界熱心人士，年來為了應付居民的急切需求，陸續成立了許多福利團體。差不多每一個區域，都有此種設置；除此以外，也有由教會方面舉辦的，綜合性的促進社會福利機構。這些說明今天的社會福利事業，需求者將是怎樣的迫切。但是單獨分立的組織，它的力量，總比不上集體來得大。因此，分布港九各區的福利機構，現已組成了一個「社會福利聯合會」，每一單位推派一位代表組成，今後，那來自三十一個單位代表，每季集會一次。會中不僅彼此交換意見，和利用集體力量磋商並解決各項單獨無力推進的福利事業。討論範圍，大致如下三點：

一、提出各種經辦的福利事項供聯會參考，以免各團體對於應辦事項有重複之處；二、一方面通知有待救濟者向何處申請，一方面指導熱心救濟人士，應從何事着手，分別先後緩急舉辦，至於外來考察福利事業的國際間人士，尤需聯會的指導與合作；三、最重要的一項任務，係對於社會的實際需求，規畫福利新計劃。而遇有新計劃需要進行的時候，先由聯會開會討論，並組織小組委員會研究其性質，及舉辦程序。因此，該會不僅有賴於各單位的支持和合作，同時更盼望社會各階層人士，予以同情和協助。使這個聯會成為本港唯一的，領導各個福利機構的大規模社團。

現時聯會方面的若干新計劃，正依照規定程序進行。大體說來，有如：一、出版兩套兒童故事書籍，用以改進兒童閱書消遣程度；二、成立一個小組委員會，專責負起改正兒童心理缺憾的研究工作，希望在不久將來，擬訂具體建議，以供當局採取較有效的辦法；三、建築一間舖位，俾使由社會局管轄下的福利團體，將其出品的手工藝陳列，並代表他們接納顧客的定單，希望本港居民及外來遊客皆來光顧，有助於手工藝發展；四、開辦兩個福利站：一個在佐治五世紀念運動場內，另一則在九龍大文合徑；每個均由二個福利會單位參加工作。此外，該聯會復隨時盡力應付緊急救濟，例如火災難民住宿，以及蔽體物等。由於各項事業進行均需款項，因此該會厚望於各界人士加入為該會會員，年助會款二十五元，底使會務迅速發展。人們當會想到：當前另一重大的社會問題，殊無過於如何擴大就業機會，以消除大眾多的失業數字。因此誰也希望於該會籌策畧力，早謀解決途徑。

經濟社會思想叢殘

○○金伯華○○

需要是可量的

需要既然是可分的，那末，抽象的說，自然也是可量的。我證明「抽象的說」。是啊！科學發明已經進入於原子時代的今天，測謊器呀，機械腦呀，都已做了出來可以應用，但「需」「生於「欲」而「欲」」發於「心」，所謂「可量」，必須非把各人的良心取了出來，放在實驗桌上，讓經濟學家仔細端詳不可。俗語說：「人不可貌相，海不可斗量」。有形的海水，尚且不可量，何況是貪得無厭的「欲海」啊？在科學家未能製造「量心器」或「照心器」來確證需要的可量性以前，我們這裏所說「可量的」，當然只能算是抽象的說法。但我們相信，這一抽象的假設，也是不會與事實距離太遠的。因為在經濟主體的感覺上，苦與樂既然是可以互相對比的，那末，對於這同一的主體，這些感覺又何嘗不可以互相稱量的呢？在人們的日常生活中，每天都在打量。主婦手提菜籃上街買物，對於同質同價的東西，每每挑來挑去，換個不休。這不是她的感覺在量她的需要又是什麼？緊於某一特定的動力之下，你覺得這是可愛或這是討厭，這便在量。在數個同屬可變的動力之中，而你的快感又有差等，這便是「等量」由此可知需要的可量性，確存在於甄別或選擇之中。此其三。

顧森律

關於「顧森律」，我們祇打算在此略一提及而已，我們只打算就其與我們的論域有關範圍內附帶的予以指明，至於詳細情形，一般經濟學專著中都已盡有若干闡表紛紛闡揚。

（三十六）

西德建軍的歷史觀

·奔流·

（上接第一版）

德國又將成為歐洲有最強陸軍的國家。開始的十二師團陸軍祇是在參加西方防衛言，以後每年入伍的新兵，很快的就將建立另外的十二師團的軍隊。從這裏就可以明白，西德建軍為什麼蘇聯會如此的感到不安了。為什麼朱可夫元帥會感到這是一項重大的威脅了。

恢復參謀部的重要

無疑的，德國要組織一支以質勝的強大陸軍，一如她的許多歷史先例，飛機，大砲，戰車甚至於潛水艇，又將為大量的握在德國人的手裏。最重要的是「參謀部」之重新建立，這是最令人注意的一件事。德國陸軍「參謀工作」之見稱於世，是有口皆碑的。英國一位評論家黑特（HART）說：「它的特性並非如同法國人在德國所學的，祇作一種模型式樣，而是它的效力和責任感的表現」。這種精神從菲德利高第二之時代起，就樹立起來了。它影響過拿破侖、特別是凱撒（KAISER）（這個凱撒不是羅馬時代的凱撒，不要誤會）和以後的希特勒。真的，世界上的政治家，難道看不到德國人的厲害嗎？不是的，這是政治上勾心鬥角的結果，並不是他們不知道。德國民族生來就這麼精明強幹嗎？也不是的，這是他們知道自愛，知道自救和自力更生的結果。一個民族的希望，往往就是決定於民族的自覺。這一點是我們今日應該特別注意的地方。（六月十九日瑪德里燈下）

青年就業問題

馬五先生

關於青年學生就業問題，許多人皆特別重視，認爲非設法解決不可。

有人主張今後應該多辦職業學校，少搞普通教育，這是不切實際之談。現在青年學生就業之困難，並非他們所學的不合現實需要，而是根本就很少需要他們的地方，多辦職業學校的結果，還不是一樣的沒有出路？又有人主張解除政治上現行的人事凍結法令，以期發生新陳代謝作用，使青年們得到一些就業的機會。這也是於事無濟的，而且教現代的青年們大家都朝着政治場中鑽進，亦非國家之福。

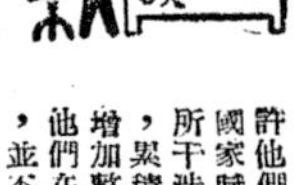

最基本而有益的辦法，當然是發展生產力，鼓勵企業精神，開拓廣大的生活路綫，社會上的失業問題自然減少了。就目前自由中國的情形說，擴展工商業就比解除政治上的人事凍結令有益得多。不過，這得先使工商業者有自由發展的良好環境，激起他們樂於投資的興趣和勇氣。第一是要以政治力量來獎勵扶植工商業者，切忌予以不合理的打擊或摧殘。經營工商業的目的當然是追求利潤，提高生活水準，不想牟利又何必搞工商業呢？政府和社會人士祇能不容許他們謀取非法利益，偸漏國家賦稅，此外就不應該有所干涉。一旦他們經營得法，累積了一些財富，也就是增加整個國家的經濟潛能，他們在生活上縱使享受優裕，並不犯法，而且是促進企業發展的內燃力量。如果因爲他們賺了錢，生活好，就覺得可惡，那就是自毁頭脈，無可救藥也！改善工商業的管制方法，給以發展的機會，再從而獎掖之，扶持之，使企業蓬勃振興。我認爲這才是解決青年學生就業問題的根本之圖，其他都是些空話！

民六政爭與復辟珍聞

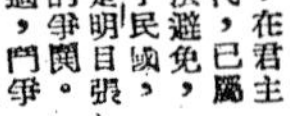

夢山樓

政治嘈潮，在君主時代，已屬無法避免，到了民國，更是明目張胆的爭鬥。不過，鬥爭的人，能稍存一點國家觀念，也許，愈鬥愈有進步，否則，必貽國家無窮的災害。自民國以來，鬥爭最熱烈，要算民六一幕，惹禍也是最大，幾乎把中華民國老命送掉了。筆者偶然搜點材料，以餉讀者，或者，對於史料上有一些幫助的。

一、

自民國五年，袁世凱帝制失敗死掉後，由副總統黎元洪暫行繼位，段祺瑞爲國務總理，軍政大權，集於段氏一身，黎氏不過傀儡而已。這時舊約法，新約法，聚訟不已，亦即黎氏繼位與暫代問題，但，段氏爲顧全大局計，主張照舊約法解決總統問題，可是，總統問題，雖然解決，而舊約法則遲遲不復，舊國會亦無明文召集，所以，政治爭執，雖暫平息，而法律問題，依然是個懸案呢！

總統府秘書長丁世鐸，國務院秘書長徐樹錚，各爲所主，各有一套法寶，鉤心鬥角，各不相下，由猜疑而入暗鬥，府院的政潮，便伏於此時了。

二、

段氏組織新內閣，以各總長名單呈黎，外交一席，十分重要，因例有代理總理的資格。段氏所擬爲陸徵祥，黎不同意，又內爲曹汝霖，黎亦反對，段氏憤然曰：『總統意屬何人？』黎提唐紹儀，段默然無語，退而謀諸徐樹錚，徐氏力言不可，所以，表面上雖然發表，而暗中派人恫嚇唐氏不得北上就職，結果以伍廷芳繼任了事了。

民五第一任內閣，號稱人才濟濟，係以段系，民黨，政學系，三大派系聯合組成。閣員分配，內務孫洪伊，司法張耀曾，農商谷鍾秀，（屬於政學系）外交伍廷芳，海軍程璧光（屬於民黨）段系則交通許世英，教育范源濂，閣揆與閣員，尚能通力合作，獨與內長孫洪伊，兩雄相遇，凡事動起爭執。

段氏兼長陸軍，徐樹錚任次長，部務則一手承辦，他是不可一世的縱才，心目中除段氏以外，一概白眼相看，而與孫洪伊尤不相容。因而，府方日作倒閣之謀，結果，府方提出罷退徐樹錚，段方亦要罷免孫洪伊，針鋒相對，府院鬥爭，因此明朗化，白熱化了。

三、

黎氏原是一個低頭菩薩，忽爾變成怒目金剛，一心一意要罷免段氏，左右均言不妥，莫若設法迫段退徐，徐去，段亦無能爲力。於是，黎對段曰：『樹錚才大，久屈次長可惜，我擬派他爲綏遠督統，藉以展其懷抱。』段曰：『徐年尚少，應隨本人歷練。孫洪伊與我政見不合，應當調他長魯。』但是，段既不肯去徐，黎亦不願免孫，短兵相接，遂演成不可收拾的局面了。

當時北方所謂元老派者，如徐士昌，王士珍等，認爲如此爭執，終非國家之幸，乃相約作魯仲連，走孫洪伊，丁世鐸，徐樹錚，同時去職，在表面上爭執暫告平息，然而，徐仍時在段側，丁孫亦朝夕出入公府。此時，適値對德絕交及宣戰兩個大問題，前案已得國會通過，後案爲府方反對，聯絡國會，予以否決，這樣一來，不是解散國會，便是改組內閣，而舊約法又無解散國會的規定，此爲府方倒閣的陰謀，亦即造成政變唯一的導火綫。（上）

四、

黎方倒閣大計既定，進一步，聯絡李經羲，王士珍，另行拉攏雄踞徐州的張勳，引爲外援。遂飭擬三道命令，一爲「國務總理段祺瑞，呈請辭職照准。」一爲「特任李經羲署理國務總理。」一爲「特派王士珍爲京畿衛戍總司令」當使使示段，段氏始知黎已斷然出此，遂副署後二令，並謂來使曰：『段祺瑞係免職，不得謂爲辭職』，因就原稿改辭爲免。『本人未便副署此令，因本人免本人職，將貽笑萬邦』。請另覓其他閣員副署』即夜馳赴天津。

命令雖已蓋印，但不便公佈，因爲總統命令，必須有閣員一人以上之副署，始生效力。黎氏因此窘迫無法，此時正值許世英爲段辦理移交，黎乃挽許赴津傳達悔意，並勸段氏回任。段曰：『總統無我，安有今日，今聽僉壬之言，二三其德，吾非小兒，豈能任其侮弄耶？』時徐樹錚亦在座，謂：『事已至此，無可再合，即黎悔，段公又何術以應付兩院』。俊人不必爲黎作說客，』許遂匆匆回京覆命。

語意學漫談

徐道鄰

—（上接四四四期）—

十四．語言的四種功用

介紹吳洛坡的『四分法』

吳洛坡 HUGH R. WALPOLE 的研究語意學，主要是從文學的觀點出發的。他在他一九四一年出版的語意學SEMANTICS（W. W. NORTON，N. Y.）中，特別提出一個『四種功用』的分析法。他這一個心得，對於一般想得到一點初步語意學知識的人，特別顯得簡單明瞭，而容易運用。我在這裏簡單的介紹一下。

『意義』SENSE 是語句的實際的內容，是一切『指示語言』REFERENTIAL LANGUAGE ——用以敍事物的語言，以別於『情感語言』EMOTIVE LANGUAGE ——的主要因素。因爲指示語言的作用，只是在表達事物而已。此外再無其他作用。例如電話簿中的一行：

『趙學義，金山街一號……三一三一七』

這是一個冷冰冰的百分之百客觀的事實記載，它沒有一絲一毫的牽涉到作者或讀者或任何人的情感和動機在內。

這是指示語言最標準的典型。而所有人類一切科學的語言，也全都是屬於這一類的指示語言。（而科學之能不斷的進步，這種語言的性質，實有主要的功勞。）例如我們生理學的書上講：『腦下垂腺在大腦底部，分前葉，中部，與後葉三部份。前葉，泌多種腺液，其功用各不相同。（一）促進骨骼生長；（二）促進性器官發育；（三）促進乳腺發育；（四）支配甲狀腺分泌；（五）支配副腎腺，泌。後葉的分泌，實際上即是中部的分泌，亦不同的腺液，有的在促進血液循環，有的在促進子宮收縮。』

小說的文字，主要的固然是情感文字，但是當它敍述一件事實時——即所謂『平鋪直敍』——却無不在盡量的採用指示語言的方式。例如水滸敍述王教頭之離開史進：

『王進見他（史進）學得精熟了，自思在此雖好，祇是不了。一日，想起來，相辭要上延安府去。……史進並太公苦留不住，祇得安排一個筵席送行。托出一盤——兩個緞子，一百兩花銀——謝師。次日，王進拴了担兒，備了馬，母子二人相辭史太公。王進請娘乘了馬，望延安府路途進發。史進叫莊客挑了担兒，親送十里之程，心中難捨。史進當時拜別了師父，洒淚分手。和莊客自回。王教頭依舊自挑了担兒，跟着馬，母子二人自取關西路上去了。』（第一回，王教頭私走延安府。）

這一段文字的目的，只是單純的對於一件事實的敍述，和上面一段生理學之描寫腦下垂腺，或者電話簿之敍述趙學義的電話號碼，實在沒有一點不同。這種文字的內容，只是它所想表達的意義。盡量避免其他含義。這是一切語言文字最普通，也是最簡單的功用。

（四〇）

謝池春慢

立夏用李端叔韻　·懷冰·

驚聆鵑鴂，芳草路，尋春後。日暖氣初和，雲邊波還縐。有意逢青笠，無計攜紅袖。嫋爐烟，消午晝。平蕪閒望，新綠濃如酒。　清狂得似，慚斂顆，腰支瘦。紫筍籜痕新，大麥風姿舊。痛飲從犀首，兀勝空齋守。情如昨，時不偶。問征西事，怎似桓公柳。

憶鄉賢李立民

·刁抱石·

妖霧終須散。環峯總不平。秋風蓮幕意。冷月退居情。遺愛應猶在。詩魂枉自清。何時憑墓木。一哭大江橫。

劍底秦庭

歷史小說

笑如

「你答應我？」田光激勵得有點發抖。

「只要我做得到！」荊軻緊緊咬着下唇，沉毅的點了點頭。

「好的，荊卿，這才是英雄本色！」田光這時候才放下了和荊軻緊握着的雙手，悉索着在枕頭底下掏了半天，掏出了一張厚厚的簡册，笑着說：

「荊卿，這是一封荐表，從太子交給我那一天起，就讓它在我的枕頭底下壓下這麼多日子。留到現在，總算替它找到了一個最好的主子了！明天——不！就是今天晚上，我便要把它寫好，把你的名字寫到上面去，讓人帶給太子。我相信，太子這是第一次找到了一個有担當有血氣的夥伴。這不但是我田光這一生人爲世人盡的最後一個責任，也是最光榮一個責任。相信當太子知道你也願意幫他的忙時，但不知道要怎樣的興奮哩！」

「看起來，我也像變了一個干祿求進的人呢，老先生。」荊軻微微的笑了笑，從笑紋之中，可以微微發現他內心蘊藏着複雜情緒。

「我不同意你這種說法，荊卿！」田光搖了搖頭：「爲天下除暴害，不能夠無所憑藉，正如下海屠龍，不能夠沒有寶劍在手一樣。你應該這樣想。」

「可是，我總說太子——」荊軻有點遲疑，臨時又把話改了：「老先生，你說，這個國家究竟是喜王在掌管，還是太子丹在掌管」？

「我可以告訴你，喜王祇是名義上的國君，實權實際都操在太子的手中，所以，我把你推荐給太子而不推荐於國君，就是這個道理」。田光的回答是這樣的誠摯，使到荊軻也沒有甚麼好說的了，於是站了起來，

「老先生，我走了」。

「你住在那裏」？

「高漸離的家裏」。

「嗯，高漸離」？田光忽然像是想起了些甚麼事情：「他沒有對你談及燕國的情形」？

「談是談過一點，不過也沒有甚麼深刻的談論」。

「唔唔」！田光沉吟了一會，又補充了一句：「漸離這個人有點消極，你應該勸一勸他，不要過於頹廢了。」

「我也曾經和他談起燕人的情況，看樣子，漸離的逃世似乎也有他的隱衷」。

……。

田光不再說話，靜默了一會，這才回過頭來對荊軻說：

「十天之內，必定會有訊息，我希望你能夠靜居燕國十日，觀察觀察民情，相信你將會發覺睽違多年的燕國，是在進步中的」。

（十五）

記秋丹閣吟草拾遺

湯瑶鍾

（其四）知君放浪迴風塵，已是平生百感身。好句漸含滄海淚，當時應買玉壺春。從來笳鼓交喧日，不廢江山坐嘯人。拭目秋鴻臨蜀道，新篇對酒一凝神。

（六）

二十六年抗戰之初，南京市上，忽有中譯美共所記之毛澤東自傳出現。其中有云：毛氏於湖南第一師範就讀時，得一國文教員，以民報借閱，始有民族主義之思想。（大意如此）。余聞先君常言，民四年居長沙，爲友人石廣權所邀，兼任第一師範之國文教員，適爲毛澤東之一班。於時毛頗致力國學，間常來寓請教，執禮謙恭，並以民報借予研讀。假頗稱許毛氏，顧不知其後來轉爲民族罪人一至於斯也。民族主義之思想云乎哉！先君辭教後，繼之者云爲易寅村先生。而楊昌濟更以毛氏爲可教，不惜以其女妻之。楊氏後入北京大學教授倫理學，病逝北京，葬於南下窪。

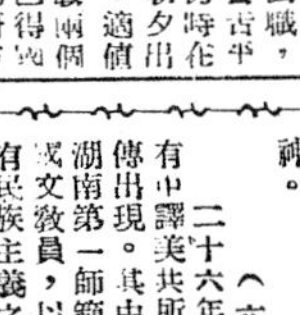

余述此事，意非有他，正以反映先君另一學生之忠毅精神。緣民十二年，先君居南昌兼教於匡廬中學。有受業生李忠弼，爲九江人。性疏朗不拘小節。國校畢業後，入黃埔軍校。北伐時任政工等職，常挈妓友徜徉京市不爲意。先君時或加以諷諫，則亦肅立俯首以謝。余兄弟傍侍，咸竊笑之。抗戰軍興，忠弼以某戰區少將參謀兼任浙江桐鄉縣長。因日敵進犯嘉桐各屬，李忠弼被圍，肉搏而死。浙民請政府予以褒揚，並公葬天目山。誠所謂名山忠骨，輝映千秋。較之毛澤東之誤入歧途，爲患中華，忠奸之別，固未可以道里計。原詩如次：

（五）

自由人
THE FREEMAN
（第四五三期）
中華民國僑務委員會
頒發登記證台教新字第一零二號
中華郵政台字第五〇〇號
執照登記爲第一類新聞紙類
（半週刊每星期三　六出版）
每份港幣壹毫
台北市售價台幣壹元
督印人：陳文華
地址：香港高士威道二十號四樓
3 rd. fl. 20 CAUSEWAY RD
HONG KONG
香港發行及事務接洽
高士打道66號　電話：七四〇五三
承印者：東南印務出版社
地　址：高士打道六十四號
海外總經銷
友聯書報發行公司
香港：德輔道中二十六號A二樓
台灣特派員辦事處
台北市館前街五十號
台灣總經銷處
台北市西寧南路壹壹壹號二樓
台郵劃儲金戶九二五二

台灣的經濟建設問題（上）

·張九如·

台灣的經濟難關重重，如沒有高瞻精察，果斷力行，任勞而更能任怨，求功而不求無過的一羣人，細針密縷的想出法來，而且能大刀闊斧的衝向前去，恐終將陷入絕境。

農工生活的停滯現象

台灣面積一萬四千方英里，可耕地僅占四分之一，現有耕地約八十三萬公頃。耕地墾殖率，計爲百分之二五，現已達到百分之二四點四，尚可墾殖的面積僅二萬公頃左右。農產總指數，如以四十一年生產量爲基數，則四十二年爲一一四，四十三年爲一一六，四十二年增產百分之一四，四十三年僅增產百分之二。現有人口已在九百五十萬以上，每年更以三十三四萬人的出生速率在繼續增加中。百分之二的農業增產率，已比百分之三點五的人口增加率，相差百分之一點五。

台灣經濟係海島性質，非增進工業生產，發展對外貿易，即不能補救接近生產邊緣的農業，以解除人口增加的威脅。但由工業所供養的人數，既遠不及農業，而爲工業所寄鎮的五十餘單位公營事業，其生產量似亦步入停滯階段。如以四十一年爲基數，就礦業土石採取業製造業水電業的總指數觀之，則四十二年爲一三五點八，四十三年上半年指數爲一三三點六，下半年的增加亦極有限。較之上年幾無增減。

如何克復農業難關

上述停滯現象，主要由於人力財力的不足。但如能有效運用美援僑資，及民間資力，就不患無資金。如何實現此種希望，則恃乎人，尤恃乎不避勞怨，公忠體國的人。舉農業上的若干問題言，就非畏勞避怨的人所能解決。如水利建設，是農產的命脈。但最基層的各縣市水利機構，大半不做事，水利捐半被乾沒，要整頓此事，就非開罪豆室不辦。台灣南部的糖井及其他源泉井已有三萬餘口，如能有效運用，即饒灌溉價值。但紛爭層出，有水源充爲而不准分潤者，有在同一水源而設井過多，競相爭水者，有把持一方，藉井營利者。欲管制此種糾紛，革除此種陋習，就非准備費力遭怨不辦。又如欲改變不合經濟效率的繼續灌溉方式，推行輪流灌溉方式，是台灣農田水利要務之一。但農民既囿於積習，水利人員亦有難色。如主持經濟行政者不敢排萬難而前進，則數十年來所未有的今春缺水現象，決不能在輪流灌溉之下，增加插秧面積七萬二千公頃，並挽救插秧缺水面積三萬五千公頃。再如籌建石門水庫，以興灌溉發電防洪給水之大利，是日據時代已創議興辦而迄未敢辦的浩大工程，即站在工業社會觀點及電力利潤角度的美國專家，亦會對既定方案表示異議。在全部經費八億五千萬台幣中，雖已規定受益人民須負担百分之二十六，然如何使難與慮始的人民願意出錢，尤費脣舌。但建設籌備委員會已成立了，部分工程亦將開工，若非有明敏果斷的若干人措社其間，又何能有此結果？

事在人爲事實可徵

台灣土壤瘠薄，非施肥不能彌補地力，但自製肥料價格，遠比舶來品爲高，用戶因負担加重，會感不滿。主持經濟行政者認爲此時如不運用美援拓建化肥工廠，則一至美援停止或大戰發生，肥料供應即難以爲繼。並且專恃輸入，尤非外匯所能勝任。又如台糖在全年出口結滙中，佔百分之六十至八十，在財政上自有其重要性。但因國內米價高漲，國外糖價下落，致原定糖米比價保證辦法，蔗農頗感吃虧，如隨米價調整，最少亦須增加兩億台幣的發行，若坐視不理，蔗必減產。且稻可一年收穫兩次至三次，蔗必俟至十八個月，種蔗之利更遠不如種稻，蔗農計較已久。經濟行政上：民生與國計的衝突，實無過於此者。如不持以定識定力，則糖米的齟齬，更大於內肥外肥之爭。三五年來，肥料產量竟由四百噸升達十七萬噸，蔗田毅然由十三萬甲減爲十萬甲，而產量則達六十餘萬噸，已顯示「事在人爲」的定律。

資本何以缺乏

提高人民生活水準，自爲經濟建設的最後目標。但台灣最感缺乏的爲資本，而將一些生產成果完全消耗於提高生活水準之上，不知累積爲再生產的資本者，亦爲台灣。以米布爲例，二十六年米的消耗量平均每人爲一二三公斤，布爲一一碼，四十二年米的消耗量已高達一五〇公斤，布已達一七碼，而四十二年進口的非投資性貨物，且多於投資性貨物。凡三七五減租及耕者有其田政策實施後的所得，幾從日常生活及「拜拜」陋習與修建寺廟中逐漸耗去，如何及時造成投資環境，提高投資利益，使人民自願積儲資金，並投入生產事業，實爲今日要圖。但香港式的轉變，必賴有如唐代楊綰那樣的人，以儉率俗，始能達成。楊綰入相，遠在邠州行營的郭子儀，即裁減坐中音樂五之四，劍南西川節度使崔寧之弟崔寬，即毀其在皇城南的池館。經濟部會以受人勸阻，而停止其借款搬家的行動，自足風世，但影響力並不大。

工業困難人謀不臧

台灣的面積資源人口及工業基礎，均勝於香港，電力與工資的低廉，亦非香港所及。然香港工廠已由九年前的三六六家，發展至去年，竟達二千家以上。香港本爲轉口港，然在八年前僅占百分之一的自產品出口，發展至去年已達三分之一。而其輸出總值，亦由五年前的一億九千六百萬港幣，發展至去年，已高達六億八千一百餘萬。香港能如此，何以台灣反不能如此呢？最觸目驚心的是，爲什麼東南亞十餘億港幣的僑資不湧進祖國，而反流往香港呢？原因極明顯，只在人謀不臧。

稅負過重扼殺工業

人謀不臧的第一件事實，是稅負過重，課稅只顧財政收入，不顧工業發展。例如所得稅中的綜合所得及高度累進率，本爲工業高度發展國家公平合理的稅法，我國貿然仿行，便不免扼殺工業。修正案雖已放寬征課尺度，但仍未全改「以所得額大小爲課征標準」的舊則，澈底採行「按資本利潤率爲課稅標準」的新制，藉以保障合理利潤，促進累積資本。尤其現行所得稅法第二十五條規定「凡一切營業上的設備，因擴充換置改良修理的支付，足以增加其原有價值或效能者，爲資本的增加，不得列作費用或損失」，無異限制工廠的發展。且在資產增值轉列盈餘以後，再收其百分之五十的所得稅，更使資金枯竭。又如歷年財政收入總額中，間接稅估百分之七十以上，貨物稅則爲主要的間接稅，並爲必然轉嫁的惡稅，無論其轉嫁到消費者或生產者方面，終必使消費力下降，生產費上升，甚至使生產者轉移其資本於不課稅或稅負較輕的產業方面去，致違反經濟資源有效使用的原則。至於關稅印花稅貨物稅營業稅港工捐防衛捐的繁重，又使若干進口原料負担的稅捐總額，更較製成品爲高。健全稅制，即健全工業，稅制既如此不健全，怎望工業健全？

必須闖過的第一關

所得稅法尚未經立法院通過，主管機關應如何及時提出修正意見，求得行政立法兩院採納，使此稅法成爲工業化的第一個稅法？如何力爭修正利少弊多的「獎僑回國投資條例」中准許輸入其他物資的草案，乾脆採取原幣保值辦法？如何促使財政當局與司法機關限期清結爲數幾近兩億台幣的財務罰鍰案，並共謀根絕各種走私及套滙等弊竇，藉以抵補所得稅法甚至其他各稅稅率修正後財政上的虧損，俾不致因此斷損而影響到工業貸款？如何協力裁節各方面不必要的支出浪費，直接減少財政上的稅負，間接降低工業上的稅負？這都是必須闖過的第一關。闖這一關的起碼條件，必須不怕開罪各方，只怕開罪工業。官可不做，幹事必須這樣幹。

美對蘇聯與中共策略的檢討

曾旭軍

最近聞美國布洛還斯社會科學研究院所刊行的一九五四年「美國外交政策主要問題」一書。可以看出美國對付中共的假定抉擇辦法，和對付蘇聯的三假定抉擇辦法，有其類似的基本原則。

兩項假定政策

該書對蘇聯政權綜合成三個基本問題：（一）蘇聯對自由世界的威脅，是否可能以消滅蘇聯政權的方法去應付。（二）是否可想出一種辦法，使自由世界與蘇聯所操縱的世界，互相容忍的甚至不安適的共同存在？（三）使蘇聯政權和平的轉變成爲一個能與世界其他國共存合作的政權，是否空想？抑或在政治現實的範圍內有其可能？

該書繼續指出，就傳統的影響而言，美國應對第一項問題採取行動，但歐洲的現實主義係積極從事解決第二項問題。爲折衷起見，可能因利乘便使美國與歐洲的歧見不相衝突，而能和平的轉變蘇聯的政權。

至於對付中共亦有三項假定的抉擇方法：（一）以實力對付中共。（二）要承認一種事實，即中共的實力已增强，因此對中共的政策須作周詳的調整。（三）假定中共係遠東一潛在的强國。因此基於特別的基礎（AD HOC）去對付中共，應制止其潛力的發展。

以上三項假定的抉擇途徑，和對付蘇聯的三個基本問題一樣，依然美國正義感的傳統，應採取第一項辦法。但歐洲若干大國，及若干苟安投機和中立國家，有意的或無意的叫囂要考慮第二個途徑。美國因爲不願與盟友衝突而採取妥協辦法，因而傾向於第三個圍堵辦法。

於此可見對待蘇聯的與對待中共的各別三辦法，是有其脈絡相通的。美之所以不能堅決實行第一項辦法，除了不欲與盟國擴大矛盾外，顧慮到核子武器的戰禍，亦係一大原因。

中共能成强大嗎？

美國對中共並無認中共爲强大的錯覺。她知道中共永受蘇聯的駕馭，決無成爲强大獨立國之可能。祇是蘇聯一强大的侵略工具而已。

中共原亦有建立强國千載難逢的機會，因爲日本帝主義既倒，英法因二次大戰已筋疲力竭，中國大陸周圍鄰邦均係小國，中共若能擺脫蘇聯的控制，休養生息，與民更始，不做逞暴殘民的事，是極易成爲富强康樂之國的。但中共的起源及其長成，皆在蘇俄豢養翼卵下，且其服膺的主義與政治制度，均係與戰爭結不解緣，非殘民逞暴不可者。因此，中共已註定永爲蘇聯的鷹犬，無法自立。在無日本對抗，及英法無暇顧及的遠東環境之中，亦祇能成爲蘇聯驅策下的一個鷹犬而已。說中共是一個强國，不知何所根據？餓莩盈野，千萬人民慘受屠殺，怨毒之氣盈天，其政權實岌岌可危。何嘗有絲毫康樂富强的景象？（上）

半週展望

·李金曄·

共黨怕的是內部不安

「西方是西方，東方是東方」西方對於東方的事情，有時確實是不易了解的。

西方觀察家，許多人認爲共產集團「讓步」的最大因素是核子武器方面的落後，是西方實力政策的結果。其實在東方人看來，共產集團固然懼怕核子武器，但更怕內部的變亂不安！

現在從莫斯科到「北京」，由平壤至河內，我們相信共產黨最感焦慮的是糧食的缺乏，以至引起內部的動盪不安。

遍地飢饉已成了共產集權政治的痼疾；這不僅是天災的結果，而且是共黨經濟制度和經濟政策的必然災禍。因此，如果祇有西方的實力政策和核子武器，共產集團還不會輕易低頭的。共黨知道，核子武器固然可怕，但他們也確信西方國家是怕報復的。

但是，鐵幕內人民的仇恨，和飢火，却將共產政權從根炸毀。且看最近中共報紙所透露的，農村中的飢民已經普遍的組織成各式各樣的反共團體了。人禍之外，還有天災。今年的江河水勢是近年來所沒有的，說不定要比去年更厲害。這樣，即使沒有西方的實力壓迫，沒有核子武器，中共內部也要無法收拾了。因此，中共不得不採取和平攻勢，要和美國直接談判。把去年下半年大聲叫囂的「解放台灣」，也不再談了。中共如此，蘇聯內部亦何嘗不如此？

鐵幕內的實情既然這樣，西方如果竟爲共黨所愚，給他們以喘息的機會，豈非坐失時機，自貽伊慼！

星洲新威脅在醞釀中

工潮學潮對星洲的威脅，似乎已經過去，但新的威脅又在醞釀中。

現在共黨又提出「麵包與牛油」的口號，企圖將工人團結在「勞工憲章」之下，去向勞工陣綫政府作繼續不斷的進攻，向主張連根拔除共黨暴力的新總督柏立基示威。

根據過去工潮學潮的經驗，馬共目前正從事整頓內部，利用工人，學生改變策略，對政府作所謂「合法鬥爭」！

所謂「合法鬥爭」，可由議會鬥爭，發展到時罷工、罷課、罷市、暴動，而至暴力革命，方式不一。有時化整爲零，又有時化零爲整，目的在使政府疲於奔命，逐漸養成共黨本身力量。

艾登的統一德國計劃

美國已明確表示，在巨頭會議席上，不談遠東問題。會談的中心，將是艾登的統一德國計劃的討論。

艾登的計劃共爲五項，主張全德自由選舉；召開國民大會；起草憲法和按排和會；通過憲法，全德由國民大會選擇政府，該政府擁有對外談判和約，確定永久國界的權限；最後簽署和約。這計劃本來在去年一月的柏林四外長會議時，已爲莫洛托夫所拒絕；到了去年十月，他又表示可以接受作爲討論的基礎，迄今似未改變態度。

蘇聯的轉變，自然是歐洲各國觀察家所關心的，但將來巨頭會議，是否值正爲蘇聯所能全盤接受呢？實在難說。也許現在蘇聯覺得艾登計劃，可作緩兵計，不妨表示若干接受的意思，實際上是黃忠拖刀之計，亦未可知！

阿爾巴尼亞要求復交

阿爾巴尼亞於一九四六年一月淪爲蘇聯的附庸。自一九四八年狄托脫離東歐情報局後，她在巴爾幹的形勢，已形同共產集團的「棄嬰」。

最近希臘外交部於七月四日宣佈，聯合國秘書長韓瑪紹轉言，阿爾巴尼亞要求和希臘復交。希臘已表示願意「慎重研究」。

希臘之慎重是應該的，當年如果不是美英全力援希，恐怕共黨早就站在阿爾巴尼亞的跳板之上，把希臘一口吞下去了，此其一。現在蘇聯和平攻勢之下，阿爾巴尼亞自動要求復交，用意何在？勢不能不審慎，此其二。

勢同雨後春筍的——

大陸的反共組織

反共組織遍佈華北及長江流域　行動秘密而迅速共黨束手無策

沈著

【本報訊】據最近中共「新華社」及上海「解放日報」所透露的消息，近來東北、華北，和長江下游等地區，都出現了人民反共組織，及暗殺、縱火、破壞生產、運輸等劇烈反共行動。

三江會遍佈長江下游

據稱，活躍在武漢、蕪湖、九江、南昌、南京，蘇州、上海、杭州等水陸大碼頭及其附近農村的，以「三江會」規模爲最大。該會的組成分子，包括工人、農民、商人、共幹，及軍人。每一個大碼頭都有一個總領導人，採取單綫控制，複綫活動方式，宗教的色彩很濃厚，內部組織亦極嚴密。活動的主要內容是：刺探共方情報，損毀共方物資，破壞共方生產，控制農村及工廠之基層組織如合作社、工會等，並發展地下組織，團結群衆力量，鼓動反共忿氣。他們通常利用共幹身份及經商活動爲掩護，以進行各地的連絡，時做指導工作。由於他們聲東擊西，互相呼應，一處出事，即能在另一處找到掩藏，使中共的公安當局極感棘手。據說，今年二月間武漢造船廠有母機一架及零件十餘噸被拋入江中，即爲「三江會」份子所爲。雖有兩工人已涉嫌被捕，但無法追獲「三江會」的指揮人。

工人農民爲反共中心

據稱，流血鬥爭最劇烈的是在吉林省森林工業部門活動的反共組織。在該處活動的都是伐木工人，許多反共工人僞裝「積極」，先取得中共的信任，當到了幹部，然後利用職務上的便利，展開暗殺共幹，顛覆列車，焚燒森林及倉庫等活動。其中一個名叫鄭殿銘的工人曾當到工會副主席，前後暗殺了六個積極共黨黨員；一個名叫董文典的工人混進了中共「青年團」組織內，前後手刃共黨黨員、團員，及領導幹部共二十一人。而且在一項縱火焚燒物資倉庫的破壞行動中，使中共吉林的森林工業一度爲之混亂，損失物資達七萬萬元之鉅，其聲勢之大，可想而知。

華北宗教團體多反共

根據上述的報導，最深入羣衆和最有長期計劃的反共組織，是河北張家口一帶的農民所組成的各種宗教性秘密團體，計有「大佛教」、「明眼教」、「原理天道」、「一貫道」、「中央道」等，凡五種之多。這些團體雖帶宗教意味，卻都有其具體的政治綱領，而且組織很嚴密，分區領導和分組活動，佈置極爲周密，組織的發展也很廣大。他們活動的方式都很秘密，經常以探親訪友，行商、郵差、看病，及算命等方法進行連繫，並且一方面以公開職業爲掩護，一方面又設有暗室或地洞，作爲必要時隱蔽之用。據說，有些地洞中，還設有打鐵爐、秘密製造武器，準備乘機起事。又說，這些組織都擁有大批已參加中共合作社或互助組的農民，且有不少農民取得了領導權，當了社長、組長、會計等職務。因此在張家口一帶廣大農村中的合作社等機構，實際上已爲反共農民所掌握。在宣化、延慶、張北等縣，甚至還有很多合作社爲淸一色的反共農民所組織，以至中共的農業政策遭到了有組織的頑抗。

新華社的反共報導

「新華社」又說在天津、青島、濟南、錦川、徐都等地亦發現龐大的反共組織，參加此一組織的，多數爲商人與工人，亦有少數是中共的下級幹部，甚至還有不少是十多歲的活潑兒童，他們担任傳遞情報及通訊連絡等工作。據說此一組織的反共活動，主要在與中共作經濟鬥爭，擾亂中共市場，破壞中共物資統制政策，並散播謠言，擾亂城市秩序。

在中共「新華社」等透露前述情況之後，「人民日報」曾警告各地各部門的共幹要「加倍提高革命警覺」，以防止所謂「反革命份子」乘機破壞。此種情形足以顯示大陸各階層人民的反共情緒確已日形高漲，自動的反共組織已到了雨後春筍，到處滋長之勢。（完）

西克人要求自治　尼赫魯窮於應付

崇宜譯

泰拉辛是印度六百萬西克民族的宗教領袖，他對西克青年近來剃鬚的習慣極感不滿，他說：「這些青年已忘記了，他們把鬍子剃掉後，就像一個煮熟的馬鈴薯。」同時泰拉辛也是一個積極的政治家，所以他又接下去說：「如果把一隻獅子的毛剃掉。它又會變成什麼樣子，我們難道不是獅子的民族嗎？」

這些留着長鬍子而佩着利劍的西克人，一直希望在印度的旁遮普省獲得一份重要地位。旁遮普位於印度西北部，喀什米爾之南，是一片豁熟的草原，西克人會在那裏作戰了一個世紀，抵抗蒙古人的侵入，因此成爲印度的著名饒勇善戰的戰士，後來他們又成爲職業士兵，或替英國人當警察，派到英國遙遠的殖民地服務，在這方面，他們仍保持了英勇的聲名。

遠自印度脫離英國統治而獨立及劃分爲印度與巴基斯坦時起，西克人即力求獲得自己的國家，可是一部份西克人地區卻在當時劃入了西巴基斯坦。西克人被迫遷出時，沿途大肆屠殺，因此尼赫魯總理下令西克人的佩劍必須在衞繼的皮袋中，不准使用，這當然更使西克人更爲憤怒。泰拉辛會說：「回教徒得到了巴基斯坦，印度人得到了印度，爲什麼西克人不能得到一個西克斯坦呢？」可是尼赫魯的國大黨卻感化了許多泰拉辛的追隨者，使他們支持了和平及印度各民族混和共處的觀念。在一九五一年的選舉中，泰拉辛的「希羅馬尼．亞卡利」黨宣告慘敗。泰拉辛翹着鬍子憤怒地說：「你們這些沒有信心的人，將來總有一天，他們將需要我，圍集在我身邊，因爲祗有如此，你們才能生存。」

泰拉辛的預言果然靈驗，這樣的日子終於來臨，尼赫魯在印度許多語言不同的民族集團壓力下，成立了一個各邦重新組織委員會，以研究印度內部各邦的重新劃分。泰拉辛運用技巧，擬成了一個計劃，將旁遮普語的民族劃成一省，廣三萬五千四百五十八方哩，人口一千二百萬，西克人也是用旁遮普語的，他們的人口在這一邦僅略少於其他民族。但泰拉辛仍是有極大信心，他說：「我們的繁殖力比印度人快得多，在十年內我們必能掌握絕對多數，使柔弱的印度人瞠乎其後。」最近，西克人的人口果然已增加不少，於是泰拉辛的政黨又展開激烈運動，要求成立一個「西克斯坦」。

但旁遮普省政府對西克人提出警告道：「你們儘可以在集會高喊你們的口號，可是決不能腰佩短劍舉行遊行。」泰拉辛率先違反這條禁例，立刻被政府逮捕。從這時起泰拉辛卻改變策略，向甘地學習而發動了「非暴力」運動，在旁遮普各地，長鬍子的西克人站在警察面前，高喊口號，自請拘捕，他們最喜歡的地方是在安利賽城的西克人「金寺」前的廣場展開這種運動。到目前爲止，西克人已有七千名被捕，許多的地方牢獄已有人滿之患。

這些西克戰士的消極抵抗，已使當局大爲不安，認爲甚至比他們白晝腰佩短劍在公共場所出現更爲危險，因爲消極抵抗對民衆具有偉大的吸引力，就是尼赫魯自己，憑他過去採取消極抵抗策略的經驗，也深知其影響力可驚。雖然尼赫魯把這種運動爲「愚蠢」，但實際上他已感到窮以應付。

最近泰拉辛在牢獄裏渡過了他的七十一歲生日，二百七十人西克人以自動要求被捕，作爲對他生日的賀禮，居然每個人都成功的。

台灣通訊

嚴家淦和「便當」

提倡節約自帶便當

【台北通訊】目前台灣的社會風氣，許多人認爲不够樸實，但也有些地方是可以稱道的。例如現在普遍盛行的「便當」習慣便是。「便當」習慣是凡公教人員，無論是省、縣、市鄉鎮各級人員因公出勤，赴各地公幹，均得自行攜帶「便當」（飯盒）一盒，如不攜帶，亦不得接受地方官員的招待，否則即須受處罰。這辦法自從省政府下令實施以來，已獲得各界人士的一致好評。本來，兩年前，還沒有此種風氣，自嚴家淦主持省政後，才有這種規定，漸漸成爲習慣，現已風行全省。因此，嚴家淦也有「便當」主席的雅號。

嚴家淦和俞鴻鈞同學

說到嚴家淦，他與現任行政院長俞鴻鈞，同有「理財專家」的稱譽。嚴氏在掌省政以來，迄今已經兩載，雖無赫赫之功，刻苦耐勞，勤儉自持的精神，似乎也還不錯。

嚴氏於民國十五年畢業上海聖約翰大學，以後廿多年服務社會，都不脫「經濟」兩字的範圍。他和俞鴻鈞也是老同學，私交甚篤。兩人的出身和經歷也大同小異。在政治舞台上，始終是一對搭擋，過去不說，最近幾年，俞任台省主席，嚴即被邀出任財政廳長。俞榮陞行政院長，嚴遂升登省主席的寶座。

卅九年閻錫山組閣，嚴氏曾出任經濟部長，行政院美援運用委員會副主任委員。不久，出任財政部長。政府遷台以來，嚴氏的官運，可說是一帆風順的。

台灣官場，請酒、發帖、上酒家，風氣本來十分濃厚，也很普遍。許多地方官員，往往乘主管長官出巡的機會，以招待爲名，虛報假賬。俞鴻鈞做台省主席的時候，就因此惹過煩惱。他這位同學老弟嚴氏接篆以後，第一着就宣佈嚴禁屬下官員請客送禮，提倡節約運動，提倡公教人員出勤公幹時，要自帶「便當」。

嚴家淦主持省政兩年，「便當」風行，是兩年來最可稱道之事。也因此而帶來若干趣談。他在兩年內，出巡不下十餘次，每次隨行人員，陣容均甚龐大，往往包羅省府以下各級單位主官，及顧問人員，還有一批「無冕之王」隨行。新聞記者沒有攜帶「便當」，他往往以「便當」一盒相贈。有一次，一位記者向他打趣說：「主席先生，我是北方人，吃慣了大麵，『便當』實在吃不來，請主席恩准自買麵食充饑」。他笑着拍拍這位記者的肩膀說：「老兄是『無冕之王』，我這辦法不過限於省府官員而已，記者先生不在限內。」聞者相與大笑不止。

「便當」已風行全台

王斌

現在台灣「便當」之風，已極普遍，公教人員以及銀行裏的小姐們，學校的學生，工廠的男女工人，每天中午都以自備「便當」充饑。你可以在台北的公共汽車上，隨時看見用手絹包紮的小盒子。拿這些小盒子的人，有西裝畢挺的紳士，有穿黃卡璣中山裝的青年，也有打扮得花枝招展的姑娘小姐。你便可想見，「便當」已經和台灣各階層人的日常生活如何結下不解之緣了。

（六月廿五日）

編者讀者

△本刊近接幾位熱心愛護的讀者來函，對本刊提出以下幾點改進意見：

（一）第四版副刊刊載掌故之類的文字太多，應增加其他文字，以調劑一下讀者的口味。

（二）「自由人」應以維持風格爲第一，「惡貨幣驅除良貨幣」的作用，也會在刊物上發生的。

（三）詩詞稿子應嚴加選擇，不可隨便，不要輕易登載爲個人捧場的文字。

我們對以上幾項寶貴意見，自當敬謹接受，盡力求其實現，於此，並示衷心感謝之意！

△靜觀，陳永昌，向義，魯雨辰，恨天，萬香堂，九九頑叟，楊海宴，溶漢，許苑，燕魯，翟甚，王崇青，膺人，諸先生，承惠大作，均已奉到，至感謝！

日蘇交涉的前途（三）

早日成立和約已成必然之勢　其他懸案的解決一時難成功

安世

	輸出	輸入	共計
一九二六年	五，三〇四	二四，六七七	二九，九八二
一九二七年	八，六七三	二六，一三二	三四，八〇五
一九二八年	一二，三九五	二四，一五五	三六，五五〇
一九二九年	一七，三三七	二五，九五五	四三，二九三
一九三〇年	二八，三一八	三九，八〇一	六八，一一五
一九三一年	一七，〇七六	三四，六五一	五一，七二九
一九三二年	一四，四四三	三二，四三五	四六，八七九
一九三三年	一三，六六五	三七，〇二九	五〇，六九四
一九三四年	一三，〇〇五	四〇，八〇八	五三，八一四
一九三五年	二八，三一九	一七，九〇四	四六，二二三
一九三六年	三一，三四九	二一，三三二	五二，六八一
一九三七年	二七，九六八	一三，五四三	四一，五一一
一九三八年	五，一八三	七五六	五，九三九
一九三九年	三二五	三一六	六四一

對蘇貿易入超

二次大戰前日蘇貿易入超出超情形（單位千元）

一九二六年	（一）	一九，三七三
一九二七年	（一）	一七，四六〇
一九二八年	（一）	一一，七六〇
一九二九年	（一）	八，六一八
一九三〇年	（一）	一一，四八三
一九三一年	（一）	一七，五七五
一九三二年	（一）	一七，九九二
一九三三年	（一）	二三，三六四
一九三四年	（一）	二七，八〇三
一九三五年	（十）	一〇，四一五
一九三六年	（十）	一〇，〇一七
一九三七年	（十）	一四，四二五
一九三八年	（十）	四，四二七
一九三九年	（十）	九

日蘇貿易的商品

二次大戰前日蘇貿易商品表

甲　輸出品目	數量（百斤）	價額（日元）
發動機及發電機	三〇，一一四	二二六，八〇〇
變壓機	六，九七八	二八〇，七五七
電氣機械	四，七四九	九九一
內燃機關	二七，〇六四	二，七二二，三五六
金屬機械	二八，六四九	一，六七二，八五一
綿布機	六，一八六	一〇四，二一九
其他機械	（支）	九七七，七四九
輪船	三一	六〇五，〇〇〇
其他船舶	八五	一，八〇三，八五六
製茶	四六，八一四	一，九五〇，六一三
小麥粉	六一，五五六	五〇六，一四一
機油	一〇，〇〇九	一九五，〇八四
水泥	一，九七一，五七三	一，二五三，九一四
金屬		二，八〇五，八四九
銅綫鋼板鋼管	八，四三一	四四七，六七八
電綫	一〇〇，九一六	三，六九三，一八四

論文化的時代性
——並請教於吳康和代鍔兩先生

·蕭立坤·

（一）

自從讀了去年底毛以亨先生的六經易學諸文後，一直想寫一文。接着本刊發表了徐道鄰先生的語意學，真是拍案叫絕！可惜因篇幅有限，徐文不能一期載完。如果本刊投稿人——及一切寫文章的人——先把語意學讀一下，然後提筆，可能免去許多似是而非的長篇大論。

語意學是自然科學及工程學的第一共守規則。自然科學中每一個名詞必有一個清楚公認的定義，不像一般人談到古文化時，所說的抽象名詞，如：『仁』『義』『傳統』『修養』，人言人殊。甚至於為『文化』『中國文化』這些名詞下個定義，也非易事。（請問細菌學是否文化？佛學是否中國文化？）……

（二）

在徐文尚未刊完之前，『自由人』有兩位作者——代鍔與吳康——各寫了一篇大作：（一）如何做一個現代新知識份子。（二）論中國文化的改造。我實在佩服他二人的大膽！

月前我在一篇人物評述中已說過了，處在今日新、舊、中、西文化的激盪下，我們這些普通知識份子，根本不可能『不惑』。對于上述二文所論的大題目，我以為不是任何個人精力學問可以勝任的。這並不是說我們一定就『惑』。我們的正常態度還是『知之為知之，不知為不知。』

（三）

科學家討論一個問題，通常說：對於這個問題，我們已知道些什麼，目前在研究些什麼問題，尚未得到結果的是些什麼，今後可能發生些什麼，此外我們都不知道了。

吳康先生揭出中國文化改造的大問題中，似乎忽略了文化的時代性。

古時因交通不便，地球各方聚居的民族，各自創造自己的文化，所以有中華文化，印度文化，埃及文化，秘魯文化等。因此，與中國同姓不婚的禮俗同時，在埃及，父女，母子卻可相婚。

到了廿世紀，飛機電信已將地球的直徑，縮小成幾小時或半秒鐘可達的限度。各地人民，除了文學、音樂等尚略有地方色彩外，人類文化的主要部份，如物質生活方式，社會倫理組織，哲學思想，已不容許有什麼重大的差別了，所以也就無所謂某國文化了。

這世界性的新文化，已將一切古文化打倒了。柏拉圖、亞里斯多德、孔丘、李冉的命運，並無不同。（耶穌性質迥異，本文不論）。歐洲中古時代天主教的酷刑，及中國幾千年的誅九族，都一樣被打倒了。

（四）

吳先生所提出的『人道為最高理想』，並非古代聖賢倡導的結果，而是現代科學提高人民生活水準後必然的需要。如果沒有科學工業，一百個孔丘，一千個柏拉圖，也阻止不了人吃人的恐怖！

想必吳先生也是四十以外的人了。請想想中國舊社會中，婢妾、童養媳、佃農，殺頭刑，獄吏的黑暗；皇帝、太監、士大夫，及民國以來官僚的威福；農村人命之賤，生活之苦；任何有良心的人都會『流涕』憤恨！將莊子所謂『大盜至，聖智之法一併盜之。』不是說孔子本身不好。他確是在孔子的時代，一位極聰明的人，但到了今天再來說孔子，如他有靈，也要抗議『凍結他的思想自由』吧。

現在的問題不是『外國月亮好』，而是『新月亮好』，『古時的月亮，無論中外，搬到今夜的天空掛着，便不好了。』

（五）

代鍔先生提出『以儒家精神為基礎』，更值得研究了。我至少有一個問題，請教代鍔先生：孔子殺少正卯，為的什麼罪名？用的什麼法律？與共產黨的思想清算，有何區別？

至於孔子以後的儒家，言之成理的已不多。孟子的強辯，韓愈的道，朱程以下的語無倫次，如要提倡，反不如買一本燒餅歌，朝夕諷念，較為平安。

代鍔先生還引了顏回簞食瓢飲為生活藝術化，（或精神化），要今日的人效法，那無異反對提高生活水準，否認食物營養價值，否認環境衛生，廣播肺結核，顏回明明是營養不足以至患肺病早死的。

（六）

愚意，我們還是少清談多實幹吧！今日的大前提極清楚：中華民族目前的大責任，是打倒共產政權，建立自由制度，今後長期的努力方向，是提高人民生活水準。凡能幫助我們達成上述兩目標的，一切事務都是我們文化的本體，古代的文化，無論中外，還是暫且收藏吧！（五月十五日）

中小學生程度參差
教材需要劃一標準

今年參加小學會考的應屆畢業學生，總數共約二千八百餘人。從就讀現有各公私立小學學生總數七十萬人看來，這個數目非但不大，且顯得渺小。但是他們畢業以後，大多數將感覺到升學困難；中學所能容納的名額，只及四分之一。誰也知道，報名參加會考的學生，都抱着考進公立中學希望。那二千八百多應考者，每個都要名列七百名以前，是一件何等吃重事情。這件吃重的事情，畢竟非做不可。可是，而考試科目且又十分繁重，非似一般小學畢業學生可以全部答得出的。對於限制他們升讀初中說來，這種「閉戶拒納」政策，自亦無可厚非的。如果說，畢業會考是一種鼓勵，或者說，提高教育水準。那末，試題應該普遍一點。否則，何必多此一舉，乾脆不必舉辦會考了。

港九公私小學名額，共達十七萬之多，分布數百間學校。各校課程深淺不一，致畢業以後程度各異。大多數學生家長，他們平時對其在學子女，很少有督察訓導時間，但在屆臨畢業之時，就必然會加以重視，考查結果，往往大失所望。因此，有的趕緊設法令其子女補習，有的根本就懵然不知。此等學生自亦談不到參加會考，只能望其能夠考上私立初中。這種情形，目前似乎非常普遍。雖然，一半歸咎於自己平常缺乏督察子女功課時間；學校也該負其大部分責任。推其原因，此等學校視辦學不啻營商，只會罔多收學生，不問學生程度高低。

小學會考制度與中學會考，既視為同樣重要，而且必須確立這一制度，那末，學生課程以及學校教學方法，亦應同加重視。本年度學期已屆終了，過去的優劣，只要以會考成績和參加學校多寡來衡量，不難從得結論的。現實的問題，當局不應偏重會考，應該注意中小學校教材是否劃一標準。這一重要性似乎不比會考更甚。假如各校學生程度參差，自應先從小學着手途徑，考查各校教材，再向各中學調查。有的小學教材訂得很高，學生根本就不夠水準，課程跟不上的，對學業就採取不理會的態度。因此，造成了中小學生程度高低參差現象。當局倘再忽視，今後中小學生參加會考人數，非但不會增加，將會逐屆減少，教育前途，至堪憂慮。

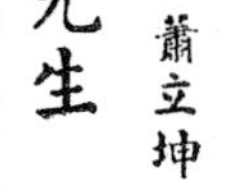

俞平伯與紅樓夢事件

著者：趙聰　出版者：友聯出版社

慕容羽軍

共產黨在大陸清算學人，已不止一次了，太遠的不說，近一點的則有朱光潛的「美學思想」，梁漱溟的「村治觀念」，和最近的胡風事件。

這一系列的清算，嚴格的檢查，仍是脫不掉清算「胡適思想」的，其中最顯著的要算俞平伯事件了。但，這些清算的波瀾，自由出版界仍未有誰做過較完整的整理，深入的剖析工作。友聯出版社這一本書，可以說是一本下過工夫的了。

全書的內容

這本書共有十七個小節。即：一、又一次文藝整風運動；二、先說紅樓夢這部書；三、俞平伯其人其事；四、俞平伯對「紅樓夢」的研究；五、「紅樓夢簡論」的發表；六、胡喬木指使抨擊「新版紅樓夢」；七、王佩璋槍手開火；八、「人民日報」發號施令；九、鬥爭會上的混亂現象；十、再度清算胡適思想；十一、袁水拍質問「文藝報」；十二、馮雪峯被整肅了；十三、舊案重提胡風洩憤；十四、揭穿控制文藝的黑幕；十五、周揚乘機報復宿怨；十六、清算胡風事態擴大；十七、文藝整風將無盡期。

這十七節文章，又可以分做四個階段看：

第一節說明共黨的「文藝整風」到底是什麼一回事。第二——五節是俞平伯三十年紅學鑽研到共黨統治後的苦悶，第五——十是俞平伯的紅樓夢研究被清算的經過，第十一至末節，是紅樓夢事件的擴大，完成了共黨高層文藝政客對文藝整風運動的步驟。

胡喬木暗中主使

本書很明顯地指出：中共所要的，是一個被欽定的「文藝政策」，這種「黨性」必須以馬克思列甯主義思想立場作為出發點，對於中國的古典文學無法杜絕它的存在時，他們便想出一種解釋的方法，拿馬克思列甯主義去套上它的頭上。光以紅樓夢來說，中共指使了嘍羅來解釋它的「人民性」和「馬列主義觀點」時，就有「曹雪芹應該是有資格排列在人民作家之列，他是現實主義的大師。」「賈寶玉……是當時將要轉換着的社會中即將出現的新人的萌芽。」這一來，勢將要把曹雪芹說成一個中國共產黨員那麼神話化了。這，是他們必須如此做的。照本書的分析，中共對「紅樓夢」的歪曲，曾經苦心經營了一番。這事件的生腦發動者是中共「宣傳部」副部長胡喬木。但胡喬木卻並不自己出面，他假手於一個二十三歲，一個二十六歲的李希凡和藍翎兩人出面。這兩個乳臭未乾的青年學生，僅在接得了一點啟示之後，便開始批評俞平伯三十年研究的心得了。這個開端，卻在沉默中度過。因為留在大陸的學者根本不會想到共黨鬥爭的方式，只以為不過是不值得一顧的文章把它放在一旁就完了。豈知這篇文章的背後實在包藏着許多內容的，於是，在胡喬木不斷策動下，好戲終於上演了。

亂箭傷了要人

俞平伯出於有學人的骨氣，他曾經一度以沉默來抵抗了胡喬木要他修改「紅樓夢簡論」的命令。後來，就是由助手王佩璋駁復了李希凡和藍翎的文章，指出中共「作家出版社」所出版的「新版紅樓夢」，對曹雪芹出生與死亡的年日不正確，所謂「新版」是根據程乙本的，也是欺人之談。王佩璋指出「新版」本是根據胡適作的程乙本，不同於程乙本的有六百二十四處之多，大錯有九十一處之多。這一來，「作家出版社」也就狼狽出面檢討了。作家出版社原是「文聯」和「作協」所統屬的機構。亂箭傷了要人，俞平伯事件便日見嚴重了。

郭沫若茅盾說好話

株連的機構和個人，茲開列如下：

一、作家出版社（新版紅樓夢的錯誤）

二、文藝報（批評俞平伯不夠勁）

三、馮雪峯（壓制了批評俞平伯的文章）

四、王佩璋（俞平伯研究紅樓夢的助手）

五、胡風（最嚴重的一個）

這一堆人被牽連上，充份地說明了共黨文藝幹部派系的分歧，像本書二十六——廿九頁所說，大家辯論了兩個月還是忽視於了胡適、馮雪峯的出面，有些人反而貶抑李希凡和藍翎的見解，畢竟，俞平伯的學者地位還起一絲兒作用，郭沫若和茅盾替他說了幾句好話，……人腦子實在有問題，自己的也上昇到正確運用馬列主義的思想水平，茅盾的話，也屬於同樣的意思，大都是共黨還覺得俞平伯尚有他的利用價值，「剩餘價值」吧！

這一本書的優長處

這本書的分析工夫，能夠保持「平實」的水準，不胡亂瞎說，沒有資料根據的地方寧可缺掉。本來，共黨的「文藝報」一九五五年一二期合刊（文藝報被波及後停刊檢查第一期，同時附刊了「胡風對文藝問題的意見」一冊。本書作者未曾看到，就因為「萬言書」一冊，曾把它發到海外，這本書，我們弄到一冊，這是從北平那邊托人轉輾運出的。其中的資料很多，對共黨的文藝份子有很大的暴露。不過，這都在俞平伯與紅樓夢事件的範圍以內的事了。

出版界如果能重點地出版有組織和有分析力的像這一類的事書，並不以宣傳口號來攬宣傳，而掌握了實際來指出其趨向，相信一定能獲得廣大讀者歡迎的。

經濟社會思想叢殘

金伯華

……。。

顧森享壽甚短。他於一八五四年發表 ENTWICKLUNG DER GESETZE DES MENSCHLICH ENVERKERS UND DER DARAUSFLIESSEN DEN REGELN FUR MENSCHLICHES HANDELN，至一九二七年在柏林發行第三版。他的著作，起初並未受知於人。到了席鳳士（WILLIAM STANLEY JEVONS 1835-1882）在「政治經濟學說」一八七九年的再版中盛加徵引，始見重於世。故雷雄‧華爾關士（LÉON WALRAS 1834-1910）特著專書，稱之為「一個無名的經濟學者：顧森」（一八八五）。

顧森律共有兩條，可說都是依據我們前面各節所述需要之三角形的基礎——可權衡，可分，可量——而創立的。第一條為「延續律」，第二條為「遞減律」。對於我們，第一條遠較二條為重要。是以下文所述，多將為第一條顧森律的理論。但總之，人類的欲望和需要實在是一種極其幾微而奇怪的情形。當一個素性貪吃而饞腸轆轆的人，吃起來有如狼吞虎嚥，風捲殘雲，但到了某一階段後，則「當橫陳時，味同嚼蠟」。這實在是一個很有趣的問題。（三十七）

港大預科的新國文教科書
——英文學校第六班今年九月後改用港大新編的國文教科書——

【本報訊】現在香港英文學校第六班，實際上是香港大學的預科。因此，第六班的國文課本是港大選定的。三年前所選的是梁任公的自由書，前年另編一本「國文參考資料」。後一本曾受到許多國文教員的批評，認為不盡妥善。因此，港大今年又再編一本新的國文教科書，現已付印，大概本年九月可以出版，九月以後，各英文學校第六班的學生即一律改用這本新編的教科書。

這本新書教科書為高級初級兩部份，供第六班兩年之用，將來港大入學考試，必須初級及格，才能再考高級。新教科書初級部份共選文五十五篇，從詩經至現代宋文翰、傅東華等人的文章，係以文學作品及論文文字為主。高級部份共選文卅三篇，從易經起至現代梁啟超、嚴復、胡蘊玉等人的文章，係以學術思想為主。

杞憂之談

馬五先生

世界局勢的趨向，還是離不了「拖」的現象。這一拖，或許一年兩年，也可能持續得更長遠些。所謂和平共存云云，當然是鬼話，君不聞艾登先生老實不客氣地聲稱：英國不管怎樣也要積極製造氫彈之說乎？果有和平共存的希望，還要耗費鉅資來造這類殺人武器嗎？

在長夜漫漫地拖的階段中，千奇百怪的事隨時可以產生，而且一定對東亞人民的自由生存有許多不利之處，尤以對自由中國爲然，這是我們應該特別警覺的。但我們處在這拖的渾頓的局勢下，也有從容充實自身力量的有利時機潛存着，祇看我們是否直起急追地努力做去？做的方法是否有效？

做的方法似乎要以政治問題爲急務，而政治上的作法，千言萬語也祇有「團結」這兩個字。目前海外的華僑們，由於印尼政府跟中共搞出所謂華僑的國籍法制來，大家心裏不免有些惶惑之感，而共黨在海外的統戰工作，近來更加積極活躍，它所施展的法術，可說是極盡柔和誘騙之能事了。我們對於團結海外僑胞問題，如果不特別注意，作有效的措施，萬一俄共集團將來對歐洲方面的事再表示一些退讓的言行，英美對亞洲的中共問題亦必然不惜讓步的。這樣一來，海外僑胞的人心，就會引起變化，實可斷言。政治問題最重要的就是要形成一種不可輕侮的氣勢，必須在氣勢上力爭上游，才是成功的條件。

我常常這末想：政治這玩藝的勝利因素，就是人多而不怕死，別無其他秘訣。既要人多，就得講究團結，希望大家不怕死，就得使大家有自甘赴湯蹈火爭取的共同目標和信心。光是喊口號，發表文告或演說，那是毫無作用的。團結的功效不在口舌之間，而在乎眞誠的行動上呵！

康有爲培養共產黨？

無名

（一）

在抗戰期間，一天張繼先生到××銀行（×重慶）募捐，筆者趁機問他國民黨史料一些問題。張老先生聞言不禁感慨道：「這種史料在五十年內是無法整理的；因爲一般黨國元老至少對於史料先有個我字存在心頭，只知有己，不知有人，把自己芝蔴似的一點工作說成波瀾大；反之，卻把別人大大的功績視爲一文錢不值，烏乎可！」

雲南起義，梁任公曾把蔡鍔和他往來的信用珂羅板印出發表，儼然是把雲南起義當做自己一手導演的，當時很多參與起義的人都表示不滿，連梁氏至友黃溯（溯初）先生亦在內，故在梁氏文章內提及黃溯初時，黃先生硬叫抱去。平心而論，梁氏對於這次起義實有其不可泯滅的偉績，只錯在自我表揚。抗戰期間黃溯初先生向當局請求褒獎梁氏，卒獲准，惟對雲南起義一事竟隻字未提。

共產黨對雲南起義記載，蔡鍔只佔九個字，但當時小卒朱德卻佔了四十二個字，一若沒有朱德便不會有雲南起義者然。宜乎古人有言，盡信書不如無書。（二）

五四運動時代，共產黨尚未在中國植根，但今中共竟據爲己有，其他參與其事的人，亦多過份誇張自己。須知此一運動完全係時勢所造成，既非一二人亦非少數人所能幹起來。筆者當時亦曾手持小白旗在街頭，火車站大聲疾呼過，如千千萬萬的青年都如此，豈不可笑！

西安事變，無論從那方面講，都是不值得一談的。而今竟有人爲，把它加以渲染誇張，好像西安事變成爲中國生死存亡的轉捩點，這未免言之太過了。人非都健忘，眼前事誰還弄不清楚明白的。

（三）

此猶可說也，最怪的是日前有友送來一些刊物，其中有一妙文，大意是說：有了康有爲「公車上書」，才造成戊戌維新，由戊戌維新的失敗，才能增強革命勢力，辛亥革命勢力受挫，才激起「五四」運動，才有國民革命浪潮，由於國民革命勢力的變質和腐蝕，那共產黨才席捲大陸。那位作者認爲，這一連串的歷史，都是起於青年學生干預政治運動，亦即等於說都是由於康有爲之「公車上書」而來，如此言之，毛澤東該大大的感激康有爲了，因爲假使無「公車上書」不會有今日之共產黨也。

康有爲會演說，而且寫一筆龍飛鳳舞好的字，當時青年大多很愛他，不過，當後來發現他與「偷經」、「保皇黨」、「反革命」結了不解緣時，便再不值得可愛了。當然人心不同，有人獨喊「史達林爺爺」，何嘗不可奉康有爲爲「聖人」或「革命家」？這是個人思想自由，誰亦不得干涉。不過，我是說你要愛他，便不應害他，上述一段論法，我想明明是在害他，康聖人如有靈，必定呵斥：「我弟子何如此之無禮也！」

語言學漫談

穆通郁

情緒的表達

語言的第二種功用，是『情緒』FEELING的表達。情緒者，是一個說話的人在討論某種事物時，他對於這一種事物所懷抱着的心情。譬如張家第三個小孩，媽媽說他是『聰明伶俐』，奶媽則說他是『一個小機靈鬼兒』。兩個人都是在承認他的智慧，但是一個喜歡他，一個不喜歡他，這不同的情緒，就在這不同的語句中表達出來了。同樣的一個女人，一個說她是『嬌小玲瓏』，一個人說她是一個『小蹦豆兒』。這也在說明同一事實所引起的不同的情緒。小說文字對於情緒的描寫，是最爲擅長的。例如水滸之描寫楊志和索超比武：

『右邊陣內門旗下，看看分開，鸞鈴響處，楊志提手中鎗出馬直至陣前，勒住馬，橫着鎗在手，果是勇猛！但見：頭戴一頂鋪霜耀日鑌鐵盔，上撒着一把青纓；身穿一副鉤嵌梅花榆葉甲，繫一條紅絨打就勒甲縧，前後獸面掩心；上籠着一領白羅生色花袍，垂着條紫絨飛帶；脚登一雙黃皮襯底靴；一張皮靶弓，數根鑿子箭；手中挺着渾鐵點鋼鎗，騎的是梁中書那匹火塊赤千里嘶風馬。』（第十二回：青面獸北京鬥武）

這一段文字，表面上祇是在描寫楊志的裝服武器和坐騎，但是在這一段描寫中，楊志是怎樣的英雄，怎樣的威武，全都極有力的透露出來，這正是作者對於楊志所感覺到的情緒，而用描寫文字間接的表達出來的。我們多讀一些好的文學文字，就會發現，最優美的，最有力的情緒文字，大多數都是採用這一種『間接表達』的方法。

語調的作用

『語調』TONE是一切語言的第三種功用。語調者就是說話的人對於聽話的人所抱的態度的一種表示。一個病人嫌藥苦不肯吃，一個人說：『這個藥很靈，你早點吃下去吧！早吃早好！』這個語調的『勸說』。一個人說：『親愛的，我求你，勉強的吃下去吧，求你爲了我吃了這一口吧！』這個語調是『懇求』。『快點吃！好吃也要吃，不好吃也要吃！』這個語調是『命令』。『快吃！不吃，你看我揍不揍你！』這個語調是『強迫』。『我看你是不能吃苦藥的。要是隔壁張家的小弟弟，他老早一口吞下去了！』這個語調的『刺激』。（所謂『遣將不如激將』，北方人也稱之爲『將』，打譚語有『吃葱吃蒜不吃薑』，就是指的這個語調）。『吃不吃隨便，反正害病的不是我！死的也不是我！』這個語調是『威嚇』。要促使病人吃藥，祇一事也，而說話的方法，隨手拈來，就有以上六種，表面看來，這只是六種說話的方法。實際上，卻正是說明了一個說話的人對於病人所抱的態度，可能有以上六種的不同。（當然，實際上可能的態度和語調，要比六種多的很多。此處不過略舉數例而已。）（四一）

壽幼椿先生六十（次原韻）

養齋

相逢意氣便相融。卅載神交葉盡紅。偶露雄文驚海內。每懷高臥尙隆中。平生出處關治亂。一念縈迴繫歉豐。笑看酡顏春未晚。環山燈火壽詩翁。

民六政爭與復辟珍聞

黎氏處此無可奈何之際，只有懇商伍廷芳副署免段之令，伍不得已勉強從之，三令同時發表。越三日，安徽、浙江、河南、福建、山西、陝西，各省督軍，宣布獨立，黎氏知大局無法挽回，乃從左右原議，召張勳入京，因此演成復辟之怪劇了。

五、

張勳，字紹軒，江西老表，行伍出身，也許讀過幾本綱鑑，對於關羽，岳飛，忠臣故事，知道一點，不屬於直皖軍系，一貫是反對革命的。自民國成立，各軍均剪去辮子，獨有張軍不肯剪辮，故有辮子軍的綽號。駐防徐州，擁兵跋扈，各方對之，不過拉攏而已。張勳知道各省督軍均一致反對黎總統，自然是厭其和，一旦擁護故主溥儀復台，咱老張便是光復清室，第一個功臣了。於是，在徐州召集各省督軍代表會議，突出勸進表，威脅各代表，親書其姓名於表末，當時張之謀士萬繩栻力諫此事萬不可行，因段祺瑞黨羽佈滿各省，段必反對此舉。張曰：「各省均無實力，但西南陸榮廷有力量，惟他是我的故人，餘子碌碌，不足爲慮，段已下野爲平民，亦不夠阻我大事。」萬再苦勸，張厲聲曰：「今日之事，我爲政，汝何必多作無病呻吟？」

六、

當張勳出發前三日，徐樹錚適自蚌埠過徐，擬見張，觀其虛實，有勸之曰：「張對公奚落，見之有害。」徐曰：「彼既輕我，見之何害？我正好就中觀形勢。」張見徐，頗自倨驕，謂曰：「又錚好輔芝泉，成不朽事業。」徐氏正色曰：「段公當代人傑，豈久困池中耶？我將敬聆紹帥名言，以輔之立大功。」張大悅，盡歡送客。徐氏踉蹌返津，爲段言曰：「張勳將驕兵老，敗亡可待」。後果如其言了。

張勳入京後，與康有爲等一般遺老，扮演復辟怪劇，黎總統避入外國使館，梁啓超亦由京微服至津，說段祺瑞曰：「張勳已亡民國，公任重責大，當迅速作討賊的部署。」段氏深韙其言，以問徐樹錚，徐曰：「任公先生之言，與我主張正同。」因議定討賊大計，段氏親赴馬廠誓師，通電天下，一致聲討，與辮子軍戰於南苑，張勳，康有爲，遁入荷蘭使館。段祺瑞建立再造共和之大功，而梁啓超，徐樹錚襄助之功亦不可沒也。（下）

• 夢山樓 •

劍底秦庭

歷史小說

奚如

從田光的家裏走了出來，荊軻突然感到了一陣不可名狀的舒暢，在巷口的街道上，不自禁地伸了一個懶腰。

「到甚麼地方去呢？」

高漸離這時候也許還在醉酒未醒，回到家裏，徒然只有透着無聊。望着街道上馳走的馬車，以及趕馬的人那種濃重的薊音吆喝，荊軻忽然想起了田光剛才的說話，「我希望你靜居燕都十日，觀察觀察民情，相信你將會發現暌違多年的燕國，是在進步中的。」

「一、二、三……也快十年了。」輕輕點着指頭的荊軻，自己也不禁感慨地笑了一笑，當年他在薊都大道上馳驟比武的光景，就像還是昨天的事情，然而，一瞬間卻已經過了十年，那時候，荊蒙還沒有出世……。

「讓我看一看這一別十年的都市吧！」想到這裏，荊軻不自禁地自己對自己說了一句，隨着腳步便一直向着城東的大道走去。

沿途的積雪，把兩旁的阡陌變得一片銀白，這是一個現實的琉璃世界。偶然從雪野裏飄過來一陣寒梅的清香，使到荊軻也不覺驟然精神一爽！愈向前走，梅花的香味也就愈來愈馥郁，慢慢地，荊軻已經置身在一叢白花的梅林裏面，使到他不自主地停下了腳步。

突然之間，梅花叢的深處，傳來了一聲尖銳的慘叫！

「救——救命呀！」

跟着又是一陣驚懼的嘶叫。

叢樹裏，接着救命的聲音，卻是一陣恣放的狂笑：

「哈哈哈！微姬，今天你總算知道蒙爺爺的利害了吧？還不快給我把鞋子脫下來，站在雪地上！」

「野獸！你這野獸！」尖叫的聲音夾雜着痛苦的啜泣。

「你不脫？來！兄弟們，把她的衣服也剝下來！乾脆讓我們的高烈婦出一次醜吧！」又是一陣叱喝。

「不，你們誰動手？看一會我叫我爸來揍你們！」小童的聲音，沒有半點畏懼，卻充滿了大胆的怒憤。

「你爸爸？是不是微姬的丈夫呀？哈哈哈！來，把這小雜種也給綁起來，把他綁在驢腿上，讓他回家去告訴他爸爸吧！」

沸騰的血管使荊軻想到了殺人！把劍從腰間一抽，便循向聲音的所在，一眼便看見微姬和荊蒙都赤足站在雪上發抖。

「誰敢放肆？誰在欺侮女人和小孩子！」

「你是甚麼東西，還不給我滾？」蒙嘉睜大了豹樣的眼睛，立刻也從腰間拔出劍來。

「告訴你，你爺爺就是他的老子，荊軻！」（十六）

記秋丹閣吟草拾遺

湯瑤鍾

李生忠弼，任浙江桐鄉縣長任內，禦倭殉職。接其弟忠民來耗，詩以悼之。

（其一）舊是南塘建旆鄉，（原註：明戚繼光在浙平倭）。當然島寇復猖狂。一行作吏猶龐統，（原註：李生大才槃槃，非百里才也。）三舍揮戈媿魯陽。捍城孤軍無反顧，歸魂九派有餘傷。春秋大義爲千櫓，吾黨新增上國光。（原註：門人抗戰殉國者以李生爲第一人）。

（其二）亂鴉如葉撲空濠，武穆祠前噪晚風。芳草有痕凝血碧，芸窗無恙憶燈紅。十年誼重三隅反，百里侯當萬敵雄。張許睢陽昭大節，千秋持較汝能同。

（其三）重陽風雨蘊渝城，千里書書涕淚盈。（原註：李生於二十八年四月殉國，余於九月始得其弟書）、偶爾離龍湯若士，（原註：余於民國十二三年授李生國文）。居然討賊李西平。捐軀爲國侯封小，強項如君浩氣橫。（原註：李生往年曾長瑞昌縣政，持正不阿，爲宵人所構陷。今以抗戰陣亡，忠勇彌著，愧死宵人矣）。天目靈藏森寫象，褒忠嘗濁上銘旌。（原註：浙人公葬李生天目山，允足榮矣）。

（其四）亂離無語涉瀟疏，重會華燈上市初。（原註：去歲春，重逢李生於渝城。時正燈初，與談權甚歡）。吾道棟梁支廈屋，人才鼓鑄藪匡廬。有遺盈篋嗟予老，非關當門犬汝躅。只畏纓完素志，犬馬流貧只需蹤。（六）

自由人

THE FREEMAN

（第四五四期）

中華民國僑務委員會核發登記證僑字第一一二號
中華郵政台字第〇〇五號執照登記為第一類新聞紙類
（半週刊　每星期三　六出版）
每份港幣壹毫　台北市價台幣壹元
督印人：陳文華
地址：香港高士威道二十號四樓
3 rd. fl. 20 CAUSEWAY RD HONG KONG
香港發行及事務接洽
高士打道66號　電話：七四〇五三
承印者：東南印務出版社
地址：高士打道六十四號
海外總經銷
友聯書報發行公司
香港：德輔道中二十六號A二樓
台灣特派員辦事處
台北市館前街五十號
台灣總經銷處
台北市西寧南路蓬萊號二樓
台郵撥儲金戶二九二五二

論蘇俄的微笑運動

軍備競爭已負担不起了

退一步進兩步基本策略

劉起

由於原子僵局的出現，使侵略成性的俄共集團，暫時不敢明目張膽再以武力向外發展。但這並不是說世界即可從此化干戈為玉帛。原來兩大集團對軍備的急劇競賽，其浪費的負荷，對於蘇實有不同程度的影響。先天貧瘠的蘇俄，各種生產萎縮，數年來雖會竭力從事核子武器製造，而實益與西方相較，仍瞠乎其後。這樣才使蘇俄感覺到：發動熱戰吧？等於自掘墳墓，長期冷戰吧？可能拖垮經濟，無已！只有從外交上去想出路，於是俄共遂展開笑臉，偽裝君子，從中施展新的侵略手法。

表面柔順渡過難關

俄共外交政策的改變，是與西方所堅持的實力政策有關連的。俄共明知不能向氫彈硬碰，可是他若就此軟下來，不但等於自承共產主義已到了盡頭，更可能影響衛星國，從此離心他向，整個共產集團趨於瓦解。進既不能，退則患生，那麼怎麼辦？俄共頭子赫魯曉夫、布加甯於熟思之後，不若仍向乃祖乃宗的辯證錦囊找答案，遵循交不厭詐的原則，於變中求通，表面裝出柔順，向外推銷她的和平麻醉劑，希望由此越過原子僵局的難關，繼續實行和平侵略的陰謀。其用心之險，實有過於斯大林的强硬政策。

想變豪奪為巧取

最近俄人認為俄共外交轉捩點的微笑運動，實起因於赫魯曉夫布加甯主動簽訂對奧和約、移樽就教於南斯拉夫、遣書邀請愛登諾總理訪問莫斯科、開始與日本談判建交及接受即將召開的四巨頭會議數事。其實，對奧和約，奧大利早就應該結束佔領了，特以前此係由英美法所主動而為俄共故加阻撓，致延長了分裂狀態。今茲俄共為爭取奧國人心與故作和平誠意，赫布兩人乃後來居上，搶先一步，把奧國獨立的實現歸功於蘇俄。至狄托之被斯大林逐出國際情報局，使南斯拉夫淪為共產世界的孤兒，俄共已早悔不當初了，適狄托不念舊惡，有心歸宗，赫布乃藉訪問之行，希望順手把他拉回來，以共抗西方。若夫西德與日本，俄共固早欲得之而甘心，惟它們既已團結在民主陣營，獲得美國之扶植，今日已非吳下阿蒙了。在俄共想來，如長此對德日以白眼相看，則它們不但會向西方靠得更緊，而且會有一日變成解放鐵幕的兩把火鉗，致共產祖國以死命。故不得已而從外交示惠，誘以中立，看它們上鈎不上鈎？關於互頭會議，俄共一向視國際會議為一種大好宣傳場所，她之接受邀請：原為適合她縱橫捭闔的胃口，可無庸多論。故俄共以上種種舉動，骨子裏實在以退為進，變豪奪為巧取。微笑運動的妙處，乃是於原子僵局限制之下，對於不宜用武力攫奪的目的物，樂得做些順水人情，這不惟無損於本身的毫毛，而且平添了不少愛好和平的聲譽。就這樣，尼赫魯、梅農之徒竟喧囂着這就是俄共對外政策讓步的表現，如果不是存心為共黨張目，其愚真不可及也。

能解散情報局乎

退一步進兩步，本是共產侵略的基本哲學，俄共於二次大戰之後，已吞噬大宗贓物，實需要一段時期來消化——加强統治基礎，使附庸國對、更馴順。為了迷惑國際觀感，不能不藉和平之口，吹出一個魔術球，如果民主陣營即視此魔術球為一種和平標幟，妄想與之協調共存，必然誤盡自由人類而後已。我們衷心祈求和平，但和平之道殊不宜與共產黨人同謀。因為馬列教條始終驅策着每一共產黨人，必須踏着鬥爭的血路向奴役人類的目標前進。所以我們決無理由相信俄共外交路綫的一時改變，會有分毫的和平誠意。它如有和平誠意，應該從速徹底解散國際情報局，並把旨在顛覆人國的第五縱隊從速召回。西方國家決不能以見到他臉上的一絲笑貌，就相信他會放下屠刀的。美副總統尼克遜說：「我們切勿忘記共黨的標準戰術是有時退却，以便有效地向其所宣告的支配世界目標邁進」。這一句話實在是對共黨外交政策的扼要說明。可以用來結束本文。

台灣的經濟建設問題（下）

·張九如·

本文上篇，已將如何克服農業困難，資本缺乏的原因，及稅負過重影響工業之發展諸點，詳加討論。茲篇繼續檢討工業上人謀不臧的事實，及其救濟之道。——編者——

必須解除的工業束縛

人謀不臧的第二件事實，是束縛過多。例如審計法規定「各事業的盈餘應解繳國庫，不得自行撥充資本支出」，並規定「非於預算盈餘股息解足後，不得提撥法定公積」，既與公司法的規定背道而馳，則無異束縛公營事業累積資本的自由，剝奪企業資本有效運用之權，摧毀工業財務的健全基礎。又如既規定盈餘繳庫，作為政府編列歲入總預算的張本，使不得不迫令各事業單位在工商業環境變化多端之下，短促時間之內，閉門預計今後一年中收支盈虧的全部詳細數字。編成預算，如期送出，致完全剝奪企業預算應有的機動性，此外如營繕購置及財務收納的煩瑣程序，董監事總經理間，及其與政府關係間種種的紛歧混淆，亦使各事業不能把握時機，爭取時效。至於民營企業的設廠購地，及申請外滙，借取貸金，銷售產品，種種需求，更無一不受到法令規章的束縛限制。工業處境好似食不飽而又絆住腳的馬，時常受一羣各自為政的馬夫，圍策其前進，怎不顛躓？

確立健全的業務管理制度，改變過度干涉的行政管理態度，使生產機構能主動追求效率，不至成為被動的應付，由公營事業樹之風聲，以引起民營企業的觀感，實為解救台灣工業的必要作法。而其入手處則在修正國營事業管理法，審計法，及預算法。凡此必須主管機關有開放的手法，明快的態度，及堅毅誠摯的意志，及時分向立法行政兩院去爭取的。

如何活潑工業資金

人謀不臧的第三件事實，是資金不足。台灣工業在日治時期，投資總額逾美金二十億元以上，其最後十年間，每年投資平均約一億美元，皆以其本國的金融力為後盾。及我國接管公私營數十工廠，不但無巨款以完全修復曾被戰事破毀的各廠，或隨時投資以供各廠的擴展，每年且須提取其盈餘，以湊成國家總預算的歲入，致各廠周轉資金，常在缺乏之中。台銀的「生產本位限外發行」、雖不無小補，然通貨既因此膨脹。原料工資即隨之提高，所得者轉瞬即變成所失。

民營企業既享受不到台銀的低利貸款，只得向商業銀行或黑市謀取高利貸。循至生產成本利息達到總成本三分之一。而且，得不到充分外滙配額者，又不得不在市場上以高價收購投機商人轉售的原料器材，致資金消耗更甚。美援中的工業費，亦只有助於設廠，不能貸放周轉金。

如何使台銀對商業銀行用轉貼現方式貸款與民營企業，並簡化貸放手續及担保，如何實現僑資保值辦法，使僑資湧入。又如何在維護工業的原則之下，使台銀中信局有放手貸出工業款項的職權，不致多受牽掣。凡此全恃主管機關能盡力以赴，始能有實效可言。

減低成本的方法

人謀不臧的第四件事實，是成本過高。其原因，一為機器設備均已陳舊，功能遞減。二為稅負繁重。三為高利貸。四為原料時缺。五為市場狹小，不能辦大規模工廠，致事倍功半。六為不能利用副產品，如燒碱所成之氯氣及鈉，成為廢物。七為員工技術落後，如日本每一工人已能看管三千二百紗錠，台灣每一工人祇能看管四百錠。八為公營事業機關化，講手續不講效率。九為前由大陸入台的工業員工，及新畢業於學校的工業人才，大半安插於各廠中，幾成公營事業的固定成本，並不因生產變動而裁減。積此種種原因，就造成本過高的事實。

准許各工廠合理提存折舊費，減輕稅負及利息支出，便利器材採購，實行廠與廠間器材物資交換使用，扶助員工進修，促成公營事業企業化，造就生產業自由競爭的環境，提高產品標準，設法遣調冗員，都是降低成本的必要措施。這些措施無一不棘手，尤無一不招怨。能否辦成，全看主管機關能否任勞任怨，尤看社會方面能否對任勞任怨措施加以鼓勵。

培植工業人才之道

人謀不臧的第五件事實，是待遇低薄，台灣工業的技術人才及管理人才，過去均為日本籍，日本並未培植台籍人。此項人才已隨日軍撤退，雖由大陸入台者補充其一部分，但因薪給過低，束縛過多，致不起企業精神。如公營事業雖會運用各種補助辦法，但因格於規章，曾被審計及立法機關一再剔除，已比一般公務員的待遇好得有限。

公營事業儘量開放民營，使各自尋求其合理的員工待遇水準。公事營技術人員的待遇，應由行政立法兩院另定辦法，使確能盡職樂業，這又是經濟行政主管機關必須負責力爭的要圖。

增加輸出亟不容緩

人謀不臧的第六件事實，是銷路不廣。日據時代台灣工農業產品的市場在日本，今日對外貿易的重要區域雖仍為日本，但僅佔總輸出額百分之五，並為易貨體不悉歸我操。輸往香港印度南韓英國者，條件既苛，運費尤大，輸出區域既狹，輸出物品尤集中於農產品及農產加工品。加以幣值偏高，商人咸趨於可獲暴利的進口業，而不願幹賠本的出口業。以致出口愈增困難。且產地價格經常高於國際售價，商人益視出口為畏途。貼補外銷辦法，雖可鼓勵一部分產品出口，但通貨既由此增加，轉瞬即轉嫁到生產成本及消費負担方面，內外銷路反由此而緊縮。而標準不明，辦法欠佳的保護本國工業措施，又易使被保護者不知努力於減低成本，改進產品，終致外銷敗於品質，內銷敗於高價。

從頭改變現行外滙貿易辦法，刺激出口，是當前財經上最重要之舉。實行出口聯營制度，使運費減少，收購價格降低，共同提高輸出品質，亦為當前要政。惟此兩端，牽涉已甚廣，必須經濟行政主管機關本諸遠知灼見，持以剛健篤實之精神，纔能逐漸辦到。

前事不忘後事之師

今日從上至下的行政官吏，能任勞者雖多，肯任怨者極少。且任勞任怨者又不如巧宦之飛黃騰達。故台灣農工商業的發展，近比香港，遠比西德，總覺瞠乎其後。前事不忘，後事之師。於此不妨略舉往事，作為今後療治經濟痼疾的借鏡。

（下轉第二版）

每週展望

·陳克文·

愚人的妄想！

赫魯曉夫於七月四日參加美國獨立紀念會的時候，警告西方，說蘇聯之參加四巨頭會議乃憑實力立場，並非由於內部弱點被迫使然。他說，外間揣測蘇聯農工業陷於危機是「愚人的妄想」。又說，「蘇聯的農工業正充分發展，黨內團結為從來所未有，人民亦與黨團結」。他表示蘇聯之所以參加四巨頭會議，乃因其為唯一正確的決定。

梅農之流也便說蘇聯的和平是出於真誠的，不止於暫時性的，於是，應該加以接受。

但，據美國務院最近對國會的報告：共黨已破壞越南和韓國的休戰協定，蘇聯公然以近代飛機供給北韓。共黨在北越建立部備良好的軍隊已達卅五萬人，又在中國大陸拚命建築機場，共黨且集中精力滲入日本，日皇左右亦有共黨份子潛伏。

大概這便是赫魯曉夫所誇耀的「實力」，也便是梅農所說的「真誠」。這樣的「實力」作為和平共存的宣傳，也祇有梅農之流的愚人纔敢於說「應該加以接受」。於此，英外相麥米倫說：「我們捱慣了東方吹來的冰風，慎勿以天氣稍暖，就是解凍，我們必須保持鎮靜」，這話十足表示英國人的冷靜和幽默。天下不都是愚人，赫魯曉夫想以一手掩盡天下人的耳目，這真是愚人的妄想！

一百年和五十年

緬甸總理宇努，想追隨尼赫魯梅農學作國際政治掮客，這次訪美大發其謬論，自無足怪。然其所說，亦有足以顯示中共內部實際情形，頗見得要者。

他說，「我估計中共政府將需一百年左右時間，才能鞏固其權力與取得全國的團結與和平」。這不啻明白指出中共永遠沒有統一全國，建立和平的可能，「一百年」與「永遠」是無別的。宇努這一句話，可以說是一句「不能因人」廢言的真實話。

中共副總理李富春最近公開報告，也說資本主義的廢除需時五十年，換句話說，中共對老百姓停止壓搾剝削提高生活，要待五十年之後。

現在中共統治大陸不過五六年，已經民無噍類，試問老百姓還能容許這樣的殘暴統治繼續下去嗎？則所謂五十年廢除資本主義也者，亦不過自承共產主義永遠無實現之可能而已。

曼谷的軍事會議

東南亞公約八國（美，英，法，澳，紐，菲，泰，巴）的高級軍事會議，現正在曼谷開會。泰國總理鑾披汶在開會的演講詞中，强調該會議的性質是純粹防衛的，絕非侵略。惟中共電台則幾於每天抨擊該會議的最大任務是侵略機構，直接以中共大陸為目標。該會議在軍事上如能確有成就，則中共對泰國，越南，及馬來亞的陰謀自將受到絕大打擊，北平之憤懣自在意中。

惟中共之侵略東南亞並非純粹以軍事，最近星洲之工潮即其一端。美「新聞周刊」記者林德黎綜述東南亞旅行印象說：共黨放鬆戰爭，並非放棄藉宣傳，滲透，與顛覆活動而求取勝利的野心。故軍事以外，政治與經濟的改革，必如何求其配合，實為亟不容緩之舉。

谷正之與重光葵

七月六日日本外務省顧問谷正之與外相重光葵，互相發表矛盾性的談話，一則承認兩個中國，一則加以否認。他們玩的甚麼把戲呢？某外國記者說，他們是想分別討好某些國家。換言之，日本在玩兩面手法的外交。西方的埃及現在也正要這一套，到底是聰明辦法嗎？為甚麼西德的阿登諾不玩這一套呢？我希望日本的政治領袖能夠仔細的想想！

即將在日舉行的世界學生服務年會

【本報特訊】世界學生服務年會（WORLD UNIVERSITY SERVICE SEMINOR）本年度擇定七八兩月在日本東京舉行，會期一共五十天。出席的人員，包括教授十八人，學生七十五人，按照地區分配，計加拿大二十名，日本二十名，美國七名，非律賓二名印度二名，巴基斯坦二名，香港二名，印尼二名，中華民國一名，緬，泰國一名，馬來亞一名，錫蘭一名，大韓民國一名，澳洲及紐西蘭三名，中東二名，非洲三名，歐洲五名。

代表資格及討論題目

出席的學生代表，都是世界各地區著名大學或獨立學院的在學學生。充任代表的條件，必須具有高度的智慧，及服務精神，有演講與辯論能力。每一份子都能夠深切了解重大的問題。討論時並能夠提出辦法和獲得結論，自由交換意見。

代表們到達東京之後，預定花兩個星期時間旅行日本各地，並研究日本社會經濟問題，一方面瀏覽名勝風光，一方面作實際的考察。旅行結束後，一同進入夏令營，預定討論的題目是「向高等教育挑戰」，日本學生和其他地區的學生一齊參加討論，自由發揮各人的經驗及見解。並討論一般性的世界問題。

該年會的歷史

紹華

世界學生服務年會，最初於一九四八年在德國波恩舉行，出席的有五十個美國大學生，和五十個歐洲大學生，對於爭取西德青年，具有重大作用。跟着一九四九年在瑞士舉行，一九五〇年在法國舉行，一九五一年在加拿大舉行，以上幾次年會參加的都屬於歐美等國的學生。及後年會主持人爲爭取自由亞洲的學生起見，於一九五三把大會移到印度舉行，本年度則在日本舉行，並增加亞洲各地的代表名額，計本年度出席的亞洲學生代表，名額增加到三十六名之多。

香港的兩名代表

今年香港區的出席代表兩名，其一爲廣僑書院中文系二年級學生吳森，另一爲崇基書院外文系三年級學生楊偉斌。吳君於一九五四年考得西雅圖大學獎學金，該獎學金港區一共五名，他是「鰲頭獨佔」的一人，主試人對他都刮目相看。楊君是崇基的高材生，而且是虔誠的基督徒。吳楊兩君已於上週飛赴東京出席去。

日本的青年，大戰後生活苦悶，思想彷徨，免不了「左傾」，「左乃陷大澤中」。亞洲其他各地區亦正受共產主義勢力的威脅，均需要充分發揮自由和服務的精神去應付這一威脅。故此時此地舉行世界學生服務年會，是具有重大意義的。（六月六日）

美對蘇聯與中共策略的檢討

曾旭軍

因此，上述的第二個對付中共抉擇方法，所謂「中共實力強大，要調整政策」的說法，實不能成立。第三個說法所謂中共係遠東的潛在強國，亦毫無根據。

中共的潛力又如何

當今中共之在國際恣行敲詐勒索，及威脅利誘華僑，皆抬出其自稱強國的招牌。自由世界必須拆穿其西洋鏡，實爲急要之務。

或說中共翦殺老弱，但能控制青年，縱惡化亦不至腐化，仍可爲強大之勢力。此亦皮毛之說法。其實共產主義能欺騙青年於一時，卻不能永遠使青年悅服。其鬥爭互斫的辦法，不能消滅人類的良知本性。而惡化之政權，終必腐化，此爲不易之理。若以蘇聯實行共產專政，未見起革命爲反駁理由，則流於靜觀待變之惰性。如無鐵幕外解放壓力契機，則不易推翻蘇政。

剛才說美國尚無認中共爲強大的錯覺，而僅以防止其潛在力發展強大爲滿足者，實欲將中共問題與蘇聯問題一同解決。其主要原因，固在顧慮核子武器的戰禍。歐洲諸盟國以爲：中共強大生出不利之影響，極爲間接與緩慢。但核子戰爭一旦爆發，則災禍立見，故極力反對美國之採取消滅蘇聯政權及中共政權的辦法。

在各種環境因素的困擾，美國之不能單獨行動，自是意中事。故美國唯有試看蘇聯政權是否可以轉變成爲一個能與世界其他各國共存合作的政權。一方面以實力聯防，警戒蘇聯再擴張。

不管美國的想法是否正確，但現實的確是如此。這該是鐵幕中人的不幸命運之延長。但並非是不可轉易或無突變可能。然而我們要指出蘇聯政權無變質可能。蘇聯世界革命的目的是永不放棄的。

蘇聯突襲的可能性

蘇聯共產集團內在的矛盾正不斷的發展中，這是他們的蠶食、滲透、傾覆的牽制。但自由世界不能盲目樂觀。須防蘇聯的突變。現在蘇聯的軍事理論已有轉變。蘇聯的軍事決策部門已預防西方的大規模報復，可能成爲大規模攻擊，所以現在他們把蘇聯的傳統防禦戰略，轉而預備先發制人。杜魯夫上校與魯夫奧加高上校在一九五四年一月出版的『馬列主義與戰爭和軍隊』一書中，曾稱：『蘇聯軍隊如仍用一九四一年至四五年的舊法從事戰爭，將是一種錯誤，因帝國主義者已採用戰爭新法。』「一九五五年三月二十四日，在蘇聯紅星日報曾載蘇聯裝甲部隊統帥魯特米斯曾夫一文，內稱：『突變危險是不能估計過低。西方的海陸軍對於他們的技術裝備已相當增加。尤其是原子武器與氫武器。我們必須坦白承認：因爲原子武器與氫武器的威力在若干情形下，突變可能成爲決定性的成功。』」可見蘇聯已懷有向自由世界突變，使對方無反擊能力的準備企圖，可能由此而進而統治世界，他們認爲此確有可能。

美國應有的抉擇

目前蘇聯在原子核子武器尚處在劣勢中，絕不能大戰，故而鼓吹和平，實行催眠政策，暗中積極使其核子與原子武器，能達到突變的程度。是故共存之說終是幻想，美蘇雙方最後攤牌祇是時間問題。故美國必須及早抉擇上述的第一項辦法。但達成第一項辦法，而不必引起核子武器戰爭者，則必須摒除中共問題與蘇聯問題一同解決之謬見。反之先解決中共，蘇聯不但失去一蠶食滲透之工具，而且蘇聯其他附庸國亦必隨之而起革命，蘇聯共產政權之消滅，可計日以待，不必卜諸龜蓍。（下）

印尼的內爭

各方要求撤換國防部長

印尼總統蘇加諾一向認爲不必害怕共產黨，這種態度，是由一九四八年他的[illegible]隊撲滅了共黨暴動所引起。因此在[illegible]年前，他竟選了公認的馬克斯信徒伊華出任國防部長。伊華曾於三十年代在莫斯科教歷史，他的太太子女也仍住在那裏。一九四六年的共黨反蘇加諾陰謀，他也曾參與。出任國防部長後，他不顧高級指揮官的反對，將自己的人安插於軍中各要職。二星期前，他又任命親信尤杜育上校接任參謀總長。

這事伊華事前並未與各地司令官磋商，因此這些高級軍官都對尤杜育拒絕承認，他們表示，尤杜育本人也許並非左翼份子，但他將成爲伊華的爪牙。在尤杜育舉行就職典禮時，全體司令官都拒不參加，連軍中樂隊也拒爲奏樂，蘇加諾祇得下令消防局樂隊代替。

新參謀長雖然就職，但因爲代參謀長魯畢斯不肯移交，沒有辦公室，祇得在一所旅館設立臨時辦事處。蘇加諾憤然將魯畢斯停職，可是各地司令官的反叛，卻已成爲政府的棘手問題。而且由於全國大選將於九月舉行，各方已提出要求國防部長下台的呼聲。（汪明譯）

台灣經濟建設的問題

·張九如·

（上接第一版）安史亂後，上下交困，劉晏所以遍設常平倉於全國，湘東南鹽轂於西北，調劑民食國用，循至民殷國富，即成於他的果斷力行，不顧各方攻擊。胡林翼兼理鄂務之初，阻力紛起，不爲稍動，曾比自身爲任人踐踏的草履，倘非精卒賴此而贍足。雍正任魏廷珍爲湖南巡撫時，曾而諭必須改變不肯任勞怨的作風，要用剛果嚴正的態度去處事。及廷珍請內調修書之職，雍正嚴斥他「惟務潔己自好，於民生國計，毫未補益，遙望內轉清要，以保祿全名，如是則爲臣不易之語謬矣。」乾隆嗣位，廷珍以老病乞休，亦被責「歷任中外，凡事推諉，梟考曾屢降旨申飭。至今仍未担當一事，建白一言，似此因循懈怠持祿保身之陋習，斷不可長」，尋且予以革職。清初政治所以修明，清季湘淮軍所以成功，實得力於內外臣工尚有奮勉從事的餘地及保障。抗戰期間，曾仰體任川康鹽務，未經財部核准，擅將借中信局巨款興建便利鹽運的河渠公路，大受各方指責，貸款幾乎不准挪還，當時委員長察知實情，命令行政院以曾某既爲地方興利，即不應使其再負手續不周的過失責任。此言一出，凡勇於任事者遂更樂於效命、巧宦相傳之「多做多錯，少做少錯，不做不錯」的頹風，一時遂有丕變之象。

近事亦有可資借鏡者

近年台灣生產事業管理委員會之成就，也是一個好榜樣。該會本是省區小機構，四十二年前的四年裏，竟能負起中央地方所有生產事業的策劃配合督導推進等重任，而在糖鹽電礦航紡金融美援及對外貿易等方面確會做出成績來？何以該會在有關重要問題方面的討論審議決策，竟能支配各權力機構的執行，凡經濟行政上所需要的效率與貫澈力，都能逐步實現呢？比無他，亦只因該會中的實際負責者，能有一股傻勁，只計事業成敗，不管他人毀譽而已。該會有時因事實需要，能不顧困難，衝破藩籬；若幹硬幹，其結果，常被證實爲於台灣經濟確有裨益。因此，及其裁撤時，各報誌撰文追念其成就。此亦足資借鏡者也。

又近事之值得記取者，例如民間因煤油價格遠低於其他燃料，競用煤油炊爨，以至大量消耗，噴射機用油不免大受影響。但此事絕非道德說服與政令禁止，所能改變。主管機關斷然於五月初以命令提高煤油售價百分之六十四，於是用煤油者相率改用煤炭，及六月初統計減少數量，竟達原消耗量的百分之六十三。此亦爲明辨果斷，易收成效的新事例。

不過，在今日，行政人員的才幹與機構組織，依然受着傳統風氣及官僚政治或各種法規的影響，因此造成工業化環境仍爲工業建設的先決條件。而這一條件的造成，必須全國上下，共同努力，不能專責於某一方面。一年前我曾撰文呼籲「讓經濟伸出頭來」，曾載于「自由人」，經一年來的觀察，現在更深深感到，「負經濟行政責任者必須任勞怨放手做去」，故續此撰文。

編者　讀者

台大讀者來函

編輯先生：本日在貴刊及中央日報副刊同時讀到兩篇關於中華文物展覽的文章，貴刊所載尤爲充實而有內容，實在令人佩服。以後希望貴刊多刊與時容有關之文化評論（但劇評例外），長篇小說也是讀者急於需要……

台大讀者王文凱，新雷，K. T. SHAN W. K. LEE M. P. WONG。六月廿五日。

△向義，胡養之，邵鏡人，若影，胡轉雲，王斌，楊海宴，何鐵華，孔夤岳，孫旗，萬香堂，辛植柏，諸先生：惠稿已一一收到，至感！

△龍慈先生：示悉，尊稿須稍待才能刊出，謹復。

日蘇交涉的前途

早日成立和約已成必然之勢　其他懸案的解決一時難成功

安世

	數量（百斤）	價格（日元）
人造絲	一三，八三六	一，三九六，五五二
靴底皮革	一二，四二五	一，六九五，一六四
合成染料	二〇，三六七	二二二四，四一〇
紙類	四二，七八九	一二二八，七六二
電燈泡		一八三，三一九
洋燈		
輸出總計		三，三四九，八四三
乙　輸入品目	數量（百斤）	價格（日元）
鋼鐵及金屬	六七，五二一	三二，八三一
脂肪油臘		四，一〇七，八二〇
硫酸	一二，四七八	八八，一〇二
藥材		一〇四，六八九
散多甯	二，〇五〇〇	五六一，九八九
石棉	三八，五〇〇	四七七，八二八
飼料	四一，五三四	二三八，七四八
大豆糟	一五，三二三	七五，六四二
煤炭	五，七〇八	八六，八一三
輸入統計		二一，五三二，六九〇

出入總額僅六千萬

至於二次大戰以後日蘇貿易，在最近六年中，以一九五〇年爲最高，曾達四百餘萬美金，（出入總額），以一九五一年爲最少，出入總額不到三萬美金。主要交易品目，無論由日輸入蘇聯，或由蘇聯輸入日本，從不超過十種，就以戰前日蘇貿易極盛時而論，每年出入總額，從未超過六千萬日元，不過當時日本情形，和現在大不相同，從前日貨價廉物美，可以風行一世，每年進出口總額總在二十億至四十億美元左右，今天日本貨品，物美而價不廉，並且到處碰壁，所以只要能和蘇聯正式通商，每年能多賣三五千萬美元，當然不是一件小事。

漁業問題

戰前日本漁業，分南洋北洋兩種，現在南洋漁業，日本無法再去，只有北洋漁業，尚可着手。但戰前日本北洋漁業，包含三部：（一）俄領漁業，（二）母船式漁業，（三）北千島漁業。當時俄領漁業，每年生產約四千餘萬美元，北千島漁業，年產約三千萬美元。母船式漁業年產約一千萬美元，至於戰後日本北洋漁業，僅僅每年以北海道爲根據，很少數的漁業，雖然在昭和二十七年與蘇聯加拿大曾有漁業範圍之劃定，但蘇聯絕不遵守協定，隨時將日本漁船逮捕，這是日本漁業上最感痛苦的。

戰犯問題

據日本估計戰犯及非戰犯，被蘇聯扣留不放的，尚有三十四萬餘人。但其中立應釋放者，至少在一萬人以上，這是日本人所最頭痛的，也是日本政府所不得不首先提出的。

領土問題

南樺太及千島列島，不僅是一九四五年蘇聯對日宣戰後，先後將各地佔領，並且標雅爾達協定，以及一九四五年日本投降條約，一九五一年對日舊金山和約，對於以上各地均已規定清楚，並由日本簽字，但日本爲維持國家體面，這也不能不爭。總之日蘇和約之及早訂立，甚於兩國的立場，（如上所述）已成必然之勢，不過一切懸案，以通商及漁業問題最爲複雜，稱俘問題，最爲困難，這就是日蘇交涉的前途，不易獲得解決的地方。（六月廿五日東京）

（完）

台灣教育雜感

羅致好教授增加設備　學生的意見應加重視

燕晉

「台北通訊」最近幾年，台灣的教育確已有了長足進步，這裏無需多舉事實。

根據報載，台大下學期除理學院添設地理學系外，並將再增設四個研究所。這是令人興奮的消息，對於清寒好學的青年更是一大佳音。因為，這保證了不出國「留學」，在國內仍一樣可以有深造的機會。

× × ×

然而筆者因此對台灣目前的高等教育，便不能不發表一點意見了。現時台灣大中專門學校或研究所裏，有許多有學問的教授，但也有許多是濫竽充數，敷衍塞責的。這是大家公認的事實。所以，筆者以為教育當局既決心設立研究所，便要以更大的決心和努力，來充實研究所。諸如有實學教授的羅致，圖書儀器的添設，良好學術研究環境的造成，都是急不容緩的。這樣，才不至失去創辦研究所的本意，大專畢業生才能從研究所中真有所得。

其次，教授陣容的加強，設備的充實，對大專學校來講，目前也是一項迫切需要解決的問題。大家知道，私立大學的創立也好，改制也好，決非大門上掛上一個金字招牌便算了事的。更不是擴充一些班次，多收幾名學生，便算了事的。最重要的，自然要在學生素質的提高。提高學生素質，便牽涉到上述各項問題了。

再者現時台大法學院與東吳法學院，雙方教授大部份是相同的，課程也沒有甚麼分別，這似乎不能發揮每一間學校的特殊個性，豈不是乾脆合併成一間學校，來得更方便？這是筆者個人的私見。是未必行得通的。

台灣現在雖不缺少教授，但優良教授確屬不多。教育當局現正積極推行國際文教合作工作，舉辦交換教授講學事宜。因此筆者希望當局能藉此機會多羅致一些學有專長的教授來台任大專學校教授，使台灣高等教育能夠百尺竿頭更進一步。

× × ×

筆者在「自由人」曾多次讀到有關台灣教育的論文，其中有關大專教育的文章，許多是我們同學自己執筆寫的。筆者也曾聽到幾位教授先生對這些文章的批評說同學們「不明瞭實情」。誠然，年青人觀察不周見解粗淺，說話不免冒失。但同學們這些意見，都是本着愛護教育和學校的熱誠而發的，都是內心的實在話。賢明的教育當局和教授先生們，是應該加以諒察的。

艾克愛吃中國菜

牛布衣

美總統艾森豪威已經六十四歲了。醫生說，他的體力相等於五十四歲的中年人。他臉色紅潤，眼神清朗，體重一百七十七磅，比較標準，祇多了五磅。血壓由一百五十度到一百八十四度，三年來沒有增加過。他担負了三年最辛苦的責任，但體力沒有遭遇到重大耗損。

× × ×

艾森豪威生平最喜歡吃中國菜，尤其是雜碎和腐乳紅燒肉兩樣。

他叫雜碎做中國沙律。美國唐人街的雜碎做得特別好，配料有香港出產的荸薺，綠豆芽，和芹菜，加上些少香菇和肉絲，再加上少許糖和味精，的確清脆可口，滋味無窮。外國人煮蔬菜，總是分開，一樣一樣的燒。雜碎是把許多蔬菜燒在一起。外國菜祗有沙律一樣，是把好幾樣蔬菜放在一起的，可是沙律是冷的。

艾氏喜歡腐乳紅燒肉，腐乳是中國特產，他喜歡腐乳的特殊滋味。唐人街中國菜館的南乳肉每份總有一斤上下，艾氏時常一個人吃完一缽。

× × ×

艾氏的朋友曉得他喜歡中國菜，請他吃飯，多用中菜。重要的菜色不是魚翅或燕窩，乃是中國沙律。南乳肉自然也不可少。中國甜菜如蓮子羹，杏仁茶等，也是艾氏所喜歡的。嘍啡吃得多了，換換口味，吃吃杏仁茶，倒是別有滋味。

中國酒席，菜色多，艾氏又是一個老饕，因此時常吃得過量。一九五二年，共和黨在芝加哥開會，推選總統候選人。黨的主持人請艾氏到中國菜館晚膳。艾氏吃得太多了，尤其是南乳肉。他回到旅館，閣門便睡。主持人嚇慌了，裏頭有幾位大夫認為他病了，敲他的房門，要替他診治。他在房裏答道，不打緊，明天就沒有事了。

第二天清晨，他果然如常無事。

當局提高國語水準　學生書法兼顧並重

關於提高國語水準，教育司已經決定了兩大步驟：訓練一百五十名暫准教師及改訂小學國語課程。相信自下年度起，目前小學教師所認為極困難的國語授課問題，殆將逐漸消除。此次當局改訂劃一國語課程，是迎合社會需要，使一般學生能以較經濟的時間，獲得良好效果，因此，當局事先曾參酌各著名教育專家意見，擬定了小學國語科課程三項原則：（一）各年級均不得選用四書五經等文學教材；（二）國文科改稱國語科；（三）低年級專授語體，高年級則側重語文（初中文語均衡，高中側重文言）。主要的自然是第一項。課本內容是以漸進方式，以語體文教一至三年級；到四至六年級，學校不妨選擇淺易文言，但不能超過二與八之比數，即語體文不能低過十分之八；文言不能超過十分之二。

本來，國語科的教學目的，不只在培育學生對本國文字的理解，同時更為適應及兼顧學童的表達能力，如口語與繕寫的訓練，以使其能普遍達到一定的水準。因之對小學而言，此事實極為重要。當局對小學也特別重視，本語文教學原屬「單元」教學的原則，讀、寫、講等必須有緊密聯繫，不能割裂偏廢；是以除了讀本之外，作文、書法以及補充教材並重。祇是令對於「國音」一科應否列入主要綱目，當局尚無硬性規定，也就是「可有可無」，任由各校自行抉擇。雖然當局僅授命各校可以酌情辦理，如果不重視發音，對說話訓練，未必能夠準確。

除了語文、作文、補充教材之外，小學最重要的一門課是「書法」。現時一般小學對於學生書法，似乎並不怎樣重視，有等小學根本就不教學生書法，那些描紅簿任由學生攜回家去信手亂畫。而且不僅如此，有等小學非但任令學生自己亂描，就是描得不好，也不加改正；甚至反予處罰，例如一張描紅或者抄書不好，罰寫三張，事實上罰寫依然並不寫得好，因為根本就缺乏書法的教學；多寫、多罰結果，愈寫愈不好，越罰越糊塗；學校卻可以藉此多推銷一些簿本。這種事情，現下雖尚不普遍，但一般家長都希望當局能夠根據適當規則，設法糾正。

錢穆先生兩本新書

人生出版社出版

李金曄

「中國思想通俗講話」和「人生十論」兩書，是錢穆先生最近集合幾年來一部份文稿編印而成的新書。

錢先生說過，前一本書旨在將目前中國社會人人習用，普遍流行的幾許普通觀念和名詞（道理、性命、德行、氣運），闡述其內在的涵義，更由此上溯全部中國思想史，藉以描述中國傳統思想的輪廓。後一本書，好像錢先生要對一般對中國傳統文化持「掃興反應」的人，給予一個總答覆。

× × ×

錢先生於研究「中國傳統文化所以會在中國近代史上，遭遇「式微」原因之後，更做一番磨光的工夫，要使中國文化還它一個本來面目，讓現代人從頭再認識它。他不僅要從根救起中國的傳統文化，還要開創新時代的思想，以完成傳統文化在現時代的新使命！

錢先生是以『學於此學業，問於此學業』的態度，來做研究和著述工作的。他著書的目的希望能夠做到使中國傳統思想，經過再生而達到易為廣大心靈所瞭解，使舉業易於實踐的境界。所以，這兩本書，不能看作是「衛道」或「復古」的工作。

× × ×

關於中西文化有無共通性存在的問題，兩書均有詳細闡述。錢先生認為，作為西方文化基礎的基督精神，基本上就和中國的傳統文化有其共通性的。

「人生十論」的「適與神」，他便把基督教的「神」與中國傳統文化的「性」貫通起來。他認為人生不只因為宇宙一切變動要推送它向前，即人生自有的內在傾向，也一樣要求它永遠向前。這一股人生自有的，要求永遠向前的內在傾向，西方文化就認為是「神」的力量；中國傳統文化裏即是「性」。他說：『儒家並不推崇宗教，亦不像信鬼神，但亦只有肯定此為神，惟同時又稱此神曰性』。他又指出，像莊子這樣極端反宗教的無神論者，亦認此為「神」，不過莊子又同時稱之為「自然」。

不論是「性」，是「自然」或是「神」，一樣的貫串了人的心，力量即由此而生，也即是人生永遠向前，歷史永遠進步的原動力！

因此，代表中國傳統文化的「孔家店」，儘管有人要打倒它，但不能不承認它的存在。就像韋爾斯（G.H.WELLS）儘管批評近世基督教義的失當，也不得不在他的「世界史綱」裏，為耶穌寫上十頁，毫不懷疑的承認耶穌的事實存在。

× × ×

錢先生所要還給中國傳統文化的一個本來面目，是人人能學，人人能得的面目，更要破除那高不可及的神化面目，要掃除有些人所謂「統治者的工具」的謬說。

他認為傳統文化，是主張人人各有其位，各有一恰好處的。所謂人人，包括了政治領袖和國家元首。十論中「如何完成一個我」那一篇文章中，對此點有極精闢的闡述。他認為運水搬柴的事，與做政治領袖，同是人生事業，同是人生盡一些職分的事。他說「若是堯舜來做了我，由他運此水，搬此柴，……也只能像我般運，像我般搬，照我般來在街頭盡此一分職，則此堯舜之無異我處」。他更說「堯舜之所以可貴，正是其所得者，為人人之所能得，若人人不能得，惟堯舜獨得之，此如做王帝，雖極人世尊榮，而實不足貴」。若大家不承認這一點淺顯的真理，則「必起鬥爭，成禍亂，人生將祇有機會與幸運，沒有正義與大道。」

中國傳統文化貴在人人可學可得。不能把它看做神化，更不能認為是某一部份人所專有，也不是治者的工具，這便中國傳統文化的本來面目。

× × ×

錢先生是從中國傳統農村社會去瞭解中國傳統文化的。他說明傳統文化的產生，並非出於先哲的思維，而是滋長於幾千年來中國農村社會的歷史。他說，「我一向不在那一點上，反對唯物史觀」，有些人說，他是「近乎從唯物史觀來講文化之嫌疑」？他是否認的。

他以為要了解中國傳統文化一定是有它的根的，這根就是深植在幾千年來的中國農村社會裏，但不為人所注意。因此，傳統文化成為士大夫的上層社會和帝王宮庭裏的裝飾品。「脫離了大衆」，也就失去了力量，也正是傳統文化走入厄運的黑暗時期。

錢先生還指明他與馬克思思想體系的分野，是在「馬克思唯物史觀祇講生產工具，忘却生產的本質。」他認為生產工具固可無限進化，生產本質祇有農業生產才是基本所在。無論如何，生產不能脫離農業。因此，一切文明永遠脫離不了農業文明。這段話，不僅指出馬克思思想的病態，也指出共產主義經濟制度失敗的途徑。沒有發達的農業做為基礎的工業，則工業愈膨脹，災害也愈大，因此，共產政權，必將在壓垮了農村社會經濟之後，繼之而死亡。

中國傳統文化能夠歷經幾千年而不衰，正因為它是植根於農村社會裏的，中共盡力摧毀固有農村社會經濟制度，其目的也是企圖推翻中國傳統文化。錢先生的思想體系與馬克思不同的地方，也便在這些地方看得更清楚。

以上是筆者讀了兩書後的一些感想，不揣淺陋，拉雜寫出，藉向讀者作為對兩書的介紹。

經濟社會思想叢殘

金伯華

需要的饜足

由於延續律的運用，一切需要都是會饜足的。舉一個最簡單的例吧。用湯匙吃湯。每一匙都代表湯的一個份彌而相當於足以緩和食物的需要之每一份彌。經驗告訴我們，起初的幾匙很吊胃口而使吃湯的人覺得湯甚有味。可是，[illegible]的一匙一匙吃下[illegible]，則得一匙湯[illegible]我們滿足的強度漸趨於低減。末了，吃夠了，湯的需要也就消失了。假使要你再延續吃下去的話，不但毫無滿足的意味，而實際上你且已發生了憎厭之心。

假使你不用匙而用碗來吃，因為份彌大了，那末你吃湯所感覺的愉快，必將於二三碗後立即減低。

總之，無論用匙用碗，或慢或快，延續的愉快必然是要減低的。是以，所謂延續律者是：當一種同樣的愉快感覺延續不斷的享受時，必然會使愉快的強度逐漸減低而終於饜足以降至零度。這就是需要的饜足律。

最近報載美國不是有一位名叫菲立．蕊茲地克的老饕，他在芝加哥一家餐廳裏，連吃七十七個夾心牛肉餅，八打麵包塊，二十四杯牛奶和六杯可口可樂而獲得世界吃的冠軍榮銜嗎？姑不論他每星期要吃掉一百三十美元的伙食費，但若要他再延續吃下去的話，即或每餐貼他一百三十元，恐怕他也無法接受。這就是顧森律的應用。

延續律的優點

以上簡單敍述的這顧森律，除了可以用弧綫標明數字，便於學理的說明以外，同時由於圖表的表現，還可以使我們[illegible]向「邊際的概念」而估量每一財貨的終極價值。

於此有須注意的：就人類的經濟來說，弧綫上重要的部份，恰好正是滿足快感減低的部份。爲甚麼呢？因爲我們的目的，絕不在需要強度的無限增漲，而是相反的，在於需要的滿足。對於同一個人，弧綫降低的形態自然也是因物而異的。甜酒喝多了，易使人心泛，則弧綫下降得快；反之，一種美味的開胃酒，則比較降得慢。這說明需要是有一種可變的彈性係數的。

對於同一樂事，此人與彼人的弧綫下降的形態也是不同的。一個喜於研究的人，終日手不釋卷，大有樂此不疲之勢，而另一個爲要考試而溫讀經籍的人，則很快的便會昏昏欲睡。一個喜歡麻將的人，通宵達旦，不以爲久，而其他三位伙計，也許早已感覺不勝其苦了。這也同樣的可以說明弧綫的重要部份是那下降的部份。喝酒也好，看書也好，打麻將也好，或聊以暢懷，或自求充實，或逢場作戲，但求相當滿足，適可而止，也便好了，又何必會得無厭以損害身心，自尋苦惱呢？

什麼叫「邊際」？

對於人們的需要而言，現存的方法（財產），通常是有定限的。手頭的方法往往總比心裏感到的需要少。在這一假定裏，財產的最後份彌所能獲得的愉快強度，其意味還是有餘不盡的，因爲還沒有到達饜足。需要的最後份際獲得饜足時，這名目就叫「邊際份彌」。所以稱爲邊際者，因爲在人們尚握有方法，還能給以滿足的需要部份，與缺乏方法，不能俾和滿足的需部份之間，這最後份彌已經到了邊，到了界限。（三十八）

哀自殺的青年

馬五先生

前幾天，香港有個青年學生劉文漢，跟着母親到愛丁堡大廈乞醫師看病之際，跳樓自殺了。據其母親說：她的兒子於去夏潛行離家赴廣州，一個月之後，來信說他在廣州讀工科。過了若干時，又接廣州的學校通知，說她兒子有某種病，教她接回香港治療。最近兒子準備快要回廣州去了，不料其突然有此輕生之舉！

從上述這些「語焉不詳」的情節看來，即有幾點值得注意的疑問：劉生害的是甚末病雖未說明，但其病況並不嚴重，卻可斷言，共黨為啥又不「照顧青年」而迫令他回到香港來？在港休養醫治已告復原，決定再回廣州了，何以忽有自殺的行為？如果他害的是神經病，就應該在病象嚴重時發生這種行為，何以竟於病體快復原，神智清明之後，率爾尋死呢？

我想這青年之自殺行為，是由於自己內心上有一種說不出，消不了的精神苦悶所使然的。當初惑於共產黨的宣傳魔術，棄家潛逃，投奔大陸的「伊甸樂園」去者，然實際所體驗到的，卻是些人間地獄生活，思想一時搞不通，苦悶與恐怖交迸，而又不敢有所反抗，以致形成了嚴重的憂鬱症。既而被迫回家來休養，因為過去是自動出走投到大陸之故，更不願表示懺悔，（這是青年人好勝的普遍心情）或許在香港還受到有外來的壓力威脅，不得不準備再回共區去。思前想後，苦悶滋生，沒法排遣，乃發生自殺之念！若說他是「被共黨驅逐出境的」（報紙有此一說）那他又何必準備再返共區呢？

瞧着劉生這幕慘劇，我不禁要替許多智識青年耽憂。共產黨那套害死人不償命的花言巧語，不知殘毀了多少的民族生機。青年人未理解人類現實生活是永遠不會滿意的道理，更不相信「真理永遠是灰色的」這句具有哲理的格言，共產黨就利用這種弱點來欺騙青年，奴役青年，可哀也已！

赤色作家的竅門

文抄公

在鐵幕裏，你想做一個赤色的作家，必須懂得若干「竅門」，以下一篇故事，便是教你怎樣做成一個赤色作家的「竅門」。這篇故事是蘇聯弗彼良可夫的原著，原文載在「笑是無罪的」雜誌上，題目是「救火員普洛霍爾丘克——故事的故事」，現在把譯文轉載如下：

×　×　×

事情發生在一家雜誌的編輯部裏。有一個初學寫作的女作者，不大好意思地走進辦公室來見編輯。

她：請問：很對不起……你是雜誌的編輯嗎？

他：是我。

她：我姓克萊皮文娜。我給你們的雜誌寫了一篇小故事。

他：請留下吧。

她：我想，如果可能的話，現在就請教一下你對它的意見。只要你允許，我便把它唸給你聽。不長，要不了三四分鐘。可以嗎？

他：唸吧。

她：故事叫作「高尚的行為」。我唸啦。（唸）「夜裏三點鐘，全城的人都已經睡了。沒有一盞燈是亮着的。又黑又靜。忽然從一座灰色大房子的四層樓的一個窗口中，冒出了一道血紅的火舌。『救命啊！』傳出了一聲喊叫：『起火了！』這是夜裏忘記將電爐——火災禍首——關掉的粗心大意的房主人的聲音。火蛇和房主人一起在屋內東奔西竄。救火車的警笛響開了。救火人員跳下車向房子奔去。在房主人奔竄的屋裏已成為一片火海。救火員普洛霍爾丘克，一個年紀已經不輕的烏克蘭人，蓄有一大叢黑鬍子，在門前停下了腳步。救火員佇立着，考慮着。忽然他堅決地衝進屋內，拖出了着了火的房主人，並將水龍頭向火燄噴去。由於普洛霍爾丘克的英勇，火災終被撲滅。救火隊隊長戈爾布新走向他道：『好樣的，普洛霍爾丘克！做得對。』之後救火隊隊長又微笑着加了一句：『看你還不曉得，你右邊的鬍子着火呢。』普洛霍爾丘克微微一笑，撚着自己的鬍子。天破曉了。」

他：故事不壞。題目也合適：「高尚的行為」。但有些個別的地方還得修改。你知道嗎，當正在讀一篇好故事的時候，半空跳出來一些不合心意的情節，是掃興的。你的故事是怎樣開頭的？

她：「夜裏三點鐘。全城的人都已經睡了。」

他：很不對勁。這就是說，連警察也在睡，連值班的也在睡，連……總而言之不好。這像會成為喪失警惕性的。這個地方得改。不如這樣寫：「夜裏三點鐘。城中誰也沒睡。」

她：哪有這樣的事！夜裏，人要睡覺。

他：，嗯這也許對。那就這樣改吧：「全城的人都已經睡了，然而還在各人的崗位上。」

她：在崗位上睡覺？

他：不，豈有此理。還是這樣改的好：「一部份人睡了，一部份人卻連吨也沒打。」底下呢？

她：「沒有一盞燈是亮着的。」

他：這是怎麼回事？是不是我們要說，造出來的一些燈泡都是不亮的？

她：這是夜裏呀……燈都關了。

他：也可能誤認為燈泡是那樣。這不妥當。關掉吧！既然不亮，就不消寫它。

她：「忽然從一座灰色大房子的四層樓的一個窗口中，冒出了一道血紅的火舌。『救命啊！』傳出了一聲喊叫：『起火了！』」

他：這是什麼？驚惶失措？

她：是的。

他：你以為在刊物篇幅上非鼓吹些驚惶失措不可嗎？

她：當然不啊。但這是故事：文藝作品呢。我在描寫火災。

他：沒把沉着鎮靜的人寫出來，偏把驚惶失措的人寫出來了。如果是我處在你的地位，就會把「救命啊！」的一聲喊叫換上一句比較有勵者性的叫喊。

她：比方說？

他：嗅，比方說：「『澆水啊，熄滅啦！』傳出了一聲喊叫：『有什麼可慌的？並沒燒起來呀！』」

她：正在燒又說沒有燒，這怎麼講呢？

他：不是的。「沒燒起來」乃是「能夠及時撲滅，化險為夷」的意思。

她：這不大通。

他：通。這樣那句驚喊就根本用不着了。

她：「這是夜裏忘記將電爐——火災禍首——關掉的粗心大意的房主人的聲音。」

他：什麼樣的房主人？

她：粗心大意的。

他：犯得上在刊物上傳播粗心大意嗎？我以為犯不上。用不着。還有，為什麼你要寫他在夜裏忘記了關電爐呢？犯得上用諸如此類的範例去教育讀者嗎？

她：我並不打算用這教育誰，但是如果沒有這隻電爐，也就沒有這場火災。

他：這難道不好嗎？

她：當時好啊。

他：瞧，可見，可見就得這樣寫。去掉電爐，以便你半個字也提不到火災唸下去，看你在下面寫些什麼。一直跳到救火員的形象那段。

她：「救火員普洛霍爾丘克，一個年紀已經不輕的烏克蘭人，……」

他：這才寫得好！

（上）

語言學漫談

徐道鄰

『大作內容甚佳，敝刊極願刊載的。惟近來稿件十分擁擠，一時無法刊出，茲敬寄還，以後仍請源源惠稿為荷』。這封信的『意義』，和『你的稿子不夠好，我們不要』，完全一樣，不過『語調』不同而已。

『寵約自當奉陪，惟明日適值弟自作主人，無法趨教，心頭謝謝！』這也就是說：『明天你請客，我不來』。不過，用的是較為客氣的『語調』。

有些人在社交上是以『會說話』見稱的，也就是所謂善於『詞令』，這『詞令』，就是這裏我們稱之為『語調』的運用。

語言的目的

語言的第四種功用是『目的』INTENTION。就是說，說話的人，何以要說這句話？何以一定要這樣說？這其中一定有他的目的。一個人說的話不同，所說的方式又不同，有的人在作詩，有的寫小說，有的寫科學論文，有的作採訪報導，有的在對人家背後胡扯，有的在喃喃自語。就是因為他們說話的目的不同，所以他們語言中所包含的意義，情緒，語調也就隨之而變化。勸人家追求美人的，就說『甯不知傾城傾國，佳人難再得』！這是何等正確的理由！勸人家不要追求美人的，則說：『天下多美婦人，何必是！』又同樣的不失為至理名言。尤其是在今天被語言控制的人，每個說話的人，都有他的目的，而愈是會說話的人，愈不致聽者看穿他說話的目的。『最好你不要吸香烟，如若要吸，那麼，最好吸駱駝牌。』話的表面是勸你不吸，而其目的，卻是在勸你改。『上等社會的仕女，百分之八十吸駱駝牌香烟，』[illegible]上街彿是一種客觀的報導，而事實上，完全是主觀的有力勸誘，美國雜誌上，多少『研究所的化驗報告』，不是大廠家銷貨的廣告？極權國家裏，多少小說，戲劇、電影，不是在替政府向民間灌輸一些政治觀點和信仰？今天的世界，是語言的世界，而今天的語言，是宣傳 PROPAGANDA 的語言。所謂宣傳者，就是不要聽衆去思考，而要聽衆以宣傳者所要他們思考的為思考，再進一步，要聽衆去照宣傳者所要他們去行動的而行動。這裏就是宣傳教育的不同。教育是要啟發人們的思考，促進人們的思考，而使人們從思考中得到適當行動的選擇。宣傳者則正和此相反，宣傳要統治人們的思考、要限制人們的思考，而使人們最好不加思考而盲目的去追隨一切由上面規定的行動。二者之不同，如斯之甚，然而竟有人說：「宣傳就是教育，教育就是宣傳。」這好像中藥店的仿單，什麼「關東」鹿茸，「陳年」參桂，內行的人固然一看就知道他是滿口胡說，可憐那許許多多不內行的人，被他們騙的糊裏糊塗，化了冤枉錢，吃了許多無用的藥，到死還莫名其妙。（四二）

南樓令

姑蘇送曼殊大師

王沉裴

相送出層城。曉風步履輕。警鷄聲，劍氣縱橫。折盡垂楊千萬縷，留不住，此時情。

落月賸殘星。着空自在明。望重湖，水與天平。野鶴閒雲飛去也。空目斷，遠山青。

望祭黃花岡

伍潤三

黯淡雲山落照餘。黃花岡上又何如。阡門恐溷豺狼跡。墓宅疑為蛇鼠居。風雨陀城增草莽。河山禹甸盡丘墟。傷心海外逃亡客。望祭涕流一欷歔。

劍底秦庭

歷史小說

奚如

「荊軻？」蒙嘉從鼻孔裏發出了一聲冷笑：「原來你就是那個衛國的亡命之徒，我倒要問一問你，你認不認得大爺是誰？」

「我還沒有見過你這樣一個專門欺侮婦人孩子的懦夫」！

「告訴你！你大爺就是大秦國的蒙嘉！荊軻小子，吃你蒙嘉爺爺一劍」！

緊隨着說話，一道颯颯的寒光，已經閃到了荊軻的面前。荊軻立刻笑着用力把劍一格，兵器在半空迸出了幾星火花。

這是一場空前的惡鬥！龍蛇飛舞的寒光映帶着樹林的梅影，地面的白雪，使大地平添了一陣黯淡的冷意。劍鋒和劍鋒的接觸，使人想到了死亡，想到了血花，想到了俯伏在雪地上鮮血流淌着的屍首……。

「呼！」一聲尖銳的長嘯！蒙嘉的手上，忽然只賸下了半截的劍柄，没慌而又顫抖地呆呆立在雪地上，荊軻的劍尖，正在緊緊指着蒙嘉的小腹！

「別動！給我跪下」！荊軻微微有點吁喘的叱喝，使到蒙嘉已經不自主地矮了半截身子。這時候，荊軻才向站在樹底下的微姬和荊蒙招了招手。

「你們過來」！

「荊大哥」！

「爸」！

由於意外的興奮，快樂的心情凝過了聲帶的發音，微姬和荊蒙都不自禁地流下了滿臉的熱淚。

「這傢伙有沒有欺侮了你們」？荊軻把稜厲的目光對着蒙嘉尷尬的紅臉孔。

「我和小蒙因為看見今天天氣晴朗，所以帶着他騎了一頭驢子，走到這兒來看看東城的梅花，不想一到這兒，這強盜便跟了進來，不但要我把鞋子脫了，站在雪地上，還準備把小蒙綁在驢腿上，讓驢子拖着他跑。你說這強盜該不該死，要是你來遲一點呀，準會給他把我們弄死啦！」微姬一面申訴，一面不時俯下腰來，揉撫幾乎僵硬了的雙腳。

「蒙嘉奴才！」荊軻厲地大喝了一聲，睜圓了雙眼，舉起劍來。

「荊——荊大爺，我求求你」！蒙嘉祇有絕望地亂擺着雙手，把緊鎖眉頭的乞憐的眼睛朝着荊軻。

「荊大哥，饒了他吧，我們也犯不着和他計較」。還是微姬恐怕真的弄出命案，走過來牽着荊軻的袖子。

「過來！」荊軻把劍尖朝蒙嘉指了指。

蒙嘉毫無反抗地走到了微姬的跟前。

「給你姑奶奶叩頭，認錯，道謝！」

蒙嘉果然彌在雪地上向微姬磕了一個響頭。（十七）

記秋丹閣吟草拾遺

湯瑤鍾

（七）

三十五年秋，先君復員南京，即臥病中央醫院。余以侍親之請，由贛調京，省視湯藥。至三十七年（一九四八）三月二十九日青年節，病逝京寓，得年六十有六。於時歷經離亂，家境窘艱。僅餘南京九華山麓與盧家莊之間荒地二畝，又為中央研究院所征購，地價低微，身後榮哀，籌辦不及其半。迄十二月二十日，徐蚌失守，京滬告危。余乃倉卒以四千元購中國公墓土塋一方。督牽扛夫十人，扶櫬晉厝。十二月三十一日，余即隨政府疏散車匆匆南駛。於今翹首京華岡陵岑寂。正不知何日牛眠定卜，完我孝思。瞻念及此，涕淚隨之！

因編次秋丹閣吟草拾遺目錄；和寒鶴韻入川舟次感懷五律四首，萬縣舟次口占五律一首，萬縣西山即景七律一首，北碚紀遊二十六首七絕選錄一十四首，邵先生玄圃殉國二週年紀念七律四首，又前題代人作七律二首，春感和朱運咤韻七律四首，立秋前一日食瓜七律二首，七夕七律三首，重九日登高七律一首，和人韻十絕（七言）錄二首，悼段詩閬七絕八首，李生忠弼禦倭殉職悼詩七律四首，（增）民七戊午除夕濟南客次感懷七律四首，共五七言律絕詩五四首都一卷。

（續完）

自由人
THE FREEMAN
（第四五五期）
中華民國僑務委員會登記證新字第二號
中華郵政台字第五〇〇號執照登記爲第一類新聞紙類
（半週刊每星期三六出版）
每份港幣壹毫
台北市售價台幣壹元
督印人：陳克文
地址：香港高士威道二十二號四樓
3 rd. Fl. 20 GAUSEWAY RD
HONG KONG
香港發行及事務接洽
高打士道66號 電話：七〇四三五
承印者：東南印務出版社
地址：高打士道六十四號
海外總經銷
友聯書報發行公司
香港：德輔道中二十六號A二樓
台灣特派員辦事處
台北市館前街五十號
台灣總經銷
台北市西寧南路壹壹零號二樓
台郵儲金戶九二五二

和平之神與和平之魔

伍憲子

和平是人類最高的理想，亦是人類最普遍的希望，無論何時，無論何地，和平是人人之所欲。但和平是爲羣衆求幸福，不是爲執政者求苟安，故和平之前提，必在正義。否則和平無好結果，或更陷入悲慘命運。正義，方可以接近和平之神。苟安，必着和平之魔，願談和平者有所抉擇。

時勢混沌中的和平

現在和平之聲，喊動全世界，我人應細心研究，此意念何自產生。許多人皆說，世界已變成兩大集團，一爲共產集團，由蘇俄領導，一爲民主集團，由美國領導，二者工力悉敵，旗鼓相當，二次大戰停止後，兩集團就開始冷戰，到現在愈逼愈緊，大有一觸即發之勢。當此原子武器時代，殺人之慘，不可思議，大戰發生之日，即人類毀滅之時，敗者固敗，勝者亦未必爲勝。因此，人人有畏戰之心，羣情皆不欲戰，於是和平之聲，彼此皆樂於喊出，誠然，此是事實，但此就是混沌時勢中之事實，由此而喊和平，就是混沌時勢中發出之和平。若果稍有智慧，平心靜氣，觀察眞相，就不是如此說。我們先要明白，蘇俄領導不起共產集團，美國亦未能領導起民主集團。我們若以爲蘇俄領導起共產集團，已造成不可侮之强大力量，因此想安撫蘇俄，以畏戰之心求和平，此是錯誤。蘇俄就乘此弱點，演和平之劇，作張作弛，以愚弄講和平者，自居於主動地位，和平永不成功。我們更要明白，民主尚未夠得甚成集團，我們正須加速努力，若果眞能團結民主力量，和平自然到來。但團結民主力量，不能喊和平，以和平爲團結民主力量之號召，此亦是錯誤，適中蘇俄之計。

蘇俄是和平之魔

蘇俄經過二次大戰之後，創鉅痛深，瘡痍未起，斷不能發動大戰。在美國原子武器威脅之下，更不敢發動大戰。乘西方民主國家之不進步，與經濟落後國家之不安寧，用其滲透，顛覆，搗亂，愚弄之陰謀，正方得意，亦不須發動大戰。但蘇俄亦明白，不能與不敢及不須發動大戰之心理，西方國家所同，世界上無論何種國家亦皆同。故自二次大戰停止後，蘇俄軍備依舊擴張如戰時，一面恃其龐大之兵力，表示强橫之態。一面用滲透陰謀，攪擾世界。最近美國獨立紀念日，赫魯曉夫在莫斯科美大使館說「我們不想戰爭，我知你們亦不想戰爭，如果要戰爭的話，讓我們站在一起作戰」，此就是蘇俄之弄魔術。同時又說「我們農業發展，經濟充裕，黨內團結，我們更願意誠懇地談和平」，此也是蘇俄弄魔術。其實此種「此地無銀三百兩」之自白，其術甚淺，稍聰明之人一眼勘破。然而不幸，許多人竟着魔，古人說「道高一尺，魔高一丈」，此指魔力大於道力而言，豈現在蘇俄之魔力，竟能大過民主國家之道力，我敢決其不然。但民主國家有道力而不自知運用，且往往自入於魔，以魔引魔，於是民主陣營中自造成之魔障亦不少，不知不覺，就爲蘇俄之魔掌所籠罩。

民主陣營自造魔障

苟且偷安，自私畏葸，幻想並存，取巧投機，此四者都是民主國家沉醉於人權，汨沒了人性，爲功利主義所迷惑，因而自引起之魔障。他們不只道力不夠，尋常之知識亦短淺，即如二次大戰當中，日本在太平洋羣島崩潰失敗之後，正預備投降，但美國全無情報，而蘇俄則僞造情報以愚之。謂日本誓死戰到最後一兵一彈，美國非死二百萬兵，休想踏足上三島，美國竟信以爲眞。於是請蘇俄參戰，出兵向日本進攻，雅爾達密約之大錯遂鑄成，中國大禍亦由此伏綫，此就是苟且偷安自私畏葸之心理，此心理至今尚在。雖有時激於義憤或良心偶然發現，此種心理暫時消滅，如北韓侵略韓之際，美國履及劍及，以聯合國名義，出兵救南韓，總算仁人義舉，然經過一個時間，眞氣中餒，爲德不終，犧牲了十數萬人之生命，苟且停戰，在南韓收不到效果，牽累越戰，遂奠邊府，割北越，屈辱談和，到底苟且偷安之心理，終不能消滅，此就是自己心中之魔。因此之故，令許多平日共事之人，與平日志行薄弱者，皆起疑心，不敢一心信賴。誤以爲兩個集團相持之下，任誰皆不能消滅誰，於是並存之幻想，不祇是起自蘇俄之放空氣，弄玄虛，同時民主陣營中自己亦以爲應該如此，尤其是貌爲中立之取巧投機者，以爲可藉機會，別樹一幟，挾舉足輕重之地位，從中取利，此又是民主陣營中自己弄出多方面之魔障以內魔引外魔，外魔益可以肆志而無所顧忌。數年來只管大家談和平，都是戴假面具，別有肺腸，不是向眞正和平之路走。

正義爲原子武器生命

現在西方國家對於和平之神，尚未曾認識。他們以爲挾有原子武器，足威脅侵略者，使不敢妄動，原子武器就是和平之神。誠然，原子武器足以威脅侵略者，但原子武器只是物質，必須給予靈魂。今蘇俄避免熱戰，專從冷戰着力，原子武器被凍結而不能用，則原子武器不足以促進和平，原子武器不特非和平之神，或者反成和平之魔。故我們必須努力，爲原子武器覓取靈魂，換言之，亦是爲原子武器覓取生命。生命何在，在正義，我們必須正侵略者之罪狀，正本清源，使滲透傾覆之陰謀無所施，濟弱扶傾，使慕義來歸之人能堅其信念，而後可以加强民主國家之團結，懾侵略者之氣，使不得藉冷戰以行其虛僞宣傳。故共存之幻想必須清除，要共存，惟有共存於民主制度之下，鐵幕必當揭開，附庸國家必當各恢復其主權，如此方能接近和平之神。原子武器必須能爲和平之神效力，則侵略者始有所畏怯，此即以戰止戰之方法，將苟且偷安自私畏葸之行爲，盡掃去之，自然投機取巧之所謂中立者，亦不敢露其醜態，混亂之局勢，漸漸可得清明。和平在清明之局勢下產生，不是在混亂之局勢下產生，和平方能爲人類求幸福，和平方有價值。如此，當繼續認識一要義。

人性和平與人權和平

二次大戰結束之後，西方國家皆急求和平，然至今十年，和平猶不可得，和平只爲蘇俄侵略造機會，其原因，就是人權和平爲祟，在二次大戰當中，羅斯福邱吉爾一定要消滅德國、日本，何以當時不放寬一路，安撫德日，此就是報仇之念重，憤怒之氣不容易平。假令人性能調劑人權，凡事留有餘地步，看遠一點，留德日以當蘇聯之衝，總勝於消滅之後，又扶掖而復興之，狐埋而狐搰之。然而爲擴張人權，懼德日人權之復興，不識運用人性，早收安撫之效，反爲今日想安撫蘇俄，此是只識人權不識人性之錯。只識人權，不識人性，其行爲當然畏强者，欺弱者，因人權，往往爲强者所羨慕，亦惟强者乃容易攫得之。只講人權，不講人性，必然權與權相爭，和平永不可得。即如聯合國之理事會，蘇俄必要爭此否決權，而且十年之間，濫用至六十餘次之多，如此的聯合國，成何說話，此是只識人權不識人性之錯。最近又有四巨頭會議之預備，依然是講人權和平，不是講人性和平，其目的就是强者處分弱者。然尤不幸者，所謂强者之中，仍有弱者，四巨頭之中，不一樣巨，所謂巨，仍有細，細而欲巨，易爲巨者所誘惑。換言之，權不能平，賦不能平，會議終無好結果，此是只識人權不識人性之錯。故今後局勢，非一個和平空套所能解決。

給聯合國以新生命

假令我是美國執政者，今後要切切實實警告蘇俄，請勿再發世界革命之夢，請勿再以無產階級專政之騙術，誘惑勞工，鐵幕應當揭開，第五縱隊應當召回，附庸國家之主權應當恢復，一切滲透顛覆搗亂之種種陰謀，應當撤除。在蘇俄及其附庸國家未有上述事實證明之前，民主國家應宣佈共產黨爲非法組織，制止其活動。同時表示決心，向聯合國會員國忠告，尤其是民主集團之與國，要同下決心，給予聯合國以新生命，申張民主正義，勿再假侵略者以詞色，援陰謀者以挑撥分化之機會。所有空談之和平烟幕，徹底清除之，斬釘截鐵，勿拖泥帶水，詞嚴義正，勿敷衍游移，自然至誠感動人心，眞理能團結實力，預備戰，而後可以止戰，不求和平，自然得到和平。如此，或可以轉移現在之逆勢，挽回將來之劫運，可以接近和平之神。否則和平之標榜，不是人民之幸福，只是執政者之苟安，愈講和平，愈不能得到和平，而且去和平愈遠，大家混混沌沌，着和平之魔，必招致悲慘之結局。

中共新預算的眞實性

辛植柏

中共最近宣布了他們的新預算和所謂五年計劃的執行情形。他們的預算如此龐大，大家都知道是不可靠的。不可靠的程度如何？這裏不擬作詳細的分析。於此，祇看看過去幾年，中共在大陸上的搜括與揮霍情形，便可知其梗概：

五年搜括五百億美元

過去幾年，中共好似一暴發戶，以暴力聚斂與搜括得來的民脂民膏，眞是積銀成阜，堆金如山。總計五年間——一九五〇至一九五四年——僅就其預算上可以見到的數字，即達美金三百六十一億七千三百三十七萬七千元，（國民政府二十年預算總數遠不及此數），尚有不在預算收入之內的搜括數字，計發行毫無準備金的人民幣約美金十餘億元，抗美援朝捐獻款約美金二億三千三百六十餘萬元，土改時沒收農民的財產，計糧食一千四百七十四億斤約合美元十四億，耕牛一千四百七十四萬頭約合美元十五億，金銀，珠寶，現款等不下美元八十七億，又「三反」「五反」約美元五億以上，各項合計爲四百九十五億餘美元。曾有人估計中共統治下的國民所得，年約一百九十七億美元，中共前項聚斂與搜括的數字，即等於兩年半的全部國民所得，這數字確是委實驚人！

取盡錙銖用如泥沙

但中共由於錢財得來容易，因而用之之時，便揮霍如泥沙，絕不稍加顧惜。例如，爲史丹林祝壽，備貢禮物，一車一車的運向莫斯科去，固不用說。而且自那時起，蘇聯派至中共區的所謂顧問，總數竟達四萬五千之衆（後[illegible]每一顧問的優遇之隆，雖非上馬一蹄金，下馬一蹄銀，但無一不盡[illegible]歡心。另外並規定每人月[illegible]元。他如對同路人的賛[illegible]，非共，越共，泰共，[illegible]黨等，慷慨與奢豪，亦[illegible]分之廿以上，去年幫助[illegible]金八億之鉅，最近幫助[illegible]。至於中共自奉揮霍鋪[illegible]萬軍政人員中，有五百[illegible]給制的。這些包戴的軍[illegible]爲家，各取所需，爭相[illegible]無論衣食住行樂等生活[illegible]糊無比。如此搜括之錢[illegible]以供其無限的靡費，故[illegible]府庫，就有似「紅樓夢」中的賈府，過去雖然堆金積玉，現在內囊却「盡上來」了，惟中共這一「盡上[illegible]間之速，則未免出人意外。

（下轉第二版）

半週展望

•左舜生•

中共大舉援助北越

儘管共產集團在最近的過去，曾裝出種種不同的笑臉，而一般幻想和平的人們，也似乎是得意忘形，可是共方沒有絲毫憐他們侵略的企圖，依然是鐵一樣的事實。這只要看最近中共和北越間所演出的一幕，便可完全明白。

最近胡志明率領着北越代表團曾赴北平作了十天的訪問，中共除擺出十足的架子對胡闢予以一種異乎尋常的歡迎以外，並且於本月七日發表了一個中越共的聯合公報。

這一公報的表面，係表示中越共今後如何加强合作，同時還以價值三億以上的美元，無償的贈予北越。

假如我們僅以『打腫臉充胖子』作爲中共這一行動的解釋，顯然會要陷於錯誤。我們必須知道的：中共的這一舉措，僅僅是整個共產集團執行他們整個侵略計劃的一環；同時也表示他們對朝鮮、對日本、對台灣……還只是準備，緩緩前進，而對整個東南亞的掠奪，則已如箭在弦上，待時而發，而且這個時間是不會拖延得太久的。

從中共的這一積極援越的行動，還可看出種種的副作用和中共所抱持的一種心理：第一：他們正在大吹大擂推行他們的所謂第一個五年計劃，在此時來積極援越，乃表示他們在財政上還有餘力，一以加强民主集團的迷惑，一以穩定大陸人民已對他們日趨動搖的信心。

第二、積極援越，同時確可給予亞洲各處的共黨一種鼓勵，使大家覺得只要死心塌地的跟着他們走，是確實可以得着幫助的。

第三、蘇聯早已加重中共一種侵略亞洲的特殊任務，（當然是有一定限度的）中共表示在切實執行這一政策，乃正可加强他們在共產集團中的地位。

第四、美國援外的數字，本年度本來已經削減，而美國國會的大爺們却還要減之又減削之又削。中共一次以三億以上的數字去援助一個北越，這不啻表示凡是美國可以做到的，他們也一樣可以做，這對美國這個世界第一的富有國家，不啻是一個有力的諷刺，其以削弱一切接受美援國家對美的信心，自更不足待論。

我們過去曾在本刊表示美國對於如何運用美援的計劃不甚切實，其由美援所應該產生的效果，也不盡如理想。

我們也會表示過：自由中國對於今天海外一切的反共活動，即令無力給予任何物質上的援助，至少總應該給以精神上的支持，千萬不可今天來一次決議，明天來一道命令，使大家感到啼笑皆非！

我們看見共產集團對於他們的侵略計劃能夠周密的，積極的推動，實在不能不令我們發出如上面的一種感慨。

巨頭會議開幕前夕

千呼萬喚的巨頭會議，已開幕在即。說過去四强外長所不能解決的問題，一到巨頭們手裏便可解決；過去四强外長所不能造出的奇蹟，一經過巨頭們的頭腦便可公然出現；這當然是不會的。據一般的推測，巨頭會議的作用，本來不在立即解決問題，而只在把當前的一切重要問題盡量提出；不在把一切問題如何解決的細則一一作成決議，而只在指出如何去解決這些問題的原則和途徑，果然能夠做到這樣，總也還算是不虛此一行。

可怕的，乃是對若干絕對不能輕於讓步的問題，（如德國統一問題與建軍問題）而誤落蘇聯的圈套；而對若干一時絕無法實現的問題，（如世界裁軍問題，原子武器管制問題）又發出許多毫無用處的空談。本來，凡是一個涉及世界多方面的問題，我們都主張交到聯合國去解決，但今天除聯合國會議以外而有所謂巨頭會議，這只是由於聯合國精神已被少數大國摧毀了的當然結果。在今天，以蘇聯代表共產集團是沒有問題的，因爲這一集團的本質是侵略，多侵略或少侵略，今天侵略或明天侵略，這在蘇聯僅有伸縮的餘地；以美英法代表民主集團乃大有問題，因爲民主集團的分子是被侵略的，一經讓步便等於出賣，因此美英法乃更得小心。

埃及與中共若即若離
宗教部長發表親共言論　我駐埃使館曾提出警告
·方劍·

海外通訊

【本報開羅特約航訊】前次（六月九日）通訊，已將埃及因經濟不景，棉花無出路，同時對英美表示報復，勢將吞噬中共貿易的釣餌，作了簡單的報導。

此種形勢，至今尚無重大變化。西方民主國家駐此間各外交代表，亦均對埃政府外交上之可能演變，作密切之注意。相互間，更無時不交換意見與情報。我駐此間代表所作活動，亦深得多方面之同情。

軍人秉政統制言論

埃政府現時掌握實權者係屬軍人，軍人之態度與見解，最不易於把握，蓋軍人之固執與成見，往往較普通政治家爲甚。埃政府在軍人控制之下輿論之統制甚嚴，不合政府意旨之言論，在埃及報紙刊物上，實屬無從發表。此間外國使節之言論，見諸報章者，每遭刪改，至失去其本來面目。最近埃國宗教部長巴古雷於訪問中共大陸後，六月廿九日返到開羅，竟不顧事實，發表言論，謂中共統治之下，人民享受宗教自由。此種謬論，不惟西方民主國家不肯相信，即埃國有識人士，亦多表反對，埃國政府中人如內政部長，副總理等即大不以爲然，但報紙上竟無人敢作批評者。

巴古雷爲中共張目

巴古雷以宗教部長之地位，而作如此不合事實之謬論，爲共黨張目，不惟有提倡共產之嫌，且對我實爲一種非友好態度。我駐埃使館，曾因此事，警告埃外長，力舉中共迫害宗教之實際情形，以示抗議之意。埃外長態度含糊，僅以轉達納薩總理爲詞，並言該部長以後不至再有此種言論。請我使館，勿將此事在埃國報章發表，免傷兩國感情。由此可知，埃政府現時所採政策，似仍屬對雙方敷衍態度，既不欲開罪共黨，又不願破壞西方民主國家感情。到底此種騎牆政策，將來演變如何？埃國當局恐亦無從判斷，局外人則更難言矣。

埃及勿墮共黨彀中

巴古雷回國至今已經多日，初時宣稱，俟向總理納薩陳述後，再作訪問北區之公開報告。惟至今尚默無一言，報紙亦一字不載，是否因我使館已有表示，不便再作宣傳，抑納薩政策，必須適可而止，則不得而知。以筆者個人觀察，埃政府所玩手法，仍與上次通訊所報導者無異，即對共黨表示好感，其作用不過爲對英美表示要脅耳。然吾人於此不能不忠告埃及，愼勿因一時之意氣，以至誤墮共黨彀中。

再上次通訊，曾提及埃政府派工商代表團前往中共，商討商業合作，此事共黨報紙及北平電台，亦曾大事宣傳，惟埃政府至今尚無明顯的具體動作，即所謂文化協定一事，亦消息渺然，大概埃政府以各方反應惡劣，故遂暫時擱而不提。惟埃及與中共之間，關係微妙，藕斷絲連，若即若離，頗爲可慮。不過民主國家能因勢利導，善爲因應，則埃政府或不至終受共黨之所愚也。（七月二日開羅）

（按七月八日台北電訊，埃外長在三藩市對我葉外長鄭重否認與中共簽訂文化簽定之事，據稱外間所傳者，祇巴古雷與周恩來一項談話紀錄而已。——編者）

說話之難
胡雲翼

（上）

金聖嘆稱莊子爲第才一子書，近日再讀，深覺金氏確是獨具隻眼，不說別的深奧的哲理，單就「人間世」一篇顏回欲適衛一段談及說話之難，短短數十行，把進言者與納言者之心理刻劃盡致，在數千年前，對於人性已有如此深入透闢之了解，誠屬難得，茲以今文，略介述其大意如下：

× × ×

顏回向孔子辭行，謂想到衛國，因爲衛國的國君少不更事，愎自用，窮兵黷武，弄到民不聊生，思往以其所聞所知，予以匡救。孔子說他此去是等於和衛君爭是非，衛君以爲你是想表示你比他高明來壓抑他，他一定也想盡方法，找尋你的弱點，使用他的巧辯來壓抑你，結果祇有兩途，一是你卑躬屈節地唯唯諾諾，讓他更增加對自己的罪行的信心，就好像以火去救火一樣，祇有增長他的氣燄。你開始就曲學遷就，以後就休想再犯顏持正了。一是你交淺言深，用直言去勸止未相信你的人，他一定會懷疑你的動機，以爲你是想以直言干譽，傷害他的尊嚴，他一定把你殺了。桀紂之所以殺龍逢，比干，就因爲不願意他們的善名勝過了自己。你用道理來折服他，假若與他爭名，你要他放棄罪惡的果實，便是與他爭利。好名好利的人，雖聖人也不能感化他，何況你呢？

× × ×

顏回卻說他的一套方法。一是「與天爲徒」，就是心與天通，所說的話，絕無私心，祇還天理，像孩子一般天眞純潔。亦是「與人爲徒」，凡人所應做的事我都做，恭敬有禮，跪拜如儀。三是「與古爲徒」，就是所說的話，都引經據典，讓古人替我去負言責，但我所述的雖然是古人的教訓，用意是在諷刺現在的人君，但言語是古人言語，不是我的創作，雖然直率也不能歸罪於我。我用這三個方法，大抵就可以了吧。

孔子說，還是不成，你還「師心」，你的說話還是有成見，有計劃的，祇可以免罪，但不能感化人。

最後孔子教他先做一番「心齋」的工作。「心齋」就是就事論事一無成見。他叫他不要帶着一顆救衛，醫衛，成功立業的心到衛國去，甚至不要懷着一顆想說話的心到衛國去。這樣對方就會樊籬盡撤，不把你當作假想敵，彼此達到忘機的境界，然後到不得不說話的時候，你的說話自會衝口而去，如鳥之鼓翼而飛一樣自然。鳥因爲有翼，到要飛的時候，不加思索，便會自然而飛；人有智慧，到要說話的時候，自然會說出很中肯的說話，而聽你說話的人，會覺得你的話是無心之言，一片天籟，自然會悅納和接受，這樣，則不但人可以被感化，萬物都可以被感化了。

× × ×

說話容易，說話而得人耐心去聽難。說話而得人肯照你所說的去做更難。人類的心幕比鐵幕更爲緊密，他有兩尊兇惡的門神在門口把守，一個叫做「自尊」，一個叫做「自卑」，他們是孿生的兄弟。人類固然不能接受對立的人們（和他爭利的人）的責罵、就是同利害的人們的「忠言，「身設處地，替他謀福利，借箸代謀的人們說話，也不容易得入，就因爲這兩尊門神作梗。你雖不和他爭利，但你和他爭名，你要他承認你的主張比他對，你的意見比他好，你比他更高明，更有辦法。你要他承認自己有錯誤，他以前做得不對或不夠，這就傷害了他的自尊心。而砌詞和你強辯，或更引起他的自卑感，對你敬而遠之，避不見面。如果他是有權力的如桀紂之類，他更設法把你害死，樂得耳根清淨，免終日受你的精神威脅。所以歷來人主無論賢愚，言官都難做，就是這個道理。有時一個德高望重的宰相，而折廷爭，無法阻止賢明的主做一件顯明的錯事，而一個聰明的太監的一句話，便可使他回心轉意，無他，因爲他輸給宰相，覺得十分恥辱，輸給太監，則無所謂也。

·人物·　·評述·

憶朱霽青先生
·劉露如·

總統府國策顧問，中國國民黨耆宿，朱霽青先生，以心臟病不治，於本年二月十一日晨在台北醫院逝世，享年七十四歲。老成凋謝，於今瞬將半矣。

（一）

朱霽青先生原名國際，字杞卿，以霽青字行。先世是遼甯省北鎮縣人，民前三十年五月廿七日生，早歲就讀瀋陽文會書院，嗣留學日本入東斌學堂習武，在東京加入同盟會，追隨孫中山先生致力革命。返國後加入軍旅，武昌起義時，他在烟台響應，任關外盟軍總參謀長。

霽老先生在少年的時候，矢志革命，秉性剛毅，毫不含糊。民國四年，袁世凱逆謀已著，中山先生頒令組織東北軍，總司令部設濰縣，任命居正先生爲總司令，霽老爲師長。袁氏死後，黎元洪繼承總統，段祺瑞任國務總理。當時府院發生衝突，段氏曾以重金餌霽老，暗示組院，可正式編師，立予拒絕。

民國十三年，中國國民黨改組，他奉中山先生命，主持東北黨務，總部設哈爾濱，往來平津直魯豫等地，吸收黨員，郭松齡倒戈，東北風雲突變，共產黨員李大釗以有機可乘，奉俄大使館命令物色東北領袖人才，派赴關外與郭軍平分倒張政權。霽老時在河南，李大釗以鉅款爲餌，托以東北軍事，霽老以未奉中央命令拒而不受。他後來倉卒出關，到了關外，立即設立民軍總司令部。這種不假外力，不爲利誘的精神，實實可佩。

（二）

甯漢分裂後，霽老曾參加當時的改組派，他和顧孟餘，王樂平，王法勤等同屬改組派中堅人物。時筆者正以記者身份，時相過從，得瞻丰采。他與王樂平私交極厚，王樂平被刺逝世，他極爲悲痛。漢甯合作以後，汪精衛做了行政院長，陳公博做了實業部長，顧孟餘作了鐵道部長，褚民誼作了秘書長，只有霽老還是空頭委員一個，淡泊自甘，絕不介意。

「九一八」事變發生，霽老以桑梓沉淪，義憤填膺，奔走於平津淞滬，多方宣傳，組織東北國民抗日救國軍，總監部設熱河燒火溝王家營子，指揮遼西李光忱等騎兵義勇隊，及鄧鐵梅部方面隊，牽制日軍。這時張學良駐軍北平，授意地方實力派代表孫北巖，宋九齡前往窺探霽老所部，適值部隊午餐，他們目睹霽老布衣粗食，與士卒同甘苦，良心發現，大受感動，歸乃具吐來意，並立即率地方團隊，歸霽老指揮，這自是霽老之光風霽月至誠感人的例證。

（三）

霽老生平，只知以身許國，服膺主義，絕不爭名於朝，黨務及軍事之外尤喜致力於屯墾事業。民國二年曾在吉林一面坡等處，創立廣業公司，二十七年深入西康腹地昌化，擬事屯墾，廿九年在蘭州，又於金城郊外黃河灘上作小型牧畜試驗。卅四年抗戰勝利後，曾赴綏遠安北墾區，安置抗日將士遺族。

綜計老人一生，每當國家危難的時候，必挺身而出，到了大局安定，即潔身引退。他之光風霽月，肝胆照人，眞是名實相符，可爲國人樹立楷模。

（四）

猶憶台北前年重陽節舉行偉老會，其時黨國元勳，在野名流，以碩德享遐齡，七十以上的老人，屬於總統府方面的有：吳敬恒，閻錫山，吳忠信，徐傅霖，丁惟汾，許世英，莫德惠，趙恒惕，何成濬，張知本，朱霽青，鈕公永，時子周，雷義生，馮自由，胡毅生，但燾。

立法院方面有：文羣，張貞，鄧青陽。

監察院方面有：于右任，劉哲，趙守鈺，白瑞。

司法院方面有：王寵惠，王鳳雄，何蔚。

在野遺老方面：有賈景德，屈映光，吳經明，張昭芹，陳含元，施運元，陳勤士。

兩年以來，吳敬恒，丁惟汾，劉哲均已先後凋謝，許世英，陳勤士今年亦且臥病，幸告痊癒。今朱霽老竟以心臟病不治逝世，老成凋謝，頓使吾人有山陽鄰笛之感。霽老亮節高風，足爲世範，發潛德之幽光，這該是我們後一輩的責任。

（四十四年六月）

中共新預算的眞實性
·辛植柏·

（上接第一版）

爲甚麼取銷包乾制

中共財經今日的窘迫，僅從下列二事，即已充分表露無餘：

一、包乾制解體　中共今日如非爲窮所逼，豈肯讓包乾制解體，過去中共所行的包乾制，不啻就是「歸大堆」「吃大鍋飯」，正是共產的表現。今忽宣佈此制取銷，於是所謂大灶，中灶，小灶之名，亦從此變成歷史名詞。其實決定這措施時，中共在內心上，是十分痛苦的，因中共的興家創業，實得力於此制，此制一旦宣告解體，即等於大家庭分變。通常一個大家庭，在興盛的時候不會分變，總是到了經濟上走下坡路或兄弟不和，才會鬧出分變的現象來。如以此來作衡量，可知中共的取銷包乾制，其主要因素，不是兄弟不和，定然是經濟走下坡路，無法繼續維持，不得不出此痛苦的一着。這就是中共在目前表現得最明白不過的一個窘態。

能回復土窰生活耶

二、變奢豪爲嗇縮　僞政務院副總理李富春及「人民日報」，最近均發出了嗇縮的呼聲，李富春奉命向全國各機關宣告：一律停止購買沙發，地毯。並且各地各部門現有的沙發和地毯，都要加以統一管理，並規定會議室一律用會議桌，不擺沙發（按過去會議室當係全用沙發，其奢豪可知）地毯，開會時一律不招待水菓，紙烟，點心。汽車的使用須減少，機關工作人員參加一切晚會，都須買票，宿舍傢具在實行工資制後，轉爲自備或租用（見六月二十一日人民日報）。在六月十九日「人民日報」的社論中，更以毛澤東在延安的土窰生活作標榜，叫幹部回頭去學毛澤東的土窰生活。這呼聲頗不尋常，以一個一擲萬金的暴發戶，忽變成開會吸紙烟都要打算盤，這種自奉嗇縮之態，倘非爲窮所迫，中共是斷不會對幹部發此寒酸之言的。

這兩件出於不得已的事，事雖小而可以喻大。從這兩件事，即可瞭然於中共的財經現狀，確是到了崩潰邊緣。原因是整個的大陸人民，都已經血乾髓枯，中共縱然再有天大的壓榨本領，榨皮總難榨得出油來，中共的荒張在此，窘困亦在此。前面這兩項措施，實係因窮困之勢，所迫出來的。在這樣的情勢之下，等於美金一百餘億的中共新預算，是眞是假亦可想而知了。

加强禁運促中共死亡

總之，中共財經的窘迫，已經到了山窮水盡的地步。一個政權到了這樣民不聊生，敲剝及髓的境地，即欲強圖掙扎苟延，最後也是逃不了滅亡的命運的。中共目前實在已經到崩潰的前夕，西方國家如能加強禁運，則中共的崩潰更快。因此，筆者希望我國民政府及友邦，務要緊緊握住這一武器，使中共財經窘迫加深與擴大，以促中共的早日死亡。

今日中共政權大有類於我國歷史上的隋楊廣朝，中共奢靡與隋相若，嗜殺與隋相若，傾全國之師與財以投入韓國戰場亦與隋妄事外征相若，民生憔悴府庫空虛更與隋相若，故中共今日所走的路向亦全是隋亡的老路。隋亡最大原因，爲民生憔悴，府庫空虛。今日中共政權衰亡之象比隋更甚，崩潰即在目前，又何待煩言？

編者　讀者

△開羅一讀者來函

編輯先生：近從國內來人得悉貴刊處境困難，以諸先生困苦撐持，得以繼續出版。鄙人讀貴刊兩年多，內容日見充實，誠屬難能可貴，先生等之精神，實可敬佩。鄙人常與友人閒談，每覺文人無喉舌（即出版物）等於武人無槍枝，雖有報國之心，亦將無用武之地。「自由人」爲愛好自由民主之文人喉舌，是以決不能任其中途夭折。鄙人雖無大力，可以遙道相助，但當長期定閱，聊表寸心。惜此間僑胞亦多貧困，能定閱者甚少，惟見面談話時，常將貴刊及諸先生之努力精神，廣爲介紹，如此而已。然貴刊諸先生如此勇往直前，百折不回，鄙人何人，能不感動？中華民國將來之希望，就在諸位先生此等精神之發揚矣！敬佩之餘，謹草數行，略示愛護敬佩之微忱，幸爲鑒察爲荷！此頌

撰安

開羅一讀者七月二日

△田厂、猖士、葉雨、王恢、羅稻仙、盧戴揚、鄭士珪、愚人、刁抱石諸先生：惠稿已一一收到，至感謝！

「反革命份子」遍佈大陸

胡風事件已變成內部大鬥爭 黨員團員幹部多變了反革命

·沈著·

【本報專訊】最近「人民日報」連續透露的消息顯示：自該報公佈了所謂「胡風反革命集團第三批材料」，並認定胡風及其同道者為「潛伏的反革命分子」以後，胡風事件業已擴大牽連日衆，已在中共整個政權系統內逐步展開一次大淸算。

胡風骨幹分子三十六人

該報披露目前已被指為「胡風骨幹分子」而加以拘捕的幹部已有下列數十人：胡風夫婦，天津「文聯」委員兼天津師範學院教授阿壠，中共黨員「中國人民大學」馬列主義教研室主任謝韜，「中國作家協會」委員呂熒，中共黨員武漢「文聯」主席曾卓，中共黨員武漢長江日報編輯綠原，中共黨員中共中央華東局宣傳部文藝處處長劉雪葦，中共黨員前華東軍政委員會文教部副部長彭柏山，中共黨員浙江「文聯」副主席方然，安徽「文聯」委員王思翔，南京「文聯」委員路翎，中共黨員作家羅洛、歐陽莊、盧甸、魯藜、王元化，及曾被中共許為所謂「前進作家」的張中曉、冀汸、朱橡谷、盧玉（謝韜之妻）、賈植芳、任敏（賈植芳之妻）、劉德馨、莊湧（現被指為胡風骨幹分子外，並被指為「反革命池主」）、譚田、徐放、嚴望（一稱閻望）、倪子明、汪靜波、耿庸，以及財政作家丁方、伍丹戈、尹文敬、羅毅等共三十六人。

在瀋陽、新疆、廣州等地被捕的張民、黃益武、李春元、費兆舉等十二個幹部，有的是黨員，有的是團員，有的是財經機關科員，有的是工廠技術員。

在甘肅定西縣被捕的趙緒堂、龐維邦、龐治安等十一個幹部，有的是黨員，有的是郵政人員，有的是教員，有的是鐵路工人，有的是青年團團員。

在徐州被捕的朱漢臣、王洪運等三十三人，大多是中共軍人及合作社人員，亦有一部份是工人。

在吉林省森林區被捕的黨文興等八個幹部，有的是黨員，有的是團員，有的是工會領導幹部，有的是伐木技術工人。

此外，一個在大連油漆廠當總工程師的幹部孫移山，因配錯了原料成分，使生產受了損失，亦被指為「反革命分子」而加以拘捕。

破壞生產篡奪領導

又據稱目前在各地農業生產合作組織中的領導幹部，有不少都是「反革命分子」而予以拘捕。例如：陝西咸陽縣蘇家鄉第一農業合作社的社務委員兼會計趙桂石，被指為「漏網地主」，罪狀是離間領導層關係，煽動社員反社，破壞社方財產及生產。山西平順縣金星農林牧合作社社務委員兼生產大隊長張來全，及擁有「勞動模範」頭銜並任該社會計的張扁則被指為「反革命分子」，罪狀是「篡奪領導」，「殺害牲畜」。餘如河北張北縣兩個合作社社長因信了宗教被指為「反革命分子」；昆明梁家河蔬菜合作社一個副社長因用錯了殺虫藥，損失了生產，被指為「反革命分子」；河北通縣劉德林合作社一個技術員因不慎醫死了一批牲畜，亦被指為「反革命分子」。

上列被捕各類幹部，尚祇是目前初步階段中的少許例子，但其中大部已被迅即「判處死刑」。若照「人民日報」社論所「指示」者繼續擴大和深入檢查，則勢必有無可估量之大批幹部陸續被捕和被殺。故胡風事件演變的結果，業已波及中共的整個統治系統，在整個統治系統內展開大「鬥爭」和大屠殺。

拘捕了大批幹部

該報接着發表以「從胡風事件吸取教訓」及「肅清暗藏的反革命分子……」為題的社論，指出由於胡風事件的所謂「教訓」，證明中共內部，包括黨內、軍隊、行政機關、工商等企業，以及廣大的農村各組織中都有所謂「潛伏的反革命分子」，從而指示各地區各單位的黨委應立即展開深入的內部檢查，凡在工作上曾犯過錯誤或過失的幹部，都應從新追究其所犯錯誤或過失的根源；凡被認為其錯誤或過失有「反革命」嫌疑者，都將予以拘捕刑訊。

「人民日報」的社論，通常是代表中共中央政治局的公開命令的。由於此一命令，目前首先已在工、農等組織及一般機關展開了初步檢查，並已拘捕了大批幹部，發表了其中的一些「典型性」的事例。據稱在上海被捕的徐春照、嚴九靈、趙懷道、白翠銘等五十三個幹部中，大多為衛生工作人員、青年團團員、合作社人員，及「國營工廠」和「公私合營工廠」中的技術人員。

黎湛鐵路的軍事價值

中共欲藉此控制東南亞

。。。南飛燕。。。

【本報特訊】最近中共宣告粵南「黎湛鐵路」在七月一日通車。照例謂為「勝利完成」，就筆者研究，他們的宣傳固多謊言，惟他們建築這一條鐵路的目的，是值得注意的。

工程性質及其歷史

記得民國三十七年，我隨興建粵南鐵路的工程人員巡行了粵段的測勘；結果，認為廉江段東南接近遂溪馬頭嶺一段低陷地帶工程最感麻煩。因該段地質全為帶沙之紅坭，且有一條小河橫經其間，上流河床太寬，下流太狹，所以夏潦一來，頓成澤國，此一低陷地之形成，原因亦在于此。就築路工程言，要完成此一段路基，並不困難，然而，從前鐵道部根據地圖所訂的築路預算草案中，並未預料有此難題；及至實地測量作為確定預算時，始發覺首先須疏導下游河床，因此必須重行修訂計劃和預算，工程遂未積極進行。

今中共宣稱在廉江縣南六公里處接軌，估計當即為馬頭嶺附近無疑。按照接軌情況判斷，可斷言共黨工程人員在事先對該地區的困難是毫無所知！因此反造成了北段的廉江縣以北的石角，（亦即中共所稱的「鬱江大橋」工程竟先期完成，也許不明眞相的人以為鬱江大橋工程是值得渲染的。但以筆者昔年實地觀察所得，鬱江大橋工程，非如中共所宣傳之艱難。蓋照當日政府的建路工程中建築此橋的預算草案與最後定案之預算完全相符，即可見建橋是毫無問題的。而廉江以南六公里接軌處，迄今未見中共提及有何困難，大約因係春間完工，雨季初臨之故。但根據中共對於水利工程一向忽視工程師計劃，自行設計，致使廣東各埠圍因旱而致潦，因潦致旱的傑作來看，將來馬頭嶺附近路基塌方出事是可預見的。（按：中共建築成渝鐵路在「提前完成」通車不久，即會發生分段塌方事故）

當日國府的計劃，是由湛江直入廣西，接通湘桂鐵路，完成西南區的鐵路網。但粵桂邊區路基曾數度遭土共破壞，破壞最厲害的即是現在他們接軌的地方。蓋當時大量土共盤據廉江北部山區，廉南較少，政府駐有重兵，緊握粵桂咽喉，故破壞地區便移至廉南，殆至三十九年初，放棄繼續建築路基時，全路路基，兩天已經頗具規模了。

故中共自詡黎湛鐵路「勝利提前完成」，實為欺人之談，同時，也證實若非共黨破壞阻撓，該路早可通車。

擴大就業機會受阻 手工業戶亟待拯救

嚴重的失業問題，正追蹤着經濟困窘而來。緊迫力圖向榮的香港工商業的，決不是商品無法競爭；是一股經濟掠奪的暗流，乘着港製品成本高昂逆襲。它不僅針對着求平逐廉的市民，洶湧港攻，更一步緊似一步的，用大量手工藝製品堵住了香港手工藝製品銷途；以致大多數家庭婦女喪失了輔助家計還籍。雖然，直接受到摧毀的，祇不過是少數手工藝製品機構，間接被迫害的，卻是數以萬計的家庭婦女，更連帶受到影響的，由於家庭入息減少，感受生活困難的人數，至少逾百萬計。這一種嚴重的經濟危機，絕不是單純的失業問題，而係極端嚴重的政治問題，當非少數熱心社會公衆福利人士所能解決的，而需要廣大羣衆，面對這一現實，提高警覺。

在一個不是偶然的集會中，為了解除當前的失業問題，余叔韶大律師曾經提供了一個建議，他要求擴大就業機會。沒有就業機會，空談救濟失業，無裨實際。但是如何擴大就業機會，也非祇憑理論，需要具體可行計劃，需要廣大衆多的工商界人士支持，和港政府的援助。在這一計劃未曾實現之時，最低限度要保持現狀，不使現有的失業人數增加，這是一個治標辦法；但是這個治標辦法，正有待於各方維護之時，突然受到了大打擊：中共以大量農產品投入香港傾銷之後，復將奴工們的手工藝製品，掠去了香港手工業銷場。這是中共藉貿易加重香港內在危機的手段，企圖使市民入息減少生活不安，造成人心浮動。

許多手工業已經結束了，大多數家庭婦女失卻了充裕家庭經濟的機會，失業人數意外地增加。就業機會不僅無法增加，相反地，被外來的掠奪魔掌遮斷了。目前數達二十五萬人的失業數字，在二百多萬市民心目中，本來並不以為它是一個無力負担的赤字，這是由於近幾年來社會秩序良好中，不難想像得到的。但是，現實的嚴重問題，還祇是共黨迫害港市民的初步，倘若任其長期進攻，不圖迅謀設法解除這一危機，不僅入息低微的小市民，將會受到致命打擊，整個社會經濟殆將日形凋竭。這種情形，在最近的半年來，正以潛行默移的方式擴張，尚未形諸表面，因此，大多數已經收歇了的手工業戶，他們根本還不十分明白：為什麼銷路突然受阻。這是最大的惡兆，也是共黨魔掌深入和遮掩手段巧妙的一大明證。為了解救這一嚴重危機，一方面固有待於港府迅速設法堵住本港過剩商品來途；另一方面，工商界應即領導本港手工藝製品擴大生產與開拓外銷坦途。這畢竟是香港經濟榮枯的整個問題。

台灣通訊

聯合招生應加改進

王斌

（台北通訊）去年教育部實施五院校聯合統一招生辦法後，成績有好有壞，好的方面，可以減少學生精力與時間的浪費，壞的方面，是未能如學生的志願，達到入學校的目的。

筆者曾和現執教於農學院的一位教授談話，據說，該院去年分派來的幾十名學生中，幾乎有三分之二以上都是志與願違的。他曾和這些學生一一交談，有的報考時，在志趣欄中填學工，有的想讀師大，有的想學醫，或讀外文系，但結果統統被分派到農業院來。又有的農職畢業生，理想本是入農學院的，結果被分發到學工院，農、工兩學院情形如此，其他三院校，亦有同類情形。這樣不僅違反了學生志願，減低了他們學習的興趣，並且增加了教學上許多困難。

又據工學院一位教授說：去年分派到該校的學生中，有的根本就對數理化這類功課談不上「基礎」兩字，而且他們根本就對數理化不感興趣，他們對其他學科卻具有良好的根基，因此這些學生入學後，感到極大的痛苦，不僅對這門生疏的課程，無法趕上，更因此而遭受到不及格的淘汰，造成了本係升學而變成失學的危險。

因此，筆者希望教育當局，改良此項招生辦法：（一）務使考生能依其志願入學校。（二）分派學生要按成績及其基本學科為標準。切勿同過去一樣盲目分派。能就兩個原則，力求貫澈，則聯合招生的流弊，自可改正了。

澳門僑教危機萬狀（上）

教師待遇低創世界紀錄 學校競招新生無奇不有

月薪五元的教師待遇

【本報澳門特約通訊】中共垂下鐵幕後，澳門地位一落千丈。整個社會經濟頻臨於貧困絕望！一般家庭收入普遍降底，生活艱難，因此教育情形，也就江河日下了。

據官方統計，澳門人口十二萬，學齡兒童三萬五千人，但據澳門教育督導處的統計，在學的卻不過八千餘人。因此，當我們走到貧赤油區，如新橋區、下環區、台山區、青洲區等巡視，就可以隨時隨地見到一羣羣的適齡學童流浪在街頭巷尾。

澳門社會名流，對於教育事業雖萬分熱心，但是出於教師待遇的「可恥」造成了無人肯教書的現象。事實上，一般學校待遇，月薪竟有低至五元的，有等身為班主任的亦不過十五元。而且還普遍的欠薪，使得每個教員面對生活恐怖，無心教學。一般人也都歧視教員，認為「唔窮唔教學」，凡教員，全是窮小子。

師資問題嚴重

由於教員待遇的可恥，師資問題，遂愈見嚴重，教師的程度一般低落到不合規定。按照澳門政府的規定，教師是要向督導處註冊的，但因目前澳門學校並非「好景」，而且複雜異常，督學處也就放寬尺度，不加理會。現在領有教師證的教員是少之又少，「走私」教員卻是大量增加。因為已向政府註冊的教師薪金要高，而「走私」教員的薪值較低，學校遂不能不走這一條路來減輕學校的開支。但直接受到影響的還是學生！

削價招徠學生

教員的待遇已低微得創世界紀錄，而學校還要普遍欠薪。歸根說來，完全是受社會不景的影響，因有機會進入學堂讀書的學生日漸減少，學校主要的經濟收入，也相率減少，因此各學校為着爭取學生，不惜以減低學費來競爭。雖然學校章程訂明每學期收學費卅元，卻可以交十五元，或十元，就可以進校。每學期招收新生，各校也競以削價為宣傳，如：「招考免費生」、「招考半費生」、「招考優待生」的標紙，貼滿大街小巷，學校收入既這麼惡劣，又焉得不鬧經濟恐慌，以至積欠教員薪金？

巧立名目多收什費

學校經濟狀況如此貧乏，於是有些學校，用變相辦法，巧立名目在學生身上，增收什麼「體育費」、試卷費、茶會費、生日費、廣義費、旅行費」等等，並規定學生一律要購買學校文具，藉此從中圖利。雖然一個學生所繳學費「不多，但是「苛捐」「雜費」卻倍於學費，學校遂一變而為學店，家長皆得憤而誡心。

澳門教育狀況，已經惡化得不容忽視的階段。這自然中國文化教育的損失。除希望澳門社會人士，能作徹底的調查研究，根據實情，從事改革，也要當局及一般海外僑教的，努力設法補救，否則前途，實在不堪設想。

裕生

經濟社會思想叢殘

·金伯華·

這就叫強度的終點，或「邊際」。申言之，這就是需要覺得滿足的最後份劑的強度，當其時也，財產業已告罄，不能再求饜足。依此分析，最最後的份劑，可以是極小極小的份劑。財產量越大，則越可接近飽和，而需要的邊際強度也就越小而近於零。反之，財產越小，則邊際的愉快越大；亦即是需要的邊際強度越高。

把需要與財產，及經濟財（我們所說的財產，當然都是指的經濟財）與其效用，這樣的聯繫攏來，俾能了然於人與物之間及人與人之間所構成的一個五花八門，眩人心目的極度複雜的圖案，一種幾微巧妙，不可究詰的經濟的及社會的關係，這就是邊際概念對於政治經濟學很大的貢獻，而滿足快感倘若延續不斷的享用下去，則結果必趨於減低，確是一般都可適用的通則。（三九）

聽美俘之言有感

馬五先生

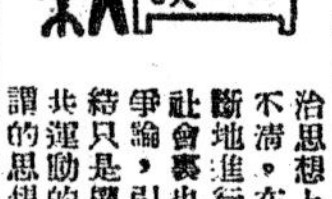

最近由中國大陸走出來的幾個美國戰俘，一踏進香港就說：「寧願再受希特勒統治，也不願選擇共產主義」。我相信這是他們的由衷之言。因爲我自己就常常有這末一種意念：誰能夠把大陸上的共禍消除，他縱然稱帝稱王，我也贊成——祇要是讓我作個馴良的老百姓，除恪盡國民天職外，沒有其他的生活恐怖的話。

的確，希特勒的統治方法固然是法西斯主義，但他對於一般民衆，不過要大家多喊他幾聲萬歲，遵從他的命令而已，此外並不教大家連睡覺也恐怖不安，有如共產政權的惡魔然。至於像我國過去若干愛惜人民，施行仁政的帝王政治生活，實際比在現代所謂民主政府下更好過些。帝王與總統，僅爲名詞的差別，美國總統的權力就比英王大得多。稱帝稱王實屬無關宏旨，受着共產黨的「主席」統治，那才不勝迫切要命之至呢！

話雖如此，現代的統治人物自不會以帝王自命，多是去名取實，祇在權力上轉念頭了。爲要爭取更大的權力，名義上不妨特別客氣，如共產政權的統治主原係專制魔王，却美其名曰「主席」，即爲顯例。因此之故，政治思想上乃混亂模糊，纏夾不清。在共產社會中就得不斷地進行思想鬥爭，在民主社會裏也發生民主與極權的爭論，引起莫大的是非，癥結只是權力問題。所以，在反共運動的階段中，爲避免無謂的思想紛擾，自亂陣營計，我不反對自由世界的反共政府擁有最大的權力，即令採取希特勒主義亦無所謂。但須把觀念弄明確，言行一致，先構成思想上足以剷除共產黨的偉大力量。堅強的政治權力是建築在思想基礎上，與飛機大砲不相干的。

赤色作家的竅門（下）

文抄公

她：「……蓄有一大蓬黑鬍子，在門前停下了腳步。救火員佇立着，考慮着。」

他：不行。救火員不應當考慮。他應當毫不遲疑地去赴湯蹈火。

她：但這是故事的描寫呀！

他：這也許是故事的描寫，却不是救火員的性格。何況既然我們勾掉了火災，也就絲毫沒有叫救火員進這座房子的必要。

她：那麼他和救火隊隊長的一番話又從何談起呢？

他：就讓他們在救火隊專談好了。這番話你是怎樣寫的？

她「救火隊隊長戈爾布新走向他道：『好樣的，普洛霍爾丘克！做得對。』之後救火隊隊長又微笑着加了一句：『看你還不曉得，你右邊的鬍子着火呢。』普洛霍爾丘克微微一笑，撚着自己的鬍子。天破曉了。」

他：爲什麼你要這句？

她：哪句？

他：這，就是這着火的鬍子。

她：這是爲了幽默才寫的：有人這樣不顧身，竟連鬍子着了火都不知道。

他：剷掉它吧，我勸你。既然一沒有火災，二沒有失火，又何必燒什麼鬍子。

她：但是怎樣引人發笑呢？

他：會引人發笑的。人什麼時候笑？當他高興的時候。沒有火災，高不高興？很高興。這樣大家就都會笑了。唸一遍，看你改得怎樣。

她：（唸）「高尚的行爲。夜裏三點鐘。一部份人睡了，一部份人却連盹也沒打。從一座灰色大房子的四層樓的一扇窗口中傳出了一聲喊叫：『並沒燒起來呀！』救火隊隊長戈爾布新對救火員普洛霍爾丘克，一個年紀已經不輕的烏克蘭人，蓄有一大蓬黑鬍子，說道：『好樣的，普洛霍爾丘克！做得對。』普洛霍爾丘克微微一笑，撚着自己的鬍子。天破曉了。」

他：這才像樣！這才可以刊用呢！

語意學漫談

徐道鄰

分析語言的重要

『意義』、『情緒』、『語調』、『目的』，這是任何語言所都具有的四種成份。不過，四者在分量上的比例各有不同而已。一本幾何教科書是完全以『意義』爲主的文字，一首抒情詩，是以『情緒』爲主的文字，商家和顧客往來的信，非常注重『語調』，宣傳廣告，競選演說，則百分之百的以『目的』爲主。我們在分析一個人的一段語言或文字時，一定要從這四種功用的觀點上，分別研究，我們才能對於這一段語言文字，得到正確和深刻的了解。

與洛坡的這一個『四分法』，是非常簡單扼要的。任何人，運用過它的，一定會發現它是一個非常有用的工具。它既便於記憶，又很便於使用。任何一種語言，不管是人們對我們的誇獎，或者是一個人對於神的祈禱，或者是詩詞、情歌，或者是一個人故意的歪曲的批評，我們都可以使用這個四分法來分析它，來衡量它實際的價值。同時，愈是一個善於了解別人語言的人，他自己愈是一個善於運用語言的人。而一個人事業的成功，其所繫於語言之運用者又甚大。所以這一個小小的訣竅，對於一個人事業的成功，其幫助却狠不在小呢！

十五、二十五種不同的『定義』法

「人是說話的動物」，這句話有兩個含義：一、在世界上所有的動物中，祇有人是會說話的。二、說話成了一個人在他生活中主要的行爲。（是思考一個人對自的已說話。）

也許在四五十萬年前，說話行爲對於一個人是不那麼重要。但是到了工藝和交通發達到了所謂『原子』時代的今天，說話對於人類生活的重要，不但幾十倍幾百倍於四五十年前，而且它這一個重要性——甚至於對於整個人類存在的重要性——很明顯的是在不斷的增長。一個生長在現代文明社會裏的人，已經不知道是爲了生活而說話，還是爲了說話而生活。讀者試想，如若你一天失去了說話的機能，使你再也不能說出來你想吃的是什麼，想穿的是什麼，想要的是什麼，想不要的是什麼，那時你面對的將是怎樣的一種生活？同時，如若你具有所有一切你所想吃的，想穿的，想用的，想用的東西，但是一天到晚，不許你和任何人說一句話，你想想看，這樣的一種生活，你又能夠忍受多少時候？（四三）

翠微峯的反共碧血

王沉裴

（一）

贛南名勝以甯都翠微峯爲第一，素有廬山第二之譽，且乃明末易堂九子講學之處（見三魏全集），在城內向北遙望，即見形如長劍，而如赤面虎之奇峯矗立於雲霄，觀者每驚賞其壯麗如畫，惜地處一隅，交通不便，而政府又無開發之計劃，致名山死氣沉沉，遠不如匡廬之有生氣也！抗戰時期，贛省府預備遷寧都，乃派何勇仁教授到寧都開發該峯，除築路外，並建有招待所，球場，泳池，美術陳列館，工商品陳列館等，翠微峯之名遂日顯，遠來遊者日多，惜此項開發中途停止矣！翠微峯又爲反共之聖地，至今雖已名山淪陷，然其精神永遠不死，吾人應表彰之。

（二）

民國十六年國民政府北伐成功後，國共即行分裂。共軍盤據贛南，把瑞金稱爲赤色首都，而以甯都作爲政治經濟軍事的中心。當共匪長驅入甯都之時，有千餘義民無法逃奔，便攜帶了相當的糧食與武器，爬上了翠微峯及黃竹寨等處抵抗。因爲此峯形勢十分險峻，共軍是無法上去的。

甯都第一次失陷乃民國十九年十一月，一直等到二十年七月始收復，失陷共八個月之久。而這羣躲在翠微峯上的反共同志，還能無恙，羅卓英援兵到達時，他們還慷慨表示他們的不怕死的節義。不料不久甯都駐軍叛變，甯都縣城又告失陷。於是黨政軍各界人員及民衆三千餘人又攜帶鹽食彈藥爬上翠微峯及安人黃竹二寨，以圖一面抗戰，一面等待大軍來援，誰知事前準備未周，而致人多糧少，而戰事日烈，彈藥漸已告罄，而救兵仍遙水不能救火，義民領導人集議推舉代表三人於黑夜大雨時，用繩索退下山峯，摸出險地，幾經艱險始逃到撫州謁見該區剿共軍事負責人毛炳文將軍懇求速發大兵援救，並懇速以飛機輸送糧食彈藥，那知屢次由飛機擲下之物資，均因翠微峯面積太小，以致投擲難以中的，而轉落匪軍手上，但義民雖彈盡糧絕，仍拒絕共匪誘降，經多次肉搏，予匪軍重大打擊，他們把上峯險路塞斷，三千餘義民竟完全餓死翠微峯上，無一倖存。死節之偉大，實足代表中華民族之精神。民國二十三年十月，羅卓英率大軍攻克甯都，只見滿城瓦礫，殘骸遺骨，滿眼蓬蒿，到處皆是，再到翠微峯一看，亦頭骨滿峯，慘不忍睹，遂收拾殘骸，設冢埋葬，並於翠微峯巔建立牌亭，以爲千秋之紀念。

（三）

反共的碧血在翠微峯已成了血書，昭示人們「毋自出甯死」，這種反共氣節已變成了風氣，當三十八年大陸變色，翠微峯反共壯劇繼續演出，當時甯都又風起雲湧，展開抗暴運動，由甯都聞人黃鎮中號召贛南民衆，以堅壁清野保家衛國，響應者達數萬之衆，以翠微峯爲游擊基地，東南山岳則置伏重兵，共匪初不敢冒險入此袋形陣地作戰，不幸大局一天一天逆轉，侵贛匪軍分兩股南下，匪佔贛州後即赴雩都直撲甯都，另一股向西繞經永豐等縣作大包圍，使黃不得不將重兵退守翠微峯，但仍隨時出動攻擊，予匪重創，林彪老羞成怒，乃調集數萬大軍，用巨砲圍攻翠微峯，（何氏所建立之館宇，完全毀於砲火）而翠微峯處此孤立無援，卒於是年九月十四日被匪攻入，義兵死節不計其數，黃鎮中被俘後拒絕屈降，亦壯烈成仁，其英名乃與易堂九子光耀於千古。

南樓吟

客思　王沉裴

垂柳拂長堤。嬌鶯著意啼。正平湖，煙水欲迷。獨倚柴門天欲暮。漁唱起，畫橋西。

潘鬢漸成絲。烟花惱牧之。悵顛頷，總爲相思。惟有天邊明月在。照別離，兩心知。

喜逢繆將軍愷源圓光寺

·井塘·

坐斷乾坤一老兵，（繆修禪宗日夕多趺坐 有句云乾坤坐斷無消息）笑同長老出房迎。看來面目全非昔。猶有當年叱咤聲。

劍底秦庭

歷史小說　奚如

「告訴你，姓蒙的！」荊軻把手上的劍攏了一攏，輕輕地插回鞘裏：「這裏還不是你恃強行兇的地方！燕國雖然荏弱，但是它的人民決不會在暴力的淫虐下屈服，抱持正義的人也決不能容許你這樣的人在這兒欺凌弱小。你不在薊都混下去，或者我不在薊都則已，要是咱們都在這兒，你便休想再跟以前那樣橫行霸道，有一天給我看見你再這樣，當心你的狗命！我問你，蒙嘉奴才，聽見了沒有？」

「聽——見！」蒙嘉的聲音低微得這樣可憐，雪地的凍冷使到他的雙膝已經快要麻痺得不能支持整個軀體。

「咱們走吧！高大姐。」荊軻稜厲地注視了蒙嘉一會兒，這才回轉身來，把荊蒙抱上驢背，拍了拍鞍子，向微姬招了招手。

「我的腳還有點疼！」微姬跛行着走近了驢子的旁邊，有點痛若地望了荊軻一眼。

「我來扶你上去，高大姐！」荊軻關懷地用手拍了拍微姬的肩膀，這時候才注意到微姬腳上的一雙鞋子已經給雪水浸到濕透了，皙白的腿膀泛出一片深紅的瘀色，心裏不禁感到一陣說不出的難過，不禁喃喃地說着：

「讓我們到甚麼地方去找個火……」

「還是趕快回家去吧！荊大哥，你扶着我。」微姬忍着凍楚，微姬把身體靠在荊軻寬闊的肩膀邊，讓荊軻抱着了她的腰肢，輕輕一托，便把她托上了驢背。

這是一陣充滿了溫暖的扶持，微姬騎上了驢背，牽着韁繩，不禁掉轉面來，向荊軻婉孌地笑了一笑：

「荊大哥，我們走吧！」

這時候，荊軻才記起雪地上還跪着一個蒙嘉。於是回過頭，攏了攏手：

「起來！」

「謝——謝大爺！」蒙嘉勉強支撐着，借着樹幹的力量，站了起來，仍舊低俯着頭，一直聽着荊軻他們的聲音已經消逝在梅林外面，這才把頭抬了起來，向左右望了兩望。

兩個齎兒的傢伙早就在交手的時候跑了，雪地上，遺下的只有一柄斷了上半截的劍柄，正在對着蒙嘉發出哀憐的凝視。

蒙嘉一步一步走近了斷劍的旁邊，俯下身子，把它拾了起來。憤怒和羞慚交織着仇恨的火網，在蒙嘉的心裏燃燒着，第一次遭受了嚴重的打擊使他想到了復仇！想到了結束浪人的生活，想到了自己強大的祖國！

「此仇不報，決不爲人！」

「拍」的一聲，蒙嘉把劍柄向地面一摔，擰轉身來，大步向林子外便走。深夜裏，一部長行的馬車，把蒙嘉載向離別了十年的西秦大道。（十八）

談亞斯匹靈

——英美人服用最多的藥物

牛布衣

亞斯匹靈可以說是現在世界上用場最廣，效力最大的藥物了。美國人每天服食亞斯匹靈四千二百萬片，平均每人每年服一百片。英國人口雖然只有五千萬，但每天服用亞斯匹靈也達到一千萬顆，只稍次於美國。

亞斯匹靈的效力異常迅速，服用後十分鐘，藥性便吸進血液裏。若果加上一塊小蘇打，更可增速藥力，同時可以減少胃部的刺戟。

亞斯匹靈這種酸素係一百年前一個法國人發明的。發明了五十年，沒有人曉得他的用場。後來德國拜耳藥廠的化學師發現亞斯匹靈的效力，把試驗結果告訴他們的董事長提穌博士。提穌對於藥物有特殊見解，認爲祗有能夠傳電的物質才可能在人體內發生作用。亞斯匹靈這種原素絕不傳電，因此提穌認爲這是一種廢質。不過這位化學師把提練出來的亞斯匹靈分給德國各醫院試用，結果，大家認爲有止痛退熱的特殊功能。後來提穌博士才答應在拜耳廠製造亞斯匹靈藥片。

自由人
THE FREEMAN
（第四五六期）
中華民國僑務委員會
頒發登記證台教新字第一〇二號
中華郵政台字第五〇〇號
執照登記爲第一類新聞紙類
（半週刊每星期三六出版）
每份港幣壹毫
台北市售價台幣壹元
督印人：陳文華
地址：香港高士威道二十號四樓
3 rd. fl. 20 CAUSEWAY RD
HONG KONG
香港發行及事務接洽
高士打道66號　電話：七四〇五三
承印者：東南印務出版社
地址：高士打道六十四號
海外總經銷
友聯書報發行公司
香港：德輔道中二十六號A二樓
台灣韓振員辦事處
台北市館前街五十號
台灣總經銷處
台北市西寧南路壹號二樓
台郵劃撥儲金戶九二五二

我看「四巨頭會議」

·黃華表·

「四巨頭會議」，再兩日便在日內瓦開會了。這會議已把全世界的視綫吸住。許多專家們各是其是而非其非的意見，更加眩惑了世人的耳目！但我總覺得這種種猜測，就算幸而言中，也不過是問題的皮毛，實未搔着問題的根本。我個人的愚見，以爲應從共產主義的根本去探討。

共產黨避免武力

共產主義與自由民主，根本無妥協的可能，共產主義之與自由國家中間「或分或合」「或進或退」是看其本身的需要，只是達到其「目的」的一種「手段」（MEANS TO AN END）。其「目的」是在征服全世界，是要以共產主義統治全世界的人類！其「手段」則是常常變換的。世人因爲共產主義的目的在征服全世界，便聯想到它必須憑藉龐大的武力。到底共產主義征服全世界是不是必須憑藉武力，以武力爲政策呢？我們從一九一七年蘇俄革命到今，三十餘年中的事實來論斷，我們便覺其所採以征服人國的手法，並不須要武力，與其說是要憑藉武力，毋寧說是要避免武力。試看東歐各國所以捲入鐵幕，並不是由於克里姆林宮的武力。便是征服中國大陸，也只是由「滲入」而發生的「內亂」，並不算是「使用武力」；而且像是和克里姆林宮根本無關的，於此，便可以認識共產黨征服手法的根本所在。只有侵韓一役是例外。侵略南韓的戰爭，實是史太林一時運用的錯誤，可謂自亂其步驟。由於這一次的錯誤，不獨驚醒了世界忽略共產的安全之夢，而且幾乎拖垮了「中共」。如果不是當時運用英國工黨得法，牽制住美國由於不信任麥克阿瑟轟炸大陸的主張而至撤換麥克阿瑟，「中共老早已垮了！可能與世界都完全改觀了！還會有今日的問題嗎？」我們皆知板門店會談，艾森豪自我欣幸其成功。卻不知共產主義（包括俄共與中共）正深自痛定思痛，要如何懲前毖後，去改善史太林爺爺當日造成的大錯，就是要使全世界人類，重新認識共產主義「是不用武力」的。共產主義之所謂「武力」，即是「戰爭」。因爲戰爭無論誰勝誰負，都是一樣毀滅的。一說「戰爭」，便使人類發生死亡毀滅的恐怖，是人類所最不喜歡聽聞的。

和平有利於心理戰

共產黨是心理戰的專家，最能把握人類的心理。所以他們自己總是說要「和平」，對敵人便首先牢牢地加上「戰爭販子」的帽子。便是這一名詞的去取之間，共產黨在爭取人心上，已佔取上風了。我們常怪共產黨爲什麼那樣兒戲無聊？要發起什麼「和平簽字」運動，不知這正是共產黨心理戰的最高手法！現在又有人深詫共產黨爲什麼又採取和平攻勢？也不知這正是共產黨征服世界的根本手法！共產黨是永遠不要戰爭的！只有共產黨是永遠和平的！這樣，除了「戰爭販子」之外，還有誰不喜歡共產黨的呢？

會議對共黨有益無損

就是這樣，共產黨要處處避免「戰爭」，要處處號召「和平」。自然要處處由「會議」解決。這是必然的邏輯。所以無論板門店會談也好，日內瓦會議也好，萬隆會議也好，共產黨總是有得無失，有益無損。不是贏得「土地人民」，至少得了「宣傳」「滲入」的機會。又何樂而不爲呢？我們忘記了共產黨WE HAVE NOTHING TO LOSE BUT THE WORLD TO GAIN的口號嗎？果然每一次會議，共產黨都得到了他所想不到的利益。記得從前蘇老泉論六國所以滅亡。有這麼一段警句，『秦以攻取之外，小則獲邑，大則得城。較秦之所得，與戰勝而得者，其實百倍。諸侯之所亡，與戰敗而亡者，其實亦百倍。則秦之所大欲，諸侯之所大患，固不在戰矣。』共產黨非常體會這一段文章的意思，而其所得亦如之。可憐者，只是「六國」而已。

無結果是最好結果

現在的所謂「四巨頭會議」，其規模人物，或有不同；其性質，也無以異於板門店日內瓦的會議。我們可以想像共產黨是怎樣渴望有這一次會議？但何以偏要裝腔作態，像是「千呼萬喚始出來又抱琵琶半遮面？」這便是共產黨比邱吉爾艾登艾森豪高明的地方。他們深深透徹艾登邱吉爾的自私，又深深透徹艾森豪的怯懦，怕於戰爭，要避免戰爭，是乃裝成滿不在乎的模樣使二艾邱翁吃緊！如今一旦點首，自然邱翁艾相，都會大喜過望。世界的人類，聽說俄國也居然肯參加這一個會議，自然也都鬆了一口氣！似乎「和平」就來臨了！美國呢？還有人恭維是圍堵政策的成功，都欣欣然有喜色了！那會知到共產黨正在欣賞其「顛倒美」的藝術，正擬微笑，「天下英雄，盡入我彀中！」呢？像邱吉爾艾登的自私，艾森豪的怯懦，要和克里姆林宮對手，我敢武斷一句，多半不能逃出克里姆林宮的算中。會議的結果，今雖言之尚早，但倘使眞有結果的話，「無結果」，可能便是最好的結果！

姑息釀成共黨優勢

我何以說「無結果」便是最好的結果呢？因爲我認定「四巨頭會議」之召開，已經是英美姑息主義的結果；姑息主義本身，便是一個大失敗！艾森豪口口聲聲說「不會姑息」，實在釀成共產今日的優勢，便是艾森豪姑息的結果！艾森豪說的「不姑息」，極其量是在這一次四巨頭會議之中，不再讓步而已。難道共產黨不另外有所要求而肯結束冷戰，艾森豪還會拒不首肯的嗎？除非艾森豪不惜一戰，迫使俄共撤退東歐及中國大陸之外，無論甚麼「和平」，都是中了共產黨的詭計。無論甚麼「會議」，都是落了共產黨的陷阱。都是錯誤。根據艾森豪三年來「姑息」的作風，有誰信他在這一次會議，會不惜和共產黨攤牌？會不惜戰爭？那麼，最多便是「共產不再另有要求而結束冷戰而緩和下來」罷了。假如是這樣，便是共產之利，自由民主之害。何以言之？

讓敵喘息數世爲患

第一、假定共產不向英美動武，世界局勢，自然可以和緩下來。如此，所有共產國家，尤其是「中共」，便可得到一個長時間的休息機會，以實現其所謂第一次，第二次，第三次，五年計劃。同時保證了「自由中國」不會反攻大陸，避免了「中共政權」的根本崩潰。又避免了因韓戰越戰及過份壓搾所引起人民的反抗。我們應該還記憶蘇聯過去的史實。蘇聯在被西方國家封鎖時的情形是怎麼樣？後來如何便會成爲強大，成爲整個世界人類的威脅？今日的「中共」，自然是衰弱不安；但比之一九二八年前之蘇聯，要強大得多了！假使今日要讓「中共」有長時間的休息，使他能如蘇聯一樣，因一次二次三次五年計劃而強大。那時候，他能威脅世界人類的程度，比之今日之蘇聯，會多呢？還是少呢？一個蘇聯威脅世界人類已如此，又加上一個比蘇聯更強更大的中共，對世界人類的威脅，又將如何呢？一個蘇聯已經足使英美寢饋不安，又加上一個更強更大的中共，英美又將如何呢？但這種種，都是「事所必至理有固然」。中國有句古話：「一日縱敵，數世之患」也。英美見不及此，偏偏養癰貽患，異日英美眞個覆滅，全世界人類眞個爲共產所吞噬，可以說，都是種因於此！

所謂和平的後果

第二、假使世局果眞從此緩和下來，「自由」「共產」對立的現象，自然也鬆弛下來了。尤其是美國。美國的「反共」，本來便是衝勁的，由於艾森豪的怯懦，從前的衝勁，經已低沉到幾於不聞不見了！如今更加上蘇聯僞裝保證的「和平」，包管連現在零星的「反共」衝勁，都會消失淨盡的。又現在，美國到底還沒有放下「反共」的口號，尼赫魯一夥的中立主義，便已深入了東南亞和南非的國家。如果美國一旦不「反共」了，亞非的國家還不更趨向於中立？中立便是共產陰謀的初步實現。到那時，中共並不須要再用武力，去驅逐美國離開亞洲，而亞洲的人民，自然要自動驅逐中共，美國再要利用亞非的國家以反共，恐已不可能了！我這裏不是故作危言以聳聽，這也是「事所必至，理有固然」。若謂不信，請觀其後！（完）

透視東西貿易

李加雷

英，美，法三國將分別在四國首長會議提出問題，據報紙電訊所傳，美國將提德國統一問題，法國將提裁減軍備問題，英國將提東西貿易問題，蘇聯將提遠東問題。在這些問題中，東西貿易問題似乎雙方較易妥協，據觀察家意見，美國也準備在這一方面對共產國家作若干讓步。

貿易問題較易妥協

爲什麼貿易問題較易妥協呢？共產國家想藉貿易獲得戰略和缺乏的物資。民主國家也認爲有生意做，總是有利的，不免渴望和共產國家恢復貿易關係。現在且談東西貿易的現狀：

東西貿易日來已稍見蓬勃：上一個月，蘇聯向英國訂製的二十艘漁艦，第一艘經已下水。美國商務部對保加利亞向美國購買五百輛汽車的出口證，也簽了字。蘇聯副總理兼工業部長加堪諾維夫也對記者說，『我們不需要製造一切我們需要的物品，我們可以向外國輸運進口』。於此可見雙方對互相貿易的態度一斑。

但西方國家對於東西貿易，究竟能夠得到何種利益呢？下面是根據事實的淺近分析：

美對中國大陸的貿易

一九四七年，美國和現在鐵幕國家（中國大陸包括在內）的貿易總額，差不多十億美元。美國輸出六億九千餘萬美元，輸入二億二千餘萬美元。這是近年來最高數字，當時中國大陸還沒有捲入鐵幕之內。根據統計，中美貿易數字比較鐵幕其他六個國家的總和還要高。中國大陸確是美國一個大主顧。

一九四八年起，美國和共產國家的貿易即劇烈下降。美國對鐵幕的輸出：一九五〇年降至七千餘萬美元，一九五三年降至一百八十萬美元，一九五四年爲六百萬美元，本年一至三月，僅三百十一萬美元。輸入方面：一九五〇年還能維持二億二千餘萬美元，一九五三年降到四千六百餘萬美元。一九五四年爲四千九百餘萬美元，本年一至三月，則爲一千五百四十萬美元。

美國對鐵幕國家，最大宗的進口貨爲皮毛和桐油。一九四七年蘇聯輸入美國的皮毛達四千萬美元，可是一九四八年即下降到八百二十萬美元，一九四七年中國桐油輸美爲五千二百六十萬美元，共黨竊據大陸後，桐油輸出便停頓了。輸出方面：中國大陸和歐洲衛星國家，一九四八年購買美棉達八千六百四十萬美元，一九五四年也停頓了。上面數字明顯指出，中國大陸劃入鐵幕之後，美國對各該地區的貿易已一落千丈。

中共有甚麼輸出呢

鐵幕國家儲藏黃金不多，中共兩次向錫蘭訂購樹膠，因爲拿不出金子，付的都是白米。中國大陸因爲桐油近年沒有出路，農民都把桐樹斫作柴薪了，中共毀滅了最有價值的外銷物品。中共現時銷往香港，比較大宗貨品，如白米和其他糧食，都是從人民嘴裏搶出來的。事實上，除了食物，中共也拿不出任何其他有價值的東西來了。

（下轉第三版）

本週展望

·雷嘯岑·

展望四國會議

所謂四巨頭會議，後天即在日內瓦正式揭幕了。這一次會議的結果，無疑地對今後世界局勢發生很大的影響。有成就，至少可能苟且偷安三幾年，如果破裂，戰爭之神即將施施而來，殺機四起。看情勢，講和的成份最多。

俄帝在史太林未死時，即是採取和平擴張的策略，現在更要避戰，不成問題。美國有應戰的準備與決心，但無挑戰的可能。英法但求保全西歐一隅，全球赤化了亦無所謂，目的就要拖着美國以全力來作西歐的保鏢，他非所問。所以，他們一聽到美國要在巨頭會議中提出解放鐵幕附庸國家的問題，即趕忙向美國當局示意，希望艾森豪對此問題不必太認眞，以免觸怒蘇俄，使會議歸於失敗。換言之，美國如要堅持這項主張，就得担負破壞和平的責任。這在邏輯上等於跟克里姆林宮一鼻孔出氣！

會議中的最大問題就是德國統一案，蘇俄要德國中立，縱然犧牲東德傀儡政府亦在所不惜；西方列強要德國擔任西歐的憲兵大隊任務，決無妥協餘地。關鍵就在裁軍問題能否獲致眞正可行的協議？祗要裁軍案得到結果，再加以英國所倡導的洛迦諾式安全互助公約，以保證鐵幕的安全，德國問題也可能談攏。但蘇俄必須在東方大有收穫，以補償在西方的損失，才肯就範的。

西方列強的重歐輕亞政策，恰與俄帝的西守東攻戰略相配合，心照不宣，各得其所，這就是這次會議成功多於失敗的基本因素，就看蘇俄對裁軍問題有誠意了。最近這一週的「祖國」週刊社論，談「巨頭會議與世界前途」，其結論跟我們的看法完全相同，我且介紹如左：

「巨頭會議如果從德國問題談到裁軍問題，便必然接觸到中共參加「大國會議」的問題。如果從「歐洲安全」談到「世界安全」的範圍，便必然涉觸到遠東問題以及中共參加聯合國的問題。這一發展是很自然的，顯然這也就是最近共黨集團全面外交的動向」。

以後夠得談的！

假定四國會議的結果有所成就，而其發展路數又與上述的範疇差不離。那末，今後的談判對象必然集中到遠東問題身上，極爲顯明。巨頭們把原則談得接近了，所謂次級談判的四外長會議，馬上繼之而起，美英各巨頭這次不帶「遠東問題專家」預會，毫不相干，原則性的協商，要專家幹嗎？如其因此即相信這次日內瓦會議絕對不會討論遠東問題，那就是自我陶醉的幻想，天眞得可愛呢！

實行談判遠東問題是四外長的事，而俄共集團在今秋九月聯大開會以前，一定還要裝出些和平的姿態來，讓英國與尼赫魯之輩好替中共幫腔助勢。中共在今年固然沒有進入聯合國的希望，但也希望本屆聯大能夠藉英國的大力而正式「備案」，以待來年即有把握闖進聯合國嗎？這得看美國究竟對遠東採取甚麼政策了。美國如果抱定不再退縮，不再犧牲自由人類的決心，中共與美國之間就很難談得投機。雖不投機也得談之不歇，除非共產集團在遠東動武，否則夠得談的！

胡志明「朝聖」之行

越共頭目胡志明正在莫斯科「朝聖」，他此次在北平雖然取得秋歡王朝八億元僞幣的經援，好像深荷毛胡的眷顧。但看那「中越聯合公報」中，聲說這是援助越共方面所認爲「必須建設」的鐵路港口等費用的語句，我們相信中越共之間多少有些矛盾存在着。胡志明向俄京，含有做直接走狗的志願，俄帝是否教他唯秋歡王朝之命是聽呢？這要看它對亞洲的侵略計劃是何性質了。

開羅的中共商品「大展覽」

中共要求在埃設商業機構

國外通訊

方劍

（本報開羅特約航訊）六月中旬，埃及各報上全登載着埃及工商部舉辦「中華人民政府工商業產品大展覽」的一段消息，並希望各城市商會，入口商人前往參觀。六月廿九日，舉行正式開幕典禮，記者曾親往參觀這個「大展覽」。且把見聞作一簡單報導：

大展覽的內容

「大展覽」的會場設在埃及工商部國貨展覽所的一間房子裏。房子中間放一個寬一咪半，高一咪的玻璃櫃，共分兩層。陳列品祇是幾種樣品和幾本樣本。上面一層擺的是三包洋釘子，三小瓶純碱，硫化碱，黃豆花生各一小包。紅茶三小盒，皮手套幾雙，織手套各一雙，甘草桂皮三根，小扇子兩把，絲絨一塊，小地毯一塊。又有樣本三種，（一）綢緞樣本，（二）皮革樣本，（三）食品樣本。下一層擺着一個皮箱，這個皮箱，是裝着樣品來的，自然也是中共的產品，所以把它也陳列進去。箱子上面粘的一張白條子，上面寫着「中華人民政府國外貿易部寄，交埃及工商部副部長努塞雷先生收」。這便是「中華人民政府工商業產品大展覽」的全部內容了。記者到達的時候，並沒有一個參觀的人，所以很有時間慢慢的欣賞這個「大展覽」。

努塞雷為中共所愚

這個似乎有點故意開玩笑的「大展覽」，當然不是沒有來歷的，遠在今年四月萬隆會議的時候，埃及總理納塞路經印度，尼赫魯從中做媒婆，便把埃及和中共在那裏拉上關係了。納塞到了萬隆，周恩來更大施手腕，說可以購買埃及棉花。納塞自然表示歡迎。以後又派宗教部長訪問中共。在中共希望把這有力的回教國家拉過來，壯其聲勢，在埃及希望出賣棉花，做生意。同時埃及工商部副部長努塞雷是個少不更事的糊塗虫，受了中共的欺騙，更以為這是個人升官發財的好機會，因此便把這個「大展覽」搞起來了。

工商部長憤而辭職

工商部長哈三麥洛恩博士，到是一位有見解的專家，他看到努塞雷這樣胡亂幹，竟憤而辭職。埃及革命委員會，也居然照准，並委努塞雷繼任部長。

說起努塞雷，他曾到東方各地考察過一次。他主張埃及應在工商業方面向遠東各國發展，埃棉亦應在遠東各國找新市場。今年年首他訪問日本，打算續到中共大陸去考察。日本一部份的埃及商人大加反對，勸他應到自由中國訪問，所以他曾到過台北。他這一次如此替中共出力，更因此而升了官，自然是志得意滿的了。

埃及會不會上當呢

聽說「大展覽」之後中共將要求埃及允許中共在埃及設立商業機構，並派技術人員到埃及游手工業，例如織地毯啦，編草帽啦等。這無非設盡方法，向埃及滲入共黨工作人員而已。到底埃及會不會上鉤，還要看以後的事實證明。

有人說，這位新任部長努塞雷，他對中共貿易的建議是否有效，他的地位是否穩固，要看中共是否肯出百萬現款，購買埃及棉花而定。其實埃將對中共有無用途，以百萬現款作政治投資，中共或者不會計較的。不過有一點，中共或者沒有看清楚，就是埃及這些把戲，祇是對西方國家的姿態，用來做要脅的，根據埃及本身利益，始終還是走西方路綫的。埃及乃回教國家，和共產主義不相容，埃及的政策是反共的。目前的革命政權，其唯一的敵人也是共產黨。埃及在中共的眼裏是：「宗教麻醉品的國家」是「封建主義派」是「反動同盟」，在這種情勢之下，要談中共與埃及作文化經濟合作，眞是活見鬼。（七月四日開羅）

海外通訊

克里姆林宮新紅人

施比洛夫其人其事

—可能是替代莫洛托夫的人物

奔流

【本報瑪德里特約航訊】蘇南布爾格拉德協議，「自由人」的寫作先生們，已有不少的詳細報導和評論。赫魯曉夫和布爾加甯大搖大擺的到達南國京城，想不到碰了鐵托的一個冷軟釘子。這是克里姆林宮想不到的。許多人對於蘇聯的屈膝降貴來到布爾格來德，注意力多集中於赫鐵二人的身上，這不免把事情看得太簡單了。俄帝出動一批人馬，他們在政治上是有極大作用的。單一個赫魯曉夫不一定有充分胆量，深入鐵托的虎穴。

眞理報主筆死命反西方

同赫魯曉夫，布爾加甯等，浩浩蕩蕩到南斯拉夫去的人物中，有一位名叫施比洛夫不甚令人注意的人物。大家不注意，並不是說他的地位不重要。施比洛夫現年四十九歲，莫斯科「眞理報」的主筆，他在蘇聯的政治地位，是最近才青雲直上的。他的特長，就是他有一股衝勁，拚命攻擊西方資本主義，和散播仇視西方世界的仇恨心理。

蘇聯的政治老油條，始終掌握蘇聯外交牛耳的，無疑是莫洛托夫。但許多人都認為蘇聯的政策雖不變，人馬應有所更換了。尤以今日赫魯曉夫獨霸鐵幕大權，內中暗鬥方殷，舊日的史太林派都逐漸被斥為有異端嫌疑。如同莫洛托夫之流，年老固是退休理由，到底今日的蘇俄，已不再是莫洛托夫的世界了。一般人認為這次出面預先為四巨頭會議安排工作，可能就是莫洛托夫最後一次在國際政壇上活動的一幕。今後非史太林派份子如施比洛夫之流，恐怕便要出來活動了。

施比洛夫可能是新列甯派內中間份子，被馬克思理論的毒醉亦最深。他在黨內可能不發生什麼重要性，然而，叫他依黨的命令，執行打擊西方資本主義，却是最澈底的。

他坐了第三把交椅

英外長麥克美倫，最近已接到第一封有關施比洛夫的資料，說施比洛夫是最近一月來克里姆林宮中崛起的紅星，這項消息以後從各方面所得的報導，已證實所傳非訛。施比洛夫這次到布爾格來德，他是在諸代表中佔首三位，即在赫魯曉夫，布爾加甯之後，而正好在格羅米科之前。

蘇維埃帝國裏頭的事，往往非一般局外人所易知的，一個經常以威脅、恐怖作為政治活動的氣氛，使蘇聯的政治舞台，如同象棋盤上棋子一樣，不管是小卒或是車馬炮，他的地位決定了他的一切。史太林尚在人間時，常與他出入在右邊第三位的，竟為史氏左邊第二位（按即馬林可夫）與赫魯曉夫所擊潰。故在一切共黨統治下之國家，誰有力量，誰就是王。明白了這一點，就可知道施比洛夫這次忽然出現於訪南之第三位，並非尋常事。因為照克里姆林宮慣例，任何國際場合，第三把交椅始終如一的，沒有任何人可與莫洛托夫相爭的。而這次竟由施氏代替，並非蘇聯外交領銜出演這一次的訪南滑稽劇。

英外交界注意這新人

老練的英國外交家們，對於這位人物的出現，表示有點不安，紛紛與華府交換有關此人的情報，並研究對策。施氏和赫魯曉夫二人，同是史太林時代教育出來的，他是布爾什維克的頑固份子，眞理的太陽從未見過。他唯一的知識就是反覆的履行那套反西方資本主義的八股文章。因為他絕對服從組織，所以他才有可能被任為莫斯科的眞理報主筆。他和赫氏的情形一樣，外邊對於他的經歷，是始終模糊不清的。因為這是「專政」政權的慣例，任何任命都是秘密的。外界對他祇知道他於一九五〇年任過宣傳部長，專任蘇聯共黨的傳聲筒。他的著作就是那本「完美的搗亂者手冊」。

最善說謊的大騙子

他從一九五二年起就被任為「眞理報」主筆，可是這個任命，一直保持秘密，到去年十二月，他主持蘇聯記者大會時，才為人發現。從他起，「眞理報」才開始有「文學藝術的批判」工作。

馬林可夫的倒台，其事始自「眞理報」，該報首先放一支冷箭攻擊，打擊馬林可夫注重民生問題，而忽視蘇聯重工業的生產。過了不久，「眞理報」公開撰文攻擊馬林可夫，水到渠成，馬氏倒台了。當巴黎和約尚未簽字以前，在蘇聯鼓勵反對西歐巴黎條約最力的亦是施比洛夫，他曾在赫氏的蔭庇下，對此題目向最高蘇維埃講演過一次。攻擊不遺餘力。所以，英倫之外交界認為他是共產主義的新理論家，馬克思主義的頑固派，和最危險的一位「紅朝」人物，可以講為今日克里姆林宮十五巨頭之一。他並且還是一位掛「眞理」之名，而一天到晚說謊的大騙子。

總之，在普通人的腦海裏，這是一位新的人物，英國人說他，是一位最可怕、最危險的新人。祇要一天蘇聯的「老三」——莫洛托夫——退休，或因老年凋謝，則這位新人出任蘇聯外長是很有可能的。然而，這些是自由世界的看法和預測，但在變幻莫測的恐怖政治裏，却又有誰知道事的未來呢？（瑪德里七月七日發下）

編者　讀者

△編輯先生：愛國老人蔡智堪先生內心職病入院調治，業已病愈出院，醫藥費全係熱心人士資助，各方捐贈亦共計五千餘元。此當為關心老人之讀者所欣慰也。……

趙尺子，七月九日，台北。

△編輯先生：御讀「自由人」見諸先生宏文，不禁低徊神馳。……萬隆會議後，別無結果可言，惟此間僑胞感覺，中共與印尼所訂國籍協定，不啻對此問題，打一死結，我僑胞今後處境更若矣。……朱淵明，古晉，六月廿六日。

△承葉光裕先生，撰寄一篇「我做共幹六年」的文章，是報導他個人做共幹的經歷和脫險經過的事實的，下期將在本刊陸續發表，先此預告。

△王新田、敬之、劉起、葉光裕、蔡俊光，諸先生：承惠文稿，已一一收到，至深感幸！

說話之難（下）

胡譜雲

諸葛武侯常嘆：「法孝直若在，必能阻止主上東行」。有人以為先主當時信任法正多過諸葛亮，故武侯有此嘆。我以為不然，先主如不是信任諸葛亮多過其他的人，則不會將遺孤單托給他。祇因為法正與武侯一樣有遠見，而位較武侯為卑，先主聽法正之言，祇要採納其議，如聽武侯之言，則需承認武侯之勝己也。故法孝直可阻者，諸葛亮反而不能阻也。

× × ×

如果人的自尊心被挫折，譬如你的理論精到，把他說到詞窮理屈。或你的聲名隆重，使他無法不佩服，則又會引起他的自卑感，尤為糟糕。自卑感是自尊心的變相，他覺得什麼都不如你，他就索性避開你，不見你的面，不聽你的話，關起門來稱孤道寡，樂得偷得片刻的自尊而已。所以從前有些人君，見了大臣，如芒在背，恨不得馬上退朝，跑回深宮去和婦人太監們鬼混。有些甚至一連數月不朝，數年不朝，因為他自己覺得在朝中，他是一個庸劣無能之人，而在宮中，他則為英雄也，因為人類有好「友不如己者」之傾向，故孔子有「毋友不如己者」之誡也。到這個地步，他索性不和你辯論，不向你解釋，橫着心把龜頭龜爪一縮，說句「看你奈我何！」則你雖有孔孟之聖，儀秦之辯，亦無所用之。孔子就是最怕這一種人，他說，「不曰如之何，如之何者，吾末如之何也已矣」。後主對諸葛武侯，就有這種態度，故武侯勸其不要「妄自菲薄，引喻失義，以塞忠諫之路」。

我讀孟子，讀到孟子見齊宣王，覺得這個生於深宮之中，長於婦人之手的齊宣王，見了德高望重的孟子，犯的就是這個毛病，而孟子却用盡方法來提攜他，扶植他，來除去他「自卑心」。他不斷地想用「寡人有疾，寡人好貨。」「寡人有疾，寡人好色。」「寡人有疾，寡人好勇。」等話，想把孟子的嘴堵住。但孟子却說「好貨」「好色」「好勇」均無礙於王政，而且彎彎曲曲找了一段他的生平小事「以羊易牛」來證明他是有「不忍」之心，可做王道之基礎，其未行王道，是「不為」，非「不能」，結果逼出他「吾惛，不能進於是矣，願夫子輔吾志，明以教我，我雖不敏，請嘗試之」這句話。但這也不過是一句客氣話而已，觀孟子之道卒不行於齊可知。觀「王顧左右而言他」一可知，故孟子卒以齊王覺得「吾甚慚於孟子」，而致仕去齊。可見一個人有了自卑的毛病，則雖有聖賢，亦無法把他挽救了。你說話的時候，有自尊心的人，會對你發生爭競心，有自卑感的人，會對你發生愧恨心，二者均足拒你於千里之外，你說，說話是多麼難呢？

現代民主國家，言論自由，不必怕以忤旨獲罪，而有廷杖，殺頭等危險。說話的人，可免如莊子所謂：「目將熒之，色將平之，口將營之，容將形之，心且成之」之弊。但說話的目的，並不止於免罪，而想化人，想你的說話，能收一點積極的效果，不然，又何必多此一舉。所以仍不得不講究說話的藝術。我常在報章什誌，看見許多單刀直入，開門見山，大胆而有力，能針砭時弊的言論，我自己讀了又讀，覺得先得我心之所同然，說我之所未說，為之浮一大白。但我轉念一想，為甚麼我會喜歡讀這些文章，是因為他的意見與我同，他的意見既與我同，則等於我讀我自己的文章，亦等於「以火救火，以水救水」，以我無所補益。同時閱讀這些文章的並不是我，我愛讀這些文章，並不能達到作者的目的，作者並未收到他所欲收到的效果。如果這篇文章，只有像我這種人愛讀，則此文等於白作，於作者亦無好處。至於那些應該看這些文章的人，是否也像我一樣愛讀？抑或一看見題目，就把牠丟開，甚至連常登載此類文章的報紙什誌，也敬而遠之，若將浼焉，根本連有這篇文章，他也不知道呢？實成疑問。即使有好事的朋友，告訴他有一篇這樣的文章，而且把內容介紹，引起他好奇閱讀的興趣，由他在未開卷之前，心懷有一顆與你爭勝之心，已準備好許多答案來維護自己，他讀你的文章的目的，儘為想找尋你理論的弱點和間隙來難倒你，試問這篇文章，對他還能發生效果和作用嗎？結果一篇文章，便只有不應讀的人讀，應讀的人不讀。你有言論自由，人家有不讀你的言論的自由，我問你有何辦法？我們能懷疑諸葛亮謀國之忠誠嗎？他的前後出師表，還不是有血有淚嗎？但收到怎樣的效果呢？儘管你熱情到「臨表涕泣，不知所云」，但當時後主的心裏是：「這個老傢伙，又是這一套」，隨便批一個「閱」字，歸檔了事，恐怕他讀到「不宜妄自菲薄，引喻失義，以塞忠諫之路也。」便不再讀下去了。在君主專制時代，有氣節的人，尚不怕以直言賈禍，何況在自由民主的國家，但我們雖不怕以直言賈禍，而如因言太率直，使應看的人，不願意看，說了等於白說，作了等於白作，豈不是違背初衷？我耀為沽名乎？為爭勝乎？莊子曰：「二者凶器，非所以盡行（處世）也。」

× × ×

所以我讀了莊子之後，覺得一談說話的人，應該效法他的作風，凡事不可從正面談起，反覆辯難，因為這些都是詞費。應該遠遠地從一些大家都有興趣的小事情談起，而自然地導致於你們所想說的結論。我告訴你，只要你所主張的是眞理，則無論從甚麼事情談起都好，因為此心同，此理同，一理通萬物，「吾道一以貫之」，一定自然會導至同一的結論上去的。但因為你做了這麼多準備工作，到講到你所想說的話時，畫龍點睛，一句就够，而且自然到好像天造地設。如果沒有這一句話，這篇文章便有缺憾而未完成似的，有時甚至連這句話也不必說，讓讀者內心起共鳴，而拍案把牠叫出來。這樣文章，讀者初讀的時候，根本未知道你所說的是甚麼，沒有戒心，藩籬盡撤，正如莊子所謂「入游其樊……無門無毒」，（入到別人的樊籬之內，令他不設門拒你，不存敵視之心，達到彼此完全忘機之境）。然後一步一步地引人入勝，使他的心自然與你共鳴，與你同化，覺得這是他自己的主張，自己的意見，所得的結論，並不是你說給他聽的，而是他自己覺悟出來的。他將對人說：「我」主張怎樣，「我」一定要這樣做，而不必用引號。但你不是成功了嗎？你的目的不是已經達到了嗎？你除了想達到你說話的目的之外，還想甚麼呢？干譽嗎？邀功嗎？我這裏所說的，雖然不是民主時代，人民以主人公的立場，堂堂正正的談自家問題的正常態度，而有點近於「詭禦」。可是「詭禦」也或許是某種場合的需要，換句話說，現在談話的人，假定能研究一種聰明太監的心理，則比魏徵陸贄的風格，或更爲有效。

中共人代會代表 大陸飢荒動亂的報告

——熊克武李書城等的視察結果——

沈 著

（本報訊）最近中共因召開「全國人民代表大會第二次會議」，事前曾派出大批「常務委員」及「代表」分赴各省視察地方情形。此等人員於回抵北平後，受命在「人民日報」作公開報告時，曾獲得一致的結論，即認爲目前大陸各地最普遍而嚴重的問題，爲飢荒遍地，及人民反共勢力的澎脹，到處發現有計劃和有組織的破壞行動。

南北各省飢荒實況

關於飢荒的情形：據視察河北滄縣專區的「常務委員」熊克武等透露，該地區已有百分之七十的人民斷糧，全賴黑荳療飢，以致糧食供應情況緊張，人心不安，生產情緒普遍低落。又據視察湖南湖北濱湖地區的「常務委員」李書城等透露，該地農民因評產過高，留糧偏低，被迫出售「餘糧」過多；並因去年秋季乾旱，冬季冰雪過大，晚稻、荳類、蕃薯及蔬菜損失嚴重，糧荒本已極深，中共又遲遲未予供應糧食，以致造成農民恐慌，引起騷動。據視察河北保定及唐山專區的「常務委員」陳劭先等透露，該地雖無災情，但因農民被逼將口糧當作了「餘糧」出售，致約百分之四十五的農民完全斷糧，羣情亦在惶恐中。據視察河南許昌、信陽、洛陽、開封四個專區的「代表」王毅齋等透露，該地糧食情形亦同樣「緊張」，已有大批農民破產、逃荒，及餓死的現象發生，而一般鄉村幹部，又只重視「統購」，輕視「統銷」，且在「統銷」中貪污舞弊，緊縮了糧食供應量，致益使民間飢荒加深，普遍引起了羣衆的怨恨和騷動。據視察廣西欽州專區的「代表」雷榮珂等透露，該地農民亦因出售「餘糧」過多，且去年多災，今年各種早熟作物都告失收，而糧食供應情形又缺點嚴重，致一般農民陷入飢荒，從而人心浮亂，社會秩序失常。又據視察浙東的「代表」嚴景耀等透露，該地因駐軍過多，軍糧供應頻繁，致民間飢荒情形更慘，到處有因飢荒而死人的現象，紹興縣的農民且紛紛進城搶購香煙，和糕餅等物，並發生了極端違反中共禁例的集體請願等情事。

暗殺和破壞層出不窮

飢荒引起老百姓的反共情緒，和激烈行動。據上述數十個「常務委員」和「代表」分別明確指出：河北滄縣專區內曾普遍發現有宗教性的民間反共團體，多建有密室和地洞，很多農民都參加了此種團體，一面控制農業合作社，一面暗殺共幹，縱火焚燒中共糧食。僅就泉光一縣的統計，近來會發生兇殺案及縱火案兩百五十八起之多。河北保定及唐山區內，到處發現農民反抗「糧食統購統銷政策」，破壞農業生產合作社，及工人在工廠礦山內部進行劇烈破壞等反共行動。僅唐山一市，據最近統計，先後然會發生工礦破壞案五十三起，其中有四十八起都打擊了新技術裝備、動力、設計，化驗和配料等要害部份。唐山縣的統計，則前後會發生農業破壞事件一八八起，財產牲畜的損失甚鉅，對生產影響尤大。河南信陽、洛陽、開封、許昌四個專區內，已發現以農民爲基幹的半武裝性的「人民前進軍」及「仁義黨」，並發生搶劫「人民銀行」、糧食及其他物資倉庫，以及搗毀鄉村行政機構與生產機構破壞行動。到處掀起反清算鬥爭，奪取鄉村政權，砍殺黨團員和區鄉工作人員及擁共的「積極份子」。鄭州等處的工廠內，發生不少爆破或暗損蘇俄機器設備的仇蘇行動。廣西欽州區內，因地勢多山，一般年壯農民大多棄家落荒而走，少者四五人一組，多者三四十人一隊，手持長槍短刀，到處活動。未落荒的農民，則隨時謠傳國軍反攻，或浙江「被佔」，廣州「陷落」等消息，於是搶購糧食，搗毀糧倉，破壞公路橋樑，乃至公然張貼反共標語，分發反共傳單。

反共組織名目繁多

湖南全省內，幾已到處掀起反共人民的組織活動，有的以黨派名義出現，有的以部隊番號出現，在湘潭和益陽一帶，反共人民隨時打殺幹部，焚燒銀行及鄉村「政府」，以及糧倉與工廠。據初步統計，隆回縣的上列機構已被焚三十四起，焚毀糧食無數，另有兩座工廠被全部燒光。此外，國軍反攻及迷信性的謠傳四處蠭起，一般農民都消極罷耕，「引頸待變」。在浙東地區，已發現「江南科學公有社」的知識份子反共組織，到處出現反共傳單，標語，乃至油印雜誌。紹興一帶已發現龐大的宗教性反共組織，僅道首人數，即達五千餘人之多。而一般農民，則普遍掀起了抗糧抗兵「反抗征兵」運動，破壞合作組織，並謠傳着中共將沒收土地及抽征所有男人去當兵的謠言。皖南地區，一般年壯的農民紛紛參加了「一中道」反共團體，到處在地洞、暗室、深山、夾牆、坑道中設立活動中心，並積極製造原始武器，積極準備起事。

人民日報的報導

又據「人民日報」專文指出：反共人民在中共各地工礦企業及交通運輸內部所進行的反共破壞行動，亦多得不可勝計。據稱進行破壞活動的，大多爲技術人員、職員及工人，甚至有一部份還是黨團員，損害的情形亦都非常嚴重。綜合該文所指的反共破壞行動，主要爲工廠中的爐鍋爆炸、電力破壞、機器暗損、亂配原料，出產廢品，縱火焚燒；礦場中的瓦斯爆炸、交通阻斷、動力破壞；長江等航行中的觸礁、沉船、擱淺、碰撞、爆炸、起火、船車機件爆破；鐵路中的破壞機車，鐵軌、橋樑、電線、焚燒車站、倉庫，以及撞車、翻車、誤點等等；至於公路橋樑的破壞，造船設備的爆炸，郵電通訊的阻斷等等，更是層出不窮。

云云。

江西發生農民暴動

除此以外，中共「人民日報」前此亦公佈過不少有關農村、工礦，及各大城市的反共活動情形，幾乎到處都有暗殺、縱火，及爆破等情事發生。同時並會肯定指出各機關幹部乃至大小黨員中亦紛紛發現了堅強的反共分子。而「江西日報」則具體指出該省贛南贛東一帶業已發生了規模不小的農民暴動事件。

前述一切，皆係中共中央及地方黨的機關報及「人民代表」之類所指出的具體事實，自然可靠，且相信其實際嚴重程度尚不止此，可見目前大陸人民反共情緒之高漲及反共行動積極之一斑。而此等反共行動，方式不一，目的相同，且幾已遍及全國。其情形之嚴重實較東德去年的工人暴動事件，尤爲過之。

浙豫湘桂的游擊隊

關於反共游擊隊活動一節，中共以前向極諱言，但此次「全國人民代表大會」若干「常務委員」及「代表」卻曾公開認承在沿海地區、邊遠地區、及內地山區的游擊活動業已漸見劇烈。據已指出的而論，計：浙江省有「江南國民仁義反共救國軍」一個縱隊，「浙江人民忠義反共救國軍」一個縱隊，及「復興陷區工作隊」和「反共救國軍鐵建大隊」等四大支。河南省有「人民前進軍」一部，人數無法統計。廣西有「中國自由軍」，據估計，人數當在一萬人以上，武器有長、短槍、機槍、手榴彈、大刀等。湖南省有「中國革命軍」某股雜部隊」及「第七軍」；人數亦無從估計，僅謂前者的指揮部在湖南、湖北、四川、貴州的交界處山區，後者的指揮部在湘桂交界處的江華縣一帶。據稱此等部隊的活動已日形公開，白日伏潛，晚間即公然打出訊號彈指揮聯絡，進攻中共駐軍及機關，情形甚爲「猖獗」。

港大讀醫六年辛苦

陳永昌

【本報專訊】香港大學的醫科，在遠東是很有名。國父中山先生也是港大醫學院第一屆畢業生。因此，每年投考港大醫學院的學生都很多。去年畢業生三十六人，今年已增爲五十五人，可見到港大醫科讀書的人已一年多過一年。筆者於此想把入醫學院後的讀書情形作一個簡要的報導，藉供有志者的參考：

第二三年課程最重要

醫科的課程，全部是依照英國大學學制的。第一年必修課程是生物、化學、物理。第二年，是有機化學、解剖學、生理學與生物化學。這兩年時間，除聽講外，還要做解剖人體及生理學與生物化學的實驗。功課最忙，每一個月有一兩次小考。第三年開始後六個月，有一次「專業考試」（PROFESSIONAL EXAMINATION）也就是第二三兩年來功課的總考試。這次考試把學生的前途便決定了。假如合格，便升入第四年。不合格的學生便分成三組：第一組，離合格水準不遠的，准於六個月後補考，補考合格，仍可以升入第四年。第二組，離水準稍遠的，准留級一年。第三組，成績太差的，便要停止學醫了。三年級的時光、精力、金錢，也白費了。因爲有了這一難關，智力較差的學生固然日夜「死咪」，以致茶飯無心，精神彷彿。即智力較好的學生，也不一定能夠合格。往往因考試時，過度緊張，答非所問，以至失敗的亦所在多有。

第四五年讀些甚麼

能夠升上第四年的學生，除非有特殊原故，否則不會再被禁止繼續學醫。到了這一年，學生要到醫院裏跟病人接觸，不用是「死咪」書本了。第四年的課程，以病理學及藥物學爲主。但也有「內科」和「外科」的課程。病理學包括細菌學，寄生虫學。藥物學包括藥物的功用、劑量、服後的副作用，與怎樣來調理病人等等。病理學與藥物學的考試，要在第五年開後不久舉行。假如考不合格，一直要補考到合格爲止。

第五年的課程是婦科及產科，此外『社會醫學SOCIAL MEDICINE』也很重要。第五年完結後，學生一定要對下面幾個考試（病理、藥物、社會醫學、法醫）合格後，才能踏上第六年。若有一科不合格，一定要一直補考下去，等到完全合格爲止。

六年辛苦換取四方帽

第六年的課程，全由專科的講義代替了，如兒科、耳鼻喉科、眼科、迷藥科、皮膚病科、性病科等。這些課程約略講授完畢，離大考大概只有五個月的時間了。這五個月內，學生們要溫習一下由第四年起所讀過的一切功課。溫習完畢，大考就在眼前了。大考是非常嚴肅的，如果考官們滿意，學生才有資格戴上那頂四方帽子，榮獲醫學學士（M.B,B.S）的銜頭。

爲甚麼是貴族學校

最後，大家都說港大是一個貴族學校，在這裏，筆者不妨簡述一下一個港大醫學生一年的必需費用：第一年學費是一千二百六十元，其後每年一千二百五十元，膳宿費男性每月一百八十元，女性二百二十元，全學程四次的考試費是：第一次五十元，第二次一百元，第三次一百五十元，第四次也是一百五十元，還有每年須交六十元的學生會費；其餘就是買書、買儀器、買文件用品，與及學生自己的零碎了，這樣計算起來，在港大學醫確不是一個普通家庭所負担得起的。

透視東西貿易

李加雪

（上接第一版）

美國也曉得消費物品，如香烟，自來水筆等在共產國家沒有銷路，但碎鐵，金剛鑽粉，水銀，和藥苗等是有銷路的。其次，汽車，提煉油類的機器，紡織機器，農業用器具，和糧食，也是鐵幕國家所歡迎的。這是美國對共產國家在貿易上的一種希望。

英國人的貿易觀念

主張和鐵幕恢復貿易最力的，當然是英國。英國認爲東西貿易的恢復，關係東西共存，因此，好幾次派遣貿易代表團到蘇聯和中共。英國人是念念不忘中國大陸原有的商業利益的。但事實上，中國大陸已今非昔比了。例如香烟，大英烟公司的香烟，是從前暢銷中國大陸的。現在大陸人民貧困已極，沒有吸烟的能力，能吸的爲數已極少。現在大陸香烟的零售單位，已不是以包計，而是以枝計，香烟的銷費力比較一九四七年，已減去了百分的九十。再說英國的上等布匹，也不能希望再在大陸銷售，因爲大陸的軍隊穿貨布衣，一般老百姓穿藍布衣，英國花布在大陸已經絕無出路。因此英國雖曾派代表團到鐵幕國家，想打通一條貿易路綫，可是到現在止，英國對鐵幕國家的貿易數額，仍只及貿易總額百分之一。此外，西德對鐵幕國家的貿易數字，也只及總額百分之三，意大利還不及百分之二。

共產的貨架是空的

現在鐵幕裏有什麼值錢的東西呢？蘇聯有些少皮毛，錳鑛，石棉，和白金；東德有照相器材；中共有少許鑛產，可是數量都不大。因此，鐵幕國家和西方交易，只有交付黃金之一途。

艾森豪威的外交高級顧問通度氏說，『除了動用庫裏的黃金，共產國家實在拿不出可以和西方交換的物資。若果西方允許和鐵幕國家恢復正常貿易關係，鐵幕國家當堂要露出馬脚來，理由是鐵幕國家的貨架實在空空如也。』

這樣說來，民主國家對共產集團，即使恢復貿易，也是不會有若何大的利益可圖的。（完）

黎湛鐵路的軍事價值

偽造天氣作宣傳

在中共描述興建鬱江大橋情況裏曾說「某支隊長張鴻智和工程師吳秩平在建築鬱江大橋時，指導部隊迅速提高了各工種的作業技能，使大橋提前完工。這支部隊還首次使用氣壓沉箱修築鬱江大橋的水下基礎，並且培育了一批優秀的沉箱手……」這一段描寫（見六月廿五日大×報）。我們看起來的確堂皇，我們追查不出他們興建鬱江大橋是在什麼時候，祇知道該鐵路是在一九五四年十月開始興建，但根據施工慣例建橋工程一定要選擇旱季的。就鬱江的情形言，在夏天，雨季開始以後，河面足有尖沙咀碼頭兩岸那麼闊；但到了冬季，河床完全乾旱，僅有三丈左右闊，而最深處也僅及人胸。這是當時筆者曾和石角的區長在那兒多泳，測探所得的深度，（石角區長黃某現在也在本港灣仔某中學教書）所以中共用「氣壓沉箱」，「靠氣壓沉箱高氣壓力，把水排開，再深入江底，在氣壓沉箱裏工作」實是不必要的，除非他們有意揀中雨季施工。至於七月二日大×報所載「一九五五年二月，寒潮不斷襲來，急雨一陣又一陣，各河的水位不斷高漲。」更是鬼話。

無限的人民血淚

參加築路的人力，除了中共的鐵道兵團之外，還在沿綫拉集了「十多萬民工」在一起，組成了一支浩大的勞動軍」，（見七月二日大×報）「……使施工效率達到定額的八倍半。某班十四班創造了平均每人每天完成土方江程九點四公方的成績：……土方效率普遍提高了百分之三十到五十。」（見六月廿五日大×報），這事充分說明了中共以民工當做機器，使他們「超額完成」，其中所包括的血淚，是不可數計的。

軍事作用大於經濟

「黎湛鐵路」的完成，其作用是軍事大於經濟的。照中共的宣傳，黎湛路的完成，「對開發海南島和活躍沿綫地區的經濟，起着重大的作用」，這祇不過是它的一面而已。

中共當不會遺忘民國三十九年至四十一年間湛江成爲死港後所受到的打擊。開始是由於軍事未能控制海南。國軍撤出海南後，中共海軍又無力直接控制粵海，使中共失去充分利用湛江港的機會。目前，情勢劇變，綜合報紙所載的消息：海南島，海口市的機場擴大一倍，榆林的三亞機場也擴建足以容納大編隊的噴射機降落。其中尤以三亞機場最爲重要，基於地形，三亞機場有環山掩護，雖位在海岸，卻可免除海上的威脅，而榆林港海岸砲台的地形也完全利於守護。中共挾此資本，可隨時以空軍控制越南、泰國和整個中南半島。過去，海南島作用未完全發揮，就由於島的背後缺少一條大動脈，雖與湛江通航輪船，但須十小時可達，抵達湛江以後，則抵公路，故大量軍事上的調動，軍用物資的供應俱未如理想。中共積極建成黎湛鐵路，就在使海南島不再成爲孤島，並使成爲蘇聯潛艇基地。使海南島成爲指向東南亞胸口的一張利劍！中共急於完成這一條鐵路，用心所在也可想而知了。（南飛燕）

枉作小人

馬五先生

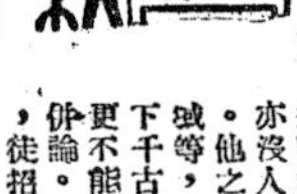

世俗有「枉作小人」的傳統諺語，意思是指社會上一般居心險惡，為着自己不可告人的卑鄙目的，而故意陷害別人者，結果總是沒有好下場的。因為他所設計陷害的如係小人，即將受到很快的報復；他所陷害的若係君子，首先就為社會清議所不容，千夫所指，最後他自身敗亡必更慘。這類情形，多發生於亂世，史不絕書，而以南明的阮大鋮為首屈一指。

他本來略讀詩書，且擅詞曲，寓居金陵時，嚥着侯方域那般雅負時譽的名士，頗具清議威，乃力求附庸風雅，刻意交歡。但以其品格素為時論所鄙薄之故，見拒於四公子羣，羞與為伍。他銜恨在心，等到騃愚的福王即位南都，串同馬士英僭竊政權時，即不顧國家民族的存亡禍福，一意以傾軋正人君子，陷害名流學者為急務。侯方域一般人固然被他弄得逃死不遑，即孤忠耿耿的史可法，也受其傾陷而羈戍在外，不敢回京。迨國破家亡，他又乞降異族敵寇，隨軍趨踣，常為敵酋度曲取樂，冀保殘命，終於自己碰死在浙閩邊區山地的石碑下，連尸骨亦沒人收埋，給野獸果腹了。他之死亡，視史可法侯方域等，淒慘萬狀，死後祗留下千古的臭名，供人唾罵，更不能與史可法一流人相提併論。這不是枉作小人一場，徒招致不得死所的悲慘結局嗎？

按照歷史法則，國家每在危難之秋，君子與小人的鬥爭，必然趨於激劇化。祗要全民族的文化精神未隨時代而墮落空虛，到頭來，一定君子道長，正氣磅礴於兩間，蔚成新國魂，復興國家，匡濟人民。小人終究是心勞日絀，枉作小人罷了。

關於「五十學易」解

讀王蘧累先生『孔子五十學易解』

九九頑叟

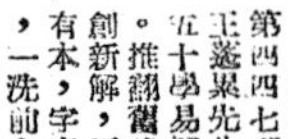

近於自由人第四四七期拜讀王蘧累先生孔子五十學易解一文，推翻舊說，獨創新解，而句句有本，字字切實，一洗前人臆斷牽扯傅會之陋習。翼聖衛道，厥功偉矣。非博學慎思，特具胆識，不敢亦不能道也。欽佩之至，此一疑案，鄙人懷之六十年矣。前人均從「年」字上去推想五十之謎，所以愈說愈不能順理成章；今蘧累先生獨能別開生面，而著眼於「易」字上尖，用是石破天驚，驪珠獨得，非自誇也。鄙人佩服之餘，亦尚有一疑問，敬向蘧累先生請教者。此為求知請益起見，非敢故作難詞也。以蘧累先生之高明，定能曲予原諒，明以教之。甚幸甚幸！

×　×　×

四十年前，鄙人會於廣州謁見南海康先生。時同座偶有談及河圖洛書者，南海莞爾笑曰，『此偽書也。邵康節臆造者耳。二圖在漢時即已失傳，故兩宋以前說易，無有涉及河洛者。至邵氏而二圖突然出現於世，豈不奇哉？』南海之言如此，鄙人當時亦甚驚異。其後又得一機會拜見湘綺王先生於上海，因舉南海之言以為請益之資，湘綺亦囅然笑曰，長素之說是也。竊以二公均為清末大儒，而此說又鄙人所親炙者，然則河洛之為偽書也決矣。河洛既為偽書，則是蘧累先生之新解，將亦無所依託，而難於成立矣。然而鄙人卻又深感覺孔子此語，前人解釋，均不恰當；惟有蘧累先生第四說，獨能順理成章。令人如入桃源洞中，但覺豁然開朗，別有天地也。竊渚蘧累先生之博雅多聞，對於鄙人此一疑問，必能另有高見，開我茅塞。用是不避唐突，敬謹請教。

×　×　×

鄙人又因蘧累先生所謂望文生義一語，而聯想到台省某專科學院之一國文教授的趣聞，附述於次，以博一粲：爰鄙人有一小孫肄業於某專科學院，一日向其國文教授某公請問「學問之道求其放心而已」一語的解釋。某公日之曰，『這句話也不懂解嗎？你們自己想想，凡人對於所學，豈不是要求其徹底瞭解嗎？徹底瞭解之後，自然就能放心了。』噫夫！今之所謂大學國文教授者，高明乃一至於此。此與注疏說謂孔子四十餘歲時作五十學易之語者，雖同屬望文生義，其見解相去又如何耶？昔年龔甃家於書齋張一門聯云，「不敬師長，天誅地滅；誤人子弟，男盜女娼。」未審今之大學國文教授，對於此一聯語，作何感想？聞台省各大學國文教授，大半為歐美留學生，而兼教授英文者。宜乎其教學時，笑話層出不窮也。不知最高教育當局，亦曾注意及此否？

鄙人生平從未向任何刊物投過稿件，茲為求知慾所驅使，一學忘其老朽腐敗，但決不敢受稿酬，謹先聲明。

四十四年六月十九日頑叟附記

語言學漫談

徐道鄰

據斯都華．蔡司 STUART CHASE 的估計，在今天的社會裏，一個人一天至少有一個鐘頭的講話，一個人在一個鐘頭裏講的話至少有六千字，這是非常保守的估計。就這樣講，世界上至少有二十萬萬人，天天在說話，那麼地球上人類所講的話，每天就至少有十二兆個字。用阿剌伯字寫出，是12,000,000,000,000（十二後面加十二個圈）。這還是人對人所講的話，報紙、雜誌、電影、無綫電，電視等等，用科學工具來複製的語言，還不計算在內。（POWER OF WORDS, P.3-4）。

一個人每天所講的話雖然這麼多，但是他所講的話，對方不一定完全聽得懂。因為一個人和一個人講話的內容，有的是對方所熟悉的事物，有的則是對方所不熟悉，甚至於是完全陌生的事物。（尤其是這一類的談話，是使雙方都最感覺有興趣的談話）。而說話人所用的字句，有的是對方所了解的，有的則是對方從來沒有接觸過，因之無從了解的。所以我們在日常談話時，常常發現對方對於某一段話，不大明白，而我們有予以重新解釋一遍的必要。就是說，我們把同一事物，改用其他的語句，換一個樣子來敘述一遍。

我們對於任何事物的感覺和認識，凡是我們可以解說給別人聽的，全都是我們對於這一種事物所設計的一種語言構造 VERBAL CONSTRUCTION 所以，凡是我們講的話，對方聽不明白，而需要我們加以『解釋』，『說明』的，那就是我們改用另外一套語言構造來代替原來的那一套語言構造。我說，『昨天我同陳元龍在一起吃飯』，太太問，『陳元龍是誰？』我說，『就是內政部的那位參事。』她說，『我還是不知道他是誰』。我說，『就是昨天在大世界坐在我們前面，向我們打招呼的那一個大胖子。』到這時她才了解，並且切實的了解我所說的是誰。

從上面這個例子，我們可以看出來凡是世界上一種事物，都有許許多多不同的代表它的語言構造。凡是所謂『解釋』，『說明』也者，全都是在採用聽者所熟悉的一套語言構造來代替他原來所不熟悉的那一套語言構造。這裏最簡單最明顯的例子，莫過於我們一般了解的所謂『定義』DEFINITION（『定義』是現代邏輯中很被爭論的一個問題，我們現在不從這一個觀點來討論它）。定義者，就是拿某幾個字，來代替另外某幾個字。『人是沒有羽毛的兩足動物』（亞里斯多德語），這是我們所最熟悉的例子。但是這不過是許多下定義的方法中之一種而已，事實上為一個字下定義的方法，非常繁多，就是我們日常所採用者，也不下好幾十個，不過我們平常對之不大注意罷了。（四四）

花月夜

．王況裴．

甲午除夕，新竹寄寓聞鄰女歌舞聲，時正共匪揚言進攻台灣。

飄搖暴風雨。正大難當前。綏歌金縷。天涯歲暮。對酒綠燈紅。兩眉還聚。便商女。玉樹庭花。也是傷心人語。無端成間阻。痛大陸同胞。有冤誰訴。

三軍勁旅。縱水闊山高。也應飛度。趁西去。剷除匪幫。粉碎淒涼鐵幕。

簡星齋白石先生一首

．邵鏡人．

萬象森羅筆底開，一花一葉一如來。石濤八大都陳迹，又見湘潭老霸才。

劍底秦庭

歷史小說　奚如

日子就像邑城大道疾馳的馬車一樣過去。

十天之後的晚上，破落的處士巷口忽然出現了一輛華貴的車子，四匹白馬在雪後淤泥堆積的巷口不斷的昂首長嘶，引動了不少的人站立在周圍，指指點點。

「這是燕太子的馬車呀！」

「為什麼太子會跑到這個汚穢的陋巷來？」

「你們知不知道，巷子裏面住了個甚麼人物？」

「一定是田光田老先生啦！」

「奇怪的是這位老先生，既不做官，又是個半身不遂的病人，怎麼太子竟對他這樣的恭敬起來？難道……」

「人家當然有着被尊敬的理由呀！難道你也想太子的車子在你的門口停下來？」

……

雜亂的交談，只是一瞬間的事。當大家發覺白馬依舊只是白馬的時候，也就再提不起談話的興趣，各自走散了。

只有田處士的茅茨中，一直在閃耀搖曳的燭光，微弱的光芒中，透着莊嚴肅穆的氣氛。

對坐在田光坑前的，只有燕太子和荊軻兩個人，低沉而急促的談話聲調，幾乎無法分辨是誰的嘴吧在動。

「荊先生，大敵當前，燕國人民敗國亡家可慮，請問先生將何以教不穀？」

「不敢！太子。」荊軻用手閑扶着低窄的几桌，笑了一笑。

「荊先生，請以生靈為急，給不穀一點指示」。太子的面色充滿了焦慮，雙眉緊鎖，光芒內斂的眼睛却盯緊了荊軻毫無表情的面部。

「不敢！太子。荊軻一介草野之夫，實在談不上國家興廢存亡的大事！」

荊軻還是用矜持的微笑回答了太子的焦灼。

「荊先生：」太子這時候才恍然若有所悟地站了起來，苦笑了一下。

「嗯，太子！」

「你一定還在懷疑不穀的誠意！或者是認為不穀不堪一教吧？」

「不！」荊軻忽然也嚴肅地搖了搖頭：「荊某不敢這樣想。可是，荊某以為此時此地，以荊軻此身，來為太子謀及家國大事，終究還嫌僭太過份了一點！」

田光在旁邊聽了，也不自禁地點了點頭。這使太子更感到了無以自處的苦悶。

……

突然之間，「嗖」的一聲，太子從靴腰裏拔出了一把光芒逼人的小刀，迅速的掀起衣袖，就是一刀！鮮血立刻像泉水一樣汩汩地向着外皮直冒。

「太子！你！」

「太子！」

「荊先生！」太子又是一陣苦笑：「不穀如果沒有誠意，三尺神明必將予我以比這更嚴重的痛苦！」（十九）

石達開的女秘書

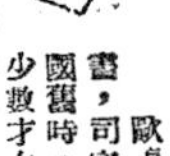

．夢山樓．

歐美各國女子充任秘書，司空見慣，但在中國舊時，尚不多覯，縱有少數才女，對於政治，軍事，社會，起了作用，也是偶然的。名符其實，能盡秘書責任的，恐怕要以韓寶英追隨翼王石達開一段佳話，最有趣味了。

（一）

要講韓寶英，必須先將石達開的為人交代幾句才好。達開是太平天國大將，封為翼王，於清道光三十年從洪秀全在廣西金田起義；揮兵北上，直搗金陵，定都南京。

達開，廣西桂平人，貌奇偉，有才略，通文備武，要算太平天國中第一個人才。可是，定都不久起了內鬨，北王韋昌輝殺死東王楊秀清全家，達開感傷同類，無力回天，只有倉卒出走，家屬也被殺光了。後來天王又誅北王，特詔達開回京，他報之以書曰：「臣若再入是非之門，雖肋不足供人刀俎。臣有老母，年已古稀，慘被葅醢，妻子無辜，並為鯨鯢。……臣雖西奔，仍為朝盡力。……」於是一意入川，別闢發展了。

（二）

達開西進，駐軍皖鄂交界地的韓家莊，莊中有一個韓貫生，教讀為業，因為匪亂，攜帶全家避難，恰與山中土匪相遇，全家遭了殺戮，僅賸一女，名叫寶英，自匿草間，得以不死。適值達開軍隊經過，女乃啼泣乞援，達開見其清秀溫雅，不像村中女子，因詳詢其家世，始悉遇難情形。因感其孝思，乃指揮將士，分搜洞面，山中，土匪不過百人，盡俘以來，殺祭其父母，又為韓氏一家埋葬妥當。寶英感恩圖報，願委身以事達開，衆將官亦多慫恿，達開謂左右曰：『余戎馬中人也，若自犯之，部下必有援為口實者，且伊甫及笄，余年已半百，寧獨不愧於心乎？』（上）

汽油的旅行

鐵幕烏龍　　小丞

這個笑話，是千眞萬確的事實，是中共「人民日報」自行報導的：

今年二月十三日，「中國石油公司西北區公司」的「採購供應站」，由蘭州車站運出兩車汽油，共若干噸，發往曲江。

貨物從蘭州東站發出後，路經寶雞，鄭州，山海關，轉入黑龍江的曲江，但是到了曲江卻無人收貨，路局對這批無主的汽油也沒有引起注意。

不久，這批汽油又由曲江運到了牡丹江，到了牡丹江以後，仍然無人認領。牡丹江「鐵路局」當地的牡丹江「石油公司」收下，當地「石油公司」因為沒有訂購這批貨，不便貿然領取，就向「黑龍江石油公司」詢問，「省公司」又向「中國石油公司瀋陽批發站」詢問，後來又向「中國石油總公司」詢問，最後才決定收下了。

為什麼這批貨物由蘭州運到曲江站，又轉到牡丹江，經過了二十六天的旅程，而沒有人收貨呢？原來大陸上有兩個曲江，一個是廣東的曲江縣，在抗戰時期曾作過廣東的省會，另一個是黑龍江省內由牡丹江往圖們江去的鐵路綫上的一個車站曲江站。

這批汽油本來應運到廣東曲江縣去的，不知是發貨方面在發貨的時候弄錯了呢，還是鐵路局工作上的錯誤，結果，卻運到黑龍江的曲江站了。

中共政權的行政効率，眞可謂嘆觀止矣！

自由人

THE FREEMAN

（第四五七期）

中華民國僑務委員會
頒發登記證台教新字第一〇二號
中華郵政台字第五〇〇號
執照登記爲第一類新聞紙類
（半週刊每星期三 六出版）
每份港幣壹毫
台北市價售台幣壹元
督印人：陳文華
地址：香港高士威道二十號四樓
3 rd. fl. 20 CAUSEWAY RD
HONG KONG
香港發行及事務接洽
高士打道66號　電話：七四〇五三
承印者：東南印務出版社
地　址：高士打道六十四號
海外總經銷
友聯書報發行公司
香港：德輔道中二十六號A二樓
台灣特派員辦事處
台北市館前街五十號
台灣總經銷處
台北市西寧南路壹壹號二樓
台郵儲金戶九二五二

四強會議中艾森豪的責任

。丁文淵。

現在美、英、法、蘇的首領正在日內瓦舉行四強會議。他們希望雙方能够做一個澈底而坦白的討論，來求得一個解決威脅世界主要問題的基礎。我想全世界的人——除了眞正毫無知識的人和別有居心的人以外——沒有不關心這一次成敗的。這次四強出席的首領，一般說來，都可以代表他們本國政治上的權威。如果他們都具有眞切的誠意，我們沒有理由懷疑他們。我們不妨試作一個分析。

西方國家的看法

我們先看看他們要想解決的幾個主要問題！雖然仁者見仁，智者見智，沒有完全一致的看法。但西方許多國家的見解，認爲：當今威脅世界的主要問題，不外是：（一）蘇聯沒有遵守它與其他各國在戰時和戰後所訂立的協定，（二）蘇聯沒有像其他盟國，在二次大戰結束以後，把它的龐大軍隊復員。他們認爲蘇聯破壞國際協定的行爲，計有：甲、宗教上的種種迫害，乙、阻止自由旅行和消息交換，丙、鼓動反對西方的宣傳運動，丁、封鎖柏林，戊、繼續拘留戰俘，己、從新操縱國際共產情報。

蘇聯的看法

蘇聯的看法，當然又不同了。蘇聯認爲現在世界局勢緊張的原因：（一）由於西方國家違反了波茨坦會議所訂立的四強管制德國的規定，因此破壞他們的協議，（二）由於要把台灣歸還中國，西方沒有履行以前的諾言，（三）西方國家在二次大戰後，仍維持了他們武裝部隊的實力，（四）西方又積極增加了原子武器的生產，（五）西方對蘇聯有敵對的情勢，因此創立了北大西洋，東南亞和中東的軍事協定，（六）西方阻止中共加入聯合國。

照上述西方國家的見解，他們所舉的事實，都是眞而且確的；分析事實發生的緣由也完全沒有弄錯，這足以充分表現出西方對事的認眞和想解決這個問題的誠意。然而他們完全是從歐洲利害關係做出發；他們忽略了歐洲以外的各種問題。要想局部得到解決，而不顧全全世界的演變，這是不可能的。我們對這種見解，不能不表示惋惜。

西方應提高警覺

至於蘇聯的見解，則完全代表共產國際的立場。他們所舉的事實，雖然還不離奇；然而他們對於事實發生的緣由，則不免盡了歪曲事實的能事。蘇聯責難西方的所有事實，幾乎無不是西方對蘇聯歷年來侵略的抵制和防禦的處置。蘇聯現在將這類事實的起因，一概抹殺，以圖推卸責任，這十足表現出他們的缺乏誠意，來共同在「設法協調，瞭解，容忍，尊重他人意向」的原則之下，解決各種困難問題。可能蘇聯仍想運用它的故智，藉此分化西方的團結，到了某一個階段，在亞洲來發動一個閃電式的侵略。根據最近從大陸逃出來的人士報導，中共在最近又想將在上海的文化，教育機構，遷往西北和西南。如果他們不是有意準備戰爭，則這種無意識的遷移，無法得到一個解釋。我們希望西方國家提高警覺，以免墮入蘇聯所安排的陷坑。

艾森豪的看法

除却上述的兩個見解之外，艾森豪總統也還有他本人的看法。他在去日內瓦前，所發表的演說，就說得很清楚。他「列舉幾個爲患世界的問題」時，明白說出：「軍備問題，以及因這些軍備的需要，人民被迫負起的重担問題；被奴役國家的問題：他們一向是足以自豪的人民，但是他們本身現在的政府形式，都不是他們自己自由選擇出來的，而且都不是他們所自由選舉出來的人物所領導的；又有被分裂國家的問題：他們原是彼此有血統關係的人民，但被武力分裂爲兩個陣營，當然還有人希望這兩個陣營，彼此敵視；又有國際干涉自由政府內政問題，使產生出了一種導致顛覆困難以及一國之內互相譴責，有些甚至革命的形勢。」

如何說服蘇俄

艾森豪這種看法，當然是根據十餘年來事實的演變，從客觀中得來的。他所講的幾個爲患世界問題，當然就是威脅世界的主要問題。其中包含的範圍，確實超過了西方一般的見解，也確實包括了要解決威脅世界主要問題的要點。只有使得所有被奴役國家的人民，能够自由選擇他們本身政府的形式，自由選舉他們政治領導的人物；使得所有被分裂的國家，依據他們人民血統的關係，將被迫由武力分裂所成的兩個陣營，用自由民主的方式統一起來。才能使獨立自由政府的內政不受國際干涉，不致再爲它們顛覆，導致一種革命的形勢。也只有如此，才能實行裁軍計劃，才能安定世界和平。否則，要使世界上的人民，有八億人長時期度他們非人的，奴隸生活，而其他自由國家的居民竟能安居樂業，這豈不是一件奇跡？要知道這是一種不可能的現象，絕對無法長期維持。西方國家如果不能合力同心，利用現在本身所處的優勢，來說服蘇聯，使它明瞭，現在已經絕不可能再施用欺騙手段，乘虛投機，從中取利了；蘇聯必須本協調，瞭解，容忍，以及以平等待人的觀念，和西方國家共同建立一個全世界和平的基礎，才能眞正造福人類，當然包括了蘇聯的利益。

對艾森豪的期望

我們希望艾森豪總統這一次不要受他人愚惑，堅持他的立場，主張正直和正義，解放所有世界上爲共產國際所奴役的人民，則他在國際上的供獻，決不下於林肯在他祖國所建立的功勳。他將來的偉大成就，也就將超過歷史上的任何人物。在這短短會期內；我們不可能希望眞能奠定一個解決威脅世界主要問題的基礎，然而必須設法找尋出這樣一個途徑，才能希望將來一連串的外長會議以及其他專門會議，不致再虛費時間，仍使全世界再爲失望。

我們對於艾森豪總統的眞摯誠意，絲毫不予以懷疑，我們希望他能够運用他的智慧，來使蘇聯就範！

中共的國防費

把國家預算膨脹一百廿餘億　掩藏百分之七十的國防經費

辛植柏

中共本年度的新預算，筆者前已爲文加以分析，（載本刊四五五期）然尚有可注意的是國防費，他們把國防費的實況巧妙地隱藏起來，隱藏的目的何在？讀者固不難一想而知也。

怎樣膨脹了國家預算

中共本年度的預算總數爲僞幣三百一十一億九千二百五十二元，合美金一百三十億元，較上年度預算又增大了僞幣十二億餘萬元。這一預算數字，在中國財政史上是空前的，在亞洲國家，恐怕也是唯一無二的了。以一個全年度國民總所得不過二百億美元的窮國家，國家預算竟高到美金一百三十億元，這眞是不堪想像的事！筆者爲求得這一實情的了解，詳加研究；乃發現此預算數字全係由呆賬，地方預算，虛收虛付等三筆數字所脹大而來。因爲這樣的脹大，大足以表示中共的兵旣多，而財又雜，便以爲可以騙到世人了。現在試分析其內容：

很顯然中共上年度的呆賬共有新舊兩筆，總數爲六十一億元，處理了一部分，尚餘三十一億四千二百七十四萬元，即滾下收在本年度的預算賬上（此數即「三反」時滾下一筆絕收的賬）。又中共的所謂國家預算，竟把地方預算也併列在內，這是李先念這次親自招供出來的情況，本年度併列的地方預算數爲六十四億零九百八十四萬元（這亦是可擬的一個數字）。關於虛收虛付的情況，尤多而且雜，這裏不能詳說。僅將中共列在預算上的一項信貸舉出，這項信貸收入爲三十一億五千三百四十萬元，李先念說，『信貸收入的增加，主要是蘇聯撤退旅順口移交的軍物與設備，作爲信貸，很可笑的，這筆虛收虛付的所謂信貸，竟列了又列，上年度決算收入內已列過這筆，本年度又公然再列。中共這樣宣傳蘇聯的恩情，眞是肉麻之至！僅這三筆預算收入，就脹大了中共「國家預算」一百二十七億餘萬元了。

國防費佔百分之七十

中共爲什麼要把預算數字作這樣不必要的脹大呢？其陰險就在這地方。不脹大預算數字，就無法掩蓋國防費。再把中共本年度的預算書打開來看，國防費支出爲七十一億九千三百一十五萬元，佔本年度預算百分之二四點一九。照中共實際的預算收入，即除去前項三筆虛收數之後，究有多少呢？不過一百八十四億餘萬元而已。以實際收入來計算，國防費支出的百分比數字，就顯得與中共所宣傳的不符了。又在「經濟建設」款「工業支出」一目內，用於電力，煤炭，原油，冶金，化學，機械製造等重工業的撥款爲五十六億九千八百零七萬元，佔工業支出總數的百分之八十九點二零。至於交通運輸業支出二十一億四千餘萬元，姑置勿計。這筆重工業的撥款，不能說不是屬於國防費的，把這兩筆與國防費合併起來，則其所佔年度預算實際的百分比，實爲百分之七十，這一情況眞是够明白的了！

中共的和平假面具

試問今日全球各國中，國防費實際佔預算總數百分之七十的，還有那一國可和中共相比的？更有那一國是如此荒謬的？不僅如此，這百分之七十的國防費——合美金四十七億餘——又是從那裏來的？是從東緊人民的腰帶，把人民放在飢餓綫上，用高壓手段，細大不遺，盡情搜刮而來的一個結果。中共的陰狠殘暴，窮兵黷武，於此又得一個事實的說明。

其實中共如此窮兵黷武，又那裏眞是爲國防呢？李先念的預算報告說，『爲着保衛我們祖國的獨立，保衛我國主權和領土的完整，保衛國家的建設，必須繼續增强國防力量』，這不過托詞而已，無論怎樣是掩飾不了他們侵略的用心的，眞正爲防衛是用不着這樣多的兵，更用不着這樣龐大的軍事預算的。侵略誰？印度，緬甸，泰國，越南，朝鮮，日本，都是中共的目標。尼赫魯、宇牛之流，大談其和平共處，根本不了解中共這一豺狼性格，等到豺狼壯大而飢餓時，其目中所見的尼赫魯、宇牛，馬上就會變成羔羊。豺狼之前，如果羔羊尚有生存的餘地，那才是怪事！中共一面高唱和平共存，一面積極作侵略性的軍事準備。自由世界應憬然覺悟矣！（完）

本週展望

旭軍

四巨頭會議開場了

日內瓦四國會議，與其說是求結束東西冷戰的會議，毋寧說是西方三國給蘇聯一個離間分裂西方陣營的機會。

艾森豪威爾總統的演說詞，提出八項步驟，作爲結束冷戰的途徑。語調鏗鏘，好像已採取積極的攻勢策略。但扼言之，並無新鮮內容，雖則義正辭嚴，但問題在蘇聯不同意則又將如何？凡有辦法足以挫敗蘇聯的計策，亦不必需要此會議來向蘇聯施以壓力。即以德國統一與世界各大國的裁軍兩大主題而言，西德建軍與列入西方陣營的優勢，係從西方歷年來的强硬態度及阿丹諾的英明果斷而獲得之結果。蘇聯此次在日內瓦會議必懷然知道要德國完全中立，是不可能，反而藉此次機會求兩方列强在維持東歐現狀下，予以切實安全的保證，維持侵略成果。何況此次會議只能作原則性的商洽，在實施計劃上，蘇聯大有別扭的餘地。至於裁軍問題，更無從入手。軍備暗中競爭，是兩方無可干涉之事。所謂預防原子武器突然襲擊，必然是爾詐我虞而已。

英首艾登的演說重點在締結安全公約，在歐洲設立非軍事地區，正符蘇聯「和平共存」的緩兵計，及鞏固鐵幕保障侵略成果。法國傅孛總理之强調：德國統一後，德國軍隊不應超過作爲西歐聯盟一份子的西德應有之武裝力量。向蘇聯保證其決不以武力爭取德國的軍行統一，或現有疆界的變更，亦不過係請蘇聯以抑西德而已。

綜觀四國會議的第一個回合，祇有艾森豪威爾總統的一項要求俄國統治者揭開鐵幕，是一下相當有威勢的硬拳，但蘇聯用柔術對付。布爾加甯用「共產主義問題不適合巨頭討論」這一手巧避開了。揭鐵幕絕不能在會議中向蘇聯商談得成的。是要實行解放政策才可以實現的。西方三國參加會議的目的，無非探求蘇聯是否有結束冷戰之誠意。但蘇聯却存心藉此以離間西方，挾其[illegible]無結果而散，已屬萬幸。否則當入蘇聯之圈套。我們對四國會議的唯一的期望是『無結果是最好的結果！』就是這個道理。

蘇聯遠東會議的目的

有形的軍備，在共產黨的戰略中，自然有其地位。但直到目前爲止，軍備武力決不是共產黨陰謀的矛尖。共產黨是有了一套滲透，破壞，傾覆，以至蠶食，分割的陰謀。他們在計算以實力攤牌無獲得勝利的賭博之時，必然鼓吹和平，以免其全盤陰謀破產。開會和蘇聯談判和平，實正符合蘇聯的願望。蘇聯現正進行一種强大兇猛的全世界規模的攻勢。除了大規模的射擊戰以外，她已用盡一切的戰術，去阻止自由世界的政治及經濟之鞏固，讓她去擴張鐵幕。對此次會議主題德國統一與裁減軍備，蘇聯將以柔術敷衍。此兩問題非她的致力點。她的戰略目標，正在離間西方三國。現在已打出兩張好牌，其一是唱出開世界「經濟會議」高調。以數十億美元的貿易計劃作狗爭的骨頭。其二，是布爾加甯提出要求解決台灣問題，和准中共加入聯合國。

尤其是後者是最厲害的一張牌。所謂「台灣問題」始終是美國與英法外交政策的分歧點，而且是極難以和協的。老實說：蘇聯之參加四國會議的主要目的，不是在四國會議的本身，而在拖出的一條尾巴——「遠東問題會議」。她已打算以四國會議中的讓步，作謀在遠東會議所爭取成果的代價，這是我們應加以警惕的。

困擾台省政界的—

茶林互養案之由來

農林開放民營後的新糾紛 該案結果尚有待事實證明

西門豹

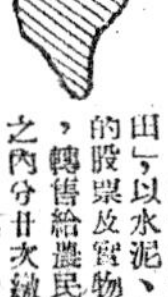

【台北通訊】台灣省實施「耕者有其田」，以水泥、紙業、農林及工礦四大公司的股票及實物土地債券來收購地主的土地，轉售給農民。承領土地的農民可在十年之內分廿次繳付地價，但政府須一次把地價（股票及實物券）付給地主，所以擁有公司股票的地主，先後於今年上半年分別做了四大公司的主人翁，此即「公營事業開放民營」。開放民營以後的農林公司，董事長兼總經理爲現台省臨時省議會副議長林頂立。林爲台省雲林縣人氏，亦爲聯合報的發行人。筆者現在要報導的「茶林互養」案，其由來即在農林公司開放民營這件事。

省議會兩度劇辯

六月廿八日下午三時，台灣省臨時省議會舉行第二次會議，到議員五十八人（全數五十七名），按照議程，爲聽取財政報告。適議長黃朝琴請假，林頂立以副議長資格主持，財政報告既畢，議員林仁和等三十九人提出一項臨時動議，其內容是：爲貫徹實施耕者有其田政策，確切指導民營工廠，並發展台灣茶業，要求保持茶葉公司（農林公司內一單位）之「茶林互養」制度。主張在政府輔導四大公司民營期間，仍准農林公司的茶業分公司經營原屬林木林地，所有培植與砍伐，悉照政府命令辦理。此一提案，當天足足討論了九十分鐘，沒有結論。到第二天（六月廿九）上午舉行第二屆第三次大會，由議長黃朝琴主持，繼續討論「茶林互養」案。在開始討論之前，農林廳長金陽鎬曾經還說明，據金氏稱：前茶葉公司之林地，原屬國有林野，於日據時代撥歸三井會社使用。光復後，該項林地即由長官公署農林處接收，組織茶葉公司，爲省營事業之一，所有林地林木，亦歸該公司經營而成公有林。四十二年一月，省府以農林公司將轉售民營，各茶場林地林木因與國土保安及電源水源等有關，乃令飭保留編爲國有營林用地，由林業機關接管，並經經濟部同意函知「出售公營事業估價委員會」，旋經該會第十一次常會決議，對於上項森林及附帶有關土地，概不予估價。迄四十四年四月，農林公司實行移轉民營，省府即再令財政廳派專員監交，飭農林公司前總經理陳繹暨農林廳分別照案移接。

茶公司管有的林地

原來茶葉分公司管有土地總面積爲三六、九〇二點七三公頃，除劃交台北等縣放租一、二七二點三〇公頃外，現有茶園面積四、三三三公頃，建築地七〇點六五公頃（擁有房屋六八六棟），池塘一〇點二四公頃，道路六點二五公頃，尚有五年生產計劃準備用地一、八四四公頃。現在該公司再請求保留經營之林地，計爲文山、海山、大寮、大溪、三義、魚池等六處，現歸納爲文山、魚池、三義等三個地區，計文山地區二九、八七五點七公頃，魚池方面一九〇點五一公頃，三義方面，九三三點二九公頃，合計爲三〇、九九九點五公頃，估計總價爲一六〇、〇〇五、八九五點二三元。

主管廳左右爲難

金陽鎬作上述報告後，他自己認爲政府收回與不收回，均有困難之處，據謂：該公司出售民營估價時，並未將前述林地估價列入民股之內，政府若不收回，仍交該公司經營，似與政策有抵觸。但另一方面，他又認爲倘茶葉出路及價格有問題時，該公司之經營確有困難。（意即有林業爲其副業，則可無困難）。

作爲主管廳的農林廳首長，當日既如此表示左右爲難，隨後各議員再來九十分鐘的激辯，仍未能作決定，最後交付表決，決議交付議會的農林及財政兩小組審議後，再提大會討論。

專家反對互養之說

到了七月九日，（該案尚在省議會審查中）台北中央日報，刊載農林專家康瀚氏的談話，猛烈抨擊「茶林互養」之說。指爲少數經濟野心家爲自私自利打算盤。康瀚的談話，最引人注意之點，爲關於林地估價一項，與農林廳長金陽鎬估價一億六千萬元，相差幾達二十倍。

到了本月十三日，主管全國農林事業的經濟部農林司長馬聯芳亦發表談話，確認所謂「茶林互養」乃損害國家利益與破壞國家基本政策。

主張互養的理由

此外台北聯合報對「茶林互養」案，截至今日止，亦有過兩次重要的反應，第一次刊於本月十日，係林頂立以對記者談話口氣，針對中央日報刊載康瀚談話提出辯駁，他認爲台茶公司請求經營造林地，是有其充分理由的，他對康瀚意見表示懷疑。他說：「該項林地，除原始林外，均爲該公司所培植者，舉凡造路、養護、培育，無一不下過一番心血與本錢。且林地與茶園錯綜混雜，劃分既感困難，兼顧則可節省經費，故四十一年度省府命令由林產局接管後，迄本年度開放民營爲止，尙未移交。」第二次，爲該報本月十二日的社論，題爲「平議『茶』『林』分合問題」。該文結論力言：假如政府要收回林場的話，那麼政府要補償茶葉公司的損失，並謂補償亦不能過少。如果政府允許茶林互養的話，該公司願將百分之八十以上的原始林及樟腦林交政府收回，內佔百分之十幾的茶林交錯，不易分割的人造林，可援照放領公地或林地的先例，由茶葉公司向林產局承租，如此主權仍屬政府，國家利益不至輕易損失，至於租價，可照先例辦理。有關林產的處分，政府可以嚴格限制茶葉公司，以遵守林產局的監督計劃，絕不任意砍伐。

嚴家淦的口頭聲明

在聯合報這篇社論刊出之前，外間已有傳說，謂省主席已經批准茶葉公司保留林地。本月十一日的下午，台北各新聞機構的省政記者，大隊包圍嚴家淦主席，問他外間傳說是否確實？嚴氏當即口頭聲明：「本案尚在農林廳研究中，本府未作任何決定；將來有所決定時，也須先提省議會討論通過。」論及該項林場的價格，嚴氏說：究竟値一億多或三十億，他未曾加以研究，不敢斷言。據記者觀察，嚴氏亦顯然爲着此一問題感覺困擾。這種困擾是多方面的，例如國家政策與省政府的處境，就國家政策言，將國有林地仍交民營公司經營，乃屬不當；但收回林地是否會遏阻民營企業（尤其是實施耕者有其田案造就的民營企業）的發展，一時實在難于弄得清白。就省府處境言，省議會是抓緊了省府口袋的，如今四十四年度的省府預算，尚在省議會審核之中，萬一這件事處理得不慎，很可能會引起更多的煩惱。

林管局八職員被逐

正當有關方面爲「茶林互養」問題感到困擾之際，林頂立以農林公司董事長兼總經理又兼茶葉分公司經理的地位在本月十一日採取行動。他於十一日下午四時下令茶葉分公司警衛把現任省府林產管理局職員（前任公營時期茶葉分公司林務課職員）傅朝湘等八人自該公司辦公廳驅逐出來。傅朝湘是現任省府林產局技正，於十一日被逐之前，與其他七人據理抗爭，反對林頂立的舉動，結果寡不敵衆，終於五時被迫離開，且在離去時，全身曾遭檢查，不准他們帶走片紙隻字。

（下轉第三版）

政變前後的阿根廷

外電的報導多不可靠 人民生活好並未反美

蕭立坤

本年六月中旬，阿根廷發生政變，起於政教相爭，但不久即告平息。此事報章紀載已多，評論意見不一。寄居阿國的蕭立坤先生，因讀本刊文字，認爲外電所傳諸多失實，撰寄本文。足資參證，謹爲刊布如左。——編者——

【本報阿根廷特約航訊】頃讀本刊六月十八日四四八期曾旭軍先生半週展望：阿根廷起了革命之火，及胡養之先生「貝隆爲什麼排斥天主教？」二文，使我這居住在阿根廷的人，充分感覺到居住在遠東的人對阿國情況的模糊。

不要盡信外國電訊

曾胡二文大抵是根據美聯、合衆、路透等社資料，當無疑問，惟英美記者的報導難免不因政治感情，而有偏頗。

二君所指的大問題，因篇幅所限，我不擬與之討論。茲僅將幾個小問題，順筆照實寫出來，以免遠東讀者，被英美記者欺騙到底：

（一）曾文有阿國內亂似有方興未艾之勢，事實上，阿國人民及陸軍，已用事實答復了這一猜想，六月十六日的叛亂，只經三小時即平息了，全國各地一直平靜無事。

（二）曾文又說：我們固然不想樹敵，但作爲一個自由人的立場……這樣的敵，很難化爲我們的友！我想奉勸旭軍先生，先到美國及阿國各居住半年，然後再批判那裏享受的自由較多？

貝隆不會和共黨合作

（三）至於胡文有一段說，貝隆會不會和共黨合作？我以爲現在也有事實的答復；我們知道，只有邱吉爾羅斯福曾經與史太林合作過，貝隆尚未幹過這種羞恥的事。

（四）胡文又說，貝隆公開反美，實際上只有美國公開反過貝隆，一九四六年美國國務院著名的白皮書「阿根廷現況」可資參考。貝隆尚未公開反過美國，她正鼓勵美資來阿發展工業。遠東有限度攻勢名將李奇威，即將來阿就任價值三千萬美金的大汽車廠的董事長。

（五）胡文第四段說，阿國外滙似乎已經完了，這倒近乎事實，事實是這樣的，貝隆太重信義了，戰後以現款購買英資獨佔的鐵路，美資獨佔的電話電力網，所以把外滙用光了，這事至今阿人民都不滿意。

（六）胡文又有一段說，現在每星期兩天不准吃肉，這也是有原因的，現在全國肉店每星期確有一天不賣鮮牛肉，但牛肝，牛肚，豬肉，羊肉，魚，鷄，鴨，各種醃肉，都照常出售，買肉數量毫無限制，各人在家吃任何東西，都不受限制，鮮牛肉每磅港幣四毛，豬肉每磅七毛，豬肝三毛，豬腰無人吃，普通工人每小時工資港幣一元，究竟誰吃肉，誰不吃肉，讀者自己算一算，即知道了。

（七）胡文說，白麵包早已絕跡，我要告訴讀者，一九五二年十二月一日起，全國都吃白麵包，每磅港幣一毛五仙。反之，如要買一個黑麵包，倒是難事，只有高貴的大麵包店才出賣黑麵包，價錢比白的貴一倍！

（八）胡文再說，售賣食品的商店門口顯著經常擺列長蛇陣……我不妨說句笑話，只有瑪麗蓮夢露的電影放映時，人民才擺長龍買票。食品店門前的長蛇陣，我尚未見過呢。

小舅子早已槍斃了

（九）胡文還有……跟現在的鐵幕國家差不多的話。當然，美參議員麥卡錫，曾說杜魯門是共產黨，難道也可信的嗎？

（十）胡文第五段說：小舅子經常大開宴會，但小舅子已於一九五三年初，因貪污案被槍斃了，天下有無第二個槍斃舅子的總統？

（十一）胡文的結論說，如果美國不劍及履及，拿出一個良好的對策，仍然姑息養奸的話，這個心腹之患，恐怕會使美國後悔的。我不知道，胡先生是否建議美國，即日出動三軍，大投原子彈，把貝隆解決了？還是想從文字宣傳，把貝隆駁倒？

我奉勸胡先生，如果你想赴美國觀光，美移民局如因你是有色人種而不肯簽證時，不妨改道駕臨阿根廷一遊。這裏人人自由平等快樂，人人愛說笑話，說過即算了！

（七月三日）

我做了六年共幹（一）

父親姊丈無辜受害愛人被辱 翻然覺悟脫離匪窟恢復自由

葉光裕

葉光裕近照

（一）

我是雲南昆明人，現年廿五歲。中共竊據大陸之前，我還是雲南大學醫學院的三年級學生。中共到了昆明，強迫我們提前畢業。當時我因受共黨的煽惑脅迫，離開了學校便參加了他們的地方組織，做了他們的貓腳爪。經過了幾年教訓，我漸漸覺悟，認清了共黨的眞面目。我不願再供奴役，做他們的劊子手，以殘害自己的同胞。六年來，大陸的慘狀，使我不能再加忍受，我親愛的父親和姊夫給共黨無辜陷死，愛人黃翠薇女士給共黨姦污，更加強我脫離匪窟，追求自由的決心。

（二）

本年五月間，我幸而脫離鐵幕，逃到緬甸，但到了那裏，又給抓進了牢獄，中共的駐緬大使曾對我百般脅迫勸誘，我始終不動，才於五月十四日從緬甸乘飛機經曼谷，即夜到了香港。翌日（十五）中午，便到了台北的松山機場。我回到了自由祖國的懷抱，受到無限溫暖和同情的撫慰，使我感奮落淚，回憶前事，彷彿一場噩夢。

（三）

六年來，我在匪區內，做過「地方人民政府」的各級幹部；做過「下關市鼠疫防治工作團細菌室」的主任，副隊長，和醫師。又做過「彌渡縣第三區大營鄉土改工作隊」小組長、鼠疫研究組組長。此外還兼任過地方幹部，辦理過「婚姻法」的登記工作，做過「農村生產」和「互助組」的領導工作，又指導過「人民普選」。因此，我對於中共的殘忍暴行，陰謀詭計，目擊耳聞，或親身經歷，知到的特別清楚，也特別多。

（四）

到了台北，許多人要我把匪區的實際情形報告出來，我也曾在若干集會的場合上，拉拉雜雜的說了不少，不過中共的殘忍暴行，陰謀詭計，實在是擢髮難數的。我親身經歷的事情，例如雲南大學三百五十名女生的被姦殺，愛人黃翠薇女士的被污辱，父親和姊丈的無辜被害，這些傷天害理的人間悲劇，已經不是三言兩語所能陳述得盡的了。

此外，關於抗美援朝，思想改造，三反，五反，土改，婚姻法，清算，鬥爭，公審，鼠疫注射，婦女性病，非人酷刑，這一切中共幾年來在大陸上做出來慘絕人寰的罪行，眞是一部廿四史不知從何說起！現在我爲了良心驅使，爲了盡我國民天職，我不得不竭我所能，將海內外同胞及世界正義人士，作較有系統的報導：使讀者知道，中共統治下的大陸，到底是個甚麼世界？（七月一日）

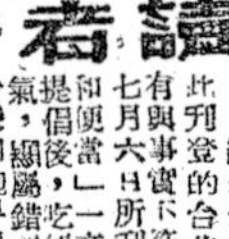

關於嚴家淦 西門豹先生來函

編者先生：貴報前此刊登的台北通訊，間有與事實不符之處，如七月六日所刊「嚴家淦和便當」一文，謂經嚴提倡後，吃便當始成風氣，謬屬錯誤，蓋吃便當起于日據時代，台灣同胞早已習慣如此。嚴氏爲嚮節約，才向他們學習而已。又謂俞鴻鈞任台主席時，嚴家淦應邀任財政廳長一節，也非事實，因俞鴻鈞在台主席任內，財政廳長乃徐柏園，嚴氏是陳辭修內閣的財長，，卸任後繼俞爲省主席者也。西門豹，七月十三日

記台灣文獻展覽會

萬香堂

（台灣通訊）台灣文獻展覽會，是國立圖書館，省文獻會，省圖書館，省博物館等機關主辦的。其目的在紀念台灣愛國史學家連雅堂逝世二十周年，展出一連許多天，今天才閉幕。

國際造謠者可以休矣

聽說將運到別處展覽，我覺得這次展出意義極爲重大，不僅內容豐富，爲史學重大價值的資料，而且亦富有政治價值的。因爲現在聯合國尚有人在製造托管，尚有人在杜撰「FORMOSAN」，想把台灣造成獨立國，但是，這次的文獻展覽完全證明了，台灣人全是中國人，台灣文化全是中國文化，還有什麼再可以造謠的呢！誠如某報評論所說「從此次文物展覽中，可以大體看出台灣一千年來文化演進的輪廓，從這輪廓中我們更可確認台灣與中國不僅是血緣與地緣上合爲一體，在文化上也是始終爲一體。」洵確是的論。

展出地點在博物館二樓，佔三個室，資料搜集頗爲豐富，凡外國重要史籍載有台灣資料者亦在陳列之內，其他使我們最感有價值的，即是台灣人的古代生活圖，這證明台灣人的祖先就是中國的祖先了。其他資料，以前我們是在報章看到，現在我們看到原物了：

愛國史家連雅堂

入場右邊，首先介紹連雅堂，在相片看，連的身體是很瘦弱，個子微高，旁邊掛着卅九年三月二十五日的總統褒揚令「台灣故儒連橫操行堅貞，器識沈遠，清廷甲午一役棄台之後，眷懷故國，周遊京邑，發憤著述，以畢生精力，勒成台灣通史，文直事核，無愧三長……」該令乃由書家寫成一中堂，蓋上大印，顯爲偉觀，在一個空隙掛着連寫的一首詩「赫赫天聲震此間，霸圖當日關台灣，黑洋巨浸驅風雨，赤崁孤城擁海山，破敵曾聞龍礮出，潛師不見虎旗還，萬方多難吾何往，獨對甯南淚暗潸。」書法娟秀可，而且愛國傷心，正如我們今日之對大陸呢。

有關鄭成功的史料

左邊介紹鄭成功資料，有成功相片二件，並附有小傳及說明，又有家族世系表，乃明清遺物，成功之墨寶有二件，一乃小條幅，內寫了幾句關於太極動靜的句子，可知成功是喜歡研究理學的，另一幅是大中堂，上書「禮樂衣冠第，文章孔孟家，南山開壽域，東海釀壽觴。」龍飛鳳舞，相當大觀，乃用巾條揮毫，蒼勁蒼秀，自然乃得力於十七帖，從其廻鋒看，且曾涉獵章草。

陳列書本，最值得注意者乃延平二王遺集手抄本，其中有一首遊劍門詩云：「西山何其峻，巉巖號穹蒼，巒迴澗易陟，竹徑微涼，烟樹綠野秀，春風竹路香，古木倚高峯，流泉挂壁長，仰看仙岑碧，俯視菜花黃，濤聲怡我情，松風吹我裳……」（原書置於玻櫃內，其他的句子看不到了，奈何！）由此看，鄭成功事業之成就實不偶然，詩書僅爲其文化修養一部之表現而已。

陳華施琅與鄭成功

在這部資料中，有兩個人像使我最有感想，一個是鄭成功的軍師陳華，一個是鄭成功的大將施琅，我在此二人遺像立觀很久，感想很多，當鄭成功遠征勝利時，如陳華決計攻城，即鄭至少可以雄據東南半壁，和清室爭天下，而陳却主和，而致上了清兵的當，一敗塗地；至於施琅呢，問題更大了。施琅乃海軍人才，曾立很大的戰功，而其恃才甚驕，執法很嚴，其部屬曾德犯法當死，而曾賄賂成功左右（陳華不能辭其責）希圖免刑，成功不察，即令施琅勿殺曾，而施已殺之，持令者乃曾之摯友，乃從中播弄是非，成功怒而逮捕施琅及其父弟等，後施琅脫逃投清任水師提督，率軍攻入台灣，成功二世開府的局面、是結束了，成功如果當時沒有這一段的失察，即台灣尚大可有爲的，讀史教訓，不可不重視也！

唐景崧劉銘傳丘逢甲

第二三室多乃清代資料，其中最令我有興趣的是唐景崧時代的東西，倭入寇時，唐出佈告招兵抵抗的告示（原件約二尺五見方），上書一寸大字云「爲出示曉諭事，照得倭人犯台，凡台民帶槍投効者即給口糧四兩二錢，充爲勇丁，另給槍價，或團練局報告均可，能帶數十人來者，即爲隊長，帶數百人來者即爲營官……」另一件即爲當時的台灣民主國旗，大約一丈見方，黃色虎在當中，上繪紅色火花，下繪藍色朵雲，其意義如何，雖似費解，然亦有象徵的意義呢！唐景崧的書法亦頗佳，有一中堂上書八字「種德若樹，養心若魚」頗有意義。關於劉銘傳資料不多，有一便裝像頗爲神氣，書法僅對聯一：上書「聖代即今多雨露，暫辭此去有光輝」字體平庸，沈葆楨夫婦像（國畫線法繪）頗有生氣。丘逢甲中堂書法頗佳，上寫一詩云「變現諸天善女身，花鬘纓絡不生塵，大千徧灑楊枝水，來鑿龍荒百萬人。」現在國民政府任職之丘念台氏，即逢甲子也！

美術作品太平常

台灣所刊印詩集頗多，而獨美術方面極爲貧弱，所陳列僅徐澍作「台灣山胞習俗圖」四件，林覺作人物花鳥三件（林乃嘉慶年間人，字鈴子，曾作壁畫），失名作「鄭用鑑圖」一件，吳鴻作「百蝶圖」手卷，皆平平無奇，而以林覺較佳，頗似曾受八大影響者，但畫鴨圖紙本甚舊，而款字甚新且墨浮於紙面，此件或乃贋品也！

不及捧明星熱鬧

此次展出，在搜集資料上是成功的，因爲四機關團體所有的精品都拿出來了，但可惜沒有專長陳列館學的人來整理、分析、裝璜陳列，以至會場出品似一盤散沙，而且缺乏科學的排列式，使時間空間獲得一個鮮明的表示，在宣傳方面亦可說貧弱得可憐，各報不僅沒有特寫稿，而且新聞報導消息也很少，比之捧明星遜色多了，評論也只有中央日報一篇，短視哉！（七月七夜零時燈下）

香港某布廠的工人生活記

梅珍

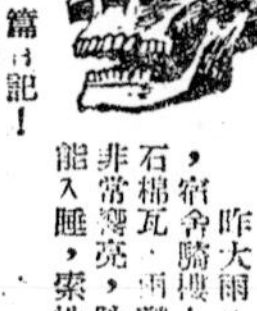

五月×日

昨大雨不已，晉宿舍騎樓上面是石棉瓦，雨聲打得非常響亮，吵人不能入睡，索性起來，開燈寫篇日記！

我們的工廠，是採兩班制，兩班工人日夜輪替，機器便日夜不停，生產不已。賺錢當然更多，老板的荷包也更大。

廠內有些小工，所謂小工，乃是每天勞力最多，拿報酬最少，而工作又最無保障的人。諸如掃地，搬工具，扛貨品，都是小工的工作，自早至晚，從沒休息。但他們却有隨時被解僱之可能。

五月××日

連日豪雨，廠房到處滲漏，只好扯布棚起來，但地面一片汪洋。不知那位工友，在牆壁上貼張紙條寫道：「××泳場，池水清潔！」十分詠景。每次大雨情形都差不多是這樣。奇怪的，是平日車間裏，上自老闆廠長直到領班先生都是隨時光臨的，現在他們却縮齊頭，躲在寫字間不出來了！

六月×日

一位老朋友×君，他是一個技工，原在×倫紗廠工作，三年前受赤色工友煽動，返回大陸，臨行對我說以後一定和我通訊。迄今隻字未見寄來。聽說他曾被鬥爭幾次，或云被禁閉，又有人說已經作古，莫衷一是。

這位老友本來是竭力反對老共的，們口才好，每與左派仁兄辯論，譏笑他經。後來，爲甚麼竟到大陸去呢？事情他過是這樣的，他有一次患盲腸炎，住院二十幾天，工資雖照給，可是廠方沒有給他醫藥補助費，因此他惱了，赤色工友便乘機誘惑他，會圖小利，上了共黨的當，不知他是否後悔？

六月×日

我們做這一份工，收入微薄，又有家庭負担，整天整年勞動，實在夠辛苦。然而却也有快樂的時候，像廠裏緊張工作，嘈嘈的機器聲震耳欲聾，但人們站在機器旁邊，仍然談笑風生，隔得遠的，只要嘴巴張張，面孔笑笑，眼睛霎霎，都可以表達各人的心情。再說，到了放工，沖過涼，疲倦沒有了，精神一爽，幾個人湊攏來，買包花生米，來一瓶四兩半斤，或是一壺清茶，談天論地，無拘無束，也是人生一大快事。

六月×日

工友們除將應得工資維持家庭生活外，有時候，因爲忽生變故免不了要停上三五天的工，也就影響了收入，預算失去平衡，常常有難以爲繼的苦痛。因此我們工友間流行做會，集合十人，每人二十元，總數即爲二百元，以得次領發工資日爲一期，共分十期，五個月便完結，這樣對儲錢濟急的人就有週轉機會。

昨日，一位工友發起，五元一會，不寫標紙（免除利息）以五天爲一期，入會人還摸紙球決先後，頓時就有二十人參加，不但有趣，比諸前一種方式更具互助的精神。

協助青年升學　港大籌辦預科

「本年度中學畢業學生，參加會考人數，比去年高出且一倍，這說明了香港教育水準已比前提高。雖然會考的成績尚未揭曉，可以相信不致低過去年。不過這批學生對於出路問題，升學抑就業，大多數似乎都在彷徨。升學自然是最好的辦法，本港各專上學校，本年度舉辦聯合招生，如果要選擇去自由祖國基地的台灣升學，也可以向各專上僑校報名應試，倘能錄取，則返祖國升學可望優先免試的。就業機會，在目前這一階段，則似乎非常困難，去年向輔政司署登記的備用人員，至今獲得有關機構錄用的，所佔比數，委實太少了。

記得去年暑期到來時，倫敦「泰晤士報」曾發表了一篇社論，呼籲香港大學搶救青年學生，力阻他們被共黨誘赴大陸。這不僅是打擊共產主義，爭取青年的企圖；而且更有效地挽回青年們趨向沒落。該報還要求港大擴充學額，放寬錄取尺度。這幾年來，港大錄取新生名額，事實上並未增加，去年的比例低得更爲顯著，是主考過嚴，還是學生成績確是大不如前，則頗難推測。不過，「泰晤士報」的呼籲，以及其他同樣呼籲，不僅教育當局已加重視，就是港大本身，各位專家教授也曾展開檢討。

爲了吸收充分學生，港大現已決定了一項辦法：開辦一班預科。凡是高中會考成績優異的學生，可由各中學校長負責介紹。在一年預科期間，清寒學生還可以獲得生活補助金每月一至二百元。這是一個中學畢業生有志升學港大者的喜訊。但是他們覺得升學港大雖有坦途可循，結束預科之後，要籌措每年將近五千元學費，却又大感困惑。目前在香港能夠負擔這筆鉅大學費的，又有幾人？一般受薪階級，根本沒有使其子女升學港大可能。因此，學生家長，都希望有熱心教育人士，增加港大的獎、助學金數量與名額的增加。不然，港大儘管設了預科，到了正式升入大學之時，又有許多學生難免失學了。

×　×

困擾台省政界的——

茶林互囊案之由來

·西門豹·

（上接第二版）原×傳等至今仍在茶葉分公司辦公，是因爲他們原先都是該公司的職員，自農林公司開放民營以後，前任總經理陳××，奉台灣省府之命，將茶葉分公司各茶場林地林木，移交林產管理局接管，而這八位職員也接受林產局的派令，負責辦理交接事宜，因爲這些林產及其有關卷宗均係國家財產，在交接工作未辦理完竣以前，他們不能離開公司，以便管理屬於國家和政府的財產。

這八位職員於二日上午及下午三度試回公司辦公，依舊受了門警的阻止，後他們便向林產局長報告，林產局現已層報上峯，請求處理。

據林頂立說：該公司已開放民營，公司裏會把聘書及薪水送給傅翊湘等，均遭退回，因此認爲他們既不是該公司職員，應禁止進入該公司辦公。另據報載：林頂立驅逐該八位職員的原因，是因爲公司方面正擬保留林地經營業務，該八人既主管林場，其行爲應儘量有利於公司，並聽從公司的話。殊不知他們並不聽從公司的指揮，又將林場資料透露於外，於是不得不將其驅逐。

台北縣長的一封信

今（十三）日此間報紙又發表了林頂立與台北縣長來往的函件，也可作研究該案發展中參考資料。先是林頂立於本年五月卅日致函台北縣長戴德發，通知他對於茶葉分公司林場所存林木，如無該公司正式公文同意，不得准許任何人搬運。結果，戴德發回函，率直拒絕，函中說：林產局早有公函致台北縣，說明該局早已奉令接管茶葉公司經營的林場。按照行政系統，林產局爲全省最高林政機關，有權管理，他對林董事長的請求，礙難照辦。

這件案子，如今大致如此。政治是多變的，將來政府是不是堅持收回茶葉公司的林場，而公司方面是否有更好的理由，一定要經營原有林地，尚在未定之天，且聽下回分解好了。（七月十三日寄）。

經濟社會思想叢殘

金伯華

錢的需要

或以爲需要饜足律似有例外，那就是「錢的需要」與「奢侈的需要」。其實這所謂例外是表面的，實際上這定律對於錢與奢侈也都同樣適用。

是的。錢不好吃，不好穿，而只是一種交換的媒介。錢多了，並可儲蓄的儲蓄起來或大宗的捐贈給別人。它的要那會饜足？殊不知正需錢的需要」，是一種省文的說法。需要什麼？需要「用」。不用，就根本不成其爲錢。用在那裏？在生活所需的事物上。那末一切事物就逃不出饜足律的支配了。儲蓄吧？是留在後日用。捐贈吧？是送給別人用。這是作爲一個現代經濟有約人生觀。除非像猶太人把金錢窖藏起來，寧餓死而不用。那，這樣的錢，已不是工具而它本身就是目的。這根本就已失去了「需要」的意義，或者不致受饜足律的適用？

唯因爲它是交換的媒介，所以它具有「購買力」乃至「命令權」。透過現代經濟結構的「分工」「合作」及錢幣的滙兌，任何世界那一角落的山珍海味或奇葩異卉，有了錢都不難咄嗟可致。濫了它，人們可以換取一切心愛的東西乃至整個美女的身體——至於心，那却是另一回事！巴黎大學教授阿夕打里雄（A. AFTALION）在他的「錢．價格及交換」一書裏說得好：「沒有財貨欲，即將不會有金錢欲」（一九四九年版二四三頁。）所以通常所說「

「奢侈呢？」

奢侈也同樣受饜足律的支配。通常語意中這「奢侈」二字，涵義是極不精確的。主觀的講，每一個人，對於他所尋求滿足的需要，都認爲一律是非常「必要」的。一個摩登太太對於她的纖纖玉手上那燦爛奪目的鑽戒或鐲鐲，會輕易認爲是非必要」的嗎？反之，每一個人對於別人所服用的若干事物，却很隨便的會認爲這是虛榮或奢侈。關於「奢侈」二字涵義的游移不定，因爲這是互相從客觀的立場觀察。須知所謂「奢侈」也者，在所需的各人本身，也都認爲是固然的。（未完）

民主自由的風度

馬五先生

我前次談「有感於黃伊之言」，認爲他所說寧願希特勒再來統治，也不願贊成共產主義的話，是百分之百的眞情流露。因而由皇帝，總統主席這些政治制度的名詞，談到政府權力問題，覺得一般的政治人物，皆同樣地具有極權思想。爲着完成反共救國大業計，我不反對政府權力加大，唯行使這項權力的觀念必須弄明確，言行必須要一致。換言之：即不宜口稱民主憲政，而行尚極權獨裁，以致使反共思想混亂迷離，莫衷一是。美國總統的權力大過英國皇帝，而他行使這項權力的觀念，是以民意爲基礎的。他遇事可以製造輿論，影響民意，先致人民在思想上跟他共鳴，情願授以大權，却非口含天憲，朕即國家的一意孤行。同樣是反共政權，且其權力之擴大，本質上也沒有甚末差別，但因觀念不同，方法有異，希特勒與羅斯福的政治價值就不能相提倂論了。我前次「自由談」的用意，即着眼於這一點，原文俱在，一目了然。老實說，內心上就是感覺我們現在對反共方法的觀念尚未弄明確，才作此語的。但共說法是如本刊七期所載胡靜娛先生大作「說話之難」所倡導的「說襟」技術而已。

詎料有人從台灣寫匿名信到本社，對我作斷章取義的指摘攻訐，表示其「民主英雄」氣派，這未免迹近無聊。在思想理論上問難質疑，原是好事，我決不以爲自己所說的就對，誰能公開或私下糾正錯誤，將感拜之不遑，這是自由主義者基礎的風度，幹嗎要作臭蟲式暗中叮人的匿名攻訐的？民主自由人權是要憑着鬥爭取得來呢？顚沛必於是，造次必於是。表面上見着權威即踧踖如也，鞠躬如也，甚至當呼頌祝，逢迎備至，暗地裏又寫匿名信攻訐別人，黃鶴樓上看翻船，這是自由人的態度嗎？這類「民主英雄」原不値一哂，坐在祇盼望愛護本刊的讀者隨時指正我們的誤謬，堂堂正正地發揮民主自由精神，所以提出來談談。

小記台灣史家連雅堂

文鏗

（一）

「台灣通史」的作者連雅堂，別號通橫，台灣台南人。其祖籍爲福建龍溪縣，明亡時東渡，卜居鄭氏古都的承天（即台南），至雅堂已經七代。他們世世相傳，不應科試，也不做滿清的官，且其上代祖宗入殮時，還穿着明朝的服裝，所謂「生降死不降」，眞是「不降其志，不辱其身」的了。

（二）

連雅堂生於光緒三年（一八七七），他對於民族大義的伸張，不遺餘力。當一八九五年馬關條約，台灣割讓日本的時候，雅堂剛十八歲，他便知道把當時民主國的文告，以及志士仁人流血犧牲的史績，繼續保存下來，作爲他來後修史的資料。他常說：「國可滅而不可滅」，因爲台灣所失者僅土地，而長留者是精神。若民族文化不滅，精神不死，則光復河山，决不致徒成虛願。因此，他盡畢生之力寫成「台灣通史」一書，使台灣的民族革命精神，得以長留於天地間。他雖未曾親自看到河山光復，但今天台灣已重入祖國懷抱，美麗之島，永爲中華民國的領土，九泉有知，自當欣慰無已。

（三）

雅堂所著「台灣通史」一書，其用意多半在發揚民族精神，大略言之，內容約分四點：即移民精神，創業精神，革命精神和海國精神；綜括起來，可以稱爲台灣精神。書中述及台灣風俗的地方，也有兩句話：「男不爲奴」，「女不爲婢」，這是當日台灣同胞具有一種獨立自尊的人格，所以今日台灣同胞，即使是下女，也無不以職業的態度從事工作，很少有低一級的觀念存在的。

（四）

總之，雅堂畢生盡瘁於鄉邦文獻，著作等身，且有一個中心思想，即是「愛國保種」四字，熱愛祖國，保衛中華民族，其治學之宗旨不外乎此。

（有關連雅堂事蹟，請參閱本期第二版台北通訊「台灣文獻展覽會」一文。——編者。）

石達開的女秘書

夢山樓

況其貌似吾女，即以父女稱呼而留置中。余有三女盡死，以寶英補其缺憾，而以四姑娘稱之。」並知其精通詞翰，立派爲記室，勸助陶記室，掌管文書。

（三）

寶英生而敏慧，美姿容，四歲父教以唐詩，即琅琅上口，七歲已解吟詠，村中人皆呼爲神童。充記室後，下筆敏捷，抑有謀識，俱中肯綮。因據達開日記載：「四娘姑事，又留爲家莊一天，據擋前聞，令兵士休息半日，余與四娘姑縱談半夜。」

次日，揮軍西指，經過黃梅而達武穴，發布檄文，昭告四方，皆出寶英手筆，頃刻千言，文從字順，達開讀竟稱賞，深爲驚嘆。因彼亦夙以文章自詡，至此，不得不佩服寶英才調爲不可及。

到達武穴後，與英王陳玉成會晤，暢談至夜深，俱關與國大計，寶英秉筆紀錄。玉成本是好色之徒，遇着這樣才貌雙全的女秘書，自然是神魂顚倒，繾綣多情，翩聞爲達開義女，才不好意思企圖，否則，恐怕要強索而去呢！

（四）

寶英分析武穴形勢，及英王持功而驕的情形，認爲久駐不宜，力勸達開另謀出路。果然不錯，離開不久，即發生戰事，太平軍一敗塗地。他們進軍荊門山，旣紮關帝廟，夜觀萬招崖奇景，達開成詩數章，寶英和之，由書記馬德良紀錄。德良貌似達開，寶英凝視良久，含情一笑，達開深以爲怪。

第二天，達開方坐室中擬入川計劃，寶英突然而來，憨笑不已，欲言又止，紅暈於頰。達開曰：「汝但言，余無不從。」曰：「父王以馬生德良爲何如人？」曰：「謹愼人，能寫小楷，而無大志。」曰：「兒願嫁之。」達開曰：「吾軍中不乏文武才士，何委身於此庸碌子耶？」曰：「父王言良是，然兒心已決，固別有所在。」達開知其意不可奪，遂爲一手擬婚事，於五月初一完成嘉禮。達開貽以句云：「自是有情成眷屬，敢云彩鳳去隨鴉。」似有憾意。

（五）

婚後寶英掌記室如故，並力勸達開據荊州以爲基地，達開疑其有嬌寵安，怫然曰：「汝因嫁因此，余獨入川。」寶英聞言色變，黯然欲涕，曰：「兒實慮盡忠父王，並非爲一身計，奈何見疑？」遂相偕入川。並結聯土司，以爲臂助。寶英又諫曰：「兵性反覆，恐不足恃，且蜀道奇險，進退不易，鎮之功，未可倖致。」達開終不納。其時，清兵統帥曾國藩派大將彭玉麟來追，達開知爲勁敵，奮勇迎戰，大敗彭軍，退入南昌，自身亦受微創，寶英親侍湯藥，衣不解帶，目不交睫者數日。

馬德良故鄉上饒，因乘便道，乞假一個月，挈新夫人回里一視親族，達開驟離寶英，若有所失。據他日記所載：「夜宿留仙村，不睹四姑娘來問安，心殊念念，乃知人生聚散，眞不易解脫也。」遂專書召寶英速返。未幾，舉一女，仍負病隨軍從軍行，達開亦知婦嬰從軍，誠非所宜，然而，一日無寶英，不啻斷其一臂也。（二）

謝景伊先生賜詩兼懷往昔重慶諸友並呈汪績熙先生

郭敏行

巴山夜雨暗悲辛，海角栖遲又五春。幾見逢人吐肝胆，儘多袖手聽沉淪。范增去國寧無故？朱亥輕生信有因！底事甘依章句老，聊存野性與天眞！

呈蔡生績熙兩先生兼示衣雲耕宗尊

前人

逢人便作掬心盟，此性依然未稍更。怕倚黃昏舒倦眼，劇憐長夜卜歸程。酒能忘我因常醉，詩不療愁漸少營。一味癡頑何日了？忍爲小小誤生生！

端午凱歌

刁抱石

炎徼逢端午。情深故意長。蒼蒲生劍氣。角黍發奇香。異代忠魂在。同舟競渡忙。詩人欣盛會。指日好還鄉。

語意學漫談

徐道鄰

吳洛坡HUGN WALPOLE對此特別下了一番功夫，據他的探討，我們日常所採用的定義方法，有以下二十五種（SEMANTICS, P. 128 ETC.）

一、直接指示法（這個就是『它』）

小孩問：『什麼是「玫瑰花」？』媽媽走到花園裏摘下一朵遞給他。教外國人說中國話的小姐，一面用手指指着自己的眼睛，鼻子，嘴，一面口裏在講：『眼睛』，『鼻子』，『嘴』。這就是直接指示法。一個小孩子之學說話，最初的基礎，就是這樣的建立起來的。人類語言之發展——不管是哪一個民族的語言——也正是這樣子開始的。同時，凡是可以用直接指示法解釋的語言，也是人類所有的最確鑿的語言，最無從混淆的語言。我們研究語言的功用和研究如何運用語言的人，應當切實的記着這一個事實。就是說，到了語言發生困惑的時候，——人與人間的爭執，一大半是語言的爭執——不要再以語言解釋語言，而要設法用事實來解釋語言，則其困惑將會閃電式的消滅。

二、類似法（『它』和『××』很相像）

在你用語言來描寫一個東西，而對方不了解時，你常常會拿出鉛筆來把你所說的東西畫出來給他看的。或者你會用一件和它類似而爲對方所認識的東西來而再加以描寫。例如你說：蝙蝠是一種外表『像』老鼠似的小動物，不過有個肉翼而已。爾雅：『兕似牛』，『犀似豕』，『狒狒似人，被髮，迅走，食人』（釋獸），以上所說的，全都是用的類似法。

三、字譯法（『它』的名字又叫做『××』）

這是各種定義中比較最廣泛運用的一種。說不同語言的人，說不同方言的人，生活環境不同的人，知識和興趣不同的人，都是在用不同的語言符號來代表同一的事物。字譯者，就是用一個對方所認識的語字來代替他原來所不認識的語字。爾雅：『初、哉、首、基、肇、祖、元、胎、俶、落、權、輿、始也』；集韻：『閩中謂蟲曰「蛇」』；爾雅翼：『江南爲橘，江北爲枳』；學生字典：『掌，手心』。英漢字典：『RIVER，河』。皆屬此例。（四五）

劍底秦庭

歷史小說　奚如

「太子，你——」。荊軻冷靜的內心，忽然受到一陣異樣情感的侵襲，然而，在這偶發的情感裏面，並沒有多少感動的成份，相反地，當太子那一對充滿激昂的雙眼凝視着他時候，荊軻反而覺得太子另有一種不可測的居心，使荊軻他覺不出是憐憫，還是厭惡，一下間無從决斷，因此，反而變得有點訥訥，不知道說些甚麽好。

太子又在苦笑着舉起了閃亮的小銀刀，作勢要再向臂上一刀。

「不，太子，你不要這樣！這樣太使荊軻難過！」荊軻這時候，不得不立即站了起來，按着太子的手，然後再讓他安靜的坐下來。

「荊先生，我的情感有點衝動，驚擾了你！」太子頹然地靠着椅子，低下頭來，忽然長吁了一口氣：「不瞞你說，荊先生，過年以來，爲了國事奔勞，我的確已經感到心力交悴。可是，要問我有了些甚麽收穫，那就太使我慚愧。感諒我的人，還肯給同情一句，說我是公忠爲國；不願諒我的人，乾脆就說我在壟斷大政，攬小圈子，利用恐怖手段把持一切。唉！一直到今日，還有這樣的攻訐，這樣的成見，我——我眞無以自解！」

說到這裏，太子竟然衝動地潤下了眼淚來，寬闊的面上，浮泛着一片淚光。

田光斜靠在枕上，微微閉着眼睛，沒有開口，也沒有表情，但是却顯然在全神傾聽着太子的傾訴。

荊軻在一時間，也不知道應該怎樣處理這樣的場面，可是，在他的心裏，已經慢慢地在開始了解太子的爲人。他知道，眼前面對着的這一位燕國儲君，決不是一個簡單得只求自保於一時的人物，不但有長遠的企圖，而且還抱有絕大的政治野心！對於一個表明傑出鋒芒四射的人物，荊軻有戒心，然而，在戒心之外，他却有興趣和這樣的人物相處在一起！

「荊先生，」太子隨手把袖子向臉上一抹，眞又露出一面機謀果斷的神色：「我想，你總該比較了解吧！從田老先生跟我相談起你的爲人來，我知道你一定能夠了解我！」

「我希望我能夠這樣！」荊軻含着笑一笑。

「那末，是不是我們可以談一點更深刻的問題？」太子又以摯懇的目光凝望着荊軻。

「太子閣下，如果不嫌荊某這個亡命之徒放肆的話，我很想說幾句說話。」

「荊先生，只要你願意指教，不毅萬死不辭！」太子伸出手來，搭住了荊軻寬闊的肩膊。（廿）

印度張飛

李世光

印度的錫克族人，身材雄偉，滿臉于思。英國人統治印度的時候，喜歡把錫克壯丁派到世界各處英國殖民地當警察。上海人叫錫克警察做紅頭阿三，香港人叫他們做摩囉差。

雄糾糾，在馬路上巡查的時候，我總覺得他們和三國演義上燕人張飛的繪像一模一樣；身段是這樣雄大，一臉鬍鬚。我時常叫錫克族人做印度張飛。

× × ×

錫克族人是不許剃鬚的，他們認爲剃鬚子是一宗大逆不道的事情。錫克人都是大鬍子，他們以爲鬍子越濃越美觀，越有丈夫氣概。

錫克族在印度的人數超過六百萬，他們的民族和宗教領袖叫做提拉辛克，是一位一臉白鬚的七十老人。

× × ×

時代變了，許多錫克族的青年醉心歐化，把鬍子剃了。剃鬚的風氣一天比一天風行。提拉辛克恨極了，把族裏剃鬚的青年找來申斥，他說道：

『一個男子漢剃了鬍子然像一個熟了的洋山芋。（粵語，薯仔）。植物當中，洋山芋最難看；煮熟了的洋山芋尤其可憐，可恨！

還有一個更好的比喻。男子漢好比獅子。若果把雄獅臉上的勁鬚剃光了，獅子還像一頭東洋狗嗎？』

自由人
THE FREEMAN
（第四五八期）
地址：香港高士打道六十四號
3 rd. Fl. 20 CAUSEWAY RD HONG KONG
海外總經銷
友聯書報發行公司
香港：德輔道中二十六號A二樓
台灣特派辦事處
台北市館前街五十號
台灣總經銷處
台北市西寧南路壹壹壹號二樓
台郵儲金戶二九五二

在海外看台灣

·王聿修·

共產黨侵佔中國大陸已五年多。在海外的中國人，尤其是在東南亞各地的一千多萬華僑，今天仍能受到祖國的庇護，是因爲在台灣省有中華民國的旗幟存在。否則各地華僑的地位將不堪設想。

精神和實際力量所寄

例如在香港。雖然英國人在表面上承認中共，但骨子裏英國人是愛好自由反對極權的，並且英國與中華民國的關係未完全斷絕（英國在台灣仍駐有領事），因之在香港的中國人仍能有反共的充分自由。請設想，假如沒有台灣，香港豈能仍有今日的地位？中國人士豈能仍如現在這樣明顯的反共，而不遭到壓迫干涉？

有自由中國存在，大陸上的同胞就暗中存着一種希望。中共越叫囂攻台，越顯出台灣是一種精神的和實際的力量，足以威脅中共。這等於提醒大陸上的人民，使他們繼續燃着希望的火花。有自由中國存在，中國的命脈得以延續，反共復國的希望有所寄託，在海外的中國人仍得以中華民國人民的身份在國際間存在，而不至變成無國籍的「白華」。世界上大多數國家對我們的承認，使我們在聯合國保持住永久理事的席位。

台灣的進步和目標

近年來台灣有長足的進步，凡親身去仔細考察過的中外人士，多異口同聲強調這一點。台灣省的面積約爲三萬六千方公里；有四千多公里的鐵路，充足的煤，相當多的礦產。台灣出口的糖，佔世界第二位。每年，台灣出口貿易的總值，多過許多比較小的國家的出口。去年台灣出產了五十萬噸水泥，三萬多噸鐵。近年來肥田料的生產增加了六倍，紡織品的生產增加了十二倍。現在一年發電一百六十萬瓩，比十年前超過二倍。十個學齡兒童有九個入學讀書，可以說國民教育已普及。

以前台灣農田的地租相當高，有的高到一年收穫的百分之六七十。政府通過法律，限制地租不得超過收穫的百分之三七點五。在四年中佃農由百分之四十減爲百分之二十，使農民成爲獨立自主的生產者。

但在台灣的中國人民並非滿足於終老斯鄉。他們的迫切目標正和海外的中國人一樣，是要恢復已淪陷的國土，拯救在共產黨壓迫剝削下的同胞。

海外應做的輿論工作

在海外的中國人，都是愛祖國愛自由，反對共產專制在大陸上的統治。但是，如果反共止於是一種心理態度，在今天這種你死我活的爭鬥中，是不夠的。必須進一步把意志變爲力量。其方法之一，是竭力幫助自由中國增加反共的實力與聲望。

共產黨的侵略是國際性的，一切受莫斯科共產總部的指揮。共產黨無所謂自己的祖國，中共所謂自求的是所謂「新國際主義」，以蘇俄爲祖國，以控制整個世界爲目的。共產主義的教條是如此，而共產黨是日夜學習馬克思列寧主義，奉行馬克思列寧主義的。共產黨如果擴張下去，世界各民族的文化都有被消滅的危險。

今天的情勢是整個自由世界與共產集團對抗。在海外的自由人士，應當作的和比較容易作的，是在輿論上支持自由中國；一方面爭取人心，一方面爭取國際間的同情與援助。這是今天自由中國最需要的，也是海外中國反共輿論界最實際的努力方向；並應盡量避免在言論上無意中對祖國有所損害，或輕重倒置，只見樹木不見森林。

言論界應有的警惕

我們都知道，在今天的兩大壁壘爭鬥中，無論那一國想單獨抗共都是極難的，所以我們中國的命運，也可以說是繫於自由世界的命運。如果由自由世界的力量（包括自由中國海內外同胞的力量）勝過共產集團，那時不只中國大陸，一切被共產黨統治的國家和被奴役的人民，都將恢復自由。所以我們千萬不可忽略了我們與自由世界其他國家的關係。我們要在國際間造成有利自由中國的輿論，由此而增強自由世界對自由中國的聯繫。因爲一來共產黨一直在製造不利於我們的輿論；二來在自由國家內，一般的輿論對各該國的外交政策有很大的影響，如果輿論有對我們不利處，是可以造成實際損害的。關於這一點，我們一方面須努力，一方面須警惕。

國際輿論的好轉

在這方面，幸而近年來情勢大爲對我們好轉。至少自由世界的人士改變了對中共的看法，也改變了對自由中國的看法。否則恐怕台灣不容易有今天的國際地位。近年來西方人士漸漸認識了中共的眞面目，也漸漸認識到台灣對中國以至對世界的重要性。

在前幾個月台灣海峽情勢緊張的時候，菲律賓的報紙說，在亞洲各自由國家的人民眼光中，台灣是美國對他們諾言的試論。澳洲總理孟齊斯說，許多人都把台灣問題看錯了，保衛台灣並「不是保衛某人，或某一種政治制度，我們是要保衛一個民族，不受外來的暴虐統治。」甚至英國「觀察報」也在替台灣鳴不平，它的一篇社論說，「爲什麼只談蔣介石？爲什麼不提出把毛澤東也放逐到他處，在中國大陸舉行一次公民投票表決？爲什麼不提出把俄國赫魯曉夫也放逐到他處，在俄國舉行一次公民投票表決？」美國的大部分公正輿論，都是支持自由中國的。

逆水行舟　不進則退

中國所遭遇的困難，從來沒有這一次的嚴重；中國人民所遭受的殘暴，也從來沒有這一次的殘酷。共產黨侵佔大陸五年，已殺死人民一千萬以上，被判所謂「勞動改造」的，有一千五百萬以上。共產黨按照共產主義進行控制世界的企圖，是沒有一刻停止的。他們用冷戰熱戰，煽動滲透分化等方式，向自由世界進行有形的和無形的侵略。因此反共也應是一刻也不能鬆懈的艱巨工作。這情勢恰如逆水行舟，不進則退；中間沒有容隙，沒有中立旁觀或猶疑的餘地。一旦這個大鬥爭正式開始，其結果如何，要看一切人的努力如何，而且這結果也將影響到一切人！

梵蒂岡和克里姆林宮

——共黨卅七年逼害宗教結果如何——

李子元

英國哲學家羅素說，西方文化由三種元素構成：第一、基督教，第二、希臘文化，第三、才是近代科學。基督教在西方文化佔這麼重要的地位，因爲西方的平等主義和一夫一妻制，都是發源基督教的。

共黨為何仇視宗教

共產黨佔領俄國，要消滅人類的性靈，奴役人類，實現統治全球，於是着手掃除西方文化，清算基督教的理論。當時克里姆林宮的首領列寧，決心消滅天主教，他說，宗教是人民的鴉片。

天主教有嚴密的組織，總機構在羅馬梵蒂岡。梵蒂岡的教皇掌理全球傳教和有關的行政事宜。俄國的天主教堂給共黨封閉了，財產沒收了，僧侶殺的殺，餘下的都流放到西伯利亞去。這眞是天主教有史以來最大的浩劫！教皇只能在梵蒂岡裏發表反對克里姆林宮的言論。列寧死後，史大林繼位。他聽見教皇呼籲教徒抵抗共產主義，恨極了，對記者說，「梵蒂岡究竟有多少師陸軍？」

史大林看不起梵蒂岡，他只認識武力，他以爲宗教離末日不遠了。

天主教脫離了現實

宗教總是守舊的，十九世紀末年，天主教已離開了現實，離開了勞苦大衆。僧侶們亦以爲他們的責任，祗是對付人類的靈魂。本世紀初，歐洲的天主教堂只剩下虔誠的女教徒，到教堂做禮拜，勞苦大衆差不多絕了跡。民主國家對於梵蒂岡也發生了懷疑，天主教的聲望眞是一落千丈。

二次大戰後，民不聊生，西歐的共產勢力高漲到頂點，最厲害的是意大利和法國，法國工會的工人十之八九受共黨操縱，意大利勞工階級的情形，也和法國相彷彿。

重振人類的尊嚴

但，此時意大利的略斯貝里提出基督教，（基督教是天主教和耶穌教的統稱。）西德的愛登諾和法國的皮杜爾也作同樣主張。他們認爲提倡宗教，復興信仰，能夠和絕滅人性奴役人類的共產主義鬥爭。

於是略斯貝里在意大利創辦基督教民主黨，愛登諾在西德創辦同名義的政黨，皮杜爾在法國建立天主教抵抗黨。他們主張復興宗教，重振人類的尊嚴。他們對於政治主張都是大同而小異的。在歐洲人民看來，基督教政黨是一種溫和性質的革命政黨。同時教皇庇護十二世也是一位有遠見的領袖，他吩咐各地教區，竭力支持各該處的基督教政黨。

宗教力量的大勝利

略斯貝里的基督教民主黨成立不久，意大利便舉行大選。意共拿到克里姆林宮一大筆競選費用，得意洋洋，認爲大選必勝，意國政權已經是他們的囊中之物了。

一九四八年，意國大選的前夕，梵蒂岡的門刁尼主教和林伯提主教以至各處的主持僧侶，分向各地教民呼籲，要求他們投基督教政黨的票。選舉結果，略斯貝里的基督教民主黨獲得壓倒優勢的勝利。共黨在意大利第一次遭受空前的打擊。愛登諾的基督教民主黨在西德也獲得同樣勝利。

梵蒂岡爲應付法國工會的共黨壟斷，從事訓練一批「工人神父」，派到法國工廠工作。「工人神父」人數共一百人。他們向法國工人宣傳人類的莊嚴，工人受感動而退出共黨的大不乏人。克里姆林宮雖竭力破壞梵蒂岡的人類莊嚴運動，但「工人神父」在法國收到極大效果，退出共黨的工人日有增加，現在法國好些工會已經脫離了共黨的控制。

到民間去的新運動

二次大戰後，梵蒂岡已經得到一種新的認識，知道只敲塔上的鐘，只做消極工作是不會有效果的。天主教必須適應時代，採取主動。必須到工廠裏找尋工人，到農場裏找尋農夫。門刁尼主教便是到民間運動的主持人，他常說：『現在的僧侶代表一種自私的保守主義，時代變了，天主教的僧侶們對於現實感到恐懼。僧侶們應該脫離人世的，僧侶們應該作嚴厲的自我檢討。』

又說：『僧侶們應該跑出禮拜堂，找尋他們的羣衆，只在禮拜堂敲鐘，是沒有用的，應該改變策略，注意工廠的變號，注意技術的發展和現代世界的生活與進步。僧侶們要是想基督教能夠永垂不朽，必須下一個新的決心，做一個新的傳道者。』

門刁尼差不多每天跑到米蘭的工廠，傳播人類的新福音。林伯提主教更把他底下的僧侶組織成許多電單車隊，跑到城市裏每一個工廠，和農村裏每一個角落。從此，天主教近代化了，天主教變成了一個積極而且進步的宗教。

梵蒂岡勝利的原因

最近美國史學權威托佑畢教授（ARROLD J. TOYUBEE）在紐約時報發表：『回答六個難解的問題』一文，第四問題是：『要是沒有宗教的復興，西方將遭遇何種影響？』他的答案是：『若果沒有宗教復興，西方國家的前途是悲觀的，西方的生活方式原在表現個人的莊嚴，但共產黨不承認個人，只承認團體，共產黨認個人之與團體，有類乎蟻之與蟻山。』

（下轉第三版）

本週展望

·李金曄·

四頭會議的英美態度

四巨頭會議開了五日的會，看情形似難有結果，即有結果，也是不相干的。最重要的德國統一問題，恐怕只有一個拖字，拖下去，拖到十月的外長會議。

不過，美國的態度則是堅定的，不僅拒絕了蘇俄對遠東的提案，並且大聲呼籲，要揭開鐵幕，給予衛星國家以自由。艾森豪在二十一日的裁軍討論席上，再度向蘇聯挑戰，要求蘇聯接受互換軍事藍圖，准許雙方自由空中攝影。此舉旨在不容蘇聯再利用裁軍問題作宣傳。同時，艾登也宣佈了英國正在製造氫彈，美國的強硬，英國也不示弱，蘇俄底代表無法再保持了，英美法代表離開會場的時候，不免悻悻然了。

我們分析蘇聯幾日來的發言，看出他們的不僅想以軟弱的華沙公約來換取北大西洋公約的拆散，否則，就讓歐洲永遠分裂下去。

我看巨頭會議，最焦心的是法國總理佛爾了，他覺得拖下去，歐洲問題不解決，對法國是不利的。他的心情，比在阿爾卑斯山渡假的阿登諾還要沉重。然而事實上他是不能不和英美站在一起的。

越南局勢不容輕視

美國堅決拒談遠東問題後，越共即於本月四日策動寮共作軍事行動，十日在南圻共黨又作擾亂西貢市區的活動，這些事件似乎都和蘇俄要在巨頭會議提出遠東問題有關。

西貢反對日內瓦休戰協定，和要求統一的示威遊行，本是反共反殖民地的一種運動，本月廿日竟釀成少數羣衆衝入豪華酒店，搗毀休戰委員會的事件，紛亂中並波及美英僑民。據傳也是共黨從中利用羣衆心理造成的。

總之巨頭會議不談遠東問題，共黨便要在遠東製造紛亂出來，希望迫使英美接受蘇俄的提議。

吳廷琰對此次暴亂已經有了聲明和相當的處置，我們希望共黨的陰謀不至因此而得逞。

胡志明於朝見北平和莫斯科後，現已換得中共和蘇俄的援助回來，今後的越局，恐怕還要有新的糾紛發展，這不是吳廷琰獨力所能應付得了的，巨頭會議如果失敗，遠東的緊張便要跟着發生，越南和台灣海峽，都是最富爆發性的地區。

印尼前途可慮

印尼政府顢頇無能，至經濟貧困，貪污風行，造成政治的不安，這是根本原因。同時，各宗教黨派因政府外交政策走「北京」路線一無成果，已經感到不耐煩，最近內閣還要任用留俄的軍人做參謀長，因此更引起內部的不滿，攻擊政府之聲，遍佈全國，內閣地位遂岌岌不可終日了。

蘇加諾總統竟於此時出國，前往麥加朝聖，是否逃避現實？抑心中另有妙算呢？據傳軍方表示決不在他出國期間，進行革命。蘇加諾的威望似乎還未喪失。但問題並未解決，印尼前途還是可慮的。

貝隆不再是太陽了

阿根廷現在也有動亂，大體上說，阿國經濟情況比印尼好，勞工運動相當成功，同時，也有一個講「效率」的政府，何以也會鬧政變呢？

一句話，是過度集中權力的結果。貝隆總統中了權力集中的毒！走上了集權政治的道路。因此，他要與教會對立，更要使人民非在上帝和貝隆之間投票不可。因此，貝隆能始終維持「救星」和「太陽」的地位嗎？海空軍能始終效忠貝隆，擁護到底嗎？不無疑問了。

最近盛傳阿國海軍又有異動，又傳貝隆即將下野，我們相信集權專制的貝隆很難維持他過去的光彩和地位，遲早要放棄他的權力，甚至要垮台的。

啼笑皆非的——留學考試一幕插曲

事前疏忽事後倉皇謀補救 無獨有偶戴院長自請處分

豐公

台灣通訊

（台北通訊）教育部今年舉辦公自費及獎學金留學考試，因時間匆促，報考人數將及千人，事前準備及事後處理，都顯得十分草率凌亂，這是社會上一般所作的批評。事實也證明此項批評是正確的。

黃雨塘幾誤了前程

事緣教育部於日前點封卷册重加核對時，發現公費化學一科，彌封册一部份漏編致誤，於是七月九日教育部在台北各報揭曉的公自費錄取名單中，發現錯誤的，就有三名。其中化學科公費留學考試成績最優應被錄取的台籍青年黃雨塘，竟誤以成績僅及自費留學標準的李祿先取而代之。如果最後點封卷册時仍然不能發覺，則黃雨塘君的個人榮譽及其光明前途，將因此而輕被斷送。可見此次留學考試辦事效率之低，與計分手續之草率，實在令人驚訝！

教育部的事後補救

現教育部已於七月十二日召開留學考試委員會第六次會議，重新驗對試卷，成績册，及原始彌封底册，並決定依查出事實，對七月九日在各報所發表的公自費及獎學金的留學考試錄取名單，作左列三點的更正：

（一）黃雨塘一名應取錄爲公費生，（黃君二十五歲，台灣台南市人，國立台灣大學化工系畢業。按黃君去年參加高考，榮獲建設人員化學工程考試優等第一名及格，同時取錄化學工程技師資格）。

（二）原取公費生李祿先一名，業考自費，成績僅合於自費標準，應改爲自費錄取。

（三）朱永毅一名業考自費，成績合於自費標準，應予錄取爲自費生。

負責人員受處分

至此次留學考試化學一科彌封册一部份漏編號碼發生錯誤之責任，亦經教育部查明該項彌封之編製，係由國立台灣大學臨時調用之職員張廣福負責，現教育部已令飭該校予以免職處分。又該部參事柯樹屏，此次担任留學考試委員會考試組組長，主管其事，以疏於核對，亦已引咎辭職，該部爲嚴明責任，經予照准。

戴季陶自劾的往事

按距今二十四年前，國民政府在首都南京舉行第一屆高等考試，得士一百零一人，是時訓政時期實行考試制度之始，主考官爲考試院長戴傳賢氏。當時以誤算考生分數，致發榜後發覺一試卷成績本可及格，以計分有誤未錄，急開典試委員會謀補救，旋准補予及格。戴氏以此事雖與該考生無損，而第一次課科取士，便有此錯，殊與考試信用有妨，故自請政府議予處分。經國民政府決議：主考官罰俸三月，秘書長罰俸一月，主管及承辦員司，分別記過有差，國府主席今總統蔣公且有「季陶能如此，對於考選人才，必有成就」之褒諭。此一段故實，在最近張其昀所著中華民國史綱第二十五章內曾詳細敍述，試與此次政府遷台後首次舉辦公費留學考試發生計分錯誤一事相比，可謂無獨有偶，現留學考試主管及承辦員司既已分別議處，不知教育部張部長亦將倣效戴故院長呈請自劾否？

今後將何以取信於人

教育部今年舉辦中華學術獎金，曾以審議程序之疏忽草率備受輿論之指摘，然說者尙以其任事之勇，用心未可厚非諒之。惟此次主辦與爲各方所密切注意的重要考試，竟發生如此重大錯誤，爲中國考試史上留一笑話，能不慨然？然吾人所總總過慮者，即今從該部主辦各類考試的機會仍多，將何以取信於人，倒是一個相當嚴重的問題。（七月十五）

留學考試考生：嚴厲責難教育部

錄取不公某教授曾加反對 希望監察院澈底查究實情

關於留學考試發生試卷號碼錯誤情事，豐公先生已撰文報導其經過，本刊同時又接到參加此次考試的若干考生來函，其原文如下：

讀者論壇

編輯先生：

我們是本年公自費留學考試的一羣考生。我們想不到全國最高教育機關主辦此事，竟會有把密封號碼搞錯的事情發生。結果胡亂把張三的成績，算在李四頭上，另把王五的卷子當作是張三的，錯得一塌糊塗。事經當事人黃雨塘君親往教育部清查成績時，始被發現。教育部設法掩飾，才承認錯誤，一一更正。台北輿論界對此事似乎並不十分重視。除了照登官方發布的「正確」消息之外，對於國家掄才大典，發生如此重大錯誤，很少有人評論，僅公論報，於記載新聞時，稍申正義，我們因無處可以訴冤，素仰貴報「言論公正」特投函申述下列幾點，請予揭載爲感：

錯誤決不祇三人

（一）首先我們要指出的，事實決不如教育部所說的，錯誤僅限於李祿先，黃雨塘等三人。我們親自去查卷子所看到的，教育部把密封號碼實漏了十個之多。即一號至十號是不錯的，十一號至廿號，這十號全漏了。原來的十一號，被誤作二十一號，廿一號被誤作卅一號，以下一連串錯下去，全體考生無一倖免，故密封號碼與報名號碼實合不起來。（按此次密封號碼統統應照報名號碼加六一八計，全部如此），一錯百錯，全部成績。都成爲不可靠了。今教育部僅承認只有三人有誤，似乎是欲將大事化小，掩飾重大錯誤的。

計分與姓名亦均有錯

（二）計算分數亦有錯誤。台灣師範大學教育學院院長田培林的夫人，親自去查閱她兒子的成績，當場就查出少算六分。另一考生（未識其名）查出少算四十分。兩事均經筆者目擊，其他未親見者，據聞尙有多起。

（三）名姓也有錯誤。七月十六日中央日報第四版載「留學榜又錯一名」，據該報導前上海市社會局長吳開先的女兒「吳漢文」被誤爲「吳煥文」。最近幾天教育部正發動大批職員，漏夜加班，重新「查對」，足見究竟錯了多少，怕連該部本身也不清楚。榜已經發了，再來「查對」，豈非一大笑話？

取錄標準有欠公平

（四）取錄標準是不公平的。自費留學生取錄標準是要四門學科總計達二百一十分者始能取錄。許多考得二百零分者，自然只有望洋興嘆！上述的田院長夫人另有一位女公子，只考二百零九分，僅差一分，教育部當然「鐵面無私」不予錄取。可是，另有某要人的公子蔣××，他僅僅考得一百六十一分，距標準相差四十九分，却赫然名登金榜。據確息：此事教育部曾提出考試委員會討論，欲作成決議，請委員諸公共同負責。但當時有某教授提出意見，認爲委員會只能決議錄取之標準，不能討論某一考生應否錄取。合標準者予以錄取，不合標準者一律不取，方能示人以大公，義正辭嚴，博得全場贊同，故本案不在當時實議而未決。不知後來教育部何以竟將蔣××列登錄取榜上？我們現抄有蔣××的四門學科成績在手中，出席考試委員會的諸先生，當亦可證明筆者之言非誣。

希望監院追究責任

（五）傳聞教育部對於此事，有將錯就錯，把全部考卷「改頭換面」，並同時將參事柯某開刀，以平衆憤之說，是否屬實不得而知。平心而論，此事斷非柯某一人的責任，若如此處理，更不公平。

（六）我們要求監察院立即採取行動，派大員赴教育部，查封全部試卷，檔案，並傳訊有關人員，澈底清查，判明是非眞偽，並追究責任，處分有關官員……。教育當局亦應面對現實，不要東推西諉，拿出勇氣來，表明負責與認錯；我們更希望輿論界爲教育前途着想，主持正義，發揮讜論。

考生李××等五人敬啓　七月十六日於台北

中共自承教育失敗

沈著

（本報訊）據北平「人民日報」透露，中共年來對大陸中小學生強施「共產主義」教育的結果，已使學生身心健康普遍受到嚴重損害。

六多之下疲於奔命

該報指出，中小學生負担過重，去年秋季以後，更爲厲害。原因是正課太多，學生容納不了；考試太多，學生應付不了；規定的課外作業太多，學生趕作不了；規定的勞動操作太多，學生的體力支持不了；「青年團」或少年先鋒隊」的會議太多和任務太多，學生忙不了；學校以外的社會活動（如宣傳、遊行，歡迎，歡送等等，）太多。在此六多之下學生無不疲於奔命。

此外還有某些學科的教學超出教科書和教學大綱的範圍，任意補充教材內容，乃至丟開教科書，另講一套；任意加速授課進度；任意指定學生閱讀艱深的參考書；並任意增加上課的節數時數，普遍都超過了一九五一年七月偽政務院「關於改善各級學校學生健康狀況的決定」所規定的時間。

神魂顛倒課堂撒尿

因此中小學生無法消化功課，無法支持體力，且每天應付作業考試，早起遲睡，中午亦不得休息，精疲力盡，神思恍惚以致在從事「勞動服務」（如搬石塊，拆牆壁，關操場，捉老鼠，捕蝗虫，通陰溝，掃街道等等）時造成了很多傷亡事故。

在任意補充教材，加速進度，增加授課時間等情況下，更使中小學生上課則忙於筆記，下課則忙於整理，吃飯要「打衝」（中共語），小便瀉在課堂；且連星期六下午及星期日整日亦不得不忙於趕做作業，擬答試題，溫習筆記並閱讀參考書籍，簡直經常被迫處在神經緊張狀態之中。據說，一般學生家長表示：「孩子們連做夢都在考試、做工、寫筆記發着『幹不了』的夢囈：」

天真磨滅疾病叢生

結果必然使學生的身心受到嚴重傷害。據說，最普遍的現象是：（一）學生讀書已祇能死記硬背，而結果還是記不住，背不出，教學效果幾等於零。（二）學生精神負担過重，無法透氣，失去少年兒童所應有的天眞活潑。（三）學生被動成性，失去創造的精神和智慧。（四）學生們睡眠不足，動靜失常，（動時太勤，靜時太靜），體力損耗，疾病叢生。學生最普遍的疾病是肺病及夜盲，死亡率亦大增。（五）勞動程度及勞動方法不當，意外事故叢生，傷亡事件迭出。此外，中共還認爲此種方式的教育，對學生政治思想的訓練，效果極爲微弱。

大陸學生的苦難

特務機關控制青年思想 青年身心磨折已達極點

范珍

（本報訊）據中共報紙消息，今年中共暑期招考高等學校新生，偽教育部，特別提出要各級公安機關嚴格檢查本屆高中畢業應考學生的政治思想。中共用特務統制青年思想，一至於此，爲之浩嘆！

根據光明日報所載，有關招考新生的指示，暴露了這幾年內大陸大學畢業生和在校學生，普遍發生反共思想，故該項指示，特別強調，「決不可忽視新生的思想問題」。該指示續稱：「由於政治質量差的學生，平日不便到廠礦生產學習，畢業後難以分配工作，在中途被開除出校」！中共認爲這是「極大的浪費」！於此又可見，中共已自承其教育的失敗，

大陸青年不僅不滿中共，並且仇俄，故該項指示又說，必須『培養大批掌握蘇聯科學技術』的人員，『已刻不容緩』，因過去幾年大專學生大多不可靠，故本年招生，要責成各地區公安機關，必須做到「保證選拔政治思想絕對可靠的學生」。於此更可看出，多數大陸青年學生的思想既反共又反俄。

大陸青年在中共的驅策奴役之下，不僅精神痛苦萬分，健康亦因此而日劣，據該報透露，僅一九五三至五四學年一年之內即「有七千餘學生流動出校，其中因身體有病而休學退學的佔一半多」，其餘是屬於「學習方面跟不上」的。因此，該項指示，又特別嚴令公安機關要吸收健康程度和文化程度高的高中畢業生。大陸青年學生在中共壓迫之下，精神和身體備受苦難可想而知！

此外，尙有可注意的，今年高等學校入學考試中，廢除了考外國語——英文。改收俄文學生，總數達二千三百人之多。同時，今年招生不准越區報考，例如上海學生不准到北平報考。這一事實，表示中共藉此加強對青年的控制，使青年失去行動的自由，局處一隅，自不易發生不能控制的行動。

編者讀者

關於本刊人物評述　韓克先生來函

△編輯先生大鑒：貴報近刊張九如先生「台灣的經濟建設問題」一文，眞是一篇好文章……文中主張，需要一些不避勞怨勇於負責的人出來眞正做事，……因此，我想到貴報有人物評述一欄，過去所刊，以追懷死去的人爲多，這似乎近於消極，中國人一向喜歡對死人說好話，死去的人多半比他活着時候說得好些，甚至生前貧病交迫沒有人給以援手的人，死後每多文字之奬，這對死者是諷刺還是討好！頌揚過去的好人，自然是應當的，但活着而且正在努力工作的好人，更需要鼓勵。這個社會給活着的好人關心得太少了。「惡貨幣驅逐良貨幣」的貨幣定律，不幸也可以同樣適用於人類社會。我們不能讓每一個想做事的好人都變成失敗的英雄。

我們需要多點公忠體國，眞幹實幹的好人，也需要更多關心好人鼓勵好人的人！因讀張先生文有感，敬陳數行，藉向自由人致敬。

韓克敬上　七月十六日

△靜觀，慕容羽軍，南飛燕，紅纓，辛父，小包公，孫旗，張維翰，西門豹，豐公，黃福初，周樹聲，胡鑾之，鐵頭，一羣考生，楊柳綠，王斌，翟林諸位先生：承惠稿，均一一收到，至感謝！

稿約

本報各版園地公開，歡迎讀者投稿，性質不拘。來稿請用稿紙橫寫，勿兩面寫，最好不超二千字，特殊稿件例外。譯文請附原作，如原文不能附寄，亦請註明出處。來稿不便刊用時，需退還者，請附郵票。

我做了六年共幹（二）

—昆明淪陷的時候—

葉光裕

共黨每到一處，第一件大事就是「宣傳」，第二是「組織」，第三是「調查」。中共一面以宣傳欺騙人民，以便於「組織」，再以「組織」控制人民，然後進行「調查」。調查之後，區分人民的「階級」，然後進行「淸算」，「鬥爭」，「公審」，和槍斃。我當初中了中共宣傳的毒素很深，所以我成爲中共的「積極份子」，爲他們立了許多功勞。後來，他們把我列爲「尾巴份子」，「投機份子」，成爲「整肅」的對象，受了很多毒刑。我的家破了，父親也被槍斃了。像我這樣的人，在大陸上實在不知其數。

昆明淪陷之後，所有街道很快便貼滿了中共的「標語」，「壁報」，到處都有共幹帶頭喊「口號」。當時共黨的標語，無一不是充滿解放人民，保護人民的字樣。昆明的人心好像都變了，無不歌頌中共的「德政」，中共眞像得到了人民的擁護，事實怎樣呢？以後有許多事實做證明，這裏我不說它。

秧歌隊誘惑青年

中共誘迫青年和婦女參軍的方法，首先選拔年輕漂亮的婦女編入「秧歌隊」，用女黨員及女青年團團員分任隊長及分隊長。在這些女共幹的帶頭領導和脅持之下，可憐的年輕婦女，不得不跟着她們在街頭現醜。他們塗脂抹粉，打着腰鼓，以迷人的姿態，沿着大街小巷，邊扭邊唱，邊喊口號。許多無知青年和流氓地痞，以及素不務正業的非法份子，喜得心花大放，也跟着加入了她們的行列，跟她們扭，隨她們唱。這樣許多青年都做了中共的尾巴，聽中共指揮，參加他們的工作了。後來，有許多被加上「投機分手」的罪名，列入「整肅」的對象。送到「勞動營」裏去「學習」，過着牛馬不如的生活，後悔也莫及了。

「慰問」的眞正用意

除了宣傳之外，還有所謂「慰問」工作。共黨每到一處，就動員大批「幹部」，深入社會的最「基層」挨戶「慰問」。他們「慰問」些甚什呢？實際上，不過藉「慰問」的名義，作社會調查的初步工作而已。「慰問」的進行情形大概如下：

（一）首先向「人民」說明，他們是「代表毛澤東來的」。

（二）宣傳毛澤東的「思想」和「主張」。

（三）詢問人民生活情形，及家庭狀況。（實際是調查人民的資産，區分人民的階級，作爲以後「淸算」的根據。人民當初是不知道這些的，沒有顧慮的隨便亂說，正中了中共的詭計）。

（四）查問每個人的教育程度，及社會關係。（例如有無參加國民黨，及作過國民政府工作等）

（五）查問左右鄰居，誰人最好，誰人最壞。中共的目的要用壞人去打倒好人）。

（六）挑動人民鬥爭訴冤，咒駡國民黨。

（七）叫人民提出意見。

（八）叫人民給「中國人民解放軍」指示。

以上八項是中共「慰問」工作的大概。中共的眞正用意，老百姓是不容易明白的。一般人民只知道共黨說得好聽動人。因此，經過共黨「慰問」的人，在思想上都起了變化，把共黨所說的一套鬼話，都信以爲眞，上了他們的當。後來纔知道上當，但在共黨森嚴戒備，和諸般「監視」，「控制」，「恐怖」之下，誰也沒法動彈了，只有乖乖的，任共黨奴役了。

農村裏的層層控制

共黨一面宣傳，一面進行「組織工作」。共黨各種「組織」，是推行一切運動的中心，也是「控制」人民的唯一手段。因此，共黨藉着各種名義，把所有的人民，不分男女老幼，統納入「組織」之內。使人民「互相監視」，完全失去自主能力。我現在單就共黨最基層的農村「組織」作一敘述，也可知今天大陸的同胞是怎樣過日子的了。

共黨的農村組織有下列許多名目：（一）村「人民政府」，（二）農協會，（三）工協會，（即工人協進分會）（四）婦女會，（五）青年會，（包括男女青年）（六）兒童隊（七）國營百貨分公司，（八）生產合作社，（九）生産組，（十）互助組，（十一）家庭會。

村幹操生殺大權

（一）村「人民政府」的村幹是總管人民一切事宜的，凡人民的生活、言語、行動等，無一不管。「淸算」、「鬥爭」、「公審」，「婚姻之離合」，全操縱在村幹的手裏。人民的財產、生命，村幹也有權支配，更可隨時處人民死刑，因此，農村裏人民最懼怕的就是村幹。

西瓜也要編號登記

（二）農協會：該會所做的是糧食調查，統計，獻糧，借糧，公債，征糧等工作。他們在農村裏，農民每季收穫情形，調查得淸淸楚楚。例如，農民種的西瓜，都要編號登記，農民連自己吃個西瓜的權，都被共黨剝奪了。由此一點就可以想到共黨對農民的控制程度如何。

（三）工協會：是共黨控制工人，壓迫工人，剝削工人的機構。今天大陸的工人生活，實在苦得不成樣子。關於工人的種種血淚，我將來另作報告。

婦女會就是妓院

（四）婦女會：該會是今日大陸上最荒唐最殘忍的一個機構。婦女會簡直就是妓女院。婦女會的主席就是窰子裏的老鴇。因此，許多婦女會的女子都患着性病。我曾做過共黨的醫師，因此我對於這羣可憐女性遭遇的悲慘命運最爲了解。

父母無人不怕子女

（五）青年會與兒童隊：本是兩個組織，但性質是相同的。主要任務是訓練和指揮靑年及兒童做調查，監視，和竊聽的工作。特別要靑年及兒童對自己的家庭，自己的父母和長輩做偵查的主要對象。假如父母及長輩說出與共黨有不利的話，或做不利共黨的事，這些孩子就馬上去報告村「人民政府」的村幹。村幹開會「鬥爭」，或「公審」他們的父母或長輩時，這些孩子就是有力的證人。因爲有了這些「有力」的證人，村幹就可以把他們的父母或長輩加以非刑的吊打、或處死。所以今天大陸上沒有一個做父母的，不怕他們的子女。他們祇好鼓勵子女效忠於共黨，絕不敢絲毫露出反對共黨的意思。這便是今日的大陸家庭的關係。（未完）

小學教育應加改善

加强升學初中奠基

港九大多數學校已放暑假，下學期將自九月初開始，初級中小學生在這暑期，雖然不像高中畢業生那樣，爲了升學、就業大傷腦筋，但成績太差的仍也有許多煩惱。這是因爲有等學校對成績低劣的學生也予升班，或者發給一紙「修業期滿」證書之故。這種措施在私立學校行之已久，若干官立學校，聞也已將做效，這是爲了疏導新生，取消「留級」成例。這種新的措施，對於學生及其家庭倒是一大幫助，學生既不必白讀一年書，家庭又避免多耗費一年學費。這種「雙重照顧」，實際利弊如何，頗難遽下定論。有等愚鈍的學生，成績太低，升班後，就無法跟得上。

許多顧全校譽的私校，爲了挽救這一缺憾，有的特設了一個補習班，在放學後，替學生補習，不僅不予收費，而且教得特別認眞；也有一般私校，竟然藉此向學生索取額外學費。官立小學的情形比較不同，他們將不及格的升班學生，另編入了一個「特別班（REMOVED CLASS）」，其課程和及格的學生課程和作業完全一樣，祇是教學的方法略異。比較起來，前者是十分嚴謹的，主要目的是顧望於這一批愚鈍的學生能夠隨時移動，迅即併班，跟成績優的一樣。

學生成績低劣，也不能完全歸咎於愚鈍，有許多學生因爲染上時下劣習，以致學業荒廢。如何提高學生作業水準，端視學校與家庭間能否通力合作，管教兼施。就目前情況看來，比較嚴重的問題，似乎是初級中學，其主因是小學畢業生一部份惡習未改。小學學生，由於年輕，玩性一般很重；上下午兩班科目既減少，又有半天消磨，能够接受家庭管教在家自修的，恐怕不多。爲了提高學生成績水準，以免考入初中跟不上課程，上下午班制度，實有深切檢討的必要。

× ×

經濟社會思想叢殘

金伯華

試舉娛樂的需要而言吧。正確的講，讀者娛樂的需要，應該是分解爲觀劇，聽音樂，看馬戲，看小說，閱覽圖書或旅行，打牌等等無數的事情。每一種娛樂事情，分別的尋求滿足，每一件都是完全可以饜足的。讀者或聽見過說，從前所謂「基督將軍」馮玉祥，處罰歡喜打麻將的部屬，只是要他們繼續的打下去，無日無夜不准停息。這是一種修修的刑罰。這就是饜足律粗魯而有趣的適用。

根本要點，需要是必須嚴格的由主觀認定，而需要的要素是可權衡的，可分的，可量的。既然如此，則一切需要得到滿足後的快樂，都必有其饜足的一日。基於需要而公開的向市場提出要求，這就得談到「財產分配」的棘手問題了。「欲」「求」兩字既個論如上，以下再略論「分」字。

第十一章「分」與「分」

—一字兩讀—

「分」這一個字，讀者如果翻開字書一查，是有無數的說法和用法的。但是我們在這裏——在經濟社會思想的立場——可以從中舉出兩個意義，兩種讀法：

第一種讀法，是比較最普通的。依字典註解：「分，夫氳切，文韻」，讀同紛或芬。其意義是「合」的反面，即「分」「合」的分。這在經濟社會思想上，儘如「分業」呀，「分工」呀，「分配」呀，都佔極重要的地位，我們在下文將陸續談及。

在這一意義上面，我們於此不妨立即先提一提與目前世界人類最有關係，而亦即是最傷腦筋的問題。「分」既爲「合」的反面，那末「個」亦就是「集」的另一極端。各人一個個的分開，各爲自己的利益，各本自己的意志和努力，用合法合理的方法以謀生，這就叫「個人主義」（IndividuaLisme）。採行這種主義的人，叫做「個人主義者」（individualiste）。一般的了解以爲個人主義者，是各人「爲自己而生活」（Chacun PourSoi）。其實這是不對的。就是最極端的無政府主義者，也儘有爲他的妻子或朋友而生活的。任何人自古便無法「遺世而獨立」。這是無須多所說明的。何況現代有一種盛行的合作主義，在自由獨立的個人立場而卻要「各人爲大家」哩？（未完）

中國工業化之途徑

郭紹宗著　台灣中華書局印行

冷少泉

「……工業化之國家，富而且強，未工業化之國家，不強亦富，未工業化之國家，既貧且弱，不弱亦貧；工業化之國家，領導世界……未工業化之國家，經濟上爲附庸，政治上受奴役……」。這是郭紹宗先生在其新著「中國工業化之途徑」一書的警句。

這本書是以討論收復大陸後如何實行全國工業化爲目的的。故本書「……不特可爲吾國政府收復大陸後經濟建設之指針，並可予大陸上四億五千萬同胞以熱烈之希望，中外企業家以投資之參考，洵屬自由中國出版界稀有之著作……」（江杓序）

× × ×

「……中國經濟有中國之特殊背景，中國有中國工業化之特殊途徑，其工業化之完成不能如英國之由於海外貿易發達；……亦不能如美國之大農經濟……更不能如蘇俄與中共匪幫之奴役人民，減低人民生活水準，以注重重工業之發展……」（第一章敘論）。「……中國爲一農業國家，工業化又須先注重輕工業……必須先設法擴充增產農業之工業，使農產品增加，以求糧食之自給，次謀出口特產貿易之提高，以充實換取建設器材之資金，然後將振興工業之先決條件：按實際需要分別予以解決，以奠定工業化之基礎，最後再以全力加速一切發展之速率與增加工業生產之比重，藉謀中國工業化之實現……」（第八章總論）。以上兩段話乃著者在書中所主張的中國工業化之途徑，與梁漱溟主張以農業引發工業，以工業振興農業，輾轉相用以求工業化的理論相若。綜其要旨，爲初期以農業農村爲基礎，大部原料與市場無需外求。在工業化的進程中，逐漸提高人民生活。工業化之目的，不僅爲建設全民福利的現代國家，並要進而求國際經濟之互惠合作。

× × ×

本書以前述要旨爲中心，分爲六章：即中國分區建設之輪廓；主要工業建設之抉擇；輕工業建設之中心；工業化之先決問題；工業資金籌集之方法；及工業之保護與獎勵等六章。連敘論與總論，全書共計八章，凡十六萬言。

全書以大陸撤退前的實際情況，及二次大戰前後的公私[illegible]計劃依據，又參照共匪摧殘國本的事實，提出切實週詳的計劃，與循序漸進的步驟。在分區建設方面，著者主張以華中爲全國輕工業的中心地帶，發展茶；絲；油桐，力謀輸出，以期提高全國生活水準。又主張利用華北煤、鐵，鋁等富藏，建設電化及冶煉中心。主張以晉煤輸日換取器材。增加棉麥產量，使華北成爲全國輕工業的基地。主張開發東北鐵礦，擴展水電，輸出大豆，以建設重工業，並支持關內工業的發展。對於華南則主張發展砂糖；橡膠；開發並輸出鎢錫。對西北油類，西南鋁錫及水力，亦均有拓展的計劃。著者均認爲主要工業應抉擇紡織；肥料；水泥；酸鹼及化工。輕工業應以紙，麵粉，砂糖，榨油，及人造絲等爲中心。凡此主張均能顧及國際環境，與國內資源及需要。地區單位力求均衡，各業綜合經營，俾收聯繫互用，尤覺得體。惟製糖僅及台灣與海南島之蔗糖，而忽於甜菜製糖，及毛織計劃亦欠具體，似有欠缺。

× × ×

以農業農村爲基礎而謀工業化的途徑，必須使農業本身工業化，如農業作業之機械化，農場經營之企業化，農產利用之工業化等，及農業環境之工業化，否則基礎不固，工業建設有如建屋之沙灘，此，蘇俄經建之失敗，提倡工業，成少而敗多，原因亦在此。著者強調我國爲農業國，有其特殊經濟背景，並主張農業現代化，惜對於農業工業化之種種，未能詳加計劃，似亦爲一缺點。著者早年專攻煉鋼，曾著「煉鋼工業」（商務版），繼任教於國防大學，有「研究現代工業與國防」之作（正中版），乃本書之姊妹作，均值一讀。

梵蒂岡和克里姆林宮

李子元

（上接第一版）

『西方文明和理想的基礎便是宗教。西方對於個人莊嚴和個性的尊重，發源於猶太教和基督教。這兩種宗教認爲人類的靈魂在上帝眼中，有其絕對的價值，故西方文化乃建立於個人莊嚴的基礎之上。』

爲了恢復人類的莊嚴，歐美人民用熱烈的情緒迎接宗教，因此宗教的復興，已經成爲一種事實。共產黨把人當做螻蟻，當做機器，用最殘酷的手段消滅異己；蘇俄於革命後十年，便殺害了俄人五千萬，三分一的俄國人給共黨消滅了。中共赤化中國，五年來也殺害了幾千萬同胞，餓死和自殺的還沒有計算在內。

總之，實行恐怖政策，以屠殺作重要工具，是共產黨建立他們共產樂園的唯一政策，但蘇聯成立三十七年，屠殺了三十七年，又得到什麼效果呢？中共五年屠殺的結果是大陸連年饑荒，人民拿草根和樹葉充饑。

梵蒂岡雖然手無寸鐵，可是在意大利，在法國和德國，卻把手握四百師陸軍的克里姆林宮擊敗了。

動則吉

馬五先生

近年來，我們常聞南韓文武大員指斥板門店休戰監察委員會爲共作倀，有害無益，對印度代表夥同共黨破壞中立的行爲，尤爲憤慨，屢次聲言要以武力驅逐他們出境。世人皆耽心呆在韓境的印度和其他一二共產國家的代表們，將不免有吃虧之處。

詎料天下事每每如是，叫得厲害的未必眞幹，默然無聲的却是些硬幹實幹者。越南民衆數萬人，日前在西貢集合示威，即將所謂越戰停火中立監察委員會的辦公地址搗毀，印度與越共代表當場挨揍了一頓，抱頭鼠竄。中國古書上有越人相聚鼠穴的故事，我看這次越南人民對付紅頭阿三的行爲，彷彿似之。西方國家的政治人物竟指爲「無知的暴行」，眞是豈有此理！你們胡行妄爲，越俎代庖，隨便可以劃裂別國的領土，出賣別國的人民，而又教唆亞洲的敗類份子，冒充中立身份，替侵略者助勢撐腰。被害的越人起而自救自衛，驅逐敗類，爲甚末就是「無知的暴行」呢？像印度尼赫魯這類小丑之輩，招搖撞騙，恬不知羞，唯一對付他們的有效方法，只有拳頭，跟小丑們去「晒聲壞氣」講道理，那是多餘的事！

眼看日內瓦四巨頭會議之後，對遠東必有許多惡作劇陸續表演出來的，而韓、越與自由中國的人民，將首先受害。此刻我們除了爲反抗出賣民族生存權益的越南民衆聲援，希望他們堅持不妥協的態度，不屈不撓外，中、韓、越三國政府應懔禍至之無益，切實團結合作，憑實力以自衛。一味地俯仰由人，苟且偷安，決無幸理。尤其是我們自己，盟邦固然決不願意使台灣「落於非友好國家之手」，但這純粹是爲的保持基地利益而已。政治利益却需要我們自己有辦法來爭取而保持之，別人的心目中並不重視這回事。以不變應萬變的政策，當然不錯，然必須有所作爲，否則勢將陷於「以不動應萬動」的結局，烏乎可！

郭松齡與張學良

——記郭松齡倒戈經過——

·龍戀·

（一）

郭松齡是東北遼寧人，陸軍大學卒業後，服務關內各地不多年，即回到本省。此時正是張作霖當權的初期，於遼寧設立陸軍講武堂。其長子學良時方弱冠，亦肄業於該校，郭松齡便是他的業師。於是由師生之誼，結沆瀣之緣。學良學成後，以次擢升爲衛隊旅長，郭即任其參謀長。嗣後衛隊旅更名爲第三旅，別成第八旅以位置郭，張郭之關係，至是更如膠似漆矣。

（二）

郭未重用前，士官出身之楊宇霆，早已在張作霖幕府參衛。此外尙有士官系之韓麟春任兵工廠總辦。假如韓亦如楊不到軍隊去，張學良父子又能始終不分減對郭之寵愛，則無以成爲倒戈之遠因。無如直軍在河北擊敗退出關外後，志切復仇，經軍整武。先於瀋陽設立陸軍整理處，由楊韓援用其士官同學姜登選戢翼翹等多人，主持此機構。繼復於近接關內之興城綏中，設置興綏統監部，高級幹部幾全屬韓姜士官一派。迨民國十三年，第二次奉直戰爭起，楊宇霆時爲東三省總參議，以張學良郭松齡所部，攻取山海關，以韓春麟姜登選之興綏部隊，進攻九門口。其時直軍守山海關者爲彭壽莘部，防禦配備異常堅固。張郭所部即當時號稱爲二六旅者，原較韓姜所部爲精銳，竟久攻不能下。詎意此際韓姜所部，却從九門口攻入關內了。於是士官派之韓姜幹部，眉飛色舞，郭平素殊自負，至是相形之下，恚甚。

當是時，馮玉祥受曹錕吳佩孚命，率所部出古北口，以抗奉軍。比即倒戈，引兵退集北平，逐曹吳，逼清宮。郭始又爲馮此次奇蹟所炫耀，而默契於心。第二次奉直戰爭，至此亦遂結束。此際奉軍統兵大員楊宇霆姜登選李景林張宗昌均由張作霖力請簡放爲江蘇安徽河北山東主席，惟郭松齡獨落空，令其統率所有入關奉軍回師，依舊負責練兵。郭殊怏怏，遂把握此千載一時的機會，以遂其倒戈之野心，其處心積慮，固已非伊朝夕矣。

（三）

郭既引奉軍全軍而東，當軍次灤州時，首先派遣幹員，將在平津負重望之林長民饒漢祥二氏，羅致幕府。同時將所部編成霹雲，范浦江，劉偉，魏益三，四軍，以鐵路輸送出關。並發出饒漢祥所擬之駢四六體倒戈文告。其時偵知姜登選此際正由天津道經灤州出關，立命拘執槍決以洩憤，風聲所播，關內外莫不爲之震驚。顧郭軍自到達興綏下車而後，即徒步行軍，前進殊遲滯，其中以須時時顧慮與日本有交涉，亦一原因。其所以延攬林長民到軍中者正欲借重其負此專責也。

顧在軍事對方之張作霖，却正幸得此優裕時間，調集吉黑兩省軍隊，爲背城借一之計。厥後迎拒叛軍於新民巨流河間，作破釜沉舟的決心，居然將郭叛軍擊潰了。郭倉皇間借其妻韓氏，同乘大車出走，比即爲吳俊陞部騎兵追至，夫婦被擒，奉令就地槍決，成爲同命鴛鴦了。郭無嗣，而伉儷情深，倘臨難不顧其妻，個人或可得以身免。郭自發難，皆居列車中，將平日略有嫌隙之鄒作華氏，解除其砲兵司令職，任爲參謀長。以保定軍校日本步校出身之王靜軒爲參謀處長。當日股肱心膂是在王不在鄒也。

（四）

在昔趙匡胤陳橋兵變而黃袍加身，馮玉祥古北口倒戈，亦大奏其功。乃郭統率奉軍全軍以叛變而竟失敗者，誠以陳橋距弱封與古北口距北平，皆能朝發夕至。郭則在灤州發難，距其企圖成事之目的地千有餘里，又不在近於省垣之新民巨流河等處下車。重以將士是春夏着用單服裝入關，並無寒服補給，隆冬倒戈出關時，關外江寒，凍餒者衆。尤其在中國舊道德上，以下犯上，叛逆之行，皆不爲官兵同，凡此皆其失敗之原因所在也。

當日伴隨郭夫婦違難出走之林長民，不幸亦爲追兵亂槍擊斃，但饒漢祥則深幸燕悲歸來。後余曾有一詩詠此事，詩云：

謀國由來籍股肱，衰邇兵馬本擬勝，沙場歸骨林宗孟，絕域生還饒必偕，塞上折衝宜有待，軍前籌居果何曾，悽迷難括饒門處，同爲佳人一撫膺。

（五）

林初出關，林季武即爲其謀脫身之策，且時誦佳人叱利之詩，林既死，徐志摩爲余言：徐佛蘇輓聯有「衝鋒陷陣那用書生」之句，說的眞是。緣林饒當日皆係被刼持而隨戎行，余同在患難中，每與攀談，林雖感若憫，尙能矜持，饒則動輒說：遺精病重，雖白書亦然。其不耐冒險犯難，可知矣。饒當日所草露布，篇篇用遂字不少，余以爲遂者了也，饒漢祥殊不祥。後郭下最後攻擊命令、正在白旗堡，殆同爲失敗之徵兆也。

郭既叛變矣，張學良爲其父斥責不背，引用非人。於是急至郭之總司令部附近，化裝隱秘身份，大以痛哭流涕之心境，出纏綿悱惻之吐屬，得隔數小時即有其寫致郭夫婦親筆信件一函（郭夫婦閱後輒交參謀喩仲書粘册，僅月餘耳，而已粘有三册。）無非祈求重溫舊情，和好如初。猶憶函中屢有「郭大嫂！尙能與我婆娑起舞乎」一類字句，眞可說是哀感頑艷了！

語意學漫談

徐道鄰

四、部份法（「它」是『××』的一部份）

這是舉出全體的名稱，來解釋其一部份的名稱。例如說，『脚是腿的一部份』，『腕是臂的一部份』，或者說，『旅是師的一部份』，『團的旅的一部份』。或者：『船首謂之艫閭』，『船內部曰艙』。

五、全體法（「它」所包含的有『××』）

這是舉出局部的名稱，以說明其全體。例如：『全體』是一個機關或一個團體之全部人員。身體之全部，謂之『全體』；『全集』是一個人的各種著作的彙輯。『一套』是許多性質不同而配合起來可以達到一個統一功用的東西之總稱。

六、反面法（「它」是『××』的反面）

舉出一個字的反面意義來說明它的正面意義。例如說『上』是『下』的反面。『左』是『右』的反面，『雌』是『雄』的反面，『壞』是『好』的反面，『歪』是『正』的反面。

七、兩端法（「它」是『××』的另一端）

兩端和反面不同。反面多半屬於異體，如『兩敵對立』，指的是兩個不同的人，兩端則多半屬於一體，如『一匹綢緞的兩端』，則所指的是一塊料子。例如說『樹梢是樹根的那頭』，『沸點的另一極端是冰點』。

八、居處法（「它」住在那裏）

這是注意於『所在地』的。例如說『城裏人』指的是住在城裏的人，『鄉下人』指的是住在鄉下的人。『居民』指的是在某一個地方具有他們固定住所的人民。

九、來源法（「它」從哪裏來）

這是注重來源和產地的。例如說『法國葡萄酒』是生產在法國的葡萄酒，『哈密瓜』是來自哈密的瓜。『美國人』是在美國出生的人。（來源法和居處法，顯然各別，但是在實際使用時，兩者却常常容易相混。）

十、年齡法（「它」有某樣的年齡）

這是以『年齡』爲說明重心的。例如『翁』是上了年紀的男人，『婆』是上了年紀的女人。小馬叫做『駒』，小牛叫做『犢』，小羊叫做『羔』。英文小狗叫做PUPPY，小貓叫做KITTEN。都是在說明了種類之外，還說明了年齡。（四六）

燕雙飛

閒雁　　王沉裴

人靜擁爐時節。夜闌剪燭房櫳。枕邊花落膩殘紅。短長鄉夢外。斷續雨聲中。睡裏旋消酒暈。醒餘還似春慵。鈴聲不耐五更風。那堪愁裏聽。天半又歸鴻。

題許定寰將軍畫（二首）

紹莘

萬壑樹參天。石峽濺飛泉，雲根有奇氣。橫絕景當前。

秋山遠明滅。江影雁羣飛。扁舟歸唱晚。漸近釣魚磯。

劍底秦庭

歷史小說　奚如

「太子請坐下！」荊軻用手按了太子的臂膀。

……

又是片刻的靜默，荊軻才輕輕咳嗽了一聲，在太子不稍自安的注視下，望了太子一眼。

「一年以前，我就聽得人說，太子是一個雄才大略的政治領導者，因此，招致了不少四方豪傑之士。」

「嗯！」太子茫然地點了點頭。

「不知道這一批人物，現在是不是在助扶太子加強國力各方面做了許多工作？」

「這個——這個——」太子終於以一陣苦笑代替了一切：「也許是不嚴才讓不足以使各賢士竭盡智謀，到現在爲止，還沒有甚麼比較具體的指教。」

「唔，這樣豈不有違太子養士的初衷？」荊軻也立刻報以輕鬆的笑意。

「所以，現在一切還得仰仗先生明教！」太子畢竟是一個聰明睿智的人物，顯然與在這兒加重荊軻的份量，而且，事實上在他的估斷，也意識到荊軻有此一問，可能也就是要爲自己發言的份量作一個初步的估計。

果然，荊軻的反應，是一陣相當愉快的表示。

「我很想知道，太子對於保衛燕國計劃的一個輪廓。」

「計劃？」太子這時候才眞的有點感到困惑了，想了許久，才囁嚅地回答：

「慚愧得很，現在燕國一切，似乎都還在修補殘破的階段，頭痛醫頭，腳頭醫腳，當我們認爲兵甲應該擴充的時候，便攪陣一補充兵入伍運動；當我們認爲經濟建設是加強國家基本不二法門的時候，立刻又去忙一陣水利，修一陣道路；當我們認爲農民應該使到他們更安定一點生活的時候，又弄出一套臨時的辦法，從公田裏撥出一批土地，從地主那兒分出一點餘田，把它們一一轉給農民：……總之，我們實在還談不上甚麼基本的政策，只是想到哪一點，就做哪一點，有時候甚至不管它行得通行不通，只要一認定可行，立刻便做了再說。這就是我們現行的政策。至於整套的長遠的建國計劃，我們還沒有考慮到，因爲事實上在這強鄰壓境的危機裏，也不容許我們有太長遠的計劃的，你以爲是不是，荊先生？」

「很抱歉，太子我不能同意你這一個意見。」荊軻深沉地搖了搖頭。

「嗯！」太子驚愕地搓了搓雙手：「爲甚麼？」

「因爲這不是一個雄圖大略的政府所應有的做法，這只是近視的行爲。當每一件施政，都爲一兩個人的意向所支配的時候，那等於夜半臨深池，盲人騎瞎馬，危險莫甚！比強鄰壓境還要危險！」

（廿一）

石達開的女秘書

夢山樓

（六）

涉江攀嶺，艱若備嘗，幸得入川，可是，土司受清軍賄惑，突然倒戈，而川督駱秉章又知兵善將，指揮大隊圍勦，達開親見逃亡殘部，死傷過半，扶喪哭死，已不堪再戰了，乃泣謂寶英曰：『不從汝言，今果困也。余自西粵起義，血戰二十年，不幸遭奸人陷害，乃川走西陲，以求一闢立足之地。爾等忠誠，從余來此絕境，皆余一人之過也。今日之事，必不能免，清兵索吾急，非自縛以獄，即五百人同死耳。爾等應冒死東歸，求一塊乾淨土以作長兵，吾死亦瞑目矣。』言畢欲自裁，左右急持之。

當時，寶英顧謂德良曰：『父王平時厚待吾儕，勢至今日，猶自惜身命耶？』德良躊躇不能決，寶英怒曰：『庸奴！尙戀妻子耶？』即將懷中嬰兒，立投階下，呱呱一聲，已腦碎香消了。德良大驚，而寶英已自刃其喉，將斷之際，疾呼曰：『速與王父更衣。』德良始悟。達開化裝借心腹士卒數人逃亡，軍中傳呼翼王以衆降清了。

或曰，達開仍爲駱秉章擒獲，磔於成都，此是百年以來的疑案，然而，石韓微妙之關係，又何嘗不是一個疑案耶？（續完）

自由人

THE FREEMAN

（第四五九期）

中華民國僑務委員會
頒發登記證台教新字第一零二號
中華郵政台字第五〇〇號
執照登記爲第一類新聞紙類
（半週刊 每星期三 六出版）
每份港幣壹毫
台北市售價台幣壹元
督印人：陳文華
地址：香港高士威道二十號四樓
3 rd. fl. 20 CAUSEWAY RD
HONG KONG
香港發行及事務接洽
高士打道66號 電話：七四〇五三
承印者：東南印務出版社
地　址：高士打道六十四號
海外總經銷
友聯書報發行公司
香港：德輔道中二十六號A二樓
台灣特派員辦事處
台北市館前街五十號
台灣總經銷處
台北市西寧南路壹壹零號二樓
台郵撥儲金戶九二五二

論史識兼及中國問題

——冷著英國史綱序——

● 陳伯莊 ●

常言說：「鑑往知來」，又說：「歷史不會重演」。這兩句話從表面看來是矛盾的，究其實，每句話祇說了事理的一面。人類歷史即人類行爲的紀載；人類行爲雖以已知其有定律之物理的與生物的兩物質界層爲基礎，但已昇進至於尚未發現其有定律之社會的與文化的界層；行爲的趨向雖以人性的衝動與需求爲其主體動力，但又因爲社會關係，與文化內容的演進，其滿足衝動與需求的方式可以不一。

要答復的人類大挑戰

直至今天，社會科學雖有了長足的進展，然而人類知識尚不能透澈推想將來歷史演變的種種可能；透澈的推想尚不可能，更遑論知來！因此，祇有削足適履式——覇道而單純——的史觀，如馬克斯的辯證唯物史觀，才會武斷出一條必然的史轍。但是，由於利用科學，使得生產方式轉入大規模的生產，因而社會關係發生了勞資兩階級的對立，又因爲全世界文化的交流，商品的互易，以至沒有一個個別的社會能夠不轉入這個生產方式，而不受「被強者支配」的威脅。所以這一史實——這勞資對立的實現與潛在——給與全人類以一個重大的挑戰。任何個別社會，個別民族，早晚是要對這挑戰給以答復的。人類到了現歷史階段，遭遇了這個共同的問題，正如新石器時代，從狩獵畜牧而轉入農耕定居，因而社會關係引起了許多新問題，和文化內容引起了許多新成就一樣。

事有多因亦有多果

共產黨的錯誤，一、在完全接受了馬克斯的單向因果論，認爲祇有生產方式是因，其餘都是果；這與我們意念中多因相互的觀念不同。二、在於武斷地採取無產專政的方式，而抹煞了滿足人們衝動與需求的方式有不祇一個方式的可能。所以，研究歷史，可以幫助人們了解事有多因，和事有多果。或者正確些來說；產生一件今事的條件可能不祇是一件前事的；一件今事，亦祇能爲產生幾件後事的條件。從社會關係與文化內容的錯綜複雜來看，可以理會到一事不祇一因，也不祇一果。本此觀念來再看「鑑往知來」，與「歷史不會重演」這兩句話，便能理會到這每句話祇說了事理的一面了。

怎樣讀英國史

英國爲演出民主政制與工業化兩大史劇的先鋒者，亦爲處於一個個別文化中最先演變出新社會關係——民主與勞資對立——的一個個別社會。

所謂文化內容其要素的最大者爲（一）行爲型，（二）情感型，（三）知識（包括對物的技術和對人的組織），（四）信仰（包括宗教與主義）。人類行爲實爲這四大要素的交織。所以推想人類的行爲，第一、先要問其個別文化之如何？我們讀英國歷史而要有所取鑑，第一便要明乎她的文化內容和中國文化內容的異同所在。第二、我們更要明白她的新社會關係之出現，是未受這新社會關係出現後隨而發生的意識與理想所影響的。這與我們的情形——民主理想走在前頭，社會中一般行爲型與知識均見脫節的，不同；社會主義的意識又走在工業化的前頭，也完全不同。我們在相當廣大的限度內，推想中國將來演變的可能方向，和其難通的地方，在中英兩國情的異同之中，應該可以探討得出多少消息，這是我們研究英國史時所宜特別注意的。

論歷史的偶然因素

羅素曾指出，英國的工業化幸而發生於民主已抬頭之後，否則工業革命很可能產生工奴，一如農業起於專制部落社會，不免產生農奴一樣。羅素論史，愛強調偶然因素。民主與工業化之邂逅相遇，即成了歷史的偶然因素。然而社會關係和文化內容既如此之錯綜複雜，又如此之交相影響，祇要放長視界來看，兩事之邂逅相遇，儘管具有偶然性，兩事之出現次第，儘管有其一後一先，然而經過相當長久的時期，未發現的終會發現，已共存的終會發生調整的。例如政治民主與經濟公道，在今天的英國已演爲民主社會主義的理想；又如極權在握，久假不歸的蘇聯獨裁者，終不敢否定民主，不敢肯定專政爲永久制度。所以放長視界來看，事件之發生，雖有先後不同的偶然，而兩事相遇亦有邂逅的偶然，然而各事間的調整，可望其依於人性的衝動與需求而調整，所謂「禍兮福之倚，福兮禍之伏」，驟視之似若玄秘，實則並無玄秘。

如何放長視界？必從研究歷史始。如何研究歷史？必須動員一切人文科學，運用這一切科學知識所融聚的意義——所謂基金化的意義——所謂FUNDED MEANING——去尋找問題。照初型的說法，便所謂「史識」，所謂「讀書得間」。

借英史研究中國問題

冷定菴先生留英治學，爲民主社會主義者，他寫這一部英國史綱（自由出版社刊行）自然是「深心託寄素。」我們的國際環境，和國內情形既與英國不同，而少數知識份子的意識與理想又跑在社會大衆的行爲型與知識之前，從甲午到甲午，六十年來，事紛如敗葉滿山，眞可慨嘆！這慨嘆不是贊許辜鴻銘嚴又陵的保守與緩進，而是要求有心人運用一切人文科學知識所融聚的意義來再研究英國史，再剖析我國問題。後進的追隨者，天然地抱有相形見絀的不安，有不肯等待緩慢修正的焦急，凡事夢想一步登天，過甚便會釀出不宜的革命情緒，祇知辜鴻銘嚴又陵犯了不懂大衆情緒的毛病，不犯這毛病的不足與謀國。

革命失敗的原因

然而，革命的眞諦乃是另外一回事，蓋既非革命情緒，亦非運用革命情緒隨時奪取政權者所騰的口實。眞正的革命，是社會新關係的建立，即中山先生所謂建設，即他所謂比革命難得多的建設。杜威先生是這樣說的：

A REVOLUTIONARY EVENT IS A CRISIS OF HIGH INTENSITY. THE EXECUTION OF ANY POLICY FOR DIRECTING CHANGE TO ONE OUTCOME RATHER THAN TO ANOTHER IS NEVERTHELESS A GRADUAL AFFAIR; THE MORE CRITICAL THE EMERGENCY, THE MORE GRADUAL WILL BE THE EXECUTION OF THE PLANS AND POLICIES BY WHICH IT IS FINALLY RESOLVED. THE IDEA THAT THE RESOLUTION OF CRISIS（社會新關係的建立）IS OF THE SAME ABRUPT NATURE AS IS THE OCCURRENCE OF THE CRISIS（革命本身）IS A UTOPIAN CONFUSION.

我們政治革命呈現了敗葉滿山的慘象，正因爲少數知識份子犯了空想的混亂（UTOPIAN CONFUSION.）

功利主義本身無罪

坦然提倡功利主義的英國人，他們解決了政治上一個大問題，又在保持民主自由的成就中，進而努力於經濟公道的實現。我們試一看出水芙蕖，在曉光中迎風吐艷的蓮花，她的脚跟是站在汚泥之內的。沒有汚泥培養，周濂溪也無蓮可愛了。個人行誼，儘管可以如諸葛武侯的「知其不可爲而爲」，也可以如譚嗣同的「我自橫刀向天笑」，然而社會大衆之事必是——

正其誼必謀其利

明其道必計其功

的。功利本身無善惡，祇看它能否獲致道與誼而已。

民主以選票代武力

「沒有寶劍在握，契約祇是空言。」這是霍布士的名言。政權生於武力，但從戰場決定轉到議場決定，又再轉到選票決定，於是民主政體脫離了武力的母體而自能延續其生命，實是人類政治過程中的一重大進展。馬上得之者，雖不以馬上治之，然終於由馬上失之。這樣，還是在具體表現民權的選票未抬頭之前的階段中打滾。自唐太宗到法路易十四，到德希特拉，蘇聯史太林，到埃及的那基普，儘管「又從而爲之辭」的理論，立說各有不同，祇要脫去外衣，依舊原形畢露。馬林可夫捕殺貝利亞，還不是政權決於戰場的變相？還不是受齒熱帶叢草林中獸類相食的法則所支配？他們挾着馬列主義來統治人民，還不是變相的僭侶統治？還不是身藏兵器的僭侶們稱帝？「凡有血氣，皆有爭心。」政治活動，祇是爭權，經濟活動，祇是爭利。爭將與人類相終古，政治與經濟將與任何社會相終古。問題斷不在乎去爭，而在乎獲得良好的「爭的方式」。

善學英國的，要如黃山谷之學王羲之，黃山谷的字形沒有一些兒像王字的。書法比政治經濟簡單多了。追求政治和經濟理想之實現所要費耗的移山心力，正壓着我們的兩肩。

英報業自由百年紀念

三家大報的風格及其歷史

英國言論自由於今百年矣

風行

在本年七月初旬，有三間英國大報館慶祝成立百年紀念。這可算是世界報業罕有盛事。值得一談的。

這三間報紙是（一）每日電訊報（THE DAILY TELEGRAPH），（二）曼城導報（THE MANCHESTER GUARDIAN），（三）蘇格蘭人報（THE SCOTSMAN）。

際此社會人士憂慮到泰晤士報所說的，報紙可恥的降低了價值的今天，我們想到英國這三家報紙，閱盡了百年滄桑，仍維持報業佳模，實足令人興奮！目前雖然許多力求暢銷的報紙，用種種很成問題的手段去投衆人所好。但此三報不但維持他們所根據的高尚傳統，而且在近年來，卻增加其勢力範圍。

嚴肅性的每日電訊

每日電訊報在此點有其獨特的成就。——這是唯一銷路極廣的嚴肅性的報紙。——超過二百五十萬份。這也是最早售價每份一便士的有地位之報紙。（泰晤士報有七十年的歷史，通常每份七便士。）現在每份售兩便士，比普通暢銷的報紙僅貴半便士。該報的館址在倫敦著名的報業區『艦隊街』，是最現代化的一間。以國外之新聞最靈通著名。邱吉爾首相以前曾在每日電訊報担任通訊員，而開始其寫作職業。當時他在印度西北部寫新聞報導，每一欄獲酬五英鎊。

公正自期的曼城導報

「曼城導報」與「蘇格蘭人報」，大約在一八五五年以前已經創辦，但到了該年，始確定每日出版。

曼城導報在一八二一年屬過激主義的報紙。但不久成爲中等階級溫和派的報紙。說來令人感到有趣，在美國內戰時期，它的社論連篇的攻擊美國北方派。稱他們做侵略者。雖然該報稱奴隸制度爲醜惡之事，但它說不值得去爲此事而作戰。當一八六一年北美組織軍力作戰時，該報稱林肯並非爲廢除奴隸制作戰，而係爲建立王國。

（下轉第三版）

警察竟和强盜談判耶！

執行警察任務的美國，現在竟宣佈於八月一日在日內瓦和實行侵略的強盜中共，舉行大使級的會議，眞使人有啼笑皆非之感。

據國務院發言人塞丹婉說，該會議不會涉及台灣或其他影響中華民國的問題，更「不會涉及對中共外交承認一事」，主要目的，在使中共手中的美國人約五十一名獲得釋放。

中共的新華社消息則說，該會議將討論（一）雙方平民遣返問題，（二）雙方僵持中的若干實際問題。

該會議的安排，是經由英國和緬甸印度從中接洽而來的。我們相信美國不至於出賣盟友的事情，但我們對於英國和緬甸印度的熱心卻不能不懷疑，他們一向是主張犧牲台灣以求安撫的，英國的意見也和美國有相當距離。在他們的安排影響之下，美國能否不會上當呢？中共在所謂「僵持中的若干實際問題」，顯然要提出不利於中華民國的問題，到時，美國又將何以應付呢？

艾森豪總統在日內瓦頭會議中，曾堅決拒絕蘇俄提出遠東問題，令人敬佩。我們更希望美國在大使級會議能以同樣精神拒絕中共涉及釋放美國平民和士兵以外的其他問題。如能如此，則便是和强盜談判，也還不至過份損害國際道義的原則。

本週展望

• 陳克文 •

吳廷琰進退維谷

吳廷琰拒絕和越盟談有關明年舉行全越選舉問題，引起英美法三國的共同壓力，認吳氏此舉有違去年七月日內瓦會議的協定。

一年來，吳氏一方面受教派軍閥之叛亂牽制，雖大致平定，惟共黨之滲透破壞則日增無已，南越處境之艱危可想而知。此時而遽談選舉，其有利於共黨併吞南越而易見。吳氏堅持必須將國家利益置於黨派利益之上，始肯討論此一問題，這當然是公忠謀國之道。

但吳氏如接受三國意見，與越盟討論選舉，不啻予共黨以機會，拒絕，則有失去西方之支持，進退維谷，莫此爲甚。吳氏曾言，南越未參加日內瓦會議，並無接受該會議協定的責任，此就法理言，問題所在，應問英法美——尤其是美國，是否願意共黨之席捲全越，否則不宜過事追與吳氏。

在歐洲，西方既不願東德之併吞西德，擬在亞洲何可任令北越之併吞南越耶？

日內瓦精神能持久乎？

日內瓦四巨頭會議已經結束了，參加會議的四國首長已經分別回到他們的首都。

該會議要討論的幾個重要問題，尤其是德國統一問題，與歐洲安全問題，並沒有一個得到實質上的解決，但大家並不承認會議的失敗，然則成就何在呢？大家都說，互相間增加了友好氣氛，將來的談判途徑已經開了。這自然可以說是一種成就，不宜輕加忽略的成就。但這種成就，是否即能保證將來實際問題的眞正解決呢？誰也不敢加以斷言。艾森豪回到美國後更表示說，會議是否有所成就，要待數月後的事實，才可證明。更爲審愼，艾登表示要求秋季外長會議證明蘇俄能否繼續保持「日內瓦精神」，才能向前談判。「日內瓦精神」是否蘇俄放棄共黨征服全世界傳統政策的開始呢？如其不然，則所謂友好氣氛只不過是笑裏藏刀，口蜜腹劍而已，其何能久！英美的審愼樂觀不是沒有理由的。

中·共·的—「五年計劃」能實現嗎？

根本無此經濟能力　過去事實業已證明

·沈秉文·

中共現在正舉行所謂「全國人民代表大會」第二次會議，會議一開始，中共「國家計劃委員會」主任李富春首先發表了長達五萬言的關於「五年計劃」的報告，提請該會議予以通過。

查中共的「五年計劃」早在一九五一年，即已開始擬訂，並於一九五三年開始執行，直至今年三月方由共黨的「全國代表會議」作基本上的通過，再由中共中央「委員會修正後交爲「國務院」追認，然後再通過「人代會」這一傀儡議會的立法程序，使之成爲所謂「國家的計劃」。

五年計劃的內容簡要

所謂「五年計劃」的概要是：時間：自一九五三年至一九五七年。投資總額：新「人民幣」七百六十六億四千萬元。投資分額：用於「基本建設」的佔百分之五十五點八，計四百二十七億四千萬元；用於資源勘探、工程勘測、工程設計、器材儲備、工業生產和交通運輸等的佔百分之四十四點二，計三百三十九億元。

按此一計劃的投資總額，折合黃金約爲七萬萬餘兩，折合美金亦達三百三十餘億之鉅。李富春在報告中自稱此一龐大資金皆將取自農業生產及農業增產，以向蘇俄等國換取機器和工業原料。雖轉目前「中國」財力較蘇俄施行第一個五年計劃的當時遠爲艱困，而投資額及計劃範圍則較蘇俄當年遠爲龐大。

準備戰爭的軍事建設

通觀李富春報告全文及計劃概要，可以很清楚地看出中共在五年中的巨額投資，有三大重心：（一）建立軍工業基礎，以大量製造武器、彈藥、鋼料、汽車、火車、飛機零件、艦隻、鐵軌等戰略戰術物資。（二）建立軍事交通網，以打通國內各軍事重鎮及「中越」（自鎮南關通往海防）、「中蒙」（自集寧至二連通往偽蒙首都）、「中蘇」邊地（自蘭州經迪化至阿拉木圖）之間的運輸大動脈。（三）大量發掘地下資源，並建立龐大石油工業，以儲備大量煤、鐵、各種金屬及石油等軍需用物資。換言之：中共「五年計劃」的本質，既非什麼「國家工業建設」，更非什麼「民生實業建設」，實爲一不折不扣的純以鞏固極權統治及長期從事所謂「世界革命」爲目的底「軍工建設」。

事實證明經已失敗

但實際上，此一計劃在過去兩年既已遭受慘敗，今後三年自亦將同樣無法完成。

就過去兩年說：假定李富春所報告的投資數額並未誇張的話：則中共在過去多年從征糧，收購餘糧，統購各種農作物資，等等的全部所得，還同礦物及土產加工品等輸出所得，全部資金投入勘探，建廠，或生產，亦只及計劃總額的百分之三十二，約兩百四十餘億元，等於祇完成兩年內應有投資額百分之八十而已。且由於經驗太差，技術不足，設計錯誤，投資盲目，管理無方，浪費嚴重，質量太低，成本太高，外加人民消極抵制，到處阻撓破壞，故該計劃實際完成的工作量，可能還不足百分之三十二的一半，舉例而言：該計劃原曾規定非生產性（如建造房屋等）的投資不得超過百分之十一點二，但兩年中非生產性的實際投資竟達百分之二十一點六，幾已超支一倍。該計劃又規定一般建築的造價每平方公尺不得超過一百二十五元，但實際造價卻在二百五十元至三百元之間，幾已超支一倍以上。此外，每建一廠一屋，意外損耗的動輒在一千萬元以上，許多地質勘探工程的勞而無功，以及新廠投入生產以後廢品率的驚人嚴重（例如：鞍鋼出品鋼料有百分之三十不合規格，玻璃工業全部未能完成一級產品指標，大連工礦車輛廠出品百分之九十一無用，瀋陽機械廠出品鑄合全部報廢等）等等；無不足以證明中共此一計劃，實際已遭到嚴重的失敗。

根本無此經濟能力

以今後三年而論：中共無論在經濟能力上及技術條件上都不可能達成此一計劃。就經濟觀點說：中共以多年封鎖和搜刮所得傾囊投入計劃的結果，一方面只合計劃投資總額的百分之三十二，而且已換來全面的飢荒和到處反抗。今後三年欲完成投資總額百分之六十八，計在百二十餘億元，根本就無此經濟能力。中共雖虛調農業增產，但照李富春所極誇張的估計，目前每年全部農產品（其一半以糧食爲主）的價值亦僅約四百億元。欲估五百二十餘億的投資，幾等於三年總收入的二分之一。換言之：大陸糧食等主要農產物向來不足自給，再要在今後三年中取其一半以換取機器和工業原料，僅從常識判斷，已可斷定其爲不可能。

技藝人材亦大缺乏

再從技術觀點說，工業牽涉範圍甚廣，內容複雜，僅以單位管理，機器使用，計劃調節，部門配合等等，已非有高度的技術不可，但此種技術人才，斷非三兩年間所能倉卒造就。中共如果不計一切，盲目從事建立重工業，結果，不僅不能避免重蹈設計錯誤，浪費嚴重，且亦無法避免產品報廢等無人管理，秩序混亂，機器使用率極低等的致命現象。

中共暴政的大傑作

大體說來，中共的「五年計劃」祇是一個極度誇張的不可能實現的官樣文章而已。能實現的，恐怕祇是軍火工業、礦藏開發、石油採煉，和交通擴充，以及表面上用以點綴其「和平建設」而實際上供幹部們享受的那些宮庭式的辦公大樓、劇院和大禮堂。中共之所以詳細地向大陸和海外廣播李富春的報告全文，目的顯然在對外誇耀其所謂「建設新中國」的「努力」和「氣魄」，又一方面則在向大陸人民「報銷」其歷年來的殘酷搜刮，並爲今後加緊搜刮而發出「冠冕堂皇」的口號。這便是中共暴政的典型傑作，是用無數人民的頭顱、鮮血、勞力和飢餓造成的虛偽宣傳。

埃及爲甚麼要親共？

—外交政策矛盾的原因—

方劍

（本報開羅特約航訊）埃及自一九五二年七月二十三日革命以來，現經三年之久。內政方面：已剷除了王族的勢力；解散了各政黨，各社團，以及一切對於革命有阻礙的力量。建設方面：也頗爲努力，尤其對於建軍，更是特別注意。

納瑟縱容共黨份子

不過其中有一點，很使人不解者，就是總理納瑟秉政以來，雖剷除了一切舊勢力，而且解決了回教兄弟會，但他對於埃及境內的共產份子，並沒有作有效的根除。他本以反共政策爲標榜，時時捕獲共產份子，不過一經審訊之後，便予釋放，並不像處理其他各黨派的反革命份子，一般治罪。

有人傳說，納瑟表面反共，實際親共，他的親共，除放任共產份子活動外，還與蘇俄以及蘇俄衛星國締結商約，例如羅馬尼亞，匈牙利，捷克，東德，波蘭，均與埃及發生商業關係。羅馬尼亞與匈牙利各國，在埃及所作的共產宣傳工作，更見活躍。

不僅如此，埃及各大學的教授，也有大批共產份子潛伏，革命委員會也有正牌的共黨，這些共黨因與各委員意見不合，現已出國。至左傾的納粹份子，現任不管部長，主持世界回教大會事務，在內閣中新任工商部長的努塞雷，和交通部長雷得凡，以及宗教部長巴古雷都是灰色份子，與共黨很接近的。

新秘書原來是共黨

最有趣的一個故事，是本月（七月）五日納瑟總理簽署命令，委任亞歷山大大學教授穆斯落發阿布烏拉爲總理辦公處秘書長。穆氏命令尚未發表，第二日（七日）亞埠的警探局竟將這位即將就任的新秘書長，連同其他大學教授及學生共十六人加以逮捕。原來這位新秘書長竟是亞埠共黨小組織的首領。他的行動早在警探處密切注意之下。這次正在他們祕密開會之際，被警方捕獲的，當時並搜獲很多共產的重要文件。納瑟接到新秘書長被捕的報告之後，只好追問保荐這位新秘書長的負責人。保荐人到底是誰？外間尚未知道，也許是一位老共產黨也說不定。

實際上埃及現政權，最危險的敵人便是共產份子。納瑟也不是不知道的，他的政策要在時而親共容共，時而反共之間，來鞏固他的統治地位，這種動搖不定的政策，到底是禍是福，倒是不易說的。

美援不來親共更甚

至埃及與美國的關係呢，也很奇怪，埃及接受「第四點」援助以後，在建設方面，在各種技術上，受到美國的幫助很大。本年美國對埃及的經援是四千萬美元，明年可能數目更多。埃及經濟建設，與軍事建設上，想盡方法，增加美援，這是事實的需要，而且實際上除了美國以外。也沒有任何國家，可以大量幫助埃及。

但是，埃及對於爭取美援的方法，是要不付任何代價，不負任何義務的。這當然是美國不肯輕易答應的事，埃及因見美援不能源源而來，便對美發生反感，要採取「印度」式的要脅方法，對美漫罵和採取種種使美國難堪的手段，親共容共，向中共送秋波，也便是一種對美要脅的姿態。

埃及外交政策的矛盾現象，便是這種對內的情勢使然的。上月埃外長參加金山聯大十週年紀念，曾向美國當局，商談美援，情形如何，尚未發表。不過，美援如能稱心順意的到手，我相信埃及的親共容共姿態也會隨之減輕的。（七月十日開羅）

·人物·評述·

中共今年的「人代會」，在七月十八日快將閉幕的時候，卻來了一幕醜劇戲，那就是全體通過逮捕胡風與潘漢年。他們指胡、潘都是「反革命」份子。其實胡、潘兩人也都是「人代會」的代表，本是座上客，忽然變成了階下囚，這應該是極爲滑稽，而且又極爲悲慘的一幕醜劇。

關於胡風事件，中共的報紙每天都是整幅的連載，極不相干的韋士釗，都發表一篇關於斥胡風的宣言，其他各「民主黨派人士」，更是千篇一律，一致的聲罪致討，大興問罪之師，對於一個胡風，值得中共如此重視，這當然別有用心。關於胡風這裏且不贅述。

黨齡已廿年以上

談到潘漢年的身世，他是江蘇宜興人，今年五十歲了，蘧伯玉五十而知非，他恰恰是知非之年，而遭受到「兔死狗烹」的整肅，這該是後悔莫及。

他還有一個哥哥潘梓年，曾任「新華日報」的總編輯，在他潦倒的時候，曾一度淪爲販賣報紙的報販，當年的宜興暴動，就是他們兩弟兄的傑作，原來那時他們就已受到共黨的蠱惑，論黨齡當在廿年以上。

潘漢年爲甚麼被清算

—民族資產階級亦快完了—

劉霧如

他一向從事文化工作，在北伐時期，他在一部很流行分上下兩部的雜誌「幻洲」上，擔任了下部「十字街頭」的編輯，以「亞靈」和「水番三郎」的筆名寫雜文。「幻洲」停刊後，潘漢年參加了共黨的實際工作，幾乎一躍而爲共黨第二流人物。民國十七八年，潘漢年擔任共產黨上海特區「文化運動委員會」的總書記，他與丁玲，姚蓬子等，時常出入於上海汕頭路的羣玉坊中。那羣玉坊是妓寨所在，鶯鶯燕燕，聲雌粥粥，那時潘漢年溷跡其間，藉資掩護。他在那裏租了一個亭子間做他們的機關，此後，他一直遭受到了通緝，行蹤詭秘。

與陳毅饒漱石鼎足

七七事變發生後，有所謂統一戰線，這時潘漢年才又公開活動，潘漢年是代表中共份子之一，這一次統一戰線的告成，潘漢年也是奔走最力的一個。最初他是十八集團軍派駐上海的代表，上海淪陷後，他又任廣州的十八集團軍駐粵辦事處的負責人，到太平洋戰事發生後，他重回到上海，從事他的地下活動。他曾經兩度來香港，一次在太平洋戰爭發生以前，一次是在香港光復以後，都是負有中共的特殊使命，而所做的大半是統戰工作，拉攏一般文化人乃至上海的大亨。最後一次，離開香港，便到上海任副市長，兼華東區第一副書記了。

由於他在上海有悠長的工作歷史，更遇着人事上的關係，自然是輕車就熟，對於中共的幫助，可說是厥功甚偉。他在華東區，更週旋於陳毅與饒漱石之間，更是手腕靈敏，竭盡心機。

一度傳說陳毅將辭去上海市長，便由潘漢年遞升，他這時眞可說是紅極一時，炙手可熱，大有與陳毅，饒漱石，鼎足而三的氣燄。

中共玩弄文藝的證明

由於高饒的整肅，中共黨爭的繼續擴大，他在組織工作上自然是與饒漱石的關係密切，要申辯也來不及，饒漱石既然受到整肅，潘漢年自然是無法倖免。所以有人估計，在饒漱石受到整肅以後，潘漢年等也早已在監視之中，可能早已拘禁，只是在「人代會」才正式予以公佈，完成一種公告的手續而已。

由潘胡被捕的事件看來，可以看出共黨對文藝的玩弄，它用來作爲爭奪政權與鞏固政權的工具，尤其是發抒感情的文藝，更是欺騙青年與麻醉青年的有效藥劑。它對於任何智識份子與文藝作者，用得着你的時候，就加以利用，他不用着你的時候，就給你任意加上一個罪名，隨時予以斬殺清除，潘胡二人的被整肅，正是朱毛玩弄文藝的有力證明。

潘漢年以往是創造社的重要份子，而胡風也是魯迅的高足，所以中共過去對潘胡要加利用，而他們也因此而佔到相當地位，現在他倆可利用的價值完了，自然要遭受到被整肅的命運。

黃炎培勢將不保

其次由於潘漢年的被捕，可以看到「民族資產階級」即將完結。也便是潘漢年的垮台是「民主建國會」完結的前奏，該會負責的黃炎培恐亦將命運不久了。

原來潘漢年過去奔走於上海香港之間，他所負責的就是關於「民族資產階級」的統戰工作。黃炎培也同樣是以拉攏上海的「民族資產階級」爲號召的，「民主建國會」的作用就在於此。

如今，「民族資產階級」的生命既快要完結，「民主建國會」恐怕不久也要關門了，在鑼擁人士曾經紅極一時的黃炎培恐怕也要隨之而走上死亡之路了。

潘漢年是中共的「自家人」，尚不免於遭受整肅，更何況黃炎培不過是「同路人」呢！

從潘漢年的被清算，便使人對今日大陸的文藝和智識份子以及「民族資產階級」的命運感到悲哀了！

編者　讀者

△頃承謝康先生從汶島寄來有關海外華僑教育報導文字一篇，朱淵明先生從古晉寄來有關沙羅越之報導一篇，均與僑胞之海外活動情況有關，本刊將陸續刊出，儘先預告。△小丞，劉思，力求，胡養之，文鑑，林髮，裕生，李毓田，王斌，陳代鑄，丹士，勝常，王況裴，楊柳絲，趙家驪，諸位先生，承惠文稿，已一一收到，至感幸！△企良先生：大示敬悉，（一）請參看本刊四五七期，西門豹先生來函，（二）大稿經詳細拜讀，謹復。

捷克共產魔掌下——戰時新娘的悲慘遭遇

波音譯

倫敦的「每日快訊」，數月前突然在頭條新聞地位揭露了一個「恐怖、殘酷、罪惡的故事」，這是關於一個英國戰時新娘戰後在捷克生活的眞實故事。

被迫自掘墳墓

這段新聞引起全國注視，羣情憤慨，對故事主角費烈絲·克拉克也無不寄予深切同情。一九四一年，費烈絲在英國與捷克飛行員西斯貝拉相遇，旋即結婚。大戰結束，她也隨着丈夫回到他的祖國。這個故事是根據費烈絲自己的口述，她感覺到達捷克後最初的幾年如何快樂，後來共黨統治捷克後，他們的生活又變得如何苦痛。一九五〇年聖誕節前夕，他們企圖逃出鐵幕，但她和丈夫都遭逮捕，她被共警拖進邊境一個火車站，就當着他們三個孩子的面被共警強行姦辱，孩子們想避開，也遭共警強迫站在一旁觀看。後來，她丈夫被送入牢獄，孩子們也被奪去，她自己受酷刑拷打，又被迫自己挖掘墳墓。

「快訊」報的報導所以令人注意的，就因爲這個故事並未就此結束。費烈絲雖然逃過了她自己所掘的墳墓，却仍然困處於捷克。她已從牢中釋出，且已和丈夫離婚（據說這事辦得很和洽，也希望能藉此逃出捷克），她的三個孩子也已選入一所國家教養院。她將自己的遭遇告訴一個捷克朋友奈迪，奈迪逃過邊境成爲流亡難民，輾轉到達倫敦，即將她的故事再轉告了「每日快訊」。該報除將這故事揭發外，還發表了一篇社評說：「這個婦女被奪去了丈夫孩子，且受殘酷懲罰，却一往沒有犯過什麼罪。」英國人民要求她的釋放。

共黨的諾言

其他報紙也羣起響應，在日內瓦會議前的一週內，費烈絲所佔的新聞地位尤甚於艾登或布加寧。孟撤斯特導報也說：「這種待遇也揭發了莫斯科最近建議促進文化交流自由一事的眞相。」在下院中，議員們的質詢也迫得國務大臣納丁承認，另外還有九十四個英國戰時新娘也同樣困處於鐵幕後，後來納丁對捷克大使警告道：這種事情繼續存在，英捷關係也將繼續「中毒」。

正當全國輿論指責到達高潮時，納丁突然對下院宣佈，費烈絲已下落不明。二天後，英國駐布拉格大使館却又發現了她。原來在她失蹤階段內，捷共受英國的輿論壓迫，以二天時間讓費烈絲帶着孩子去野餐，且對她提出種種諾言。他們甚至還將她的丈夫從鉛鑛中找來，答應給他一個良好工作，還將一座別墅撥給他們全家住，只要費烈絲肯答應留在捷克。

投入恩人懷抱

可是費烈絲不爲這種提議所動，最後，共黨只好派她離去，且許她與孩子同行，這是共黨對她的「特別恩典」。七月中，費烈絲帶着三個孩子到達了阿姆斯德丹，重獲自由，不勝欣喜。但「快訊」報的讀者却沒有料到下一着。她重見天日後，立即投入將她的故事向「快訊」披露的恩人奈迪懷抱。奈迪安詳地說：「我將和她結婚」。

英報業自由百年紀念

·風行·

（上接第一版）

司葛特（G. P. SCOTT）由一八七二年起，任總編輯凡五十七年之久，復使該報趨於急進主義，而導致目前的持平態度及論調優良的水準。司葛特久已追隨自由黨進步之路綫。然而當自由黨式微時，該報維持獨立之立場而左傾，目前該報自稱其政策係態度開明的獨立。

司葛特對於報業創下若干新聞界的格言。例如他說『新聞事業是神聖的；批評是自由的』，『坦誠固佳，但公正態度更佳。』不管曼城導報是否常保持此種原則，但此種觀念常指導其政策。

技藝先進蘇格蘭人報

「蘇格蘭人」報是蘇格蘭最重要的報紙。在技術上的發展是先進。它首先向新成立的鐵路公司訂立合同運輸它的報紙。其後首先有該報運輸的專車。在郵政局接管電報事業之前，「蘇格蘭人」報首先獲得倫敦與愛丁堡之間的電報專綫拍發權。它也是地方報紙在倫敦設辦事處的第一間。地方報紙能夠派記者到國會下院，該報曾出很大的力量。除泰晤士報以外，它最先用捲筒印刷機，到一八七一年它已安置了「WALTER」的印刷機，每小時印出八版報一萬二千份。

到本世紀，「蘇格蘭人」報仍在此方面居領導地位。到了一九二一年它是英國首先安置高速度複式拍電印機，此爲遠距離印字的先鋒。到一九二四年爲歐洲第一家用電傳打字機者。由倫敦打字，在愛丁堡自動的照樣打出來。該報也在英國首先用電傳圖畫機。後來又發明一方法，即不必停止捲筒印機，而可以將最後特要的消息（STOP PRESS）加入去。

言論自由已經百年

在本年七月三日至九日這一星期內，也可以大略說是英國言論自由的百年紀念。曼城導報和蘇格蘭人報的創立，不約而同的相距不過數天。那時正是政府解除對報紙的束縛後不久，那時的政府只代表皇室和地主貴族階級。事實上有許多日報和週刊都是在那時創立的。

抽稅和檢查的壓迫

在十六世紀，英國應用印刷術後不久，便實行頒發執照和新聞檢查的制度。但對報紙自由最嚴重的打擊，係在一七一二年，那時國會通過一項法案，即後來所謂「向智識抽稅」。此種稅係每一份報紙須貼上一便士的印花。向報紙和廣告抽稅，其目的在使報紙漲價，讓普通大衆買不起。此種抽稅，使許多報館倒閉，並阻止其他新報館的成立。能艱苦維持的，銷路亦因此大受打擊。

壓迫言論終歸失敗

法國革命爆發後，此種稅亦因之而增加。英國政府當時畏懼報紙一旦盛行於下層階級，可能引起他們效法法國人，也起來革命。但當時保王黨（TORY即今之保守黨）政府繼續實行其壓迫政策，反引起反抗，勢如燎原。有許多未經批准而發行的小冊子和報紙，千千萬萬的工人階級份子購買閱讀。其中最重要的是在一八一六年，由威廉・柯波特（WILLIAM COBBETT）出版的新聞單張。稱爲「政治紀錄週刊」（WEEKLY POLITIACL REGISTER）是對摺一張的，售價兩便士。

直至一八五三年，先廢除了廣告稅，兩年後，才完全廢除此種便士印花。到了一八六一年，紙稅完全豁免後，方足稱報紙獲得完全自由。廢除此等苛例後，影響立見，新成立的週刊和日報，如雨後春筍，紛紛茁壯起來。在一八五一年大英聯合王國的報紙，共五六三種，其中有日報十七種。但到了一八六七年，報紙共有一千二百九十四種，其中日報有八十四種之多。

我做了六年共幹（三）

——昆明淪陷的時候——

·葉光裕·

繼續敍述共黨在農村裏的組織及其活動的實際情形：

怎樣消滅另售商

（六）國營百貨分公司：共黨的國營百貨分公司，實際是雜貨店，連馬桶尿盆，都要歸它出賣的。共黨認爲自由市場和零售商都是『投機份子』，『倒把剝削』者，必須加以消滅的，所以要實行『國營統購』、『統銷』、『定額』、『定量』、『分批供應』。「國營百貨公司」的主要目的，便是（一）限制人民，不准自由的吃，自由的穿和用。（二）不准人民私有物品。（三）澈底控制人民的財富，減少人民財富。（四）消滅自由市場及零售商以奪取商權，使共黨成爲唯一的剝削階級。這樣一來，所有的自由市場及零售商自然都倒閉了。農村裏的老百姓爲要吃飯，要活命，只好忍痛走進「集體農場」充當牛馬。否則活活餓死或自殺。有些鋌而走險的，「集體暴動」，搶共黨的倉庫，因此遭共黨武裝鎮壓部隊擊斃者，亦不計其數。這便是大陸農村一片淒涼慘淡的景象。

農民都變成了囚犯

（七）「生產組」：農村的老百姓一律編入「生產組」以五戶至十戶爲一組，設組長一人，（選擇積極份子充任）領導全組農民耕種。每天開工由組長「集合」，「男男女女一齊去種田」，收工，由組長發佈命令，又一齊帶回來。每隔十天全組人員開「檢討會」一次，選拔「英雄」，處罰「狗雄」，把家家戶戶控制得死死的。所謂生產組長也就是監獄裏的看守員，農民就是監獄裏的囚犯，誰也休想有半點自由。

（八）「互助組」：就是以每一「生產組」爲單位，將幾個生產組編爲一個「互助組」，設組長一人。並簽訂「互助公約」，「愛國增產公約」。農民的田地應該種些什麼，或者要買些什麼農具，都必須經「互助組」的准許。每週有一次「聯合檢討會」，舉行「生產組」生產比賽，弄得人人雞犬都喘不過氣來。

家庭裏互相監視

（九）「家庭會」：規定每家每月開兩次會議，遇到有事，還得隨時開會。開會時，一家人圍坐一起，「主席」輪流擔任，假若輪孫女當「主席」，爺爺發言，也要先報告孫女請准，如果家庭會議是「檢討爺爺」的，孫女照樣執行「主席職權」，對爺爺加以「訓導」和「糾正」。這樣弄得家庭裏人人猜忌，互不相信。父母、兄弟、姊妹之間，都變成敵對，你監視我，我監視你，誰也不敢對誰說什麼眞實話，誰也不敢向誰表示情誼，如此家庭，還成其爲家庭嗎？

共黨的調查工作，全賴各種組織去執行，還調查資料，區分人民的階級，再進而做「清算」，「鬥爭」，和「公審」的工作。調查方法實在太多，說之不盡，總之，千方百計，要把每個人前幾輩的舊事都調查出來，放在一起「清算」。一點點小事，可以擴大到幾百幾十倍，好加重人民的罪名，直弄得你家破人亡爲止。

共黨在農村裏的各種組織及其活動情形，說到此處爲止。（七月十日）

港府培養專業人才　失學人數可望減少

近來香港工商業不易發展，增加就業機會又十分困難，要減少嚴重的失業問題，有關人士無不同感棘手。在目前情況下，除了港府各機構偶而需要補足缺額之外，到處呈現「人浮於事」現象。港府各機構聘用員工雖未規定必須香港出生或受過殖民地教育，事實上，如不是香港出生，而未曾受過香港教育的，即令有充分學歷經驗，也較難有取錄機會。這種不成文規定，始於一九四九年。係隨着政治局勢轉變而來，使港府各機構對於人事的審核任用，籍貫和資歷不能不作適當限制與審愼考慮。

然而，失業與失學一樣，在今日香港畢竟是一個嚴重問題。社會局給予年老無依的失業者，頻年付出長期救濟費，也是一大負累，該局自年初以來，對港九失業者曾辦理登記，但迄未將確數公佈，這是對於失業者一時難作適當安排。這種登記雖屬一種統計，從這些數字表中，當局仍可以比較了解失業者的處境。

同時社會局每天仍接到許多失業者來信，或求職，或要求生活接濟，或請協助解決其他瑣碎問題。有的也要求社會局長接見，替他們解決困難。除了年青力壯者外，該局對於這些人的請求一般都妥善設法處置。

現下港府若干附屬機構，如公務局、電機及機械工程處、廣九鐵路局、水務局等，正擬培養一批技術人員，對於失學者說來，倒是一個好消息。雖然限制籍貫學歷較嚴，在失學日形衆多，構成現社會問題嚴重性之時，相信可以由此稍是鬆弛。就上述各機構需要聘用人員的年齡說來，從十五到十七歲這一年次，能夠充分容納，則對於今後兒童犯罪事件，也可能稍予減少，而且這規定的年次，大多數均屬香港出生，且受過香港教育者。他們一經被錄取之後，一方面既可學習技術，且有就讀工業學校機會；待遇是由第一年日薪二元四角八分，逐年增加至第五年三元九角二分，另有每天一元的生活津貼；至於工校學費則全年祇需付出六十元（分十期繳交）。這是一大創舉。各大公私機構，如果也能羣起做效，則浪費人力，埋沒人才，與及學非所用等現象，也可逐步消除了。

經濟社會思想叢談（四三）

金伯華

「自由主義」

是以從思想史上查考起來，這一個易於引起誤會，易於使人會變成只知有己，不知有人的「爲我主義」的楊朱的名詞：「個人主義」，謹愼的學者，都會可避而不用。因爲人們如果就個人主義這個字從思意方面加以望文生義的解釋，那末，自私自利，將是我們一切行爲的唯一準則。

其實呢，這是十分顯然的，即在經濟關係而言，例如交換，分工等等，任何人都決不可能在孤獨無涉的狀態中生活。所以任何學派，都從不會以「楊朱式」的個人主義自作標榜。所謂個人主義學派這「個人」一詞，是要從最廣義的範圍去解釋的。這範圍甚至可以推廣到某一個人爲別一個人而犧牲生命。因爲這種犧牲是需要極大的個性的。史沙士（Schatz）在「經濟的及社會的個人主義」一書裏，就採取這樣的解釋範圍。

但總之，爲求格外明確而較少語病，實不如用自由主義的名詞（Liberalisme）。自由主義不但以個人爲唯一目的，而且個人應該以個人作爲經濟活動的唯一動力，唯一活源泉！因爲對於自己的眞正利益，沒有別人會比自己更爲明悉而努力以求實現。——雖然由於現代社會的極度複雜，有很多事，如科學，衛生等，爲個人自己所難於勝任，但終不歡迎「集體」多所干擾，更不用說是要大家爲集體而完全犧牲的所爲。如同共產主義是「集體主義」（Collectivisme）的別名。

發酬通告

本刊四二二期至四三〇期稿酬通知單，經已分別寄發，請惠稿諸君憑單前來領取稿酬爲荷。

粵工人大批驅往西北

裕生

（本報特訊）中共爲勾結蘇俄的軍事目的，年來大肆建設大西北。據廣州來人談，僞市長朱光，在羣衆集會上，每次都對建設西北，大聲疾呼。

根據中共官方資料，從一九五三年底到現在止，由華南工程管理總局直屬的四個建築工程公司，和一個建築供應總站，已先後將四萬工人遷徙至西安、洛陽等地。另外有一個技術建築公司的人員和工廠，現亦正在搬遷中。

今年上半年，廣州一地被驅往西北的四級以上技術人員，即達三千二百多名，另汽車駕駛員，修理員等，尚有三百多人。廣州市屬於「國營」建築企業單位及經濟部門的工技人員，先後被驅往西北的已達一萬三千五百多人。

今年六月二十五日晚間，廣州有一列車裝載一千六百名工人離穗北上。該列車啓行之前曾召開盛大的歡送會，據聞該批工人皆爲驅往西北區從事墾植工作者。

談外交人才

馬五先生

報載消息：自由中國政府為加強外交陣營起見，正在物色駐菲律賓和泰國兩處的使節人選；外交當局認為要遴選職業外交人才承其乏云。當此擬議階段中，我們竊願表示一點芻蕘之見。

以職業外交人才來充任駐外使節，原則上是無可非議的。但我們想到一點現實情形，即目前國家所需要的外交官，是有爲有守，不怕艱苦的能幹之士，至於洋話說得好壞，禮服穿得漂亮與否這類條件，乃屬次要。只要是適才適任，衆所共喻的幹員，即令他並非職業外交家，又何嘗不可任用？一定標榜着「職業外交」的消極限制，那是太平盛世的作風，非所語於今日也。現任美國與比利時的兩位大使，可算是「職業外交人才」的元老資格了，試問這二公的成績如何呢？駐美大使如其不是這位老於作官的職業外交家的話，我相信當年毛邦初案發生時，即不致鬧的那末丟人吧！不管是職業外交人才也罷，非職業外交人才也罷，當大使的最要條件就是應該具備相當的學識，起碼要懂得一些國際法與國內的行政法——尤其要寫得通一紙本國文字的信札。所謂職業外交人才，並非賣辦式或青年會幹事式的外表洋化者，而非職業外交人才，也不是阿貓阿狗皆可入選的。今天我們國家處于憂患之中，國力不强，國運坎坷，縱使幹練之才馳騁坫壇間，且有事倍功半之處，若再敎處有其表的低能兒濫竽充數，那就不如節省國家一些外匯，不派大使亦無不可！

除新任的外交官外，更希望主管當局對於一般在任的使領人員，也能綜覈名實，切加整頓。我們常聽得海外各地僑胞的口碑傳述，自些使領人員實在糟到萬分，例如最近才去職的東南亞某地總領事，前年國大代表集會時，來自當地的代表，即已將其瀆職辱國的各種醜惡事實，揭露甚多，連我們都知道了，然還延兩年，方予調整。像這類的人物，我們還可以舉些出來，不知主管當局亦有所聞否？

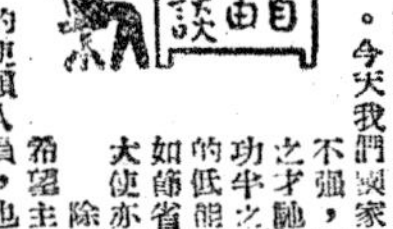

摩洛哥的婦女

紀雲

（一）摩洛哥在非洲北部海岸，一九一二年，成爲法國的保護國，實際上就是法國的殖民地。近幾年來由於民族主義份子，要求獨立運動，曾發生許多流血事件。

摩洛哥人口九百多萬，其中有五百萬摩爾阿剌伯人，四百萬勃勃人，三十餘萬法國人。除法國人外；九百萬人中，婦女的比例幾及二分之一。這些婦女因受着非洲原始文化，和近東文化的混合影響，最受壓迫虐待，可以說是世界上最痛苦的女性。

摩洛哥有巍峨的蘇丹皇宮殿；其中有土爾其式的所謂「後宮」，就是摩洛哥女性，終身被幽囚，不見天日的地方。

（二）摩洛哥淪爲殖民地後，蘇丹勢力漸漸被消滅了，蘇丹後宮的婦女，在其主子死亡後，照例由其下一代的主子承襲。就是父親死後。這些後宮婦女無論老幼美醜，都由其兒子承受，變爲其兒子的婢妾。這種風氣近來有些改變，就是其主子死後，她們可以獲得解脫。但一般社會，仍沿襲舊的習俗；很多家庭，都有自己的「後宮」；其婦女仍然過着最痛苦的生活。

一位法國女作家麗娜夫人，曾走進外人絕對不能走進的「後宮」，看見她們的精神和肉體；受極大的痛苦，她們期望麗娜夫人能對她們援手，她們儘量的，毫無隱藏的，宣洩她們的秘密，和無法忍耐的虐待。

摩洛哥男子對於女子，具有無上權威，可以不提出任何理由；隨意離棄他的妻子。對於妾婢有生殺之權。若發現妾婢不貞，最輕的處罰，是鞭撻後，賣到極遠的地方去。若妻子不貞，把她趕回娘家去。最這種不貞的婦女，最爲父母所不齒，把她放在奴隸一起，而不視爲自己的女兒。若有人肯娶這種不貞女子，父母引爲無上的榮幸，可以分文不取，贈送給他。

（三）事實上，不管男人對後宮如何防範，絕不能防止婦女與人偷情和私通。因爲她們長年受拘禁，除主子外，見不到第二個男子。她們熱情如火，詭計百出，因而她們的偷情手段，絕不遜於文明地方的女子，她們想盡方法逃避主子的耳目，怎樣免除他們的懷疑，如何利用機會窺探外的男子，和怎樣和他勾搭而成爲情漢，以及怎樣進行偷歡。

摩洛哥市上，浴室很多，這是當地的傳統習慣。這浴室是爲婦女而設的。後宮婦女，一年內可選擇某一天，向她的主子要求，外出洗浴。主子什麼都可以拒絕；但這個請求，照傳統習慣，是不能拒絕的。這就成爲後宮婦女惟一偷歡的機會。

她們的主子，雖事先嚴密防範，不過，她們也有她們的佈置。她們選擇赴浴時間，多半在日落黃昏之時，藉着蒼茫夜色，好達到她們的心願。她們一出門，左右前後，都是主子所派出監視她們的奴隸，但這奴隸，多爲她們所賣通，並爲她們佈置偷歡的地方。

（四）其中有一婦女，曾向麗娜夫人說：「最不可抗拒的時期，是春天樹上發芽的時候，但是惱人啊！她們往往爬上屋頂，窺探鄰家的男子。鄰家男子看到她的時候，互相作招呼的暗號，兩人就變爲情人了。」

她向她的情人，有很古怪的要求，就是要他每天担幾桶水，把他門前沖洗得十分乾淨光滑。這男子初時不知其用意。有一天她向主子要求，於黃昏時出外赴浴，當她走到鄰家門口時，故意滑倒，裝做跌傷之狀，吩咐監視她的奴隸，向那家拍門求救，於是將她扶入休息，她就利用這個機會，同他的情漢，達到她一年一度的幽會。

乙未上巳禊集士林新蘭亭

張維翰

年年修禊事。觴詠續山陰。白髮催人老。新亭感陸沉。萬方同敵愾。一戰少雄心。獨此擎天嶠。屹然拔地深。

午日詩人大會舉行於台南孔廟即席有作

張維翰

泮水新蒲照眼青。千人高會啓儒星。詩壇東道勞楊請。射圃南郊憶鄭經。四野桑麻環市邑。萬家燈火照郊坰。赤嵌舊句猶能記。卅七年前客屐停。

語意學漫談

徐道鄰

十一、時代法（「它」生活在某一時代）

這是以『時代』爲重心的。『唐詩』，『宋』詞，『古典』哲學，『文藝復興』式的美術。這些語詞，都是很明顯地確指着歷史中的某一時代。

十二、形狀法（「它」具有某種的形狀）

這是以外表形狀爲主的。例如『三角』是三個平面所圍成的立體角。『短頭型Brachycephaly，是指頭蓋之幅至少佔頭蓋之長的五分之四。『馬鈴薯』是說明它的形狀是圓圓的，好像馬頸子上掛的鈴鐺。

十三、大小法（「它」有的是這樣的尺寸）

這個定義法，是以東西的大小尺寸爲注意點。例如『巨人』是一個身體特別高大的人，『侏儒』是一個身體特別矮小的人。『封豕』是大豕，『長蛇』是巨蛇。『微生物』是小到非用顯微鏡看不到的小生物。

十四、性質法（「它」具有如是的性質到某某程度）

這是以性質，個性，特徵說明一件事物的方法，例如『騾子』是一個非驢非馬的動物；『飽和溶液』是在一定溫度下與被溶質相接觸而具有最高溫度的溶液。『布爾』Boer是從十七世紀中移殖到南非的荷蘭人。

十五、原料法（「它」是用某種原料製成的）

這是在注重說明一件東西之所用以製成的原料。例如，一說法『布』，我們就知其爲棉製的，『綢』則爲絲製的，『呢』則爲羊毛製的。『鋤頭』我們知道是用鐵製的，『罐子』是用瓦製的。『瓶子』是用玻璃或瓷製成。皆其例也。

十六、狀況法（「它」現在處於某種狀況）

這是說明一件東西，現在處於怎麼樣一個狀況之中。例如『死屍』是一個失去了生命的人。『瘋子』是一個神經失了正當作用的人。『封建制度』是以土地由國王分封其臣子爲中心的政制組織。

十七、情感法（「它」使人發生某種情感）

這種說明法，表面似乎在說明一件東西的客觀性質，事實上却更說明了這件東西對說話人心裏所引起的情感。例如說『乖乖』是說明我們的寵愛，『混蛋』是說明了我們的憎惡。『豪爽』——『粗野』，『文雅』——『軟弱』，全都是用描寫客觀性質的方法來說明了我們對於一個人的情感反應。（四十七）

劍底秦庭

歷史小說

奚如

「哦哦！」太子一邊在出神地張開嘴吧，傾聽着荊軻有力的每一個字，每一句說話，兩年多來，自從他擁有了燕國的實權那一天起，就從來沒有聽到過任何一句和他意見相左的說話，而且反對得這樣徹底！

「太子，荊軻言重了！」看着太子那副有點失措的神態，荊軻忽然感到有點後悔，覺得自己的發言很像不應該在這個環境裏說得這樣直率。

「不不不！」不料太子立刻極力的搖着雙手，一連串地說着：「不不！荊先生，你不要多心！你這一番說話，不但不嚴從來沒有聽過，簡直想都沒有想過這樣的後果。給你這麼一說，已經把我從迷夢中驚醒過來。不嚴當但願意聽，而且還要請教荊先生，究竟應該怎樣做才是一條正確的道路？」

眼看着太子充滿了誠懇的態度，一種江湖上的道義感使荊軻覺得自己也不能不有所表示，於是，重又收斂起謙虛的笑容，繼續把心裏早已籌劃着的說話說了出來。

「我不敢說這是一條絕對正確的道路。可是，這至少是目前燕國所應該做的事情。」荊軻微微咳嗽了一聲，把眼光移向田光，發覺這病體支離的老翁也正在興奮地凝神靜聽，無異是對他發言的一陣無聲的鼓勵，於是，荊軻再也不假思索：「首先，我以爲，强敵壓境，實力懸殊的惡劣情況之下，任何國家決不可能以自保的口號來解決問題。尤其不是孤立的軍事或政治建設可以使國家能夠免於侵略。要生存，就先得在團結四鄰，爭取與國的實際行動上去致力。因此，荊某敢說一句，欲求自保，必先共保！不能共保，必至共亡！所以爲今之計，要抗秦存燕，就必須先有遠大、立場堅定的外交政策！」

「哦哦！」太子用手揩了一把額上的冷汗：「敢問這個外交政策，也是荊某所謂的一條保燕上策。」荊軻微微的口氣，從懷裏抽出了一張地圖來：「這個外交政策，首先要日燕國雖說處境危殆，然而，的侵略指標，究竟還有一個相當，如果能夠適時振作，首先與趙國捐棄前嫌，共訂攻守之盟，然後進而復齊國之交，遠結韓魏，互爲聲援。這樣一來，韓國與魏趙的單邊攻守同盟，無形中也抬高了燕國的加盟而聲勢大壯，同時，與趙國本身的政治地位，同時，與燕國修好，亦無異於加强了燕國本身的屏藩，比起兩國時相嫉怨，互相攻伐來一得一損，實在不可以道理計。至於無論一韓一趙，只要一落秦人手中，燕國的孤立態勢，立即顯露，到時，恐怕即使起樂毅於地下，亦無能爲力了！」

（二十二）

愛國志士 唐景崧小記

向義

（一）

廣西灌陽唐景崧，是個風流才子，也是個愛國志士。

唐氏當初愛上一個桂江的蛋家女，有過盟誓：非他不嫁，也非她不娶。及唐氏北上會試，久而未歸，蛋家女疑其留戀京華，懷有二心，憤而自殺，至唐氏中翰林歸來，知蛋家女爲他而死，悲痛萬狀，乃作「懺悔集」，以記悼念。該集有詩四十首，哀艷動人，讀之：既感唐氏才華，又見其愛情之專，頗爲人所樂道。

（二）

以後唐氏忠心爲國，初與廣東名將劉永福，經營援越，頗著勞績。至光緒二十年，甲午之役，我國爲日本戰敗，將割讓台灣，時唐氏正爲台灣巡撫，聞之變，慨然不屈，並會同劉永福抗命，唐氏佈告自任台灣大總統，立誓編團，劉氏分電各地，並聲明備戰，告抗倭宗旨，請求援助。

時各有總督，多怕事，或以省庫支絀而拒之，獨兩江總督劉坤一，兩湖總督張之洞，激於唐氏愛國熱誠，各援助五十萬兩，並派其同年翰林桂平賴鶴年，前往收款，並在滬購買軍械。乃賴氏在滬，惑於十里洋場，紙醉金迷，縱情揮霍，已將援助之款，用去其半。賴氏爲塞責計，應付公事，乃以抵押之價，購買不堪使用之劣等軍械，唐劉驗之，氣憤欲絕，徬徨，不能成眠，竭盡智慮，一腔愛國，盡付流水，同時又發生變亂，措，不得已閉門辭任。唐氏離任，而其愛國之志，不可泯也。

康南海劇場慟哭

王恢

戊戌變法時，康南海、梁任公在京都嵩雲草堂會知名志士，王半塘、趙竺垣等皆參加，命名「保國會」。德宗失敗後，御史文悌劾保國會宣言，「保中國不保大清」，此數百人，幾盡被籠錮。據趙竺垣柏岩感舊詩話：「其實當時並未聞此項宣言。自有文悌之奏，中國與大清遂分爲兩截，」竟成後來語。

其時康南海乘輪南渡，猶不知逮捕之緊急，南海登輪時題詩：「龍變鱗分[illegible]，緊微易乘帝星[illegible]，辜負傳衣帶，夜夜心。」題畢回船，南海[illegible]，道奉詔追捕，船抵杭州，適壬戌元旦，戲院演戊戌[illegible]；南海往觀：顧無[illegible]處，羅笑倩飾南海，顧羅哭於台上，南海哭於台下，一時觀者[illegible]望南海，傳爲奇[illegible]。（上）

自由人

THE FREEMAN
（第四六〇期）
中華民國僑務委員會
照發登記證台教新字第一零二號
中華郵政台字第五〇〇號
執照登記為第一類新聞紙類
（半週刊每星期三六出版）
每份港幣壹毫
台北市價台幣壹元
督印人：陳文華
地址：香港高士威道二十號四樓
3 rd. fl. 20 CAUSEWAY RD HONG KONG
香港發行及業務接洽
高士打道66號 電話：七四〇五三
承印者：東南印務出版社
地址：高士打道六十四號
海外總經銷
友聯書報發行公司
香港：德輔道中二十六號A二樓
台灣特派員辦事處
台北市館前街五十號
台灣總經銷處
台北市西寧南路壹壹叁號二樓
台郵撥儲金戶九二五二

羅素會被共黨利用否？

曾旭軍

正當蘇聯大量製造『和平迷魂彈』時，本月九日英國數理哲學者羅素，發表他和已故的愛恩斯坦以及幾個著名科學家的聯合宣言，極引起世人的注意。

羅素未深知共黨戰略

羅素究非尼赫魯與宇努之流所能等量齊觀。羅素不僅被公認為第一流哲學家，而且他的基本哲學觀點，也是反共。但在此時發表此種論調，不但對非戰弭戰無具體辦法，可以產生實效，反而引起世界有和的幻想，並給共黨利用。以增加其和平迷魂彈的資料。

今天我們和共產世界作戰，不是一件容易簡單的事。非但艱危，而且還要下極深的策略研究。羅素與愛恩斯坦之輩，識見雖屬高超，但在對共黨的戰略認識，實不能諱言其未能深入。

我曾看過羅素論共黨主義的文章，他指出共產主義的病根，是獨裁與殘酷，缺之溫情。他也率直的拆穿共產主義的西洋鏡，他說『馬克斯與列甯，原不曾指出如何拯救人類的前途，正如你不能從荊棘叢中去採取葡萄一樣。』他還具體的說：『在今日的蘇聯，是比英國工業革命時代過最壞的日子，還不如英國以往待遇農業勞工的情形。如哈蒙治在『鄉村工人』中的敘述，已令人難堪。但今日的蘇聯以死亡與流放為手段，對待論百萬農民的手段，則遠較慘酷了。狄更斯「賊史」中的工場生活，誠然不佳。但此起威鋌「新文明」中無家可歸的兒童，卻是天堂了」。

誤毛澤東會變狄托

但羅素對共產黨實際情形的認識還不十分透澈。因為他未十分明瞭蘇聯現實上運用的陰謀，及其惡勢力的疏漏。最令我不滿羅素的，是當中共出兵北韓作戰時，羅素適於此時週遊美國，講學之餘，他以頗諳中國通的資格，（五四時代羅素來華講學，士林一時，咸從景仰。）對美國拒絕承認毛澤東政權，表示遺憾。他不獨認毛澤東可以為狄托，而且認定中共的統治已獲有中國大部份人民的同意。他既擁有哲學的聲望，他的意見在英國的知識階層中，具有特別勢力，在這種氣氛下，毛澤東可以成為狄托的揣測，便到處流傳，而杜魯門與艾其遜居然以最大的努力，作最後的試驗，弄到美國對華的政策一錯再錯。

叫警察和盜匪停火

因此，今天羅素倡和之說，我們也不能等閒視之。在今天文化神經戰的劇烈，文化鬥士有動筆「槍」之必要。

羅素等數人的宣言，口口聲聲說要用和平方法以解決彼此的爭執。他們沒有堪出所謂「和平方法」是什麼，已經是婦人之仁。但千不該萬不該說『解決爭執』。「爭執」二字太輕了！你以為今天我們對共產黨壁壘間，祇有「爭執」麼？今天之爭，是善與惡，真與偽，生與死，上帝與魔鬼，自由與奴役之爭。你說是「爭執」麼？你說是「糾紛」麼？你能希望善，真，生，上帝，自由，和惡，偽，死，魔鬼，奴役調和妥協麼？

今天我們作停戰呼籲，實等於叫警察和匪賊停火。

共黨存在即戰爭存在

宣言內描述核子武器如何的厲害。亦等於贅言。戰爭之原因，不在武器，三尺童子亦知之。古語謂「不平則鳴」，今則可謂「不平則原子彈必鳴」。假使羅素先生被人施以枷鎖與奴隸之鞭笞，則有何感想？羅蘭夫人說的「不自由毋寧死」一語，大家總不會忘記吧？我們中國人亦有其憤恨奴役之沉痛語：「時日曷喪，予及汝偕亡！」羅素先生雖然認識共產主義的本質，但吾恐對共產黨徒的殘酷，還認識不够。假如他體念鐵幕內受奴役的痛苦，他們該沒有勇氣宣讀他們的「聯合宣言」。未受奴役之人，是懼核子武器，但鐵幕內的奴隸，假如無解放之望，核子武器反為其結束痛苦者之物而已。他們將有「何遲！」之感。

一位記者問羅素爵士，此項運動是否可能被共黨所利用。羅素答稱：「共黨政策是要禁止原子彈。我的路綫並非如此。僅僅禁止核子武器，並無意識，我們應有某種國際力量以防阻戰爭。」

國際力量究何所指

他未說所謂『某種國際力量』是什麼？這固然令人失望。但其實共產黨存在一天，戰爭亦存在一天，——不論冷戰熱戰——核子戰禍之威脅，亦無法消滅。

核子戰爭不過是戰爭之一種類而已。共產黨徒不會用它，你無從而斷定。他們要使用，你也不能勸他不用。然而羅素發表的宣言，又有何具有價值的意義呢？除非羅素所謂「某種國際力量」，並消滅共產主義的力量，才有意義。

共產黨以鬥爭求存在，以鬥爭求發展。「共產黨」就是「戰爭」的別名。但我們要記住。戰爭有多方面多種類的戰爭。而我敢斷共黨不易動用核子武器。因為共產黨也是同居在這個地球。謂共黨可能採取核子武器突擊，固是無懈可擊之論，亦係提高警覺之意。但共黨極難以一舉除「對方還擊」，所以共黨雖注意核子武器，但他們目前致力之點，不在核子戰爭，而在滲透顛覆，是可斷言！

以「和平」破壞和平

我介紹讀者請看史蒂芬、京赫爾（STEPHEN KING-HALL）所著的「共產黨的陰謀」（THE COMMUNIST CONSPIRACY）一書。如果你看過後，你便知道蘇聯政府這個極權獨裁者是以「和平侵略」為其侵略之正軌。她的「和平侵略」（PEACEFUL AGGRESSION）的陰謀，花樣之多，手段的毒辣，令你感覺，令你歎觀止焉。羅素們這種聯合宣言，真是無用，而反有助其陰謀。

列甯的遺訓：最好不用熱戰而能征服。我們所最應提防的，不是核子彈，而是共黨的「和平彈」。他們用此彈把自由世界的人催眠，自相衝突。而逐一分割。

共產黨是以「和平」破壞和平。以「民主」破壞民主。以「自由」破壞自由。你以為新奇嗎？絕不新奇。這種事實存在很久。你不細察而已。蘇聯常攪那一套訂立互不侵犯條約，骨子裏是我不和你打，你放心去打他罷。這是一種製造別人衝突的手段，他便從中取利。在第二次世界大戰以前，蘇聯玩這套把戲玩得最起勁。這是隨便舉『以「和平」破壞和平』的一個例。共產黨又利用所謂民主陣綫，去作他們獨裁專制的開路先鋒。這不是以「民主」破壞民主麼？共產黨，要破壞現存社會制度，動輒誣指它是封建制度，連代議制度也被指為布爾喬亞階級專利品，其實他們藉此以作共產獨裁專制的開路機而已。這就是以「自由」破壞自由。

運用名詞徵募叛國賊

共產黨徒是極會玩弄名詞的。他們實行滲透顛覆，最厲害的手段，就是「運用名詞」，去徵募賣國賊。他們因人，因地，因時，而運用極動聽的名詞，去誘惑不滿現實或懷大同理想的人。不明世情奸險的青年學生，固然容易上鈎，但哲人，學者，詩人，科學家，藝術家，對共產黨認識不够的，也是共產黨徵募賣國賊至佳的對象。而且被利用了，也還懵然不覺。

共產黨的徵募站不掛出共產黨的招牌，他們的招牌是民主，自由，反戰，和平等等動聽的運動和組織，總之是先吸引那些不滿現實的人過來，又由入彀之人，吸收未入彀之人。往往一個核心漸漸擴大成一極大的網。一九四六年蘇聯駐加拿大渥太華的大使館武官高辛柯，為了謀偷取原子彈秘密情報，就是用這個方法，他絕不說反蘇聯，他暗中策動隱蔽的共黨特務及同路人，發動世界規模的原子能研究應用運動。當時的許多科學家懵然被共黨利用。

我不是以惡意測度羅素們的和平宣言，但我要提醒大家，當今統戰份子滿佈天下，我們對於什麼運動都應持警覺。要想到是否給共產黨利用。

哀梁漱溟

劉起

梁漱溟於本年二月，在中共脅迫之下，於「人民日報」上，發表過一篇告台灣同胞書，並以贖罪式的口吻說：「到現在我却願負責的說一句：我已經認定跟共產黨走了」，我們可以相信，這不會是梁氏的晚節不終，和立場轉變。梁氏已是行將就木之年，根據他的思想和個人性格，與其說是他偷生怕死，實不如說因他失去自由，被迫而然。他原是民盟有力分子之一（原任民盟秘書長），該盟當年也曾對中共有吶喊助陣之功，照理，今日中共清除異己，也應對他不為已甚，而網開一面，刀下留情的。

不應寫下四本書

可是事實證明，梁漱溟到底逃不了中共的最後清算；為甚麼表示認定跟共產黨走，中共還不肯饒他的老命呢？這因為在他表示認定跟共產黨走以前不該寫下四本書：「東西文化及其哲學」、「中國民族自救運動之最後覺悟」、「鄉村建設理論」（以上一九三六年以前完成）、「中國文化要義」（一九四九年完成），這四本書便留下給共黨做製造文字獄的材料。這一次中共文特吳景超對梁漱溟的批判（見七月十一日人民日報），就是從這四本書中尋章摘句，加以曲解，給梁漱溟扣上了一項所謂「梁漱溟一直是站在反動階級的立場，幫助反動階級麻醉人民，壓迫人民，危害革命」的帽子的。

中共要絕滅文化種子

梁漱溟當初寫這四本書，無疑地，是根據他所認識的社會情況和自己的獨立思想而下筆的，他始終反對馬列思想，連國民黨的許多理論和作法也在不滿意之列，可以說他始終是個自由思想者。到今天，中共苟有良心而就事論事，即以其書不合共黨理論，也可照你們共黨的口調：求同存異可也，否則，列為禁書亦未嘗不可。梁漱溟老矣，手無寸鐵，在鐵幕控制之下，又何能能為厲？但看情勢，中共這次對梁氏的惡毒攻擊，其意自不祇梁漱溟一人的存亡。他們從此大興文字獄，一網打盡所有現存大陸有學術思想的文化種子。

欲加之罪何患無詞

梁漱溟以形勢所逼，不得不表示擁護，但性格倔強，堅持思想獨立的立場，始終不肯同其他無恥文人一樣，俯首稱臣於毛皇帝之前，中共之含恨梁氏自在意中。然梁氏自四川移解北平，困坐愁城，除心中憤懣之外，表面上並無類似所謂「反黨」、「反革命」、「反人民」的行動和言論。但中共認為梁氏是自由思想之象徵，其罪不下於胡適。欲加之罪，何患無辭？有了梁氏過去的四本著作在。於是中共便主使吳景超繼馮友蘭之後，精查細索地從梁著「鄉村建設理論」一書裏（二八三頁），找出「共產黨不惜傷和氣毀交情，造成嫌怨仇忌心理……如此領導農民，無異使農民都變成流氓」，這段話，又在「中國民族自救運動之最後覺悟」一書裏（二四頁），找出「我們如不能指點一個足人心的新方向，不能開闢一條給社會有力分子情甘努力的大道，則舉國青年都要走上死路」，和在「中國文化要義」一書裏（自序）找出「我希望我的朋友，遇到有人問起：梁某究是怎樣一個人？便為我回答說：他是一個有思想，又且本着他的思想而行動底人。這樣恰如其份，最好不過。如其說他是一個思想家，同時又是一社會改造運動者，那便十分恭維了。」等……。（下轉第三版）

本週展望

•左舜生•

拿出面對現實的勇氣

莫大的打擊

後天，八月一日，一個美國和中共間的所謂大使級的會談，便要在日內瓦開始。[illegible]

這個中華民國最危險的時候，我們必須[illegible]

認清楚現實

所謂現實，便是依照當前的國際情勢發展下去，如果全陷於束手無策，這對中華民國確實是一種生存上的威脅。但我們素來不這樣悲觀，就到今天也還是如此。我總覺得我們可以致力之道依然不少，所可惜的乃是這五年以來，尤其是國大閉幕以後這十五個月以來，確實有許多可採而應採的步驟，政府始終不肯放手一試。現在雖然是微嫌太遲，但三個月半年的迴旋餘地總也還是有的，假定承認一個國家並不是絕對不可亡的，又何必瞻前顧後而終於不敢一做？

抑制感情

所謂以理知抑制感情，便是說我們今天所採的實際行動，正不必以空言去備。我們在今天的國際，眞可以說是「空」，即令美國不是一個如何了不起的可是除此以外，我們究竟還找不出第！其實美國的態度，自來都是明朗化的惜的乃是我們自已太愛面子，偶然聽見句恭維，便色然以喜；偶然聽到幾句深評，便以為有意中傷。實際則恭維的不誠意，肯批評的也許反而是難得的朋友願意和中共有所接觸，不自今日始；中共不是幾年來的單相思，過去中共所以那樣和美國打擂，反美，一旦聽見美國願意和他們談談，北平便發生一種有羞恥的『歡呼』，豈不是肺肝如見？

自我檢討

愛說所謂自我檢討，便是說依據客觀環境，參照台灣內外[illegible]

海外通訊

日本貿易一落千丈

經濟困難已達戰後高峯　急切希望和共黨做生意

安世

（本報東京特約通訊）戰後日本經濟，比較戰前，變質頗大，第一，原料成本高，（戰前日本的原料，米由台灣來，鋼鐵由東北華北來，煤炭由東北華北來。）第二，人工成本高，（戰前工會受資本家控制，現在不然。）第三，現在經濟依存外國程度很高，第四，現在經濟景氣，端賴通貨膨脹政策。自韓戰以後，日本貿易，一落千丈，幾年來日本經濟，有逐漸陷於凋零之感。

讀賣測驗結果悲觀

最近日銷三百萬份以上的讀賣新聞，以金融，中小企業，產業，股票四問題，向全國第一流經濟界權威人士，請求「對於下半年景氣」發表意見，結果大多數的答覆，都是悲觀的，只有對於造船，海運，大多數樂觀，有少數人期待「海外經濟市場」的好轉，茲據記者幾個月來在東京關於經濟見聞所及的，約舉數點，以資參考。

（一）財政金融　日本近年財政，比較能收支平衡，雖然每年總有多少赤字，不過並沒有捉襟見肘，也還沒有乞憐於通貨，並且據最近大藏省發表昭和二十九年度收稅總決算，比於預算原數，還超過二三百億元，二十九年度收稅預算總額為七九〇、三七〇、〇〇〇、〇〇〇日元，但收稅實際所得為八〇八、四二九、〇〇〇、〇〇〇日元，超收約百分之二〇。

吸收存款的新方法

至於金融情形，亦變還不小，存款還是相當的高，本年四—五月全國各銀行存款（實質的）約為八百億元，但大藏省預期明年為八千億元，這在我們中國人看來，當然是一個可驚的數字，不過日本存款，自來比中國多，戰前只「郵政儲金」及「簡易生命保險」兩項，即達百億日元。不過吸收存款的方法，今天和戰前大不相同，從前吸收存款，只用普通勸導。現在第一流銀行吸收存款方法，亦多用「有獎」方式，多數的辦法是：一千元起碼，為期半年，每月開獎一次，頭獎五十萬日元，存款之多，這是很大一個原因。

空頭支票滿天飛

近兩年來，工商界「空頭支票」之多，也是一件駭人聽聞的事。據最近票據交換所統計，五月中空頭支票，達四萬三千零八十七張，為今年上半年最高紀錄。尤可注意的，今年以前空頭支票，多由中小企業發出，到了今年，據朝日新聞報導，大阪某紡織廠（一萬錠）也被銀行停止交易，名古屋一家大糖菓廠（全日本第三位）也用出了空頭支票，並且每張空頭支票，為數都不在六萬元以下。

產業界的實情

（二）產業　第一，煤炭，全國十八家大工廠平均每噸炭成本，約合四千二百元，但賣價只合三千八百元，每噸淨賠四百元，不過中小廠商，比較賠累不如此之大，現十八家大廠，也盡量向中小廠商看齊，第二，鋼鐵業，其中情況不同，一般以手工業為較有利，至於機製業則以替軍需製造者，利潤不錯。第三，機械業，據經濟審議廳調查，在今年一至三個月中機械廠商接受新訂貨為六百二十五億日元，比去年同期多了三十一億元，其中以造船業為最好，接受訂貨一百五十億元，比於去年同期，增加三倍。電器業比去年稍為減少。第四，樹膠業大企業（車胎商等）比較安定，中小企業以進貨吃虧，比較獲利甚少。第五，紡織業，十大紡織廠中，尚稱活潑，惟中小企業，周轉不易，立場頗感困難。總之本年三月以來，一般物價，均有下落之勢，照趨勢看，並且不是短時期的。

（三）市場情形　東京擁有八百萬人口，號稱世界上第三大都市，說到市場情形，簡直是應有盡有，可是考其營業，那就不堪設想了，

喜歡吃中國料理

先談娛樂場所，如像銀座一帶的舞廳，咖啡館，雖然每天座客常滿，不過僅僅收支相抵，至於三流以下的舞廳咖啡館，簡直是在「磨骨養腸」（借高利以度日），妓館亦是如此，第一流的雖然經年累月，才碰着一件生意，可是還可以撐持門面，至於「夜鶯」之流，流浪街頭，流連若干夜不見一客的，比比皆是。至於飲食店，大概分作三種，一是食堂，賣日本菜，價錢公道，一是「中華料理」賣「四不像」的中國菜，價錢異常高昂，一是麵店，賣日本麵，也賣中國麵，價錢適合中。三種飲食店中，以第一及第三，尚稱賣得，不過也只夠成本，至於中華料理，本為戰後一般人所歡迎，不過他們口味變了，也就不欣賞了，他們喜歡吃的是真正中國料理，而不是冒牌的中國料理，於是一般冒牌的中國料理，不僅都裝收音機，而且裝冷氣，多數還裝「電視廣播」，老板既形形色色相號召，於是僱客之意，也就不在料理，也就選擇最便宜的吃，於是「陽春麵」「豆腐湯」都成為大多數僱客的欣賞品。

賭博之風大為盛行

其次旅館，大旅館固然不會滿座，就是中等旅館，一天也賣不到半數，只有學生宿舍，到是還能隨時滿座，（青年會也祇能到六成）再說日本電影院，以賣日本片為主，其次為西洋片，再其次為中國片，戰後日本人一切口胃，卻變了。吃的愛吃中國菜，穿的是西裝，看的也愛看西洋片和中國片。因為現在的日本片百分之八十以上，還是和日本戲一樣，不是殺，打，劫，便是悲哀的慘劇，而且設備也不太高明，當然和一般日本青年的口味不對。現在日本人的娛樂，除圍棋外，麻雀和球戲，亦風行一時，可見日本人的賭博嗜好，却是比從前興盛了。

典當業發達並不賺錢

一般商店情形　每一家百貨商店，都是人山人海，不過看的多，買的少，就是買也不過是牙刷、肥皂、牙膏、毛巾之類，再大一點的，便是洋傘之類，再多一點，便是化粧品和女人衣服，至于中小商店，簡直是門可羅雀，所以現在京橋，銀座，上野一帶的走廊店，常用從前四馬路招留僱客的方法，其法是：「由店員兩人對話，故作假買賣問答，以引起過路客人的興趣」。還有一點也證明日本商場的不景氣，就是「當舖」滿街都是，而且抵押種類之多，也在世界各國中首屈一指。抵押品中有汽車，有書籍，有字畫，但是當舖是否賺錢？照理想是應該賺錢的，但是事實並不如此，據典業中人云，賺錢者不過十之一二，賠本約十之四五，不賺不賠的亦居十之二三，去年年底有某大都市當舖老板，因周轉不靈，跳海自殺，又有台灣人謝某在東京開當舖，以賠累不堪，已逃向大陸去，于此可見日本經商的不易。

走甚麼路子呢？

照上面看來，日本自韓戰以後，到了今天，經濟困難，可謂到了二次大戰後的頂點。但是美國人替他們指的路，是叫他們去開發東南亞，但是日本人認為緩不濟急，救急之法，就是恢復日蘇正常外交關係，及和中共建立貿易關係，但是此路是否可通，日本正在大膽嘗試，不久也將快要覺悟了。七月一日。東京。

空頭支票滿天飛

（見上）

發酬通告

本刊四二二期至四三〇期稿酬通知單，經已分別寄發，請惠稿諸君憑單前來領取稿酬為荷。

·人物·　·評述·

青年人的時髦心理

民國十三年孫中山先生北上，我當時在天津南開大學讀書。一日有天津工業專門學校同鄉閻俊鍾者，來到八里台（南大校址）看我和陸儒祥等，約集到一個課室談話，後來醒悟過來，知那次談話即爲共黨宣傳。

我和陸君及其他五六青年站在講台下，閻俊鍾站在講台上，他指手畫脚高聲喊道：「現在北洋軍閥完蛋了，革命勢力很快就要來到北方，我們還不趕快去參加革命！不過，你們要知道代表革命勢力並非國民黨，乃是有國際背景的共產黨，國民黨祇是空架子，不久亦就要同樣完蛋，因此祇有參加共產黨才有光明的前途，我勸你們趕快去參加」。

談話畢，我把他送走，他不僅是我們同鄉，還是中學時代的同學，（我和陸儒祥在第十六班，閻俊鍾在第十七班同一年級）。他走後，從此就未再和他見面。當時深深覺得奇怪，我自幼即知道有孫中山、黃興、宋教仁等領導的革命，推倒了滿清。何以北洋軍閥崩潰在即，國民革命勢力正方興未艾之際，而孫中山等國民黨領袖剛來到天津，閻俊鍾竟會說出這種話呢？我聽來很不順耳，因此不願再和他見面。

數年後，這位前進份子便失蹤。陸儒祥大概後來是參加了共產黨，抗戰時他在山海關海關服務，今已不知下落。他們本來都是純潔的青年，我和他們同窗四年，一點亦看不出有何卑鄙的言行，無論說他們都可能是國家未來的棟樑。但是，他們有一種錯誤，錯在（一）求近利速效；（二）追逐時好，當時青年都以左傾為摩登；（三）失掉民族自尊心，以為革命非靠國際支持不可；（四）因追逐時髦，以為馬克思主義最前進，不肯用思索，但信一家言，不能將正反兩面作比較，求一折衷至當的道理。今日正被清算的胡風當時亦就是這樣的一種人。

胡風五刀斬毛皇

·李毓田·

華商報時代的胡風

在抗戰期間，我與友人在香港辦「國際通訊」半週刊，除作反日宣傳外，對於蘇俄外交時有批評。當時范長江、胡風等亦在香港辦「華商報」，社會上通稱「俄商報」，因為他們說話處處為俄國利益着想，俄國有自是而無一非。因此「華商報」視「國際通訊」為眼中釘，時常向我們尋釁，曾經有幾次以「胡風」的名義把我批評蘇俄的文章，逐句逐字去分析而咒罵之。當時我們根本不知胡風為何許人，祇知他們的報是有蘇俄做背景的報，不過在聯俄抗日的時期，也祇好容忍，未與計較。

今聞胡風忽被中共當局加以清算，且有處死可能，不禁使我憶起往事。看他之所以被清算的緣故，覺得他尚不失為一個心地純潔之人，因為他在華商報的時候，尚未到不惑之年，被共產黨教條麻醉，死心踏地地為蘇俄效忠，情有可原。

如今他到了知命之年，當然不再像從前那樣幼稚了，而尤可貴者，是他的良知未泯滅，仍然知道什麼是真理，所以他禁不住要說他自己想要說的話了。閻俊鍾、陸儒祥如未被犧牲，想亦必一樣的。

中共的經濟無前途

照目前中共的表面看，共黨及其同路人，對中共前途應該看好，但事實上，因經濟問題及思想問題之永遠無法打開，中共前途的黑暗也就愈來愈甚。

中共的經濟問題何以無法打開呢？因為中共不能脫離兩大原則，（一）不能脫離蘇俄政治和經濟的控制，蘇俄把中國大陸當做殖民地，中共供給蘇俄原料，蘇俄供給中共製成品。（二）中共的經濟政策祇在支持共黨的專政，李富春說：「實現第一個五年計劃，將使我國國民經濟發生重大的變化。這一切變化，無疑地將進一步地鞏固我國的人民民主專政……」，這就說明「五年計劃」的目的，只為的是支持共產黨專政，至於人民的生活是無關輕重的。中共經濟的殖民地地位既如彼，而中共「五年計劃」的目的又如此，老百姓的血汗終有壓榨枯竭之一日，試觀大陸各地勵亂迭起，即可想而知。這樣，中共的經濟情勢有何希望能夠打開？

思想上的「大叛逆」

比經濟問題更重要的還有思想問題。中共先是清算胡適思想，胡適遠在美國，為什麼值得清算呢？祇因胡適教人懷疑，不隨妄信一家之言，所以中共清算胡適，說穿了，祇是不許人懷疑馬列主義而已。但大陸上的知識份子有很多人懷疑馬列主義，所以清算胡適之後，要繼續清算梁漱溟和胡風，胡適和梁漱溟是反對共產主義的不必說了。胡風一向是中共文藝宣傳家，現在他居然會把毛澤東一九四二年五月在延安文藝座談會上發表的講話五要點，看成「五把刀子」。他在一九五五年「文藝學習」第二期中，寫了一篇「關於幾個理論性問題的說明材料」，竟很大膽的對「五把刀子」表示痛恨。毛澤東那種「我就是真理」的態度已經着此中共裏面許多明份子的不滿，於此可見一斑。其實胡風尚非叛臣，並未脫離馬列主義的範疇，祇不過想做毛澤東的諍臣而已，但中共政權却因此而吃不消了，非發動全力以撲滅胡風不可了。毛澤東自許他的思想是放諸四海而皆準，行諸百世而不悖的，殊不料在他統治下，僅僅五年之間，便發生了思想上的「大叛逆」，共產黨最大的武器是思想，不是原子彈，而是用他們的觀念，頭腦和主義。如今中共內部思想上竟然發生了這樣大的危機，它的前途，就可想而知了。中共的經濟如此，思想又如此，毛朝的命運已逐步陷入崩潰的境地，繼胡風而起的「叛徒」尚大有人在，吾人且拭目以待。

共·產·黨·

侵略東南亞的三機構

—俄人主持積極實施陰謀

胡養之

【本報專訊】最近盛傳，中共派出若干人員，到海外活動，企圖誘惑青年及難胞，進入鐵幕。據筆者偵悉，他們派出的有方某、黃某、賀某等多人，均住於海外某銀行。他們的任務，同時和幾個東南亞各國的共黨地下工作人員密切連繫。

海南島的特別訓練班

此外中共還在海南島的海口，設立一所「解放東南亞特別幹部訓練班」，以訓練海外回去的青年，以印行一本「解放東南亞幹部手冊」，指示受訓青年如何做滲透的工作？如何刺探情報，如何策反？如何組織，等等。

該班主任，係由中共「統戰部部長」李維漢兼任，訓練時間，三個月至六個月為一期。畢業後，把他們分別送到港澳及東南亞各國，担任地下工作。

兩個共黨國際組織

共黨對東南亞的陰謀，除上述訓練班，還有兩個機構：一個是「共產國際情報局亞洲局中越邊區支局」，另一個是「共產國際情報局亞洲局華南支局」。這兩個機構的主持者，都是俄國人。「中越邊區支局」設在廣西南寧市內紆文街南寧高級中學校鄰近的「小樂園」裏。「華南支局」的聯絡處，在廣州市內永漢路四巷二十八號。這兩個機構，幹的都是地下鬥爭工作，等於兩座指揮台。前者指揮越、泰、緬等地的共黨活動；後者則以台、菲、星嘉坡以及印尼等地為目的。（上）

編者　讀者

關於留學考試

△程毅志先生來函

編輯先生：本月廿三日，貴報讀者論壇欄李君等致貴報一函，其中涉及鄙人之處，與事實不盡相符。敬請惠予更正為感！小女係台大本屆畢業生，曾獲得美國大學之全部獎學金，此次參加大專自費及獎學金留學考試，未被錄取。不料發榜後三日，報載留學考試試卷有錯誤之事，並聞教育部允許考生查閱成績，鄙人於十三日下午四時曾同小女至教育部查詢小女（不是「兒子」）考試成績，「當場查出少算六分」，確係事實。至謂「另有一位女公子只考二百另九分，僅差一分，」則非事實。小兒女等不特此次無人參加高中畢業生獎學金留學考試，即過去亦絕無一人參加也。專此敬頌撰祺（鄙人程毅志即貴報上所稱之「田院長夫人」住台灣台北市和平東路二段一一四巷十七號）

程毅志拜啓七月廿七日

△資自強，柳庭堅，趙安國，王之雋諸先生：來函奉到，謹復。

△靜觀，陳式銳，辛植柏，華田，孫旗，陳代鍔，愚人，力求，諸先生：惠稿均已收到，至感幸！

△孫瑋，跛翁，靜安，諸先生：請示通訊地址。

中共姦污藝術的醜行（一）

辛父

先讓我們對於藝術的概念，有一個基本而正確的認識，藝術包括了：音樂、舞蹈、戲劇、文學、雕塑、繪畫，以及攝影等。它們的本質，簡單地說，就是一個「美」字。舉凡人性的美（靜態），生命的美（動態），以及大自然中一切的美（動或靜的），通過了高度的技巧而表現出來的，就是藝術的本質。至於其形式，亦即是它們所表現出來的東西，原則上而言，都應該各自是完整而獨立的。說得淺顯一點，藝術的表現形式，有它自己獨立的價值，決不具有依靠性，或者爲某種條件而存在的。

一切藝術的基礎

美與獨立的價值，是一切藝術的基礎。

正因爲藝術具有了這樣的條件，所以它不被時間與地域所限制，它也不會被任何其他的力量所扼殺。我們今日讀陶淵明的詩，看莎士比亞的漢姆雷特，聽貝多芬的交響曲，爲什麼覺得心中所引起的反應十分鮮明？原因就是它們的本身含蓄着一種不朽的「美」，這種美在人類的生命中，是永遠會發生共鳴作用的。

共產黨的政治手法，可以說得上是夠大胆而毒辣的。最先它利用人類的勞動律，將物質的分配與生產力量借來作爲毒化大衆的基本觀點。事實上人類的勞動，是每一個單位——人——所賴以生存的自覺與自動的要求。人類史可以證明，決不是有了共產主義，人類才開始勞動。可是如今的共產黨却說，因爲它的主義才確立了人類對於勞動的認識。

同樣，它第二步利用自由（解放）。它將自由捆綁在布爾雪維克的教條之下，蟲惑了不知多少醉心於自由的青年們。凡是使人最嚮往的美麗憧憬，也就是一個可以被利用的最陰險的陷阱。

如今，共產黨使出了它第三種陰謀，將一切完美的藝術，拿來作爲一件遮蔽骷髏白骨的美麗外衣，作爲誘惑尚未被騙的一般正義人士的香餌。

把藝術當做政治手段

共產黨非但封奪了人類原有的勞動律了，謀殺了人類所渴望的自由，現在更强姦了人類生命中的美——藝術。他們用槍尖去姦污了藝術，麻醉鐵幕內的羣衆，並誘惑鐵幕外的人士。

這一種空前絕後的最卑鄙的陰謀，如今愈形明顯。同時，他們也以最大的攻勢，希望向自由世界發生腐蝕的作用。

我們試從事實來揭發他們這一連串强姦與逼娼的醜惡面目。

最先，共產黨立了一個大條，說：「凡一切藝術，絕對離不開政治的觀點」。而他們所謂的政治觀點，自然就是共產主義。換言之，藝術並沒有獨立性，它的生存是依靠共產主義的。也就是非在共產主義之下，簡直無藝術之可言。他們認爲一切藝術都應該是有目的的，什麼目的呢？自然是爲了完成共產主義。藝術在共產主義中，不過是一種政治手段，它本身的美，是被否定了的。

可是，當我們冷靜而客觀地看一看事實的眞相到底如何呢？同時，藝術是不是與「勞動」和「自由」那樣，也會被共黨扼殺與長期的姦污呢？

姦污藝術的動機

自從整個大陸被赤禍泛濫以後，共產黨政權刼掠人民財物，暴行，屠殺人民生命，如今滿手血污的强盜忽然謳歌起藝術來，似乎表示其政權對於「美」，對於「昇平世界」的讚頌。這樣一個突變，似乎也來得太奇特了吧。

世上過於奇特的事，其幕後一定是有陰謀的。換言之，這些僞裝的笑臉，決不出於自然，而且可能是下一次演出更兇險計劃的序幕。因此，讓我們先尋出共產黨政權，爲什麼要强姦藝術的動機。爲什麼會突然改變猙獰面貌，而變成慈眉善目起來。

僞造和平　康樂景象

第一、需要配合他們的和平冷戰。觀共產黨的整個赤化世界政治攻勢，不外乎兩種手法，一是用破壞份子滲透自由世界的各種社會基層集團，一是利用外交，以和平爲口號，爭取自由世界權威人士的同情。他們今日拿出藝術來做幌子，就是配合後者的策略。「攻心爲上」，共黨中的詭計多端，而其中最陰險的，莫過於它的整套心理戰術。

第二、他們需要表示自己如今已是國泰民安。戲台上歌頌昇平，作家們寫出了風花雪月，出版事業的整理古典藝術，在在都顯現一切的社會秩序與農村城市生活已經到了極優良與富足的飽和點。他們企圖給自由世界人士一種錯覺，忘記掉他們過去做下來的各種最悲慘的血痕。以及最重要者，忽視今日正在大陸上所發生的水災、旱荒、飢餓的人民，及其他各種由於專制恐怖所帶來的精神迫害。簡單一句話，他們需要一種「金玉其外」的假面具，以炫耀於世人之前，使大家相信大陸的「健康」與「快樂」（實際上已害着肺病）。（未完）

讀「黑市」

金曄

著者：沈秉文

出版者：亞洲出版社

『黑市』，是以描寫中共封鎖港、澳邊境後，鐵幕社會內某一角落裏羣醜的嘴臉，和一羣爲原始求生慾望驅使的人，爲爭生存、爭自由所作鬥爭的故事。

它的主旨，是在闡明人性和愛，在中共暴政之下，潛伏着人性和愛的力量是不容忽視的。

它在告訴讀者，儘管集權統治可以掠奪土地財產，和奴役人民，但共產主義將永不能征服人心，更不能消滅人性和愛。在世紀末的社會裏，只要你具有人性和愛，那怕是極少的一點，即使已爲共產主義的霉廢所蒙蔽，只要你勇於自信，彼此一旦碰上了，就會爆出互信的火花！就會產生不可抵抗的力量！

×　×　×

根據著者在該書的後記裏所說，『黑市』是一個眞實的故事，是書中女主角親口述說出來的。

其實著者可以不必加以說明，看完了全書的人一定能還會得到的。或許，著者因爲想到，有些讀者可能會懷疑故事的眞實性，否則何以情節如此的曲折而又多巧合？更或者著者會想到，這事實將難以取信於對中共頗有嚮往的海外華僑青年，而被目爲有意中傷。

對於這兩點，筆者願略述自己的觀感，以作爲解答：

×　×　×

人能夠從死亡的邊緣，獲得重生，那絕不是偶然的。尤其是能從中共統治之下逃亡出來，更不容易。因此，對從鐵幕裏逃亡出來的人所述的事實，在沒有同樣生活經驗的人來看，當然會被視作爲傳奇，但傳奇的本身却是活生生的事實，是無法否認的；站在鐵幕邊緣上，死與生，地獄與人間，只是一綫之隔，相差很少的。但是要從死地往生處走，却不啻難於上天堂，百中難得其一。換句話說，那不是單憑勇氣，還須要有智慧和機緣。這也就是傳奇的由來，不容你不相信的事實。

至於說不相信中共統治有如此的陰暗，甚至對它懷有嚮往，這對未經中共「解放」和奴役的人來說，是不能加以責備的，因爲他們只看到共產黨可給人看的一面，只是你爲它所欺騙。因此，我奉勸這種人，不妨拿起這本書，看看它的另一面。

著者自己已在後記中對本書的寫作技術方面有所說明，這是著者謙遜的地方。但看到他說，完成本書，計耗：稿紙千張，墨水三瓶，筆尖二打及時間十月後，也可見著者對於寫作的認眞了。

在今天的自由天地裏，願拿起筆桿寫作的人，大都是被一種形勢所驅使的，這個形勢，就是反集權，反奴役，反迫害，爭自由，爭生存的形勢！本書的著者，也是這樣的一個人。

×　×　×

今天能夠僥倖逃出鐵幕的人，都是中共血債政權的債權人！在尚未到達血債立即要用血來還的今天，大家却還要噙住眼淚，抑壓住悲憤，將心底的憤濾化作永恒的力量，寫出他（她）自己的，或是寫出別人的慘痛辛酸，讓這一點一滴的血和淚浸透歷史的每一頁。這豈僅是爲了簡單的生活，而實在是一種對共黨暴力統治，每一個智識份子應盡的責任！

×　×　×

一般地說來，本書對事實的發展是寫得忠實的，從著者的「這是我跨出嘗試的第一步」的角度來看，這實在是不可多得的了。希望十個月之後，我們能看到著者又跨開第二步，繼續走第三步，第四步……。

香港自治言之過早

市民正力爭發言權

二次大戰終結以後，「殖民地」三字，幾已成爲令人生厭的名詞，但在世界局勢動盪的今日，一些殖民地由於地位特殊，似乎仍有保持現狀必要。月餘以來，外間對於香港前途，有謂給予自治傳說。從理論上說，香港自不應長期受殖民地統治。但是香港的地位，非常微妙，無論客觀環境，主觀條件，目前以言「自治」，似乎太早。在客觀環境方面，當强梁環伺戶外之際，住客自不宜即時讓與「業主」，以致失却保障，任由强梁乘虛逆襲，香港現時處境，也正如此。爲了二百多萬市民安全，環境需要保持現狀。這不僅倫敦方面抱有這種觀念，即大多數市民也有同樣的感想，目前遽然改變，不僅是一難事，且牽涉許多危險。

再說，香港市民處境，介於兩個極端化的生活方式之間，市民也具有犀利的判斷能力。在政治問題上，他們並非無識，祇是缺之興趣，在每屆市政局議員選舉中，這種情形即明顯地反映出來。

作爲兩大政團的香港革新會及公民協會，他們所希望於香港政制的，祇在逐步趨向民主，使市民對港政府能有更大的發言權利。當然，立法、市政兩局議席，假如沒有相當的反對票數，自然談不到市民獲有充分表達意見的機會。三年來，香港革新會爲了增加市民發言權利，曾經鼓動了十萬市民簽名運動，籲請倫敦修改本港政制，在立法局增設民選議員席次。此種努力，到目前爲止，大多數市民在革新會領導下，仍未放棄。

增設立法局民選議席，祇不過是一種「有限度的民主」要求。一位議員曾說，香港政制的落後，在所有英殖民地中是無可與之比擬的。遠既不若非洲，近更難與新加坡並列。要爭取發言權，每一市民也必須提高他們的政治認識。而欲提高政治認識，先決條件則在提高文化水準。誰都知道，殖民地文化一般都較低落，這亦構成自治前途的一大障礙。因此，本港籌辦中文大學，顯然在此時此地更感迫切。不過，港大如果獲准擴設中文部，能夠充分容納衆多學生，倒也是一個折衷辦法。

哀梁漱溟

（上接第一版）

所謂梁漱溟的罪狀

這些話都成了梁氏的大罪狀，吳景超根據這些話就發爲一萬餘言的批判文字。綜觀吳景超的批判，除一口咬定：梁漱溟「一直站在共產黨的對面，以理論爲武器，爲攻擊共產黨最厲害的人」從而臭罵盲攻之外，其實別無是處，不但不能使梁漱溟心服，即稍有見地的讀者也絕不會相信他的批判的。

因爲必入梁於罪，吳景超又引證梁漱溟在村治月刊上說過的「我曾參加光復前的京津同盟會，和民國初年的國民黨，不過在十三年以後，我便無黨籍」，及「我們是走上了一個政府一邊來改造農民，而不是站在農民一邊來改造政府」幾句話，於是含沙射影的說：「這就是梁漱溟會跟國民黨走」，又「曾在國民黨統治下進行鄉村工作，爲反動階級服過務」。認爲這是梁漱溟不可置辯的醜惡歷史，百身莫贖的大罪了。

貳臣降將能偷生幾時

事實已經很明白，現在中共既開始在文化種子或籠攏文人的頭上大肆殺戒——鍛鍊文字獄——梁漱溟是注定要首當其衝的了。然而繼梁氏而受犧牲的，當大有人在，因爲中共要在大陸製造紅一色，固不能容許異己分子生息其間的。

梁漱溟僅曾參加過同盟會與民國初年的國民黨，他遠年陳編中的片言隻字，已足爲中共羅織罪名的證據。我不知許多貳臣降將們如張治中、傅作義、衛立煌、邵力子、黃紹竑之徒，根本由國民黨扶植而起，於國民黨統治大陸時，或爲方面大員，或爲剿匪重鎮，或參與政府樞密，皆滿身罪蹟不可刷滌的反共痕跡者，他們今日面對梁漱溟之身陷縲紲，亦知所慄慄自危否？他們的命運又能偷生到幾時呢？

經濟社會思想叢殘（四四）

金伯華

在今天，自由主義最基本的，最艱鉅的使命，就是與共產主義相敵而作殊死戰。因此，在國內，而對國家社會迫切的需求，自由主義者顯然是愛國，愛羣，而能爲國爲羣犧牲小我一時的自由，以共同致力於反共的。

至於在平時，自由主義者與集體組織——譬如說，政府——相互間的關聯和分寸，情形固極繁雜，未可一二而言盡，但是所謂自由主義的基本立場，總認爲政府對於民事不要多所干擾或管制。……

第二種讀法：「分」

把分字讀如問，即「名分」，「職分」的分，就是說各人在社會上，都各有一定的「本分」以互相限制。換言之，這就是「範圍」，就是「禮」。「秩序」，驟然看來，這似與經濟毫不相關，而實則自古以來，無論經濟問題或社會問題，五花八門，紛紛擾擾，毛病都只出在這各人應有「本分」的「分」字上！

明白的說，這就是人類社會最棘手，最不容易安排的「分配問題」——進一步說，亦即土地，資本，勞力所謂生產三大要素間，對於所產價值，各各應得報酬成份的問題。

我剛才不是說「分」（讀問）也就是「禮」嗎？「夫禮者，所以定親疏，決嫌疑，別同異，明是非也。……道德仁義，非禮不成。教訓正俗，非禮不備。分爭辯訟，非禮不決。君臣上下，父子兄弟，非禮不定。……是以君子恭敬撙節退讓以明禮」（曲禮上）孔子說：「夫禮，先王以承天之道，以治人之情。故失之者死，得之者生」（禮運）。我國文化，（當然包括經濟生活在內，）幾千年來，不管你願意不願意，無形中就靠這個「禮」字，這種各人應守的「本分」居中維繫。所謂「承天之道」，那是形而上的問題，不在我們這裏討論範圍之內。但所謂「以治人之情」的「人情」，却就是我們在上章開頭所引三字經的「七情」（見本報四四年六月一日第四四三期）。禮運說：「……何謂人情？喜，怒，哀，懼，愛，惡，欲。七者弗學而能。……舍禮何以治之？」七者之中，與我們這裏最有關係的是「惡」和「欲」。禮運接着又說：「飲食男女，人之大欲存焉。死亡貧苦，人之大惡存焉。故欲惡者，心之大端也。人藏其心，不可測度也。美惡皆在其心，不見其色也。欲一以窮之，舍禮何以哉？」這不但分明要用「禮」來軌範人類的經濟行爲，支配人類的經濟關係。這「惡欲藏其心」，「美惡在其心」的說法，如果我們不怕人家說是牽强附會的話，簡直就是經濟思想史上「心理學派」，尤其是「奧大利學派」的濫觴。

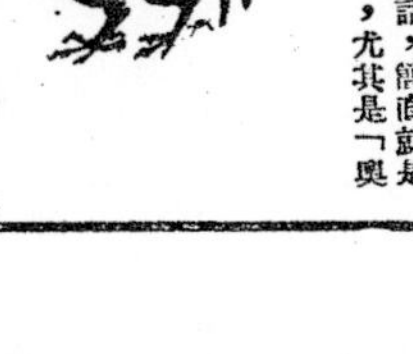

「細頭談判」觀

馬五先生

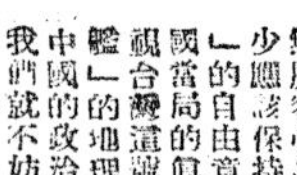

所謂四巨頭在日內瓦集會之時，南韓政府下令全國報紙不要刊載四國會議的消息。當時我總覺得李承晚先生未免太過於彆扭了。如今看來，他這股幹勁兒殊堪敬佩，因爲他認定巨頭們懷着妥協心情，在那以專演醜劇著名的日內瓦開會，絕對不會做出好事來的，報紙上刊載他們那種「曹社聚鬼，喁喁謀亡國」的消息，祇是徒亂人意而已。

四巨頭會議剛散場，美國即宣佈要與中共在日內瓦舉行「兩細頭談判」，說是保證不出賣自由中國。這眞是「此地無銀三百兩」的笑話，我們應該予以否認，同時也可以通令各地報紙，不要刊載這項無聊的消息，以免搖惑觀聽，且表示一點有所不爲的民族自尊心。

然而，我們新聞記者尚來不及表示意見，而政府機關卻已正式聲明，對美國的保證認爲滿意了——這教我們從那兒說起呢？要反對吧，似乎是故意違背政府決策，即是沒有「建設性」的輿論，甚至可以扯到忠貞問題上面去，使不得；要贊許吧，那明明是百分之百具有出賣我們的可能性的勾當，豈忍閉着眼睛任人宰割？當然，現在的世界還是有強權，無公理，你對它的保證不滿意，它依然我行我素，無所容心的。可是，我們至少應該保持其決不作「豬仔」的自由意志。譬如說，美國當局的眞正心思，祇在重視台灣這號稱爲「不沉的母艦」的地理價値，而對自由中國的政治價値淡然置之。我們就不妨對它明白表示：只要給我以足够的物質援助，讓我們傾全力向大陸反攻，台灣即依照中美共同防禦條約，請第七艦隊負責防守，好不好？它若不同意，我們就難道沒有不同意把台灣專供作別人軍事基地的自由？

處憂患之中，遇緊要關頭，沒有一種「拚」的勇氣與作法，那就很危險啦！

答九九頑叟質疑
——河洛是否僞書——

王沉裴

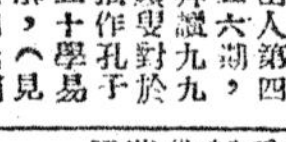

於自由人第四五六期，拜讀九九頑叟對於拙作孔子五十學易解，（見自由人第四四七期）引用河圖洛書作證一節，因而發生河洛眞僞問題，並承專文質疑，至感且愧。按叟署名而冠以九九字樣，料想係一高年長德的老師宿儒，現年非是九十九歲，便是八十一歲了。如爲八十一也，是長我一十八歲；倘爲九十九歲，則長我三十六年了，是吾父執行也，而乃虛懷撝謙，不恥下問；令我肅然起敬，皇悚無地，不知所以爲對。然而長者盛意不可虛膺，謹就疑問所及，分作四點說明於後，未審能當高明於萬一否？

（一）原始的河圖洛書是否眞已失傳？

按南海康氏所謂河洛在漢代即已失傳者，此不過就儒家方面言之耳。安知儒家之外，不有秘而寶之者，俾仍得以長存呢？按秦皇焚書，醫藥卜筮之類仍得保存，大易即因之而無恙。然則河洛不被秦火殃及可斷言了。不過此類圖籍，當時儒家或不重視，多由方士傳之。方士，道家也。然則道家保存之書，後世儒家便可視之爲僞書嗎？竊以爲河洛既由康節邵氏出之以供世，則其前此之秘藏於道家，更無疑義了。蓋邵氏本爲兼通道家之學者，則其取道藏之秘笈，以供儒家之參證，此爲切合情理之事，於此足以證明河洛在宋以前實際並未曾失傳也。

（二）現行的河圖洛書是否邵氏僞造？

根據上述理由，則河洛並未曾失傳，不過在宋代以前不爲儒家所重視，而方士之流卻視爲秘寶而保全之，至康節邵氏兼通儒道，始再出之以供於世罷了。所以宋代周（敦頤）、程（顥、頤）、張（載）、朱（熹）諸大儒，對於河洛無不尊崇而篤信之者。假如竟係邵氏所僞造，則周程與邵氏並世而生，必早已辭而闢之了。何待千載以後之南海康氏方斥其爲僞書嗎？朱子作周易集解，且以河洛冠諸首，以明易學本源之所自也。蓋吾國古籍浩如烟海，其間有在此處失傳而彼處復見者，或此時失傳而他時又復見者。此類事例，實在很多。例如黎蒓齋先生（庶昌）所刊行之古逸叢書，多至二十六種，均係國內在唐代以後失傳之書，然而卻流傳於日本，誰知千餘年後得黎而復見於中國。此與河洛秘藏於道家，千載後得邵氏出之以供世者，有何分別？假如再過千年以後，復有如南海康氏其人者出，而謂古逸叢書二十六種者，都係黎庶昌氏所僞造，豈不寃哉？是則現行之河洛不爲邵氏所僞造，亦可斷然無疑了。

（三）南海何以作此誑枉之談，湘綺又何以贊同其說？

湘綺之學，其最高造詣在詞章，而非義理與考據。蓋此二學在清代早經若干大師闡發無遺蘊了，湘綺絕頂聰明，自幼即目空一切，不作第二人想；深知如再鑽入義理考據之學，實再尋不著出路了。所以別開生面，大倡其今文公羊孔子改制之新說。蓋將以抹殺前賢耳目，欲以一手遮盡天下，而把漢宋所謂義理考據者，視同廢物，屏之爲不足道。其心目中，則六經以及春秋以前之歷史，都係孔子所假託臆造，以爲改制之工具耳。是六經且將爲僞書，更何有於河洛呢？南海係湘綺再傳弟子（南海師川人廖季平，季平師事湘綺。）其胆大狂妄，無所顧忌，惟我獨尊，正係湘綺一脈相傳，同一鼻孔出氣也。觀南海自號曰長素，（孔子爲素王，長素者，長於孔子也。）而名其弟子曰超回，邁賜，是其放誕不情之態可想見了。故湘綺南海在清末只能稱之曰文學大家，而不得尊之爲大儒。大儒者，傳六藝之學，以闡揚堯舜禹湯文武周孔微危精一之心傳者也。必如漢儒之服（虔）鄭（玄），宋儒之周程張朱，方可當之而無愧色。今河洛爲周程張朱各大儒所篤信，而南海乃目之曰僞書，然則關於義理之學，吾人將以南海之說爲可信呢？或應以宋代周程諸大儒之說爲可信呢？此不待智者，雖婦人孺子亦可作決定的了。

（四）假定河洛眞的失傳，拙著孔子五十學易解的第四說是否仍能成立？

拙著孔子五十學易解，原係直接根據易象而來，（參看文王八卦方位圖）而易象乃係伏羲文王依照河洛之文所演成者耳，因之河洛是否失傳，與拙著並無直接的影響，僅有間接的關係而已。只要易象一日存在，則拙著所謂第四說者，便應卓然成立；固不必問及原始的河洛是否失傳，流行的河洛是否爲邵子所僞造也。正如今世審查學歷者然，只要持有大學結業證書，則資格便可確定，至其中學結業證書之有無存在，並無甚關係了。易象等於拙著第四說的大學證書，河洛不過等於中學證書罷了。縱令眞的失傳，與拙著並無重大的影響，所以第四說者，仍能卓然成立，毫不致於搖動也。

試觀文王演易的八卦方位圖（見附圖），則坎位於一，坤位於二，震位於三，巽位於四，中央爲五，乾位於六，兌位於七，艮位於八，離位於九。從正面觀之，凡相對二數相加均爲十。從四隅觀之，則相鄰二數相減均爲五。相加爲十，洛書之文也。相減成五，河圖之象也。此易象五十消長之理，而拙著第四說即直接根據於此。而暗合於河洛之原則耳。所以說只要易象存在，則拙著便可卓然成立也。

（五）結論

原始的河圖洛書根本便未曾失傳，不過宋代以前，不爲儒家所重視，而由道家秘藏之。現行的河圖洛書，即是道家秘藏之古本，決非邵子所僞造。湘綺南海兩家原係一家，其所倡之孔子改制新說，即以推翻前賢，獨標新奇爲目的。推其用意，六經且將爲僞書，更何有於河洛。至於拙著孔子五十學易解，（即第四說）原係直接根據易象而來。（參看文王八卦方位圖）只要易象存在，第四說便可卓然成立；縱令河洛眞的失傳，其於第四說並不發生如何影響。

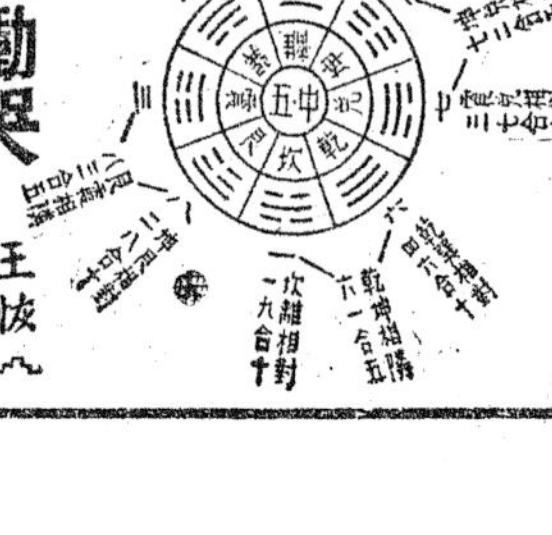

語意學漫談

徐道鄰

十八、智力法

（「它」使人在思想理智上發生某種反應）

這是說明一個人在理智方面的心理反應。例如『明斷』是說明一個人對於一段文字很容易得到瞭解，『含混』是說明他對之不容易了解。『膚淺』是說明這段文字不能激發他的思考，『奧妙』是很能激發他的思考。但是甚於文字語言的性質，智力法和情感法（十七）常常容易混淆，而使人有時甚難辨別。

十九、感覺法

（「它」使人發生某種感覺反應）

這是用一個人的感覺器官的反應，來說明一件東西的特殊性質。例如『紅』『綠』是我們的視覺反應。『酸』『甜』是我們的味覺反應。『光滑』『粗糙』是我們的觸覺反應。或者：『狂叫』是『大聲』的呼號；『錯刀』是一件『粗面』的鋼片。

二十、因果法

（「它」是『××』的因，或『××』的果）

這是用因果關係的一端來作其另一端的說明。例如『兇手』是殺死了另外一個人的人（因），『被害者』是被另外一個人殺死的人（果）。『父親』是一個人的男性生殖者（因），『兒子』是一個人的男性的繁殖成果。

二十一、行爲法

（「它」有某種的行爲狀態）

這是就一件東西的行爲狀態來說明它的個性。例如說『外向型』的人是以環境作爲行爲出發點的人。『清教徒』是反對英國國教而主張以個單純爲立教之本的人。『花花公子』是愛好漂亮和色情，而摒棄一切正當工作的公子哥兒們。

二十二、性別法

（「它」是屬於××性的某種動物）

這一種說明法，特別注重了物體的性別。例如『男』是雄性的人，『女』是雌性的人。『鳳凰』，其雌『凰』；騬牡驢，牝驢（爾雅）。英文OX是雄牛，COW是牝牛。STALLION是雄馬，MARE是牝馬。西方語言中這種分別，遠比中國語言爲多。

二十三、用途法

（「它」具有某種用處）

這是用一種東西的對於人類的用途來說明它的。『車』是用在陸地上的運輸工具，『船』是用在河海上的運輸工具。『床』是供人睡的，『椅』是給人坐的。『傘』是用以蔽日或遮雨的。

（四十八）

劍底秦庭

歷史小說　奚如

「說得是，荊先生說得是。」太子一直在搓着雙手。

「太子對荊某此一構策，不知道有沒有一個比較明斷的指教？」荊軻說完了一大番話，在用舌尖微微把唾涎潤澤着乾枯的嘴唇，眼光卻在等候太子的答覆。

「田老先生的意見以爲怎樣！」太子卻避過了荊軻的眼光，掉轉頭來對着病床上的田光，顯得非常謙虛地彎了一彎身子。

「我？」在閉着眼睛思索着荊軻所衍述的大勢的田老翁，微微用力把眼蓋睜開，沉默了一回，才用最嚴肅的聲調回答：「荊卿的話說得非常中肯，現在的問題，就在太子的決心怎樣！或者是不是還有其他值得考慮的困難存在而已。」

「我自己也這麼想！」太子忽然也含蓄地笑了一笑：「現在擺在眼前的困難，還是實際的問題。譬如說，連齊盟趙這一點，由於過去的嫌怨，以及一向的邊土的糾紛，恐怕就沒有那末容易成功。再說，就算當面的敵人，可以藉聯盟之功抵止於一時，可是，以燕國這個四戰之地的環境來說，前門拒虎，後門卻又得担心北胡的侵擾凌陵，處此前後受敵的態勢之下，不穀以爲除了——」

「除了甚麼？」荊軻忍不住插了一句嘴。

「除了設法使前敵或者後敵之一立即歸於消滅之外，燕國的生存機會，實在不可想像！」

「消滅？太子以爲像秦國這樣強大的國家，能夠很容易地給消滅掉？」荊軻已經忍不住心中的沉悶。

「所以，這就是一個存在於現實之中最使人煩惱的問題。」太子像是絕望地攤了攤手。

「那末，太子對於荊某剛才的計劃，是不是——」

「不不不！」太子又連忙在搖着手：「我一點也不懷疑荊先生這一個計劃的効果；可是，歸根到目下的惡劣環境，就恐怕不容易，不容易——」。

「這一點，如果太子不慊於荊某的唐突。只要假荊某以蘇秦當年故事，白璧百雙，黃金千鎰，奔走於諸侯大夫公卿之間，敢信不出一年到兩年的時間，必定可以有所成就以回報太子的。」荊軻毫不考慮地說出了自己的願望。

「嗯！一年、兩年……」太子一直在緩膝沉吟，怔怔的對着燭台，慢慢地又在唸着：「一年，兩年，這不是一個太長久的日子……」

「太子的意思怎樣？」荊軻又追問了一句。

「嗯，讓我考慮考慮。可是，除了這個計劃之外，不穀敢問先生的中策又如何？」（廿三）

稿約

本報各版園地公開，歡迎讀者投稿，性質不拘。來稿請用稿紙，勿兩面寫或橫寫，最好不超二千字，特殊稿件例外。譯文請附原作，如原文不能附寄，亦請註明出處。來稿不便刊用時需退還者，請附郵票。

康南海劇場慟哭

王悅

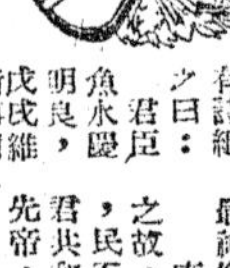

南海有詩紀之曰：君臣魚水隱明良，戊戌維新事可傷；二十五年忘舊夢，無端傀儡又登場。九天閶闔夜燈低，袍袴宮人眼欲迷，成住壞空經幾劫，不堪舊事更重提。猶存痛史懷先帝，更現前身牽老夫，優孟衣冠台上戲，豈知台下有何苦！解牛審覺大刀王（王五俠士），欲入瀛台跳苑牆。北望燕城不能救，孤臣負罪最神傷。

南海又嘗以中國因譏讒之故，爭競不休，連年稱兵，民不堪命，宜仿英制，虛君共和，則負罪孤臣，感懷先帝，又何嘗一日忘舊夢也。當新政初敗時，王半塘會爲餞春詞寄意，撰點絳唇一闋云：

拋盡榆錢，難買春光駐；春無語，腸斷春歸路。春去能來，人去能來否？長亭暮，亂山無數，只有鵑啼苦！

音調悽慘，蓋伊涼之詞也。（下）

自由人
THE FREEMAN
（第四六一期）
中華民國僑務委員會
頒發登記證台教字新第一第二號
中華郵政台字第五〇〇號
執照登記爲第一類新聞紙類
（半週刊每星期三　六出版）
每份港幣壹毫
台北市僑價台幣壹元
督印人：陳文華
地址：香港高士威道二十四號四樓
3 rd, fl. 20 CAUSEWAY RD
HONG KONG
香港發行及事務接洽
高士打道66號　電話：七四〇五三
承印者：東南印務出版社
地　址：高士打道六十四號
海外總經銷
友聯書報發行公司
香港：德輔道中二十六號A二樓
台灣特派員辦事處
台北市館前街五十號
台灣總經銷處
台北市西寧南路壹壹號二樓
台郵撥儲金戶九二五二

財經問題的重心安在？

部份措施應顧及全面

——讀財經兩部長記者會所言而作——

陳式銳

國民政府行政院，難得在一個月中有財經兩首長對報界發表長篇言論，這也許是行政院新聞局舉行定期記者招待會的結果。無論如何，財經關係重大，主管當局開口總比不說佳。他們所說的儘底做了，我們才曉得他們的爭勞，倘若說而不做或做而走樣，輿論也才可以據以督促。

當培養政治信譽

由於積習底關係，一般人對於官吏的言論缺乏信心，美最近名著「美國對外交政策的政治經濟學」也指出對落後地區的努力——尤其美國對它的援外計劃——首當培養政治底信譽，優良底社會制度，以及經濟底穩定；所以由實踐建立政治底信譽，從而引起人民的共鳴，才是經濟健全發展的開端。

財政部長徐柏園七月十一日在記者招待會透露：「政府即將採用退還稅款的方法，鼓勵工業產品出口，爭取較多的外滙收入」；他並說已經擬成一個草案且舉出內容十要點，總之，該「外銷品退還稅捐辦法」經行政院於七月廿一日會議通過。

經濟部長尹仲容七月二十二日在記者招待會說明經建方針並詮釋當前工業政策，同時提出將出經安會工會委員會（尹氏兼主任委員）發起創立「中國生產力中心」，用新底觀念與新底方法去改良生產。這兩個財經有關底舉措，原則上都有消極或積極底建設性，問題却在辦法與執行。只是財經行政，我一向指出，部份措施應當隨時顧及全面，尤不能離開問題的重心。

阻止通貨膨脹可嘉

尹部長說：『關於過去各方指責，台灣銀行爲了應付公營事業的借款而增加發行，造成本省通貨膨脹，公營事業因爲獲得貸款而增加生產的好處，不如發行增加所帶來的害處大，大家認爲公營事業是台灣經濟上的重担。因此經濟部會特別針對公營事業的財務問題，先行着手加以整頓，數月來頗有成效』。尹氏並已通知台銀及各商業銀行，凡未得經濟部的許可，不可貸款給公營事業（台北七月二十三日徵信新聞）。我很重視尹氏的這一段話。公營事業以形成制度之故，弄到生產力降低，資金缺之，而發向合銀借款，所謂「生產本位發行說」寬濫而生，直讓新台幣不斷地膨脹下去。這一來，新台幣迅速貶值了。當局進而高估對外幣值，其結果，也便窒息出口而使整個生產發生困難。而物價——尤其進口物價——的高漲，一方面使整個消費者吃虧，他方面則讓進口商坐收其利（參閱拙作「台灣經濟」一〇四——一二七頁）。今尹氏限制公營事業向銀行借款，意在阻止通貨的膨脹；尹氏果能循此途徑而行，我們應當加以贊許。

輸出未受鼓勵

至所謂「頗有成效」一節，我們向台灣銀行的發行實績去看：

期間	發行額（千元）	指數
四十一年十二月	五八九、〇四五	一〇〇
四十二年十二月	七七三、七六三	一三一
四十三年十一月	八九三、九七六	一五二
四十三年十二月	一、〇四三、五九四	一七七
四十四年六月	一、一五六、四七七	一九六

台灣經濟既以農工並重爲政策，農爲糧食與原料，工則除部份直接消費外大部爲外銷以換取進口；是則對外貿易爲台灣財經榮枯之所繫，亦爲台灣經濟之特質。本年三月一日，政府宣佈改變外滙貿易的管制，標榜爲「鼓勵產品輸出，調節物資輸入」云云，原則正確。不意一次一次的實施辦法，把它一再打了折扣；到如今，它的功效仍回向鑿時景況——輸出未受鼓勵（輸入亦未見調節（物價益高），已爲一般輿論所指責。

退稅辦法尚有可議

當前的問題，爲促進出口，進而刺激生產；而且應當加緊速度，以追隨人口之增加。徐柏園氏提出「外銷品退還稅捐辦法」，原則上固不失爲出口的一種鼓勵（辦法亦有問題）；但我奇怪底是徐氏何以留整個出口的根本問題於不顧，轉而提出此一辦法。難道用進口原料底出口產品予以鼓勵，而用自己原料底出口產品就無需予以鼓勵嗎？政策貴有一般性，摒抑出口而偏利進口爲不當，而出口之間，又厚此薄彼，亦非所宜。

貿易的根本問題

就發行指數一點看，四十一年十二月（一〇〇）以來，至去年十一月爲一五二，十二月突上升至一七七，至本年六月高達一九六；可見去年底至本年上半年，爲通貨加速膨脹底時期。以美鈔黑市言，去年八月以前一美元一向盤旋在新台幣廿七元上下，九月受時局影響會有波動但自去多起一直上升，且高達四十元以上。所以通貨膨脹不但未被停止，反而步步向上；這一形勢，究誰實爲之，孰令致之？就通貨膨脹的程度加以計算，每一美元的正常價值不過新台幣卅三元，其所以超越至四十元，主要爲新辦法所釀成無疑了。明乎此，今日談貿易問題，忽略通貨膨脹之爲害就不切實際，離開貨實地全面鼓勵出口以增加外滙也是徒勞無功。現在出口一美元所得新台幣二〇、三五元（香港一八、五元）與現行黑市三七元比較，相差十六至十八元，那裏談得上鼓勵？當局爲什怎不面對現實，一方面切實停止通貨膨脹，一方而貫徹鼓勵出口，讓結滙證伸出頭來，直接或間接，選其申請進口（不加限制）？倘徐氏不此之圖，就難免有舍本逐末之嫌了。

公營事業冗員多

況且以公營事業爲例，據美國駐華安全分署與台灣大學共同調查而出版之「台灣之城市與工業」稱：「……公營企業的產品，約占工業產品總值的三分之二，僱有過多之員工。……在公營企業中安置冗員的辦法不論是如何合理（按：即選就事勢），這對於有效的工業生產及其發展終是一大障礙」。台灣公營事業的整頓，除台糖公司曾裁員達三分之一外，未聞尹氏宣佈其顯著底整頓功效。中國人只要開名，全是全能，社會上不時產生某某學會，「聞人」左右逢源，個個變成專家。「生產力中心」，據尹氏所云，係對工業作技術之援助，聘請將網羅中外的專家以負指導之責任；我贊成此一機構之設立，但我懷怕其蹈公營事業的覆轍，成爲安置「專家」（冗員）的機關，那又有何用？

必須把握問題重心

至於「外銷品退還稅捐辦法」公佈之後，已獲得輿論之稱許，惟因辦法及實施之技術尚有問題，仍希望加以改進，以收實際功效（七月二十五日徵信新聞）。總之，中國官場的積習，多言而不行，或言不由衷，致難獲人民徵信。行政院新聞局既經常舉行記者招待會，我們可以經常聽取政府首長作政策的宣告或政績的公佈。而且由此開端，政府當局能把握問題的重心，腳踏實地，一步一步地改進，藉以立信於人民。徐尹兩氏負自由中國財經之重任，我固希望其先後所提兩個措施底於成功，尤望其勿放棄更根本之作爲。薩孟武先生有云：「第一流政治家，必能洞悉當前問題底重心之所在，由此重心問題以窺及全部問題，再由全部問題探討到個別問題，然後決定政策；更應衡量本末，挈綱提領，而定其先後緩急。重心問題一解決，枝節自然消滅，撥亂返治，自趨成功」（中國政治思想史講演稿），特錄之以爲居財經高位之徐尹兩氏之勉！

七月廿五日

卅五年來 蘇聯的六次改變

李加雪

去年七月蘇外長莫洛托夫，率領國員三百人，參加日內瓦會議，他那種驕倨傲慢，戒備森嚴的氣象，遠非今年布爾加甯，赫魯曉夫出席日內瓦四要會議的情形可比。

布爾加甯和赫魯曉夫，不僅輕車減從，喜歡坐開蓬汽車，而且溫文有禮，有類乎英國的議會議員，莫洛托夫本人也笑容滿面，改變爲一位慈善可親的紳士。同在一個地方，事隔不過一年，蘇聯的面目由兇狠而變成和善，由流氓變成君子，眞令人有「士別三日」之感。自由世界人士發現蘇聯的改變，心裏似乎有說不出的忻慰。事實上，蘇聯並沒有任何改變，所改變者外形而已。

三十五年來，克里姆林宮已經有過不少的改變，比較彰明顯著的，有下述六次：

列寧與史太林的僞變

（一）一九二一年，蘇俄經過多年內戰，生產停頓，災禍頻仍，列甯宣佈實行新經濟政策，邀請外國資本家到蘇聯投資。那時自由世界喜躍若狂，認爲共產主義破產了，回復到資本主義了。好些刊物，因此認爲蘇聯已經向資本主義投降。經過八年，到了一九二九年，新經濟政策結束了，自由世界只得到一場空歡喜。

（二）一九二四年，史太林曾提出，『共產主義只在一個國家之內實行』的口號，自由世界又喜形於色。一九二八年，史太林把主張世界革命的托洛斯基打倒了，努力從事國內的建設，好些觀察家認爲他放棄了征服世界的共產黨基本政策，東西共存是可能的了，但後來如何呢？

（三）一九三三年，史太林爲想獲得美國承認，保證不在美國作地下活動，也不支持美國的共產黨。美國人心裏十分忻慰，認爲他是一個和平主義者。可是，後來的事實又如何呢？

勾結納粹顛覆自由

（四）一九三五年，納粹希特勒表示侵略歐洲的野心，史太林初時命令各國共產黨參加各該國的左派份子，組織聯合陣線，抵抗納粹主義。但各國的共產黨，仍然從事地下活動，替蘇聯効忠。一九三九年，史太林竟和希特勒訂了一個密約。蘇聯且聲明要把領土擴張到波斯灣。各國共產黨亦脫離所謂聯合陣線，協助納粹以進攻其自己的國家。

（五）一九四三年，蘇聯得自國援助，死裏回生，安定了前方戰綫。史太林感激之餘，正式宣佈取消第三國際，自由世界認爲蘇聯眞的放棄世界革命的政策，趨向和平共存了。但事實上，蘇聯反而加強各國的共黨地下活動，積極進行傾覆自由國家的工作。

（六）一九四五年，蘇聯把許多東歐國家劃作衛星國，自由世界大爲不滿，史太林爲和緩世界輿論，聲明准許東歐國家自由選舉，並准許各國的民主政黨存在。結果依然是一個空。

從上面六個顯著的例子看，我們可以見到蘇聯每次改變，都係事出無奈，或者因國內困難，或者因外敵侵犯，不得不暫時忍讓，這些改變，除新經濟政策實行了幾年外，其他都是欺人之談，根本沒有兌現的。

馬倫可夫與赫魯曉夫

現時克里姆林宮可以分爲兩派：和平派的領袖是馬倫可夫，該派認爲資本主義國家，因爲內部矛盾，結果是要崩潰的，蘇聯不妨調整內部，提高人民生活，靜待資本主義的滅亡。（下轉第三版）

半週展望

雷嘯岑

美國的心事並未隱瞞

由於美國政府突然自抑身價，竟跟聯合國正式譴責在案的侵略者——中共——談判，而且要談「台灣海峽停火問題」，凡崇尚自由的中國人，沒有不憤慨的。可是，我們如果細心考察一下事實，即知道美國這種待機妥協的心事，並未隱瞞，祇是我們有欠警覺而已。震驚尚用不着，憤激尤其無益也。

打從一九五〇年美軍第七艦隊東來台灣海峽協防，標出「台灣中立化」政策以來，直到一九五四年簽訂共同防禦條約，規定國軍如非商得美國同意，即不採取大舉反攻大陸的軍事行動爲止，它很顯明的表示着一項心事：祇重視台灣的地理價值，而對中華民國的政治價值，認爲不妨漠然置之。換言之，它但求保持台灣這塊軍事基地，此外皆無所謂。因此，它今日爲着自身的利害關係，要與中共降格談判，並非意外。我們唯有深切警惕反省，努力創造使別人不敢漠視的政治價值，我們的成本並不缺乏，驚慌些甚末呢？

政治價值要自己創造

政治價值的行情完全要靠自己設法創造上昇的，如其指望國際政治市場的經紀掮客們來作投機交易，行市也落無常，那就沒有眞正的價值存在，遑論所貴，遑論能賤之，這是一定的道理。

創造政治價值的唯一原則，就是要經常顯示其蓬勃盛旺的氣勢，既不故步自封，亦不俯仰由人。氣勢作用是動態的發展，不動即會靜止消沉的。所以，我曾經在本刊說過：「以不變應萬變」的政策固然不錯，「以不動應萬動」就會糟糕。現在開始警到這種著澀滋味了。

造成蓬勃盛旺之與國氣勢的條件，第一要人多。怕人多，怕麻煩，就是自貶價值，自毀膠光，即難免別人瞧不起我，甚至於想出賣我！政治上最重要是能隨時張之以勢，此中妙用無窮，人少則勢孤，又烏得而「張之」呢？我們對於海外一千二三百萬反共非共的華僑人力，團結合作的工夫究竟作了多少？是否犯有「以不動應萬動」，唯恐其人多太麻煩的毛病？大家應該切實反省，急起圖之。古今萬國，凡在憂患之中，決沒有還少數人就能夠撥亂反正，復興國家的！

人才要儘量使用

形成蓬勃盛旺氣勢的第二個條件就是人才。現代中國的人才已經是缺乏了。然而，在海外，在台灣，也就有不少的智勇辯力之士，我們似乎並未集中使用它，有些曾經使用過，而又著有成績的，亦未能做到「人盡其才」的效果。例如現任副總統陳誠先生，他過去作行政院長確是有建樹的，現在却專門去搞那類「破土」「揭幕」典禮的無謂工作了。值此非常時期，何不請他兼任實際政務，爲國宣勞呢？憲法上並無副總統不能兼理實際政事的規定，自然說不上甚末違憲與否的話。

此外，我相信還有若干忠誠幹練的人才，閒得無聊，今日位列三台，具有「爲國求賢」的責任與地位者，也應該拿出公忠體國的良知良能來，替國家做些有益的事。

需要大開大闔的作用

至於我們舌敝唇焦地吶喊了四五年的超黨派救國會議，更是創造政治價值的重要方法，此刻尤爲當務之急。誠然，召開了這項會議亦不見得就有甚末奇蹟產生的，然卻有「張之以勢」的妙用。

凡是懂得政治的道理者，即知道「氣勢」的偉大價值。所謂「氣數」與「大勢」云云，都是對某一時代的政治現象而言的。我們既擁有珍貴的地緣價值，又具有豐富的政治資源，只要不暴殄天物，把豐富的資源集中使用，創造成高貴的政治價值，表現自主自強的能力，國際姑息主義者誰敢輕視我，誰能出賣我呢？否則，刀俎魚肉之逆勢一旦促成，後果是不堪想像的！

留學考試

試卷致誤的事實眞相

·胆寒生·

本刊頃接台北胆寒生先生寄來教育部柯參事樹屏上教育部張部長曉峯函一件，該函叙述此次留學考試之經過，及發覺錯誤情形甚詳。胆寒生先生並附加按語，說明要求發表該函原因，及其個人對此一事件之感想，特合併刊載如左：──編者──

台灣通訊

「自由人」過去因學術獎金事，刊出了兩篇文章，與教育部之間，似乎不很愉快，受累不少。現在又因留學考試事，發表了五個學生的來函，而受到張部長的責問。其實，錯誤是每個人乃至每個機關都所不免；這些錯誤，並不致傷害到教育部的威嚴。我們所大惑不解的是教育部對於輿論的抹煞（如過去「絕無其事」），及威嚇（如此次張部長談話中對五個學生的態度），令人想到，假使教育部諸公是在直接負維持治安之責，而不是負文教之責，其結果還堪設想嗎？寫文章的人，做文官的人，都是同道；以同道之誼，我懇切希望教部諸公，站在中國傳統的受言納諫的起碼道理上，稍稍反省一下。

柯參事上張部長書

這裏偶然得到撤職的柯參事寫給張部長的一封信的油印稿子，柯在教育部垂二十年，其正直負責，便是今之古人。我覺得這封信比張部長的談話說得更、清楚，所以我要求「自由人」將其刊出，可見此次考試的錯誤，是由教育部自己發現，而且是自動糾正的。刊出來可免社會不必要的誤會，對於教育部是有利的。考掉了的學生乃至以一部份事實去推測全部的社會人士，雖免有意氣之詞；教部諸公，何若總是以抹煞威嚇的姿態，向社會作示威運動呢？我們的感覺是，越是政治上的新人物，越是向輿論向社會賭狠。這大概也是社會對我們自己的前途不敢太樂觀的重要原因之一。

我還得申明一點，我將這份油印稿子，要求「自由人」刊出，可以對天發誓，不僅不是出自柯君之意，並且柯君自己是毫不知道的。「人善被人欺，馬善被人騎」，正是這個年頭的寫照，所以不得不預先註明在這裏。

胆寒生識誌七月二十七日。

曉峯先生部長賜鑒：敬陳者，關於留學考試事項，原屬本部文教處職掌，本年組織留學考試試務委員會辦理。樹屏奉派爲試務委員兼考試組長。受命之初，即感責任重大，以文教處已商得台大同意，借調張廣福君相助，可資熟手，乃勉爲承担。當與張君約定關於試卷彌封等技術方面工作，由張負責。其他調用人員均協同張君辦理。第一次護士獎學金考試，幸無隕越。

隨後大專公自費及高中獎學金，日本獎學金考試，合併舉行，門類複雜。

投考人數甚多，試務委員會幾致全力於審核組之報名工作。考試組調用六人，有三人改調在審核組，自六月五日至十四日，在考試組工作者通張君僅有四人。而張君仍須不時兼顧審核組，及核計組事。

原規定十四日報名截止，距考期僅有三天，在此三日之內，事實上仍不斷通融補辦報名手續。考試組一面趕作試卷彌封，一面隨時改動登記人數，無法將工作早作結束，加以清檢。十七晚勉將工作趕完，與張君商定，將全部人名號碼，及試卷科目，戳記，逐一檢查核對，臨時商請部中其他同事數人參加工作，直至夜深二時始畢。在此數日，張君日夜趕工，精疲力竭，可謂負責達於極點。同時樹屏個人在此三日之內，須接洽及計劃佈置台大師大兩處試場，接洽簽派監考人員及試場工作人員，函請命題委員到場監試，並參加試務委員會議，及監考人員會談。所有文書，接洽，奔走工作，均由自己一身任之，亦無片刻之暇。

十七晚，諸同仁作總檢查工作，樹屏個人則計劃繕印試題事宜，擬一繕印程序表，寫明每一科目需要試題總數，及每一試場份數，繕印時間，及負責繕校包裝人員，送至試場人員，及時間等項。以便十八日一早及十八日夜間，按照執行。至十時以後，以次日督印專門科目試題四十種，須整夜開工，須先爲小休，以免精神不支，致有錯誤。因請各人偏勞，自己先回木柵寓所。

十八日早，張君見告，謂一切檢查完畢，小有錯誤，已予更正。考試結果，所有試卷試題，確未見有絲毫之錯誤。

本月八日晚，考試委員會，討論錄取標準，八時餘，決定錄取標準，再行用膳。於飯後開始工作，由核計組當場計算成績，開列錄取名單，當夜發表。匆促之間，對每科公費生只注意分數最高數人，將姓名填入成績冊，其餘未將名字填入，致未發現號碼不符情事。

事後清查點封，始發覺彌封表化學科拈夾一頁，漏編十人號碼，以下五十四人號碼因之皆錯，致有應取未取者兩名，不應取而取者兩名，一名應取自費誤爲公費。當由試務委員會主任委員，祕書，及考試組長，聯名簽報事實，請予處分。旋由部召開考試委員會，討論結果，將錯誤更正。關於責任問題，既已簽請處分，自當聽候依法辦理。

十五日夜間，張主任祕書來寓，表達部長意旨，並邀到部當面一談。爲顧全部譽，個人原不惜稍受委屈，俾有以謝考生而對同仁。乃次日見報，與原談意思有未符之處，深感責任不明，是非莫辨。如昨日大華晚報所載，有人懷疑錯誤原因，認爲尚有其他案情，如不依法判明，將何以對人，何以自處。亦將如何使本部有以大白於天下？經考慮至再，應請照簽依法辦理，以明其應負之責。

抑更有陳者：報載個人過失爲疏於核對，此次考試試卷一萬一千餘本，彌封表二千三百餘人姓名，報名號及彌號，將近一萬號。此項核對工作，組長無法担任，亦非其所宜担任，組長只能負責計劃督察之責。就時間而論，如上所述，十四日報名截止；十五，十六，十七三日，仍不斷通融補辦，直至十七晚始能將表冊編造完成。亦如何能由組長一人，逐一詳加核對？在辦理考試期間，個人本職工作，仍須照常進行，除每日核簽文件外，計主辦訴願案三件，修訂法規一件，校對付印之教育法令一大部分。以變方兼顧，在個人已盡其工作之能力。以言過失，係屬兼考試組長職內事，其參事本職，自審並無虧負。乃於報端刊列參事全銜，未爲個人稍留餘步，私心頗有不甘。

再就責任而言，有決策之責，有執行之責，有督察之責，茲報名日期與考試日期中間，幾無間隔，匆促發榜，不稍留時間詳加核對，是項決策之責，將屬如何？執行之人固有責任，其上各級人員皆負有督察之責，其間輕重又將如何？今全部責任，僅由樹屏與張君負之。雖樹屏個人不願連及他人，在一般人當難免有不平之感。區區之意，懇切上陳，幸乞有以教之。敬叩鈞安。

柯樹屏敬上七月十七日。

編者 讀者

西伯利亞正名問題

△趙尺子先生來函

編者先生：今之所謂「西伯利亞」，正確的名字應爲「鮮卑地方」，係鮮卑（音「西伯」）族四千年來遊牧生息之地。依李濟博士考證，其地爲「中華民族更老的老家」（見李著：「記小屯出土的青銅器」）。依鄙人考證：鮮卑族即夏伯族（夏古音「西」），亦即夏人。今天的我們，固是夏人，今天該地的三百六十餘萬鮮卑（所謂「通古斯人」即東胡）及蒙古，乃是「夏裔」。可惜三百年前，鮮卑一氏的愛親覺羅王朝，不學無識，「欽定」鮮卑爲錫伯，訂一個尼布楚條約，將這四百多萬平方哩的鮮卑地方，斷送給了俄國。可惜三百年來外國文地圖的中文譯者，又將鮮卑地方胡濫譯成「西伯利亞」，以致三百年來，除少數歷史家如何秋濤，洪鈞，丁謙，梁啓超及今人錢穆，方豪，郭廷以……和錫伯學者廣祿，李文林，那琦等三十餘位之外，誰也不知鮮卑地方和我國的關係了。

鄙人二十年來倡導將此誤史誤國誤人子弟的「西伯利亞」正名爲鮮卑利亞或鮮卑地方；抵台以來，基於反共抗俄及戰後世界和平的觀點，口講筆字，又已七年。雖追隨上列諸先生之後，使此一眞正史實地實影響了十幾種書及四五種地圖；但若干位地理老師仍將錯就錯，大講其「西伯利亞是俄國領土」，迄不承認鮮卑人爲中華民族，鮮卑地方爲我國「歷史的領土」。眞令人不勝痛心之至！近來自由中國權威刊物──中央日報的地圖週刊，出王思田君「西伯利亞不必改爲鮮卑」一文，鄙人當即復以一函，亦經刊出。該刊並「希望對此問題有研究的專家，作客觀的考證」。此問題可能發展爲一個論戰──魯實先、嚴一萍諸先生爲殷曆而論戰以後的一個論戰。茲將兩日該刊剪寄乙份，用作參考。以──貴刊年來似亦注意「西伯」應正名鮮卑，令人有空谷足音之感者。尚頌

撰安

趙尺子敬上

·人物評述·

林頂立是怎樣的人物

·華田·

（台北通訊）在台北新聞人物中，林頂立先生算是最近一個很令人注意的人物。經過這次茶葉公司驅逐政府林管人員事件後，林先生已成爲頭號新聞人物了。許多人對林先生或者還不太了解。這位年輕的台灣省議會副議長，兼茶葉公司董事長，過去在政治上實在已經幹過很多重要工作的，他之所以有今日的地位也並不是偶然的。

（一）

林氏乃台灣雲林縣人，現年四十七歲，個子微高，身材結實，面型長方，口闊眼靈，單看相貌，也可看出他是一個有見解有個性的人物。有人問他，何以取名「頂立」？他說：「這很簡單，乃取義於頂天立地之意」，於此可見他性格一斑。

日本佔領台灣時期，台灣人民是奴隸，不僅無政治地位，且無選擇上等職業的自由，林氏因此憤而投奔祖國，先赴閩，就學於英華書院，後赴滬，考入大陸大學，肄業二年，即轉赴日本，入明治大學專攻經濟。學成歸國，即從事敵情研究工作，曾在安南西貢等地，服務甚久，頗具勞績。

一二八滬戰爆發，戴雨農局長以林氏熟悉日本國情，並深悉台灣福建地區狀況，因調林氏回國，派往汕頭廈門等處服務。據一本外間不甚知到，但紀載很確實的印刷品，關於林氏有如下紀載：「民國二十七年，敵軍入寇閩南，將於何時[illegible]，何地登陸，先生（指林氏）皆洞悉機先，工作之表現，聞者莫不驚異，深得故將軍戴雨農氏之器識，倚爲東南重寄，勝利後，先生擯擋返台，適二二八事變發生，愚民受誘，理智盡失，情勢至爲惡劣，先生秉其愛鄉之熱忱，殫竭心思，多方勸喻，復經周密之籌策，二二八事件，得旋即平息，因而保全無數之身家性命者，先生與有功焉！」根據這一段資料，可見林氏對於抗戰和台省局面的安定，都是有勞績的。近幾年之榮膺重寄，扶搖直上，不是偶然的。

（二）

林氏爲人平易誠摯，和藹可親，頗得人和。又因爲他在內地工作很久，對內地的生活習慣十分熟悉，而且受過高深教育，故在台省本土人士中，實爲少有之傑出人材。因此，數年來，他在政治上一帆風順，他不僅在政治活動上頗具實力，即在台省社會民衆上也具有很大的潛勢力，甚至台灣的下層社會，也是無人不識林頂立其人的。林氏對於二二八事件之所以能建立功勳，原因也便在此。

林氏在台灣社會上，既有如此之優越地位，故其政治活動，自非他人所易企及，據上述印刷品記載「台灣省地方自治開始，各縣市議會成立，縣市長實行民選，先生（即林氏）復多方倡導，使民主政治之始基，克以順利奠立，各縣市議員，縣市長，多由其協助當選，但先生以鼓吹民主，遵行三民主義，爲國人應盡之責，從不引以爲功，迨台灣省臨時議會成立，各方頻寄重望，敦促參加競選，多數議員原擬擁主議壇，先生一再堅辭，並欲兼辭副議長，惟以民意之反映與各方之殷望，卒以多數當選。」就這一項紀載，可見林氏政治活動力量之一斑。台灣全省的市議員，縣議員，及各市縣長多由林氏「協助當選」，此豈一平凡人物所能做得到的？

（三）

林氏的活動興趣是多方面的，他對於新聞事業亦頗具雄心，台北聯合報成立，（全民日報，民族報及經濟時報之聯合發刊），林氏担任主任委員之職。該報曾每日刊載「新政治舊課題」一文，（每日刊登二三千字，連載月餘），該項長稿，達十餘萬言，對政府人事、外交、政治、宣傳、文化，皆加以深刻批判，筆鋒甚厲，大受各方重視。今林氏驅逐林管官員，其事之是非及結果如何，雖尚未可知，然林氏於新聞事業之外，更欲於經濟事業發展宏圖，則爲不可掩之事實。

不過該案前經省政府以各茶場林地林木因與國土保安及電源等有關，曾令飭保留，編爲國有營林用地，並經經濟部同意函知「出售公營事業估價委員會」。復經該會第十一次常會決議，對於上項森林及附帶有關土地，概不予估價，迄今年四月，農林公司實行移轉民營，省府即再令財政廳派專員監交飭農林公司及農林廳分別移接，故此案似已成爲定案，林氏能否以其鐵腕加以改變，以遂其發展經濟事業之偉圖，且看以後之事實了。

總之，林氏乃台省之新進傑出人才，過去曾有勞績，性格強毅，能力充沛，敢作敢爲，志趣且爲多方面的。根據他過去之歷史，今後當能爲反共抗俄，復興國家，著更大之勞績，林頂立勉乎哉！

共·產·黨

侵略東南亞的三機構

─俄人主持積極實施陰謀

胡養之

俄人主持一切

這兩個機構的主持人物，大略如下：

（一）中越邊區支局──局長韋比茲卡夫，爲蘇聯烏茲克人，現年五十歲，曾在蘇俄國家計劃委員會工作，一九五〇年始到中國任中共的軍事高級顧問。副局長：烏利山柯，蘇俄烏克蘭人，現年四十三歲，二次大戰後，他在蘇俄國民經濟技術供應委員會任職，一九五二年調來中國大陸的。此外局員，卡剛復西安，烏克蘭人，現年四十一歲，一九五一年來大陸，出任中共的軍事顧問，協助中共整編砲兵部隊。安得勒雪夫，土庫曼人，現年四十五歲，他在「共產國際情報局亞洲局」先後工作已有六年，現任「中越邊區支局」政治指導員，目前還在越南，指揮寮共叛亂。耶爾諾夫斯基，俄羅斯人，現年三十六歲，刻下也在越南協助胡志明。里普納爾，喬治亞人，現年四十三歲，工兵出身，現任海南島「解放東南亞幹部訓練班」的爆破課程。華羅柯斯金，烏克蘭人，現年四十四歲，一九五〇年來大陸任中共軍事顧問。其餘還有沙布諾夫，伏希諾夫等人，來非利亞，經常往來南寧與越南之間。

（二）華南支局──書記：果羅夫，現任蘇俄駐廣州的總領事，是一個純粹特務出身的「亞洲通」。第一副書記：方方，現任廣東省「人民政府」副主席，原爲該支局的武裝指揮部部長，一九五三年升任現職。第二副書記：索洛特諾夫，也是特務出身。情報處處長：白洛米特：副處長：沙烏斯金。組織處處長，越希波夫；

東南亞更多事矣

副處長：彭川。秘書處主任：安越；副主任奧波利亞，希臘人。電訊處主任：何力斯，捷克人。此外該局東南亞的武裝指揮部部長，由方方兼任；副部長爲馬斯林柯。

在這些人物的指揮下，大批共諜，已盡量滲入東西亞各地活動，使整個東南亞處於危疑震撼之中，自然不在話下。（續完）

中共姦污藝術的醜行（二）

辛文

腐蝕青年的情感

第三、共產黨政權，也明白藝術的力量有時候是超越於政治的。因為人類是具有理智與情感的動物。雖然以共產主義本身而言，它是唯物史觀的，一切講求鬥爭，以純「理智」來批判一切事物。可是當它眞正面對現實而腐蝕青年思想的時候，就完全變了質。舉實際的例子，它的黨義開宗明義就說：「黨高於一切。」這也就等於宗教的「神創造萬物」一樣，究其實操縱了你的精神與情感。（共產黨與宗教的精神感召與操縱，雖然在原則上相同。不過，形式上前者是脅迫的，後者是自由的，這一點我們應該注意。）等到你相信了共產主義是萬能的時候，它就將你的理智供其驅役。

同樣，共黨今日之所以用藝術來蠱惑與麻醉自由思想人士。其作用實欲使一般情感濃重的青年，於性上被它的妓女——藝術所引誘，直覺地感到：共產黨也珍重藝術，那麼它未必是冷酷的，也許是充滿了極豐富的人性。（藝術是人性的代表與創作。）因此，共黨強姦藝術的第三個主因，就是腐蝕自由思想青年的情感，麻醉他們的思想，使誤認共產黨是人性的。

我們明白了上述三個動機之後，才能確實指出共黨的陰謀，是怎樣醜惡而毒辣地強姦藝術的原因，然後又逼藝術幹出娼妓一樣的形態來。

毛澤東的剽竊作品

我們再從頭檢討一下，共產黨對於文學的無恥劫掠行為。

毛澤東的一首詞：「沁園春」，是他徒子徒孫所認為偉大的文學作品的。可是當我們讀了之後，字裏行間無非是充滿了個人英雄主義，而共產黨是否定個人英雄主義的，這個「矛盾」又將如何自圓其說呢？（其他如「勞動英雄」，「什麼模範」之類的賜予，也無非利用「個人英雄主義」，而達到其盡量搾取民衆的勞力與心血的目的。因非在本文範圍之內，從略）

其次，毛澤東的「實踐論」，如今也是「萬人拜讀」的一冊「聖論」，然而事實上這一套理論，完全劫掠和偷取了中國古有的「知行合一」的學說而已。共產黨人一方面否定中國的傳統思想與精神，一方面又大捧特捧其頭子從那兒偷盜來的，一方面反對英雄主義，一方面可以厚顏自詡。所謂共黨的文學，看此一斑即可知其全豹了。

魯迅作品被姦污了

魯迅原是一個自由思想的戰士，他熱愛祖國和祖國的民衆，且最重要者，他關心民衆的幸福與自由，是一個眞正有骨氣，有正義的黃帝子孫。他沒有參加過共產黨，也沒有承認過蘇聯是他的乾爸爸。然而到了今日，共產黨人將他的文學作品，全部加以強姦，說是「人民戰鬥文學」。將魯迅也列為先烈革命英雄。如果魯迅九泉有知，看到今日大陸被異族的鐵蹄所蹂躪，民衆呻吟在飢餓的壓迫勞役中，他會不會痛哭失聲？或者「橫眉怒目」？

事實上，我們今日對於魯迅的人格與其作品的看法，絕對不應該因為如今他已被共產黨在他死後捧為偶像而無端加以歧視。我們祗要仔細觀察他的自由思想之發展，以及其作品中所表現的獨立精神，就可以斷定他全身是沒有一根奴才的骨頭，斷定他決不會向任何專制獨裁的政權投降的。當然，他假使活在今天的話，一定也會對共產黨禍國殃民的罪行，駡個狗血噴頭。

寫到這裏，使我想起中日戰爭時，漢奸政府也曾將死了的魯迅，拉來做親日的大東亞文化工作者的導師。原因是他在日本唸過書，與日人為友。這情形與如今共產黨人說他唸俄文，與俄人為友的理由，一樣地使人覺得滑稽，幼稚，乃至於無恥。

蘇俄強姦高爾基

這一套拉死人出來做偶像的手法，原來是共黨老祖宗蘇聯的傳家之寶。高爾基是一個偉大的作家，作品與性格充滿了豐富的人性。而今日蘇聯，也硬將他的靈魂拉出來，作為人民革命文學的偶像。事實上，列甯曾親口批評過高爾基，說他脫離不了作家的溫情主義。（這時候高爾基還活着。）豈知一個偉大的作家，一定是具有極豐富的人性與同情心，當然看不慣當時俄國共產黨的瘋狂殘殺，與恐怖的妒忌。（瘋狂的殘殺：蘇聯十月革命之後，及中共近年來幾次的大屠殺，足可證明。恐怖的妒忌：蘇聯的貝利亞政變，及中共之高崗事件，胡風事件，均足夠表現了共產黨人的爭權奪利，妒忌排擠的恐怖。）然而在高爾基死後，（他的死因迄今還是一個謎。）今日又居然成為共產主義革命文學的偶像。這些事實，不是「強姦」是什麼？

我們的責任

共產黨會搶奪許多死去的大思想家，大藝術家，利用「死無對證」，斷章取義地剽竊他們的思想與作品，作為「他們的人」或其「先進的」偶像。如果經共產黨這樣強姦的人，搶去的人，我們便硬性地排除他們，也認為他們眞的就是共產黨那方面的人。同時，又不根據正確的觀察，不抨擊，拆穿共產黨的厚誣古人，那就是我們今日的過錯。

共黨禍及古籍

共產黨拉出死人來做偶像還不夠，如今竟然假借說是整理古典文學，大批地將「革命」以前的文學作品，儘量翻印，並且全部地加上了赤色的標記，算作革命文學。舉一個例子，蘇聯重印托爾斯泰的文集，大陸政權重印紅樓夢。而這些書的作者與思想，過去都被共產黨所「清算」過的，如今又供奉起來。原來自從共產黨統治以後的知識份子自然沒有了自由的思想，文學家假使缺乏了自由思想，又怎能創造出偉大的作品來？所有者無聊而庸俗的謳歌頌讚而已。因此，今日共產黨要蠱惑自由思想的人士，要表示自己的充實，也祗有出諸強姦逼娼的一法，其用心之陰險，眞可以說前無古人，後無來者。

中共高等教育的慘敗

沈東文

據中共「高等教育部計劃司司長」張宗麟的報告：年來中共的高等教育由於教學方法上的過分俄化，和學生質量矛盾的惡性循環，業已招致了嚴重的失敗。

質量低劣思想動搖

據稱：這幾年來各大學和專科學校無論在校學生或已畢業的學生，一般的質量都很低劣，主要現象是程度差，政治思想水平低，專業知識和技術都不能適合各工作崗位的最低需要。據舉例：謂如一九五三至一九五四學年度，全共區高等學校學生因病因學業不及格及其他原因而退學休學的有七千多名；實際上勉強維持學習或降級留級的，為數還更甚於此。張宗麟承認這是一個驚人的數字，它幾乎佔全部大專學生百分之二十至三十以上。

又根據八個工業部門技術幹部的調查，現有技術人員和工人的比例，幾個主要生產部門的技術人員人數大多超過蘇俄同類生產部門的比例。一般礦廠的技術人員在數量方面並不算少，但幾乎每一個生產單位都感到技術人材不足，尤其單獨能解決技術問題的高級技術人材更不足。工科本科畢業生照理應能勝任助理工程師，但目前情形，都只能擔任普通技術人員的工作。至於專修科畢業生的質量，那就更差了。

體格孱弱不能工作

中共高等教育的失敗，除了上述教育效果的低劣外，張宗麟還認為學生的體格和政治意識亦都有嚴重問題。據報告，在校學生，每年因病而休學的人數很多；畢業學生分派到工作崗位後，因體格太差而不能擔任適當工作的也很多；一般勉強擔任指定工作的，也因體力精神不夠而影響工作效率。（據中共報紙透露：共區大專學生體格不良的主要現象，是肺病流行及腸胃病普遍）。又據報告，在校學生，因發現政治思想「惡劣」而被退學的也不少，畢業學生中，被發現有反共情緒的，更所在多有。以致一般廠礦對各高等學校派往實習的學生，都存有戒心，從而予以歧視，甚至因恐洩露「國家機密」而不敢給予適當的工作。

造成此等嚴重失敗的原因，在該「高等教育部計劃司司長」的官方檢討中，曾不加諱忌地指出下述幾項：

俄化結果自招慘敗

（一）主要的，是目前共區統一試行一百多種專業教學計劃和幾百種教學大綱，完全盲目採用蘇俄高等學校一九五四年以前的各種教學計劃和教學大綱，並且將蘇俄此種五年制乃至五年以上所實施的課程壓縮在中共的四年制之中。再加上幾年來，中共治下的大專學生程度普遍低落，更使學生無法消受此種繁重的課程。一般的學生，只能死記硬背，結果根本就未理解課程的內容，教學的效果自然微乎其微。

（二）中共高等學校培養出來的學生，質量既然不高，自然就不能滿足各業務和生產部門的需要，此等部門也就不得不以用量的增多，來彌補質的不足。於是以「兩個人做了一個人的事」為宗旨，擴大了技術人材的需要量百分之五十以上。從此，需要量多，高等學校的招生額亦擴大，招生額一擴大，學生質素更低。學生質素越低，就越不能滿足各方面的要求，各方面就再擴大需要量：：造成了惡性循環。

師資缺乏水準日低

（三）中共高等教育的另一個致命傷，是師資缺乏。據說目前全共區高等學校的教師雖有三萬八千多人，但其中百分之六十以上都是助教，而且助教中有百分之四十以上還是專修科畢業學生及工科本科提前畢業的學生。中共認為一般老教授的學術根底，固然可取，惟未必適合蘇俄的教法與教材，所謂「思想改造」也還不能短期見效；因此多數的助教，都是各高等學校剛畢業的學生，他們本身的學術條件原已不足，再去教導別人，自然低之又低。

（四）由於需要緊迫，不得不擴大招生，學生出身成份的限制就無法維持原有嚴格水準，反共青年的打入中共高等學校，乃勢所不免之事。一般原來擁共的青年，由於年齡日長，智慧日增，再加受到黨團威脅，不合理的功課壓迫，以及艱苦的生活熬煉，因而覺悟的傾向亦日益顯著。中共所謂學生「政治情況惡劣」者，原因即在此。這實為中共高等教育極難克服的死症。

（五）至於學生體格普遍孱弱，中共亦自承是糧食恐慌，經濟緊縮，厲行節約的結果。再加以功課太重，課外政治活動（如黨團會議，政治學習，社會活動，臨時任務等等）太多，睡眠不足，自然使學生的精神萎頓，體力日衰，終至積勞成疾。

無可救藥已成痼症

綜合起來說：中共高等教育自實施所謂「科系調整」和「教學改革」以後，弊病即層出不窮，諸如師資困難，老教授「思想改造」無效，新舊教師間的傾軋衝突，俄式教法教材的生吞活剝，黨團政治活動的幼稚盲目（如鬥爭學生的思想，清算學生的家庭成份，干涉學生的戀愛，奚落學生的成績等等，不一而足）學校行政管理的混亂，考試方式的不當，以及課外任務太重，營養和睡眠不足，疾病叢生等等，都是多年來長期存在，成為無可救藥的痼症。

為了提高香港教育水準，這幾年來，教育當局曾邀請許多著名學者、專家，從事草擬革新教科書內容的計劃。其中比較重要的，似乎是小學國語課本。上學年港九學校所採用的教材，大致還是馬來亞版的課本。他們所以不擬採用港版，主要原因在於內容太深。這一事實，說明了教育司署過去所審定的教材，似乎還未兼顧客觀條件，舉例來說，港版初小地理僅香港一地的教材，一學年尚難讀完；馬來亞版則無此繁冗。由於學年限制，無論小中學教材均有節繁就簡的必要。因此，本學年香港各校教材，將有徹底改革。最顯著的特點，便是文言不能超過十分之二，語體文保持十分之八。

舊教材已遠離時代

當然，僅祗從初小改革，初高中教材不聞創造，也難貫徹刷新教育提高水準原則的。何況科學進步日新月異，沿襲已往舊版，自難配合時代需要，不消說其內容如何，即就語文說來，文言採用既多，而且又極深奧，白話文還祗傳留於五四運動時期的作品。假如以理化來說，各科科學殊

編新書絕不容扭曲

鮮與原子發展已臨普遍的今日相配合，這是首先需要改革的，加入新理化知識，[illegible]重要點；至於數學，不論算術、代數、幾何，似乎太嫌煩雜，學生既疲於研習，也就減低了教學者興趣。這些都是目前採用新教材應該注意的問題。因此，編印新教材，自非貿然易行，以及偶然撫拾些新知就算了。

關於編印新書問題，絕不是一個短暫時間可以解決的。但是港九若干書局和出版社均已開始着手編輯，他們而且都有獨占的雄心，因此，競爭的激烈，自亦用不着說。就現實情況看來，任誰均無獨占可能，因為由他們蒐集教材之後，首先要經過教育當局審核，不僅要能夠適應時代需要，更須符合本港教育方針。除了理化、數學之外，中國史地也是極端重要的，過去的舊書非但應節繁就簡，保持它傳統不墮，尤須增加新史；當然，比較正確的，祗有採用台灣版本作參考。現時東南亞各地僑校，大致都採用祖國教材。為了下一代着想，編印各級學校所適用的教材，絕不能為了營利，粗製濫造，應以犀利的目光去抉擇和發掘新的教材，即令一句一課之失，則其影響之大，為害之烈，實非淺鮮。

蘇聯的六次改變

李加雪

（上接第一版）

戰爭派的領袖是赫魯曉夫，雖然也相信資本主義必趨滅亡，但他們認為武力衝突，還是不可避免，使用武力，可以加速資本主義的崩潰。不過克里姆林宮內部，雖有兩派存在，他們的主旨——覆滅自由世界——卻是一致的，所不同的僅手段而已。

蒲立德的議論

美國駐蘇大使蒲立德，是一位著名評論家，他最近發表有關蘇聯的評論，有如下一段：

「蘇聯政府並沒有改變它的目標。它的目標是把共產主義推行全世界，能夠不用武力固好，必要時蘇聯是不惜一戰的。

『蘇聯現在的微笑，是共產黨引誘愚人的偽裝。一隻老虎或一個人，想跳過一道闊牆，往往因為太接近了，先後退數步。我們不能把它的後退，解釋為放棄前面的目標。蘇聯的後退，是為了增加成功的機會。自從一九二一年列甯實行新經濟政策到現在，共產黨已不知改變了多少次策略，可是他們的基本政策並沒有絲毫改變。共產黨是絕不會停止前進的，只是遇到障礙，或遭到壓迫，才會暫時停止。」

蒲立德這一段話，可以充分說明蘇俄目前偽裝和平，扮演笑臉的原因。

經濟社會思想叢殘（四五）

金伯華

從「欲」、「求」到「禮」、「分」

上文所說關於「本分」的「分」，不過是從「欲」講到「求」，又從「求」講到「分配」的「分」，所以不能不先附帶一談。現在再把這幾個字綜合起來加以討論。

大家知道，荀子是主「性惡」的，他在性惡篇裏說：「人之性惡，其善者，偽也」。什麼叫做「性」？什麼叫做「偽」呢？依他看法：「不可學，不可事，而在人者，謂之性。可學而能，可事而成之在人者，謂之偽」（性惡篇）。可知荀子的所謂「偽」，並不是眞偽的偽，「作假」的偽，而只是指「人為」的意思。廣雅釋詁說：「偽，為也」。詩詁「尚無造」箋註：「造，偽也」。足見「人為」是偽字的本義。「人為」係對「天然」而言。中國正統哲學，主性善，尚天然，故幾千年來在政治經濟上的設施，都只以愛民安民為重而少多造作。這難怪歐洲十八世紀後期的「重農學派」，每逢發揮他們的「自然律」（LES LOIS NATURELLES）的主張，就喜歡引中國古來的文物和政治。

讀書漫話

馬五先生

炎昔深更臥不成寐，起床開燈，取案頭宋人所著「鷄肋編」翻閱之，一翻即看到左列一段文字：

玄宗初立姚崇爲宰相，張說以素憾懼，潛詣岐王申款。崇他日朝，衆趨出，崇曳踵爲疾狀，帝召問之，對曰：臣損足。曰無痛乎？曰：臣心有憂，痛不在足。問以故，曰：岐王陛下愛弟，張說輔臣，而密乘車出入王家，恐爲所誤，故憂之。於是，出說相州。開元廿四年帝在東都，欲還長安，宰相裴耀卿等建言：農人場圃未畢，須多可還。李林甫陽蹇獨在後，帝問故，對曰：臣非疾也，願奏事。二都本帝王東西宮，往來何所待？假令妨農，赦所過租賦可也！帝大悅，即駕而西，後竟罷耀卿。李林甫居位十九年，卒蕩覆天下，林甫之術，蓋祖於崇也。以唐處伊周之美，而賊亂之人，猶假以爲惡，況資權譎者乎？

濟類奸佞小人專事揣摩人主好惡，乘機藉讒諂伎倆以邀寵固位的情形，古今一揆，所在多有。唯姚崇李林甫這兩個兇惡官僚的揣摩工夫特別到家，工讒善諂，技術高超，因而唐玄宗的政權乃敗亡得最慘，連自己的一個愛人亦無法保障，眼見她「宛轉娥眉馬前死」，祗好掩袂黯然神傷哩！

人情沒有不好諛惡諍的，身居高位，手掌權威者，因爲自信是神聖文武，具有超人的智慧，尤其容易與讒人邪士相契合。像玄宗的先人李世民那種當場能夠勉強忍受左右直言極諫，事後又能採納施行的君主，在歷史上成千數的帝王中，就尋不出幾個。

凡屬自以爲是神化超人的政治人物，必喜歡玩弄權術，而奸佞小人即以邪術乘之，倖進得寵，賊亂政事。姚崇李林甫之徒，何代無之？何時無之？綜歷代的統治階級，也十有九都是失敗的，其有倖免於敗亡者，祗是爲所中讒諂之毒不深而已，歷史上原是一面很好的鏡子，可惜一般居高位執政權的人，多不知道去照照這面明鏡，以致敗亡者踵相接，而且至死不悟，殊堪浩歎！

自由談

章太炎自稱私生子

—章太炎脫離國民黨經過—

萬香堂

（一）

章太炎爲國學大師，是人人知道，但其一生事業如何？人人是如何？則很少人注意了。民國廿五年，筆者與文友數人遊蘇州，曾過其門，見門首掛着國學研究院招牌（大約如此？）乃引起我們去訪問他的興趣。入即見其寬袍闊袖，應對奇特，似已與世隔絕，開口即以古文詞調問：『君從何處來？』寒暄數語後，彼即大談國學而攻擊白話文不已，對胡適之力詆爲「孺子不可教也！」，筆者知其持才瘋狂，不可理辯，乃問其民黨改組經過，彼搖首不願作答。想彼已爲所困，乃再詢何以中途背叛國民黨，彼亦面紅耳熱，謂午睡之時間已到，意乃逐客也！我們出門後，狂笑不已，蓋久仰之國學大師已滿足了我們的好奇心了。

（二）

太炎先生一生特才驕傲，放誕不羈，其行狀雖似大言不慚，但國學基礎確比人高，故章瘋子之名，仍渲染着高雅之氣，彼少年時在鄉試時屢忤試官，被逼出走日本東京，因而邂逅中山先生，對中山先生之救國主張，衷心傾佩，乃正式加入同盟會，廣爲文鼓吹革命，均爲同志所激賞，故在同盟會漸露聲望，其時清廷駐日使館欽差大臣蔡鈞爲對付革命黨計，極力調查我國留日學生狀況，發給調查表交由各學生親自填寫，章氏所填者極爲奇特，如籍貫即爲「天上人間」，三代名諱即爲「黃帝子孫」，出身即爲「私生子」，蔡鈞見狀大怒，欲加之以罪，然因礙於異國法律，無可奈何。後蔡打聽太炎名利心很重，曾挽人從中說項，並勸其歸國做官，太炎心動，乃歸國，揚言爲革命奮鬥，實即別有用心，抵滬時被即言談有異，未幾由陳石遺之介紹，入張之洞幕任職，革命黨人當知其已懷異志。香濤初亦器重其才，但其文章怪奇不合潮流，僚屬無不交相評擊，香濤亦以爲然。

（三）

某次香濤與之談康有爲有帝王思想[illegible]，章慨然答曰：「帝王思想人人有之，我亦有之，何足爲怪，所可以怪者，人人不敢承認自己有帝王思想，而康氏獨敢，人人不敢以行動欲做帝王聖人，而康氏獨敢，故人多以爲詩誕耳！」香濤聞言不喜，乃多贈金遣之去，太炎嘗賦「艾如張」記其事，有「今我行江漢，候騎盈山丘，借問杖節誰，云是鄂荊州，絕甘厲朝賢，木瓜爲期酬，至竟解玉嘗，文采縵田侯，去去不復顧，迷陽當我路」等句，並以序紀其事云：『永歷既亡三百三十六春，余初至武昌，從不主張之洞招也，是時青島旅順既割，天下土崩，過計者欲遠其域異，寄籍爲流民，計不終朝，民志益渙，黯黯似無賦麗，張之洞始爲勸學篇，以激忠愛，摧橫議，就余咨度，退則語人：宙合皆含血，生於其國而人偶離國，人之性然也，惟吾赤縣，權輿風委以來，近者五千祀，沐浴膏澤，淪浹精味，久矣！稟性非異人，古之謨訓，上思利民，忠也！朋友善道，忠也，憔悴事君，忠也，今二者不舉，從以效忠徵求氓庶，且烏桓遺裔蹂躪吾族三百年，過毛飲血，視民如雞兔，今九世之仇縱不復，乃欲責其忠愛，忠愛則易耳，其俟諸革命以後可也』。這篇文章態度嚴正，其民族革命之主張絲毫未變，但以民報之是非來衡量太炎，則這篇文章的用意可能是有政治作用的，因爲太炎在張香濤處既出了岔子，即必須重入革命黨懷抱，而必需有所表示也！

（四）

太炎一生使我最佩服的只有兩件事，一是爲鄒容所著「革命軍」作序案，一爲拒絕袁世凱之利誘。太炎居滬時，與鄒容張繼等自號爲「四帝」，鄒容鼓吹革命，刊行「革命軍」一書，太炎爲之序，清吏大恚，控之於租界會審公廨，太炎出庭應訊時，堅請法庭傳清帝載恬對質，理直氣壯，清吏爲之掩耳！袁世凱帝制時，欲利用太炎爲之張目，迎至北平優禮有加，而太炎視若無覩，並譏諷漫駡，袁乃囚之於黃龍寺，欲加殺害，嗣徐世昌爲之緩頰，始得獲釋。這兩件事之氣節眞足以名流千古，但可惜他對革命無徹底認識，致中途離開革命組織，民報事件之發生爲一轉捩點。

（五）

孫中山先生對民報是非及章氏之品格曾有顯明之指示說：『章太炎又發狂攻擊，其所言之事，較陶更爲卑劣，眞不足辯，陶之志猶在巨款，不得乃行反噬，而章之欲，則不過在數千，不得，乃以非人。陶乃以同盟會爲中國，而章則以民報社爲中國，以民報之編輯則爲彼一人萬世一系之帝統，故供滬不遂，則爲莫大之罪，民報復刊，不以彼爲編輯，則爲僞民報。茲將章太炎檢舉狀寄上一觀，此僞卑劣人種之口聲也！』（見民前三年致吳敬恒函）又指出：『前寄上太炎登日華新報之檢舉狀一則，想已加公評於新世紀矣！近見星洲來信云，此文又登於星洲保皇黨之南洋總滙報，如此，則太炎欲破壞黨勢之心，已不留餘地，想不日美洲各保皇黨報必有照登，不可不有以抵之……並望先生將劉光漢發露太炎同謀通奸之筆跡照片，寄與弟用，以證明太炎之所爲……最近漢民兄來函，亦云章氏托瘋癲，以行其詐，近日之所爲，眞屬忍無可忍云，此可見與先生之意有不約而同矣！』（民前三年十二月間從波士頓致吳敬恒書）由此我們對太炎一生的跌岩變化眞正的瞭解，彼初爲爭取民報經費數千元，即攻訐同志，後爲爭取民報編輯職位，以攻擊同盟會，因而毀滅了他的前途。

（六）

張香濤曾批評太炎謂『梁啟超宗旨悖謬，然尙文從字順，章某則併文字亦怪異矣』胡漢民即謂其托瘋癲而行其詐。我即以爲太炎是書獃氣短，以小失大，誤了他的一生！

踏青引

癸巳九日登新竹東山

王沉裴

者番又是秋深了。山色風光漸老。林園寂歷。池臺蕭瑟。滿院梧桐都槁。不自能忘堪笑。歎萬里飄流。羇栖孤島。獨立東山歔欷。哀音風裏知多少。衰年賸有。皤皤短髮。戀著多情破帽。莫怨天涯潦倒。問大陸同胞。幾人溫飽。

語意學漫談

徐道鄰

二十四、親屬法

（「它」和某人具有某種親屬關係）

這是在中國文字裏，特別豐富的說明法。『女子之夫爲「婿」婿之父爲「姻」，婦之父爲「婚」』（爾雅），父之兄弟爲『伯』或『叔』，母之兄弟爲『舅』，妻的姊妹之夫爲『連襟』，夫的兄弟之妻爲『妯娌』，這都比西方語言分辨的遠爲詳細。

二十五、法律關係法

（「它」和某人具有某種法律關係）

這是在說明一個人和另一個人的法律關係，向法院起訴控告另一個人的叫『原告』，被人控告的爲『被告』；『所有人』是對其所有物可以自由使用，收益，及處分，並排除他人干涉的人。『律師』是受『當事人』委託辦理法律事件的人。

以上廿五種定義法，是吳洛坡從奧格登C. K. OGDEN和李查茲I. A. RICHARDS的理論（MEANING OF MEANING，1923）推衍出來。他雖然不強調他這一套理論的嚴格的系統性，也不主張其窮盡性EXHAUSTIVENESS。但是事實上我們恐怕很難再給他另外添上一種新的定義方法。

多方解釋的好處

我們認爲，凡是世界上一種客觀存在的事或物——一個人主觀的感覺，也是一個客觀存在的事實——在發達到了我們現有的文化語言的階段中，差不多已經沒有一樣不是可以用語言來表達的了。（雖然表達的成功，在程度上有各種不同。）但是因爲每個人的知識，經驗，和語言的習慣不同，所以有時一定要運用多方的解釋——這就是語意學裏所謂複性定義 MULTIPLE DEFINITION——才能使對方比較有更完全的瞭解。這是我們在研究語意學的特別要學習定義方法的主要原因。

學習了定義法之後，使我們至少可以獲得一種多方解釋的習慣，而不至於一再重複的總是用同一語句來解釋同一事實。譬如打電話，要找『蕭定雲』說話，對方聽不懂，我們說『蕭科長』，還不懂，我們改說『蕭五爺』，仍是不懂，我們再改說『蕭成甲的爸爸』。則在這許多定義中，對方也許能聽懂其中的一種。如若我們祇執定『蕭定雲』一種定義，一再予以重覆，對方聽不懂的，我們就是再重覆一百遍，也是無用。（而事實上祇知道運用這一種表達方法的人，卻舉目皆是！）（四十九）

劍底秦庭

歷史小說

奚如

「中策？」荊軻驟然感到一陣錯愕，在他的想像之中，沒有考慮到太子竟然會把他計劃中的上策放過一旁，而轉提及中策的。

「是的，不穀很希望能夠把先生上一中兩策比較一下。」太子笑得那末謙誠。

「這是個忍辱負重於一時的策略，實行的話，得具有大智慧大決心。」荊軻在沉吟着，用手不住撫摩着下頷的髭鬚。

「哦哦，怎麼樣怎麼樣？」

「沒有甚麼更好的妙訣 那就是說，萬一遇齊盟趙的計劃都不可以的時候，唯有向敵人暫時的屈服。」荊軻的聲音逐漸變得更加沉重了：可是，這決不是苟安，只是有限度的退卻，保存實力的辦法。」

「退卻？」太子陷入了迷惘之中。

「是的，把燕國的守兵從督亢一帶退出來！」

「嘿！撤出督亢？」太子又是一陣像受了創傷的啞然。

坐在坑上的田光，也不自覺地微微的震了一震。

「撤出督亢！」荊軻仍舊堅毅地點了點頭，而且顯得有點固執：「把這一塊徒自虛耗燕國實力的地方放棄，不但放棄，而且乾脆就把它獻給西秦！」

「可是，荊先生有沒有考慮到，這是屏障燕國的門戶？」

「屏障？」荊軻迅速地搖了搖頭：「太子請想一想，督亢之地，遠在燕境邊陲，楔入趙國，可謂一塊掛在他人刀砧下的肉塊，所以能夠保存至於今日，恕荊某冒昧說一句，倒也可以說是有賴趙將李牧拒秦之功，要不然，督亢今日豈復尚爲燕土？自從去歲李牧被趙王捕殺之後，王翦大軍分途凌逼之下，於今計指，距督亢一地亦復不遠，與其他日成爲秦軍染指燕國的借口，製造是非之地，何如下一個蝮蛇螫臂，壯士斷腕的決心，乾脆就在名義上把它送獻秦國，佯爲輸誠結好，然後退而經營遼東，既有山川海田之利，又有重江複關之險，那時候，整軍經武，生聚教訓，期以十年，然後徐圖恢復，豈不是一條穩健的道路？」

「退保遼東？輸誠結好？……」太子一直在低俯着頭，喃喃地反複吟味着荊軻的幾句說話，許久許久，忽然又帶着痛苦的神色，抬起頭來：「可是，這時候才去想到經營遼東，不會太晚了一點？」

「不！世界上決沒有太晚了的事！」

「我不忍督亢父老子弟一旦陷身夷狄……」太子的面上又是一陣痙攣。

「這是婦人之仁，宋襄之仁……」荊軻正待說些甚麼，突然門外急促地敲了兩敲，太子的一個親隨緊緊的挾着一份文書，踉蹌地衝了進來！

（二十四）

稿約

本報各版闢地公開，歡迎讀者投稿，性質不拘。來稿請用稿紙，勿兩面寫或橫寫，最好不超二千字，特殊稿件例外。譯文請附原作，如原文不能附寄，亦請註明出處。來稿不便刊用時需退還者。請附郵票。

讀陳紀瀅赤地有作

趙家驤

趙家驤將軍，係勝利後接收東北時代的參謀長，現任軍團長。——編者——

纖亂文壇大廈傾，元龍豪氣九州橫，狂歡蠱慾哀初蝕，歧路追尋滌尾聲，半紀蕭條隨水逝，幾家破落與天爭，滄池舊恨重而憶，血淚模糊舊筆成。

同舟快覩此篇新，面壁搜珊識苦辛，時代悲歌三部曲，世間縮影百年身，人心陷溺天心厭，正史鋼疑稗史珍，四載范家牆內外，徘徊惡果證前因。

八年苦戰困窮隅，勝利曾天戶戶枯，彎末勢難穿魯縞，身經考驗燎洪爐，史乘洞徹抵新事，定論曉然有販夫，扮演衆生親切感，圍城槐屋夜驚鳥。

一响酣嬉冲腦昏，廟謨未定志喧喧，五間俱起三軍潰，大錯已成萬骨寃，野火春風燒赤地，古城落照臭朱門，自由號角新聲壯，爲喚黃炎欲墜魂。

自由人
THE FREEMAN
（第四六二期）
中華民國僑務委員會核發登記證台教新字第一零二號
中華郵政台字第五〇〇號執照登記爲第一類新聞紙類
（半週刊每星期三六出版）
每份港幣壹毫　台北市售價台幣壹元
督印人：陳文蔚
地址：香港高士威道二十號四樓
3 rd. fl. 20 GAUSEWAY RD HONG KONG
香港發行及事務接洽　高士打道66號　電話：七四〇五三
承印者：東南印務出版社　地址：高士打道六十四號
海外總經銷、友聯書報發行公司
香港：德輔道中二十六號A二樓
台灣特派員辦事處　台北市館前街五十號
台灣總經銷處　台北市西寧南路壹壹零號二樓
台郵撥儲金戶九二五二

布爾加寧不打自招

·曾風行·

布爾加寧說，蘇聯和平政策以列寧的和平共存原則爲基礎。列寧是怎樣解釋這原則呢？他又怎樣實行這一原則？

共產黨是最不講信用的，對於他們的謊言，你甚至可以不必用事實來做駁斥，祗用他們自己說過的話去比較，便立見矛盾。他們打自己的嘴吧並不算一回事。

現在我隨意舉一個例：在蘇聯沒有原子彈前，他們說原子彈不足畏，美國以原子彈恐嚇人而已。後來馬林柯夫宣佈蘇聯也有原子彈，並親自說：原子戰爭足以毀滅人類文明。其後赫魯曉夫又換說：第三次大戰之後，資本主義要被消滅，而共產主義必然成功。這樣矛盾百出的謊言，眞是俯拾即是。

布爾加寧的聲明

最近印度總理尼赫魯到莫斯科訪問，布爾加寧總理致歡迎詞，很驕傲的聲明：『蘇聯的和平政策是以列寧政治上和平共存的原則爲基礎。』四巨頭會議後，他又於本月四日向最高蘇維埃特別會議，重提此一濫調。

現在，讓我們看看列寧的和平共存原則是什麽？

列寧的「共存」是世界革命的一種手段。請看列寧文選集第五卷第二百三十七頁，列寧說：『在我看來，每一個和平的建議，是欺騙人民和一件僞善的事，除非它的主要目的是對人民解釋我們需要革命』。

列寧手訂的共產國際規章，很坦白的說：『爲要推翻國際布爾喬亞階級，及建立一國際蘇維埃共和國，作完全廢除國家的過渡階段，共產國際將運用一切的手段，其中包括用武裝力量。』

列寧解釋和平政策

因此列寧相信必須干涉他國的內政，由此而建立共產國際，他在一九二〇年著的『左翼共產主義』－在布爾扎維克勝利之後－裏面詳載列寧傾覆技術的訓示。布里斯特－列托夫斯克條約，是列寧爲其蘇維埃政府訂立的唯一和平條約。列寧說到此事時說：『我們和這些強盜講和，將我們財產的一部份獻給他們，祗不過是爲籌挽回我們工人政權，並且目的在求將來給這班的強盜，一個更重大的打擊。』

請聽，列寧的和平共存原則，原來是如此！布爾加寧說：現在蘇聯的和平政策以此爲基礎，我不知日內瓦四國首長會議後，一片樂觀氣氛，是否有絲毫的價值。

布爾加寧明明白白的告訴你，以列寧的哲學爲基礎。就等於明明白白告訴你：今天蘇聯的和平政策，是爲着將來給你一個更大的打擊。今天當權的諸位大政治家，竟以爲蘇聯共產集團有意和平共處了，世界和平前途有希望了。如果不是閉着眼睛，自欺欺人，便是白癡蠢材！

把老師放入獄中

列寧的政治哲學是基於仇恨的，其政治路綫是不妥協的世界革命。

首先以馬克斯思想爲基礎而建立德國「社會　主義」的，是列寧的老師柏烈克罕諾夫。也在一九一七年被列寧囚諸獄中。列寧以爲緩慢的民主方法不適合於俄國。

二十世紀的最初十年，法國是討論革命的中心，列寧在那裏很注意選擇其途徑。法國崇奉社會主義的社會學家，主張實行產業革命主義（又名工團主義 SYNDICALISM）。——用總同盟罷工及直接行動，例如罷工，搗毀，暴動等激烈手段，以推翻現時的政治及社會制度，以建設新社會制度，使產業的權利，歸諸各地方工團之手。——那時法國的咖啡室和報館辦事處，常有用暴力與非暴力手段的爭辯，主張用代議方法、非暴力手段的首領，是法國社會主義者若萊斯，（JAURES 1859-1914）他主張不流血的社會改革，幾乎和甘地的路綫相同。他主張修改馬克思哲學，並主張政治不用暴力。他有兩個著名的門徒，（一）德國「改良主義」（REVISIONISM）的始創人伯恩斯坦（BEVNS．EIN）。（二）阿拔湯瑪士，曾在第一次大戰時，克里孟梭內閣任職，也是戰後締造國聯最有力之一人。這兩人都視列寧爲放火搗亂的暴徒（FIRE BRAND）。

主張暴力的獨裁者

和列寧意味相投的，是佐治梭里爾（SOREL）。他所著的『暴力論』成爲後來極權獨裁者的聖經。此兩個獨裁者即列寧與墨索里尼。極權主義受此書的影響極大。此書於一九一〇年刊行於巴黎，內容先檢討歐洲的歷史，其所下的結論爲：只有一個有力的良好組織，和少數人才能改變歷史。梭里爾極力嘲笑若萊斯和溫情的民主民義。當俄國革命在一九一七年爆發時，列寧在瑞士著述，主張用無情，暴力。梭里爾因之大捧特捧，祝列寧爲天上有地下無的唯一革命者。

列寧回俄一段秘史

當一九一七年三月，俄國革命開始，克倫斯基掌權時，全歐洲的青年熱烈表示歡迎，認爲此係依循十九世紀人文主義路綫的新社會自由主義的曙輝。

列寧當時在瑞士蘇黎世，却認爲非立即採取行動不可，否則永無出頭之日。於是他努力求取法國及英國的過境證，以期早日返俄國。但英法均拒絕他請求。其時托洛茨基尚流亡於紐約，以洗碟工作糊口，當時列寧同三十個同志走到瑞士的伯爾尼，要求德國大使館發給過境證，想越德境而返俄國。德國政府初亦拒絕，後來列寧要求一位著名的波蘭歷史家阿斯根納錫代爲說項，勸德駐瑞士大使准許，說列寧回俄後，可以阻止俄對抗德國，而簽署一和約。因此列寧竟能回去。

政治家何健忘乃爾

列寧回到俄國後，充分發揮他的無信義，爲目的不擇手段的策略。他推倒克倫斯基政權後，便反噬德國，煽動德國革命。但到底不能阻止德國的進攻，於是到了最後，不得不承認屈辱的布里斯特－列托夫斯克條約。由此列寧一步進兩步政策，派越飛出駐柏林，鼓勵革命。結果，此利用革命以推翻沙皇統治的帝國，也爲國內的革命勢力所推倒了。

列寧看來，失敗的德國正是實行革命的機會。然而一九一九年春季的暴動，徒犧牲了盧森堡女士與里卜克納錫共黨領袖。因爲德國社會民主黨人的不願再革命，卒告失敗，拆穿了西洋鏡。

所謂列寧的和平共存原則，明明白白是爭取時間的一種策略。當時英、法、德、美等國家的政治家，還洞見其奸，怎知相距不到半世紀，一班幻想者的政治家，目的笑容，熱心說要根據列寧原則（但公開說要以爲世界）便以爲世界和平大有希望了，其愚昧，簡直可笑，亦復可憐！

爲日本對蘇談判進一解

·羅稻仙·

自六月一日起，日俄在倫敦舉行爲期半年的復交談判，至今已經兩個月，據本月二日東京電訊，首相鳩山一郎對反對黨領袖承認此一談判，「毫無進展」。於此我們願對太和民族一申忠告善道之言。

共存實不可能

美參議員麥加錫說：「共產黨不能和世界共存，正和癌病不能與人體共存一樣」。這在美國尚屬遙遠，在日本則爲近憂。日本既與中共蘇俄爲鄰，僞「中蘇友好同盟條約」又明白指出日本爲「共同敵國」。在該約未廢止或修正前，鳩山首相雖不認中共蘇俄爲「潛在敵人」，中共蘇俄仍認日本爲共同敵人如故。試問彼此如何能和平共存？

勿貪目前近利

舊日共黨既向日本頻送秋波，已無異化敵爲友，例如蘇俄於拒簽舊金山對日和約後，曾先後要求日本直接談判達八次之多。又去年十月十二日，中共蘇俄在北平發表「關於日本關係問題的聯合宣言」，表示願與日本關係正常化。同時，日本工商業向以中大陸爲尾閭；故希望與中共建立正常關係之心最切。據日本共同通訊社探詢多數工商業界的意見說：「僉認應予以認眞的考慮」。朝日新聞歸納報界的意見也說：「關係正常化或許就是日本所需要的事」。倫敦泰晤士報曾發出推測性的報道說：「日本工商業界勢將發出愈來愈大的壓力，要求恢復對中共的正常關係」。

日本現已喪失東南亞市場；工商業界祗圖近利，見食餌而忘釣鈎，原不足怪。但鳩山政府豈能輕率從事，惑共黨花言巧語，祗見一時利害，而忘百年之大計乎？

兩面政策已碰壁

以日本有爲之民族，處此有爲之時代，而又有有爲之外援。如能師法西德，堅定立場，忠實地站在民主國家這一面，吾人相信，不出五年，依舊可成爲亞洲強國。如其不然，在「朝秦暮楚」的問號上兜圈子，以爲可以兩面討好，結果，一定會兩面也不討好的。試以近事證之，日本與西德同爲赴美作外交上訪問；日外相重光葵則被擋駕；西德總理艾德諾則大受歡迎，此非日本政策動搖不定，以至爲美輕視乎？

又日本西德同爲蘇俄中立攻勢的主要對象：日本則唯恐不爲與國第二，西德則羞與與國爲伍，從而蘇俄也就看貨還錢，故存軒輊。蘇俄曾要西德背離美國而「中立」，不僅可歸還中德領土，即將東德一併歸還，亦在所不惜。惟蘇俄對日本則又另換一付嘴臉，不僅拒絕歸還南樺太及千島，且進一步，要求日本開放津輕、宗谷、根室，對馬四海峽爲共黨通航之用。蘇俄其他類此的建議，竟達十項之多。可見日本的兩面政策，不僅爲美國所輕視，亦爲蘇俄所輕視。日本的政治家，於此應憬然覺悟兩面政策之不可恃矣。

應勿忘道義

東方有個最高的道德律：「我有德於人，不可不忘也；人有德於我，不可忘也」。中華民國自日本投降以至今日，十年間一本「以德報怨」的立場，保持天皇制，處處寬大爲懷。既釋放日軍日人，又自動放棄賠償八年戰爭損失的要求。其爲「有德」於日本，在中日關係史的實無先例。此從東方道德言，是日本所「不可忘」者。然而一九五二年四月廿八日簽訂中日和約時，日本竟把「不可忘」忘了，中華民國對大陸的主權，不肯在條款內正式承認。其意認中華民國爲一偏安之主權；僅願意「本約各條款適用於中華民國政府控制下或將來在其控制下之全部領土」，「或」字解作「及」字，當代表河田烈與吉田政府經書面的「一字之差」，竟以此爲藉口，而鳩山政府仍是很勉強的，未始不自鳴得意，更進而與中共簽訂和約，而作和中共打交道的藉口。這對中華民國固爲負義，在日本自身實爲缺德，是一個無補償的損失！

不宜破壞美日聯盟

日本的復興：美國曾給予龐大無比的物質援助。此次談判，日代表雖對蘇俄表示立場：「避免與西方之聯盟發生破裂」——九其與美國之聯盟」，蘇俄並不接受，明白答覆：『日本不應參加以對日戰爭爲對象的國家聯合的軍事聯盟』。

（下轉二版）

半週展望

·旭華·

復國的民氣

美國自抑身價，與侵略者開談判後。國人義憤塡胸，對政府及美國，紛陳諍言，足見自由中國人民與海外僑胞復國誅賊之志始終不渝。有此民氣，中華民國必不亡，國事大有可爲。

此次日內瓦會議，成因有自，本不足驚異，本報對盟友之姑息苟安，年來已不斷針砭。蓋常以「觀察須從全面」一法則自惕，樹木與森林，均加觀察。雖偏頗問題，亦作如是觀。論斷或不致錯誤。

艾森豪威爾總統的政府，是中庸的政府，其本人性格如是，美國人民普遍輿論雖然反共，但不愛過激的反共而引起生活的不安，加之民主黨已控制了國會，艾森豪政府不敢獨斷，在目前艾氏政府對付民主黨，亦有若對付共產黨一樣的謹慎。今姑舉一小事例，便可窺見。原子能委員會與兩私人公司——迪遜與畢成公司——進行訂約，建設兩電力廠。政府之意欲鼓勵私人企業。但民主黨鼓噪，說此舉破壞民主黨常誇耀的田納西利計劃。經過了十三個月的爭論。艾森豪終取消此兩合同。此外原子僵局之世界中，大多數國家求緊張局勢和緩。何況明年總統競選又屆臨。自不免戰戰兢兢，恐有拂民意。我不論艾森豪的遠東政策是否正確或錯誤，但我是要指出艾政府是處在這種情形，它的對共產黨妥協，有其原因，但其妥協的限度如何，如何扭轉其妥協，可是我們應注意的問題。

美國讓步的限度

我們不能機械的推測美國容忍的限度。她也是看環境的內素而改變。惟照目前情形看，此次日內瓦談判目的，主要的在求釋放美國之被囚空軍及平民。中共狡獪，先放十一人，其餘四十餘平民留作勒索資本，必不易釋放。中共欲利用此次談判，想逐漸抬高其地位，設種種圈套，欲使美國承認其代替中華民國的地位。例如欲過問留美中國學生，是其一例。

但照目前情形看，美國亦欲給中共「以行爲證明其爲非侵略者」一個試驗給中共做。美國無意承認中共，無意准許其進入聯合國，無意迫國軍退出金馬，是可斷言。

但美國沒有計算這種會議是會失去美國之令譽，增加中共宣傳資料，及談判引起糾紛自給，以至給敵人喘息，穩定其暴虐政權種種惡果。

看情勢，美國還可能不反對中共開外長會議的建議。

但在冷酷的現實當中，我們固然不能緘默讓人爲刀俎我爲魚肉。但最重要的還是在自己強壯起來。首先集中一切自由中國人民大團結，事事公開，推誠相見，然後可把一切人力物力聚合起來，發揮反攻復國的能力。在外交固然爭取盟友，但不合理之措施，應大膽的「迅速」表示反對，和堅毅不屈的態度。從此海外華僑的一致反對姑息妥協，足見人心不死。政府當計劃開大團結的救國會議，不獨能團結思想、人力、物力，更由此而發表討賊宣言，昭示中華民國之立場於天下，掃蕩塘客小丑之妖氛，更由此而推動東北亞與東南亞的聯盟，總要開誠佈公的「動」。否則靜則腐壞，而百病叢生了！

收縮通貨膨脹

最近各國有收縮通貨膨脹的措施，這也是自由世界的一個經濟大事。這現象是由英國開始。在七月九日英財政部提高貸款給地方當局的利息。因見此種貸款在三個月內增加了三千萬鎊。這是政府抑通貨膨脹的措施。前數天美國的聯邦儲備銀行，也紛紛增加貼現率。現西德和比利時也有同樣措施。不過這是世界各主要工業國過於繁榮的預防措施而已。共黨必將造謠說是資本主義的經濟恐慌。

納悉經不起中共誘惑

埃及經濟考察團將赴共區訪問
我駐埃大使招待華僑說明內幕

方劍

【本報開羅特約航訊】最近埃及政府發表，決定派遣經濟考察團，前往中共地區訪問，訪問期限爲兩星期，並由埃及工商部部長艾布努塞爾爲團長。該團將於八月上旬起程。這消息發表後，記者從有關方面探悉，這是埃及內閣會議的決議案。六月九日記者關於此事的報導（見本刊四四八期），至此已經證實。

埃及宗教部長訪問中共，返埃未久，現又派遣經濟考察團前往訪問，這種對中華民國不友好的態度，引起旅埃華僑的憤慨，不斷到我駐埃大使館打聽眞相。我駐埃大使何鳳山曾爲此事，招待當地全體華僑，說明埃及政府與中共匪幫最近所作之文化及經濟上種種勾搭情形，分析其動機、作用，及今後之可能趨勢。茲綜合何大使之說明及記者見聞，撮要報告如下：

巴古雷訪問共區結果：

萬隆會議後，埃及宗教部長巴古雷前往中共訪問，名義上是以個人宗教地位訪問共區的回教人士，實際上，是想看看與中共通商的可能性如何。另一目的，在試行對共黨表示友好姿態，探視西方反應，看將來能否走向中立陣線。中共曉得埃及的動機，因此也就將計就計，表示決心與埃及通商，願意大量購買埃及棉花。更同時表示願與埃及發生文化關係，接受埃及派遣回教教師前往共區傳教，進一步與埃及簽定有關文化事業的協定。在中共方面，本來是要拿經濟問題來引誘埃及上鈎，先簽署文化協定，再進而要求政治上的正式承認。在埃及方面，卻是要拿文化問題，引中共和埃交易，大批購買埃棉。雙方目的不同，手段則一。所以訪問的結果，巴古雷便與中共達成了一個文化合作的原則，還談不到什麼協定不協定。至於經濟問題，認爲應由雙方專家們隨後直接商談。換句話說，如果今後經濟問題，能夠達成協議，則文化合作也自然水到渠成，這便是巴古雷訪問共區所得的結果。

不再提文化合作了

巴古雷訪問共區，事實上並沒有簽訂什麼文化協定，此點以前也曾作過報導，惟中共大事宣傳，已經簽訂，用心所在，可想而知。巴古雷回來後，對埃文化合作的事，始終一字未提，亦可見其目的祇在做生意。

不過巴古雷回埃之初，竟發表談話，說共區尚有宗教自由。我駐埃大使館對巴古雷談話，曾力加駁斥，並正式向埃及代理外交部長副部長海洛特遞提出備忘錄，詳述各宗教在匪區暴力恐怖政策之下，被迫害屠殺的事實。這份備忘錄，曾經分送駐埃各國使節。教廷的駐埃大使，對於這份備忘錄，特別發生注意，並極力傳之宣揚。經過這次警告以後，巴古雷已不敢再開口，知道事實是不容輕易抹殺的了。

中共焦急派人赴埃

巴古雷返埃後，中共以久無消息，自不免中心焦急，於是以答拜巴古雷訪問爲名，派了兩名代表，於七月廿日到開羅。對埃政府表示，關於購買埃棉，不成問題，儘可放心。惟希望埃及，派遣正式代表團，前往共區直接談商。並且邀請埃方特別研究「以貨易貨」的可能性。假使易貨有困難，中共亦願以現款購買埃棉，但爲長久商業打算，最好還是採取「易貨」方式。

本來，埃及工商部，於今年六月間，曾經邀請出入口商人，研究對中共貿易的實際問題。結果，埃及商人認爲埃及並沒有銷售中共商品的市場，同時工商部亦認爲中共以現款購買埃棉的可能性極少。因此對中共貿易問題，已無形打消，即派遣代表團前往共區的事，亦已因此而擱淺。

工商部長要立功

可是，這次中共竟派來了兩個代表，舊事重提，不但表示以現款購買的決心，同時帶來若干茶葉和烟草樣品，極力宣傳互相貿易的好處。巴古雷雖緘口不言，但工商部長艾布努塞爾是一位左傾的投機份子，極力主張與中共建立商業關係。他氣走了前任部長，榮升部長之後，主張更力，他要藉此事，做個人建立功勳，鞏固政治地位的資本，這一次決定派遣代表團，自己親自領導，也就是他在內閣會議中，積極主張的結果。

我向埃提出抗議

此項消息發表後，我駐埃大使曾向埃及政府提出抗議，但埃及政府的答覆，祇說事關商業，決不含有政治意味。又說，埃棉關係埃及的生命，必須設法銷售。

據記者觀察，事情並不如此簡單。據報紙消息：「如果埃及與中共通商，能成協議，埃及將在北平設立商業辦事處，中共亦將在開羅設立商業辦事處。」該報紙並解釋說「這是依埃及與東德的先例。」辦事處設立之後，中共自將派遣黨徒，滲透埃及，從事顚覆破壞活動，因此，埃政府雖認爲經濟問題與政治無關，實際上祇是欺人之談而已。中共所以如此焦急，如此慷慨，其目的決不僅僅在乎通商貿易。埃政府如此輕信中共，將來必將自食惡果，可以斷言。（七月廿九日—開羅）

編者讀者

△金奇方先生：請示通訊地址。

△孟玉、陳健夫、胡粹甄、文鑑、辛植柏、梅珍、張大軍、王恢、馬丁、施敦、黃南樵、西門豹、東閩、河山、周紹賢、錢大任、彭遂珩、左柳、小丞、劉[illegible]諸位先生：承惠稿已一一收到，至深感幸。

發酬通告

本刊四二二期至四三〇期稿酬通知單，經已分別寄發，請惠稿諸君還單前來領取稿酬爲荷。

異哉，郭可任先生之言。

•李金曄•

（一）

美國和中共在日內瓦舉行會議，將及二週，自由中國海內外的輿論，一致表示不滿，情緒激昂。美駐華大使館代辦郭可任先生竟認爲是「在台灣從未公開發表過的最激烈反美論調」。他在八月三日記者招待會上更說：「美國政府在談判中無權代表你們的政府，但有權爲釋放我們自己的平民而談判。」於此我們要問這些輿論到底是否眞正反美呢？再就郭先生的話來說，詹森和王炳南的會談，似乎僅是美國與中共間爲釋放平民的談判，與自由中國無關？輿論界的嘴吧，似乎變成多餘的事了，事實又是否如此呢？

（二）

首先，我們要指出，郭先生的話顯然與國務院的聲明不符，國務卿杜勒斯七月廿六日的聲明，曾闡述『將來與中共官員談判時，要尋出北平政府是否接受台灣海峽停火之原則，和是否依照聯合國以和平解決糾紛的原則。』且對於和中共舉行外長級會談，他也說『不願完全漠視其可能性』，根據杜氏的聲明，可見美國此次與中共談判的目的並不是僅限於釋俘問題，郭可任先生的話豈非與國務院的聲明大有出入嗎？

再看詹、王甫接觸，即迅速達成協議二項，也毫不諱言地指出，雙方同意討論『有所爭執的其他實際問題』！所謂其他實際問題，顯然在郭可任先生所說的平民釋放問題之外。杜勒斯國務卿的聲明如此，日內瓦初次協議的內容又如此，這還能說僅是釋放平民的談判，與自由中國的權益無關嗎？既涉及自由中國的權益，自由中國的輿論界，不應該表示其立場與意見嗎？於此而有憤激不平之詞，對盟邦加以指責，能說是「反美」嗎？郭可任先生易地而處，亦將默爾而息乎？

（三）

根據過去韓越停戰的事實，此次美國與中共日內瓦會談，結果，很可能成爲分裂中國的前奏，輿論界的焦急呼號，並非無的放矢，自由中國的人民，面對國家危急存亡，還不應該有所表示嗎？郭可任先生竟將這些愛國輿論，指爲「反美論調」，實南轅而北轍，失之毫釐，謬之千里矣。

若干年來，自由中國以獲得美援得以穩定其反共復國之基礎，此乃無可否認之事實，然而有關反共復國之大計，與夫整個自由世界興衰有關之政策，仍不能不一聽自由中國人民之意見，此決非一二大國，可以自行決定者。過去雅爾達會議，乃至去年七月日內瓦關於南北越之協定，以一二大國隨意支配一切，漠視弱小國家之意見，其後果爲何如乎？此可爲深長思也。

即以美援言，美援在亞洲並未能充分發揮其積極作用，原因所在，亦以美國過於重視物質力量，而忽略亞洲人民的心理力量。重視輿論，傾聽人民意見，以爲決策之根據，此其時矣？

（四）

其實，美國有識之士，亦無不認爲自由國家相互合作，共同反共，首應注意國家地位之平等，與乎民意，盡情宣洩，否則美援之作用等於施恩，美國之領導等於殖民地之監督，其結果將令共黨宣傳美國爲帝國主義者發生效力。此應爲今日領導自由世界之美國所應切加注意者，凡此所言，非筆者個人之言，美國人論之者亦已多矣。所以今日自由中國之激切言論，純出於愛國家，爭自由，決無「反美」之意味，郭可任先生竟以中國人對美國遠東政策——尤其是與中國利害有關的問題有所批評，輕易加以「反美」之判斷，不惟認識錯誤，態度亦大有問題。郭先生也許目的在於闡明美國政策，然其態度，則不免對於自由中國的輿論，表示不耐煩矣。詞氣之間，更不免令人有盛氣凌人之感。影響所及，於自由中國之士氣人心大有傷損，此豈今日美國所以對其盟友者耶？

今日吾人不談反共則已，否則物質支援必須加以相等的精神支援，郭可任先生之言，最低限度是未嘗計及其精神上可能發生之影響爲何如者。吾人尤信任美國，決不至出賣其盟友，然吾人尤希望美國負有實任與權位的人士，不宜輕易發表有傷民族自尊，與損害反共民心士氣之言論。

關於留學考試——教育部來函說明四點

本報頃接教育部祕書處七月廿九日來函，說明有關留學考試事項四點，特予披露如左：

自由人編輯部

編者先生：七月二十三日貴刊讀者論壇欄所載考生李某等五人投函，對本部留學考試爲抹殺事實之詆毀，本部張部長當即發表談話，予以駁斥。茲再就事實經過分述於後：

一、該函謂試卷彌封編號錯誤，爲黃爾塘所發現云云，按黃爾塘現在某地受預備軍官訓練，尚未完畢，其本人迄未來部。事經中央日報記者於本部更正後，赴台南向彼訪問，告知其錄取消息，黃君方始知悉，詳情載該報本月十五日第五版，可爲明證。

二、此次考試報名編號，均按其類別，各有不同的系統。如公費考生有二十門，[illegible]爲二十系統，各不相涉。（自一〇〇〇一號起，至二九〇××號止，每門估有一千空號，甲門與乙門之間，編號不相連續，無從混淆。）化學一門報名編號，係自二二〇〇一號起，其上物理一門報名編號自二一〇〇一號起，其下地質一門，報名編號自二三〇〇一號起，餘類推。另於報名號上加密碼；編爲彌封號數。故化學一門彌封冊編號有誤，所影響者僅及該門爲止，絕無牽動其他各門之可能。該函竟謂全部錯誤，殊非事實。

三、關於各類考試錄取標準，係經留學考試委員會第五次會議根據各項事實及各方面反映意見，審愼討論而後決定；錄取名單之更正，亦經提出該會第六次會議通過，一切均係依照規定辦理。

四、該函所稱傳聞「把全部考卷改頭換面」之說，更屬惡意誹謗。按本部發覺化學一科彌封號碼錯誤之事，立即召集考試委員會緊急會議分別更正，並將事實經過報告行政院，以昭大信。以上各節，敬希惠予披露以正視聽爲荷！此頌撰祺！

教育部秘書室啓　七月廿九日

爲日蘇談判進一解

（上接第一版）

換句話說，就是要日本脫離美日聯盟，據中央社東京七月一日電：日政府最近所擬六年防衛建軍計劃，至一九六〇年止，將成立地面部隊十八萬人，海上部隊三萬五千人，空中部隊四萬四千人。屆時即請美軍全部撤離。此說如果非虛，日本不啻已接受了蘇俄的反建議。把自己的安全，寄托於蘇俄的興趣之上，吾人不能不爲日本捏一把冷汗也。

臨崖勒馬勿墮陷阱

十年來日本當政者實犯了三大基本錯誤。沒有堅決地站在反共的立場：不僅助長了國內共黨的潛力；而且動搖了中美！尤其南韓對日本的信賴。此其一。沒有堅決地站在民主的立場：不僅再教育未收實效；而且傷害了固有的武士道精神：此其二。沒有堅決站在睦鄰的立場：不僅未能建立東南亞邦交，而且引起其他簽約國也生戒心。此其三。因此，進退失據，希望在兩大壁壘的夾縫中求生存。今後能否懸崖勒馬，不墮入共黨的陷阱，以斷送自己復興的前途，便要從今後幾個月的倫敦日蘇談判瞻之了。（羅稻仙）

港澳地區中小學生赴台就讀辦法

【本報訊】本報近日迭接港澳僑生來函，詢問有關中小學生赴台就讀，應辦何種手續。茲將探悉有關事項，分別簡述如下：

大體上說，港澳僑生欲赴台升入中等學校肄業者，須有直系親屬在台依照規定，向保安司令部申請入境，抵台後，即向教育部青年復學就業輔導委員會登記，並參加各學校招生考試，及格後，即可入學。此外尚有應注意事項，計有下開各點：

一、應攜帶正式學歷證件，（包括原肄業學校所發之肄業證明書畢業證書或轉學證明書等）如有證件遺失情事，應向原肄業學校申請補發，一律不採取私人證明。

二、赴台學生，小學肄業合乎規定學齡（六足歲至十二足歲）者，於到台申報戶口後，逕向所在地區（鄉鎭）公所申請分配國民學校肄業，中等以上學校學生，於到台後即向教部青年復學就業輔導委員會申請登記，登記時，應呈繳後列各件：

（一）學歷證件，（二）入境證副本，（三）二寸半身相片三張，（四）登記表一張。

三、又教部核准立案之專科以上學校肄業學生，准憑原校所發之轉學證明書，自行報考學校，未經立案者，學歷證件無效。

又據悉，台省各校招生時間至八月上旬截止，中等學校肄業學生，如於考期後到台時間未逾學期三分之一者，教育部可准登記，生名單交台省教育廳在明各學校如有該年級缺額時，可補考入學。至調景嶺營內三中學肄業學生赴台就學之辦法，教育部另有規定。

中共姦汚藝術的醜行（三）

辛文

刊行有閒文學的目的

現在讓我們再從另一角度來看。中共除掉刼掠古典文學的手段外，還用一套「有閒文學」的欺騙陰謀。這些陰謀在海外它的機關報上表現出來。這些御用報紙，過去所刊的通訊文學大都是生產與工程的報導。如今重點已經放在舞文弄墨的上面。所有御用的通訊文學，大概可以分作：（一）風花雪月的詩詞散文。（二）繪畫藝事的作品。（三）溫暖的家庭生活報導。這些文字的作用，無非是要看不見大陸的人相信，那兒的日子過得多麼優閒與甜蜜。實際上「人民」吃的[illegible]夠肚飽的配給米，穿的是打滿了補丁的布衣，每天的時間是在不斷的「思想檢討」中渡過。如果一個人在這樣的情形之下，還有閒情逸致來吟風弄月，那眞是一件奇蹟呢？

毒化戲劇演員

共產黨怎樣將戲劇與電影逼良爲娼呢？

戲劇與電影對於羣衆的力量，較文學更甚。文學的反應祗限於知識份子，而戲劇則雖目不識丁的亦能看得懂，聽得懂。共產黨早就知道這個重要性，因此遠在大陸淪陷之前，它的地下工作者，就有一部份滲透在電影圈以及地方戲劇中。舉例而言，上海在中日戰爭中，成爲一個孤島的時候，共產黨的特務就潛伏在越劇圈子裏了。那些特務表面的工作，是幫助改良越劇，使劇本及其他上演的技術問題得到若干進步。可是，他們眞的是愛好藝術的同伴嗎？他們眞的了解戲劇的美與它的人性嗎？不，完全不是。他們骨子裏是用盡陰謀，毒化眞正愛好戲劇藝術的演員，及其從業員的思想。今日的事實已證明他們當初的陰謀。（越劇演員袁雪芬今日在上海戲劇文化界握有大權，就是毒化結果的明證。）

把藝術當作鴉片

同樣，共產黨現在變本加厲，又將這付看家本領用，於京劇，湘劇，川劇，話戲，說書彈唱，及電影等方面。他們並不是眞的爲了這些藝術本身的存在價值？中共對這些民衆戲劇藝術之所以表示寵愛，作用是與嗎啡鴉片相似的。完全借用戲劇藝術的形態，利用民衆愛好劇藝的心理，對「人民」毒化其思想，然後緊抓其勞動力。共產黨自己承認：「戲劇是離不開政治意識的」，所謂「政治意識」，換言之，也就是麻醉一切自由思想，或者朦蔽藝術的美和獨立概念。叫大家心悅誠服地爲獨裁政權犧牲一切。如說得庸俗一點，等於催眠了一位天眞純潔的少女，然後命令她跳淫蕩的脫衣舞。結果告訴觀衆說，凡女人所跳的舞蹈，都是淫蕩的，於是，第一，觀衆失去了對那位少女貞潔的美感。第二，觀衆對於女人的舞蹈有了一個偏見。這樣侮辱戲劇藝術的手段，不是強姦，不是迫娼是什麼？

厚誣古代劇藝

尤其使我們驚駭而憤怒的，共產黨非但侮辱了當代的戲劇藝術，他們還將古人不朽的戲劇，也牽來擺在妓寮裏。莎士比亞的戲劇，中國的元曲戲劇，他們都可以任意定其爲反封建，反傳統，反什麼的人民革命劇運。

舉一個淺例，最近中共電影局攝製的一齣電影「梁山伯與祝英台」，在海外放映，他們自認爲是一次大成功。什麼成功呢？據說是主題「反封建」，在封建制度下是沒有自由戀愛的。只有共產黨統治下，才不會發生戀愛的悲劇。如今觀衆如此之多，可見他們的主義是全對的。然而我們客觀地檢討一下，事實是否眞的如此？梁山伯與祝英台這個故事的主題是說明了「愛情較死更堅強」。愛情的阻力難道只有封建家庭一種原因嗎？莎士比亞的「羅密歐與朱麗葉」，也是愛情的悲劇，原因卻是因爲雙方家族的世仇。其他使愛情受到阻力的原因極多，無須枚舉。可笑的共產黨陰謀，無非將其主題本末倒置，竟然誇口宣傳成功。我們要問，難道在共產專制統治下，愛情就沒有悲劇了嗎？他們將社會分成階層，將民衆的身世分裂爲各種「成份」，這些不同的階層與成份，難道就不會變成青年男女的愛情阻力嗎？

劇藝團出國的作用

共產黨強姦了戲劇的例子談過了，我們再看看他的迫娼手段。近年來中共組織了若干劇藝訪問團，到中東及西歐各國演出，其目的並不是眞正爲藝術觀摩，他們是另有陰謀的，明眼人一望，就知其中必然是包藏禍心的。

這些具有國際性的戲劇藝術的炫耀，其眞正原因，上文已經提到過。他們因爲一方面要在外交上散佈「和平」的口號，爭取「和平」會議的主動地位。同時，爲了配合冷戰攻勢，就利用戲劇來求他們的目的。戲劇本身，是具有一種輕鬆情緒力量的，同時也具有和平氣息，中國古代哲人，早就知道音樂與舞蹈（即戲劇的源始）的力量，這種力量可以使暴戾化爲祥和。共產黨便想利用這種力量，希望中東或西歐的人士，以爲共產黨是極爭取和平的，不僅是外交家口頭那麼說，而且可以拿出事實來證明。什麼事實？就是將京戲搬到巴黎的舞台上公演。戲劇的美是能夠使人類心理上發生一種潛意識。這種潛意識即爲：美的思想與表現，是人性和諧的象徵。好了，共產黨這一套蠱惑引誘的手段已使若干觀察模糊的人墮入心理上的錯覺。如此險惡而卑鄙的手段，是不是脅迫戲劇藝術成爲一種娼妓的形態呢？

可憐的共黨音樂

共產黨的音樂一向自認爲是了不起的，因爲據說他們的音樂是「人民」的，換言之，都是通俗化的民謠民歌之類。然而今日卻並不這樣簡單了，他們將柴可夫斯基，貝多芬，阿蘇非也夫等的交響樂曲，也都搶刼歸入了「人民」的陣綫。電台上不再老是「咚咚鎗！」那一套了，換上了大量的古曲音樂。從這裏我們可以看出，共產主義下的音樂，是多麼平凡與庸俗，也同時使人懷疑，爲什麼在唯物史觀的思想統制下，誕生不出一個眞正偉大的音樂家來？

拿蘇聯自己所珍重的音樂來說，柴可夫斯基的天鵝湖舞曲，主題是描寫王子貞堅的愛情，怎樣使被魔鬼幻術控制中的少女，從天鵝回復了原形。主題既不是[illegible]的，也不是唯物[illegible]而這首樂曲所表達的音色與韻律的美，完全出自音樂家的靈感（十足唯心論的藝術）。假使[illegible]以爲柴可夫斯基的成就，乃是因爲他心中有着一套「爲政治目的而作曲」的[illegible]，豈非是一個大笑話。可是共產黨非但「以爲」，簡直是「肯定」了音樂是離不開政治的。這樣說來，「大笑話」實在也是眞理，說是「白日行刼」才對呢。

珍重藝術是政治陰謀

其他諸如繪畫，雕塑等，共產黨也[illegible]（如齊白石，黃賓虹之輩）[illegible]

[illegible]在共產黨統治的區域中，藝術的美和獨立完整性，藝術家的思想自由及其創造的生命，[illegible]政治陰謀而已。

（完）

經濟社會思想叢殘（四六）

金伯華

而荀子則恰恰相反。因爲他主性惡，所以就不能不特別提倡禮義以資矯厲。就經濟社會思想言，這可說是「干涉主義」，而帶有些微社會主義的色彩。他的全部理論，只以一個「禮」字作爲主眼。他以爲如果是「從人之性，順人之情，必出於爭奪，……而歸於暴」。故必須明禮定分，「以矯飾人之性情而正之，以擾化人之性情而導之」。光從這「矯飾」及「擾化」四字看，便可知在荀子眼中，人的行爲，是無一不可受政府（君上）干涉的，然後社會方能歸於安寧。他的理由是：「……人生而有欲，欲而不得則不能無求，求而無度量分界，則不能不爭。爭則亂，亂則窮。先王惡其亂也，故制禮義以分之，以養人之欲，給人之求，使欲必不窮於物，物必不屈於欲，兩者相持而長，是禮之所起也。故禮者，養也」。（禮論篇）。

「養」與「分工」

荀子這一個養字，不但與孫中山先生所創「民生主義以養民爲目的」的養，有同樣的意義，而且也還觸及了「分工」的原理。他在富國篇裏說：「人倫並處，同求而異道，同欲而異知，性也。……天下害生縱欲。欲惡同物，欲多而物寡。寡則必爭矣。百技所成，所以養一人也。而能（作智能學識解）不能兼技，人不能兼官。離居不相待，則窮。羣而無分，則爭」。荀子在社會進化論方面，是最重「合」的。他說：「道者，非天之道，非地之道，人之所以道也」（儒效篇）。道，人之所以道也，也是中國正統文化的人本主義。「力不若牛，走不若馬，而牛馬爲用，何也？曰人能羣，彼不能羣也。人何以能羣？曰分。分何以能行？曰以義。故義以分則和，和則一，一則多力，多力則彊，彊則勝物。……故人生不能無羣」（王制篇）。荀子學說，幾乎可以「明分使羣」八個字來概括，而以「人各以法治」作爲歸宿。其目的在使大家安分守己，各盡本分，以「理物」，以「相待」，以「相養」。這正是現代經濟上的所謂「分工」。從前人囿於君主專制的古理，「把百技所成，所以養一人也」這個「一人」解「君上」，這是大錯而特錯的。荀子[illegible]說是分工嗎？在西洋，直至亞丹斯密的原富論問世，而後分工的學理始大白於天下。但分工實是人類一種本能——交換本能——的作用，而交換本身，又是與人人皆有每一人的私利同時並行自動發展的事。是以分工確是互利互助的事。

（未完）

台灣通訊

【台北通訊】轟動一時的胡光麃案，經最高檢察署及台北地檢處先後詳細偵查後，直至七月二十二日，台北地檢處始認爲胡等犯罪嫌疑成立，提起公訴。

胡光麃感到意外

該案自三月十五日，立法委員郭紫峻在院會中提起質詢後，同月二十日行政院俞院長即手令司法行政部發交最高檢察署偵查。胡光麃於同月二十八日當庭收押，嗣以羈押期滿，復又一度延長羈押，先後拖延了四個月之久，始告偵查終結。該案在台北地檢處偵查期中，以案情複雜，傳說紛紜，甚且對「檢察一體」之觀點，司法行政部與最高檢察署曾在報端作針鋒相對的辯論。因而外間傳說，有認爲胡案將以不起訴成份爲多者。即胡光麃本人似亦存此希望。胡光麃於廿六日接到起訴書時，形色甚爲沮喪，曾對前往探訪的記者說：「本案之起訴，有點出乎他個人的意料之外，因爲不久之前，他曾聽說「本案是不會起訴的。」可見當初本案有過不起訴的擬議，據聞最後十天，才發生變化的。

尹仲容也感到意外

不過，感到意外的，還不止胡光麃。即經濟部長尹仲容之被提出公訴也是尹氏所料不到的。尹氏最近除率先奉行政院命令，將經濟部三分之二以上的員工遷往郊區辦公，並將城內所設經濟部聯絡處由中正路遷到福州街電力公司的員工勵進社，又化了六十餘萬新台幣的代價，把該社修得美輪美奐。在被公訴前數日，將該部主任秘書加以更易，而且出席新聞局主持的記者招待會，暢談經濟政策及未來經濟措施，凡此種種，都可以看出，尹氏本人事前似無將「因案受累」的預感。因此尹氏在他知道起訴書內容後，原本預備一長篇答辯書同時發表，臨時有人向他建議：「有話還是向法庭說的好」！他才決定向行政院辭職。

尹仲容的「停職」問題

公文書仍保留部長名義 其他職務未知是否停止

蘇東

尹氏的辭職書

他辭職書文中有謂：「仲容自律對於此案，一秉輔助民營事業及協助軍事工業之原則辦理，問心無他，自願靜候法院之公平審理，以明是非。惟仲容備位閣僚，既經聽候公庭，自不能專心政務，擬請准予辭去政務委員兼經濟部長職務，以免貽誤。」

停職後發生的問題

則悉：「在候訊期間，可准停職，並派政務次長徐鼐代行」。以現任閣員遭受停職處分，雖無前例，但也可以看出俞院長依法辦事的精神。不過，胡案發生前，尹仲容的職務是：（一）財政部的中央信託局長；（二）行政院經濟安定委員會的工業委員會召集人，（三）行政院政務委員兼經濟部長。前項職務在他未就任第三項職務之前，即已辭任，後來仍繼續保留原職，但究何者是他的本職？何者是他的兼職？一直是沒有搞清楚的。等到胡案發生後，尹氏始將中信局長辭去，現在復請辭政務委員及經濟部長，但所奉准的，只是暫停止他的經濟部長職務，派政務次長代行，政務委員是否一併停職？並沒有明肯定的語氣。然則尹仲容是不是仍當然可以照樣出席行政院政務會議呢？何況他尚有工業委員會召集人一職，既沒有請辭也沒有停職，難道今後他仍繼續負責四年經濟建設計劃工業部份推動之責呢？這還是一個疑問。

公文上仍保留名義

聽說行政院令知經濟部停止尹部長職務後，翌日政務會議中，有某政務委員提出：[illegible]照普通公文習慣，如主管因公出差或請假，[illegible]現在尹仲容停職，與上述情形不同，[illegible]「代行部務」。凡此問題，當時政務會議未能解答，[illegible]經濟部對外行文，仍用尹仲容名義，在簽署之下另註「奉令停止職務，由政務次長徐鼐代行」字樣，[illegible]試問一個既經停止執行職務的人，還可在名義上發號施令，豈不貽人以自相矛盾的印象？

名義上仍是部長

再說，經濟部所管轄的工礦公司登記執照，會計師執照，礦權登記執照等等，[illegible]由部長簽名蓋章，[illegible]這些由經濟部發給人民權利的執照，[illegible]老百姓對政府機關的公文書，又發生一種甚麼心理呢？因此，尹仲容的「停職」，並非如同滿清時代的「革職留任」，而是近於「停任留職」，[illegible]他這樣的經濟部長，至少可以拖到一年半載的。（七月卅日）

壓制敵談之法

馬五先生

報載消息，說印度政治掮客梅農，爲着想要「安排遠東和平會議」，準備必要時到台灣來跟我國最高當局晤談。這當然是想入非非的話。但，萬一他果眞厚顏向我作此表示，却不必拒絕，讓他到台灣來多住幾天，實地考察一下，看看台灣與大陸的人民生活，究竟孰爲優劣？再問他當年在南京所見的政治情形，跟今日在台灣所見的作何感想？

尼赫魯之流，對亞洲的共禍問題，總是自作多情，擁着和平招牌，到處七嘴八舌，亂出主意，莫非是要以第三者姿態，勸別人莫從事戰爭，藉以抬高身價，硬想製造亞洲發言人的地位。假如梅農眞到台灣來，他一定把共酋周恩來所宣傳的「和平解放台灣」那類腔調重複唱出的。我們卽不妨指示他以「和平解放大陸」的方法，中共如能依照這方法行事，自由中國政府也可與大陸上的僭僞政權，在聯合國裁判之下，試行協商的。中華民國反共抗俄的最大目的，是在爭取國家民族獨立自主與人民自由生活，中國共產黨人只要服從這兩大主張，自可一視同仁，不究既往。

若說這些都是空話，卽使印度人同意了，中共也必然拒却的。不錯，這是廢話。但試問：周恩來所謂「和平解放台灣」的空話，尼赫魯固然不會反對，連英美當局亦默認它有和平誠意，我們豈能接受嗎？他說要「和平解放台灣」，我們更要「和平解放大陸」，看誰的主張能夠博得全國人民的歡迎？

現在英美與俄帝同樣的高唱和平曲，中共爲要捉弄西方列強，混水摸魚，亦啣然隨聲附和。大家都以非戰面孔來招搖撞騙。我們何嘗不可以堂堂正正地提出「和平解放大陸」的口號呢？這樣主張，總比「除非中共投降，決不跟它談判」的說法，少含阿Q精神，而可以引起國際間的同情共鳴，至少在冷戰上容易壓制敵人的攻勢罷！

「落五」與「落武」

五院校聯合招生花絮

牛萬萍

一年一度的台大等五院校聯合招生考試，今年從七月廿八日起，分在台北、台中、台南三地區同時舉行。報考學生據統計一萬二千餘名，考場也有一百十八個之多，洵屬一時盛事。

惟此次招生考試的結果，頗多花絮，足資談助，例如國文試題，由文言譯爲白話的，有如下數題：（一）室靡棄物家無閒人。（二）日月逝於上，體貌衰於下。（三）明足以察秋毫之末而不見輿薪。（四）雲破月來花弄影。

據參加閱卷者的透露，學生解答，有的不着邊際，有的妙不可以醬油，令人噴飯，而不一而足。某考生將「日月逝於上，體貌衰於下」釋爲：「太陽和月亮在天上死去，於是在下的男子們便身體衰弱，女子的容貌也黯然失色」。另一考生，將「雲破月來花弄影」譯成「雲在一個中秋傍晚，雲朵兒散開了，月兒出來了，花兒羞答答的用影子做了許多衣服弄影」。又一考生將「明足以察秋毫之末而不見輿薪」譯作如下妙不可言的白話，「精明的人，他的腳可以觀察事務，秋大裏最後的一根羽毛，因爲沒有長眼睛，所以連一車子的柴也看不見」。另有一考生將「室靡棄物家無閒人」譯爲「家裏有錢就丟東西，所以就沒有閒人。」

在填充方面，也有考生把「防民之口甚於防川」一填爲「防人之口，甚於防心」的。宋朝，馬光所作的資治通鑑，有填爲「資治通鑑是清朝羅家倫所作」者。

作文題目是「一個影響我最深的人」，女生中不少寫過去中學裏的老師，男生以寫母親者爲最多，較爲特殊的，有一位考生寫的是毛澤東，他說：「毛澤東對我影響最深，因爲他害得我家破人亡」。眞是妙語如珠，發人深省。

以上的笑話，固可視爲國文程度低落的現象，但學生國文程度低，教師也不能沒有責任。或者可以說，濫竽充數的國文教師太多了，便會影響到學生的國文程度。曾記某人之子於某中學肄業，一日作文將「落伍」的伍字誤爲「五」字，先生竟大筆一揮，改爲「落武」，於是該生家長在作文簿上笑批曰：「學生落伍一半，先生落伍一半」。此一趣事，亦可證有些國文教師，實在亦大有問題。

今日教育上的問題太多了，筆者拉雜報導如上的笑話，豈僅爲博讀者之一笑而已耶？

語意學漫談

徐道鄰

吳洛坡說，學習多方解釋方法的人，會養成一種研究對方心理立場的習慣，這樣子他對於別人不同的意見和立場，格外能了解，容忍，而變成一個可與談，而受人歡迎的人。同時他也養成了解釋和認識事實，一定要盡力到邊和事實最接近的階段的習慣，這樣子他將變成了一個思考精確的人，因而將更受人的尊重和追取了。

十六、摩立斯論語言的型態類別

三十年來的語意學，一直在探討一個問題，就是如何把語言『分類』CLASSIFICATION。因爲人類的語言，包涵着多種功用不同的語句——譬如敍述事物的語句，表達情感的語句，指示行動的語句等等——而同一的語句，又可以被人們作種種不同的使用——譬如用敍述事物的語句來表達情感，用表達情感的語句來指示行動等等——這是兩千年前東方和西方的思想家多多少少全都體會到了的一個事實。但是運用科學方法來從事一個有嚴格系統的分類研究，不過是近二十多年的事情（這本來也就是語意學的中心問題）。近年來東西各國各宗派的語意學者，各有他們的分類理論問世，其中最具有權威的，就我個人的見解，當推芝加哥的查爾斯•摩立斯CHARLES MORRIS的學說。

摩立斯（一九〇一生）原是一位航空工程師，但是他的興趣，旁及印度哲學，心理學，精神病理學，現代邏輯哲學和許多其他學問。他從一九二七起就開始發表他關於語意學的寫作，一九三八年，他發表了『符號論的基礎』〈FOUNDATIONS OF THE THEORY OF SIGNS，這是奠定了他在語意學中重要地位的一部著作，一九四六年，他再發表了『符號，語言和行爲』SIGN, LANGUAGE AND BEHAVIOR, PRENTICE-HALL, N. Y.〉。這不但是屬於他個人的一部傑作，也是整個語意學中的一部傑作，也是整個語意學中最基本的一套理論。我現在把他這本書裏關於語言分類的重要理論，簡單的介紹一下。

摩立斯的語意學，是全部建立在一種行爲派的心理學之上的。他認爲，人類的語言，是人類的各種行爲之一，而人類的一切行爲，無一不是基於個人需要對於環境刺激的一種反應。因之，凡是語意學裏的理論，無一不可，也祇一不能在行爲心理學上求得其實證和說明。

語言四種表達方式

摩立斯說：一個在他的環境中生活的人，凡是有一種語言行爲，必定（一）先對於他的環境，具有某一種的認識；（二）對於這個環境如何影響到他個人的需要，有一種評判；（三）對於適應這個環境的許多方法中，有一種選擇；（四）對於這個環境在他腦筋裏所引起來反應有一種組織（即所謂「思考」）。因之，他認爲人類之以的語言表達事物（MODES OF SIGNIFYING）大體可分爲四種，一是指示DESIGNATIVE的表達；二是評判APPRAISIVE的表達，三是規約PRESCRIPTIVE的表達；四是組合FORMATIVE的表達。例如『前面樹林，有一條鹿，』這是屬於第一種表達的語句；『好漂亮的一條梅花大鹿呀！』是屬於第二種表達的語句；『趕快拿鎗對牠瞄準！』是屬於第三種表達的語句。『還是打一條死鹿好呢？還是捉一條活鹿好呢？』這是屬於第四種表達的語句。

（五十）

春興

周樹聲

陽明山觀櫻花歸和黃景南先生原韻

櫻在陽明花滿林。出郊士女盡愔愔。壽巢飛鳥枝頭喚。避釣遊魚水底沉。萬里雲山猶極目。百年石火應驚心。春來無限生機茂。何事頻聞戰鼓音。

獨坐

刁抱石

地僻諸緣淨。春歸衆綠深。行雲蘇困眼。流水動詩心。花落成淸響。鳥啼助好音。多時猶獨坐。對景試長吟。

我願做一匹馬

—鐵幕幽默—

·文鑑·

蘇俄全國的囚犯，總計在一千萬人以上，尤以西伯利亞爲最多。

有一次，西伯利亞集中營裏，竟有一個膽大的囚徒，向法官提出一通呈文，申請准他跟在金鑛裏工作的馬匹受同等待遇，其理由如次：

「假定我是馬，至少五天或十天中，得有一天休息，出外溜韃溜韃。現在的我，根本沒有機會可以出營門半步！」

「假定我是馬，便獲得適合能力的工作，我現在時常挨餓，而且被強迫去做不能勝任的工作。」

「馬還有馬鞍皮披韉，而我呢，簡直就沒有一件像樣的衣裳」。

「一匹馬每天不至超過十二小時的工作，但我得天天必須做十四至十六小時的苦工。」

「隨便鞭打馬匹，要受到處罰的，可是我常常受手鞭腳踢的苦刑，並有誰出來主張公道。」

「一匹馬可以亂叫亂吵，而我卻隨便哼氣都要受干涉。而且，馬可以到處自由大解小解，而我的大小解，必須先行報告，然後才能動作。」

「法官，我現在懇求你把我升格，准我和馬匹受同等的待遇罷。」

劍底秦庭

歷史小說

奚如

「甚麼事？」屋子裏的人都怔了一怔，太子也立刻回轉身，站了起來，喝了一聲。

「稟太子，有緊急文書！」親隨撲的叩了一個頭，呼嚕着從懷裏掏出了一份公事。

沉默的夜，肅然的空間，連太子衣袖抖動的聲音也聽得這樣清楚，屏息之中，差不多經已近了窒息的程度。

「秦軍王翦將兵四十萬，大破韓魏趙合師於邯鄲之南，斬十二萬級，俘趙王遷，入居邯鄲，與秦太后家有仇隙者，皆阬殺之。趙軍退[illegible]代，趙人立公子嘉[illegible]王！」

………

「哦！」

幾聲從壓迫中奔逃出來的長嘆，幾乎近於長空之中一聲秋雁的哀鳴，從口腔中噓出來的白氣，四面向空間尋覓着消隱的去處，終於一陣陣的歸於消失，更使人平添了無比的寒意。荊軻也不禁打了一個寒噤。

「趙軍竟然這樣不堪一擊！」太子終於苦苦地笑了笑：「一個自以爲英明的悼襄王，如果今天還在人世，眼看着他寶貝兒子變了西秦的階下囚，眞不知道作些甚麼感想！」

「這是自取其辱的結果」。長久沉默的田光忽然莊嚴地揮了揮手：「如果不是趙王輕信讒言，自壞藩籬，捕殺李牧，又何致於落得今日的下場？再說，如果不是悼襄王當年的昏聵，廢公子嘉而改立迁爲太子，又何致於有此鉅變？所以，趙國敗亡，完全是出於人爲的，完全是自遭其禍所致。這一個教訓，願太子記取，願太子記取！」

「是的，老先生，謝謝你的明教。」太子謙遜地欠了欠身，一下子又焦灼地來回地不斷的逡巡，不斷的摩擦着雙手。

「趙人退保於代，這一來，更和燕境接近了。」荊軻也關懷地凝望着桌上的地圖。

「荊先生，你想一想，燕國其時何以自處？」太子似乎已經陷於神思有點錯亂的境地，一聽到荊軻的說話，又連忙把身子轉向着荊軻。

「亡羊補牢，尙未爲晚，何況如今燕國領土依舊完整無缺？太子當有英明的決定。」

「此時此地，一切長遠之策，唉！都晚了一點，都晚了一點！敵軍壓境，誰還來和你締盟，誰還來和你修好？誰都在希望着你馬上成爲犧牲！要生存，就只有乾坤一擲，要不然，要不然……唉」太子忽然悲憤地把桌几重重的拍了一拍：「可是，你叫我拿些甚麼兵力來對付敵人，你叫我……」

「太子！」荊軻倏地也霍地站了起來：「時機不再！要求寄延於一個短時期，請聽荊某的最後一計！」

（廿五）

爲「曾剃頭」辯

彭楚珩

曾國藩創起時，曾斐爽匪類一百七十三人，竟膺『曾剃頭』惡名，人或冤之，我尤謂然。如曾氏所謂會匪、教匪、盜匪、痞匪等，不當殺者耶？殺百數十人而安天下，雖我佛慈悲，亦將大殺戒矣。當洪秀全，楊秀清等，挾其傾巢之力，業已進犯大江南北，地方敗類乘機而起，猖獗莫制，白晝搶掠，毫無忌憚，廣大之良懦人民，均惴惴不安，此曾氏之所以嚴刑峻法，痛加誅戮，蓋非如此，則不足安良除暴也，曾氏之心，純出乎此，何可冤哉！

蓋曾氏之先天秉賦厚，而後天之修養力，確爲一至情至性之仁者，其全集中，固已盡道之矣，所謂『借一方之良，除一方之莠』者，實曾氏戡定大亂之基本政策，豈可以惡名冤之乎？

曾氏天性誠厚，觀其於介弟曾國荃四十一歲生辰，作詩十三首，其第一首曰：『九載艱難下百城，漫天箕口復縱橫，今朝一酌黃花酒，始與阿連慶更生』！友于之情，滿紙洋溢，天性純厚，歷歷如見，又其輓乳母聯，寥寥三十二字，已道盡世間之人情意味，聯曰：『一飯尙銘恩，況稚抱提攜，只少懷胎十月』！『千金難報德，論人情物理，也當泣血三年』！一乳母耳，曾氏亦以至情，至性，至理而哀之，亦可見曾氏之大仁，大智，大勇精神之所自出。『曾剃頭』之惡名，應爲一辯。

自由人
THE FREEMAN
（第四六三期）
中華民國僑務委員會
頒發登記港教台新字第一零二號
中華郵政台字第五〇〇號
執照登記爲第一類新聞紙類
（半週刊每星期三六出版）
每份港幣壹毫
台北市價台幣壹元
督印人：陳文華
地址：香港高士威道二十號四樓
3 rd. fl. 20 GAUSEWAY RD
HONG KONG
香港發行及事務接洽
高士打道66號 電話：七四〇五三
承印者：東南印務出版社
地址：高士打道六十四號
海外總經銷
友聯書報發行公司
香港：德輔道中二十六號A二樓
台灣特派員辦事處
台北市館前街五十號
台灣總經銷處
台北市西寧南路壹壹零號二樓
台郵撥儲金戶九二五二

我們對美國態度的了解

昔日戲言身後事　今朝都到眼前來

•左舜生•

美國和中共的代表，仍在日內瓦繼續談判中。他們可以公開的談，也可秘密的談，究竟談些什麼，大家不會完全明白。

據我看，大凡可以公開的，他們一定盡量公開，例如繼續釋放若干留在中國大陸的美國平民，聽其返回美國，或若干留在美國的中國學生，聽其返回中國大陸之類。可是中共其所以熱心於這次的談判，其重點並不在此，他們在開始談判以前，首先便把最爲美國所關心十一名美國空軍人員釋放，這便是表示他們不願在這類的問題上多費時間，而只希望借着這次的談判，進一步造成一個周恩來和杜勒斯會談的機會，關於這一點，王炳南也並不諱言。像這樣一種做法，中共是自以爲十分聰明的。

中共的重點所在

可是，這樣一個明顯的趨勢，——即由大使級會議過渡到外長級的會議，乃引起中華民國的極度不安，輿論空前激昂，政府似乎也已向華盛頓方面有所詢問，要求美方澄清對於這一趨勢的眞實態度。於是美方一再非正式的有所表示：他們說，美國和中共這次在日內瓦的談判，決不涉及『台灣問題』，或者說決不損害中華民國的權益。他們也說，美國和中共會談，並不包含美國對中共即予以承認的意味，至於杜周是否可能在短期間以內見面，此時自然更談不上。英國爲配合美國這樣一類的聲明，也表示他們願意支持美國，把中共進入聯合國的問題，在本年的聯合國大會依然延緩討論，換言之，便是再可延宕一年。英國本來是主張中共加入聯合國的，至於印度，緬甸，印尼這類的國家，自然是惟英國的馬首是瞻，更不必說。英國在目前其所以採這樣一種穩重態度，無非在和緩台灣海峽的緊張情勢，以免妨礙她對歐對亞的全盤政策，至於基本態度却是早經確定，決不因時間的拖延而有所變更。

我們在這樣一種情勢之下，是否又可以得過且過，再拖一年再說呢？果然如此，便等於聽天由命，所謂「靜待寧劇」，所謂延緩一年，實質上乃無異於『緩刑』一年，其危險確實是不堪想像！

以我們所了解，美國的眞實態度是很顯然的：

美並非完全自私自利

一、台灣是太平洋的重要基地之一，美國絕對不願輕於放棄之（至少在韓戰爆發以後的情況確係如此）因此她對台灣的軍援，最大限度要做到台灣自身的武力足以自衛，必要時美國的第七艦隊並非不可撤退；經援則要做到台灣的近千萬人足以自活，不應因匱乏而使得該基地的秩序難以維持。換言之，便是請您吃飽了飯，拿着相當良好的武器，好好爲我在這個基地上站崗，至於您在站崗的時候腦經裏幻想一些什麼，她當然可以不問。有人把美國這樣一個態度，完全解釋爲美國的自私自利，我却不以爲然：至少堅守南韓，日本，冲繩，台灣，菲列賓，乃至南越，星，馬，泰國這一線，使共產集團的侵略不能繼續前進，總還是美國的理想目的之一，至於依照美國的現行政策，這一目的能否達到，自然是另一問題。

英美對亞洲認識不足

二、『德國不統一，便無所謂歐洲的和平』，這一點，英美似乎已經有了共同的認識。至於『中華民國不統一，乃決無所謂亞洲的和平』，則英美的認識與決心，乃均感不足。美國和中華民國所訂的一個共同防禦條約，其時效祇限一年，而且連金馬也不肯包括在內，其無意於援助中華民國去恢復統一，態度豈不是非常明白？

美國用心良苦

三、美國甚於已往的豐富經驗，（例如斯狄威爾時代，馬歇爾時代，）好像他們目前對台灣所採的態度，乃十分謹慎；凡是一切到過台灣的美國朋友，他們大抵是在軍言軍，在經言經，決不欲踰越範圍，使得他們的言論或行動，對於自由中國的自尊心，發生不良的影響。可是，美國的若干輿論，或曾經到過台灣乃至相當深刻了解台灣現狀的美國朋友，在他們離開台灣以後，偶然和我們作私人間的接觸，他們却依然表示十分的不安。他們似乎覺得自由中國的政治，文教，宣傳，乃至爭取與國，團結僑胞等等工作，並不能與反攻復國的這個大題目，完全相關，自然更談不上機動與靈活。至於權力者與黨力者之間，隱然有若干矛盾存在，則他們乃不惟不安，甚且進入一種疑慮。自然，他們這類的看法，決不欲與自由中國有現實政治關係的人員去談，和我們這些不相干的人偶然說說，也還是極有分寸。他們當然知道我們是愛護中華民國的孤臣孽子，他們也可能假定我們所知道的比他們更多，他們不便多說，也無須多說。我個人近來每每遭遇這種場合，確實感到我們的一般國際友人，用心良苦。

英美間可能已有默契

四、依據上舉三點的分析，美國對自由中國的希望，似乎確有其一定的限度：他們和其他的國家一樣，決不願看見台灣海峽爆發眞正的戰爭，更無意挑動我們，贊助我們去反攻大陸，甚至他們還假定：即令世界有了重大的變化，或大戰果眞爆發，以台灣的現狀而論，也未必能作有益的運用。『兩個中國』之說，導源於英國，但依據美國這種心理的自然發展，她和英國形成一種不言而喻的默契，也並非無此可能。乃至英美還可共同假定：中共儘管口頭反對『兩個中國』，但在美國承認她和聯合國容許她加入的條件之下，周恩來也未嘗不可簽上『欣然同意』的四個大字。自由中國的強烈反對，是在她們意料中的，但在逐漸造成了既成事實以後，空言反對又有什麼用處？中共在目前確實想造成一個杜爾斯和周恩來談話的機會，要談的是什麼？一句話揭穿，便是這麼一件事！

上面這一番深深淺淺曲曲折折的說法，便是我們對美國態度或政策的一種看法，至於如何應付，則五年來我們在本刊已經說得很多，今後乃有待於羣策羣力，更有待於最高責任者的靈機一動！『昔日戲言身後事，今朝都到眼前來，』我們目前的心情，確實是這樣一種無可奈何，而又不忍恝置的心情而已！

談英法的民主政治

吳本中

倫敦大學講師吳本中博士，於兩年前赴英倫講學，現以暑假回港省親，承於地中海輪上，撰寄本文。文分上下兩篇，上篇談民主政治之原則，下篇談英法兩國之民主政治生活。茲先刊上篇，下篇於下期續刊。——編者——

（一）

倫敦泰晤士河畔，有著名古跡「大憲章島」，其間古樹荒村，茅屋櫛比，當十三世紀（一二一五年）英王約翰被迫簽訂英憲政史上最著名文件——大憲章（MAGNA CHARTA）——之所在地。遊人至此，緬懷往事，未嘗不爲之流連不能去也。

大憲章簽訂，爲英國民主政治之所發軔，至今已八世紀之久，其間經過波折與英人之奮鬥，實非一言所能盡述。嗣後，法國大革命之「人權宣言」，美國之「獨立宣言」，無一不淵源於大憲章，亦無一不以「天賦民權」，不可侵犯爲其最高原則。

（二）

本此原則，而有身體自由，財產自由，與思想言論自由。法國大革命時，至有「不自由毋寧死」之口號，其力量之偉大，當者披靡，懷疑或反對者非殺戮即狂暴。然歷時不久，竟有假自由之名，以行罪惡之實者矣。羅蘭夫人所云：「自由，自由，世間多少罪惡假汝之名而行」，即其明證。時至今日，世間不僅假「自由」之名以行罪名，亦假「民主」之名以行罪惡矣。彼中共竊據大陸，實行暴政，竟美其名爲「新民主主義」，在「新民主主義」之下，四萬五千萬同胞，完全喪失其自由，並緘默之自由亦不復存在，此與假自由之名以行罪惡者絕無二致，眞可謂爲人類歷史一大悲劇。

（三）

自由民主制度自亦有其缺點，蓋此一制度，人人平等，個個有權，或更可說個個無力，每遇一事，七嘴八舌，議論紛紜，莫衷一是，以至互相牽扯，大家不負責任。在昔共黨未生，弊未大顯，今日共黨陰謀滲透，無所不用其極，挑撥離間，乘隙蹈瑕，弊端更著，此一制度遂似一無可取矣。

然吾人須知，人非純全，其所創制度亦何能盡美？（法哲總統普蘭開雷語）自由民主制度之基礎建立於個人，與夫人類之天性。人類天性有情有慾，情慾又出於生命之維護與延續。基於情慾創爲制度，自然不免含有由個人集成羣衆之種種弱點，其不能純然完備，自在意中。共黨抹殺個人，以集體組織，行極權統治，往往以雷霆萬鈞之力，或明攻或暗襲，以對付散漫鬆弛民主社會，因此，自由民主之社會不免遭受挫折，至有不能立足之勢。

（四）

且自由民主社會，既以尊重個人之自由爲極則，則任何黨派活動，必不能加以限制；任何信仰，任何思想，均有其合法之地位；政府措施必須尊重民意。即彼假借名義，欺騙大衆，甚至陰謀傾覆政府者，亦往往不能輕易加以取締。故民主國家，政府動被制肘，至英雄無用武之地，政府成爲無能，此乃現世民主國家之最普通現象。此等國家即使軍備甚強，又擁有原子武器，然其巨頭亦不能爲所欲爲，一切須以民意趨向取決。退讓，妥協，撫綏種種政策即由此而生，克姆林宮與秧歌王朝之所以能逐漸坐大，實由此而來。民主國家之巨頭，今日之所以不惜迎合獨裁侵略者之意，親赴日內瓦雷猛湖畔，與侵略禍首握手言歡，強顏交好，其原因亦即在此。

（五）

雖然，民主國家終有其可愛之處，終有其不可磨滅之價值。現代最號稱民主之先進國家如英，如美，如法；執政者的政治生命，並不決于疆場，而決於議會；議會之組織決於選民，選民不論張三李四，均祇一票。不問貧富，不問智愚，更不問老少，概爲平等。衆意難違，衆怒難犯，蓋世英雄，救國偉人，苟非選民多數投票，決無掌握政權之希望。（下轉第二版）

本週展望

•李金曄•

可注意的日內瓦秘密會議

日內瓦的詹王會談，美方拒絕了中共提供旅美華僑名單的要求，而且這一問題還夾雜了償務問題，於是由糾纏而形成僵局，此種情形，自是意料中事。共黨的狡猾、奸詐，確不是普通外交所能應付得了的。此次會議，中共和印度，事先串通，突然提出僑民償務賠償問題，詹森先生自不免有措手不及之態，捨此不談，更值得注意的是遣僑問題之外，雙方又達成了『同意禁止發表關於每次會談進展的任何公開聲明的協議』，今後會談將轉入秘密會議階段！亦即是說遣僑問題暫予擱置，而改談詹王第一次會談所協議的第二項『有所爭執的其他實際問題』。所謂『實際問題』自然要牽涉到『台灣問題』。王炳南可能再用奸狡手段給詹森以更大的難題，企圖促成外長會議，以遂其迫使美國在事實上作承認中共的目的。這是我們必須十分注意的。

英國將落井下石耶

以第三者地位對詹王會談表示特別關心的，是英國唐寧街主人，對此似已大爲焦灼不安！從倫敦傳來消息說，英當局可能加強壓力，促使美國試行阻止國軍反攻大陸（見路透社七日電）

詹王會談陷入僵持局面，轉[illegible]際，英國此種表示，實足以加強[illegible]的蠻橫，這是不利於西方的[illegible]嚇國民政府，停止對於航行閩海區英[illegible]以保持所謂『事實停火』狀態，[illegible]共自由貿易。果然如此，則落井[illegible]存？

也許英國的意向，是試探性質，但其[illegible]於中共，事甚明顯。吾人不論倫敦當局用意如何，須堅定立場，貫徹既定政策，[illegible]中共自不能在日內瓦施展其陰謀詭[illegible]

莫斯科上演的馬戲

美國和中共在日內瓦雷夢湖畔[illegible]會談，布爾加甯却在其別墅——距[illegible]十英里，認爲前朝假后嘉泰琳娜一世[illegible]夫公爵之私邸——！舉行盛大的招[illegible]會，

蘇俄巨頭們紛紛以馬戲班姿態出[illegible]前，從飄潤、舞蹈（莫洛托夫）到擔[illegible]濕印度大使太太和阿根廷大使太太[illegible]，醜態百出，不一而足。

據說，這次園遊會的目的，在祝賀所謂「日內瓦之好氣氛」。實際上，則是蘇俄於微笑運動之後，藉此增加西方人士對蘇聯集團和平攻勢陰謀的錯覺，以掩飾其兇惡面目。看完了這場馬戲的演出，不禁令人覺得，蘇俄巨[illegible]外交家，大家假惺惺，扮演喜劇，自欺欺人。世界和[illegible]此可以實現嗎？

韓人大示威運動

莫斯科的歡笑畢竟掩飾不了亞洲民族的憤怒。南[illegible]監督人員的示威狂潮，正如火如荼地在全國各地漫延[illegible]李承晚的「八一五」聲明，已成爲大韓民國民族運動[illegible]目前的情況是：釜山、太邱、大田、江陵、光州各地[illegible]有示威遊行。在仁川港方面，羣衆擁坐於通往中立[illegible]尾島一千碼的堤岸上，揮舞「驅逐匪共諜」和「中[illegible]組離開我們也離開」的木牌，堅強不屈的民族精神，[illegible]韓國前途的光明，於此可見矣。

自十九世紀維也納會議後，西方列強慣於以分割[illegible]家爲多個政治國家，完全漠視民族痛苦。以滿足彼此[illegible]「均勢和平」。但分贓結果，一世紀以來，世界問題[illegible]今天亞洲民族，又面臨分割的局面，南韓繼南越而[illegible]，這表示十九世紀的分裂政策，再不能實行於今日了[illegible]

不要出賣南越

李世光

海外通訊

（西貢通訊）越南人民有三恨，第一恨共黨，第二是恨法國，第三恨國際停火監督委員會。

法國出賣了南越

越南人民痛恨法國，因爲法國出賣了越南。去年日內瓦會議，法國向共黨求和，共黨提出北緯十七度以北歸胡志明。法國答應了。北緯十七度，在地圖上看，好像是越南的中綫。事實上，十七度以北的面積是三十二萬公里，約合越南總面積十分之六。人口一千三百萬，在越南的二千三百萬人口當中也佔了十分之六。

共產黨再提停火條約簽訂後兩年——一九五六年七月二十日——要舉行總選，以統一全國，法國也答應了。好像一個賭敗了的賭徒，只要能夠保持巴黎和法國本土，對於其他一切，都不敢作保存的念頭了。

總選的結果預測

胡志明準備於一九五六年七月總選後，接收南越。他的道理是這樣，他在越北擁有十分之六的選民，年來雖然有五十多萬人民投到南部，越北仍佔優勢。而且在共產政權下，不服從的叫做反動份子，反動的結果是死。爲了性命，那一個敢不投共黨的票？共黨掌握着人民的恐怖心理，就算聯合國派員到越南主持總選，人民的恐怖，還是不能由所改變。因此胡志明認爲總選必爲共黨勝利。

越南南部黨派紛歧，吳廷琰雖得到大部人民擁護，可沒有把握得到南部全部的選票。因爲在民主制度下，沒有一個候選人可以得到全部選票的。因此越南總選，以民主號召，吳廷琰居必敗的地位。

法國的算盤

依照日內瓦協定規定，簽約後一年，越南南北兩部，應該舉行會議，會商下年七月二十日總選事宜。吳廷琰拒絕參加這個會議，理由是日內瓦會議並沒有南越代表參加，可是，吳氏的理由是對的。可是，法國竪持南越須和胡志明會商總選事宜，而且總選必須依照規定，於明年七月二十日舉行。

法國的理由，以爲吳廷琰拒絕舉行總選，胡志明將要興兵南下，法國駐越南的遠征軍已大部調到北非，法國沒有力量抵抗共軍，那時美國只好介入戰圍。美國加入後，中共也將加入，韓戰局面又將在越南重現。而且那時蘇聯也會幫助中共，世界大戰可能出現。

南越的意見不同，他們以爲，若果美國肯支持南越，胡志明絕不敢輕舉妄動，中共和蘇聯也不敢贊同。理由是蘇聯和中共不能打，不敢發動大戰。法國堅持南越必須於明年七月舉行總選，其心是想把整個越南送給胡志明作爲一種經濟和商業的交換條件。這是法國存心出賣越南，越南人民因此深恨法人。

停監會偏袒共黨

越南的國際停火監督委員會，是由印度，波蘭，和加拿大三國組織而成的。三國當中，波蘭是蘇聯的衛星國，印度是一個虎倀，名義上雖然中立，實際上是唯蘇聯和中共的馬首是瞻的。只有加拿大是中立國家。因爲印度傾左，越南的停火監督委員會失去平衡，便變成共產黨的工具。寮國事件便是一個很好的例證。越南停火後，停監會點驗寮國共軍，總額不過一千五百人。停監會指定此項叛軍集中寮國北部近中國和越邊的兩省。依照規定，此項叛軍於點驗完畢後，即應予以解散。但該會爲了偏袒共黨，沒有執行解散的規定。此項叛軍從此佔有該兩省，作爲根據地。

經過沒有幾個月，該項叛軍得到中共和胡志明的援助，力量由一千五百人，擴充到六千人。停監會對於此項叛軍的擴充，又置若罔聞。本月初，共軍首領率同三千精銳，使用奠邊府被繳的美式裝備，進攻寮國前方的一個要隘，和守軍血戰了兩日，寮國援軍到了，才撤回原地。因此，寮國政府發表了一本白皮書，對停監會不公平，大肆攻擊。

美國爲德不卒

七月廿日，西貢示威運動發生後第二天，印度尼赫魯在新德里舉行記者招待會，大罵南越。同時致電日內瓦會議的兩主席，爲共黨張目，過了兩天，英，美，法三國聯名致電吳廷琰，要求保持越南治安，同時要他依照日內瓦規定，與胡志明會商明年的總選事宜。

南越人民因此認爲美國拋棄南越了，南越的智識階級曾作一個比喻，說一個爲富不仁的商人養了兩個婢女，大的叫做北越，小的叫做南越。一天，商人賭輸了，把長婢送給債主，償還賭債。債主認爲不足，商人進一步要求幼婢。商人答應了，但請求過了兩年，再行交付。這是一件違反人道的事。美洲的義士主持人道，痛責爲富不仁的商人，同時叫幼婢自謀生活，不好嫁人爲妾。可是經過沒有多時，義士受商人之賂，改變前言，着商人分幼婢依期歸到商人那裏。

美洲義士自然是美國，美國是最同情南越的，爲什麼忽然改變初衷呢？爲了蘇聯的僞裝和平嗎？爲了減輕世界的緊張局勢嗎？還是爲了明年本國的大選呢？筆者覺得，南越人的比喻，雖然切當，這或者是一種過慮。美洲義士的立場不至輕易改變的，也不會陷入敵人的奸計。南越國人要自加警惕，對於盟友也不要輕於懷疑才好。

人物評述

以蕭伯納自居的宇牛
——實際是共黨的傀儡——

小丞

僕僕風塵，緬甸總理宇牛，於上月廿三日由美返國途經香港，在港曾作四小時勾留，然後乘原機離港返緬，完成了他的世界旅行。在此短短數小時中，他會接見記者，發表談話。有人問他須往台灣訪問否？據答：如本人非身爲總理，則隨時願赴台灣訪問。又說：各位均知，緬甸與中華民國並無邦交存在。

×　×　×

他這次赴美，說了許多不三不四的話，後來因說到美國「最負責人物」並不反對准許中共參加聯合國的話，引起一場不大不小的風波。這樣一來，宇牛自討了一場沒趣！於是避免談外交問題，只談美國的「熱狗」。他告訴記者道：「我在紐約享受過大熱狗，我很喜歡。」他還說明他如何對一座鉻板製的熱狗機發生興趣，還知道那主人每天售出一千五百餘的熱狗。

×　×　×

他在美國胡說八道，自然引起若干美國人士反感。美國費城詢問報的社論，便對所謂亞洲「中立派」，稱之爲「國際糊塗同盟」。

該社論稱：這個集團如用外交詞令以外的話來形容，則可稱做「一個共黨傀儡的聯合陣線」。該集團主要人物，計有印度總理尼赫魯，和他的巡迴大使梅農，以及緬甸總理宇牛。從尼赫魯結束埃及訪問時，和埃及總理納瑟在開羅所發表的聯合聲明加以判斷，納瑟似乎亦已參加這個集團。

該社論估量這些人物有關國際情勢的立場稱：他們「蠱惑性的合唱」，意思好像是『只要西方國家減少在防禦上的努力，解散聯盟，將台灣送給中共，並聽蘇俄控制整個德國，那麼我們便有和平。』

這篇社論，對於宇牛之輩批判，眞是入木三分，而且評語極爲刻劃入微，可見宇牛美國之行，美國輿論對他的觀感之一斑。

×　×　×

再談到宇牛的個性，眞是名符其實，有一股牛勁。他在仰光大學唸書的時候，便是一位風頭主義者。他是學生會的主席，當時因不滿學校措施，要求學校改革，並且撤換教授，因而引起校長對他不滿，要把他開除。好在同學支援他，稱他爲「老大哥」，學校終於隱忍下去。

不久，學生刊物「孔雀之音」，刊出一篇批評教授的文章，學校當局把主編開除了，他便領導學生罷課，學校當局對他更視爲眼中釘。跟着，他又組織一個「紅龍讀書會」，研究馬克斯主義，可能他今天做共黨的同路人，還是受當年研究馬克斯主義的影響。

從這個時候起，他就夢想做一個作家，經常以「緬甸的蕭伯納」自豪。他就任總理以後，還經常出席緬甸「翻譯學會」的會議，他組織這個學會的目的，是要把現代的新知識介紹給緬甸人民。

他又學習蘇俄榜樣，出版了一本「緬甸百科全書」，當這本書從美國印好運回來的時候，他帶了大部份內閣員，排成一英里的行列，去迎接這部百科全書。

宇牛是個志大而夸的傢伙，自然有他一套妄念。「風頭主義」，是他惟一的興趣，自從他訪問中國大陸以後，受寵若驚，所以不辭勞瘁，周遊列國，大鼓其如簧之舌，大唱所謂「和平」，無非是藉此出風頭而已。他對美國之行，大有「乘興而往敗興而回」之感，難道他還有顏面去訪問台灣嗎？

縱談僑教問題（上）

謝康

謝康博士，前往葡屬帝汶島，從事僑民文化教育工作，已四年於今，茲以平日研究觀察所得，撰成本文，亟爲披露如左：——編者——

（帝汶特約通訊）據最近調查，海外華僑學校達四千餘所，其中百分之九十五設於東南亞及南洋群島，絕大多數擁護中華民國。另一部份，則爲共黨赤特所把持或親共份子所操縱。傾共僑校，及若干大城市僑校，均不在本文討論範圍之內。茲篇所願與讀者研究的，着重在偏遠地區，即交通不便，風氣閉塞，僑衆不多，文化水準較低，經費尚欠充裕的僑校。此等僑校，規模不大，而學生人數較少，估計至少在兩千所以上，很有些共同的問題，值得我們注意研討。茲分數節，論列如下：（一）環境的偏遠單調和文化的混雜變質。（二）經費困難，入境限制，和良師的缺乏。（三）僑商輕師，使教員不安於其位。（四）校董會組織和職權，與教育觀念。（五）職業教育和生產教育。（六）教育目的和反共國策怎樣配合？

華僑青年的熱帶化

南洋有些距離交通中心很遠的地方，每半月或一月以上，纔有一次對外聯絡的輪船。從某種意義看來，可說是世外的桃源。然而從對外的聯絡言，又差不多類似魯濱孫的荒島。這些島嶼地帶，原來都有土著民族（棕種或黑種）居住，幾百年前白種人黃種人到這裏來移居或殖民。有些地方已變成相當程度的歐化，而大多數地方因土客雜處，年代久遠的緣故，却已變成白種人黃種人的「熱帶化」。人種的混雜和文化的混合，日益顯著。人口繁殖和交通不便的結果，產業不能發達，而貧窮現象卻一天比一天嚴重。多數青年僑胞和新長的民族嫩苗，都是土生的（一小部份還是混血種）。這些僑生，幾乎全部未曾觀光過祖國的錦繡山河，也不大認識祖國的優美文化。他們熟講土人的語言，乃至用統治國的官話（歐洲某國的語言）多於本國的語。他們的生活習慣一部份也許保留着唐山來的，另一部份卻已經歐化，或熱帶化了。例如，喫飯不用筷子，而用刀叉。有些女人會穿「紗籠」，而不穿旗袍。所住的房屋，編織葵葉或椰葉，也有幾分和土人的茅廬相像。有些人甚至染上土人懶惰和不講究衛生的惡習，失掉了先僑勤勞奮發的美德。讀書風氣的低落，國家觀念的不夠熱烈，民族精神之不能發揚，更深中了「熱帶化」的毛病。

文化已經變質了

這些地方，若在海濱港口，華僑較多的城市，可說是白、黃、棕三種文化的混合區域。有當地政府或教會辦的學校，收容這三種人的子弟，而以土著爲多。有華人辦的僑校，則多是僑生子弟，統治權屬於白人或土人。商業則多操在華人和白人手上，農業或手工業，自然要靠土人的勞力。至於山地村落，人烟稀少，往往二三十公里，看不見幾處人家。偶然有十幾家房屋，已經是一所小埠，乃至於一縣或一區的中心。這種點綴式的移民據點，祗要有幾家僑商，和二三十個小學生，就可能成立一間私塾式的鄉村小學，請一位先生在那裏教讀。校舍有另行建築的，也有租賃民房的。設備簡單，見聞孤陋，待遇微薄。教師資格，往往頗成問題。比較我國內一些落後區域的學校，倒有幾分相像。這些學校的最大功用，是在於使得這個小地方的僑生，知道自己是中國人，懂得一些中國語言文字，而不致於完全變成土著。

談英法的民主政治

吳本中

（上接第一版）惟其如此，叱咤風雲之軍人，一朝當選，亦並不能以軍人本色，遇事剛愎。彼以軍人掌政，政策必趨強硬者，不明民主政治者也。反之，武人秉政或反不及文人之敢作敢爲。以法國近代史爲例，麥馬韓元帥以軍人當選爲第二屆總統，時適普法戰爭之後，似可大胆行事，然竟以解散議會不成，軍人多被免職，氏亦終不能不以此去位。後有白馬將軍，對政治極感興趣，且爲法人所愛戴，然亦曇花一現，未登高位，即被貶黜。以救國英雄資格，霞飛，福煦兩元帥，蒞臨議會，受兩院全體歡呼，致最高敬禮，然二人無敢過問政治者，且終生不敢公開批評政府。僅福煦死後遺著，曾對克里孟梭表示不滿。二次大戰後，戴高樂將軍以救國英雄，功當代，個性堅強，謀國忠蓋，無人置疑，然至今退避蓄晦，在政治舞台上且有逐漸被遺忘之勢。

（六）

英美政治大體與法相似，杜魯門以文人主政，較之艾克，胆大多矣。艾克雖係軍人，處處要以選民之歡心爲重，蓋不如此，即有被目爲「戰爭販子」之危險，政治生命亦將不保。英國首相邱吉爾將大英帝國從滅亡邊緣挽救回來，厥功不可謂不大，然戰後爲選民所不喜，亦祇好作繪畫，藉以自遣矣。凡此所談，藉以說明民主國家政權操於選民，執政者之政策及其措施，均須以民意爲依歸，不能擅作威福，此余所謂可愛者在此，可貴者亦在此。

編者讀者

△伍憲子先生「如何應付國際危局」一文，對目前國際局面轉變之原因及政府應有之行動，均有深刻獨到見解，本刊下期刊出，謹先預告。

△倫敦大學講師吳本中博士，於上月廿五乘輪回港渡假，現又赴台作短期旅行。承於旅途中，爲本刊撰寫「談英法兩國民主政治的實際情形及其生活方式」，皆兩年來，吳博士目擊耳聞，與潛心考察之所得。文長五千餘言，文筆輕鬆，見解精闢，茲於本期及下期分別刊出，讀者幸爲注意。

△謝康博士，現任駐葡屬帝汶島領事，兼事文化教育工作，所撰「縱談華僑教育」一文，實爲今日研究僑教問題之最好資料，文長七千言，從本期起陸續刊出，謹贅數語，藉作介紹。

△魯實先，陳驥，張忠建，魏文侯，馮虛，胡蓁之，天文，諸先生：承惠稿，已一一收到，至感謝。

△吳文蔚先生：惠稿敬悉，當遵命辦理，謹復。

發酬通告

本刊四二二期至四三〇期稿酬通知單，經已分別寄發，請惠稿諸君憑單前來領取稿酬爲荷。

一個懸而未決的問題（上）

西伯利亞正名問題之由來 以牽涉外交遂致懸而未決

●王新田●

台灣通訊

【台灣通訊】設七月九日本刊所載台灣大學讀者王文凱等五人來函，希望本刊「多刊與時空有關之文化評論」云云，讀者提起，很久以前針對本刊所撰的一篇通訊，也可以說是文化通訊，尚未執筆。現乘暇將它寫出來，

十幾萬人討論的問題

反共抗俄的自由中國，近七年來，提出一個大問題，就是關於「西伯利亞」和「中央亞細亞」的史、地、文化的研究。首先提出這問題的，是孫立人將軍主持的鳳山第四軍官訓練班，時為三十八年五月至三十九年九月。九月以後，第四軍官訓練班改組為陸軍軍官學校。七年以來參加鳳山訓練（包括南台灣）的少將到上士以及戰士，大約不少於[illegible]萬，都在熱烈地討論這個問題。台灣各大專畢業學生，在鳳山接受預備軍官訓練的已有數千人，也參加了這個問題的研討。總計起來，穿武裝同志已不少於十幾萬人。若干年來，凡提出一個問題，而有十幾萬人討論或聽講的，似乎還不多。

俄國侵華從何時始？

這個問題的提出，始於第四軍官訓練班開「俄帝侵華史」一課。在三十八年五月以前，沒有「俄帝侵華史」這一課目。該班當局以蔣總統既然在這年四月二十七日正式號召反共抗俄，則為何反共？為何抗俄？實為必須向受訓者先解答的問題，乃決從中俄外交史上研究俄國侵華，朱毛內亂問題，乃有「俄帝侵華史」一課。當時教官之中，頗不乏史地專家，約經半月的準備，他們編出教案兩種：一種主張俄從一六八九年和清廷簽訂尼布楚條約後，方為侵華的開始；一種主張從俄國一五五二年滅蒙古宗族所建欽察汗國並越過烏拉山，侵入「西伯利亞」，便為侵華的開始。後一種的基本立腳點有二：其一是如談侵華，即侵略中華民族，必須將蒙古宗族的被侵也算在內，不能專算俄國侵略這「秋海棠葉」的中國；其二，所謂「西伯利亞」乃是鮮卑地名的俄文譯法，這是近百年來史地學者何秋濤、洪鈞、丁謙、梁啟超諸先生對這問題著有專書，早已考證「西伯」就是鮮卑，「利」是鮮卑語的尾聲，「亞」是地方。討論教案結果，決定採用後者，並自五月開講。以後鳳山及南台灣各校各訓練班都採用這個教案。

第四軍官訓練班改組為軍校後，「俄帝侵華史」由王蘇教官及劉珍教官主講迄今。王教官這七年來編有「俄帝侵華史」十二萬字，「西伯利亞為中國領土考」六萬字，「中亞非俄國領土考」八萬字，均已出版，並有「俄國通史」四十萬字，成書未印，據說書店打算給，怕賠錢。劉教官編有「俄帝侵華史話」二萬字，「俄帝研究」六萬字，均已出版。這六種書一貫主張俄國侵華以越過烏拉山，進入鮮卑地方為開始。

十五六種有關圖書

在鳳山研講俄帝的「西伯利亞」實為我國的鮮卑地方以後，四十一年一月，台北戰鬥青年刊出一期「俄帝侵華史」特輯，把一部分講義公開了。接着中央報刊出「我們的敵國」上下冊，上冊實為「俄帝侵華史」，由許多大學教授及專家執筆，但並未詳究史實，而以尼布楚條約訂後為俄國侵華的開始。嗣有胡秋原的「俄帝侵華史綱」上下兩冊出版，也未提到俄國侵略鮮卑地方。又有中國周洋洋五十萬字的「俄帝侵華史」出版，吳相湘編的，仍沒有提到俄國侵略鮮卑地方。但台灣南部所見「俄帝侵華史」即以侵入鮮卑地方為開始的一說，不久便說服了台灣北部的著名家，而有孫福坤的「俄帝侵華史」，于滄霖的「俄侵華史」，黃大受的「近代中國史」，王藥廬的「俄帝侵華地志」，蔣君章的「最新世界地理」，盧鑄的「俄帝侵華史」，[illegible]一致主張俄國侵華由侵入鮮卑地方為開始，即自一五五二年開始。現在所見，論持此義的圖書共有十五六種，不下一百五十萬字。

牽涉到外交問題

當鳳山的著作家們向北台灣輸入他們的著作後，正值教育部國立編譯館組織「外國地名統一譯名委員會」，延聘王藥廬、鄭資約、任德庚、沙學浚、凌純聲、陳正祥、鄭子政、劉鴻喜、蔣甫廷、余蒼晰、柳長勛、孫宕越、王益崖、鄭豹君、薛繼壎、蔣君章、李鹿苹等專家及教授，將史地名詞八千餘個，統一譯文。四十二年夏，會有某委員在會中提出，將該會原案中的「西伯利亞」「西比利亞」正名為鮮卑利亞。當時出席的某些位，在原則上似不反對「西伯利亞」乃鮮卑利亞，但說「西伯利亞」四字已用了數十年，不便更改；且若改為鮮卑利亞，便牽涉到外交問題。沙教授並主張：若改，便不可再用「利亞」，這仍不是中國的名字，不如改為鮮卑地方等語。

知用學社歡宴鄭震寰

【本報特訊】本港羅富國師範學院師資訓練班主任鄭震寰氏，於去年七月奉派赴英考察教育。經誌本報。鄭氏現已考察完畢，於上月廿五日乘輪回港。香港知用學社特於昨七日設宴，為鄭氏洗塵。到社友蘇熊浩、唐惜分、譚維漢、陳克文等五十餘人。席間，鄭氏作簡要報告，敘述考察經過，並放映在牛津劍橋兩大學城所攝彩色照片數十幅，每幅由鄭氏加以口頭詳細說明。此項有關英、高等教育之名貴照片，觀眾莫不深感興趣，隨提出若干有關問題，鄭氏亦一一作答。（華）

經濟社會思想叢談（四七）

金伯華

「分工」與「分業」

分工不但是一種事實，而且是一種本能。因為分工的事實是一種本能的作用，所以自古便逃不過明眼人的眼睛，而且看得十分自然。「樊遲請學稼」，孔子答以「吾不如老農」。樊遲又「請學為圃」，孔子答以「吾不如老圃」。光看這斬釘截鐵的語氣，已可知道他老夫子心中的老大不高興。所以當樊遲一退出去以後，他便在其他學生面前狠狠點了樊遲一頓，他說是沒志氣的「小人哉！」（論語·子路）

孔子以為種穀種菜，是小百姓的事件。讀書，研究學問的士大夫們——上層社會，只須講求禮義和誠信，在今天，就是說政府當局只須制定政策，訂為法律，大家一致奉行，則國家社會自然便會強盛安樂。我們現在如果站在經濟社會的立場來分析他老夫子的這思想，便可發見這不但是「分工」，而亦即是狹義的「分業」。

「分業」是廣義的「分工」。因為亞丹斯密所首倡的「分工」的原理，實際對於與他同時，或比他稍稍早些的一般重農學派以農業為國家及人民一切財富的源泉」（魁士耐 QUESNAY）的一種修正，一種進步。因為一切財富，都是各界各色的人們所共同致力的成果。財富是人類活動的結晶，並不是自然主宰的賜予。勞力、資本、土地三大生產要素的學說，雖不是斯密氏所明言，但卻是當他的財富分配的問題中，分析利得的來源為勞力、資本及土地三項，便間接的成為政治經濟學三大生產要素的古典原則。斯密氏之所以把利得來源定為這樣三種，正因一切財富的創造，都係由於人們的「合作」而來。重農學派把經濟界的結構，當作是「堆叠式」的：以農業為基本，其他社會階層，都由農民向土地攝取乳漿而予以飼養；斯密氏則反是，他以為全體社會的生產，是由於若干企業「並列的」並「連帶的」，需要交換的聯繫而完成。因此，不但一業以內無數生產的程序，要分工，並且一國以內無數生產的行業，都要分工。所以我們說，技術的分工，是狹義的分工；廣義的分工，則是分業。這就是說孔子會做大官，並且會在短短的幾個月內，便把魯國治理得很好，但對於種穀，卻自知「不如老農」。所以，在中國，「亞聖」孟子——孟子之於孔子，頗有幾分像塞依（F.B. SAY）之於斯密，只是前者泛指一般文化，而後者則專指政治經濟學而言——把不知稼穡，不知分工，主張「與民並耕而食，饔飧而治」的許行，罵得狗血噴頭，認為許行那種「必自為而後用之」，簡直是叫天下人一刻不停的白忙，而人類文化永遠不會有什麼進步。依此，可知「分工」是甚於「互助」的行為，恃乎「交換」的作用，而為人類生活所必須的「合作」。

（未完）

讀「蘇俄及其殖民地」

瓦爾特·柯拉茲著　許孝炎譯　亞洲出版社出版

●沈東文

（一）

世界公認的國際事務專家捷克學者瓦爾特·柯拉茲，他著了一本洋洋三十餘萬言的巨著——「蘇俄及其殖民地」，這一本書用客觀的事實，說明蘇俄帝國主義統治殖民地的實際情形。今年萬隆會議，亞洲國家許多政治家指出，我們不僅要反對舊殖民地，也要反對新的殖民地，新的殖民地到底是怎樣的，這本書是最好的參考材料。

柯氏是捷克蘇台德區人，受教育於布拉格、倫敦兩地。學成後，從事新聞工作，對國際事務最具心得，向負盛譽。對蘇俄及東歐問題之研究，尤稱獨到。此書乃其近著，體例包涵甚廣，內容極為精闢，取材亦至為嚴謹。它不僅對俄國的發展和擴大作了史實的記載，亦不僅為蘇俄統治下各弱小民族的遭遇作了縝密的分析，且對俄國殖民的方式本質，乃至趨向等等，都有極深刻的批判。最後並提出積極的和具見解深遠的反蘇俄殖民政策的原則建議。

此書問世後，曾得西方各國一致重視，許孝炎先生以此書價值不凡，不辭勞悴，譯成中文本，譯筆忠實流暢，於此不必贅言，茲謹略述內容梗概，藉供讀者參考。

（二）

本書首論俄國殖民及蘇維埃的民族政策，對蘇俄向外擴展的性質，蘇俄的殖民史，俄羅斯民族的擴族觀念，布爾什維克黨和蘇維埃政權下的殖民特色，蘇聯對付各被壓迫民族主義的手段，以及蘇俄在殖民事務上的虛偽宣傳等等，皆有精深犀利的分析和批判，為全書的重心。

著者指出：俄羅斯人沙皇時代的殖民的性質並不是為了找尋出口，而是企圖由莫斯科維小公國擴成多民族的大國，向各方面征服了許多弱小民族，布爾什維克黨建立中央極權政府以後，不但並未放棄沙皇的殖民政策，反而接受並發展帝俄的傳統，更有計劃地向鄰國領土的四周大事擴張——擴張到了幾乎已沒有一定的邊界。

著者更進而分別詳細敘述俄國的腹地、西北邊疆、西部邊區、北高加索、外高加索、中央亞細亞等地方及各民族的情形，並分章敘述猶太人和幾乎根本已被消滅的民族情形。

第一至第九章所敘述的是廣大地區和幾十個弱小民族被帝俄及蘇俄所征服的實際情形。其他如西伯利亞、太平洋沿岸及我國的東北、西北和外蒙等，還不在內，可見蘇俄殖民範圍的廣大，與其手段的厲害。

著者又指出：俄國人幾乎先天上有一種侵略作和種族的同化力，蘇俄的中央集權執行了一個大俄羅斯主義，通過嚴密的組織，運用「自治」和「蘇維埃社會主義共和國」等名義分割了許多弱小民族，並嚴厲地壓制了各弱小民族的民族願望，所謂「聯邦」，只不過是一個大俄羅斯極權統治的幌子。所謂「最高蘇維埃」，不過是一個傀儡議會。著者在書中指出了一些有關蘇俄民族問題的東西。

（三）

蘇俄的殖民手段，綜合來說，約如下述：

（一）直接軍事征服，間接軍事威脅，或利用混亂機會，予以事實上的佔領。

（二）利用大民族優勢，向小民族地區移民，混淆其血統。

（三）分化可能團結的同種異族的各民族，分而治之，使成為俄國的保護國、自治省或民族縣。

（四）歪曲歷史，倡導「合作」，並以文字語言作長期征服的工具。

（五）操縱經濟，開發富藏，乘機大量殖民，壟斷生活資料，使弱小民族不得不依附蘇俄。

（六）最厲害的一項手段，則為黨的高度統制，使弱小民族有自治之名，而無自治之實；並以種種壓力使弱小民族向俄國各地分散，從而完全變成蘇俄的地方及蘇俄人。

不過蘇俄殖民手段雖十分厲害，但各弱小民族由於民族願望加上種種迫害所產生的反蘇情緒和反蘇鬥爭，也始終非常劇烈，即各民族的共產黨人和蘇聯所培植的地方黨政領袖亦不例外。幾十年來各民族所以常被斥為「偏差」及各民族黨的領袖時遭「清算」和槍決者，原因即在此。因此，二次大戰時，戰火燒到蘇俄領土的時候，大部份非俄羅斯民族都採取了旁觀的態度，一部份民族甚且乘機親德反蘇，這就是克里米亞人、日耳曼人、卡爾穆克人等所以被集體屠殺的公開理由。著者認為：今日蘇俄誠然為一龐然大物，但她的內部實在充滿危機。

（四）

蘇俄的「民族政策」，另一方面，還有所謂國際性職工作。例如蘇俄幾擁有全世界猶太人的一半，多數從事工、商、農、及技術工作，分佈及於全蘇俄。過去因希特勒德國仇視猶太人，蘇俄即利用猶太人，向人烟荒涼的中蘇邊境比羅比桑地方移民，並吸引其他各國的猶太人，使視蘇俄為猶太人的保護國，或挑撥其他國家的猶太人製造內部的矛盾。

餘如毗鄰芬蘭的「卡累利亞·芬蘭蘇維埃社會主義共和國」正對土爾其的「亞美尼亞共和國」，接壤波斯的「亞塞貝爾然共和國」，毗連中、印、阿富汗、波斯等國的「土爾其門斯坦」、「烏茲別克斯坦」、「塔吉克斯坦」、「基爾基斯坦」，乃至「卡薩克斯坦」的維吾爾人等，蘇俄亦無不利用這些弱小民族，製造斯堪底納維亞、中東，及亞洲等國的民族糾紛。

因此，蘇俄的殖民，不僅對內奴役弱小民族，超奪弱小民族的財富，擴大蘇俄的版圖；並且對外包藏着為「世界革命」製造有利條件的積極陰謀。著者在這方面會提出了有力的警告。

（五）

最後一章，是著者對蘇俄「民族政策」的一個結論。著者分析了蘇俄「民族平等」的謊言，以及蘇俄的東歐「民族政策」，並以英國為例，對兩國處理殖民地的民族問題作了九點的比較。

著者在結束本書的時候，提出幾點對付蘇俄殖民政策的建議。他說自由世界若干國家處理殖民地問題雖已日趨開明，但距實際要求還相去甚遠。自由世界必須以大智大勇去建立世界新秩序，如此，不但可阻止俄國擴張和滲透，且可將行動和宣傳的主動權爭取過來。他說西方各國若能在殖民事務上充分表現其正義，則將在蘇俄境內發生爆炸的作用。

他說蘇俄缺之自由的本身即是極端的落後，但自由世界必須讓俄國人知道，解放被壓迫的民族並非離間非俄羅斯人與俄羅斯人之間的關係，也無需俄羅斯人付出任何代價，只要蘇俄的極權政府從莫斯科倒下來就行。也唯有如此，俄國人纔能享有自由、和平與世界的物質文明。

他相信俄國人一定會有那麼一天。他說不相信俄國人民有這樣一個前途，那就等於不相信人類文明有前途，也就等於不相信人類有求生存和擺脫極權主義的力量！

談個人主義

馬五先生

提到「個人主義」四字，有人或許就要想到「自私自利，無法無天」那種無秩序無組織的生活現象。抱這類觀感的人，根本就是不知個人主義的作何解釋，也就不配批評個人主義的是非！

個人主義的基本精神，第一是要承認每個人的人格尊嚴，第二是要尊重理性，第三是要恪盡集體責任——即法治生活是也。

你要保持自己的人格尊嚴性，同時就應該，亦必須尊重別人的人格。例如：美國的軍中生活，在執行職務時，層層節制，階級服從，誰也不能吊兒郎當地任性隨便。但大家離開了工作崗位，走到酒吧間或俱樂部休息時，一個大兵跟五星上將隨便稱兄道弟，說笑談天，彼此皆不以爲異，而且很自然；大兵在那裏喝老酒，講醉話，亂蹦亂跳，盡情歡樂，五星上將站在一旁只是笑笑而已，決不能妄加干涉，這就是尊重個人人格的精神。職位雖有高低，人格總是平等的，在職務範圍以外的生活，即享有充分的個人自由權。

一個團體要做一項關係公衆利害的事業，先讓大家自由發表個人意見，詢謀僉同，得到了一致的結論，然後付諸實施，而不是由少數人擅自決定，命令大衆盲目遵行，這就叫作「理性」。事前不敎別人知道是怎末回事？事後只許別人犧牲自身的利益乃至於人格來盲從，即爲不合理性。我們社會上所流行的「天理人情」這句俗語，也就是理性的意義。

至於「集體責任」，一句總話，就是要遵守國家的大經大法，法定的權利固要爭取，法定的義務也同樣要盡到。凡屬國法範圍以外的權利義務，非取得個人的同意，別人即有不願享受和接納之自由，誰也不能强迫別人作爲或不作爲的。

像這樣的個人主義，試問有那點要不得？對國家又有甚末禍害呢？不以個人主義爲基準的任何政治制度，都是落伍反動的，此共產極權主義之所以爲人類憎惡，而必須予以打倒也！

男人和女人

·眹譯·

洪荒之世，多世陀利正要創造女人的時候，他發現他已經把所有的材料，都用於製造男人身上，而再也沒有堅定的東西留餘下來。在進退維谷的情形之下，經過他的沉思深慮，他就依照下面的許多步驟做去。他採用月亮的圓盈，蔓草的彎曲，纏藤的糾纏，青草的顫抖，蘆葦的纖細，花朵的盛放，樹葉的輕巧，象鼻的細軟，麋鹿的眼波，蜂羣的喧嘩，陽光的喜悅，雲塊的陰霾，風向的多變，野兔的胆怯，孔雀的虛驕，鸚鵡胸脯的柔軟，鑽石的堅硬，蜂蜜的甘甜，老虎的殘酷，火燄的熱烈，冰雪的寒冷，樫鳥的喋喋，科鳥的啁啁，白鶴的僞善，扎可拉瓦卡CHACRAMAKA的忠義；摻雜了所有這些品質，他製造了女人，而把她交給了男人。

但是過了一個星期，男人來到他的跟前說：「主啊，你上次給我的這個動物，使我的生活痛苦不堪。她無休止地饒舌，嘲弄我超過我所能忍受的限度，她從來不讓我單獨過一會兒；同時，她要求我片刻不停的注意，把我的全部時間都佔了去。她無緣無故地哭泣，而永遠在悠閒着；所以我跑來要把她交還給你，因爲我實在不能和她生活在一起。」

「多世陀利說：「好吧！」，她就把她領了回來。

但是才過了一個星期，男人又跑來對他說：「主啊，自從我將那個動物交還給你之後，我發現我的生活是非常的寂寞。我記得她是怎麼樣的對着我唱歌，對着我跳舞；她怎麼樣從她的眼角邊瞄我；怎麼樣的和我玩；要怎麼樣的偎依着我。她的笑聲像是音樂，她看起來是那麼美麗，摸起來又是那麼柔軟。所以，請你還是再把她給我罷。」於是，多世陀利說：「好吧！」，他就將她得交給這個男人。

那知道僅僅過了三天，這個男人又跑回來說道：「主啊，我自己也不知道這究竟是怎麼一回事；但是，歸根結蒂，我得到了一個結論，就是她對於我是麻煩多於快樂。所以，請你再把她領回去罷。」但是，多世陀利說道：「你給我走開！趕快的走！我再也不管這檔事了。你自己想法子對付對付去吧。」於是這個男人說：「但是我無法和她生活在一起啊。」多世陀利回答說：「但是不和她在一起，你也是無法生活的。」於是他轉過身去，背向男人，而繼續他自己的工作去了。然後，男人說：「那怎麼辦呢？有了她，我也不能活，沒有她，我也不能活呀！」。

語言學漫談

徐道鄰

語言之四種使用方法

至於人類對於語言的運用，更是形形色色，述說不盡，可以說是如同人類所具有的各種不同的行爲之不能說盡一樣。人類之使用語言，有時是用以爭取金錢，有時是用以爭取社會上的地位，有時是用以爭取控制他人的力量；有時是用以告訴人家一件消息，有時是用以替人解悶，有時是用以教育一個人，有時是用以欺騙一個人；有時是用以使人放心，有時用以寬慰人，有時用以刺激人，有時用以威嚇人；有時用以記載一件事，有時用以描寫一件事，有時用以預言一件事；有時用以滿足某一些需要而同時挑撥起另一些。有時用以客觀的解釋一些難題，而使人們於他們不能全部解決的困難得到一部份的滿足；有時是用以取得他人的幫助借以增強個人的獨立地位；有時是用以促起多人的合作，以建立衆人共同的福利；有時用以『表達』個人的心情，而事實上却是在掩藏它；有時故意向親近人說非常疏遠的話，有時故意向疏遠人說非常親近的話。凡此種種，總說愈說不完。

根據上面所說的人類行爲的四個步驟，摩立斯認爲人類之使用語言，就大體上來說，約略可分出下列四種使用方法（USES OF SIGNS）。一，報導的使用 INFORMATIVE；二，評價的使用 VALUATIVE；三，促使的使用 INCITIVE；四，組織的使用 SYSTEMIC。下面予以分別說明。

語言之報導使用

語言的報導使用，其目的在使對方認爲某些環境具有某些特徵，因而根據這一個消息來調節其行動。譬如太太正要出門買菜，你告訴她：『外面下雨了！』她因而加上一件雨衣；張君一向相信一位宋醫生，一天有人告訴他：『宋某某三年前就死啦。你所請的乃是一個冒牌。』於是張君乃另請高明。我們從這些例子可以看出，凡是一種報導，內中大多半都具有一種事實，而其目的，則在給予對方在行動時一種參考。報導語言主要是對於他人作的，但人們亦有時向自己報導。譬如科學家們試驗時所作的種種紀錄，就是他們向自己所作的，準備後來作參考用的報導。（五一）

懷梁漱溟

·周紹賢·

忝爲桃李依門牆。往事回思百感傷。苦以精誠擔道義。不隨流俗趨炎涼。直憑正氣抒忠悃。反被讒人妄評量。遙念困身艱難境。獨持勁節傲寒霜。

黃景南爲其祖母吳八十八壽徵詩因賦一律

張維翰

重闈萱茂信忘憂。頤養山堂萬綠稠。太母延賓賢比湛。孤孫強仕願依劉。謀貽江表無雙譽。學擅南雷第一流。與廢關情徵福慧。百齡可躋更添籌。

踏青引

王沉裘

（戲做碧山體）

薄陰不散霜飛早。庭院深貯秋意。水木遠遮。陂塘高下。淡與秋雲無既。一角孤城煙起。愛延延修竹。黯陰滴翠。依舊亂蛩聲裏。愁腸已斷無由醉。寒窗聽雨。清流照鬢。暗老悲秋身世。極目荒涼如此。便登山臨水。只添顚顇。

劍底秦庭

歷史小說

奚如

「最後一計？」太子茫然的把手掌抵在几桌旁，不住擦來擦去，憂疑的眼光，直接掃射在荆軻寬廣的面孔上。

「是的，太子，這是乾坤一擲，生死決於俄頃的計策。要實行，便得把握目前的時機。」

「荆先生的意思是……？」

「太子應該知道曹沬刼盟的故事？」荆軻輕輕的把眉毛一揚，神俊的雙目，透射出無比的光芒。

「你的說，効法曹沬……」。

「對！太子，請太子相信荆某，讓荆某攝三寸匕首，入使西秦，生劫秦王於朝庭之上，命令他全部歸還諸侯的侵地，如果秦王敢說半個不字！」只見荆軻霍的站立了起來，把手一揮，就是一陣震撼[illegible]樣的長笑：

「我要他立刻喪命在我的劍底之下！」

……。

「荆先生，你，你眞的肯爲燕國這樣盡力？」太子已經激動地走了過來，緊緊攥着荆軻的雙腕。

「太子，這是荆某拯天下於水火的素志！」

「荆先生。你這個策劃，也正是我籌思熟慮了許久的心事，可就是沒有一個人能夠具有這個偉大行動的能力和智慧。今日燕國何幸，得遇荆先生……」。

太子的話還沒有說完，田光忽然發出了一陣沉重的咳嗽，一面痛苦的咳嗆着，一面卻疲乏地不斷地揮動着手。

「不，不，你你們這一個決決定，應該再再攷慮！」

「爲甚麼？」太子急忙轉過身來，扶着田光的胳膊。

「我來問你們，你們可會想到這一個計劃的後果？」

「後果？」荆軻淡淡地笑了一笑：「這叫做置諸死地而後生。那裏還能夠想得太長遠！」

「我來問你們，萬一秦王不答應回返侵地的條件？」

「一劍！只要這末一劍下去，秦將臨外，而有內亂，即使新君得以繼立，亦必君臣相疑，諸侯此時，豈不是可以得機從容合縱，共謀破秦大舉？」

「嗯，我再請問，如果因爲荆卿一劍，秦王口頭答允了回返侵地，又復中變，諸侯將如之何？」

「……」，沒有回答的聲音。

「再說，即使秦王死於劍下，新君嗣位，驟於國人對於燕國的仇恨，因民之怒，發兵攻燕，燕國又將如之何？」

「……」又是一陣嘿然。

「國運攸關，百姓可憫，伏望太子和荆卿再思三思！」田光的聲音，慢慢變得有點嘶啞了。（二十六）

請爲武大郎借箸

·胡碧雲·

閒來無事，溫溫舊書，由金聖嘆先生推薦的第一才子書——莊子讀起，以至第五才子書——水滸傳，當讀至武大郎的故事時，我不禁有無限感想。

（一）

我相信誰讀到這段故事的時候，對於橫行鄉里的西門慶，及教唆挑撥的王婆，都一定切齒痛恨，認爲該殺。對於潘金蓮呢？就怕會有些不同的意見，有人以她爲她是無可寬恕的淫婦，有人則令可憐彩鳳隨鴉，覺得她的一切行爲是於不得已而加以原諒。對於忠厚純樸而被人欺負的武大郎，則大抵無不寄以深厚的同情。如此，不但後世的讀者是如此，當時目睹其事的左鄰右里，大抵也有同樣的感想。但空洞的同情，並無補於武大郎，如果當時武大郎移樽就教，請你指示他一些應付這個尷尬局面的辦法，你將怎樣替他借箸代謀呢？這是一個很有趣的問題，我爲此事留了好幾天，所得的答案都還不大滿意，謹提出此問題向讀者請教，想大家不會認爲太無聊吧。

（二）

姑先把我所想得到的答案，寫在後面，以供參考。

武潘之非偶，不但潘金蓮有此感覺，武大郎亦總有此感覺。潘金蓮之背棄武大郎，非一朝一夕之故，實在居心已久，武大郎不應蠢到一無所知。武大郎應於潘金蓮勾結情郎尚未成熟以前，即應與之攤牌，任其去留，方爲大丈夫氣概。武大郎雖外貌不揚，無勢無位，但武大郎亦有武大郎的好處。（上）

湘詞開山王青草

『抱道嚴棲，世莫之知；薑齋渾齋，衡湘二奇。……』

右十六字，爲亡友湘潭楊貢子（鈞）所題清康熙間布衣衡陽詞人兼書畫家王青草先生遺像贊中語也。所謂二奇者，一曰薑齋，即船山先生王夫之之齋名，一曰渾齋，乃世稱衡陽文藝名家王青草先生之別號也。船山學行，初亦不彰。自得鄧湘皋曾滌生諸公力爲闡揚，始漸著於世；而青草學行本與船山相伯仲，潛德幽光，迄今湮沒無聞，殊可歎也。倘無貢子一贊，至今湘人幾無能舉其名者矣。爰就所聞，簡介於次：

王青中，字正巳，號渾齋，居衡陽城北之青草橋頭，鬻詩文書畫以養母，因自號青草漁父。其父天政，字蔭棠，十五入縣庠，以名諸生從船山石崖（船山之兄，名介之）兩先生學，號爲入室弟子，不幸三十而逝。青草方在襁褓中，稍長以通家子從薑齋先生（船山之子，名敔。）問業。備聞船山石崖緒論。又以穎悟異人，弱冠而學已大成。矢志家居養母，不應郡縣試。褐衣蔬食，泊如也。湘人工詞者，自船山始。但船山本籍湘鄉，寄居衡陽，又詞學非其專詣，偶一爲之耳。時有皖人藥廣微者，以繪事名大江南北。慕三湘七澤九嶷之勝，遠道來遊，並遍訪隱淪，一日得讀青草所爲：「代趙明誠答李易安重陽醉花陰詞。」大奇之，謂非當時江浙詞人所能爲也。而青草亦酷好廣微畫，遂相與訂交，但青草於畫，尤具天才。未幾廣微已自歎勿及，其留贈青草詩，有：「奉母不求仕，畫山能賣錢；縱橫點皴間，逸韻逼宋元。」之句，其傾服可謂至矣。

楊貢子鑑別書畫，自命爲當代巨眼。嘗謂青草畫筆，豈惟超出廣微千百倍，即清代四王惲吳等大家，亦祗有西廬、漁山堪與伯仲。石谷麓台，瞠乎後塵矣。石谷工力雖極深，終不逮西廬青草漁山氣韻生動也。青草亦嘗自謂：「吾文不如詩，詩不如畫，畫不如詞」云。（上）

·味腴·

自由人
THE FREEMAN
（第四六四期）
中華民國僑務委員會
頒發登記證台教新字第一一二號
中華郵政台字第五〇〇號
執照登記爲第一類新聞紙類
（半週刊每星期三　六出版）
每份港幣壹毫
台北市售價台幣壹元
督印人：陳文蔡
地址：香港高士威道二十號四樓
3 rd. fl. 20 CAUSEWAY RD
HONG KONG
香港發行及事務接洽
高士打道66號　電話：七四〇五三
承印者：東南印務出版社
地　址：高士打道六十四號
海外總經銷
友聯書報發行公司
香港：德輔道中二十六號A二樓
台灣特派員辦事處
台北市館前街五十號
台灣總經銷處
台北市西寧南路壹壹零號二樓
台郵撥儲金戶九二五二

如何應付國際危局

·伍憲子·

我們站在自由中國人民之地位，而對自由中國遺留下來尙有一綫希望的台灣，當此國際大轉變，陷入共黨和平攻勢中之危險局面，與稍縱即逝之緊急時機，不得不進一言。

國際轉變其來有自

國際之轉變，不是突如其來，自大戰結束，十年之間，西方民主國家不能澈底主持正義，尊重聯合國憲章，制止蘇俄之陰謀侵略。偶然神經衝動，雖亦曾抵驅擊侵略之師。然爲德不終，受蘇俄多方愚弄，又作和平幻想。如板門店之停戰，日內瓦之四外長會議，越南之分割，最近四巨頭之晤商，美使與中共大使級之會談，都是長侵略者之氣，造成自由世界之悲慘命運。吾人深知西方文化受功利主義之薰陶已久，勢利外交之專看風頭，拘牽於現實，申張正義濟弱扶傾之霸主風度，似非計較利害之西方國家所識。故自大陸淪陷以後，吾人認定反攻大陸，斷非短時間所能，亦非單靠援助之軍事力量所能解決。在運用外援，培養軍事力量，預備反攻之時間有數事急當實行者。

急當實行者三事

一、文化反攻，發揚人性文化，建立中心思想，以文化支配政治，以政治支配軍事。

二、政治反攻，網羅眞實人才，推進民主政治，爭取華僑合作，收拾大陸人心。

三、外交反攻，以人性文化轉移國際視聽，以民主政治博取國際同情，物質援助猶其次，精神團結實爲先。

此三者做到，軍事反攻，方有把握。然不幸數年於茲，忽忽過去，吾人所期望者總未見實現，吾人不能專咎政府，吾人亦當深自檢討。易爲許多民主人士不能平心靜氣，研究共黨極權所以瘋狂殘暴，蔑視人民，所以背叛祖國，甘心作蘇俄鷹犬，其總因何在。共黨是喪失人性者，同時亦要人民喪失人性，變成一個受魔術催眠者。因而階級鬥爭，世界革命，人間天堂之美夢，得以誘惑之。因而滲透搗亂，造謠離間，和平攻勢之種種手段得以搖撼之。

國際轉變不必灰心

今日要消除共黨霸權，在科學方面，要利用原子能於生產事業，以改善經濟，提高生活，而後可以破馬克思在一百年前斷斷於資本家剝削勞工之陳腐舊說。在哲學方面，要發揚人性文化，以督促西方人權民主之改進，同時亦培養中國接受人權政治之根基，而後可以提高中國在世界之地位。

蓋原子科學與人性哲學，二者同爲反共利器。可惜西方有其前者，缺其後者，所以受共黨誘惑，陷入共黨和平圈套，此是造成國際轉變之大原因。中國則有其後者，而不識發揚之，又缺乏前者，不能引起西方重視，所以坐視國際轉變，扼腕咨嗟而不能挽救。

夫反共，是世界事業，須滙合世界聰明才能，通力合作以赴之。

吾人不必因國際一時之轉變，自灰反共之心，轉變是人心希望和平所應有之波折，既受欺騙之後，亦可以復轉回來，只要有智慧，能把握定，機會仍在後頭。

應付國際轉變的方針

今特提出鄙見所認爲可以應付國際大轉變之方，願與政府當局及海內外民主人士商榷之。

一、根據人性文化，認定共黨已失去人性，不是能談和平之人，徵諸既往，共黨扯毀條約之事實甚多。共黨之和平攻勢，只是「退一步進兩步」之詭計，然亦已暴露其外強中乾之內情。眞博愛人類，忠於民主，而具有遠識者，不應受其愚弄。最近美國之與中共在日內瓦開大使級會議，爲釋俘問題，所得不償所失。若因此再談到亞洲其他問題，希望共黨侵略之鋒鏑，至適可地位而停止，更是不可思議之愚昧行爲。

一、根據「政府爲人民而設立」之信條，共黨配不上稱「中華人民政府」，因爲共黨是殘害人民。共黨更配不上稱「中華人民共和國」，因爲共黨是背叛祖國，出賣祖國。無論何國，無論何人，要與北京政權談中國政治，都是侮辱中國人民，兼且侮辱世界民主國家，侮辱聯合國。

一、共黨既發動和平攻勢，和平是人人所欲，西方國家爲希望和平而與共黨談，則有談的先決問題。西方國家應正式勸告中共政權，請其先恢復人性。其辦法，是中共要返回中國懷抱，不能一面倒向蘇俄，做其附庸。要揭開鐵幕，聽許人民一切自由。要實行民主，廢除特務政治。中共如眞有意求和平，應該接受。如此，則可以和平解放大陸。

以上三條，吾人希望政府以至誠懇之心，坦白的向聯合國，特別向美國說明。但政府採取此種態度，提出此種主張，能否值得國際重視，博得國際同情，吾人深信斷非一紙空文所能。吾人希望政府能實行下列四事。

發揚人性文化

一、實行民主政治，撤去私人黨見，尊重人民自由，以國家民族爲前提，以反共救亡爲目的，改變革命黨專政之作風，創建全民政治之新局，盡量放開言路，接納直言，以漸養成強有力之輿論，與不畏強禦之淸議，使行政機關有所畏忌，辦事方有效率可言，人民耳目一新，上下團結自固。

一、發揚人性文化。中國數千年來之人性文化，深入人民心坎之中，雖受暴力壓迫，遭無知者毀謗，其潛勢力尙大，其作用非舶來之任何學說任何主義所能比擬，此是國家靈魂，民族生命。假令毀滅之，則等於自毀滅其國家與民族，任何舶來之學說、主義，亦不能再起死回生。故一切言論均可自由，惟自毀滅其國家民族之言論，則不許假自由之名而放恣。而況世界大劫，正需要此人性文化挽救之，此是反共大寶，與原子武器同重，中國與世界合作，失此大寶，則全國黯然無光。中共背叛國家，出賣民族，始敢悍然毀滅之。我反共人士何忍出此，亦斷不會無知至此。故政府與人民皆應鄭重申明，以發揚人性文化爲反共中心思想，團結反共力量。

召開救國會議

一、召開救國會議，政府應振作先國後黨之精神，拿出大公無私之誠意，表示尊賢任能之眞心，選聘大陸與海外知名之民主人士，社會賢達，任爲救國會議議員，同時亦請人民團體自動推選，政府加聘之。救國會議總會設政府所在地，分會設海外各地，大陸如能做地下工作，亦可任之，彼此分工合作，不必一定集中於台北，只要彼此能推誠通氣。其任務，是接納一切自由之言論，而保障之，採擇其可施行者，交有關機關負責執行之。其作用，是疏濬向來壅塞不通之悶氣，使之得一舒暢，逐漸可以尋出條理，走上軌道，善運用之，必收奇效。

外交工作不容忽視

一、展開國民外交，共黨是運用共產國際，故其力普遍而強厚，民主國家應有民主國際以應付之，此事固有待於強大之民主國家，但以自由中國之地位，亦不宜妄自菲薄。吾人不必爲倚賴美援之故而自餒，須知美以軍事經濟援我，我以人性文化援之，我大可與美抗衡並肩，同立於世界，而無慚色。只要我能實踐人性文化，運用人性文化拯救世界人類之智慧，鼓起人性文化改進人權政治之雄心，擴大國民外交之精神，則聯合國奄奄一息之暮氣，亦可以吹之使虎虎如生。即使人性文化不能在短短時間灌輸入功利主義者之腦中，吾人亦可能退有守，抱鄭子產宋華元「國不競亦陵，何國之爲」之決心，雖強國亦莫予敢侮，此是以外交鐵腕轉移國際視聽之無上法門。

精神集中　團結力量

以上云云，皆可坐言起行，只要人民能集中精神，造成強大團結的力量，要求政府，政府就不能放棄人民，自陷於孤立，自做成獨夫。所慮者，人民精神不能集中，強大力量不能造成，仍是一人一義，十人十義，五人一黨，三人一派，各自爲政，以圖其私，政府則爲美援，不敢持正義，責美國，以「深信美國不會出賣盟邦」之大眞話安慰人民，人民亦隱忍不言，安於命運。如此，則自由中國之一綫希望，眞可以從此斷絕。將來世界大戰再起、即使共黨一敗失敗，中國亦只有任強者處分。嗚呼，夫復何言。

蘇聯的物價與幣值

——如此的老大哥天堂——

曾旭軍

中共政府常對老百姓說：『蘇聯是我們的老大哥。我們要追隨老大哥學習。蘇聯的今天就是我們的明天。』中共將人民磨折，常拿僞『爲了明天的美景，我們忍受罷。』一類的話騙人。好，現在就看看蘇聯的今天又是怎樣的一個「天堂」！

俗語有云『大話怕計數』，因爲拿事實去衡量狡猾的狐狸，便露出尾巴來。

印度考察團的報告

去年九月至十月之間，印度官方派出的農業調查團到蘇聯訪問。其後回到印度，發表正式的而含有教育意味使人民了解蘇聯制度的報告。在那一向替蘇聯張目而獨共的尼赫魯許之下，這個報告總不會故意揑造不利於蘇聯的報導了吧？試看該報告說到蘇聯的物價和蘇聯盧布的價值。該報告說：

『在蘇聯大多數的主要物資售價極高。在未將蘇聯與印度之價格比較之前，先將蘇印的貨幣比較。照官價蘇聯一盧布等於印幣一．一八盧比（即一又十六分之三盧比）。』

『在印度買的一雙普通皮鞋，祇值二十至三十盧比，但在蘇聯便要三百至五百盧布。我們在莫斯科百貨公司看見一雙女裝鞋，索價二千五百盧布　一套在印度祇售二百至二百五十盧比的衣服，在蘇聯將值一千至一千五百盧布。一件內衣在印度祇值十五或二十盧比，但在蘇聯便要一百五十盧布。在印度一架值二百盧比的單車，在蘇聯便要六百二十盧布。』

『在蘇聯一條領帶值一四至三六盧布。普通一個手錶值三五〇至四〇〇盧布。安全剃刀片，五張一包的，值三．五盧布。一張藝術絲質床單（單幅的），值三二〇盧布。一張絲質檯布值一三〇盧布。一個婦女用的小手袋值二五盧布。一瓶香水三五至一三五盧布。牛奶每立特（二．三磅）值三盧布。鷄蛋每百個值五〇至七〇盧布。小麥每公斤（二．二磅）二盧布。米每公斤五至六盧布。』

蘇聯工人比不上印度

先是看物價還不能斷定蘇聯的人民生活者，還須看看他　普通人每月的收入。尼赫魯總理訪問蘇聯回國後，在報紙發表他的報告說：蘇聯的工資至低每月四百盧布，至高三千盧布。但這是含混的說法。據印度調查團的報告說：蘇聯的酬報標準極不平等。但大多數所獲之工資酬報，換得極少的物資。該報告說：「一個看護每月獲五百至六百盧布。一女傭每月獲四百盧布。一汽車夫八百至一千盧布。一教員九〇〇至一〇〇〇盧布。熟練汽車廠工人一〇〇〇至一五〇〇盧布。工頭一八〇〇至二〇〇〇盧布。大學講師三〇〇〇〇盧布。工廠副經理三五〇〇盧布。」

（下轉第三版）

韓國的羣衆憤怒

李承晚宣布要把中立國休戰視察小組的波蘭捷克代表驅逐出境，並限令這小組於本星期六午夜以前離境。跟着，南韓各大城市便發生羣衆示威運動，有些地方羣衆和美軍發生衝突，雙方受傷的不少。示威運動至今五日，尙未歸於平息。

南韓政府能否以此而達到驅逐該小組的目的，似尙可疑。惟美國與曾參加韓戰的十六國已舉行緊急會議，籌商應付方法，對此已非有所行動不可了。

此次韓國的羣衆運動和上月廿五日南越羣衆的示威運動，其意義是一樣的。都是西方國家犧牲小國利益，對共黨讓步，以求取一時苟安所醸成的羣衆憤怒結果。

此種憤怒，決不是幾句空洞的同情話所能平抑得了，也不是國際的壓力，使小國無可奈何，所能消弭於無形的。歷史上，大國漠視小國的利益和意見，隨意支配國際情事，以至種下後來禍亂根源，教訓已多。此次韓越羣衆示威，如得不到合理的處置，即使一時平息，勢將成爲未來的禍亂根源，實可斷言。負有亞洲政治責任的各國政府，愼勿以小國爲無力可欺，以至重蹈歷史覆轍！

半週展望

·陳克文·

美共日內瓦談判趨勢

美國和中共在日內瓦舉行的談判，已歷十日。據八月十一日電訊，仍在討論雙方遣送平民一問題，中共想藉此達到美國作事實承認的目的，談判內容多未公開，美國是否大事讓步，未能輕加判斷。惟共方透露，雙方已「接近協議」。

談判之前，中共先行釋放擅行判刑的美國空軍人員十一人，有人認爲這是中共手段利害處。但十一人離開鐵幕後，宣布遭受中共非人虐待實情，反引起美國輿論憤怒，當然影響談判。因此，「協議」之成，美國讓步，大概不會很大的。

不過，即使是中共讓步較大，其目的乃在逼使美國同意部長級的杜周會議，甚至所謂亞洲的四巨頭會議（美，蘇，印，中共）。十一日的新德里電訊，已透露官方消息，明春可能舉行此一會議於新德里。尼赫魯，農梅之流，既已誘使美國與中共舉行日內瓦談判，必將進一步設下更深陷阱，拖美國下水，以完成其爲虎作倀的醜惡任務。

似此，中共在日內瓦表示讓步，決非意外，所可慮的，中共與尼赫魯等所計劃的整套陰謀，美國能否不爲所欺紿耳。

四巨頭會議後，英人已有美蘇妥協英陷落伍之感，法人則竟稱之爲兩巨頭會議。吾人對美共會議，能不密切注視，深加警惕乎？

此一談判之演變，將來影響所及，決非限於自由中國一國，亞洲自由國家亦不宜以隔岸觀火之態度處之也。

印尼新閣的成立

印尼獨立後的第六屆新內閣業已成立，於昨日宣誓就職。新內閣係由瑪斯友美（回教）黨的哈拉哈甫做領導。親共的國民黨（上屆執政黨）和共產黨，已完全排斥於政府之外，並以反共的阿[illegible]爲外長，麥克墨爲新聞部長。

瑪斯友美是以反共著稱的政黨，此次宣佈組閣的七大方針，雖沒有提出反共主張（環境是不許可的），觀其人事配備，可知今後政策必與上屆親共內閣有所不同。

尤可注意的，上屆內閣倒台，出於軍人之抵制。舊閣倒台後，陸軍將領曾集中萬隆會議，一致認爲國家安全已受共黨威脅，印共之煽動政黨，正欲奪取政權，以實行獨裁。

今後新閣恢復對軍人的權威，使軍人再能尊敬政府（新閣第一項施政方針），自非滿足軍人此項願望不可。惟印尼爲共黨腐蝕，已非一日，新閣能否有勇氣，有魄力，從艱危的局面中，將印尼挽救過來，亦不無可疑耳。

民主政治生活舉隅

吳本中

英法兩國的民主政治，余於前文已談得不少。（見本刊上一期）現在想談一談他們的民主政治生活。

邱吉爾在議會裏

我首先要說到的，是邱吉爾。邱翁在退休相位之前，我曾兩次到英國下院參觀，午餐其間，靜靜聆聽此一老政治家的發言。我第二次到下院，恰好邱翁發表有關雅爾達會議及有關香港的聲明。我很留意觀察此翁的言論風采，乃至他的一舉一動。

在我國一般人的想像，或者以爲邱翁以宰輔之尊，應威顯赫，必然有他凜然不可侵犯的儀嚴。事實上卻大謬不然。邱翁緩步進入議場，與其他議員，並無不同之處，事前既無特殊訊號，事後亦復與衆無異。即內閣部長亦並不因他到來，特別起立或讓坐。余目睹此八十老翁，駝背小步而入，其他議員談者自談，寫者自寫，似不介意。他走到應坐之處，且須頻頻揮動手中所持紙卷示意同僚往後退讓，始得從容坐下。

質詢開始，任何議員，不問資歷深淺，均可昂然起立，提出質詢，有意爲難者，亦所在多有。此種情景，實令余深爲感動。

首相官邸無異民居

余又嘗過名聞世界之唐寧街十號，其間並無若何標誌，例如我國大衙門，甚麼府，甚麼院一類的大招牌，以期炫耀或威嚇於人。門前更看不到持槍站崗，兇神惡煞的憲警，祗偶然看見一二徒手警察，往來漫步於此一短窄之小街道上，此種警察實倫敦街道上隨處可見者也。

此一首相官邸，其建築之簡單，初與一般普通英國民居無異，絕無巍峨堂皇氣象。十號之隣爲十一號，乃財政大臣官邸，式樣亦與十號相似。人但以號數相指，從不稱「府」「部」或「官邸」也。凡此雖屬小事，亦足見英人民主生活之一斑，官僚氣味幾於無處可覓也。

海德公園放言無忌

余常於周末，漫步海德公園，[illegible]爲英人自由演說與自由辯論之所。面對大理石牌坊（MARBLE ARCH），自右而左，從事演講宣傳者，有傳教之神父，有黑人保權會，有英國社會黨，有共產黨，有無政府黨，林林總總，不一而足。眞可謂九流三教，無所不備。更無一不是自由表示意見，不受任何干擾，聽衆或多或少，亦殊不一。

依照規定，每晚十時後，凡站立木箱或木架上從事講演者，必須停止其講演。惟羣衆圍聚辯論，或集體歌唱者，仍深夜不散，直至午夜，園門關閉，始相牽出園歸家。

余嘗聽一講演者，大罵政府，謂大戰期間，政府未採用其所發明之巨礮，以至未能提早勝利。多數聽衆雖不置信，但仍任其放言高論，惟間有以幽默語調提出諷刺者，至笑聲四起。又嘗見一無政府黨之女黨員，風致嫣然，談鋒甚利，善辯機智，引動聽衆不少。

民主生活非一蹴而成

一日，我親見一青年演說，極力攻擊韓戰失當，並說許多士兵自己糊塗，不知爲甚麼打仗。當時傍有軍人，適自韓國戰場歸來，身穿制服，傾聽之下，從容起立，與青年辯難，告以親身經歷，態度從容，且笑且談。若在我國，恐非大演全武行，與某少將之大鬧時裝會一樣不可。

我於旅英期間，常常被邀，參加俱樂部之辯論會。其會員多屬各有名大學之畢業生，已得學位，且在社會各方面服務之青年男女。辯論中，態度之雍容，辯鋒之銳利，空氣融洽，趣味橫生，更使我深深感動，知英人之修養民主生活，其道多端，由來已久，今日之民主成就，絕非一蹴而幾也。

巴黎最動人的一幕

兩年來，余曾兩遊法國，本年春間，承友人邀請，渡春假於名勝『碧藍海岸』。第一次遊法，抵巴黎，適法國舉行總統大選。藉睹法人對於民主自由生活之一斑。時總統選舉，至再至三均無結果，余逐日觀看自凡爾賽宮發出之選舉情形電視，親自聽到法國人士的許多不滿言論。僵持已久，余亦置疑，以爲民主制度於此已足暴露弱點。但其後，總統一經確定，勝利者入巴黎，由雄壯之共和國衛隊護送，通過凱旋門，馳經以世界最美麗最寬大著稱之「香榭麗舍」大街，法人夾道歡呼，脫帽致敬，公認爲全國一致擁護之元首。余雜人叢中，睹此盛況，不禁感觸萬端。民主政治於其競爭對峙之際，一若無事可以解決，及衆意所歸，結論已定，則一致團結，努力趨赴。力量之深厚，決不能從其表面紛擾，隨意判斷也。

法國在現代世界舞台上，人口較少，經兩次大戰，創傷特鉅，已從一等強國降而爲三等，有幾疑其已經亡國者。今爲時不過十年，又已爲四強之一，舉足輕重，不能不謂爲得力於民主自由制度。

不恥勞役的空軍將官

余友某君曾任法空軍軍官，以勳勞升至將軍階級，惟空軍退休年齡較早，故現已退休歸鄉，其實年紀並不太大，退休後仍任聯合國空軍顧問。他退休後，生活甚簡，夫人親任烹調酒掃，而自己駕駛一輛戰前破舊汽車，非招待客人仍不常用。余遊法造訪，他每日駕車陪余參觀風景名勝，又至當地大學之「地中海研究院」聽講。若在平時，他只自騎腳踏車，用爲代步。衣履樸素，態度謙和，不知者絕不想到他過去曾顯赫一時爲國家負過重任的人物。他經常從事操作，不以爲意，爲余搬移行李，健步如飛，不祗毫無官僚習氣，即士大夫恥爲勞動的觀念亦絲毫無有。此種眞正平等自由生活，實令吾人既感且愧。

以余感覺，英法民主政治，大同而小異，即以議會之建築言，法國議會較爲現代化，若言議事程序與討論風度，則法不如英之重視紀律。

民主乃最好的制度

總之，吾人深信，民主自由制度仍爲人類社會最良好之制度。此一制度雖不免有其缺點，尤其當此共產主義泛濫猖狂之世，民主自由制度必須有所改進，始能不爲共黨陰謀破壞之所乘，而自陷於紛亂失敗之地。

民主，乃自尊尊人，多數取決之制度，但少數意見仍須有其充分發表之機會。彼共黨所標榜之「民主集權」，「少數服從多數，下級服從上級」云者，不過假民主之名以行獨裁之實而已，豈有半點民主之意義耶！

故健全的自由民主社會，自由的程度愈大，則個人的智慧與健康的發展亦愈強，個性的自由發展實爲社會文明進步與人類福祉增進之最堅實的基礎。

一九五五年七月一日草於地中海航輪上。

英國共黨現狀

王芳

英國共產黨，創立於一九二〇年七月卅一日。至今已卅五年。

卅五年來，英共的發展眞太可憐了，迄目前爲止，僅有黨員三萬多人。

英共在英本土雖不爲人所重視，但在共產國際組織裏，它卻具相當的重要性，因爲，它是共產國際在英國最可靠的觸鬚！凡從莫斯科發出的任何宣傳或號召，英共總是率先響應。同時，在國內政治上，它永遠是反對派。

惟其如此，英共在英國政治上，就無法發生若何的大作用。儘管下議院的大門是爲任何政黨敞着，英國憲政制度是民主公平的，但無人相信英共的競選政綱，更無人相信它是以英國利益爲利益的獨立政黨。因此，英共長期被摒棄於下院的大門外。

英國人對英共的存在，僅視爲是民主政治制度的一件點綴品。故不論保守黨或工黨執政或聯合政府，都未曾對英共採取敵對態度，他們認爲若果對它干涉，無異破壞了傳統的憲政制度，故讓它的命運由選民選票去決定。

現任英共主席是嘉拉爾，副主席是杜德，總書記波立特，副總書記馬修斯。

巨頭會議後的英法反應

——英人說英國恐怕要落伍了　法人說這祇是兩巨頭會議——

四國會議結束之後，艾森豪總統喜氣洋洋的回到美國，全國輿論無不盛讚艾氏對於和平的成就。到底這會議是西方國家的成功，還是共產國家的成功？我們且看英法兩國的反應：

英人有落伍的恐懼

先看英國，會議結束了沒有幾天，素來主張和蘇聯妥協的左派刊物「新領袖周刊」，竟發表了下面的驚人議論。它說：

『貝文時常說，美國若果吞了蘇聯的釣餌，和蘇聯聯成一條陣綫，自由世界便完了。日內瓦會議，表面上，美國已吞了蘇聯釣餌。美國和蘇聯都可能放棄現在的理論，採取另外一套。英國的政治家，特殊是英國的社會主義者，應付局勢的力量比較別人差。要是我們對日內瓦會議的觀察不錯，今後我們得竭力準備迎接未來的新環境。

『他又說，在和平共存的新時代，英國在美國朋友的眼裏，價值已減低了。因爲英國是殖民地主義的國家，美國很可能對英國發生懷疑。而且英國因爲增加軍備，經濟已經受到相當影響。又因戰略物資禁運，商業所受損害也很大。今後英國的經濟和商業，必須大量改組，才能迎合新時代的環境。美蘇互相諒解的新時代恐怕不遠了，英國必須善自爲謀，樹立決心，否則英國便要落伍了。』

還有英國著名評論家哥羅斯滿在「倫敦星期畫報」也發表一篇類似的文章。他說：

『美國人是不喜歡走中間路綫的，他們的脾氣是要嗎做死對頭，要嗎做好朋友。要嗎打，要嗎和。現在，在冷戰中間路綫裏混了三年，加以氫彈的恐怖和威脅，艾森豪總統已認爲美國應該走向和平的道路了。

『今後也許需要好幾年，或好幾十次的會議，才能解決德國統一和裁軍問題。可是，美國和蘇聯的脾氣，也有相似之處，他們決定了步驟後，進行的速率是很快的。英國政府，應該及早準備，不然，英國便要落伍了。』

四巨頭會議本來發動於英國，可是，會議開了，艾森豪吞了蘇聯的釣餌，上了蘇聯的圈套，英國又有落伍的恐懼。

法國感覺被奚落

四國巨頭會議中，最感覺無聊的，恐怕是法國的福爾了。蘇聯固奚落他，英美對他也並不重視。開會第二日，福爾請蘇聯代表團晚讌。飯吃過了，赫魯曉夫把法國外長畢奈拉到一旁，以十分輕鄙的口氣對他說，『或許我不夠手段，不會說話，可是你們法國人不能夠以爲一頓飯便可以把蘇聯人民十年的積恨消除了的。法國是獨立的國家，可是你們選擇了美國，便拋棄了獨立。你們幫助美國人建立基地，來對付我們。現在更進一步，主張德國重整軍備。』赫魯曉夫這種挑撥離間的手段，雖然十分明顯，但畢奈卻不免有啼笑皆非之感。

開會六天期間內，福爾雖然發表了不少議論，但蘇聯根本沒有理會他，福爾失望極了，他回到巴黎，告訴法國內閣說，日內瓦開的不是四國巨頭會議，而是兩國巨頭會議。法國內閣，因此發生了恐慌，恐怕美蘇兩巨頭，會不徵求法國同意，擅自解決歐洲的命運。（時代週報八月八日）

從以上的事實看，巨頭會議，是蘇聯和平攻勢的一個勝利。西方民主國家已因此互相猜忌了，而且分裂了。艾森豪是否眞的吞了蘇聯的釣餌，共產國家是否可以收到眞實的成功？我們且看今後國際情勢的演變了。

李加雪

縱談僑教問題（二）

・謝康・

在類似這樣的偏遠落後地區，南洋一帶還不算少，經過若干年代的白人殖民政策，和華僑移殖，文化已經變了質。要認眞辦好這些地方的華僑教育，眞是談何容易。恐怕比較辦好一間內地窮鄉小學，還要艱難得多少倍呢！因爲除經費，教師，設備等共同的問題而外，還有一個困難，就是在[illegible]這些地方，爲着適應環境及當地法令與謀生的方便起見，除華文教育而外，還須兼顧到當地通用的語文教學，這對於學校和學生無疑的是雙重負担。這些負担，對小學生未免過重，就是在大城市規模大的完全小學，也難得兩全其美。何況在偏遠小區窮鄉僻壤中很小規模的簡易學校呢！這問題似乎也值得教育專家考察研究。

待遇微薄成効難期

一般說來：中國人辦學經費，是很少十分充裕的。以南洋大學的聲勢浩大，結果還未辦成功，董事會和校長之間，已經因經費問題，鬧到決裂的地步。何況偏遠地區，何況先天不足後天失調的小規模僑民學校，十間中至少有八九間感覺經費（包含建築設備等臨時費在內）的困窘。和所在地外國學校比較起來，往往相形見絀。請教員則待遇低得可憐，不敢讓外國人知道，否則他們不能相信中國人的生活水準，何以能比他們低了幾倍之多？以這樣少的錢，中國華僑也能辦起許多學校，好像是有什麼奇蹟似的。其實教育並不是變幻術，一分錢一分貨。刻薄教員的結果，還是自己受教育的子弟遭殃。精神有時勝於物質，但不一定能支持長久。以最少報酬而發揮最大熱忱，這在極少數教育家，容或有之。但不能期望每天仰事俯畜的每一位教師都能如此。抗戰時期，公教人員普通收入不及一手工匠，或黃包車夫。這種情形所造成的嚴重後果，凡過來人都不忍重提。不料今天許多偏遠地區僑校教師，其薪資尚不及當地理髮匠，泥水木工，或小商店店員。即就葡屬帝汶僑校而言，教員月薪比較外國人所辦的同級學校教師，相差至少三倍至四倍。至於家庭負担，則中國人的子女往往較多於外國人。這樣叫做教師的怎麼辦？說到學校設備，也同教師薪給一樣可憐，減少到不成話說。有些地方，甚至於除黑板粉筆，沒有其他教具，與其說是學校，毋寧稱爲私塾，較爲恰當。

師資缺乏又一原因

說到近年來各地入境的限制，和手續的麻煩也是聘請教師的一大障礙。因此影響所及，優良教師之不易得，幾與經費的支絀相等。例如，印尼入境居留之難，在香港申請的人，恐怕都有不少經驗。在香港是教師過剩，但是沒方法補救印尼華僑教師的缺乏。於是，不能不讓不合格的教師，在那裏濫竽充數，敷衍了事。否則沒有教師，只有關門大吉。這現象，絕非流寓香港或台灣的人所能想像的。

如何克服這種種困難，供給優良師資，使這些僑校，都能像個學校的樣子，也是當前僑校嚴重的課題。

拜金主義師道難言

南洋華僑普遍流行着一種拜金主義，越是小地方，這種金錢勢利眼尤爲顯著。他們稱商店老板或工廠主人爲「頭家」，比較香港或廣州人稱「事頭」或「事頭婆」，更覺悅耳好聽。令得一般沒有商店的人感到非常的羨慕。頭家中又有大頭家與小頭家之分，有頭二三等商店之別。自然頭家是越大越好，鈔票花邊是越多越好。

編者　讀者

更正

本刊上期我寫的一篇「我們對美國態度的了解」，內中有幾句涉及中美共同防禦條約的文字：原文云：「美國和中華民國所訂的一個共同防禦條約，其時效限一年，而且連金馬也不肯包括在內……」應更正爲：「最近美國和中華民國雖然訂了一個共同防禦條約，但締約國一方通知廢止，其時效便僅能延緩一年，而且連金馬也不肯包括在內。」

舜生　八月十一日

△關於「西伯利亞」改名爲「鮮卑」的問題，本刊過去所發表過的文字，都是正面的，現接到王恩田先生寄來一文，對此持反對意見，很可作討論此問題的參考，稍後發表，先此預告。

△植柏，魏文侯，龔田，安世諸先生：惠稿均已收到，至感幸！

史語所把持學術資料

我個人所經歷的事實
多年把持的結果如何

魯實先

台灣通訊

（台北通訊）我要向讀者報告一件學術界稀有的怪事，而這怪事並非平地風波，也非瞬息即逝，乃是從中央研究院成立起，廿七年來，最令人難於索解的一件事。這事實說出來，將為國人所唾棄，亦為通人所齒冷，同道所憤慨。

史語所隱然獨立王國

但中央研究院是隸屬總統府的機關，教育部和行政院不能管，在平常監察院也不過問。總統呢？日理萬機，不暇管，因此，全國學人，雖然不滿，卻是莫可如何的。於是，便漸漸構成一個「獨立王國」——歷史語言研究所！

中央研究院自成立以來，名義是八所，但員工之多經費之鉅，遠超出其他七所以上的是歷史語言研究所。史語所的最大收穫，是從民國十七年以後在安陽發掘所得的二萬四千多片甲骨，數量之多除劉晦之以外無與倫比。

應公開的文物資料

凡屬任何一私人藏家，都無不在私人財力支絀之下，努力求其材料儘先流布，以供學術界的研討，尤其劉晦之更有以材料公開的美德。假如比照史語所不分門類不作釋文，而出版「殷虛文字甲編」和「乙編」的話，他很可以堂而皇之的寫上「劉體智主編」，那豈不更是名實相符無瑕可指的「甲骨權威」了嗎？然而劉晦之並不這樣鄙吝和誇妄，他卻把全部甲骨的拓本送給郭沫若選印了一部「殷契粹編」，同時又送了一部拓本給史語所，以供全國學探討。照理說，史語所以國家的財力所發掘所收購的甲骨，利用國家學術機關名義所得到各方捐贈的文物，這決不是一人所得視為私產的，但他卻一概拒絕任何學人的閱覽。

把持學術資料的事實

當胡厚宣離開史語所時，該所還用一道公函通知胡厚宣，要他的所有著作不得引用史語所沒有出版的材料。一直到民國三十年戰禍最烈，印刷最困難，購買力最弱的時候，研究甲骨的學人有的死了，有的做官去了，僅存的幾位或困居敵後，或不得一飽，於是才偷偷摸摸選印了一部「殷虛文字甲編」。到民國四十二年，有人以為台灣沒有懂甲骨的人了，於是才把不甚殘碎的所有存貨掃數出清，印成了一部「乙編下集」，同時在「大陸雜誌」正式把「權威」招牌掛出來，由此可知權威之所以成為權威，其基礎是奠定在材料的把持！

人們或許以為這把持學術資料，是傅斯年的家法，而不是傅他人的主意，但據我的經驗，這答案是斷然否定的。當民國三十四年暑假，我正準備到南溪史語所找一點參考資料，但因為前一年我在東方雜誌四十卷二十一號發表了一篇「四分一月說辨正商榷」，批駁了「代所長」生霸死霸的說法，於是被該所拒絕了！不過這第一次的拒絕，是得自復旦大學講師鄧廣銘的傳語，而不是正式的公函。

從傅斯年去世以後，史語所的所長換了新人，但把持資料的作風，已不限於甲骨，而是包括史語所的全部資料。

我身歷的兩次經驗

最近我因為接受農學院的委託，要寫一部「中國農業史」，而我們這些窮教書匠，除了暑假有較長的時間可以從事搜集資料以外，其餘都是不暇給的。於是只好不避酷熱，趕上到台北的火車，於六月三十日再搭到南港汽車，換坐運煤的台車，才到了這依山新建一連串白堊耀人的史語所。雖然遷台以後的史語所，無論就工作說，就員工名額說，比起在大陸時總算緊縮得多了，但所的不過四位研究員，和幾位助理員，而四位研究員之中，不在台大任職的只有一位，但就建築的規模和氣派說，卻是可以容納幾百人辦公的府院衙門！加上門口擺上一部一九五五年式的流線型汽車，據說準備載四位研究員到台北去開會，這個氣派更是威儀三千了！又據說研究員要比教授高一等，但以台車和汽車相比，這何止一等之差！

由於陳槃先生的介紹，和石璋如先生說明來意以後，據石先生表示：「過兩天答復」，好容易挨了兩天——到七月二日——一個汗出如瀋的下午，在一間烈日斜射的接待室，見了石璋如先生，這次的答復是：「按章程凡外賓來所看書的，要經所長同人介紹，得所長的同意」。答復既如此乾脆，於是隨即回到台北，找于右老寫了一封介紹信，同時因為兩次跑南港，累病了，只好回台中再說，到台中以後，再由農學院辦了一封公函，連同于右老的介紹信，寄石璋如先生轉交。到本月十八日農學院接到史語所的公函說：「查魯實先先生前曾來所接洽閱書事，經所務會議否決在案，大函所囑礙難從命」。但當我第二次和石璋如先生晤面時，正是所務會議開過以後，並沒有聽到「否決在案」，等我「按章經人介紹」以後，卻又「否決」了，豈不冤枉也！以于右老的德望，以獨立學院的公函，並且我所要從事的編纂，不是私人的著作，而竟可以堂而皇哉的不附帶任何理由，便「否決在案」，這豈不是令人難於索解的「傑作」！這是我第二次的經驗。

我要請教朱院長

綜合這兩次經驗，可知這把持資料二十七年如一日的，並不是傅斯年的家法，因為傅斯年究竟還懂得分際，還有幾分氣量，決不是誇誣妄誕想一手遮天的妄人所能望其項背的。關於這事我倒要請教中央研究院院長朱家驊先生幾個問題：

一、專制時代，宮禁裏面的中秘書，尚且有國子先生看書的機會。就是私人藏書也不乏恣人瀏覽的成例，即如清代錢氏絳雲樓，瞿氏鐵琴銅劍樓，都成就了不少的學者。今民主時代，以國家財力所發掘所收購的文物居然可以兩次拒絕我閱覽，請問古今中外是否有此成例？理由何在？

把持資料功效何在

二、如果說，不把持資料，便不能造成「學術權威」，那末，就以甲骨來說，權威究竟何在呢？有沒有造成學術界所公認的「甲骨權威」呢？把持資料的功效究竟在那裏？

三、如果說，史語所的藏書是研究員的專利品，不是供給閱覽的圖書館。姑且不論我所要看的書，非普通圖書館所有，就以專供研究員閱覽來說，不是有人研究了二十七年嗎？但中央文物供應社，特約社中研究已久的人寫一本通俗的「殷周史」，公告了三年，至今還不能交卷！通俗的歷史尚且如此，又何論專門！

至於語言，能從縱的方面，懂得周秦古音，也懂得唐以後今音的；橫的方面，懂得某種土話以外，又兼略知，苗、猺、回、藏、語言的；以外國說，能於拉丁文系，梵文系，與漢文系，都有所知；或運用方塊字，而能寫古典文，或語體文，意境，邏輯，修詞，都不成問題的，請問又有幾人有此成就？該所把持資料的功效又在那裏？已經把持了二十七年，是否容許繼續把持下去？如果再繼續把持下去，又能弄出一個什麼成績來？少數人弄不出成績來，又不容許人家弄一出點成績，請問這是什麼理由？（完）

一個懸而未決的問題（下）

西伯利亞正名問題之由來
以牽涉外交遂致懸而未決

●王新田●

投票結果，只有八張贊成票，因而定案，仍採「西伯利亞」。四十三年，中學標準教科書地理科編輯委員會開會，也曾有人提出將「西伯利亞」正名為鮮卑利亞，仍然未被通過。

教育部的顧慮

四十三年春，國民大會中，由代表周治平、齊濟、徐致文、寇韜仁、袁樹芳、許銘、劉韻石、劉榮博、郎雲鵬、張明、董英斌、王星舟、李宇清、尹子寬、張贊三、張軸邦、黃天鵬、董百洵、唐耕誠、鄭明輝、詹蘊烈、梁甲榮、楊丕欣、程麟豐、鄒馨棟、張少威、李化民等二十七人，提出「西伯利亞應正名為鮮卑利亞建議政府，貫澈實行案」（四一四號），經當日出席代表一致通過。此案後經國大秘書處諮送行政院，交教育部辦理。周代表等原案，記得曾見於本刊。此案近經教育部覆行政院云：「俟將來另有重要論據發現，或時勢需要時，再行辦理。」據悉：教育部不肯執行國民大會決議，所具理由「俟將來另有重要論據發現」，殆為一種襯辭，其主文乃「時勢需要」，蓋認今天如將「西伯利亞」正名為鮮卑地方或鮮卑利亞，恐外交上有什麼開罪於人之處。

中外學者的結論

其實，「西伯利亞」即鮮卑地方，「西伯利亞」為近百年來史地學者的定論，何秋濤的「朔方備乘」，洪鈞的「元史譯文證補」，丁謙的「後漢書鮮卑傳地理考證」，梁啟超的「飲冰室文集」：……乃至俄國思想家克魯泡特金的「自傳」，德人費卡爾的「HISTORY OF SIBERIA」，法人柏爾查桑的「成吉思汗帝國史」，德人瓦哈穆爾的「奇卜察克金帳汗國史」，英人韋爾斯的「世界史綱」，日人的「露西亞東漸史」，俄國人克洛契夫斯基的「俄國史」，美人戴維斯的「亞洲蘇聯」……對這問題，都已研究明白；今天自由中國的學者如李濟博士所著「記小屯出土的青銅器」，說「西伯利亞是中華民族更老的老家」，郭廷以教授所著高中本國史註文（標準教科書），錢穆教授致×××函（見本刊），也無不洞悉這段史實，論據可以說是太多了。

方教授文章碰壁

尤以最近宋史，中西交通史專家方豪教授，鑑於國文編譯館否決「西伯利亞」正名為鮮卑地方，乃作過一次洋洋萬言的考證講演，句句史實，字字珠璣，為何秋濤以後第一篇重要文字。當時在場聽衆，頗多史地老師，無不報以熱烈的掌聲，認為反共抗俄的重要論據。方氏講稿，先送「自由中國」，被以「學術氣味太濃厚」璧還；又送中央日報，云「怕打筆墨官司」，也予退回；再送「中國一週」，久未刊出，經詢云已送「教育與文化」，而「教育與文化」也不見刊載。

戳穿了真像：數年來當局及地理老師不願聽到「西伯利亞」正名為鮮卑地方，並非什麼缺乏「重要論據」問題，只是「時勢需要」不「需要」問題而已。換句話說，就是儘管「西伯利亞」就是鮮卑地方，儘管鮮卑人就是中國人，儘管鮮卑地方是中國數千年來便是中國領土；但他們對於外交問題多所顧慮，故不敢作明確堅定的主張。（七月三十日）

蘇聯的物價與幣值

曾旭軍

（上接第一版）工廠經理六〇〇〇至一〇〇〇〇盧布。大學教授六〇〇〇盧布。政府一部組長六〇〇〇盧布。科長八〇〇〇盧布。副部長一〇〇〇〇。部長二五〇〇〇盧布。」

如果將普通的人每月所獲之酬報，和物價相比，便知道他們換得的物資是如何之少。一個熟練工人的月薪，只能添置兩雙皮鞋。餘可類比。

蘇聯自誇為工人的天堂。我們現在暫不說蘇聯工人的言論、思想、行動如何的不自由。也不論到他們受着特務與秘密警察的監視如何的恐怖。而祗是拿物質享受來說，連比一向素稱貧乏的印度還不如，更不要說比歐美了。

蘇聯的幣值

蘇聯定的對印幣官價，一盧布等於印幣一・一八七盧卑。但從上面的物價看來，盧布的真正價值尚不及印幣〇・二五盧卑。共產黨國家常提高對外幣比率的官價，其實其貨幣的價值極低。據七月二十一日紐約辟克（FRANZPICK）所編之貨幣年鑑，列出共產國家之貨幣官價，比真實價格提高之倍數：（一）中共人民幣提高一倍。（二）蘇聯盧布提高四・一七倍。（三）匈牙利之佛羅林提高三・六倍。（四）羅馬尼亞之里奧提高三・八七倍。保加利亞之里夫提高了四・五九倍。捷克之柯侖納五・一八倍。東德之馬克提高九・五四倍。波蘭之斯洛特提高十九倍。

尼赫魯無法辯護

蘇聯普通人民生活苦，但共產黨集團霸佔的職位則獲極豐厚的待遇。他們驕奢淫逸，遠勝過西方國家的資本家。據印度的調查團報告說：「一班黨官，頤指氣使，擺官架子的醜態，眞是在自由世界各國中找不出。蘇聯普通官員擺的排場，在印度同等的官員看來也吃驚。莫斯科汽車廠和史太林格勒的曳引車製造廠的經理之辦公室，在美國的商界巨子很少有如此的鋪張。這種蘇聯經理臭架子，令歐美的經理看見也感到肉麻。」

蘇聯革了三十餘年的命，結果這中共譽稱的「老大哥」造成如此的天堂。尼赫魯自蘇聯跑回來，口口聲聲稱讚蘇聯軍工業如何的偉大。但印度記者問他，為什麼印度不去做效呢？尼赫魯很尷尬的說：蘇聯三十年前，決定集中力量，建立軍工業，係因畏敵人的進攻。但印度無此憂慮。

蘇聯人民吃多少肉

蘇聯為了史太林的擴張政策，須要增加重工業與軍需工業的生產，故而犧牲了農業的和日用品的生產。現在蘇聯的牛比一九一六年（即俄國革命前一年）較少四百五十萬頭。戰敗的西德，平均每人每年還有一三四枚雞蛋可吃。然而打勝仗的蘇聯現今每人每年不到五十二枚。德國人每人每年還有八十磅肉類吃，但蘇聯每人每年有二十磅已算萬幸。

蘇聯經濟生活是如此的困苦，仍然不能不苦苦掙扎撐持。米高揚指出日用品工廠的一部份，已改變成軍火及飛機工業生產。而軍火工業的生產百分之三被轉用來造氫彈。這樣看來，蘇聯怎樣不呼籲「和平共存」以求喘息呢？

印度人的批評

此印度訪蘇農業調查團，訪問蘇聯計劃委員會主席沙布洛夫。回印度作報告稱：「他（沙布洛夫）不知蘇聯有何指導給印度，自然，蘇聯在經濟計劃上，有較久的經驗，而此即意味着蘇聯有較長久的錯誤經驗。前車可鑒，不要陷入蘇聯的覆轍，這是印度獲得最好的教訓。」

其實印度調查團這樣的觀察，還未正確。根本蘇聯的共產經濟制度，完全以奴役人民為基礎，全無可借鑑之處的。從中共所謂「五年經濟建設計劃」看來，也是走蘇聯老大哥的死路線。軍事建設壓倒經濟建設，軍需工業建設壓倒輕工業建設，工業建設壓倒農業建設。加之中共國內財力匱乏，農業凋殘，建設技術幼稚，而宗主國蘇聯自身難保。實際上老大哥的「天堂」是地獄，是則中共更是下層地獄矣。

經濟社會思想叢殘（四八）

金伯華

「分工」與「合作」

我們不是早就說過嗎？「合作社是本於平等原則，在互助組織之基礎上所設立的一種最公道，最穩妥的經濟團體」（二月二日本報第四〇九期）。眞的。在未有合作社以前，「分工」原理所靠以實現的「互助」，是無組織的——有了合作社，分工才有具體的組織而成為近代人類文明的一種最進步的經濟制度；在未有合作社以前，「分工」所靠以完成的「交換」，是散漫的，競爭的，「無政府的」——有了合作社，分工才能化乖戾為祥和，去剝削為合作。分工與合作，字面上看似相反，但在實際上，不僅相成，而且是相需的。合作，無論是消費的或是生產的，是農業的或是工業的，其業務固須有賴於精密的分工；但若先有分工而無有組織的合作，那將與前述所謂誤解的「各人為自己」的個人主義，同樣為不可能，不可想像。必須在這個意義上，必在「合作」方式下，以「互助」，「交換」來完成「分工」，亞丹斯密的發明，方能對人類經濟社會有偉大的貢獻。假使像斯密氏原來的學說——觀察固甚細密，理論亦極精湛，因之，他的空前鉅著，一百八十年以來，雖也經過後人多方面的批評，補充，甚至抨擊，但其主要的原則，都仍屹立不稍傾圮，為經濟學界所共宗——假使只有分工而沒有自斯密氏逝世後約半世紀所發生的合作。（未完）

為小事抱不平

馬五先生

在報紙上看到台灣社會最近發生的兩件小事情，我要自由地談它一下。

一件是中央研究院歷史語文研究部門的主持人，拒絕學術界人士依照法定手續前往閱覽藏書。（詳見本刊所載當事人的文字）中央研究院庋藏的圖書，盡是國家的公有物，目的就是給學人參考的，不讓外面的學術界人士參閱，是何用意？這種「封鎖智識」的作風，無論從任何一種角度看，似乎都是不應該的。學術機關尤其不能有衙門習氣，否則不啻是自滅其學術尊嚴性。現代中國士大夫多好指斥官僚化的人與事，可是，自己身歷其境時，每每明知故昧，不惜躬自蹈之了，可慨孰甚！

另一件是任顯羣的二太太生了兒子已滿週歲，據說，這兒子如要申報戶口，就得經過法院公證手續，確定他的身份才行。然法院基於民法禁止「重婚」的皇皇律例，未便予以公證，因而構成了一大問題。我不懂法律，不敢亂談法理，祇想明瞭台灣八百萬人口中，是否除卻任氏一人以外，即絕無姨太太生兒子的情事？何以別的人不發生這類問題，而獨有坐牢的任氏門中，就像煞有介事，形成了轟動的新聞材料呢？任顯羣犯法坐牢，自作自受，也活該，難道還要罪及妻孥不成！落井下石，捧紅踏黑的該死的官場臭風氣，在民主自由的社會中，大家非憑良心血性剷除它不可！假使任顯羣現在還是貴為財政廳長，我敢擔保，他再接上幾個姨太太，生下一大羣兒子，也不會有人來管這類閒事了。

上述兩項問題的當事人之中，沒有一個跟我有過一面之緣，當然說不上私人好惡恩怨關係。我是憑理性觀念，為正義公道而有此言的。我們講革命講過幾十年了，革命的基本精神就是「抱打不平」，即小喻大，希望在這從事反共抗俄大革命時代的各界人士，千萬不能讓南宋與南明的社會頹風復揚起來才是！

黃晦聞與余越園

·無象·

黃晦聞「節」為嶺南名詩人，生平與龍游才子余越園「紹宋」交期最厚。余氏為嶺中世家，民初梁任公任司法總長時，余氏即任次長，其書法繪畫，負一世之盛名，茲於友人處得見黃氏與越園詩二篇，此為黃氏蒹葭樓集中所未及載者，特錄於此，以見黃余二氏相與之厚，其詩中多流離故國之思，並為箋釋，以公諸世。

×　×　×

民國二十三年甲戌，黃氏有送越園詩二首，其一題云：越園離京八年矣，甲戌九月，重來存問故人，留旬而歸，留別社園，詩以送之。詩云：離容對花意脈脈，菊晚作花意惻惻，西湖菊本先秋開，祇有江山異南北！眼前佳色樂無極，亂世相過古難得。短山檻昔所登，長廊百文今軒騰，八年此州今還換，國疆乃與春泮冰，霜花露葉弱不勝，今朝與子扶闌凭。有詩不必似謝鮑，有酒何嘗救飢飽？別詩離酒共花明，可惜紫蟹非三泖。二十年來燕市隱，日日湖鯽思溉鬵。越園時從西湖赴平，將仍返西湖去，故有西湖菊本先秋開句，言西湖菊開早，與北京同，所慨者，風景不殊，滿目且有山河之異耳，故曰：祇有江山異南北！「短山檻昔所登」二句，言社園內部八年來之變易，憶余在平時，社園內確未有長廊也。時東北四省（包熱河）已先後淪陷，故云國疆乃與春泮冰。有詩不必似謝鮑句，本杜甫詩「作詩何必多？往往凌鮑謝」，謝謂謝靈運，鮑照六朝最有名之詩人。三泖，水名，在江蘇松江府，分上泖中泖下泖，皆源分太湖而流入吳淞江，所產蟹，肥而甘，上海人所稱之毛蟹，以三泖所產者為上品。二十年來燕市隱句，自謂，蓋已居平廿載矣。日日湖鯽思溉鬵句，湖鯽謂三海鯽魚，北京有中海南海北海，實皆小湖耳。溉鬵二字，本詩經檜風：「誰能烹魚」，據朱子集註謂：以見思之之甚，但有西歸之人，即思有以歸之也。晦聞詩意，不徒賞三海魚美，兼寓對越園贈別，故用溉鬵字樣，極典雅貼切。以魚出松花江，以冰藏之，耐久而不失鮮美之味。

×　×　×

其二，題為九月二十三晚酒後作，明日越園南歸矣。詩云：國計身謀未盡言，又傾殘淚入離樽，明朝送別歸高士，一醉燈前似邴原。（自注）顧亭林送歸高士詩云，此日邴原能斷酒，六旗良友數縈懷。原注引三國志邴原傳：「原早斷酒，及臨別，師友共坐，飲酒終日不醉。」越園斷酒亦數年矣，此次北來相敍，乃復暢飲，故於其歸也，為詩志之。

燕雙飛

聞濤　·王沉裴·

夜月一簾幽夢。秋風萬里離情。年來蕉萃怯登臨。放歌平野闊。回首亂山橫。目送連天衰草。黃昏幾處砧。歲華如箭劇堪驚。夕照江天遠。秋雁又南征。

蝶戀花

二首　·習齋·

雨過郊原春爛縵，勝賞傾城，盡日聞絲管，酒在金盃花在眼，樓台處處開清宴。　春入小蠻紅粉面，舞能嬌慵，初試新歌扇。碧海無波烽燧遠，不辭醉倒芳櫻畔。

弱柳搖絲花吐艷，久厭干戈，自愛閒庭院。堪笑新亭凝淚眼，從來名士耽遊宴！　西望中原青一綫，夕照般紅，血染滄波面。儂約佳期天樣遠，惜春莫待春光晚！

語意學漫談

徐道鄰

語言之評價使用

語言的報導使用，以使對方『相信』（CONVINCINGNESS）所報導的內容，為其目標。例如你到醫院訪問病人，門口一位護士說：『病人已經出院了』，於是你馬上回頭。這就是你完全接受了那位護士的『報導』的『可信性』，至於所報導的內容是否『眞實』（TRUE），雖然與其『可信性』大有關係，但我們却不可因此遂把此二者混為一談。例如你的病人朋友，根本沒有出院，剛才那位護士是故意和你開玩笑的。也許是新近犯了神經病。但其當時的報導所具有之『可信性』，却並不因此而稍打折扣。（一個人說話的『可靠性』（RELIABILITY）是屬於倫理學的，而不是屬於語意學的一個課題）。一般說來，最容易達到『報導』功用的，是『指示語句』；但在某些情形之下，則有時候是『非指示』語句，反更能達到這個目的。『洛陽親友如相問：「一片冰心在玉壺」！』，就是一個這樣的例子。至於報導語句的『可信性』，如何衡量，則全以聽話對方之實際行動，其符合報導內容至如何程度為準。

語言的評價使用，是使對方對於某一些事物，需要，偏好，反感，或語言，產生一種較好或較壞的心理反應。『張家的三小姐眞漂亮！』，說這句話的意思，就是無形中要聽者對於三小姐的容貌，要比對於大小姐和二小姐的期待得更高一些。『李家的孩子是個壞蛋，』意思就是要聽者碰着這個孩子時，最好不要理他。使用評價語言來影響的對象，當然多半是另外的人，但是也有時候是說話人自己。例如一個人的高度興緻來臨時，往往情不自禁，不去作一首詩，就得塡一首詞，這時候他的行為，不是任何另外一個人，而實際上是他自己。

語言的評價使用，是否達到目的，以其能否『有效』（EFFECTIVENESS）的影響對方對於某種事物的評價為斷。張小姐要去看『龍城三俠』，你說『原野奇俠』要好看的多了，於是她不去看前者而去看後者，那就是你『有效』的影響了她對於這兩部電影的評價。但是她可能並沒有為你所『說服』，她第二天又去看了『龍城三俠』，說還是『三俠』好，而大笑你的鑑賞力不佳。然而這並沒有絲毫損傷了你第一次之曾經有效地影響了她的評價。最適合評價使用的語言，當然是評判語句，但是屬於其他種類的語句也同樣的可以被用以達到評價的功用。（五二）

劍底秦庭

歷史小說　奚如

「國運！百姓！……。」太子痙攣地緊緊握着拳，充滿了痛苦的雙眼，游移而仰視着已經開始破敗了的屋面。一陣狂風吹過，掀起了屋面的草叠，捲進房子的中心，把几桌上的蠟燭也給吹熄滅了。這是一陣強烈的啓示，只是太子重又低下頭來，無力地揮了揮手：

「老先生，我不是不知道這一個策劃，是一個富於危險性的謀略，可是，請你想一想，除了這一條路之外，我們還有甚麼路可走？老先生！燕國的命運，不就像眼前這一支蠟燭一樣？只要一陣狂風過去，我們也立刻要陷入萬劫不復的境地。在風暴還沒有到來之前，我們為什麼不先想辦法把它遏止？老先生，你聽！……」

——巷子裏傳來一陣尖銳的鷄鳴聲——

「你聽，鷄已經在叫了！」太子興奮的眼珠裏微微泛出了一點淚光：「只要我們努力，只要我們抱定犧牲的決心，守候到黎明，黎明到來的時候，不也正是我們重見天日的時候嗎？老先生，我們要拚！這時候，除了一拚之外，我們已經再沒有第二條路可走了！」

「太子，為甚麼你不能夠採取荊卿計劃的上策，甚至他所說的中策？」田光有點感動，然而也依舊有點固執。

「老先生！」太子又是苦苦地笑了一笑：「時機已經不再容許我們有這樣的餘暇了！再說，要進行六國之盟吧，還不知道要經過多少說服的工作，以燕國的微弱的地位，我們夠得上這一份發言的力量嗎？要是聯盟眞的可以成功，那末，當年蘇秦所組成的六國團結陣綫，早就不會很快的便解體了。至於經營遼東吧，試問現在我們那來的財力？又那裏來的一批人力？唉！今日的燕國，已經無非當年昭王的時代了，田老先生！……。」

田光只是沉默地搖了搖頭。

立刻又陷入了可怕的沉寂裏。

「荊先生，為了今後我們便於進一步的商討起見，我很希望荊先生能遷到賓館裏去。」

「嗯！」荊軻不置可否地漫應了一聲。

「就是明天，荊先生方便吧？」

「讓我先回去準備準備。」

「不必再考慮什麼了。荊先生，燕國雖然地處寒陋之區，然而賓館設備倒還齊全，荊先生能夠為燕國存亡，正應受燕國一點微謝的，你不要再客氣了，就是明天！」太子謙恭的說話裏，甚至帶着一點強逼的意味。

「好的！」荊軻終於點了點頭。（廿七）

請為武大郎借箸

·胡簪雲·

他最少比西門慶那樣的人靠得住，最少他不會用皮鞭來打老婆。如果武大郎爭日誠懇坦白地對潘金蓮說：「你是如此貌美多姿，我這個三寸釘穀樹皮實在配你不起。但我雖然非常愛你，但不願負累你，更使你鬱抑一生，與其將來大家不愉快而散夥，不如現在乾脆各奔前程。我給你數天時間細細思量，如果你是喜歡一個眞心眞意愛你的人，其他問題都不介意，那你便留在這裏，大家同心協力把這個家扶起來，如果你的確是嫌棄我，無法和我白頭偕老，那麼你趁早自便好了。我們把婚書文契拿出來，當面焚燬，一刀兩斷。你去了我決不縐眉，因為沒有你的時候，我也一樣過活，我也決不怨你，因為願意嫁我是你的好意，不願意嫁我是你的自由」。（中）

湘詞開山王青草

·味腴·

青草所為詞曰青草漁唱一卷，雖所存不及百闋，但各體兼工，闋闋可傳。其小令如代趙明誠答李易安「重陽醉花陰」云：「春過樓頭啼杜宇。訴盡離人苦。歸夢正纏綿，欲說難言，只是相思處。隔簾怕望長堤路。有柳絲飄絮。儂道不關情，甯化浮萍，莫向天涯去。」其自注云：「李易安作重陽醉花陰詞寄其夫趙明誠，明誠欲有以勝易安也，窮三日夜廢寢食成十五闋，雜易安詞以示其友陸德夫。德夫讀後謂只有莫道不銷魂，簾捲西風，人比黃花瘦三句最佳。正易安作也。余意明誠所為十五闋，搜索枯腸，無非秋意，宜其不能勝易安也。因代以春思藉之，或可少慰易安幽懷；但不知陸德夫視之，將謂如何耳。」王湘綺先生評青草此詞云：「後半神來之筆，的能勝過易安，足當鬚眉出氣。」又「臨江仙」餞別葉廣微云：「瀟湘門外東風碎，不堪南浦送君。年年杜宇向黃昏。梨花細雨，灑血哭殘春。消也幾句愁邊稿，高歌依約入雲。草堂深閉倒深尊。望君不住，把酒更傷神。」其中調如「廣陵秋」詠春柳云：「一抹殘陽，映幾處河橋晴色。問半襟征衫別淚，當日為誰沾溼。淚彈不盡臨窗滴。減風流不似門腰肢，初相識。瀟水岸，烟斜織。章台路上春狼籍。算過盡千儔萬侶，而今誰與攀摘。怕重來賸有亂蟬嘶，千條碧。」其長調如「月籠沙」行經某氏廢園，為二十年前舊寓處云：「心惘芳，況遇簫流水嗚咽。相將信步行來，已隔溪山幾叠。驀經舊居，抬望眼，風光全別。怯輕寒，滿目荒涼，蛩聲一片淒切。為問當日芳華，有東鄰樵翁酒罏能說。念載光陰成彈指，人易老，早生華髮，裴回久，頹垣敗瓦，又到處因風飄落葉。漫歸去，極望天西，雷光卻喜橫抹。」觀上諸詞，足見其寢饋於五代北宋者深，在湘詞中，可謂前無古人，推為一代開山，當之洵無愧色。（下）

味腴先生述「湘詞開山」竟，附語本刊主編人，盼先以原稿示愚與左舜生先生。愚受而讀之，慚悚無量。愚亦衡嶽地帶人也，然迄未對此鄉先達之著作有所涉獵，鐘陋奚似耶？湘綺先生本為詞學名家，而於青草詞推許若是，吾固不敢贊一詞矣。

——雷嘯岑附識——

自由人
THE FREEMAN
（第四六五期）
中華民國僑務委員會頒發登記證台教新字第一零二號
中華郵政台字第五〇〇號
執照登記為第一類新聞紙類
（半週刊每星期三 六出版）
每份港幣壹毫
台北市售價台幣壹元
督印人：陳文華
地址：香港高士威道二十號四樓
3 rd. fl. 20 GAUSEWAY RD HONG KONG
香港發行及廣告事務接洽
高士打道66號 電話：七四〇五三
承印者：東南印務出版社
地址：高士打道六十四號
海外總經銷
友聯書報發行公司
香港：德輔道中二十六號A二樓
台灣特派員辦事處
台北市館前街五十號
台灣總經銷處
台北市西寧南路壹壹零號二樓
台郵劃撥儲金戶九二五二

論國際大勢與和平反擊

劉起

二次大戰之後，由於美蘇雙方互爭雄長，到今天，世界局勢曾經發生過三次的重要變化。但可注意的：其中每一次變化的節奏，似乎都是伴着蘇俄頭子的下台上台，並與其每一頭子的作風不同而為起伏的。

新冷戰局面的形成

事實很清楚，因為有了斯大林當年擴張方略的急劇實施，才有美國圍堵政策的起而相應；有了馬倫科夫和平共存的口號，才有美國和平共存的幻想，有了布爾加甯、赫魯曉夫等今日的微笑攻勢，才有艾森豪、杜爾斯為巨頭會議的召開而風靡。這眞如一般所說：「克里姆林宮叫，華盛頓跳」，「俄國人要，美國人跨」了。十年以來，共產集團在國際場合上，似乎一直操持着予進予退的把柄；而西方國家，則似乎只有招架之功，處處都處於被動的地位。難道西方國家的外交，眞的這樣無能嗎？恐怕不是別的原因，只因姑息不決，一念之誤，以至鑄成大錯。

七月十八日，日內瓦的四巨頭會議席上，我們看到艾森豪總統所提出與蘇俄交換軍事藍圖，及放開鐵幕讓雙方飛機互相偵察的建議。我當時曾這樣想：好，美國經過十年的冷戰經驗，可能已經學乖啦！你赫、布不是在運用微笑攻勢嗎？我艾克笑容將比你們更為可掬！反正是不兌現的支票，誰不會信口開河。實在，對蘇俄談判，你說你的誠意大，我能拿出更大誠意的話來對付你。縱不能完全揭破蘇俄微笑的假面具，至少可以制住他們假借會場濫作宣傳的作用。因此，我們對於所謂日內瓦和協氣氛云云，最多不過認為係另一冷戰形勢的促成。同時，更意味着美國將於此新的冷戰階段，用他們的智慧、機警，於對俄外交上，力爭上游。

僵局之下只好談談

那麼，一般人既為日內瓦四巨頭會議的和協氣氛而歡呼，是不是戰爭就從此弭消，兩大集團就可以和平共存下去呢？這就說來話長了。由於共產集團與民主陣營的政治哲學，統治觀念，和建國路線都是背道而馳的，我覺得除非一方甘願投降，否則，無論如何，不能殊途而同歸的。但他們為甚麼願意坐下來談判呢？一方面，是為撫本國人民的畏戰心理；一方而是格於原子僵局，誰也沒有把握能夠一擊消滅對方。小不忍則亂大謀，故不敢輕於作熱戰的嘗試。

因此談判各懷鬼胎，你怕墜入我的陷阱，我怕誤入你的圈套。這樣，共產集團固不可能自動揭開鐵幕，和撤消國際第五縱隊，放棄征服世界的野心。同時西方國家，又豈肯隨便解散北大西洋公約和巴黎協定，以開門揖盜？此種世界問題的眞正死結，僅憑外交家會議席上的強顏微笑，怎能解得開呢？

為軍備爭取時間

據筆者看，不管巨頭們和外交家怎樣作態，為談判而碰杯握手，總遮不住他們內心所計劃的眞正目的，那就是：「頭上把裁軍，禁止核子武器的聲音叫得震天價響，而各自的兵工廠中，卻積極從事製造更多的噴射機，氫氣彈、或越洲飛彈；企圖把軍事準備足以成為壓倒優勢之後，猛不防對敵人來個突擊；乾淨，澈底地摧毀對方的報復力量。說穿了，談判，無非各為軍事準備爭取時間而已。他們都是心照不宣地備戰而努力，所謂和平共存也者，試執任何巨頭而問之，有可能嗎？有信心嗎？

但是，新冷戰的邏輯，自將指導兩大集團雙方，競以和平共存相號召。戰爭販子之罵固不再騰於布爾加甯、赫魯曉夫之口。同時，解放鐵幕之聲也不再見於艾森豪和杜爾斯的詞令。然而，相輔而生的，則是更深入的攻心戰，雙方都想，如有可能，不戰而亡人之國，最為上策。實際上，今天雙方既都不敢戰，也只有找出談判這一條路來拖。但雙方均不會放棄有關切身痛癢的利益——衞星國或盟國。但因雙方冷戰策略的花樣翻新，嗣後兩大集團之間的接觸，是將會更多的。因此，美國與中共八月一日在日內瓦的直接談判，也是勢所必至的。

有力的和平反擊

自由中國處此波詭雲譎的國際情況之下，實不應把政策拿得太呆板，老是「以不變應萬變」。除應嚴正聲明美毛談判不得有損中華民國權益外，亦須在外交上予以有力的反擊，就如曼谷僑報所主張的：「自由中國……應歡迎共產集團赴台北商談解決中國大陸問題」也好。如果朱毛之輩眞能悔過認罪，接受條件，脫離蘇俄魔掌，取銷僞旗僞號，讓大陸人民從新歸到中華民國的懷抱，遵循中華民國憲法，運用自由選舉的民權，以改組政府，選擇領袖，也未始非中國人之福，當然，這是不可想像的事，但如果要和平談判，這便是惟一可行的途徑。

其次，須知道，我們的和平反擊，是不能孤獨進行的，必需爭取與國，在此舉世諱戰的今日，我們一定要堅持用武力打出去，收復大陸，人將謂我好戰，國際反應，恐將會害多而利少。而且，在我個人看，不待這一新的冷戰階段過去，美國很少可能領導盟國去擊破鐵幕。所以，多方適變以適應此一新的冷戰形勢，實為我自由中國當前不宜忽視的現實課題。

△阿根廷總統貝隆甫平海軍叛變，昨日又聲言破獲龐大暗殺陰謀。圖為貝隆（中）最近宣讀「政治休戰」文告情形。▽

北非的獨立運動

李加雪

北非三個阿剌伯國家，最接近歐陸的，是突尼西亞和摩洛哥，其次是阿爾及里亞。這三個國家，都是法國北非屬土，因為接近歐陸，形勢和商業都佔重要位置。法國人常說，『損失了北非，法國將黯然無光。』故法國人認為北非是他們的生命線。

北非派與波吉巴

法國國會，有議員五十人是北非派，他們的主旨，純為維護北非法國僑民的利益。三十年來，法國總理無人敢干預或建議改善北非殖民地。法國對北非採的是高壓手段，使用的是槍桿和監獄。

在法國壓力之下，北非發生了一種劇烈的反抗，情形日趨嚴重。突尼西亞情勢尤為險惡。突尼西亞的民族領袖為波吉巴。

波吉巴並不反對法國，也不主張把法人逐出北非，他所要求的是北非自主。波吉巴最信仰美國的民主制度，也是一個熱烈反共的國家主義者。他在巴黎留學多年，夫人也是法國人。他和吳廷琰之不肯到法國留學，用來保持越南的尊嚴不同。

波吉巴雖然歐化，倒是一個熱烈的民族主義者。他十五歲在突尼西亞學校念書的時候，因反對法國殖民地主義，被逐出校，便跑到巴黎，以後二十五年，為了反對殖民地主義，過牢獄和放逐的生活。但北非的阿剌伯人對他的擁護與日俱增。

突尼西亞自治了

波吉巴今已五十一歲。他在突尼西亞組織一個新憲法黨，他是該黨的領袖，堅決反抗殖民地主義。一九五三年春，法國把波吉巴遞解到巴黎，從此阿爾及里亞，和突尼西亞兩地遊擊隊蠭起，駐軍一日數驚。

福爾做了法總理，北非的危機達到了頂點。他把突尼西亞的總理阿默請到巴黎，和他商議，經過好幾個月，沒有結果。阿默提出波吉巴，認為只有波氏才能解決問題。福爾把波氏請來，經過兩小時商議，得到了協議。

法國對突尼西亞做了很大的讓步。北非派雖然表示不滿，可是條約已經訂定了，只好容忍。波吉巴呢，本來不是一個劇烈份子。突尼西亞雖然未能自主，但自治是得到了，自治是達到自主的一條大路。

民族英雄的光榮

訂了條約，波吉巴乘坐法國輪船回國，船剛停泊，好幾千隻小船，懸掛着旗幟，表示極大的歡迎。波吉巴過度感動，滿臉淚水，說道，『我回到了我恢復了靈魂的故土。』

首都突尼西亞，塞滿了三十萬的歡迎群衆。波吉巴給群衆舉在肩上。廣場裏還有十多萬人等候着。波吉巴太興奮了，站在台上，只有流淚。歡聲停了，他說道，『今天我們是突尼西亞的主人了……可是我們應該以莊嚴的態度來使用我們的主權。我們得敬重任何一個人，不論他是法國人，或者是外國人。任何人，能夠尊重我們的自由，我們的人格，和我們的莊嚴的，都是我們的兄弟，我們應該拿對待我們兄弟的道理來對待他們。』

摩洛哥與阿爾及里亞

說到摩洛哥，因為回教內部分裂，互相攻擊，因此不能夠產生力量，法國也便不十分在意。

再說，阿爾及里亞，內部是團結的，而且為了要求自主，阿國發動大規模的遊擊戰。據法國報告，阿國的遊擊隊，人數超過四千，分成五十隊，每隊約一百人，不斷向法國駐軍的防守哨攻擊。故法國駐阿的一師隊伍，年來遭遇到極大的損失。法國於最近兩月曾從西歐調來步兵五師，另從安南調到步兵三師。法國現駐阿國的隊伍共達一十一萬人。

阿爾及里亞也請求法國談判自治，但法國的答覆是，阿爾及里亞是法國本土之一，一個國家不能夠和本身談判。因此法國調派重兵到阿國，準備以武力鎮壓動亂。

以上便是北非三個阿剌伯國家要求獨立的當前實況，突尼西亞的自治已經實現，摩洛哥和阿爾及里亞的前途還是渺茫得很呢？

（八月五日）

本週展望

•左舜生•

檢討周劉的暗鬥

繼高饒，胡潘，以及大罵梁漱溟等事件以後，前幾天更有冷禦秋，金仲華，胡厥文等在上海被捕的傳說。前天（十五日）台北『聯合報』的一種報導，據說周恩來和劉少奇之間的暗鬥，又已日趨尖銳化，甚至該報判斷周劉間的衝突一經爆發，勝利者的一方將屬於劉少奇，而周恩來一方則將注定的歸於慘敗。像這一類的看法或推測，原不始於『聯合報』，至少在香港方面，便早有類似的傳說。

應該多研究少判斷

關於中國大陸的消息，原不是竹幕所能絕對封閉得了，可是要把這類消息搜集得很完備，分析得很妥當，而又確能明白他們內部的這類關鍵，卻也不太容易，因此，我不主張輕下判斷。在一種極權專政的制度之下，在少數可以取得最高地位者的人物之間，到最後關頭的終不免短兵相接，這幾乎是古今中外很少有例外的。在中國舊日的一個專制王朝，等到權位爭奪戰到達白熱化的時候，雖父子兄弟之間，也往往不免互相屠殺，何況共黨名籍，一種泛泛的『同志』？（同志兩字的濫用，愈到近年乃愈形醜惡，我們尋常聽見的有所謂『男同志』，『女同志』，『警察同志』，『司機同志』……種種的稱呼，究竟他們同的什麼志，誰也不明白。）

朱德資深而望不重

本來以中共內部朱德以及周劉這三個人而論，都是次於毛澤東一等的腳色，照說誰也有資格可以繼承『老毛』的這一寶座。可是，朱資深而望不重，自從在抗日期間『老毛』把他擺在延安以後，實際已與軍隊脫節，截至今天為止，眞正可以指揮共軍的乃是毛而不是朱。一個軍頭脫離了軍隊，即等於魚脫於淵，還能發生什麼了不起的作用？以朱這個人的性格來說，本來是『庸庸厚福』一流，在中共內部，他與誰也無恩無怨，誰對他也無譽無毀，可以說是一位天然的『好好先生』。周劉之間的暗鬥是一劇，毛澤東比我們知道得更清楚，可是此時就讓周劉這種衝突表面化，不只毛澤東感到麻煩，即莫斯科也認為為時尚早，毛澤東與莫斯科彼此心照，於是乎朱德在名義上乃一躍而坐上了紅色中國的第二把交椅。其所以要這樣做，其目的僅在緩和周劉的衝突於一時，毛本人沒有認朱可以代他，莫斯科更不會許可以朱代毛，何況以年齡論，毛小於朱，以健康論朱優於毛，朱毛兩個究竟誰先結束，此時還很難說，更那裏便談得上如何繼承的問題？

周劉本領互有短長

以現狀論，如果沒有特殊的新興人物起來，未來中共內部的逐鹿者，自以周劉兩個為勢均力敵。以一般的情況來說，他們倆可以說是年相若，而道相似，（所謂盜亦有道是也）其迷戀權位的熱情也正相當；可是要作一番周劉優劣的比較，則當有待於較詳的分析：劉之為人，貌似陰狠，實陰暗晦，對外接觸較少，因之見聞寡陋，實一內幕活動的典型人物，其對蘇結托亦較深。周並沒有怎樣的基本知識，但氣象較為開展，頗長於機動肆應，然風頭觀念太強，演出往往過火，其手腕頗能引起西方國家的種種幻想，然在蘇方看來，則危險性較大。劉的立腳點在黨，因之其行動頗為一般黨棍分子所不諒；黨的發展又太快，而內容並不堅實，且有漸趨腐化的可能。周以搞統戰起家，結納頗為廣泛，其在黨外的力量，乃遠大於黨內，如果大陸人民對黨的厭棄有加，則周的勢力可能還有進展。

毛在中間操縱利用

毛是一個站在周劉之間從事操縱利用的人物，以當前形勢論，周劉對立，頗利於毛，一旦周劉集團破裂，即毛殊難繼續灰色，而不能不自行當衝。就目前大勢來看，假定共產集團的和平幌子還要儘量使用，即劉一時不易抬頭；萬一東西關係突然決裂，則周可能在一種迅雷不及掩耳的形勢之下，遭遇慘重無比的打擊，而劉乃變成一時的驕子，他不只排周，如毛不死，他也可能進一步的排毛，因不如此，蘇聯即不能安心作戰也。總而言之，周劉衝突終不能免，但目前尚非其時，自由中國自身不想辦法，只靜待他人的崩潰，實際也並無好處。

茶林案結果如何？

日人遺下陋規不宜復活
林頂立行動輿論多不滿

西門豹

台灣通訊

【台北通訊】困擾台省政界的「茶林互黌」案，其起因與初期的發展，筆者曾作報導（見七月二十日本報）。現又事隔多月，到底如何解決，仍未分曉，但台北輿論界的嚴正批評，已使藉此要求經營國有林的人感到不安。

日軍閥遺下陋規

台北現有著名的日報五家，除一家外，其他四家，均不斷寫消息，寫評論，對請求茶林互黌者，不斷予以猛烈抨擊。認爲以茶葉公司而兼營國有林場，是日據時代，日本財閥所遺下的陋規。從前茶葉公司在政府手中，兼營尚無不可，現在茶公司既出售民營，則國有林場必然要收回。即使茶葉公司經營確有困難，也應提出「實施耕者有其田四大公司移轉民營輔導委員會」去討論，由政府另案輔助，不能與政府收回林地混爲一談。

林頂立違法的行動

又各報對林頂立下令驅逐林產局職員傅朝湘等，以及打開辦公桌搜查林產局的文卷，並運走四千份土地所有權狀，更認爲是無法無天的舉動。各報記者對於此事，亦悉秉正義，作公平正直，毫不猶畏之採訪與報導。記者們曾訪問最高檢察署檢察長趙琛，詢他的意見。趙氏說：「這傅朝湘的事件，是否涉及刑事，他正在注意研究中。又訪問警務處副處長（代理處務）陳友欽，他說，他已召訓工礦警察總隊，應依法保護公家利益，但不得捲入糾紛之內。農林廳長金陽鎬曾對往訪記者說，傅朝湘在法律上的地位是非常穩固的。因傅一方面受農林公司前總經理陳舜耕的委託，負責辦理林地移交農產局，另一方面又接受林產局的任命，駐在該茶葉分公司內，對林務部份財產與案卷，負過渡時期的保管責任。傅在執行任務時，遭受阻攪，阻攪者的行爲，就是非法的。記者們又曾訪問林產局長皮作瓊氏。他對林頂立所說，「茶葉分公司在公營時期負責保管的林地，已經一併移交接管民營的人接收了」，加以鄭重的否認。台北公論報且以此事使用『林頂立信口開河』的大標題。

特賣制不宜復活

立法委員胡淳對往訪記者更說：森林國有，是既定政策。林產物處分辦法中的特賣制度，已經省府主管林政的機關明令取消。現在如准許茶葉分公司的要求，得繼續經營國有林地，則不啻特賣制度的復活。輿論界對此案的共同意見，於此已可窺其一斑。

省主席無具體答復

惟省主席嚴家淦氏，無論記者們怎麼訪問，似乎總問不出一點具體的答覆，他老是說，將作公平、合理、合法的解決。因此有一位記者在二天的報上，率直把他同嚴氏提出的問題寫出來：他問，（一）對傅朝湘等被逐事件，是否應該？（二）辦公室文件被搜查，倘其中文件發生遺失或刪改等意外，是否應由傅朝湘等負責？又此項搜查是否合法？（三）工礦警察拒絕傅朝湘等入內辦公，有無依據，是否合法？記者們所提問題，因得不到嚴氏的具體答覆，於是外間有許多流言，說嚴主席太過怕事了一點。甚至有一家雜誌隱約其詞說，「有農復會某某要員，曾往訪省府某首要，勸他勿以國有林地作爲政治投資」的。

農財小組不表意見

台北的輿論如此，再看看省議會的內部情形。本來「茶林互黌」案是由林仁和等三十九個議員聯名提出的。聯名人數已超過省議會議員總數三分之二（省議員全數五十七名），但到了議會的農林、財政兩小組合併審議該案時，經過三小時的辯論後，聯名提案的人，許多退出聯名。結果，與反對該案的議員陳逢源等商得協議。農林和財政兩小組決定，不提出任何意見，仍送回省議會大會去討論。

大會何時討論

省議會大會自七月十九日起，臨時決定休會十三天。到八月一日方纔復會，預定八月十九日閉幕。本案到底該在復會後那天討論，未列入議程。筆者所遇到的幾位省議會有力份子，一提到這件事，他們便攤開兩個手掌，又反轉來。向筆者反問道：森林國有，利益應歸公家，這是國策，教我們議會討論的甚麼呢？（八月一日）

日本生活費高昂

安世

一般人皆節衣縮食
輸出總值半數購糧

【本報東京特約通訊】戰後日本生活，比戰前提高多了。大概一般生活，比台灣平均高三倍，比香港要高三分之二或三分之一。但是日本生活是極有伸縮的；今天到日本來的人，有一個月用一千美金的，也有用幾百美金的，也有只用三五十美金的。比這個再儉省的也還可能。東京有一種華僑團體，他們平均每月每人用費，不過一千日元（他們理髮自己理，洗澡洗衣都在家中。）現在試將日本的衣食住行，略述于後：

香港衫東京紳士裝

日本的衣服料，一般比台灣便宜，比于香港，有貴有賤。中等社會的人物，夏天的衣服，有幾百元一件的（日元一元約合台幣一角），有幾千元一套的，也有幾萬元一套的。你要是買一件和服（布的）頂多一千元，再加上一根腰帶，不過二百元，頂多百元。這種衣服，並不寒酸，可以散步，可以遊公園，可以在近郊相會任何朋友。你要時髦一點，頂好買一件尼龍香港衫，最多一千五百元，製一條白帆布褲，頂多一千五百元，買一雙涼皮鞋，怕熱的買一頂帽子，不超過五百元。如此一來，便是一位很神氣的東京紳士，上自天皇，下至掏大糞的，都可以和他們往來。或者製一套米色的蔴膠布西裝，最多不過三千元，但是要穿英美來路貨的西裝，那一套也非四、五萬元不辦，這是日本穿的大概。

一日三餐兩頓麵食

日本的食料，本就簡單，可是現在個單中也起了變化。日本自來糧食不够，不過從前不够的程度很小（每年糧食輸入總額百分之五），現在呢？據去年統計，每年糧食輸入，佔輸入總額百分之二十八，價值輸出總額百分之五十三）于是自來每日三餐都離不開白米的日本人，現在口胃變了。

東京一般市民，大約每天只吃一頓飯，早餐多吃麵包；中飯有吃麵包，有吃陽春麵。因爲吃一頓飯，至少五六十元，若吃陽春麵，可以減少一半（二十五元），吃麵包，可以減少三分之二以上（只要十五元），這是一般人的吃法。至日本料理，一席花到美金千元（千字恐有誤，編者）以上，也是很尋常的事，中華料理，一席賣到五千元至三萬元的，也不十分稀奇，如白光女士主持的「銀座飯店」幾乎一席不滿五萬元，是出不了門的。

住在東京分幾十等

東京的住，可以分出幾十等，有幾十美金一天的旅館，也有幾百元日幣的旅館，（日本學生旅館一百元一天的）青年會是七百元一天，比較清爽便宜（一個月約合美金五十元，被蓋在內）。其他公寓也有高低不等，大約每年從五千元到十萬元都有。讀本報的人，莫以爲貴的就是好的，賤的一定不好，那也不盡然。總之外來的觀光客人，如東京有可靠的中日友人，那自然很好，如其沒有，頂好找東京華僑報社代爲辦理，他們都是宗教中人，專門爲社會服務，（通訊處日本東京都港區芝白金志田町六四號）

交通稱便賓至如歸

東京的水陸交通，都非常便當。你要是略通日本語，認識道路，那固然非常便當；就是你初到東京，不懂日本語，也不會感覺不便當，因爲「タクシ」是滿街都是，你只要把地名開清楚交把他，他一定把你送到地方，決不需索額外小費。所謂賓至如歸，祗有日本的交通，可以當之而無愧。

外人到日本來，最合算的有三件事：（一）做生意（如華僑要來做生意，最好先寫信詢問華僑週報，無論大小生意，或與工廠合作，他都能爲你服務，給你滿意答覆），（二）讀書研究或搜集資料，（三）游玩山水（日本是遠東的瑞士）。（東京、八月三日）

縱談僑教問題（三）

・謝康・

辦學校或僑社公益，非錢不行，要出錢就得靠有錢人的說話。去仰大頭家的鼻息，小頭家自然和大頭家一鼻孔出氣。遂變乎教師們變成了董事們，大頭家的「伙計」或比伙計低一等的僱傭。因爲他們的進退，隨着頭家的喜怒，和伙計一樣。而且薪給收入，有時又還比普通店員爲低的緣故。在這種拜金思想之權威底下，自然形成一種輕師心理，使他們局促不安，整天好像坐在針毡上面一般。許多教師，更不免因此形成一種自卑感，進一步對大頭家殷勤獻媚，來爭取後台老板的歡心，希望保證自己的飯碗。於是有些做校長的，不惜卑躬屈節。對董事會上呈文，稱下屬，阿媚奉承。有時出動太太和眷屬，辦家庭外交，伺候大頭家的太太小姐，以聯絡感情爲第一要務。學校辦得好不好，倒可以放在腦後不問。這種學風一經形成，好學校可以變壞，學校當局和校董會，既不尊重良的教師，學生的心理也隨着轉移，怎樣能使優良的教師久安於其位，保持其獻身教育的熱誠呢？這的確也是一個大問題。

要使僑校的良好教師，能够在商業社會裏安心僑教的工作，首先要捐資助學的大頭家們，減低他們的優越感，做到富而好禮，禮賢下士，保持自己的尊嚴心。教育爲神聖的工作，教師們不要輕易轉業，以教育爲自己的使命。負有管理僑教行政的機關，則應多給予優良教師以物質和精神上的鼓勵，僅是一年一度的教師節，開一次茶會，是不足以表示尊師的敬意的。

編者讀者

△金達凱，小丞，劉超，方曙，仇凝，諸先生：承惠稿，已一一收到，至感幸！

△何鐵華先生：大函敬悉，承示各點至感謝，謹復。

發酬通告

本刊四三一期至四四〇期稿費通知單，已分別郵寄，請惠稿諸君憑單前來領取稿酬爲荷。八月十七日

海外通訊

星加坡首席部長 馬紹爾生平

風行

【星洲通訊】星加坡是東南亞的樞紐，含有政治，經濟，軍事三方面的重要性。目前担任依照新憲法而成立之自治政府的行政首長——首席部長——的，就是大衛・馬紹爾（DAVID MARSHALL）。他榮膺此職，好像有點異數。因他既不屬於佔居民大多數的華僑，亦不屬於迄今仍在政治佔重要地位的印度人，更不屬於本地馬來族人，亦不屬於那些受高等教育和具有勢力的歐亞混種人。然而他却是忠於星加坡的。

祖先是猶太人

馬紹爾的祖先是巴格達的猶太人。一九〇〇移居星加坡。一九〇八年馬紹爾便出世於星加坡，現年四十七歲。他幼年已飽嘗人間酸甜苦辣味道。第一次世界大戰，他和家人歸返巴格達，便被幽禁。至第二次世界大戰，他參加星加坡志願軍，爲日軍所俘。他原在星加坡聖約瑟書院和拉菲爾書院求學。其後獲得倫敦大學的學位。

一個著名的律師

他初投身於社會，即從事經商，後來決心學法律，經過十八個月的學習，終於一九三四年在倫敦四間法學院的中院（MIDDLE TEMPLE）考取律師資格。回到星加坡操律師業，他成爲刑事犯訴訟的著名律師。他好像其他許多律師一般，很便利的轉入仕途。然而當時只有殖民地的統治，並無所謂民族，主義運動，因此要到二次大戰後，他才對於政治運動感到興趣。他曾爲進步黨黨員，但該黨之委員會主張慎重，與馬紹爾務求有聲有色的作風，和對政治問題過於熱情，格格不入。然而星加坡的勞工黨更不健全，數年以來，他始終持旁觀態度。直到去年社會主義者欲重整旗鼓，組成新獨立的社會黨，馬紹爾方担任法律顧問。

喜歡和人民接觸

新加坡將舉行普選時，勞工黨和社會黨化除歧見，而合併爲勞工陣綫。但會員勢力薄弱，組織尚在胚胎時期，在少數領袖人物中馬紹爾很快便竄紅起來。初時參加競選，本沒有多大信心。該組織既甚幼稚，內實行大選，才匆匆推選馬紹爾爲領袖。

馬紹爾交遊極廣。許多朋友在星期日訪問他於他的海濱寓所。他規定星期日任何人皆可去會見他。爲了盡量和各界人士接觸，他競選運動的安排，不在他自己的競選辦事處，而在附近商場的露天餐室談話。他的理想主義和他純厚的人格，吸引了許多人，令他相信和人民接觸，是解決難題的第一個步驟。但他感覺獲得感情的反應易，而切實領導其同志甚難。

夾攻中的困難

他的社會主義與其說是訴諸理智，毋寧說是訴諸感情的。縱然不是如此，一個轉口商港——這就是資本家企業的產物——的社會主義，在課本中是找不到定義的。馬紹爾的工作頗爲不易，祗就「勞工陣綫」的名稱，便驚嚇了一些人，而且可能被左右派同時抨擊。人們會懷疑馬紹爾是否具有克服驚濤駭浪的才能。他是否有精明的手腕，對付其部長會議，及抵禦立法會議的抨擊。他可能感到有若干極樂觀的政策，但這是在他目前權力範圍之外。而他的同僚，意見也有分歧。有些人主張實事求是去運用權力，又有些人主張要滿足急進者的希望，他們鼓譟的說：現在是自治政府了，必須廢除緊急時期的律例。

共黨反對馬紹爾

共產黨欲利用勞工陣綫，起初是支持馬紹爾的。現在他們又要反對他了。共產黨的特務和職業學生，在星加坡滲透得很厲害。在上次的罷工，共產黨操縱下的學生最爲賣力。並支持『人民行動黨』領導下的左翼工會。人民行動黨自稱是工人的眞正代表。馬紹爾和他的同僚一登台，還未坐得穩，便被共黨攪到頭痛。雖然人民行動黨聲明支持他的政綱，但馬紹爾若堅決應付這些破壞秩序者的行動，就必然被共產黨掉過頭來，策動倒馬紹爾的台。因此在取消緊急戒嚴律例之後，不到兩星期，馬紹爾政府不得不重新頒佈實施，而不顧人民行動黨的反對。據泰晤士報稱：華僑學生一部份被共黨所利用。這是絕無懷疑的。現在人人皆知若干校長因怕被暗殺。不敢反對共產黨在學生中散佈爪牙。但馬紹爾表示他是要應付這種危險的。他要人民行動黨肅清共產黨份子和同路人。應對學生家長負責。共黨掌握了星加坡青年，便給星加坡以一個嚴重的威脅。

華僑公民權問題

八月十二日星加坡華僑報紙稱：星加坡首席部長馬紹爾爲星洲廿二萬華僑爭取公民權，已向殖民部大臣波德呈遞一備忘錄。他所提出設立星加坡公民權制度，主要目標在使廿二萬華僑享受公民權。換言之，即選舉權與被選權。這當然是很重要的措施。但如果青年已受共黨控制，則仍有莫大之隱憂在！

據一九五四年的星加坡報告稱：自嚴厲限制中國人入境後，目前華僑有四分之三都是星加坡出世的。其中在廿一歲以下的是半數以上。四年後再舉行大選時，選民將增加一倍。——大多數係青年。他們可以變成良好的公民，亦可能被共產黨的利用。不知馬紹爾考慮到這個嚴重的問題麼？

西伯利亞無理由改為鮮卑

王思田

西伯利亞（SIBERIA）一名源自失必兒（SIBIR）。一五八三年，哥薩克酋長耶爾麻（YERMAK）攻破庫臣汗（即昔帳汗，亦作失必兒汗）首府失必兒城，此為俄國東侵史上最重大一件事。以後俄人乃以東侵奪取之地，名為西伯里亞。由此可知今日西起烏拉山，東抵太平洋，北至北極海這一廣袤地區，原無概括全區的名稱，因俄人之東侵，乃由一個城名而擴大為整個地區之名稱。

西伯利亞非鮮卑之地

鮮卑為自秦漢到南北朝期間活躍於中國北方的一部族，鮮卑最盛時，可能及於今日西伯利亞一小部之地，但我們不能據此為理由，認為西伯利亞就是鮮卑之地。因就中國的史籍記載，曾經據有今西伯利亞一部之地的部族甚多。如就最早據有西伯利亞之部族而言，則當推丁零、匈奴。若就據地最廣而言，當推突厥、蒙古。按之後漢書，三國志的記載，鮮卑為東胡之一支，東胡為匈奴所破，退保鮮卑山，因此為名號，是鮮卑之成為部族名最早不能過秦代（因東胡為匈奴攻破在冒頓單于時，冒頓為秦漢之際人），有人把「織皮」和國語上的「鮮卑」，都拉扯為鮮卑之先，實與史實不符。又按兩漢及三國時有關鮮卑的記載，則鮮卑活躍的中心地區在今遼河流域。北匈奴破敗時鮮卑曾入據匈奴故地，但在匈奴之北者尚有丁零，鮮卑的勢力可能僅止於今日蒙古東部。通典與太平寰宇記均謂鮮卑山在今遼西、熱河一帶，在實較近情，滿人丁謙謂大鮮卑山在今西伯利亞似屬誇大。證以東晉鮮卑勢最盛時，最強之慕容與拓跋兩支仍以今察、綏、熱、遼為力源地區，亦可知當初退保之鮮卑山固不能遠在今西伯利亞之地也。

發音近似不宜附會

由此可知，鮮卑之與西伯利亞，實只是發音近似，因發音近似或相同，所謂今西伯利亞之地原為鮮卑之地，理由顯然不夠充實。如此說可成立，豈不亦可因發音近似而說西伯利亞為西班牙？清末學者慣以對音附會，通古斯即東胡即係此種附會之最著者，後經中外學者詳考，已辨明實非一族。但貽誤至今，有些未接受新知識之學者仍抱殘守缺，以錯為是，而大談其通古斯即東胡，即鮮卑。見於此種貽誤之深，我們對西伯利亞與鮮卑，實不能僅憑發音冒然確定。

鮮卑族中心地區何在

再照語根來看，西伯利亞之語根為失必兒，失必兒與鮮卑，也僅只是發音近似。失必兒城、失必兒汗當係因失必兒人而得名。失必兒人與鮮卑人在史實上找不出有何關係。失必兒見於元史者頗為簡略，照元秘史，新元史的記載失必兒並非大部族。元秘史中提及族類衆多的大部族，常冠以（萬）字，如「萬斡亦剌」、「萬乞兒吉思」等，但提及失必兒則並未冠以萬字。又照兩史記載，乞兒吉思投降蒙古後，失必兒等林木中百姓便都出來投降。這一方面可顯示失必兒為小部落，也可以顯示失必兒可能在政治上為乞兒吉思的附庸，至少有若干關係。乞兒吉思為突厥種，失必兒在其西北，地當今鄂畢河、葉尼塞河上源，唐努烏梁海以北地。此地按之史實，久為突厥及其先人所據，也可以說是其勢力中心區。是就地緣來看，鮮卑族之中心地區在遼河流域，其擴張可能及於西伯利亞，但不致越貝加爾湖而到鄂畢河是可以斷言的。失必兒為何種族固不可知，但就其所在地而言，則其為突厥族之可能性遠較鮮卑族為大。

改名理由不充足

尤其重要的，是按諸史籍記載，鮮卑在南北朝末已見乎全部與漢族同化。一個民族最重要的特色是語言、風俗習慣等。鮮卑自北魏入據北中國，孝文帝厲行漢化，禁鮮卑語，禁鮮卑服，改姓中國姓氏後，實已全部漢化。我當然不能說，鮮卑雖有孑遺（即未同化者），但隋唐以後鮮卑之名極少見諸記載，則為事實。由南北朝末到元代約八百年。八百年間，史無遺證，當然不能還說音近似，便說失必兒是鮮卑。

就語根來說，西伯利亞出自失必兒，而失必兒非鮮卑，或與鮮卑無確切關係，則認為西伯利亞原名鮮卑之說，理由當然也不夠充分。

四點結論

綜上所述，可以歸納為四點：（一）鮮卑雖可能曾據有西伯利亞一部之地，但較之廣袤之西伯利亞全境，實只極小一隅；（二）鮮卑並非據有西伯利亞最早之部族，亦非據有西伯利亞之地最廣之部族；（三）鮮卑在南北朝以後與漢族同化，無復在塞北活躍之事跡；（四）西伯利亞一名由失必兒擴大而成，但失必兒與鮮卑無關。由此可知西伯利亞原名鮮卑，被人誤譯，應該改正為鮮卑之說，實無理由。

既退一步來說，改名為鮮卑也無必要。西伯利亞一名通用已久，西伯二字並無惡意，何必硬要追源溯流，改成一個歷史性的地名。今日中國四鄰之地今所通用之名，未必皆合古名，如一一而據歷史上舊名改正，則一部現用地圖便成歷史地圖了。說者謂改名鮮卑可以表示西伯利亞為我歷史版圖，不改名便不知西伯利亞與中國的關係了。這實在是開玩笑的宣傳口吻。我想凡讀歷史者無不知西伯利亞一部之地曾為我有，漢唐遠事不說，清代中葉以後，黑龍江以北，烏蘇里江以東之地才為俄人所佔，這是中小學生都知道的事實，如說連這點歷史常識都沒有，那麼，相信也不會知道鮮卑是何物，改為鮮卑又有什麼意思？（完）

「中共五年計劃剖析」

鄭竹園著 自由出版社出版

植柏

（一）

中共所宣傳的「五年計劃」，迄今已經兩年半，詳細內容，還不易瞭解。是項計劃，乃中共亂批竊國的張本，中共亦謂是項計劃的執行，「將決定地改變中國的全部面貌」。因此，研究中共問題者，不能不加以注意。本書作者，對中共經濟問題研究有素，此書乃作者繼「中共財經政策新動向」（亦自由出版社出版）一書之後，又一力作。

（二）

本書優點，在使中共「五年計劃」的建設實況，儘可能的予以揭露。從計劃的擬訂與執行，計劃的含義與特質，計劃建設區位的分佈，計劃建設的內容項目，乃至資金問題，技術與勞動力問題，無不源源本本，尋根究底，剖析得相當詳盡。本書材料的取得，除來自「大陸上二十多種機關報及十二種專業雜誌外。對戰前資料，亦盡力之所及加以搜集與對照」，同時「還撥開中共宣傳的烟幕，辨別材料的眞僞，而不為其誇大性的數字所蒙蔽」（十六頁）。研究態度毫不苟且，殊可稱道。

（三）

全書共分十五章，二十餘萬字，最有貢獻的是「五年計劃的工業區位」一章。中共對工業區位的分佈，僅作原則性的提及，李富春的報告書即是。本書將工業區位的輪廓與特點，加以相當詳確的剖析。因而使中共五年計劃的野心，自然暴露。其次，「五年計劃」的內容，中共亦僅作概要公佈，細目則不使人知。本書費最大的辛勞，把中共「五年計劃」的主要內容，分為四方面詳加敘述——即重工業（包括電力工業，燃料工業，冶煉工業，機械工業），輕工業，鐵路交通，農業五年計劃，又附帶述及商業五年計劃，及技術人員五年培養計劃，都是本書最有價值的地方。

（四）

中共「五年計劃」標榜的基本建設中心單位，是所謂「蘇聯援助的一百五十六項工程」，這一系列的工程情況如何？是我們研究對象，本書即針對是項中心單位進行分析，總的分析見於「工業區位」一章之內。著者指出中共於一九五三年開始在東北建設的項目，共達八十五項，其中有百分之五十屬於「一五六」項工程，其次則分佈在西北區，主要為完成該區五個新工業區，所有各項建設單位，大部位屬於「一五六」項工程，再其次始分佈在華北、西南、中南、華東等區，至於詳細的單位名稱，地點，及其工程情況與問題均詳見於本書之第四至第十一等章。例如「電力工業」一章，即舉出「豐滿水電站」，「鄭州火力發電廠」，「重慶五〇七電熱廠」，「大原第一電熱廠」，「西安第二發電廠」，「迪化火力發電廠」等二十項修建擴建或新建工程概況，並詳及於每項工程的興建時間，與規模設備，乃至是項工業的面臨問題。

（五）

中共的五年計劃，誠如本書所說：是「激頭激尾的一個軍事計劃，其目的在一方面壯大軍工的潛力，以支持其現代化的國防建設，一方面在佈置南進與西退的基地，以準備進一步的軍事冒險」（十一頁）。故其單位細目與工程概況，自不肯告人，本書竟能從中共的報章雜誌，把片段材料，搜集起來，寫成一本有系統的著作，使「五年計劃」的原形暴露出來，實為難能可貴，爰亟推介如右。

經濟 社會 思想 叢殘（四九）

金伯華

則技術愈精細，分工愈發達，分工愈發達，產量愈增加，產量愈增加，資本所獲的利得也就愈龐大，則結果所以終必造成世所詬病的資本主義，而被不逞之徒所引為藉口以構煽無產階級革命的陰謀……是以依我們看，在目前這共產主義與資本主義尖銳對立的緊張狀態中，實惟有合作制度，方為人類經濟社會可能的出路。「在幾乎其他一切動物種類中，每一個體，一到了成長的年期，便完全獨立，而且在自然狀態中，絕不會有機會可以得到別一動物的救助」。亞丹斯密認為這是人類與動物分野的所在。這是對的。但若於本能的分工之上，再加以理性的合作，則人類前途，將不更光明了嗎？

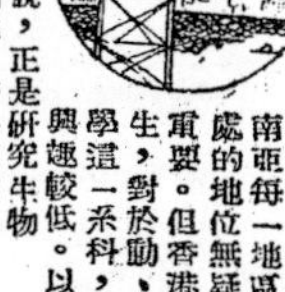

香港具有優良環境 缺乏生物學家研究

生物學家在東南亞每一地區，所處的地位無疑十分重要。但香港的學生，對於動、植物學這一系科，似乎興趣較低。以香港自然條件來說，正是研究生物學的勝地，因此，許多專家對於香港缺乏從事這門科學的人，以及研究所需的設備，無不感到惋惜。香港大學雖有生物學一科附設於醫學院，學生們對它却又很少興趣，因而並不專設一系。

據港大生物學家巴爾嘉教授說，由於人們對生物學的重要性忽視，並不以為生物學是一種事業，每一投考港大學生，差不多都選擇醫科，儘管這一科的課程繁雜，他們幾乎為了今後的出路，誰也不怕困難。無他，希望於畢業之後，能夠投身醫界，可以有崇高地位，更能藉此建立經濟基礎，比其他科系較為有更好遠景。因此現時生物學師資也就大感缺乏。高級中學雖有生物學課，教師亦非全由專家担任，大多數均係師範出身。事實上生物學今日所處的地位，和物理學、醫學同樣重要的。幾年來，香港學術界人士對於這一重要的缺憾，似乎從未考慮設法彌補。

豐富的資源有待於人類去開發，否則，不啻盲人擁有大量資本無法運用。香港既有優良環境，就需要大量的生物學者從事研究、培養與滋長。此不僅可以發揮充分作用，抑且是以繁榮本港經濟。然則此亦祇是一種較近理的說法。倘若依據達爾文的「演化論」（THEORY OF EVOLUTION）來說，那末，生物學家對自然界將會有更多輝煌的發現。誰也知道本港水族和陸上的動物植物類既多，自必相當複雜。故此，此一研究工作，對於生物學者無疑是十分繁重和困難的，但是一經從事研究，相信將會帶來大興趣。生物學的重要對於宇宙萬物，均有莫大裨助，因為它絕不是單純研究生物的構造，主要工作為發掘宇宙生物隱秘，有助於人類進化。倘有樂意學生願意專門攻讀這一專業課程，對於缺乏師資說來，也未始不可以解決的。

× ×

「自己做」與「自己看」

本年六月份「讀者文摘」有一篇題為「自己看」運動的文章（據聯合報「人言君譯」），是批評風行全美的「自己做」運動的。「自觀日我們的祖先必須用雙手去做一切東西以來，文明已向前邁進了極大的一步，而現在我們又回到了原地。……這些『自己做』的工作，都有圖樣，看來很容易」。「你花幾毛錢就可以買一份完全的設計圖書」，然後按照編好的號碼，把零件拚湊起來，「你用自己的雙手做成一樣東西，心裏一定會覺得很高興。」……可是除圖樣以外，「你得花錢買材料，花幾百塊[illegible]

軍事教育的小問題

愚人

【台北通訊】最近政府某高級官員，曾先後在半個月內，主持大專畢業生預備軍官班的座談會，和金門戰士的座談會。在這兩個座談會裏，聽到若干代表發言。綜合起來，值得注意的問題：（一）是就業問題，希望政府把就業的尺度放寬，人人都能有職業；（二）政府考試的題目太難，希望試題能出得容易點；（三）預備軍官受了一年的軍事訓練，結業後，階級太低，希望提高官位；（四）學校已有軍訓教育，預備軍官班，可以廢除這項訓練。這幾點是預備軍官班的意見。

金門戰士座談會，若干代表提出如下的意見：（一）大陳撤退後，義胞在台的生活如何？（二）四巨頭會議對自由中國的影響如何？（三）台灣實行民主政治，選舉的詳情怎樣？（四）共匪在大陸繼三反五反之後，會再用什麼慘酷手段逼迫大陸同胞？（五）中央日報社論太深，希望文章能夠淺顯一點。（六）青年戰士報最好能做一軍報，希望大量發行，加強軍中精神食糧的供應。

我不知道某高級官員聽了這些意見，作何感想？我覺得值得注意的是：訓練班的青年，他們所注意的是職業問題，他們對於訓練的方法似乎也感到不很滿意。金門戰士，參加過保衛國家的實際任務之後，所重視的倒不是個人的職業，而是政治問題了。

預備做軍官的，他們的觀念如此，過過實際軍人生活的，他們的觀念又如彼，這是不是我們的軍事教育，要加以注意的問題呢？這雖不是甚麼了不得的大問題，但我覺得主持軍事教育的，不宜加以忽視。

鳩山的「物語」

馬五先生

日本內閣總理大臣鳩山一郎最近發表言論，提到當年麥克阿瑟元帥對他頒佈發令肅那四事，悻悻然猶有餘恨，說麥帥是受了日本共產黨的壓力所使然。這眞是奇特的「鳩山物語」！

當年盟軍總部整肅鳩山的理由，曾經公開宣佈，是看到他在二次大戰前夕遊歷歐洲歸來，寫過一本恭維法西斯極權主義的書，刊行於世，因而認定他在思想上是與日本軍閥同型，有鼓勵侵略戰爭的嫌疑。日共固然憎惡這類政治人物，當時却沒有壓迫盟軍總部的力量。重光葵雖然代表日本到米蘇里艦上簽降書的人，由於他是軍閥政府外交大臣之故，依然還要被整肅一下，這亦是受了共黨的壓力嗎？

鳩山仁兄既認爲自己在政治上倒了六年大霉是吃了共產黨的苦頭，爲甚末一旦翻身，貴爲首相之後，又處處表現親共反美的作風呢？要說不念舊惡，以恕道對待日本的戰勝國，再無過於中華民國了，不特對鳩山毫無惡意，即對那些滿身沾有血債的日本戰犯，也從來就未採取不爲已甚的態度，然鳩山一登台，就毅不願意承認「兩個中國」的說法呢！可見其銜恨麥克阿瑟的眞意，只是爲的麥帥把他正要準備抱笏登場的首相官位臨時給整肅掉了，以致氣急敗壞，害上一次腦充血的危症，幾乎翹了辮子，所以不能釋然於懷也。

憑鳩山這種睚眦必報的心情，似可反證日本民族的褊狹性。我很耽心中華民國政府在戰後對日本所採取的「非報復主義」，將來是否自尋苦惱，而有自己搬石頭打脚背的危險？

愛因斯坦的賢內助

胡養之

死了不久的愛因斯坦，是當代最偉大的科學家。他的偉大成就，得力於他那位賢慧太太的地方也不少。

（一）

愛太太是一位舊式而不喜歡出風頭的女人，愛因斯坦雖然那麼有名氣，她並不因此而稍爲改變一個舊式太太的作風，她對於丈夫的個性非常清楚，並且體貼撫微不至。務使這丈夫不受日常生活的打擾。她幫助愛先生記賬，又幫助他處理大批函電。愛因斯坦的數學雖然妙絕人寰，但却不會管賬。因此，管賬和管家務的，都是愛太太的事。

每天早上八時，當太陽光纔射進他們的臥房時，愛太太就把浴盆的水管扭開，一面把丈夫叫起來。愛先生懶洋洋地拔着拖鞋，披着有顏色的浴衣，趁着放水的時間，往往還要拉一拉提琴。一直等到太太喊着「亞爾培，準備好了！」他才走進浴室去，愛太太還要跟在後面，替他關門，否則，愛先生自己是不會關門的。（二）

等到吃過簡單的早餐之後，愛先生到書齋去工作，愛太太才坐下來，替丈夫清理收到各地寄來的郵件，把它分門別類；裏面有英文的，法文的，德文的，俄文的，西班牙文的，意大利文的，猶太文的……等等。這些信來自世界各地，用着各種不同的文字，有時數量多到幾百件，愛太太必須一一看過，而且把它分別得清清楚楚。譬如，有些是可以扔掉不覆的；有些是必須立即作覆的；又有些是需要愛先生親自考慮的；還有些是必須翻譯或讀給愛先生聽的。

愛太太應付這些郵件，起碼要佔每天很大部分的時間，有時，往往到了夜間，還要繼續工作。（三）

愛太太很知道她的丈夫一天工作極辛苦，應該需要朋友音樂，和談笑的調劑。因此，晚上常有朋友陪愛先生玩音樂，愛太太必須到處張羅，使客人感到舒服。其中有些是外國來的拜訪者，以及愛先生志同道合的名人。

愛因斯坦最喜歡社交，好詩，尤其是古典音樂。所以他的太太常對人說：她每見到愛先生心情不愉快，便馬上勸他出去聽聽巴哈或莫扎或貝多芬的音樂，比勸他去做任何事情都要容易得多。她又說：愛先生在思想上是極有條理的，但在實際生活上，却採取隨便主義，不願受秩序的拘束。他要做什麼就做什麼，歡喜那時做就那時做。他自己立下兩條規則：一條是無論什麼規則都不要，另一條是不爲任何人的意見所支配。

可是，愛先生有時候碰到太太，却不免要違犯這二條規則的。比如，當她邀請了朋友到家裏茶聚時，她要求愛先生參加她們的盛會，愛先生往往會粗厲的回答：「不！不！我不能去！我不能去！我不能忍受這些騷擾，使我不能安心工作，我要立刻離開此地！」但，愛太太總是十分忍耐，等待愛先生發怒完畢，再用幾句好話，便會使他服服貼貼地跟她下樓，參與她們的茶聚了。（四）

所謂「知夫莫若妻」，愛太太對於她丈夫，眞說得上觀微知著。有一次，愛先生獨自躲在書齋裏而大哭起來，愛太太進去安慰他一番。原來是美國一個出版商人看見德國一位編者成功了，於是出了一筆驚人的代價，請愛先生寫一篇文章，無論什麼題目都可以。但這一請求，却使這位科學泰斗認爲受了莫大的侮辱！

愛她太太知道丈夫不會計數，也是事實。一次她倆在柏林市一輛公共汽車上，想不到愛先生忽然跟一位售票員爭執起來，愛先生說，零錢找錯了。愛太太馬上把零錢接過來，重數一遍，才知道錯的是她的丈夫，並不是那位售票員。

（完）

劍底秦庭

歷史小說　奚如

在巷口外，荊軻跳下了太子華貴的馬車，踏着倚晨的寒霜，一步一步的蹤向高家。終夜的興奮和情感的刺激，使他感到有點說不出的疲憊，由於心情是這樣的沉重，所以脚步也顯得非常的沉重，抬頭望了望前面高家那一幢黑黝黝的屋頂，荊軻忽然覺得它是這樣的值得依戀！還有屋子裏面的人呀！……。

一刻鐘以前，荊軻還在決心不讓漸離姐弟知道這一天晚上的變化，可是，就只這末戀戀的一眼，却使荊軻完全改變了初衷。

「不，我要告訴他們！」荊軻下意識地踢了踢生長在路旁的小草，迅速地轉了一個彎。

就在他正要舉起手，準備扣門的時候，門縫裏忽然傳來了一陣低微的嘆息！

「唉！」

這是微姬的聲音。

吁唷過去，又是一陣斷續的剝啄聲音，顯然是微姬正在用指頭敲着欄干。

荊軻迅速地垂下了已經舉起的右手，屏息着呼吸，靜靜地站立在門外，一陣複雜的感情變化，使到他不知道是應該繼續打門還是繼續的站下去。最後，他終於把頭俯近門縫，希望能夠從門縫裏看到微姬正在做些甚麼。

然而，門縫裏面只有一片昏黑。

「唉！」又是一陣充滿了心事的嘆息。

當荊軻正要再度舉起手來的時候，一陣低沉，歌聲，已經從院子裏泛起。

雖然歌聲低到不能再低，可是，每一個字都在深深的鑽入了荊軻的心房。歌聲在低迴重複着：

「昨日之初見兮，
已牽乎柔腸！
予心之念念兮，
時欲語而自傷！
舉目於蒼穹兮，
惋星月之徒光！
輾轉於中夜兮，
傷身世之悲涼！
此何人兮，
令我永世而難忘」！

一剎那間，歌聲已經消失在夜的幕裏，代替了歌聲的，是一陣破曉的雞鳴。

「微姬，微姬！」荊軻激動地叩了叩大門。

「誰」？

「是我？微姬！」

（廿八）

登五指山絕巘

·左公柳·

新竹東南有山曰五指，遠望如五指直竪，巍峨碧落，茂林修竹，怪石嶙峋。其食指腹及中指麓，均有寺廟，登臨有「萬里雲天一眼收」之概。遊人到此多却步。鮮有登峯造極者。余獨攀緣直上中峯，林密徑荒，枝枯葉滑，攀緣步履均苦，往往手足並行。卒臨絕巘。一聲長嘯，萬物共鳴。比歸，白雲繞身，夕陽自密林中漏出，如篩紅火，賦此記景：

絕巘攀緣上，爲窮邱壑幽。枝枯脆似箏，葉腐滑如油。晚照篩紅火，浮雲繞白頭。登峯一長嘯，萬物共鳴秋！

語意學漫談

徐道鄰

語言之促使使用

語言的促使使用，是要對方去完成一種具體的行動。『小二，你來！』，『小二，你給我泡一杯茶來！』，『小二，你給我泡一杯熱茶來，要濃一點！』凡此種種，都是我們人類對於其語言所最熟悉的運用，也是我們對於語言的最廣泛的使用。『促使』固然多半是對別人說的，但是人們也常常有用以促使自己行動的語言。牆上掛着一幅格言，寫着的是『待人以恕』，——中國人牆上掛一對子，大半有這種用意——桌子上擺着的案頭日曆上面寫着『下午三點鐘開會』，這都是促使自己行動的語言行爲。還有，人們遇有困難問題，不知怎樣應付，徘徊不決，思考了許久許久，最後才拿定了主意。這個所謂『主意』也者，也正是這個人用以促使其自己之行動的一種語言行爲。

語言的促使功用，以其『說服性』（PERSUASIVENESS）爲其衡量的標準。你叫他來他不來，你叫他走他不走，叫他往東他偏往西，這就是你的語言失去了說服性，也就是它沒有能發生促使的功用。所以促使語言的效果，是各種語言效果中之最單純的，也是我們所最容易判斷的。爲達到促使的功用，當然以使用『規約語句』最爲直接。軍隊中的『口令』，是最直接，最具有說服性的。但是祇是單純的使用『規約語句』，並不一定能說服人。而爲了達到說服的目的，我們最好同時作有可信性的報導，和有效的評價，才能較有把握。在發現鼠疫的地方，你能找出確實的統計數目字，說明患鼠疫者有百分之九十的死亡率，再找出一部標準的教科書，說明鼠疫之祇可預防而不易治療，那麼不須要你去作任何勸服的工作，而來找你打預防針的人，將會使你應接不暇！

語言之組織使用

語言的組織使用，是使對方把其他語句在他心理上所引起來的反應加以『組織』，而借以加强其各種表達的功用。以前所述三種用法的結果，都是在聽話者方面直接引起一種對於存在環境的心理反應（對於環境的意識、評價、行動），組織使用，則是引起一種對於這些心理反應的反應。以前三種反應，都是由語言中的種種事物所引起的，其性質都是一種非語言的行動；而這一種反應，則是由於代表種種事物的語言所引起的，其性質則是一種純語言行爲。例如『三加二等於五』，或者『成人不自在，自在不成人』，這兩句話，既不是在報導『三』和『二』，『成人』和『自在』是怎麼樣的情形？也不是說明一個人對於『三』『二』，『成人』『自在』應該怎樣評價，也不是在『促使』聽者對於『三』和『二』，『成人』和『自在』採取某樣的一種行動。而祇是在說明『三』和『二』和『五』，這三個數字間的關係，說明『成人』和『自在』之不能並存而已。

（五三）

請爲武大郎借箸

·胡簪雲·

潘金蓮是一個聰明人，經這樣一說，詳細思量之後覺得還是武大郎好，而把三心兩意收拾起來，也未可定。易卜生有一個戲劇，劇中的老醫生，就是這樣的方法，挽留住一個快要跟情郎逃跑的少年妻子。

但武大郎會戀潘金蓮的美色，明知潘金蓮不滿意自己，却沒有正視現實，觸摸現實的勇氣，生怕潘金蓮一去，便無以爲生。於是祇有一方面希望用婚姻關係把潘金蓮縛牢，一方面希望在潘金蓮的面前巴結奉承，以求買取潘金蓮的歡心，此時如果有好心的朋友，在他面前說潘金蓮半個不字，他也會因爲觸着他的痛處而生人家的氣。誰知你愈卑躬屈節，人家便愈瞧你不起，你愈百依百順，人家便愈覺你可以愚弄，你愈以婚姻禮教爲護符，人家便愈覺得你是她的累贅，她的伽枷，而想設法把你丟掉；你愈纏着她不放，她愈想擺脫你。故潘金蓮之出賣武大郎，固然是潘金蓮之淫不可赦，但武大郎亦有以自取。其實到她和西門慶勾搭上了的時候，問題是已到了難以處理的階段了。我們實在不忍再向武大郎責備，但他既虛心下問，我便不能不替他先檢討一番。（三）

但既知潘金蓮和西門慶搭上，武大又應何以自處？我以爲事已至此，大丈夫只有打落門牙和血吞，埋頭苦幹，以求有一天雪恥雪恨之外，別無他圖。潘金蓮要去，讓她去好了，自己發憤，操練身體，從今天起，一拳一脚，從頭學起。武大與武二，一母所生，祇要武大肯用臥薪嘗胆的精神，苦練苦修，三年兩載之後，說不定也有武二同樣的神力。那時找西門慶算賬，把他打一佛出世，二佛涅槃，當街出醜。不要看西門慶是大塊頭，武大是三寸釘，歷史上大塊頭給三寸釘打倒的多得很哩，舊約聖經不是說童子大衛一石便把巨人利利亞打死了嗎？此時如果潘金蓮請求覆水重收，我還要考慮考慮哩。

如果沒有這樣的本領。即把淫婦潘金蓮趕走之後，自己仍舊謹守門戶，做其燒餅生意，伸長脖子看那橫行霸道的西門慶怎樣收場，也是一個消極的辦法。（四）

如果仍迷戀於潘金蓮的美色，依附於其石榴裙下，經她灌一點米湯之後，便學金瓶梅中王六兒的丈夫，縮起頭來做烏龜，爲天下萬世恥笑，那就不如像現在水滸傳所寫一樣，孤注一擲，到王婆店裏和西門慶拚個你死我活好了。

或曰，等武二回來再找西門慶晦氣也好，我以爲靠兄弟的不算好漢，即使能把西門慶打倒，潘金蓮和左鄰右里，也一樣瞧不起你。武大之可愛，武大之有種，還是在乎他不等武二這一點哩。

（下）

記才子鄭小谷

—文壇趣聞—

·向義·

鄭小谷，曾是名噪一時的才子，他是廣西象縣人，道光十五年進士，做過刑部主事，道光末年，倦於仕途，回省講學。先後在龍谿書院，桂林榕城書院主講，並做過廣東粵秀書院的院長。他聰明而好學，故其學問高深，對于經史，尤有特殊造詣。他的詩文獨具一格，著作有小谷全集，幽女侍等。

× ×

小谷軼事頗多，他中進士後，留居京寓，久不得官，囊空如洗，幾至無法爲生。一日忽異想天開，特製一大燈籠，上用朱紅寫：鄭小谷專改文章數大字，使人提之，遊行街道，人見而怪之。有一甫中狀元之某氏，欲一試其才。乃選文一篇，其中將一哉字，改爲耶字。按址面交小谷，並請求刪改，鄭未看文章，即索筆金五兩，並囑其三天來取。小谷既得銀　大啖一飽。返來一讀其文，大爲驚訝。如此好文章，結構字句，俱皆佳妙。反復審閱，無懈可擊。自悔筆金已用，無力歸還。

（上）

自由人

THE FREEMAN
（第四六六期）
中華民國僑務委員會
頒發登記證台教新字第一一二號
中華郵政台字第五〇〇號
執照登記爲第一類新聞紙類
（半週刊每星期三　六出版）
每份港幣壹毫
台北市售價台幣壹元
督印人：陳文龢
地址：香港高士威道二十號四樓
3 rd. fl. 20 CAUSEWAY RD
HONG KONG
香港發行及事務接洽
高士打道66號　電話：七四〇五三
承印者：東南印務出版社
地　址：高士打道六十四號
海外總經銷
友聯書報發行公司
香港：德輔道中二十六號A二樓
台灣特派員辦事處
台北市館前街五十號
台灣總經銷處
台北市西寧南路壹壹零號二樓
台郵撥儲金戶二九二五二

復興統一的兩條大道

・丁文淵・

日內瓦四強首腦會議後，遠東反共人士覺得西方國家對共產集團的妥協空氣，過於濃厚，深恐遠東反共工作，將受不良影響。

臺灣本來是中國的一個行省，滿清時代，因和日本戰敗，不得已而被割讓。滿清政府滅亡後，中華民國不論在法律上或事實上，都是滿清覆亡後，中國的眞正統治者，而且是中國四萬萬五千萬的人民和全世界各國政府所共同承認的。「九一八」日本軍閥所侵略的是中華民國；八年對日本軍閥侵略的艱苦抗戰也是中華民國；二次大戰，和盟國並肩作戰的是中華民國；雅爾達協定，蘇俄所承認支持的是中華民國；大戰結束後，接受日本投降的依然是中華民國；波茨坦規定，台灣應當交還中國的這個中國，當然也就是中華民國；以後接收台灣的，也確確實實是中華民國。事實上，台灣確已回到它的祖國——中華民國的懷抱了。請問，台灣在政治上還有什麼問題？

只有復土與統一問題

因此，現在並沒有什麼台灣問題，只有中華民國如何收復現被國際共黨竊據的國土，如何恢復統一的問題。中華民國經過八年艱苦抗戰，已經財窮力盡，當時唯一有力量幫助我們的美國，又因受共黨分子滲入國務院的影響，中止對我們的援助，更加削弱中華民國的力量。以至國際共黨的支部中共一面藉蘇俄大量援助，接收蘇俄在東北從日軍手中所得到的軍火；一面更藉蘇俄軍事及其他掩護，逐漸坐大，竊據了東北，更進而佔領了整個大陸。中華民國政府才不得已而退處台灣，以台灣爲反攻復國，恢復統一中華民國的基地。今後，中華民國政府，如何恢復已被竊據的國土，如何統一中華民國！我們認爲有兩個途徑可循，這兩個途徑，是相輔而相成的，試分析言之。

美國政策尚堅定

美國和其他西方國家，經過韓戰以後，大概已徹底瞭解蘇俄和共產集團侵略世界的野心；對這種侵略的有效打擊，最終不免訴諸戰爭。於是從新加緊軍備，增加軍火生產，研究原子武器。戰爭的最後對象當然是蘇俄。因此，軍事上不得不側重歐洲。現代戰爭勝負，取決於軍工業的生產力量。亞洲的軍工業基礎，遠不及歐洲——尤其是西歐——西方政策不能不以歐洲爲第一，不是沒有理由的。

幾年來，西方幾經辛苦才組織成一條西歐防綫，西德建軍，更是到了最後關頭，才建立起來的。如此艱苦建立起來的反共防綫，豈肯因蘇俄的和平攻勢，就輕易解體嗎？不過，西方國家是愛好和平的，如有和平的希望，當然不會放棄和平。對於蘇俄的和平攻勢，也自然表示接受，以爭取主動，迫使蘇俄放棄武力，但原來的主張是不會輕易犧牲的。觀日內瓦四巨頭會議，艾森豪所發表的言論，即可見其一斑。

西方終將與蘇俄攤牌

艾森豪會列舉幾個世界重大問題，認爲非得到合理解決，世界決無和平可言。他所舉的問題，例如「被奴役國家的問題」，「被分裂國家的問題」，都是非常重要的。他認爲必須使各國人民，能夠自由選擇他們政府的形式，和自由選舉領導他們的人物，和平才有實現的希望，這不是主張堅定的表示嗎？談到裁軍問題，艾森豪提出互相交換軍事藍圖，和互相派遣飛機觀察的辦法，都是採取主動，迫使蘇俄放棄武力最有力的行動。蘇俄當時不敢公然反對，可也無法承認，於是祇好採取拖延政策，交聯合國裁軍委員會去討論。這些問題，在將來十月召開的外長會議，也是不可能得到解決的。祇說裁軍罷，假要付諸實行，則非有有效的監督組織不可，要有有效的監督非揭開鐵幕不可。蘇聯如眞將鐵幕揭開，則他們專政獨裁的共產政權，就要無法把持，因此，我們可以斷言，西方所提出的裁軍問題乃至辦法，蘇俄是決無法接受的。我以爲美國明年總統改選以後，屆時西德的建軍也已完成，西方和蘇俄非正式攤牌不可了。屆時如果蘇俄不肯屈服，則大戰將無法可以避免。大戰既起，中華民國將在遠東負有以武力反攻大陸的責任，撲滅中共的軍力，就是以武力收復大陸，恢復中華民國統一的第一條道路。

談和平先要取銷僞號

可是這一條道路，非到時機成熟，不能冒昧進行，因爲反共戰爭是國際問題，勢難單獨行動的。然則我們可以坐待時機嗎？則又不然，現在中共因內部紛亂，需要和平，也放出和平解決的口號，我們對中共的和平攻勢，也何嘗不可爭取主動，迫使中共屈服，以和平手段做收復大陸，和從新統一中華民國的工作呢？

（下轉第三版）

周恩來騙術不易售

接着周恩來七月三十日，發表演說，聲稱：（一）「願與台灣負責地方政府舉行各項談判，俾擬定對和平解放台灣之各項具體步驟。」（二）「將平民遣還與個別國家之問題，應有可能首先獲致一項合理的解決辦法。」（三）「深願獲睹美國由台灣及台灣海峽將其武裝部隊撤退。」（四）「對美國對中國大陸所實施的異常不公平的禁運，至爲關切。」（五）「希望亞洲及太平洋地區國家（包括美國），能簽訂一項和平公約，俾代替現時在這個地區所存在之敵對性軍事集團。」

無疑，周恩來的企圖，是想藉世界和平的空氣，用「和平解放台灣」的口號騙取西方國家同情，更想遮蔽自由國家的眼睛，輕輕的將中華民國政府變成一個台灣地方政府。不過，我想自由國家的政府，不會這樣幼稚愚蠢，輕受欺騙的。

周恩來第二個目的，是想用「遣還平民」的糖衣號召，誘騙美國政府，將中國留美學生，驅入鐵幕。更大目的是想用「遣還數十名美僑」做條件，換取（一）數千名中國留學生，（二）第七艦隊的撤退，（三）解除禁運，（四）取消東南亞軍事同盟和中，韓，日，與美國的軍事協定。我想，美國政府即使如何天眞，如何酷愛和平，也決不可能上周恩來這個大當的！

美國和中共在日內瓦談判之前，中共雖釋放了十一名美俘，現在談判又半個多月，所謂「遣僑」問題，始終還沒有得到協議，於此可以明白，美國是不會輕易受周恩來欺騙的。美國的過分妥協，似乎可不必過慮。

何謂台灣問題？

近來，國際上常提及所謂「台灣問題」。如果以台灣表示中華民國政府所在地，有如用華盛頓、倫敦、巴黎，表示美國、英國、法國的政府所在地，當然無話可說。如果認爲台灣本身在政治上還有什麼問題，那就是無中生有，絕無是處的。台

特載

香港文化教育界人士　對國際情勢意見書

香港文化出版教育界人士伍憲子錢穆等十七人，對目前國際政治情勢，昨（十八）日發表意見書一份，全文如下：

正告西方國家：勿違反五億中國人民的願望

最近西方幾個大國對共產集團的妥協態度，使亞洲人尤其是中國人，大爲失望。例如美國與中共在日內瓦會談，不論結果如何，在亞洲人心目中美國的聲望已有損失，並對亞洲人的反共信心，有所打擊，亞洲人不由不感覺到，美國鼓勵亞洲人起而反共，但美國人自己卻與共黨政權打交道！

我們當然知道，美國政府有權爲釋放被囚扣的美國軍民而與中共交涉。但假如美國從最初即堅決表示，只談此一問題，不涉及「其他實際問題」，並嚴詞拒絕中共所妄想的外長級會議，那麼亞洲人的憂慮，或可稍減。在政治上，一個國家必須自己先有堅定不移的立場，才能交得堅定不移的友邦。否則將使弱國感覺：自由世界未能彼此休戚相關，沒有一個始終不渝的共同道義原則；西方大國對於已失自由的國家，並無堅定的支持，所謂人權、自由、民主等觀念，仍只限於國家以內。

我們呼籲，西方國家應認清一件明顯事實。就是，直到今天，共產國家並無放棄共產主義的實際表現，共產國家一日不放棄共產信仰，它們一日不會停止其世界革命的企圖。共產國家的和平共存政策，只是達到制霸世界的迂迴政策。假如西方國家因此而先解除自由世界的反共精神武裝，就等於將若干年來反共的準備工作，前功盡棄，實是一個極大的危險，這正是共產國家所求之不得的。

現在亞洲有問題，就是因爲有中共。中共與俄共是一體的，它奉行俄共的政策，使用俄共的武器，走俄共指定的路綫。中共佔領中國大陸不久，就已聽從蘇俄指揮，侵韓侵越。所以，有中共存在，亞洲便無安定；要解決亞洲問題，只有解決了中共政權，否則一切都只是暫時幻想而已！

中共政權是由軍事侵略建立的，中共由蘇俄的軍事支持，在二次大戰後由中國東北南侵，正如其後中共俄共支持北韓北越南侵一樣。現在這一點已很明顯。中共政權在中國大陸上是用武力維持的，並沒有得到中國人民的支持。中共政權成立以後，殺死人民數百萬，強迫千餘萬人民爲奴役勞動，到今天中共仍在大喊「鎭壓反革命」，便是中共自己表現出未得人民支持的好證明，否則何用「鎭壓」。韓戰的中共戰俘，有一萬四千多人選擇自由，寧願背鄉離井，亦不再回到中共的暴虐統治之下。這說明在中共控制下的中國人民，一旦有機會，便會起來反抗中共的控制。中共亦未能控制全中國的領域。中華民國的民選正統政府仍健在，而且受到海外一千多萬華僑和大陸上絕大多數呻吟於共產虐政下的人民的支持與擁護。中國人民急切希望能早日恢復自由。這個希望寄託於在台灣的自由中國和反共的西方國家。中國人民心中這個希望一天存在，中共政權便一天不能穩定，便有被推翻的可能。只有推翻了這個外來的侵略中國的共產政權，中國以及亞洲才可以有和平自由與繁榮幸福。

事實上與共產政權交往一無益處，例如英國早已承認中共，而英國人在中國大陸的十億元財產尚不能保，遑論其他。西方國家如與中共政權來往，不但要損及中國以及其他亞洲人的反共信心，並且是自亂步伐。共產國家依其共產信仰決心要破壞現有的國際秩序。共產黨有它自己的「新國際主義」，是以莫斯科爲中心的共產世界。所以，拉攏中共，妄想它與蘇俄分離是不可能的。如果被共產黨的一時和平姿態所惑，對自由世界可能造成無限的損害。在今天兩大壁壘敵對的世界上，西方陣營不應放棄任何堅決反共的國家或人民，而去交結一個敵對的共產政權。

伍憲子　錢穆　左舜生　丁文淵
陳孝威　許孝炎　唐惜分　張國興
王聿修　雷嘯岑　徐亮之　林崇墉
黃華表　張六師　陳克文　卜少夫
司馬璐

本週展望

・雷嘯岑・

日內瓦談判僵化了

美國與中共的日內瓦「大使級談判」，截至昨天止，據說是形成僵局了。美方已有暫行休會的主張，共方當然還是扭着要談。

美國堅持着共方先要把扣留在大陸的僑民放出來，表示和平誠意，再談其他，否則別無可說的。共方却想藉此要挾美國付出相當代價，它害怕將那四十名美僑釋回後，美國可能突然翻臉，談判趨於破裂。

假使這是英國人跟中共談判，共方的顧慮却有必要。現在的談判對手是美國，我不相信白宮的政治家會有那末深沉老辣的本事！最大原因却是共和黨政府爲着來年的總統大選關係，一定在今年內對遠東的和平局面要搞出一些頭緒來，至少不能使第七艦隊跟中共發生射擊情事，以免給民主黨作爲競選的大好材料。

我們應記住：最近十幾年來的美國總統選舉戰，都是以對華政策作爲決勝負的唯一武器。假使中國大陸不淪陷，民主黨至今還是白宮的主人翁哩！

美國讓步的程度

我看日內瓦談判是不會破裂的，關鍵在美國如何讓步法？對於中國留學生問題，美國除了已經答應過的辦法之外——凡願意回到大陸去的，可請第三國予以照料——不能再讓了，關於一般旅居新大陸的華僑問題，更不能接受中共的無理要求。事實上，這些問題亦都是中共故意[illegible]扯淡，醉翁之意不在酒，在乎其他的政治勒索。

美國可能讓步的程度也就在此。第一步或許以答應改變原有的談判程序作交換條件，在四十名美僑尚未放回以前，不妨進行其他的政治談判，如所謂台灣海峽停火問題之類——祇要共方保證於第二步談判有結果，即行放人。

美國對於台灣海峽停火問題，是要以最大的忍耐勁來設法促成的，這樣就等於當年艾森豪一上台即使韓戰停火的故事，又創造了一種遠東局勢的「和平」奇蹟，對來年大選的用場大得很啊！

自由中國不可能被出賣

談到所謂台灣海峽停火問題，當然就要涉及中華民國的權益了。一片遠東慕尼赫醜劇的氣氛，即隱約地流動於我們面前，自由中國難保沒有被出賣之虞呢！

據我看，美國連同它的盟邦英國，在現階段無論怎樣從事姑息政策，尚不致於出賣我們。這並非害怕我們反對，更不是甚末正義公道，還是爲它們自身的利害打算也。

美國既絕對不能讓台灣落入共方之手，而以第七艦隊協防台灣海峽，它所具有的法理根據，就是與中華民國訂有共同防禦條約。假使中華民國不存在了，它還甚末資格派海空軍駐在台灣海峽來呢？豈非明目張膽的「美帝侵略」行爲乎？

再說英國，它最理想的和平共存計畫，即爲「兩個中國」之說。英國很多的領土以內，皆有大量華僑存在，總數至少亦有四百萬人左右。這些華僑十九都是反共非共的，對中華民國是擁護的，在當地乃係一種安定力，足以消防共產黨第五縱隊進行內部顚覆的陰謀。如果沒有了中華民國，這些華僑自然就被迫接受中共的控制驅策，有形無形地爲共黨效力，那還得了？不特馬來亞、星加坡一帶的亂事馬上擴大，即住在香港的兩百多萬中國人，也必然皇皇不安，莫知所屆哪！因此，英國自以中華民國存在爲有利，它不會作繭自縛的。

至於金門、馬祖這些沿海島嶼，英國早有主張放棄的建議，迄今未變；美國對此亦故作神秘，不明不白。它們當然是想藉此以與中共作苟和的禮物，問題只在中共是否以此爲滿足而已！我們所應注意的，首先就是金馬問題的對策。萬一美國眞是照着上述計畫行事，而中共也乘機悄悄收兵，我們究竟如何對付呢？

一·封·公·開·的·信

給未能留美及不願留美的青年們

蕭立坤

「自由人」四五八期，有兩篇關於上月台灣公自費留美考試的通訊，我想藉此機會，向自由中國未能留美，及不願留美的青年同學們，說幾句話。

考取留學為何高興

昨天我收到台北一位小朋友的信，說他考取了自費留美，非常高興。是的，假定官價美金是十五對一，黑市是四十對一，政府批准的留美生，自可照官價結滙。一個留美學生，如每月需生活費美金一百元，留學三年，再加來往旅費一千美金，一共可結滙四六〇〇美元。每元由政府津貼官價和黑市的差價台幣二十五元，一共為十一萬五千台幣。如果他的父兄是一位中級公務員，每月薪金台幣二千元，這筆津貼等於五十七個月的薪水了。好傢伙！他當然高興了！不過他的父兄也要拿出六萬九千台幣來結滙，還不是一般窮苦人家辦得到的。

台灣的出口，第一是蔗糖，所以最大宗的外滙是用糖換來的，也便是蔗農血汗換來的。但窮苦的蔗農是拿不出六萬九千元，來替兒子結滙自費留美的。只有蔗官或與製糖無關係的官，商，名流，才能拿得出六萬九千元，來換取十一萬五千元的暴利，讓兒子到美國去享受三年的GOOD TIME。

如果考取的不是男孩子，而是女孩子，那更有意想不到的妙處了！現在向美移民難如登天，有些官員雖冒充難民，也一樣辦不通。如果送一位女兒去美國讀書，轉瞬嫁得美籍快婿，或雖非美籍，能於一年半載之內，生下一男半女，那麼這位小姐便成為美籍公民的妻子，或美籍兒童的母親，於是自動取得美國國籍，她留台的父母，也自動成為美籍妻（母）的父母。這樣如要入美，自然比毫無關係的黃種人方便得多了。從此類推，更可以聯想到上一代留美學生回國後的升官發財，或社交場中，以英語講利，（當事人當然看不見自己是黃皮膚和塌鼻子！）受人重視……這樣，留美考試的錄取，簡直是一切富貴榮華的關鍵了。當然考取的，當然萬分高興，考不取的自不免萬分傷心了！

留學不是了不得的

不過我要對親愛的青年朋友們說，如果你未考取，或者根本未投考，我勸你不必傷心！留美並不是一件了不得的事。你們可能都知道，皇帝的新衣那故事罷？一百年來，中國的留美生，回國後，都說美國是天堂。好像即使是白癡進了美國大學，也會即刻變成天才一樣。第一批如此騙人，果然把無智無識的北洋軍閥騙信了，委派留美生做了大官，當然很快發了大財。於是第二批回國的留美學生，又誰敢說美國不是天堂呢？如果說了，官和財都完了。於是一樣騙人，反正自己心裏明白，而且老百姓什麼都不懂，留美生可以一直紅下去，也一直升官發財下去。這樣，我們的留美生，便騙了他們的父母，朋友，部下，學生，人民，現在已一百多年了！如今還是方興未艾，希望下一代再騙下去呢！

今年一月十二日，才有一位燕廬先生在「自由人」第四〇三期上，寫了一篇「留學百年紀念罪言」，把這騙局說穿了。我希望各位青年朋友把這篇文章再拿來看一次。燕廬先生所說有關中國覆文化各節，我十分贊同。他說多數留學生，見解褊狹，道德淺薄，不學無術，更令我十分同意的。

留學也有害處

我現在要從另一方面，即從實際生活及事業方面，向你們討論留學的害處。我自己是民廿六年上海交通大學畢業生，民四十年由空軍派美，進過六個月的短期訓練學校，以後進過一個夜校，學習電子學課，又在華盛頓大學選讀過一門波動力學，此外即未進過學校了。所以我一向承認我是留美生，我不只是遊過美國兩次的遊客而已。民國卅二年，我在重慶中華書局出版了一本「遊美指南」，這書民卅六年在上海增訂二版，銷行很廣，你們由此可知我並非信口亂說的。我和燕廬先生一樣，只是不願參加騙子隊的老實人而已。

第一個假定

現在假定有甲乙兩位青年，年齡資質財富都差不多，都是高中畢業生。甲投考了自費留美，乙則未考。甲進了美國大學，四年加一年，他得了碩士，他父親已為他花了將近十萬台幣了。五年的美國生活，將物質生活的水準提高了，不願再回台灣受苦。于是在一家美國工廠找到了工作，生活很舒服，一二年後，結了婚，太太更吃不得苦，所以一直這樣混下去了。但美國是歧視黃種人的，美國國策也對各國人有種族之分的，第一是英語民族，第二是北歐民族，第三是其他白種人，第四是黑人，最後才是黃種人。所以，無論甲有天大本領，絕不會做成一家工廠的主管人員的，因此他一生可能就寂寂無聞，混完了。

或者，甲得了碩士，回到台灣，馬上做了較高的官。但做官與學術是不能兩全的，做了幾年官，天天批公事，從前學的技術都忘了，只好一直做官下去。為了吃飯，為了繼續吃飯，非做下去不可。即令明知做某些事是違背良心的，也得做。因為不做，即要丟官，一切富貴都完了。所以甲不免要腐化，不免要貪污，直到犯案為止。

不留學可能有成就

但是乙，高中畢業後，進了本國大學，各種科學，一樣可以學得好。比如盛沛霖，華羅庚，他們都不是從外國學的。乙四年畢業後，進了一家工廠，從低位置做起，因此學得了許多實際技術。如果他肯研究，改良，他可能將本廠的生產方法，改良許多，從經驗及現實之中想出的改良方法，是唯一可行的方法。每間工廠有牠的特性，絕不是在美國參觀過大工廠的人，即可在台灣辦得好小工廠的。這樣，乙很可能慢慢做成一個工廠的主管工程師。能說能做，有經驗，有學理，不管上級機關改組多少次，都更動多少人，下級幹部更動多少人，他的位置是很穩固的，他是國家真正的柱石。

或者，乙在大工廠做了幾年之後，自己經營小工業，視地方實際的需要，用本地的原料，本地的機器力，製出本地實用的出品，假以十年八年，也很可能成為一個工業的老板，也很可能發財。他的發財不是貪污得來的，而是用服務換來的。

工業前途靠甚麼人

台灣可能發展的大小工業還多得很，許多都不是從美國學得到的。例如，台灣出蔗糖，美國不出蔗糖。台灣產樟腦，美國則不知。台灣人工便宜，美國機器便宜，所以從美國學的許多辦法，並不一定實用于台灣。台灣沿海的珊瑚業，淡水漁業，乃至台灣人民所需要的大批自行車，小型摩托車，都是可以自己製造的，並不需要什麼博士碩士頭銜的。所以，乙或者根本不進大學，中學畢業後，即做機械士，十年八年後，他的成就也很可觀，其實做官到了今日，已味同嚼臘了，待遇很苦，貪污的機會也少了。從前騙北洋軍閥的那一套，已騙不到智識日高的同胞了。所以，大而建國，小而為人，我們都要改變觀念，從實地去幹。只有研究事實，從經驗中學習，才能得到真正的學問。我們再不要自稱讀書人了，祇是讀書用處太少了。青年朋友們，你們要拿出自信心，和自尊心來！愛迪生的發明是由實驗中得來的，你曾經看過一位留美博士發明[illegible]的小玩意麼？自由中國的工業前途，只能靠不願留美的青年們才能創造得出來！（八月五日，阿根廷，布宜諾斯愛里斯。）

·人物·評述·

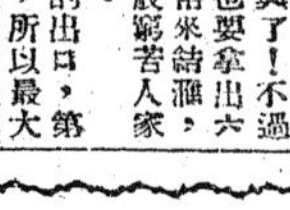

殺賊抗暴英雄！

鄭元贊歷刧歸來

胡養之

（一）

鄭元贊這個名字，我差不多已六七年沒有聽見了，直至本月四日，突然在報上發見一則關於「鄭元贊等十七名反共志士，在海口至北海航程中，演出一幕殺匪抗暴，奔向自由的動人史劇」的新聞時，我還不敢相信就是我所認識的那位鄭元贊。第二天香港時報把他們十七位英雄的照片刊出後，第一名赫然就是我所認識的那位鄭元贊。一點也不錯，只是面龐比以前瘦了一些，但那厚厚的咀唇，和烱烱的目光却依然未變。鄭元贊是我的小同鄉。而且曾經一度共過患難，所以對於他的過去情形，知之頗詳。

（二）

鄭元贊祖籍，是湖南寗遠的督堂嶺，大概在他祖父時代，才遷往道縣與寗遠交界的喜鵲橋居住。他有一個哥哥鄭元傑，是軍校第八期工科畢業生，弟弟鄭元成，是純粹一個文人，曾做過鄉長和校長。元贊第一位太太是由他父母作主的，戰前已經死去；第二位太太也在卅九年被共匪的流彈所擊斃。

（三）

提起他第二位太太的死，不禁使我想起當時元贊一段悲壯的史蹟。他原是前湘南行署主任歐冠的外甥，民國三十八年共匪侵入湖南，元贊還是行署的警衛團長，元贊與歐冠的關係是很深的。歐冠當時投共，元贊深明大義，不肯服從歐的命令，並且率領該團的一部分忠員官兵，及其妻子等人，潛入寗遠城南九嶷山內，準備作長期遊擊戰。三十九年三月「水打鋪事件」發生後，共匪把元贊做了唯一清剿的對象，派大軍將九嶷山附近的魯管綿國團團圍住。元贊舉家都被包圍在內，一天黃昏時候，他們剛吃晚飯，戶外的槍聲四起，女人胆怯，閏竄亂跑，元贊的太太便於這種情形下，被流彈擊斃，兒子亦同時死於非命。元贊的母親也被匪逼死在家裏，不許任何人收屍，直到臭不可聞，才加以掩埋的。

（四）

從那時起，我和元贊便失去了聯絡。我潛在郴州附近的蘇尚嶺，間或聽說元贊已經逃往上海，也有人說他到了漣州的。我個人的猜想總以為他已經死了。但據這次元贊在台灣對新聞記者說：他是四十三年才逃到廣西，輾轉到雷州半島做工的。又說他們本來老早就想舉義，可是始終沒有適當的機會。

（五）

元贊，現年四十四歲，少時在零陵頻州中學讀書　天禀很高。畢業後，旋參加何鍵主湘時所辦的西路軍幹部教導總隊。受訓期滿，歷充國軍排連營長等職。抗戰開始，他又考入防空學校第六期深造。民國三十三年他在道縣做過短短一年的縣長，成績尚佳。三十八年共匪尚未侵湘之前，湘南的零、祁、東、道、寗、永、江、新等八縣共同成立一個聯合指揮部，歐冠任指揮管，元贊充參謀長，但為時甚暫。

（六）

元贊是高個子，背部稍微有點駝，平時喜歡喝兩杯酒，間或逢場作戲也打打小牌，惟不歡喜說話，充分表現着沉毅勇敢的態度。這五六年來，他在那種極端恐怖和危險的鐵幕裏，始終未曆減他那反共抗俄的決心，且不顧任何犧牲，殺賊起義，投奔祖國懷抱，殊屬難能可貴。我這個久滯海外的舊夥友，除歡躍鼓舞外，謹為元贊祝福！

縱談僑教問題（四）

·謝康·

董事會和視導制度

談到僑校董事會和教育視導，也是頭緒很紛繁的問題。首先是董事會組織的不健全，和董事們對教育的觀念還未十分正確。華僑捐資辦學，出錢做功德，本是值得讚美的。但因為校董的產生及其重要職能在乎出錢，自然多是大頭家當選。又因為種種關係，董事會的組織往往不健全，不能發揮高度的效能，使學校當局無經濟後顧之憂。而且某些董事會，還以學校為商店，錙銖計較，專顧得失，打着做生意的算盤，使得做校長的人只可做學店經理，而不能做一個真正的教育家。因為董事會，不免越權干涉學校行政，使校長教師大傷其腦筋，難於應付，論理，僑校無論公立私立，都是國家教育事業的一部份，而不應視為私人的企業，隨便藉口「因地制宜」或「因人制宜」，只聽憑出錢的人「話事」，而不遵守教育法規，妨礙了國家監督教育的權能。影響所及，可以削弱國家觀念，和民族意識，教育不能廣播善因，而且可流傳邪說謬種，其流弊是不可勝言的。

說到這一層，我們自然聯想到教育視導的重要。根據現行僑務法規，本訂有駐外使領館辦理僑民教育行政及派員視導轄區僑民文化教育辦法。凡有我國使領館的地方，都可以照章辦理，但是當茲國難關頭，南洋諸大地區，多半沒有自由中國的使領館，只有僑委會直接派員，或委託視導之一法。這當然有許多困難，要行使全部的監督視導權，也許感覺不方便，這也是當今僑教問題值得注意的一個要點。

教育與生活脫節

關於僑民的職業教育，和生產教育，我也希望提起教育行政當局和讀者的注意。根據四十二年度僑校數目統計，海外各處共有華僑中學三百五十五間。但是師範學校只有七間，職業學校只有二十七間。平均每十間中學只有一間師範或職業學校。換句話說，就是中等學校的僑生，只有十分之一的人準備就業。這比例充分證明華僑職業教育的不發達。我們試一翻閱台灣近來的統計，中學與職校為一三四與八十一之比，（與師範為一三四與九之比），就知道相差實在太遠了。偏遠地區，此種情形，尤為顯著。有些已有幾間中學的島嶼，可是沒有一間職業學校，因為職校花錢多，不易開辦，而學生的來源少。職業教育之不為僑胞社會所重視，也是不可諱言的事實。然而從生活與實用的觀點看來，普通高初中畢業，除升學外，謀生之道，多是很成問題的。而在華僑人口日漸繁殖的地區，就業問題，更為嚴重。雖說南洋物產豐富，謀生容易，這是指父兄親戚是農場工廠或店主人的青年而言。否則許多高初中畢業生，一定難或不能升學，也不能就職業的現象。僑教與生活脫節，實在也是當前一個很大的隱憂！自然要斟酌各地情形，善為輔導，絕不是片言可以解決的。但是原則上，有幾點值得作為考慮的依據：（一）希望有兩三間中學以上的同一地區，將一間普通中學酌量改設當地適用的職業學校。（二）中學附設職業科。（三）由當地僑資農場工廠聯合附設農工技術人員訓練機構，以及其他適當的方法，培養生產技術人才。（四）切實推廣職業教育。補救一向祇注重文飾虛榮，而不切實用的普通文化陶冶的毛病。

僑教與國策如何配合

最後要鄭重檢討的，是僑教與國策的配合，這個問題的存在，當不限於偏遠地區。在大城市裏面，僑校林立的地方，如香港、星加坡、椰加達，也一樣值得注意。（下轉第三版）

編者 讀者

關於任顯羣的兒子

△台北地方法院來函：

閱四十四年八月十三日貴報第四版載「為小事抱不平」一文，內有「任顯羣的二太太生了兒子，已滿週歲，據說這兒子如要申報戶口，就得經過法院公證手續，法院未便予以公證」云云。查任顯羣認領其非婚生子任和鈞，其於四十四年一月十九日向本院聲請公證，本院當日予以辦理，發有公字第零七七號公證書在案。貴報所載本院未予公證一節，係屬傳聞失實，相應函請查照，惠予更正，以正視聽。此致自由人報。台灣台北地方法院書記室啟

八月十五日

△蕭蕭，劉鑄如，朱大可，胡養之，萬香堂，榮人，魏文侯諸先生：承惠稿，均一一收到，至感幸！

△香堂先生：大函敬悉，高見甚佩，稿酬事，另函詳。謹覆

△方規，蕭吐溫先生：請示郵址。

長大中的香港大學

畢業生共一千六百餘人
習醫學生最多理科最少
女生多文科習工只一人

陳永昌

（一）

【本報專訊】香港大學創立的歷史，筆者雖不十分清楚，但頒發學位的歷史已遠在一九一四年，根據最近港大出版的「港大年鑑」一書，就其歷屆畢業生加以統計，自一九一四年起至本年止，共有畢業生一六八七人。此項畢業生可分醫、文、理、工四大類。醫科畢業生最多，共六三二人；文科次之，五七二人；工科又次之，四三六人；理科最少四七人。

畢業生人數，二次大戰後始陸續增加。一九五〇年五一人；五二年增至九〇人；五三年增至一一〇人，爲歷屆最高數字；五四年九〇人；本年九九人。

該校女生畢業者，始於一九二五年，僅得文科女生一名，一九五三年最多，共三八名（醫九名，文廿六名，理三名）。歷屆畢業女生共二五八人，其中文科最多，共一七九人，佔半數以上；醫科次之共六三人；理科又次之共十五人，工科最少僅得一人，此亦一饒有趣味的現象。

（二）

茲將歷年各科畢業人數列表如下，以供參考：

年份	醫科學士	文科學士	理科學士	工科學士	備註
一九一四	三人				
一九一五	一人				
一九一六	八人	四人		十二人	名譽生三名
一九一七				十四人	名譽生四名
一九一八	七人	一人		十六人	名譽生八名
一九一九	三人	五人		十人	名譽生二名
一九二〇	八人	五人		十一人	名譽生四名
一九二一	五人	四人		十二人	名譽生二名
一九二二	二〇人	十五人		十一人	名譽生四名
一九二三	七人	十七人		八人	名譽生二名
一九二四	九人	十八人		十四人	名譽生三名
一九二五	四人	二四人（女生一名）		五人	名譽生一名
一九二六	八人	二一人		五人	名譽生一名
一九二七	六人（女生一名）	十七人（女生一名）		十人	名譽生二名
一九二八	十七人（女生一名）	十七人（女生一名）		九人	名譽生五名
一九二九	十七人	十一人		五人	名譽生一名
一九三〇	十七人	十三人（女生四名）		九人	名譽生一名
一九三一	一九人（女生四人）	九人（女生一名）		十二人	名譽生二名
一九三二	十五人（女生四名）	十七人（女生四名）		十二人 十二人	名譽生七名
一九三三	二六人（女生一名）	廿一人（女生二名）		十二人	名譽生五名
一九三四	九人（女生一名）	十五人（女生三名）		十四人	名譽生五名
一九三五	廿四人	十七人（女生二名）		十五人	名譽生五名
一九三六	二〇人	十五人（女生三名）		十八人	名譽生三名
一九三七	五人（女生一名）	卅三人（女生九人）		卅二人	名譽生六名
一九三八	廿四人（女生一名）	六人（女生一名）		七人	
一九三九	廿三人（女生二名）	廿二人（女生九名）		三〇人（女生一名）	
一九四〇	十九人（女生一名）	十七人（女生八名）	一人	十六人	名譽生四名
一九四一	十六人（女生三名）	廿二人（女生十一人）	一人	廿一人	名譽生三名
一九四二	二七人（女生四名）	三八人（女生十五名）	二人（女生一名）	二六人	
一九四三					
一九四四					
一九四五					
一九四六	四十三人（女生一名）				
一九四七	九人（女生一名）				
一九四八	十一人（女生一名）				
一九四九	十四人（女生三名）				
一九五〇	二〇人（女生一名）	十八人（女生十名）	四人（女生一名）	九人	
一九五一	三人	廿二人（女生十四名）	二人（女生一名）	十一人	
一九五二	卅三人（女生七名）	卅八人（女生二〇名）	四人（女生一名）	十五人	
一九五三	五一人（女生九人）	卅六人（女生廿六名）	十人（女生三名）	十三人	
一九五四	三六人（女生七名）	三十人（女生十七名）	十一人（女生二名）	十三人	名譽生二名
一九五五	五五人（女生十名）	二三人（女生十六名）	十二人（女生五人）	九人	
總計	六三二人	五七二人	四七人	四三六人	

（三）

此外尚有外科碩士（M.S.）三名；醫學博士（M.D.）共七名；文科碩士（M.A.）三名；理科碩士（M.SC.）三名；工科碩士（M.SC.ENG.）三名；綜上統計，港大迄今共頒發一七〇八個學位。

前表所列名譽生，於取得該項學位後，須再在港大讀書一年。

至港大畢業生職業，醫科多在香港各大醫院服務，或自行設立醫務所。文科畢業生則多服務於香港社會機構或任教職。

前表，一九四二年畢業生所得學位，爲「戰時學位」（WAR-TIME DEGREES）；一九四六年至四八年畢業生所得學位爲「緊急學位」（EMERGENCY MEDICAL DEGREES）。此爲適應當時之特殊情勢和需要而頒發。

縱談僑教問題

●謝康●

（上接第二版）

南洋距離祖國千里而遙，有些人覺得祖國和自己有很遼遠的距離，國家觀念不免稍形薄弱。加以近年來共產國際的滲透和宣傳，使平素清一色擁護中華民國的地區，也形成國共變方和中立的一派。許多國家觀念薄弱的教育者，不免因此動搖觀望，藉着「爲教育而教育」的漂亮口號，實行其灰色的中立主義，於是有些僑校違反了國策或立國主義。有些僑校對國策守中立。雖然大部份僑校還是擁護中華民國，但是，與說到眞能配合反共國策，眞正做到「國家化」「戰鬥化」的教育精神和理想，能分担復興民族一部份責任的，恐怕忠貞僑校當中，也不多見吧。

所謂「爲教育而教育」的觀念，實含有使教育本身對政治超然獨立之意，在近代藝術思潮上也有所謂「爲藝術而藝術」的一派。即不欲使藝術爲其他任何目的而存在。類似此派藝術論者的主張，「爲教育而教育」說者，想將教育視爲孤立的事業，學校被認爲遺世獨立的機構。彼等以個人爲教育目的，而以教育爲超然中立之物，實昧昧然不明白現代國家所以立國的精神要素。現代國家，以教育創造新國民，從而教育事業乃成爲立國的基礎。中華民國憲法第一六七條，特別提及華僑教育，可知僑教爲我國家教育的一部份，是絕無可疑的。

基此理由，所有僑民教育絕不應超然於建國思想，及立國精神之外，而必須遵循國家教育宗旨，及實施方針，謀與國策相配合。當茲國土未復，國仇未報之秋，教育者，絕不能認僑校爲私人企業。孤芳自賞，以不談政治爲明哲。置國家存亡於度外。而自命爲中立主義的教書匠。避免因談國事，而開罪任何方面。這種滑頭敷衍的態度，絕不配當忠貞僑校的教師。過去大陸青年不能抵抗共匪的誘惑，這態度實在有很大的關係。

年來蔣總統於痛切檢討國事的時候，會確認由於過去教育的失敗，造成了民族的浩刦。他同時寄望於今日的教育家，要努力負起救國復興的第一等責任，也就是復興祖國，解救同胞的重任。

巴基斯坦反共領袖穆希丁說：「我們應在每個學校和鄉村工作，使得每個學校和鄉村，都成爲反共營壘」。這就是說每個學校的教師和學生，都成爲堅貞不移，反共抗俄的忠勇鬥士。

自古未有的危險恐怖思想——共產帝國主義，已成爲自由世界乃至全人類的公敵。它底新殖民政策，尤其對弱小民族的尅星，使許多落後貧瘠地區，淪於奴隸牛馬的悲慘境地。人類正處在光明前的黑暗時代，現階段的教育，該是人與獸，自由與奴役，光明與黑暗鬥爭之精神利器。這個寶器必須參加當前偉大的神聖戰爭，絕無中立徘徊的餘地。滑稽可笑的尼赫魯主義，絕沒有力量來抵抗共匪的世界擴張戰略。何況中共不僅是蘇聯帝國的鷹犬，更是中國偉大傳統文化的死敵。因此以發揚祖國文化爲職志的華僑教育，更不能不一致奮起，對「共慘主義」的恐怖威脅，作殊死戰。

僑教第一重要任務

整個中華民族既然必須滅共驅俄才可以獨立自救。配合反共國策的教育，必須喚起民衆，養成青年的反共意識共同奮鬥。去年七月全印尼華僑教育會議，張曉峯部長曾有「當茲反共抗俄之際……海外華僑教育，極應配合當前國策，適應僑胞需要」的話，很明確的指示出僑民教育應以配合反共國策爲第一義。近年僑務行政當局，也有類似的見解，在「奮鬥中的僑教」一文，鄭彥棻先生更嚴正地指斥共匪「威脅校董，搶奪學校，毒化青年」的陰謀。他主張「保護海外僑校，以免被共匪控制作爲顚覆活動的據點」。同時要「改進僑校師資的素質，加强對僑校輔導工作，指導各地僑教團體的健全與發展。」這些話都十分中肯，作爲捐資興學的董事（家長）們，和努力僑教工作的教師們，應深深警惕，不要只看見此時此地的教育需要，但忘記了配合反共國策的第一要義。不要爲一般口號「爲教育而教育」的孤立政策所誤，致使國家教育機構與當前的反共國策脫節，放棄了救國復國的第一等責任。

海外的教育工作同志們：在今天生死存亡的關頭，無論你是國民黨員，或其他民主黨派人士，抑或不參加政黨的人，你總得參加反共戰鬥的行列，至少也得做一個反共宣傳員。才不辜負你所職掌的精神動員，神聖光榮的任務！作爲學科的導師們，必須認識清楚每一科目每一課程，都是構成這偉大的神聖戰爭國防教育的一部份，必須統一在這個反共抗俄總目標之下，共同努力，然後才可以救國和自救。

除開學校教師們努力之外，海外各中等僑校，在居留地環境許可的範圍以內，應公開地或秘密地組成立青年反共救國團，或三民主義少年先鋒隊，或華僑自由青年社一類的組織。以便組訓青年團員，强化反共思想，維護民族精神和祖國文化命脈於不墜。至少也可以在思想上注射一些抵禦共匪宣傳的抗毒素。

臨了，我還想竭誠昭告愛護自由祖國的讀者諸君，今日海外僑教問題雖多，但任何一個問題的合理解決，必得以反共抗俄爲其後歸宿。惟有反共抗俄的華僑教育成功，纔能獲得反攻復國的最後勝利。但這些話，只可爲有良心者道，却難爲俗人言也（七月八日）（完）

經濟社會思想叢殘

（五〇）

金伯華

法國社會學家杜爾幹（DURKHEIM）似乎說過，一個民族文化水準的高低，不看全體的平均，而應看少數的傑出。少數傑出者，就是經過分工長期鍛煉出來的優良專家。文化尖峯，必須有科學技術廣泛的分工爲基礎。杜氏這說法是很有道理的。但在斯密氏當時，一針之微，但已分成十八種工作。後來，科學技術進步，分工越精細，一個工人幾乎畢生只專做一樣小零件，一種小動作，而不知他所合力完成的究竟是什麼東西，以致造成工人頭腦的閉塞而近於愚笨或白癡。早些年，卓別麟不是演過一本「摩登時代」，便是描寫這個情形而哄動全球嗎？這正是對於現代資本經濟分工原則的一種微尖刻的諷刺。亞當斯密畢竟是一位具有細密頭腦和敏銳眼光的大思想家。他在原富論（第二冊第二七〇頁第五卷第一章）裏，便曾注意到倘要實行分工專門化，必須「……强迫全國人民受有必不可少的基本教育」，以防止高度分工後工人愚化的不幸後果。（未完）

復興統一的兩條大道

丁文淵

（上接第一版）

不過，我們要先問，中共藉蘇俄的力量破壞中華民國的領土，自稱革命，不知他們究竟要革何人之命。如果中共反對蔣介石先生，要革他的命，可是，過去蔣先生會自動引退，讓國事和平解決，但中共並沒有走和平之路。

如說革國民黨之命，則國民黨不過是中華民國各政黨之一，國民黨不能攫中華民國爲一黨私有。何以中共武力盤據大陸之後，竟把四萬萬五千萬同胞及先烈艱難締造的中華民國廢除，改稱爲「中華人民共和國」？且所謂「人民共和國」者，早已成爲蘇俄東歐附庸國家的總名稱，中共毫無顧忌的掛上這個招牌，便是公開承認它是蘇俄的附庸，也就是公開承認他們所謂革命並不是革什麼人的命，而只是出賣祖國於蘇俄，否則沒有理由將數十年艱難創立，中外共同承認的中華民國國號取消，改用附庸國的稱呼。故今日要談一個和平統一的方案，非先取銷「中華人民共和國」僞號，恢復「中華民國」國號不可。

中共能悔罪才有和平

此外，爲解救大陸被奴役人民的生存，中共應當接受國際慈善機關的救濟工作，讓萬國紅十字會派人調查災情，以從速作有效的救濟。還要立刻終止所有各項無人道的清算，解散奴役人民的勞工營，釋放所有政治犯！更須揭開竹幕，讓人民恢復通信自由，旅行自由；取消一切剝削人民的經濟制度，恢復私人營業，使人民得以謀生自存。在政治上必須在聯合國監督之下，使各黨各派，得以返回大陸自由活動，以期建設一個眞正民主的國家，中共對過去的賣國罪行，如眞能悔悟，就須從速將幾年來操縱大陸的軍、政、黨、和經濟建設的所有俄籍顧問，概行驅逐。如果中共能做到這幾點，中華民國政府自應和中共坐下來商洽一個和平統一全國的方案，無須一定要用武力反攻大陸。我看中華民國的復興和統一，不出以上兩個途徑，幾年來中共稱兵作亂，使國家陷於分崩離析，今日侈言和平，是否有心悔禍？果能遵循第二途徑，使國家復歸統一，則過去罪行，或可爲國人所共諒。

發酬通告

本刊四三一期至四四〇期稿酬通知單，經已分別寄發，請惠稿諸君遞單前來領取稿酬爲荷。

言論自由的魔道

馬五先生

台灣省議會最近爲着所謂「茶林互養」問題，大興辯論，對林政當局嚴詞質詢，每每溢出問題範圍以外，這原是議會政治的常態，祇要堅守着就事論事的原則，不涉及「人身攻擊」，即使一時有所誤會，也不要緊，事實愈辯論即會愈像大白的。據說，最近台省議會辯論茶林問題時，林政當局對於職責以外的質詢答以「不清楚」，即有某議員竟說出「如果你太太與你離婚，嫁給林業公司董事長（茶葉公司董事長林頂立）你也不清楚嗎？」這類穢語來。這那兒像是神聖尊嚴的「巴力門」，簡直是北平天橋兒的鬧子館，不但超出了議會辯論問題的常軌，根本就不成其爲代表人民立言的代議士！

議會中並非無法無天，任意胡說八道的所在，所謂「議員在會內發言，對外不負責任」之說，是指代議士對於某一問題的論斷與主張，不受法律追訴的責任，決非身爲議員即可以不顧一切的瞎說之意。議會中的「懲戒委員會」，就是對同人違紀糾彈，維護「巴力門」信譽與尊嚴的。我不知道台省議會對於那位違背紀律損害代議制信譽與議員人格的胡鬧人物，應否予以懲戒呢？這對被侮辱的人，毫無所損，對議員本身的影響却很大！

在民主政治社會中，代議士和新聞記者都是具有言論自由職權的人，假使大家不遵守軌範，不辨公私的任意作人身攻擊，尙復成何體統？辯論問題，就事論事，即令面紅耳赤，拍案捧杯，或相互筆戰，衝鋒陷陣，都屬無傷大雅，若專而攻訐別人的陰私，且發爲醜惡不堪入耳之言，那就是民主生活的罪人。難怪平日討厭民主政治者振振有詞了。尊重個人的人格尊嚴，崇尙理性，信守法律範圍，這是行使言論自由職權的必備條件，否則不但民主生活將被我們自己所斷送，天下亦必然要大亂的！

孫子堂戰死台灣悲壯史

王恢

讀清朝野史大觀，孫子堂戰死台灣的悲壯史事，民族大節凜然不可侵犯，精神虎虎，至今國人敬仰不衰，亟述其要，用資激勵：

×　×　×

子堂，湖南人，父開華，字賡堂，咸同間從鮑超轉戰大江南北，積功至總兵。光緒初，調守台灣。十年法軍犯台，賡堂守淡水，誘法軍登陸，三戰而三敗之，法軍遂不敢再犯。賡堂以戰績擢福建陸路提督。十九年以疾卒於淡水。

次年——甲午，中日戰起，清海陸軍屢戰屢敗，因割台灣求和。台人以未見一敵，未放一槍，竟被清政府外交大臣在馬關會議桌上把他們出賣，無不痛心疾首，憤起反對。於是，倉卒間建立台灣民主國，擁戴唐景崧爲總統，誓死抗戰。子堂既爲名將之後，又諳兵法，卓有父風，於是子堂亦感激奮發，慷慨自誓於衆曰：「國家土地，不能以尺寸與人；台灣雖懸海外，北通上海，南接廣州，當外洋之衝，實具軍事價值，況物產豐富，魚鹽充足，又多天然之利！今政府棄之如敝屣，視吾人如「豬仔」，某雖無能，不忍坐視大好海疆，僅有樂土，淪出賣，誓以死抗，願同胞共勉！」嗣是刻苦蹈厲，奔走呼號，激勵忠義。並率先毀家，購軍械，從事訓練士卒。

×　×　×

未幾，日軍抵台，被推爲義勇軍首領。接敵，兇燄萬丈，揚言敢有敢反抗者，立予格殺！子堂家人因勸子堂：「老將軍死未久，公子宜自愛惜。政府既忍心割棄台土，公子何苦死爭」！子堂抗言，今日之事，正所以慰老將軍在天之靈，不得以事無可爲，甘作順民，人誰不死？與其被人宰割，作人奴隸，不如與敵決鬥。事縱不成，亦可告無罪於天下後世。未幾，與來犯敵軍接觸，敵損失甚重；既而敵軍源源到，包圍數重，卒因衆寡懸殊，裝備又劣，子堂所部漸苦不支，苦戰三晝夜，傷亡殆盡。子堂徒手高呼：「吾力已盡，責已完，望愛國之士有以繼吾志！」遂策馬陷陣以死。今三貂嶺之父老，猶喜談子堂壯烈之往事，台人感念之深，可見一斑。

觀公演「天國恩仇」話劇有感

·金達凱·

其一

台前訴出舊恩仇，一代天嬌逝水流；
霸業消沉王氣盡，女兒佳話尙千秋。

其二

金陵城廓已清秋，血影啼痕滿石頭；
今古興亡同一例，天安門下鬼聲啾。

註：八月九，觀自由影人公演此劇，「女兒佳話尙千秋」句指劇中傅善祥與洪宣嬌之三角羅曼故事。

臨江仙引　落花

·王沉裴·

青旛半捲花枝動。斷腸片片殘紅。赤欄低映綠波中。嬌鶯一聲囀。又是落花風。

海棠午倦眠初足。倩誰護取嬌慵。閑愁莫壓兩眉峯。倚欄悄無語。看蝶抱花叢。

語言學漫談

徐道鄰

從這兩句話的例子，我們可以看出來，語言的組織運用是使聽者把幾個獨立不成形的印象（語言行爲所引起的心理反應），組織起來而成一個有系統有意義的思想。我們也就明白，人類之能思考，能有文化，人類之所以異於禽獸，也就是因爲我們的語言具有這一種『組織使用』。其他禽獸，有許多彷彿也都具有一種語言，並且也全都具有報導，評價，促使的行爲能力，而且也全都表現有高度效力的使用（帶着小鷄覓食的老母鷄，對於這一點，表現得最爲淸楚。），而它們所絕對缺乏的，惟一就是這個組織語言行爲的能力。

語言的組織使用，是否成功，全以其『準確性』（Correctness）爲斷。而其準確性又直接影響到其他運用方法之效果，同時，其他運用方法之是否適當，反過來也直接影響到組織使用的準確性。所以，人類語言的各種運用方法，是彼此相互依賴，和彼此相互影響的，正如同人類語言中各種表達方式之相互依賴，相互影響，完全一樣。人類爲了用語言來控制他們的各種行爲，必定使用種種不同的語句，而爲了達到最高的效果，則又必須利用種種不同的使用方法。人類語言的功用和運用，是非常複雜而微妙的，它這一種特性，到了我們研究它的組織使用的時候，才格外突出的顯露出來，

人類以語言表達事物，既有四種不同的語句，而其運用語言，又有四種不同的方法。以四乘四，則在人類的言語表達中我們至少可分別共十六種型態不同的語言文字（Types of Discourse），下面我將繼續予以一一舉例說明。

十七、指示語句和其四種用法

指示語句的功用

『指示語句』Designative Words 的功用，是用以說明外界環境中的某一些現象，而這些現象，並不以『此時此地』的爲限。例如我告訴你說：『我的外甥兩月前在美國得到了學士學位。』如同我指着我們面前的病人向你說：『你看，他呼吸又在緊促了！』其以一些特定的語句代表某一些特定的事物，二者的作用，完全一樣。雖然這些事物，上者是過去的，遙遠的，你沒有看到的，而下者是你面對的，就是我不說你也可以自己觀察得到的事物。

指示語句中，包涵有兩種不同的字句。一種是『指定字』Idenstifier。指定字的功用，在指示出某些事物在『時』間和『空』間上的位置。你問我，『我的手錶在哪裏？』我說，『在書桌上面。』你又問，『李先生請客是哪一天？』我說，『明天下午七點鐘』。我這兩句回答，都是屬於純粹『指定性』的字句。除去對於『時』間和『空』間的情形，有了說明外，對於『手錶』和『請客』兩項事物，沒有任何些微意思的表達。

（五四）

劍底秦庭

歷史小說　奚如

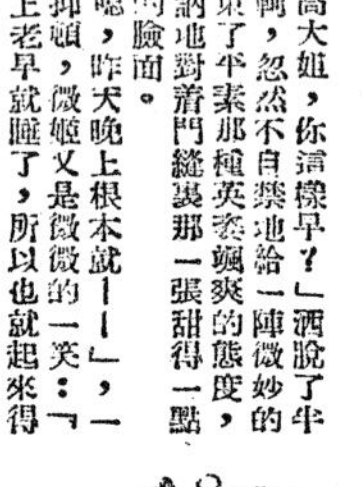

「荊大哥！」門縫裏閃出一張嬌媚的面孔，黯淡的晨曦裏可以隱約看見那一張嬌媚的面孔上，湧着一陣不安的神色。微姬帶着一絲慚愧的笑意，用手指把鬢邊的頭髮輕輕地掠了一掠，向着荊軻低低地叫了一聲。

「高大姐，你這樣早？」洒脫了半生的荊軻，忽然不自禁地給一陣微妙的情感拘束了平素那種英姿颯爽的態度，只是訥訥地對着門縫裏那一張甜得一點也不膩的臉面。

「嗯，昨天晚上根本就——」，一剎那，抑頓，微姬又是微微的一笑：「昨天晚上老早就睡了，所以也就起來得早啦！」

「我看你的樣子很像沒有睡過呢？」倚在門柱旁的荊軻，似乎正在欣賞着這一個美麗的謊話。

「嗯！也許是睡少了一點！」微姬避過了荊軻的眼光，把眼睛向門外遠遠的天空望了一眼，這才又把目光迅速地向荊軻橫掃了一下：「荊大哥，我看你才像一天晚上沒睡過的樣子，怎麼你看起來，不過一天晚上，就像瘦了許多？連眼眶也有點陷下去了呢！」

「是嗎？微姬！」荊軻揚起右手摸了摸面上的顴骨，就在把手垂下來的時候，已經輕輕地抓住了微姬把在門扇上的一隻柔軟的手。

只是微微的一陣哆嗦，微姬並沒有把手縮回去，却抬起頭來，幽怨地望了荊軻一眼。

「微姬，你剛才唱的歌我聽到！」荊軻的另一隻手，開始在微姬的瑩背緩慢的來回摩挲着。

「是嗎？隨便唱着的，唱得不好。」借着稀微晨光的逼視，可以看見微姬面上一層薄薄的紅雲。

「你的歌詞，爲什麼這樣充滿了悲涼？」

「我自己也不知道，只是覺得內心裏面老是充滿着抑鬱，非向外面渲洩不可，所以便說了出來了。」女兒家的心事是曲折而難於測度的，然而一個飽經人世哀愁的少婦，却容易把心曲毫不掩隱地彈奏出來，奏給她所希望聽心曲的人，讓他也發出妙曼的共鳴。

「微姬，你不應該說這樣悲傷，」荊軻把手按住了微姬的肩膊，輕輕地拍了兩下。

微姬無言地低下了頭，半晌，微微靠着荊軻粗糙的胸肘，許久許久，這才喃喃的對着地面說出兩句話：

「我也不知道，不知道自己爲甚麼這樣！大哥。」

「微姬，你說，你愛我？」荊軻魁梧的軀體逼近了微姬的胸前，一陣鬱氣使到微姬感到幾乎要窒息過去。也就在這時候，微姬痛苦地仰起面來，茫然的搖了搖頭：

「大哥，我，我不配！」（廿九）

自題像贊談

小丞

像贊多起於孝子賢孫，圖寫先人遺容，並請人將其一生行誼，用個短字句，予以表張，用意至善，本屬未可厚非。無如世俗澆薄，一再演變，往往陳詞濫調，千篇一律，言過其實，俚俗不堪，品斯下矣。於此，乃有自題像贊，別開生面，自我批判，自我介紹，庶幾語不失眞。其中不少精簡佳構，足供後世啓發。

×　×　×

自題像贊，當以南宋民族詩人鄭所南自題畫像，最爲精闢。今天大陸沉淪，鐵攏，事仇之輩，比比皆是，尤足貪人猛省！鄭氏自題畫像云：「不忠可誅，不孝可斬，敎懸此頭於洪洪荒荒之表，爲天下不忠不孝之榜樣。」讀這種自題畫贊，對那一般忘國事仇的人，眞是正義凜然，孤忠可抱。讀文信國天祥臨危的絕筆詩云：「孔曰成仁，孟曰取義，而今而後，庶幾無愧！」信國遺墨寥寥十六字，用作信國像贊，實在恰當。我們更可以說，鄭所南的像贊與文信國的絕筆，俱屬至性文章，光昭日月，永遠世範的。

×　×　×

近人自題像贊，富有趣味的，當推林畏廬（紓），他的文章和譯述，爲世人推崇，玆不贅述。這裏只說他的自題像贊，原文如下：『紓，汝何物，而敢放胆而著書，汝少任氣，人目爲狂，汝老自詡，名爲謬託於迂儒，名爲知止，而好名之心羅如，名爲知足，而治藝之心湊如。爲己賊？爲子孫賊？吾勸汝姑徐徐而留其有餘，飽汝食餘，甯汝居，穠心如無江與湖，甯爲馬與驢，子孫有福，甯汝須紓。』這種口吻，行文典麗，自非學有素養，不克臻此。較之請人題贊，妄事恭維，語多泛談，高出萬倍。

×　×　×

此外又有別出心裁，出之以滑稽口吻者，則有詩人兼畫家蔣翁。他曾自題畫齋爲「兩個樓」，又曾一度名之爲「三長兩短之齋」，所謂三長，即金石，書法，詩。所謂兩短，即詞，畫，可見平日的自況與風度。其自題畫像，則爲一首似是而非的詩：

我戴我顱卅六年，一事無成最堪憐；桃紅柳綠春時景，太夫人移步出堂前。」

他後兩句所說，如果不知道他的用意，眞是不知何所謂而云然，原來，這兩句係指一個揚州鹽商，附庸風雅，曾作過這兩句詩。於是乎他便引來作爲像贊，實在含有諷刺的意味，當他這種玩世不恭，屬傷心人別有懷抱也。

記才子鄭小谷

—文壇趣聞—

·向義·

只好從文章找毛病，[illegible]改動一字？於是開始背誦，[illegible]缺點，[illegible]不可[illegible]繞室徘徊，不得一計，於是高聲朗誦，讀得爛熟，覺得語氣未壯，乃以其中邪字，易爲哉字。再反覆朗誦，終以哉字爲妥。第三天，彼人來取文章。小谷十分謙虛，謂閣下乃老手，請爲大筆，字字珠璣，句句鏗鏘，而其結構，亦經一再研誦，祇其中某句邪字，易以哉字，較爲氣壯。那人聞言，鞠躬受曰，老師眞文壇宿將，遂袖出原稿，謂拙者原爲哉字，特以一試老師耳。小谷聞言，亦欣然色喜。從此小谷才名不脛而走，後官至刑部主事。（下）

自由人

THE FREEMAN

（第四六七期）

中華民國僑務委員會
照發登記證台教新字第一零二號
中華郵政台字第五〇〇號
執照登記爲第一類新聞紙類
（半週刊每星期三六出版）
每份港幣壹毫
台北市售價台幣壹元
督印人：陳文華
地址：香港高士威道二十號四樓
3 rd. fl. 20 CAUSEWAY RD HONG KONG
香港發行及事務接洽
高士打道66號　電話：七四〇五三
承印者：東南印務出版社
地址：高士打道六十四號
海外總經銷
友聯書報發行公司
香港：德輔道中二十六號A二樓
台灣特派員辦事處
台北市館前街五十號
台灣總經銷處
台北市西寧南路壹壹零號二樓
台郵劃撥儲金戶九二五二

四國高層會議後的新局勢

——我們要提出大陸問題——

胡秋原

月前我在本報爲文，說蘇俄和平攻勢，及四巨頭會議，必無結果，亦不足危害中國。我們的危險，別有所在，乃在我們若干表現和世界對我們若干誤解。四巨頭會議後，即有美與奸談判。這引起很多人憂慮。我們憂慮是應該的，憂則是可以不必的。此非故爲自慰之言，而是我們的危險並不自今日始，我們無須爲一時的雲雨所眩惑，但却更要作根本的打算。現擬該文作一分析，並談到我們自己的問題。

「依然如故」的會議

此次四國高層（SUMMIT）會議，與過去巨頭確有不同，即他們並未決定任何問題，只談了三個問題：德國及歐洲安全，裁軍，東西接觸。所談結果，於七月廿三日以對外長訓令方式，交他們再談。這是——用美國外交界所用術語——「SUMMIT」（移交低層會議）。德國問題說是德國應藉用自由選舉而統一，成立安全保障條約，限制武裝部隊，並劃中立區。這是措詞含糊的。到十月外長會議再談。裁軍，同意普遍裁減，成立管制機構，這尤其是空洞原則，由外長移到九月間聯合國管制機構中專家去談。至於東西接觸，亦由外長再邀專家研究。此外，艾森豪關於裁軍特別提出藍圖，交換，空中視察步驟，只是一個冷戰。四國會議後，艾森豪宣佈將於二年內施放人造衛星，莫斯科亦立即宣佈將作同樣舉措，此是冷戰昇到高空。接着八月四日，布爾加寧對艾森豪空中視察建議表示拒絕，雖然又和緩語氣，然對於德國問題，確定聲明「不能同意」艾登的計劃（即經自由選舉而統一德國）；八月十二日，羅馬尼亞傀儡宣佈除非美軍退出西歐，解散西歐同盟，否則俄軍有留駐羅馬尼亞之「必要」。俄帝不會退出匈牙利，也是很顯然的。（按一九四七年的羅匈和約，說明兩國駐軍，在維持對奧交通。照理奧約成立，蘇俄即當退出羅匈，此華沙條約之所以成立）。

俄虛張聲勢已失敗

現在四國都在宣傳「新精神」，「日內瓦精神」。然艾森豪所言，「鴻溝如故」，亦如尼克遜所言，「歧見依然如故」，不過戰爭危機大爲緩和。一切要等待四外長會議。」要緩和緊張，就要解決實際問題。根本問題無解決可能，（如東歐鐵幕，環球基地之類）則「新精神」無非是宣傳之詞而已。還有一點是無疑的，這會議中表示俄帝因其軍事力量尤其是原子武器已在劣勢，虛張聲勢的政策失敗，只好面臨巴黎條約（西德獨立與北約聯盟）之既成事實；如想藉退出奧國之姿態，亦以德國統一交換德國中立之企圖，完全失敗。美國佔得上風，不惜宣傳而已。蘇俄還有一個機會，即與阿登諾談判，但此公才具是有定見定識的。在美德軍事協定之後，西德參院已通過征集五萬德國新軍之第一批志願軍六千人之法案（七月廿二日），此亦造成既成事實。俄國今天計劃是盡可能保持德國分裂現狀，等待八十歲的阿登諾之壽終。但前者終是暫時之局，即令阿登諾不在，也不能變更德國之趨勢。所以德國問題乃是使俄國失敗的決定因素。

所謂「日內瓦精神」

日內瓦會議雖無結果，但「日內瓦精神」，已經發生有害的影響。所謂日內瓦精神，本一半是蘇俄和平攻勢造成的，而是英法久已表示的姑息主義。此次四巨頭會議，原以英法主動爲多。在四巨頭會議中，所謂「西方三強」並非完全一致的。法國對於德國整軍終懷疑忌，甚至主張兩個軍事同盟發生「聯繫」，不過已爲美國拒絕。英國之羅迦諾式辦法與「中立區」計劃，美國也是很勉強同意的。爲了德國問題，美國不能不遷就英法。英法爲保持歐洲苟安，不惜犧牲亞洲。他們力求韓越停戰。現在又極力勸美國承認中共。而在越南的殖民主義者，久與胡志明合作，以反對吳廷琰。其實他們在歐洲之苟，也是苟得可以的。法國以三國四國參加大西洋公約，已謂不足道，現在又將軍隊一部調北非鎮壓土人，並有全部調到北非之主張。由此可見姑息主義只是殖民主義之末流。而尼赫魯中立主義，也原是殖民主義之子。

對美已生不利影響

然問題不完全在英法，美國人民反對共產主義，然亦畏懼戰爭。所謂「競爭共存」，已爲大多數人所喜愛。在選舉之醞釀期，艾克不向再說「兵士背包不比奴隸鎖鍊更重」的。問題毫未解決，「日內瓦精神」已對自由世界，尤其是對美國發生不利影響。一是表面上「局勢緩弛」，大西洋公約國各國都逃避擴軍義務。二是中立主義的投機買賣大盛，尼赫魯出色當行，狄托態度最近日益古怪，而日本也想坐中立火車。三是鐵幕後人民對美國深表失望。這是日內瓦會議前美國會重申不忘鐵幕及譴責殖民主義，國務院並發表被奴役人民之故。但這是不能抵銷美俄交歡聲音的。四、更重要的，是虛僞安全感，可使美國國內人心變化，因而中國防建設發生重大困難。一旦突變發生，又可能使美國受到大害。好在是美國人業已警覺到了。

美與奸談判

四巨頭會議時，美國堅拒討論遠東問題。會後，七月廿五日，美、與中共同時宣佈於八月一日在日內瓦談判釋俘，（除十一人外，美國說至少尚有四十一人）（中共居然說要遣回留美僑民與學生）乃至「其他實際事項」。中共開始釋放一部份美俘，這自然不足奇異。據說去年美與中共外交人員在日內瓦關於俘虜及平民遣返問題，即曾舉行「領事級」會談，停火談判是老方案，因中共拒絕才沒有談。四月廿日周恩來萬隆談話後，美國立即響應。六月廿八日，杜爾斯即與中共談判，非即承認之意。七月十一日美國建議將會談升爲「大使級」會談。美國不願在日內瓦四國會議談，是不願與俄國談，不願經「中間人」談而已。然由七月廿一日尼赫魯宣佈與美國交換照會，會後艾登宣佈非正式的談到遠東問題，傳爾說艾森豪會作讓步，同時皮奈聲言將與中共談判，無非表示「大使級」談判，是經英法及印度撮合，而經艾森豪在日內瓦同意的。日內瓦會議一結束，尼赫魯便倡議「遠東高層會議」。杜爾斯提出在「非武力政策」下談停火問題，並聽取中共其他意見。七月三十日，周恩來聲明同意「非武力政策」，附和尼赫魯建議，他表示要入聯合國，要越南照停戰協定選舉，要取消禁運，並說什麼台灣是「內政問題」，停火問題不存在，但願與台灣地方當局談判和平解放（他也故意表示反對兩個中國）；還要與美國訂集體和平條約。而對于韓國，則毫無退出之意，這是中共心目中「實際事項」。漢奸口氣雖「大」，然而可見距離之遠了。（上）

建國十年的印尼

——新內閣成立後的展望——

劉靄如

本月十七日爲印尼共和國十週年的建國紀念，我們回溯十年前印尼建國的往事，與夫現在國事動盪，和我國的關係，似不能不寄以深切的關注，與乎期望之情。

印尼獨立的回顧

近三百年，由於荷蘭勢力的侵入，施行殖民政策，印尼人呻吟於外人鐵蹄之下，久欲脫離羈絆，尋求獨立。第二次大戰，才給予印尼以新生的機會。

一九四五年八月十四日，日本投降，時局急轉直下，日本佔領下的印尼，乘此「真空狀態」，等待多年而無法獲得獨立的願望，很容易便實現了。印尼的獨立宣言，跟着便公告於全世界。

獨立宣言，是由蘇加諾擬好，於八月十七日在椰城北裕山東街五十六號宣讀的，隨即升起紅白二色的印尼國旗，並把宣言用短波無綫電向印尼及全世界廣播。第二天，「印尼獨立準備委員會」召開會議，通過印尼共和國臨時憲法，選舉蘇加諾爲總統，哈達爲副總統。印尼民族孕育多年的獨立運動，到這天才算大功告成。

親共政府走入歧途

我國和印尼之交往已有一千多年歷史，而且有良好的友誼。華僑在印尼的人數，據印尼外僑事務局的估計，約三百多萬，其中約二百萬係誕生於印尼的華裔。印尼華僑，在經濟上佔相當重要地位，惟多娶土婦，習土風，與印尼人民融洽相處，歷久無間。

可惜印尼獨立後，由於狹隘民族主義思想的影響，在政治上，經濟上及教育上，都很予華僑以種種限制，許多地方，還反了蘇加諾總統所宣布五大原則的精神的。

一九五三年八月一日，親共份子沙斯米佐組閣後，一上台便實行親共，和中共通商，准許俄帝大使館在椰加達成立，繼之驅逐我愛國僑領章勳義，朱昌東出境。今年四月又與周恩來簽訂華僑雙重國籍問題的協約，這不僅對自由中國極不友好，也表示印尼本身有逐漸赤化的危險。這是最令人惋惜浩歎的。

親共內閣垮台了

幸喜，印尼還有一綫曙光，印尼陸軍一向是團結反共的，所以共黨始終不敢冒然以武力推翻整個共和政體。他們認爲要赤化印尼，首先要赤化陸軍，要赤化陸軍，必須逐漸更換陸軍首領。所以本年六月十日親共的國防部長便將親共的彭多烏多約上校晉升爲少將，並任命爲印尼陸軍參謀長。陸軍聞訊，羣起反對，七月二日陸軍司令官會議，非得到政府反對黨的支持，要求內閣總辭，原來支持政府的政黨也轉而警告政府，輿論界大肆攻擊政府無能，到了二十四日，[illegible]親共內閣便告倒了。

經過十八天的談判，印尼第六次的新閣，終於建國十週年紀念前六天，得到協議。右翼的回教黨在新閣內佔支配勢力，副總統哈達於八月十一日正午發表，回教黨領袖哈拉哈甫已獲得議會之支持，組織內閣成功，全體閣員於十二日宣誓就職。

印尼人民厭棄了共黨

新閣的組成，可能使印尼從親共媚共的陣營中走出來，而走入非共反共的陣營。回教黨是反共的，而新閣在外交與新閣兩重要的職務方面，更起用了在印尼主張反共最力的兩個人。這在外交上當可以一新國際的視聽，對內則正可以糾正瀰漫印度的共黨宣傳毒素。

新閣排斥了親共的國民黨和共產黨，但在議會所將擁有的多數票，比較前屆國民黨的親共政府，還要多得多。所以印尼新閣的成立，將是亞洲共黨擴張的一個打擊力量。

此次印尼新閣的組成，表示印尼人民已厭棄了共產黨。本來，一般人的印象，認爲共黨已滲透及掌握了陸軍，並控制了印尼民族英雄蘇加諾總統。可是此次陸軍的行動，竟推翻親共媚共的政府。致溯嚴重的時期，蘇加諾出國朝聖，回國之後，又引身於組閣糾紛之外。共黨之未能控制陸軍，亦未能影響蘇加諾，事實已至顯明。

（下轉第三版）

共諜郭廷亮案

自總統府參軍長孫立人因共諜郭廷亮案引咎辭職，並請查處之消息傳出後，共黨於八月三日[illegible]……以存心挑撥之造謠，[illegible]郭廷亮[illegible]，使台灣人心惶惶，人人自危，[illegible]方面，[illegible]問題，並非[illegible]地區比。因爲他們[illegible]，我們也由此事，[illegible]，冷靜下來，研究[illegible]，以持[illegible]，我們之可以提出[illegible]三條件的情形，[illegible]

第一，應特別注意共黨的滲透顛覆。以蘇俄爲中心的俄共集團，在[illegible]無大[illegible]之下，必加緊從東南亞及遠東滲透，但對前[illegible]者則以滲透與破壞爲核心，[illegible]自對與後[illegible]以來，莫不如是。[illegible]今手[illegible]，我們對軍人教育必須加倍注意。而且全台省人民，亦必須協同防諜工作。

第二，政府應執行大團結運動，例如早日召開國是會議，[illegible]除召集會議外，[illegible]的「同心」，[illegible]各方意見，[illegible]集中意志，[illegible]，迅速提出反攻，[illegible]，同時亦須[illegible]有能力[illegible]人員幹部，[illegible]生態。否則[illegible]海外[illegible]不免醞成猜忌[illegible]腐化。縱然共黨無力擊倒我們，而我們也很難發成反攻復國的充沛力量。

第三，朝野人士必須尊重法統法治，依照憲法和法律處理問題。不論任何人措施不當，大家均可直言批評。如有違法反紀，宜依照法律，明辨是非與責任，秉公處理。假借[illegible]，但[illegible]民主國家。全[illegible]上下均有[illegible]之[illegible]，不能解決問題。[illegible]爭。

半週展望

曾旭軍

共黨謀奪取星加坡

本半週有一項消息，[illegible]共黨企圖奪取星加坡，[illegible]共產黨人員[illegible]，英國[illegible]報告[illegible]，如果星加坡被陷入共產世界[illegible]，越南更危殆。西方國家的戰略家必須[illegible]

[illegible]星加坡[illegible]，已[illegible]，星洲距[illegible]引起世界[illegible]英國證[illegible]星加坡共黨[illegible]。今年，到了[illegible]共產黨[illegible]政權，把星加坡變成了一個中共的附庸，和一個深入非共亞洲的[illegible]陣地。[illegible]星洲有一半的青年受共黨[illegible]。[illegible]，因爲星加坡華僑佔九十萬人，華僑有四分之三是在星加坡。但華僑的[illegible]正滲入[illegible]二十餘萬[illegible]一百二十萬[illegible]首席部長馬紹爾[illegible]廿一歲以下的公民權。按調查，華僑在計算中的有二十二萬[illegible]公民，將來每年約有八萬人[illegible]共黨[illegible]，以此推算，數年後共黨便可[illegible]籍選舉而安然奪取政權。

本來華僑爭取選舉權是應該的，但給共產黨滲透了的華僑，便可以令到此問題變了質。

美國的「新戰略」部署

美遠東空軍司令庫特將軍，在二十二日率領在遠東方面的美國空軍將領，前往檀香山討論太平洋與遠東地區的空軍作戰問題，以及美軍方面宣佈「新式原子火箭」[illegible]上週運抵日本。這兩項消息，表示美國實行遠東「新戰略」的部署，[illegible]原子化，空運化，機動化[illegible]傾向。但這不是遠東人民所熱心感到興趣的事。[illegible]要復反攻[illegible]，而美國國務院[illegible]命令[illegible]解放措施，依然救不了[illegible]冷戰。[illegible]據消息謂：自日內瓦四國會議閉幕後，[illegible]和平假安全氣氛，[illegible]北大西洋公約組織國家的國防減縮，造成比過去五年蘇聯用種種方法破壞，阻撓，恐嚇而減少者還多。可見共黨之微笑與握手的厲害了！

中共自己承認「五年計劃」的成績

浪費資金，生產低劣，民生困苦，工人失業。

•沈著•

【本報訊】根據最近中共中央各部會最高負責人在僞「人民代表大會」上的報告，中共「五年計劃」過去兩年內的大量投資，已有驚人的虛耗，各項工業建設及工業生產，則更見惡劣，於此可見所謂「五年計劃」全是自欺欺人的紙上文章，決無實現之可能。

兩年內浪費半數資金

據中共「國務院」副總理兼國家計劃委員會主任」李富春的報告：「五年計劃」於過去兩年投入「基本建設」的兩百四十餘億元（合港幣約六百億元，係五年總額的百分之三十二）資金中，已有極驚人的虛耗。第一、由於各地幹部貪圖享受，追求形式，大量建造宮庭式的辦公大廈、宿舍、招待所、大禮堂、劇院等非生產性的建築，已耗去兩年全部投資總額的百分之二十一點六（約合港幣一百三十億）。第二、在生產性的建築及機器設備安裝中，由於設計錯誤，窩工返工，大材小用，優材劣用，器材積壓，及大批材料報廢等現象，極爲嚴重，也浪費了大量資金，並使一般投資的工作量完成不到原定計劃的一半，亦即等於該項資金浪廢了一半以上。第三、在已完成建築及機器設備裝置，而投入了生產的廠礦中，由於經驗缺之，技術太差，機器使用效率過低，產品中廢品太多，及工人太少管工太多，機構臃腫，開支過大等原因，亦損耗了大量資金，使「五年計劃」的實際收獲，遭受了嚴重的打擊。

機械工業毫無成績

又據中共「機械工業部部長」黃敬的報告：中共兩年來機械工業的投資情形，亦是用力大而收獲小，且生產質量極爲惡劣。據稱，兩年來，以全部「基本建設」投資的百分之三十八購買機器設備的結果，仍未能製造較高級的機器和零件，所能製造的簡單機器和零件不僅數量太微，且大多不合規格，即偶而有一兩項產品合格者，亦係經過再三修飾，一經交付大量製造，即中途走樣變質，反而造成重大的損失。

反共份子經常破壞

再據中共「重工業部部長」王鶴壽的報告：中共兩年來重工業的建設及生產情況，亦殊惡劣。據稱重工業雖爲「五年計劃」投資的重心，但設計水平太低，工業管理能力薄弱，各部門步驟不協調，使重工業存着嚴重的病症。他說由於設計水平太低，故兩年來有百分之六十的工業投資係由蘇俄包辦設計，惟地質勘探往往徒勞無功，不能按時提供地質資料，致經常發生停工現象，打亂計劃進度。且工地秩序普遍混亂，施工不均衡，質量事故或傷亡事故迭出，勞動生產率太低，致不必要的損耗浪費均極嚴重，完成的工作量也很低，而且反共分子劇烈破壞，使重工業受到嚴重打擊。他又說在各地礦山，工廠，建築工地等處，似乎無處不有反共分子潛伏在機構內部，乘機進行破壞活動。

必需品生產質劣量少

中共「國務院第四辦公室主任兼輕工業部部長」賈拓夫的報告說，兩年來由於輕工業的被忽視，已使人民的生活資料發生恐慌，而原有輕工業的原料不足及原料浪費，以及生產技術惡劣，益使產品質量大大降低。他說輕工業產品最感缺乏而恐慌的爲食品和衣着品。產品質量下降最嚴重的是醫療器械、藥品、棉紗、食油、橡膠，他說用廠的醫療器械經常退貨，返工重製，又說針劑值在廠內的產品率通常都在百分之二十至三十之間。常用的七十種片劑中，有四十五種經常含量不足，不易溶化。棉紗、食油在生產過程中一般都要損耗百分之十左右，加上產區災荒，原料減產，致去年棉紗少產六十萬件以上，食油少產十八萬噸以上，至於橡膠產品，一般都化學成分不足，容易變質，一般使用率都只有百分之四十左右，以致原定可行二萬五千里的車胎行不到一萬里即告爆破。至於其他如肥皂、牙膏、布疋、紙張等，更產生大量次品乃至廢品，情形殊爲惡劣。

工人待遇低失業增多

中共「國務院文教委員會主任」林楓的報告：過去幾年各專業學校爲工業部門培養的技術人才，不少是有「思想反動」的青年。分派到各廠、礦以後，經常發現有乘機破壞的情事發生，使中共的工業建設和工業生產，發生嚴重打擊。

中共「全國總工會秘書長」賴若愚的報告，兩年來由於私營工廠大量減少，及「國營」各工廠、礦場的生產不正常，計劃不週，管理不善，工資處理混亂，窩工及停工等現象嚴重，使工人的日常生活受到了很大的影響。因此，有大批工人失業或半失業，並使一般失業的工人亦經常被拖欠工資。此外，賴若愚還說，中共的各機關工廠等雖大興土木，而工人卻大鬧房荒，有大批工人及其眷屬至今仍不得安居云。

海外通訊

埃及權威人士意見——和共黨做生意最危險

方劍

【本報八月十四日開羅特約航信】埃及派遣經濟考察團，前往赤色中國大陸訪問，其動機所在，及其組織經過情形，筆者曾於七月廿九日通訊，報導其大概。

輿論界表示冷淡

該考察團現已抵達北平，（據港報消息，現正前往東北——編者附註），考察結果如何？埃及能否和中共大做買賣，此時尚不知道。一般意見，認爲中共將藉經濟文化問題，進而謀從政治上與埃發生關係。惟埃政府的態度，似乎並不如此簡單，中共的如意算盤，恐尚有許多困難。試就開羅的輿論觀察：此間報紙及廣播電台，事實上全爲政府控制，一切言論，雖不能謂爲全是政府旨意，最少可視爲政府默許。在中（共）埃貿易問題未發生前，報紙及廣播，雖極力主張，並於中共政治多加讚揚，惟近來已漸沉寂，經濟考察團出發後尤爲冷淡，間有消息發表，亦只載事實，不復多作渲染，貿易與經濟界限分明，絕不肯牽扯含混，授人以柄，可見其一斑。

更就筆者最近所接觸之埃及政府權威人士所表示，尤足證輿論態度之轉變，實有其可以注意之處。據該權威人士（不願披露其姓名）稱：「埃政府對棉花出賣只看做一宗生意，中共當然看做一宗政治投資。我們對中共的目的不是不瞭解的。做生意有做生意的範圍，絕不能牽涉到政治問題。說到生意，西方好做，我們便和西方做，東方好做，便和東方做。這並沒有甚麼稀奇的」。

笑臉迎人翻覆莫測

但該人士接着又說：「不過，同東方做生意是出於不得已，而且危險很大。例如，我們和法國的政治關係，本不大好，（摩洛哥問題等的困擾），但法國買我們的棉花，始終居第一位，毫不受政治問題的影響。因爲商人買賣是自由的，完全根據雙方的需要。說到東方，便不同了。譬如蘇俄，今天在政治上要拉攏你，可以笑臉迎人，客氣十足，貿易機構也設立起來了，棉花也和你交易了。但，明天政治情勢變了，馬上便把貿易機構封閉，交易也突然停止了。如果這樣會窒息你的貿易，他們更加樂意，你活該受罪。所以和共黨國家講生意，是最靠不住，最危險的。」該人士的意見，眞可謂一針見血。埃國輿論界對和中共貿易不像以前那樣熱心，恐怕是和這種意見有關的。

埃人對美蘇的觀感

該權威人士還和記者談到蘇俄的和平攻勢，照他的意見，蘇俄今後還是要加強冷戰，不過改變策略，使用另外一種武器而已。他認爲今後國際局勢危險更大，自由國家應該更加警惕。

最後他批評美國的對外政策，說美國過去的錯誤已經不少，希望不要錯上加錯。尤其希望不要強迫像埃及這樣的國家，走上自己不願意走的道路。

筆者覺得，在埃及政治舞台上，像這樣有遠見有道義感的政治人物，並不很少。更覺得埃政府的行動也並不是純粹意氣用事，盲目不講理的。只要大環境不至愈變愈壞，這一類人士的意見在埃國政治上是不會不發生作用的。（八月十四日——開羅）

繼胡風事件之後——中共擴大清算運動

•曄•

（本報訊）中共展開清算胡風，繼之以拘押高級幹部潘漢年、楊帆以後，刻下已發動全面整肅運動。規模之大，來勢之猛，似較三反五反有過之無不及。

據頃由廣州來港商人稱：初時以爲該項運動，僅共黨內部自相傾軋的鬥爭，以幹部及文教知識份子爲對象。但此項整肅浪潮，現在已波及商人及一般市民。中共已發動地方居民組織——里弄小組，要每戶進行自我檢討：其大要爲：一、「解放」以來，有無公開反對或攻擊共黨的言行；二、曾否在親友面前，對共黨表示不滿；三、心裏是否常常對「政府」表示怨恨。清算及於內心，兇狠可見一斑。

又據八月四日天津大公報載：中共控制下的「全國工商聯合會」，於八月一日及二日舉行常務委員會臨時會議。主要議程，即在商討如何響應關於肅清一切公開的或暗藏的「反黨命分子」。

據該報稱，該會自認：由於一些人對「改造」抱着懷疑動搖，和消極態度，且有少數死硬抗拒改造的人，與「反革命份子」結成同盟，故對「反革命份子」進行鬥爭，工商界乃是最弱的一環。今後必須引起工商界深刻的警惕。該會認爲，今後必須在中共領導和佈置之下，有步驟的在工商聯合組織和工商業者之中，大張旗鼓的進行反對「反革命」的鬥爭！根據此一消息，可見廣州來港商人的話，並不是沒有事實根據的。（八月十八）

美駐泰大使普利福之死

•洛譯•

美國駐泰大使普利福和兩個兒子（大的克林頓，十四歲；小的丹尼，九歲）看過泰國警察的跳傘表演後，即跳入他自己的福特牌跑車，向曼谷西南八十五哩的海濱勝地華興疾馳而去。這時正是度假時節，陽光和煦，天高氣朗，普利福駕着他的汽車，踏定風門，速度達到每小時七十哩，把四架隨護的泰警吉普車拋到後面。這種情形，泰國警察也早已習慣，他們知道普利福是喜歡開快車的。

但是這條穿過綠色田野的公路，有一個危險，這是若干小運河上的單程小橋。普利福正駛過這樣的一座狹橋時，突然看見一輛卡車迎面而來。這時他已祗有二個抉擇：不是仍舊駛去，從卡車旁擦過；便是立刻煞車，也希望卡車也會同時煞車。普利福選擇了煞車的辦法，可已太晚，他的跑車迎面向卡車撞去，汽車撞得稀爛，他和大兒子幾乎立告斃命，他的小兒子也受了重傷。

普利福死亡的方式，也正如其平時的生活，戲劇化而敏捷。他雖然不是一個「正統」的外交官，卻在希臘，危地馬拉，和泰國都卓越地完成了許多困難的外交工作。他主要是一個善用政治手腕的人，愉快、隨便，不斷授惠予人，也能獲得新聞記者的信任，對於一個政治情況，他能迅速認識其中的種種主要因素。有些嚴謹外交官所不願採取的方法，他卻毫無顧忌地善於應用。有一次，他曾說：「國務院現在正需要我這樣的人。」

他是一個檢察官之子，既不富有，也不嬌弱。他進了西點軍校，第一年便因爲父親逝世而退學。後來他到華盛頓，在衆議院做電梯司機，月薪僅九十元，但他不久即轉任國務院小職員，而且擢升奇速。他獲得馬歇爾將軍賞識，升任副助理國務卿，這是國務院位居第三的高職。國務院在國會中雖然不孚衆望，他個人卻在國會中聲譽極佳。他每次要求撥款，都較順利獲得，但他提到國務院中有九十一人是同性戀患者的事，卻又授與參議員麥卡賽以攻擊國務院的主要武器。

他在一九五〇年出任外交使節，迅即表現了他這種外交官與衆不同。他歡喜穿開領襯衫和便裝長褲，討厭正規禮服，他也愛開快車，與外國要人作親切的私人談話。在希臘，他和希臘總理成了密友，二年內協助希臘成立了一個堅強反共政府，也提高了美國聲望。

其後，他出任危地馬拉大使，在反共政變發生時，又協助革命軍驅逐了親共總統阿爾班茨，也還其調解，避免了一場內戰。最後調到泰國，他又和總理鑾披汶意氣相投，鑾氏自己也是喜歡開快車的。

在失事前不久，他還表示，等到從外交界退休後，他準備回到故鄉南加洛林納州去競選參議員。

台灣通訊

台事雜碎——林業考察與胡案律師——

言路

（台北通訊）本月上旬，立法院一部份立委，組織一個林業考察團，由台北出發，前往台省各大林場作實地考察工作。現考察工作經已完畢。據悉，考察結果，林業實有相當成績。山上林業人員生活刻苦，尤足稱道。例如某林場有一職員曾在美國專習林業，返國後即在生活起碼條件都感不足的深山裏，服務達七年之久。服務精神，殊令人佩仰不已。

林管局對立委考察團之旅途招待，亦備極周到，食宿固不待論，即衣服洗換，亦有極妥善之處理，隨行職員，有因辛勞過度，以至生病者。考察團業已歸來，想今後對於林業之整理發展，必能多所貢獻。

轟動全台的胡光麃案，已經本月十五日開審，被告胡光麃，尹仲容，周賢頌三人，均各聘律師辯護，尹仲容聘的是蔡六乘，周旋冠兩律師；周賢頌聘的是陳顧遠，華稀珍，李晉芳三律師；胡光麃聘的是滕昆田律師。滕昆田和陳顧遠均爲現任立法委員，據說，該案初發生時，胡光麃尚聘有某立委爲辯護律師，後某立委放棄律師職業，故現時只聘滕律師一人。

該案現已開審，結果如何，尚須候法庭的裁定。（八月十五日）

編者　讀者

△本期稿件發排完竣後，接到安世先生的東京特約通訊，論述日外相重光葵此次訪美的中心任務在重整軍備，更預言三次大戰勢不可免，資料精審，觀察深刻。下一期可與讀者相見，先此預告。

△金伯華先生的「經濟社會思想叢殘」一稿，即將刊載完畢，據金先生來函，再加整理後，擬刊行單行本，於此，謹爲讀者報告。

△易與，賓歡閣，馮虛，楊力行，王蘇，陳幹卿，林介山，諸先生：惠稿已一一收到，至感謝！

在美服務華僑及留學生有多少人？

服務以商界及金融界為最多 留學生研究社會科學的第一

・胡養之・

最近美國與中共在日內瓦的談判中，中共代表王炳南想索取留美華僑及學生的名單，被美國代表嚴遜拒絕了。中共為甚麼要旅美華僑和學生的名單呢？自然是有它的陰謀的。這裏且不去說它。

由於二次大戰期間，中美兩國通力合作，所以美國各學校機關，特別歡迎中國學生。同時，戰後國民政府曾舉行過兩次考試，以官價外滙補助自費生赴美攻讀，人數近二千名。又戰後美國工商界，認為我國是個良好市場，於是各工廠公司都紛紛收容我國青年，予以技術或業務上的訓練。戰後中美商務，一度非常發達，不少的人，都可得到赴美機會。因此，旅美服務的華僑和學生便造成了新紀錄。

在美服務華僑近二千

據華美協進社的統計：目前在全美各地服務的中國同胞，總數在一千七百八十一人左右。職業種類，以商界或金融界的人為最多，共三百四十四人，佔百分之十九強。次為教育界，擔任教授或研究工作的人，共三百三十八人，佔百分之十九。政府機關或公共團體，共二百六十六人，佔百分之十五。國際機關，（聯合國或其他國際組織）共一百九十四人，佔百分之十一弱。工程師共一百三十三人，佔百分之七強，醫界共一百二十六，佔百分之七。工業機關，作技術人員或科學研究的，共三十一人，佔百分之二弱、藝術家共二十三人，佔百分之一強。其他職業，達三百二十七人，佔百分之十八。

留美學生近四千人

又根據華美協進社「一九五一至一九五四」年間的統計：中國留美學生共三千六百二十五人，分散在五百五十八個大學或專門學校裏。這五百五十八個大專學校，又分散在美國四十七州和美京區。在美國四十八州中，只有納瓦達一州沒有中國學生。在一九五三年度裏，擁有一百以上中國學生的大學，共有五間：計紐約大學二百七十四人，哥倫比亞大學二百三十九人，加州大學一百八十三人，米西根大學一百五十六人，伊利諾大學一百十一人。

在這三千六百二十五人中，男生二千五百五十三人，佔百分之七十。女生一千〇七十二人，佔百分之三十。年齡由十七歲至六十二歲不等，但其中以二十歲至三十四歲之間的人居最多，全部中國學生平均年齡是二十五歲。在研究院攻讀的，一千九百二十四人，約佔全體留學生的三分之二。在普通大學攻讀的一千一百七十七人，約佔三分之一。讀社會科學的佔百分之二十，工程和工業佔百分之二十四，自然科學佔百分之十，醫學佔百分之九，商業佔百分之八，教育佔百分之七，農業佔百分之四，藝術佔百分之三，其他佔百分之五。

江蘇最多 香港次之

這三千六百二十五人的籍貫，計江蘇一千〇六十五人，佔百分之二十九強。香港五百二十六人，佔百分之十四強、河北二百二十一人，佔百分之六強。廣東一百九十七人，佔百分之五。台灣一百十二人，佔百分之三。四川九十三人，佔百分之二。浙江六十八人，福建六十六人，湖南五十九人，湖北五十五人，雲南四十人，各佔百分之一左右。至於留學生所持的簽照，百分之七十以上，是以學生身份入美的，大多都持有「F」的簽照。其餘百分之三十，是以官員，旅行，或商人的身份被允許入境的。

以上不過是概略統計，事實上，在全美各大學或專科學校讀書的，已經超過五千〇六十人。如果再加上各地中學校的中國留學生，那數目就更多了。

評「三十五歲的女人」

馬丁

穆穆著　台北文壇社印行

我讀這部小說起於兩種心理，其一是書名有「女人」二字，這是讀書消遣，很普通的心理。其二，作者在「後記」中說「我想有好多讀者是為了讀這篇序，才買這本書的」，我便是其中之一。序文是張秀金女士寫的，在這本小說未出版前已發表了。張女士的序文說：這不是一本奇書，卻是一本值得一讀的小說，一幅生動的浮世繪。我讀完這本書後，覺得序文所說恰如其份。

×　×　×

不過這部小說，不僅是寫女人，而且也寫了幾個男人。如果用「三十五歲的人」做書名當然遠不如用「三十五歲的女人」更有吸引力。此書的重點放在「家庭」這一舞台之上。不論已結婚的或是未結婚的男女，我想都應該一讀。

作者以農業社會到工業社會為人類社會的「轉形期」，以「五四」為新舊思想的「轉形期」，以三十五歲為女人的「轉形期」，他在這三種矛盾交錯的「轉形期」中，刻繪一羣男女的悲歡離合，及其思想與個性的形態。

作者所提出的問題，是「我覺得由一個新社會的形成而到安定，必需從家庭開始。」他認為文化改造的重點應在「家族制度」與「家族文化」。但制度形式上的改造並不重要，重要的在精神道德乃至思想上的改造。於是作者說：「一個工業社會的來臨，是需要互助、合作、去勇敢創造的」。他以為家族文化和家族制度，只能有家人，而很少有國民，只能有孝子，而很少有公民，只能有私德。至於如何從道德和思想上加以改造，作者沒有明白說明，無疑是要以吸收科學思想為主。惟作者指出女主角玉蘭的「家庭破碎」悲劇，竟完全歸罪於「雲山居士」的看相，他說「死相，害人不淺」。他對於不合科學的迷信，未能以科學的鐵錘，加以擊碎，僅以小鸞從中破壞，來使悲劇重圓，似乎太缺乏力量了。

×　×　×

在時下小說過份強調故事的今天，這本書是眞正的小說，因為小說可以沒有故事，但不能沒有人物。小說的職能，在於描寫典型人物，透過典型人物的生命活動，對當時的思想及人生加以褒貶。作者對這一點的態度是正確的。書中的女人如玉蘭、郁芬、雨韻、小鸞、劉嫂、林金子，都在三十五歲左右，其次也有男人如鄒學廣、溫士高、姚雪立、老唐、劉大哥、魏先生、朱楓西。他們大都是接受了新舊思想的人物，因為新舊思想的衝突，使他們的生活習慣，不能適應當前的社會，因而使他們在家庭中不能調和，在時代的大思潮中也不能調和，以至造成他們的悲歡離合。

鄒學廣是事業心重，待人忠實，有責任的人，但他對家庭及其主婦的存在忘卻了，他接受舊時代的教養，可他也反抗舊時代；他不是新社會的中堅，他有新時代的外形，也有舊社會的意識。姚雪立是新舊社會交替下產生的人物，沒有主見，安於無信仰。溫士高是舊社會貴族的後裔，安心享樂的公子哥兒。老唐是玩世不恭的青年，劉大哥完全是舊社會的人。魏先生是市儈。朱楓西是新時代的老誠實業家。至於女人們，玉蘭是農業貴族，有高尚的內性與外表，中層的典型，是東方靜態文化的代表。郁芬是西方文化的代表，新社會社交場上的放浪型人物，既放肆又浪漫。雨韻是新舊社會交替下的產物，她善良而深於情愛，溫文嫻雅。小鸞和雨韻，不但職業相同，年齡也相同，小鸞是個心理變態的老處女，自私自利型的女人。劉嫂是舊社會的女人，天性溫良。林金子是新時代的產物，但尚未入世。

×　×　×

這些男男女女，男人們的新舊派均很明顯，舊派接受新潮顯得太慢，因此逐漸被淘汰。新派自然鄙視舊時代，惟有女人們並不落伍，她們吸收新的力量快而且強。不過，在舊社會裏她們是點綴品，在新社會裏仍然是點綴品。這些點綴品，有的古色古香，有的鮮艷奪目，因此，雖在男性中心的社會，她們永遠驕視一切。

這一幅男女離合悲歡交織而成的浮世繪，自然缺乏不了許多矛盾，例如玉蘭和鄒學廣，雨韻和姚雪立，郁芬和溫士高三對人物，表面上是幸福家庭，恩愛夫妻。但實際上，玉蘭因聽信雲山居士的話，加以對丈夫誤解，以至先此離而後復合；雨韻和姚雪立，姚以深於情而毀身，雨韻於丈夫死後，悽然守寡；郁芬因丈夫暴露男性中心社會，以至氣而怒打，亦先此離而後重合；小鸞追求市儈魏先生失敗，再追求鄒學廣，終於落荒而走；劉嫂夫婦因是舊派，雖然夫妻互有矛盾，但事後仍然恩愛。林金子雖未入世，因老唐深於世故，終結為夫妻。雨韻新寡之後，悽苦生涯得畫家朱楓西的溫慰，亦終結為夫妻。

讀了這部小說，可以懂得許多女性心理學，也可以懂得夫婦相處之道。可惜，書中鮮明的畫面不多，大多是屬於靜態的，缺乏戲劇式的開展。唯其不重於故事，確是一部眞正的小說！

四四年七月廿三日午

建國十年的印尼

新內閣成立後的展望

劉靄如

（上接第一版）

新內閣的前途

本屆印尼新閣，只是過渡時期的暫時內閣。蘇加諾總統已宣布九月二十九日為印尼首屆普選之期，惟新閣成立之後，已積極表現其反貪污反共黨的作為，許多前內閣的重要份子如司法和財政負責人員已先後被捕。這將受到印尼人民的歡迎與擁戴。有良好的開端，可能再度成為大選後的政府。這將是年青印尼共和國前途的極大希望。

原來，共黨在印尼只是虛張聲勢，並沒有若何實力，因為掌握了前國民黨政府的若干要員，與政府地位，便興風作浪，引印尼走入歧途。彼等深知倘經民衆選舉，是無法倖存於印尼政府之中，所以對於普選一再推諉拖延。這一次新閣決定依期大選，我們可以斷言，在民意之前，共黨及其同路人是不易爭取民衆，捲土重來的了。

哈達副總統，在這次陸軍與政府的糾紛及組織新閣過程中，相當受到國民擁戴。陸軍一直尊重哈達的意見，許多政黨更有擁哈達為總理的主張。此後哈達影響於印尼政局的份量，自然會比以前更為重大。

今後印尼果能脫離親共與媚共的集團，而走入非共反共的陣營，則對東南亞的安全影響，貢獻當至重大，尤其是星洲所受的共黨威脅，亦將為之減輕。

印尼共和建國，為時尚短，因受國際環境的影響，與共黨的滲透把持，以至成就有限。今後何去何從，自求多福，端賴印尼人自己有良好的抉擇，不要再為共黨迷惑，堅守建國五大原則，與民主自由國家攜手合作，自然會有光明燦爛的前途，這是可以預卜的。（完）

就業考試的演變

～反應失業問題日形嚴重～

西門豹

【台北通訊】台灣有一種新的考試制度，即大學及專科學校畢業學生就業考試。此制為三十八年陳辭修主台時始創。

就業考試的起因

當時由於台省府需用人才甚殷，為謀求用人機關與造就人才的學校密切配合，乃向考試院建議，舉辦就業考試，作為一項特種考試制度。經考試院同意後即委託台灣省府代辦。

最初，這種考試很好辦，且亦辦得很好。蓋一則畢業人數不多；二則就業機會較廣；三則按照舊的公務人員任用法，任用資格以學歷為準，就業考試沒有錄取的人，祇要執有大學或專科學校畢業文憑，依舊有做公務員的資格，易於另找出路。所以當時台灣省府代考試院舉辦的就業考試，可按事實需要，酌貫錄取人數。故該項考試是一種以需要為準的特種考試，而非任用資格的鑑定考試。譬如有三千人應考，二千九百九十九人都及格，但政府只需一千人，於是成績較次的一千九百九十九個及格者，雖名落孫山，也無話可說。

任用法與就業考試

但到了四十三年新公務員任用法頒佈後，情勢全然不同了。新任用法的公務員資格，一為該法頒佈之前經銓敘有案者；二為經依考試法考試及格者。因此，就業考試未曾錄取的人，做不到公務員的機會增大了。致使四十三年參加考試，未被錄取的學生，大起恐慌，因為未考取者，固然難找工作，而有些未考試前已有工作的亦將被解職。於是，這批學生推代表前往省府，晉見主席陳情。省府曾為此開會多次審慎研究，最後纔決定請准考試院對成績在六十分以上者，發給及格證書，並由省主席為他們相機介紹職業。這事才告圓滿解決。

就業考試與軍訓

鑒於過去辦理就業考試結果的尷尬，台省府本想建議考試院准於今年起將就業考試改為資格考試；同時將分發制度取消，改為擴大介紹。考試院則以格於法規，對前一點未便照辦。故今年的就業考試仍照舊舉行。唯一的改進是，以往畢業生須先受預備軍官教育，再准參加就業考試，現時改為先考就業試，再參加軍訓。

新制度的影響

就事論事，新法規對服公務者是好制度。今後政府選才任職不單憑學歷，而取決於是否經過依法考試及格。故無論你是在國立台灣大學與國立政治大學畢業也好，或其他公私立大學畢業都好，凡拿到畢業文憑的，只是參加法定考試的憑證。過去那種用人專講學校牌子老不老，名氣大不大的風氣，將因此一掃而空了。（七月卅日）

經濟社會思想叢殘（五一）

金伯華

「分配」與「分派」

我們的看法，已經進入了原子時代的人類文明，要樣樣「自己做」，是一種根本不可能的退化現象。但若如讀者文摘那位作家的「自己看」，也易引人誤會，以為一事都不要做。正確的說，是各人都要分工做事，但大家都應通力合作。

「分」字最末了，也是最重要的經濟意義，莫如通常所稱的「分配」。嚴格的講——這是我個人的看法——「分配」有「表面的」和「底面的」兩種現象；後者純屬於經濟的問題；但前者則實已涉及社會的關係。

一般所說「分配」，如「所得的分配」「資源分配」及「財富的分配」等，似乎都係指「表面的分配」，亦即是指社會既成的事實而言。例如說張三有洋房，有汽車，又有黃金美鈔和大宗的銀行存款，過着富裕奢華，予取予求的生活，而李四則兩肩扛一首，家無隔宿之糧，半間茅屋裏塞滿了成羣兒女，終歲在啼飢號寒。通常的說法，前者是資本家，後者是普羅來戴爾（PROLITAIRE）——雙方貧富懸殊，不逞之徒如共產主義者流，便硬說這是歷史性的階級對立，用種種方法從中挑撥及煽動，要使他們互相仇恨而造成所謂「階級鬥爭」。這百分之百是社會不健全的現象，是所謂「社會問題」，任何明眼人都同樣看得很清楚，決無待於以「科學的社會主義」自封的共產主義者流，來提倡什麼「社會革命」，乃至「世界革命」。自馬克思以來，他們之所以堅持此種喪心病狂的謬說，只因他們見其「表」而不見其「裏」，見其「流」而不溯其「源」，所以會鬧出目前世界這滔天大禍！這正如孫中山先生所說：「馬克思研究社會問題所有的心得，只見得社會進化的毛病，沒有見到社會進化的原理；所以馬克思只可說是一個社會病理家，而不能說是一個社會生理家」（民生主義第一講）。這眞是眞知灼見，一針見血之談，起馬克思於地下而問之，恐將亦無以自圓其說。

壞人得志

馬五先生

南斯拉夫副總統唐波，即將率領代表團赴莫斯科報聘，兼談判貿易互惠問題。據唐波說，還擬向蘇俄貸款一億美元，而蘇俄官方亦表示願給南國以一億美元的長期貸款。雙方當事人尚未晤談，然貸款的數目即已在「空中」確定，等於簽了字哩！

這分明是宣傳作用——尤其狄托的居心如此。他最近曾因美援的運用情形不讓美國知道，以致引起美方不滿，而美國國會議員們，又對狄托與蘇俄的關係發生懷疑，乃裝出要跟蘇俄親近的姿態，使西方那些害着「狄托主義」瘋疾的先生們心裏發慌，然後美援又源源而來，不敢再談監察用途的話了。蘇俄在和平共存的魔術中，自然亦樂得接納狄托這種好意，藉以暗示西方國家：「你們說英美是不可分化的盟邦，我們的共產主義同志，更是如膠似漆，沒法分裂的，不信，你瞧瞧咱們的『多耳栗鼠』狄托吧！」

所以，托狄這傢伙，可說是現時國際上左右逢源的天之驕子，也完全是拜受着英美當局的惰性發展之賜。英美政治家幻想敵人不打自倒，不勞而獲，迷信「狄托主義」會到處發生，別人却乘機「揩丁」，騙取了若干利益再說。美國大少爺固然是可敵之家，並不在乎，劇憐英國紳士那末窮困，也捧着「狄托主義」而大破慳囊啊！

在一般國內政治舞台中，如果有人故意唱反調，裝中立相貌，即不愁沒人來拉攏，許下若干包袱；若能插上一支野雞翎子，大擺其擂台，然後再表示可以跟當道合作的意念，那就更有飛黃騰達的奇效。現時狄托即是採取這項策略，而英美俄皆視其爲「情人」，有如山東人說的，「要甚末有甚末」了！

政治的道理是相通的，國內情形若是，國際情形亦若是，此人心之所以日壞，而天下之所以大亂也歟？

氫彈發明的故事

牛布衣

氫彈之父愛德華·提拉（Edward TeLLer），於本年三月在國科學協會出版的『科學周刊』發表一篇文章，題目是『衆人之力』。文章內容是氫彈發明經過的報告，是一種新鮮而且難得的資料，茲撮其大要如下：

（一）

提拉首先說：「我是世界上最受人稱譽而又最受人攻擊的一個人。科學界對於氫彈有種種不同的意見，和相反的主張。我認爲凡對氫彈發明有貢獻的科學家，應該聯合一致，科學界的分裂是國家的危機。」

提拉是忠於美國的，（他生長於匈牙利），他主張科學界應該合作，共同探求世界的眞理。他在文章裏，不討論政治問題，他說他對於政治沒有什麼研究。

關於氫彈的發明，他這樣說：『氫彈發明的功勞屬於好幾十個人，這一個團體於一九四九年九月一日蘇聯爆炸了第一顆原子彈後，即潛心研究，以最快的速度證明複雜的理論，以至達到氫彈的發明。』提拉十分謙遜，他，『氫彈的發明，我只有一點功勞，便是我堅信氫彈的發明是可能的，我相信氫彈對於國家有迫切的需要。我的功勞如此而已。』

（二）

根據這篇文章的敘述，氫彈的發明，五十八位科學家都各有勞績，惟最先想像到地球上實現核子分裂反應的，却是一個俄國人。

遠在一九三四年，一位俄國物理學家佐治甘茂逃到美國。他對美國科學界說：他在一九三二年俄國科學協會曾提出一篇論文，討論一位英國天文學家和一位德國物理學家所提出意見。此兩科學家認爲太陽和其他星球的熱度，係由核子分裂的反應而發生的。當時蘇俄一個要人名尼可頓·布哈林的，他雖不是科學家，但對於甘茂的意見發生極大興趣。曾問甘茂有無辦法，可以在地上創造一種和太陽核子分裂反應所發生同等熱度，作爲某種實際的應用？布哈林並允把列寧格勒電廠每晚劃出數小時，給甘茂作實驗之用。當時甘茂說，核子分裂的熱度太高了，恐不能作實際用場。但布哈林的話在甘茂心理，却留下了極深印象。

甘茂把這段故事報告給美國的科學家之後，美國科學界引起莫大興趣，氫彈的研究便從此開始。布哈林不失爲一個有眼光的人，可惜，一九三八年蘇聯清黨的時候，史太林把他殺死了。

（三）

甘茂提出核子分裂理論之後，物理學家漢士悲首先把此種反應作有關數學的計算，到了一九三八年，便發明了原子分裂的道理，造成了原子彈。

因爲原子分裂發出極高的熱度，於是一九四二年，安力哥范朋氏建議，使用一種重氫（DEUTERIUM氘），使在原子分裂時，發生核子分裂的反應，但經過幾個禮拜的研究，提拉斷定原子彈不能夠使此項重氫發生燃燒作用。

同年提拉和物理學家哥諾品斯基討論這一問題，哥諾品斯基建議以另三重氫（TRITIUM氚）代替氘。他的建議只是一種理想，可是有好些人認爲可能實現。美國科學家商議了好幾個禮拜，終於同意以原子彈作爲研究核子分裂反應的基礎，那時他們叫氫彈做『超級彈』。

一九四三年，原子彈的試驗成功了，可是美國科學家對於氫彈仍持懷疑和恐怖心理。他們恐怕會引起核子分裂的反應，引起地球上許多物質的核子分裂。經長期研究的結果，哥諾品斯基證明核子分裂的反應不會引起地球上泥土，海水，和任何物質的核子分裂，恐怖心理才告消除。

（四）

一九四九年，蘇聯爆炸了原子彈之後，華盛頓對於氫彈的研究更爲積極。提拉和好些科學家，創立了各種理論和公式，交給一種極準確的電動計算器去計算。但恐怕計算機的電腦不可靠，數學家司登友林又和一個助手，從事用人力去計算此項極爲複雜的方程式。這可說是一種龜兔競賽，一種人力和機械的競賽。競賽繼續了幾個月，出人意外的是友林反先交了卷，證明數學家的力量並不下於機械。

友林計算結果，證明提拉的理論是準確的，電機計算的結果也是一樣。在許多方案當中，只有提拉的辦法是對的。

一九五一年初，美國在太平洋珊瑚礁上作一種粗淺的核子分裂反應試驗。他們叫做『綠屋』試驗。『綠屋』試驗的結果，和公式並沒有出入。『綠屋』雖然還不是一顆炸彈，可是製造氫彈的規模已經確定了。

（五）

第一顆氫彈在太平洋爆炸的時候，提拉和幾位科學家在加里福尼亞大學觀察地震測驗器的反應。他在文章裏寫道：「房間是完全黑暗的，只有一點像鉛筆頭一樣大小的亮光射到照相紙上。那時我感覺到，我彷彿坐在一隻輕微波動的船上。我把一種儀器插在鉛筆上。拿着鉛筆使它接近光點……只要一刻鐘的時間，氫彈爆炸所發生的地震便會由太平洋傳到美國。我耐心的等候：……果然，儀器上的光點跳躍起來了。是拿着儀器的手顫動嗎？不是，照相底片上留下了清楚而巨大的一點光芒，這證明爆炸氫彈所發生的震動到了美國，第一顆氫彈的試驗已經成功了。」

語意學漫談

徐道鄰

指定字又可以分爲三種。一是『直字』INDICATOR。你問我，『我的手錶在哪裏？』我用手指着靠着棹，說『那裏』。或者從我衣袋裏取出，拿在手中給你看，說『這兒』。這都是直指字。二是『描寫字』DESCRIPTER。『星期三中午十二點半』，『衡陽路轉彎』，都屬於這一類。三是『名稱字』NAMOR。這是指定的一種進步化，以語句來代表許多『指定動作』。『我』，『你』，『現在』，『明天』等等就屬於這一類。一切代名詞，『衡陽路二十號』，『艾森豪』，『美國總統』等等，都是這些名稱字的一種推廣。

指示語句所包涵的另一種字句，是『指示字』DESIGNATOR。指示字所表達的，不是某些事物在『時』間和『空』間上的位置，而是這些事物所具有的其他的種種特徵。『鹿』，『梅花』，『大胖子』等等，都是屬於這一類的。指示字所表達的，只是這些事物之所以和其他事物不相同的地方。而對於談話者或聽話者和這些物之間的關係，則全無任何交代。這是指示語句和其他語句主要的分別所在。

指示字可以隨其所包涵的指定之多少，而分爲單層的，雙層的，或三層的：『黑色』這個字，可以說是單層的：一條黑鹿，不管有沒有人看牠，總是黑的。『捧』就是雙層的：一個人必須要抓着另外一個人才能夠捧他。『賣』是三層的：一個人『甲』，一定要找到另外一個人『乙』，才能夠把一件東西『丙』『賣』給他，三者之中，一個都缺少不得。

指示字又可以分爲『物體指示』，或『性質指示』，譬如說『一條黑鹿』，『鹿』所指示的是其物體，而『黑』指示的是其性質。但是『物體』也者，千萬不可和『名詞』相混。我們上面所說的『黑』，也可以作爲一個名詞，和『鹿』之可以作爲名詞，初無異趣。

我們人類語言中所使用的指示語句，一般說來，大多半都是含有指定字和指示字兩種成份的：都是先用指定字指定某些事物，再用指示字述說此事物的某些特徵，這樣子我們才把外界環境中的種種現象，孤立 ISOLATE 出一小部份來，使我們自己的或別人的神經系統與之發生一種刺激和反應的過程。——譬如一人正在作白日夢，和外界的環境，除了空氣和氣溫之外，可以說是差不多沒有任何的接觸。忽然你告訴他：『外邊下雨了。』於是他頓時眼有所見，耳有所聞，膚有所覺，而有效的接受了『春雨』中的形形色色。

我們知道，人類語言之爲一切思想和一切文化的泉源，就是因爲它的『符號作用』SYMBOLIC FUNCTION——自從以『語言符號』來代表實際物體，人類才打開了時間和空間的枷鎖——而我們上面這一個例子，就我看來，似乎在說明，人類語言的符號作用，主要的就是在這一種『指示語句』上建立其最初的基礎的。（五五）

思歸引

·王沉裴·

丁卯五月，避共匪農民之亂，過甯登滬。

片颿過石頭。似當年王粲。怕上層樓。驚弓辟地一孤雁。便瀟湘千里。也則難留。振望南飛鳥鵲。却羞與繞樹同儔。故鄉亂未休。看蜉蝣晦朔。蟪蛄春秋。混沌乾坤任他轉。笑杞人無那。空惹煩憂。意難忘處。是荒了，陶公菊圃，邵老瓜疇。

獨步

·刁抱石·

獨步青山道。依然不覺孤。
春歸花耦語。人至鳥相呼。
俯仰烟雲異。陰晴氣候殊。
可能尋勝跡。何用問前途。

劍底秦庭

歷史小說

奚如

「不配？爲什麼，微姬，爲甚麼你要這樣說？」荊軻覺得有點意外，驚疑，不自禁地緊握着微姬那一對滑膩的手腕，搖了一搖。

「因爲你是一個大英雄，而我，只是一個卑微不足道的小婦人，一個寡婦！」微姬幽怨地用眼角望了荊軻一眼。

「不！微姬，你不應該這樣說！」荊軻微微地吁了一口氣：「這些虛浮的聲名，固然我覺得我才眞的不配；可是，就說是甚麼英雄吧，英雄是人，寡婦也是人，是人便會有人性，便需要愛的滋潤，爲什麼你一定要把人與人之間的等級，區別得這樣嚴密？我在齊魯之間和漸離同游的時候，就常常聽他說起你，從他的談話裏，我可以知道你是如何一個爽朗不羈的女性，又是如何的愛護漸離，因此，雖然遠在七八年前，我們都還沒有見過面，可是你已經在我的腦海裏留有一個相當深刻的印象，在我的想像中的微姬決不會是這樣一個自形卑怯的人，爲甚麼只是因爲你是一個寡婦，就消失了愛的勇氣？」

「話是這麼說，可是自從趙國回來之後，我就覺得自己已經像一個古井裏面，即使沒有人把我忘掉，我也願意把自己埋葬在這個井底，渡過這後半世的日子。因爲過去的事情實在使我太感到悲痛了！使我永遠永遠沒有辦法再把它忘掉！」微姬的眼簾又開始在浮泛着淚光。

「過去的事，何必還把它記在心裏？」

「可是，大哥！你不知道我的丈夫是怎樣死的！」

「嗯！沒聽漸離說過。」

「告訴你，大哥，他是在秦軍進攻趙國的第一年，應募到邊城去禦敵，城破之後，活活給秦軍拿來埋在泥土裏沉死了！」

「……」荊軻沒有說話，也不知道應該說些甚麼話，所以他只有還不得開口，微姬又繼續在激動地開口了：

「那一次給活埋的人，總數差不多有十萬人！都給活埋在一個山坑裏，成了一個人山塚！當戰爭過後，秦軍在京都慶祝勝利那一天，整個趙國沒有一家不哭聲震天，那種悲慘的情形，使我永生永世也不能忘懷。因此，回到燕國來以後，我就整天只是想着這一幕慘象，我永生再也忘不了！你想，殺夫的仇人，能向仇敵取得報復，我怎麼還會再爲人所愛？怎麼還要再嫁人呢？」

「可是，微姬，你的血海深仇也快要到報復的時候啦！」荊軻深深藏在心裏的內心深處，然而眼睛裏却發出了安詳的微笑。

「但願有這末一天！可是，這一天又是多麼渺茫啊！唉，唉！」微姬噙着眼淚，又抬起頭來，望了荊軻一眼。（三十）

義共首腦的紳士作風

義共首腦陶格利亞蒂最近已從今秋的「中暑」病復原，到義大利的阿爾卑斯山去渡假，打扮十足像個小資產階級紳士，全副鑛裝，脚上的一雙羊花襪，尤其鮮艷奪目。他還帶着一個保鏢，如影隨形，隨侍在側，他的「女友」洛蒂也跟了去，完全是一付紳士作風。義大利輿論在冷諷熱嘲之餘，時代報說：「陶格利亞蒂這次恐怕會公開出來走幾步了，正好彼一個攝影記者『捉住』」又有一家報紙說：「他的全付英國鄉紳作風，已證明將義共的『窮人』傳統拋棄了。」（明）

自由人
THE FREEMAN
（第四六八期）
中華民國僑務委員會
頒發登記證台教新字第一〇二號
中華郵政台字第五〇〇號
執照登記爲第一類新聞紙類
（半週刊每星期三　六出版）
每份港幣壹毫
台北市售價台幣壹元
督印人：陳文華
地址：香港高士威道二十號四樓
3 rd. fl. 20 CAUSEWAY RD
HONG KONG
香港發行及事務接洽
高士打道66號　電話：七四〇五三
承印者：東南印務出版社
地址：高士打道六十四號
海外總經銷
友聯書報發行公司
香港：德輔道中二十六號A二樓
台灣特派員辦事處
台北市館前街五十號
台灣總經銷處
台北市西寧南路壹壹號二樓
台郵劃撥儲金戶九二五二

蘇聯國內民族危機

——殖民主義轉變的端緒——

曾旭軍

今年四月間的亞非會議，一片反『新殖民主義』的怒吼，給那企圖幫助蘇聯併吞中國的漢賊俄奴代表周恩來以當頭一大悶棍。

目前共產集團正以民族主義爲幌子，去謀滲透、分化、傾覆亞洲國家及諸民族。因此自由世界應「以子之矛，攻子之盾」，去反擊蘇俄共產集團。

迄今爲止，自由世界思想戰，以「奴役」攻擊蘇聯者多，以「殖民地」攻擊蘇聯者少。甚至誤會，以爲殖民地係共產黨攻擊自由世界的犀利武器，難以還擊。其實，蘇聯赤色共產帝國，正蘊育着殖民地之危機。我希望自由世界的思想戰與宣傳戰，多多揮動抨擊蘇俄殖民地主義的嶄新犀利武器。

英蘇殖民地比較

蘇俄殖民地主義，並無嶄新之內容，如果可以說是新的，亦不過係有異於資本主義國家的殖民地主義而已。在柯拉滋所著「蘇俄及其殖民地」一書（本刊四六三期曾有介紹）最後一章，拿蘇聯的和英國的殖民地民族問題作九點的比較。便顯出蘇聯的比英國的較爲落後，而專制腐敗。蘇俄的殖民地政策，是承受沙皇的殖民政策，更發展帝俄的傳統，更有計劃地向整個領土的四週大事擴張，——擴張到幾乎沒有一定的邊界。現在我摘出柯拉滋比較英蘇兩國殖民地主義的要點：——（一）英殖民地主義是民主的，而蘇俄殖民地主義是極權的。（二）英國的培育殖民地自由發展，而趨向獨立。蘇俄的是生硬的壓入帝國模型，永屬奴役。（三）英國的是蛻變分裂。蘇俄的是封建主義。（四）英國尊重各民族風俗習慣，蘇俄大加干涉。（五）對於言語文字，英國准許殖民地人民籍英文吸收新思想。但蘇俄以俄文作束縛思想的政治利器。（六）關於教育，英國沒有蘇俄肅清民族思想那一套。（七）英國殖民地建立基礎在資本的投資。蘇俄殖民地建立基礎在工農奴。（八）英國栽培殖民地幹部，一旦成爲主管官便讓其自由處理事務。蘇聯的殖民地，有蘇共控制着一切大小傀儡。（九）蘇聯殖民地如係有戰略關係的，就要把非俄人驅逐出境。英國沒有這一套。

由此可見蘇聯對待其殖民地手段，比諸資本主義國家的手段厲害百倍。各弱小民族由於民族願望，加上種種逼害所產生的反蘇情緒，和反蘇鬥爭，日趨劇烈，這龐然大物之蘇聯，實蘊藏着極大的殖民地危機。

捷成族語文的復活

最近有一項最新的消息，而極令人注意的，就是已被蘇俄『清算』的民族，今又被提及。其重要的意義係：（一）蘇聯的外交政策已採取微笑攻勢，對國內民族是否亦改變懷柔政策。（二）若然，則蘇聯內在之危機甚嚴重。

在一九五五年五月十七日，接近新疆的卡薩斯坦之阿瑪阿達共產黨機關報『卡薩斯坦』，刊登一啓事，內稱：『目前可訂閱一種捷成（CHECHEN）語的週刊『勞工旗幟』。』到了一九五五年七月九日，阿瑪阿達的廣播電台宣稱：用捷成族語的報紙已出版了。

在第二次世界大戰時及其後，蘇聯政府解散了四個自治共和國，並將幾個少數民族從蘇聯的人種誌中地圖上抹去。這四個民族是捷成——印古什自治共和國（CHECHEN-INGUSH A.S.S.R.）。其他的三個是伏加日耳曼，克里米和卡爾穆克自治共和國。

該啓事又說：可在當地官方派報所，集體農場，國家農場、及機械與引曳機站等處訂購。從字裏行間看，可見捷成族今正參加阿瑪阿達及其周圍的經濟生活。

被蘇聯抹去的民族

偶然看來，這啓事不大重要。但研究蘇俄內情的人，便認爲是很驚人的消息。因爲鑑於捷成族，和其他在第二次世界大戰末期其民族被清算的蘇聯少數民族，正好像佐治奧華爾（GEORGE ORWELL）在他所著的『一九八四年』一部小說所描寫的，完全被蘇聯人民忘記了。

在蘇聯的百科全書和參考書所載，沒有捷成族人。蘇維埃地理，歷史、人種、及言語的書籍，都不討論及捷成族人了。一九四九年蘇聯科學研究院刊行的一論文集『北高加索與達希斯坦之言語』，略提及有捷成語，亦提及印古什族。然而雖然列出許多種北高加索言語，甚至較不重要的，也列出許多例子。但捷成印古什族語文却沒有例子列出。其餘如印古什族，卡爾穆克族，克里米韃靼族，與伏加日耳曼族，以至巴卡斯族，喀拉齊族等，都沒有人提及。這些民族從蘇聯歷史中被抹刪去了。

現在突然刊行捷成語週刊，最低限度已承認捷成語的存在，這是不是恢復安置這種已被清算的民族呢？目前蘇聯統治者是不是準備慶祝史太林對此等民族的措施呢？如欲解答此等問題，未免爲時過早。但其中必有值得研究的意義。

反共最力的回教民族

在一切的北高加索回教民族中，捷成族是傳統上最猛烈反對俄人擴張入高加索的。在一九二〇年至一九三〇年，蘇聯政權用懷柔手段籠絡。至一九三六年捷成族和那比較弱小的印古什族，聯合成爲一自治共和國。依照一九三九年的人口調查，在該自治共和國中，捷成族四〇七、六九〇人，印古什族九二、〇七四人。

在一九四二年，德國發動向蘇聯的夏季攻勢，進至高加索時，高加索的民族便醞釀反叛。顯然的蘇聯已不可獲他們的支持。因爲他們大多數是厭恨共產主義。在初期進攻，紅軍有論萬人的放下武器，投降德軍。德軍亦未嘗沒有準備，有些研究東方的專家，在德軍中協助改編高加索人，及中亞細亞各民族的人。把他們訓練成非正式軍隊去支持德軍。在一九四二年德軍的夏季攻勢中，德軍在短短的幾個星期便推進入高加索。於是希特勒即決定轉向史太林格勒進攻。但準備把這些當地民族收編到德國這一方面的詳細計劃，却未能實現。因爲時間來不及，也因納粹黨的偏見，反對不奴役及消滅這些東方民族的政策。

然而仍有相當多的當地民族，認爲德軍之來臨，是他們擺脫蘇聯枷鎖的機會。他們絕不受納粹及法西斯的影響。大多數對於德國，所知道的智識甚少，尤其是對希特勒更模糊。他們是純樸的剛毅的山區回教民族。他們最恨蘇俄共產政權的統治。

滅絕弱小民族慘史

在北高加索有許多地方都是如此情形。當德軍迫近時，蘇聯便失去有效的統治。在卡爾穆克平原，有些民族公然宣佈獨立，且參加德軍作戰。但因事出倉卒，組織未善，加以德國在秋季攻勢的敗退，這些當地民族反成了德軍的包袱。他們隨德軍拖男帶女的退到烏克蘭。當蘇聯遇到了他們，便毫不留情的將他們虐待，許多人被殺戮及磨折至死。在一九四五－四六年有許多隨德軍到德境。然而西方盟國不知尊重人權，順從蘇聯的要求，便強迫他們回去蘇聯。更鑄成大錯。他們一批一批的被殺戮或放逐到西伯利亞，爲工奴或農奴。北高加索四民族被集體清算，比他們的情形更慘。

至一九四三年實行把北高加索人流徙。至十二月卡爾穆克共和國被正式解散。一九四四年二月情形最慘。在蘇聯內政部服務過的布勒斯基，於一九五三年六月逃至波斯，詳細描述當時捷成印古什自治共和國被清算的慘狀。其時他在伊凡雪洛夫中將指揮下進行清算工作。伊凡雪洛夫就是現在的蘇聯國家安全委員會（KGB）的主席。當時史太林乘二次大戰勝利之威，但欲把這些頑強的小民族滅絕。

現在突然有捷成語什誌出現，即意味着改變史太林的政策，而對這種小民族施惠，一方面足證蘇聯內部醞釀殖民地民族的危機，亦可見蘇聯正準備大戰前，有安定此等民族的措施，則其意義就非同小可了。

四國高層會議後的新局勢

不要爲一時現象所迷惑　應把握世變準備次一步

（中）

●胡秋原●

日內瓦美與奸談判之初，美國還說可能進爲「大使級」談判，不過後來亦不再提。然美國說此非表示承認或同意中共入聯合國之意，亦極爲可信。

日內瓦談判試探性質

八月六日，艾森豪宣佈此一談判以關于平民遣返及其他有關美國與中共問題爲限；如無中國參加，不談金馬及其他涉及中國權益問題；在中共被聯合國譴責爲侵略者及其軍隊留在北韓時，美國及聯合國無選擇餘地；而現時亦無舉行遠東高層會議之可能云。美國在國內禁止賄賂綁匪，不會在國際上反鼓勵勒索的。美國民意不反對談判，然離進一步姑息中共，還是遠得很。即從大選實際利害言，這談判也有一限度。此刻確是爲國民安全而談判，充其量是試探而談判的。在十月四外長會議之前，與中共談談看而已。據說在日內瓦談判的美國大使要其隨員對此談判只能稱爲「會談」（TALK），而不能稱爲「會議」（CONFERENCE），否則罰款二角五分。一般看法，祗談到釋俘及放回若干親共的中國學生爲止，充其量伸縮至禁運爲止。中共自渴望杜周會議，我想縱非絕無可能，也還遠得很。說到承認，那是一張期票，只有中共狄托化時，才能兌現；如果中共狄托化無可能，則這也不過是一張空頭支票而已。即使英國，也不贊成各國「太急」，並決定今年聯大不談中共進聯合國問題。可見英國人雖在姑息主義中，也有釣魚之意的。

談判所生的惡影響

然這談判之不可避免，亦猶其不良影響之不可避免一樣。不良影響主要是精神上的。美國在歐洲與俄帝談判，在亞洲與中共談判，在精神上對亞洲反共運動是一打擊，對俄帝與中共威望，是加以抬高，而對中立主義又是一種鼓勵。最大影響將發生於日本，除了美與中共談判以外，六月一日開始之日俄談判在繼續中，雖然據說此一談判「毫無進展」，而日本與中共也準備在日內瓦接觸了。

由此可見，目前的局勢是：明知談不出結果，還是要談。即使談得有文字的協議，因眞正問題不能解決，也不會有持久的和平，現在總想避免打，這是一種什麼情勢呢？美俄都說將有「新時代」。紐約時報稱今後世局是由「冷戰」轉爲「冷和」。前者是戰爭可能多於和平，後者是或然和平多於可能戰爭云。我想這到底是概念遊戲。今後實際上是高度冷戰時期，也可以說是「競爭的共存」時期。雙方都以和平口號競爭，雙方都不會作眞正讓步，雙方都避免眼前戰爭，雙方都不放棄最後擊敗敵人的準備。（下轉第二版）

一週展望

●李金暉●

艾森豪的辯詞

日內瓦四頭會議後，艾森豪的聲望一時大增，但最近一周，似乎有些戲劇性的不同了。[illegible]

雖然如此，日內瓦會議，遣俘問題僵局未能打開，北韓中立區[illegible]，南韓示威反對中立國委員會，日本反美情緒漸增，[illegible]人民感到艾氏的對外政策未能解決問題，且將因此影響[illegible]。華府外交界亦深慮北大西洋公約組織[illegible]。難怪史蒂文生也說：若認爲「日內瓦精神」已[illegible]。儘管艾森豪力言原則之不會犧牲，也終難祛世人之疑慮。

法國仍迷信武力政策

[illegible]法總理傅亥，正面對棘手的北非問題。[illegible]前總理法朗斯，因爲溫和的北非政策不獲右翼政黨支持，才丟掉烏紗的，現在傅亥是非主張強硬不可了。否則將爲法朗斯之續。法國殖民地政策，顯然還停滯在砲艦征服時代，與善於因應時勢的英殖民政策比較，眞是瞠乎其後。試看星馬問題的複雜，不下於摩洛哥，但其未發生大規模的流血事件，可見一斑。按理，法國在越南問題得到教訓後，應該有所覺悟，如今對北非問題的處理，似乎依然故我，始終不悟。

法國人對殖民地的頑固，有時令人費解。從歷史看，一七八九年的路易王朝和它的貴族，當時如能稍稍讓步，那一場大流血革命也許可以避免的，今日對殖民地亦何獨不然？既得權益到了不能不放棄的時候，如果還要緊抓不放，流血自然是不可免的了。

重光赴美與蘇俄態度

重光葵於日俄談判僵持之下，國內又有社會黨的反對，毅然赴美，勇氣可嘉。他赴美的任務，除了經濟及其他問題外，他強調軍備問題，自衛隊問題。[illegible]同時將日本人民眞正情緒向美國人民充分表達，雖是外交詞令，亦頗有所恃的。同時他要藉此向美國表示，日本國民的意見，也向蘇聯表示，對倫敦談判得不到妥協，日本將更加倒向華府方面了。

蘇聯對重光赴美的反應，是交還齒舞，色丹，必須美國放棄沖繩和小笠原。這一來，不只增加了倫敦談判的複什與困難，也增加了日美談判的困難，使日本本已存在的反美情緒，更爲高漲。不能不說是惡毒的挑撥。因此除非日本政府決然放棄騎牆的外交政策，否則重光此行結果亦是有限的。

新疆自治的意義

中共最近宣佈新疆自治，更充分暴露毛澤東一面倒政策的徹底推行。照赫魯曉夫的計劃，蘇俄遠東區的糧荒要到一九六〇年始可解決，中共近年拚命建築西北的交通路綫和開發礦藏，也正是迎合蘇俄這一個計劃。到一九六〇年，蘇俄則可合蘇聯的遠東區和中國大陸的西北區，成爲一獨立的戰略經濟區域，新疆自治便是實現這計劃的第一步。第一步完成之後，第二步當然是赤化印度和中東了。共黨力足以威脅印度洋時，大英帝國從歐洲到遠東的經濟輸血管「印度」，也就在共黨掌握之中了！列寧所設計的「經由印度，是通往巴黎之門」的計劃！也就完全實現了。

重光赴美的中心任務

安世

日防衛問題如何解決？

資本家躊躇國民厭戰

海外通訊

（八月十日東京特約通訊）在未來世界大戰中，決定美蘇兩大集團的勝負，不僅在原子彈之多少，抑且在德日兩國再軍備之遲速。因爲西德再軍備完成，無異對蘇聯頭部予以致命打擊。所以自西德再軍備至加入北大西洋公約，蘇聯不惜任何代價以緩和此緊張局勢，于是四巨頭會議，隨之而來；現在日本防衛問題，又逼在眼前了。

防衛問題與日憲

日本憲法第九條規定，日本不僅不許發動戰爭，並且不許有準備發動戰爭的能力。但爲防衛侵略而出于一切軍備，即明文並未禁止。近來國際風雲日趨險惡，于是日美兩國國會有共同互助防衛條約的締結，根據該約精神，日本陸軍自衛隊，應立即完成十八萬人。又據一九五三年七月在審查美國協助日本防衛預算席上，杜勒斯發表意見謂：「日本防衛兵力之目標，應爲十師團」（約三十五萬人）。

現在日本防衛力如何？可以說離美國理想的目標，爲時尚遠，其所以遲遲未能達到此目的，原因約爲下述各點：

左右社會黨的反對

右派社會黨中尚有少數反共人士，至于左派雖爲社會黨，其實一切言論行動，簡直與共產黨毫無區別，他們不是以日本民族利益爲出發點，而是以蘇聯民族利益爲出發點，換句話說，蘇聯所贊成的，他們不敢不竭力贊成，蘇聯所反對的，他們也不敢不反對，日本再軍備一事，是蘇聯所徹底反對的，他們也就不得不徹底反對，所以日本要再軍備，不僅十八萬人，或三十五萬人，就是十萬人以下，也是他們所不贊成的。右派社會黨態度並不如此，不過因在議會裏須與左派聯絡，有時不得不取共同步驟，所以兩黨對于日本政府防衛計劃的進行，一致加以反對。

資本家躊躇不前

各國資本家，除軍火商外，莫不反對戰爭，至於日本資本家，從明治以迄二次大戰敗，七十七年來日本幾戰無不勝，日本資本家亦幾乎無往不利。所以在二次大戰以前，日本資本家對於戰爭，與其說是恐懼，無寧說是歡迎。可是二次大戰以後，情形就兩樣了，日本的糧食成了問題，原料也非常騰貴，因而商品成本高，出路頗受影響。雖然今天很多生產紀錄，已與戰前相當，但是日本經濟的元氣，卻與戰前相差太遠。今天日本多數資本家的想法，最好使日本變成瑞士，或奧國第二，——永久中立化——萬不得已也只能走印度路綫——（立於美蘇之間）。至於要走西德路綫，使日本立於第一綫，那是他們絕對不歡迎的。

國民懷有厭戰情緒

如前所述，在第二次大戰前七十餘年中，日本是戰無不勝，日本國民，移民海外，從東北以至南洋，幾乎無處不受歡迎。可是今天戰後情形，顯然兩樣，八年的戰爭和七年的佔領，給與這七十餘年來的一等國民的，乃是痛苦辛酸的滋味，加以共產黨不斷從中煽動，運用戰俘未亡人大會傷兵集合所，乃至如廣島每年原子彈爆炸紀念日（八月六日），來一番危言聳聽的宣傳，確實令戰俘遺族和傷兵聽了，不能不受感動的。

在吉田內閣一面倒的外交政策下，對於防衛問題設施，還能大刀闊斧，放手進行。自吉田下台以後，鳩山爲迎合一部國民的厭戰心理，並緩和左右派社會黨的反對，對於防衛計劃，採取了進一步退兩步的辦法。

到了四巨頭會議以後，日蘇交涉時斷時續，日美外交自應有新接觸了。談到日美外交，最緊要的莫過於日本防衛問題。

防衛問題的現狀

日本防衛問題，在美蘇看來，都是非常重要，在日本看來，自然更屬重要，茲將日本防衛問題的近狀及發展簡述於左：

日本自衛隊，在戰後初名警察預備隊，不過七萬五千人，到前年（昭和二十八年）改爲保安隊擴充至十一萬人，現在改名自衛隊，擴充至十三萬人，本年年底擴充至十五萬人，據八月三日，日本防衛廳發表本年度自衛隊擴充計劃，約如左列：

陸上：

編成

一、方面隊（舊方面軍二）

二、營區隊（舊師團六及舊混成旅團二）

三、特科團（舊砲兵旅團一）。

人員

今年新增自衛官兵二萬人，部隊職員二千另三十名，連前合計自衛官兵十五萬人，職員二萬一千六百六十人。

新部隊之地區配置：

一、西部方面總監部　轄熊本地區。

二、第八混成團本部　轄熊本地區（含特科）普通科大部　轄南九州地區。

三、第七混成團本部及主要部隊，配置於眞駒內地區，普通科一部配置於倶知安。

四、特科大隊三，配置於東千駒，眞駒內，下志津各地。

五、特本大隊一，配置於北惠庭地區。

六、施設大隊一，配置於北九州地區。

七、空挺大隊及空挺練習隊各一，配置於關東地區。

八、教導隊　甲（普通科）富士學校教導連隊，富士地區；施設學校教導隊，勝田地區，需品學校教導隊，松戶地區。

海上：

人員　去年度官兵約一千二百四十三名，現增加三千五百八十三名，共計約四千八百二十六名。

艦艇：

一、昭和二十八年施工者十六隻

二、昭和二十九年施工者十四隻

三、昭和三十年施工者七隻

以外警備艦甲型四隻，掃海艦三隻；美國供給潛艇一隻。

航空：共計官兵一萬一千五百四十五名。

本年末各種航空機約可達三百架。

重光赴美商談建軍

這次重光外相月底赴美，其主要任務爲商談防衛計劃（這次所帶的第十二次改正案），其內容爲至五年後（昭和三十五年）陸軍官兵擴充至十八萬人，海上自衛隊擴充至十二萬噸，航空自衛隊擴充至一千二百八十四架。不過這個防衛計劃，是否可以令美國滿意，現尚難逆料，因爲美政府希望是三十五萬人，但日本只答應待五年以後可完成一半，但是國內對此顯然不會滿意。

參院否決設國防會議

每年在國會裏吵的最厲害的，就是防衛問題，日政府苦心焦思，想在國會中設一個國防會議，網羅各黨派人士參加，這個法案在衆兩院是通過了，但是在參議院中却引起左派社會黨議員大打出手，竟至宣佈此案不成立。將來能否通過，不能說是沒有問題的。

總之，三次大戰，決難倖免，因而日德的再軍備，勢屬必然，不過在完成再軍備以前，必然發生不少困難也是意料中事。（八月十日於東京）

兵學家—李浴日先生之死

·易與·

台灣通訊

【台北通訊】「世界兵學」的主編人亦即創刊人李浴日先生，已於八月七日在自由中國的首府「台北」近郊，一座小型克難建築的寓所中逝世。論他的年紀，實在還可多活幾年，現在僅得四十七歲呀。

（一）

浴日是廣東遂溪縣人，一副山東大漢的身材，圓圓的大面龐，顯出他那富有智慧的腦袋，他具有一套快樂的人生觀，我和他相交近二十年，從未見他有疾言厲色的神態，老是一團和氣，笑口常開。他去過日本，在日本雖未得到什麼「學位」，他可有其「學業」上的成就，他譯過一本日本人研究「孫子兵法」的著作。這本「孫子兵法的研究」，由商務印書館印行問世，奠定了李浴日這位兵學家的「談兵」地位。浴日以書生身份，從事紙上談兵，卻下過一番苦功夫，加上他對中國史籍的不肯「馬虎」，同時他的文筆也頗不差，因此他所談的「兵事」，實在「聲色俱厲」的紙上有兵，以是一紙風行，肯讀書的將軍們，莫不人手一編，認爲值得一讀的「好傢伙」。

（二）

浴日曾佐李伯豪（漢魂）將軍有年，李在東江綏靖區主任之內的演講詞稿，大率由浴日校勘整理。後李主政粵府，浴日任編譯室主任，浴日書生本色，不善頌禱，伯豪對浴日固知之深，而愛之切，但終其七年主席任內，獨斯人未隨其他左右人士一作升遷。而浴日於伯豪亦絕無任何不滿之言詞。全始全終，着實在現世裏尤其在名利場合，不是一件尋常事件。有人說凡屬精明能幹的人，喜歡用從心所欲，會說好話的人，尤其玩筆桿的文人，遇到也懂得之乎也者和平上去入的人，實在不大易處。浴日是一個不肯說阿諛逢迎話的憨大，伯豪又是一個下馬可草露布的人，而浴日在伯豪左右以文筆佐助，而能契合無間，實非伯豪之賢明，無以容浴日之戇直，非浴日之愼，無以邀伯豪之知遇。伯豪開府黃岡時（韶關近郊粵省府所在地），浴日與伯豪毗鄰而居，親信異常人，但浴日絕不以「主席親信」，傲視儕輩，更不以「受恩私室」爲人干謁請託。

浴日夫人賴瑤芝女士，原中山大學畢業生，爲伯豪夫人記室，浴日時已年近三十，「小生」尚未娶妻，經伯豪夫人之促成，當韶關緊急撤退聲中，他夫婦倆在連縣結婚。當時找遍連縣的文具店，買不到結婚證書，結果找到一塊紅綢，由我謹成「駢四儷六」的吉祥文字一段，才算完成「吉席之喜」。說來已是十五六年的往事。他倆第一位長男的大公子，現在在高中讀書。

（三）

對日抗戰勝利，伯豪他調，浴日選其個人的慧識，得其夫人的臂助，獨力創刊世界兵學，歷十年的艱危歲月，時斷時續，並且還印行不少兵學叢書，其刻苦持恒之毅力，實非尋常人之所能。

在香港時，一家人住在大澳，過度着非常人所能忍受的苦日子。來台灣後，仍然在艱苦中支撐其「兵學叢書」的印行，寫有一本「台灣確保十大鐵證」的小冊子，事實理論，活躍紙上，絕非一般觀望風色大言欺世者所可比擬。

浴日平素生活至節儉，不飲酒，不吸烟，不賭博，其夫人更是荊釵布裙，不脂粉，不修飾。有是夫乃有是婦，非是婦亦難乎其爲是夫。我常以此調侃老妻，如果李浴日不是賴瑤芝，其世界兵學之爲世界兵學，至少是主廚太太尼龍襪和化粧品的耗費下，要夭折得快些。浴日對友熱情自奉甚儉，但遇友好，必邀與一飯，或者上廣東館來個「一盅兩件」。

（四）

大約是兩年前，浴日曾以血壓高抽過一次血，近兩年來，除其自辦之世界兵學作間歇性之編印外，並爲官家主編「奮鬥月刊」。由寫稿、閱稿、排稿、看樣、校對，以至於發行，叢集一身，辛勤積勞，僨個是「不死奚待」？浴日之死，是猝然的腦溢血致命，在七日的午前九時許，他的孩子去倩他，覺得他不則聲，跑去告訴媽媽，說爸爸有異樣。等到他夫人趕到他的書房時，已是無可救藥。如此死去，既無須家人從事醫藥的煩累，又不必嘗受針灸藥石的苦痛，快人快死，像浴日那樣樂天知命的大好人，才能有如此的快死。哀悼之餘，不禁稱快。惟是死者已矣，他那五個孩子，最大的不過十五歲，最小的剛滿兩歲，海內外認識這位兵學家的人，或許都在大大的關心在念吧。

編者讀者

兩點意見

△蕭立坤先生來函

讀本刊四一五期小言先生「正名與用典」一文，不勝贊佩。

我們做文章，常喜引用古人的名言，這固然因爲名言簡短有力，但也是我們思考時，依靠古代經驗的結果。其實引用古語成古例，是很危險的事。這種例子，隨時皆是，手邊恰有一張今天收到的四四〇期「自由人」，我即以這一期邵鏡人先生的「領袖·輿論」一文做材料。

邵先生大作的本意與原則，我完全贊同，本文所論各點，毫無對邵先生及其文章不恭之意。

× × × ×

（一）「防民之口，甚於防川」。這一句話用於今天，可能作完全相反的兩個解釋，第一個當然是古人的解釋，即是說：民之口不應防，亦如川之不應防也。防川則川必泛濫，防民之口，不許言論自由，則民必叛。

但現代水利學的第一原則，即是「防川」，築起高閘，把川流遏住，使牠不得自由流出去，利用水壓發電，人造湖內航行養魚，調節上下游的水量灌溉等。這樣即是第二個解釋，共產黨利用水利學防川的原理，去防民之口，用組織，特務，開會，洗腦，叫你說即說，叫你不說即不說，叫你說什麼即說什麼，共黨統治下人民的口，既無言論自由，也無不言論的自由，正如高度工業化國家的川，既無流的自由，也無不流的自由。

所以今日要表達古人的原意，這名言應改爲「川可防也，民之口不可防也」。

× × × ×

（二）唐太宗論太行山東西民族不同，御史張行成曰：天子以四海爲家，如強分東西，便是示人不廣，太宗稱善，厚賜御史。

唐太宗居然論及太行山東西的民族性，這是極科學的研究人類學，民俗學，社會學，甚至於地質，氣候，地理學的起點。如果當時有一位御史，不把太宗的意思，從壞處着想，而進一步鼓勵太宗的研究興趣，太宗可能立刻下令成立一個研究院，及考察隊，把太行山一帶（進而至其他地區）的生活民俗地理環境氣候等，作詳細的研究，考察，豈不使自然科學就此在中國發芽？這一千多年的歷史，又怎樣了？

論語上有一句名言，害了中國幾千年：「雖小道亦有可觀，致遠恐泥，是以君子不爲也」。因此幾千年中國的知識分子，都不願做巫醫百工之士，直到今天，香港救濟流亡知識份子之中，大學教授多矣，機械士卻少極了。

蕭立坤（七月廿二日阿根廷）

四國高層會議後的新局勢

胡秋原

（上接第一版）

拖的局勢不能長久

我們自必須面對這一事實。這要延緩我們的反攻程序，是無疑的。然而，這是否俄帝和平攻勢之成功呢？這局勢是否延長幾年以上呢？我的答復是「否」。俄帝還是必敗，這局勢不會很久。這基於下列基本事實：

第一、基本事實，是俄帝在世界上，尤其在歐洲，力量是在劣勢。國內經濟情況也是惡化的。俄帝派農業領袖到美國學習，也說明其農業之不妙，這都不是能夠好轉的。這也就是他目前和平宣傳的原因。

第二、然今天俄帝與中共的策略，又是太顯明的。它是要中立大西洋公約，中立東南亞公約，進而中立美國的空軍與原子武器。它不願也不能解決問題。在華沙八國軍盟之後，胡志明到北平與莫斯科，在北韓亦早已違背停戰協定。而在日本在緬越泰，在星嘉坡和馬來亞，乃至在阿富汗和北非，其滲透顛覆活動有增無減。他們也很難作實質讓步。他們只是希望拖。最近俄國又宣傳裁軍，但這只是一面宣傳。誰也不能知道他軍隊確數。如飽爾溫所言，問題在俄國控制了東德，匈牙利和波希米亞（蘇台德區）之戰略地位，使歐洲無安全可言。即使美俄同樣裁軍以及同時退出歐洲，俄國還是離得較近。如果俄國不退出上述三區或將其中立化，美國斷無裁軍或退出歐洲之可能。而這是蘇俄決不能做的。

（未完）

新時代與新儒學
——答蕭立坤先生——

陳代鍔

前些日子，我從拙著「新儒學」全書中選取了一節「怎樣做一個新知識份子」在本刊發表，原意是存感於新儒學一書性質重要，希望在未出版之前發表一部份，以便引起學術界同仁的興趣，而從事廣泛的辯難研討，除了在本刊發表了這一篇有關「新儒家」的一節外，還在反攻雜誌發表了若干篇，這樣的學術著作是極歡迎大家揭出疑問，提供意見的。尤其是歡迎相反的意見，因爲眞理必須在正反兩面衆多疑難中探討出來的。最近只讀到蕭立坤先生，論「文化的時代性」大作，深知蕭先生是有心人，他至少坦坦白白的說出了許多人存在胸中的疑問，我除表歡迎外，並在此鄭重加以答覆。

爲了節省本刊寶貴篇幅起見，姑用條列方式，簡明敘述我的答覆：

文化不脫歷史性

一、文化固有時代性，但更有歷史性，文化決不是從天上掉下來的。時代是代表新，代表進步，祇是歷史的延續與新生。今天爲時代，昨日則爲歷史，無論今日或昨日，都是時間的發展。人類在宇宙的文化活動，是由昨日到今日，若把過去的一概勾銷，一切從今日起，個人生命也許可以如此，但整個文化却不可如此。我重視文化的時代性，但不敢如蕭君那樣完全否定文化的歷史性。此二者有時間與空時的關係，都是文化發展運動的必經過程。世界上決沒有一個沒有歷史性的文化，即如今日的共產主義文化，他們自認爲是最進步的，但其中俄羅斯文化的歷史性，却充分表現。可證任何新文化無法否定文化的歷史價值。

二、文化思想問題與科學研究不可並論的，科學研究需要找證據，做實驗，小心翼翼的去發明，而文化思想問題却不是這樣機械的，如果要用純粹科學方法去發現文化思想，世界上將無偉大文化思想出現。從事文化思想的探討，尤其是開闢一種，新文化道路，是必須有氣魄有胆量的，我常說「氣魄小，格局小，脚步放不開，成就不了大學問」蕭君諒不以此種「大胆」爲太過吧！

新儒家的精神基礎

三、我主張新儒家應以儒家精神爲基礎，並非主張以孔子全部思想精神爲基礎，更非主張以孔子殺少正卯一事的精神爲甚礎，而是以孔子的高明遠大的思想體系，如仁愛觀念，大同精神，民主思想，自由價值等等爲基礎。任何偉大思想於其中心亦有其偏見，有其長處亦有其短處，善用思考的人，當把握其中心，而棄其偏見，當重視其長處，而棄其短處。孔子整個思想精神，吾人若能深入研究體會，必能發現他眞正偉大的精神不但無背於今日的時代，而且正爲時代所需要。至於孔子殺少正卯一事，我亦有蕭君同樣的心情，那種近乎思想清算的手段並不高明。可是我要請蕭君注意的是「盡信書不如無書」的一句話，論語裏雖然明明白白記載了這一件事，但我曾根據考證學認爲是「異端所託無疑」，並非事實。我曾爲此一公案寫有長文在台北報刊上向胡適之先生請教，因爲他說「孔子作司寇，七日便殺了一個亂政的大夫少正卯。」大概蕭君孔子的觀念也像胡先生那樣模糊，這却也難怪。（請參閱拙著孔子學說新論一書，便知其詳，不及詳答。）

四、我之倡導新儒學並非舊儒學的翻版，我反對頑固守舊，我對舊儒學祇重視孔子的中心觀念及其後若干儒家新的發創，我對孟子的強辯雖無可厚非，却不敢苟同，我不重視韓愈的所謂道，而頗欣賞他那種豐富天眞的情感及磅礴磊落的氣魄。我對朱程以下的道學氣味並無興趣，而於王陽明的心胸的開闊坦蕩，及其良知之說，深有所獲。我提倡這樣的儒家學說，想蕭君不會比擬於讀燒餅歌了吧！

樂道精神與生活水準

五、關於顏回是否一定「營養不足以至患肺病早死」，無從考證，我祇是認定顏回那種以精神控制環境的藝術化生活，是值得我們知識份子學習的。我在人的道路中曾說過「顏回在陋巷，非是安貧樂道，乃是樂道，所謂樂道，便是在學問中，找到安身立命之處，生命有了寄託，便顯得天寬地闊，無入而不自得」。像顏回這種「樂道」的精神，（事實上顏回是找到了這個安身立命的處所的），我們學習當不致有流弊。我並不主張顏回那樣去「安貧」而降低一個人的生活水準。我不反對提高生活水準，而且極力贊成，但這是有關民生建設的問題，與我之倡導新儒家應有顏回那種「樂道」的精神，並無矛盾。現代人民能享有良好的生活水準，乃是理之當然，而同時還能培養一種「樂道」的精神生活，豈不是我們知識份子應做的麼？蕭君於此，論點應加區分，不可混爲一談。而且似未能了解我的初意。

反共與文化問題

六、今日言打倒共黨政權，並非純粹是一個屬於言或行的問題。我以爲這是一個文化思想問題，我們必須在文化思想上有眞實價值的創獲，足以破馬列共黨主義的邪說，始足以言打倒共產政權。並非一定是提高生活水準所能解決。精神與物質是一貫並行的，不容偏廢。我之倡導新儒家新儒學，是希望及早建立新的文化思想，一方面接替古舊的中國文化，同時迎頭趕上新的西洋文化。我們如果沒有這樣完整的新文化新思想爲之方向，爲之南針，我們即令「實幹」，也將無所適從，徬徨歧途。終必須發生苦悶，徒勞無功。我們知識份子的責任即在爲一個若雜的社會尋求眞理，探尋光明。一旦發現眞理，獲得光明，人民大衆自然蜂擁而前，到那時才能發揮國民高度的生命力，不實幹而實幹了。

我的答覆，暫止於此，細讀蕭君大作，正足以代表許多人的疑難，他的宗旨仍是反對守舊，保守，反對孔子殺少正卯那樣的行爲，反對落後的物質生活。蕭君用心純善而正確，但對於文化思想問題似可再作深入探討，不知以爲然否？（民四四，七，十七，台北智園）

佛郎哥論東西實力

李子元

西方國家有恐蘇病

在歐洲，西班牙是蘇聯最早的一個侵略目標，佛郎哥和共產黨鬥爭多年，最能了解蘇聯。美國新聞和世界報導最近特派編輯羅倫氏謁佛郎哥，下面是他們兩人的簡短談話：（羅倫氏問，佛郎哥答。）

問：閣下對四國首長會議作何見解？

答：那是蘇聯宣傳的一個好機會。目前蘇聯遭遇極大困難，急於設法自救。任何事物，蘇聯都可用作武器，聯合國是蘇聯的武器，四國首長會議也是武器，任何事物到了蘇聯手裏，都可變成一種可怕的武器。

蘇聯現在的困難：第一、是史大林承繼問題沒有解決。第二、蘇聯佔領了這許多國家一時消化不了。可是，西方總認爲蘇聯佔有優勢。

問：蘇聯的優勢在那裏？

答：蘇聯的優勢在西方人士的口裏，西方人士說，『蘇聯人口多，軍隊多，坦克多，飛機多。任何方面蘇聯總佔優勢，幸而我們有原子彈。』若雙方放棄了原子彈，優勢又在那一方呢？我以爲優勢仍在西方手中。西方國家佔有較大的人力，和生產力，西方的智慧和技術也在蘇聯之上。爲什麼西方老是說蘇聯佔優勢呢？祇因爲西方有恐蘇病。

還有一個極重要的因素，蘇聯佔領的國家和土地太多了，蘇聯給衛星國家縛住了。爲了維持衛星國的臣服，蘇聯只好派遣大軍駐防各國。因此，蘇聯若對西方發動侵略戰，西方曉得利用蘇聯的衛星國，蘇聯得多派百萬大軍駐防各該國家。

問：蘇聯會因爲中共而引起大戰嗎？

答：中共最大的敵人是蘇聯，中共現在雖還在夢中，將來總會曉得的。試問，除了蘇聯，那一個國家能夠併吞中國？因此，蘇聯不願意中共強大。中共和蘇聯的利益是相反的。蘇聯若認爲戰爭能毀滅中共，是樂意主使中共發動戰爭的。

問：東西雙方的士氣誰佔優勢？

答：西方國家，好些在朝人士，沒有抵抗蘇聯的決心。可是西方人民對於抵抗侵略的士氣是旺盛的。東西相較，無疑西方佔優勢。

經濟社會思想叢殘（五二）

金伯華

爲什麼？人類社會之有智愚貧富，猶之自然世界之有高低深淺。共產主義者流不探其本而欲以所謂「鬥爭」來平宇宙間一切的不平，這不但在思想上「倒果爲因」，而且在心理上多見其不自量而已。其理由安在？請看下述「底面的」分配問題。

什麼叫「底面的」分配

我所說「底面的」分配，認眞的講，這不叫「分配」而應該稱爲「分派」。關於這一點，我國公司法的用語，可謂有獨到的地方。該法對於一種企業組織的「盈餘或虧損」，都一律稱爲「分派」（第三十三條第一項第六款，第七十七條第一項第二款，第一百零八條第一項第五款，第一百二十二條及第二百二十六條第一項第五款等）而不叫「分配」。「分配」是由於流通交換及儲蓄投資等無數錯綜複雜的經濟行爲所自然形成的現象。「分派」則只是按一定金額，由一定股數（或人數）來分攤的一種極其簡單的計算，而且不論是盈是虧，都是要大家照章按股數比例（或按人數）來分攤的。

這種「分派」，我何以稱之爲「底面的」分配呢？因爲這是貧富勞逸的社會現象的來源，這是根底。

「分派問題」不解決，則「分配問題」將是永遠得不到合理解決的。

那末，什麼是「分派問題」呢？遠之如詩經（魏風伐檀）所早便很憤然的指出：有些人「不稼不穡」而「取禾三百廛」，「不狩不獵」，而家裏却掛滿野獸的皮毛，而另外有些人，則連清采淡飯的生活都沒有着落！近之如今日的美國，據最近美國商業月刊的分析，全美人民每日的收入爲八億元，其中除消費六億四千五百萬元，及納稅九千萬元外，每日的儲蓄爲六千五百萬元！反觀我自由中國台灣的全年預算又爲多少？（恕我不忍在這裏舉出數字！）再說美國人在一九五四年一年內，被「汽車賊」偷走的汽車竟達二十二萬六千五百三十輛，平均每二、三分鐘被竊一輛！至於我們呢？除了官員們可以「慷公家之慨」送妻子坐汽車看戲以外，幾乎全體一輩子用不起一輛汽車！無論在國內，或在國際，「分派」何以這樣不均呢？

一句話：這是「國民總所得」的多少各有不同。換一方面講，就是「生產力」的不同。這就是上文所說人類社會貧富勞逸的根源。共產黨所謂無產階級之對於資本家，窮人之對於富人，正如我們中國人（以及印度人，印尼人等等）之對於美國人，而說我們應該革美國人的命——共產黨正是這樣想法——行嗎？通嗎？做得到嗎？即退一萬步講，假使眞的做得到，把美國人也搞得同我們自己一樣貧，一樣苦，這是公道嗎？這是「前進」嗎？恐怕雖是三尺小孩，也會給我們一個否定的答復。

我們須知問題並不在「表面的」分配，而實在「底面的」分配，在國民總所得的「分派」及其經濟制度的結構。（未完）

史語所應澈底整頓

○賓默園○

讀自由人第四六四期所載魯實先教授「史語所把持學術資料」一文，揭發了學術機關把持資料的秘密，因爲這項秘密，向來僅有口語流傳，底蘊如何？究竟是一個悶葫蘆。現在我們才知道了一些事實。（中略）因此在台北一地，不僅成了文教界普遍的談資，就是非文教界中人，也有互相問及這事的始末，或預測將來的發展的。

應訴之於法

一般的看法，都以爲史語所拒絕魯教授看書，無論如何是講不通的。然而他們嘴口緊，靠背硬，聲勢大，向有關機關控訴嗎？難免官官相護。輿論的攻擊，也會笑駡由你笑駡。任何人都沒有法子對付他們。（中略）唯有希望政府執法以繩，因爲「君子懷德，小人懷刑」，畢竟還可以使他們就範。因此我評論這事的是非，要丟開道德仁義的上層規律，要去禮言法。

監察院應該過問

首先我們要明白，所謂研究院，是國家的文教機關，所謂研究員與所長，他們的身份當然是「依法從事於公務」的公務人員，那麼依法就得要受國家的監督，而國家最高的監督機關——監察院，它的職責明載憲法第九七條說：「監察院對於中央及地方公務人員，認爲有失職或違法情事，得提出糾擧案或彈劾案，如涉及刑事，應移法院辦理」。我們應注意這條文所說的是失職，違法，涉及刑事，毫不含混的三個等第。現在且看史語所素來的成績，和這次對農學院的公函，是否失職與違法？

史語所成績何在？

根據中央研究院組織法第二條第二項說：「指導聯絡獎勵學術之研究」。所謂「指導」，談到學術，在能提出問題與解決問題，二十多年來，雖然史語所公布了二十幾本集刊，但祇是採集了一些資料，而沒有提出過問題，更絕沒有解決過問題，這怎麼能指導人家？

從古至今，無論任何公務員都有考績一法，爲什麼研究院的公務員竟成了例外？假如援引「三載考績三考黜陟幽明」的成例，那麼這史語所已經超過九次考績的時間了，成績何在？是否失職，是不可不問的。

說聯絡，一個獨立學院的公函，尚且可以拒絕，而且用「公函」拒絕，那麼其他還有何說？（中略）幾十年來，僅有的資料採集，又秘不公開，聯絡的工作又如此，難道國家設官分職之旨，竟是這樣？這第二條第二項是中央研究院全部組織法中關於該院職責方面僅有的一條，而這組織法是去年十二月十八日修正公布的，居然半年以後，便把這一條全盤否定，這不僅是失職，而且是違法，照理不必待任何人的明文控訴，監察院就應當行使糾擧權。

應該澈底查點

（上略）史語所所藏的圖書古物，並沒有經過一次立出不同的新舊交替，也沒有一份目錄在外流傳，有少數人既可背情越理而視同私產，那麼就難保不有損壞，失竊，一類情形，爲了杜絕流弊起見，我們希望監察院組織查驗委員會澈底清點一次。如果史語所還有繼續存在的價值，我們希望在人事方面，來一次澈底的調整，俾能責赴事功。因爲凡隸任何主管財物的機關二十七年而沒有一次清查，在人事方面又成了變相的世襲，這恐怕也是中外罕見的？史語所的收藏是文化上的珍貴資料，它的價值遠在其它財物之上。任何主管銀錢物資的機關，政府有隨時稽核互相監督的制度，爲什麼史語所這一筆龐大財產，却能讓它例外？

附帶聲明

附帶一項聲明，我和魯教授以及史語所的新舊所長，都素不相識，絕無絲毫恩怨，這個意見，是我一點感想，而又激於一時義憤所說的幾句心底話，每與朋友們談及，無不得到同聲的贊和，尤其馬五先生對這事的評論說：「希望在這從事反共抗俄大革時代的各界人士，千萬不能讓南宋與南明的社會頹風煽揚起來」，這幾句話博得很多人的讚頌，但不知道政府當局是否也有這個同感？

麻將哲學

馬五先生

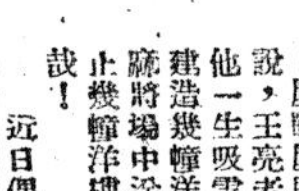

我自從學會打麻將，迄今已有卅年的歷史，積三十年之經驗，對於此道應該够稱「精通」二字了。可是，至今十打九輸，毫無例外，許多跟我交過手的朋友，也並不認爲我的手藝太差，然失敗的機會總是把握在我的手中，其故安在呢？

我的麻將哲學思想是：「我要支配牌，決不教牌來支配我」，說句文話，這叫作「役牌而不役於牌」，也可說是打麻將的極權思想。因此之故，一上場即按照自己的原則，不顧一切的我行我素，專門要做大牌，對於三元，四喜，清一色特感興趣，拚命地做，但期不鳴則已，一鳴驚人。然別人却還就形勢，有牌就和，積小勝爲大勝。我呢，越不和，就越要做，而且隨時意氣用事，不相信你這羊上樹！

如是乎，當常是「淸四圈」，別人並未和出甚末大牌，左一個起碼和，右一個起碼和，就使我面前的籌碼「險乾」了！朋友見我輸得太多，怪難爲情，每勸我改變方針，遷就現實態勢，不必每牌都想和三元，四喜，淸一色，先把手氣變成順風之後，即不愁做不出大牌的。然我決不接受這類建議，剛愎自是，還轍相尋，屢戰屢敗，故態依然。據說，王亮老常對人發感慨，他一生吸雪茄烟的錢，可以建造幾幢洋樓大厦了。我在麻將場中送給人的鈔票，何止幾幢洋樓大厦的代價而已哉！

近日偶對一位不會打麻將的朋友暢談我這套麻將哲學，尚不服輸。他啞然道：「還好，你是個新聞記者，我不致受害啦！」我問他此話怎講？他答曰：「假使讓你去搞政治，組當國家大事，豈不要誤盡天下蒼生，連我這老朋友也大遭其殃嗎？」我不覺憮然無詞以對也！

× ×

『人肉』與『酒藥』

一中共對水滸的考證成績一

·燕廬·

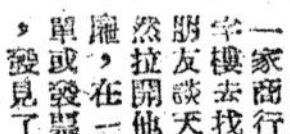

前幾天到一家商行的寫字樓去找一位朋友談天，偶然拉開他的抽屜，在一些賬單或發票中間，發見了一本唐詩，我問他爲什麼忽然風雅起來？他說：因爲要做填字遊戲。這使我禁不住失笑。就我所知，報紙上的填字遊戲，彷彿不盡在遊戲，有些甚至是一種宣傳，故意叫讀者去查出某國政府的什麼部長的名字之類；也有些像跟人開玩笑，沒頭沒腦地寫着「香港一街道名」，讓一些有閒的人去猜啞謎。

× × ×

這情形，又使我想起了我們的考據學，對着古書上囫圇的字句來找出處，證明它的音義或形象。我們中國，自從有了這一門學問，因而就產生了許多大師。論功績，他們確實曾經使許多古籍可以句讀解釋，但也往往臆造出更多意外的麻煩。

我想，這一套工作，施之于經史一類的古書，自然有其必要。但可以供作考據的史書或經籍並不多，而且十九都曾經前人着手收拾過；於是便有些走捷徑的大師，不再考據經史一類的古書，轉方向去考證文藝作品。這一來，紅樓夢、水滸傳、儒林外史等等，便都有了不少的索隱或考證之類的著作。

這些著作，除了炫耀大師們的博雅之外，對于所有那些作品本身的文藝價值，都可以說是漠不相關的。正如填字遊戲一般，填用了處處聞啼鳥，却也與原詩毫不相干一樣。但這種文藝上的考據却另有一種壞影響，就是大師們容易憑自己的好惡去替別人製造概念：要「革命」了，就說水滸在暴露「官迫民反」，要提倡女權了，就說鏡花緣主張「男女平等」……這一類引導，就算沒有錯誤，也足以破壞讀者從作品中所得的感受。我們以爲文藝作品並非想給人以知識，而是給人以感受，勉强灌自己的興趣去做定一種圈套，讓別人走進去，對藝術來說，其實是一種罪過。

× × ×

共產黨竊據大陸之後，也在歪曲地提倡發揚固有文化，除却把許多舊書修改後加以刊佈之外，也不肯怯氣似的，印了不少類似胡適過去所做的考據的著作。這些著作中間，我曾看過一本紅樓夢新證，和一本水滸研究，方法雖也和胡適一般，却處處忘不了罵胡適。那本紅樓夢新證，因爲有了較多關於曹家的資料，便幾乎把原書附會作曹氏的家譜。水滸研究，有些像史地教科書，對虞侯，節級，撮鳥，酒家一類名詞加以說明之外，還考證到從梁山到建康，（張順請安道全上山醫治宋江所經的路程），或從大名到東京（楊志押解生辰綱所經的路程）的交通路綫。把書中：「在路非止一日」或「行了半月之上」甚至「一路無話」一類的句字，也來一一計算究竟走了多少日。這種作法，除了覺得無聊之外，實也無話可說。

從此以後，我又看到了中共重印的七十回本水滸，正文前先有一篇出版說明，罵一頓金聖歎，然後引述了許多不同的版本，說明他們的印本曾經根據好幾種舊本，改正了許多地方。我目前手上沒有別的本子，也不知道他某處據某本改正。憑記憶所及，只覺得文字冗贅了。我自知不夠博雅，也不想提出什麼主張。

× × ×

但其中有一點，却覺得頗爲有趣，就是他們在回目上改動的地方。原來是：「母夜叉孟州道賣人肉，武都頭十字坡遇張青」的，他們把「人肉」改爲「藥酒」，將「人肉」兩字輕輕抹掉了。這一改動，在出版說明上並沒有明確的交代。但誰也知道，母夜叉所賣的則是如假包換的人肉，有那作坊裏的剝人凳和牆上掛着的人皮爲證。至于他的酒，倒不一定有藥，說作藥酒，本與事實不符。共產的文化人不會連這一點也不知道。這，使我覺得他們開始變得嬌嫩了。在井岡山，在長征途中，在延安，他們可以不問馬肉、狗肉、老鼠、青蛙，……一樣有很好的胃口。大抵這幾年來吃了些雞、魚、鵝、鴨或外國罐頭，看見人肉，便得裝出快要發抖的樣子了。

記得宋江在江州做囚徒時，請戴宗、李逵到潯陽樓上吃飯，李逵用手去撈湯裏的魚肉大吃，連戴宗也看不過眼，但宋江却並不怪他粗魯；後來爲了招安的事，同柴進，燕青上東京的頭等妓院裏嫖李師師，冒充作山東的富商，吃酒的時候，却把李逵撇了，結果給鐵牛大大搶白了一頓，那情形也同今天的共產黨差不了多少。

× × ×

平心而論，考據的目的，不外在求得其實，但文藝作品中，根本就不能有完全的眞實。而且故事流傳，年代久遠，許多小說一類的書，實在不是出自一個人的手筆，翻覆考證，也只是在不眞實中求眞實。這其間，如果那些大師們有了偏見，就不免要來一下硬改。去年大陸上嚷着清算胡適思想時，郭沫若便以爲：「胡適的『大胆的假設，小心的求證』要不得，應該是：『大胆的求證，小心的假設』。」這是非此處不談，但明明擺着人肉櫃口，却硬說賣的是藥酒，這膽量就不免大得驚人，這裏請看看他們在出版說明上的理由：

「大概因爲作者處於外族統治壓迫之下，遍地災荒，把殺人吃人肉等等，看作無足深怪，以致在書中寫了不少這一類事情，對於今天的讀者是不易了解的，沒有好處的：我們儘可能刪節了一些。」

今天，老大哥雖然算「內族」，而年年豐收，完全沒了災荒，不止無須殺人或吃人肉，而且要「深怪」之了。所以是「讀者不易了解，沒有好處的」。中共目前正在拚命做整理文化的工作，大刀闊斧地刪改歷史，就不外如此而已！

× × ×

我很奇怪，共產黨先前頂喜歡說：「人民的眼睛是雪亮的」這一句話，難道如今都變成漆黑了？

做小孩子時讀三國演義，很有些左袒劉備，後來讀通鑑，對司馬光予曹氏以正統一點，總覺得不大自在。如今一想，天下難道就只許姓劉的人做皇帝？水滸傳上第一回，說宋太祖生時「紅光滿天」，如今大陸上就有了東方紅的神話，誰都懂得那不過是製造出來的神話，但共產黨却深喜之了。但只不敢說這「藥酒」還可以賣多少時候罷了。

語意學漫談

徐道鄰

指示語句的報導使用——科學語文

報導事物，是指示語句的最基本的功用，所以也是它最能發揮效力的使用方法。最足以代表這種運用者，是科學語文。SCIENTIFIC DISCOURSE。科學語文的目的，只是想對於宇宙間——一些事物——過去的，現在的，未來的——予以忠實的報導，而不含有任何評價或促使的作用。所以科學文字中指示語句的成份也最爲純粹。科學愈發達，它所用的文字愈是純屬指示性的，愈是一般性的，愈富有證實性，愈富有系統性。科學文字所包涵的，都是一個時代中最完美的知識，就是說，一切根據最有力的『實證』EVIDENCE所認爲最眞實的『命詞』STATEMENT。科學之容納某種命題於其領域，全以其當時有沒有良好的實證爲準。而宇宙間常常不斷的有更新的、更好的實證發生，所以有在一個時期被認爲是合乎科學的理論，過不了多少時候，就被認爲不科學了。（因爲這時候人們有更新的理論，它所提出的規律更簡單，而它所能解釋的現象更多，而和其他各種科學理論更一致。這也是使它的實證更爲有力的一個因素。）

所以，科學語文的最要特徵，是它的內容之具有證實性 CONFIRMABILITY。凡是一句不能證實其爲『眞』或爲『假』的話，因之也就不屬於科學領域。因爲科學所追求的是『知識』，知識的根據是『實證』。不過，我們對於實證的要求，也不能過份的嚴格，我們爲了其他科學研究的進行，有時候不能不把求證的標準略爲放寬。所以，在科學裏，我們有所謂『假設』HYPOTHESIS，這就是一些實證比較不頂充份的理論；有所謂『定律』LAW，那就表示它所說的都得到了最廣泛，最有力的實證。一切科學的系統化，就是建立在這些科學定律之上的。

科學之發展，第一步，是使其語言脫離其他的表達方式，而盡量的使用『指示語句』，這是指示語句的『純粹化』。再進一步，不使用『長』『短』等含混字樣，而改用『尺』『寸』『分』『釐』，不用『久』『暫』，而用『時』『分』『秒』，這是指示語句的『精細化』，再進一步，利用各種測驗儀器，利用各種『實驗方法』，來代替人類感官的偶然的觀察，這是指示語句的『準確化』。根據這種高度進化的測驗方法所得來的知識，我們才承認其爲科學的知識，才認爲是可靠的知識，也就是說最富有預言力 PREDICTABILITY 的知識。（二六）

東大閱卷遇佛觀先生即席

繭廬　乙未新秋

炎炎鉅論合天人，前席何堪問鬼神，十載心傾同慕藺，萬言廷對獨攖鱗，徙薪未及焦頭賞，吟澤原多骨鯁臣，看到量才寬一格，可知襟度已如春！

劍底秦庭

歷史小說　奚如

「不！」荊軻堅決地抬起頭來，用手心在微姬的背部反覆地摩娑着：「微姬，這決不是一個太久遠的日子！」

「大哥，你這說話是什麼意思？」微姬在愛撫中感到一陣陣的衝動，半閉着眼睛，把頭偎倚在荊軻寬闊的胸膛上，她聽到荊軻心房的跳動，然而却聽不清荊軻說話的用意。起初還以爲這不過是荊軻一句安慰自己的說話，所以也只含糊的回問了一聲。

「微姬！」

「嗯，大哥！」

「不久之後，我便要離開燕國了。」荊軻的聲音是這樣的低沉，低沉得就像筑絃上最低的一個音調。然而，當聲音傳進了微姬的耳膜，立刻却變了一陣焦雷！

「甚麼？大哥，你要離開燕國？」微姬震動着掙脫了荊軻的臂圍，抬起頭來，滿眼睛都充滿了焦灼。

「是的！」

「爲甚麼？」

「我這次是爲了燕國而離開燕國，也可以說是爲了你，爲了所有要報仇的人！」

「大哥，你是說……」聰明的推斷立刻使微姬逐漸明白這是甚麼一回事。然而，了解並不就等於安心，當微姬把荊軻的說話含意想到了一半的時候，熾烈的內心，也就迅速地冷却了一半。

「我要到秦國去！」荊軻低俯着頭，用脚踢了踢生長在門檻旁的野草，神色却是這樣的安閑。

「秦國？」微姬冷涼地抽了一口氣。

「嗯！微姬，這不就是你和你的丈夫報仇的時候到了嗎？」

「大哥，你……」

「我已經和你們的太子約好，出使西秦。」

「出—使—西—秦！」微姬在一個一個字地反覆着，突然之間，又抬起頭來，用手抓緊了荊軻的前襟：「那末大哥，你說你甚麼時候回來？」

「回來？」荊軻不禁莞然地笑了笑：「也許很快，也許再也不會回來了。」

「爲什麼？」微姬的胸脯，在急促的起伏。

「微姬，告訴你，我這一次的奉使，已經和太子約定，要在面見秦皇的時機，用力量去制止他的侵略野心，要他立刻退回自己的國境；要不然！微姬，那便是一個流血五步的場面了。事實上也必定只有這樣一個場面出現，所以，」荊軻又是悠閑地一笑，「我說，也許我再也不能回來看你和漸離了。」

「不！大哥，你不能走！」微姬忽然發出了一陣尖叫。（卅一）

香港得名由來

·懷冰·

（一）

距今百餘年前，此東方美麗之珠，猶未開發：林密山深，怪石磷峯。島上漁戶百餘家，輒於晨光熹微之際，揚帆出海，張網打魚，日落滿載而歸，一角餘霞，歸舟唱晚，二三燈火，與星月交輝；而海上英雄，據岩寨，橫行無忌，劫掠客商，以中國官吏，蓋視之爲甌脫之地，則他日作珠崖之捐棄，固意中事矣。

自英軍登陸，高豎米字國旗，而香港一地名，遂出現於世界輿圖之上，由是此彈丸黑子之地，逐漸開發，經百餘年之經營，竟一躍而稱東方之珠，人傑地靈乎？地靈人傑乎？二者必居其一矣。

（二）

然香港果緣何而得名耶？其說頗分歧：一說當日英軍由鴨脷洲登陸，隊長覓蛋婦名「亞羣」者帶路，由香港仔取道今日薄扶林道，而抵達黃泥涌附近之香港村，竹籬茅舍，鷄鳴狗吠之聲相聞，隊長詢此爲何地，此婦以香港村對，隊長以告儕侶，於是此一村名擴大而稱全區。香港紀念郵票當中，有一枚描繪戰船泊岸，上岸者立船頭，岸上一中國村婦，短服，垂辮，跳足向之招手，正說明此事也。至於「亞羣」，後訛稱其行經之路曰羣帶路，亞羣之名，竟與香港同其不朽。（上）

自由人

THE FREEMAN

（第四六九期）

中華民國僑務委員會
頒發登記證台教新字第一零二號
中華郵政台字第五〇〇號
執照登記爲第一類新聞紙類
（半週刊每星期三　六出版）
每份港幣壹毫
台北市售價台幣壹元
督印人：陳文蔚
地址：香港高士威道二十號四樓
3 rd. fl. 20 GAUSEWAY RD HONG KONG
香港發行及事務接洽
高士打道66號　電話：七四〇五三
承印者：東南印務出版社
地　址：高士打道六十四號
海外總經銷
友聯書報發行公司
香港：德輔道中二十六號A二樓
台灣特派員辦事處
台北市館前街五十號
台灣總經銷處
台北市西寧南路壹叄號二樓
台郵撥儲金戶九二五二

美援給予台灣的貢獻

——可由增加稅收代替乎？——

·陳式銳·

行政院美援運用委員會秘書長王蓬八月十二日在新聞局記者招待會宣稱：「一九五六年度美經援撥款業經核定爲美金一億〇二百萬元，其用途分配爲：（一）軍協三千七百萬元，（二）物資三千四百萬元，（三）工建二千百八萬元，（四）技術援助三百萬元。……政府自大陸遷台以來，至本年六月止，共計接受援款美金五億六千一百九十五萬元，包括剩餘農業品五千三百九十八萬二千元，基本資源開發計劃專款三十二萬七千元。工業方面，運用援款之數字計美金一億零九百八十萬元，台幣七億七千萬元；農業方面，計美金七百三十萬元，合幣二億七千萬元」。

美援勢必逐漸減少

王蓬氏繼說：「……美方認爲自由中國在美援之良好運用下已使人民生活獲得較佳之改善，政府似應增加稅收以減少美援，而逐步走向自立之境。……截至目前爲止，美援數目仍較我政府的全部稅收爲多。……再則美國援助歐洲各國相當時期後，即行停止；對亞洲各國，也希望有個停止日期」。

王氏並且指出：「本年度美國對我國之援助，亟感不數，瞻望前途，美援情況將逐年更爲困難：……從前美援皆爲贈予援助，自去年起各種手續大爲增加，自今年起則將部份援款改爲借款，雖然償還條件頗寬，但仍爲我政府之負担」云云（八月十三日台北各報）。

讀了王蓬氏的話，一般人知道美援的數目，自政府遷台以來達到美金五億六千一百九十五萬元，每年平均在一億美元以上；而用到工業及農業者，不過美金一億〇七百萬元，合幣十億〇四千萬元，約占三八%，可見軍協及消費性者居多。

四十五年度美援不若預算之多，政府以爲不數，遭遇困難，所以王蓬氏將於月內飛美向美國國外合作總署商「增撥款項問題」（八月十四日台北自立晚報）。

增稅替代美援的由來

美援數額年年增加，美國人視人民生活必因此而獲得改善，自在情理之內；那末他們要求我們以增加稅收來代替美援，雖曰不宜？況且，省政府財政廳廳長陳漢平亦於八月一日在台灣臨時省議會宣稱：

「根據行政院主計處的調查，台灣的國民所得光復後逐年增加，以民國廿六年（日據時代）爲基準，計廿六年每人每年平均一二九九元，卅八年一〇七元，卅九年一一六元，四十年一一二二元，四十一年一二二九元，四十二年一四一元，四十三年一五〇元（按：以上數字，我會爲校正）；而國民負担則逐年在減少，計廿六年爲二六·七三元，四十三年已減至爲一四·五六元」（八月二日台北各報）。由此看來，國民所得增加，而負担反而減少；我們能夠再長期慷美國人之慨而讓其不斷爲我們負担嗎？這些數字，我相信當局每可用以顯示「進步」，尤其可以對付議會；但遇到某種場合，如像美國人據以爲執行政策的衡量，叫我們以增稅來代替美援，不就吃虧嗎？

國民所得增加抑減少

實際上，光復後台灣的國民所得果眞逐年增加，且高過廿六年的數字；而負担是否減少，且少過廿六年，爲應該注意的中心。首先，我應當把陳漢平氏所引數字研究明白，然後才可以辨出眞相。民國廿六年爲日據時代台灣最興盛底一年，四十一年就各方面加以觀察，亦爲台灣光復以後較好底一年；但其間有個差別，廿六年的國民所得中沒有美援，而四十一年（陳氏所引各年同）則包括美援在內。那末，兩個年度的國民所得以同基準計算，雖同爲台幣一二二九元，四十一年應當減去美援一一九元（一四%）爲一一一〇元，等於廿六年一二九九元的八六%，顯然國民所得是減退了。

負担事實並未減輕

再看負担一面，照陳漢平氏所引數字，廿六年的國民所得每人平均一二九九元，負担二六·七三元，爲二〇%；四十三年（同基準）每人平均一五〇〇元，負担一四·五六元，爲九%。爲與上面作一律比較起見，我改用四十一年度（不用四十三年度）。查四十一年各級政府收入：稅課二、〇七四、八七九千元，來自家庭移轉收入一三二、七五五千元，計二、二〇七、六三四千元。此外，納稅人花於納稅、減稅、漏稅底「納稅經費」相當於稅課的二成，計四一四、九七六千元。兩項合計二、六二二、六一〇千元，平均每人負担三〇〇元（當年人口總數八、七二六千人）；四十一年的國民所得以當年幣值表示（扣去美援）每人平均爲一五七〇元，是負担爲所得的二〇%——顯然負担並未減少。

退一步說，納稅人的「納稅經費」不計入，每人負担亦是二五三元，爲一六%，與陳氏所引用底九%（四十三年），不是距離太遠嗎？我試研究陳氏的算法，他似乎只採用四十一年的單純稅課（不包括公賣收益、防衛捐、愛國獎券盈餘……等）一、五四七、二四一千元，每人平均爲一七七元；而他所採用底國民所得似乎也是每人平均一、八四一元（包括美援），算起來每人負担剛好是九%。果如是，陳氏的算法——所得多負担減少——得當乎？以財政主管身份提出之錯誤負担指數，其所發生底影響如何？

人民生活是否改善

根據以上數字，光復後（四十一年）的國民所得實際上比日據時代（廿六年）是減少一四%，此數正爲美援所填補；而負担彼此相等，最保守底算法也才減少四%（非一一%）。至台灣人民在此一國民所得及負担的狀況下所過底生活如何，我且隨着陳漢平氏參考行政院主計處的一段記載：「若每戶人數以五人計……四十一年平均每一家庭所得額爲七八二〇元，平均每月所得爲六五二元，就目前物價水準而論，以之維持一個五口之家的小康生活，事實上是不容易的。」

明乎此，美援對台灣所發生底影響，是人民的最低生活得以維持，欲說因此而「獲得較佳之改善」，實在尚非其時！所謂國民所得的增加，毋寧說是得之美援的贈予；倘美援如予除去，光復後的國民所得就落在廿六年的數字之後（八六%），倘再予增加稅課，人民的生計還受得了嗎？

依賴美援逐年加重

四年前，政府有一個「台灣經濟四年自給自足計劃」，據聞爲配合美國經濟援助，計劃在四二至四五年間做到自給自足。該計劃從未經當局公佈，但政府有關官員時常引以宣揚實施的「輝煌成就」；現在算是進入第三年半，已經穿過進程的一半，究竟成果如何？我在不完整底資料中，找出兩套有關數字，現在引用以製成表一及表二。

表一　經濟四年計劃的出口　單位：千美元

項目	四十二年	四十三年	四十四年	四十五年
計劃出口	一三七、八七四	一五〇、九六三	一五五、八五六	一五六、三七七
實際出口	一二九、七九三	九七、七五六		
差額	八、〇八一	五三、二〇七		

由表一，我們看到第一年的實際出口不及計劃者計八百萬美元，推至第二年的差額竟高達五千三百萬美元，再看下表二，預期美援超過外滙差額，即可用以發展台灣經濟，第一年三千三百萬美元，第二年四千五百萬美元，第三年降到二千萬美元，第四年降到一千五百萬美元，而第一二年的美援撥款亦與預期數目相近，可見彼此有了配合；而逐年的減少，可以顯示計劃是朝向自給自足。但實際上，今年進入第三年，美援撥款爲一〇二、〇〇〇千美元，超過預期美援三千七百萬美元，而王蓬氏坦率指出不足之外，進而且說：「目前台灣所處環境，內有其特殊的地方，依賴美援的程度，似有逐年加深加重的趨勢」（八月十六日台北公論報）。

（下轉第二版）

四國高層會議後的新局勢

沒有台灣問題只有大陸問題

我們能無懈可擊聲音才響亮

（下）

·胡秋原·

英法牽制力將日減

第三、日內瓦會議前，李普曼已指出專門迎合人民眼前利益，是民主政治最大危機。會議以後，美國負責者和輿論業已日益警覺，一切情形並無改變，俄國軍隊仍在歐洲中心。在冷和之中，美國的盟友將日益渙散。美國王牌是環球基地與原子武器優勢，二年五年以後，俄國即能中立美國原子優勢，美國將陷於無法抵抗狀態。所以艾森豪希望在四外長會議中「試驗」蘇俄誠意。美國當不會讓其優勢期限溜走，對於俄帝之拖，終有一定限度的。

第四、英法今後牽制力將日益薄弱，傳聞曾說，「日內瓦會議不是四强，而是「兩大」。英法似日益明白，「兩大」相戰，他們危險；兩大妥協，亦無所得。英國工黨之挫敗，使姑息主義稍爲斂迹。而在英國保守黨看來，目前一切，最可滿意。美俄或美國與中共大戰，是必須阻止的；但如果美俄妥協，或者美國承認中共，無論政治上經濟上都對他無利。所以在歐洲，他願有艾登計劃；在亞洲，到海峽停火爲止。這樣他可以慢慢「混下去」。他現在反而批評美國動作得太快，大有扶得東來西又倒之感哩。此外英印關係，近來也比較疏遠了。至於法國軍事之脆弱，連自保尚須依賴他人，美國已經說法國不算「强國」了。所以他的發言權將日益減低。越南協定雖是自由世界損失，然無此協定，亦無吳廷琰政府。所以亦可作塞翁失馬觀。

三年左右必生變化

第五、現在德國武裝基地已經確立。俄國如不能中立德國，當盡力限制德國軍備（如限德國爲廿萬人而非五十萬人），而也可能得到法國贊同。不過這終於是困難的。德國是日益要成爲次强國了。德國問題之嚴重性，不僅在兩個德國，而是還有一個更東的德國，被俄國處分了。

第六、俄帝在歐洲處於劣勢，然在亞洲內有中共，有其强處，已能夠威脅韓、台、越，是不可否認的。但在俄帝日益自顧不暇時，對中共之支援將日益減少。這可增加狄托化之幻想，但中共究不能變爲狄托。所以實際上中共地位也是較過去爲弱的。

然則這一時期可以有好久時間呢？這將以雙方實力對比的情況而定，亦將以美國整軍速度而定，此外亦以其他世界一般情勢而定。這不能出三年左右的。所以，最後歸趨無非如邱吉爾所言：「最好先談，然後再打打」。

（下轉第三版）

半週展望

·陳克文·

尼克遜快人快語

上月日內瓦四巨頭會議所造成的和平樂觀空氣到現在已經逐漸消散。美國副總統尼克遜昨廿九日對退伍軍人的演講，最能夠指出蘇俄的虛僞笑臉，和這種樂觀空氣的不可靠。

他說蘇俄造成了世界和平的五大障礙——分裂德國，阻撓裁軍，放下鐵幕，使東歐變成殖民地，陰謀顚覆自由國家——如果蘇俄不能採取行動，銷除這些障礙，則蘇俄所賣弄的笑臉便是一種假裝與欺騙。

繼四頭會議而開的五國裁軍談判廿九日雖已舉行於紐約，惟蘇俄既拒絕艾森豪交換藍圖與空中互相視察的提議，則該項談判之難有結果已可想而知。裁軍而外，其他四項，雖可寄望於未來之十月四外長會議，然而難得結果與裁軍無異，又已爲世人所共同承認。

總之，共黨集團的和平攻勢爲企圖換取喘息機會，眞相實已日益明顯。美國和中共的日內瓦談判陷於僵局，自在意料中。尼克遜於此重申美國無意與中共舉行外長級會議，更談不到承認中共政權。

於此可見美國並未受蘇俄笑臉的欺騙，亦未嘗改變其對共黨的堅定政策，此總爲近兩月來，自由世界最可鼓舞的現象！

新省自治的眞相！

中共最近宣佈新疆自治，所謂「自治」到底是怎樣的辦法？未見說明，暫且不去管它。但據八月廿三日北平光明報說：從「中央」一級機關抽調赴新工作的第一批幹部七十九人已於八月廿一由平出發。該報續稱由「中央」一級機關抽調赴新者將達一千多人，到新後担任省縣區機關工作。第一批抽調的大部份是共黨黨員和青年團團員，科長級以上佔十分之一，其中有許多老共幹。

自治區由地方人自己管理自己的事，爲甚麼中共在宣佈新省自治之後，還要從「中央」抽調大批共幹前往新省控制各級機關？可見所謂「自治」全是假的。據外電消息，中共已在新省清算了三萬餘人，本年二月起已有俄人數千到達新省，作有計劃的接管該省行政。於此可見「自治」其名，出賣其實。新省人民因不甘被出賣，羣起反抗，中共遂不惜始而清算，以消除反對出賣新省的民衆，繼而派遣幹部協助蘇俄實行接收。所謂「自治」原來如此！

華僑文教會議的任務

華僑文教會議將於九月一日在台北開幕，來自海外各地的教育文化人士代表不下二百人，會期五日。該會議的主要任務爲對當前華僑教育與文化事業，加以澈底的檢討，以期建立一切實可行的華僑文教政策。

在中共今日積極對海外華僑實施誘騙壓迫工作之際，此一會議之重要自不待言，吾人於衷誠希望其成功之外，尚有不得已於言者。即僑務工作，過去數年不免偏於精神鼓勵，與情感交流，今後似不能以此爲已足，必須結合實際之意見與擬定切實辦法，會後更必須逐步見諸實行。如此，始可使遠道歸來，參加會議的人士，不至感覺祇爲宴會酬酢，遊覽風景而來，亦可使海外僑胞感覺政府措施，在於實心做事，不區區於形式之往還。

台・灣・的—農村婦女教育問題

—農業學校應男女兼收—

河西

【台北通訊】台省教育廳決定於今年秋季起，初級中等學校增加四百班，其中增加男生一百八十三班，女生二百一十七班。在這四百班中，規定縣市立學校增加三百班，省立中學增加七十六班，私立學校增加二十四班。教育當局，這樣大量增班，確是一個難能可貴的決策。尤其把增班的重心放在縣市，着重增加招收女生，更是睿智的抉擇。

這次初級中學增班中，女生所佔的二百一十七班，究將如何分配，未見公佈，但就以往成例，農業學校所佔的班次，可能仍是極少的。因此，筆者以爲這個問題，是值得討論研究的。

根據教育與文化社的統計：四十三學年度，全台一，四三七間國民學校中，女生爲四六八，五〇九人，佔國民學校學生總數的百分之四〇・九，而全台中學中女生只有四〇，四〇三人，佔中學學生總數的百分之三二・一二；師範學校中女生有二，七八九人，爲師範學生總數的百分之四二・六六；職業學校中女生共一〇，二五五人，佔職校學生總數百分之一九・四一。

從以上數字看，我們得到兩個要點：

城鄉女子教育失衡

第一、中等學校（包括普通中學，師範學校，職業學校）中女生共計六三，四四七人，只佔國民學校中女生總數的百分之一三・五四。但在同一統計中，四十三學年度全台國民學校畢業生升學的平均率爲百分之三十九。從這個百分之三十九與一三・五四來觀察，男女學生升學的比例相差極爲懸殊。換句話說，國民學校的女生只有百分十三得以升入初級中等學校，其他最大部份的百分之八十六，就得失學了。失學的女生中，最大多數是農村的學生。那是無可置疑的。這說明了城市與鄉村的女子教育未能平衡的發展。這種不平衡的現象，卻又嚴重地阻礙了農村的進步。

婦女脫離生產教育

第二、職業學校（包括商業學校、家事學校、醫護學校、農業學校）中的女生，只是中等學校中女生總數的百分之二一・八，這個數字表現了兩種現象：（一）女生在職業教育中的數量如此低微，若非教育當局未能極力推進，便是一般人民對職業教育的重要，未能充分認識。（如何使人民了解職業教育的重要又是從事教育工作的先生們之責任），（二）職業學校中，家事和醫護學校完全是女生，商業學校中半數以上爲女生。至工業學校全無女生，農業學校雖有，但亦極少。於是，我們得到一個結論！即女子幾乎完全脫離了農工生產教育！

開放農校多招女生

農村婦女教育的重要性，是不可忽視的。但改進農村婦女的生產教育卻不能僅靠開幾次講習班，徵召一些青年婦女來聽一些大道理所能解決的。要澈底解決農村婦教問題，只有讓生活在農村裏的婦女，以自己的實際生產技能與農業知識相結合，使她們在操作和農業知識上獲得顯著的進步，使她們在農村裏產生示範作用。使其他婦女發生嚮往的心情，從潛移默化中發揮教育功效。

但環顧全台四十一間農業學校，只有崗山、台東、大林等幾間各招有一班女生。

由於接受現代農業科學知識的婦女太少，不僅直接影響了農村婦女生產教育的發展，且同時產生了受有農業教育的男性，不願下鄉，而甯願在城市裏打工的畸形現象。這不僅是學非所用，同時造成農村知識分子脫離生產，嚴重妨害了農村的繁榮。

農校應男女兼收

假如在設計中等農業教育之初，就對準繁榮農村，改善農民生活的大目標，規定男女兼收，並釐訂一套適應需要而行得通的課程的話，則歷年農業教育的結果對農村的繁榮早應有卓越的成效，決不至如是落空！因爲男女同學，接觸的機會多，且同爲鄉村子女，將來結合的成分亦必多。一旦他們結爲夫婦，建立家庭，彼此所學相同，對於農業生產與農村生活的知識技能都具備，自然就產生了同心協力從事農業生產的生活。從農村裏來的知識份子，既樂居農村，發揮所學，對農村發生了示範的領導作用。農村日趨繁榮，自可預見，而亦完成了農業教育的目的。

農村婦女學些甚麼

有些人反對農業學校招收女生，在他們認爲只有趕着牛，扶着犂，汗流浹背的工作才是農事，只有男性才適合這種工作。

而實不知農業範圍和農業教育的工作並不是這樣狹窄的。除耕田種地以外，如養雞、養鴨、養豬、養牛等等畜牧事業，種蔬菜、種花草、種菓樹，以至於把蛋類弄成蛋粉、蛋糕、鹽蛋；把菓子做成菓子醬；把豆子變成豆腐、豆油、醬油；把肉類做成肉鬆、罐頭；把鮮乳縮成煉乳、乳粉……皆屬農業生產範疇，亦無一不是農業學校內的主要課程。這種畜牧、園藝、農產品加工等功課實最宜農村婦女學用。

綜上所述，要達到農業教育的目的，發展農村婦女教育，使與農業生產相結合，教育當局，實應明令規定：凡未招收女生的農業學校，應對農村婦女開門，並且增加女生的班次。如此，才能正視現實，解決問題。否則，恐怕再辦幾十年中等農業教育，還是不能與農業發生關係，農民的生活也不能受到農業教育的實惠。

余程萬蓋棺論定

南溟

本月廿七日凌晨，前國軍二十六軍軍長余程萬，在其新界屏山唐人新村華苑寓所，被匪徒擊斃。此事各方極爲重視，各報記載亦極詳。本文爲避免重複起見，不再贅述，這裏，只寫一點各報所未述及，與夫個人的感想。

× × ×

首先要說的，在雲南結婚一段佳話，當時某報曾將雲貴監察使張維翰所送的喜聯及序言登出，聯爲：

激烈壯懷傳虎嘯；風流文采引鳳來。

聯語外，張先生還有附註，詞極藻麗，原文如下：

「石堅將軍於抗日之時，率所部虎賁師保衛常德，戰績輝煌，譽騰中外，文藝家張恨水聞而壯之，著爲武陵虎嘯（即虎賁萬歲）一書，凡數十萬言，風行海內，於是國人無不知有虎賁將軍之英勇者。而延陵女士以名門賢媛，歷閱是書，於將軍之武烈文采，尤深傾慕，因蹇修之介，千里于歸，成爲佳耦。時將軍方領其六軍駐防滇南。合巹之夕，猗速田君勖雲贈以句云：「淑女甘同君子夢；英雄感動美人心」。蓋紀實也。適得將軍以繼索書，爰綴聯語，藉以誌賀。」

這位延陵吳女士，亦即現在住在唐人新村廿七號「華苑」之女主人，已生一子二女。曾幾何時，「綠葉成蔭子滿枝」，惟不幸的是從此竟作未亡人，幽冥永別，「他生緣會更難期」了。

× × ×

據說，余之由海南島到香港，是坐機帆船偷偷而來的。當時顧祝同本已約好他，同飛台灣，曾在機上等了兩小時，終於遍尋不獲。他之所以不去台灣而來香港，原因何在？外人是不易明白的。

他來到香港後，解甲歸農，經營商業，兼及農場，對於任何政治，似乎從不參與。他的結髮夫人，另住於界限街，備享齊人之福，定期來往，豈料他的行蹤，竟爲匪徒偵悉，致有今日之禍。

另一傳說，他曾想赴美，已向國民政府有關機關申請護照，同時當局希望他赴台任職，任命狀並已寄來。他之所以遲遲其行，是否由於經營農場和商業，無法成行，抑還有其他不能即去的苦衷？自非局外人所易深悉。

他的舊部屬甚多，流寓香港，貧富懸殊者大不乏人，自難免因此引起若干舊部的不滿，至成爲外來誘惑的媒介。傳聞此次同時被擊斃之匪，即爲屏山之單車夫，亦即爲余氏舊部之一，此中綫索大可耐人尋味。因此，香港報紙，有分析此事，認爲余氏之死，匪徒僅藉行劫來做掩飾，目的在擄劫余氏，以達成某一種陰謀，是不無理由的。

不過根據當時的跡象，匪徒似不一定要制余氏於死命，然劫持余氏何往，也是值得研究的。當時余氏顯然不甘被劫持，以至發生糾纏，連外衣也被扯落。最後匪徒以形勢所迫，竟用槍將余擊斃。凡此，均是推測之詞，眞相如何，還待以後事實證明的。

× × ×

屏山唐人新村，爲戰後新界新興之農業區，由國內避難來港之達官貴人，多假該地爲隱居之所，先後投資創設農場的資金，據說不下數百萬元，爲新界農場業之集中地點。

國內著名將領於大陸易手後移居該村者，有衛立煌，關麟徵，徐景唐，余程萬等。本年度，新界發生了兩件重大新聞，第一件是衛立煌的投共，第二件便是余程萬被匪擊斃了。這兩件雖是絕不相連的事，但衛立煌到北平以後，是急於要立功自効，據傳曾派代表來港活動，對於新界若干解甲將軍，曾不斷有所煽誘。這其間，傳說紛紜，雖不能肯定的說，余程萬之死，與此有甚麼關係，但余氏之死，政治意味極爲濃厚，也是可以斷言的。余氏之死，果與政治有關，則以一死報國，始終保存名節，實不失爲軍人本色，較之衛立煌之無恥偷生，靦然事仇，豈不啻相差不知若干萬里矣。

（編者按：卅日各報載，被擊斃匪徒張貴係土共之一，並誌於此，藉供參考）

美援給予台灣的貢獻

陳式銳

（上接第一版）

表二　經濟四年計劃的美援配合　單位：千美元

項目	四十二年	四十三年	四十四年	四十五年
估計外滙差額	九七、三四〇	八〇、四〇一	四四、四六六	二七、七七一
預期美援	一三〇、七九〇	一二五、七五一	六四、八九六	四三、〇〇一
美援核定撥款	一〇五、五五〇	一三八、〇〇〇	一〇二、〇〇〇	

準此以觀，不論有何「特殊地方」，我們不免發生三個推論：（一）「台灣經濟四年自給自足計劃」不切實際，（二）過去所宣佈的歷年增產數字不實在，（三）出口減少有其阻礙的內素；三者必居其一，或且兼而有之。王氏此次發言，打破官場「諱疾忌醫」底惡例，而其焦急之情又溢於言表；我相信自由中國的人民，誰都有同感！

美對外援助的動向

美國的「共同安全」法案於一九五四年成立，它規定「國外業務總署」於一九五五年六月三十日近期停止；本年四月十五日艾森豪威爾總統指示國務院（並於四月二十日函國會）討論改變共同安全計劃，主要是把「國外業務總署」改組爲「國際合作總署」，隸屬於國務院，以配合外交政策而收統一指揮之效，美國並已決定如此辦理。

美國自第二次大戰以來，對自由國家底贈予援助已達五百億美元，她的基本政策在獲得最高之軍事安全並以提高自由世界的生活水準；惟納稅人之金錢的使用，總達到高度底效用。根據「胡佛委員會」向美國國會報告之「海外經濟工作」（本年六月六日發表）的建議，我們可以獲知美國對外援助的動向，我在此介紹其要點如下：

（一）對復元並繁榮底歐洲，予以停止援助。

（二）對亞洲及非洲「弓形地區」的援助，除日本及軍用物資外，不採大規模底工業計劃，限於小型工業並着重於農業改良及水利工程。

（三）援助將來無望償還者，即採贈予方式。

（四）凡有私人投資可以利用之計劃或事業，即不予經濟援助。

（五）一切經濟援助，基於受援國家的誠意努力改變其投資氣候，以利國內國外之私人投資。

運用美援未達目的

我們運用美援或請求增加美援，不能不顧及美國的援外政策；我們過去運用美援，就四年計劃的成果言，可謂未達到目的，而台灣經濟生活賴其維持則有之，謂爲改善則尚未也。我們長期依賴固爲美國政府所不許，亦非一國立國之道；那末，非改變作風可以嗎？我四十二秋論台灣經濟曾說：「此時如不變以求通，到了一九五六年美援依照計劃停止，屆時將何以爲繼」（台灣經濟一二七頁）？雖然美援今後可望繼續，但它的目標逐漸縮小有如上所云；是有效地運用美援，配合整個經濟政策以作全面底經濟開發，爲亡羊補牢的中心工作。首先改變投資氣候，我們利用美援以發展其既定目標之外，兼可引用外資以爲之助，尤其我們有豐富底僑資，只要移入不受損失，香港的僑資爲數以億萬美元計，第一關爲外滙之門。香港幾年來工業的發展，已威脅到英國本土，而其資本與勞工，大部屬中國人；況華僑遍東南亞各地，海外市場可賴以打開爲任何國家之所無，我們爲何不取之？總之，美援只是助力，不能依爲主力；自己打開經濟的局面，才是自主之道。

八月十八日

悼余程萬將軍

・丁辰・

（一）

余程萬將軍於三十二年多，抗戰後期，率五七師在常德一戰而成名。戰績輝煌，世界馳譽。三十八年多，滇局變起，離開二十六軍，解甲來港，經營農場。今不幸於本年八月二十六日子夜，在新界屏山唐人新村華苑門前被匪狙擊斃命。一代名將，不死於常德會戰，不死於盧漢叛變，竟飲恨於匪手，血染家園，甯不可惜。

（二）

余將軍字石堅，廣東台山人，黃埔軍校一期生。畢業後參加北伐，充任下級幹部。十七年秋，入北平中國大學，繼升陸大特別班第一期，文武學術，俱有造詣。抗戰前，任軍事教官政工幹部及參議等職，廿九年調七四軍五七師副師長，十月升任師長，卅年三月，參加上高會戰，固守上高外圍下坡橋核心陣地，建立殊勛，獲武功狀。二次長沙會戰，血戰春華山，掩護大軍展開。卅一年六月浙贛會戰，鏖戰五華山七晝夜，阻止敵軍入閩企圖。卅二年鄂西會戰，五七師守常德，十一月，常德會戰，余將軍率該師及軍砲兵團，與日軍數萬之衆，在城廂苦戰十六日夜，敵用飛機大砲毒氣猛攻，傷亡慘重，終以援軍趕到，造成大捷，余亦升任中將副軍長。惟十二月三日以突圍城郊，有違最高統帥意志，奉令解渝法辦，居士橋年餘，始獲釋。名小說家張恨水所著「虎賁萬歲」小說，即爲常德會戰中余將軍所率八千子弟五百將校之忠魂作表揚。勝利後，調汕頭師管區司令，卅七年調雲南二十六軍軍長。卅八年多，盧漢在昆明叛變，余氏與八軍軍長李彌被盧扣留，矢志不屈，嗣經兩軍將士進軍救援，始得脫險。兩軍數萬忠貞將士，因大局逆轉，轉入滇緬邊區，從事游擊。此時，余氏即脫離部隊，來港寄居。

（三）

余將軍治兵以勤，用兵以慎。尤注重軍民合作，士兵嚴守紀律，軍行所至，民衆異常愛戴。常德大捷，即得力於軍民合作。余將軍抵港後，專心經營私人生產事業，外事絕鮮注意。今竟死於匪人之手，如此下場，豈不痛哉！

編者讀者

△穆穆先生：大函已轉寄馬丁先生，請復。

△火軍、靜觀、文鑑、刁抱石、黃知行、楊力行、尚乾、易敏士、羅稻仙、吳宗獄、寄華、易興、華田、劉迅、辛硝柏，諸先生：承惠稿已一一收到，至感幸！

香港自由國片的外匯問題（上）

—並請教潘霧先生—

·孫瑋·

台灣通訊

（台北通訊）自從電影外滙比率提高到港幣一元對台幣四元三角三分八厘以來，台灣九十二家片商（美商九大公司在外），幾乎無論上映什麼片子，均斷蝕得一榻糊塗。因此倒閉歇業的達五十家以上，僅存的四十家左右，亦有一半停止營業，形同企倒，其餘一半，或因已有新片到台在上映中或尚未上映，或因已定購在前，影片尚未到台而不得不勉強維持。但可以說，自從三月一日以後，便沒有一家片商敢再斥資訂購新片的。同時香港的自由製片商因減少了十份之三點五的市場，（即每一部港製國片要從台灣收到十分之三點五成本），遂亦大都不敢再製新片，或索性宣告倒閉，只有資力較厚，營業方式較多，如邵氏新華等幾家存在。留港的自由影人因缺之從業出路，亦徬徨無措，其中意志薄弱因生活窘迫，以至附共的，恐亦難免。忠貞的自由影人及台灣片商公會因此大感焦灼，極力向有關機關呼籲。

中央黨部第六組比較明白這種情形，聞已草擬救濟國片辦法，送執行機關辦理。因此，有國片滙率將有優待辦法出現的傳說。但有關機關甚多，調查復調查，請示復請示，咨商復咨商，因此歷時甚久，未得解決。有關電影的機關如中央黨部第四組、第六組、行政院、行政院新聞局、電影檢查處、教育部、財政部、政治部、省新聞處、保安司令部、外滙審議委員會、台灣銀行國外部……等，名目繁多，因此儘管焦灼，呼籲，請願，救濟國片的辦法，始終在公文旅行中，半年來「只聞樓梯響，不見人下來」。就在這時，又醞釀着相反的減低電影滙額為百分之七十的辦法，且有於九月一日實行之說。各方對此事的反應見仁見智，議論紛紜。中央日報記者潘霧先生，曾為專文論列，筆者對於潘先生關心節省國家外滙一節，極為敬仰。惟潘先生所列舉之事實與理由，尚有若干不能苟同之處，謹此提出討論，並就正於關心此問題的讀者。

外滙是否消耗過大

自由中國每年用於電影外滙是一百四十萬美元，按照人口比例平均每人每年消耗電影外滙美金一角五分，這個精神食糧的外滙消耗量，是否過大？值得研究。聽說每年日本鹹魚的進口消耗外滙值四百萬美元，牛乳粉，及罐頭食品外滙消耗量亦比電影外滙多。我們要問：鹹魚，乳粉，罐頭食物，是否比電影更為民生所必需呢？此點似少人注意。潘霧先生於一二個月前在中央日報登載一篇專論電影外滙的文章，曾謂民國四十一年的電影外滙額每年約一百萬美元，而現在竟比以前增加，認為不當。關於這點，潘先生似乎忽略了台灣人口與幾年前的比較，更忽略了都市人口——尤其台北市的人口急劇澎漲，與及戲院的增加，這是供求的問題，並不是外滙消耗的無理增加。

電影外匯與稅收

就筆者所知，沒有一項商業的稅率比電影票價的。除了戲院每日總收入政府要收取娛樂捐、防衛捐、印花稅40.7%外（即戲院票房如收入一萬元，政府收稅四千零七十元），尚有影片進口關稅、檢查費、統一發票印花稅、合約印花稅、滙費、行商稅、營業稅、防衛捐等等。總計，每部影片如在觀衆手上收得二萬元，政府要收六千元以上的稅，餘下的才是戲院及片商所有。據較精確的統計，政府每年在電影的稅收凡一億二千餘萬元，等於消耗外滙美金一元可收稅合幣七十八元餘。照美金黑市計算則一美元外滙可換取二美元的代價。若照公價計算，則值五元的代價。這個實際情況，恐怕非一般人所詳知，或者亦為潘先生所忽略。舉例來說，二三月前上映的漁歌一片，全省總收入約一百萬元，政府在此片的稅收，達六十萬元以上，戲院及片商各淨得十九萬餘元，片商所得的十九萬餘元以4.338滙率滙得港元四萬四千餘元，亦即美金七千八百餘元，站在政府方面來說，計耗去七千餘美元的外滙而得到六十萬以上合幣的稅款，是否吃虧？站在片商來說，該片成本七萬港元而償收回四萬四千餘港元，要斷蝕二萬餘港元，這便是片商焦頭爛額，紛紛倒閉的原因，亦便是香港自由製片商不敢拍片，自由影人務復焦急的原因。

青年露營成績卓越
知識交流促進友好

久居港九的人，多留有一個惡劣印象，這是：香港淪陷期間，大嶼山是日閥濫施屠殺無辜的地方。山上居民現時雖然不多，但他們對日本人的厭惡觀念，比一般人尤深。因此，最近發生了一件不愉快的事，幸不久便化暴戾為祥和，消除了十年前結下的宿怨。這一不受人注意的事情，起因是隨「國際青年大嶼山」露營而來，代表們來自美、英、墨西哥、印度、日本、泰國、韓國、馬來亞、菲律賓包括香港及西德，一共四十名青年男女，自七月廿三日到八月廿一日為止，每天舉行娛樂或討論會，娛樂的種類如營火、唱歌、風土舞，討論會的題目是「在轉變亞洲的個人責任。」特別是在這一節目中，每人都穿着本國服裝。

這一世界性的青年大集合，每年循例舉行。香港去年舉行一次，今為第二次；第一次係二年前在日本發起，由各宗教人士領導，當他們初到大嶼山之時，日本代表不受歡迎，迨經代表們向當地居民解釋，卒告盡釋前嫌。他們說明，集合的目的是藉彼此討論研究，及手工與娛樂，使各國青年得有交換意見機會，並從個人討論開始，以鼓勵國際關係的促進，而從事人類的和平工作。

國際間的紛擾都由於各國政策的逾異。但是民族之間實不應存有怨隙。他們為了促進人類和平友好互助，特別組成了這一個從未擴大宣傳，而未受人注意的團體。

這一團體在大嶼山偶然引起的事件，知者雖不多，其影響卻甚大。這一批熟諳英語的青年，他們在露營期內，做了一項艱鉅工作，即替教會舉辦的福利站殘廢者子弟建一遊樂場，在山坡植樹七百五十株，山徑上建一鐵絲籬笆，以使該福利站將來能夠充分收容盲人。同時，他們又逐個訪問殘廢者，協助這些具有缺陷的人，設法解決困難。他們起先，又須以大部份時間都花在克復自然環境上，寄蟲消滅。這批被譽為「萬能的青年」，不但充滿了熱情、勇敢，求知欲亦萬分強烈，香港大學經濟學教授哥比，曾接受他們邀請，出席演講，討論亞洲經濟問題。從這次露營成績來說，不僅該集團本身有光明的前途，它如告擴大，對於各民族的瞭解與友好，無疑亦有巨大幫助也。

經濟社會思想叢殘（五三）

金伯華

新的純經濟的問題

「表面的」分配問題，作爲一個社會問題，那是老問題。孔子所說「生之者衆，食之者寡，爲之者疾，用之者舒，則財恆足矣」。那是從正面的道理來講——雖然貧富勞逸的不平依然存在。若從反面講，則正是荀子所說的「欲多而物寡。寡則必爭矣」。那是必然的現象。我們必須從經濟制度結構的本身上，從國民總所得的「分派」上去想辦法，使大家站在同一個出發點，各憑自己的努力而獲得其勞動的全部產品，不致由於交換上的毛病而使有些人受到另外一些人的剝削，那末，結果雖仍有貧富勞逸的不同，亦將能相安無事。這就是說，經濟問題應用經濟方法解決，倘若一定要用社會的，政治的，乃至是暴力的，如同共產黨的所爲，則必將治絲益棼，根本無濟於事。

四國高層會議後的新局勢

胡秋原

（上接第一版）

幾個新的現象

在這高度冷戰時期，除了原子武器之競賽，外交宣傳戰仍將繼續以外，將有幾個新的現象出來。一是思想戰將日益重要。美國必以新的思想與政策，來吸引非共世界了。其次，今天自由世界的困難，在自己也包含殖民主義。冷戰強化後，殖民主義是要逐漸淘汰的，姑息主義和中立主義也會慢慢失勢的。三是歐洲之德國，以及亞洲反共國家，如能有辦法，也可以在自由世界中逐漸抬頭。此三者合流，才可望使自由世界以更堅強力量採取攻勢。

所以我們不要以為這一時現象所迷惑，而應挺住，把握世變之機，準備下一步的事情。

我說四國會議不能危害我們，且不以美與奸談判能危害我們，這並非我們的狀況很好；實在是因為我們壞到極處，無法再壞。再壞，即中國之全滅，這到底是不可能的。問題在俄帝。俄帝終必亡，漢奸也終必倒。因此中國終必復興。

兩個中國的論調

我們的艱危不自今日始。到了離開大陸，我們的命運已必隨世局解決。韓戰使我們有一基地。然一九五三年六月以前，我們無力反攻，就決定今日尷尬之局。就目前而言，我們的困難與其說在俄帝中共之直接威脅或政治陰謀，不如說，我們在自由世界地位並不穩定。而當前對我們最大打擊，乃是「兩個中國說」。這是韓南停戰時英國人首先提出，而在中美條約協議時美國業已存於心目中的，美國報紙不諱言「兩個中國」。幾乎是美國「非正式」政策。

韓戰發生前，杜魯門表示同意台灣歸還中國。但艾森豪本年初關於台灣咨文中，只說到台灣在「友好政府」之手。而法學家狄恩（杜爾斯之老搭檔）在「外交季刊」上提出「兩個中國」方案：自由中國以「台灣澎湖政府」資格參加聯合國；中共為大陸政府，如能確保和平，美國即承認其為大陸政府，並加入聯合國。安理會一席，則尼赫魯是以為非它莫屬的。然而恐怕中共一定要求佔領台灣，乃有「托管台灣」之計劃。這是今年四月，英國兩黨競選文件，一致的主張。不過工黨主張立即撤退金馬，托管台灣，中共入聯合國。保守黨主張撤退沿海島嶼，「進而考慮中共代表權及台灣地位問題」。於是在聯合國代表間，便有由聯合國高級委員，或由可倫坡集團，托管台灣，然後舉行公民投票的議論。也有人主張，現在即舉行投票。梅農主張，先交中共統治二年，再舉行公民投票。又有人主張由蔣總統終身統治，將來交給中共。到了最近，又有「一種運動，要將整個台灣「中立化」；在聯合國之下，管理十年——」，這雖然都是非非之想，然如我們不知道，不有效的批評對付，是要吃虧的。

這理論的害處及由來

美國人是嘗試主義者。他們在嘗試「競爭共存」，也在嘗試「兩個中國」。「兩個中國」尚未正式化，今日美與奸的談判乃一嘗試。很久以來，英美人稱反共者為「國民派」。大陸淪陷後，自由中國漸被稱為「台灣」。直到去年上半年，共匪還被稱為「中共」或「赤華」。自從「兩個中國」提出後，美國報紙漸稱共匪為「中國」，稱我們為「台灣」。近美與奸談判以後，美國報紙已稱「中華人民共和國」了。

「兩個中國」之理論，如果正式化，第一步是承認中共，第二步是「一個中國」即「沒有中國」。托管台灣與中共取得台灣）。我相信屆時世界大戰仍不可免，而中共依然失敗。於是大陸成為俄佔領區，將有「兩個以上之中國」了。它的害處不僅是今天的，而且是將來的。

這可惡的觀念由何而來呢？這真不簡單。

直到抗戰以前，中國受人輕蔑，被目為「地理名詞」。雅爾達以前，俄帝要瓜分中國，獨佔中國。英國人希望有一個「衰弱而分裂的中國」。美國人希望有一統一而強盛的中國，然沒有堅持。（見雅爾達紀錄）抗戰以後，由於美國對中國政府失望，又見中國人民「無為國家謀者」，又以為中共一時不足為患，中國被「勾銷」（見白皮書）。韓戰以後，中共不足為患的判斷破產了，於是[illegible]俄帝中共之企圖而有狄托[illegible]自由中國迄未得自由世界[illegible]此外，許多人鑒於中共[illegible]統一之可畏，希望將來中[illegible]分裂」。而此時美國則只[illegible]」之宣傳，日益疏記門戶[illegible]，傾向於「均勢政策」。[illegible]香治力主扶植日本對抗中[illegible]，只要中共不使用武力政[illegible]。同時不妨扶植日本「[illegible]五月份「美國新聞與世界[illegible]記繼日俄戰爭而來者是一[illegible]一六年日俄同盟、反對美[illegible]

我們如何應付危機

要說中國危機，是多種的：一是俄帝中共之控制大陸，並繼續威脅台灣；二是海外華僑之受當地狹隘民族主義之壓迫；三是姑息主義中立主義之[illegible]，是美國一部分人因姑息[illegible]影響，有所謂現實主義。[illegible]他人對自由中國威望才能[illegible]加強。

在這多重危機之前，在美國嘗試「競爭共存」之時，許多問題非口舌所能爭論。我們第一事是要自己站得住，團結，永不灰心。同時在行為上言論上表現我們的志氣與才能，針對誤解所在，以事實的消除他人對我們的誤解。自由中國政府必須盡可能增進自己的信譽與號召力。在外交上，除加強美亞各國邦交外，可考慮中韓越之同盟。一切智識份子應當一方面在文化與術教育上作長期努力，作今後自由世界之政治戰，思想戰，使世人能對中國人民發生信心與敬意，並鍛鍊新的人才；一方面應集中力量，有系統的向自由世界說明中國問題。中國問題就是世界問題，而是俄華問題。我們深深指出「兩個中國」之說，是一世紀來反華派成見之延長。美國既否認東歐鐵幕，即無理由走背門戶開放政策，承認遠東鐵幕。當「兩個德國」、「兩個韓國」、「兩個越南」還要經由自由選舉而統一的時候，無理由承認或製造「兩個中國」。

另有大陸問題

我們要向自由世界說明，沒有台灣問題，只有大陸問題。你們既不援助反攻，最低限度不能助俄侵華；你們既不能武力制裁侵略，亦當和平解放大陸，在聯合國監督之下，舉行公民投票，讓中國人民選擇其政府形式。在此以前，承認中共或使中共入聯合國，那是美國立國原則之背叛。如是美國豈僅不能領導自由世界，則其立國原則尚有存在之可能嗎？但必須我們的行為言論無懈可擊，我們的聲音才是響亮的。

總之：目前大勢，又是一更新形勢醞釀期。在決定形勢之前，所謂好壞，都是有限度的。[illegible]國承認中共，[illegible]美國援華反攻。在此時期，自由中國最要緊的，一是堅定，大方；一面要在台灣表現效能與進步，一面要對外擴大團結與聯繫，使有代表五億人反共之誠意，且有代表五億人建國之能力。[illegible]

[illegible]何能威脅世界？在這悲劇中，大家都有過失，而今日救中國與世界，大家都有[illegible]

（八月十六日）

稿約

本報各版園地公開，歡迎投稿。來稿性質不拘。[illegible]來稿請用稿紙繕寫清楚，勿兩面寫。[illegible]論文最好不超二千字，[illegible]譯文請附原作，如原文不能附寄，亦請註明出處。[illegible]來稿不用時，不便退還者，請附郵票。

甚麼玩藝兒？

馬五先生

自由談

偶爾看到八月廿六日台灣的「新生報」第一版大幅廣告，用套紅大字標題若干行，再夾黑字附註，其格式與內容如次：

你是從事下列那一項行業的嗎？大木工？機器工？……翻砂工？（共有十種）你願把你的行業教給人家麼？

請看下去：如果你願意的話，你要享受大學教育麼？如果你願意的話，

請看下去：本省工業職業學校亟需徵聘大批工場教師。

我乍看這一大堆宣傳標語後，以為是市儈式的新辦野鷄學校招攬學徒斂財的玩藝。詎料再「請看下去」的結果，竟是堂堂國立師範大學的招生廣告，最後尚特別註明：「考試及格後，免費訓練一年，即可受聘為工業教師，地位崇高，待遇優良」這類誘惑性的詞句，好像一般商店門口所貼「放盤賤賣，價廉物美」的字條一樣。教我始而茫然，繼而慨然，終乃不覺大光其火！

首先就不知道這是招的甚末學生？因為正式的師大學生，決不止「免費訓練一年」即可畢業，而且保證「地位崇高，待遇優良」的。大概是師範大學附設職工訓練班招生，但為何不標明訓練班的名目，而又聲稱「享受大學教育」，胡說八道呢？似此鬼祟閃爍，形同利誘撞騙的招生方法，我在這學店林立的香港，亦從來沒有見識過，乃居然見之於中華民國政府作育「人倫師表」的最高學府中，豈不大可駭怪耶？

這種作風，漫說決非堂堂國立師範大學所宜出，即普通任何教育機構亦羞為之——除非專以濫收學徒斂財為目的的野鷄學校——難道這樣搞法就是「新人新政」嗎？這是玷辱最高學府的信譽，斷喪師表人倫的精神，不知主管當局作何感想，曾否予以整飭呢？

—世界文壇散記—

查理闌姆的書簡

養之

查理闌姆是十九世紀的作家之一，他雖然不能算是成功的詩歌、小說或者戲劇的作家，可是他的小品文和書簡却替他奠定了非常優越的地位。所以一提起闌姆就令人覺得他是十九世紀一個特色的小品文作家。

（一）

然而闌姆的成就，多半得力於他一生最知己的兩位朋友。這兩位朋友便是跟他同時代的大詩人華茨華滋和柯力芝，當他結識華柯兩人以後，就認為只有華柯才是當時最偉大的活的詩人。一七九六年闌姆剛滿二十一歲，便開始作試驗性的寫過四則詩歌投稿于柯力芝所編的詩集上面，但並不曾具名。一七九八年，他又在華茨華滋的詩集上發表一首題名為「古老家族的臉面」。這是比較上最成功的一首，那年他才二十三歲。同時完成的「羅沙孟格雷」，一半是記事性質，一半便是回憶錄。裏面充滿了幽默感，描寫及個性的刻劃。

一八〇六年他曾試寫了一則頗有風趣的喜劇「H先生」，不僅沒有受到歡迎，反而成了舞台上的最大失敗。是故說起來闌姆的早期在社交上的成績是非常辛勞的，並且有時候簡直是殘忍的。直到最後，他竟不知道對自己是否有信心？尤其是每次寫作都遭受意外的失敗。

（二）

之後的十年，他才與華茨華滋柯力芝等許多老朋友，很坦白地批評當時代的詩學與貿文學。這些書簡可以說是闌姆最寶貴的著作。由於他的特色是簡潔，完美，純粹的英國作風，若心地注意到詩和奧古斯丁之前的散文情調。他與其他浪漫時代的作家一般是自我彰顯。經驗使他對人生看得十分澈底，對自己加重地注意。他的幽默給予讀者很多啓示。

同時他有的散文的題材，多半是採取童年所留下的印象，加上豐富的想像。他的作品誠然也有許多感憤，却是一種流淚的微笑，往往使讀者仍作深長的回憶與感嘆。所以後世曾有許多人注意到他的書簡的收集。

（三）

據說曾有一位名叫路格司的人，費了三十年的時間搜集闌姆的書簡。他一面從闌姆的書簡集（一九三五出版過三卷）中收集材料，結果竟收集成一千零二十一封信，而大半都保存在美國。至於英國所保藏在博物館的，只有寥寥五十七封而已。一九〇五年又在「萬人叢書」裏選出闌姆的書簡集五百七十四封，現在仍為路格司一起排印，其中闌姆的姊姊的信也有一百多封，一共七百三十餘封。

說起來在英國的文學史中，差不多沒有一個人趕的上闌姆這樣幸福地保存着如許書簡的。從這些書簡的內容體會，已經可以十分清晰明白闌姆的生活與人生的態度。

（四）

在闌姆的書簡裏首提及柯力芝，因為他承認是柯力芝使他轉變到好的環境去的，是他拯救闌姆超脫這庸俗的世界。他自己也說過：「要是沒有柯力芝，我簡直不能思索，而且也不能批評書籍與人，他是我一切思索的試金石。」可是在他的書簡中，却始終查不出他寫給拜倫與雪萊的；同時雪萊，拜倫有否寫過信給他，我們也無從稽考。不過雪萊曾提及闌姆，認為他有最深研究的學問同時甜蜜的性格。拜倫雖然也曾提及過闌姆，但却對他頗有輕視。

破陣樂

王沉裴

縱有千絲楊柳。能藏幾許春愁。只有癡情無處著。沉唸半日懶梳頭。對鏡又還休。

又是清明時節。含情獨上西樓。天外殘霞紅欲盡。夕陽芳草兩悠悠。斷魂軫離憂。

語意學漫談

徐道鄰

科學語文的目的，是尋求能說明人類環境中一切現象的一切知識，以使人們可以作如何適應環境，如何控制環境的準備。所以『可靠性』RELIABILITY是一切科學最基本的要求。科學所供給的，祇是人類關於其環境的一些知識，而不及其他。譬如化學告訴我們，『燐』和空氣混合就會燃燒，放在水中則否。這祇說明了燐碰到了空氣或水的反應，並沒有說它是『好』或『壞』，『可愛』與否，『可怕』與否，也沒有暗示我們如何去作火柴，如何去作燃燒彈，或者如何去撲滅它。科學的報導，並不在追求某一種特殊的效果，而同時也正是因為這個緣故，科學的報導才發生了許許多多的，人類的智慧所想像不盡的效果。（把蜘蛛網的細絲利用到飛機武器上，把炭十四（C14）運用到考古學上，這都是人們平常所不易聯想得到的事情。）

人類之喜歡科學文字，不一定就是為了追求科學知識，人類之喜歡追求科學知識，也不一定就是為了取得這些知識的實際使用。但是人類根據其科學知識而所作的行為，大多半是不會使他失望的。這是人類相信科學文字之具有『可靠性』的一般心理過程。人類之作報導文字者，目的在使對方『相信』CONVINCING，而最能使人相信的語言，莫過於其可靠性最高的語言，所以現代人的談話，動輒抬出『科學』二字，——而事實上並不一定真的『科學』——就是這個道理。

指示語句的評價使用

『小說』語文

最足以代表指示語句的評價使用者，是一切小說性的語文(FICTIVE DISCOURSE)。這些語文所描寫的，總是一件故事。但是這些故事，是否確實發生過，其經過的情形，是否誠然如在這裏所描寫的一樣，則非常不重要。然而這一點，在科學語文中，則為其至高無上的重要問題。這就是因為小說語文的目的，不是在描寫我們『實際』宇宙中的某一部份，而是在探討我們『想像』中的宇宙的某一些情形。

小說語文多半都避免用過份的評判語句或規約語句，就是書中人物，有時偶而作一些評論式或規勸式的談話，但這也還都算是小說內容的一部份，而不是小說本身的一般語調。譬如一部描寫下層社會生活的小說，它所描寫的種種墮落人物的生活，環境和思想，並不必一一都是確有其事，它也不加以評斷，說這些狀況是如何的惡劣不堪——西洋小說中雖然充滿了英雄和壞蛋，但是從來不明明白白的把他們的身份標出不像我們常說出『好武松』，或『淫婦』之類——也更不指示我們應當怎樣下手去加以改善。但是，我們讀過了之後，不自主的就對於這些情形，產生了一種見解和態度，而深深的影響我們的主張和行動。（五七）

劍底秦庭

歷史小說

奚如

「不能走？」荊軻只覺得一陣難過，然而却讓內心的難過化作了面部的苦笑，用兩隻手指不斷地捏弄着微姬的手腕：「為什麼不能走？」

「不，我不知道！我就是說你不能走！」微姬哭了，把面孔俯貼在荊軻的胸前，激動地抽咽着，

「大丈夫一諾千金，義無反顧，既然答應了人，怎能夠出爾反爾？這不但毀滅了我半生的薄名；再說，這也是一件不世的功業呀！微姬，你想一想，當六國人君領袖聯合起來都不能達到的願望，却還我荊某五寸匕首便將它解決的時候，這豈不是一件名垂千秋的光榮事蹟？萬一就是失敗，亦落得舉世欽敬，那末，也就不枉了這一條性命……」

「可是，這樣的光榮，這樣的欽敬，對於你又有些什麼用處？」微姬抬起頭來，幽怨的眼光使荊軻一時竟不敢對着她的面孔平視。

「這就是名，一個男人，尤其是一個武士所日夜冀求的萬世之名！沒有它，便失去了生命的意義，便要使我的一生黯淡無光。這種心理，不是妳所能夠了解的，微姬！」

「我就不明白！」微姬痛苦地不住用手指抓抓着荊軻的肩膊；「為什麼一個男人是這樣？兩個男人也是這樣？難道除了空虛的榮譽之外，便再沒有東西值得他的留戀？譬如說，為什麼他不可以拋棄了人世間的浮名，而和一個他所愛的人遯隱到深山大澤中去，過着半生最甜蜜的愛情生活？為什麼他不可以拋棄了無根無果的名譽花朵，而把這一段有限的生命，傾注到自己所深愛着的一點骨肉裏去，使他不致失掉了至高無上的母愛之後，又要失掉了至高無上的父愛？如果說武士的行動源出於愛，那末，對自己下一代作殘忍的捨棄，難道這也叫做愛的表現？大哥，我不懂！」

「……」。荊軻開始沉默了，從大門到臥室，只不過是幾步路的距離，這時候，才使他清楚地注意到臥室裏傳出來的小荊蒙陣陣輕微的鼾聲，一起一伏，竟像浪潮一樣在開始撼盪着荊軻本來就已經不十分平靜的心房。不禁喃喃地說了一句：「我就是放心這一個孩子不下！」

「那末，答應我，為了這個可憐的孩子的緣故，你不要再離開這裏！」微姬在祈求地攀着荊軻的臂膊。

「不！」荊軻竟意外地緊咬着下唇，搖了搖頭。

「為什麼？」

「因為我答應了太子。我不走，我也不能夠再希望在這一片土地上活下去！」

「為什麼？」

「他一樣會讓我喪失了生命！」

……

（卅二）

香港得名由來

・懷冰・

歷史事實之證，其偶然耶？一說英軍抵達之處，以攜來淡水飲料告罄，由嚮導者指引大潭篤附近有一鉅大水源，是名香瀑，懸崖十仞，飛泉濺濺，士兵飲而甘之，於是飲水思源，乃稱不可無以紀念，乃稱此地為香港。一說太平山形似香爐，故一稱香爐峯，加以雲烟縹緲，有若爐烟之氤氳，故香港保由香爐峯而得名。

（三）

統觀三說，乃有其名，而無其實也，其說未諦。據屈大均廣東新語考，謂廣東新安一帶，實產香料，有一種木本植物，形如樟樹，生於嶺頭或懸崖峭壁間，該項樹木，枝幹均有液體流出，滴入泥土深處，狀如松脂。村中少女，採集該項香料時，先用一胸圍，緊於胸際，扳登山上採集，覓凝結之香塊，即投入胸圍中，故又名女兒香。此種香料，外銷於阿拉伯，波斯等地，此蓋廣東沿海一帶之特產也。查當日九龍半島由沙田而達荃灣之山頭，盛產該項香料，鄉民種植為生者，大不乏人，政府並沒有稅吏在此課稅。至康熙年間，稅吏貪婪不法，不依產量之多寡而課稅，竟硬性規定每一戶須納稅若干，至產額不足時，亦須繳納偌大稅款。聚斂之臣，殺鷄取卵。鄉民不堪壓榨，竟將香料樹砍去，十里童山濯濯，以後欲覓一顆亦不可得矣。

港九地緣毗連，因新界地區盛產香料，故稱此港口為香港。如是則名實相符，猶廣州之花埭，以種花而得名也。博雅君子，尚祈進而教之，此則拋磚引玉之微意耳。（下）

記汪水雲與宋昭儀

有宋遺民汪水雲，浙江人，能詩，善畫，曾侍內廷。宋亡，隨少帝入北平，元世祖嘗召之鼓琴，奏大風雅操之曲，南人聽之，莫不掩涕。水雲慕漸離，因戒備嚴，終不得遂。元祖覺其神色有異，命龍奏遣出。即披髮為黃冠徜徉燕市，十二年之久，卒無可乘之機，始南返。水雲夙與宋昭儀王清惠為文字交，甚篤。昭儀入元為女道士，詩文皆斐然可誦。方水雲南下，昭儀送以序曰：「水雲留金臺一紀，琴書往還無虛日。秋風天際，東書告行，此懷愴然，知夜夢先過黃河也。一時同人以「勸君更盡一杯酒，西出陽關無故人」分韻賦詩為贈。「他時海上相逢，當各說神仙人語，又豈以辭律為拘拘耶」。當時賦詩者，有王昭儀等十二人。王詩云：「朔風獵獵割人面，萬里歸人淚如霰，江南江北路茫茫，粟酒千鍾為君勸。」又有袁正淑宮人詩云：「抱琴歸去海東濱，莫逐征蓬覓子春，十里西湖明月在，孤山尋訪採梅人」。水雲當時百感交集，即席酬詩一首云：「愁到濃時酒自斟，挑燈看劍淚痕深。黃金臺遍少知己，碧玉調高空好音，萬葉秋聲孤館夢，一燈愁雨故鄉心，庭前昨夜梧桐語，勁氣蕭蕭入短襟」。臨別故國，惜別故人，蒼涼抑鬱，亡國之音苦矣。水雲歸後，以黃冠終老，昭儀先水雲亡，水雲賦仙遊詩一律挽之，其末句云：「人間無葬地，天上有仙山，遺子之痛，老而彌深矣。

自由人

THE FREEMAN

（第四七〇期）

中華民國僑務委員會
頒發登記證台教新字第一零二號
中華郵政台字第五〇〇號
執照登記爲第一類新聞紙類
（半週刊每星期三六出版）
每份港幣壹毫
台北市售價台幣壹元
督印人：陳文華
地址：香港高士威道二十號四樓
3 rd. fl. 20 GAUSEWAY RD
HONG KONG
香港發行及業務接洽
高士打道66號　電話：七四〇五三
承印者：東南印務出版社
地　址：高士打道六十四號
海外總經銷
友聯書報發行公司
香港：德輔道中二十六號A二樓
台灣特派員辦事處
台北市館前街五十號
台灣總經銷處
台北市西寧南路壹壹零號二樓
台郵撥儲金戶九三五二

嗚呼所謂新疆「自治」

·沈秉文·

中共中央政務會議宣佈，已決定從本年九月起，將新疆改爲相等於內蒙古的大自治區。

所謂新疆「自治」，按中共自己的法理說，是以「民族政策」作爲依據的，便是說，少數民族人口佔多數的地區，應予少數民族以「自治」的權利。但像新疆這樣一個廣大地區，其中包括多種少數民族，如今使之自成一行政建制，本來是與中共的利益抵觸的。爲甚麼中共竟讓新疆自治呢？實際上並非中共的自願，乃奉行蘇俄的意旨，不得不然。

俄人覬覦新疆已久

俄國覬覦新疆，自沙皇時代起以迄今日，本是一貫不變的野心。而求此種野心的實現，則俄共較之沙皇尤爲積極，手段亦更爲陰險。根據捷克國際事務專家瓦爾特・柯拉茲的研究，凡蘇俄邊區國境內，與其鄰國有相同的民族時，蘇俄的「民族政策」即藉此等民族爲媒介向其鄰國進行滲透活動，或製造糾紛，以求達其侵略目的。自波羅的海以至中亞細亞這一半徑內，無不如此，新疆自不例外。

新疆少數民族在蘇俄境內有其同族者，計有維吾爾、東干、卡薩克、吉爾基斯、塔吉克等五種人，而以卡薩克人爲最多，維吾爾（約十萬），及東干（約二萬人）次之。蘇俄除利用卡薩克斯坦成立「蘇維埃社會主義共和國」外，並在阿拉木圖境內建立維吾爾及東干兩個「民族自治區」。再進而利用此等民族不斷向新疆進行滲透活動。

新省已成蘇殖民地

盛世才治理新疆時期，蘇俄在新疆省內招引不少各族青年至阿拉木圖及塔什干等處「留學」。抗戰勝利，中共叛亂正劇的時候，蘇俄公然協助新疆約三十二萬的卡薩克人，在新疆西北割據的全疆三分之一的土地。中共竊據大陸以後，蘇俄又公開派遣一個「文化工作顧問團」到新疆省內進行俄化活動，並在新疆境內開採石油，探測地質，開闢航空路綫，建造蘭新鐵路——自蘭州經迪化接通阿拉木圖——於是新疆省在事實上已變成蘇俄的殖民地。

又一次賣國行爲

此次中共宣佈新疆「自治」，其目的在使蘇俄對新疆的控制更爲便利。今後蘇俄將在新疆建立「自治區人民政府」。更將繼續大批派遣已在蘇俄境內久經訓練的卡薩克、維吾爾、東干等族的人參加各級統治機構，以完全掌握新疆的政治。到了相當時機，然後仿效外蒙獨立的故技，來一次「民族自決」的投票，正式從我國地圖上，把「新疆省」抹去，變成完全爲蘇俄附庸的「新疆人民共和國」。故中共現在宣佈新疆「自治」，實爲未來劃據新疆鋪路，顯然又是一次賣國的行爲。

蘇要掠奪新省資源

蘇俄之所以亟於要併吞新疆，我們若能根據新疆境內及蘇俄南部的地理形勢，和經濟情形加以研究，即不難明白其中奧妙。約而言之，可分下列數端：

其一：以經濟觀點言，自烏拉山以至阿爾泰山之間，這一地區乃蘇俄的腹地，亦爲蘇俄工業重心所在。爲坦克工業、其它軍火工業、鋼鐵工業、燃料工業等，均在車里賓斯克、喀拉干達、馬格多尼高爾斯克、斯太林斯克、塔什干等地。蘇俄的原子工業亦祕密設在此一區域之內。惟塔什干、阿拉木圖、斯太林斯克等處，工業原料的交換與供應還嫌較遠。新疆境內既有豐富之重工業原料，其中尤以石油，係自延長、玉門、烏蘇與塔什干一脈相連，蘊量極多。蘇俄如能掌握新疆，則可將國內重工業範圍擴大，在整個「世界島」（包括歐亞非三洲）的心臟區內自成一完整的大工業區，以掠奪新疆的豐富寶藏，縮短阿拉木圖一帶的工業原料之交換及供應線，提高生產效率。

蘇俄的政治企圖

其二：就政治觀點言，蘇俄之直接掌握新疆，一方面可更接近中共的政治心臟——北平，利便控制中共。一方面，新疆接近印度，實爲進侵印度的捷徑。目前莫斯科至北平之間的交通，陸道主要靠西伯里亞鐵路，航空主要靠阿拉木圖至西安一綫。藉此等交通綫以控制中共，總不若利用新疆控制中共，使中共腹背受敵更爲有效。新疆「自治」之後，即使中共想不「一面倒」也勢有所不能了。

蘇俄的南進計劃，本企圖由陀米斯南下，接通阿富汗的喀布爾，以通過阿富汗而入印度。此一企圖困難甚多，先佔新疆再入印度，則方便多矣。

長期作戰策略

其三：就戰略觀點言，自中共竊據大陸後，蘇俄已積極自行經營，又迫使中共經營新疆的陸空交通，並開發資源，建立工業，其目的在鞏固蘇俄南部的外圍。新疆藉「自治」成爲蘇俄附庸之後，不僅使蘇俄的腹地擴大，工業與經濟富源擴大，且使蘇俄在將來從事世界戰爭時，進可以發揮高度工業支持戰爭的潛力，退可以長期與敵週旋於此一「世界島」的大心臟地區之內，不至有覆沒之虞。二次大戰，德軍即曾因深入此一腹地，而受重創。故今日蘇俄挾其附庸所準備的是一個未來的長期戰爭，蘇俄之急於併吞新疆，也便是未來長期戰略的重要部署之一。

總言之，新疆「自治」實爲蘇俄併吞新疆之進一步行動，亦爲中共出賣國土之具體表現。影響所及，不僅爲中國主權之喪失，亦爲世界和平前途增加危機。（完）

美日談判的預測

·安世·

鳩山重光見解並不一致
重光赴美應有相當收穫

〔八月廿六日東京特約通訊〕在四巨頭會議未開以前而有日蘇交涉，在日蘇交涉停頓中而有日美外交大活躍——重光赴美——這都不是一些太平凡的國際事件。

中立偏左與偏右

日蘇交涉開始前，記者曾在本報指出，當前的日本外交，是在追隨印度，想在美蘇之間，隨時權衡利害而建立一種機動的中立路綫，不過這個想法，日本各黨原則是一樣，而技術和方向，頗有出入，甚至鳩山與重光之間，對於這一點看法，也有不少出入。在日本兩個社會黨的想法，日本中立，應當偏左，——親蘇——但在各保守黨的想法，則認爲日本中立，應當偏右，——親美——鳩山與重光兩氏的看法，雖同是偏右，但技術程度，又顯有不同。在日本尚未完全獨立以前，「親美而不反蘇」，即重光和鳩山的看法，並無二樣。

鳩山的看法

鳩山因被整肅，因此讓吉田當政七年，故對於吉田，至少在這一生中是「不共戴天之仇」，可是他對於吉田一面倒的親美外交，雖無不共戴天之仇，至少不便因襲採用，何況他深知今天日本資本家（幾乎全部）的心理，一心要和中共蘇聯通商，以維持日本貿易漸進的繁榮局面。何況由日本經濟的中立，進於外交中立，則日本在國際上更有大利可圖。

重光最了解美日關係

至於重光的看法，顯然兩樣，他對于日本由中立路綫，以增進國際地位一層，固不反對，但對美蘇兩國的看法，顯有不同。重光雖然不是天性反共，可是他認爲「北極之熊」對於日本絕對不懷好意，是毫無疑義的。美國對於日本，縱不如何親善，可是對於日本，並無絲毫野心。日本既不宜試行共產，當然在未完全獨立以前，實萬萬不能離開美國這位朋友。不過重光的作風，雖然不像吉田，可是今天日本政治中對於日美關係，分析得最清楚的，恐怕除吉田外，要以重光爲首屈一指，所以這次重光渡美的重要影響，直接雖是改進日美關係，而間接則關係世界的未來。

德日問題與世界大局

四巨頭會議有無結果，對於世界緊張局面，能否緩和，我們不必專聽四國巨頭的外交辭令，也不必過於重視不久將來的四外長會議。我們只須注意當前德日問題的如何變化發展及是否能根本解決這一點。記者對於這個問題的答覆，是否定的。因爲德日問題是東西兩大集團冷戰十年的中心問題，假如這兩個問題，解決不得其當，世界緊張局面是無法緩和的。

今天四巨頭是對於德日問題，沒得解決的辦法嗎？不然，不過他們並沒解決這兩個問題的誠意。（特別是蘇聯。）因爲解決德日問題的順利與否，與將來東西兩大集團在三次大戰中的勝負，所關太大。冷戰十年，對於此兩大問題並無徹底的解決辦法，其唯一原因，亦即在此。

德日兩國的不同點

西德看清了這一點，於是西德表示，願站在自由民主集團的第一綫，雖當砲灰，在所不惜。日本也看清了這一點，可是日本的表示略與西德不同。這個原因無他，因爲德國是陸軍國而且是工業國，大陸國；日本是海軍國，商業國，島國。前者的民族性是走直綫的，後者的民族性，則是走曲綫的。但這次倫敦的日蘇交涉，給了曲綫外交國一個重大教訓，於是重光渡美之行由此而來。

重光赴美三任務

重光渡美的重大任務是什麼？據重光在閣僚懇談會，及接見駐美日本記者團的表示，約有三點：

（一）調整日美外交關係　日美外交，最近趨於冷淡，重光此行第一目的在觀察日美外交關係冷淡的原因，以闡使鳩山內閣的外交對美協調之強化。

（二）防衛問題　這是日美兩國的最大課題，美國不斷希望日本提前加强防衛。日本現在防衛方針，只能由漸進的建立「自主防衛體制」，並提出防衛六年計劃，在昭和三十五年前擴充陸上自衛隊到十八萬人，並在三年以內完成。屆時望撤退駐日美軍，只留少數陸空軍。

（三）日蘇交涉與中共貿易　對於日蘇交涉，力求解釋美國的疑慮，同時對於中共貿易，希望除戰略物資以外，擴大貿易範圍。

此外還有請美國釋放日本戰犯，談判戰債問題，並望對於經濟援助，將東南亞開發物資及戰略物資，一齊向日本購買。

杜爾斯與重光談話的日期，定爲八月二十九、三十、三十一日三天，其議程如左：

第一日中共問題爲中心。
第二日防衛問題爲中心。
第三日日美一切關係爲中心。

談判不會無結果

這次談判結果如何？據倫敦泰晤士報及新華社表示，均認爲不致有何結果，不過記者看法，略爲兩樣。如上所述日本及西德問題。（下轉第二版）

本週展望

·雷嘯岑·

日本政府的雙簧戲

日本鳩山一郎內閣正在大演其雙簧戲：首相鳩山不斷地表示要與中俄共結交，且在參議院哭喪着臉，說是必須完成日俄復交工作；外務大臣重光葵則在美國聲言日本決不親共中立，自尋死路。同時，有十幾個國會議員應邀訪問台灣，另有四十一個議員却浩浩蕩蕩地飛往北平、莫斯科訪問。

據重光葵在美國迭次發表的言論，强調日本唯一急務是在開拓貿易出路，解救經濟危機。這就是間接替日本政府所演雙簧戲解嘲，我們也相當諒解日本這種苦心孤詣。

可是，看重光與杜爾斯所談到的若干問題，又似乎並非以開拓貿易出路爲目的，如要求收復琉球，如促請美軍及早撤退等，都不是日本當務之急的事。至於放寬對共區的禁運範圍，這也不是日本單獨所能協商解決的問題。重光此行的收穫，除了提前釋放二十幾名日本戰犯外，其成績當不會比上次吉田茂訪美之行爲佳。

日本要想發展貿易，最理想的市場決非中國大陸，重光亦說是對中國大陸的「經濟型式改變」感覺失望。東南亞各地才是日本貿易較好的出路。然而，這些地區的國家對日本至今仍未消除其疑懼的舊有心理，而且多數尚未復交。緬甸雖然已與日本結束了戰時狀態，但日本所囊諾支付賠償款項，第二年即沒有履行條約義務了，這又給東南亞國家以一種新生的不信任因素。

親仁善鄰，講信修睦，先把政治信用樹立起來，掃蕩舊有的一切隔閡與疑忌心情，日本的經濟發展途徑即很廣闊，還愁沒有出路嗎？像鳩山政府現行的雙簧政策，那祗有自尋煩惱，沒有絲毫效用的！

爲華僑文教會議進一解

台北這幾天正舉行海外華僑文教會議。我平生害怕開會，因爲中國近二三十年來的一股風氣，開會的意義祗是湊熱鬧，搞宣傳，高文典册一大堆，煌煌決議有的是，曲終人散之後，誰也好少理了。這次華僑文教會議當不如是，因此我願意提出一個問題來談談，希望預會諸公俯予考慮，看看我的愚見是否值得一顧？

自由中國政府爲着使海外僑生樂於回到祖國升學起見，對僑生的照顧特別周到，飲食起居，皆視普通學生的享受爲好，這是應該的。但，我以爲同在一個學校讀書的學生，其日常生活情形不可太過懸殊，以免引起青年人的不良印象，政府應設法使一般學生的居處生活，亦能同時改進，此其一。現行教育法規，對僑生另眼看待，成績不及格的，可免留級，設或違犯了任何校規，亦不致受到開除的處分。這不啻使僑生養成爲特殊人物，有如貴族子弟然。據今年暑假回港的僑生告訴我：去年入學成績很好的同學僑生，今年即有不及格的，原因是反正不及格亦會「派司」的，樂得偷閒自逸了。這種毛病是勢所必至，理有固然，教我去作僑生，也一定有此心情哩！僑生也是青年子弟，爲甚末要如此放縱？這樣優待法，即如不善教養的父母溺愛兒女，結果是害了他們的一生前程，那有這樣的教育方針呢？此其二。僑生在祖國求學時的用費，都是外匯，依法應照官價折取，但與黑市價格相差頗鉅，政府雖予以差額補貼，自不及黑市數目。如是，每逢寒暑假期，僑生們回家一次，即帶貨品入台變賣，以期避免損失，不回家的，也紛紛託同學代辦貨品。如此風氣，豈非斷喪青年們的純潔心情，烏乎可！政府何不按照市價的差額，如數予以補貼呢？此其三。

這三種情形，都是得之於僑生口述的。希望華僑文教會議中切實研究，提出妥當的補救辦法，督促政府實施改進，對於下一代的公民，實爲功德無量也。

中共的飢餓政策

——明明減產偏說是增產 「九扣」剝削民無噍類——

辛植柏

中共「土改」以後的暴政，要以「飢餓政策」爲最，中共對這政策，雖力圖掩飾，其奈欲蓋彌彰何！

去年空前大水災後，中共硬要謊說增產，爲什麼要造出這一謊言？意思就是既增產，自然取之無傷！但中共內政部長謝覺哉在二次「人代會」說：上年並減收了農業稅六十億斤，以這減稅數字推算，即減產糧食約三百億斤，顯然這是眞確事實，以減產說成增產，不外是便於執行飢餓政策而已。

陳雲是個大謊家

再就其糧食征購情形言；征購數字，亦是一大謊言，惟這一謊言卻與前項謊言相反，即以多報少，爲什麼又要這樣撒謊？其居心有二，第一，是掩飾飢餓輸出的政策，第二，是避免對糧食統制政策的懷疑。因爲要繼續貫徹這兩項策略，故不得不撒謊。據稱上年連征帶購的數字，共爲八百九十三億斤，這一攪刮數字固屬不小，但實際上卻還撒了一個大謊。試想上一個糧食年度的銷售量就達八百零九億斤，所餘八十四億斤糧食，儘軍政人員及廠礦工人的公糧供應也不夠，其他如儲運耗損，工業用糧，及出口糧食等何來？即此一點就可證明中共國務院副總理陳雲，簡直是個大謊家。他那篇講述「糧食問題」的文字（載本港七月二十三日文匯與大公兩報），揭穿了眞是半文不值。

糧食征購的實際情形

中共上年糧食征購情形實際是這樣的：如照內地農村所流行的話，所謂「增產不增產，還是三百八十斤」（見學習雜誌第八期）這一句話來推算，中共征購實數爲一千四百九十億斤。不過這裏面又有兩種情況，可使這一計算標準發生變動，一是有的評產過高，在這現象下，就逼得人三百八十斤口糧也不會留足。一是有的評產又較低，因而所留的口糧，也許超過三百八十斤。比較正確的推算依據，就是所謂「征多少即購多少」。征糧的實徵，照中共農業稅率計算爲七百一十一億斤，再加上購糧數合計爲一千四百二十二億斤，即佔中共公佈的年產量百分之四十二以上，這一征購數字才合事實。

其支出情況；除銷售八百零九億斤，儲運損耗約達二百億斤，如照通常的儲運耗損百分比，耗損數字則爲一百一十三億斤者，而這裏卻還要加上一筆特別耗損，即被所謂「反革命分子」的機會，沉船，盜竊，及車船碼頭工人故意弄壞漏撒等損失，例如湖南今春「反革命分子」的放火案，就有三十四起，綏寧縣第八區朱和鄉糧倉被燒，即損失糧食十多萬斤（見僞代表譚惕吾發言），又該省上年一年中發生的運輸事故一百零六起，損失糧食達四十萬斤，沉船，破船損失七萬七千斤，今年五月下旬航字二〇〇五號運糧駁船從漢口開到南京，被碼頭工人捽破米包，光從船底掃出的米就有四十包（見七月十一日人民日報），是項特別增大的損失，約爲通常耗損的百分之八十，這數字並不會高。

至於公糧的供應，僅以軍隊（包括地方部隊）及行政人員，廠礦農場工人二千萬名，每名以五百六十斤原糧計，即需糧食一百一十二億斤，再加工業用糧（如大豆榨油之類）約二十億斤，公用飼料約二十億斤，供應農民缺糧約三十億斤，總共支出的數字即達一千一百九十一億斤，其餘二百三十一億斤就是中共輸運出口的糧食，這就是中共上年征購糧食實際的收支大概情形。

征購實即劫掠

中共糧食政策的狠處，就在所謂「計劃收購」上（現改爲三定政策即定產定購定銷），「計劃收購」的實施辦法爲「評產」，由評產以定征購之標準，評產之高低，全以中共幹部一言爲定？譬如一農民有耕田四畝，評定產量稍高爲稻谷十六石，在收穫時實收八石，除繳征實三石二斗，供應收購三石二斗，所餘一石六斗口糧，即僅夠農民三、四個月之需，狠心如此，是即中共製造大陸飢荒之所由來。筆者對蘇北出來的人也曾這樣問及，不供應「收購」不可以嗎？（意即售不售由我）據說：「那是不行的，因中共幹部甚至領人到田邊來守着，收妥即拿去，那裏會由農民自己肯不肯」，這就是內地收購糧食時的一種眞情。如果我們指這項強買行爲就是中共的殘暴掠取，中共自然不承認，即不了解其眞相的人恐怕也要發生錯覺，以爲「收購」是一種買賣行爲，但讀者可看下列一段事實：

「廣西省財經部門的幹部，爲完成貨幣回籠任務，在農民賣了餘糧後，不經農民同意，強迫扣留各種款項，有些農民糧款沒有到手，就被扣得差不多了。扣款項目有：信用社股金，供銷社股金，公債等八款收回，九項，農民稱之爲「九扣」，這樣扣來扣去，有些農民手頭零用錢皆被扣光了，農民非常不滿意」（三月三日人民日報）。

這就等於說明了中共收購農民餘糧，到底與強盜行劫的行爲並沒有兩樣，農民等到僅餘的一點糧食吃光時，名義上中共有供應，可以選證購糧，但農民又那來買糧的錢？即使有錢去買，買到半斤幾兩的口糧，又何濟於事！勢逼處此，故農民安得不飢，中共「飢餓政策」就是這樣製造出來的，現在中共還要爲「飢餓政策」作詭辯，眞是「人性」何在啊！

台灣通訊

尹仲容與胡光麃案

尹氏升官的經過事實 起訴書爲何遲遲發表

華田

（台北通訊）尹仲容現在雖是名列顯要，但不久以前他還是個普通公務人員，他乃湖南邵陽人，交通大學電機系畢業，爲人中等身材，面孔長肥，眼矇矇無神，常常啣住嘴吧，似乎恨入一般，且略帶一點苦相，性情觸强。惟對麻將、輪牌、飲酒、無不好，對付女人也有說有笑，絕不是一個道學先生，平常頗喜歡讀書。沒有顯達前，也常爲報紙副刊雜誌等寫稿。以前曾著有「呂氏春秋校釋」及「電話學工程數學」等書，同時，他也很會做生意，可說是一個雅俗共賞的人物。他在社會上，起初是慢慢爬起來的。抗戰前已在交通部任電政司第一科科長，於朱部長家驊任內升任電[illegible]。工作能力很强，據說，當時他的工作考績，因對於電政興革，如電政制度之訂擬，全國長途電話網之開闢，郵電機構之合設等，有所貢獻，故成績甚佳。

朱家驊下台後，他便走上孔宋的路子。抗戰軍興，他膺任國際貿易所所長。戰後，宋任行政院院長，他參與幕府，嗣後又爲了淮南礦路公司做了許多事。大陸淪陷前夕，他於卅八年春來台，因友人之介紹，晉謁今副總統陳辭修。適當時陳氏被任台灣省[illegible]，需才甚急，乃派尹氏任台灣省生產事業管理委員會常務委員，旋改任副主任委員。卅九年四月，飛日本，與盟軍總部洽商台灣日本間之通商及經建，終三個月之努力，解決了許多問題，於九月六日簽訂中日貿易協定及財務協定。嗣後又致力於南韓、琉球、菲律賓、星加坡及南洋各地開拓台灣物產外銷路綫，頗具成效，乃得於卅九年多兼任中央信託局局長之職。

本刊四六二期所刊「尹仲容的「停職」問題」一文，後段所報導停職經過手續，極爲精彩，但上一段說胡光麃案之被提起公訴，是感到意外，這不管是行文上或內容上都應予糾正的。因爲胡光麃案之會被提起公訴，早已成了鐵的事實，所成爲疑問者只是尹仲容會不會也被提起公訴而已。原文說『外間傳說，對認爲胡案將以不起訴成份爲多者，即胡光麃本人似亦存此希望，胡光麃於廿六日接到起訴書時形色甚爲沮喪，曾對前往探訪的記者說：『本案之起訴，有點出乎他個人的意料之外，因爲不久之前，他曾聽說「本案是不會起訴的」』，而見本案有過不起訴的擬議，據聞最後十天，才發生變化。』這一段紀述，很不妥當。須知起訴與不起訴，自有法律限制，豈能如「最後十天才發生變化」那樣兒戲呢？胡光麃一派壞人當然有「不起訴的佳音」，但豈足爲憑？不僅此也，據筆者所知，胡光麃的一派，有人曾對人拍過心胸「保證過幾天胡光麃即恢復自由，並不久再向銀行借錢」，使人聽了牙齒都冷了，這種話豈有價值引以作徵信嗎？據筆者所知，這件案子之所以拖長了數月之久，才提起公訴，是因該案涉及其他案件，胡光麃案既係一件財務欺騙案，起訴書上無牽及其他事件之必要，因此延誤了起訴書發表的時間。該案現既在法院審訊中，此時自不必多作推測。聞與尹相交甚好之實業界何×等曾聯電政府，請以尹氏之過去成績爲重，免予處議。另一些尹的私人朋友，又擬發起以經濟實力支持尹氏解決胡案之賠償債務者。凡此均屬法律以外之事，與法院之審判無關。將來胡案如何結果，尹氏是否有罪，祗好等候法院的判斷了。

（八月十五日）

尼赫魯能解放果亞乎？

李加雪譯

和平進軍已失敗

果亞這個小地方，眞可說是印度的一顆明珠。沿海地方，滿種棕櫚，馬路闊大，房屋整齊，到過果亞的人都說，這是典型的葡萄牙城市。果亞面積，約一千四百英方里，山地居多，有極富水力的瀑布，礦產也不少。雖是殖民地，租稅極輕，所得稅還沒有施行。

果亞之外，在印度西岸，還有兩個葡萄牙小殖民地。一個叫做地亞，另一個是丁馬羅，均歸屬葡萄牙多年。三個地方人民的生活方式都改變了，人民百分之八十信仰天主教，風俗習慣均和印度不同。生活水準，比較印度高，人民安居樂業，並不希望併入印度。

向周恩來誇下太口

本年春，亞非會議時，尼赫魯曾向周恩來宣傳印度的和平主義。他說：英法兩國都把在印度的殖民地交出來了，只有葡萄牙死咬着果亞不放。若使用武力，果亞的解放易如反掌。但印度不想採取武力，另有辦法。什麼辦法呢？印度將以用精神力量對付葡萄牙。他請周恩來注意印度的精神力量，注意印度如何解放果亞。尼赫魯準備於八月十五印度的獨立紀念日，使用精神力量解放果亞。

和平進軍的經過

尼赫魯秘密進行這件事，經過多時組織，參加的有印度的共產黨、社會黨、宗敎極端派、和尼赫魯自己領導的國大黨，人數總共兩千人。

八月十五那一天早上，下了一場大雨。趕到果亞邊界賓打地方的，只有六十位精神解放果亞的志士。記者到那裏採訪的也不少。精神解放者，搖着印度三色旗，向果亞邊界前進，口裏高呼，『果亞印度同屬一體。』尼赫魯原來的計劃，是精神解放者進入果亞後，鼓勵果亞人民對印度的同情，精神解放的目的便達到了。

果亞邊界有一所海關，裏頭站了十名葡萄牙和果亞的警察。他們提着長槍和手提機關槍，後面又隱佈置了一排葡萄牙和黑人的兵士。精神解放者一面呼口號，一面前進。進入果亞邊界大約三十碼的地方，警察向他們頭上放了一排警告槍，精神解放者便馬上臥倒地上。

死傷了二百多人

過了大約十分鐘，領隊的命令一位女隊員再前進，她從地下站了起來，高擎印度國旗，向前直衝。海關裏頭傳來一排槍聲，女隊員應聲倒地。此時，兩位男隊員站了起來，往前救護女隊員，槍聲又把他們擊倒。

此時，兩位美國記者在人叢裏跑了出來，高呼停止放槍，他們舉起雙手，往前把受傷的男女救了回去。

情形太可怕了，兩傍的印度人士，齊聲請求精神解放同志退回印度。於是五十七位同志才一步一步的向後退卻。精神進軍便這樣結束了。

此外，精神解放者還在邊界一百八十四英里前綫，分五處前進，但結果均和賓打的情形大同小異。

到了晚上，和平進軍結束了。計算起來，印度的精神解放者死二十二人，傷二百二十五人，尼赫魯的精神力量失敗了。

替共黨做機會

果亞邊界的消息傳到印度後，共產黨馬上組織暴衆，在各地暴動。在孟買，印度警察槍擊暴衆，死傷八十五人，暴衆也使用刀子和石頭做報復，再死傷超過百人。暴衆且湧到英國高級專員辦公處，要求英國下半旗。另外一股暴徒，跑進葡萄牙領事館，把印度國旗高懸於領事館之上。暴徒又攻入許多外國禮拜堂和傳道會，肆意破壞，街上暴徒更把所有的公私車輛全部破壞。[illegible]

將政取經濟封鎖

尼赫魯曉得精神力量不濟事，於是在國會裏大罵[illegible]，更罵共產黨搗亂，破壞他的名譽。因爲暴徒擊毀許多禮拜堂，尼赫魯迫得向各國傳道會道歉，應允賠償一切損失。

[illegible]

編者讀者

△關於「捷成」的譯名

△趙尺子先生來函

編者先生：貴刊四六八期載旭軍先生大作「蘇俄內民族危機」，其中提到「捷成」——印古什自治共和國」，大約[illegible]年，這個被史太林於二次大戰後殺戮了五十萬人的小國，我們的報端。當時中央社由合衆電，譯爲「切秦」，香港譯爲「車臣」。二十四年中華書局出版鄭林莊「蘇俄地理」譯爲「徹成」，此次曾先生又譯爲「捷成」。弟按此民族，住於北高加索，即元史上之「欽察」人，亦即今外蒙古「車臣」人（車臣汗）。故香港時報所譯爲清代名，較爲正確；「欽察」，對治元史者爲方便；至於「切秦」、「徹成」、「捷成」則較生疏矣。（下略）

趙尺子八月廿八日

△王文凱先生：承示有關本刊編輯意見六點，至感。力求改進，謹覆。

△易敏子，思愷，言路，楊力行，吳文蔚，孫旗，仁超，大倫，諸先生：惠稿已一一收到，不勝感幸！

美日談判的預測

（上接第一版）[illegible]

湯比先生的幻想

·趙尺子·

英國歷史學者湯比先生，近在紐約時報雜誌發表「蘇俄能改變政策嗎」一篇論文，根據回教徒曾經放棄征服異教國的教義，及羅馬天主教也曾經停止使一切人類皈依教會的兩件史例，「認爲蘇俄政策或正在進行着一種誠意而持久的改變」，即放棄「共產主義」的「世界革命」；並認爲「西方國家決定要探求這種可能性，這也是正確的舉動。」在「歷史研究」裏的湯比先生，給中國讀者的印象，他對於「共產主義」是一位失敗主義者；而在這篇論文裏，湯比先生給人們的印象，他是一位不懂蘇俄戰術的幻想主義者。

共產主義的兩種信徒

「共產主義」在俄國，明顯地曾經徵募到兩種信徒：一種是列甯一班老布爾雪維克和列甯以來天眞的俄國青年；一種是史太林以及今天赫魯歇夫這班人。前一種信徒，天眞地唱着馬克斯的狂想曲，希求在俄國實行「共產」並在世界實行「共產」，他們虔誠得類似宗教徒；後一種信徒，却根本把「共產主義」當作戰術來使用，爲俄國開疆拓土，他們也做作得類似僧侶。這一分類，極爲重要。如果我們忽略俄國「共產主義」信徒確有兩種，便絕對不會懂得史太林以來俄國的政治，戰略和戰術。

東羅馬的老戰術

讓我們依照湯比先生的文章體裁，先述兩段史例，然後再說明「共產主義」何以是俄國的戰術。

首先查看俄國的歷史。俄國從九世紀起接受東羅馬的天主教，十七世紀起，開始接受東羅馬諸帝的老戰術：使用天主教在別的國家裏培植教徒；然後內面支援這些教徒取得本國的政權；再後控制這些取得本國政權的教徒，作東羅馬的兒皇帝。東羅馬帝國曾經使用這套戰術，使帝國統治權達到阿拉伯和埃及。俄國諸沙，仿效上述戰術，發明「大斯拉夫主義」代替天主教，在波蘭培植「王黨」；然後內面資援「王黨」取得波蘭國會；再後控制「王黨」，宣佈俄波合併，波蘭遂告亡國。主持其事者爲俄國軍學家鼻祖蘇維洛夫。這段歷史在專攻歷史的湯比先生，一定比我們更爲熟悉。

東方的近代史例

其次，我們貢獻一段湯比先生所不熟悉的東方近代史。這就是日本使用「王道主義」，「新民主義」作爲戰術，以侵略中國，擴張領土的歷史。「王道」倡自我們的孔夫子，是一種頗爲古典而感人的「意識形態」（湯比語）。日本人深知這一點，便在遜位的滿清王朝遺孤遺老之中，宣傳「王道主義」，鼓勵他們復辟，建設所謂「王道樂土」，於一九三二年培植出「協和會」（黨）；由「協和會」組織「滿洲國」，劫據了中國的三個省份，溥儀作了兒皇帝。

至於「新民主義」，係一個名爲繆斌的失意政客，於採中山先生的三民主義之外，添加一個所謂「民德」，寫了一本書。日本人在培植溥儀取得中國三個省份之後，企圖進一步侵略中國其他五個省份，遂利用了「新民主義」，培植「新民會」（黨）；由「新民會」組織「華北政委會」，先後由王克敏，王揖唐，王蔭泰作了兒皇帝。——這是日本人利用「主義」作爲戰術，和東羅馬及俄國沙皇一樣，侵略中國的一篇歷史。

「共產主義」的妙用

由上述的日、俄史例，中國人從很早起，便深刻地懂得：俄國史太林一班人，將「共產主義」巧妙地運用成爲戰術，向中國（及世界）來培植信徒；支援信徒組織「共產黨」；奪取中國（及世界各國）的政權；然後控制着信徒，向俄國「一面倒」，作了兒皇帝。這是再明顯不過的事：「莫斯科人傳統的兼併更多土地的胃口」（湯比語），只有用鄰國的土地來填滿；但他們若明張旗鼓派兵佔領，必會引起民族戰爭，這不是聰明而陰鷙的俄國人所願意幹的；於是他們使用從東羅馬學來而用在波蘭有效的老戰術，到中國（及世界）來宣傳「主義」。例如在外蒙古，他們使用「民族主義」加「共產主義」，培植「外蒙古人民黨」，於一九二一年攫去了外蒙古；再在外蒙古裏使用「民族主義」加「共產主義」，培植「禿髮人民黨」（禿髮係蒙古人中的鮮卑 SIBER 人），鼓勵禿髮「自治」，然後合併禿髮，成爲蘇聯的一邦。

俄國人於侵略外蒙古的同時，即一九二一年七月一日，使用「共產主義」培植了毛澤東的「中國共產黨」，秘密支援大批金錢和軍火，於一九三一年十一月七日（列甯奪取政權的紀念日），建立「中華蘇維埃共和國」（較日本人使用「王道主義」建立「滿洲國」還早四個月），至一九四九年十月一日，改名「中華人民共和國」，向俄國「一面倒」；然後，俄國再由「中華人民共和國」手中，使用「民族主義」加「共產主義」，割取內蒙古和新疆，不久便要輪到東北和西藏了。

俄國「共產主義」的妙用，能使信仰了它的外國人，甘心情願，眼看着本國的土地一塊一塊割了餵俄國人的饑腸。

新的黑暗時代

湯比先生倘能讀到中國的歷史研究者所寫的這篇文章，他將會恍然大悟：「共產主義」只是俄國向外侵略的良好戰術（當然也是他們對內統治的一套治術）。今天俄國人的所謂「共產主義」，早已不是馬克斯所創立而被列甯所奉行的「共產主義」了。這和歐洲黑暗時代的天主教一樣，僅僅成爲野心皇帝對外侵略（對內專制）的御用品，業已不是耶穌基督的原本。鐵幕各國現正處在新的黑暗時代之中。

因此，湯比先生認爲俄國可能「誠意而持久的改變」他的「共產主義」及政策，而乃是一種幻想；而「西方國家決定要探求這種可能性」，也不免是一種徒勞。

毛澤東等於溥儀

這篇小文，對於中國的讀者，也正好說明毛澤東所以和溥儀、王克敏、王揖唐、王蔭泰可以劃一個「等號」的道理所在。溥儀信仰了「王道主義」，三王信仰了「新民主義」，他們命定地必會作了日本人的兒皇帝，出賣祖國，自絕於國人；毛澤東們信仰了「共產主義」，也命定地必會作了俄國人的兒皇帝，出賣祖國，自絕於國人。

可惜的事是，直到今天，懂得「共產主義」是俄國侵略戰術的人，畢竟是太少了；人們還以爲赫魯歇夫口中的「共產主義」仍是列甯乃至馬克斯的原本；雖然這原本也是荒謬的。這和溥儀一樣人不懂「王道主義」只是日本人的僞版，而不是孔夫子的「王道」，實爲一樣的可憐！四十四年八月二十五日，於台北。

近世人物志

金梁輯錄　國民出版社印行

王君實

本書就翁同龢、李慈銘、王闓運、葉昌熾四家日記中涉及當時人物鈔錄而成。編者不參一字，而剪裁成傳，前後貫串，前此蓋未見有此類體裁之書。

書中對於咸豐，同治，光緒，宣統四朝之達官，名士，將領，客卿，莫不有所記載評騭，全數約得六百人。

× × ×

輯錄者金梁（即東華續史），曾參與纂修清史。據其自序云：『欲考人物，僅還正傳，旣嫌過略，兼述野史，又慮誤傳，皆不必盡爲信史也。昔校清史，深感其難，光宣列傳，力矯斯弊，乃采及近人日記，終爲史例所限，亦不能盡如我意也。近年所出名人日記，如翁文恭，李縵越，王湘綺，葉緣督諸家，皆時所重，足與曾文正日記並傳。其中知人論世，發潛搜隱，實可補正史所不及。分摘彙編，各成小傳，近世人物，大略備見，亦一代得失之林也。』是則作者之列布此書，別有深意，其意義至爲明顯。

× × ×

纂修清史者，多屬清之遺老，殊乏別識心裁，撰述史傳而屏棄並代記聞之作，斯蓋拘於虛也。昔魏徵撰晉書，采及晉人小說，托克托撰述宋史，采及宋人筆記，司馬光撰述資治通鑑亦然。雖則後人譏晉書爲浮誇，詆宋史爲蕪累，然司馬溫公之通鑑，固勒爲一代之成書也。審是，則撰述光宣列傳，何嘗不可采及近人筆記乎？宋人好議論，向爲士大夫之筆記，不免有攻訐人陰私之弊，如宋史王安石傳，以訛傳訛，即屬厚誣賢者。無怪荊公當日有「丹青難寫是精神」之嘆耳。然司馬溫公述楊貴妃事，采及太眞外傳，則未聞有識其不當者，是在著者之能鑑別史料而已。清史之陋，作者之偏，不待其左袒張勛，康有爲諸人，亦難逃於譚組菴之禁止流行，而有待於重修矣。

× × ×

左舜生先生輯錄近百年史資料至勦，由中華書局出版之近百年史資料正續兩編，已經有四大厚册。在重慶時又蒐購得三十年燕京瑣聞，與近代人物志兩種。筆者曾見讀書偶筆評述此書云：「余所注意者，則讀此書可以想見七八十年前京朝士夫之生活，其所從事之學問，在今日所許爲學者，無論爲經學，爲詞章，爲考據，或爲地理，爲金石，甚至擅長一技如畫，如書，如雕刻，凡能成名以去者，蓋無不竭其畢生之力以爲之。有所著作，亦無不出以異常之矜愼。以較今日出國數年，根本未嘗學問，動以專家自命，而人亦以專家目之者，其相去何可以道里計。其尤使人慨嘆者，則當日師友間相處之肫摯，道德相規勸，學問相切磋，無論矣。而有無相通，休戚相關，更莫不以誠意將之；以較今日之學生打校長，在學校要手鎗，殆眞成隔世矣。」（原文載民三十年十一月十五日香港探海燈三日刊）。舜生先生此一短評，洞中肯綮，而筆鋒帶有感情，至今重讀一遍，猶不勝其感慨也。

× × ×

此四家日記所評述人物，要以翁同龢所記，較可徵信；其他不免有所偏頗。金梁自序又云：「翁、李、王、葉、史稿四傳皆經我手。世目翁爲權臣，而翁傳兼寫德宗，君臣一德，遂成賢相，竟不能見怙權之迹。李傷睚眥，王嘆無行，葉較自好，亦復多偏。而儒林文苑，胥爲通儒，非觀日記不克覩其眞相也。」讀者分別觀之，方不致誤信古人。韓非子云：「無參驗而必之者愚也。」斯則治史者所當奉爲圭臬者矣。

（完）

經濟社會思想叢殘（五四）

金伯華

毫無疑義，一切現代社會的紛爭，來自利潤。但利潤又從何而來呢？來自交換。——生產吧？這是若干原料和勞力對於產品的交換。即以農業而言，土地生長五穀，也只還人類揮汗耕作所交換而來。大學所說「有人此有土，有土此有財」，正是這個意思。賽諾風（X．ENOPHON 約紀元前430—454）亦曾說過：「以我們的勞工的代價，天神賣給我們一切財物」。

——投資吧？存款生息吧？或放債吧？這是犧牲目前立刻的財物和享受，以交換未來的財物和享受。彭巴惠（DEBOHM-BAWERK）著名的利息論，恰恰就是這樣的說法。——消費吧？我這一星期寧可吃一隻雞而不去看戲跳舞，或者我星期日寧可不去旅行而買一本書。這全是交換。——甚至對於國家的捐稅吧？我付「防衛捐」以交換安全，付「衛生捐」以交換政府所派清道夫打掃街道。依此而言，必須使土地，資本，勞力三種生產要素相互交換之間，每一種所應「分派」的地租，利息及工資，各得其平，則根本便不會有什麼利潤的存在。中國有一句土話，所謂「九九歸還八十一」，大家「各盡所能，各取所值」，各守「度量分界」，「相待」「相養」，又將何有於爭？即爭亦必將不是爲的利潤[illegible]之類的事體，如同孔子早就說的「必也射乎？」

這才是「[illegible]」的理想社會。[illegible]（未完）

香港自由國片的外匯問題

——並請教潘霱先生——

·孫瑋·

一個國家能夠沒有國片嗎？台灣能夠沒有國片上演嗎？（台灣本產的國片，實在少得可憐）香港及海外各地華僑聚集的地方，能夠沒有自由國片嗎？香港那班自由影人能夠任其徬徨無措，而讓中共的影片操縱市場，毒化華僑思想，給中共拉攏嗎？我想每個稍有常識的人都會同聲答「否」。

影人不能都到台灣去

但有些人或者要說我們儘可在台灣拍製國片以減少外匯的消耗，自由影人亦可來台灣從業。關於這點，我們要知道，台灣的物質條件如拍製影片所需之器材是否一如香港之充足與補充之利便？台灣之出品是否適合海外華僑觀衆的胃口？（台製的幾部影片，[illegible]）在海外上映，[illegible]當地政府所容許入口？這些問題都是應該先予考慮的。至於自由影人來台問題，除上述原因外，筆者認爲不應把所有反共的人都集中在台灣，我們固然歡迎反共的人來台灣，但也應[illegible]反共的人[illegible]到地球每一角落去從事反共工作。因此，我們要[illegible]影片的[illegible]，也要維持香港自由影人的生存。

怎樣解救國片危機

國片的危機與應扶植的原因及理由已如上述，潘先生主張用貸款或資助的方式，如對永華貸款五十萬港元爲例。筆者認爲這是難行的，蓋自由影業不只一家，貸款對象怎樣選擇？貸款尺度怎樣限制？貸款數額若干？貸款能否長期辦理？貸款是否普遍公平？這些都是不易解決的問題；永華貸款只是治標救急辦法，而不是治本良方，可偶一爲之，而不能定爲常例。（對永華貸款這件事是否收得扶植實效至今尚成一問題）。今日的病根所在，是國片市場狹小，[illegible]一部國片[illegible]港幣拾萬元，這個數字已[illegible]一個[illegible]。[illegible]

（下轉第四版）

可怕的國際陰謀

馬五先生

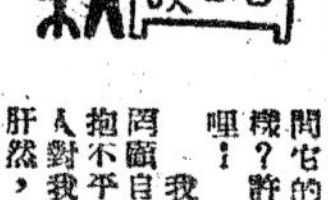

久隨麥克阿瑟元帥工作的惠特尼（WHITNEY）少將，近在美國「生活」雜誌發表他所寫的麥帥傳記式文字，談出若干有關世界安危的內幕掌故，其中以敍述韓戰經過情節爲最多，他指出幾點與中國有關的事：在一九五一年韓戰最劇化的時候，美國國務院和聯合國內，有人主張把台灣交給中共；麥克阿瑟會建議調自由中國軍隊三師參加韓戰，英國極力反對；中共敢於派遣大軍渡過鴨綠江作戰，是有人秘密告訴了中共，聯軍決不會轟炸東北的！

上述第一項情形，究竟是何內容，因爲尚無確證，只好存疑。至於二三兩項，事證顯然，世所週知，而且英美當局至今還想走的這種路綫——企圖以出賣中華民國來換得中共不反對「英帝」「美帝」的妥協條件。甚末「自由運動」啦，「解放政策」啦，一派欺人之談，還不是帝國主義思想的狗皮膏藥！

韓戰的責任，美國担負着百分之九十五以上，假使沒有對侵略者妥協的意念，豈肯完全聽受別國的支配，而讓自己的子弟枉事犧牲呢？世人總以爲美國民主黨政府當局對中華民國執政者是有夙嫌，共和黨上台一定不同了。然而，經過了三年的考驗，試問它的對華政策又有甚末兩樣？許多作風比民主黨還糟哩！

我們固然不能希望別人罔顧自身利害，專替我們打抱不平，拔刀相助。但，別人對我的心情既已如見其肺肝然，我們却非大澈大悟、自謀生存之道不可。所謂自力更生的唯一前提，就要切實集結全國反共非共的人力，共同奮鬥，而一切內政外交政策，更須有蟠然改圖的勇氣與決心才行的。這項前提工作，我們做到也未？

我害怕將來胡里胡塗地被別人出賣了，尚不知道是怎末回事，因而對於惠特尼少將的話，怵目驚心，不能已言如此！

思深齋詩序

・邵鏡人・

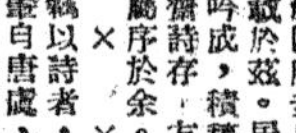

瀏陽唐圭良先生，避地海外，五載於茲。居恒，詩不多作，興到吟成，積稿至百餘篇，題曰思深齋詩存，友人請其付梓，先生乃屬序於余。

×　×　×

稱以詩者，言志也，道性情也，鑒自唐虞，歷漢唐而體制大備。雖時異世變，而代有嗣音。善爲之者，固不必雕字琢句，拘拘於漢魏唐宋各派之間，然而，規律具在，亦不能反其道而行之。

惟自五四運動以後，胡適陳獨秀等，提倡新詩，以爲詩爲死文學，白話詩爲活文學，淺學之徒，避艱深而就平易，一若舊詩無可存者，庸詎知，詩者，必須具有和諧之音調，優美之辭藻，非村嫗傖夫口頭俚語所能表達。白話入詩，古人亦嘗有之，寒山，拾得，白樂天，邵康節諸作，殆近之矣，但亦不能無韻，蓋無韻以諧之，歌之不能成聲，聽之不易悅耳。詠史與史論何異？詠山川風景，與遊記何異？此詩與文截然不同，亦即詩之所以爲詩也。

×　×　×

圭良先生，秉性穎異，幼承庭訓，酷嗜韻語，才華艷發，吐納風流，洎夫，遭世變亂，其先君子佛臨先生，於庚子湖北首義殉難，先生罹此慘變，痛憤尤深！稍長，東遊扶桑，精研兵學，歸國後，又棲栖弗奮。飽經滄桑，詩亦彌爲遒勁，積久成帙，悉付散失，良可惜也。

迨大陸沉淪，孑身走香港，雖暮年羈愁，而吟詠不廢，感流亡之歲月，抒沉鬱之胸懷，杜老收京之作，情見乎詞，放翁告祭之言，老猶在念。然則，先生之詩，又豈無故而作哉！是爲序。

中華民國四十有三年甲午大冬後學邵鏡人識於香港沙田山下村夢山樓。

長歌百句「續閒吟」

・彭楚珩・

讀四一九期自由人報，刊載余井塘先生「閒吟」三首，中有「九州同鑄錯，大地欲埋憂，縱有詩千首，寧非貉一丘」句，讀之凜然，感慨躑生，妥冠篇首，一韻續成，百句長歌，寫意而外，且以寬諸余氏閣員者。午入窗，陽氣似退，國破家亡，五內如焚，憂思無限，情自難已；故以純百姓之身份，作感時之臨詞，余氏達人，諒不我責，敢披露之。

『九州同鑄錯，大地欲埋憂，縱有詩千首，寧非貉一丘』?!植詞何酸若！寓意迥同愁。髮閒還覺世，竊然似諸秋。曲高闔和寡，涇渭不同流！言事忠有濟，言情語可稱，我續『閒吟』句，剌剌以不休。

一部華夏史，從無全民囚，今地成血海，今人餅爲羞，多嚼妻兒態，少闖強國謀，短綆難深汲，逐位爭上頭，兩三人如比，原不關宏猷，浸潤演薄俗，膏肓病難瘳！國士輕戴道，劣士私營求，滿風日日長，國運總悠悠！持以賀余子，倖乎也不倖?!

先民惠我厚，遺我好田疇，今民棄不守，糧賦縱匪抽，致令匪長大，鷄犬無復留！自身構奇禍，臨難投荒陬，頗有海東地，形勝岐山儼，艱著流離際，王道仰西周，獨夫誅牧野，河嶽一統收，放馬華山日，皓月籠金甌。余子勇於悔，言行即寡尤，三復余子句，九歌楚人謳，一行作吏者，虔禱躋其儔，莫讓一世宦，幾世變馬牛！

請爲余子道：請代籌一籌：故國雖陷匪，人心尚同仇；匪黨肆虐甚，生靈遭虔劉；匪黨搜括盡，餓李埋深溝；撫我即爲后，虐我便成讎；匪黨多矛盾，必刺匪之齒；髯茲炎黃冑，成我粹白裘；洗心復革面，崇德以正修；日上三竿竹，德進九層樓，漢儀能重見，端可復神州！余子有心者，順風揚歌喉，余子不惶惑，鉅力藏黔其，倏忽乾坤轉，力行莫夷猶，跨海西征日，我亦舞白鷗！

孔氏嘗有說：富貴如浮雲，余子年六十，幾經宦海游，今又飽憂患，更能肆遠眸。細流歸瀚闊，微塵附嶽崇。百萬狼與虎，莫縱深山投；百萬暨與彥，莫讓林下幽；成城糾衆志，剿匪鼓征舟，泱泱總大國，萬邦拜冕旒。

不忘

・刁抱石・

蓬瀛又過一年春。衣上輕灰履上塵。
布穀聲中哀大陸。不忘身是避秦人。

破陣樂

・王況裴・

正是銷魂時節。西風驚散棲鴉。
水底青天銜落日。天邊綠樹挂殘霞。
隔浦一帆斜。
萬里長風秋雁。飄泊又落天涯。
幾處啼烏驚落葉。扁舟明月載蘆花。
今夜宿誰家。

遊蘭若園

・伍澗三・

石徑烟林竹又遮。幾人漫步訪僧家。白雲深處鐘聲出。綠樹叢中屋角斜。四座香芬門外桂。一團清氣佛前花。禪床老衲談經後。滿牖松風聽煮茶。

語意學漫談

徐道鄰

這就是小說語文的功用。因爲它雖然用的是指示語句，但它使用的目的，不是在『報導』，而是在『評價』，雖然它並沒有太高的『可信性』CONVINCING——人人都知道小說裏所描寫的並不是確有其事——可是它影響讀者的心理和態度——使讀者對於某些事物，作一種有利的或不利的評價——因之却更爲『有效』EFFICENT。

所以小說語文，在表面似乎在『報導』某些事物，而事實上却是在作一種『評價』（不能發生這種作用的，就不成爲好的小說），雖然這些評價，讀者和讀者之間，可能大不相同。（讀過紅樓夢的人，有的歡喜林黛玉而討厭薛寶釵，也有的歡喜薛寶釵而討厭林黛玉）這就是因爲它所用的指示語句而不是評價語句的緣故。雖然它這個評價，有時候不太明白而確定，但是它可能正因爲這個原因，而使讀者對之才發生了更大的興趣。

小說裏所說的一切，固然不必一一皆實有其事，但是也不能和實際宇宙間的事物相去過遠，不然就要變成荒誕無稽的無聊文字了。人類之喜歡讀小說，不是在求了解某一種現實的環境，而是想體驗在某一種想像的環境之下的心理反應。——沒有戀愛過的人，讀一本愛情小說，就替自己建造出一個戀愛的環境，來嘗一嘗戀愛或失戀的滋味——人類有一種基本的性能，就是喜歡探討一切新奇的事物，以來練習他各種的適應能力。一個人對於人生中各種境遇所明瞭的愈多，他適應這種境遇的能力，也隨之愈爲充分。然而人們不可能、也最好不要有太多的遭遇——例如被欺騙，被陷害，被遺棄，親故死亡等種種不幸的遭遇——那麼讀幾本好小說，不但可以滿足他們一種心理上要求，實際上也是給他們適應實際人生的一種有用的、可寶貴的準備。一部好的小說，戲劇，或電影，在某種場合之下，其所發生的教育作用，有時遠比聖經，箴言，法律等爲高的，就是因爲它所給讀者或觀衆的這一種寄托性的經驗 RIGARIOUS EXPERIENGE，遠非聖經法條等所能及也。

（五八）

劍底秦庭

歷史小說

奚如

微姬雖然不能夠完全明白荊軻這一句話底更深的用意，可是，日中生活的體驗和市巷的傳聞却使她可以意會得到這一句話並不簡單，於是，茫然地抬起頭來，對着荊軻，沉重地吐出了一句話：

「大哥，你是說，太子會……」

「那是不可避免的事情。」荊軻露出了一絲苦笑：「他掌握着燕國人民的生命，自然也就能夠操縱我的生命。昨天他告訴了我許多關係燕國的秘密，也不外希望我能夠爲他施展效命；如果今天我忽然反悔，你想一想，一個以秘密武力控制着燕國政治的人物，會這樣輕易讓他內心的秘密就這樣毫無價值的洩漏嗎？只要我今天嘴裏說一句我不去了，明天很可能這個說話的嘴吧就會隨着我的生命而變成沒有聲音。自然，我也並不是畏懼一死，可是，與其這樣不明不白的死在別人暗算的手裏，何不讓我自己轟轟烈烈的去暗算一下別人？所以，我是不能夠不走的。此去如果託天之庇，說不定一旦僥倖成功回來，那時候，我的心願既了，你的仇恨以至千萬人的仇恨也報了；我也不希冀甚麼爵祿名位，爵祿名位也羈絆不住我，讓我們就像當年越國的范蠡大夫一樣，泛舟五湖，嘯遨林泉，或者歸隱到太行之巔，或者遁入綿山之陽，快快樂樂的渡過下半生，不也是一件賞心愜意的事嗎，微姬？」

「但願有這一天，大哥。可是這一天却是這樣的渺茫！」微姬的眼眶裏噙着淚水，也不知道是興奮的交集，還是哀傷的凝結。

「微姬，天亮了，我也得走啦！」荊軻抬起頭來，雙手輕輕地圍着微姬的腰肢：「漸離那裏去了？」

「他昨天到酒肆裏去，一直就沒有回來。」

「回來的時候告訴他，就說我三天之後再來看他。至於小荊巒……」窗子裏又是一陣一陣安詳的鼻息，透過窗欞，飄進荊軻的耳膜，就像一陣一陣尖刀的刻刺，不由得荊軻不踏着腳步，走進臥房，出神地凝視着那張[illegible]一樣的小面孔。

「這孩子……」荊軻的嘴裏，喃喃地不知道在說些甚麼。

「大哥，一切由我承擔吧，把他交給我，我要比自己還愛他。」微姬的聲音是沙啞的。

「微姬，大哥謝謝你！」

「大哥！」微姬再也說不出話來，軟弱無力地把身子倒在荊軻的懷裏，一瞬間的吻，一瞬間的擁抱，溶化了她那一顆凝結已久，又要開始更大底變結的心。絕望和希望在交織，愛與恨在交織，苦悶與甜蜜在交織，兩個人的身體正在交織着千萬縷的柔情……。

（卅三）

香港自由國片的外滙問題

・孫瑋・

不能不顧到生意經

（上接第三版）潘先生主張，自由影業，不能盲目爭取。但潘先生所提出的若干問題，不免太籠統而欠具體。試問自由影人的工作，應該怎樣才合尺度？要怎樣才可稱對反共抗俄有貢獻？影片內容又必須怎樣才合標準？有無固定的公式可以遵循？筆者認爲凡是反映自由生活形態的影片便是反共，誠如潘先生所說不須要影片成爲八股，喊口號，映標語。推而論之，不一定要以台灣建設等爲背景，才算反共。譬如秋瑾傳及碧血黃花等片，並非以台灣爲背景，你能說不是反共的嗎？並且商人製片，能全部注重宣傳，而不顧到生意經嗎？劇旨固然要適合國策，劇情則不能不注意賣座力。譬如台灣各報每天所登的電影廣告達半版以上，每段一公分收費七元五角，報社視此爲一筆鉅額收入。但會否因某部影片是反共的而免費刊登廣告呢？這是營業問題，報紙且不能因營業而免費刊登廣告，難道可以責製片商人，及自由影人，不計成本，不計收入，只做長期的反共宣傳工作嗎？

國片拍攝外景問題

潘先生又反對到日本拍外景，主張到台灣拍景。筆者亦不敢苟同。潘先生沒有注意到帶攝影器材及菲林到台灣的出入口問題，及補充的困難問題，變人員出入境的麻煩問題，更沒有注意到電影是第八藝術，它需要逼眞，要注意藝術，更要適合電影生意經，否則外國影業公司何需長途跋涉到南北極或非洲蠻荒地帶去冒險浪費拍片？寬拉克蓋博何需專到香港拍「江湖客」中的幾個鏡頭？而且新華公司此次到日本拍片在製伊士曼色彩，台灣有可能嗎？到日本拍片怎麼可說是替日本宣傳呢？筆者不只贊成國片能够到日本拍片，且主張能發展到地球任何角落去拍片，像外國公司一樣，庶幾國片能與外片競爭市場。

台灣的國片市場

潘先生說國片不能以台灣市場爲對象，而應向海外尤其南洋羣島華僑集居的地方去發展，這是對的。潘先生顯然不知道香港的自由國片早就這樣做，這裏可更具體地告訴潘先生，國片的市場台灣佔十分之三點五，新加坡佔十分之三點五，香港、菲律賓、印尼、越南、泰國以及美洲等地共佔十分之三。如果台灣這個地區不能負担十分之三點五，便不能收回成本，除非粗製濫造減低成本，但絕對不可能，且亦太可憐。至於說香港的國片來台與台片爭利一層，則更離事實太遠，不值得再加討論了。八月廿五日

（下）

（完）

×　×　×

自由人
THE FREEMAN
（第四七一期）
中華民國僑務委員會
頒發登記證台僑新字第一零二號
中華郵政台字第五〇〇號
執照登記爲第一類新聞紙類
（半週刊每星期三、六出版）
每份港幣壹毫
台北市售價台幣壹元
督印人：陳文華
地址：香港高士威道二十號四樓
3 rd. fl. 20 CAUSEWAY RD HONG KONG
香港發行及事務接洽
高士打道66號　電話：七四〇五三
承印者：東南印務出版社
地　址：高士打道六十四號
海外總經銷
友聯書報發行公司
香港：德輔道中二十二號A二樓
台灣特派員辦事處
台北市館前街五十號
台灣總經銷處
台北市西寧南路壹壹零號二樓
台郵儲金戶九二五五二

論英美的遠東政策

——應認識蘇聯強交弱攻戰略——

曾旭軍

昔日之暴秦以遠交近攻滅六國，今日之蘇俄以強交弱攻蠶食弱小，而企圖逐漸征服全球。所謂交，非徒玉帛締納之謂，而折衝樽俎甘言誘惑，亦謂之交。自第二次世界大戰結束以來，蘇聯何嘗動過一兵一卒而侵犯強大的國家。她專向弱小的國家，或未脫殖民地主義之羈的民族滲透與傾覆。她的計劃是先向抵抗力小的地方擴張，將其侵略成果在鐵幕內消化，同時繼續滲透，直至最後美國的華府成立「北美人民共和國」政府爲止。

美國戰略與蘇俄政策

此非危言聳聽，假如美國不改變現在的政策，一味求與共黨妥協，則越南、星加坡與馬來亞有突然全變赤化之可能。因爲東南亞自由人民對美國的信仰已起動搖，可能因怨而反走極端，或因失望而驟投其門戶。到了那時，美國若醒覺，不得不採取堅彊的膺懲手段，則世界大戰，終不可免，若仍沉迷不悟自私苟安，退出遠東，終遭滅於赤禍泛濫中。

目前美國以爲有了原子核子武器不必打零星小戰，以爲祇要大戰有恃無恐即可。在戰略方面偏重於機動性的原子防禦戰，過份仰仗原子反擊威力。到了危及本身生存時，才肯和蘇聯算賬，這種似巧實拙的「新孤立」戰略，正合蘇聯強交弱攻的陰謀詭計。

所謂「緩和緊張局勢」，乃自由世界一廂情願之辭句。共產黨絕不會放棄世界革命，這是絲毫不能改變的鐵則。那麼所謂「緩和緊張局勢」，無異於向共黨乞求苟延殘喘而已。試看在日內瓦一片樂觀聲中，蘇聯與中共加緊援助胡志明，胡氏甫自莫斯科返越，即在河內廣播電台大聲疾呼，力促印尼、寮國、南越、高棉等國之人民起來革命，這是蘇聯實行「強交弱攻」之一例證。

星洲的危殆情勢

據星加坡電訊謂：共黨騷擾星加坡，已發現其秘密計劃，英倫情報工作人員大批趕赴星洲，英廷亦正研究有關馬共活動之報告。這是一項驚人的消息。祇在數月前作最壞打算的人，猶認爲英國至少還可以擁有這個殖民地五年。但到了今天，縱然是最樂觀的，也會告訴你：英國可能被迫而准許星馬完全自治，縱然不是短期內獨立，但一兩年後，共黨極可能奪取政權，把星加坡變成了中共的附屬，和一個深入非共產亞洲心臟內的橋頭陣地。

這是對英國欲在東南亞求妥協的一個諷刺，其實此種急激惡化現象，是去年訂立日內瓦越南休戰協定產出來的惡果。今年三月，你可能有一種感覺，以爲星加坡是東南亞最安全和平靜的地方。除了少數政客以外，無人預料有迅速的政變。凡是目擊西貢、漢城或東京騷亂現象的人，回到星加坡時，感覺這是清潔有秩序而安全的都市。但不到三個月，突然爆發暴動，至今動亂未已，罷工風潮如火如荼。其實在去年簽訂了日內瓦越南休戰協定以後，鼓勵了俄共集團。中共奉命加派爪牙特務，滲透入星加坡，而星洲民心感到美英決之不積極保衛東南亞自由世界。尤其是對美國喪失信心，而共產黨乘機激烈的向華僑社會進行滲透，威逼利誘。一個星洲富商說道：「這裏的華僑可能不是共產黨，但不能再反共了。」

北越喪失的教訓

這種結果，非若干「商人政治家」所能預料得到的。一九五五年星加坡的氣氛好像一九四八年的上海，和一九五三年的西貢，在恐怖緊張狀態中。然而蘇聯頭目，卻在日內瓦進表演笑面。世界各地如癡如醉的說：「世界緊張局勢和緩了」。他們會想到星加坡局勢緊張到快要爆炸的情形麼？共黨要把某一據點進攻，卻必要令其他地方鬆懈，好像先麻醉人的神經，然後割你一塊肉，等到你覺得痛了，卻悔之已晚。這又是一個「強交弱攻」的例證。

有共產黨存在一天，便不能鬆弛一天。所謂「和緩緊張局勢」，正是共黨的麻醉劑。我今又舉一個例，在一九五一年夏季，那有「法國之麥克阿瑟」美譽的塔錫尼將軍，採取不斷的攻勢之戰略，動員了二十萬法越軍，配合了海空軍之廣泛活動，居然把局勢扭轉，不但穩定越局，而且給予越盟軍致命的打擊。不幸塔錫尼將軍病逝巴黎，美法對於越南問題所採取之政策保守而和緩局勢，沒有下決心一致作氣消滅越共。正在委決不下之際，東南亞共產黨之活動又變本加厲，以爭奪和平（地名）爲目的之大規模戰爭，終於爆發。法越軍不承塔錫尼的戰略，倉卒間失去主動。法越軍終撤退和平，爲使河內吃緊，逐漸惡化到去年的日內瓦休戰協定，將半個越南送入鐵幕的悲劇終告演出。

招降辦法過於天眞

另一個例，便是前馬來亞高級專員與最高統帥鄧普勒將軍採取嚴厲手段對付馬共。組織嚴密的情報網，迫使馬共蟄於日暮途窮。不幸鄧普勒將軍他調後，對付共黨又趨鬆弛。潛伏的馬共大有死灰復燃之勢。現在馬來亞聯邦政府提出大赦馬共之議。首席部長拉曼竟欲親自進入森林，以平民的身份和共匪代表接洽。倘若共方有誠意接受大赦條件，並願意回去中國大陸，政府任由他們自由出境，若不願意離境，政府遣送他們到另一地區，任由他們過着安份守己的平民生活。至於過去是否犯罪，政府一律不加追究。若馬共不接受此等條件，政府即動員徹底剿滅。這種招降方法，未免太過天眞。共黨決不肯放棄破壞工作的。對付共黨必不能作一勞永逸之想。一方面須以非共產主義的方法改善人民生活，一方面必須嚴厲肅清共黨特務。凡煽動華僑作共黨工具的人，必須將其遞解出境。送他返到他所謂「美麗的祖國」。我們看看香港情形，可不言自喻。本年星洲有一大批仰慕「美麗祖國」的人返大陸，不知是否當局有意「遣送」。但嚴厲制止滲透，實爲星洲至急之務。

星洲共黨橫行無忌

目前星洲已弄到共黨橫行無忌，華僑中學居然被共黨份子操縱，任意招集大會，組織政治研究會，出動學生支持工人罷工。而校長們因怕被人暗殺而噤若寒蟬。南洋女子中學校長被人潑硫酸。美國「世界報導與美國新聞」雜誌說：假如星加坡政府不改變政策，則數年後共產黨可以安然奪得政權。

星加坡人口一百萬，但華僑佔九十萬，其餘的係馬來亞人、印度人、巴基斯坦人、歐亞混種人，以及人數僅一萬七千的歐洲人。現在星加坡華僑力促星洲政府首席部長馬紹爾爭取華僑之公民權。按調查知識青年有一半係受共產主義所薰陶而受共黨份子所控制的。如不從輔導青年入手及驅逐破壞份子出境，則共黨可藉選舉而奪取星加坡政權。

共黨除滲透入學生外更滲入工會。現共產黨之勞工組織者控制着星加坡之工人凡七萬五千餘人。本來自一九四八年以來，共黨被認爲非法組織。但在去年十一月組成的「人民行動黨」，名爲左翼急進派，實際已變成共產陣綫。其領袖是一個受英國教育的律師，但事實上此黨爲共黨操縱下的學生和工人支持，該黨在星洲新立法局二十五個民選議員中佔有三名。自此以後，該黨聲勢及勢力突增。英國估計假如目前實行選舉，他們很容易獲得九席或十席。共黨雖然在選舉上可能獲得政權，但他們還不滿足的。不能緩慢的等候數年，而欲在冷戰中實行閃電戰。

先清共才有自治

僅在數月前，星加坡新選出之政府首席部長馬紹爾與英當局爭論他可以委派若干部長的小問題。突然變成廣泛的大問題，現在最保守的也被迫爲政治之理由而支持實行自治，——選舉在數月前祇有共產黨和他們的同盟才支持的。

在馬來亞聯邦反英統治的運動蔓延起來。英國的軍隊曾在那裏作七年的戰爭，是否無結果而退出呢？

英殖民地部長波德，最近和馬紹爾商議，准許在明年星洲派遣代表團到英倫討論修改憲法。試看有何改進？

今天的星馬迫切問題，不在自治而在清共，首先清共，然後才可以談到眞正的自治。不清共而自治，反爲共黨所乘。一旦淪入鐵幕，永淪爲赤色殖民地。共產黨以民族主義作幌子去併吞弱小民族國家。這是蘇聯十分積極進行的侵略。而其最適當，最有利，最忠實的工具，則爲中共。由此觀之，美英的遠東政策，當知所改善了。

日本重整武裝的前後

·胡養之·

【本報專稿】日本防衛廳最近通過一九五六年會計年度，日本防衛建軍計劃的監閱。防衛廳長官並已擬定一項建立民兵隊制度以從事地方的防衛及建立一個預備軍官團的計劃。

蘆田計劃與鳩山計劃

關於日本重新武裝的問題，遠在一九五一年韓戰節節敗退的時候，日本報紙便異口同聲地討論這件一向不敢公開提及的問題。開始是由日本前首相蘆田均提倡贊成實行新武裝運動，跟着就是民主黨議會響應，其他右派政黨也紛紛附和。保守派的自由黨，特成立一個重新武裝派，以鳩山一郎爲首領。鳩山原是被整肅的政客，不等到撤除整肅，便在佔領軍總部默許之下，積極鼓吹日本建軍。

結果蘆田計劃和鳩山計劃，數目字幾乎完全一樣。說日本有大海做屏障，無須很多陸軍，十五個師，即二十八萬人，已經夠自衛的用處。至於海空軍，蘆田均不肯說明。據報蘆田建議建立海軍驅逐艦隊，外加潛水艇六十至一百艘。空軍預備配有三千架飛機，訓練駕駛員九千名。他說這樣便可以保護日本海岸，不受蘇俄太平洋艦隊的侵襲。

建軍的障礙

但是日本人士對於建軍卻反響不同，吉田茂便是反對重新武裝的一個。不過據東京若干報紙的測驗，日本人民相信早日建軍的日益增多。這不是說他們贊成建軍，而是覺得重新武裝不可避免，內心恐慌。故反對的理由甚多，有痛恨舊日軍閥，傷悼戰時損失和畏懼原子彈的再落等等。反對最積極的是日本社會黨。他們說：日本於成立和約之後，獨立只有虛名，實際上仍是依靠別國。軍事上靠美國支持，國家就成爲美國的基地，軍隊也變成美國的僱傭。經濟上靠美國援助，對華關係就被打斷。況且和約上有「在一切環境之下都要協助聯合國」一條，日本的基地便可以被人假聯合國之名，不問日本認可不認可，一律強行征用。社會黨的口號是：「不借用基地，不重新武裝，沒有中蘇就沒有和約。」多數日本人認爲這類烏托邦的中立主義太不切實際。還有一個最大的障礙，便是當時的佔領軍強迫日本議會所通過的憲法。憲法第九條規定永遠不准維持海陸空軍以及其他作戰的潛力。美國政策特別是韓國戰事爆發以後，是獎勵日本人民對憲法半依半違。

（下轉第二版）

半週展望

·李金華·

中韓越聯盟

韓國第一軍團司令崔德新將軍，於訪問西貢後，二日飛抵台北。由美國返抵漢城的韓國駐美大使梁裕燦氏，亦將於本月莅台。崔梁二氏之赴台，任務如何未經宣佈，必將與自由中國當局有所洽談，自可斷言。李承晚總統遣崔梁二氏遍訪亞洲各反共國家，會引起國際外電頗多傳言，中韓越三國將締結軍事同盟，今崔梁同時到[illegible]。[illegible]此一新局勢，自然更加穩定。[illegible]中韓越締結同盟，雖尚在傳說醞釀中，吾人實希望其能早日實現。

中共玩弄美國

日內瓦會談判僵局，現已進入第六週，就現勢看，似乎要拖下去，拖到甚麼時候呢？很可能拖到下月的四外長會議。[illegible]「聯合國」[illegible]解除「禁運」[illegible]根據艾森豪以往的聲明，美國堅持要中共先放人以示誠意，再談其它問題。日內瓦[illegible]，卻認爲美國有再接受中共要求的可能。[illegible]，無疑又是美國再次對共談判的失敗。不過，即使美國接受中共若干要求，[illegible]示讓步，我看中共亦不會盡數釋放美僑[illegible]共的目的，是在儘可能地拖下去，和美[illegible]，使僵而不捨，以保持日內瓦的變相「外交」接觸關係。因此，吾人可以指出，[illegible]的會談，實際已變成中共單方面玩弄美[illegible]一種手段了！

中東糾紛何時了

中東情勢，在聯合國休戰委員會呼籲之下和緩下來，但埃以二國雖同意停火，未及一日又於邊境發生新衝突！

以埃的衝突，實際上只是近東與中東之一部份。

就整個近東和中東形勢來看，自法屬北非的摩洛哥，沿地中海東行到塞浦路斯島，紅河「東岸」埃以衝突的中心加薩區，正[illegible]「自決」和「邊境糾紛」的[illegible]」，卻遠在莫斯科！也可以說，這是今年[illegible]間亞非會議後的結果。

但，問題的核心，外電盛傳，埃及政府高級官員透露：埃及可能接受蘇聯自願軍火供應的建議。果眞如是，則莫斯科是不僅以好聽的[illegible]在隔岸觀火，且亦有意於火上加油！其居心如何，概可想見。

中東地區是亞歐非三大洲的樞紐地帶，這裏若有風吹草動，足以影響世界的和平，蘇俄蓄意打擊西方自由國家，製造緊張局勢，自然要儘量利用中東的糾紛。蘇聯鼓勵中東，已非一日，今後中東的緊張恐將有加無已。

中共的「疏散」與「鎮壓」

赤色大陸的動亂是愈來愈緊張了！中共面對如此激烈的反共活動，再度展開了強迫疏散和鎮壓，但就目前情況來看，顯然是失敗了。

大城市人口密度增加，是由於農村普遍饑饉。中共強迫人口到饑餓的農村，人潮卻在中途迂迴於過境的其他城市裏。百姓一說：寧死！也要餓死在城市裏！因此，疏散不過是迫人潮一波一波地，從這個城市湧到那個城市，來回地洶湧而已。

大陸的災難，是中共製造出來的，基本原因在虛僞浮誇的工業建設，壓迫農村，經濟，使饑荒擴大蔓延。因此，「北京」雖以充滿焦燥不安的情緒，發出野蠻，要幹部們注意如何鎮壓「下盟」，結果還是無濟於事的，非根本推翻中共政權，大陸決無安寧的日子。

蘇聯對中東的和平攻勢

從商業文化各方面進攻
中共大批購埃棉的原因

【本報特稿】共產集團的和平攻勢對於中東各國所發生的影響，現在很值得西方國家的注意：

最近美國一位新聞記者曾詢問埃及總理納瑟，『閣下肯接受美國邀請前往美國訪問嗎？』納瑟的答復說：『時機還沒有成熟，美國若果肯給予埃及二千二百萬人民以極大的援助，我可以到美國去。』

這是好幾個禮拜以前的事，可是上禮拜，開羅電台忽然廣播說，『納瑟已接納蘇聯請柬，明春訪問蘇聯。』又報載，明春布爾加甯前往印度，將道經開羅，在開羅停留一個短時間。

納瑟的態度爲甚麼會這樣呢？原來蘇聯利用中東人民對於英美的宿怨，展開陰險的微笑攻勢，並允許和埃及通商，和給埃及以中立的軍事援助，納瑟認爲有利可圖，便自然和蘇聯敷衍了。蘇聯的微笑攻勢，不僅指向埃及，也指向其他中東各國。蘇聯允許給阿富汗以經濟援助，又延請伊朗國王和敘利亞國會代表到莫斯科訪問。

蘇聯爲討好回教國家，她在聯合國方面，總投票反對以色列，並設法改善中東商業關係，訂立商約，交換球隊和運動隊伍的訪問。在文化方面，蘇聯把芭蕾舞隊和電影分送到中東各國，用以增進交誼。

蘇聯再吩咐中共，大批購買埃棉，數量達到一萬四千三百〇五噸。開羅報紙戲說，這一批交易的價值達英鎊一千二百四十萬鎊。納瑟感激之餘，建議延請蘇聯參加蘇丹總選的國際監察委員會。同時又斥責英美，說他們設法轉移蘇丹的民意，主張蘇丹獨立。

共產集團對埃及，盡量發展外交策略，無微不至，例如本年夏納瑟從萬隆回到開羅，蘇聯駐埃及大使親自跑到機場迎接。納瑟下機後，蘇大使奔前擁抱納瑟，並用阿剌伯語說了好些恭維話，西方各國使節卻沒有一個人到機場。第二天，埃及的政府喉舌報，便猛烈攻擊西方國家，說他們不懂外交禮節。西方各國對於埃及，便更加疏遠了。

美總統艾森豪覺得對埃關係惡化，現擬派副總統尼克遜訪問埃及和中東各國，若果成爲事實，那是一九五三年國務卿杜勒斯到中東後的第一個重要措施。

中東不僅有豐富的油田，更有五千多萬信仰回教的阿剌伯人，尼克遜中東之行，是不容緩的。西方各國應該加緊注意和中東的關係，不要讓蘇俄的和平攻勢發展更深的力量。（取材美國新聞周刊）。八月卅日

台灣教育雜談

官立學校多現官僚氣
解聘教職員引起風波

李世元

【台北通訊】自由中國的教育事業，年來有許多新的改革，也有許多值得稱道的成績，但筆者本文所要報導的是些令人不滿意的現象，並非筆者有意挑剔，乃是吾人要不自滿，要警惕，要不斷求進步的意思，揀好的來說，歌頌昇平，此非其時也。

說到不滿人意的地方，實在也還不少。例如：假補習學校之名斂財自肥者有之；掛着「×××學院」招牌，募集學生，騙學費者亦有之。令人嘆息的地方要多過令人頷首的地方。

今日的台灣學校，除了少數私立學校外，大部份都是國立或省立公立的。這些學校的校長教職員都是比照公務員待遇，概由政府委派，核定薪級，生活安定，自是好處。但亦因此而走上官僚化的，學校當局甚至自視爲學官，視教員爲幹部，視學生爲羣衆的。其中尚有在政海裏翻個跟斗之後，再跌入學校陣營中的，仍然頤指氣使，官氣十足，儼然與公卿相侔。又有幾家出租禮堂，或以禮堂供演電影及話劇之用，藉此賺錢，增加收入的。這是非私立學校令人慨嘆的現象。

自然私立學校，從幼稚園到專科學校，也很有些商業性質濃厚，校長如同經理，日唯持籌計算，務以營利爲目的者。

以前，私立學校和專上學校外，中等以下的學校教員多由政府委派，在這種制度之下，教員生活得到較大的保障，但有些教員因此安於固常，不求改進，學生水準因以低落。最近，省教育廳有見及此，通令各校教員改由校長聘任。但一法立一弊生，若干校長也就趁機大事人事更動，夾袋人物全部出籠，平素缺乏「交情」的教員，也就不免被擠掉了，這現象可說是新制度一個好的開始。

台北某職業學校，最近停聘了十位教員，而這些教員，並不是教學經驗與成績都很差，於是他們推派代表，到市府請願，又到議會請願，市長雖允設法，現在還沒有下文。

同時台北市某中學的校長某某，也一口氣停聘了十八位教職員，其中有的是模範教師，眞所謂良莠不分，是非不明，去留毫無標準，說有，祇是同鄉或同學的私人關係。

這些被解聘的教員，也曾到市府請願過，市長照樣允爲設法，但看情形也不會有甚麼好結果的。

總而言之，教育的問題，不完全是制度問題，人的因素，關係很大，如果沒有實心實力，專心致志教育的人，制度如何改革，都不會有結果的。觀此兩事，我們希望教育當局對於辦教育的人選，要特別加以注意。（八月廿五日）

·馮盧·

動盪中的阿根廷

易敏子

八月卅一日，阿國政局再度呈現不穩現象，貝隆總統因此提出辭職，翌日，又發表激烈演說，表示將予政敵以嚴重打擊。半年來阿國不時發生政潮，各方報導頗有紛歧，爰再刊本文，藉供讀者參考。——編者——

貝隆在未獲任阿根廷總統前，原爲阿政府的一個部長，且在一次「政爭」中遭拘禁，以得全國勞工界的擁護，要求政府釋放，隨在大選中，打敗一位以親美著稱的政敵，獲任總統。

貝隆之所以對美國不表好感、據說亦因那次大選中，美駐阿大使館，曾作不利于貝氏的宣傳，政治恩怨，結果影響到兩國邦交。

貝隆的五年計劃

貝隆就任後，訂定一套「五年經濟建設計劃」，並組織一個勞工黨。當時因他的夫人在政治上活躍，貝隆的執政黨在阿國上下兩院，佔有絕對優勢。

貝隆的「五年計劃」，主要在推行勞工法案；社會保險；關稅管理；普及教育；修建勞工（平民）住宅，以及獎勵外國移民的移入等項。頗能按步就班，力求實現，成績也很不錯，對收回外國人投資的交通事業方面，貝隆政策，大得人民贊助。蓋阿國的鐵道，原由英人投資興建，現在已全由阿根廷政府或阿國私人組成的投資公司以一億五千萬金鎊收回。其他由法人、美人所投資的各項交通公用事業，也已完全收回。其中美人投資的電話，是以一千一百萬美金收回的。

貝隆與天主教

不過另一方面，貝隆是個「獨斷專權」的人，加上他的黨人急切近利，遂使多數酷愛民主自由的人，對他有非難的批評。此外，由於貝隆夫人生前對政治的狂熱，引起原屬西班牙世家的阿國人不滿。因此，她逝界後，貝隆在國中的人望反因此而小有所得，不過，在政治活動上，貝隆已失去了一個「賢內助」。

阿國人對宗教信仰的自由本是很大的，天主教徒在阿國最多，對社會的影響力也最大。貝隆本爲天主教徒由於他敢作敢爲，和貝隆夫人在世時的「大胆」作風，漸爲教會所不滿。據說，貝隆夫人的葬禮，爲教會所「杯葛」，以至造成貝隆與教會的不睦！

世界第七大城

阿國首都布宜諾斯艾利斯，有西半球巴黎之稱，被稱爲世界的第七大城，在全世界拉丁國家中，僅次於巴黎。全市人口三百萬，連郊區人口計算，共五百萬，全阿工業百分之七十五亦集中於此。因此，它不祗是政治的中樞，且爲經濟文化和交通樞紐。

照發展計劃，此城將建成爲一個大布宜諾斯艾利斯。這個南美的第一大城，現在已變爲南美最多糾紛的城市了。

阿國的將來究竟如何？便要看貝隆及其黨人今後的抉擇及其努力如何而定了。

日本重整武裝的前後

·胡養之·

（上接第一版）

美國人說該條約規定，是爲防止日本成爲威脅性的勢力，可是日本天賦的有自衛的權利。無論如何，大家承認，要日本恢復亞洲兵工廠的地位，必先修改憲法。修改憲法，須議會以三分之二通過，然後由全國人民投票，以過半數通過。

憲法之外，又有經濟阻礙。日本需要廉價的原料，新的技術，和以後繼續訂貨的保證。製造軍火的基本條件，是更多而更廉賤的炸藥。日本軍火工業人士因爲酒精和其他原料代價過高，日本製造炸藥，成本比美國貴百分之二十。又因爲戰後破壞工廠，要投資二十億日圓，才能夠把炸藥生產提高到供足需求的程度。

五年計劃與八年計劃

前年，日本的經濟團體協會國防生產委員會，畢竟接獲了美國陸軍當局的通知，調查全國當時和將來的軍火生產能力，已經分別向美軍遠東總部軍火處及日本政府提出報告。該項報告，係關於日本以後三年之內，所能製造的是些甚麼武器？另外一次報告，內容包括建議推行一份五年和八年重新武裝的計劃，經費大概每年十億美元，預備由美國支付一半。

五年計劃的內容要點，由日本政府國家安全廳長官木戶德太郎宣佈，目的是以試探社會上的反響。依照該項計劃，日本將次第建軍，直到一九五八年預定有保安部隊二十萬人，海岸巡邏船艇二十五萬噸，包括飛機母艦五至十艘，空軍預備保有飛機一千五百架，其中一半是噴氣機。

另一項八年武裝的秘密計劃，經費預定爲八十二億五千萬美元。其中美援是三十六億六千六百美元，包括直接援助和由日本訂購軍火的代價。日本政府的生產委員會預料到八年完成的時候，即是一九六〇年，日本可以有陸軍八十萬人。海軍和空軍，實力也相等的擴充。因此，日本政府的專家們希望美國於本年內予日本以十億元的援助。以後逐年遞減，到一九五九年僅需五億元便够，一九六〇年則祗希望得一億五千萬元。

承造軍火的種類

日本軍事工業，於大戰結束的時候便停止生產。機器也被佔領軍當局下令破壞，即使僅存的也嫌陳舊失修，好在一部尚屬完整。據說一九五三年所接的美國定單值五千二百萬元，承造的軍火種類，主要的是迫擊砲彈，其餘有迫擊砲，一〇五公厘和一五五公厘口徑野砲，火箭，火箭砲，機關槍零件，刺刀，手榴彈等類。這些軍火，是移交與美國裝備下的日本國家安全部隊。傳說一部軍火在美國軍援計劃下已送給台灣。

去年生產軍械和軍火值一億三千萬元，今年和明年，每年約二億二千萬元之譜，這些都是直接美國定單所代製的，爲日本自己製造的還不在內。日本軍火工業人士，深信本年內能夠製造槍彈八千萬發，迫擊砲彈二百萬發，野砲砲彈一百萬發。又步槍一萬五千枝，卡賓槍一萬枝，機關砲五千挺，巴珠卡平射砲一萬枝。目前日本軍事工業，注重製造炸藥，小型槍枝和大砲，把戰鬥機、轟炸機、電導飛彈、軍艦、和原子彈留待明年再製造。

日本官民都相信，美國願意盡量恢復日本的軍力，是要日本逐漸負起本國國防的任務，以免美軍長期在美日安全協定之下駐軍日本保護。由于日本爲共產黨在遠東擴張的主要目標之一。所以日本的軍火工業巨子都認爲建軍刻不容緩，並且相信如果按照計劃而排除政治和經濟上的種種障礙，那決不愁不能把日本變成亞洲的兵工廠的。

北非大動亂

·敏之譯·

在北非的熾熱沙地中，回教徒們的激烈民族主義正與堅不放鬆的法國殖民主義發生正面衝突。摩洛哥部落土著屠殺了數百歐籍白人，他們自己也被法軍保安部隊殘殺了數百。雙方都沒有顧到使無辜小民避免這場慘禍。

這個流血動亂在性質上雖然是局部的，但其影響卻遍及世界。主要問題是：什麼人應該做摩洛哥蘇丹？法國的傀儡呢，還是摩洛哥土著自己所推選的領袖？在這問題之下，還有一段更強大的主潮在激盪着，這是法國人的帝國光榮，和摩洛哥的獨立要求。在這混亂的局勢中，法國雖將現代的進步甚者摩洛哥這片貧瘠的土地，但它的做法卻已成爲落伍，而摩洛哥這落後民族的願望，已獲得一切目光遠大的人的同情。

摩洛哥所發生的屠殺，法國政府的躊躇不決無疑是其所以產生的原因，總理福爾爲這慘劇所震驚，正力謀補救他的前任所遺留下來的不可避免的損害。福爾的微妙問題，是如何在摩洛哥激烈民族主義者與法國的激烈殖民者之間尋找一條中間路綫。對法國殖民者來說，他們的唯一對策，便是不顧一切的大施鎮壓。法摩雙方的溫和份子，都已準備採取折衷辦法，可是暴力活動卻掩沒了他們的聲音，一切都被極端份子所操縱。福爾的辦法，是典型的圓滑或客面面俱到的途徑，他一面採納了勇敢的摩洛哥總督葛蘭伏的溫和建議，一面又對懸狠的犧牲了葛蘭伏，就目前情形而論，法摩雙方似已是有和解的希望。福爾的計劃是允諾雙方都不取得摩洛哥蘇丹的王位，而改設一個三人攝政委會，另組一個臨時摩洛哥臨時政府，摩文黨都派代表參加，連現在仍屬非法組織的民族主義獨立黨也可入閣。

不過問題並未就此解決，福爾計劃的實行時間仍是一個主要關鍵，如果葛蘭伏先下台，而現任蘇丹阿拉發暫不廢位，民族份子聲言必將再行暴動；而如果阿拉發先廢位，葛蘭伏暫復了職，法國殖民者又表示將再度發動他的「白色恐怖」。現在葛蘭伏已經辭職獲准，當前問題是阿拉發是不是將立即遜位。

這樣的解決辦法，其困難是在並不能帶來和平，而祇能造成短時的緩和，並將最後解決加以延擱。摩洛哥一個法國官員曾對此表示憂慮，他說：「這個地方，仍隨時可能發生全面性的爆炸。」

在這個局面，美國和其他盟國都陷於矛盾狀態中，不知應該同情那一方面。不過這些國家的抉擇，不是不顧阿剌伯人的做法如何激烈而仍支持他們的願望，或不顧法國人的行爲如何卑鄙而仍支持他們；而是沒法尋覓兩方的溫和份子，並加強支持，而使大家都有利的結果。仍然這溫和的勢力存在，才是北非的一綫希望。（節譯「時代週刊」）

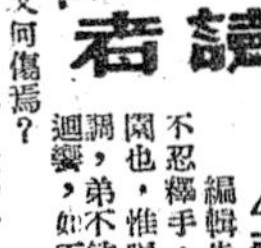

△蕭立坤先生來函

編輯先生：每次接讀「自由人」把玩不忍釋手，「自由人」固我華人之海灣公園也，惟唱而無和，雖陽春白雪，亦感單調，弟不敏，謹追隨馬五先生之作萬里迴響，如不以明日黃花見棄，當按時奉上，片言折獄，又何傷焉？

讀八月十日左舜生先生「昔日戲言身後事，今宵都到眼前來」！」舜公不樂，如將拙稿「區域主義」一覽，或將啞然一噱也，弟不敏，惟愛我中華民族，未敢後人，大旱，求神，大旱，向天開砲，其爲降雨之目的，一也，聚衆求神，萬足踐踏塵土，使塵粒飛入雲中，作爲雨滴核心，因而降雨，不亦妙乎？不亦妙乎？

馬五先生近幾段自由談，價值萬金，五體伏地！再拜致敬！

即請

撰安

弟立坤　八月廿四日

△靜觀，孫璋，養之，瓊，丁辰，文鑑，張髙懷，丁治縣，雪堂，諸先生：承惠稿均已一一收到，至感謝！

專載

論大陸淪陷的教訓與反攻復國志氣（一）

——與黃震遐先生書

·胡秋原·

震遐吾兄：

今年四月先後接兄兩函，雖短札，啓發甚多。以編拙集，又校「中國文化」上卷稿，未復爲歉。現拙集編竟，草此率答，並乘便一言近來感想。此信寫完，將全力趕寫「中國文化」中卷。縱此生於國無所爲力，弟亦必將此書中下卷完成，況胸有成竹，難關已過乎！縱貴社有變更，弟亦必設法自費印之，此當可無負兄囑者也。

諸葛亮之正議

兄云：美國人對心理作戰外行，台灣自去春以來，對海外吸引力日弱，第三勢力則已成絕響。過去有此，亦多少表示一種創造力。而中共統戰，則無孔不入，無所不用其極，遂使兄等有孤軍作戰之感！弟想今日低氣壓，原因自是三方面的。去秋日內瓦會議後，國際形勢之冷流，一也。自由中國本身之光力所積不足，二也。兄次函所云，近數十年知識份子之精神不足，而青年僅有之國之經驗，三也。然此沈滯時期，正應樂死戰之時。弟書完後，當前來爲兄等之援也。近聞有羅某者，到處呼人向中共「投降」，此人平時尚自負，竟一身降晉耶？然此使弟想到諸葛亮，拙作首卷始倉頡，中卷始諸葛。以爲三國之爭議，乃士族鬥爭之延長，亦原則與權詐之戰也。按劉備死後，曹丕使王朗等致書孫葛，勸他「投降」。諸葛作「正議」曰：「昔項羽起不由德，雖秉帝者之勢，卒就湯鑊，爲後永戒。魏不審慮，今次之矣。二三子各以耆艾之辭，承偽指而進書，有若崇竦稱莽，亦將偪于元禍苟免者耶？昔世祖創迹，奮羸卒數千，摧莽彊旅四十萬之衆于昆陽。據道討淫，不在衆寡。孟德以其譎勝之力，舉數十萬之師，救張郃于陽平，僅能自脫，深知神器不可妄獲，感毒而死。子桓淫逸，繼之以篡。縱二三子多逞蘇張詭靡之說，奉進驩兜滔天之辭，所謂徒喪文藻，煩勞翰墨者矣，大人君子所不爲也。軍誡曰，萬人必死，橫行天下。昔我軒轅氏整卒數萬，制四方而定海內。況以數十萬之衆，據道而臨有罪哉？」

我想這段話及後來出師二表，是自由中國政軍之士應該書于左右，而香港朋友可以類似之意答覆羅某之流的。況今日毛周之類實覆國殘民之汗奴，又莽操丕所不屑爲；而世界大勢，又非當年蜀漢彈丸之地所可比擬乎？

中國文化與自由世界

弟想略談對今日局勢之基本觀點。自大陸淪陷後，中國問題自只能在世界中求解決，亦必成爲世界問題。蓋中國失去自己地盤，對抗俄國這一大物及其系統，不是潰散的中國人所能獨立解決的。而大陸之淪陷，亦世界均勢之破壞，終將使世界大衝突無可避免。蘇俄不能征服世界，亦不能征服中國。然問題解決之始末，則在中國人與中國文化也。弟深信共黨必敗者，即中國五千年的文化潛力，非中共所能毀滅；而今天全世界自由運動，非俄國所能抵抗。自由中國政府、人民、和智識份子，就要作這兩大縱橫世界之樞紐。艾契遜曾說，「無論中國在最近將來處境如何悲慘，無論此一偉大民族之大部人民將如何慘遭一切以外國帝國主義利益爲前提之政黨所控制，但其固有之深邃文化及民主性個人主義，終將重行發揮其力量，而將此外來桎梏，擲還無餘。」這與最近兄引港督「我不能想像一個具有悠久文化傳統之民族會被俄國粗野文化所長期支配而不知恥」之言，都是對的。在政府軍事失敗之後，支持一個無形中國者，實靠中國文化之潛力。然要此潛力發揮作用，還要自由世界對俄帝發生衝擊力。今日大陸上共匪內爭及民衆反抗，實皆中國文化潛力之作用。然必有更決定的衝擊，才能有更大的作用。中國問題之最後清算，仍將在于大陸，不過動力、智慧，則是要自由中國（台灣海外）供給的。弟以爲我們愈能了解此點，才愈能作有效的事。此其一。

大陸之所以失陷，以及今日世界和我們所遭遇的困難，實在是一個問題；即俄帝乃乘新舊時代之青黃不接而起者。自由世界自由中國準備未完成時，俄帝及其工具搶先了一步。美國未準備好，俄國準備好了，我們未準備好，中共準備好了。此刻現在，我們有治標問題，有治本問題。二者原不能分，然百年以來，我們最大之失，是忙于前者爲多，後者爲少。今後再不由標本兼顧，即使俄帝解決，中國還是不能馬上安定進步的。我們愈了解此點，對國家愈爲有益。此其二。

論國際現勢與美國

以此觀點，看國際形勢，弟覺得總算不幸中之大幸。蘇俄雖囊括了東歐東亞，美國勢力亦在伸張，北歐、西歐、南歐保住，中東也保住了。韓戰後，自由中國安定，南韓漸強，德日漸起。越戰停止後，北越雖失去，然南越也有一基礎。年餘以來，好像俄帝和平攻勢頗有成就，尤以四巨頭會議後，美共談判，使人覺得可憂。然究竟俄帝被迫採取守勢，美俄不能妥協，德國終將復興。至所謂姑息主義，畢竟是舊殖民地主義之變相，終將隨殖民地主義之沒落而沒落，而舊殖民主義不絕，反俄之意義亦不充分，所以即使攤牌時間要移遠一點。但一個新世界之出現也許更圓滿。反攻也許要延期，但我們有更好準備成才能使新中國更爲備功。況這時間也不會延得太遠乎？今天說到自由世界，當然首爲美國。今天要阻擊蘇俄，幸有美國。在這一點，他必能自己打算。然美國領導一個新世界之事，弟漸不存此想。因此，弟對她亦不甚失望。弟素信美國在文化上已有一新的開始。這幾年因歐洲移民，蔚成其大。但是，她的專長究竟在實用技術方面。最近「生活雜誌」說美國產生不出愛因斯坦。也指出美國社會和政府的原因。美國能否在實用主義之後產生一個更新哲學呢？我看在最短期間是不可能的。美國也不會有一歐亞並重政策的。歐洲因有成千成萬的人在那裏著作講學，而亞洲人則沒有同等努力和便利。這是美國難於了解亞洲的大原因。因此，美國對亞洲之援助，是有一定限度的。總之，美人雖言「全面」「全球」，重點總是技術的，歐洲的；即有伸縮，不會有根本改變。亞洲人宜明乎此而準備，自己更多努力，以補其偏枯。況且，如亞洲人不能自助，美國又何能爲力呢？軍援，經援，技術援助可留之于美國，但這也要與之配合，而在政治上尤其是精神上亞洲人是應該力求有所貢獻的。最後在思想上領導亞洲人者，還是亞洲人自己罷。以目前而言，好不到美國援華反攻，也壞不到美國承認中共，斡旋現在與將來，在中國人自己，愈了解這一點，我們才能作有效之事。

港大預科國文課程批判（上）

·曲齋·

暑假期內，使我有機會看到港大預科新編國文教材的目錄。我原是以教書爲職業的人，對於這一課程頗有些意見。（港大預科，即英文學校第六班共兩年——編者）

這一課程，規定在兩年時間之內教授完畢。第一年，選文五十五篇；第二年，三十三篇；共八十八篇。規定參加初級考試的，僅以第一年教材爲範圍，但高級考試，必須兩年教材全考。教材內容，一部份屬於文藝性質的作品——包括散文、詩、詞、戲曲之外，大半是學術史或思想史上的材料——包括五經、諸子及一部份學術論文。我對於這個課程的意見，大略可分三點來說，就是：一、這是一個不能教的課程，二、這是一個不易學的課程，三、這是一個不切實用的課程。

不能教的課程

（一）爲甚麼這課程不能教呢？我們知道，大學預科的國文課程，普通只能就資深的中學教師中物色師資，全部由一個人担任教授，在香港，雖說有很多失業教師，但確實勝任愉快的，恐怕並不多，對於這一課程能勝任愉快的，恐怕就更少了。普通大學文科畢業的學生，很少有專治一門學問的，即使有，懂得易經的，卻未必懂得尚書；或者都懂得五經的，不一定兼懂詩、詞、戲曲。而且懂得與教得，又是兩種不同的本領。兼有此兩種本領的人，又要他對學術史，思想史，以及文藝中的傳奇、雜劇、理論上的欣賞、批評，全都頭頭是道；像這樣的人，不是絕無僅有了麼？因此，嚴格地說起來，這實在是一個不能教的課程。

不易學的課程

（二）爲什麼這課程不易學呢？撇開第一個問題不談，假設我們確實可以物色到勝任的師資；但目前中學畢業生的國文根底如何呢？就我所知，他們能不靠註解，讀懂唐宋八家古文的，就十人中找不出二三人。又假設有資格讀這一課程的學生全是這十人中的二三人，這課程仍然無法完全學好。首先是時間太短促，他們的根底太淺薄。讀尚書、易經、詩經，要明瞭古音古義，要翻類書，查字典，又要讀註疏，今天我們教他「粵若稽古帝堯」，明天教他「見龍在田，利見大人」，後天卻來一下：「話說孫行者登上雲頭，用金睛火眼一看，看見南贍部洲上有一團妖氣……」像這樣匆忙雜亂的學，不是非常地不近情理麼？眞正有個天才學生，也會給我們扼殺呢！

不切實用的課程

（三）何以見得是一個不切實用的課程呢？既然叫做大學預科的課程，也就是說，那是進入大學之前必需的準備課程。我們承認：每一個中國籍的大學生，在他進入大學之前，必須把本國文字打好一點基礎。但，目前的課程卻不能具備這一作用。我們所謂文字基礎，大抵指他能夠閱讀普通的書籍，和可以寫作普通應用的文字以發表他的思想或意見，這些都屬於「文」的範圍，是一種能力的訓練。但這個課程的內容大半屬於「學」的範圍，偏重在知識的灌注，即使這些學生進大學後全都選修文科，這個課程仍然須要修改。我們也承認：能文的人必須積學，但必須是有助於行文的學，而不是一些呆板枯死的古董。一個家庭中只須有衣食坐臥的家具可供應用，卻不一定要幾件殷周的銅器或阿房宮裏的馬桶，才活得下去。就我所知，港大分醫、理、工、文四科，以往學生選修文科的百份比，只有百份之九十。在預科階段裏，我們一定勉强將來選修理、工、醫科的學生去讀易大傳或漢書藝文志序，是不是毫無實用的價值呢？

或者有人要問，爲什麼會編出這樣一個課程呢？我以爲可能錯綜地具有下列的幾種原因：

英國人自充內行

因爲這課程是港大預科的，以英國人傲岸自尊的習慣，再加上「港大」那種巍巍然的神氣，可以推想，一定不會假手於中國人去編定的。我也知道，曾經有過不少外國的漢學家，但，其實是十個中有九個遊客串的條件也不夠的。他們只可算化裝舞會中的角色，外表上大致相像而已。但愈是這樣的人愈要充內行。不是我怯氣，就這個課程看，中國人可就沒有這種胆量。如說眞有一位外國教授，學通了五經、諸子，以至於訓詁學、考據學，及詩、詞、雜劇、小說、傳奇，那便不免是欺人之言。普通外國人學漢學，大抵也祗能在一較小的範圍內作較深的研究。像這樣泛濫廣博，無所不包的做法，必定是費力不討好的。縱有所得，亦將是極其皮毛的。世界上惟有皮毛家才可以目空一切，原因是他不會認眞在學術研究上吃過苦，所以只求把目錄弄得堂皇冠冕一些，當作一種陶醉。

中國人不作主張

上面所說英國人不肯假手於中國人，那祇是指決定權而言。很可能也曾經徵詢過一些中國人，港大和教育司，本來便有不少中國人在那裏供職，而且這些人絕不會都是外行的人。但他們可能都有一種微妙的心理：（一）自己不肯承認雜學，免得被指爲淺薄。（二）不想同外國教授抬槓，落得不負責任。加以這些先生們平時在洋上司面前說慣了YES，無論好壞，一律YES到底，YES得多了，洋教授遂以爲中國學問他已全懂，態度也愈加傲岸，這一來，就更加無人敢在他們面前有所主張了。

經濟社會思想叢殘（五五）

金伯華

用白話加以翻譯，就是說：全國人民大家各各分工做事，各守分限，而關於產品財富的分派，則必須以仁愛爲主，按各人所做事情的大小輕重以作唯一標準；倘有不合於「事理之宜」的情形發生，即按照這個標準——義——而加以制裁。這樣以工作爲準，以義理爲衡的一種組織，一種制度，如能予以推行，則國家沒有不富强的道理。讀者或將以爲我對於禮記這段話的解釋，未免過於牽強附會嗎？不——請看我下文簡單的陳答：

經濟水平綫的建立——合作

廣東人好像喜歡把「錢」叫作「水」。全國的習慣，都說「錢的來路」是「財源」；或說「沒有了錢」是「乾」，是「涸」。這一個譬喻是很恰當的。人之於錢，猶魚之於水。那末，水有大有小，有山洪，亦有海潮。這其中，除了全憑勞力，「鑿井而飲」以外，還有不可知，不可預料的機運存乎其間。你「財運」好，買中了獎券，發了大財，誰都不會對你不服不平。這在英國人叫做「機會均等」，誰也不會埋怨，不會向你「鬥爭」。「財寶如潮，過之者富」，好像沙士比亞就這樣說過。所以「財源」有二：一是勞動（包括身體勞動與精神勞動），另一是機會。機會是靠碰的，不屬於學理範圍，不必置論。這裏先談一談勞動應有的利得。

我們不是說嗎？無論利息也好，地租也好，工資也好，都是資本家，地主及工人間一種相互的交換。然則，依最新最進步的經濟學說，如同瓦拉士（WALRAS）及龐達勞義（PANTALEONI）等主張，假定在一種絕對自由競爭的制度下，而又把已經算在生產成本之內的利息除開，則所謂利潤，必等於零。換句話說，在公平價格的正常交換下，各人各沒有任何利潤，或各人都各有他自己心裏所估量的利潤，那完全是一樣的結果。這個說法，絲毫沒有值得驚異的地方。因爲，在自由競爭的制度下，買價是必然與成本符合的。這是經濟學上大家知道的一個公式。不然的話，買賣將很不易成交。

這一種對於利潤的否定論，並不是就說在一切社會中，事實上，確沒有「普羅非」（PROFIT）這個東西的存在。不過一般所認爲普羅非的，是在交換關係中，圍繞着某一固定基點所發生而永不寂止的各種不斷的波動，在這概念裏，利潤正是如同海上的浪濤。「海水無風三尺浪」。所謂「海不揚波」，只是說波浪不高，並不是說絕對沒有波浪。可是科學上都承認有「海平面」或「水平綫」，以作爲地面上測量一切高度的基準。

在自然科學中既然如此，難道在經濟社會中，假使改自由競爭爲互助合作，就永遠不能完全實現一種「均勢」，使「利潤」這一個社會的病魔，目前世界人類尖銳對立和殘酷鬥爭的禍根，不再有立足的餘地嗎？

我們決不絕望。我們是樂觀的。因爲現在世界上已有幾億千萬的人們——合作主義者——堅決相信有廢除利潤，建立經濟水平的可能，而且自一百多年來，經他們努力實行，已有斐然可觀的優異成績。只須各國政治家能夠體認這個道理，加以倡導，則成功必將更速！（全文完）

做官的ABC

馬五先生

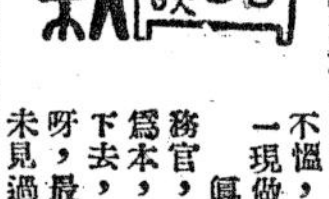

這兒所說的「做官」二字，是以一般有心爲善，眞想做事報國的新人新政爲對象的。至於那些「事長官如奴，民過客如妓，論人民如開山老祖」（袁中郎語）的官僚人物，不在此自由談之列，理合聲明，免淆視聽。

凡屬有心爲善，初入仕途的官兒，大多數都有一股自命不凡的氣概，總覺得自己是了不起的角色，他的人生觀，原本沒有官僚主義的意識形態潛在着。可是，因此就犯下了一種大毛病：不能接受別人的批評，認爲自己一切都是對的，一聞逆耳之言，即悻悻然表示其誓不兩立的官架官勢。他不理解政治這玩藝是永遠不能教社會大衆感到滿意的。你縱然胼手胝足，以身殉職，還有人指摘你的不是哩！所以，我常說，遇事沉不住氣，忍受不了一些求全之毁的人，趁早不要作官。謀生之術多端，何必作官，然後吃飯耶？如要作官，先學修養！

新出茅廬的官兒，最喜歡作廉潔狀，以爲只要廉潔，就是天字第一號的名臣賢官，可以驕倨矜夸於當世了。廉潔固然是美德，但這是官吏應有的份內事，法紀上並非承認官吏應以貪汚爲原則，而視廉潔爲例外，有何驕矜之可言呢？我行我素，人不知而不慍，才是政治家的風度，一現做作，即醜陋不堪矣！

眞正有抱負有作爲的政務官，其出處一是皆以政見爲本，政見能夠實施，就幹下去，否則敬謝不敏。但是呀，最近二三十年來，我就未見過有一個爲着政見不行拂袖以去的。當其受任伊始，好話說盡，支票亂開，儼然一代大政治家，結果是好官自爲，由人笑駡，貌似新人，實比舊官僚尤不如也。

這幾點做官的ABC若不能見諸事實，形成時代風氣，則所謂新人新政云云，廢話而已！

從「一邊倒」說起

燕盧

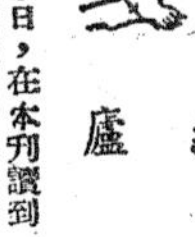

八月二十日，在本刊讀到伍憲子和錢穆先生等對國際情勢的意見書。態度雖然十分公允，意見也極正確。但，西方政治家們都是商業文化的底子，他們所看到的是現實利害，他們會不會相信國際間應該有信守不渝的道義原則？我自然不敢說。但我却願意提供一點資料，希望對這意見所論述關于無法使中共與蘇聯分離這一點，有更確切的證明。

×　×　×

一九四九年，中共竊據了整個中國大陸後，在思想文化方面，跟着開始進行一種無恥的篡竊。一九四九年末，首先把原日商務印書館出版的辭源修改一番，再予印行。修改的理由是：「內容及觀點，多有須待更正之處」。修改之外，還增了不少新詞，新詞中最新不過的就是大家所熟知的「一邊倒」。這新詞最初的說明如下：

◎「根據中國革命經驗，革命之勝利與鞏固，如不傾向帝國主義即須傾向社會主義，並無第三條路，不能有中間路綫，毛澤東主席於論人民民主專政中，曾有詳細發揮」。

改印本的出版時期是一九五〇年十一月，付印則在一九四九年，這是沒有問題的。我看到改印本的時間是一九五二年。「一邊倒」下面的解釋已經不同了。已用一張小紙片。把另外的說明印上後，貼上原來的地位，將最初說明詞句遮掩着。新貼上去的說明却變成如下幾句——

「根據中國革命經驗，深知欲達到勝利與鞏固勝利，必須一邊倒，即倒向社會主義一邊。不但中國，全世界亦復如此，絕無例外，毛澤東主席于論人民民主專政中曾有詳細發揮。」

×　×　×

對於這一改變。我們可有兩種看法：（一）對一名詞有不同的解釋，原不足怪，但其不同一律出自毛澤東論人民民主專政的詳細發揮，則不免有些可笑了。我們只還這幾句簡單的敍述，已經覺得兩說相差很遠，更要詳細發揮，到底該怎樣去自圓其說呢？這裏使我們明白，共產黨之所謂眞理，其實都是一個騙局。

（二）根據最初的說明，大抵中共初估中國大陸的時候，成功得太突然了，連蘇聯也估料不到，那時的中共，可能還有一點自主力量，必要時還可以倒向「帝國主義」這一邊，這自然是蘇聯所不願見的事實。因此，我們可以斷言，這一說明改動的背景，一定不太單純，而且一定是受了蘇聯壓力的結果。

×　×　×

於此，我們希望西方政治家們，能破除過去對於處理國際問題的成見，以爲和中共談判是有好處的。試想：「不但中國，即全世界，亦復如此，絕無例外。」中共這句話，不是完全堵絕了可以談判的空隙了麼？

×　×　×

在處理國際問題的傳統見解中，還有一個中立國問題，這使我們想起了南韓人民發動驅逐波蘭、捷克代表的示威遊行。所謂中立，自然就是中間路綫，共產黨是根本否認它的存在的。他們的解釋是：「非友即敵，『中立』者友我，因此『中立』者，一定是有利于我的。」既曰中立者，照道理則不該單獨有利于任何一方，在共產世界中，如果有中立，就必須是有利的，可見共產國家承認的中立，實際上就是一些贅兒。南北韓之戰，聯合國曾譴責北韓與中共爲侵略國，但對於他的贅兒則熟視無睹，連南韓要驅逐贅兒，也絲毫不見其予以同情，倒反而拉了一名正兒到日內瓦去講關節，討價還價。這種國際政治上糊塗可笑的事，原因很簡單，就是愚蠢的狡猾所造成的結果。像這樣的政治家，他們能建立國與國中間彼此信守不渝的道義原則麼？

圓光寺聞雀

彭楚珩

近宿圓光寺，晨聞雀噪甚劇，驚醒起出。靜聆雀語，樂之；感慨亦隨生矣。以此而起故園之思，以此而懷世事之懼，以此而悟我不傷物，物絕不傷我之理；更以此而證會台灣『花不香，鳥不語』之謂，實已據時代之遺憾，懲嶽之餘，爲作四絕以永之。

漫天鳥語入禪扉，一苑歡聲舞翠微，爲問故園羣雀訊：可曾瘦盡小腰圍？

處處爲叢驅雀來，紛紛世事總難猜！人擬好作擬八夢，長教卿卿傍嶺隈！

我於萬物皆同倫，有母不殘雀鳥身，古寺凌晨清唱裏，聲聲道出無憂吟！

花香鳥語亦常情，寶島風光足自馨！許是難忘偶語恨，啁啾今又作叮嚀！

——一九五五年元月上旬於台北——

清明遊法藏寺

寄華

用楚珩先生韻

閉門嗟已晚，鍛句苦難奇，莫問登臨意，閒情異昔時。

禪房眠自在，雲影看逾奇，明日逢寒食，人歸問幾時。

柳是無心綠，山眞作意奇，已拚拋酒盞，閒過杏花時。

語意學漫談

徐道鄰

指示文字的促使運用

法律語文

法律文字LEGAL DISCOURSE是代表用『指示語句』來達到『促使功用』的最好例子。立法的人，想教人不要去殺人，又想教人按時納稅，但是他們不用講道的方法，去講說納稅是怎樣怎樣一件好事，殺人是怎樣怎樣一件歹事。他們也不用命令的方式，去對每一個人講，『你不要殺人！』，或者『你快去完稅！』，而他們只是簡簡單單指示一件事情可能發生的因果。他們說，『殺人者處死刑，無期徒刑或十年以上有期徒刑』（刑法二七一條），或者，『納稅義務人逾限繳納稅款者……加徵滯納金，其逾限三十日以上不繳者，並得停止其營業。』（所得稅法一五六條）。但是法律文字所指示的，只是這些事實發生的可能性，而不是其必然性。研究和說明法律條文之是否徹底被執行，是否所有犯罪的人必然要受罰，或是否全都受了罰，這是『法律學』，或社會學等等，『科學』語文的內容，而不是屬於法』律語文本身的範圍。法律文字所規定的種種，往往不免有些不能兌現，現代國家的許多法典中，『徒成具文』的法律條文，一天比一天多，這都是研究法律學社會學的人們非常熟悉的一個現象，然而這都是在說明這些法律條文之缺乏『說服性』PERSUASIVENESS，說明它們在『促使功用』上之沒有能夠達到目的，而並不絲毫影響到它們本身的十足的『法律語文』的性質也。

法律文字，用的都是『指示語句』，然而它既不是科學性的，也不是小說性的。不是小說性的，因爲它所指示的，是現實的環境，而不是想像的環境；不是科學性的，因爲它所指示的，只是社會上準備去執行的一套制度，而不是這套制度實際被執行的情形。（因之，批評法律制度的，作改革主張的，都是『法律學』的文字，而不是法律文字）所以即使法院判決了一個人三年徒刑，這只是說明這個人在『法律』上是犯了罪，並不能證明這個人在『科學』上犯了罪。因此，雖然歷史上發生過不少的冤獄，而刑罰制度依然是每個人類社會所不可缺少的工具，正是說明了這個法律和科學間不可避免的差別。

法律文字，是一個社會所定出來，用以鼓勵或約束個人的某一些行爲，以求維持這個團體的存在和發展。同樣的，一個單獨的人，也有時候自己對自己立下一種『規矩』，用以約束自己的行爲，（戒烟，戒賭，頭懸梁，錐刺股等皆是），其目的也是在控制他個人某一部份的行動，來保障他個人『整體』的利益，所以我們可以說這也是一種『法律語文』呢。（五九）

劍底秦庭

歷史小說　奚如

一刻鐘後，太子自用的一輛金馬車，風馳電掣地進入了高家巷。幾聲駿馬的長嘶，驚破了荊軻和微姬短暫的沉醉，兩個人都無力地揮了揮手。

「微姬，我走了，三天之後再回來看你」！

「大哥，保重！」噙在微姬眼底的眼淚，忽然就像斷綫珍珠一樣掉了下來。三天的別離，雖然是這樣的短暫，可是，三天之後的日子，却那末使人不敢想像。從見面到別離，從別離到永遠永遠的分手，又將是多麼快地到來啊！這時候的微姬，也不知道應該是悲哀，還是怨恨，也不知道應該恨些甚麼，應該恨誰，淚水使她的眼前變成模糊的一片，想多說幾句話，却怎樣也再說不出來。

「微姬，小蒙的一切拜託你了！」

「放心，大哥，你……」

金馬車的珠簾掩隔了兩個人的眼光，晨光微照之下，微姬只能夠看見窗簾裏擺動的一隻手影。然而，也只是一瞬間的時光，一切便都消失在雪花裏面了。

……太子的賓館並不寂寞，巍峨的建築裏，充滿了最高的享受，裏面有的是一天到晚在醉酒中過着日子的武士羣，有的是高度色情的燕妓歌舞，供給武士們馳騁的塞北胡馬……然而，荊軻却是寂寞的。第一天搬進賓館，太子便把他安置在北角一座獨立的精美小室之內。森嚴的警衛，使這座小屋子變得更加高貴，也變得更加孤獨。

一切都安排停當的時候，太子又來了。

「荊先生，一切怠慢！」謙恭的微笑，充滿了友誼的善意，也充滿了無比的冷酷。

「不，太子，你太愛護荊某了！」荊軻只能夠回答以一陣無何奈何的苦笑。

「荊先生感到有甚麼不方便不舒適的地方，儘管對這裏的總管說，或者直接告訴我。以後我也仍舊要時常來向荊先生請益的。」

「一切都沒有甚麼不方便。可是，我有一件事不得不請太子的答允。」荊軻的面部充滿不可侵犯的凜然神色。

「請說請說！」

「我要請太子把這裏的警衛人員全部撤退！」

「啊啊！這個這個……」太子似乎感到有點意外，不自覺地頓了一頓，才囁嚅地點了點頭：「這個本來沒有什麼問題，可是，爲了荊先生的安全，也是爲了燕國的安全，我以爲最好……」

「不！」荊軻的聲音是這樣的堅決：「太子閣下，你允許荊某說一句，這是一個錯誤的舉措！對於一個以赤胆義肝相見的朋友，這尤其是一個不必要的錯誤！」（卅四）

鐵幕幽默

——中共的增產方法——

思愷

一九五四年八月，浙江杭縣的中共幹部，要求該縣農民在早稻收割以後，再種一季通作旱稻。該縣在習慣上是收了早稻便種蕁薺的。等到縣裏的通知下鄉時，全縣農民已經種下了四萬多畝蕁薺苗。

縣委書記張樹森和副縣長李廣新下令把四萬多畝的蕁薺苗完全拔掉改種通作旱稻。農民祗好奉命維謹，一律照辦。

可是，八月天氣很熱，插下的稻苗很容易被太陽曬萎。縣委書記又下令農民須把家內的被帳等物拿出來，遮蓋稻苗。

該縣金羊鄉的農民，因爲縣裏命令催迫得緊，夜裏點上十四盞汽油燈，趕緊插秧。但到了九月汽溫下降，稻苗停止了分蘗，不久寒流源源來襲，全部通作旱稻未及揚花結實，便先後枯萎了！

這時縣委書記張樹森已奉命他調，祗有數萬農民對着半年辛苦的稻田悃恨太息！（根據一九五五年三月二十七日的人民日報寫成）

記葉振名事

寄華

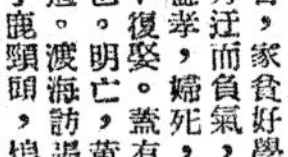

明末山陰葉振名，家貧好學，性方迂而負氣，事親盡孝，婦死，終身不復娶。蓋有道士也。明亡，黃冠入道。渡海訪張煌言于鹿頸頭，煌言曰：比來無一端人至，君來，吾黨庶有濟乎。攜之觀射，酌之大觥。振名遇事匡持，煌言甚得其助。煌言欲作「陶潛論」，以譏逍遙泉石，無意當時者。振名曰：「方今人心胥溺，猶幸二三遺民，高尚其事，少留面目，公比論出，直激之使往耳」。煌言乃止。順治十六年，又訪煌言於金堂，陳三策。其秋，師潰安廬島上，煌言無消息，符文煥延振名暫護視師之署。比至，煌言亦返。其後，煌言爲清吏所執，就義杭州。振名持隻鷄斗酒，獨登越王嶺哭祭，爲文六千五百餘言。論者比之於謝臯羽西臺慟哭，遂祭文丞相焉。厥後廉貞自守，無日不以死自處。每與人語及興亡之際，言隱而慮深，蓋仍寓于房報韓之志也。至康熙二十四年，卒於家，年六十八。（編者按：上期本版「記汪水雲與宋昭儀事」一文亦爲寄華先生所著，筆名漏植，合補正。）

自由人

THE FREEMAN
（第四七二期）
中華民國僑務委員會
煙發登記證台教新字第一零二號
中華郵政台字第五〇〇號
執照登記為第一類新聞紙類
（半週刊每星期三 六出版）
每份港幣壹毫
台北市價台幣叁元
督印人：陳文華
地址：香港高士威道二十號四樓
3 rd. fl. 20 CAUSEWAY RD
HONG KONG
香港發行及事務接洽
高士打道66號　電話：七四〇五三
承印者：東南印務出版社
地　址：高士打道六十四號
海外總經銷
友聯書報發行公司
香港：德輔道中二十六號A二樓
台灣特派員辦事處
台北市館前街五十號
台灣總經銷處
台北市西寧南路壹營號二樓
公郵撥儲金戶九二五二

世界局勢在進步中

△自由中國應少作杞憂多努力
△撇開面子問題才可看清眞象

蕭立坤

四巨頭會議後，世界局勢事實上是在進步中，但香港文化教育界人士，仍懷着不安的心情，抱着悲觀，這在情感上是容易了解而値得同情的。

西方國家（自以英美為主）既不願馬上付出武力打倒共產政權的代價，當然唯一可行的辦法，是冷戰，是想以不戰而屈人之志，使共產集團放棄它的不人道的共產信仰。

當然，共產集團同時也想以不戰而達到它世界革命的企圖。

西方的有利形勢

冷戰的最後勝負，在冷戰進行中，是難以判斷的。我們只可就事實來評論每一個小規模戰鬥的勝負。

最近一連串的事件，作者的看法，都是西方民主陣綫的勝利：

（一）美國與蘇聯交換農業代表團，使美國的專家，親眼見到鐵幕後的農業力量，農業仍是廣土衆民的蘇聯的最大力量，如果我們將來擬與它作長期鬥爭，不能對此無澈底的了解。至於蘇聯農業專家到美國，卻得不到秘密情報（因為美國根本不以農業為秘密）反而使他們學習了許多先進經驗及智識，加強了他們的自卑情緒，他們回國後潛移默化，所發生的影響，尚難估計。

（二）日內瓦原子會議，世界各國原子能專家會集一堂，交換智識，而蘇方貢獻極微，英美貢獻極多，這無異向全世界宣示，蘇聯原子能工業及知識，並不高明，使一拍二詐的騙子，不得不三丟手了。

（三）艾森豪的軍事互相視察計劃，是一個大攻勢。

（四）阿登諾即將率一百二十人的大代表團，赴莫斯科談判，表示西德已夠強大，老實說，假以時日，一個西德即足抵抗蘇聯那一點暴力，加上英美，無異泰山壓卵。

杯酒聯歡　無傷大雅

（五）事實上，英國加緊製造經彈，美國加緊製造U一彈，武力的準備，不但未放鬆，而且在加強。至於幾位政治外交人員杯酒聯歡，言不及義，那是無傷大雅的，這何止國際政治如此，國內政治又何嘗不然！

（六）自由世界經濟的空前繁榮，生產的增加，生活水準的提高，這是最雄辯的事實，可使共產暗自認輸。

（七）即將有成千的自由人士，遊歷蘇聯，大可使我們增加敵情的了解，使被壓迫的蘇聯人民，增加與外界的接觸。

（八）鐵幕以外各地不民主不安定的形勢，也在繼續改善。這也是防止共黨滲透蔓延的最好辦法：北非獨立，馬來亞獨立，新加坡獨立，猶太阿拉伯邊界保證，埃及蘇丹自治，英希土對塞甫洛斯島的談判，印尼內閣改組，越南局勢的穩定，那一件不是好事！當然，自由世界還有許多內部的小問題，未能盡如人意，亦不能於一夜之間完全解決。但日新又新，自強不息，確是事實。

復興要務及時努力

愚意此時自由中國人士，應少作杞憂，趁第七艦隊及美援尚在之日，力求工業建設，加強自由制度，提高人民生活水準，進而將台灣建成一個高度工業化的出口國，與英倫，比利時，瑞士媲美，才是復興的要務。

大家最不放心的，是詹森王炳南會議，其實只是中西觀念之不同耳。韓戰時，血肉橫飛，雙方尚且談判了二年，何況在山明水秀的日內瓦，大戲中插一兩個小丑，一兩段滑稽鏡頭，何必認眞！如說美國與中共一開談判，即降低了「聲望」，這又是中國人的「面子」問題了。在美國人看來，原子彈在手，民最富，國最強，什麼是面子？

我一直認為抗戰八年，我們不說實話！假充勝利者，假充四強，則共五年，我們愛面子，死守東北挨打，那才是最丟面子的事。

沒有「裏子」的人，怎會有「面子」！

趕快丟掉面子問題

這又想到雅爾達會議羅斯福出賣中國之事了，羅儘可向史太林允任何條件，包括割讓紐約在內，但必須美國國會及其他有關方面同意才生效。威爾遜的國際聯盟案，被國會否決，邱吉爾的勝利垮台，都證明西方社會裏沒有「面子」問題。如果我們的當局明白這一點，當時儘可公開反對羅史的下流交易，不派代表去莫斯科，進命簽字，一旦歐戰結束，羅斯福死了，蘇聯原形畢露，則外蒙，東北的土地，今日仍是我們完整的土地。只有一個為了羅斯福愛「面子」之交的羅斯福，自己斷送了「面子」土地，還說什麼？

今年撤退大陳島之事，何嘗不如此。大陳是中國領土，美國無權要求我撤不撤。但我方終於撤了；又是上了愛面子的當！

日本人、韓國人、都不像中國人愛面子，李承晚與杜魯門分庭抗禮，李承晚所恃的是什麼？李承晚明瞭西洋人根本沒有「面子」觀念。戰後日本女人的外滙，多於男人，但日本仍是東亞第一強國。如果愛面子即是中國文化的特點，我眞有點替中國前途躭心！

世界局勢在進步中，丟掉我們的「面子」，即可看清眞象了。（八月卅日，阿根廷）

阿登諾親入虎穴

—蘇聯可能大示讓步—

李世元

西德總理阿登諾已於本星期四日（九日）應邀前往蘇俄訪問，結果如何，有待以後事實之證明。茲將蘇俄邀請之經過及其用意，綜合報導如下：

蘇聯收到英法建議於七月十八至二十一日在日內瓦舉行四國首長會議的文書，還沒有到二十四小時，蘇聯外交部，忽於是晚九時四十分，向外記者宣告，即晚十時在外交部舉行記者招待會，宣布重要外交文件。

記者招待會席上，蘇外交部發言人易裕之夫，得意洋洋的，拿着一紙文件，向記者宣讀：『蘇聯政府邀請西德總理阿登諾閣下，於最近將來，至莫斯科，討論恢復兩國邦交，商業，和文化關係等事宜：……』

在場的附庸國記者，極為驚異，東德的兩個記者且嚇到汗流浹背，而無人色。

東德祇是一個空殼

德國在歐洲佔最重要的地位，東西任何一方，如能佔領德國，或者獲得德國的支持，便能左右歐陸。蘇聯雖已掌握了半個德國，可是因為共產暴政，東德一千八百萬的人民，年來逃往西德的已超過六百萬，東德現在只剩下一個空殼了。

因此，蘇聯把全神注到西德，曾使用種種策略，企圖征服西德，但沒有收到絲毫效果。現在西德加入了北大西洋公約，又參加了西歐聯軍。自由國家因得到德國的支持，在西歐已佔有壓倒優勢。蘇聯因此採取驚人舉動，準備付出巨大代價，誘使西德脫離民主集團。即使不能夠馬上得到西德，或者使西德中立，蘇聯也希望兩國邦交能夠正常化，好逐步進行其分化西德和自由世界的關係。

德國的一半現在蘇聯手中，東德雖然變成了一個空殼，但在西德眼中，仍是寶貴的國土之一部。

蘇聯邀請阿登諾訪蘇的意義是這樣的，西德想統一全國嗎？何不前來蘇聯磋商？找英、法、美沒有用處的，主權操在蘇聯手上，奧國獨立便是一個很好的前例。阿登諾能夠到莫斯科，能夠改變態度，一切都可以有辦法。

蘇聯曉得英、美、法將在四頭會議中提出統一德國的建議，因此先發制人，請阿登諾訪蘇，這一着可以說是蘇聯對自由世界的一種藐視和威脅。

白鴿乎？麻雀乎？

蘇聯和西德沒有邦交，不能把邀請文書傳達西德，於是把這項文書電由蘇聯駐法大使，以電話轉達西德駐法大使。

阿登諾是老成持重的人，最能夠了解敵人的奸計。他曉得蘇聯並沒有改變征服世界的野心，也曉得蘇聯不會無條件把東德送回來。十年來，蘇聯在歐洲的第一個目的物便是西德，蘇聯對於西德的突然轉變，由猙獰兇狠轉而為微笑溫存，其中必然有奸計在。

阿登諾告訴西德內閣說，他歡迎蘇聯的邀請，可是在沒有行動以前，得先徵詢盟友意見。而且在沒有規定議程，和未經由主管部門擬定有關會議的手續和辦法以前，他不擬前往莫斯科，他到莫斯科要在四國首長會議之後。

在會議辯論的時候，反對黨意見認為西德現在有兩條路可走。一由波恩到莫斯科再到日內瓦，另一由波恩到日內瓦再到莫斯科。反對派認為第一條路便當，易於成功，主張阿登諾馬上飛到莫斯科。

阿登諾卻堅持他的預定計劃，有一位議員說，阿登諾總理的論老謀深算，蘇聯的和平鴿子在屋上歌唱，要和他交換手裏的麻雀。可是屋上鴿子沒有到手以前，他還是拿着麻雀不放的。

阿登諾並非賴布

蘇聯以為阿登諾和奧國的賴布是一樣的人，得到邀請，會馬上飛到莫斯科。能在四國首長會議以前和阿登諾解決德國問題，豈不是棋高一着？阿登諾竟蹦蹦其行，眞出乎蘇聯的意外。

為了奧國獨立，西方和蘇聯磋商了四百次，還沒有得到結果，可是賴布一到莫斯科，便完滿解決了。南斯拉夫更是進一步的例子，狄托拒絕到莫斯科，赫魯曉夫便移樽就教。雖受盡奚落，蘇俄反承認南斯拉夫脫離第三國際獨立。歐洲一般觀察家都認為蘇聯因為國內不安，和農工業的落後，不敢再取強硬政策。為了事實需要，蘇聯對於西德，可能採取比較奧國和南斯拉夫為更大的讓步。

蘇俄勢將大讓步

法國和西德人士有認為蘇聯可能把東德送回德國的。他們的理由是蘇聯佔領東德多年，並不能取得東德的人心。一九五二年東德和東柏林的大叛變，便是一個很好的例子。蘇聯曉得不能夠征服文化水準比較他們高的東德，所以不得不改變計劃，最近蘇聯召集附庸國，舉行東歐國家大同盟，並沒有東德在內，恐怕便是這個道理。又此次蘇俄請阿登諾赴蘇，事前並沒通知東德，徵求東德同意。東德對於蘇聯已失卻意義，若果能利用東德這空殼換取西德的友誼，在蘇聯認為是值得的。

蘇聯並且準備將劃給波蘭的東德一部（約台德國面積四分一）退還西德，這個消息是由附庸國家傳出來的。法國方面認為這是一件可能的事情。為了西德友誼，蘇聯準備作最大可能的犧牲。西德友誼的價值遠在任何蘇聯附庸國家之上。

西德國會裏的反對黨，儘管堅決主張由波恩到莫斯科，阿登諾始終不為所動。他認為蘇聯必須先答覆下列三個問題：（一）蘇聯準備如何處理十多萬沒有遣回的德國俘虜，（二）對於修正德國東面疆界，蘇聯作何主張，（三）對於德國的統一，蘇聯又作何主張。蘇聯對於上述三問題答覆完滿，阿登諾才準備啓程前往莫斯科。現在阿登諾已經動身了，是否蘇聯已有滿意答覆？抑阿登諾另有錦囊妙計，且待下回分解。

阿丹諾有若難言

西德總理阿丹諾已抵達莫斯科。這又是蘇聯弄一套『無果花』的會議。會議沒有結果，但蘇聯的爭取備戰時間，和遮西方之鬥志的成果，是克姆林宮收穫得到的。

愛丹諾此次赴莫斯科是勉為其難的。若拒絕邀請，便給國人和反對黨責備放棄談判的機會，亦失去歐洲國家的同情。若不談德蘇恢復正常關係，國內的工業界會怨他放棄了貿易機會，不談釋放德國戰俘，則戰俘親屬會怨他放棄了以圖聚會的機會。

我看愛丹諾未嘗不知此兩問題難談得有結果，反而蘇聯可用戰俘作談判的勒索手段。雙方都說希望德國統一。問題在怎樣統一法？蘇聯的統一德國方法，是好像紐約時報昔日所繪的漫畫上史達林，牽着一個帶上鎖鍊的女人（東德）準備解除她的鎖鍊，放她越過東西交界綫，來聯絡另一個女人（西德）。標題是『放她去聯絡她的妹妹。』縱然沒有了名義上的鎖鍊，但東德仍然要握有政治勢力的。

其次是蘇聯頭目必提出擬一個『新洛迦諾公約』的把戲之問題。或說明如德國退出北大西洋公約組織，共黨便解散東歐附庸國聯軍的甜言諾言。蘇聯之組織東歐聯軍，目的在外交上的對付北大西洋公約，而非係軍事上的對付西歐聯盟。蘇聯隨時可以解散此附庸，何貴於有「東歐聯軍」？無非在外交上造成解散北大西洋公約的講價籌碼。這是『造成對等條件』的詭計。例如扣留美國平民四十一人，便是欲挾制美華僑的『對等條件』。這是共黨外交談判的一個策略。

半週展望

曾旭軍

塞浦勒斯問題

共產黨的外交陰謀，奸巧異常，往往掩蔽其手段的目標。日內瓦四強會議，已造成西歐昏睡現象，更因虛偽的鬆弛國際局勢，引起中東與地中海的蠻觸戰。法國與摩洛哥的統治血戰鬥，繼之以埃及以色列的砲擊，現在英國和土耳其與希臘為了塞浦勒斯島又起紛爭。當中都有共產黨參與密謀煽動。

地中海的塞浦勒斯的所有權，眞是錯綜複雜。在人種來說，可屬希臘。在地理與歷史上說，土耳其振振有詞。最先，埃及擁有了該島。其後經過波斯、羅馬、和阿拉伯的統治，至一一八四年，英國的理查第一佔領該島。後來將它來賣。其後又給耶路撒冷君王統治，至一五七一年土耳其佔有它。一八七八年英國向土耳其租借，至第一次世界大戰土耳其與德奧聯盟，英國正式將它併入大英帝國的版圖。洛桑會議土耳其簽洛桑條約，放棄統治權。但希臘人佔百分之八十以上，表面上以希臘正教會極右派為首，但共黨為奪取塞島運動之主幹。但實際上以塞島共黨為領導者。大多數的塞島人不願改變政府，但畏共黨而從其運動，滑和星加坡的共黨行徑如出一轍。

香港的安定繁榮

共黨的滲透傾覆陰謀，是受蘇聯主子的統一命令，務要破壞別人政權，而將其控制。英國殖民大臣波德稱香港富有彈性與魄力，雖在鐵幕邊緣，仍保持繁榮安定，因有自由的資本與人材。但本報在數年前已說過香港之所以能有安定，主要原因在僑胞之痛恨中共殘暴政權。共黨特務無法滲透破壞。若與星加坡相比較，便可知其原因。本刊亦曾說過香港不必因禁運而衰落，可從工業上謀發展，故由安定而更有求適應環境的機動性，終可維持相當的繁榮。香港因地理環境缺少天然動力，但終有一天利用原子能，而成為遠東一個極大的工業中心。

摩洛哥的血浴慘殺

李加雪譯

法國在北非有三處屬土，（一）突尼西亞，地貧瘠，人口三百七十萬，本年春法已准許自治。（二）阿爾及利亞，地方大，人口比較多，計九百萬人，法國把他編入本國版圖，成爲法國的一部。（三）摩洛哥，人口七百萬，生產豐富，是法國的保護國。

上個月摩洛哥發生變亂，好些報紙稱做『摩洛哥的血浴，』是二十世紀最殘酷的屠殺行爲，現在簡單談談摩洛哥的歷史和現狀。

法佔摩洛哥的經過

十八世紀末期，法皇路易十四派了一位專使來到摩洛哥。那時摩洛哥的蘇丹是伊士模，摩洛哥人民稱他做吸血的依士模。伊士模有四百四十九個妻妾，八百個兒子。沒有女兒，因爲他把出世的女兒全數扼死了。他曉得法國女子相貌好，曾要求路易十四把女兒許給他做第四百五十房妻子。但路易十四沒有拒絕他，也沒有把女兒送給他。不久，依士模死了，八百個兒子爭奪蘇丹的位置，摩洛哥大亂。

摩洛哥是一個資源豐富的國家，所以法國覬覦這個地方，十九世紀初期，法國和英國訂立一個君子協定，把摩洛哥劃歸法國勢力範圍，埃及劃歸英國勢力範圍，從此，法國便囊括了摩洛哥。一九一二年，法國又和摩洛哥的蘇丹簽了一個條約，摩洛哥便變爲法國的保護國。

摩洛哥生產葡萄，棕欖，木材，和玉蜀黍，礦產尤爲豐裕。燐的產量佔全世界六分之一。法國殖民紛紛跑到那裏。一九二〇年，那裏的法國殖民共五萬一千人，一九三六年，增加到十五萬人。法國殖民看不起摩洛哥人，認爲摩洛哥人只配做工人和清道夫。

蘇丹于蘇夫被放逐

第二次大戰，法國被德國佔領。一九四三年同盟國在摩洛哥的卡薩布蘭加舉行會議。羅斯福會見蘇丹于蘇夫，對他說，『法國完了。你可進行收回國土。我可以幫助你。』蘇丹于蘇夫擁有四十位妻妾，六十輛汽車，是一個講究享樂的人。羅斯福的話驚醒了他，於是于蘇夫設法和摩洛哥獨立黨親近，被擁爲領袖。

一九四七年，于蘇夫對國人發表演講。法國要他加上一段親法的話，于蘇夫不加理會，反插上一節鼓勵回教徒團結的話。法國恨極了。摩洛哥還有一個遊牧民族，叫做巴巴族，雖然也信奉回教，卻和阿拉伯民族不睦。法國常常利用巴巴族來對付阿拉伯民族。巴巴族的領袖哥依提議放逐于蘇夫，法國殖民地政府便利用這個機會，把于蘇夫和他的三個妻妾用飛機載到法國，軟禁在一個地方。于蘇夫本來是一個平庸的人，因此一躍而成爲摩洛哥的民族英雄。

法國改派阿拉法代替于蘇夫做摩洛哥蘇丹。摩洛哥的回教徒發起要求法國，放回于蘇夫，擁護阿拉法的只有摩洛哥的少數巴巴民族。

反恐怖和恐怖

于蘇夫被放逐了，摩洛哥的阿剌伯民族，組織了好些秘密組織，例如『黑色新月』，『黑色的手，』等。在地下組織裏，婦女參加製造手榴彈和其他工作。于蘇夫被放逐不久，年青的回教徒便開始轟炸法人商店，破壞鐵路；和刺殺法國殖民。到了一九五四年准人踏店，破壞鐵路，和刺殺法國殖民。到了一九五四年法人被殺死的二百人，被刺傷的五百人。法國在越南遭遇挫敗，『黑色的手』公開宣佈說，『卡薩布蘭加將成爲第二個奠邊府。』

法國北非殖民在本國和北非都有堅強的組織，他們決定以恐怖手段對付恐怖。法國摩洛哥僑民使用法國無賴，在光天化日之下，槍殺摩洛哥人，警察裏頭好些軍要份子參加這個組織，並使用警察的武器。非洲人叫法國殖民的反恐怖做『白色恐怖』。

白色恐怖不止對付摩洛哥的國家主義派，同時對付同情摩洛哥的法國殖民。他們把同情摩洛哥的法國人民編了號數，逐一消滅。上個月法文『摩洛哥日報』的編輯便給他們槍殺了，身上中了十三顆機槍子彈。

格蘭華的自治政策

摩洛哥的紛亂，達到不可收拾的境地，法國總理福爾選擇格蘭華到摩洛哥做駐軍司令。格蘭華是法國一個能員，做了好幾年薩爾區高級專員，著有特殊成績。

格蘭華是一個有膽識的人，同情摩洛哥的民族主義。他跑到卡薩布蘭加，跑入法國人不敢到的摩洛哥區，和摩洛哥民族主義者談話，曉得摩洛哥人民渴望自主。突尼西亞准許自治後，流血便平息了即其一例。格蘭華認爲法國應依照突尼西亞前例，准許摩洛哥自治。他宣布大赦，釋放了一百五十多個政治犯。摩洛哥人民贊許格蘭華，說他是『最後機會的人物。』

若果格蘭華能夠順利推行他的新政策，摩洛哥的大屠殺是可能避免的。可是法國殖民反對他，破壞格蘭華的政策，甚至不替他傳達電報，又實行各種破壞方法。同時法國國會裏的殖民派宣言，要是福爾批准格蘭華准許摩洛哥自治的建議，他們要推翻福爾內閣。

格蘭華跑回巴黎，向福爾陳述摩洛哥的緊急狀狀。因爲國會殖民派的制肘，福爾不敢積極推行他的計劃。

八月二十日是于蘇夫被放逐的兩週年紀念日，是摩洛哥一個危險日子。可是發動大規模恐怖和屠殺的並不是阿剌伯民族，乃係素來親法的巴巴遊牧民族。巴巴族攻入烏森城殺了一些法國殖民。法國爲了報復發動摩洛哥七萬駐軍，使用飛機和坦克，把巴巴族驅入山中，團團圍住。（上）

何雲樵訪問記

——暢談馬日事變經過——

·吳文蔚·

【台北通訊】在反共歷史上，何將軍鍵是一位以行動來直接打擊共黨的人。而馬日事變，則可以說是何氏爲反共歷史寫下了最重要的開端一頁。

× × ×

筆者最近在台北，由友人之介紹得晤此一反共健將，縱談竟日，獲益良多。據何將軍親述，馬日事變前，共黨正積極從事分化滲透國軍的工作，並時謀乘機暴動，以篡奪政權。當時正值北伐初期，俄顧問鮑羅廷及鄧演達，毛澤東，朱德等在『國共合作』的口號掩護下，混進了革命行列。並且在漢口大肆活動。

一次，鄧演達在會議席上，公開提出「土地改革」與「階級鬥爭」等主張，與會者咸表震驚。共黨禍國陰謀至此益明顯。當時何氏力主即時逮捕鄧、毛、朱等，以絕後患，惜不果行。旋朱毛等密謀於湖南省內蠢動，值何氏溯江抵達宜昌，所部則在赴豫馳援途中，得悉此項陰謀，即與余湘三、許克祥二將軍密事聯絡，並擇於馬日（六月二十一日）黎明將共黨首領一一加以逮捕。嗣後民國十七年，中共又在湘贛邊區猖獗，時何氏任湘省清鄉督辦，於萍鄉、醴陵等地極力緊縮共軍活動，惜當時分區會剿配合欠周，致令殘匪逃到井崗山。

馬日事變對以後的剿共軍事形勢，已創造了有利條件。但何氏並不以此居功，他說：「這件事完全是許克祥將軍的功勞」！可見何氏謙讓之一斑。

× × ×

何氏待人謙讓，風度寬厚，此與他的湘學造詣有關。半生戎馬，仍不失其儒生氣味，他對部屬或鄉里，都採寬容態度，故湘人稱爲湖南人的家長。

何氏出身自耕農家庭，少時從事勞作，以受他父親鼓勵，發奮勤學，私塾讀畢後，即在何家莊上設館教讀，逾年入湖南法政學校，辛亥年又到南京進入伍生隊，不久考入保定官校三期步科，畢業後回湘，時值趙恒惕主省政，到宋鶴庚的第一師，任見習官。嗣於民七對張敬堯張宗昌等軍閥作戰時，被任爲劉醴陵游擊司令，民九以逐張等有功，升騎兵團長，頭角已露，奠定其後日扶搖日上之基礎。

×

何氏除歷任軍職及主省政外，在中樞曾歷任內政部長及軍委會撫恤委員。三十四年抗戰勝利，因勞成疾，養疴滬濱，三十八年轉赴香港，三十九年舉家遷台，現任職戰略顧問委員。

何氏現居台北，惟年來因患風痺症，行動不便，致影響聲帶發音，說話時有點斯啞，語音亦甚低微。

他現有三子二女，皆就讀於中學，自奉甚儉，不僅一生不動烟酒，且不二色，何夫人主持家務，教讀子女，實爲標準賢妻良母。

何氏對反共復國，深懷信心，言談間以當年未得手刃朱毛，鄧演達等爲憾。

讀者論壇

對孫立人案的感想

·孫瑋·

最近，自由中國比較重要的新聞，要算是孫立人案的發生，台灣各公私營報紙在不斷地登載，街頭巷尾在不斷地談論。香港各報亦在不厭其詳地報導。雖立論各有不同，但其爲重視則一。美國報紙，對此更不惜長篇紀載，尤其合衆社記者發電詳細報導，足見美國人對這件事的關心。

最高當局爲慎重起見，特派九位德高望重的人士組會調查，可見當局對此案審慎處理，與一般普通案件顯有不同。在該會未公佈調查結果以前，我們自不能妄加臆測。

孫立人這名字，自抗戰時期至現在，報章幾乎常有紀載，可說是大家最熟識的人物，論官階是四星上將，論職位，曾綰全國陸軍兵符。在反共復國大業尚待完成的今日，而竟發生此一於公於私均屬不幸的案件，國內外人心自不免焦急和惋惜！筆者認爲都是多餘的，蓋事情不久必有水落石出之日，我現在所要談的是對此案的一些側面觀察。

孫立人盛名由來

國軍將領中，論資歷，論戰功，和孫立人一樣的自不乏人，但和孫立人這樣名聞中外的並不多。原因何在？說來也很簡單：自從太平洋戰事發生，日軍登陸東南亞半島，緬甸英軍被日軍包圍，孫立人奉令率領新一軍赴緬遠征，一戰而解英軍之圍，這一役，論戰況及戰功，當然不能算是抗戰史中最偉大的一頁，不過因爲這一役是國際性的，所以孫立人這三個字在國際上很容易傳開出去，英美人士，對他當然格外好感。

日軍投降，新一軍奉令空運東北接收，當時整個東北在蘇俄控制之下，新一軍接收工作的表現，在特殊情況下亦屬平常。

政府遷台，孫立人負責建軍，頗能爲國家盡作育新血輪的能事。韓戰發生，美國恢復軍經援助，顧問團來台，以曾在美國受過軍訓而又曾蜚聲國際的孫立人，自然容易與美國人接近，亦自然易爲美國人所重視。這段時期，美國人與孫立人接觸最多。孫立人在工作及主張上，容或有若干與國家制度或政策稍有出入，亦屬自然之事。但極峯對孫始終愛護，澈底信任，從無變易。

孫將不睦的謠言

據合衆社報導，美國世界電訊與太陽報社論，認爲孫立人向與蔣經國不睦，孫之辭職，是渠與蔣所發生之一次傾軋中遭受敗績云云。筆者以爲美國人這種看法，實過於表面，不免淺薄。但美國人爲什麼會這樣說呢？自然亦有其原因，當孫立人負責建軍及担任陸軍總司令時期，正是蔣經國担任國防部總政治部主任時期，前者負實軍隊的軍事訓練，後者負責軍隊的政治訓練，職權上難免有時有些衝突。軍隊中政訓制度在美國是沒有的，孫立人受過美國軍事教育，習慣於美國制度，或者與美國人同樣看法，不同情政訓制度的存在。

中美制度不相同

但美國人實不了解國軍與美軍素質本不相同。蓋美國一向採行徵兵制，美軍的教育水準高，故對於軍人天職與作戰意義，認識自較清楚，易於發揮效能。國軍以前係採募兵制，抗戰中期雖採徵兵制，但有名無實，不比現在認真。國軍中不少職業軍人，國軍的教育水準低，且參差不齊。故不能不施行政訓制度，以資補救。北伐之成功，革命軍以少數戰勝北洋軍閥的大多數，不能不歸功於政訓制度的設立。（當時負責政訓的人員叫黨代表）。抗戰勝利後剿匪軍事的失敗，則多半因政訓制度的廢弛。此中道理，美國人似未能了解。一二年前，曾有過美國主張廢止國軍政訓制度的意見，我國當局未能接受，美國人或者認爲這是蔣經國對孫立人的勝利，其實是錯誤的。這是制度問題，而不是人與人之間的問題。

美國不了解中國

平心而論，我們不能否認美國人愛護中國。但美國人對中國的認識不夠，亦爲事實。因此，每若干事，美國原來存心幫助中國的，結果適得其反。事例很多，例如，抗戰勝利後，美國人對中共認識不清，極力主張國共合作。一面阻抑國軍剿匪工作的進行，一面馬歇爾七上廬山，從事調解。這段時間，給予中共以擴張坐大的機會，而貽中國以未來大禍，此其一。

又卅七年，匪共披猖，和談空氣則甚囂塵上，當時美國人幾乎視蔣總統爲和談障礙，司徒雷登暗中贊助李宗仁代總統，不料李宗仁胸無韜略，顢頇無能，而又別具用心，最後且遠走美國，遺歷史上以一大笑話。蔣總統在台復職後，美國還有一部份人，想扶植李宗仁建立第三勢力的，而不知中國人對李宗仁的言行已鄙薄到了極點，此其二。

再說，吳國楨主台時期，美國人極度贊譽，視吳國楨爲中國政壇上最能幹最民主的人才，曾幾何時，吳國楨醜態畢露，與李宗仁同爲歷史上的遺臭人物。這些事，都是美國人太過淺薄的看法。當然，美國人有美國人的長處，但中國有中國的國情，許多事是不能完全聽從外國友人意見的。

應靜候調查結果

我覺得孫立人案的發生，孫氏自行辭職，是對的，這是對部屬行爲負道德責任的表示。當局之准孫立人辭職亦是對的。總統特派公正大員，組會調查，更是應該的。今日無論如何，我們應尊重該會將來調查的結果。到時是是非非，自可水落石出。孫立人果與本案無關，必能復職，政府或另有重寄，似不至任其投閒置散，或永無爲國効勞之日。本案之調查對孫立人本身，並無絲毫損害，蓋歷史上重臣因案被黜，而後來起用，功業彪炳者，事例極多。因此，筆者以爲國人對於孫案，應抱冷靜態度，聽候調查會公佈眞相，此時此際，毋須爲外間許多煽動的論調，以至眩惑焦灼。

編者·讀者

國片外匯問題

△孫瑋先生來函

編輯先生：拙稿「香港自由國片外匯問題」承刊出甚感。頃閱報財部徐部長宣佈：電影匯款自九月一日起，按新訂辦法辦理，即由匯款額百分之九十減爲百分之七十。

又關於香港國片的救助問題，徐部長說：『他們如確有困難，可考慮補助。惟補助亦須有標準，如其製片有益於國家者，用獎勵金等辦法，至於無助於政府者又當別論。』云云，匯額減少似已成定案。惟關於救助，徐部長至今似尚不明白自由國片困難的嚴重情形，尚須經過調查，調查當然不可少。惟希望能夠快點，否則索於枯魚之肆矣。

至於補助的標準怎樣？怎樣才是有益於國家？怎樣才是有助於政府？用什麼尺度來衡量？也是值得考慮的。最怕調查復調查，請示復請示，咨商復咨商，公文旅行，大旱望雲霓，不知甘霖何日降耳。此函盼能發表，以補前稿之不足。

孫瑋，台北九月一日

△蕭立坤先生來函

編輯先生：本刊四六六期，拙稿「一封公開的信」，排印上有一個極重要的字遺漏了。即「燕廬先生所說有關中國舊文化各節，我十分贊同」，這一句，「我」字之下脫了一個「不字」，請更正爲感。蕭立坤，八月廿日。

△言路，刁抱石，易輿，穆斯曼，珍年，何居士，萬香堂，張忠建，歐陽和，無負，恩愷，諸先生：承惠稿，已一一收到，至感謝！

專載

論大陸淪陷的教訓與反攻復國志氣（二）

——與黃震遐先生書

．胡秋原．

台灣有無自由

我想與兄談談台灣了。這是中國政府所在地，亦自由中國運動之最有組織處。倘無台灣，亞洲又將如何？所以是必須愛護的，而台灣尤當善自愛護。然他的問題也最大。漢奸欲得而甘心，在自由世界地位，在海外反共中國人心目中，也有問題。最主要的，是以自由民主尺度評台灣。弟是左選右選，然後在台灣住下的。既能住下，即因此處總不是沒有自由。弟常想，自由以「言論自由」為標誌，而言論自由以「不言論自由」之有無為標誌。此有不言論之自由，必然產生言論自由。此似逆說，實為真理。蓋極權特色，不在無言論自由，而在無不言論自由也。中國自古以來，即最虐之政，亦有不言論之自由，自然而然有相當之言論自由，此處既為中國人之政府，故不僅有不言論之自由，且頗有言論之自由。不僅胡適之有言論自由，即成舍我與其他人等，要言論還是有自由。若[illegible]柏之事，究為特殊，而我希望且相信，總該絕無問題的。故此處不僅比大陸自由，且實有根本之不同。蓋究為中國人之政府也。若云絕對自由，則在共黨未除之前，總是有限制的。即如美國，有人說艾森豪在日內瓦會有祕密協定，不也不容易說下去乎？故弟信最不良之中國政府，亦好過俄式政權。此非民族情感，實與中國文化有關。弟曾言中國古無自由之詞，有之，亦與今日西方意義不同。然此非唯西人知自由也。與我們體質語言關係最深之秦人，倒有自由之詞（秦即自由之意）。中國古無自由之詞者，蓋自由對奴役而言，華夏自古無奴隸，故缺自由之詞。然仁、義、忠、恕，天理良心，其義固皆包括自由也。而獨裁者，科學化的奴隸制也。中國無奴隸制傳統，而近代中國科學也不行。故弟深信，祇要是中國人政府，就不會有獨裁制。至于中共，是先俄化而後才能獨裁的。然中國自古以來有家長制度，帝王制度，官僚制度，士庶制度，乃至本人制度。一國不能離傳統，這些東西不能不影響後來之中國，自不可免。然這些東西，與獨裁固絕不相同。故中國人即有人要玩獨裁，也玩不成功的。在這意義上，台灣不會有獨裁的。（今年春天「倫敦泰晤士報」對此點有詳細報導與證明）。此非謂台灣即當以此自足，以聊勝共黨自足，不必力爭上游，求自由民主之進步，尤非台灣並無若干寃枉，並無若干特殊組織及無若干人權受損之事之意。我只是說，台灣決無有組織之不自由與獨裁。而且，台灣的大問題亦不在此。

亦有批評台灣有貪污者，此為各國皆有之病，尤其是亞洲病。台灣自有之，但比較大陸為好，也是事實。這是要治的，但此為病象，而非病根。

台灣問題為何？光，熱，力之不足是也。兄云南韓有軍事光榮，西德有文化自信，故其青年皆能以莫大熱忱反共，此論極是。台灣有較南韓更多自由，較西德更多獨立，然光力不如。然則這原因又何在呢？或者何以沒有軍事光榮與文化自信呢？我認為這個問題不在政府到台灣後，而在以前。蓋今日台灣，大體上是大陸延長也。台灣要使其本身有新氣象，有新力量，不是簡單的口號所能了事，甚至不是多講民主自由所能了事。而是需要更根本的工作，然後亦能使自由民主有真實成就的。

淪陷之教訓

弟以為今日台灣最需要研究者，是對大陸之淪陷，有一根本之反省。此即諸葛所謂「審勢」功夫。

中國史學最發達，要在求治亂教訓。史之用不止此，然此亦中國學問最勝處。劉邦以一亭長立漢代四百年事業之基者，要在其能研究秦漢、楚漢興亡之故。明亡之後，遺老不帝清，然修明史則不辭合作，亦為後代留興亡之故耳。今日台灣黨政軍人士不言復興則已，欲圖復興，第一事恐怕是要研究大陸淪陷之教訓。台灣訓練班甚多，學術團體亦多，但似未聞以此為大題目作深入而有系統之研究者。

亞洲之悲哀

弟對此曾有所思索，現再試略談之。中國至於今日，原因自多，亦非一朝一夕之故。根本原因，三者最大：一是承文化積衰之後，先西力東漸局勢應付失敗；二是繼而在國際上有日俄夾攻，而無有力盟友，益增困難；而第三我們沒有或沒有認真注意培養人才與政治家，則尤為致命之事。茲僅就此原則一談，其他的或具體的技術問題，應由專家集體研究了。

關於第一點，是整個「亞洲之悲哀」。東西交通之初，適在亞洲文化衰落以後。故亞洲人沒有能如歐洲人之對抗阿拉伯人。當時，產生一種文藝復興，只有一種文化墮落，其結果，不是原始土風，即是洋場文明，此二者可以義和團至中亞各國酋長王子之討好萊塢明星為極端代表。迄今非律賓到印尼獨立後的情況，能不叫人為亞洲人之無能難受？首先像樣的，是日本人，後來則土耳其人。今日印度外交作風誠極惡劣，但在內政上，不比我們過去表現得壞。何以日，土，印如此？而菲，印尼等又如彼？有許多問題值得研究。以弟個人所感，有兩點可得而言：一是失去主權的國民，沒有自治的經驗，加上外人挑撥，於是難于表現自治力的（如過去中國，今日越南）。二是日本、土耳其、印度在文化學術上準備得較好。日本德川鎖國實在消化中國文化，其後「蘭學」輸入，極力吸收。日本人吸收西洋文化，在我們之前。他由醫學而政治，經濟而軍事，不是如我們近代，是由兵工開始的。他又是由在野人物教育人才開始（如吉田松陰），不是如我們由官吏下命令開始的。所以基礎實較我們打得更好。此明治維新與同治新政效果不同之故。

（未完）

港大預科：國文課程批判（下）

．曲齋．

中國人不作主張

上面所說英國人不肯假手於中國人，那祇是指決定權而言。很可能也會經徵詢過一些中國人，港大和教育司，未來便有不少中國人在那裏供職，而且這些人絕不會都是外行的人。但他們可能都有一種微妙的心理：（一）自己不肯承認雜學，免得被指為淺薄。（二）不想同外國教授拾摃，落得不負責任。加以這些先生們平時在洋上司面前說慣了YES，無論好壞，一律YES到底，YES得多了，洋教授遂以為中國學問他已全懂，態度也愈加傲岸，這一來，就更加無人敢在他們面有所主張了。

梁胡的流風影響

在這裏，我要請我們年紀四十以上的先生們閉上眼睛沉思一下，當我們讀書時的國文教科書，用的是什麼本子？我很鄙陋，其實只有一本古文觀止，稍淹博些，就讀古文辭類纂，廣續文集，新民叢報，或經史百家雜抄；考究一點的，又加上莊、左、國、史的精華及幾篇楚詞，和幾篇駢文；不獨沒有雜劇，傳奇，連詩、詞也沒有。那時的經、史是分門的，要就專讀經學或史學，並不把它歸入文學裏。但現在的中學課本便剛剛相反，現代的中國人，常常罵已往的中國人，頭腦不合科學。但過去的國文課本，卻比現在的體例明確一點。我曾想過，這可能與梁任公先生和胡適之先生的提倡整理國故有關，梁先生講清代學術史，胡先生講水經注，把顧元戴震的考據事業捧到雲端裏去，這是五四運動所帶來意外的結果。像我們這一輩人，不管今天對梁先生胡先生的態度怎樣，總或多或少受了一些影響，——連外國教授在內，無論如何，不肯以為自己對「國故」外行，因此在編輯教科書的時候，不免就要弄一點「乾文言」或「洪範」之類的資料，讓它們替自己所選的貨色增光。選本如此，一到教書先生的手上，誰也不肯略去不教。就我所見，確實有不少先生們覺得頭痛，卻又不敢公然說那些材料不該教給學生的。自己平時沒有下過工夫，臨時查類書，翻注疏，對學生「敷衍」一翻，學生固然莫明其妙，先生也只辦到「一知半解」，遂使師道變了騙局。這原是不大榮譽的事，但我們必須認錯，必須設法改革！

四點建議意見

以上把我的意見說完了，下面是我的建議：

（一）這個課程必須重編，把無聊的「國學」知識除掉，加進一部份有關技術應用的文字，要做到易教，易學，有用。

（二）編教材的人選，以具有充足教學經驗的人為合格，惟有具足教學經驗的人，才懂得教材能不能教，教了有沒有感應。

（三）高中及大學預科應該儘可能分科教授，讓學生先行選定其進入大學後所學的科系；理、工、醫科學生和文科學生，國文教材應該有個界限。

（四）中學會考，避免以「國學」常識為命題對象；中學國文教學，須令學生注意文章的中心思想及其結構方法，儘可能令其能朗讀並背誦較多明白流暢的古文。

這個建議是「低調」的，也是祖疏的，只希望能因此引起同道間的注意。我以為，如果我們能夠編出一本適用的國文選本給學生閱讀，實在較我們費氣力攪「粵若稽古帝堯」有意義得萬倍。

更正

本版上期末端小題「中國人不作主張」一小段，原係「港大預科國文課程批判」一文文字，誤排於「論大陸淪陷的教訓與反攻復國志氣」一文後，特此更正。

當局鼓勵興辦學校　拆校之風應先制止

目前港府正進行實施擴充小學教育七年教育計劃，但正在這時候卻發生一個影響教育和製造學生大量失學的矛盾現象。這一件事就是拆屋之風的迫使許多學校無法繼續，它雖已引起各方重視，仍有無法制止之勢。拆屋之風的發生，不外由於游資作祟。年來各地聚香港游資，在東南亞局勢動盪之中，不易在本港工商業中發展，一般認為只有房地產纔是較佳的出路。於是，儘管新建樓宇大量增加，且乏人問津，仍不惜將拆舊樓以蓋新宇。無數的拆屋糾紛，引起爭訟，結果，受累者仍每遭敗訴，影響所及，由住戶遍及商舖，學校也難免受到業主收回重建的厄運。

現時各方雖然力加反對，紛向當局條陳艱困，大抵都屬治標而非根本辦法，只要業主能夠付出六十倍的補償搬遷費用，房客仍將受解除租務管制威脅。照目下情況，新例實行之後，除了住宅，商舖取得業主六十個月租金的補償，即令覺得一間舖面重行開張，新租支出則將大為增加，這種負担，顯非舖主所願獨力承當，而需取償於顧客，無形中提高了市民生活費用。而更重要的還是學校所受到的損害，學校一經業主收回拆建，事實上不能不被迫停辦。學校取得的補償，未必能夠頂進一幢屋宇。而一所學校的停辦，不論中學或小學，勢將造成眾多學生的失學。

這種直接摧毀學校，間接迫令學生失學的事，若不制止或另謀補救辦法，對於擴充獎勵辦學計劃，毋寧是一個極大的諷刺。

按照當局現行七年計劃，對於獎勵興辦學校，除了撥給校址之外，私人或團體必須備具充分建校資金，例如廠商會為了創辦工業學校，請求當局撥款一百萬元，本身亦需籌集一百萬元。假如沒有這種必需條件，與建校舍開辦學校，也就無法進行。就現時實際情況看來，私人或團體擬辦學校，似乎太不容易。以其建校如此困難，又何不遏止業主收回學校校舍拆建。否則，雖然當局計劃於可能情形下擴充上下午班制，新校舍中擴大課室，以及興建五座官立小學，增建葛量洪師院校舍，仍難收容逐年增多的學生。為下一代着想，對於業主收回學校校舍的問題，實有嚴加考慮必要。

×　×

師大的招生廣告

本刊頃接台灣省立師範大學來函，關於該校工業教育系招生廣告，有所說明，原函如下：

編輯先生：頃閱八月一日，貴報載馬五先生所撰「甚麼玩藝兒」一文，對於八月廿六日台灣新生報所載，有關本校工業教育系招收工場師資班新生之事，頗多誤解，查本校工業教育系，成立於民國四十二年春，旨在改進及發展台省工業教育，以配合國家經建之需要。美國國際合作總署（當時為共同安全總署），對該系除予物質援助外，並介紹本校與美國賓州州立大學合作，交換教授，訓練人才。該系自去年起，設工場師資班，開始招收各工廠中富於實際經驗之技術工人，施以一年教學方法之訓練後，分發各校任教。惟當時應徵者寥寥，未能解決各校對於工場實習教師之迫切需要，乃於本年該班招生之前，友邦人士有鑒於此，多方協助，撰登巨幅宣傳文字於八月廿五廿六日中央新生兩報，旨在切合應考者之閱讀程度，鼓勵優秀技工投效工業教育。用意至善，立場純正。馬五先生恐未明真象，致生誤會。深恐社會人士昧於事實，轉滋疑慮。貴報平日立論公正，素所欽佩。尚懇惠借一角，賜予披露，以正視聽，無任公感。茲將本校正式招生公告附奉一閱。此頌撰綏

台灣省立師範大學敬啓　九月二日

民社黨的最近發展

周樹聲任中央改造委員會主席

．世奎．

【台北通訊】自大陸淪陷，民社黨中央總部即隨同政府遷來台灣，該黨中央常務委員二十人，來台者計十人，中央執行委員一百人，來台者僅四十九人，此外中央監察委員及各省市黨部委員書記長等，來台人數，亦頗不少，（原來各省市負責人現多改調協同台灣省縣市黨部工作），主席張君勱旅居美國，迄未來台，故由徐傅霖任代主席。

去年國民大會代表開會，徐傅霖競選總統，該黨中常委孫文熙表示反對，因與徐發生意見，徐遂將孫文熙之組織部副部長免職，引起黨內之不滿，又因秘書長金侯城與副秘書長梁朝威亦有爭執，梁係徐之親信，徐頗袒梁，致與其他中常委之歧見更深。復以種種問題，益相水火，至去年四月十五日常委八人宣布將徐傅霖之代主席職務解除，徐亦不甘示弱，當即組織黨務整理委員會，以與八常委相對抗，至此該黨遂分裂為二，雙方旗鼓相當，各不相下。

今年一月，徐傅霖復召開全國黨員代表大會，宣言張君勱早已辭職，徐任主席。八月中旬，八常委方面，亦以戢翼翹為首召開中央執行委員會，藉以抗徐，（中委名額一百人到會者三十二人）。

隨最近該黨黨員，為應時勢之要求，又召開全體黨員代表大會，決議澈底整頓，根本改造。並組織中央改造委員會，為該黨最高機關，已選出金紹賢等十七人，為中央改造委員，再由中央改造委員互選周樹聲向構父李訓謙等為主席團，推周樹聲主持進行，並對外代表。現時正副祕書長及組織宣傳社會各部長正分別遴派中。

談反共的目的

馬五先生

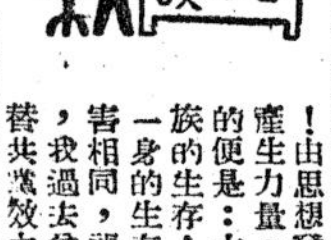

據大陸上的報紙記載，共黨對於所謂「反革命份子」的定義，業已重新頒訂，那就是：「凡以自由主義態度批評政府，和以個人主義態度對現狀不滿的人，都是反革命份子」！

我認爲共黨這項「御製」的定義很對。他們如果不這樣詮釋其所認爲反革命份子的罪行，那還成其爲共產極權主義者嗎？同時，我們的反共救國運動，在思想上也就有混淆不清的危險。例如胡風批評秧歌王朝的文藝政策，說是以五把刀子架在每個文化人的頭頸上云云，假使胡風竟不受到反革命份子的罪名，捉將官裏去，死有餘辜的話，試問我們的反共理論基礎是否會動搖？我們跟共黨的思想活動又有甚末大區別呢？在文化思想上既然相去不遠，則反共的目的究安在哉？當然的邏輯就變成了「國共之爭」——即是爲着黨派利益而反共的了！

它把所謂反革命份子作這樣徹底而廣泛明朗的規定，如是乎，極權奴役與民主自由的壁壘分明，生活迥異，撒且的歸撒且，上帝的歸上帝，反共非共的站攏來，畏共親共的滾開去！由思想發生信仰，憑信仰產生力量，而我們的反共目的便是：大言之，爲國家民族的生存；小言之，爲自己一身的生存；這二者又是利害相同，禍福一致的。所以，我過去曾經對一個在海外替共黨效力的統戰作家說道：「共黨指我是反革命份子，我引爲榮譽，因爲我們是要革它的命啊！」朱舜水有言：「滅虜之策，在事事與虜相反。」共虜不許人們有自由主義與個人主義的思想存在，因而掀起普天之下的反共怒潮。眞正有心反共救國者，若不拿軍民去自由生活，請教你還甚末理由與力量來反它呢？

改良四角號碼檢字法

——取消虛〇——

蕭立坤

王雲五先生發明四角號碼檢字法，忽將二十年。因其簡單方便，近二十年來的中小學生（作者也是其中之一）大都能夠而且喜歡使用依此法編成的字典。王先生的大名也因此盡人皆知。

作者雖然已經多年少查字典，日前忽然想到四角號碼檢字法，尚有改良之餘地。經改良後，可以更簡單更方便。

作者手邊有一本三十七年一月出版的王雲五小字典第二次增訂本上海版（以下簡稱小字典），假定讀者都會使用這字典，必易了解本文。

原法（以下稱爲舊法）（參看小字典卷首檢字法）第一條規定「十」的號碼爲〇。爲便於討論計，本文稱之爲實〇。第三條又說：「字之上部或下部，只有一筆或一複筆時，無論在何地位，均作左角，其右角爲〇」。此條內所稱之〇，本文稱爲虛〇。

舊法採用虛〇之用意，只是要每個字硬湊足四個角。這一點不但毫無必要，而且附帶出許多流弊：

一、虛〇與實〇不分，因之將不同型的字混在一起，如「弈」與「辦」號碼均爲〇〇四四。

二、每字必須保有四個號碼，使筆畫簡單的字與複雜的字混在一起。如「九」與「雄」均爲四〇〇一，對於小學生及初學者，極爲不便。

三、爲了硬性的維持每字四個號碼，不得不犧牲一至九九等簡單號碼。

四、增加排版印刷之字數。

五、不能盡量利用數字之變化。

所以仔細一想，這個虛〇，有害無益，我的改良辦法（以下簡稱新法）即是將虛〇一概取消。虛〇取消後，字不必都有四個角，它可能只有一角，有二角，三角，或者四角俱全。

例如「人」字，舊法號碼爲八〇〇〇，新法僅爲八，（附角仍舊不變，故從略不討論）。茲照新法，隨意將幾個普通字例，列表如下：

字例	舊號	新號	字例	舊號	新號	新法分類	同類號數	附註
人	8000	8	丈	5000	5	個位	1-9	共僅15字
昌	6060	66	掛	5400	54	十位	10-99	
下	1023	123	坤	4510	451	百位	100-999	
頭	1118	1118	山	2277	2277	千位	1000-9999	新舊二法相同
主	0010	01	庚	0028	028	第一小数	01-0999	
辦	0044	0044	該	0068	0068	第二小数	001-0099	共僅25字新舊二法相同

理論上說，照舊法編成的字典，只有照第一角的〇至九號分爲十類。照新法則除了原有十類外，尚多出一至九九，〇一至〇九九及〇〇一至〇〇九共一一〇七個號碼，而且將大部分簡單的字，歸入簡單的號碼裏去。

照上表新法分類的次序編成的字典，字的次序是從一號排起，然後二、三……而至九九九九，繼以〇一、〇二、……〇九九，〇〇一，〇〇二……〇〇九九，很自然的結果，將筆畫簡單的字，大部分歸入十位類。不太複雜的字歸入百位及第一小數類。複雜的字，仍與舊法相同，大半仍保有四個號碼。所以已會使用舊法的人，只要記住取消虛〇這一點，馬上即會使用新法毫無困難。

作者曾照小字典末尾的筆畫索引，作一統計，證明上段所述完全正確，而且查出個位類共僅一五字，第二小數類共僅二五字，茲將一至五畫及二五至三二畫字，統計如下：

筆畫數	字数	個位	十位	百位	千位	第一小数
1	4	3			1	
2	18	4	5	4	5	
3	48	4	17	13	13	1
4	98	2	30	28	33	5
5	134	2	33	48	48	3
25	32			5	27	
26	9			2	6	1
27	17			2	13	2
28	5			1	4	
29,30,32	6				6	

照新法編的字典，第一頁第一字是「一」字，而不是「主」字，其餘簡單的字，大都在字典的前幾頁，小學生們會很輕快的說出「口」是六號，而不是六〇〇〇。（舊法這一點最使小學生迷惑錯誤），「立」是〇一，不是〇〇一〇，「坤」是四五一，「嚞」仍是四四二二，眞是容易極了。

——一九四八年十一月一日作——

（本文有著作權，如欲採用編輯字典者，請通知作者。）

語意學漫談

徐道鄰

指示語句的組織使用——『宇宙論』語文

運用『指示語句』來達到『組織使用』——組織由語句引起來的心理反應——的語文，在人類語言中，却也不無其例，那就是許多哲學家們常常喜歡討論到的各種『宇宙論』COSMOLOGIES他們告訴我們，宇宙是怎樣的性質，是怎麼組成的，宇宙的行爲是些什麼，他們所倡說的，有什麼原子論啦，汎神論啦，目的論啦，機械論啦，有什麼一元論（空氣）啦，四元論（地水火風）啦。我們易經上說『天一地二，天三地四，天五地六，天七地八，天九地十』，又說什麼『易有太極是生兩儀，兩儀生四象，四象生八卦，八卦定吉凶，吉凶生大業』，又說『天地之大德曰生』（繫辭），陰符經上說『天發殺機，移星易宿，地發殺機，龍蛇起陸，人發殺機，天地反覆』，凡此種種，一句一句的都說得何等『像煞有介事！』

宇宙論的文字就它的內容來說，就它的語氣來說，差不多可以說完全像是科學文字，它似乎在向讀者『報導』我們世界的『眞正』的情形。因之有人把它們誤會爲科學，或者把它們看成『另外一種』的科學，（就是說，這種科學的『眞實性』是用一種『超經驗』的方法來證實的）。但是我們不能把它們認成科學的，就是因爲它們含有許多語句，不是我們可以用實驗方法加以證實或否定的。它們內容所包涵的，不是沒有一些科學語句的成份在內，但是它們却滲雜了更多的，沒有科學證實的種種想法，和許多近乎小說和法律的語句在內。宇宙論的目的，不是在報導現實環境中的某一些事實，而是在把人們對於環境的一些認識——他們對於外界現象的各種心理反應——有系統的加以組織起來。這些種種認識（各種知識）雖然本來都是比較可靠的（何謂天，何謂星，何謂殺），但是片段的，零碎的，沒有聯繫的，而宇宙論就來把這些零碎知識組織成一個整體的系統（『天發殺機，移星易宿』），雖然這個系統並沒有任何實際的事物足以支持其證實性和可靠性。科學文字，是報導外界事物的情形，是組織人們由這些報導引起來的認識，科學是介紹人們對於外在世界的知識，宇宙論是組織人們對於外在世界的一種信仰。

宇宙論的內容，雖然不全屬科學，但是我們却不可因此就認它爲『無意義』或『不重要』。（雖然有許多學派認爲是如此）人類在心理上，有把他各種知識『組合』ORGANIZE在一起的自然需要。一個人對於外界環境的認識，不可能完全都是眞實可靠（科學）的，而同樣的，一個人的語言行爲，不僅限於報導使用的。再加上，一個時代和另一個時代的知識不同，一個人和另一個人心理不同，所以每一個民族有每一個民族的宇宙論，每一個人也都有每一個人的宇宙論。（六十）

劍底秦庭

歷史小說　奚如

「呵！嘿！」太子發出了奇異的迴響，也不知道是在笑，還是在咳嗽。許久許久，一直在讓紅雲遮掩着尷尬的臉孔。只不住地用眼睛向周圍上下的溜着溜着。

「太子請原諒荊某的魯莽，山野草澤之人，一向過慣了不懂拘束的生活，所以才有這樣的一個請求，這一點，相信太子一定能夠體諒的。」荊軻究竟還沒有失掉一顆忠厚的宅心，眼看着太子那副表情，不自禁便覺得自己有點過火了。

「當然，當然，荊先生，我怎麼說也太對你不起，我，我眞算是太小心了，哈哈！」這是一個掩飾的機會，也是一瞬轉圜的時光，太子先自一手攀住荊軻的肩膀，微仰着那副因爲縱酒過度，有點浮腫的面孔，洒脫地笑了起來。

「不敢，太子言重！」荊軻唯一應付的方法，也就只有笑，毫無可笑的笑！

「好的，我今天晚上便叫所有的警衛撤退！」太子立刻朝荊軻的肩膀拍了兩拍：「只是，這一來，你會感到多少不方便。譬如說，在使喚方面……」

「那倒沒有甚麼關係，甚麼東西我都可以自己動手。」

「不不，這太不成話，這決不是對待國賓之禮。我想，荊先生，我應該給你叫來幾個……」太子稜稜的日光又開始在荊軻的面部搜索。「叫來幾個使喚的侍女之類，還有，我還打算召來幾個歌姬，給荊先生日中娛樂娛樂呢！」

「歌姬？」

「是的，荊先生對於衛國的舞蹈當然太熟悉了。可是，燕國舞伎也大不弱呢！」太子的表情，輕鬆之中，帶着一點猥瑣。

「那眞是太好了！」荊軻立刻使勁的拍了一下手掌：「我得儘情的欣賞欣賞。」

「當然！唯大英雄能好色！我正也希望荊先生能夠儘情的欣賞一番哩！」

幾盤機械的笑靨過去，戈矛劍盾的監視，變了歌扇舞影的軟索。當天晚上，十二個北地燕脂以最輕盈的步伐，最美麗的笑靨，最含情的眼睛，走進了荊軻那一座獨立的華屋。迅速代替了所有警衛人員留下來的空位。

荊軻並沒有再想辦法逃避，反而毫無忌憚地把身體自縛於這一個軟套之中。他知道，當一支臘燭的生命，已經操縱在別人的扇子底下的時候，除了發光，便是熄滅，然而，他却希望用這一點光芒去照出六國人民的自由大道，在這一個機會沒有到來的時候，他不能讓一把扇子把它熄滅。於是，他接受了太子的軟套，開始把自己套在放縱的色情圈套裏面。（三十五）

魯斯夫人抗議下 美片退出影展

·汪明譯·

目前美國實際的困難，可能是無力使人對它獲得一個相當正確的印象。不論在戲劇、電影、小說中，它的生活，它的罪惡與優點，都被過度渲染。這種趨勢，比共黨宣傳的影響尤甚，對歐亞人士間對美國生活造成了一種歪曲的觀念。歐洲人心目中的芝加哥，是匪徒們的世界，紐約又充滿了大腹便便的資本家，洛杉磯則充向好萊塢的色情，而在各都市之間的地區，卻還如「憤怒的葡萄」這部小說所描寫的那樣。

這種歪曲的刻劃，是美國每一個外交關係負責人所必須正視的事實。二週前，美駐義大使魯斯夫人便以具體行動應付了這一問題。她被邀請參加威尼斯影展，却發現節目中有一部描寫美國大城市中一所學校的少年犯罪情形的影片「黑板森林」，少年犯罪雖屬事實，但不能代表美國的一般青年生活，因此魯斯夫人表示不能前往參觀，以免令人誤會她也承認片中內容與實際情形相同。

影展的主辦者終將這部影片撤回，可是米高梅公司却大爲不滿，認爲魯斯夫人的行動，是代表了「粗魯的政治檢查」。（節譯「時代週刊」）

自由人

THE FREEMAN

（第四七三期）

中華民國僑務委員會
台灣登記證台教新字第一零二號
中華郵政台字第五〇〇號
執照登記為第一類新聞紙類
（半週刊每星期三 六出版）
每份港幣壹毫
台北市售價台幣壹元
督印人：陳文華
地址：香港高士威道二十二號四樓
3 rd. fl. 20 CAUSEWAY RD HONG KONG
香港發行及業務接洽
高士打道66號　電話：七四〇五三
承印者：東南印務出版社
地址：高士打道六十四號
海外總經銷
友聯書報發行公司
香港：德輔道中二十六號A二樓
台灣特派員辦事處
台北市館前街五十號
台灣總經銷處
台北市西寧南路壹零壹號二樓
台郵撥儲金戶九二五二

美國與自由世界

・劉起・

「作天難作三月天，殘春懶懶懨懨，小夏來過關；農人要落雨，行旅要路乾，採桑娘子又要不熱不冷好養蠶。」這是金聖嘆描寫一個當家婆對一家老幼總付為難的打棗歌。不管是怎樣「一個團體，這一團體的領導者，除非它是神，總不能滿足全體組成份子的慾望。這並非能而不為，而是事實上無其可能之故。

怨多而怨少

美國於二次戰後，把蘇聯以外各國組成一個自由體系，與俄共集團相抗衡；十年以來，曾透過其納稅人的負担，以軍事、經濟、技術援助盟邦，雖已收到相當效果，可是迄於今日，大多數受援國家，對美國異口同聲地怨多而怨少。就是說，它們很少感激美國的援助，進而與之同心同德的。相反地，有在外交上，與美國分道揚鑣的。驟看起來，還似乎是美國的不善領導，但我們若一追查所謂自由世界的組成因素，則又難怪其然。

所謂自由世界，僅是取別共產集團的名詞。首先，以其範圍之廣來說，就遍及歐亞美非澳五大洲。其中文化程度：有的國家已進化到電視領域，而瞬息千里，有的國家則落後到還有吃人生番。其政治水平：有的國家已極開明民主，就是一個老太婆也能任意向政府要求減稅，有的國家則還保持着專制獨裁制度，任憑你是參議員，也不敢對政府提出反對意見；此外還有被舊式帝國主義統治着的殖民地，希望獨立而不可得。

矛盾駁雜的世界

這個世界，乃是萬流駁雜的混合品，先天上存在着無限的矛盾，要它向輻射時代的要求看齊，除非再有半個世紀的努力。因此，在現在，它也正是共產主義製造動亂的溫床。美國能夠有勇氣與熱誠，而對這些多式多樣地奇妙角色，負起領導的重担，沿着鐵幕築起一道阻止共產擴張的圍牆，在主觀上雖也是為了美國的利益，在客觀上則是二十世紀人類政治上的一種歷史性任務。

由於美國的領導觀念，是在以美國的民主精神與物質條件來影響盟邦求政治進步，改善人民生活，以實踐其反共決策。所以這一自由體系是建築於友誼、諒解與共同利益的基礎之上的。但其困難之處，則不在於共產黨人的進攻破壞，而在於盟邦對美國的掣肘太多。

三大部份的分歧

自由世界最大的弱點，是各執偏見、自私，營逐利而舍遠圖。老實說，美國的盟邦，就很少為共同的反共目標而一致努力。它們的眼光，大多只顧及其本國與其生存區域的現實利害，這，可分三大部份來說明：

（一）如英法等國，它們因為位居西歐，它們就力圖使美國外交側重西歐，它們拿美國駐軍及經濟援助作為安全的屏障，而且要嘗試與共黨「和平共存」，它們完全抹殺了東歐和亞洲大量人民淪為共黨奴役的事實。這好像說，自由陣營反共，只是美國人的事；但是美國對共措施一趨強硬，它們又恐怕會惹起大戰，因此責備美國在政治上不成熟，死緊拉住美國一條腿，使難擴在它們的姑息心願上。

（二）在亞洲，南韓、南越、自由中國，因曾親歷共黨荼毒，在感情上，與共黨是不共戴天的，誓必滅此朝食，決不願等待，自然要求美國供給足夠的武器，以便從速打破鐵幕，不達目的，當然要怪美國的反共政策不夠積極，太過遷就英法。

（三）哥倫坡、阿剌伯集團，他們的立場原是站在自由一邊的，但他們對國際局勢，則一直持着觀望態度，共產國際的顛覆活動，雖甚可怕，但僥倖災未及身，那麼，反共，管她娘－再看，一見白種人，又撩起殖民統治的舊恨，連帶懷疑美國的領導反共，是不是變相幫助英法的殖民統治？因此，總是存心得過且過。所以在此等地區，美國雖投以無償的經濟及技術援助，他們對美國的報答，則不惜以不見其親，而反報以中立的白眼，甚或以親共的姿態作要挾。

此外，還有不屬於以上三種範疇的自由國家，他們不問本身是不是致力反共，只是責怨美國援助不足。

領導豈易為力哉

由於自由世界的組成份子各自堅持其主觀願望，因現實的需要不同，不免互相牽制，甚至反目，更不免把一切缺點，歸咎於美國，這就使共同的反共目標時見分歧。正因為如此，俄共才能乘瑕抵隙，威脅利誘，挑撥離間，從事孤立美國。美國於此，外有強敵，內有紛擾，領導自由世界豈易為哉！這就無怪艾森豪總統很感慨的說：「美國不是在領導自由世界，而是它的夥伴」了。

自由人類共同責任

其實，自由世界各國之能有今日，實賴有美國之起而領導，以集體力量與共產集團抗。否則，許多自由國家早就繼波蘭、捷克、北韓、北越等倒進鐵幕去了。在反抗共產奴役的行動上，美國子弟曾大批遠戍異域，美國的金錢也曾大量資助各國。吾人不可否認，僅以美國人的智慧和哲學統籌反共大事業，實不免百密一疏，顧此失彼；但反共大業乃全體自由人類的共同責任。大家都得自問對於反共，曾有甚麼供獻，各自由國家在共同陣線上，應以統籌全局的觀點，先大我後小我的精神，共同戮力，才能完成大業。

今日之反共鬥爭，是曠古未有的，自由與奴役，真理與罪惡的歷史性鬥爭。勝利或失敗，關係着整個人類前途的光明與黑暗。因此，我們要求這一鬥爭，只許成功，不許失敗；更因此，我們要求各自由國家，不要以私利私見影響了整個反共陣線的團結。

日本財閥行將復活

舊財閥與日本經濟復興關係 幾家財閥逐漸恢復戰前規模

胡養之

韓戰結束後，日本商界人士，漸漸覺得再沒有戰爭的橫財可發了。因此，他們對於日本的經濟現狀和前途，不斷加以檢討，都認為必須積極推銷出口貨，才能爭取國外市場。在這新環境中，三井、三菱和住友幾家大財閥遂有東山再起之勢，這是一件非常重要的情勢。

幾家財閥的史畧

日本幾家財閥，差不多都有幾百年歷史。三井在三百年前，還是一家酒戶，釀酒發財之後，再經營其他買賣和典當。十九世紀末葉，日本工商業開始發展。三井於一八七一年替政府辦理財政事務。一八七二年被強迫充任第一帝國銀行的後台老板。一八七六年，看見生意不惡，自行設立三井銀行。三菱於美國海軍提督貝萊打開日本門戶的時候才開始，當時有個名叫岩崎的在四國島的土佐，充任軍閥的財政顧問，看準風頭，成立一家土佐商社，經營礦務，製造、航運等類事業，後來發展成立三菱公司。住友，十六世紀在界井地方開煉銅店，由發掘別支銅礦發了大財，次第經營其他工商業和銀行，不過基礎始終是礦務。

十九世紀末葉和二十世紀的初年，日本具有迅速現代化，勞工充足，資金缺乏，投資人物稀少，和原始經濟，積極有利於資本家的條件。因此幾個大家族就發展成為稱雄全球的財政閥閥。各公司最初是秉隨創辦人所定的方針，後來漸漸由經理階級代行負責業務。各公司的中央便叫作本社，操縱若干製造、財政、和商業大公司。這些大公司，又各自操縱若干小公司。

東山復起的機會

日本被盟軍佔領的初期，美國以革新的作風，實行解散財閥和整肅財閥的重要人物。至一九四七年，美國政府認為這類措施會永遠摧毀日本經濟，開始從緩辦理，有時來一個一百八十度的大轉變。本來在整肅時期，財閥們仍舊保持以前的聯繫，到一九五一年對日和約簽字的時候，很顯明的幾家大公司將以新的姿態復活。舊財閥因為商業競爭而實行控制政黨，由於過份龐大而發生缺乏效率的現象，是大家所公認的弊病。不過據一般權威人士說，假如要恢復日本的工業力量，非由舊日財閥重新負起日本經濟責任不可。

同時戰後情形，也有許多便利日本財閥復興的條件：一、日本工廠，大部份已被陳舊。新機器雖也安設了幾部，但比起美國和西德來，卻相差很遠。二、日本需要龐大的工業設備，來應付軍備的需要。三、日本工資制度的調整。四、進口原料的昂貴，日本戰後不僅喪失過去的原料來源地區，一般原料價格，也要高於製造品。五、日本貨品，在東南亞，印度，中東地區，受排擠。六、日本喪失了中國大陸的天然市場，又不能發展新市場如菲律賓之類。要應付上面幾件困難，需要具有後備資本，經理人才，對外信用，貿易經驗，和昭著名譽的大公司，於是祇有三井三菱幾家能夠膺此重任。

三井三菱的新活動

現在這幾家大財閥，已經界自己的銀行對各工廠放款或是收買股票，漸漸的恢復了十年前的規模。以三菱為例，三菱銀行以放款方法，控制了三菱重工業，三菱鋼鐵，三菱石油等工廠。這幾家工廠以設備和人材而言，在本行業裏面仍是數一數二的。三菱重工業底下的工廠，便有三家工廠的董事，是由三菱銀行派來的。目前日本最大的十一家造船廠，其中董事最少就有一名是財閥銀行所派出去的。

一九五三年十二月十日，三菱商業，富士商事，東西交易，東京貿易，這四家貿易公司，簽約合併，恢復了舊日三菱商事會社的名稱。去年竟在紐約設立辦事處。三井也組織三井物產會社，恢復戰前對外貿易機構。這些財閥正在設法由日本政府對東南亞技術援助和成立亞洲協會之類的辦法，來促進日本的出口貿易呢。（完）

▲高棉十一日舉行大選，遜王施哈諾所率人民社會黨獲得全面勝利，圖為施氏作旅行演說，號召人民支持情形。

半週展望

・陳克文・

壯哉愛登諾！

行年八十的老政治家愛登諾總理，為德國的統一復興，親赴莫斯科，與蘇俄領袖舉行談判。時將一周，尚無結果。看情形，失敗的成份居多。

然而，不論談判成敗如何，愛翁此行已充分表現其偉大與忠勇。他為德國民族親對共產主義的獨裁者，而折庭爭，「雖千萬人吾往矣」的精神，震懾了蘇俄的獨裁者，振奮了橫受壓迫欺凌的德國民族！西德人民無論矣，東德人民也為此而歡呼。東德人說，愛氏所言乃德國人所希望的，而不是俄國人所希望的。東德人民認為愛翁乃大戰以後敢於向俄人反唇相譏的第一個德國人。

於此，吾人可以預斷，東西德之統一在愛翁領導之下，大可不成問題矣，德國民族之不可侮，蘇俄其亦將無可奈何矣！邱吉爾譽愛翁為俾斯麥後第一個德國政治家，其實併今之世，有智慧，有勇氣，有謀略，赤心為國，如愛登諾其人者又有幾人哉！

對抗共黨顛覆方案

英、美、法、紐、澳、巴、菲、泰八國軍事及民政代表，現正在馬尼拉舉行東南亞公約國的反共會議，此一會議的主要目的在商討如何對付共黨的顛覆活動。

他們在會議中，曾詳細報告共黨過去在中國、越南、菲律賓、寮國、高棉及其他東南亞地區滲透顛覆的活動事實。他們更指出，冷戰一日不止，共黨的顛覆活動即一日成為東南亞自由國家的嚴重威脅。該會議已導致三項協議，要點在軍事與民政合作，並成立中央指揮機構。

對付共黨的顛覆活動其道多端，自不待言，然就東南亞各國言，首在宣布共黨之非法。馬尼拉會議何以並不及此？目前星洲及馬來亞，共黨顛覆活動已可謂病入膏肓，然竟不此圖，則其他一切應付辦法，都屬支節，決難有效果可言，謂予不信，請觀其後。彼認任共黨公開活動較驅之於地下活動，更為容易對付者，特不知共黨之狡詐與陰險之本性而已。

詹王談判可以止矣

日內瓦詹王談判，美國軍民之被中共扣押者既已全部獲釋，照美國初時的聲明，可謂目的已達，再無繼續談判之必要。如今又有所謂第二階段的談判，即華府與中共雙方所關切的任何問題均可提出。據傳美國將提出韓戰中尚有五百人左右下落不明的士兵和飛行員問題。中共將提出的，不外禁運問題，金馬問題，聯國席位問題等。

第二階段的談判，當然要比第一階級複雜得多，假使美國始終堅守不出賣盟邦，不在中華民國背後討論有關中華民國權益問題的諾言，則這一階段的談判是很難獲得結果的。與其徒耗人力時間，為中共所無理糾纏，何如及早停止？詹王繼續談判，我們實在看不出對美國有何利益可言。

施哈諾的勝利

高棉普選的結果，去年六月遜位的年青施哈諾親王，獲得全部勝利。他所領導的人民社會黨把國會的九十一個席位全數奪取了。

此一勝利，不唯打擊了共黨在中南半島進一步的發展，亦給予南越和泰國以更大的反共信心。這是亞洲自由國家最可鼓舞的一件事。

不僅此也，高棉的中立主義者──民主黨，向來主張和尼赫魯宇牛看齊的，它原在舊國會佔大多數席位，現在竟已全軍覆沒。中立主義之不能蠱惑中南半島，亦與東南亞反共前途大有影響。

茶林糾紛解決了

省主席正式宣布收回國有林地　移交儀式已經舉行僅餘小問題

【台北通訊】

西門豹

台灣臨時省議會六月底所掀起的「茶林互毆」案，（本刊過去經有記載）現在已告結束。就是森林國有，茶葉公司原來經營的林地，全部由林產局收回，至於民營的茶葉分公司今後經營上之困難，另案研究輔助。這是省主席嚴家淦在答覆省議員詢問時，正式宣佈的。

嚴家淦宣佈辦法

八月廿三日，省議員蔡鴻文問：省府對民營農林公司要求繼續經營林地林木案如何看法，如何處理？嚴氏說：「林地林木關係水源電源至鉅，同時移轉民營時亦未估價在內，政府當然應照原令收回管理。但民營茶葉公司爲本省經營茶葉出口的一個主要單位，同時過去對於森林保育、造林及爲政府安置退除役官兵（現每月負担將近三十萬元），不無貢獻，如果因不能繼續經營林地而發生困難，在政府既定輔導政策之下，中央與地方均不能坐視不顧，自應在輔導時期設法予以輔導，使其能維持發展。輔導辦法，當然不能違背政府森林政策與法規。現在此項輔導辦法，正提請中央審議中。」蔡氏續問：林務交接糾紛，政府已否查明實情，現在決定如何處理？嚴氏即謂：這次交接糾紛，因事實與各方所傳的頗有出入，所以政府爲澄淸糾紛，明瞭眞相，處理不能不愼重。林務部份，政府早經決定接管，自不容有所變更。至於誰應負責移交一點，照政府前令及當時事實，應由陳前總經理（陳舜耕）負責移交。但經詳查公營農林公司移轉民營之移交淸册，其中確有林務的移交事實，同時在公文上，有的寫明「暫行列册移交」，有的註明「暫行保管」。總之，交代也好，保管也好，一個東西總不應該今天交那個，明天又請這個來管。現在政府既已査明林務已由陳前總經理移交，同時他現已變更職務，且來呈文建議由民營公司移交，政府爲顧念事實並交接方便起見，已決定由林產局逕向民營農林公司洽辦點交、點收，這對國家財產，並無損失，於政府接管政策，更無影響。

小鋼炮指責省府

八月廿四日的詢問，輪到綽號「小鋼炮」的郭雨新發言了。他因爲鑒於省政府辦事遲緩，缺乏效率，故他的問法極緊張而刺激，郭氏首問：「本會的副議長兼民營農林公司董事長，我所欽佩的林頂立先生，我請問你，「茶葉分公司原經營林場的產權既屬國有，你是否準備交給政府？」林氏當時起立答道：「本人早就決定把產權交還政府，並且已有兩次公文，和政府接洽交接日期」。至此郭氏乃轉問嚴主席，政府爲何不早接收？旋即指責省政府行政效率太差，遇事不肯負責，形成事事必須請示，事事都推諉責任。以至本案令是非不淸，拖延不決。最後郭氏並提出輔導茶葉公司的辦法四項，請政府盡力扶助，俾收預期效果。郭氏的詢問，緊張熱烈。

跟着嚴主席答覆「農林公司國有林地問題，政府即將收回，農林公司亦曾表示決交還政府，現在正進行辦理接收手續。至於民營農林公司的輔導辦法正由輔導委員會研訂中，郭議員的意見，當作重要參考。」

八月廿五日另一省議員林玉少華在總詢問中又問：聽說這件移交案子有舞弊情事確否？嚴主席回答：「如有舞弊，俟查明依法嚴辦。」

移交後的問題

現在，關於茶葉分公司代管林地之移交政府，已於九月一日在農林公司舉辦移交儀式，參加者，政府方面，有林產局總務組長臧馬麟、林政組技正林樹森、主計室課長陳兆文、人事室課長傅煥魁、台北及新竹西山林管理所的主辦人員等共廿六人。民營農林公司方面爲副總經理吳夢禎、茶葉分公司的副理李金榮，還有前被農林公司逐出的傅朝湘，他也代表公營時代農林公司的總經理陳舜耕會同點交。省政府派財政廳專員王劍文監交。不過這一天，因爲民營農林公司尚未將淸册造妥，僅提出淸册目錄。移交的只有林場土地所有權狀十張計面積三點九公頃，所以此間報館的記者，稱其爲「象徵式的移交」。

不過，實質上的移交與接收，是決不再發生問題的。所留待解決的祇是：（一）茶葉分公司代管林地時期的盈餘，應否交給政府？（二）林地存置已砍伐木材一萬四千石，應否送給農林公司。利之所在，恐難免尙有一番爭論的。（九月四日，台北）

摩洛哥的血浴慘殺

李加雪譯

摩洛哥行將自治

只現烏森一地被法軍屠殺的巴巴族人便超過七百人。合計起來，摩洛哥人民被屠殺的超過兩千。那眞是摩洛哥空前的一個大血浴。

福爾曉得殺不是一個好辦法，只有准許摩洛哥自治，只有推行格蘭華的計劃才能夠解決摩洛哥的危機。他和摩洛哥各派系會談多次後，向國會提出下面三條計劃：

（一）不爲民衆擁護的蘇丹阿拉法去職，把前任蘇丹于蘇夫遷移到一個比較無關重要的地方，予以適當的優待。

（二）成立摩洛哥聯合政府。

（三）聯合政府與法國政府商洽摩洛哥有限度的自治問題。

福爾說，摩洛哥事件的解決是只許成功，不許失敗的。若果法國對於摩洛哥當前的局勢能夠有所覺悟，能夠爲較大的讓步，摩洛哥的問題是不難暫時解決的。（下）

中共的蛻變及沒落（一）

沈秉文

根據近數月來中共中央機關報「人民日報」，及若干地方性黨報正式發表的種種事實，加以綜合研究，可以斷定中共政權業已全面蛻化，日趨腐蝕沒落之中。

不可救藥的危機

所謂蛻化，一部份是指知識分子和共黨黨員幹部等思想覺悟與人性之復活傾向日益明顯，一部份是指中共的黨性與組織已經變質，又一部份是指共黨一般生活及工作作風上日益墮落變化。凡此皆直接或間接在政治、經濟、社會各方面給中共政權帶來嚴重的崩潰現象，形成中共內在不可救藥的大危機。

以下本文將以事實爲經，以人爲緯，分別加以敍述說明：

以思想覺悟言，不問是共黨內部或外部的知識份子。都表現得十分明顯。此種覺悟，一部份人是經過了幾年考驗，對中共政權本質，已有了深刻認識，從根本上反對中共，（反對共產主義）。一部份人原是迷信馬列主義的，但看透了中共首腦的權術，對中共一切虛僞現狀，心懷不滿。又一部份人因受中共蠱惑，以至喪失人性，醉心「世界革命」，誤認「社會主義前途」，但日子久了，目覩理想永遠在殘酷的現實後頭，「革命」的結果將是以億萬人民的悲苦建立少數人的權威和享樂，於是他們漸漸憬然甦醒，潛在的人性也復活了。

胡風事件的本身及其影響，便充分說明這種思想覺悟，事實。胡風在中共黨內外都有他大量的骨幹份子，和廣大的同情者。又中共之淸算「胡適思想」與「梁漱溟思想」，也說明目前大陸一般知識分子正有一股巨大的「反社會主義的思想暗流」存在。他們認胡適代表民主自由思想，梁漱溟代表國家民族意識，及人道觀念。大陸的知識份子（包括共黨在內）已形成了兩大「思想堡壘」。中共之所以要大興黨獄，原因在此。但思想畢竟不易檢查驗定，胡風事件以後，知識份子的反共思想曾更技巧地隱伏在中共政權的機體內，傳播激盪，勢所必然。

中共組織的腐蝕

以中共黨的組織來說，這幾年來變化亦極顯著；扼要言之，可歸結爲下列五點。

其一：傾軋加劇，力量抵銷。一般現象，是各各黨部領導權的爭奪。其次是黨部與行政機關及事業機關（包括「國營」各公司、工廠、礦場等）的權力衝突，明爭暗鬥。以政治及生產效率，日見低落。最顯著的現象，是共黨巨頭傾軋迭出，危機深重。各大行政區權力的被削奪，高崗、饒漱石被殺，陳毅賀龍等的「升調中央」，這些不僅說明中央集權與地方分權之間的衝突，亦說明毛澤東、劉少奇等與各「革命大功臣」間的衝突。以目前論，周恩來與劉少奇之間，也有極大的矛盾存在。

其二：個人主義和宗派主義的流行：一般表現：共黨各級領導幹部和各級機關主管人員的驕傲自滿，崇尚個人功績，壓制批評，打擊異己，並交朋結黨，樹立小圈子勢力。許多共幹堅持個人利益，固執個人意見，有組織有計劃底反抗黨的控制。中共曾一再指斥此種現象爲「喪失革命立場，蛻化變質」的現象。

生活腐化達極點

其三：享受慾高漲，共黨生活奢侈墮落，工作積極性已日形衰退。中共承認：縱然「國家」經濟異常支絀，糧荒極度嚴重，但一般黨員幹部，尤其是中級以上黨員幹部在衣食住行等方面的「排場」則極爲闊綽。據謂僅以北平一地爲例：一般幹部的穿着，大多來自蘇俄及波、捷等國的毛織品，平常飲食、大米是主糧，包子是吃館小吃皮的，小菜是集全國山珍海味之大成的。並且經常舉行宴會、聚餐，據說僅去年一年七斤至十斤重的大肥鴨一項，就銷了五百多萬隻。至於住行方面，凡去年與前年所建的辦公大樓或宿舍，十九是豪華的宮庭式，內部陳設如寫字台、皮沙發、彈簧椅、地毯、絲絨窗帘、空花檯布、收音機、錄音機等，無不竭盡其華麗高貴之能事。至於行的方面，僅「中央」一級行政機關除了已有五百多輛大客車，一千九百多輛小汽車外，一些部長、局長、司長級的幹部還購乘汽車，爭換最新式的臥車。此外，據說各機關凡屬召開業務會議或舉行慶祝，紀念等大會，無不竭力鋪張排場，請客、會餐、遊園、看戲、看電影、發紀念册和紀念章，消耗大量高貴的紙烟和糖菓等，都成了極普遍的現象。此等情形說明：會議浪費業已成風，儉樸和朝氣固早已煙消雲散，眼前的共產教條和全國一片飢荒事實，更已置之不聞不問。

日見惡化的塞浦路斯問題

・劉靄如・

去年聯大擱置未理的塞浦路斯問題，到今年重開聯大的時候，整整又是一年了。可是這一年以來，希臘不斷地要求英國，將塞島問題舉行友好的圓桌會議求得解決，而且一年以來不斷發生示威與暴動事件，近如本月二日亦曾發生暴動，當地英政府之旅行局及若干商店俱遭搗毀。

塞島的滄桑

塞浦路斯島，位於地中海東部，是地中海西西里島，撒丁島以外第三個大島。和希臘毗離關係，已有二千三百年。不過塞島居民五分之四，仍然說希臘語言，信希臘正敎。全島居民約爲五十萬人，四十萬左右爲希臘人，十萬爲土耳其人，其餘則大部份爲管理者——英人英軍及其眷屬。一一九一年以後，當塞島和希臘同爲拜占庭帝國的一部份時，彼此便不相統屬，塞路斯人今日最流行的口號，便是希塞同盟，這就是塞島問題糾紛的起因。

一八七八年的時候，當英國協助土耳其擊退蘇俄的進犯時，英國已由土耳其手中取得塞島的統治權。當時英國的在野黨領袖格蘭斯頓，已主張首相狄司里黎將該島交還希臘。可是一直等到第一次世界大戰開始時，才正式提出交還，旨在引希臘加入作戰，但當時被希臘拒絕。

英埃會議完成後，使美國退出蘇彝士運河區，迫得以塞島爲東地中海的基地。

英國殖民大臣於一年前曾說過，英國永不說離開塞島的一句話。事實上，島上已有英國修建之東地中海最優良空軍基地，其北部土耳其境之美爾星及亞丹拿，亦爲英國修建之戰略空軍基地，由塞島及亞丹拿起飛之轟炸機，一小時半可到蘇聯石油中心的外高加索。

土耳其的顧慮

土耳其方面又怎樣呢？它統治塞島也有三百零七年的歷史，當然不能讓該島落於希臘人的手上。塞島的土耳其人僅有十萬人，要是該島復歸希臘統治，則這少數土耳其人底命運又怎樣呢？於是土國總理，立刻宣佈保護塞島上的國人，而其國務部長也宣佈說：「要是該島的主權有了變更的話，則應使之重返土國懷抱」。

土耳其所以主張如此，有兩大原因：（一）是由於過去希土的宿怨，第一次大戰以後，土耳其失敗，希臘乘機奪取土耳其在地中海上的島嶼（如克里脫島），並欲攫取安那托里亞，致發生希土戰爭。最後因希臘反爲土耳其所敗，致其野心不得實現。所以在塞浦路斯島上，土人不願受希人的統治。（二）像過去一樣，土耳其所最恐懼的，是北方俄國勢力的壓迫，過去的對俄戰爭，全賴英國的支援，今天的形勢，也需要英國爲之保障。塞浦路斯島作爲英國的空軍基地，乃是防衛土耳其及中東地方所必要。

島上的神秘人物

歷來島上的動亂，是由一個自稱爲「狄根斯」的人所策動的，他誓死要將美國人從這塊地中海最後根據地趕出。他是一個稱做「塞浦路斯解放鬥爭同盟」的首領，他所用的名字是希臘古代英雄的名字。這個同盟在狄根斯領導之下，在去年聯合國將塞浦路斯問題「暫時擱置」之後，即開始在島上作有計劃的擲彈和破壞行動。

希臘人並且宣稱這個同盟的活動，是塞浦路斯英國總督阿密泰琪一篇聲明所促成的。阿氏曾對到該島的英國議員說過：塞浦路斯人實際並非眞正有意於和希臘合併，否則他們早就作出暴動和武力的行動了。

總督這番聲明，塞島各報多有登載，鬥爭同盟馬上把一顆炸彈置於尼科西亞市戲院內總督所佔有的座子底下。這顆炸彈在總督離院返家的半小時後就爆炸了，這是同盟對他上述聲明的答覆。

自此以後，同盟日益活動，使到英國艦隊不得不封鎖塞島沿海岸，從事搜查漁船及小輪有無偷運軍火進入該島，警察又忙於逐屋搜查軍火，炸彈和匪徒，而捕了許多人民。

自由世界的損失

由於希土意見的對立。所以在倫敦舉行的美希土三國外長會議，終於無法達成協議。而且希土關係，日益惡化，土耳其反希臘的暴動行爲，蔓延極廣，希臘人的商店搶掠的和搗毀的達四千餘所之多。

美希土三國對塞島各有其打算，倫敦會議之無結果，乃意中事。我們聯想到南希土三個締盟之初，即引起蘇俄的反對，它千方百計要拆毀三國的同盟，終於形成了今天南斯拉夫的舉棋不定，這是自由世界的不利。行見希土兩國的交惡，將陷於蘇俄的陷阱中而無以自拔，對於大西洋聯盟與中東防衛，均有莫大的影響。惟一漁人得利的，是蘇俄共黨，埃及因爲反英的關係，對於英國勢力的削弱，自然也是中心希望的。（完）

編者　讀者

「日本之誕生」新著

△衛挺生先生來函

編輯先生：自本年三月起，弟草擬英文「日本之誕生」一書，六月出學，僅將初稿完成，尙未及修正，六月以後，幾經修正，現已將告完竣，最近將於短期內脫稿，接洽出版。（中略）此間繼續收到「自由人」，但間有脫漏，恐菲島郵遞所至，因馬尼拉之中文報亦往往有收不到之事。菲島郵政電話均欠佳，無可如何也。近年「自由人」進步，至爲可喜，以一張小報，而有如許名著高論，殊爲難能可貴，先生等之努力，至可佩仰。今冬菲大約滿，以後如何，尙未決定。順頌

撰安

衛挺生　四十四年九月六日

△潔流，自常，范統，劉靄如，劉崇，葉竹修，黃雄行，劉起，潘霈，鏡人，諸先生：承惠稿，已一一收到，至感謝！

海外通訊

「菲化案」的新發展

菲化案以華僑為唯一對象 菲華僑在輿論上陷於孤立

【岷尼拉九月七日特約航訊】新近「菲化」運動又有進展。本來自上年菲國通過「勞工菲化」案後，又通過「零售商菲化」案。一時各國僑商非常震驚。而其對於旅菲華僑打擊尤大。因戰後菲島之零售商業過半數在華僑手中。

吸引外資案擱淺

但在華僑受打擊後，菲國稅收大減，失業人數陡增，出口貨物數量亦稍見減低。

又加以去秋因美國之貝爾法案將要滿期。滿期以後，美菲間商業互惠，將要終止。其結果將使菲島特產如糖與椰子之類減少出路。菲島經濟，必然因之而更加惡化。因此菲政府乃遣菲國會兩院之領導人物如劉禮父子，（父為參議院重要份子，而子為衆院議長）如傅悅參議員等多人赴美，會商貝爾法案之修正及展期。代表而外，復有國會兩院其他立法人員赴美作社會方面之活動，以作代表團之會外聲援。並擬從美國方面，改引工業投資，以解救失業。

而當時美國輿論，大不以「菲化」運動為然。若干投資計劃，乃因「菲化」之叫囂太甚而中止。於是，歸國之菲國會議員乃羣起主張暫緩菲化案之推進，而改倡吸引外資法案。

但在下院，劉禮議長不贊成吸引外資案之通過，謂該案與「菲化」案抵觸。究竟國策上「菲化」與吸引外資孰為有利於國家須先認定，然後決定二者之一（或菲化或獎勵外資）為最高國策，以免自相矛盾。因而獎勵外資案遂在下院被擱置而不予通過。

國民黨堅持菲化案

最近菲島國民黨將以零售商菲化案作為基本黨綱之一，將在下屆選舉時，向民衆宣傳，俾投票支持為基本政策之一。

七月中因有幾家商業銀行，逾越營業範圍而擅自限制買賣外匯之事件發生，華僑之最大商業銀行因之受罰，于八月一個月內不得購買外滙。因而同時取消外商銀行購買外滙權與取消外商輸入輸出貿易滙，呼聲大起。今暫消沉，此事將來，必再有不利于華僑之發展。

華僑教育將受限制

八月菲島紀事報，忽無端載一謠言謂華僑學校內，有共產黨滲透。於是而監督華僑學校之呼聲大噪。一個月來，我國使館方面，忙於交涉，而交涉之進展，日趨不利。將來華僑學校恐必須在菲島教育部之管制下，改訂課程。戰後華僑學校以台北教育部所定之課程標準施教，今後恐將失去此項自由。

在菲僑胞，富者甚多，但在公益事業上，往往不肯出錢。既無自辦之英文報紙，又無特別聯絡之報紙，於是在輿論上，僑胞完全孤立。關於華僑任何謠言可以發生，而任何謠言，均帶來有不利華僑之步驟。

僑胞困難與日俱增

雷道參議員高唱反美政策，麥總統力排其以國民黨重選參議，現麥總統之努力生效，雷氏或將改入自由黨競選。今後麥氏之對外政策，日益鮮明，本來在菲美人及華人經濟上最佔勢力。今貝爾法案之修正案通過。菲國民黨之親美政策既完全成立。此後之一切「菲化」將加緊並將以華僑為「菲化」之惟一對象。華僑在菲生子，既不能如在英美而成為當然之菲島公民，則旅菲華僑來日困難恐將與日俱增。（九月七日岷尼拉）

觀 者

文化的民族性和持續性

——並請教蕭立坤先生——（上）

·謝康·

一、前言

在南洋偏遠地區，最近始獲讀七月六日的「自由人」，儼若空谷足音的喜悅，讀到蕭立坤先生的「論文化的時代性」，又好似翻閱着民國八九年的「新青年」和同時期的「覺悟」，「學燈」一樣，那時候攻擊中國舊文化舊禮教的全盤西化論者底主張，隻手「打倒孔家店」的勇士，「把線裝書扔入毛坑裏」的老青年，以為禮教是「喫人的」，舊文化不特無價值，而且有害處，正和今天立坤先生說的：「一百個孔丘，…阻止不了吃人的恐怖」，「古代的文化，…還是暫且收藏起來」，正是大體相同的見解，不料五四運動三十六年後的今天，還有人重彈那時候的老調！

蕭立坤先生的文章，有幾點我覺得可以提出商討，因為這和我們的文化建設，國家建設乃至整個人類文化前途，都很有關係，所以願借「自由人」的寶貴篇幅，檢討一下這個值得重視的問題。

蕭文強調現代文化的重要性，以為吾族今日最大責任，在打倒共產，建立自由制度，提高民生水準，這些話都言之成理，但因此而遽然否定古代文化的價值，以為（一）世界性的「新文化」，已將一切古文化打倒了，（二）古代文化無論中外，已經無用，「一律要收藏起來」，（三）從而肯定代表中國文化的孔子以後儒家著作，多是「語無倫次」，反不如一本「燒餅歌」的價值。（四）沒有科學工業，人類社會就陷於人吃人的恐怖。這是從縱的方面說，作者全稱否定了古代文化的價值。

至於（五）從橫的方面說：蕭文也否定了民族文化的差異性，也就是文化底民族性，他以為「廿世紀各地文化——至少人類文化主要部份，如物質生活方式，社會倫理組織，哲學思想，各國各地方已沒有甚麼重大的差別，所以也無所謂某國文化。」

這些，都可說是蕭文的主要論點，我想逐條加以簡略地檢討，而歸總到文化底持續性和民族性，敬向蕭先生和讀者請益。

二、民族文化的存在

蕭先生所謂文化的「時代性」，大概指現代科學文明的國際性或世界性而言，除物質生活而外，還包括有精神生活中之「社會倫理組織」和「哲學思想」等，這「世界性的新文化」，他認定世界各國都在一體遵行，「沒有甚麼重大的差別」，而且它已經打倒了各國古文化，所謂某國文化，已被悉數消滅而不復存在了。這些話如果沒有充份的論據，便是相當地大胆。至少也有幾分武斷吧。我們承認現代自然科學有它底國際性或世界性，但社會科學或人文科學却帶有相當濃厚的國別性或民族性，即如蕭文所舉的「社會倫理組織」和「哲學思想」各國何嘗一致?!最顯著的共產集團所奉行的馬、恩、列、史的理論及其社會制度，與民主國家便大相逕庭，甚至民主國家相互間的「哲學思想」，英、美、法、德，又何嘗沒有重大的差別，試問羅素和杜威，柏格森與倭鏗，如何能調和一致，被認為同一種哲學思想?!而在社會倫理組織上，回教徒與耶教徒不同，日本人又與中國人不同。非洲土人和統治階級的白色人種不同，怎能說沒有差別呢?!世界文化既未統一，民族文化或「某國文化」自然存在，毫無可疑。民族文化既然存在，也就有其存在的價值，從而所謂「世界新文化」已經打倒各國舊文化之說，也未免言之過早了。

世界文化未大同

原來「民族」與「文化」，似乎是結不解緣的，因為「文化」從它的本體看來，只是一「民族」全體或大多數人民所保持的「生活」，「行動」，「思想」，「感覺」的方式，在這裏「文化」，「民族」，「社會」三個名詞，表示同一事物的三方面。中山先生所謂以文化力構成民族，就是這個意思，同樣，五千年來的漢民族能融化異族而構成一大中華民族，也是一個文化融合很好的例證。文化人類學（ANTHROPOLOGIE CULTURELLE）和文化民族學（ETHNOLOGIE CULTURELLE）或文化形態學派（CULTURE MORPHOLOGISTE）研究各個孤立的風俗制度與各民族文化形態及其內含的功能關係。大致承認古往今來，人類文化類型，確有多種，雖則各民族文化互相承繼，傳播及影響，其間也有盛衰與廢生滅仿效的痕跡。但至今未能統一，使文化形態和內涵，定於一尊，成為一種「世界性的新文化」，却是鐵的事實。所以倡言「民族有多種而文化只是一個」（MAN IS MANY, AND CIVILIZATION ONE）這一說的，也不得不修正為「民族有多種，文化亦有多型了」（MAN IS MANY, AND CIVILIZATION ARE ALSO SAS）（根據ENCYCLOPEDIA OF THE SOCIAL SCIENCE, VOL IV, 1931）。從前中國文化全盛時期，幾乎統一了亞洲，基督教文化在中古時代，也幾乎統一歐洲，而現代歐洲科學文明傳播美洲，釀成了歐美文化，並且因殖民主義和交通事業的發達，西方文化傳播到全世界形成它自己的優越感，和有色人種的自卑感，（全盤西化論者也不免有這種自卑感的成分！）但是，如果現代文化的內容，不限於科學工業，而尚包含政、經、社會、倫理、制度、哲學思想乃至文藝音樂（如蕭先生所說）的話，那麼現代各國文化至少還存在着幾種類型，而尚未能統一或定於一尊，如全盤西化論者或五四時代多數青年所想像。姑無論中國文化精神是否可以救濟二次大戰後歐美人的缺點，世界道德重整運動，是否要參考中國倫理之所長，亞非各洲社會家庭組織是否已和歐洲一致。單就這所謂「世界性」的歐美文化而言，它本身就有許多矛盾性，趨異性，隨着民族性格地理環境而不同。例如美洲文化與歐洲文化之別，西歐與東歐之分，蘇聯社會文化制度與民主集團，共產社會與資本主義社會組織的對立，有許多地方，已經使我們莫衷一是，西方月亮雖好，可是各人所見不同。有人認為代表西方文化的是自然科學，而有人却認為是宗教，有人認為民主自由應該尊重，有人認為集團利益高於一切，有人認為民生第一，有人認為大砲應該代替牛油，有人認物質文明代表人類的進步，有人以為文學美術的偉大創作，才是最高和永久的價值：…其間差別很大，衆論紛紜，怎能說世界文化已經大同，一國文化已經不存在了呢？（其實語言也是人類文化的一重要部門，語言的複雜，也可證明各國文化的歧異）。

三、應珍視古文化

以上從橫的方面，稍稍申論文化上底民族性，和差異性，還是相當的大。二十世紀五十至六十年代的今天，雖然物質文明科學工藝已逐漸國際化，但整個世界文化，還未達到大同，從而一般所謂「某國文化」之說，依然不能否認其存在。同樣，各地人民還在過着若干種不同型式的物質生活和精神生活，也是不容否認的事實。因此，我們如果說「世界文化正在趨向大同」，大概沒有什麼語病，但是，蕭先生強調說：「世界性的新文化」已消除了各民族文化的差異性，就未免言大而誇了。（未完）

專載

論大陸淪陷的教訓與反攻復國志氣（三）

——與黃震遐先生書

·胡秋原·

至於土爾其，在國民黨以前，有「少年土耳其」之準備。而印度由英國人的「國民會議」變為印度人人之「國民會議黨」，就够說明其準備工夫了。所以速成與革命觀念是可以誤人的。我不知孔夫子那裏來的那麼多的聰明，他早說「欲速則不達」。我們準備不足，對近代世界的一切，從文化學術至政治經濟到和平戰爭，當然「外行」。我們是因「外行」而吃大虧，對近代立國之道「外行」而吃大虧的。

其次，立刻俄日交侵，這局面殊難應付。由於外行，更應付得慘敗。他們進而內外進攻，使我們不得安寧，不得喘息，難於準備，況且也就沒有想到根本準備。這是無須多說的。

中國的人才問題

最後要說到自己主觀上問題了。聽說九一八後，段祺瑞到廬山時，曾慨嘆人才之衰。段氏晚年有見於此，是應該佩服的。當然，以中國負担之重，即使世界第一流人才，即使羅邱之類生於中國，亦將覺吃力。此即說中國所需要人才之高度，此即是說，我們不是沒有人才，而是担子太重。然一即「三個臭皮匠抵得一個諸葛亮」，我們不可以集思廣益嗎？再則，何國又不是在憂患中產生大人才的呢？譚定菴勸天公抖擻，普降人才。其實人才豈待天公，亦曾國藩所謂有「培養」「選拔」「使用」之道耳。這便只能說，近代中國除曾國藩外，以後的人不甚於此用心而已。人才是一種技術，更是一種氣質。所以聽聽西洋人對東方人觀感，是更足以知己知彼的。約翰根室在「亞洲內幕」中說，亞洲人比西洋人缺乏三樣東西：活力、肩膀、機械感。此人並非有洞察力，但這是不錯的。可惜亞洲人只知道科學不如人。其實這倒是次要的。然亞洲人過去是並不缺之活力與責任心，亦不缺之機械感的，即使後者不談，前二者也是亞洲墮落後才消磨，而不是從來沒有的。以中國而言，即在咸同時代人物，若曾左者，活力與責任還是了不得的。這也是中心之原因。自是以後，固有偉大傑出之士，如孫中山先生以降，然一般而言，氣力漸衰，亦是事實。然而這決不是辛亥前後人才不足而或者大都早熟，並濫用其活力使然。辛亥革命是太速成，而不是精神上有實在準備的。這由辛亥以後的情形即可看得出來。接着是袁世凱當國。說他誤國，言之過甚，但誤國之咎不可辭。誤國之甚者，一是愚而自用，不知培養人才，二是破壞德性，即破壞人才；第三才是猴冠稱帝，使反對者鋌而走險，大家濫用精力。而第四接着北洋系統日趨惡化，「狗肉將軍」即是一典型代表。

國民黨政治不免陋俗

國民黨之初，西人稱為「少年中國運動」，確是中國之希望。然承北洋之衰，文化學術背景不厚，則最大之傷。此非謂國民黨無甚多學者，然以中國之大，一代之興，少數學者是不行的。而且一代以後繼起無人是不行的。沒有學者也不要緊，但要能培養，而培養必須休生養息。漢代文景之治為世所稱，不在其本身，在其能為後代蓄積。而不幸國民黨又運氣不好，事故紛紜，不能用休養功夫。再則，十三年後，以聯俄之故，共黨寄生於國民黨中，遂將布爾塞維克毒素傳入，幸有蔣先生之英斷清黨，惜乎布黨之流毒未因清黨而消掉。俄國「意識形態」，至今還有為國民黨人和非國民黨人乃至反共人士，以及一般青年，當作精神食糧代用品的。這兩大原因造成中國精神之弱體，說國民黨獨裁，是冤枉的。然國民黨時代政治現象，如要我批評，只好用兩個字，即不免於「陋」和「俗」。也許有人要反對，怎麼陋？我所謂陋者，乃借用王船山對於宋代的批評，即他所謂孤秦「陋」宋，以宋相比，則我的話不薄了。宋代政治是溫和的，但船山稱其「陋」，亦有其理。不僅朝庭圈子很小，士大夫亦好要小圈圈。當時外患內憂之中，有「尊王攘夷」之口號，吾家安國先生，尤多發明。然如船山所云，不知「王非唯諾趨伏之可尊，夷非一身兩臂之可攘」。世謂唐烏龜宋鼻涕。唐人不陋，雖烏龜不害其大。宋陋，此其所以鼻涕矣。

說到「俗」，也許有人有反感。俗者，不雅之意。「論語」曰：子所雅言。註曰：「雅，正也，常也」。所以俗乃不甚正常之意，或不甚中庸之意。如將中庸解為中用，亦通。宋人黃庭堅曰：士俗最難醫。或問何謂不俗？曰：亦難言，但平居無異于人，臨事能當耳（大意）。亦通。俗者，不務平實，不持大體，不求大同。其所謂「黨八股」者，即為代表。陋俗相合，必成虛偽，浮誇，而終至肉麻主義。但宋陋而不俗。祗要看宋朝學者文人之盛可知。但我們沒有范文正經濟，溫公之史學，程朱之理學，沒有三蘇之文，放翁之詩，甚至南宋慘綠詞人都沒有。民初幾位學者，多清末之人。我們說「清史稿」不好，但代替的是什麼呢？？此非民國之悲哀乎？？

（未完）

廉恥道喪乎？

馬五先生

「明禮義，知廉恥，負責任，守紀律」，這十二個字是今日總統蔣先生在二十年前，提示一般文武公務人員的服務守則。我過去每逢從事行政工作時，即將此十二字貼在案頭，隨時警惕，且決不向人談及此情，更不會將此座右銘拍照恭呈蔣委員長，表示自己爲忠貞信徒。祇是本諸良心，覺得公務員應該要有此精神而已。

這十二字訣的工夫，我當然不敢說修養有成，唯對於「知廉恥」三字，自信尚能確確自守，尤其對於自己在公務上如有錯誤過失，即不憚勇於承認，更不怪別人批評。抗戰期間在重慶市主持教育行政之際，因爲一時疏忽，對一個中學校行文指示關於學生的訓導事宜，內有一句頗不體貌的詞句，激動一位教員來當面詰問我「懂不懂教育原理」？臉色俱厲。余忙調卷查看原稿不虛，錯在我發行時未予改正，立即認錯道歉，第二天再到該校向全體教職員引咎自責。他們從此對我格外表示尊敬的意念，並無損於「局長」的身份和官箴哩！人非聖賢，孰能無過？過而能改，善莫大焉。談民主政治，倡新人新政之新者，如其沒有這點修養，就是胡說八道，自欺欺人。

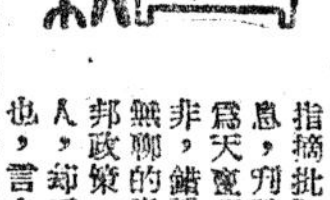

然而，有些自命爲新人新政的人物，自己莫名其妙亂搞，別人稍加指摘批評，即悻悻然發消息，刊談話，登啓事，自認爲天亶英明，有百是而無一非，錯誤都在別人身上。最無聊的竟拿出舊末「配合友邦政策」這頂洋帽子來嚇唬人，卻不自知其爲「所可道也，言之醜也」。社會上的明達之士多得很，強詞狡辯，其誰欺乎？

奉勸此道中人：承認錯誤是人生的美德，別人祗有對你尊敬親愛，決無輕蔑之思。否則廉恥道喪，正義淪亡，將使中華民族的傳統文化精神，搞到衰頹墮落的景象，可憐也夫！

晚清科場舞弊案

・無畏・

想起百年前，戊午科場案。此案波瀾壯闊，可算清代晚時一件不凡的大事。凡是六旬以上又留心北平掌故的北平老人，多少總有一點記憶（齊如山先生一想必知之甚詳）。我平常看看各家筆記日記看看清史稿，對於此案，大致有一點輪廓，述之於下，以供談助云爾。

×××

未入本題之前，先得略言清代考試制度。按清制，順治初年制部明定，逢子午卯酉爲鄉試年。是爲正科（例如甲午正科）。又偶遇大婚萬壽諸大典，舉行恩科（例如乙未恩科）。每逢鄉試年，各省派正副主考前往主試。（原官不拘大小，大致大省派二三品大員，小省派五六七品翰詹科道部曹中書。本人必須進士出身，一律是欽差體制，督撫郊迎。）總試士子，各以本省爲限，冒籍是於法不許的。惟獨直隸一省，不派主考前往，而在京城內舉行，名曰順天鄉試俗稱曰北闈。因而北闈體制格外隆重。大主考總是派一中堂尚書，而應試人也不限籍貫，各省士子盡可入闈。（這也是便於邊省京官子弟，不必千里迢迢回省應試。）而旗人子弟也有資格一同與試。此其大略也。

咸豐八年（西元一八五八距今將一百年）正逢鄉試年。於是照例開科，舉行掄才大典。北闈大主考，是大學士柏葰（清代不設宰相。內閣大學士秩正一品，實爲首揆。通稱之曰中堂。）以及副主考朱鳳標，程庭桂，以下照例派出十八房同考官，有浦安等人。這本是三年一次極其平常的事，何以會演成歷史大事件，這毛病就出在旗人子弟身上。

×××

此處又要談到制度問題。原來各省鄉試，限於本省秀才入場。（也有捐監生入場的，）至於京官子弟，離家遠者萬里，勢不能回家去考秀才。於是絕大多數捐監應試北闈。而旗下子弟，則以八旗官學生資格入場。（所以北平老人，對於秀才二字，是不感興趣的。）而旗下子弟之不守臥碑，（此係前清科場術語，臥碑者，約束生員之敦條鐫碑於明倫堂下）可於兒女英雄傳中寫旗生下場一段見之。戊午一科，偏偏有位旗籍子弟，名叫平齡。只會唱唱戲，不會作文章。可是有錢，走通了柏葰的家丁靳祥的門路，通了關節，居然中了舉人。據故老相傳，平齡自己就未進場，有人冒名替考，他自己那天，還在阜城門外登台綵排呢。榜發之後，街談巷議，都是有了場外舉人。這話吹到了都老爺（御史）耳朵裏，於是參上一本，這才引起一場大火來。

×××

至此又要略談當時朝局。咸豐初年，已經內憂外患逐漸顯明。而朝士廷臣，仍是拘殘守缺，暮氣沉沉。於是端華肅順二人，以小才小智，便佞阿諛，深得咸豐之寵任。（此二人在咸同之交，與有一大段歷史事件，此處不備述。）二人正要借題攖咸，適逢御史奏參科場舞弊情形。如此大題，何能不大爲利用。於是堅請從嚴懲辦。先革柏葰等職，派怡王載垣等查辦。結果訊出靳祥等交通關節情形。遂將柏葰平齡等七人處斬。有清中葉以後百餘年間，首相正法者，似祗第二人。柏葰於咸豐九年二月斬決，案告一結束。聽說是端華肅順等弄權立威，也算是當時震懾科場積弊一大事件。

清史稿咸豐本紀及柏葰等人本傳，均有官式紀錄，手邊惜無此書不克錄出。且就私人紀述有關此案者，選錄兩家。雖莫窺全豹，亦可見一斑了。

×××

吳相湘氏晚清宮庭實紀第一篇記云：

「肅順實剸大計，以嚴峻爲尚。藉求起積弊於因循苟安之世。其表現最著者，則咸豐八年之科場案是。先是：自道光以降科場秩序日見廢弛。舞弊之事層出不窮。而所謂條子之風尤盛行。條子者藏紙爲條，訂明詩文某處所用之字，以爲憑驗。凡與考官房官熟識者皆可呈遞或轉託。房考官入場，凡意欲取者遍條索之，百不失一。蓋自條子興，而糊名易書之法幾窮矣。此一風氣至咸豐初年更盛行，大庭廣衆不以爲諱。斂給者常制勝，樸鈍者常失敗。往往有考官夙所相識，闈中不知而擯之。及出闈，而咎其不遞條子者。又有無恥之徒，加識三圈五圈於條上者，倘獲中式，則三圈者饋三百金，五圈者饋五百金，考官之尤無行者或行之。掄才大典，至是成爲賄賂場，世風至此誠愈下矣。適咸豐八年順天鄉試揭榜，發現有旗籍滿洲平齡，中式在前十名。而平齡素嫻曲調，又曾在戲院登台演唱者，於是輿論大譁，謂優伶亦得中高魁矣。既而有御史疏劾平齡硃墨卷不符，請特覆試，奉硃諭派載垣，端華，陳孚恩等查辦。經廉得是科主考柏葰之門丁靳祥實嘗爲平齡經營，使其中式，且牽及柏葰之妾，而主考官程庭桂之次子，亦曾遞數條子。載垣肅順等因先請革柏葰及程庭桂等職。並逮訊其他犯人二十餘人。復又力奏取士大典，關係至重，亟宜執法以懲積習。帝亦思除積弊，遂從其議，將柏葰及平齡等七人處斬，其他諸人革職治罪有差。自後遂無明目張膽，顯以條子相授受者，科場秩序亦漸肅穆。

×××

又李慈銘越縵堂日記亦略及此事，其同治八年正月十七日，記云：

戊午科場之獄，編修浦安與刑部主事羅鴻澤之交通關節，由于兵部主事李鶴齡。其造此謀者鹽園舉人，龍某也。時科場積弊，以關節爲應酬。凡主考同考親故皆徧給云，亦未必果驗也。甚或有內憮其人，及避嫌恐出其門者，反以此爲識而黜之，廣坐官廷，公言不諱。李與浦同年也。遂居間爲平齡關節竟得中。及事發，傳羅質訊，羅謀之龍。龍本昏狂，以此爲細故也，語羅但直言之。羅如其教，欽供甚悉。及浦李赴質，已無能置一辭矣。羅浦李皆伏法，而龍竟幸免。（按清末之協辦大學士外交部尚書那桐（字琴軒）即浦安之子。金魚胡同那家花園，名滿故都。民國初年，舊都有名的堂會，全借用那家花園）錄此兩則，以殿全文。東拼西湊，不能成篇，讀者諒之。（完）

語意學漫談

徐道鄰

科學經常在變，而宇宙論不變，科學沒有異同，而宇宙論有異同，就是這個道理。（本段祗說「宇宙論」，而不說「哲學」者，因爲「哲學」一字的含義，現在是一個正在爭論的問題。宇宙論雖然也是哲學中的一部份，但其含義的界限，則較爲明白。）

十八、評判語句及其四種使用

評判語句的表達方式

一個人，無論何時何地，總有他喜歡的事情和不喜歡的事情。在疲乏的時候，他想休息，而不要人驚吵他。在他興奮的時候，他努力工作，而一刻不要停止。在他口渴的時候，他只想喝水，而不要吃東西。在他肚子餓的時候他只想吃東西，而不要喝水。有時候他歡喜吃甜的，有時候又歡喜吃鹹的，又有時候只歡喜吃淡的。冬天需要溫暖，而夏天需要涼爽。所以一個人對於他環境中的一切，隨時隨地，都有一種「歡迎」和「不歡迎」的反應，這就是他對於這些事物的「評價」。評判語句 APPRAISORS 者，就是一個人對於某些事物的一種評價其目的是想影響對方聽話的人對於這些事物在心理上的反應。譬如我說，「這朵花眞香！」，意思就是希望你也拿一種欣賞它，愛惜它的心情來對待它。「李四爺的兒子是個壞蛋」，意思就是要你也不要去喜歡他，不要去和他接近。一種語句，愈是能影響對方的評價態度的，它的「評判」的性質愈爲充份，愈爲純粹。但是我們在普通的一段對話之中，純用評判語句的時候，並不太多。──例如聽戲看變戲法時，鼓掌喝采，都是「純評判」的語句──而我們多半是把評判語句和指示語句及規約語句拿來混合使用的。例如說：「安樂園的冰淇淋眞好，快來和我去吃一客。」「安樂園」是指示的表達，「眞好」才是評判的表達，而「快去吃」則是規約的表達也。另一方面，我們有許多「指示」字句，內中含有不少的「評判」成份在內，例如「忠實」，「盜賊」，「懦夫」等字，乍看好像是客觀的描寫，事實上却同時表達了我們主觀的評價。再則有許多「評判」字句，內中又含有不少的「規約」成份，例如「危險」，「毒物」等字樣，不但說明其不可接觸，同時也有力的促使見者自動的不去與之接觸也。

但是「評判」是這些語句的一種作用，並不一定代表一些事物的實際「價値」。例如說，「甲認爲乙比丙好」，這句話只是指示了甲的一種行爲，並不是表達乙眞正比丙好。又如說：「甲根據乙的表情，作爲他對於丙的評判」。則這是關於一個評判的一種「敍述」，而不是對於一件事實的一種「評判」。又譬如說：「乙比丙好得多」，這句話就複雜了。它可能主要的是一個評判語句，即是說：「我認爲乙比丙好」；又可能是一個規約語句，即是說：「你不要去接近丙，而應該去接近乙」。而又可能是一個眞正的指示語句，即「乙在事實上對於某些需要，具有可以滿足它們的條件，而丙是不具備這些條件的」。（六一）

乙未元旦

伍潤三

開天初日現晴暉。爆竹連聲動旅扉。客舍梅花香淡淡。他鄉柏酒對依依。老年耆舊存無幾。上國衣冠會已稀。春節又興回復望。王師何日起旌旂。

滿路花（記夢）

王沉裴

洞庭青草綠。春滿武陵溪。碧桃枝上語。囀黃鸝。穿花尋路。香氣噀人衣。直到雲深處。曼步丹墀。人間景象全非。

瓊樓玉宇。高會集瑤池。麻姑揚素手。拂金徽。穆王何在。伴我夜光杯。驟得瓊枝實。氣吐虹霓。乘風歸去何爲。

劍底秦庭

歷史小說　英如

第一天晚上的盛大歌舞宴會裏，荊軻見到了聞名已久的歌伎夏姬。

夏姬有着一副不平凡的面孔，然而更不平凡的却是那一對大大的眼睛。深而且濃的睫毛並沒有遮蔽了眼睛的任何一部分，相反地更把眸子裏的光芒和智慧襯托得更深刻，更吸引人。

「夏姬，來，我替你介紹一個大英雄。」太子乘着醉意，半扶半攙地把夏姬送到了荊軻的面前：「這位是衛國的荊軻壯士，名聞七國的劍客，俠士。」

「嗯哼！」夏姬的雙靨帶着一絲微笑，然而，在這一陣微笑當中，却找不出一點特殊的敬意。

「荊先生，怎麼樣？這個娘兒，是我們燕國的第一手歌伎，有名的遼東人呢！」太子的舌頭被酒灑得有點僵硬，可是却滿懷着色情的興趣。

「嗯哼！好極了！」荊軻只好也隨着放縱地笑了起來，眼睛却在出奇的注視着夏姬那一副沒有表情的面部。內心裏感到一陣窒息。因爲，在荊軻一生之中，還沒有見過一個這樣驕傲的女人。

「要不要再來一曲？我的壯士！」太子踉蹌地舉起右手，無力地向天空揮擺了一下：「鄭衛之音，你是聽慣了，也聽得多了，今天該聽一聽我們這些慷慨悲歌之調！」

「好極！太子閣下，我希望來它一曲！」荊軻隨和地揮了揮手，七分酒意也使到他有點興奮，有點衝動。

「來呀，夏姬！」太子回轉身來，用手招了招斜靠在壁柱旁的夏姬：「來一個甚麼的！」

「請太子指定！」夏姬行了一個萬福。

「荊先生，你來，你來！」

「不，我不知道有些甚麼更好聽的舞樂，就請夏姬隨便的唱一個吧，甚麼都成！」也不知道是酒意的驅使，還是莫名的放誕。荊軻的說話裏，不斷的夾雜着恣放的狂笑。

「那末夏姬你唱啦！一面唱一面跳，揀着最好聽的唱來。喂，下面的樂工，伴奏！」太子的吆喚。

「我可以隨便唱一個？荊壯士！」夏姬忽然迴轉身來，向荊軻斜睨了一眼。

「當然，當然！」荊軻含笑地點了點頭。

「唱一個新歌好不好？」

「那眞是太好了！」

「那末，謝謝你了，荊壯士！」夏姬並沒有再回頭，輕盈地走到了大廳的中心，眼睛凝視着雕梁，展開了一陣清澈的歌聲。

（三十六）

記趙子固

・寄華・

趙子昂書畫負一時重名，造屈節仕元，遂爲士林所齒冷。而其從兄子固，清貞端介，堅臥不起，嘗關石水仙，畫品還出子昂上。深以子昂出仕元朝爲恥，一日，子昂來見，竟閉門不納，其夫人勸之，始從後門入，坐定，良久，子固曰弁山笠澤佳乎？曰佳。曰，弟奈山澤佳何！子昂大慚而退。自此不敢再往。子固嘗泛舟嚴瀨，見新月出水，大笑曰，此所謂「綠淨不可唾」。人謂此語，足以方子固之人品焉。

自由人

THE FREEMAN

（第四七四期）

中華民國僑務委員會執照登記證台教新字第一零二號
中華郵政台字第五〇〇號
執照登記爲第一類新聞紙類
（半週刊每星期三、六出版）
每份港幣壹毫
台北市售價台幣壹元
督印人：陳文華
地址：香港高士威道二十號四樓
3 rd. fl. 20 CAUSEWAY RD HONG KONG
香港發行及業務接洽 高士打道66號 電話：七四〇五三
承印者：東南印務出版社
地址：高士打道六十四號
海外總經銷 友聯書報發行公司
香港：彌敦道中二十六號A二樓
台灣特派員辦事處 台北市館前街五十號
台灣總經銷處 台北市西寧南路壹壹號二樓
台郵撥儲金戶二九三五二

廿四年來的政治教訓

—九一八事變紀念感言—

·伍憲子·

自民二十年九月十八日，東北鬧出九一八事變，日兵强佔瀋陽，於今已歷二十四周年。在此二十四年當中，繼續而起之事件太多，大家頭腦爲之紛亂，對九一八事變，似已不復記憶。其實此事關係中國存亡問題極大，關係世界安危亦不少；我今在二十四年之後而回憶之，感不絕於予心。

從國聯至聯合國

先從世界說起，當九一八事變後，我國訴之國聯，國聯派出調查團，由英國李頓爵士率領到東北。調查完畢之後，作成報告書，似乎承認已成事實。不只非放縱日本侵略之罪，而且對於滿洲國之出現，亦認爲無可如何，雖不承認，等於默認。此是國聯之最大錯誤。夫以國聯之神聖機關，世界所仰望，以爲可以主持正義，鋤强扶弱者，乃竟遷就現實，不敢開罪强權，不肯做出正義行動，遂變成小鬼。從此日本鯨據東北，造成日俄之爭奪東北，是國聯姑息縱成之禍。假令當日國聯不是如此無用，振振有詞，勒令日本退兵，恢復九一八前瀋陽現狀，則以後局勢就完全不同。七七事變可以不起，中日亦不至於造成戰爭，中共更無中日戰爭之機會可藉，以擴張蘇俄在中國之兵力，日本侵略中國既不成功，太平洋戰事當不致發動，即使世界發生大戰，英美在東方之力量，尚可對付日本有餘，瓦爾達協定出賣中國，引蘇俄加入對日戰爭之把戲，更不會出演。古人說，「一子錯，滿盤皆錯」。最近十餘年間，從二次大戰以至現在，整個世界之紛亂，可以說全由國聯對九一八事件之苟且疏忽而啓之。十年來之聯合國，亦不見得比國聯有多大進步，韓戰之出兵，初時尚大發議論，但爲德不終，功敗垂成，至今已弄成一個僵局。易曰：「履霜堅冰，由來者漸」，吾人鑒於聯軍之不敢渡鴨綠江，與南韓兵之不許越三八線，實在不必多致歎息。吾人稍一回憶國聯之所以處理九一八事件者如是，則聯合國之所以處理韓戰，亦當不會有奇蹟發生，前事不忘，後事之師，此不僅是「勢力世界，是非難以理定」，直是功利主義，先私而後及公。故從九一八以至聯合國，從九一八以至最近之日內瓦會議，所謂世界列强一，維持公道之作風，一也。

禍福倚伏　惟人自召

復次，說到中國，九一八是一個重大教訓。所謂「殷憂啓聖，多難興邦」，從好的方面言，由九一八而引起七七事變，從七七事變而引起抗日戰爭，因抗日戰爭而得到舉國一致，更僥倖遇到腦筋昏瞶之日本軍人，當泥足陷入大陸深坑，未能拔出之時，又發動太平洋全面之戰，與英美聯國掣敵，給予中國一個並肩作戰之極大外援，奠定抗日必勝之鞏固基礎。卒之美軍越島登陸，日本在太平洋作戰之形勢，完全失敗，加以原子炸彈轟下廣島，日本全國震驚，日皇下詔書，無條件投降，中國得以勝利，接收大陸失地，中國一躍而登世界四大强國之堂。昔人云，「禍兮福倚」，世界四强之令譽，實自九一八之禍啓之。

然禍兮福所倚，福兮亦禍所伏，當國府還都，接收失地時，許多驕兵悍將，欠缺民主風度，爲排除異己，而遭敵軍兵，爲查封敵産，而造出種種漢奸罪狀，致使勝利之後，反令人民雞犬不寧，政治未上軌道。香港雖爲殖民地，然一得比較，他們[illegible]不驚之現狀，使我們回憶不忘。港督楊慕琦回港接收，他是戰時失香港者，他對人民廣播，先自引咎，謂令人民受淪陷之苦多年，心耿耿不安，今經戰爭破壞，恢復艱難，望人民合力，共謀復興，至於淪陷期間，與日人合作，是不得已，苟非有害人民，一切不追究。此種風度，眞是民主風度，故香港復員之後，未聞拿捕英奸一人，市面安堵如故。大陸則接收變了劫收，人心之失，未嘗不由於此，此就是「福兮禍所伏」。尤其是東北，加倍困難，當然，自九一八以後，日軍與滿洲國僞下之荊棘，不容易清除，蘇俄之加入出兵，與中共之潛伏，更難以對付。然苟有民主風度，平時收拾人心，樹之風聲，再加以恩威並濟之幹略，東北未必盡爲蘇俄與中共所利用。故定變在臨時，尤在平日，九一八以後，國內政治之風氣如何，尤值得回憶者。

憂患何來當自檢討

中國經訓有幾句名言，「惟聖人能內外無患，自非聖人，內憂必有外憂」，此語有兩種解法。近代梟雄，往往借外患以轉移人民之視聽，使集中精神於對外，聽命於政府，藉以維持其政權，此是一種。但懂得儒家哲學以運用政治權術者，則不然，他不用權術，而用仁術，他以誠意行其大公無私之政策，使人民與政府融洽，團結以求內寧，一致以抵禦外憂，此又是一種。可惜九一八事變以後，我們中國未得內寧，又惹外憂，既不能借外憂以求得內寧，而且在未得內寧之中，反增重外憂。在抗日數年當中，所謂一致對外，都是各懷心事，國民黨如此，共產黨如此，其他各黨亦何嘗不是如此，故其結果，外憂只是借外力解除，而同時去了東鄰之外憂，又來了北鄰之外患，而且深入堂奧，增重心腹最要害之不寧，此其故何在，我們應當深自檢討。

過去政治三害

假令九一八事變之後，政府當局能放棄黨見，以辦黨精神辦國政，明白「皮之不存，毛將安附」之前提，則在國家第一之前下，成就必有可觀。須知專政之大害有三，都是自害其黨，而兼及於國。第一、專政必靠武力支持，養成軍人驕橫，挾兵自重。第二、專政必靠財力擁護，養成計臣聚歛，假公濟私。第三、專政則黨外無監督，黨內必腐敗，不只派別之爭，勢必僉人當道。而此三害，皆集於專政之黨之身，而且集於領袖之身，領袖表面得黨之擁護，其實爲黨所腐蝕。故以一黨而想集中一國人才，在量的方面，固感不能，在質的方面，亦必打折扣。譬如一人有十分才幹者，置在專政之黨之中，其地位既優異，無敵黨砥礪之，驕心易生，惰氣隨至，才力已減三分，十分才幹，僅存其七。再復受專政之風氣所縛束，對於上，既無承一人，對於下，無人敢代負責，眼看公事長時間向各機關旅行，打轉又打轉，終不能辦，如此，則七分才幹，又減三分，僅存四分，若才幹低者，更等於零。故專政之黨難得人才，有人才亦難發展，只剩有奧援者或能逞志，然只是爲私，非爲黨。故專政之黨，黨必受害，同時領袖亦受害，國家更無論矣。

今當九一八之二十四周年，外患愈入愈深，內憂亦愈久愈紛糾。吾人懲前毖後，問何以至此，不願作違心之論，不欲爲悅耳之言，更不忍自欺欺人，大言以自慰，故冷靜的檢討既往，策勵將來，有智慧者當不以吾言爲忤。

台灣通訊

【本報八月卅日台北通訊】

郭廷亮共諜案——

與孫立人將軍的辭職

郭廷亮投充共諜的詳細經過
孫氏應負何種責任須待調查

·舊雨·

孫立人將軍辭職照准的命令，發表於八月二十日。當時謠諑繁興，眞相不明。記者雖明知本報讀者極想了解個中原委，然因眞相尚未落定，一時頗難膺筆。現在時逾十日，眞相猶未大明，但是記者深感有向讀者報導一下的必要。記者爲此曾與消息靈通人士有過廣泛的接觸，並獲讀若干有關的報導，然而記者還不敢說今天所寫的已是百分之百的正確。讀者明智，「信不信由你」。請從引致孫立人辭職的共諜郭廷亮說起。

郭廷亮與孫立人

郭廷亮現年三十四歲，雲南人。現在的官階是少校，不是有人誤傳的少將。官職是參謀，不是有人誤傳的師長或副師長。

郭犯本來學教育，畢業於一師範學校，抗戰期間，投筆從戎，以「智識青年」資格投效於青年軍，在孫立人麾下出征緬甸，頗有戰功。

勝利後隸屬在新一軍，駐防東北，而新一軍的軍長，便是孫立人。卅六年東北淪陷時，郭未能隨軍退入關內。鄰居是一米店，老闆姓白，據郭供稱，他想離開東北，追隨孫軍，經請白某設法取得路條（通行證）。白說，他本人沒辦法，但他弟弟是一共幹，或可效力。從此郭就與白共相識。

白共知郭是孫將軍舊部，要求郭替共黨在孫軍中做「兵運」工作。郭因急想回來，就答應白的條件。白乃給以路條和路費。於是郭得重歸孫部，於三十七年隨軍來台。

郭廷亮爲人幹練，頗得孫立人信任。孫那時奉命在台訓練新軍，派郭擔任一個大隊的大隊長。後孫調任陸軍總司令，郭也調在陸總供職，担任陸總督訓組的聯絡參謀。該組組長江雲錦與郭臭味相投，乃「形成組織，謀作不法之行動」。（新聞局吳局長談話）

據傳郭供稱，他來台以後，共黨一直沒有派人和他聯絡。直到去年九月共軍砲轟金門，才有一自稱姓李的人夜訪郭廷亮，據稱是『白先生派我來的。』而所謂『白先生派我來』，乃是白郭二人在東北約定的暗號。郭乃寫一張報告交與李某。孫立人是否知道他是共諜？據傳，郭供稱：孫立人完全不知道。

所謂「五月事件」

新聞局吳局長說：『至今年五月間乃竟企圖製造事端，從事顛覆活動』。這又是什麼一回事呢？

原來孫立人在鳳山訓練的新軍，其中有四千餘人，據傳都是對日抗戰時期投筆從戎的智識青年。他們雖有戰功，但不是軍校出身。而照現行人事制度，升遷頗難。這四千餘人既經孫立人將軍加以訓練，且又都有戰功，一直要求待遇與軍校出身的人取得相等的資格，然囿於人事法規，一直沒有邀准。其中一部份人，難免稍有怨言。共諜是很能利用機會的，郭廷亮等的滲透活動，乃乘虛而入。

郭既是新軍訓練團的大隊長，與這些軍人自很熟悉。他的現職又是督訓組的參謀，與他們平時更有很多的接觸機會。於是『乃竟企圖製造事端』。

本年六月六日，美國駐遠東軍總司令泰萊將軍預定應邀來台閱兵。據傳郭廷亮等事先煽惑了一部份軍人，預備在閱兵時向總統面遞一個呈文，除要求承認軍校出身的資格外，並聞尚有其他關於國事的主張，據說共有五項。這個醞釀中的請願方式，有人稱爲『兵諫』。（下轉第二版）

半週展望

·雷嘯岑·

中共的騙術

中共與美國代表在日內瓦談判了四十幾天釋僑問題，於聯合國第十屆大會開幕的前一週，才承認釋放在大陸的美僑，但又不肯馬上採取行動，而且表示第一步先放十名。這明明是想在聯大開會之前，做出一點「和平」誠意的姿態，使亞非諸國代表好在聯大會議中替它說話，希望進入聯合國，至少也要促成美國繼續跟它談第二項議程。所以，當雷遜與王炳南完成第一項釋僑協議之後，印度即代中共提出第二項議程的課題，如允許中共進入聯合國，解除貿易限制，召開外長級會議，第七艦隊退出台灣海峽等等。中共的心計是要美國跟它續談第二項議程時，才將十名美僑先行放回，等到美國再示讓步，又將其餘卅一名「人質」釋放一些。總之，它是拿着這四十一個美國僑民作要挾工具，以期達到它所企圖的政治目的。完全是在玩弄手段，施展騙術！

美國不受騙

美國當然對中共這套騙術瞭如指掌，即乾脆表示：在中共未實行釋放「人質」以前，免開尊口，希望作進一步的談判！我看中共在最近一定會釋出一部分「人質」的，一以配合聯大會議的空氣，一以促使美國繼續再談。至於全部美僑何以不同時釋放的理由，即託詞於「法定」手續與技術問題，揚言必釋，不過時間關係罷了。

美國作何打算？

全部美僑如果釋出了，美國必然跟王炳南繼續談下去。然則就會眞正實行印度方面所提示的那些「和平計劃」嗎？不會，絕對的不會！美國已經表示過，在韓戰中尚有幾百名失蹤了的美軍，還得清查其下落。這些人若不在中共區域，即在北韓，而中共大軍尚駐在北韓的，自有清查的責任，這問題就夠談幾個月了；在未得到結論以前，所謂「外長級會議」當然談不到。他如進入聯合國，解除禁運兩事，艾森豪總統已明白表示，美國是堅決反對的。剩下第七艦隊撤退問題，如果中共能保證對東南亞與台灣海峽不妄作武力進攻，美國自可考慮。但這是不可想像的事，中共決不肯這樣做的。

美國何以這樣不憚煩的要跟中共談呢？最大的目的當然是在營救美僑與戰俘；其次是藉此探測中共的虛實，看它究竟有否做「亞洲狄托」之可能？這一個噩夢，英美至今酣然未醒，當蘇俄正在向西方示弱的今日，英美對於製造「亞洲狄托」的工作，更感興趣。只要中共願意談，美國決不拒卻的。無論日內瓦談判怎樣搞法？繼續多久？美國在大原則上必不致退讓，這一點，我們應該相信不疑。同時，也相信自由世界在冷戰上已掌握着主動的契機，足以從容應付了。

孫立人案應趕快結束

我們對孫立人事件尚未說過話，原因是案情的內容不甚了了，而其事件又對海內外人士的視聽影響甚大，未便率爾批判。近日據聞，九人調查委員會的工作可告一段落，關於孫立人部分的情形快要公佈了，這是好消息。不管是是非非，能將調查眞象公諸全國，至少可以澄清社會上的疑雲疑雨，消弭多少謠言。

不但孫案詳情應速公佈，即對於郭廷亮、江錦雲的共諜案，亦應依法訊處，及早宣示。過去如吳石、陳儀諸叛逆案，政府始終未將詳情宣告全民，實係失策。我總覺得過去政府對許多事件的處置方法，本來是合法合理的，但結果每每弄成授人以口實的不合理之象，原因完全在技術上，而不肯公開內容，即是促成這種現象的最大癥結哩！

台灣的風化問題

——台省議會已通過整飭案——

·孫瑋·

台灣通訊

【台北通訊】最近這一次台省議會開會，議員徐灶生，提出整飭風化案，引起熱烈討論。對於「侍女」與「妓女」這兩個名詞，且爭辯了很多時間。結果通過了「整飭風化案」，該案辦法中，採用「妓女」二字。該案的處理是送請政府採取措施。筆者於此擬將台省目前的社會風氣與該案有關的實際情形，作一概括報告，以明該案的社會背景。

三種方式的淫業

所謂整飭風化，自然是因爲社會發生了荒淫現象。首先要說的是目前台灣的賣淫方式。約可分公開的，半公開的，和秘密的三種。公開的可說是經政府認可，正式做賣淫營業的。如某些特殊地方，和特種酒家的女侍應生便是，全省人數，最少數千名。半公開的，如若干公共食堂酒吧，公共茶室的女侍應生，數目可就多了，單說台北市起碼便有數百家，每家自數名以至數十名不等，統計起來台北市總不下於萬人。全省人數之多，可以想見。

這些女侍應生表面是陪酒陪茶，實際上兼做賣淫勾當。秘密的是地下酒家及私娼館，也差不多處處都有，台北市以保安街江山樓一帶爲最盛。往往一街一巷之中私娼達七八家之多者。人數若干，幾乎無法統計。甚至百數十戶的鄉村地方也有這種私娼窟，她們的營業是不固定的，有些表面做着正當的職業，暗中臨時客串。有意問花尋柳，眞是隨時隨地都有，一度消魂，可以花數百元甚至花數千元，亦可以花十數元。

不重生男重生女

本來台灣女子職業相當發達，幾乎每一項職業都有女子充任，公共汽車的車掌，旅店的侍役，戲院的帶位，即更成了女子的專業。幾乎無論上中下等家庭，及已嫁未嫁，絕少在家裏專做太太或小姐的。本來這是好現象，惟因大家對錢看得太重，其中往往有不擇手段，甚至腆覥無恥而[illegible]貞操。無正當職業的，固然容易走賣淫這條路，有正當職業的，亦常有暗中賣淫以求多賺的情事。最能吸引青年女子的職業，莫過於公共食堂的酒女。她們的收入實在太豐裕了，紅酒女每月收入萬餘元是極平常的事，普通的亦月入數千元。做大官或做大生意的薪給，以至辦美軍差事拿美金薪水的人，都不能與酒女的收入比擬。而且政府官吏以至商店職員的收入，要繳戶稅。酒女的收入，則什麼都可免繳，一流的酒家往往有二三十間房間（席位）的設備，動輒有七八十名酒女。她們許多名爲陪酒，實則任由顧客盡情調戲，可以毫無顧忌，彼此之間恬不爲怪。每當華燈初上，她們便濃裝艷抹，花枝招展去「出勤」。酒女與酒客於縱酒酣歌之際，如果彼此談得好，便可相約到旅社或其他地方去眞箇消魂或度宿，自然這是許多酒女的額外收入並不在上述正項收入統計之內。因此市面上最名貴的化裝品以及最值錢的衣料，多是酒女購買，街上所見最時髦的女人大都是酒女。她們收入既多，有的便購買樓房，有的便收藏美鈔，爲人艷羨。社會上幾有不重生男重生女之概。社會風氣如此，也便是「整飭風化」案的由來。

整飭案的漏洞

省議會所通過的整飭案，辦法中，大概規定：特種酒家要禁止，娼館門口要掛綠燈，劃定區域集中管理。不過我們要問：（一）公共食堂，酒吧，公共茶室的女侍應生——即酒女或茶女——是否在禁止之列？如果不禁止，僅禁止特種酒家，則顯見不能澈底收效。特種酒家爲數甚少，不比公共食堂公共茶室及酒吧到處皆是（台北市即達數百家），只禁少數，多數不問，何能有效？（二）娼館門口要掛綠燈，但台灣並無公娼館公娼設立，是否把私娼館公娼化？又是否設立公娼制度？否則如何集中管理？這不無疑問。

應抽酒女重稅

筆者認爲此事一方面，要從教育入手，尤其要從提倡廉恥運動入手，另一方面要抽重稅，寓禁於征。譬如舞廳的舞女，每一點鐘伴舞代價四十元，政府收稅十五元，餘下的是舞廳與舞女對分，實際舞女僅收得十二元五角。酒女每一番亦是四十元，既不納稅亦免與酒樓對分，如果每一番抽她二十至三十元的稅，並不爲多。使每一酒女不能有每月萬餘元的駭人聽聞收入，以減少人心趨騖。單就台北市來說，政府每天可收稅五十萬元以上，每月便達千餘萬元，全省每年數千萬元是絕無問題的。這筆鉅額稅款，用來普設婦女習藝所及推行廉恥運動的教育經費，是一舉兩得的好方法。或謂向舞女收稅於法無據，那麼，我們要問：向酒女抽稅是否便於法有據呢？只要是議會通過設立的便行。大家如果決心整飭風化，這一辦法似可考慮。（九月五日台北）

中共的蛻變及沒落（二）

·沈秉文·

共黨內部的反共力量

其四：部份共黨黨員黨幹日漸覺悟，黨內反共人士到處潛伏，形成了不可測的內部威脅。中共曾公開認承：高崗、饒漱石、胡風、潘漢年等在共黨內的大量同道者固屬所謂「反革命份子」，與高饒等無關的黨員黨幹中亦發現了不少是長期混入黨內，潛伏黨內的「反革命份子」，或中途轉變的「反革命份子」。據稱更嚴重的，是若干黨部和機關中全爲此種黨內的反共人士所控制。例如：內蒙庫倫區一支部中，幾全爲反共的黨員；黑龍江虎林縣黨委中，自書記、副書記、委員及部長等大多是反共的黨幹；開封市委副書記兼開封市長黎錫雖非堅決反共，但包庇了許多反共親屬在他的機關中；天津市委宣傳文壇更是潛伏了近二十年的反共分子。中共認承此等現象，並非局部偶然現象。

階級敵人混入共黨

其五：黨員數量擴大，素質因而降低，成員日漸複雜，已使中共組織鬆弛，細胞運用率降低。中共在竊據大陸之初，黨員人數祗一百二十萬左右（一九五一年「人民日報」統計）；此後，中共爲鞏固政權，擴大統治層，曾訂了一個「黨員八大標準」，發動工礦建黨和農村建黨，大量發展組織，吸收新黨員。據中共一九五三的統計，已擁有黨員六百萬人（見「人民日報」，目前當還不止此數）。然而大量擴大組織的結果，由於各級黨部盲目表功，追求量的成績，忽視質的嚴格審查，以致成員大量浮濫；不僅黨員的水準（指中共的「政治水準」，並非文化或品德水準）普遍降低，冲淡了黨員的組織觀念，減低黨員在羣衆中的領導，且混進了不少中共所謂「階級敵人」的反共分子。例如，據「人民日報」以「嚴防階級敵人混入黨內」爲題的社論指出：湖北宜昌縣第四區在一次吸收黨員八十七人中，即未經過審查，僅由「積極分子」中圈定者，結果有三十八人是所謂「反革命分子」及「在歷史上有嚴重政治問題的分子」。

上述中共組織的浮濫，已說明中共黨員的政治警覺性業已降低到了中共認爲極危險的程度了。這裏，我們姑且轉述一個最近由中共特務大頭子「公安部長」羅瑞卿在「人民代表大會」上所報告的一個傳奇式的故事，這故事很足以說明中共黨內的傳統警覺性已經瓦解無存。

李萬銘的傳奇故事

羅瑞卿指出：現年二十八歲的李萬銘，以前是國軍二〇七師的文書上士。南京「解放」時，他僞稱中央大學學生，混入「二野」軍政大學。畢業後，僞造印信，混入常州市政府建設科當科員。隨後又僞造「二野」介紹信到陝西，冒稱榮譽軍人，轉業介紹到安康專署民政科。同時又僞造該專署證明書，騙到科員的職位，及「革命殘廢軍人」的證章，並且正式混入共黨小組。（未完）

與孫立人將軍的辭職

·舊雨·

（上接第一版）就軍紀來說，這種方式的請願，無論動機如何純正，過程如何和平，究屬違法亂紀，但顯然不是什麼『叛亂』。

——郭廷亮共諜案——

據傳五月底就有人向保密機關告密。保密機關根究結果，發覺郭廷亮江雲錦等七人都是共諜，就加以逮捕。後來六月六日的檢閱照常舉行，並沒有人請願，更沒有人兵諫。

至於孫立人對上項請願的醞釀，是否知情，須待九大員調查後方能確悉。

孫立人之爲人

孫立人安徽人，這次九人調查委員會中的吳忠信和許世英，與孫都是同鄉。孫今年五十五歲，頭髮斑白，但身體和精神都很健旺，平時律己很嚴，待人很寬，毫無官場惡習，也沒有舊式軍人的壞脾氣。但他所以很得下級軍官和士兵們的愛戴。他確是一隻『微駱駝』（徽州人的綽號是『微駱駝』），祇知忍辱負重，不會花言巧語，所以不善與同僚相處。

孫立人家本富有，在國內讀的是清華大學，在國外讀的文校是美國普渡大學，武校是浮極尼亞軍校，並在該校一九二七年畢業。在美國人的心目中，他是一位『極幹練，極勇敢和極有西方思想』的標準軍人。（參看本月廿九日的美國時代週刊，那裏有許多名貴的紀述）。所以他的去職，在美國方面引起了深刻的印象。

法新社台北本月廿日的新聞電說：「孫將軍刻下無從與外間接觸，且已取消一切社交活動」。但是至少有二位美國新聞記者，美聯社的慕莎，和紐約時報的李普曼，曾與孫立人單獨晤談。李普曼特地從香港趕來採訪孫案消息，據說在孫宅停留兩小時之久。

孫立人本任總統府的參軍長，這次自請辭職的理由，據說是「疏於覺察暗於知人」。（吳局長談話）官方報導中，從來沒有說他與共諜案有關係。聽說他也沒有掩護郭廷亮等的活動。

蔣總統既經派任九人委員會「就共諜郭廷亮案澈查具報」（八月二十日命令），孫立人應負何等責任，不久當可分曉。「但是該委員會的決定無論怎樣，孫將軍的軍事生涯則顯然已經完結了」。（時代週刊，頁二十二）

對於這顆將星的「殞落」，中外人士同深惋惜。（舊雨先生這篇通訊，是八月卅一日付郵的，其中因郵遞及本刊出版的關係，今日始能與讀者相見，雖稍嫌遲緩，惟內容翔實，仍未以明日黃花視之也——編者）

·人物評述·

競選全面勝利的——高棉遜王施亞努

·小丞·

這次高棉普選，獲得全面勝利的是遜王施亞努——所領導的人民社會黨，在議會九十一席選舉中，獲得百分之八十五席捲全部議席的選票，原來估多數的親共民主黨，竟得不到一席。這樣的勝利，將使亞洲自由國家增加其反共信心，對東南反共的前途，亦將受到重大影響。

× × ×

遜王施亞努是一九二二年生於金碧輝煌的金邊皇宮裏的，現年三十三歲，一九四一年承繼外祖父莫尼旺而嗣位。同年十月舉行加冕，執政已經十四年。他的父親是前王諾羅金之子，即曾任王室家庭會議主席的蘇拉親王。前此施亞努的遜位，即由他父親接替。他的母親名谷沙文民里勳，即莫尼旺之女。

施亞努體魄強壯，身材不高，而如滿月，配着濃眉，雙目炯炯有光，頭髮微捲，堪稱美男子。童年，他在宮庭受私人教育，已至高中程度，後來考入河內大學，受高等教育。畢業後，到法國習騎兵學校，他是法蘭西的少將，也是騎兵榮譽隊長。

他嫻於馬術，並且是音樂家，美術家，劇作家，以至演員。他在王室爵士樂隊裏，是吹薩克斯風的，吹奏他自己編的時代歌曲。他也常在王室外寫生，繪有許多美麗油畫。在「一千〇一夜」的戲劇裏，他是扮演王子的角色，拍過三十多次電影。他確是一個多才多藝的君王啊！

高棉是崇奉佛教的國家，因此，他曾到佛寺當過一年托砵化緣的和尚，蓋高棉習俗頗同於暹羅。他當和尚的時候和普通平民一樣，剃去頭髮，隨身只有和尚袍兩件，念珠一串，和木製的飯碗而已。現在他已是佛教和婆羅門教的中心人物，成爲兩大教的精神領袖。

高棉國的王宮裏，經常養有數十名歌舞女郎，遇有慶典節日，便開舞會以娛嘉賓。還養有馬和象，並有座轎和漂亮汽車，供君主代步之用。君主徒步外出，前面例有侍衛保護，後面侍衛撐持一柄火傘，籠蓋着他。依照高棉的傳統習俗，國王可娶姨母或異母姊妹爲妻。惟施亞努至今尚未正式結婚，可是後宮妃子，已有好幾個，並且生下王子數位了。

× × ×

施亞努留法數年，對於西方政治體系，和民主概念，有相當的認識，他是一位若幹，而不甚愛好遊玩的人，故不失爲英明有爲的青年君王。在他親政時，第一個命令就是裁減王室無謂的虛耗，並將政府人員薪俸減低百分之五十，用節餘款項維持國境治安。他也曾下令禁止賭博，但賽馬和麻雀牌不在禁列。

當日兵南進時，勢力侵進高棉，他拒絕充當傀儡，寧可退入深山，領率棉人作游擊戰。因此法人對他更爲重視。一九五二年，因爲民主黨的陰謀，曾發生宮廷變亂，他由於機智，及時從臥室安然逃出。他也勇於作戰，屢次親臨前方，指揮象陣，擊潰在赤色鼓惑下的作亂叛徒。高棉的完全獨立，實由於他的果敢毅力，置個人利害於不顧而爭取回來的。全國臣民對他忠誠擁戴，畏威懷德，這次的全面勝利，絕不是偶然的事。

× × ×

他受民主黨攻擊，被迫遜位，已不止一次了。早在一九五〇十月，由於民主黨在揮軍攻擊，他氣憤之下聲言退位，後來經過各方斡旋，大臣勸駕，經過兩月，糾紛才告平息。第二次政變，在一九五二年三月，由於首相輝根頓——民主黨的首要，向他要求簽署一項民主政治的措施，等於逼害，他抵受不了，離開王室，避居於馬德望。後來經過他父親蘇拉瑪烈親王前往敦促，國民議會議長山生的從中調停，一個月後，始回鑾親政。

他今年三月二日的遜位是第三次了。他決定以退位的手段，來參加政黨活動，雖然早有人預料他是[illegible]優勝的，但料不到這樣一面倒的勝利。無怪乎民主國家聽到這個消息，均歡迎高棉的自由選舉，美國的表示尤爲深切，認爲美國與施亞努所領導的政黨合作，乃值得欣悅者。

只有越北的共產黨對此不滿，展開攻擊宣傳，顯示共黨對[illegible]西方的人民社會黨，獲得勝利，深感不安。越共電台竟廣播：此次選舉，係在「恐怖氣氛及不正常」之下進行的。

總之，此一勝利，不但打擊了共黨在中南半島進一步的發展，也給予越南和泰國以更大的反共信心。這不僅是遜王施亞努個人的勝利，也是亞洲自由國家的勝利。

編者　讀者

胡秋原先生與黃震遐先生書，共兩封。第一封「論大陸淪陷的教訓與反攻復國志氣」，第二封「論當前文化運動與知識份子」，第一封發刊完畢後，第二封繼續在本刊發表，敬請讀者留意。

△關於西伯利亞譯名問題，本刊四六五期發表了王思田先生的文章後，續接兩文，與王先生取相反的主張，稍俟發表，藉供討論。

△孫瑋先生「香港自由國片的外滙問題」的通訊發表後，本刊頃接潘震先生有關此事的答復文章，下期將在本刊發表，先此預告。

△王況裴先生：大函敬悉。

△彭楚珩，陳煥章，穆斯曼，馮虛，諸先生：承惠稿已收到，至感幸！

專載

論大陸淪陷的教訓與反攻復國志氣（四）

——與黃震遐先生書

・胡秋原・

民主神精的特點

我們失敗的原因，與宋是相同的。宋之衰亡，主要由於冗兵冗官。我們人口是世界第一，但國富不過美國百一，而五百萬軍隊是世界第一，則十倍於美國，恐怕沒有一事比這更自困的。

今人皆民主。其實民主貴在精神。開會，投票，特形式之一端耳。民主精神，闡與闡反。其特點在名利之分途與多元，所謂「行行出狀元」是也。漢代游俠貨殖皆有傳，從漢寶璣的、殺牛的，皆登國史，這便是民主精神。若干年前在美國，有人問，羅斯福比克拉克寶誰偉大，有人說後者更偉大，因羅每日只接萬信，而後者日接萬一千信云。他們政要固然出名，然有才的人還頗數實業家。教會的，研究科學的，同樣出名，唱歌的、打獵的、打拳的，只要有一技之長，都有王者之樂。然而，名利斷乎不能兩全而雙收，有勢不一定有錢，此即民主。民國以來，我們是將灌風高，民十以後，一切光榮，皆歸於政治「高層」。打開報紙一看，自國家大事之集會，以至報紙上之介紹名醫與「哲學家」，皆爲一定人物」，即人人皆知之顯官。易言之，名利出於一孔矣。

人才衰弊之故

一國之執政者，總是一社會之「菁英」（ELITE）。他們是一國之脊椎。此脊椎必須堅強之。否則，「朔方健兒好身手，昔何勇銳今何愚」，自古已然。國民政府開府之初，自一時菁英。然沒有什麼比一孔之名利更腐敗優秀份子的。「訓政」過久，實促成此一過程。蔣先生早欲召開國大，實行憲政，而竟以此成政潮。於是漸形成貴族政治。其實如以義務固其權利，以才能定其上下，貴族政治不爲大病。英國乃貴族傳統最久之國家，有此鄉之窮，其所以能歷久不衰者，即他們知道必在學問才能求傑出始爲貴族，必盡特殊義務，始能享特殊權利。英國貴族好學有禮，害不苟避。海權是英國甲冑，然貴子必登輪，且唯貴族始有乘風破浪之優先榮譽，而自上至下，有福同享，有禍同當，有「團體精神」（ESPRIT DE CORPS），所謂民族主義者，即團體精神擴張於國家規模者。在這意義上，民主主義乃民族主義之補充物。故西洋人言民族主義自十八世紀始。普魯士之「永克」及官僚是另一套，然亦是率先犧牲，至少在他們的閥閱中，提出最後的人才，故亦能有效率。日本之薩長藩閥，赤門學閥，亦有向標精神。成吉思汗之「怯薛」，奧托曼之「揚尼薩利」，以及蘇俄之共黨與紅軍，又是一套，即以最高領袖爲中心，形成一個特殊勢力圈，圈外有圈，若同心圈狀，愈在內圈，愈容得好，但有嚴格賞罰爲淘汰　或近圓心，或拋出軌道之外，乃至殺頭；此乃落後社會，也是有效率的。至我中國，自漢以來，即有考試，進爲科舉，此亦選拔菁英之道，亦中國社會長期安定並維持大帝國之故。雖所試不一定是眞學問，然如黃黎洲論科舉得失，謂有如抽籤，不失爲一種辦法。左宗棠自秦非科舉出人才，而是科舉不能阻人才之出。各國仿行，孫中山以創五權之說，豈偶然哉？

革命黨的人才

革命政府成立以後，我們沒有在制度上採取任何一套辦法。我們沒有立刻實行憲政，以充實民族主義。即號稱以黨治國與軍人第一，在黨與軍中，也沒有充分表現團體精神。事至今日，豈國民黨內無人才，未將其黨政軍中最好的人才使出耶？豈國民黨外無人才，抑其廢敗耶？中國之古制，採先生之大訓，也只設院而止，而人才之實際進退，幾多恃乎「八行」。八行一流行，表示二點：一是權力，膠固。權力靠人才川流而有力，膠固即生機枯竭之意。其次，人人都是有用的，猶之人器皆是有用的。將爐放在客廳，鍋放廚房，此謂治，反之曰亂。人地擺設不當否而已。而八行主義又是亂擺而又亂擺之主義。

大陸是如何失去的

一國不能集中及不斷產生眞正菁英，爲國家綱維，便是散體國家，即有很好領袖，亦難爲力。此不僅對外不能應付外患，而因政府沒有啓發人才之源泉與軌道，社會遂亦沒有活力，沒有價值標準；於是機會主義勢利主義大行，政府忙於人事糾紛，社會亦自然離心而解體。於是就有幾種現象。其一「官大好吟詩」，以官位大小爲才能之高下，文武大官皆自視蕭曹衛霍，且抱作之君師之身，長官即可訓部屬，部屬即可訓人民矣。其二，功名之士，皆爲勢利之士，智慧畸形發展，漸亦不能作正經事，而以老奉[illegible]，標語，口號，應酬爲能矣。而他們也是利盡交疏的。其三，一般社會稍有才能者，遂亦各因時地制宜而成堡壘，由黨政軍起，到銀行、學校、庚款管理，報紙分配，乃至每一條街道，每一張副刊，皆形成碼頭，各有案主矣。其四，無人爲國家謀，一般人民生活日艱，非恐霉之情，即麻木之狀矣。其五，亂象日生，人不自重，整個社會都覺得沒有希望，一片槁木死灰矣。其六，至此道德學問視爲太古海外奇談，人各奮力爭朝夕之升斗，撒謊爲生存之秘訣，西洋人視撒謊，較我們稱王八爲尤恥，但我們彷彿視爲藝術，對一切之僞，皆投以會心之微笑。

（未完）

防止犯罪案件再增

亟待採取基本對策

幾年來，本港犯罪案件增加，種類之多，亦幾令人難以置信。比較驚人的，去年全年竟達二十七萬六千五百七十七宗之多，多過一九五三年一萬餘件；比一九五零年犯錄更超過九萬多。其中唯一勉可告慰的現象，是今年上半年較去年同期已見減少。

就犯罪者情況來說，這幾年所發生的罪案，兒童犯罪數量已較過去爲多。但是這些童犯的犯罪原因，大多數係由於成年人的引誘和唆使，當局對於這些童犯，幾乎很難根查出幫助他們犯罪之主犯。事實上這一點也確有甚多困難，若干被拘童犯犯罪尚不自知，而幕後教唆歹徒，大多數又非他們平時所熟悉的。正因爲游蕩街頭的兒童衆多，歹徒固不乏利用他們作犯罪勾當的機會。

社會局對犯罪兒童的懲教措施，不僅力求完善，且正爭取效果，不論是管教或懲教機構，其內部設施的優良，遠東任何國家均無出其右。雖然，這種改造童犯心理政策，對於防止再犯確有實際效果，卻不是根本掃除童犯的良策，根本掃除童犯，必須杜絕游蕩兒童。這是一個現社會所不易解決的問題，因爲數逾三十萬的成年人失業，直接造成兒童失學游蕩，更他們犯罪的機會增加。學童雖也有犯罪的，就警方的紀錄來看，到底所佔比例不高。

關於犯罪原因，雖然各方的看法不同，但似乎誰也不能否認主要還在年來社會風氣的敗壞，幾臨難以糾正之境。這一個問題，爲下一代着想，也爲整個社會秩序計，自不容再小忽視。

當局近來爲了挽救頹風末俗，曾採取了許多對策，例如清除報刊足以影響市民正常心理的文字；增加學校收容學齡兒童人數；開辦成年人教育班；鼓勵發展義校等等。從理論上，這些措施對於減少成年人與兒童犯罪自有相當效果，但是這種誘導而非強迫性教育，僅能培養市民身心。至於如何扶邪歸正，則尚有待作進一步的考慮。

在這方面，似有三項步驟是可供參考的：（一）對成年人教育採取強迫方式，務使逐步掃除文盲；（二）肅清游蕩兒童，有家者責成他們的監護人管教，無家者由社會局設法安置；（三）籌設游民教養機構（或失業者工藝傳習所），收容衆多無業游民及失業者。這些雖然都還不是絕對有效的辦法，但至少有助於社會道德重振，而使罪犯可以減少。

文化的民族性和持續性

——並請教蕭立坤先生——

（下）

・謝康・

至若從縱的方面看，蕭先生以爲一切舊文化都無價值，都被打倒，這也犯了優劣不分全稱否定的毛病。他不獨要打倒「孔家店」，摧毀「綫裝書」。」還要毀棄一切古代的舊文化。他不知道一民族對文化貢獻的功績，死者的力量，往往多於生者。他至少忽略了文化的累積性和持續性，王充論衡說：「知古而不知今，謂之陸沉，知今而不知古，謂之盲瞽！」我們若要免於王充盲瞽之譏，我們就得注意文化的持續性，同時就得珍視古代文化的遺產，尤其是本國文化的優良傳統方面。

遺留多於創造

根據中華民國憲法，我國是三民主義的國家，關於古代文化的優點，該如何發揚光大，在民族主義裏面，國父已經有鮮明的主張，和五四時代全盤攻擊舊文化的態度，顯然不同。記得從前讀過一本列寧的論文集裏面，他也主張共產主義要繼承資本主義的優良傳統，（大意如此，惜原書不在手邊，不能徵引原文）中蘇兩國的開國元勳，革命領袖對舊文化的「優點應該保存一節，似乎有相似的見解，值得我們特別注意！文化不是憑空可以創造出來，必須憑藉古代文化的遺產，決不能白手成家。文化的新舊持續，也好像流水一般，不能截然斷斷。例如語言文字是人類傳達思想文化的工具，也就是現代人不能驟然廢棄的一種社會遺產。又如文學藝術，現代的不一定超越往古，我們得研讀荷馬，但丁，或詩經屈原，即使是自然科學，政治科學，我們縱然不讀亞里斯多德的原著，至少也得追溯到歐洲的文藝復興時代。人類社會並非從今天開始組織，在倫理、道德、法政、經濟，風俗習慣各方面，古人的遺留，總必多於今人創造　尤其在民族精神社會制度宗教信仰之變成上，決不能數典忘祖，以爲古代文物可以一齊拋棄，而一切從頭嶄新地創造出來，或全盤摹仿別種文化來填補自己的「文化眞空」，這在事實上是不可能，然而在理論上是說不通的。

中國文化終將復活

五四何嘗不想摧毀舊文化，移植新文化，然而舊社會好像黑越越的汪洋大海，新文化運動只像在海面上飾一層薄油，何曾能夠使海枯石爛，變成肥沃桑田！若干年來，共匪正以雷霆萬鈞之力，摧殘舊文化，焚書坑儒，一心想將蘇聯文化教育移植於中土。可是，已經引起中國人的普遍反感，斷定它終久必歸於失敗。因爲綿延了多少萬年，孕育了幾億人口的社會制度或民族文化，它植根的深厚，生命力的強韌，絕非短時間的外來文化所能摧陷廓清，一乾二淨的，這是普通人可以想像得到的。中國傳統文化的優美和諧，終必有復活在中國人心頭的機運。同樣，以基督教爲中心的西洋精神文化，也不是社會主義或共產主義所能毀滅，無論蘇聯共黨怎樣反宗教，繼續了三十餘年，希臘正教在蘇聯還保存着相當的力量。今天，我們談東方文化，要溯源於拉丁中國印度，猶之乎西方人談歐美文化，不能不溯源於希臘一樣。

要勉強說世界性的「新文化」，已打倒一切舊文化，那不是誤解「文化」的涵義，便是抹殺客觀的事實，或故意鄙視孔子以後的儒家著作，認爲不及一本「燒餅歌」的價值，那不是主觀太強，便是對「燒餅歌」的預言，迷信太過。憑良心說：與其相信劉伯溫的預言，倒不如研讀程朱的語錄，至少可以祛除迷信，幫助修養的工夫。

不宜偏重工業文化

至於說沒有科學工業，人就要喫人。也就等於說沒有科學工業的文化，都是使得人喫人的文化，再換句話說：現代科學工業文化發達以前，人類社會所過的生活，都不免是喫人的恐怖生活，這種說法不知道在社會進化史上有何根據！至少中國幾千年的農業文化，可以證明其不確。而蕭先生於此，也就不免有過份重視工業文化，而輕視農業文化的嫌疑了。

以上約略可以說明人類社會的文化綿延性或民族文化的持續性，文化是繼往開來，延續不斷的儲存和創造，很難將它作橫剖面的劃分，截然地劃出一個時期，將舊文化完全毀棄，同時將新文化完全建立起來。基此理由，蕭先生底世界性新文化已經建立，舊文化完全打倒之說，似與事實不甚相符，自難成爲一個定論。

四、文化不應偏於實用

蕭先生大概是一個極端喜新厭舊的人，他既然想像新文化已將一切舊文化打倒了，還不自信，要請人們將舊文化收藏起來，可憐這些已經被打倒的舊骨董，還要特別收藏做什麼呢？而且一方面蕭先生既然禁錮了舊文化舊思想，另一方面卻主張建立自由制度（原文擇後一段），請問如果研討舊文化也被禁止的話，那麼，由自由制度，究竟如何建立起來！而且舊文化到底，有用或無用，也不是一個人的主觀論許，就可以斷定，不如讓人們自由研究，參稽比較，既可免於「盲瞽」之譏，又可收觀摩之效，豈不是一舉兩得嗎？

蕭先生所見的「文化本體」大概偏於實用方面，所以他說：「能幫助我們打倒共產政權，建立自由制度，提高人民生活水準的一切事務，都是我們文化的本體」。而我的淺見以爲文化底本體不應該這樣狹隘，除求「用」以外，我們還得研求一些眞，善，美的東西，這些東西，有時在表面上好像無用，而其實可收精神上之大用，例如美術文藝，就是其中的一類。然而要研究美術文藝，就不能拋棄古代中外文藝於不問不聞之列，這又是顯而易知的事體，（參看拙著藝術新論篇）

最後還有一點補充的意見：我覺得蕭先生底「世界性的新文化」僅僅注重科學工業，倫理哲學，社會組織，人民生活物質上的需要，似乎還不大夠。十九世紀德國學者席勒（SCHELER）早已主張過「綜合東西文化之所長，造成世界文化王國之理想。」這種綜合各國文化之所長，融會一爐而冶之的觀念，不分主義或國別，取長去短，含英咀華，然後匯爲集大成的一種世界新文化。我認爲比較合乎理想。這新文化的性質，應該包含下列幾個特點：

新文化的性質

（一）是融合古今中外各民族文化之所長而產生的新文化——也是世界民族眞正平等和平相處各種文化長期接觸水乳交融以後的結晶，是歐亞美非大洋各洲文化的混合物，世界各大民族對這新文化的形成，都應該努力有所貢獻。

（二）是以近代科學工業爲基礎的新文化——這一點和蕭先生的意見，頗爲相同。在自然科學和機械工業極端發達之後，原子能更大量增加農工業及醫藥對人生社會的福利，於是生活水準提高，人民不獨無匱乏之憂，還可以享到相當舒適的物質生活。

（三）是維護人權自由尊重民主和平的文化——這時節社會科學和人文科學也跟着自然科學而發達，共產獨裁已經消滅，專制壓迫，不復存在，民主自由制度普遍建立，世界成功了一個眞正的聯合國（自由民主世界聯邦），於是戰爭絕跡，永久和平得了保障。

（四）是普遍發展文藝美術優美和諧的新文化——這時節人們確認美術價值，高於一切，人人養成文學美術的嗜好，藝術已成爲國際化而深入農村的每一角落，到處都是美的社會，和美的人生。美的光輝，照耀寰宇，無論物質現象世界或精神世界，處處構成美妙的和諧。可說是大國樂園，已經建立在這地球上。同時整個地球，也佈滿和流露着藝術神秘的美妙！

這不是我個人「燒餅歌」式的幻想曲，而是讀蕭文後應補充的結論。

（四十四年八月十五日於帝文島）

中國需要的英雄馬五先生

自由談

時勢造英雄之說，實際就是碰運氣的道理。像住在香港的人，平時饔餐不繼，借貸度日，誰也怕跟你接近的。一旦得中了大馬票頭獎，馬上聲譽鵲起，貴爲社會名人，任何盛大的集會場合，皆有人請你去參加，姓名隨時在報紙上出現，即儼然大好佬了。

一般政治上出將入相的英雄豪傑，十九都是遭遇着碰運氣打浪仗的生活而來的。若說達官顯宦們眞是天寶英明，本事確比別人高強，那卻是瞎扯淡。許多拜相封疆的角色，其才智並不及一個縣政府的科員哩！以曾國藩那樣辛苦征戰十幾年，克奏大功，晚年自識墓銘，還說是「不信書，信運氣」，可見普通的所謂要人也者，不過是時運巧湊，徼倖成名，因而造成他的英雄聲譽罷了。

英雄造時勢卻是了不起的眞本領，非具有奇才異能，而又智勇雙全者，不足以語此。就現代人物看，史達林可算是其中之一，雖然他所創造的時勢是禍害人類的，既能爲患於世界，即可以遺臭萬年，而與流芳百世的英雄，等量齊觀了。羅斯福在二次大戰剛告發生之際，即以「防疫」的理論，創造美國不能孤立的時勢，最後更故意誘使日本軍閥來襲擊珍珠港，以便美國起而領導民主國家，積極作戰，打倒極權侵略集團，這才不愧造時勢的大英雄也。若夫艾克總統先生，則完全是沾着時勢之光，有如我們在香港買大馬票的情形，時來運來，湊巧碰上，論他的本事，我是不敢恭維的！

中華民國現時正是運厄陽九之秋，需要有創造時勢的蓋世英雄來旋乾轉坤。至於趁勢乘勢，但知攫取富貴功名的英雄，滔滔皆是，願天佑吾國，最好不要再降生了吧！

劫後回憶錄序

·仇凝·

仇凝先生爲我國德工程人才，大陸淪陷，曾完成許多國防工事工程，逃難到港，數年於茲。現爲本刊寫成「劫後回憶錄」一文，述其個人逃難及中共竊據大陸初期，目擊情形。先行發表其敍言如左：——編者——

（一）

我的原籍是內地多山地方的一個小鎮，那裏留有我幼年住過的房舍和田園。從民國元年起，我就離開故鄉到北京讀書，直到抗戰時由南京退卻，路過故鄉，纔回去一次。那時慈親也由城市遷回故園。我曾由軍餉匯回鉅款，作爲安頓老人的費用，慈親卻爲我買了許多田地房屋。未想到後來成爲中共清算的對象。我逃離大陸時，原想回故鄉一次，但是事實上不能容許，更不能夠隨同七十高齡的慈親逃難來香港，只有託付幼弟代盡孝養。國內大清算的期內，我接到消息，田園盡沒，只留下房屋一間，未遭逼害的慈親卻病于風濕，不禁愁苦，在飢餓和憂懼下與世長辭。臨終的話，要我爲國家，爲一般遭害的人報仇雪恨。我讀了慈親臨終的遺囑，當時心胆俱裂，哀痛到昏厥，死了過去。像同樣有血海深仇和我一樣的流落在香港的人，正不知道有多少，我們雖然是國破家亡的難民羣，不應該只求苟全性命，忘懷血海深仇。那些幾千萬含恨而死的冤魂正在期待我們爲他們復仇，和五萬萬陷在地獄中受苦的同胞們正在日夜的盼望我們將他們從魔鬼的掌中解放出來。我們應該團結起來，不能再生門戶派別的意見。若能集合千萬人和海外華僑的資助，也就不必等到第三次世界大戰，自己已經能夠負起反攻大陸的任務。自古以來，哀兵必勝，我們是有勝利把握的。何況還有友邦在協助我們，只怪我們自己太不團結了。

最近又接到親戚的信說，我的岳父受不住環境的壓迫，已離人世，岳母無法生存，尙幸爲人傭工，苟延殘年；兩個內弟下落不明。這些都是中共的「德政」，也就是中共政權要失敗的致命傷。

（二）

民國四十一年我的四個子女同時患了時疫，因爲各人的營養不足，和缺乏醫藥費用，一歲的幼女，不治而夭亡。我曾親手將伊接生，又親手抱伊在懷內，痛心的看伊死去。我妻爲此受了神經上的刺激，幾乎失盡人生樂趣。夫婦合力工作所得到的收入，始終不夠一家五口的生活。三個孩子失學幾年，總算進了一家免費的學校。他們穿着破舊的衣履和面上缺乏營養的菜色，對映我頭上的白髮，已經把我們一家五年來在香港流落的苦境十足表現出來。

（三）

我們一家五口在九龍時期最初是住在紅磡大環山木屋區，因爲在香港工作，纔又遷到香港筲箕灣來，依舊過着木屋蝸居的生活。曾有詩述其情形。

「脫難始穹窮，困居木屋中，大環山麓下，船塢海角東，房頂薄氈蓋，夏炎蒸氣籠，春來難蔽雨，冬至不遮風，拂曉容鄰舍，擾眠若臭虫，還愁日食缺，久當衣箱空。」

又感慨詩云：

「窮客九龍願未償，江湖淚倒慨流亡，莫悲心有凌霄志，更苦家無隔宿糧，故國沉淪待克復，田園盡喪猶思鄉，半生多在亂離際，垂老卻留天一方。」

我並非想藉此哭窮，不過欲將和我一樣的許許多多流落在香港的同志們的環境表白一下，讓國際上知道我們是無告的難民。

（民國四十三年十二月除夕前寫於香港。）

並蒂蓮

辛未秋，重過吳江　王沉裴

記年時，湖干信宿。隔窗夜雨聲驟。揭來綠漲平波闊。漁艇低傍綠楊柳。沙渡口。吳娃短袖。把蘭槳輕分。採摘擇纖手。

江鄉有。說甚燒菘翦韭。香羹堪佐杯酒。蕭然湖海飄蓬客。只爲沉唑骨銷瘦。從今後。秋風依舊。喜蓴鱸正好。烟際縱回首。

謝陳霭麓寄贈詩刊

時客東京　寄華

異邦寡氣類，坐臥習閔默，詩腸失溉潤，索句久不得。觀櫻兩託興，腕弱亦無力，隔海望勝儔，可以通結轄！晨興涼風動，新詩自故國，展卷對良朋，一一上吾臆。舊雨巴山情，今雨鯤瀛憶，封後驗心期，行間見顏色。懸知文酒盛，飛渡乏羽翼，置卷囊篋旁，長歌解胸結。

語意學漫談

徐道鄰

這一句話的性質，究竟是偏重於哪一方面的，那就要看這一句話的上下全文和其整個語言環境CONTEXT『如何了。（事實上，人類受環境及心理的支配，他的『評價』和『價值』，常常不符合。他所『評價』甚高的，在旁人客觀的看起來，並不一定就具有高的『價值』。一個人所認爲是他的『益友』的，事實上往往正是他的尅星。但是這些問題，已經不在語意學的範圍以內了。）

評判語句和指示語句的不同，因爲它既不是對於一種事物的時和地的指定IDENTIFICATION，也不是對於一些事物的特徵CHARACTERISTICS的說明。一些事物之被評價——有利或無利的評價，高的或低的評價——這祇是它的一種『情形』PROPERTY，而不是它的『特徵』。就是說，它因爲具有某些特徵而得到某一種評價，但是這個評價，並不是它本身的一種特徵。特徵是一些事物在任何時任何地所具有的，而評價則祇是這些事物在某一時某一地在某一個人心理上所引起的反應。評判語句，是代表一個人對於一些事物表示歡迎或不歡迎的反應，所以可以分爲積極的和消極的兩種。『美』或『醜』，『善』和『惡』是也。又可以經過種種遞減或遞增的階段，構成一條連續綫CONTINUUM，例如：『最好』，『很好』，『還好』，『馬馬虎虎』，『不大好』，『不好』，『很不好』，『不好之至』是也。同樣的，一個小心謹慎的人，可以被加以『智人』，『有遠見者』，『聰明』，『小心』，『遲疑』，『拿不定主意』，『儒怯』，『糊塗』等等名詞，這也正說明各人對同一性質的不同程度的評判。

一個人在敍述一件事物而加以評判，我們稱之爲評價APPRAISAL，評價和敍述不同，二者雖然都同樣有表達的作用，但其表達的方式卻大有分別。（一是以『人』爲主，一是以『事物』爲主。）另一方面，一種評價，可以被加以敍述，同時，一種敍述，我們也可以加以評價。而且，任何事物，凡是可以被表達的，也無不可以被評價，一件東西，一個生物，一樁事實，一種關係，一道命令，一段敍述，都可以被評價。就是一個評價，也還可以被評價，對於一種『批評』的『批評』，就是我們平日常常看得見的好例子。

評判語句的報導使用

現在我們討論『評判語句』的四種使用。

第一種，是『評判語句』的『報導』使用，最足以代表這一類語文的，是神話文字MYTHICAL DISCOURSE，神話文字和小說FICTIVE文字不同，因爲後者主要的是幻想的產物，而前者主要的是在『報導』一種傳說。神話文字又和科學文字或宇宙論文字不同，因爲它所用的語句主要的是評判語句，不是指示語句，而後二者所用的語句，則是指示語句，而不是評判語句。（六十二）

劍底秦庭

歷史小說　奚如

歌聲從夏姬的口裏吐出來，像是一陣陣出谷新鶯；歌聲從夏姬的口裏傳到荊軻的耳膜，卻像是一陣一陣利矢的飛射。一次歌聲過去，又是一次迴奏：

「唯荊之茂兮，
不可以爲材，
唯荊之良兮，
不可以匡鼎鼐，
夏之傾矣，
荊其猶在，
梁其頹矣，
荊復可害！
唯荊之茂兮，
不可以爲材，
唯荊之美兮，
不可以匡鼎鼐，
荊哉，
荊哉！」

「獻醜了，荊壯士！」是夏姬嬌柔的聲響，「壯士」兩個字卻似乎有着非常沉重的尾音。說完，夏姬朝着太子烟視了一眼，太子卻報以一陣叵測的微笑。只有荊軻沒有一點表情。

「荊先生，這個娘兒唱的怎麼樣？」太子把笑臉移向荊軻。

「還好！」荊軻祇有淡然地笑了笑

「歌詞似乎生硬了一點？」

「很有意思！」荊軻又淡淡笑着，點了點頭。

眼看精神的挑戰並沒有爲荊軻接受，太子丹又轉換了一個面孔，另一套說話。

「這娘兒不但歌唱得好，還跳得一場好舞，荊先生，要不要我們的夏姬來一齣燕舞？」

「呀，好極了！醇酒美人歌舞，除了燕國高貴的賓館，那裏去找？來！」借着兩分酒意，荊軻用勁地擺了一擺手：「請夏姬爲荊某，爲燕國的光榮，跳一齣舞！」

太子沒有再作聲，只是愁然地望了夏姬一眼，便把頭低下來。

一陣急促的，慷慨蒼涼的舞曲過去，微姬早又盈盈走了過來，行了一個謝禮之後，再又退下廊間。

「太子閣下，我有一個大胆的請求！」荊軻忽然捧着酒器，轉過面來。

「請說，荊先生！」

「我想把夏姬留在這裏，一天晚上，只是一天晚上！」

「好極！」太子狂放地端起酒：「英雄美人，還有什麼話好說？來來來，我們乾了！」

「謝謝你，太子，荊某將永生不忘此夜。」荊軻一口氣把酒喝下喉道，雙手扶着几桌兩角，一直在把眼睛盯緊了夏姬。

（三十七）

名伶軼事　秦五九與楊小樓

·小丞·

清末一代伶人，由於均屬供奉皇帝，在宮中演戲日久，多受到皇帝的寵悅，所以對於皇室和當日的大臣，均有知遇之感。及後清帝遜位，時移勢易，滄海桑田，他們的感觸自然也隨時流露出來，不勝其今昔之思了。

秦五九名穉芬，其祖亦伶人，五十九歲生穉芬，故以爲小名，飾青衣，光緒與張蔭桓均極賞識。張蔭桓並爲其置宅娶婦，寵愛有加。

×××

民國後，光緒帝亦逝世未久，五九每談及光緒帝親、過從，與乎過去得寵之往事，涕猶熒然。其時羅癭公與實甫均極稱美而歌詠其事，樊山詩有「樀鼓憐孱帝」之句，即係指此。

至於張蔭桓，則因康梁案遣戍新疆，庚子夏義和團方熾時，西太后突電新疆當局，以張蔭桓通俄，就地正法，可謂結局極爲悲慘。當其遣戍新疆時，以平日意氣甚高，又在六君子被戮以後，親朋無一人敢爲送行，獨五九不避一時利害，送至正定府泣別，時人極爲稱許。

×××

民國四年，時楊小樓仍享盛譽於舊都，然亦於光緒帝之寵遇，尙存着極深厚之感遇。是年六月，爲袁世凱的生日，即已萌帝制自爲的妄想，召諸伶演戲漱芳齋，命楊小樓跳靈宮，小樓一再固辭，但迫於當時淫威，只好勉強從事，演完以後，欷歔不已。

原來清皇要有大典演戲，始得跳靈官，如乾隆萬歲，光緒大婚之類，除此以外，極不易見。

當其時宣統太傅，清室的遺老陳潤庠陳寶琛均在座，見到袁氏這種舉措，均不勝其驚駭，不禁傷感異常，陳有詩錄其事，題爲六月初一日聽戲漱芳齋，詩曰：

鈞天夢不到谿山，宴罷瑤池海亦乾，誰分梨園烟散後，白頭及見跳靈宮。一曲何堪觸舊悲，卅年看舉壽人巵，相公亦是三朝老，嘗是椒風受册時。凝碧池邊幾淚吞，一般社館味遺言，史家休薄伶官傳，猶感纏頭說報恩。此曲能聞定幾回，分明天樂梵五臺，昇平樂都乾隆日，婁縣尙書舊費才。

觀此，袁氏當時雖未稱帝，昔日帝王享樂，已多襲用，所以是年八月，籌安會即已出現。楊小樓洞燭機先，見微知著，是亦伶人中具有眞知灼見者，又豈是在私室感恩之餘欷歔不置而已！

自由人

THE FREEMAN

（第四七五期）
中華民國僑務委員會
僑發登記證台救新字第一零二號
中華郵政台字第五〇〇號
執照登記爲第一類新聞紙類
（半週刊每星期三　六出版）
每份港幣壹毫
台北市售價台幣壹元
督印人：陳文華
地址：香港高士威道二十號四樓
3 rd. fl. 20 GAUSEWAY RD
HONG KONG
香港發行及事務接洽
高士打道66號　電話：七四〇五三
承印者：東南印務出版社
地　址：高士打道六十四號
海外總經銷
友聯書報發行公司
香港：德輔道中二十六號A二樓
台灣特派員辦事處
台北市館前街五十號
台灣總經銷處
台北市西寧南路壹查零號二樓
台郵儲金戶九二五二

心戰世紀與世界前途

——艾森豪統帥哲學與藝術——

•黃煥文•

「世界局勢在進步中」，「自由中國應少作杞憂，多作努力；撇開面子問題，才可看清眞象」。這是靄立坤先生在本刊四七二期一篇好文章的話，令人敬佩之至。我個人覺得，今天美國的世界政策，隨時代前進，幾乎要趕上「洲際飛彈」。有點像「飛機飛得高，好似一隻鳥。」一樣。如果不去細心觀察，當然你就會趕不上時代而落伍了。結果，只有滿紙荒唐言去驚駭別人而已。

心戰至上

英國當代軍事思想家羅勒將軍早就說過：氫彈並不能取消戰爭，不過，氫彈却使戰爭逐漸由物理的境界轉入心理的境界而已。就我個人研究近年國際形勢，已有「心戰至上」之趨勢。如果將「冷戰」改爲「心戰」，似更恰當。所謂「艾森豪世紀」，可以說不外「心戰世紀」。因此，艾總統說，中共終於把美國飛行員及僑民釋放了，乃是上帝的力量。

今天美國強大無敵，負起了全球安全之大實重任。艾森豪手握「毀滅半個地球」之武器而不用，必有他的道理。中國古訓說：「不嗜殺人者能一之」。艾氏不僅是美國一國的領袖，實際上，等於自由世界的最高統帥；一身繫天下之安危，他不願稱「領袖」（LEADERSHIP），偏要做「夥計」（PARTENERSHIP），當然時刻在戒愼恐懼中。所以，我們要細心領悟艾森豪世界統帥哲學與藝術，則知靄先生說世界局勢在進步中，決非虛語。

艾森豪的哲學淵源

舉世均知，近代政略戰略大思潮，可以說都發源於法國革命之後拿破崙。可惜希特勒想做拿破崙而又不懂得拿破崙。但現在北大西洋公約聯盟及其歐洲盟軍之組織，不啻拿破崙觀念之實現。拿翁後來在荒島上反省深思，曾說：「…由於歷史的壓迫，歐洲遲早要成爲一個聯邦組織。我的制度瓦解之後，歐洲統一，只有「國家聯盟」這一條路」。問題是，你用武力征服統一呢？或者平等合作統一呢？這要看你懂得拿破崙多少？如果眞懂拿破崙，可以說你就懂得歐洲。而歐洲是世界政治戰略之中心，你懂得它，至少可說懂得半個世界了。

今天西方國家陸、海、空三軍高級將領以及政治家外交家們，對於歐洲近代史與戰史，當然不會不爛熟，等於中國知識份子對「三國演義」一樣。可是，他們是否熟讀「拿破崙」和杜爾斯小交旅行時經常帶着一本聖經一樣，吾人不得而知。但艾森豪是歐戰名將之一，他的統帥哲學，受拿翁之影響，自然不亞於受馬歇爾、麥克阿瑟、巴登以及已故共和黨領袖塔虎脫先生等思想之影響。

肉眼慧眼到電眼

拿翁說過一句趣話：「我很少拔出我的劍來，我打勝了仗，不是用武器而是用眼睛」。後來法國人把它稱爲「慧眼」而不是肉眼。現在艾森豪更要用「電眼」。日內瓦會議中，艾氏建議空中偵察美蘇雙方軍事監測，即爲慧眼加上電眼，看看蘇聯軍事設施和力量，究竟如何。這可把蘇聯領袖們嚇壞了。

拿翁又曾對他的左右說：「戰爭，是一個無政府主義，終有一天，勝利將不要大砲和刺刀」。這是否拿翁後來看了法文孫子兵法名句：「不戰而屈人之兵」，才有感而發呢？或者是對戰爭有所厭惡呢？吾人無暇去考證。但艾森豪對於戰爭的殘酷，的確有所感悟，於是，原子能和平用途，原子戰爭之諾言，大胆拿出來。不部霹靂手段，那能有菩薩心腸？

從前拿翁以武力統治歐洲，大家都說由於他的鐵拳一擊，但他自己却辯稱：「這是只知其一，不知其二，要知一個大將，有些地方是「超軍人」（ABOUE AND BEYOND SOLDIER）。約翰根室著「艾森豪人幕」說艾氏被稱爲「和平將軍」，也有人稱艾氏爲軍事政治家，稱軍事外交家，其實還是「超軍人」一詞最好。因爲艾克本是軍人，而超軍人，就可他風雲際會，登上美國總統寶座，還成爲原子時代世界統帥。如與上次歐戰名將，德國隆美爾，英國蒙哥馬利，俄國朱可夫三人相比，眞是各人遭際不同。不料俄國名將朱可夫終於做到蘇聯國防部長，這在艾森豪的統帥哲學慧眼內，必有大文章在腹稿中。

唯智論，唯能論

今年一月廿六日，老兵麥克阿瑟將軍在他七十五歲生日，加州洛杉磯爲他建立銅像紀念碑，碑上右邊刻「軍人」，左邊刻「政治家」，極富時代的意義。他當時發表三篇演講，意義深長。以之對艾森豪而言，約等於「馬歇爾大戰報告書」，塔虎脫的「美國外交政策」，以及巴魯區的「國際管制原子能方案」同等影響力。我們讀麥帥的演詞，雖百遍而不厭，因他站在時代前面，作眞理之呼聲。

這位超軍人的老兵以爲核子武器毀滅力太大，勝敗雙方俱遭毀滅，戰爭等於自殺，故應「廢戰」。而宗教潛力將比炸彈力量更大云。他又以一生身經兵器革命，最初拿翁來復槍打死一個敵人，其後機關槍出世，可打死十餘人，更後大砲彈如雨，打死幾百人，以後炸彈擲下炸死幾千人，不久原子爆炸，殺死幾萬人。現在氫彈力量則可毀滅幾百萬人。於是戰爭到此爲止，理論上也必須廢除了。

天下大勢如此，吾人不用怨天尤人。問題是在自己能不能趕上時代。如果在艾森豪世紀中，眞能做到廢除戰爭，解決共產主義，那麼，我不用打仗，絕對可以光復大陸。若問我有何奇謀妙策，請看愛因斯坦最著名的公式：E=MC2（即任何物質所含能量，等於該物體的質量和光速的平方的乘積）就會明白。你說這是「唯智論」也可，「唯能論」也可。（九月十二日於曼谷）

本報特稿

美國按鈕戰爭的準備

風行

世界已默默無言的進入了準備『按鈕戰爭』的初期了。這已不是第二次世界大戰結束時的『原子戰爭』初期。全世界唯一吃過了原子彈的苦頭之日本人，因對原子武器恐怖的印象太深，所以一聽聞『誠實的約翰』先生光臨扶桑三島，便大爲震動。其實他們未免有『刻舟求劍』之拘泥。

按鈕戰爭的初期

據說「讀賣新聞」曾於上月向美國遠東司令懷特將軍提出一連串問題，指出「誠實約翰」火箭砲及原子大砲的東來，激起日本人民和政界的憂慮不安。美軍公共情報官員李比中校，在向讀賣新聞提出的答覆中，指出此等威力強大武器，僅僅在遠東的露面，即足以嚇止敵人可能的侵略。此等武器之運日，將可協助日本免受直接侵略，並可防止敵人對其他國家的可能攻擊。

此美軍發言人的一段話，對於遠東各地很有重大的關係。並非係對共黨虛聲恫嚇之詞，其意義顯然在指出一九五五年已開進入按鈕戰爭初期。萬一大戰爆發，美國有了飛彈飛箭等之無綫電指引之飛彈（MISSILE），和可以實行按鈕戰了。

一九四四年秋，有一隊軍事情報人員，由華府前赴法國。他們實行一緊急的任務，即係去探悉德國在戰時攻擊盟國的飛機，船艦的飛彈飛箭等的智識。此種計劃是最秘密的。

到了今天，十一年後，此等飛彈仍保持最秘密。但在第二次大戰結束時美國對定向飛具盲然無知。須借用他國人材，然而目前美國已有大量自己的飛彈和製造的工廠。按鈕戰爭之準備已形成，可使美國大陸上百餘個發射站發射飛彈，擊落敵人飛機。飛彈之速度，達每小時一千二百哩。它們能自己追到攻擊的目標物。

廿四種飛具

其他的按鈕飛彈，可以由飛機或船上發射，擊中海上空中或陸上的目標物。亦可由地上攻擊地上的目標物。也可以攻擊海底潛艇。

飛彈目前好像初期原子彈一般的保守秘密，將來實用時，可以飛越重洋及南北極區。速度每小時超過千哩。若世界大戰爆發，此種越洲之飛彈配上氫彈頭。

現在聞約有二十四種之多，作有限度的生產，配給海、陸、空軍，或正在求完成其監測計劃中。有些是有翼的，即無人駕駛之超音速飛機。有些是搜長筒箭形，只有穩定翼、有些是直接發射後，不再控制它的。但有些是受人控制的，亦有體上有機器自己擊中目標物的。有些可在遠處還受人控制指引其飛行的。有輕僅　磅，有重至十萬磅。至於動力，有些是用普通的噴射發動機，有用固體或液體的燃料。至於距程，有僅十餘哩的亦有達五千哩以外的。大多數能帶着核子爆炸物。

已悉的洲際發射飛彈，有阿特辣斯（ATLAS），係用以代替有人駕駛的長距程轟炸機。有「蒼鷹式」（FALCON）的飛彈，將代替截擊戰鬥機上之砲彈與火箭。或按鈕戰時代的「高射砲」尼克（NIKE），有代替以前的長距程大砲之「誠實的約翰」。

軍人眼中的飛彈

海空陸軍人員看來，飛彈是「鳥」。在科學家運用腦筋將它製造時，想盡種種辦法去控制它，又感覺它是「獸」。軍事首腦之國防部看它是新武裝時代之利刃。

飛彈之原理是簡單的，各有其自己的結構，即飛行結構，控制器，及穩定之表面，和推進方法以及彈頭。秘密的是定向指引路綫，即在乎無綫電控制。攻擊敵人飛機通常比攻擊固定目標較複雜。因爲飛機飛行迅速，故目標位置改變，而飛彈的路綫隨時改變。

攔截移動的目標的定向指引彈之方法不一，有隨着光波進行的，即所謂BEAM RIDER，由地上或飛機向目標物放射雷達或其他的光波，飛彈沿着光波追目標物，它本身有敏銳的裝備，糾正路綫偏差。

第二個方法是不必要雷達光波指引，而自行追擊的，即所謂（HOMING SYSTEM）。例如藉目標物自身發出的熱，和聲波，作綫索。飛彈本身有好像狗的鼻，去探索目標。第三個方法是所謂「指揮」（COMMANDING SYSTEM）。由指揮站的人和機器指揮飛彈。

至於射擊地上固定目標，亦非簡單，有所謂其綫法，即有兩信號站發指導定向綫，飛彈沿着一綫而去，到了另一橫截綫交點，便是目標物所在地。另有自身控制法，飛彈本身有達到目標的消息和改正偏差的敏感。此外有「半自制法」，即已有定向路綫，自行改正偏差。

新武器的競賽

在所謂原子僵局中，並不是自由世界和共產世界各儲備了核子武器，便大家僵着不動，而是大仍勾心鬥角的趕快裝出運輸核子武器的飛機，和造出按鈕發射飛彈，去求萬無一失的擊落敵人，運輸核子武器的飛機。現在已開始進入按鈕發射時代。

（下轉第二版）

本週展望

•李金曄•

聯大將再阻中共加入

十屆聯大會議，已於二十日開幕了。舉世矚目的中共加入聯合國問題，照現在情勢看，是絕難得到多數贊同的。蘇聯官方人士已一再強硬表示不惜以一切方法阻止中共加入。過去蘇聯或其附庸國雖曾作過一百五十次否認中華民國會員國地位的叫囂，希望藉此把中共拖入聯合國去，到今還是徒然的。

其次，本屆聯大會議，據說，西方將標榜所謂「日內瓦精神」，以應付國際問題，也就是以拖的方法來對付蘇聯集團的無理要求」，這樣的「日內瓦精神」，與國聯時代的姑息主義又有甚麼分別呢？又怎會產生什麼好結果呢？六十代表，面對着七十多個煩惱的議案，首先，可能就在裁軍問題上觸礁擱淺！裁軍問題是本屆的最主要問題，問題既得不到結果，則其他問題也無所謂了。

詹森該回去了

詹王在日內瓦開了一個月的會，據說還要再拖下去，到不愧是外交上的拉鋸手。

中共爲了想進入聯合國，先宣佈釋放美僑十一名，繼之以將美僑全部逐出大陸，企圖換取有利形勢，迫美方再談判第二議程的「實際問題」。可是詹森却運用解釋協議的技巧，申明必須待第一項協議實施完畢之後再談其他，把中共的詭謀，輕輕擋過，這是詹森聰明的地方。

詹森既巧渡此關，美國方面似應該懂得適可而止了。蓋美國既宣告無意放寬禁運，亦拒絕杜周會談，詹森就沒有再留在雷夢湖畔的必要，若再拖下去，便會予中共以糾纏的便利，那恐怕是不智的。

蘇芬的友好條約

布爾加寧和吉科寧代表蘇芬二國，在莫斯科簽訂延長「友好條約」二十年的新約。蘇聯並定於三個月後，自波卡拉烏德海軍基地撤退，將該基地交還芬蘭。照蘇聯的說法。這是一種「友好」表現。

但誰都明白，波卡拉烏德是蘇聯以武力爲後盾，於一九四七年二月佔用的。蘇聯看中了這個距離芬京赫爾辛基才只六十哩的港口，把基地設在芬蘭國都的大門外，居心何在？已是路人皆知的了。

如果今日布爾加寧說，把波卡拉烏德歸還芬蘭，是爲了「有助於進一步緩和國際緊張局勢」，那麼當年強佔芬國土地，又該作何解釋呢？恬不知恥，莫此爲甚！

貝隆垮台已無可免

貝隆似乎終於垮台了！

據昨日電訊，他已躲入巴拉圭大使館，尚有未能證實的消息，則說他已逃亡到巴拉圭首府亞松森。實際如何，一兩日便知分曉。

說也垮得慘，並不是同情他，一個獨裁者是不值得同情的。從他剛愎自用，專制自喜的個性來看，他的垮台是從他出任總統那一天起就已開始了的。

如果他眞心爲國，始終安於勞工部長的職位，也許他對阿根廷的貢獻要大些。無如他野心太大，竟用革命手段取得了總統地位，這便伏下亂源了。他唯一的本錢是工會，現在阿京第二軍也叛離了，工會也無能爲力了。

貝隆是一個權力的貪婪者。佛朗哥有點像他，但後者絕不會和他一樣，和教會對立；在今天，和教會對立的，只有共黨。貝隆以爲只要有工人力量，就可永遠掌權。他想學希特勒、墨索里尼、和斯大林，以爲有了貝隆工人黨，可以掌握一切，可以永遠獨裁，這便是他失敗的根源。

貝隆終於倒了，即使電訊所傳，還有不實。他倒台的形勢，是已經確定了的。他是自毀於權力中毒，爲國民所厭惡而倒的。

中共的蛻變及沒落（三）

沈秉文

由於李萬銘的態度非常「積極」，當爲上級領導幹部所「賞識」，於一九五一年十月被派赴武功西北農學院深造。隨後不久，他又捏造一個「歷任紅軍連營長和志願軍團參謀長」的履歷，和二野軍政大學組織部要他到中共中南分局報到命令。這個騙局立即又通過了西北農學院黨總支書記及中共中南分局兩大關，由中南組織部分派到中南農林部，担任中南農業科學研究所的主任秘書，並很快就升任人事處副處長，乃至當到該部萬人一等的黨總支書記。不久，且和一個中共女黨員結了婚。他眞官運亨通，於一九五三年九月，又被「中央農林部」看中了，將他召至北平，發表他當「中央農林部」的行政處長。直到最近，在他又一次僞造一個高級將領要他回十二軍任參謀長兼三十五師師長的電報和親筆信，乘坐飛機到了蘭州以後，才被西北農學院先前會給他辦過去中南局報到手續的那個總支書記識破，才由陝西公安廳加以拘捕。

組織鬆弛已無警覺

從這個故事，可以暴露中共組織鬆弛和警惕性薄弱的一斑。試想：一個國軍的文書上士在七年間活躍在中共統治下的各大城市，闖過了十幾個重要機關，不殘廢而成爲「革命殘廢軍人」，無黨籍而當到「總支書記」，只憑得一點普通文字而竟做到「中央部會」的處長，如果李萬銘適可而止，不再假造文件，這事情還不會敗露的。如果再表現幾下「革命」，或創造一點什麼「先進經驗」之類，李萬銘何嘗不能在若干年後成爲中共的部會首長呢？

官僚主義與教條主義

中共整個政治作風的腐敗，主要表現在官僚主義作風盛行，及貪污、奢侈、浪費等現象之上，其次則爲惰性深重，工作粗糙，錯誤百出。

以言官僚主義，目前已成爲中共所有機關、學校、廠礦企業、商業機構的死症。官僚主義產生文牘主義。於是機關衙門化，政治公文化，處理一樁事務而在本機關內用公文轉來轉去，搞上半個月至兩個月已是常事。官僚主義只求形式不顧實際，於是機關佈置力求堂皇，一切講究排場；統計報表滿天飛舞；任何工作都是表面「超額完成任務」，而實際一塌糊塗；生產統計，表面總是「增產」而實際大多銳減；且凡事小有成就，便大肆宣傳誇耀；若遇事不利於己，便對上層層欺瞞，對下軍閥壓制。因此工作要想求眞，求善，求實，已勢所不能。

官僚主義又與共黨教條連結在一起，於是產生兩種惡劣現象：一種是扼殺了創造力，思想呆板，辦事機械化，工作效率低落。又一種是投共黨的所好，實際上消極，表面上積極；實際上虛僞，表面上坦白；實際上退化，表面上進步，甚至犯了錯誤無法逃避責任時，也祇表面上「自我檢討」，痛快淋漓地大駡一通自己的祖宗三代，而實際上則依然「我行我素」。

供給制度腐蝕了中共

官僚主義與供給制的思想連結在一起之後，爲害也就更大了。所謂「供給制思想」，有兩種含義：一種是地位高低及做事多少，待遇都是相仿的。於是萬事敷衍塞責，可推則推，不可推則拖，不可拖就騙。另一種是拿多少錢就做多少事，事不干己，就「高高掛起」（中共術語，與天塌下來不管一語含義相仿），根本失去了工作熱情和對社會的責任心。此種情形，中共報紙曾一再加以嚴詞批判，謂舉凡政策政令實施的發生偏差，廠礦傷亡事故和質量事故（主要指生產產品）的層出不窮，社會商品流轉嚴重失調，商業人員的一般漠視顧客，以及大批存倉糧食、土產、原料、商品等的霉爛、雨淋、蟲蛀、鼠咬等等，幾無不導因於此。

官僚主義還有一種不可救藥的現象，即一切以命令強迫行事，凡事只求達成上級分配的「任務」，不管人民死活，更不計環境如何，一經宣傳，便要行動。誰有意見，誰就是「反動份子」，存心破壞，就要加以拘捕吊打，甚至任意判刑。此種情形，在廠礦及農村之中最爲普遍，因此逼死人命，事更平常。中共政權之所以普遍激起人民的怨恨，這些地方實佔重大因素。

貪污風行

從貪污方面說，據中共報紙所揭露的，幾乎所有的黨政機關、部隊、學校、廠礦企業和商業機構無不有程度不等的貪污案件發生。貪污情形最普遍當推商業機構。

據中共商業部統計，自一九五三年六月至一九五四年六月一年中，在二十五個省市「國營」公司中，已經揭發的貪污案件，即達一千二百六十八起之多。至於尚未揭發的，及去年六月以後，和不屬於「國營」公司系統的，以及二十五省市以外的貪污案子，更多得不可勝計。

中共不得不自己承認：商業系統的貪污案不僅逐漸激增，且單是貪污人數亦日漸擴大，形成了有組織有計劃的集體貪污。據舉例：上海中共商業局一九五四年的統計，該局所屬二十一個專業公司和採購站就曾全部發生貪污案，且較上年增多了百分之五十七。其中僅百貨公司一個系統中，就自一九五三年的二十四起，增至今年一至三月的七十一起。其他各大都市商業部門的貪污情形，亦復如是。貪污人員，上自經理，下至雜勤人員無所不有。而貪污的普遍程度，比例最高的竟有百分之五十八。如東北樺甸百貨公司的一百三十三名幹部中，就自經理至售貨員共七十七人犯有貪污的行爲。且其貪污的方式，係在經理領導之下從各方面大胆進行，互相掩護，按勞分利。嚴重情形可見一斑。

人民窮了中共富了

且一般已被發現的貪污案中，有不少是經過「三反」處分的「重犯」。可見「三反」根本沒「反」去貪污，且反而日益普遍。推究中共貪污之所以盛行，並不是自發的行爲，而是受了統治階層生活日漸奢侈的影響。廉恥道喪。制度不密，自然要產生貪污的。在貪污盛行之下，人民是愈來愈窮，中共却愈來愈富了。在這種統治之下，中共政權必然沒落崩潰，尙何待龜蓍。

（完）

美國按鈕戰爭的準備

風行

（上接第一版）

最傷科學家的腦筋的，就是求射擊準確。到了今天，越洲越洋的發射，不能靠地圖作準。地圖難得準確。發現冥王星的湯波美CLYDE TOMBAUGH曾說過：如有一小遊星，在數千哩外環繞着地球，如此之接近，即可以讓我們用作測地球表面的準則，可繪成一全球地圖，不差毫髮之微。因此我們可以想見美國之謀製造衛星，雖然未嘗沒有和平用途，但在軍事上亦有其重要性了。

按鈕戰爭的困難

按鈕戰的準備，還有下列的難題求克服；

地心吸力的影響

，地心吸力依地面之不同而異，對遠距程之投射準確性，亦有影響。

其他如氣流影響到飛行路綫，敵人無綫電與雷達週波之擾亂。此外尙有因速度大與大氣層摩擦生熱而鎔化之困難。這叫做飛行熱的障礙，（HEAT BAVRIER）。如果以聲音在海面上之速度每一小時行七百六十哩的音速（MACH）作準。則在五音速時鋁必鎔化。六音速可使鋼鎔化。最堅硬的鑽石，到了十音速，也會鎔成一陣烟。（十音速即每小時飛行七千六百哩）。雖然目前沒有造成十音速的飛彈或飛機之必要，美國目前造成最高速度的飛機是三．五音速（即二六〇〇哩）。假如共產黨能造成超過三．五音速的飛機或其他的飛具，則居劣勢而極危險。

祇在第二次世界大戰的德國轟炸英國時，已有許多V2飛彈，因摩擦生熱成白熱，而爆散空中。現在科學家絞腦汁，謀使飛機速度增加，而不增熱，或用較好之金屬，或想出冷武器的方法，或使飛機飛彈在大氣層外飛行，或用一種所謂「沉熱」方法，如主婦之處置垃圾方法由一燃料貯藏處吸收熱。最近洩漏一項消息，即美國已從改善飛機身型減低摩擦所生之熱力方法，去應用到一切飛機。這種機身型定名爲『瑪麗蓮夢露』。可見飛彈飛機減摩擦熱問題之嚴重了。

雖然有以上種種的困難問題，但美國不惜消耗大量人力物力去謀改進。因共產黨已能製原子武器，敵力求飛彈優勢保全。

目前至佳之飛彈，也許是尼克（NIKE）。這是按鈕發射的高射砲定向飛彈。命中率非常之高。

話又得轉回來，美國祇求大熱戰上優勢，而在冷戰方面沒有政治理想，沒有實證反共的盟友支持，雖有按鈕戰爭的充份準備，也會給共黨滲透、傾覆、離間、催眠的詭謀所收。危哉！目前最需要精神上的定向飛彈，這又必要從貫徹反奴役和破壞極權的宗旨做起！（完）

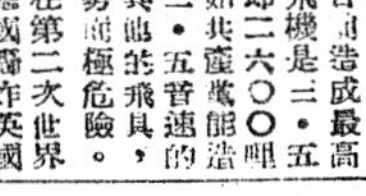

雪梨華文報不易辦

▲余孟泉先生自雪梨來函

編輯先生：

（上略）雪梨辦報，條件甚不足備，計華僑人數既少，土生僑生青年又完全不懂漢字，故在此辦報，銷路多少，實成問題。僑胞做生意對象多屬外人，並非僑胞本身，辦華文報紙，廣告亦難有大收入。（下略）

余孟泉九月十一日雪梨

印尼僑校聘教員

△陳任先生椰城來函

編輯先生：（上略）印尼新內閣成立後，瑪斯猶美黨執政，耳目一新，與前親共之國民黨，志趣大異，作風不同，今後外資來此創辦工業，甚有希望。目前印尼經濟情形已日趨穩定，有志投資者不妨一試也。

此間學校急須延聘數理化教師兩名，入境手續，校方可以代爲申請，旅費亦以酌爲補助，如有此類人才，願意到海外服務者，請爲賜洽爲感，此頌撰安

陳任九月十三日椰加達

△劉鐵如、張滌非、刁抱石、孫瑋，諸先生：承惠稿已一一收到，謝謝！

納瑟和埃及前途

納瑟領導埃及何處去？

李加雪譯

一九五二年七月二十三日，納瑟領導自由軍人廢除埃及帝制，到現在剛好三年。在過渡期間，納瑟曾一度利用資格較高的諾基甫，可是實權仍操在他手上。納瑟是一個有機謀，有計劃的人，他建設埃及的計劃如下：

（一）清除帝國主義，

（二）清除封建餘毒，

（三）防止政府被資本家操縱，

（四）建立堅強的國民軍，

（五）建設合理和公平的社會制度，

（六）建立健全的民主生活。

革命三年的成績

對於清除帝國主義，納瑟可以說有了相當成績。除了蘇丹問題外，蘇彝士運河駐軍問題已經不成問題了。英國將於一九五六年六月把最後一個英兵撤離埃及。

關於清除封建餘毒，納瑟廢除了專制時代的爵位。埃及回教兄弟會，係極右派組織，也被消除了。三年來，納瑟最大的成就，要算土地改革。革命前，埃及全部土地掌握在幾百個貴族和富豪手裏。農民全屬佃農，納瑟規定，每人所有土地，不能超過二百五十畝，又把皇室和貴族的剩餘土地分配農人。

此外，納瑟建立一個每年能夠生產二十萬噸鋼的鋼廠，和計劃在尼羅河上流建築高堤，灌溉埃及的沙漠土地。在革命三周年紀念日，納瑟對五萬羣衆說道，『三年來，我們盡力建設國家。建設的道路太長了，我們還是在開端。』

納瑟的出身和經歷

納瑟寡言笑，善籌謀，深恨共黨，可是和自由世界也似乎格格不相入。納瑟的父親是一個郵政局職員，弟兄四人，納瑟居長。他是一個個性十分強的人，幼年生母逝世，納瑟不滿繼母，父親把他送到學校住宿。

在開羅中學讀書的時候，他是班裏的領袖。不滿學校的設備和教師的授課。他感覺國家落後，懷抱革命志願。曾領導同學作示威運動，並且和警察搏鬥，學校認爲他是一個危險份子，把他開除，他於是轉到另一家私立中學。

中學畢了業，納瑟參加法政學校，以爲法律能夠幫助他，實現國家的改革。但只經過一年，他對法律失去了興趣。

他覺得學生和政客無補於國家的解放，只有武力才能掃除埃及的積弊，所以他又參加埃及的陸軍學校。那時他才十八歲。

畢業後，納瑟在埃及南部服務，是一個連長，好些同班同學和他在一起。他們都感覺到國家的腐敗，時常共同研究革命策略。一天納瑟說，『只有徹底的，類乎兄弟的愛情能夠聯合我們。此種兄弟的聯合才能夠擊毀任何一種障礙。』

一九四七年，納瑟組織『自由軍人運動』。最高執行機關爲中央執行委員會。當時納瑟參加埃及的參謀學校，許多自由軍人運動的執行委員會，都跟隨納瑟到參謀學校去。他又把參謀學校裏的有志青年募集到自由軍人旗幟之下。

一九四八年，納瑟參加對以色列的戰爭。那是阿剌伯人對猶太人的戰爭。納瑟鼓勵自由軍人參加，希望大家能夠得到作戰經驗。結果埃及慘敗。納瑟認爲這是帝制和政客作祟，他們出賣了埃及。於是決心推翻帝制和埃及的封建制度。

此後他把自由軍人分布在埃及每一個重要機關去，軍隊裏營長階級的人，差不多都是自由軍人。一九五二年七月二十三日，納瑟宣布廢棄法魯克王。自由軍人接收了開羅，埃及的革命成功了。

爲何怨恨英美

埃及是一個新興國家，建設方面有待美國援助。可是埃及和美國有一道宿怨。他認爲以色列的勝利，是美國援助造成，聯合國不能主持公道。美國協助以色列成立，把一百多萬阿剌伯人趕走，把土地讓給五十萬歐洲猶太難民。這是不公平的。

他對於英國也表示不滿，埃及陸軍是多年來英國負責訓練的，作戰失敗，英國人竟不負責。而且埃及向英國購買軍械，款付足了，英國總遲遲不肯交貨。而且英國又佔領了埃及的一部國土。

此外，他認爲美國應該增加對埃及的援助，不應強迫阿剌伯國家接受各種不合理的防衛計劃。他說，『我願意做西方的朋友，我可不能做西方的衛星國家。』

和共產勾搭原因

納瑟是一個虔誠的回教徒，他反對共產主義。他說，『我們回教徒和基督徒信奉上帝，天使，聖經，和最後審判，不管共產主義信奉些什麼……無論如何，我們不肯犧牲我們的信仰，而改信共產主義的教條。』

他對於共產主義，素有研究，他曉得埃及的共產黨係莫斯科的工具，共產黨宣傳國家主義，只係一種烟幕，共產主義係衛星國，和帝國主義的殖民地，係屬同一性質。

因此共產黨攻擊納瑟，駡革命委員會爲法西斯主義者。納瑟雖曉得共產黨的目的是要埃及做衛星國家，可是他不能完全拒絕共黨，那是因爲埃及的棉花。

從前埃棉最大的主顧是英，美，日三國。三國消耗埃棉超過出口百分之八十。現在英國購埃棉只等於從前的三分之一，日本購進的數字更低，只有美國尙能維持原額。棉花是埃及的血液，失去大半，影響國家經濟至大。蘇聯利用這個機會討好埃及，大量購買。年來蘇聯和東歐衛星國家不斷購進，現在也變了埃及的一個大顧主。共產集團不斷拉攏納瑟，因爲埃及是中東的樞紐，埃及得手，中東問題便有把握了。

東方的中立軸心

納瑟會中共產黨的奸計，走向共產黨的路綫嗎？這是一個難解決的問題。回教國家中和共產黨最接近的是印尼。有不少評論家認爲印尼將於最近的將來陷入共產的毒手。可是近月來的印[illegible]印尼的軍人和人民已表現出一種[illegible]傾向民主的趨勢。

萬隆會議後，納瑟和尼赫魯，宇牛往來不絕。美援是開發埃及不能缺少的條件，但鐵幕國家又是埃棉的大主顧。因此納瑟大有採取中立路綫，和印度的尼赫魯，緬甸的宇牛，鼎足而三，成爲東方中立軸心的可能。

專載

論大陸淪陷的教訓與反攻復國志氣（五）

——與黃震遐先生書

・胡秋原・

至此，一切的話皆爲多餘；即有眞話，亦必「棄隱」而視爲假話。扯謊者無恥之本也。龔定菴云，士不知恥，國必有恥，而恥亦不止於士。如問中國大陸是如何失去的，可說始於名利之一元，成於扯謊之普及。

權利一元化，以及價値標準之顚倒，政治軌道之缺乏，特別是官大吟詩，又是不滿心理叛亂情緒之源泉。世人每以爲共黨起於貧窮。迄今美人尤多持此見。其實俄國革命黨幾多爲貴族，只有史達林出身較低。中國共黨領袖，無一個是普羅。革命實在起于對名利一元之反抗或羨慕，而在菁英之道義與才能永準完全暴露，社會變爲絕望狀態之時，才能發生決定作用的。國民黨有何大過？然亦須知淸末除外交失敗外，又有何大過？蓋士氣之衰，由來非一朝夕耳。

而已。

反共復國之志氣

弟以爲今日台灣最當具有者，首爲反攻復國之志氣和氣量。光熱力必賴氣以鼓舞之。這是至大至剛之氣。孟子曰、志、氣之帥也。大志始生正氣。龔定菴云、氣者，恥之外也。必內正有知恥之念，雪恥之意，始能產生大氣。有此氣，台灣遲早必能反攻。此首先須除過去陋俗之氣。過去之陋俗加失敗，必成衰氣。失敗之後，一時氣衰在所難免，然此成功之大忌。盡去此三者，始能進而培養大氣。

陋俗之氣已言于上。衰者，怨天尤人，憂讒畏譏，患得患失，守株待兔，妄自菲薄，粉飾誇張之類是。到了「鬼混」，即此氣已極之象。我們必以「泱泱大風」以藥陋，「眞誠務實」以去俗，「自信無畏」以振衰。此三者，實我民族固有之國氣，非外物也。

要克服衰氣，振作大氣，第一步要如上所述，下審愼功夫，知失敗之故，才能使失敗爲成功之母。要每天看看地圖，知恥生勇，發奮爲雄，其次便是要了解及修鍊諸葛所說「據道」功夫了。只要道在我，德在我，自能不憂不惑不懼。漢奸是人人得而討之的，然還要增强自己之道。除審靈過去所以失，不蹈覆轍之外，即須務反奸之所爲，以增我之道；觀世界及人心之所向，益增我之道。有道，才能建立我們對共之精神優勢。要言之，明恥立志而已。恨共仇共是不够的。我們要勝共。這必須先有對共之優越感，並力求有勝共之實際。

反共必須顯明我們目標。我們反共，消極而言，乃反俄帝之工具，即赤色漢奸。自由中國一談到蘇俄中共，稱曰「匪俄」，這根本是顚倒主奴。又稱共曰「匪」，也是含糊了我們作戰目標。匪之所以生，乃政治不良結果。匪是中國人而打家劫舍者。共黨行爲固有類乎此，然何僅乎此？有一個人說，稱共爲匪，固然是當年剿匪時之回憶，而實不免使人誤會有爲有錢者而戰之意。這未免將今日抗俄反共大義說得太小了。我知道俄國有一本書說，「土匪是革命最光榮形式」。則稱共爲匪，豈非恭維他們乎？爲名實相符，爲鮮明目標，實當認中共爲奸：赤奸、共奸。

一代之去無死難者

一國家之生存與發展，必須聰明才智集中，不斷啓發聰明才智，與世界爭勝。競爭砥礪才能，公道產生希望，人皆能以光明正大之方法，爲自己國家盡力，這個國家才有活力，有責任心，斯有智慧與才能。民主要義，實在於此。而我國執政之士以一時之便，走上自閉之路，使已有之聰明才智減退，新的聰明才智不能產生，其他聰明才智走到坐廢之路。然此不能禁俄人組織中共引誘一部分人走上破壞道路。民衆與政府遠離，共黨裹脅，如滾雪球。政府早在孤危之境了。我們好扯謊，共黨漫天大謊一來，反視爲不無道理而風靡，整個社會被其籠罩。等到俄帝內外廻合，完全切斷外面美國與中國關係，內而知識份子與政府關係，政府完全孤立了。於是只待一擊乃至一呼即不支。當政府露時，豈乏忠貞之士。然「數百萬人齊解甲」，除陳布雷先生一二人外，一代之去竟無一人死難者。這是國民黨之悲哀！若現在北平之某，近在美國之某之才，在正常狀況下，能當一警官或舌人耳，至多一體操、英語教員耳。非此政府，焉能富貴！利盡反噬，可謂無良。然四維立國，因著齊功；諸鶴乘軒，早留聖歎矣。

以上所言，誠極粗淺，且不充分。但弟相信這教訓總是合禮當研究，也是自由中國知識份子都當研究的。一代之衰，不單是政府之責任，大家都有責任的。「白皮書」說到政府的「腐敗無能」，「倉皇失措」；也說到國家解體之日「無人爲國家謀者」。可見旁人責備，不只政府官吏

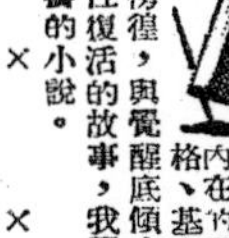

評「黑市」

沈秉文著・亞洲出版社印行

孫旗

這部小說是以大陸通往港澳的通路被封鎖後，一羣爲爭取自由生存而秘密掙扎的人，及鐵幕統治者內在的矛盾、雙重人格、基本弱點，及其苦悶、徬徨，與覺醒底傾向爲背景，以描寫人性復活的故事，我覺得這是一部不同凡響的小說。

× × × ×

時下暴露鐵幕黑暗面的小說，往往故事向壁虛構，失却眞實感。有時連人物描寫，亦失去了人性本質，彷彿一當了共黨幹部，便變成了野獸，而再不是人。我覺得文藝作品，這樣描寫並不妥當。我覺得鐵幕內的中國人（共黨幹部）也都是人，也是我們的兄弟姊妹，只不過一時喪失人性，被共黨蒙騙而已。而且這些人的人性並未完全泯滅，只要有機會便會復甦的，他們一樣會追求自由人權，和我們一樣的。「黑市」就是寫出一些人性甦醒的中國人，並且是大陸目前的一種傾向，所以我們對於這樣的描寫人物，是十分首肯的，這也是小說的眞正職務。

× × × ×

這部小說的故事情節，十分曲折動人，文筆並無「八股化」。自深圳被擱回廣州的一羣爭取自由的人，女主角趙秀文，密謀僞造出境證逃入香港的事實失敗，暗藏在旅社的逃亡羣中，被稱爲「黑市旅客」，大有被拘捕的危險。於是趙秀文自深圳逃回廣州，與沙夢兩人僞裝做糖担小生意，迫得無路可走之際，由和沙夢同居的楊愛玲應入「中蘇友好俱樂部」充舞女。忍辱含垢，利用與共幹間的僞裝愛情，策動共同出境，僅取自由。這樣追求自由的人，正是大陸上中國人的共同傾向。

對於鐵幕內的黑暗面，作者有一段極深刻的描寫文章：他說，「坦白即虛僞，前進即退化，光明即黑暗，寬大即嚴厲，照顧即管制，幫助即虐待，……這是一個虛弱的地方虛張，隱諱的地方隱諱，哄、嚇、騙、奪，無所不爲，以及糖裹含毒，笑裏藏刀，已蔚然成風的社會。」這樣的社會，無疑是人間地獄。在這個社會中，共黨用黨的教條和紀律淹蓋了人性，但共黨仍不能泯滅人性，一般幹部對是非、黑白、善惡、眞僞的觀念，還是不能完全顚倒過來。於是在這種矛盾的情勢下，造成了一般人的雙重人格。在公開的地方求適應，在背地裏或私人的內心則企求反抗。

× × × ×

共黨幹部（祕書）劉青揚向沙夢說：「寧做渾濁的弱者，勿作迂腐的弱者。」

另一共幹（公安局科長）高朗向沙夢說：「總之你我都是不幸的智識份子，都是時代的悲劇角色，」「說來我並不是不忠於我們的黨，而是我們的黨在向毀滅的方向暗暗地劇變。……我們整個國家的權益爲什麼要交給外國的「同志」們支配？我們有什麼不可以在獨立自主的情形下，照我們自己的國情來從事不一定要大量流血的社會改革？……你想：革命究竟爲了誰？……到了由兄弟變成了父子，革命革到國家支離破碎，革命革到了市面一片蕭條，革命革到了人人懷着鬼胎，天怒人怨，革命革到了一片飢餓與恐慌，你叫我心裏作些什麼感想？」這不是說明了雙重人格，和有良知的中國人，一定會有復甦的人性感覺嗎？

本書裏，借共幹的口脗說，「我不否認我曾經失去過人性，然而現在良知終於喚醒了我，你的夢情、忠誠、和眞摯高貴的品德也灌溉了我，……我依舊變回了一個熱情、誠懇、而良善的人了。」這就是共幹也會有一日覺醒的典型故事。

× × ×

本書裏共幹李撲一和趙秀文失去聯絡，自仔逃到澳門，當高朗（共幹）攜着趙秀文、沙夢等抵澳門時，李撲一迎而而來，事前既無聯絡，如何這樣湊巧？跡近巧合。這就是本書的瑕疵。通觀全書，作者在構詞遣句方面，似不十分精闢，且有些浮泛。作者恐不是一個老於小說一道的作家。

本書可貴之處，在於不僅廣泛地描繪了社會相，而且描繪出可愛的典型人物，強調描寫人物的人性基調，這是與時下反共小說不同之處，也是本書可愛之處。四四年八月廿五日於台北市

國片外滙問題

——敬答孫瑋先生——

潘霖

本刊四六九期及四七〇期連載孫瑋先生「香港自由國片的外滙問題」一文，對筆者於八月廿六日在中央日報撰「談香港影業滙款」及六月十一日於中央日報撰「檢討電影外滙」兩文有所討論。今就孫先生所論各點，作一解釋。

台灣片商與滙率

孫先生說「自從電影外滙比率提高到港幣一元對台幣四元三角三分八厘以來，台灣九十二家片商：……因此倒閉歇業的達五十家以上……」。其實九十二家片商，雖列名台北市片商公會會員名册上，但其中過半數早已停止營業，有的自始就沒經營業務，僅虛設牌號而已，此由前年日片自由經營時期，片商增多，嗣因限制片額，致排片擁擠，採抽籤定秩序辦法。於是許多人分別立片號，企圖增加中籤機會。故一部份片商早已名存實亡，未向公會繳納會費。今年四月公會改選，競選者爲爭取選票，紛紛代認會費，使彼等獲得投票權。至選舉完畢，代認者食言，以致引起糾紛。由此可見九十家之數字並不可靠。再則根據結滙紀錄，繼續申請結滙者僅四十四家，至於經常發行影片的，實不足廿家，這可從報紙所刊廣告看到，因新片上映廣告，均附刊發行公司店號的。

稅收與外滙

孫先生所列舉課征稅項，各業皆然，並非電影業獨納。全省各地影票所納稅金（票價之百分之廿七點六，僅台北、基隆、台中、台南、高雄五省轄市戲院上座佳，利潤較厚，有附加稅金及救濟捐等，使繳納政府之比率增至百分之四十點七。至於孫先生說耗用一元外滙可收若干稅金，「政府並不吃虧」，這一點，筆者不敢苟同。外滙乃用輸出物資換取，得來不易。政府雖可由稅課增加收入，但收入爲台幣，台幣不能變爲外滙。且兩者價値有別。如台幣與外滙有同等價値，片商亦不至斤斤於滙款之爭取了。如果說以耗用外滙作爲換取國內鈔幣（稅課得來）的手段，不僅自由中國無此外滙能力，世界各國亦無此愚笨事例。且日本外片滙款限百分之三十，英義等國對外片不准滙款視之，則他們之珍視外滙，實遠較我國爲甚。

港片市場與生存

香港國片的市場與生存問題，按孫先生之文，亦有可商榷之處。孫先生首先舉出「漁歌」在台所獲滙款爲例。片商淨入十九萬餘元台幣，按現行滙率及附加防衛捐與結滙證價折合四。三三八對一港元，共結滙四萬四千餘港元，與該片成本七萬元港幣相較，虧蝕二萬餘港元，致「香港自由製片商不敢拍片，自由影人徬徨焦急」。文末「國片市場一段」又說：「台灣佔十分之三點五，新加坡佔十分之三點五，港、印尼、越、泰及美洲等地共佔十分之二。如果台灣這個地區不能負担十分之三點五，便不能收回成本。……」前一段既說「漁歌」僅在台灣一地發行，便在台結滙得四萬四千餘港元，尙虧蝕二萬餘港元。則後段所說果是事實，豈不以十分之三點五的市場收入，照孫先生所認爲過高之滙率結滙，尙達到成本之十分之六強了嗎？再加上其他不發生滙率問題之十分之六點五的市場收入，則其利潤自必可觀了。

孫先生上兩種說法，只能成立其一。如照前說，則正是拙作「談香港影業滙款」所說：「顯然地，他們的製片目的是銷售台灣……」而不是向外發展了。如照後說，則在台結滙加上結滙證價，並不影響香港國片之生存，僅使利潤減低而已。在今天自由中國處境之下，忠貞的自由影人，略減利潤，協助政府，諒必樂爲的。

影片影人與滙率

按上述前一說法，國片應向外發展，擴展市場以求存。按後一說法，台灣滙率並不影響國片的生存。則影片到台已沒有問題，自由影人也不至徬徨焦急。儘可在港拍片，只要目的相同，台港工作一樣，不必一定要到台灣來。

至於說「中共拉攏」，我想忠貞影人，早有堅定意志，在歷年匪黨的威脅利誘之下，始終堅定不移，在今天當能更加堅定意志，不至受蠱惑的。何況滙率之高低並不影響他們的生存呢？

孫先生又舉香港書報輸台免繳結滙證之事實，斷定對港片免結滙證，外商不至反對。孫先生或者忽略外國報刊輸台，係按照「文化保證制度」結滙免納防衛捐之事實。而影片則可按最惠國條款，援港片之例辦理，所以牽涉到外滙制度。

國片的拍景問題

關於到台拍片，孫先生說攜帶器材及出入境手續等問題。筆者以爲國片界既可提出免繳結滙證的要求，當然可提出簡化手續的申請，何必捨此而圖彼？

孫先生說台灣影片，尙未有在國外放映者，既然如此，香港國片界正可負起這一責任，把自由祖國情形介紹給海外僑胞及外籍人士之前。至於拙作之指責赴日拍片，是說「他們自始就未到台灣拍過電影，反而一再去日本拍外景。」台灣是「自始就未來」，去日本則「一再」，兩者之間，差別多大？

國片內容與危機

關於香港國片內容，拙作提出「即使不有反共的教育意義，但多多介紹自由中國總是應該的……」又說，「內容有助於國民教育」，所以不必有孫先生所說的「反共公式」。孫先生說「秋瑾」與「碧血黃花」都反共，固然正確。但「人鬼戀」、「濟公活佛」與「金瓶梅」等等又如何呢？對社會果有益嗎？拙作又說「寓宣傳於藝術之中」，意即以藝術爲主。電影本是藝術產品，當然能夠以藝術爲主，既顧到孫先生所說的「生意經」了。

香港國片界，部份有危機是事實，但原因何在？某女星初到香港，拍片酬金不過一萬五千港元，現在提高到每片六萬七千至八萬元。「一部國片普通成本要十餘萬港元」，在此十餘萬港元中，女主角一個人就取去近乎半數，其他從影人員所獲當然也有限，拍片費用自然困難。這種人爲的危機，除了自行改善，恐非外力所能奏效。

最後筆者願重提六月十一日與八月廿六日拙作中都提到的一個觀點：即「滙款與扶助是兩回事，滙款是業務收入，與扶助無關。」基於這個觀點，希望結滙證事不至成爲一個問題。同時，希望政府當局對國片界之要求早作決定，無論准與不准，均不應猶疑不決，以表明政府態度，並釋影界的疑慮。（九月八日）

本文中間，原有「外滙運用」一段，因潘孫兩先生的意見並無多大出入，因此刪去。——編者——

到火星上去！

馬五先生

自由談

美國地理學會的史萊法博士，最近發現火星上有一塊暗影，斷定它是一片蒼綠生物的反應現象，計算火星中有二十萬方里是生物地帶。既有生物，即可能使人類生存於其間，設現代科學技藝的高度發展趨勢，縮地識天之術，並非甚末困難的，兒將來人們藉火箭飛彈之力，開拓由地球到火星的路徑，然後乘坐飛船或飛機進入星球的生物地帶，實行混沌初開，創造新世界的偉大工作，自非幻想奇談。

假使上述推斷爲不錯，將來眞有這樣的奇蹟出現，我希望對於進入星球的人，應予以嚴密的選擇考驗。因爲現時生息在地球上的人類，其意識形態似乎多是漆黑一團的，而現代人類的生活方法乃搞得莫名其妙。說資本主義不好，如是乎搞出共產主義來，誰知這共產生活却比資本制度更該死！如是乎大家又來反共，爲着反共問題，有的主張要用資本主義派生的民主自由方法，反其道而行之，有的要用共產主義慣行的專制極權手段，以毒攻毒。未奏反共之效，先作鬪爭之爭，張脈僨興，不可以已。如果讓這兩種思想的人類再走進火星上去開天闢地，自相斫伐，豈不大糟其糕？

我以爲最好是完全敎共產主義者和非共而喜歡極權生活的人們，都到火星上去，自由自在地創造他們的理想世界，眞正形成兩極化的人類生活，免得像今日混在地球上來彼此鬥爭，又復自相殘賊，永無寧日。這樣，一個是自由世界，一個是極權世界，雙方不妨緊垂鐵幕，老死不相往來，讓人類過着淸靜的日子，詎不懿歟！

英國的賭風

牛布衣

賭博在英國已成了大企業
賭款總額年達十五億美元

威斯是倫敦一家歷史最久，而且貴族化的俱樂部。一天一位紳士跑進俱樂部的客廳，忽然暈倒，俱樂部的工人把他扶進裏面去了。客廳裏的會員曉得了，紛紛打賭。賭的題目是，『這位紳士死了呢？還是暈了？』那時剛好一位牧師在客廳裏，看見這種情形。於是高聲抗議說：『我反對！假定現在最後的號角響了，我相信你們還是照樣打賭的，你們一定說，響的是傀儡戲的號角呢？還是末日審判的時刻到了呢？』。可見英人好賭的一斑。

×　×　×

英國人喜歡賭博，每禮拜四晚上，全國便有七百萬個家庭在火爐傍邊，計議買足球聯賽的號碼。半數以上的英國人民喜歡賭博，每人每禮拜賭款的平均數，約合美金六角。去年英國賭博的總額達到美金一十五億四千萬元，賽馬佔九億八千萬美元，跑狗三億三千六百萬美元，足球聯賽二億零七百萬元。

英國工廠的工人沒有一個不賭馬和狗的，英國教會和社會福利委員會認爲工人賭博影響生產，以爲英國近年生產低落，賭博是一個主要原因。一九五一年，皇家委員會調查民間賭博的實際情形，結論是英國人的賭博還不至影響到生產。

×　×　×

因爲有這麼多人喜歡賭，所以賭在英國成爲了一種大企業，雇用人數超過十萬人。賭博企業裏頭，最有聲譽的人物是希瀰，英人叫他做賭國之王。希瀰從小就在這一行裏活動，十多歲他便開張了一家經理字號。但沒有多少時候倒閉了。希瀰再接再厲，重張旗鼓，現在他在倫敦最繁盛的地方建有大廈。他對一九五五至五六年的預算是：代理足球賭款一千六百八十萬美元，跑馬賭款五千一百八十萬美元、跑狗賭款九百八十萬美元，全年總數七千八百四十萬美元。他的手續費是這樣：足球百分三十五，跑馬和跑狗，場內只收百分之一，場外收百分之六。手續費收入達七百一十萬二千美元。足球手續費特別高，因爲經理的費用大，所以要收得多。希瀰個人每年能夠有多少入息呢？根據調查，他那末繳稅的收入便達到三百萬美元。

×　×　×

希瀰的賭博企業是世界上規模最大的除賬營業。在足球季節，他的倫敦總行和兩個分行便雇用員共達三千人。顧客只需打電話或者寫信給他，把銀行和有地位的人士做他的保證人，以便希瀰訂定每禮拜除賬的限額。除賬的限額由十鎊起至好幾千鎊，有幾位富翁根本沒有限額。除賬的限額確定了，顧客可以用電話，電報，或者信件通知希瀰。他規矩是這樣的：辦事人員於開賽前，把替顧客購好的號碼寄出，每禮拜五日結賬。禮拜一早上，顧客收到希瀰公司一封信，輸了，信裏是一張賬單，是一張支票。英國法律不承認欠賬，可是希瀰公司由於欠賬損失不過百分點五而已。

希瀰時常對他的顧客這樣說：『贏的機會是沒有限量的，因爲英國人是生出來的賭徒。』

秋夜

・刁抱石・

落葉都爲一陣風。應聲盡是可憐蟲。
權將久坐拋憂患。想像春天入夢中。

近示兒孫

・蔡智堪・

久年苦難事，忠貞到蓋棺！
不將雙行淚，輕向子孫彈！

頃由蔡成河先生出示其尊翁智堪老人近作一首，讀後肅然起敬，忠藎之義，騷人之旨，了了如見；誠所謂竭智盡忠，之死矢靡他，澆薄世風，得此一章，誠瑰寶也！不可無和，爰賡和之。——楚珩附識。

賡和三首

・彭楚珩・

縱身臨虎穴，宮外扛隨棺，待到陰謀敗，有冠冠競彈！
淪胥悲禹甸，難省埋憂棺，不恤丹心者，流光自黯彈！
人生誰不死？三寸一桐棺，留待勳名在，好教絃索彈！

一九五五年九月九日於台北

語意學漫談

徐道鄰

神話的構造，都是以高度的評判語句——高度的誇大這些神話人物的『神奇』性質和『英雄』氣概——來描寫一些神話人物的種種可歌可泣的事蹟。在表面看來，它似乎只是在『報導』某一些事實——小說是一位文學家個人的幻想，是『虛構』性的，神話是一個民族的傳說，是『報導』性的——但是這些事實，全都是這一個民族的高度『評價』的對象，全都是這一個民族所認爲最『偉大』的，最足以作爲『模範』的行爲。（當然，神話中也有一些事蹟，是取其驚惕性的，是一種消極性的評價。『嫦娥應悔偷靈藥，碧海青天夜夜心』，即其例也。）聽神話的人，知道這不是歷史，所以並不一定信其爲眞，傳說神話的人，也並不期望聽者之信以爲眞，但說者聽者又全都知道這不是小說，不是某一文學家的創作，而是有些人在某些時期曾經確信以爲眞的。這個介乎歷史和小說二者之間的位置，在說明了神話語义的特殊性質。

因此，對於神話的功用，許多思想家都持論不同。有的偏重其知識作用的（卡西爾 ERNST CASSIERER 即其代表），有的偏重其促成社會組織的作用的（如馬里諾夫斯基 B. MALINOWSKY），有的偏重其詩歌性質的（文學家多半如此看法）。摩理斯從語意學的立場持論，說神話的意義，是一種『評價的報導』，是用一種最動人的方式，報導一個民族對於某些行爲的特殊評價。而從這種報導中，供給聽衆以種種評價的知識，以求影響到他們實際上的行爲。我認爲他這一個解釋，是最爲深刻而正確。

評判語句的評價使用

運用『評判語句』來達到『評價目的』的語言，最好的代表，是各種詩歌語文POETIC DISCOURSE。詩歌語文者，是用評判語句來表達一個人對於一些事物的欣賞或憎惡，而期望對方聽話的人對於這種事物同樣的產生一種欣賞或憎惡的心理反應。譬如我眞欣賞一位女人，我就不免詩興大發，稱讚她是：

「秋水爲神玉爲骨
芙蓉如面柳如眉。」

這是我用高度的評判語句，來描寫她的淸俊美艷，而期待聽話者同樣的看出她的淸俊美艷（在這裏，「看出」她的俊美，和「把她看成俊美」，實際上相差不多，因爲二者都是有語言暗示VERBAL SUGGESTION在發生作用）。就是說，教你去注意她的神采，而尋找出它和秋水之淸雋的相同的地方，教你去注意她的肢體，而追尋它和良玉之潔白細潤的相同的地方，教你細看她的顏面而去聯想到芙蓉之嬌豔，教你細看她的眉毛而去聯想到柳葉的曲媚。（六三）

劍底秦庭

歷史小說　寞如

窗子外面，不知道下的是雪是雨。寒氣一陣一陣侵入小樓裏，把樓房的幾枝紅燭吹得搖搖欲滅，燭淚向着燭盤直淌。

這是一個沒有聲音也沒有情感的夜！

「夏姬！」荊軻終於打破了沉寂的氣氛，用手輕輕拔了拔夏姬的肩頭。

「嗯！」夏姬有點像洞房之夜的新娘般充滿了羞態。雖然對於奉侍一個男人，在她並不是第一次的陌生經驗，可是，不知道是內心的過度激動，還是害怕荊軻剛才在席上的一陣稜稜注視，使到她不敢把面轉過來對着荊軻，只是低着頭，用手不斷摩挲着燭盤。

「你回過頭來呀！怎麼不回過頭來？」荊軻的聲音是柔和的，柔和得使夏姬忘記了報復或者是暴力的恐怖，而且覺得充滿了難尋的溫馨，於是，不自禁地對着燭光，輕盈地笑了一笑，微微的轉過身軀，低沉地叫了一聲：

「荊先生！」

「夏姬，你……歌和舞都眞不錯！」

「……」夏姬突然之間，又飛紅了面。

「你不要難過，夏姬，」荊軻隨手把這一朶花叢裏的鮮葩輕輕摟到了懷中：「我知道剛才那一首歌詞決不是出自你自己的意思。」

「嗯！荊先生，你不……」夏姬把身子緊緊貼着荊軻的胸膛，眼睛凝視着那一副沉摯的面孔。

「不，爲什麼我要責備你，你只是一個意向由人的弱女子，人家要你怎樣唱，你便得怎樣唱，我當然不會不知道你的處境。可是，我就不明白，一個人既然準備希望別人爲他的政治利益而獻身，爲甚麼却又竟然這樣絲毫不爲人留一點餘地！」荊軻聲音充滿了感慨。

「他告訴我，說是因爲你並沒有堅決的去意，所以要想辦法給你以刺激。」夏姬沙啞着嗓子，在沉沉的訴說：「他說，一個眞正的英雄，也免不了兒女私情，他怕你留戀着你的兒子，還有，一個女人……」

「誰？」

「我也不知道」！夏姬下意識地笑了笑，用手捏了捏荊軻的手腕：「只有你才知道！」

「嗯哼！還有呢？」

「所以他們要用盡種種方法，刺激你，迫你立下決心，用我——來代替你心目中的那一個女人。可是，我多麼不配啊，荊先生！」

「啊！」荊軻一直在屏息着，這時候才長長的嘆了一口氣，「這倒是一番苦心焦慮的策劃哩！」

「他們說，眞正的英雄是經不起情感的刺激的，是不是？」夏姬有點天眞地睜大了明亮的眼睛，緊盯着荊軻英發俊健的面孔。

「也許！」荊軻茫然地笑，茫然地點了點頭。（三十八）

張文襄與廣東文教

萬香堂

有淸一代，廣東大吏中，給地方人士留有追思之感的，恐除張之洞外，沒有更深刻的人了。前已本刊有「張文襄與湖北」之作，故余又有本篇。

×　×　×

張之洞字香濤，直隸省籍，他雖然是八股科舉出身，但也涉獵經籍，爲一位博學，對經史諸子百家考證及文藝算術，無不精通。他主持學政，最可稱道者爲對於文化教育之建設。他於任湖廣總督時（淸咸豐年間）特撥巨款於廣州近郊，創辦廣雅書院，購置羣籍，延攬人才，成爲嶺南中最高之學府，粵桂兩省文人均以此爲進修之所，不遠千里而來。香濤更廣設獎學金，使就學者得以專心致志，此或爲中國教育史上有計劃的獎學金之嚆矢。

×　×　×

當時，香濤深知番禺人陳澧（號蘭甫）博學，並有志於教育，延聘爲書院掌教。陳是一個很有社會事業心的人，曾先後將自己珍藏書籍及壯偉之館宇，慨行捐出，當時廣雅書院外，尚有菊坡學院及學海堂等之設立，優秀學子達數千人之多，其中最著名者爲梁鼎芬，爲文學繼往開來之人物。

張香濤所用庫款及捐款甚多，光緒十九年間，就有人參劾他說：『統計該督蒞粵五年，糜耗國帑，假公濟私，自勸捐者，總計不下數千萬兩，惟建設廣雅書局培植士林，差強人意，然規模已太侈矣！』當時淸廷派香濤的政敵劉坤一查辦他。幸而劉亦不念宿怨（張前曾參劉，致劉遭革職），不僅不去落井下石，反而袒護香濤。劉的覆奏稱：『該督謀國公忠，勵精圖治，必能張弛合宜，終始其事，力求撙節，妥爲經理，以竟全功。』也可說是很難得。

筆者昔年在廣州古董店，曾看過一個手卷，其中有陳澧手札多件，有一件談及張香濤在廣東文化建設的豐功偉蹟，認爲凡是兩廣人都應該感謝他，永遠紀念他。

飛機座位自動彈射

英國人在其堅毅勇敢的努力下，最近又重振了他們在航空界的聲譽。在牛津郡很少使用的小型機場查爾格羅夫，試驗駕駛員費林爾特自願作爲一種飛機上最新設備的試驗品。這個設備是馬丁・貝克飛機公司一種在低空自動由機中彈出的坐位。飛機在高空飛行時，將一個駕駛員彈出機外，是一件相當簡單的事，他在空中仍有足夠的時間可以讓降落傘張開，可是在低空，或甚至在地面將駕駛員從機中彈出，却有極大危險。

貝克公司的新機械具有一種特殊的控制工具，能夠配合彈出機座時飛機之飛行高度而控制整個設備的活動。

過去它已用傀儡試過幾次，但還沒有一個活人敢冒險試驗。費林爾特坐在一架流星噴射機的後座，另一個試驗駕駛員則負責操縱飛機。飛機以時速一百五十七哩在跑道滑出時，機輪剛離地，費氏把開關一拉，機座連人一起彈到了空中。離地五十呎時，機座與人脫離了，他自己則繼續上昇，直到八十呎，二具小降落傘把一具大傘張開，使他徐徐降下，全部過程僅六秒餘。（延譯）

自由人

THE FREEMAN

（第四七六期）

中華民國僑務委員會
領發登記證台教新字第一零二號
中華郵政台字第五〇〇號
執照登記爲第一類新聞紙類
（半週刊每星期三　六出版）
每份港幣壹毫
台北市售價台幣壹元
督印人：陳文華
地址：香港高士威道二十號四樓
3 rd. fl. 20 CAUSEWAY RD
HONG KONG
香港發行及事務接洽
高士打道66號　電話：七四〇五三
承印者：東南印務出版社
地　址：高士打道六十四號
海外總經銷
友聯書報發行公司
香港：德輔道中二十六號A二樓
台灣特派員辦事處
台北市館前街五十號
台灣總經銷處
台北市西寧南路壹零號二樓
台郵撥儲金戶九二五二

一切爲的自由

・丁文淵・

本月十四，香港的晚報和十五的日報，發表了一件很可令人注意的消息。據稱，中山縣屬萬山羣島有一百卅餘艘漁船，因爲忍受不了中共的迫害，棄船逃亡來港。較先的報道，說到港的漁船，僅有卅餘艘；以後經各報翌日的訪問，不止此數。照泛亞社的調查，共有一百五十餘艘。這確是一個驚人的消息，也是足以使我們興奮的消息。

可敬佩的漁民行動

自從大陸淪入赤魔掌握以來，陸續逃出鐵幕的人，並無確實的統計。然而就香港居民人數的激增，可以得到一個大略的數目。香港人口本來只有六十餘萬，現在已經超過二百萬。這個增加的一百餘萬人口，其中最少百分之七十，是從大陸逃亡出來的。然而這個龐大的數目，却是日積月累而成的。大陸淪陷前後的一兩年，均有大批難民，簇擁而來。多是三兩成羣，數家結伴，陸陸續續而來的。像這一次一百五十艘漁船集體行動，可謂是前此未有的現象。中共控制雖嚴，組織雖密，都不能阻止他們這樣大規模的集體行動，不能不算是一件驚人的奇事。

這些漁民——據泛亞社報道，將近一千人——在十天以前，即開始計劃逃亡。他們每一個都知道，如果逃亡不成，就只有死路一條。他們都是升斗無知細民，然而爲着生活一天一天的困苦，不堪忍受中共騷擾，於是選擇了一個沒有月亮的黑夜，冒着中共巡邏艇隨時發覺和砲轟的危險，從事集體逃亡，奔向自由。他們在十天準備時間內，並沒有走漏消息，一點不爲共特所發覺，這就是他們衆志成城的一個鐵證。他們這一次的逃亡，決不是僥倖成功的，他們不祗有周密的計劃，而且有決心和勇氣，毫無顧慮，才能堅決執行，達到目的。這眞是一件驚天動地的行動，值得我們萬分興奮，萬分欽佩！

中共暴政傾覆的訊號

所有反共人士，都不能不欽服他們這種決心和勇敢的行動。這一個行動，必能刺激沿海反共人民的心情，將來做效的當必大有其人。因此，我們可警告中共，你們應該明白了，人民的眼睛是雪亮的！你們欺騙人民的行爲，只能收效一時。現在人民已經看穿了你們的虛僞和黑毒，人民已經爲爭取自由，堅決用行動來抵抗你們了。一百五十餘艘漁船，集體逃亡的成功，就是你們殘暴政權行將傾覆的第一個信號！

漁民的血淚

這些升斗無知細民，也懂得什麼是「自由」的，他們感覺到過去的生活，雖然很有困難，然而一切可以由自己作主，何時出海捕魚，如何將魚穫物出賣，都可以由他們自己支配；他們空閒的時候，可以自由自在的過日子，不受任何人的干涉。自從你們繼據了萬山羣島以後，藉口漁欄商人剝削漁民，所以要加清算。跟着你們就實施漁穫物的統購統銷，由你們的水產公司，在各漁業區設立收購站。又規定漁民出海捕獲的海產，一律要依照你們所定的低價，出售與各收購站。不久，你們又組織了所謂「互助組」和「漁業生產合作社」，來加強控制漁民，把漁民的生活自由，作業自由，完全剝奪了。漁民賣魚的款！還須全數儲存在你們共黨的信用合作社，動用的時候，又須得你們共幹的核准。漁船需要火油，配給量既不足，價錢也很貴。弄到每船一夜消耗的火油價值，竟相當於一担魚的價值。萬山羣島缺乏蔬菜，又無肉食；漁民生存全賴米糧，現在每人每日的配給，僅有米四兩。連吃粥都難，又何以爲生？還有一般漁民最不能忍受的，便是你們共黨不斷的強迫他們開會，上課，聽演講。他們不但感覺得索然無味，而且嚴重妨礙他們的作業。所以他們忍無可忍，不能不死中求活，集體逃亡。他們的冒險是爲了自由的追求。這些道理，你們現在應該明白了罷？

切實援助逃亡漁民

我們生活在鐵幕外的自由中國人民，對於這些準備犧牲性命，來爭取自由的同胞，不僅要予以萬分的同情，且應隨時予以各種實際的支持。我們更希望我們的政府，重視這一次萬山羣島漁民的英勇行動，切實予以救濟。萬山羣島共有漁船二千艘，現在逃出來的，還不足十分之一。這一次，他們雖然能安全逃出，但此後中共的管制，必將更加嚴密。我政府爲協助這些奔向自由的災民，必要時，應出動海空軍，向大陸沿海巡邏，以便隨時救援出亡的漁船。這樣又可使大陸同胞充分瞭解我政府對他們的若干關懷，對大陸同胞的反共，始終積極支持。

反共行動已遍大陸

最近一年來，大陸人民反抗中共暴政的行動，已一天多過一天。照中共官方報告，此類事件已達一萬數千餘起。半月以前，武漢市且發現一個有理論，有綱領，有組織的青年革命小集團——「中國人道民主同盟」。組織這個同盟的，都是青年知識分子。其中年齡最大的不過廿三歲，最小的廿一歲，這組織已經成立了一年有餘。他們宣稱要「創造求實主義，人道主義」。他們反對獨裁，反對馬克思主義，和共黨所造成的仇恨，提倡人類的「人道」。他們爲「民主」，爭取自由」，也就是和此次漁船集體的逃亡，目的都是一樣的。

所望於聯合國者

現在聯合國大會正在開會期間，我們希望各民主國家的代表，能重視中國大陸此類的反共現象。中華民族，現在正在內外努力奮鬥，爭取民主，爭取自由。聯合國縱然一時無法協助，也決不應再阻撓我們的奮鬥。我們的事實，也足以證實許多中共無法統治大陸，更說不到代表我中華民族！

貿易政策應配合工業政策

——啓信化學廠與新竹玻璃廠的現狀——

・陳式銳・

本報特稿

不久之前，台北徵訊新聞記者顏震榮於報導「中國生產力中心」時提及它在籌備伊始，已做了一件工作性質底表現。他引述籌備負責人高撰蓮的話：「在楊梅（桃園縣）有一家工廠，已投下千萬元資金，打算生產氧化鎂，但廠房機器完工之後生產一直因技術設計而不能實現。後來他（高氏）看到這個情形，自動找幾位工業委員會的專家來研究，給予該廠很寶貴的建議，終使順利出品。此種協助指導，堪稱爲組織中心的工作典型」（八月一日）。另於台北中央日報（七月六日）的一個「銘謝啓事」，可以發現那「一家工廠」，就是「啓信化學工業廠」。

如何繁榮台灣經濟

農業與工業的所得，早在李特斯時，其比率估計爲一六比一二〇，可知農業因爲一國所必需，而工業對於一國國力的造成及國民所得的影響是如何底重大了。台灣的工業化，在日據時代已開始，光復後以人口之急劇增加，雖朝野不斷地努力增產，台灣的生產究仍落在人口之後高達四〇%。一方面，台灣農業的發展已近於飽和，農村人口以耕地不足之故，隱藏底失業，以我個人引用四十一年的資料加以研究，其數字已達到一百二十一萬九千人，他們的出路，主要是基本事業的開發，伴同工業的發展，從而增加國民所得。所以政府訂定工業化爲經濟政策的中心，用以促進台灣整個經濟的繁榮；我想經濟部、經濟安定委員會的工業委員會、暨其他有關機構，應該是共同朝這一政策努力罷。

我更由政府的資料，瞭解台灣工業化進行的重點，在利用台灣天然資源擴大和充實舊有底工業，與開闢新的工業兩大途徑。而利用台灣資源增加出口爲目標的工業，尤應盡量加以發展。蓋台灣所必需而缺乏的物品或原料，要由外國輸入，必需自己有出口底物品，爭取外滙，或以貨易貨；也可以說出口愈多，換回的物資亦愈增。這些這些，充分地說明台灣的海島經濟，要以貿易政策來配合工業政策，才能達到台灣經濟的繁榮。

可注意的新開工業

而工業化的具體表現是什麼呢？最明顯底，該是開設工廠。台灣成規模底工廠，自光復接收以後大多數變爲公營事業，雖因耕者有其田案的實施而有水泥、紙業、農林、工礦四大公司開放民營，計算起來究仍屬小數。而且這些，也都屬於舊有工業的擴大和充實的範圍；開闢新工業的途徑，才是工業化的積極開展。幾年來，吸收僑資與外資以發展台灣工業，當局的努力可謂不小，但收效仍是有限得很；近來最惹人注意者是新竹玻璃製造廠於七月十七日開工，該廠係新開設之民營工廠，以股份有限公司方式經營之第一大工廠，與論稱其集中資力發展工業「富有啓蒙」的意義。該廠資金新台幣一千五百萬元，獲得爲期五年底美援貸款新台幣六百萬元及美援機器設備四十三萬八千美元，暨技術人員合約經費二萬三千美元，而且係先由政府籌備，然後轉移民營，所以是「中美合作」與「官民合作」的產品；該廠預計年產平板玻璃十四萬箱，可節省台灣的外滙六十萬美元，第一塊平板玻璃已經於九月十五日問世。

不平凡的創作

「啓信化學工業廠」廠址在桃園縣楊梅鎮，我經實地參觀，發現是台灣的一個不平凡底創作。陳家兄弟三人，經商成功，他們以政府提倡工業，視爲經濟發展的新途徑，想將商業資本轉投資於工業；他們獲悉台灣有豐富之白雲石，可以製造氧化鎂、炭酸鎂、炭酸鈣等，在國外（尤其美國）又有廣大市場，亦正符當前政府爭取外滙的目標。先經化學程序，加以實驗而製成產品；即逕紐約「許華滋化驗公司」SCHWARZ LABORATORIES, INC. 化驗，所得結果：「產品潔白，光滑、精細，其成份合於美國十四版U. S. P. 藥典之規定，純度高於要求，而雜質且低於規定限度，爲一甚有用之產品」（該公司一九五四年七月二十三日報告）。繼之，該廠請由日本安宅產業株式會社設計機器，估計需二十七萬五千美元；陳氏兄弟考慮之下，料難獲政府供給如許之外滙數目，乃另設計以「克難」方法分購湊數，機件來源有日本、丹麥、賠償物資、剩餘物資、及本省製品，其成本不及安宅設計之一半。該廠於去年二月開始建廠，於本年六月試車；在技術上曾遭遇困難，除由經濟部聯合工業研究所及生產力中心協助指導外，並聘紐約「中央技術公司」CENTRAL TECHNICAL INC. 的工程師爲技術顧問，延攬本國三個青年工程師，駐廠逐步改良，經於九月初出品成功，所投資金爲數新台幣一千萬元。

面臨嚴重的困難

該廠樣品自獲美國許華滋化驗公司證明優良後，去年以來，就先後有美國標準鎂公司、非羅化學公司、大陸礦石公司、亞爾福爾特公司、查理韋裕納公司、華萊斯公司……等來信接洽代理。外銷市場，可見沒有問題；如果生產能力充分利用，該廠年產炭酸鎂二千六百噸，可爭取外滙近一百萬元；現以設備尚須繼續改良，年產暫以一千八百噸爲目標，年可獲外滙近五十萬美元，不過，該廠計算起來，以現行外滙貿易辦法，新台幣對外價值高估，出口所入却不敷成本，建廠出品雖告成功，但已面臨嚴重的關頭了。（下轉二版）

本週展望

・曾旭軍・

貝隆因獨裁而倒台

本年六月阿根廷獨裁者貝隆，剝奪天主教會權利，引起海軍之憤怒，以飛機轟炸總統府。筆者曾斷定阿根廷起了革命，內亂有方興未艾之勢，今果言中。六月十六日之叛亂，短期間即告平息，有不少論者不……隆的地位動搖。甚至旅居阿根廷者，亦來函本報，表示不同之論斷。筆者知道他們的見解，是基於貝隆控制着工會和陸軍兩大勢力的現象。他們對此現象的印象太深了，反而成了「不識廬山眞面目，只緣身在此山中」。其實工會與陸軍兩者均不可恃。貝隆倒台的主要原因在……。一切獨裁者終必失敗。阿國陸軍，非眞正忠於貝隆，羅塞洛等將領們在八月間再把貝隆捧起，是希望他們自己仍能保存那些特權之私利而已。阿國工人雖然得了若干小惠，在獨裁政治之下，卻喪失了許多自由的。然而且陸軍和工人卻沒有合作。

從這裏我們獲得了教訓，即獨裁政治不得不使用絕對的權，到了相當時日，便成爲麻痺、腐敗、終釀成災禍。詩人莎士比亞也寫過：「獨裁者可能無所顧忌而總攬大權，但最後到瘋狂的階段，便日趨於黑暗而毀滅」。

阿根廷之前途展望

然而今後阿根廷的展望又如何呢？筆者認爲阿國前途未易樂觀。貝隆的反對黨似乎有了一個掌握政權的機會，但他們自己有極嚴重的分裂，甚至最反對的過激派，亦分裂成三系。在目前，可能組織臨時混合政府，以應付緊急局面，但經過相當時間，政治流亡份子回國後，形成各種輿論與勢力，也許要求修改……。復的阿根廷的工會態度，也是新秩序是否好像一個重要因素。因此今後的幾個月是試驗過去四個月一般，阿根廷的命運……打倒了獨裁後，防止新獨裁的工作艱鉅，這是我們一個重要的歷史教訓。

成功湖姑息氣氛仍濃

本屆聯大一揭幕，蘇聯即提出支持中共入聯合國的議案，立遭否決。其後以四十二票通過美國提案，拒絕討論其席位問題。然我國在外交上獲一次勝利，但兩個中國論，以及以中共能控制大陸爲理由，終須讓中共進入聯合國的姑息氣氛，仍繼續於成功湖。這是我們應該提高警覺的。因爲國際……妥協之國家此次贊同美國提案，非……蘇聯製成傀儡政權以侵華的一個理由，……望中共洗血即可正其衣冠，堂堂然踏入聯合國。這是有很重大的分別。

國際統戰眞厲害，居然傳出美國雖不准中共列席安全理事會，但不反對中共進聯合國。又傳印度甯願不接受美國請其進入安全理事會，俾中共能順利進入聯合國，居然卑鄙妖媚到如此程度。紐約時報發出議論，指出一九五一年四月一日聯大已宣佈中共爲侵略者的議案，仍然有效，並謂除非中共撤退駐北韓……，並同意聯合國所建議的行動，……否則應拒絕中共入聯合國，……法律上的荒謬行爲。……第六屆聯大會通過了控蘇案，蘇聯不但撕毀了中蘇條約，而且違反了……侵略東北、新疆等地，製成中共傀儡政權，殘殺中國人民。我們……採取攻勢。

哈馬紹應滾蛋！

至於那樣充共產黨腔小丑的哈馬紹，居然荒唐絕頂，說中共終必進入聯合國的論調。我們應該提出議案，將其罷免，據聯合國憲章第十五章（「秘書處規程」）第一百條，內稱：秘書長及其職員，執行職責，不得尋求或接受任何政府或聯合國外任何權力之訓示。他們「不能有辱及身爲聯合國機構之國際官員地位的行爲。」又「秘書長宣誓其對聯合國，不得受一國家黨派偏見所影響。」哈馬紹作此言論，有違聯合國憲章，及政治假譽。縱不治罪，亦應滾蛋！

貝隆是怎樣失敗的

—獨裁的收場—

李加雪

阿根廷的十年獨裁者貝隆，終於狼狽失敗了。他生於一八八五年，是一個西班牙、蘇格蘭，和巴斯民族的混血兒。他的父親曾任阿根廷的大法官，頗有聲譽於時。

在陸軍學校時期，貝隆是校裏的特出學生。畢業後，做過智利大使館的軍事隨員，後來因軍事關係到過意大利、西班牙、德國、法國、葡萄牙、匈牙利，和奧大利等國。

因緣時會做了總統

第二次大戰時，阿根廷分發為親納粹和親同盟國家兩派。貝隆是地下青年軍人團體的一個重要人物，他們支持法拉盧將軍。一九四四年，法拉盧掌握政權，貝隆是內閣的國防部長，勞工部部長，還兼了副總統。他曉得工人力量能夠左右國政，積極組織農工，作為他的政治資本。

一九四五年，阿根廷工人向京城布宜諾斯艾利斯作大規模示威，政府懷疑是貝隆主持的，把貝隆逮捕下獄。跟着工人們發動一個規模更大的示威遊行，高呼，『我們要貝隆！』政府只好把貝隆放了。

一九四六年，貝隆參加競選，得到決定性的勝利。由那時起，貝隆掌握了阿根廷的大權。

貝隆的政治資本既是工人，於是他成立一個規模宏大的總工會，把總工會掌握在手上，工會遂成為貝隆行動的箭頭。

師事墨索里尼

貝隆師事墨索里尼，他得志後，用人行政，一唯墨氏的規矩是循。執政後，他把英國經營的鐵路收回，改為國營，又把電話，煤氣，運輸業列入國營之列。並改組銀行，又委派法官和教師，命令每一個公務人員，參加貝隆黨。在極短的時間內，便把國家用人行政的大權，全掌握在個人手上。

貝隆建立堅強的陸軍和空軍，軍事設備，在南美可說首屈一指。阿根廷的商船隊，在國際上也佔有相當位置。

為了實行獨裁，貝隆限制政治自由，禁止言論自由，實施新聞和廣播事業的管制。又修改阿根廷的憲法，使他能繼續當選為總統。

獨裁為失敗之源

貝隆執政九年，把阿根廷的經濟、社會、和政治生活，都改變了。他做總統後，派他的夫人伊娃繼任勞工部長。阿根廷的工人變成國家的特權階級，待遇比較任何階層為優。

工人的地位雖然重要，可是把工人捧得太高了，難免使別的人發生反感。阿根廷的輿論指斥貝隆是一個想入非非的人，一個獨裁者。又指斥貝隆政策缺乏效能，增加了國家和人民的負擔。

伊娃死後，貝隆要教會把她當聖女看待。事實上，伊娃出身舞場，也拍過一兩套電影，但阿根廷的上流社會，對於伊娃不免懷有反感。去年十一月，阿根廷的天主教會，拒絕貝隆的請求，貝隆懷恨在心，開始攻擊教會。

本年五月，國會通過一個議案，把教會和國家分離。於是陸續發生工人和教會的衝突事件。貝隆說教會和他搗亂，把兩個天主教的主教，驅逐出境，跟着又清除政府內重要的天主教人士。

為了報復，梵蒂岡把貝隆驅逐出教，人民對貝隆本來不懷好感，教籍被開除了，人民認為貝隆大逆不道。當天晚上，海軍便叛變了。噴射機轟炸總統府。首都布宜諾斯艾利斯發生巷戰，貝隆直轄的工人放火焚燒天主教禮拜堂。

後來海軍的叛變雖平息了，但貝隆已成為阿根廷人民的公敵。阿根廷是信奉天主教的，貝隆反對宗教，焚燬教堂，軍民都認為貝隆是一個狂徒，不堪負担國家重任。

這是貝隆最大的失策，獨裁政治往往是利用宗教的，墨索里尼和梵蒂岡處得不錯，希特拉，法朗哥都和教會異常和諧。貝隆成功後，竟與宗教對立，因而自取滅亡。

叛黨的策畧

經過了第一次的失敗，叛黨更作進一步的革命醞釀。忠心貝隆的軍隊不過數萬人，叛黨設法把他們的主力誘離首都，然後進襲貝隆的首都巢穴。

叛黨先在阿根廷第三大城哥多巴舉事，哥多巴離首都四百餘英里。貝隆果然中計，把精銳調到哥多巴。跟着，門多沙，聖魯易，和聖朱恩等處革命隊，分樹叛旗，海軍艦隊又封鎖了首都港口，布宜諾斯艾利斯被包圍，貝隆無路可逃，變成甕中之鱉。

貝隆無可奈何，請求巴拉圭庇護。巴拉圭大使把他領到巴拉圭的一艘軍艦上，巴拉圭請求阿根廷新政府准許貝隆出國。獨裁者的貝隆，他的政治生命從此結束了。

阿根廷今後將怎樣呢？陸軍方面宣告，他們不利用機會提名競選總統以樹立類乎貝隆的獨裁政府。經過了長期間的獨裁，阿國人民渴望民主，今後的阿國其將向自由民主的目標邁進乎？

義市長的善行

富翁空屋撥給貧戶

矜式譯

義大利翡冷翠市長拉比吉，當他當會議員的時候，有一天下雨，他沒有雨傘和外衣和帽子，就要出門，一位議員爭着借給他一件雨衣。一小時後，他回來，由頭到脚都淋濕了，他那同事很詫異，他解釋說：「我去街上遇見一個老人，他很冷……」「是的，」那位議員說：「但是那期艾艾的雨衣啊！」「但是那是我的，」拉比吉安慰他說：「朋友，你能再買一件，你能再買一件的」。

最近，這個為了自己基督教徒的善心，而犧牲別人財產，惹起物議的市長拉比吉，已陷入更深的煩惱。他是在四年前為基督民主黨，把翡冷翠從共產黨控制下給爭奪過來的人。

不論法律怎麼樣說，翡冷翠的每個市民都應該有一個庇身之所。這是獨身漢拉比吉市長的理論。他常年住在聖馬可修道院一間簡陋的小屋。在一九五二年來，當中央政府許地主可要求，開始把房客逐出由房租制法所管的一列一列房子時得來，拉比吉即採取行動，加以應付。他說：「基督的社會，就是兄弟的社會，當一個人被排斥，當一個人缺少麵包或住所的時候，社會即不成為兄弟的社會了。」

拉比吉的眼光落到市郊山旁一座巨大而又華麗的古老別墅。這些別墅大多數是屬於義大利富人的，他們一年不過住上幾個月。拉比吉根據他以前在翡冷翠大學擔任法學教授的經驗，搜尋舊檔案，最後發見了他所需要的東西，這是一八六五年通過的一條義大利王國舊法律，授權市長在嚴重的緊急情況下，可徵用私人房屋。

拉比吉起初徵用的房屋很少，而且翡冷翠市民對於他所採取的辦法也覺得很有趣。他手下的秘密稽查一旦找到一所空無人居的別墅，他便在前一夜簽署徵用命令（但嚴守秘密），次日一早，命令頒給房主，一小時以後，在不幸的房主來不及佈置偽裝的房客以前，市府的工作隊已駛到別墅，這些人包括徵用官吏、鐵匠（如果房主把門緊鎖，他便把鎖撬開）兩名坐電單車的警察，（拉比吉說，「坐電單車的警察氣派大，令人望而生畏」）有時拉比吉自己也去。數分鐘內，從別處被迫遷的房客，用卡車載着他們的傢俱行李，迅速在別墅裏住了下來。

但是由迫遷的房客愈來愈多，拉比吉也進一步的徵用更多空屋。今年初拉比吉第一次陷入大麻煩。他徵用了七十歲芬斯鮑里公主的一所大別墅，讓五十名被迫遷的人搬了進去。他給了公主一個通知，上面寫着：「我相信，我讓你能做這一件大善事，因此可以保證上帝將來會把你召入天堂，對這樣一個好機會你一定很感謝吧。」

這個能安慰其他被激怒的房主的妙計，卻安慰不了茹斯鮑里公主。她在義國高等行政法院控告拉比吉，但在法院尚未判決以前，拉比吉又徵用公主兒子的房屋，使她所瘡傷更為嚴重。他且進一步把義國最高觀光局長羅瑪尼，和前總理喀斯貝利的內弟的別墅也都接管過來。

不久，拉比吉又闖進中央政府接管的徵用前屬法西斯黨的若干大廈。這些房子都空無居人，政府用保安隊把那些大廈包圍起來，終把拉比吉的工作隊趕退。市政府向精於宣傳的拉比吉，就開始寫信給報紙和政治家們，信內加上了許多聖經中的名言。給基督民主黨秘書長范范尼有一封公開信，除提到其他事情以外，還為他賀，並說：「七個孩子而又要基本的法律，主要最少他們有七個孩子，難道不都正是他們的住處嗎？」和能存身的一些麵包，「時代報」立刻加以反駁，指責他的這種公開信，不僅可笑而且危險，是小政治家的姿態。

自從拉比吉今年二月利用徵用法權力將一所破了產的工廠，移交給工人，他的辦法把那些供給基督民主黨財政支持的工業家們激怒了，也使他們驚恐起來。可是基督民主黨領袖很覺得名著一時的拉比吉市長，對全義國左傾選民，頗有誘惑力，而且他也是他們要緊掌握共黨所控制的翡冷翠的一個希望。

拉比吉不為物議所屈辱，繞着他那裝璜華麗的書桌搖擺而行，還是像掛在屋角的鳥籠中兩隻金絲雀一樣的愉快。有十九個其他房主已聯合茹斯鮑里公主一起控告他，可是內政部發表了一件公告，聲明一八六五年的那個法律，祇能適用於地震之類的災禍。他四面八方受到攻擊。名勝古蹟之管理處發現被迫遷的人，已移入另一別墅，架起做飯的爐灶，把手指按在最近發現十六世紀壁畫的牆上亂抹，因此大為驚駭。但拉比吉卻說：「藝術作品，祇有他們在被尋常生活所環繞時，才能昌盛起來。管理局長還該謝謝我呢！」

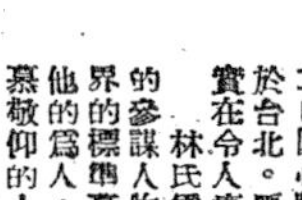

·人物評述·

悼：林蔚上將

·吳文蔚·

林蔚上將於上月二日因心臟病，逝世於台北。噩耗傳來，實在令人痛惜！

林氏為國內有數的參謀人物，也是軍界的標準幕僚人物。他的為人，是值得傾慕敬仰的！

×　×　×

林氏雖官至上將，有恂恂儒者氣，淡薄寧靜，平時很少發表談話，更不喜歡自我宣傳。處事務實不務虛，始終謹守崗位，埋頭苦幹，公忠體國，克盡厥職。

他的武德更是值得稱道的，平日生活極有秩序，起居有時，飲食有節，涖臨辦公處所，肅靜端莊，威嚴中有和靄。治事認眞精細，負責守時，遠謀深慮，不愧為大將風度。

他追隨蔣總統，三十年如一日。參贊機要，中肯得宜。臨危難而不亂，措置裕如。意志堅定，不為外力所困擾。處平時一如處戰時。精神飽滿，態度從容。他的毅力與氣度，實非常人所易及。

×　×　×

林氏浙江黃巖人，江南陸師學堂及陸軍大學第四期畢業。歷任營團旅長，軍師參謀長，陸海空總司令部參謀處長，參謀本部廳長，軍事委員會辦公廳副主任，銓敘廳廳長等職。

抗戰期間，轉任第一戰區參謀長，軍令部次長，桂林行營參謀長，桂林辦公廳副主任。

勝利後，任國防部次長，暨中國國民黨第六屆中央監察委員及侍從室主任。綜計他一生職務，當參謀長時期較多，即廳長主任等職，亦屬於高級幕僚範圍。

×　×　×

筆者佩服林氏，不在他的名字是否顯赫，而在他的處事做人，堪為楷模。

他患的是心臟縮小症，並且來的非常突然。據中央社報導：林氏於八月一日夜突然患病，當時即送中心診所治療。二日下午十時二十分，即告不治逝世。享年六十七歲。

林氏最後任職總統府國策顧問，生平對建設國防，倡導甚力。生活淡薄自甘，不務名利。身後蕭條。林上將死了，參謀界失了一顆巨星，軍事幕府中失了一位楷模。撫筆思之，能不慨然！

（上接第一版）

農村經濟大有裨益

氧化鎂或炭酸鎂的製造原料為台灣東部的土產白雲石，生產過程中僅燃料重油為進口物資（可以改裝設備改用煤炭或木炭）；所以說氧化鎂等的外銷，純屬台灣的礦石加工底出口。它有別於糖米之需耕地利用與肥料輸入，及棉毛織物，柳安夾板等之為輸入原料而加工；它的原料白雲石，由花蓮山上掘打、運輸、轉運到廠加工，所需用人力，直接可以消納農村的隱藏失業，這對農村經濟且有積極底利益。新竹玻璃製造廠投資新台幣一千五百萬元，有現成底內銷市場，年可節省外匯六十萬美元；啓信化學工業廠投資新台幣一千萬元，有現成底外銷市場，年可爭取外匯五十至一百萬美元。兩個工廠同有民間資金投資工業的「啓蒙作用」，尤為工業化的具體表現；惟新竹玻璃廠主要為內銷，政府為保護而停止平板玻璃進口就解決了，啓信化學工廠主要為外銷，以現行外匯貿易辦法之故，却尚有問題期待解決。

政府應加切實鼓勵

七月底，財政部長徐柏園宣佈：「政府即將採用退還稅款的方法，鼓勵工業產品出口，爭取較多的外匯收入」，我當時在原則上贊成徐氏的措施，但我更進而冀待徐氏不忘對整個出口加以鼓勵，蓋用外國進口原料底出口產品固須予鼓勵，而用本國自己原料底出口產品尤須兼籌並顧（本刊四六一期）。現在啓信化學工業廠信賴政府的經濟政策，投下鉅額資金，冒險建廠（新式製鎂工業尚屬新興事業，中國又屬首創，美國的製鎂專利於一九四五年十二月始在美政府註册），幸獲成功；經濟部及工業委員會既先後在技術方面予以協助指導，其外銷的成功與否，則待財政部的努力。徐部長在「鼓勵工業產品出口，爭取較多的外匯收入」底原則下既以退稅辦法鼓勵用進口原料底出口產品，我想在同一前提之下，徐氏應有另一辦法以鼓勵用土產原料底出口產品罷。

貿易政策應配合工業政策

陳式銳

合經濟原則的新工業

政府既以台灣的海島經濟應當以貿易政策配合工業政策，求台灣整個經濟的繁榮；行政院院長俞鴻鈞且於九月十六日對立法院施政報告稱：「政府對於外匯管理貿易，現正根據數月來實施的得失，博採輿情，在縝密研討。……今後自當準備隨時適應需要，作機動的改進，以期臻於完善」（台北九月十七日各報）。那末，財政部對於鼓勵用土產原料底出口產品的需要，也該適時予以適應而作機動底措施。台灣在提倡工業化，政府希望私人資金投資工業，啓信化學工業廠則應此而生；而新工業的建立以有外銷市場者為最合經濟原則，此一工業的啓蒙與示範作用不在新竹玻璃製造廠之下。倘該廠以現行外匯貿易辦法之阻礙而發生停閉，不但政府過去之協助指導等於浪費，私人投資既蒙受損失，則今後台灣將無人敢於作設廠之嘗試，外資僑資尤將裹足不前，政府的經濟政策就變成「紙上談兵」了。以一葉知秋之義，政府似不應以一廠之小而忽略之，我以是而申論之。

九月十七日

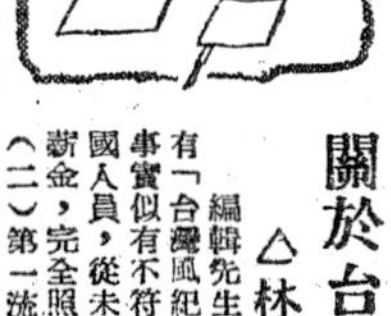

關於台灣風紀

△林鴻鈞先生來函：

編輯先生：敬啓者，九月十七日貴刊，有「台灣風紀問題」一文，其中有兩點，與事實似有不符之處：（一）辦美軍差事之中國人員，從未有拿美金薪水的，中國人員的薪金，完全照台幣計算，與美金毫無關係。（二）第一流酒家的酒女，也並不是可由客人「盡情調戲」的。至於度宿一節，更不是馬上可以解決的。理由很簡單，酒女收入可觀，根本不用出賣皮肉也。人都是差不多的，經濟情形較好之後，「身價」就兩樣了！謹函說明，順頌撰安

台北讀者林鴻鈞上九月二十日

△馬丁、黃偉、穆斯曼、孫瑋、潔流、張力行、劉靄如、素吾、邵鏡人、夢山樓，諸先生：承惠稿已一一收到，至感幸！

△本刊第四四一期至四五〇期稿費通知單，已分別寄送，惠稿諸君請收到後，憑單前來領取稿酬，為荷！

香港的國語教學

——甚麼時候教授注音字母——

林仁超

香港華僑學校，國語注音符號，應在什麼時候開始教授，這是值得研究的問題。要研究這問題，首先要認識下列幾點：

（一）國語教學，是語言的教學，不是文字的教學。

（二）我國之所以有國語教學，是因爲方言複雜的緣故。可見國語教學，是一種特殊的教學。

（三）說話課本，不過是一種補助教材，沒有課本，也可以學習說話的。

（四）注音符號乃國語教學的一種輔助工具，其功用是幫助辨認發音，加速學習的成功。

學說話重於認字

由此，可知學習國語，是說話重於認識文字的。也即是說，國語教學的目的，是在學說國語，不是在認識類似文字的注音符號。於是，教授注音符號的時期問題，便不難求得適當的答案。

許多教育家對這問題所提的主張，言人人殊，姑且不加討論。現在要拿小孩學習說話的情形加以研究。

小孩子大概在兩歲以後，就逐漸學習說話了，這時期的說話學習，是不用課本的，但學了兩年之後，便多會說得很流利了。亦即是說，在同一的語言環境中，學習說話，只消兩年，便可以學會普通應用的說話。由此可以知道，學習國語，如果在國語的環境中學習兩年，就可以成功。倘若不是在國語環境中，那就艱難得多了。這就是現在所要討論的問題——在各種方言環境中學習國語的問題——尤其是專就香港一地而論。

香港的國語教學，一般學校，每週只有一節時間，包括課本的教學，和教師的談話等。學習成功的期間，比在國語環境之中，估計最少總要相差五倍。（在國語環境中，本來只消兩年，如在香港這樣的學習環境，就需時十年。）爲了要把這段學習時間縮短，所以就不得不要教授注音符號，以幫助學習的進行。

注音符號的作用

注音符號的用途，在幫助發音的認識，是便利自修的。在完全不知道發音的時候，注音符號是沒有用處。例如：在街上看見招牌文字，沒有注音符號，如果根本不知道那些文字的發音，就算已念熟注音符號，也是不能加以注音的，至於已懂國語發音之後，注音符號便沒有作用了。試想，一個北平人說話，又那裏需用注音符號呢？所以，注音符號的應用，就在學習國語將懂未懂的期間，如果能利用在這期間，利用注音符號幫助學習，進步就迅速得多了。因爲這時期，可以利用注音符號自行進修，且發音容易正確。

於是，研究注音符號開始教授的適當時期，就可根據上述各項情形加以推論。

應在小學五年級開始

前面說過，在國語環境中專習國語，只需時間兩年，若香港一般學生學習國語，則該需時十年；並且，在非國語環境中的學生應用注音符號的時期，乃在學習國語將懂未懂的期間，而這將懂未懂的期間，在國語環境中學習國語的小孩子來說，自然該是專習說話一年的前後。那末，在香港這環境中的一般學生來說，其學習國語的將懂未懂期間，照比例。就當在學習國語的五年前後。換句說話，香港的小學生學說國語，在學習國語發音四年之後，就適宜開始學習注音符號了。這時期，就是小學的第五學年。現在可以得到一個結論：國語注音符號的教授，在香港，應在小學五年級開始。

小學生在五年級一年中，認識了注音符號和懂得應用之後，如果能够自行進修，專心再習國語說話一年，那末，普通的國語，就可以說得很流利了。於是，學生出小學畢業時的候，就告成功，這和課程標準，正相符合。而這第五學年一年中的注音符號的功用，簡直就把一般學生學習國語所需的後五年時間大爲縮短，縮爲一年。這也就是教授注音符號的重要性。

先教發音再教字母

教授小孩子智識，當然要先使學會說話，然後才再教授文字的閱讀的；最新的英語教學法，也是先教發音，然後再教字母和文字的；教授國語必先教懂發音然後才教授類乎文字的注音符號，就是同樣的道理。所以，注音符號的教授，是不能在學生還未懂得國語的發音之前開始的。

就香港這環境而論，教授注音符號，由小學五年級開始，似乎是頗爲適當的。但是，假如教授的時間增加，那末，自可依照時間的比例，酌量提前教授，這完全以教授的時數爲標準，不必一概而論。

便利青年升學深造
教育水準亟應提高

香港中等教育水準不够，對於升入大學校無疑是一個重大障礙。教育當局爲解決這一問題，在金文泰開辦了一個「英文特別班」，使參加進修的學生，修業兩年課程後，可望有資格報名投考港大。這也就是說，希望升學港大學生，必須透過這一特別班，否則，高中三年級畢業，參加會考及格學生，有志於繼續在本港最高學府深造，未必如願以償。從港大過去錄取新生的實歷看來，幾乎祗有一位學生，在金文泰高中部畢業後，上了半年大學預科便幸運地考入港大。這在教育界人士看來簡直是一奇蹟。事實上，這位學生非但平時很用功，而且家長督教認眞，因此每屆考試，無不名列前茅。

此次報名參加特別班考試的高中畢業（會考及格）學生，竟達一九四名；但在這些希望升學港大的青年中，僅被選得六十名；他們顯然是比較在水準以上的。但是被剔除的一百三十四名，是不是不够水準呢？這個答案幾乎無人能够斷言。因爲，教育司署所核定的名額祇有六十名；也就是說，升學港大只限六十名。

如果說那一百三十四人都是水準不够的，便不能不令人想到中學教育的水準問題。事實上香港教育水準的低落，不單是高中，甚至中小學都很低。這種現象，原因很多，首先該指出，目前香港社會正有一個極矛盾的情形，一面是青年大量失學，失學問題，無法解決，另一面是許多私立學校似乎都有餘額。這說明了兩大事實：（一）私立學校收費太貴；（二）子女衆多的家長們處境，較前更爲困窘。此兩點歸納起來，雖然祇有一個問題，可是在另一方面，卻又引起了另一個更嚴重的問題，這是許多私校，爲了容納衆多學生，極力將學業成績降低了水準。儘管有些私校爲顧全校譽，對於若干成績較差學生，給予課餘補習機會，但是基本上已降低了水準。從小學到初中，由初中以至高中畢業時，不論中文英文，均不能適合投考高等學校要求，於是當局不能不謀求有效辦法，設置「特別班」，重行替學生作升學補習兩年，雖然不算太長，但對學生對家長對社會都是一種損失。要彌補這一損失，教育界顯然應該共同研究一下，如何能使教育水準普遍的提高。

專載

論大陸淪陷的教訓與反攻復國志氣（六）

——與黃震遐先生書

·胡秋原·

身在台灣心存大陸

我們反共，積極而言，是復國建國。故在台之人，必須自身在台灣，心存大陸。由大陸來者，固當如此，台胞亦當知只有恢復大陸始有前途。日本廚川白村嘗識日本爲「島民根性」。不心存大陸，久而久之，我們就會小氣的。況我們有此責任乎？我常看到「中央日報」將大陸消息放在後面，常喜以台灣之事放在頭條。甚至一個縣市選舉也要作社論。這是地方報責任，豈是「中央日報」「派頭」？昔日康有爲以一匹夫自謂「雖無土地，卻有人民」。政府能不以此自警？美國人現稱自由中國爲台灣，乃要做「兩個中國」之文章。我們反對這種文章，自己斷不可有一種「台灣心理」（FORMOSAN MINDEDNESS）台灣不亟圖打出去，是終難苟安的。

其次，必須確知，反共是要建新國家。歷史上從無一個秩序破壞後還能有舊秩序之恢復（RESTORATION）的，而只能乘破壞者之弊，廣結善緣，而以更新秩序來代替。所以台灣的政府，無論在號召上，以及在實際打算上，都當使人確信推翻漢奸政權後，一定是國事國人公決，共建新國，必須爲而不爲。不有斯大有矣。必須有新境界。而這境界，不僅要符合人心所向，世運所趨，亦須由反共方法而來。

與敵作戰，貴在旗幟鮮明，事事與敵相反。不幸多年來俄帝共奸在中國社會運動、宣傳，其觀念、名詞，有甚大影響。兄言香港反共青年，學了四五年反共，得「自由民主」四字外，作風靈魂，皆爲共式。而此四字主爲美援，問台灣如何。共奸賣國殺人，禍在一時，毒害精神，禍延後代。而此禍亦常見於此處。唯物辯證之外，「帶頭」、「看齊」、「反映」，也常出於談話間。這些名詞不一定全爲中共所有，然用於一定地方意義相同時，乃斷然不可者。名詞、術語，乃構成一定「思想模式」之材料。久而久之，就會同敵人一樣思想的。而思想爲行動之本，可不畏哉？這些影響所以發生，一方面是習焉不察（如日本投降後淪陷區同胞稱「和平」），一方面則多少對共黨「理論」有敬畏之心。其實共黨之成功，並不由於其理論之優勝；可是要知其可笑，卻也少不得大家一點學問。這要大家努力，也要大家留心。首先拒絕共黨術語，進而洗脫共黨作風靈魂。我們要有一點醫學知識，並存治病救人之心。這是台灣應引爲己任的。

多求友少樹敵

與敵作戰，必須多求友，少樹敵，而得道也就必然多助。今台灣言論，常忽略今日中國問題乃中國與蘇俄問題，不是一黨一派一人問題。如果想到英美，有一部份人，將中國問題一黨化，個人化，作「託管台灣」打算，即可知此乃最不利者。必須使世人切知反共乃五萬萬人之意志。再則，弟覺台灣罵人，在國外國內，也未免罵得太多。尼赫魯誠不好，稱之爲「泥黑虜」有何益呢？對日言論，亦欠大方。俗云，「善罵者罵一人，不善罵者罵一羣」。這當然是出於孤憤之心。然不將孤憤化爲公憤，終爲悲劇心理。

台灣必提高信心

台灣首先必提高自信心。信心基于道義，基于知慧。使我們立場與五億人之願望一致，與全世界自由潮流一致，與最後勝利夫復何疑？凡反共者，誰不熱望台灣之有爲？誰不熱望台灣自信「據道討奸」，又誰能不爲台灣之友乎？沒有眞正的信心，即精神之虛弱，一時之國際風寒，即可使我們傷風；一件小事，也可使我們驚疑衝動；而一般人也就難免自掃門前雪各打小主意；而這一切又反過來自壞信心了。

擴大陣營培養新力

而最要緊的，是要一面擴大陣容，一面建設新力。今日之事，是自己孤立之結果。台灣之重要，是要以此爲引擎樞紐，聯合全球舉國以反共，台灣本身是反不了的。其次，今日之事乃是一代人之結果，沒有新人，新的氣質，是不行的。我最近與一位很博雅的朋友談此，他覺得迂遠。但弟卻深信，今日不僅要在學問知識上培養新青年，尤應在品格上作風上培養新青年。所謂品格，即是必有正當自尊心，責任心，同時至少不扯謊的，沒有成千成萬新品質，新器識，新知識的新青年，即使漢奸潰了，也是不能代替漢奸政權的。

台灣人力雖薄，但較芬蘭、丹麥還多一倍有餘，等於比利時與錫蘭，合海外人力，多于荷蘭、加拿大，等於阿根廷，乃至于土耳其。好自爲之，提高每一人之能力，豈不可爲？開發台灣人力，集中海外人力，是十分重要的。開發台灣人力，自應由教育工業着手。而也是一政治問題。台灣的各級學校，眞得好好的辦了。要知此是國家新希望之所在。又許多外國人分台灣爲本省人外省人。這界綫是言語的爲多。而中國血統中國文字決定了是一家人。而如果外而擴大反共戰綫，內而扶植骨幹，這便更不是一個問題。海外華僑是感人的民族主義，由於共黨滲透威脅，由於漢奸的處境極不安，使他們回至大陸，也還要我們極謹愼應付，從遠處解決，何況今天？

有新血輪才有新力量

現在我們要從保全華僑實力着眼，就能解決者解決。否則許多問題發生後無辦法解決，徒失威信。除了特別便利僑資外，尤當特別注意發展華僑青年才能之水準。回國就學的僑生，固然應該特別愛護培植，其實培植之道，也還不只此一端。例如許多學生到外國，何必不鼓勵華僑子弟就近到外國，使他們能成爲有更高度學問的人才呢？要保持華僑國家觀念，方法甚多，不一定要完全依類當地華僑學校的。此外，大陸的青年，亦要設法吸引和培養。總之，必有不斷新血輪才能表現新力量，而我們斷不可使他們染上不良氣息，這又是很明白的。這種事業不儘政府當做，個人也能做的。例如此處李辰冬兄辦的文藝函授學校，就很不錯。

不要使人誤會

然我們的陋、俗與裝氣，沒有完全克服，是無可諱言的。我們常看見政府忙於[illegible]

[illegible]呢？又有人區別自由與法治，其實今日法治，即憲法之治，正民主，其解釋有何區別呢？這些理論徒予人以誤會與口實而已。

當然，此處須防[illegible]

（未完）

進步的現象

馬五先生

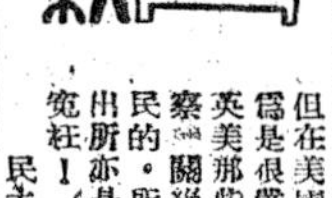

據報載：台灣省警察局最近通令所屬各單位，嗣後對於執行職務，處理人民違警事項時，不許再有勒令當事人寫悔過書這類辦法。這是值得稱讚的賢明之舉，證明今之綰領警政者綽有現代智識，堪稱適才適任了。

我們不要以爲這是無關宏旨的小問題，它實在關係政理和國家信譽極爲重大。且不談現代民主政治那套道理，以免有濫唱高調的嫌疑，即就幾千年前的孔孟之學而論，所謂「民爲貴，社稷次之，君爲輕」這些聖賢之言，大家該不反對吧！「民」既然貴重過「君」，則「作之君」（廣義的解釋）的行政官吏，當然就是爲人民服務的公僕，公僕那有勒令主人向他寫悔過書的權能呢？有之，便是濫權瀆職，甚至於侮辱人格，摧殘主人的自尊心，抹煞人權，試問我們對於常喊「中華民國」和「三民主義」萬歲口號的意義，作何交代？人民發生了違警行爲，該罰鍰的，該誥誡的，或者該送法院的，一切依法辦理可也。寫悔過書這類玩藝，是根據甚末法律而來的呢？

三年前，美國紐約州長杜威由台灣來到香港，旅港的美僑們歡迎他，問他訪問台灣的感想如何，他把台北的警察派出所亦視爲「特務機關」，理由是派出所可以隨便拘押人民。這事在我們中國人看來，原不算甚末，但在美國人的觀感中，却認爲是很嚴重的問題，因爲在英美那些民主法治國家，警察機關絕對不能隨便拘押人民的。所以，杜威乃誤認派出所亦是特務機關了，寧非冤枉！

民主憲政生活要從一點一滴創建起來，才可以奠立鞏固的基礎。台灣警察局能夠依據基本人權的觀點來執行職責，實爲一大進步現象。我希望警政機關循此良好的開端，發揚光大，樹立法治楷模；更盼其他的行政機構見賢思齊，大家一致以厲行法治爲己任，蔚成憲法上所謂「民治民有民享之三民主義民主共和國」新興氣象，不勝企幸之至！

趙毓政女士殉國事略

垂眉慣鍊英雄氣　抱膝能爲梁父吟

・鏡人・

南國胭脂，北地佳人，此社會上相傳之口頭禪。趙女士不僅是錦心繡口才貌秀美的北地佳人，而她對於黨國亦著有相當的勤勞。不料抗戰時，遭日軍俘虜，死難之烈，可以動天地而泣鬼神。筆者與她有十餘年友誼，發潛德，啓幽光，實無旁貸，乃述其忠烈事蹟，以供史家采訪，也許於挽世運砥薄俗有些幫助的。

×　×　×

江蘇碭山是她的故鄉，她幼年失母，依祖慈爲生，穎慧絕倫，鄉黨嘖嘖稱奇，比之爲神童。自考入江蘇省立第三女子師範，以至畢業，成績總占第一。那時校長爲現任教育部次長吳俊升的夫人倪亮女士，倪女士博學碩德，以忠愛勤儉訓導學子，彬彬然蔚爲風氣。她課外最喜讀史，及忠烈說部，閒靜寡言，喜怒不形於色，但每登台講演，則又滔滔不斷，具有雄辯家的風度。

民十五年，江蘇省教育會主辦的省校學生演說競進會，在淞江舉行，她被選參加，自擬講題：『女子參政的先決問題』，筆者曾代潤色。結果，獲得全省第二名，這是淮北各校學生[illegible]的光榮勝利。返校後，受校友會隆重歡迎，歡迎歌裏，我還記得三句：「譽滿江南，榮歸吾校，芒碭增光輝……」

畢業後，以成績優異，留在附小任教，不久，國民革命軍北伐，定都南京，她舍掉教職，參加革命工作，旋奉江蘇省黨部派充碭山縣黨部委員，她施展優越才能，對於地方上興革事業，知無不言，言無不盡，雷厲風行，毫無顧忌。政府當局，以畏以敬，地方人士莫不知有趙委員其人者。甚至，人民間有不可解決的糾紛，咸曰何不到縣黨部就正於趙先生。不圖，陳太丘的衣鉢，竟在千載以後傳給一個女子呢？

某年，江蘇省黨部選派她爲省婦女會常務委員，現時在北平出賣靈魂做中共司法行政部長的史良，也是常委之一。後來，省黨部改選執監委員，她參加競選，向來激烈參加競選的人，雖不是一時的碩學才士，但在黨內，總是最活躍而尖銳的份子，我不明白她有多大魔力，以一個甫逾成年的高中學生，居然當選執行委員。

×　×　×

她自奉極爲儉素，舉凡時代摩登女子習氣，一點也沒沾染，一件藍竹布旗袍，經常穿在身上，可是，她那種：『穠纖得衷，修短合度，儀靜體閒，柔情綽態』的丰儀，使人見之，總會有：『彼何人斯，若此之艷也』的感想！

像這樣艷若桃李，而又負有清譽的妙齡女郎，任她如何落寞寡合，也免不了類似羅曼斯的事迹。她的業師某君，年少倜儻，才氣縱橫，對她傾心敬慕，一往情深，往返書札，不下百餘通。最後，她的表示是：吾甚敬師之爲人與對我之眞誠，但吾料入家庭是痛苦的，並且已看破紅塵了，將來願得袈裟一領，永度禪門。與師以師生而朋友的純潔友誼，以了宿緣吧。某君深爲感動，亦以道義終其交了。

×　×　×

她任省黨部委員，並無卓異建樹，迨至抗戰軍興，隻身赴河南，投効第五戰區長官部所主辦的潢川軍訓團，任女生隊隊長，結業後率領五十多個女生，回到江蘇省政府所在地的淮陰，指揮隊員，分赴淮徐海各縣，輔導動員工作，任勞任怨，百折不回，別人所不堪忍受的勞苦，她都一身承担起來。暇時，好抱膝微吟，又好垂眉深思。筆者此時任省政府記室，記得曾有兩句打油詩贈她：『垂眉慣鍊英雄氣，抱膝能爲梁父吟。』却是爲她寫照。

徐州淪陷，淮陰甚受威脅，省政府將遷往興化，她堅決要率隊赴徐西打游擊，我們一般朋友，都勸她考慮，可是，她的堅決主張，是無法勸阻的，不料，灞橋揮手，從此人天水隔了。

她到徐西後，担任碭山縣政府秘書，兼政工大隊長，仍舊領導一般女孩子，往來各鄉，指導民衆，團結抗敵，所以，徐西民力堅強，在蕭縣一度血戰，打得日軍顧此失彼，牽制敵人南進西犯一往無前的計劃，趙女士的勳績，是永遠不容湮沒的。

×　×　×

最後，日軍以大隊包圍她，在唐寨一帶，她被俘了。日軍司令早聞她的英名，現在又覬覦她的美色，實在不忍殺她，千方百計，勸她投降，羈押一月之久，終作攤牌的威脅，不降即死，不死即降，她痛詆日軍侵略暴行，罵不絕口，日酋老羞成怒，將她亂刀砍死，絕代佳人，竟這樣短命兒終。『彼蒼者天，曷其有極！』這是民國三十一年間事，這時省政府駐在淮東鄉區，我們接到碭山縣的電訊，無言可宣，無涕可揮，惟有遙對芒碭山，呆呆的望着，默祝一聲：『毓政！你成仁了！』

我曾替她寫過一篇長傳，題曰：『江蘇女傑趙毓政女士傳』，先後在江蘇戰報，及中央日報上發表，江蘇民政廳長王公璵撰一篇『梅花曲』悼輓她，清雅哀婉，非同凡響。後來也在中央日報上登載過的。

而今，江山破碎，赤燄囂張，她的墓木已拱，泉台有知，得毋雪涕痛哭耶？

語言學漫談

徐道鄰

凡此種種，都是在有力的引導你去想像詩人自己的各種想像，而最後達到和他相同的觀點。這就是詩歌語文之具有高度評價作用的原因。（詩歌語文之最喜歡用『隱喩』字 METAPHORS，就是因爲上面所說的這個心理作用：界劃出 ISOLATE 一些事物的某一小部份（一個女人的『臉』和『眉』），教你集中的注意它，同時再提出另外一種具有同一性質（『嬌艷』和『彎曲』）的事物（『芙蓉』『柳葉』），教你把二者聯想起來，以影響你的有利或不利的反應。這是最合乎心理學中『聯想論』ASSOCIATIONALISM 的原理的。）

詩歌語文之具有高度的評價作用，可能是人類語言中一切詩歌產生的來源。詩歌最初的產生，多半是戀歌，戀歌是一個男人對於一個女人極端欣賞的表達。（不是表達他在欣賞一個女人，而是表達他對於一個女人的欣賞，表達他的『評價』。）（戀歌都是男人追求女人的作品，好像歌鳥中雄鳥之追求雌鳥一樣）。所以一個人在敍述一件事實時，到了他對於其中某人某事有高度的評價時（尤其是欣賞性質的），不知不覺的，就運用『詩歌』文字，而使他這一段敍述充滿了詩意。反轉過來，善於運用文字的人，就利用這個方法，在適當的地方，使用一些詩歌語句，來影響讀者對於某些事物的評價。（前者是評價產生詩歌，後者是詩歌產生評價。）譬如三國演義敍說關雲長五關斬將之後，接着說：

『關公所歷關隘五處，斬將六員。後人有詩歎曰：掛印封金辭漢相，尋兄遙望遠途還，馬騎赤兔行千里，刀偃青龍出五關。忠義慨然沖宇宙，英雄從此震江山。獨行斬將應無敵，今古留題翰墨間。』（第二十七回：漢壽侯五關斬六將。）

又例如西遊記描寫孫悟空大鬧天宮：

『打得那九曜星閉門閉戶，四天王無影無形。好猴精！有詩爲證：混元體正合先天，萬劫千番只自然。渺渺無爲渾太乙，如如不動號初玄。爐中久煉非鉛汞，物外長生是本仙。變化無窮還變化，三皈五戒總休言。

又詩：一點靈光徹太虛，那條柱杖亦如之：或長或短隨人用，橫豎橫排任捲舒。

又詩：猿猴道體配人心，心即猿猴意思深。大聖齊天非假論，官封弼馬豈知音？馬猿合作心和意，緊縛牢拴莫外尋。萬相歸眞從一理，如來同契住雙林。』（第七回：八卦爐中逃大聖。）

這兩段，一是描寫關公之忠義，一是描寫悟空之英勇。（六十四）

東京寄懷周棄子

・寄華・

驚才絕艷周夫子，爲問清狂勝幾多？
往日詩人俱白髮，夢中故國付悲歌！
驚鴻舊迹荒荒滅，倦燕芳時草草過，
我亦靈均廿九死，不成蹈海負滄波。

答友人贈詩

・前人・

未許澄心閉寺樓，朝來一葉又驚秋，
絕憐塵海浮沉日，猶欠名心汗漫遊。
劫末虫沙終夢夢，靜中物我兩悠悠，
吟懷漸共鑪香冷，慚愧新詩到北投。

劍底秦庭

歷史小說　奚如

夏姬開始回復了沉默，面對着荊軻迷惘的神色，她不知道是同情，是難過，還是同樣的迷惘……。

「夏姬！」荊軻似乎忘記了夏姬就在自己的懷中，却把眼睛望着窗子外面。

「嗯！」

「你可知道我今天晚上把你留在這裏的意思？」

「我當然知道。」

「甚麼？你說！」

「因爲你需要——你需要我！」夏姬在嚅嚅的聲音裏用手指輕輕地捏了一下荊軻的手腕。

「哦！」荊軻不禁重重的嘆了一口氣，低下頭來，向微姬笑了笑：「這句話也是太子教你說的？」

「不！」夏姬冷漠地搖了搖頭，像是抗議，也像在應酬一個狎客的嘲諷：「這是我的生活經驗！每一個把我留下來過夜的人，都從來不例外地需要我的肉體！」

「於是，你也在準備……」

「是的，我隨時都在準備，怎麼樣，是不是現在？」夏姬淡淡的從荊軻的懷裏坐了起來，用手掠了掠鬢間的亂髮，有點冶蕩的眼睛，使荊軻也覺得彷彿對着的是一團烈火——一團並不燙手，然而却燙心的烈火。

「夏姬，你和太子曾經有過密切的關係？」

「密切的關係，你指的是那一方面的關係？」

「譬如說，在肉體上的？」荊軻用手輕撫着夏姬軟滑的面龐。

「沒有？一點也沒有？太子不是那樣的人。對於女人，他似乎一點興趣都沒有；可是，他却深深知道每一個俠士都離不開女人。」夏姬半閉着眸子，在喃喃的說着：「我從來沒有見過一個和他那樣堅忍的，寡情的男子。」

「所以，他便順利地利用你的美色，你的風情，去迷醉所有他所準備加以利用的人了，譬如說，夏扶、武陽、宋意他們？」

「嗯哼！他們，他們我都服侍過，可是，從今天起，太子却命令我只就專門服侍你一個人。太子說，只有你，才是我——燕國第一個名女人值得服侍的人呢！」夏姬發出了一陣媚笑。

「可是，夏姬，謝謝你！」荊軻忽然霍的站了起來，順手把夏姬扶到了坑前坐下，嚴肅地望着夏姬充滿了春意的面孔：「荊某也許和所有的武士一樣好酒，好女人，可是，決不需要一個給灌注了政治媚藥的女人！我要留着你，就是想借你的口，告訴太子，荊某以身許人，決無反覆，也決無牽挂！請他不必把荊某的勇氣估計得這樣低微。今天荊某所以未說一個『走』字，決不是爲了兒女之情，只是爲了一個人，等候一個人！」

（卅九）

紐約時報起死回生

「紐約時報」是美國報紙中，編輯最認眞的刊物。但「紐約時報」也曾鬧過笑話，請看下面一段小資料：

九月初該報刊出一篇新聞，大意說，八威尼亞王國（現在是德國的一部）的太子立勃，現年八十六歲了。雖然沒有王位可以繼承，但立勃却是八威尼亞一個最活躍，最得人民愛護的王子。他是玩笑和戲嬉的象徵，是八威尼亞黃金時代的聯繫者。

這本是一段很平常的新聞，可是，最討厭的是立勃太子已經於一個月前死了。在立勃逝世的第二天，該報曾在『生抑死』一頁登過一篇相當長的新聞，第二天又加上一篇人民向立勃遺體作最後敬禮的報導。過了三天，再登上一篇喪禮的描寫。

該報在一個月後登載上述的新聞，豈不是起死回生了嗎？該報爲什麼會鬧這樣的笑話呢？原因是美國的報紙爲應付編輯方面的困難起見，預備了好些沒有時間性的新聞。這些新聞排好了版，登錄了長度。美國報紙叫這一類資料做『塞子』。遇到篇幅缺少材料便把『塞子』塞上。塞子的使用，排版人員可作主張，不必再經編輯。該報起死回生的笑話，由這樣便是鬧出來的。（牛布衣）

自由人

THE FREEMAN

（第四七七期）

中華民國僑務委員會
准發登記證台教新字第一第二號
中華郵政台字第五〇〇號
執照登記爲第一類新聞紙類
（半週刊每星期三六出版）
每份港幣壹毫
台北市售價台幣壹元
督印人：陳文華
地址：香港高士威道二十號四樓
3 rd. fl. 20 GAUSEWAY RD
HONG KONG
香港發行及事務接洽
高士打道66號　電話：七四〇五三
承印者：東南印務出版社
地　址：高士打道六十四號
海外總經銷
友聯書報發行公司
香港：德輔道中二十六號A二樓
台灣特派員辦事處
台北市館前街五十號
台灣總經銷處
台北市西寧南路壹叁號二樓
台郵撥儲金戶九二五二

孫案的歸宿究竟怎樣？

全自由中國的國民都在耐心的等待

左舜生

自從所謂孫立人案發生以來，時間已逾一月，即九人調查委員會的任命，明令也遠在上月的二十。截至現在爲止，關於孫案內容，政府方面尚無半字發表；即孫案所由引起的郭廷亮等一案，好像是已經正名定罪確認郭爲「匪諜」，但辦理郭等一案的經過究竟如何，國民也毫無所知。正因爲關於這兩案（實際可能只是「一案」）的內容國民一無所知，因此不免引起種種揣測，時間拖得越久，這類揣測便越來越離奇，如果不趕快得着一個合情，合理，合法的處理，這確實是於政府有相當損害的。

聯想到吳王兩案

本來，在中國的「政治哲學」上，原有所謂八字的心傳，即所謂：「大事化小，小事化無」是也；關於調查的技術，也有所謂八字的妙訣，即所謂：「事出有因，查無實據」是也。好像過去的吳案與王案，在當時確曾引起輿論界相當的衝動，確也曾引起國際上相當的重視，可是事過境遷，除吳國楨曾在美國的報紙雜誌上大做其文章，對自己的處境有所說明，及對他所認爲公然排斥他的人有所指摘以外，王雪艇先生則至今無半句申辯，即對他所熟識的朋友也隻字不提。這兩件事延至現在，總算是化小化無，已成過去，可是對一般國民所留下的印象，却相當深刻，及至這次的孫案發生，輿論界還往往拿它與吳王兩案相提並論。

平心而論，吳國楨沒有什麼了不起，其人品與能力，充其量也不過是「小有才，未聞君子之大道」，假定不寄以方面之任，而要他在外交部做一位禮賓司司長，專司招待來賓，或積資做到一位常務次長，乃至做一個小國的公使或大使，總也還能夠略有表現，決不如今日一般情況的糟糕！至於王雪艇先生，則是中國學術界所公認的一位憲法學者，歷任大學教授，大學校長，參政會祕書長，外交部部長，總統府祕書長，素以穩重見稱，說他有時候穩重得未免過度，容或有之，但要舉出他有如何重大的過失，我却找不出任何的眞憑實據，現在吳王兩位的政治生命，總算暫時告一段落，但孫立人一案的歸宿又將如何呢？

孫案與前兩案不同

孫案與吳王兩案的性質顯有不同，其原因便是因爲他是一位高級將領，曾以上將的頭銜，做過長時間的陸軍總司令，且曾參加過國際性的重要戰役，其地位爲國內所周知，也爲國際所注目；而我們今天的軍事，又確實是與一個友邦在密切合作之中，以利害共同之故，即教他們不予以關切，亦爲事實所不許；因此，我不能不想到九位調查委員對國家，對國民所負的實任是如何的重大！

對九委員的殷切期待

在這九位大員當中，除何敬之先生至今留日就醫未能出席以外，其餘八位如主任委員陳辭修先生，他是一位國人所愛護的副總統，其地位的重要，僅次於總統一階，且曾歷任軍要軍職，軍紀之應如何嚴肅，軍心之應如何維繫，他當然知道得最爲明白；如張岳軍先生，他是今天一位最高幕僚長，三十年來的政治，他是始終參與的一人，中國政治的癥結何在？國民所希望於政府者爲何？他當然也比任何人更爲清楚；如王亮疇先生，他是自始追隨孫先生參加革命的元老之一，且以法學權威爲國際所知名，究竟在過去幾個月中處理郭案的經過如何？如有證據，係以何種方法取得？如孫立人確與郭案有關，他究竟應負何種責任？我想他以法學者的見地，一定對國民會有一番嚴格而公正的交代，所謂「化小化無」，「有因無據」一類的搪塞敷衍，是決不會見於這一次報告文書的；如許靜仁先生，他更是八十以上的高年，對政治具有五十年以上的豐富經驗，而至今神智未衰，對國家在這半世紀以來的一切成敗利鈍，他即不躬與其役，也總是耳聞目睹，而晚節尤爲此老所十分愛惜，得他毅然參加，自然更可增加國民的信心。此外如吳禮卿先生，俞大維先生，王雲五先生，黃少谷先生四位，無論人品，學問，經驗，也無不是各有千秋，而俞先生在這一屆的行政院中，尤其負國內外的重望。他們決不會以備員了事，一定要獨抒己見，詳加討論，求得一個水落石出，以副國民的期望，這些都是毫無疑問的。

說得到更要做得到

我們對這個案子，誠然不希望拖得太久，可是我們明白中外的明眼人尚多，九位大員所交出的這本卷子，總希望十分審愼，十分週密，千萬不可留下許多漏洞，經不起中外輿論的批評，尤其不可給予共匪一個蹈瑕抵隙的機會！最近黃少谷先生答覆立委李公權先生的質問，曾說：「此一委員會的任務，是鄭重的，莊嚴的，一定會努力的忠實的秉公調查，相信調查的結果，會絕對公正，並符合國家的最高利益。」黃先生說這個話，雖是以行政院副院長的身份答覆一位立委，但剛好他也正是調查委員之一，我們不但希望黃委員能說得到做得到，即對其他八位委員，我們也正抱着同樣的心情！

嗚呼今日的新疆！

左宗棠經營新疆的一段歷史

新疆不守直北關山無安眠日

辛植柏

本報特稿

最近中共宣佈成立「新疆維吾爾族自治區」，並成立一些自治縣，如「伊犁哈薩克族自治州」，「克孜勒蘇柯爾克孜族自治州」，及「木壘哈薩克族自治縣」，「巴里坤哈薩克族自治縣」，「塔什庫爾干塔吉克族自治縣」等等。這分明是分裂「回族」，支解「中華民族」，割裂新疆，使新疆拉回到「西域三十六國」部落林立的一個時代。同時中共把回族這些古老族名提出，顯然企圖與蘇俄「中亞」的「哈薩克共和國」，「柯爾克孜共和國」，及「塔吉克共和國」等種族的原始關係拉攏，以便製造出賣國土的口實。今後新疆已不復爲我有，成爲蘇俄的領土。於此吾人回顧我國過去經營開發新疆最著勞績之左宗棠及其論新疆地位之言論，更深感中共今日之賣國罪行爲不可恕也。

英俄角逐的場所

沒有左宗棠，新疆已早非我有。左氏未收復新疆前，新疆原是英俄兩國的角逐場，英爲印度之故，不願新疆落入俄手，使印度失去屏障，所以俄人想伸足新疆，英國勢必要設法防制（自印度獨立後，英國已根本不管這事了），這是英國人的用心。俄人對新疆，是始終懷抱領土野心的，同治年間就以武力佔領我伊犁，其土西鐵路的建築，也就是以新疆爲其侵略目標。當時俄人侵略的野心，惟左宗棠明若觀火，亦惟左宗棠才不肯在俄人侵略主義之前低頭。左氏於收復北疆南疆之後，雄心未已，不僅欲以武力收復伊犁，並欲以武力將俄人在我東北佔去的土地，一鼓奪回。最初左氏奉命率軍平陝甘之亂，因有名的「金積堡」一役，英名大噪，聲勢喧嚇，豈惟寒回人之心，甚至亦奪俄人之膽。「金積堡」周圍九里有奇，城高四丈，厚三丈，形勢鞏固，遠非當年朱毛圍攻贛州的贛州城可比，（贛州守軍僅一旅，並未被朱毛攻破）。守「金積堡」的酋首，爲當時關隴巨寇白彥虎，關隴諸地莫不以「金積堡」爲屏背。金積堡破，其影響可知，陝甘平定後，左氏始再奉命移師新疆。那時據新疆以稱王稱汗的，又是以善戰著名的安集延（即浩罕四部之一）人阿古柏，而阿古柏亦卒被左軍打得落花流水，終至兵敗自殺，由是新疆地方才再回到祖國的懷抱。

蘇俄繼帝俄而侵新

俄人於阿古柏時代，佔領伊犁，尚假作聲明，謂待清政府收復瑪納斯（今綏來縣）及烏魯木齊（今迪化）兩地後，即行交還。蓋從那時的情勢看，俄人以爲新疆全土，從此決非清有，是項聲明不過是表面文章而已。及後左軍收復這兩地，俄人只好裝作不聞不理。其時適俄土戰爭，左軍部下一員大將名金順的，主張乘勢將伊犁取回，左氏以乘人之危而用兵，殊覺有損自己英名，遂決定收復南疆之後，再行打算。未久南疆又告收復，俄人依然不肯踐言。左氏已不能再事容忍，乃定計，分兵三路，進行規復。西路歸劉錦棠指揮，取道烏什，從冰嶺之西，經布魯特遊牧地，直取伊犁。東路歸金順指揮，嚴密扼守精河一帶。中路歸張曜指揮，從阿克蘇冰嶺之東，沿特克斯河，直向伊犁。左宗棠這樣部署後，俄人固懷懼心，尤使當時主和派的李鴻章發怔，因是清廷將左氏調回，所謂「伊犁交涉」便亦急轉直下，俄人拱手奉還伊犁與我。在伊犁交涉的紀錄上，俄人屢向曾紀澤問：左將軍是不是仍要用兵，是不是要反對這些訂約。可見當時俄人對左宗棠的畏懼心理。倘使不是主和派從中作梗，也許「哈克闊條約」，璦琿條約」，及「塔城條約」中所有失地，都可以一齊收復也未可知。孰料七十餘年後的今日，新疆竟亦不保，終於落入俄人之手。中共之喪心病狂，固罪不勝誅，蘇俄繼承帝俄的侵略主義亦已爲事實所證明。

左宗棠之遠見與經營

新疆在我國所佔地位的重要，左氏亦曾慨乎言之。左氏的奏議中曾說：「臣一介書生，位極人臣，今年六十有五，何敢妄貪天功，惟伊犁既歸俄有，阿古柏又據喀什噶爾，若付之不問，後患何堪設想」。又謂「若新疆不守，蒙古不安，匪特陝甘山西各省之邊域，時虞侵略，防不勝防，即直北關山亦將無安眠之日」。今新疆全爲蘇俄所據，已無異西部門戶洞開，其將何以立國？

左氏常稱新疆爲「腴地」，他一面用兵，一面鼓勵善後局振興農牧蠶桑，並實行屯墾。後來遣散的兩湖籍軍士，亦多樂不思歸，以新疆爲家焉。即天津所謂楊柳青人隨營貿易而去者，亦多定居於此土。抗戰期內，梁寒操氏視察新疆歸來，亦盛稱其地，謂中土出產之所有者，新疆全有，尤其新疆所藏各種鑛產之豐，更有非他省所可企及者。左氏在新疆時，即已知其鑛藏的重要，曾以官本試開庫爾勒東南的金場，還有九處鐵鑛，惟尚未知新疆更有世界稀有的所謂鈾鑛，鈾鑛藏於阿山區之富蘊縣及北塔山一帶，曾有人推測蘇俄在哈薩克斯坦「斜米」東南約一百六十航空里處設有原子能工廠，所需鈾鑛即取給於我新疆。至蘇俄在我新疆經營開採的石油，筆者根據各種情況估計，現在年產量約爲石油二十八萬噸，汽油三十六萬七千噸。新疆已採及待採的油田有七十四處之多，石油的儲藏量，據地質專家估計要佔中國全部石油儲藏量百分之五十八。

新疆面積，約四倍於四川，八倍於湖南，而現住人口僅四百三十餘萬，將來中國人口如再增加，新疆實爲一大消納地。故無論從那一方面看，新疆在我國所佔的地位，都是極端重要的。左宗棠拚命把新亂平定，把新疆歸於建制，可謂獨具隻眼，不愧爲清代有數人物。

半週展望

・陳克文・

艾森豪總統的病

艾森豪威爾以六十五高齡，肩任美國總統的重職，而且又居自由世界領導者的地位，職煩任重，今不幸以心臟病臥床，暫時不能視事。於此，吾人謹以衷誠，默祝其早日康復。

艾總統臥病消息，數小時內即已遍傳世界各地，各國慰問電訊，紛至交馳，鐵幕內人民亦有爲之祈禱，爲之飲泣者，世界人士之關懷可見一斑。

民主國家，到底非獨裁專制可比，決不因領袖之臥病或不幸死亡而發生權力鬥爭，引起內亂，故艾氏之病雖屬不幸，但決不至成爲亂源，病情自可以完全公佈，而且迅速公開。即此一端，政制之得失，亦可瞭然矣。

是否辭職？

雖然如此，艾氏病對美國現政局也不是絕無影響的。總統因病不能執行職務，權力究由何人代爲行使？如時間過長，應否辭職？美國憲史均無前例可循。再明年大選，共和黨總統候選人究爲誰屬？今後兩黨勢力消長，因艾氏之病而生之影響，自亦殊堪注意。然不論如何，決不至因此引起國內政局之不安，亦不至引起對外政策之重大改變，則可斷言者也。

東西的文化關係

如何應付未來十月底的四國外長會議，英美法三國外長現時正於紐約開會商討中。據外交人士之推測，未來的外長會議，對德國統一與歐洲安全兩大問題，殊難獲得協議，惟東西雙方文化接觸的增加，可能產生積極的結果。

蘇俄將派遣著名的芭蕾舞劇團遊歷美國，羅馬尼亞亦表示歡迎美國在該國舉行展覽會，凡此均爲東西文化行將增加接觸的徵兆。

東西雙方努力恢復文化關係，其利害得失，究竟如何？實爲一至複雜的問題。鐵幕之內是否准許自由世界所有書報什誌乃至影片廣播自由輸入，固成疑問。共黨的宣傳機構以至宣傳物品，如聽任其自由發展於自由世界，彼等勢將利用機會，儘量從事滲透和顛覆活動。這些問題在未能有適當的解決方法前，所謂文化關係將如何恢復乎？此不能不深長思也。

蘇俄的經濟競爭何在

最近，蘇俄的事實權力者赫魯曉夫曾公開宣言，要和西方國家從事經濟競爭，認爲共產制度優於西方的資本制度。這種大言不慚的白日夢囈，祗有昧着良心，自欺欺人的共產黨才說得出口。別的不說，且看最近法國國會議員代表團訪問蘇俄回來後的報告：

獨立共和黨領袖皮亞利・嘉烈說，蘇俄人民並不感覺滿意，『生活狀況仍甚困難，工人宿舍雖是高樓大廈，但享受的並不是多數』。社會共和黨主席愛門・巴里仙說，『蘇維埃聲言爲工人謀福利，但是否已收效果？尚須觀其後』。共產祖國——蘇俄，實行共產近四十年了，工人福利還未實現，生活仍甚困苦，赫魯曉夫究竟拿甚麼和西方作經濟競爭？世界的最大說謊者，其莫共產黨人若也！

日韓關係的隱憂

日韓關係，至今尚有日趨惡化之勢，此實爲亞洲自由國家最可痛心之事。

昨廿六日，韓國駐美大使梁裕燦於離韓赴美之前，公開指摘日本企圖重行統治韓國，且詞涉美國，又稱與其讓日本佔領國土，不如變爲共產主義。梁氏此種系統性的攻擊，意義自然十分嚴重。影響所及，決非日韓兩國間事，於此，吾人不僅希望兩國政治領袖能放大眼光，泯除嫌怨，爲反共團結多作努力；尤希望中華民國與美國善盡其疏解調停之責。勿讓日韓唇齒之邦，冤冤相結，永無和好之日也。

海外通訊

反共反殖民主義——中美洲成立五國新聯盟

柳鳳桐

（本報九月十四日危地馬拉特約航訊）目前的世界到處有區域性組織，例如在美洲有泛美國家組織，導源於里約熱內盧公約，在中東有阿拉伯聯盟；在歐洲有北大西洋公約國家的組織，其目的不外乎求集體之安全，謀共同之福利，當此赤禍猖狂之際，自甚重要，現在中美方面，又產生了一個新的國際組織，這就是「中美洲五國聯盟」。

五國聯盟的由來

嚴格的說來，「中美洲五國聯盟」早在四年前便組成了，那是一九五一年十月間危地馬拉，薩爾瓦多，洪都拉斯，格斯德里加及尼卡拉瓜等五國外交部長集會於薩國首都桑薩爾瓦多，共同討論同盟事宜，十月十四日發表「桑薩爾瓦多憲章」，於是精神上五國已達成聯合，只是缺乏實際的表現。

五國外長原定於一九五二年在危地馬拉集會商討聯盟正式成立事宜，不幸那時危國正在親共的政府把持之下，為共產國際在美洲的大本營，中美洲其他各國自有戒心，當時乃擬於開會時討論如何應付「共產國際滲透問題」，此點自係針對危國而言，當時左傾的危國外長乃藉口將會議延期，甚至宣佈退出聯盟，於是五國一家之理想，因而破滅，危國政府甚且與尼卡拉瓜絕交，即與其他各國之外交關係，亦不絕如縷，宛如我國春秋戰國時代的秦與六國對峙的情形了。

上年七月間危國之反共新政府成立，中美洲情勢發生變化，五國聯盟之議，遂又甚囂塵上，危國首先重新加入聯盟，並努力奔走定期召開五國外長會議事宜，惜乎本年元月間格斯德里加與尼卡拉瓜兩國彼此又發生糾紛，致使中美洲聯盟另受挫折，幸本年二月間美國副總統尼克遜來中美洲訪問，曾從中斡旋，兩國乃又言歸於好，於是五國外長之會議遂有召開之可能。

昂堤瓜古城的會議

由於危地馬拉外交部長郭可來亞之奔走不懈，加以各國總統及外長均抱有精誠團結之決心，五國外長會議乃於本年八月十七日正式在危國召開，會議地點，為危國的舊都昂堤瓜（ANTIGUA）城，該城距危國現時首都危地馬拉城約五十公里，四山環抱，風光明媚，從十六世紀起直到一七七六年為止曾為西班牙人統治中美洲的首府，因曾毀於地震及洪水，故滿城古蹟廢墟，古老的教堂，半毀的修道院，斜陽落日，令人有懷古之思，五國外長會議在該城舉行，實有着特別的意義，會場設在聖查禮大學校的故址，該大學的歷史悠久在拉丁美洲中數第三位，僅次於秘魯和墨西哥的兩個大學。

就區域來說，墨西哥和巴拿馬都算是中美洲的範圍，但是墨巴兩國各有其本身的特點，和政治的興趣，都不願和以上五國搞在一起，例如這次外長會議，也曾請巴拿馬外長參加，但是巴外長始終不願，臨時只派了一個觀察員來危列席，敷衍一下面子，表示一下客氣而已。至於墨西哥方面，則不但未被邀請，且一再表示其不屬於中美洲的態度，所以更談不到派員觀察了。

若干波折終於克服

五國外長會議雖然是開成了，但互相猜忌及不和諧的地方仍然不能立即泯除，例如開會時如何排列秩序，依照字母順序呢，還是按照地域順序，鬧了很久才定；又如聯盟秘書長之選舉，究應由何國人担任，多數主張由格斯德里加人充當，但尼卡拉瓜又反對，於是衆說紛紜，莫衷一是，查其原因，還是政客們在作祟，各國不乏野心家，都思領導，互不相讓，當然就問題嚴重了。

秘書處的成立

這個會一共開了七天，到二十四日圓滿閉幕，最大的收穫是奠定中美洲五國同盟的基礎，由精神的聯合到具體的實現，因為大會經過數日的磋商、討論並經危國總統親自出面斡旋，才採用折衷辦法，選出薩爾瓦多外交部長托巴尼歐（J. GUILLERMO TRABANINO）為秘書長，並核准秘書處經費及開辦費等，復決定於九月十五日起在桑薩爾瓦多正式辦公，托氏業已辭去薩國外長之職，專心致力於中美洲聯盟工作，他現年四十一歲，為藥劑師出身，曾任桑薩爾瓦多市長多年，對國際公法及國際關係均有研究，且熟悉中美洲政情，此次出任新職，自能勝任愉快。

反共反殖民主義

此外該會其他成就約有下列五點：（一）通過反共議案，這項議案是洪都拉斯外交部長所提出，其內容規定五國政府對於共產黨以及任何偽裝民主而實際上有共黨趨勢的黨派均予以禁止。由於此案之通過，共產國際對中美洲之滲透自將發生困難，換言之，拉丁美洲又為抵禦共產主義侵襲工作在中美洲築了一道防線；（二）通過有關文化教育及經濟等議案，使中美洲各國在政治以外的各方面，有採取同一步驟之可能，有劃一行動的方便；（三）通過保障人權宣言，此點乃保重申聯合國關於保障人權之規定；（四）宣言譴責殖民地主義者，並一致承認英屬洪都拉斯為危地馬拉之領土，這不啻打了英國一拳；（五）宣言各國互相間以和平方式解決糾紛，不侵略他國，並一致協同保衛中美洲之領土領海與領空。

八月二十五日各國代表們均已揚鞭賦歸，此一劃時代的會議，可謂相當圓滿，大家都認為這是危地馬拉總統及外交部長的成功，但今後中美洲各國是否能精誠團結，亦步亦趨，朝着一個方向邁進，而不再分裂，這要看各國最高當局是否能大公無私，革除野心和不鬧意氣，否則歷史仍將重演也。

台灣通訊

台北市政漫談

·馮虛·

【台北通訊】要談台北市政，先談市長。現任市長高玉樹是台北民意選擇的。他的任期已過了一半，施政的批評是毀譽參半，惟人事問題鬧得最糟，因此，高市長內心是苦悶的！這是台北市民人人都如此說的。

高市長的苦悶

高玉樹本來是有雄心的，他有把市政搞好的決心。但因為許多條件欠缺，手底下的大將又太差勁，雖想做好，也做不好。據說，他碰了幾個釘子之後，現已改變作風，凡事力求圓滑，不大肯辦實事了。

高氏在市議會中的不得意，且不去說它；就是連他邀赴美參加市長會議，歸來後，寫了一篇「歐美歸來」，也頻頻遭受人家攻擊，（此文在台北一家晚報連載）。他在自己衙門裏，命令也不大容易貫徹，自從某顧問被聘到府視事後，他就頗有「門前冷落車馬稀」的感想。大有「民之啓而不之益」之勢。

現在市府大門前，噴水池裝好了，門面也修飾一新，但內部仍是一塌糊塗，例如，禮堂每下雨漏水，市長雖手令工務局修理；工務局的答覆却說，「查禮堂漏雨，係因屋頂上的瓦年久損壞；此瓦是日本瓦，日本瓦不准進口，市上買不到，故沒法修理」。市長無法，只好「任它漏」算了。

公車私娼與馬路

另外「公車」與「私娼」，也是很傷腦筋的事。公共汽車管理處，已被公認為百廢莫舉，病入膏肓的絕症了。上起主管下及「車掌」，大家勾心鬥角，互相排擠，管理不善，業務腐敗，市民個個搖頭。市長祇好說：「要改善必先依他們增加票價，否則祇有由它去！」

「私娼」的存在，據從前市警察局估計，數目有好幾萬。但市府並無根本解決辦法，既不取締，也不管理，以致人言嘖嘖。最近議會曾提出討論過，能否改善要看下文。

台北市的馬路，眞是百孔千瘡，歷任市長都未曾好好翻修。高市長履任之始，就說要修馬路，現在並不見有多大成績。

糞便飲水與平民住宅

台北市有兩個特別機關，一是「違章建築拆除大隊」，另一個叫「水肥處理委員會」。現在前者（大隊）已經沒有了，但你不能說「違章建築」的事已經不存在了。「水肥處理委員會」有主委、有秘書，還有大隊長之類，組織頗大。「水肥」者，糞便也；管理的是「金汁出口」業務，每天糞便車招搖過市，臭味足使路人掩鼻。但各家「糞滿之患」却仍未解決，這怎能使市民不感覺若惘呢？

下水道的問題，也實在不小。這些日子下雨不少，鬧市積水盈尺，有時更漂着草木垃圾，登堂入室，甚或挾糞便以俱至。去年曾有周歲小兒淹死室內，五齡稚子溺斃陰溝的事情。這就是市政府門前，也是水流成渠。往來不易。

這裏的供水情形，也很糟糕，乾旱季節，往往扭開水龍頭，飲水祇像眼淚般往下滴，雙溪水源工程，已經搞了三四年了，工程費追加到一千多萬，結果至今仍未變成事實。

說到住宅，雖有一個「平民住宅與建委員會」。幾年來，「計劃」雖不少，但眞正的平民住宅，連影兒也沒見到。

在老百姓看來，高玉樹還算個好人，他想做好，只是缺乏做好的助手，缺乏做好的魄力與經驗，市民也多能體諒他的苦衷。但光陰不留，歲月蹉跎，他的任期是有限的，市民對他不能永遠原諒。高市長總該拿出魄力，拿出辦法來，勇敢地，堅定地面向事實，才經得起考驗！（九月十九日，台北）

裁軍會議的前途

蘇聯撕毀五十個美蘇條約　企圖把中共造成世界三強

李加雪

近月來美國朝野時常提起，『日內瓦精神』。究竟什麼是日內瓦精神呢？日內瓦精神眞實到什麼程度呢？日內瓦精神對於世界和平能夠發生何種效果呢？

半年前，自由世界和共產集團舉行的一切會議離不了對罵。剛是罵，沒有打出手，那是冷戰。日內瓦會議的氣氛不同了，東西集團都改換了笑容；態度親善，言詞溫雅，一反從前罵街的態度。艾森豪威叫這種新精神做『日內瓦精神』。

美國是了解蘇聯的

美國是世界上和蘇聯交涉最多的一個國家。由一九三三年承認蘇聯起，美國曾經和蘇聯會商過三千四百次，訂立過五十二個條約。可是這五十二個條約，蘇聯實際遵守的只有兩個。第一個，是對日宣戰，美國在日本投下原子彈，日本準備投降的時候，蘇聯發動進攻日本，一舉而掌握了中國大陸和韓國的北部。第二個，是實行四國統治柏林，那是因為民主國家在德國駐有重兵，不得不行的事情。其餘五十個條約都給蘇聯撕碎了。

艾森豪威駐防歐洲甚久，與蘇聯交接頻繁，曉得蘇聯是什麼樣的一個國家。本月初艾氏在美國律師公會發表一篇有關日內瓦會議的演講，他說，『日內瓦首長會議只是趨向和平的第一步，該會議只表現一種友好的國際氣氛。和平在國際事務上是動的，不是靜止的。今日世界若果不作和平的改變，便得實行武力的改變。『日內瓦精神』只供給一種和平發展的良好氣氛而已。』上面的話，證明艾氏是十分謹慎的。

杜爾斯曾有更具體的說明。他說，『日內瓦會議不是終點，而是始點。我們希望日內瓦會議能夠產生一種新精神，希望這種新精神能夠產生切實的效果。什麼效果呢？（一）軍備的裁減，（二）德國的統一，和其他。』

裁軍問題是日內瓦會議的第一個課題，商討的時間佔開會時間五分之三。沒有得到結果，決議交由九月底舉行的裁軍會議繼續討論。

試金石的裁軍會議

聯合國的裁軍小組會議依時在紐約聯合國總部舉行第五十一次會議。過去十年當中，裁軍小組會議曾經耗費近乎一百個月的時間，以前五十次會議都是雙方對罵，沒有收到絲毫效果。

第五十一次會議的氣氛不同了，『日內瓦精神』表現在每一個人的臉上。每一個人的臉上都擺出一副笑容。美國專使諾奇說道，『世界的緊張局勢，龐大的軍備得負一部份責任。減低軍備的機會到了。』蘇聯專使蘇波黎夫也說，『蘇聯極願合作解決裁減軍備問題，這問題是不能再行延擱了。』

可是當美國提出艾森豪威空中偵察的提議時，蘇聯代表的笑容便消失了。

空中偵察的意義

第二次大戰時，日本偷襲珍珠港，美國遭遇到空前的損失。氫彈時代的偷襲毀滅整個國家。美國空中偵察提議是針對偷襲而來的。

美國提議的要點如下：美蘇兩國交換有關軍事情報和實施有效的地面和空中的視察制度。美國希望能夠樹立一個警告網。偷襲必需動員大批空軍和其他隊伍，只有實施空中偵察才能夠發現隊伍的集中。

軍事情報包括武裝隊伍，設備，軍械，和軍械的運輸，交通和電訊的傳達，武裝隊伍的機構和駐紮地方。美國接受蘇聯在港口，鐵路交接點，和飛機駐守監督委員的建議，美國並且進一步建議裁軍監督委員得到原子武器和其他軍械觀察。

美國提議的中心是空中偵察。裁軍監委會在各主要基地作海陸空三種視察。空中偵察由對方空軍辦理，偵察範圍不受限制。

韓越停監制的教訓

美國堅持空中偵察是有道理的。根據以往經驗，和共產黨合作的機構總是失敗的。以越南的停監會為例。該會駐守西貢，對於越南的措施諸多為難，對於越北和寮國則置不聞問。寮國共軍為數不過一千二百人，沒有幾個月擴充的六千人，對寮國發動攻擊。韓國的停監會更是一種虎倀。停監會駐紮南韓的人員把南韓的虛實報告共產集團。駐紮北韓的呢卻全不負責任。北韓的隊伍增加了，除了中共隊伍，又增加了外蒙和蘇聯軍隊各一師，飛機增加到四千多架，其他器械的增加難以數計。停監會的代表，共產國家佔了半數，他們能夠阻礙任何不利共產國家的工作進展。

最近美蘇交換農業考察團，美國又增加了一個新教訓。蘇聯對於美國考察團極盡款待的能事，每日三餐酒肉不停，太多了，每餐耗費時間好幾個鐘頭，代表團差不多找不到時間到各處視察。遇到懷疑有所咨詢，或者對於資料有所詢問，蘇聯總是口惠而實不至。那證明了蘇聯對於美國採取敷衍手段，蘇聯的笑臉是虛偽的。

美國覺得地面視察不可靠，韓國和越南是兩個顯著的例證。海上的視察範圍有限，只有無限制的空中偵察才能夠一覽無遺，使對方無所遁形。經過了五十多次會議的教訓，美國堅持裁軍的空中偵察。

（下轉第三版）

編者的話

△泰國目前在東南亞反共集團所佔的地位如何？泰國本身的努力又如何？泰國對華僑的措施是否有所改變？本刊下一期將發表一篇曼谷寄來的特稿，解答這些問題，想讀者必以先睹為快也。

△艾森豪威總統內心臟病，暫時不能視事，舉世關懷。什麼是心臟病？為甚麼會有此病？此病能否治癒？需要多少時間治癒？本刊下期將有一篇專門討論這些問題的文章，謹先預告。

△本刊雙十國慶增刊，因本刊發行期關係，將提前於十月八日出版，有關國慶文稿及廣告，務請於十月五日前寄達，至為感荷！

發酬通告

本刊四四一期至四五〇期稿酬通知單，業經分別寄送，請惠稿諸君憑單前來領取稿酬為荷。

專載

論大陸淪陷的教訓與反攻復國志氣（七）

——與黃震遐先生書

·胡秋原·

但是，台灣不是沒有活力的。節儉士氣很高，是軍事上的例子；石門水庫建設，是政治上的例子；而最近五位青年孤帆遠征太平洋，是社會上的例子。我相信台灣還需有力量的，問題在要有方法誘發他，啟發他。

陸放翁有一首詩說：「人才衰靡方當慮，士氣崢嶸未可非。萬事不如公論久，諸賢莫與眾心違」。吾人今日之局，尚不如南宋。此前賢血誠之詩，是今日自由中國匡復者，應當以虔敬之心，常常口誦心維的。

提高政府信用

台灣仍然有許多事情要做。政治的，軍事的，經濟的，外交的。但我想最要緊的是要建立提高政府信用，信譽或威信。此乃政權之生命。然此必先克服隔絡表的心理障礙。有一正當安定安詳的心境，自能一個講求合理的機構、人事、政策，建立信用；一面發動社會活力，培養生機，樂建設的效果。否則皆可有名無實，乃至徒自紛擾。以民主而論，開會選舉，乃至於反對黨，都是重要的。但如不將這三種心機去掉，結果亦可能適得其反。

以今日台灣而言民主，恐怕尊重輿論獨立，獨立輿論是第一步。而如政府官吏皆能公忠體國，當決不至辭此評。所謂萬事無如公論久也。今日台大事是經濟問題。人口日多，軍用浩繁。不僅公教人員生活有改善必要，日益增多畢業生就業問題，亦必須解決。這都必須由開發經濟著手。一二島嶼必發展航業，而統籌也是海軍基礎，而這又是反政所必需的。在財政上，目前參羅的差別稅率，必須改正。在生產貿易上與其被擬年計劃，不如多學學香港政府的辦法。可是這先決問題也是行政之信用與效能。

今天台灣經濟軍事，都不能離開外交，在今日狀況下，外交是有一定限度的。我想姑息主義不是大問題，因為他有一定限度。但英美有人以自由中國政府之『UNPOPULARITY』為姑息主義之藉口，則是要自己在行為上洗腳的。一般的增強在世界中地位，以防止姑息主義，特別的對美國加強合作，增加援助；與亞洲國家合作增進商業文化關係，擴大影響。尤其是對韓越二國，求實際軍事合作，皆為當務之急。而第一步也是在內政上提高信譽，並慎重出面代表國家的人選。

「第三勢力」

兄謂第三勢力之消沈餒惰，弟有同感。而此似無怪其然。假如當初他們不將事情看得太易，了解中國問題之解決還在中國自身，將反對火力集中於共黨，而對台一面是對外的大號召大團結，一面是台灣本身政治上確有朝氣活氣，和實際成績，軍事上的實力，自然加強。而其影響，也必能到大陸上，到世界。一旦世局轉變之時，以雷霆萬鈞之力，迎擊或進攻敵人，一個昆陽之戰，不是不能變更全局的。我相信台灣與海外中國人善自努力，互相合作，互相勉勵，不諱疾忌醫，不求全責備，大家正常的理智的多為國家謀，少為身家謀，是能創造一個自由中國之光、熱、力的。

國有風度胸襟。唯在野者有更高水準，才能影響在朝者。

但有一事是無疑的，即中國政府也必有一種氣量，無論一般海外的人其對政府觀感如何，也應該自勵的求團結，接受善言，即言之不善，亦當以自修，改之，加勉。本，切不可因一言不合，就不高興，就反唇相譏，就不許刊物進口。一切憤怒，只能發之於俄帝共

好。而獻旗之類，乃無所不悅之意，而孔子認為不能幫忙的。

信已太長了。我想休息一下，談兄第二信中的問題。

弟秋上。八月十九日

古箏聽奏記

——本刊歡迎戴梁兩音樂家——

·金曄·

（本報特訊）出席菲律濱東南亞首屆音樂會議之我國代表，古箏專家梁在平教授及名小提琴家戴粹倫教授，於會後返台經港，本報於上週末（廿四日）下午，特舉行茶會歡迎。與會者除梁戴二氏外，尚有本港文化教育界人士多人。席間並由梁氏演奏古箏二曲助興。

梁氏所演奏之二曲，皆為其精心傑作。第一首為「高山流水」；第二首為「憶故人」。演奏前梁氏並將曲情加以闡述。

梁氏指法玲瓏，一曲高山流水，但見其指尖飛舞山澗流水潺潺之曲，雖然弦上，使聽者一如置身於山水之間。

憶故人一曲，為梁氏懷念在大陸被中共迫害之友人而作。該曲出以問答方式，描述故人懷舊之情，如怨如訴，聽者莫不因箏音之幽怨而默然。曲罷，梁氏撫箏默然者良久，似為故人默禱。是日惜戴粹倫教授因事先行，與會者未能欣賞其小提琴之雅奏。

戴梁二氏，為我國名管樂家名教授，現任教台灣師範大學。

裁軍會議的前途

李加雪

蘇聯的大陰謀

（上接第二版）

蘇聯不願意接受美國的空中偵察，又不想當面駁回，於是提出另一種對於裁軍的齊辣計劃。她提出武裝人數的限制問題。美國，蘇聯，和中共各限有武裝人員一百五十萬人，法國和英國六十五萬人，其他國家不得超過二十萬人。同時又提出核子武器的裁減問題，主張分期進行，裁減到只夠下百分二十五的時候，即完全禁止核子武器。且由現在起，各國除了被侵略，不得使用此項武器。各國並應停止核子武器的爆炸試驗。

蘇聯這樣的提議含有極毒的奸計的。蘇聯把中共與美蘇同列，使中共一躍而成世界三強之一，地位遠在英法之上了。這樣世界三強，共產集團佔了兩個，於是共產集團在國際地位便佔有極大優勢了。蘇聯計劃，除英法外，其他國家只限兵額二十萬人。西德和日本一降而為三等國家。根據北大西洋公約，西德須供給歐洲聯軍五十萬人。若蘇聯計劃通過了，西德只能供給二十萬人，歐洲防衛的力量便薄弱了。若果日本建軍又限制在二十萬人，便影響到亞洲國家的防共力量。

蘇俄笑臉政策的由來

現在蘇聯的態度改變了，聲音也改變了，但實質上絲毫沒有改變。蘇聯著名的政治作戰專家孟友斯基十年前發表過這樣一段文章：『共產主義和資本主義的殊死戰是不能避免的。現在我們沒有力量進攻他們。我們還得等候二十年，到三十年，我們可使用一種催眠方法，發出一種空前的和平攻勢。我們更可給予資本主義以許多驚人的讓步，愚蠢而且腐敗的資本主義國家看見蘇聯親善的笑臉，一定會感到滿意，和我們合作，請求做我們的朋友。資本主義的防衛鬆懈了，我們即可伸出拳頭，一拳把他們打倒地下。』

若果蘇聯的日內瓦精神是發源於孟友斯基的計劃，那麼在無可如何的時候，蘇聯也可能接受艾森豪威裁軍的空中偵察計劃的。

大陸糧荒慘象

中共把農民千辛萬苦耕耘所得的糧食運往蘇俄及東歐各國換取軍火，這是目前共區普遍發生糧荒的主因，其次由于中共搶掠農民的糧食，而不善於保管，以致遭受人為的驚人損耗量，亦是目前大陸鬧糧荒的原因之一。

「民以食為天」，史達林深懂得其中奧秘，所以教訓他的徒子徒孫「欲先控制人民、必先控制人民的肚子」，中共接受史達林的衣缽，幾年來在大陸上對糧食的控制，其手段之毒辣，實駭人聽聞。

中共與民爭食的「三定政策」的內容與具體實施方法是「國家根據今年糧食生產計劃和對糧食的需要，並考慮到餘糧戶人民的可能和城鄉缺糧人民對糧食需要情況，在春耕的時候就把糧食的生產量、統購量、銷售量，從全國到省、縣、鄉逐級定下來，向農民宣佈，使每一戶農民都知道自己賣給國家多少糧食，使缺糧的農民都知道自己能向國家購買多少糧食。並規定：在秋收後只要年景正常，國家就按照春天宣佈的數字向農民徵購，……」（見三月九日人民日報）。這就是中共新實施的「定產、定購、定銷」的「三定」政策。

中共對糧食攤取與控制方法，最初是「民主評議」，即是所謂「自報公議」，農民自報實糧數目，經群眾公議。這項辦法顯然是空隙，農民彼此串通隱瞞的或都低數目的在所難免，于是中共在一九五四年夏季起將「民主評議」的政策改為「隨征帶購」政策；所謂「隨征帶購」政策的內容即是「根據以定產為基礎，以公糧為比例，並結合增產的具體情況，依據農戶的人口、田畝、總產量、農業稅負擔量、再除去口糧、種籽、飼料，依照農業稅負擔額有超購點的按比例累進計算農民應該出售的餘糧。」這即是不僅將農民的糧食產量在生產前即予規定，即將收購糧食的數量也預先加以規定，此後無論收獲或豐或歉，一律按照原定帶購額進行收購。這樣顯然比「民主評議」的方法更搜括較多的糧食了。但這項辦法也有兩大缺點：一是農民報大口糧，但無法控制糧食的統銷工作。

以上兩種購糧方法弊病多端，不能滿足中共的要求，于是中共又規定變本加厲的「三定」政策，不僅掌握了農民糧食的生產量和收購量，而且還連農民的糧食消費量也預先加以規定和控制。由此可知，「三定」政策是中共飢餓政策的極峯。

這樣中共將農民的全部糧食操縱在掌中，農民要看中共的臉色，而賜予極少數量的糧食以維持生命，繼續供中共做農奴。但是另一方面，中共掌握了全國糧食後，由于保管疏粗，損耗的數量，實足驚人。

文化思想與科學方法

——答陳代謌先生——

蕭立坤

讀了本刊四六八期陳代謌先生「新時代與新儒學」之後，對陳先生謙虛客觀的態度，循循善誘的熱忱，非常敬佩與感激，作者孤陋寡聞，中國舊書讀得太少，本不配討論中國復文化問題。甚願拜讀陳先生大作「孔子學說新論」及「新儒學」，惜此間未易購得耳。

陳先生提出一個甚本問題，作者未能十分明白（或許也是許多人的疑難），擬再借本刊寶貴篇幅，敬求指教。

文化思想與科學方法

陳先生說：「如果要用純科學方法去發現文化思想，世界上將無偉大文化思想出現……開闢新文化道路，必須有氣魄，有膽量……如果氣魄小，格局小，腳步放不開，成就不了大學問」。這裏有一連串的名詞，都難下清楚的定義，如偉大文化思想，氣魄，膽量，格局，腳步，大學問等。

根據作者研究自然科學及從事工程工作的經驗，現代社會中，除了文學宗教外，如果不用科學方法，即不能成就任何事。不用科學方法而求得出的任何結論，只是『名詞，觀念，意見，印象等抽象得人言人殊的空間兜圈子，是經不起事實考驗的。

大概我們都承認，相對論是現代一大文化思想，它改換了許多對宇宙的基本觀念，相對論並非愛因斯坦的幻想，而是他根據許多學年科學家的實驗結果及數學方法而研究出來的。

盧騷的天賦人權論，固然在未得科學證明以前，已被法國的革命黨大為利用了一下，但它能一直站得住，而且發揚光大，仍係受自然科學如人類學，民俗學，生理學等的支持。

我認為做學問，說不上什麼氣魄，膽量，格局，腳步，我們只有事實及獲得事實的方法，在事實證據尚未充足之前，有時因脫不了使用假設（假設也是科學方法之一，如數學上的虛數，經濟學上的經濟人，幾何上的平行綫等），但假設本身說不上是文化，或文化思想。

聖保羅的啟示錄與中國的西遊記封神榜，都是好假設，也都是好文學，如果一定要稱它是文化，或文化思想，只好稱為宗教文化了。

但我們今日需要的文化，是如何能反共、救民的文化啊！

孔子的思想體系

作者對孔子的思想體系，實在很模糊。如照陳先生所說的仁愛觀念，大同精神，民主思想，自由價值，固然是好極了。不過從幾本通俗的書，如論語，孔子世家等，（作者手邊一本也沒有），實在很難找到以下三種東西：

大同精神——孔子只說，夷狄之有君，不如諸夏之亡也。

民主思想——孔子只說，君君，臣臣，父父，子子。

自由價值——孔子只說惡紫之奪朱也，惡鄭聲之亂禮樂也，惡利口之覆邦家者。

至少就戲復先生的研究，「自由」一詞，為中國歷代聖賢所深畏，都從未列以為教者。

以上所說，如果正合陳先生新儒學的本意，我便不勝榮幸之至了。

關於殺少正卯

陳先生說胡適之先生對少正卯一事的觀念，也很模糊，足見要對孔子觀念不模糊之不易了。不過毛澤東對此觀念，似乎很不模糊，究竟毛的反人道慘絕人寰的清算辦法，是從馬克思學來的，抑是從孔子學來的，尚待歷史後代的考證。

安貧之害

我對貧字的定義，是不能謂生活之貧，一個人或一個國家衣食住行都不夠，即是貧。

不管國家或個人，如果安貧，即無進步了。國家致力工業化，個人勤于工作，都是不安貧的表現。

只有不安貧的人才能樂道，我對樂道的定義是精神有寄託（貪官大賈已很富，仍不知足，那不是不安貧，而是不安富）。

我以為顏回是一個無用的人，不足為後世法，他比孔子又差多了。孔子尚說「富貴可求也，雖執鞭之士吾亦為之」，難道顏回連執鞭的勇氣也沒有嗎？顏回的安貧只是懶惰，他的樂道，卻是寡婦不嫁人式的樂法，是違反人性的。

反共與文化

馬列主義，絕不是使用不合科學方法而求出的真理，或文化所可打倒的，最近一個美國人寫了一本書「社會主義一百年來的騙局」對這一問題討論得很好。所以，如果我們今天越想將孔子，孟子，天主教，穆罕默德抬出來去反共，共產黨越會高興。

共產主義及殖民主義今日之走下坡，絕大原因仍是西方社會的工業化，提高了生活水準，加強了自由制度，尊重人權的自然結果。英美工人有權罷工，時時罷工，但生產增加，蘇聯工人無權罷工，向不罷工，而生產減少，這是共產黨萬萬想不通的道理。

陳先生了解，我並非說反共勿須文化。我只是說，用不合科學方法求出的文化思想是無法反共的。最有效的反共文化是「加強自由制度，提高生活水準」，怎樣向這方向做，即是我們的文化，即是我們「實幹」的南針。

怎樣教下一代

當然，就整個國家言，遠在反共建國的百忙中，教聘少數學者，對中國舊籍加以整理，考證保存，是有價值的。但如提倡（或規定）一般青年都應研究中國古書，信奉古人學說，（或一定要使他耗費十年八載的工夫，自己去發現那些學說的錯誤），那代價實在太大了。

只因今日七十歲的一代人沒有把問題弄清楚，使我們四十歲的這一代，不得不付出了巨大的代價，如果我們愛護廿歲的下一代，怎肯令他們再付一次巨大的代價呢？

我們討論這些問題，如同秀才與木匠對談一樣，秀才論氣色，木匠講規矩，各說各的。秀才好意勸木匠先學甲骨文，作深入的研究，木匠呢，也誠意勸秀才睜開眼睛，捲起袖子，把事實放在第一。

我個人對任何有專長有專嗜的人，都很敬佩，無論他所長所好的是論語，易經，圍棋，足球，這正是各人的自由，但同時我也希望下一代的人，生活得好一點，吃得好，穿得好，安富而不必安貧，樂道而不必衛道，陳先生亦以為然否？（九月十日阿根廷）

南韓的反對黨

馬五先生

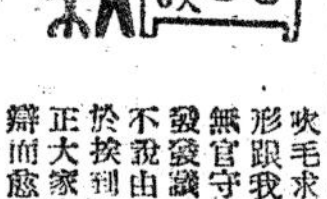

南韓國會議員四十餘人，以前任議長申翼熙爲首領，最近正式組織「民主黨」，聲稱居於政府的反對地位，要與執政黨從事政治競賽。素來大權獨攬，對國會議員敢於隨便拘捕的李承晚先生，居然容許反對黨合法存在。這在李氏個人可謂奇蹟，在大韓民國的政治前途是一種新氣象。

不慣習於民主政治生活的人，一聽到「反對」二字，即覺得這是不能容忍的搗亂行爲，反對而更要結黨，那還了得！實則政治上之所謂反對黨，就是少數的在野黨，也就是不得志於時的人兒。既然在野，就得對執政當局的措施予以批評指摘，目的是在爭取民衆的同情，到選舉時多多幫忙「投我一票」，希望執掌政權。如果它的批評指摘不爲多數人民所贊許，那就祇好眼巴巴望着別人發號施令，自認無能了。所以，政黨如其不以武力作奪取政權的工具，一是皆以選票多寡爲進退，則所謂反對黨云云，說起來似乎有點嚇唬人，事實上卻沒有甚末可怕之處。像南韓的民主黨，在國會上的席位，不過佔有執政黨——自由黨——議席的三分之一，聽你怎樣反對，關於政府所提出的法案與預算，還不是多數通過嗎？

至於反對黨以在野之身，對於施政得失的批評指摘，有時候或許不免吹毛求疵，言之過甚，這情形跟我們新聞記者差不離。無官守而有言責，遇事樂得發發議論，聽不聽隨你，說不說由我。言而無效，甚至於挨到反駁，亦無所謂，反正大家動嘴不動手，眞理愈辯而愈明，夫是之謂民主政治！

在這種條件下的反對黨，不特對執政者毫無損害，且有去蔽解惑之益。即在君主政治時代，那些直言極諫的御史科道，視民主國家的反對黨亦未遑多讓哩！李承晚先生由唯我獨尊的政治作風，一變而容許反對黨存在，進步若人，韓國之光也！

中秋閒話慈禧

劉鶴如

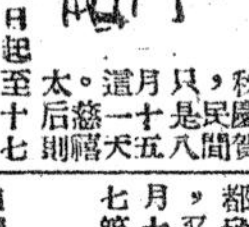

中秋慶賀，民間只是八月十五這一天。慈禧太后則從八月十三日起至十七日止，大過五天的節。過節地址是頤和園內。十五日正日子叫「正節」，其餘四天，前兩天叫「迎節」，後兩天則叫「餘節」。

×　×　×

「迎節」和「餘節」這四天，每天登萬壽山，在景福閣內大擺筵宴，筵宴是時有的爆烤。

平常吃爆烤涮都是用牛羊肉，清廷除祭祀外，不准牛肉進宮門，只有羊肉一種。因此慈禧發明一種特別爆烤涮，名叫「福祿壽考」。福是雞肉片和關東野鷄片，祿是關東鹿肉片，壽是羊肉片，考是魚肉片和黑龍江鯉魚片。她把這些肉片用爆烤涮的法子吃，名叫吃「福祿壽考」。

參加筵宴的人，都是后妃公主福晉（王公妃）格格（王公之女）和一二品大官的夫人小姐等婦女，光緒帝都沒資格加入。錦繡如雲，珠光寶氣，點綴在萬壽山頭。

景福閣吃完「福祿壽考」，便下山至諧趣園涵遠堂抽水烟，隨後到德和園頤樂殿內，聽譚鑫培等名伶和昇平署太監演唱的中秋應節「天香慶節」一類大戲。聽戲的，除去上述貴族婦女外，王公大臣也都參加。晚間散戲後，又開筵宴，這是八月十三、十四、十六、十七等四天的節日。

×　×　×

十五的正節日，白天享受，和前述四天一樣，只於早晨加上一幕排雲殿受賀典禮。

開宴之前先「祭月」，在排雲殿前面西配殿的紫霄殿前，支搭一座月白色雲緞金頂繡雲龍的大幄殿，名叫「夜明幄」，幄內設九龍閣屏，屏前設寶座和交龍案，寶座上設「夜明之位」的神牌。幄內四周和頂棚都掛着月白緞繡龍的壁衣，地上舖着地毯。案上供品，除鮮果糕點外，最特別的是「九節藕」、「團圓瓜」（西瓜切成蓮花形），和圓徑三尺大的「月華糕」。月華糕就是月餅，慈禧太后因餅字音似病字，故改叫月華糕。上祭的時候，慈禧在前，光緒率領王宮大臣在太后的背後左邊，光緒后率領妃嬪和貴族婦女在太后的背後右邊，都是魚貫而立。先念祭禮祭文，再由太后拈香行禮，大衆也隨之行禮。禮畢，奏樂，念經，送燎。這一幕才算完畢。

×　×　×

祭月之後，太后和光緒帝坐在排雲門門洞的寶座上，面前設長案，把供品分成若干堆，月華糕也切成若干小塊，自光緒帝以下王公百官，和貴族婦女，都是每人分領一堆，這一幕叫做「排雲門分克食」。各人手內拿着所領的克食，由太后率領太監宮女登龍舟，餘人也都各人上各人的遊船。各船內，全都擺着美酒佳餚。四週掛着宮燈，奏着昇平署的十番樂。岸上驟然燃放九個大麻雷子和一排「萬國來朝」的繡炮，百十隻大小遊船乃立時開動，舉行「泛舟賞月燈花宴」。大小船蕩漾湖內，湖內另有小船燃放萬壽河燈，四面岸上則燃放花盒煙火，湖上內是千船穿梭，樂聲震耳，又參雜着猜拳行令，和歡笑的聲音。湖面上飄浮着萬盞蓮花燈，五光十色，把昆明湖小河攪得似萬頃金炮翻舞。這就是慈禧太后的享樂，荒淫無恥的過中秋節。

×　×　×

一年一度的中秋節，慈禧太后也有過極不愉快的時候。第一次，是咸豐十年的中秋，她正以貴妃身份，攜幼子，隨帝倉皇奔熱河。第二次，是咸豐十一年的中秋，彼雖母以子貴，尊爲慈禧太后，然咸豐之死未及一月，新喪未久，自無慶賀之可言。第三次，是光緒二十六年，七月廿日，八國聯軍入北京，慈禧挾光緒倉皇西走，八月初二日始達大同府，休息四日，再奔太原，十七日到達。中秋佳節，又在亂離途中淒涼度過，狼狽之狀，更有甚於英法聯軍之役。清代二百八十餘年，京城被攻陷者僅此兩次，慈禧均躬逢其厄，且兩次破城，又適在中秋節十數日。人生幾見月當頭，逢此佳節，竟身受國破家亡之痛，不知此荒淫老婦心中亦有「何不幸乃爾」之感否？

語意學漫談

徐道鄰

而在把事實敍述了之後，再繼之以詩，這就是利用『詩歌』文字的性質，以加強其『評價』作用。並且一首，兩首，三首，所謂『一倡三歎』，正是盡情的描寫，而我們在這裏要注意着，即是凡屬於這一類的『描寫』——即所謂『淋漓盡致』的描寫——大多半都是注重在『評價』這一方面也。（崑曲，平劇，大鼓，對於一件重要事實的描寫，都是先用一句『叫句』『老丈聽，老爺容禀之類』，接着來一大段『唱工』（原板，反二簧之類），也就是在加強其『評價』作用。）而所謂評價也者，就是作者要引起讀者的共鳴，要讀者對於他所歌頌的事物，予以同樣強烈的欣賞，恐懼，或憎惡和厭棄也。

詩歌文字有一種特殊的性質，尤其是在它表達的特別優美的時候，就是它往往引導讀者不去注意到它所『評價』的事物上，而去注意到它『本身』的評價。大家不是在追念『楊貴妃』，卻是口不絕誦的，背白居易的『長恨歌』；不一定怎麼喜歡梅花，卻十二分欣賞姜白石那兩首『暗香』『疎影』。到這時候，本來要表達一種評價的語文，本身反倒成爲一種評價的對象了。有些人，並不是有了什麼感觸，並不是情不自禁地在想歌唱，而只是爲了作詩而作詩，因此『詠』這個，『詠』那個，『詠夜壺』，『詠打字機』，天下事物殆無不可詠者矣。詩歌已經失掉了詩歌語文原有的意義（從語意學上講），所以雖然文字之『工』尚以盡其『能』事，而其在人生上文化的價值，卻仍是十分有限的。

詩歌文字是一種高度的評價，是一種精細的評價。好像詩人在用他的語言的指頭，把一種事實轉過來轉過去，以便他的雙眼，可以從各方面來觀察它。他又用一種強有力的語言，強迫讀者來想像他的想像。當然，讀詩的人，口味和見解，各不相同，每個人各有他所偏好的詩人。但是，就是讀了自己所不喜歡的詩人的作品，也就嘗試過因而認識了另外一個人對於某些事物的另外一種評價，無形中也就影響和改造了一個人的評價系統。就在這影響一個人和多數人的評價系統的功用上講，偉大詩人對於一個人的意境之陶冶，固然有巨大力量，而他們對於一個民族的意識之形成，和其情感之統一，卻更有其十分不可忽視的作用存在呢。

（六五）

題畫竹

曾今可

亮節高風世所欽，雙竿秀挺氣森森，
歲寒似與松梅語，天籟蕭蕭楚客吟。

沁園春

懷冰

幼椿先生寫示卅七年前養病青島嶗山新詩一首囑譜入樂府

門外青松，枕畔濤聲，客夢夕醺。看新陽杲杲，齊煙點點，朝來觀海，日暮還山。幽澗風生，寒波葉下，吹律誰溫谿谷寒？晴陰改，嘆丹崖寵冷，白袷衣單。開眼廢了芸編，抬眼望親交各一天。對林深暝色，雲封片石，窮探造化，懸想推遷。物候非秋，英靈笑我，忘卻煩憂且盡年。狂瀾起，「不平爲平也」，怒吼當前。

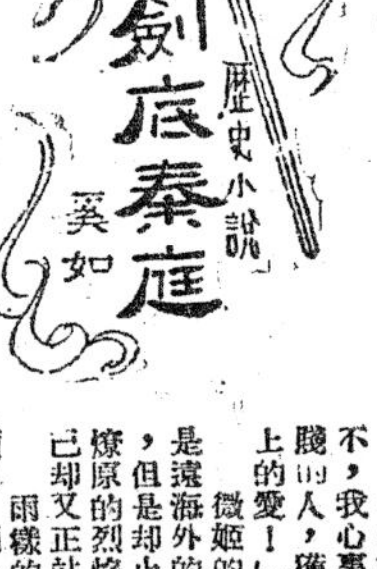

劍底秦庭

歷史小說

奚如

沒有一句說話能夠比這幾句話更刺激着夏姬的心靈，也沒有一個人能夠像荊軻一樣，使夏姬竟然在無比的寶辱之下低頭。

夏姬想要說些甚麼，然而，一向只會說慣風月詞調的她，這時候卻不能夠跳出風月的圈子，找另外一些更可以表露自己心跡的字彙。於是，她祇好怔怔的望着几桌。

還是荊軻很快便覺得自己的說話份量太重了一點，眼前的景況告訴他，這顯然不是一個女人的情感所能夠負担的說話。於是不自禁地又放低了聲調，柔和地握着夏姬冰涼的手：

「夏姬，夜深了，你該休息一下。」

「……」夏姬只是無言地搖了搖頭。

「你的手冷得很，大概是衣服穿得太少了。」荊軻回轉身，在炕上取過了一張狐裘，披在夏姬的身上。

「謝謝你，荊先生！」夏姬的面孔，浮泛着感動，浮泛着愧慚，也浮泛着千絲萬縷的幽怨。突然之間，夏姬伸出了雙手，緊緊的摟着荊軻的頸項，低沉地喃喃叫了一聲。

「荊先生！」

「嗯！」

「你討厭我？」

「不！」

「那末，爲甚麼你——爲甚麼你對我這樣冷酷？」

「因爲我自己的心情也不很好！」

荊軻淡淡然地笑了笑。

「我不許你這樣！」夏姬的眼眶裏充滿了晶瑩的淚水：「剛才的事情，已經使我難過了半天晚上，現在，我要你補償我的損害，我要你給回我一絲溫暖——荊先生，讓我說一句，我在看見你第一眼的時候便愛上了你，我愛你瀟洒的儀表，愛你魁梧的身體，愛你充滿了智慧的眼睛，更愛你，對於一個小女人——一個娼妓的溫存和容忍！荊先生，不，我心裏的神祇，答應我，讓我這微賤的人，獲得你一天晚上，只是一天晚上的愛！」

微姬的愛，是藍天上閃耀的星光，是遠海外的一座燈塔，使荊軻低迴眷戀，但是卻止於低迴；夏姬的愛，是一團燎原的烈焰，使荊軻怕於接近，但是自己卻又正站在焰火的周邊！

雨樣的吻瘋狂地印在荊軻的嘴上，頰上，額上，眼上……。夏姬像是一生之中才第一次接觸到一個男人——一個眞正具有男性氣質的男人。精神和肉體的崇拜，使夏姬忘記了一切的任務，一切的侮辱，她要在這短暫的夜裏，征服荊軻的情感，也讓自己給荊軻征服！

這是一個瘋狂之夜，一個女人所造成的瘋狂之夜……！

（四十）

香港籐織工業談

懷冰

香港籐織工業，每年輸出南洋英美等地，爲數不少，業此者多屬廣東興寧縣人。興寧人有巧思，善製造，更富模仿性；故工業出品精良，該縣縣城有小東京之稱。

×　×　×

當香港開埠不久之後，東江上游人士湧進大批竹木器材來港，製造簡單傢俬，以應市場需要。雖價格低廉，然形式粗笨，不會美觀。適有美籍商人某君目覩竹器編造工人的工作，頗賞其技巧，因教以籐代竹織方法。謂以籐代竹，更方便合用。翌年美商由美返港，攜來大批圖案，並各種應用工具，起示範作用。彼等得之於心，應之於手，所有出品，圖案花紋，無一不畢肖。惟其工具，祇一刀，一剪，一鑽而已。孰謂人巧不能奪天工耶。

香港不產籐，其原料均來自南洋山打根，新加坡等地，技師多爲興寧人，尤以坭陂鄉人最擅勝場。

×　×　×

一九三六年，英皇愛德華第八，繼喬治五世御極。港方華人代表曾徵集大批加冕賀禮，送達白金漢宮。本港籐商會織製美麗堂皇之籐織傢俬全套，作爲賀禮，最稱悅目。蓋以其名貴大方，雅俗共賞也。去年（民四十三年）蔣總統被選爲行憲第二屆總統，在台北就職。本港慕過五屆代表回國觀光團，亦攜帶籐商合送籐織傢俬全套陳列於台北總統府中。爲土物是愛，其意義固極深長也。

雨畫集

申公

△馬五先生說「自由中國不可能被出賣」，正是一句「地球不可能被出賣」同等的眞理。我有土地，有人民，有軍隊，有出產，本國人開誠相見，外國人憑護照相見，朋友伸手相見，敵人提頭顱來見，何買賣之有！

△遠住在南美阿根廷的鄒立坤先生，以「遊過美國兩次的遊客」資格，勸青年們不必留美，但又將考取留美種種實際利益計算出來，又向那些想做「美國兒童的祖父母」的大官貴人，指示了一條捷徑，實在太富于誘惑性了，可能下次留學考試競爭更激烈呢！

△伍憲子先生云：「召開救國會議……其作用，是疏浚向來壅塞不通之悶氣，使之得一舒暢，逐漸可以尋出條理，走上軌道善運用之，必收奇效」，日誦三次，必收奇效。

△吳本中先生云「英國倫敦海德公園放言無忌」，如有人擲炸彈或暗刺一刀，又如何？故吳先生又曰「民主成就，絕非一蹴而幾也」，如少比一「蹴」，豈非更善？

△史語所把持學術資料，使魯實先生不克寫一本「中國農業史」，魯先生何不改寫一本「台灣農民生活記實」，此項資料，諒不致被人把持也！

自由人
THE FREEMAN
（第四七八期）
中華民國僑務委員會
照發登記證台教新字第一零二號
中華郵政台字第五〇〇號
執照登記爲第一類新聞紙類
（半週刊每星期三　六出版）
每份港幣壹毫
台北市售價台幣壹元
督印人：陳文華
地址：香港高士威道二十號四樓
3 rd. fl. 20 CAUSEWAY RD
HONG KONG
香港發行及事務接洽
高士打道66號　電話：七四〇五三
承印者：東南印務出版社
地　址：高士打道六十四號
海外總經銷
友聯書報發行公司
香港：德輔道中二十六號A二樓
台灣特派員辦事處
台北市館前街五十號
台灣總經銷處
台北市西寧南路壹壹零號二樓
台郵撥儲金戶九二五二

看中共的封神榜

•雷嘯岑•

前兩天，北平秧歌王朝居然大封功臣，「元帥、大將」的封號多如牛毛。它這種把戲，原是師承蘇俄的，在一切都要「學習蘇聯老大哥的先進經驗」教條支配下，殊不足怪。我們只覺得中共這項「論功行賞」的意義太可恥了！挾外力以竊據大陸，僭制稱尊，於今五載，只見其初以詐欺魔術，標榜「新民主主義」，高呼「四階級聯合政權」，誘惑人民，資其統治；繼以殘酷手段，藉「鎮壓反革命」「志願援朝」等名義，大事屠殺民衆，搜刮民財；最後則以「國家建設總路綫」的符咒，奴役全民，從事於揠苗助長式的工業化勾當，中間又遭受亘古未有的天譴——洪水亘災。結果乃構成今日的經濟絕症，使封後餘生的大陸同胞，求生無路，逃死不得，祇有接近自由天地的海上漁民，如粵海數百艘漁船最近集體逃出共黨魔掌，投奔異域的情形，不過是極少數的幸運者，其餘四億以上的同胞們，呻吟顛頓於虐政之下，過着飢餓疾病交侵的非人生活，人間何世，言之痛心！

當一九四九年毛澤東大聲叱喝「新民主主義」之際，許多避地在海外的中國人，皆認爲中共如果眞是實現這種政治主張，即沒有反對它的理由。詎料口血未乾，流血腥的階級鬥爭，「三反五反」這類慘劇。即逐幕演出，殺人株連數代，封財及於枯骨。到現在，「新民主主義」這名詞，不特一般人民不敢提起，即共產黨徒亦絕口不談了。至於所謂「四階級聯合政權」之說，其本質即等於秧歌王朝的汚星旗圖案一樣，不過是圖繞着大星的幾個小影點而已。一般幻想聯合政權的「階級敵人」，結黨編隊，相率投靠，除卻聽受共黨擺佈玩弄，甘爲奴役外，連檻獸之自由也沒有，毫無人生的意義可言。如果不是台灣的自由中國屹立着，這種聯合政權的幻想者早已喪失生存餘地，成爲淸算鬥爭壇前的祭品了！像這種殘民以逞，爲目的不擇手段的暴民專制集團，試問對國家與人民究有甚末功績可以論賞，又有甚末面目來沐猴而冠呢？

世人看到中共最近在新疆省搞出「維吾爾區自治政府」這套魔術，都知道這是十足的賣國行爲。實則全世界任何地區的共產政權，沒有不是爲「蘇聯屬國」而存在的賣國主義者。它穿着民族主義的外衣，利用「反帝」口號，激起人們的民族思想，然後以「國際主義的民族主義」這一沈重的鐐鏈套在每個人的頭上，使其不能動顫，藉便分治宰割，任意奴役搾取，這是共黨一般的民族主義內容。至於中共在新疆導演的民族自治題作劇，原是急就章的。內蒙的「自治區政府」，在一九四七年四月即已由中共製造出來了，何以新疆竟後來居上，先內蒙而正式成立自治政府呢？這理由很簡單，它是爲俄帝的利益服務，急其所當急。新省的地理形勢，豐富資源，皆比內蒙優越若干倍，在蘇俄的國防關係上，這是第二個烏拉山區，對其全球戰略具有無可估計的高度價値。試看：秧歌王朝建立之始，毛酋澤東初次赴莫斯科「朝聖」時，即與克里姆林宮簽立了若干權把新疆的一切鑛產、石油、航空等特權讓與俄帝的協定，新省早已名存而實亡，不是中國版圖了。去年又與俄帝訂立修築自西北利亞直達新省，以及自庫倫經綏遠省的平地泉（集甯）直通甘肅的鐵路協定，而且即動員數百萬奴工從事修建路基工作，急於完成這兩大事爲俄帝安全而設的交通動脈。最近再將「維吾爾區自治政府」正式成立，且經過秧歌王朝「法律化」的批准手續，於是乎，出賣中國西北邊陲內土地、人民、主權的全部工作，大功告成了！以後即由俄帝直接跟「自治政府」往來，毫無罣礙或顧忌地爲所欲爲，而中國乃恢復到漢唐時代的國防態勢，變夷戎狄之禍，來自西北，門戶洞開，後患實堪設想！

中共爲想沖淡國內外人士對其出賣新省的罪行譏責，乃趕忙宣佈設立「西藏民族自治籌備會」，其意若曰：「我們是實行民族主義，讓國內各民族皆有自治權，新省實現自治政府，自係應有之義」。作賊心虛，竟欲以一手掩盡天下人的耳目，欺世人以無知，豈非無恥已極嗎？西藏與內蒙的「自治」把戲正在導演中，而東北的經濟和商業權益，早在共酋高崗的獨立王國時代，與俄帝直接訂立各種協定，納入蘇俄掌握之中了。我們閉目思之：中國自東北迄西北與西南的廣漠國境，今後是否盡在俄帝控制之中？我們尙有甚末國防之可言呢？似此賣國政權，它所論賞的功績，祇是賣國有功，亡國得力而已！

五年來，中共在大陸上所作所爲，對內殘賊同胞，天怒人怨，對外賣國求榮，罪狀如鱗。凡屬抱有愛國家愛自由的炎黃子孫，聽到秧歌王朝羣魔亂舞，大封功臣的醜劇，已不勝其羞憤難安之思，再看到今日他們插出的汚星旗，必更增進雪恥復國的同仇敵愾之勇。

我們平心靜氣的檢討一下，這五年來中共在大陸上的「建設總路綫」，除了上述各項爲大家所共見共聞的罪惡事實而外，還有甚末値得稱道的呢？起來吧！不願作奴隸的中國自由人，我們再不能忍耐了！

中共待遇制度的重大變更

•沈秉文•

中共的待遇制度素極複雜紊亂，工人有所謂「八級工資制」，一般舊有技術人員有所謂「折實單位制」，而一般幹部則採行「供給制」。但最近，中共「國務院」業已公佈了一道統一改制的命令，廢除以往一切待遇制度，此後除少數所謂「特殊地區」採行實物供給外，其餘一律採行以貨幣計薪的薪給制度。

這次中共待遇制度之不得不作變更，實有其苦衷。表面說來，有下述兩大原因。

其一是過去待遇不平，已影響幹部工作情緒，並加深了內部的矛盾。改制的目的之一，即欲統一待遇，彌縫幹部思想情緒上的缺陷。

按中共以往爲了利用原有技術人員和專門人員（如技工、技師、醫師、郵電交通人員、銀行人員、會計及稽核人員等等）會保留其原有薪給標準，而以「折實單位」的「分」爲計算單位。此等人員之待遇，並不較原有（指政府在大陸時期）之收入爲佳，惟在中共一般享受供給制待遇的下級幹部看來，卻已很高，因此不免產生了不滿情緒，影響了此輩幹部的所謂「工作積極性」。而另一方面，在同樣供給制待遇中，由於所供給者並無嚴格的制度可爲依據，以致在供給時便不然而然地產生了趨奉權勢的現象，使地位權力越高者，漫無限制地獲得了分外豪華的享受，而使位卑職小者，陷入了嗷嗷待哺的境地。又如家庭生活方面，高級幹部們除在機關預算內給予汽車、洋樓、華貴傢具、保衛員，勤務員、保姆，及一切家庭生活費用，並特設子弟學校（稱爲貴族化）供其子女受學外，且在機關預算之外還權力撥款擅自增加僕役，購置家用各種豪華的享受設備。其奢侈情形，連中共自己亦不否認業已超過了「國外資本家們」的程度。而另一方面，一般小幹部凡家有三口以上者，即無法生活，必須將子女託交給託兒所，夫婦同時工作時，方能糊口。由於上述待遇不平，自使中共大小幹部間形成巨大鴻溝，必然影響所謂內部團結。

其二是過去所行的供給制已遭到了嚴重的失敗，此種失敗，主要是浪費無度及工作作風上的惡劣影響。

以浪費言，「人民日報」社論有一段話足以證明：「在過去長期實行供給制的影響下……有些人在衣食住行方面，只管自己方便，不問國家負担。有些機關的生活管理單位，在一切靠國家出錢辦事的情形下，總是伸手向財政機關要錢，總是要的越多越好，這樣就產生了大手大腳，鋪張浪費的現象。對於這些不良思想傾向，我們曾經做過許多思想教育工作，但僅僅進行思想教育畢竟還是不夠的……」此即是說：過去供給制會給中共的財政開了一個大漏洞，今後廢除供給制的用意之一，乃在堵塞這個大漏洞。

以工作作風上的影響言，由於供給制既非按勞取酬，又非按需取酬，而是按權取酬。發生了積極和消極的兩種現象。積極的，崇尚名利，升官爭權變成了唯一目的，於是凡事但求有表面成績，不務實際，乃至凡事只求於已有利，不顧到人民利益，哄嚇騙詐，文過飾非，無所不爲。消極的，既怕有人妒忌，更怕有人檢討，於是凡事只求無過，不求有功；。此兩種作風的結果，均使中共統治工作的效率，受到了嚴重的損害。廢除供給制，即所以欲掃除此種弊害也。

這不過是表面上的原因，而其眞正的原因，乃是中共財政上的困難，已無法補救，不得不採用統一實行薪給制藉以減低一般工作人員待遇，以緊縮整個支出，而高級幹部，並不與焉。

如「人民日報」社論並不諱言，一律實行薪給制後，一部份人員的收入將減少，凡子女較多的，生活必將發生困難，因此才必須另有所謂「機關福利補助」的補救辦法。惟根據中共社會崇尚權勢的風氣及講求黨的小圈子關係的習慣，所謂機關福利補助，無疑將又爲少數特權人員大開方便之門，換言之：中共係藉薪給制減低一般幹部的待遇來達成其緊縮財政底目的耳。

杜爾斯與虎謀皮

希望蘇俄態度確實轉變

莫洛托夫悍然要求美國放棄海外基地

日內瓦四國會議中，共黨與非共世界所未能協調的各項問題，到聯大最近集會時仍在東西之間形成一條鴻溝，其中沒有一個獲得解決，而且有些問題，例如德國的統一，仍然十分渺茫，解決遙遙無期。

不過目前的氣氛尙相當樂觀，這是因爲共黨與非共世界畢竟還同意着一件事，這是：日內瓦會議已經表明了，冷戰中的雙方，至少暫時不會爲了達到其本身目的而發動第三次大戰。

這次聯大會議，迄今尙沒有脣槍舌劍之爭，俄外長莫洛托夫提到美國外交政策時，態度的溫和令人驚訝，他雖然仍與往日一樣的激烈反對美國外交政策，而且尖銳地如此表示。但他卻並沒有仍像從前那樣肆意謾罵。當美國務卿杜爾斯演說時，這個以「冷臉」著稱的俄外長，居然也附和其他代表一起拍掌。

杜爾斯的演說，顯然顧到共黨姿態的這種轉變，他表示希望所謂「日內瓦精神」能夠持久，還能形成一個「和平轉變的時代」。

杜爾斯的希望，和聯合國中一般的樂觀情緒一樣，顯然是完全以共黨態度的轉變爲基礎，可是莫洛托夫演說時，仍毫無疑問地表明，蘇俄政府的目標無意改變。他第一次發言即要求容許中共闖入聯合國；第二次發言又要求西方解除武裝，且要求美國放棄其海外基地。（明譯自十月三日出版新聞週刊）

•時事述評•

艾克臥病與美外交

艾森豪總統的病況，連日頗見好轉，除溫度脈搏一切正常外，在他醒覺期間，已不需用氧氣幕來幫助呼吸，相信這是全世界人士所共感欣慰的。

然而心臟病到底是一種凶險症狀，病況好轉並不一定就等於脫離危險。而且，即使完全恢復健康，其能否勝任日理萬幾的白宮繁劇還是問題，以是外間所傳一月後即可恢復視事云云，顯然都是太輕率的樂觀說法。

拋開明年大選不談，在今後所餘這一年零三個月的殘餘任期，事實上他絕對不能再以全副精力來主持政務。在這「跛鴨」期間，不論行政權力用什麼辦法運用，總不會有重大的興革建樹，大體上可能只是遵循已往政策來相機運用而已。

蘇俄眞會採取觀望嗎

據倫敦外交人士的推測，蘇俄因爲艾克臥病，已決定暫緩進行對西方的談判，改取觀望政策云云。但至多那也只是延緩外交上的談判而已，至於冷戰，則不只不會弛緩，而且一定更要加强。値此西方整個政策運用遭受重大頓挫之際，兇狡如俄共，牠會徘徊觀望，不對這一時機加以充分利用嗎？像中東軍火問題，自然並非在艾克臥病之後方纔發生，但卻會因艾克之病而無所忌憚類似的情事，在遠東，在東南亞，在中歐，都會繼續發生。因此現今在白宮暫代艾克主政的尼克遜副總統與最高決策機構國家安全委員會，如果一切都是蕭規曹隨，斷乎應付不了今後的局勢。近數月來，美國對外政策運用，幾乎完全建立在艾森豪總統個人身上。這一因素既已發生變化，一切都不能不根本從新考慮。

不應再走日內瓦路綫

所謂「日內瓦路綫」，雖然得到不少歡呼，實際卻是重大的冒險。當艾克臥病之前，他自己也在表示不知日內瓦會議究竟是成功還是失敗。其實成功自然說不到，也決不會遭受斷然失敗。祇有把問題經常懸在成功與失敗的中途，纔能維繫西方若干人士的幻想，使俄共爭取到寶貴的時間。尼克遜沒有艾森豪那樣的威望，因而更不容作輕率的冒險。據說俄共怕尼克遜走上羅斯福死後的杜魯門路綫，其實那纔是自然的歸趨。

美國生命綫在太平洋

從本世紀初的美西戰爭開始，太平洋方面對美國的比重一天天增强，唯一曾經危及美國安全的戰爭也是來自太平洋方面。但若干年來對美國政策發揮決定作用者都是東部的政治勢力；他們貌爲開明，實則深受西歐國家的影響，反而把太平洋方面生死攸關的問題放在第二位去考慮，從韓戰停火到日內瓦四強會議以至詹遜大使對中共的談判，都是這一路綫的運用，其利未見，弊害則已不可勝數。眞正能認識這一問題嚴重性者是出身加利福尼亞州的諾蘭參議員與號稱共和黨右翼一般人，然而這一翼卻受制於東部勢力，特別是日內瓦前後之際，連身爲參議院共和黨領袖的諾蘭都只能噤若寒蟬。現在艾克的談判妥協政策一時難望展布，俄共趁火打刼的陰謀勢將迫使西方不能不加強戒懼，這一部份人士的意見應該能促起美國朝野更大的注意。

日內瓦會議並無具體成就，卻造成一種虛幻的樂觀與安全感，這樣下去，會使西方五載整軍之功廢於一旦。艾克的妥協路綫，多少有些出自功利觀點，他現在什之八九不可能參加明年的競選，他應該不再存急功近利心理，在臥病休憩之餘，從根本是非利害上作一番深入的政策檢討。

•李秋生•

「新速實簡」與政風

孫煒

台灣通訊

每過台北市中山北路見動物園右側掛蕭總統訓示「新速實簡」的幾個大字，便湧起了一陣感想，覺得確是對症下藥，治世良方。古人歌頌賢明政治太平盛世常用「政簡刑輕」四字來形容，人類本來就喜歡自由，中國民族性更厭惡麻煩繁複的管理，雖然現代人類生活形態複雜，行政管理決不能像古代那樣簡單，但越複雜越應尋求簡捷方法，以增加行政效率，何況反共復國艱鉅工作，還在後頭。

政府自遷台以來，抱着沉痛的心情，生聚教訓，整軍經武，的確向實勵精圖治反共復國的指標邁進，目前的軍隊與以前比較，其素質不知要增强若干倍，將來反攻時，必能發揮偉大的戰鬥力量；但是，反攻大業的艱鉅，不是單靠軍事便可完成，必須有良好的政治以配合，方能收事半功倍的效果，我們不能否認目前的政治已比以前進步，但顯然進步甚微，未能與軍事配合。同時默察一般從政人員的作風，大部份患着數衍、推諉、怯於負責的惰性毛病，從而影響行政效率。一件極簡單的事，本可於一二日之間由一二機關中一二人經手完成，但往往要經過許多人的手，公文旅行許多機關，由上而下，由左而右，經年累月尚得不到結果，甚且拉扯到一些絕無關係的機關手上。譬如今春報紙騰載的理髮業要求加價一案，竟由市府社會局而市府而物價評議會，而省社會處，而省府，而內政部，而行政院，最奇者該公文竟旅行到外滙小組那裏去，整整鬧了一年。又如最近鬧着的茶林互爭案，原也簡單得很，無如主管的人始終抱着畏事心理，盡量企圖推卸責任，以致事情越鬧越大，報章指摘，累月始告解決。

形成這類毛病的原因，有下列幾項：一、台灣地域狹，交通便，一件事情的發生，瞬息傳遍全省，負責者恐怕處理錯誤，容易受人指摘，於是乎盡量避免負責。二、人事凍結，給現職公務員以服務保證，原未可厚非，但因此卻養成他們的惰性，大家爲確保飯碗，抱着只求無過不求有功的心理。三、政府爲使處事公開起見，每規定一件事要經由許多機關參加處理，於是甲有甲的意見，乙有乙的主張，丙有丙的立場，往返磋商，互推責任，衆論紛紜，莫衷一是。

在這種情形下，遇事說話的人多，負責的人少，你推我諉，公文旅行，積年累月，只求自己不負責任，避免錯誤，不管老百姓麻煩、痛苦，以致遭受不應受的損害。這種風氣，十分普遍。此正與總統所訓示的「新速實簡」背道而馳，行政效率之低，自是必然現象，民衆的厭煩，又何待言。

我們覺得各機關中仍有不少師爺式的人物，腦子裏充滿「做官主義」思想，善於運用技巧，諉卸責任，惜非時代所需要，時代所需要是朝氣蓬勃的，勇於負責的，富有革命性的，敢做敢爲的人才。做錯了可以改正，總比推卸責任而不敢做的好得多。

總統高瞻遠矚，以「新、速、實、簡」良方訓示百僚，有了這張良方，政府上下正應該切實採服，先把處事手續，刪繁求簡，避免重複，禁絕推諉，限以時刻，責以實效。監察院則應負起監察責任，一如看護對於病家，隨時注意其有無依時服藥，及服藥後反應如何，作成紀錄，提供糾正，以收行政三聯制的實效。

艾森豪不競選
霍爾要跳河
共和黨開始考慮新人選

艾克一病，美國共和黨的明年大選計劃已全部攪亂。在此以前，共和黨全國委員會一直以艾森豪必會再度競選爲假定而進行競選運動的種種準備，甚至電視節目，也在一年多以前即已定好。當時有人問全國委員會主席霍爾，如果艾克決定退休，他將怎麼辦，霍爾簡捷的說：「如果我碰到這樣一座橋，我祇有向橋下跳去。」可是現在，共和黨人士卻多數認爲，艾克即使完全復原，也不會再競選連任，霍爾勢將被迫「跳河」了。

不過艾克如果不競選，他對未來總統候選人的挑選，卻仍有巨大影響力，據一般推測，目前最可能的人選有二人：副總統尼克遜和最高法院院長華倫，其次便輪到財政部長亨佛萊，前紐約州長杜威，參院少數黨領袖諾蘭，總統裁軍助理史塔森，和麻州州長赫德。

西伯利亞須譯鮮卑利亞

·吳宗獄·

本人曾撰「西伯利亞應譯爲鮮卑利亞」一文，載於四十三年一月九日中央日報。兩年以還，此議將成定案。近忽見王恩田先生另闢異論，願以學術研究，自宜求得水落石出，始足以釋疑而成定案。特不揣愚陋，略抒所見，藉就教於高明。

一、按外國地名，多由原文照音翻譯，間有翻譯其意者，至「西伯利亞」SIBERIA一詞，意乃鮮卑地方，其語根SIBER本鮮卑轉音，當時譯者不察，只按其音譯，而未解其原委，輾轉相傳，遂忘其本義，「西伯利亞」爲北極大荒，其土著乃東胡族之一支，古所謂鮮卑族是也。後漢書鮮卑傳，「鮮卑者東胡之支也，別依鮮卑山，故因號焉。」北史魏本紀：「魏之先出自黃帝，黃帝子曰昌意，昌意之少子受封北國，有大鮮卑山，因以爲號。」又何秋濤朔方備乘云：「東漢魏晉之鮮卑，其庭幕在喀爾喀，而封疆則遠及北海（今貝加爾湖），今俄羅斯偏東之錫伯利部，咸爲所兼併。」又云：「鮮卑音轉爲錫伯，今黑龍江南，吉林西北境有錫伯部落，即鮮卑遺民。」又考丁謙後漢書鮮卑傳地理考證云：「大鮮卑山在俄屬伊爾庫斯克省北，通古斯河南，今外蒙古以北地，西人皆稱爲悉比利亞，悉比即鮮卑轉音者，以其地皆鮮卑人分布故也。」按錫伯，悉比，今並譯作「西伯利亞」；鮮卑族本東胡之一支，匈奴冒頓破東胡，此族遁居於今科爾沁，郭爾羅斯諸部一帶地，其後族勢日强，漸移居匈奴故地，西漢末始通中國；東漢以後，最爲强盛，昔時爲五胡之一，秦之慕容氏，涼之禿髮氏，秦之乞伏氏，及魏之拓跋氏，皆其族也。隋唐以後與漢同化，是乃滿族之一支，中華民族一份子也。唐時威令所及，竟遠流鬼（今堪察加半島）亦來朝貢，元代疆域擁有「西伯利亞」極大部份固無論矣；即明成祖時，東北亦達鄂霍次克海濱，吉林通志卷一二〇金石志，載有廟街上游二五〇里處特林地方，有永寧寺碑文；及重建永寧寺碑文，可資爲證；清初領有外興安嶺以南一帶，更是人盡皆知；帝俄之掠取，不過十六世紀以後事。

其實「西伯利亞」即鮮卑地方，久爲近百年來史地學者之定論，不僅何秋濤之朔方備乘，洪鈞之元史譯文證補，丁謙之後漢書鮮卑傳地理考證，梁啓超之飲冰室文集，可用爲良好考證，即俄人克魯泡特金之自傳，德人費卡爾之「西伯利亞」史，法人柏爾查桑之成吉思汗帝國史，德人瓦哈穆爾之奇卜察金帳汗國史；英人威爾斯之世界史綱，日人露西亞東漸史，美人戴維斯之亞洲蘇聯，對此問題，皆已研究明白。新近李濟博士所著之「記小屯出土之青銅器」，謂「西伯利亞」是中華民國更老的老家。」以及郭廷以，錢穆等教授，無不洞悉此一史實。論證之多，不遑枚舉。

二、「西伯利亞」是由十六世紀西伯爾汗國（元史作失必兒）而得名，而失必兒確是鮮卑族所建，蓋蒙古所建汗國，皆以當地之族名，如欽察汗國被統治者爲欽察人，伊兒汗國被統治者爲伊朗人，只有鮮卑汗國爲不解蒙古史者譯作失必兒汗國。詳之元祕史、元史、新元史及元史譯文證補均足爲證。按史記集解所載，唐以前，鮮音析，析通西，失、錫、卑音伯，故失必兒即鮮卑；不解古音，不詳典籍，驟謂「發音近似，不宜附會」，未免有失持平。清代洪鈞謂「失必兒當即鮮卑之異譯」，其中「當」字要爲學者愼重之語，若必有「失必兒即鮮卑」之明確記載，始足採信，則膠柱鼓瑟，未必泥古不化。思田先生以爲失必兒汗國爲蒙古同族所建，安知此同族不是鮮卑？名著如韋爾斯世界史綱，且誤認北魏爲匈奴人所建，其他外國史料，又何足論爲？鮮卑族入隋後因被同化，故少見於史籍，但不能認爲子遺無幾，否則遼金清將何從崛起？夫入關胡人，終日習染漢俗，自易同化，但遺留塞外者爲文化力量所不及，何從受同化，此理之易見者。隋唐之世，突厥猖獗，鮮卑相形之下，遂致淹沒不彰、「失必兒」在今鄂畢河中流，唐努烏梁海以北，就常情而論，鮮卑族力源雖在東北，但以游牧民族馳騁於茫茫平野，流竄頻繁，一度力量到達鄂畢河流域，極爲可能，否則，今新疆境內亦有錫伯（即鮮卑）部落，豈非令人有匪夷所思之感乎？（上）

蘇俄壓迫西德政府驅逐自由歐洲電台

西德與蘇俄建交，第一個受其影響的，就是設在西柏林的西方宣傳機構。據西方外交界接到的內幕情報，莫斯科已在對西德政府施加壓力，要求驅逐美國私人所辦的「自由歐洲電台」。該電台以汽球向鐵幕散發宣傳品，在西德總理愛登諾訪俄期間，俄曾即已提出抗議。據西德的教會人士說，自日內瓦會議以後，以汽球向東歐附庸國散發聖經的計劃，已因西德政府的禁令而暫時取消。爲配合對俄「友好」氣氛，西德政府顯然可能再禁止以汽球向鐵幕後散發傳單。不過驅逐「自由歐洲電台」問題，據西方觀察家揣測，西德政府尚不致屈服於蘇俄的壓力，因爲這電台對鐵幕人民的廣播，已是今日西歐唯一最有力的反共宣傳武器。

保衛泰國的：
鑾披汶防綫

·李運鵬·

海外通訊

（本報曼谷航訊）非共國家自喪失了越南北部，在東南亞的下一道防綫，就是泰國。英美的若干專家，認爲共黨如在東南亞發動進一步的侵略，可能是由北越共軍配合滇邊的泰語民族，受中共裝備，與所謂自由泰軍，共同發動攻擊。這將使泰國首當其衝。目前，北平廣播最近也不斷用各種方式煽動泰國人民，以暴力推翻其現有政權。

泰國警察總監乃砲，迭次指出，泰境內有數千共黨份子，從事各種顛覆活動。警方已予嚴密監視，隨時可能逮捕。這證明了泰國與共之不兩立。鑾披汶總理毅然參加民主陣營，更是採取積極反共行動的具體表現。環顧週圍越南、緬甸、馬來亞，遍受着共黨騷擾，而泰國人民和外國僑民，尚能安居在這種環境之下，這正是鑾披汶的正確路綫的成果。

共黨面臨這種局勢，正明白支持鑾披汶宿敵乃比里，從事推翻現有政權的活動。而緬越既陷入風雨飄搖，暴風雨之吹至泰國，隨時均有可能。欲避免此一危機，西方民主國家之迅速採取「鑾披汶防綫」觀念，仍不失爲上策。鑾披汶防綫的輪廓，是以滇緬寮柬暨泰邊界爲前哨，强大的陸海空軍，與訓練優良的健全警察力量作骨幹；兩千萬泰國人民作後盾；美國供給飛機艦艇，另成立志願軍十個師，包括中美日韓僑民在內，英法則以精神力量支持。廣大的華僑將與泰國人民沒有兩樣，戰火一旦燃到泰國時，在鑾披汶防綫的總體戰中，華僑是一支不可侮的勁敵，當局最近減低隨身證例費，將准許華僑[illegible]員倡導[illegible]辦大學[illegible]樂於[illegible]史實[illegible]侵略[illegible]同情[illegible]披汶防綫的建立[illegible]泰國[illegible]牌，足[illegible]略，無[illegible]於支持[illegible]時代使命。

阿新總統反共親美
美官方熱表烈支持

阿根廷朗納迪新政府成立後，華盛頓立即予以承認，美國政府且特別聲明，希望與阿根廷保持「傳統的友好」關係。但據國務院人士透露，政府的決策官員對朗納迪的支持，實際比官方聲明所公開承認的還熱烈得多，這有幾點理由：一是朗納迪堅强反共，而且親美，他在一九四七年曾以阿根廷代表身份參加設於華盛頓的美洲防衛局，在任兩年期間，在美國政界交了許多朋友，而他有一個兒子，也是留學美國的工程師；二是他在外交方面經驗豐富，他不僅在參加美洲防衛局的二年內表現了傑出外交手腕，且在擔任阿根廷駐智利大使館武官時期，更學到了不少外交技巧。三是他就職時宣佈在八個月舉行全國自由普選，足以證明他決心使阿根廷恢復民主政治。

美官方唯一的憂慮，只在朗納迪應付目臨的工會領袖免遭困難，恐一時不易使那些死硬派份子就範。

編者按

△自本期起「中共半週展望」改爲時事述評。

△今日爲中共之僞國慶，本報特請雷嘯岑先生執筆寫「看中共的封神榜」。

△本報版面自下期起爲充實內容約定國內外名家執筆撰稿，繼續發表。

△靜觀，稿到。

△本刊四一期至四五〇期稿酬通知單，業經分別寄發，請惠稿諸君逕前來領取稿費。

俄允爲埃及建造軍火廠

埃及公開承認接受蘇俄軍火，西方大爲震動，美國助理國務卿艾倫已趕往開羅，與埃及總統納撒談判，希望仍來得及阻遏共黨勢力侵入中東。英政府已正式向埃當局表示「嚴重關懷」。據開羅消息，蘇俄除供應埃及所要求的噴射機、坦克、重砲等武器外，還同意爲埃及建造一所兵工廠，可生產步槍、機槍、和小型砲。

港府宣佈長期計劃 發展北角促進繁榮

輔導游資適當運用

年來東南亞局勢動盪，再加多數國家對資金運用限制甚嚴，各地游資遂紛向香港灌集，其中尤以越南移來的爲數最巨，但由於香港地小人稠，一般經濟情況又陷於萎縮，可供投資的工商事業不多，外來游資便向地產集中，一時形成「炒地」熱潮，這引起了一種矛盾現象：一面是拆屋之風大盛，致使許多人流離失所；一面是新屋紛紛興建，產生許多新屋難於租售。輿論對拆屋問題已屢有指摘，但固不論驅逐房客、覆樓拆建是否合理，新屋的興建，不可否認是任何都市的一種繁榮現象，以西歐而論，其戰後的繁榮程度，新屋數字，即是衡量水準之一。香港之能開放門戶，歡迎外來游資自由流入，畢竟遠勝於關鎖門戶，對外資運用嚴加限制，致使外資裹足不前，聽任經濟活動陷於呆滯或甚至日趨萎縮，香港政府不僅歡迎外資，且以有計劃方式輔導資金的適當運用，最近政府公佈的發展北角長期計劃，便是一個明顯例證。

這計劃的監圖，已於九月廿九日起，在下亞厘畢道政府合署工務局政府土地及測量部公開陳列，任人參觀。

該項計劃是由城市設計委員會繪製。乃港督根據城市設計法例之規定予以任命，「藉以促進居民之健康，安全，便利及一般福利。」

該委員會主席且發出一項公告，請社會人士注意該項法例第六節：任何受該項計劃影響之人士，均可以書面向該委員會，提出其對該項計劃任何部份之反對意見，並可提出修正辦法。該項計劃監圖，將陳列兩個月。期滿後，該委員會將對各項反對意見，予以考慮，並擬定適當的修正方案，然後呈交總督會同行政局核准。這是城市設計委員會通過全部立法手續的第一項發展計劃。

該項計劃，詳列在建議中的北角區道路，以及對介于興發街、維多利亞公司閘側）及英皇道北角官立小學間之土地的利用辦法。

這計劃的目的，務求對土地作最大之利用。若干地段，將劃爲住宅區，至于其餘各地段，則劃爲工業區或保留爲公衆之用，例如公園、遊樂場或空地。

在指定作爲住宅區之地段，如欲興建非工業之建築物，例如學校、教堂、酒店、寫字樓、電影院、商店、電油站等，亦可能獲准，惟以不違犯「官批」或其他法例之規定者爲限。在指定作爲工業區地段，如欲興建非純粹工業性的建築物，例如貨倉、車房或工人宿舍等，亦可能獲准，惟亦不能違犯「官批」或其他法例之規定。

監圖內共有三個主要地段，第一個位於英皇道北面；第二個則位於英皇道南面；第三個地段，則由天后廟道起，向山上伸展，直達太古水塘及金督馳馬道。

第一個地段包括目前之工廠及堆棧區域以及新塡之空地，此一地帶之大部份將限於堆棧，輕工業及各種加工工業之用。本港屋宇建設委員會之廉價屋宇計劃即將施行於該地區之內，其地址將在渣華街。

第二個地段，將包括住宅及不致由於噪聲及烟霧等等煩擾鄰近住戶的輕型工業。由於整個地區公共交通至爲便利，故被認爲極適宜於建立廉價屋，學校及醫院等機構之用。

第三個地段係位於山麓，因有通道之便利，故適合於普通住宅及私營屋宇計劃之用途。

計劃之監圖中，備有應付未來需要之交通發展辦法。英皇道雖仍爲該區之主要交通孔道，電氣道及渣華街或將予以連接，作爲一條更替之道路。

此外，天后廟道或亦將予以延長至七姊妹石礦廠址對上。將來更可能延至鰂魚涌。如此一計劃能予實現，則各條道路之寬度，均將使其適合巴士之行駛。

爲開闢未來新建屋地址起見，將建築連接天后廟延長段及金督馳馬道之道路一條。在該條道路之上端，該路可能經過金督馳馬道一部份連接畢那山新闢之政府石廠，通至渣甸山附近之大坑道。

海邊地區，爲備將來各種發展用途起見，將不建築濱海道路，渣華街廉價屋址前之輪渡碼頭，將可以連接北角及筲箕灣，茶菓嶺及紅磡之海上交通，此外，在新塡地上又將劃出建造普通碼頭兩座之地址。

又根據有關政府部門之需要，劃出公共地段，以備應用，在天后廟道延長段北面，沿週圍一百五十呎之地面將保留一條狹長地段，作爲開闢一所公園之用途。

畢那山新石廠正式開工後，該區內現有政府石廠，將予以停閉，通往新石廠之道路，如沿金督馳馬道將其延長四分之一英里，則可與連接天后廟道之新路相通。（一）

大陸食油荒嚴重 野生植物榨油吃 灰色豆腐苦難咽

共報承認人民不歡迎

（本報訊）大陸上食油供應情況，目前仍然在緊張狀態中。從表面上看，大城市裏的居民可憑供應證按照限額購買，但在廣大的農村裏，則油荒的嚴重已迫使中共大喊「要解決目前油脂供應不足的困難了」！（九月廿五日天津大公報）

爲了「解決油脂供應不足的困難」，中共成立了一個「全國油脂增產委員會辦公室」。這機構除了一方面掌握「中國油脂公司」外，主要的作用是利用「黨」的中央權威，通過中共各級「黨」、「政」組織和農村基層組織，命令農民找尋可供榨油用的野生油料植物。

據該「全國油脂增產委員會辦公室」初步公佈的不完全統計，已被用作榨油的野生油料及可供榨油的副產品有：花椒子、椒蘇子、蘿蔔子、馬尾松籽、茶樹籽、樟樹子、蒼耳籽、蕓薹籽、橡樹籽及蠶蛹和米糠。

利用這些野生植物果實榨出來的油，「一部份是直接供應人民食用」；另一部份則「供應工業部門的生產需用」。（同前）據此，可見不僅食油有嚴重的恐荒，即工業用油也同樣缺乏。

今天，在大陸上能吃到的豆腐，都是以經過冷榨後的豆餅製作的，天津大公報的社論形容這種複製的豆腐「質粗、味苦、色暗」，因此「不受消費者歡迎」。同樣的，醬油也是用經過了熱榨後的油餅製的，味道異樣的，也同樣不受歡迎。並且，目前正在推廣「原色醬油」，所謂「原色醬油」就是鹽水和經過熱榨後的油餅的混合製品。

大陸上人民生活是日漸窮困了，比諸日據時代的淪陷區吃混合麵的情況尤有過之！（王芳）

中共就業計劃的大騙局

勞動力調整嚴重混亂 農村飢民湧入城市

中共「勞動部勞力調配司司長」邢予洪在八月十四日「人民日報」發表了一項報告，暴露了中共幾年來對「勞力調配」工作方面存着極多的缺點，充份說明了中共「勞動就業」是個大騙局，各地勞動力調整發生了許多怪現象，和大量飢餓農民湧入城市的混亂現象。

邢予洪說：「目前在勞動力調配和使用方面仍有很多嚴重的缺點和問題。……特別是由於許多單位盲目增加工人，一九五四年某些城市中就出現了建築固定工人過剩和城市臨時工人過剩現象，到一九五五年更爲突出。如上海就多餘建築工人四萬九千多人，天津、浙江、遂甯……等地區也有大量餘剩。但某些沒有重點建設的沿海城市中，還有相當數量的失業工人和餘剩勞動力沒有得到充份利用……」。

對已「登記」的失業工人遭受中共各級部門的歧視，也有供認：「有些招工單位不願意用城市失業人員和無業人員……更嚴重的有些單位隨意到農村亂招工人……也影響了某些失業工人的就業……」。

當中共於一九五二年八月三日頒佈「勞動就業」時誇大地說：「政府將全面掌握失業人員的資料情況，然後有計劃地逐步輔導失業人員或半失業人員走上就業崗位。……」整整三年來的「成績」，原來就是搞到這樣的一團糟。

既然還有大量失業、無業人員等候「就業」，一方面某些單位卻臃腫自累。報導繼稱：「某些企業機構臃腫，人浮於事，勞動力使用不合理的現象目前也很嚴重。石景山鋼鐵廠初步定員的結果，編餘的人員約佔全體職工總數百份之二十五；開灤煤礦可編餘的人員佔全體職工總數百分之二十二；吉林造紙廠編餘的人員佔職工總數百份之二十二……」。

農村人民爲飢餓所迫，紛紛流入城市的現象，報導中說：「據調查，在臨時工人中流入城市的農民比重很大。如杭州市在四千二百九十九名建築工人中，就有二千八百二十五名在原籍有家有田；天津市現有臨時工人二萬二千多人，其中除一萬二千人在本市有戶口外，其餘大部是由農村流入的……」。「有家有田」而大量「盲目」湧入城市，不問而知是爲了飢餓所迫。但中共怎樣應付這班飢民呢？報導說：「在動員他們返鄉生產時，要同縣、區行政機構得密切聯系，分別情況進行安置，以免他們再度流入城市。有些地區，可進行移民工作的動員他們去開荒……如杭州市已動員二千五百人開墾海塗：福建省則準備動員二萬人到老根據地去……」。這些可憐的饑民，便在中共這種政策下推來推去，結果便給推到「移民」的地方去變相充軍了！

學生竟成剩餘勞力 中共驅策下鄉開荒

中共爲彌補嚴重糧荒及進一步剝削人民起見，最近竟藉發動所謂「動員城市剩餘勞動力下鄉開荒生產」計劃，將東北各城市三萬餘人驅策下鄉「開荒生產」，連學生也成了剩餘勞力，以達其一石兩鳥的陰謀。

據北平「光明日報」九月六日透露：中共於黑龍江省各城市已展開「動員城市剩餘勞動力下鄉開荒生產」工作。截至目前爲止，哈爾濱、齊齊哈爾、佳木斯、牡丹江、鶴崗等市已有八千多戶，三萬多人被驅下鄉開荒。

該報在透露中共驅策城市人民下鄉開荒的佈置時稱：「各市黨、政領導對於組織城市剩餘勞動力下鄉開荒生產工作非常重視，成立了『城市剩餘勞動力處理委員會』或『辦公室』，由市長或副市長親自負責領導。齊齊哈爾爲了推動這一工作的順利進行，在七月間召開了一千多人的無職業城市居民的代表會議，由市長作了動員報告：……結果就有三十高中、初中、高小畢業生和三百多名羣衆報名……」。

報導並稱：「各城市的無業居民已經開始出發各縣農村，哈爾濱已下鄉四千多戶，齊齊哈爾七百多戶，全省即將有六千多戶下鄉開荒……」。

報導最後指出：「各工廠招收學徒和技工學校招收學員時，應盡量優先取錄復員建設軍人和未能升學的初中、高小學生」。這一來，數以千萬計的已登記的失業工人和無法估計的無業人員便要儘量排後，等候進入「社會主義」時才有「就業」的機會了！（平）

△掛燈結彩，中共「反浪費」的排場。

反浪費的浪費

中共目前正在進行「反浪費運動」，但實際上這個運動的本身就是一個龐大的浪費運動。舉行這個運動的目的，顯然不是從節約的觀點着眼，而只是一種宣傳。徒有形式而已。這裏介紹九月十六日中共出版的第十八期「新觀察」雜誌發表的「反浪費展覽會」一文，以資參證！

「展覽會在工地開幕了。

無數被遺棄和浪費掉的器材陳列出來了：有直徑四十公分的大鑄管；有被凍壞的自來水表；有擲在工地上找不着主的九十八張鍍鋅鐵皮；有飽受風雨損壞了的磅秤；有埋在土裏無家可歸的手推車；有鋼筋、鋼板、電纜、油漆……總之，應有盡有。

在擁擠的觀衆裏，時常可以聽到這樣的聲音：「啊！可惜！簡直是犯罪的行爲！」……半個月後，這個反浪費展覽會的倡導人張主任蒞臨參觀展覽會了，但他並不是來參觀展覽會的，而是來審查這個展覽會的排場的。他站在場外三丈多遠的地方，首先對「反浪費展覽會」這幾個字滿意地點點頭，接着就大大地搖起頭來！「小陳這個同志，簡直幹什麼都不行，一個這樣有意義的展覽會都搞得這樣無聲無色。字爲什麼不弄燙金的？看！怎麼連紅旗也不插上一面呢？唔！還把東西放在地下呢……」張主任實在看不下去了，他搖了搖頭就回去了。

張主任回到辦公室，首先把小陳找來，訓斥一通，接着又作了「安善」的安排：

「展覽品都應放在桌子上，木架上，收拾得耀眼點，……還有桌布……金字……紅旗……你要想克服困難嗎，成績是從克服困難的過程中得來的」。

「展出半個月啦！同志們差不多看過了，還要……」小陳提出了不同的意見。

「你把問題看得太簡單了」！張主任打斷了小陳的話：「教育嘛，是要反覆進行的。你能保證大家的思想都搞通啦……」

在張主任的督促下，幾天後，展覽會的外貌改觀了：棚沿上端每面都是「反浪費展覽會」六個大金字，掛在綠色的襯布上；兩旁是八面大紅旗；大鑄管躺在特製的木架上，其餘的也都上了桌子，磅秤也坐在桌子上。

時間已經又過去了三個多月，會場四面懸着的金字，連同綠襯布早已沒有了蹤跡，棚布被風掀掉了半邊，露着枯乾的木架子；地上長滿了青草，還散布着不少垃圾和狗糞；可憐的展品也蒙上了一層厚厚塵土。由於沒有人管，附近小孩子們常常去找玩意兒，機器零件大量丟失了。有人還在大木架上寫上了這樣幾行字：「是反浪費還是浪費？」，「不要錢的雜貨攤。」

有人把這些情況反映給張主任，張主任怎麼說呢？「唉，反正是已被浪費掉的東西，我們還用這些東西起了教育作用……」

這就是中共用浪費來「反浪費」的最好說明。

中東風雲觀

馬五先生

埃及政府聲明已與俄共集團簽訂購買軍火的商務協定，英美當局即皇皇然若不可終日，說是中東地區的「均勢」將告打破！

我們不知道這所謂「均勢」云者，是指的甚末事實？如果是指伊朗、伊拉克這兩個阿剌伯國家比較接近英美而言，即證明英美的中東政策祗在分化阿盟集團，使其同床異夢，自亂陣營。這豈是領導自由世界的應有作風？若視以色列與埃及連年敵對戰爭的情形爲「均勢」，更係荒謬絕倫的觀念。五十年前西方列強專門在遠東製造「均勢」，搞「勢力範圍」，以致種下亞洲方面今日共禍猖獗，內部紛歧對立，險象環生的惡因。中東現在依然是受着這種「均勢」策略的災害，可鄙的強權主義者！該死的自殺政策！

據埃及政府宣稱：過去曾經要求美國售予軍火，但美方要以現金交易，而埃及又沒有這種財力，所以只好另向俄共集團想辦法了。買賣軍火要還現金交易，自屬未可厚非，如不帶政治作用的純粹商業行爲，賣方求現不賒，原是它的份內事，別人無話可說。可是，一聞埃及向俄共集團進行交易，即聲言可用貸款方式供給軍火，又亟亟派遣白宮大員赴開羅接洽，表示好意。前倨而後恭，臨時抱佛脚，何其半吊子乃爾！這就難怪尼赫魯之流，隨時挾共以自重了。

眼見國際間這種措置不揩輕的「駱駝型」政治作風，就想到過去我們自己國內那些雜牌隊伍和三棲性的官僚政客們之所以頭頭是道，無往而不利，眞是良有以也，豈徒然哉！祗要能夠隨時擺出不惜南走粵而北走胡的姿態，說是「老子並不一定靠你過活」，保險不愁富貴哩！

因此之故，我對於埃及這次的行動，認爲是實逼處此，不忍責難也。

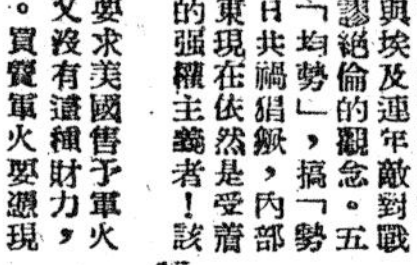

從心臟病實例看：艾克會復原嗎？

·李加雪·

艾森豪在岳母家裏休息，忽患心臟冠狀瓣血塞症，醫生雖認爲復原機會甚大，但其病況已引起全世界所關注。冠狀瓣血塞是很普遍的心臟病一種，一個人爲什麼會染上這種病？能夠治癒嗎？需要多少時間的治療呢？

下面是美國『生活雜誌』，拿一個病者做實例，對心臟病的詳盡描寫分析，或可供作關於艾氏病情的參考。

這人是個四十一歲的商人，體重一百六十八磅，比較標準多了十五磅，他講究衛生，每天只喝一次酒，只吸一包香烟，偶然也打打哥爾夫球。假日在家裏種種花，鮮作劇烈運動。

去冬一天晚上，他離開了他的辦公室，他一連三天工作了十一個小時，感覺到疲乏，他從辦公室步行前往車站，趕火車回到鄉間家裏，當他正走向車廂時，忽然感覺到一種莫名的痛楚。

痛楚來勢非常兇猛，範圍只有一角錢的大小，位置在胸部的中央。他覺得脚下無力，踏上最近的一輛車廂，但痛楚愈來愈烈，他懷疑可能是心臟病，也許只是胃痛。過了兩三分鐘，他發現左臂麻木和痛楚。他才明白真的患心臟病了。

管車員來查驗車票，他告訴他，自己已患了心臟病，想離開火車。車停了，他站了起來，倚在車僮的背上，拾級慢步下車。他感覺到還能夠支持。但跑了幾十步石級到了路旁，他倚在牆上；那時他已入半昏迷狀態，記憶力完全消失，那是他最接近死亡的一刻，不一會，警車來了。五分鐘後，到了醫院。一位當值的女醫生檢驗後，塞了一塊藥片到他口裏，又替他在左腿注射了嗎啡針。經過半小時，嗎啡發生效力，痛楚好一點了，經過四十八小時，痛楚逐漸停止。可是第三天，他忽感覺不能呼吸。那是因爲肺積水，是一種因心臟病而併發的疾病。醫院給他養氣面具，並替他注射。第二天，他又陷入半昏迷狀態。熱度升到一〇五度了。過了兩天，熱度退了，他在醫院裏住了四十六天，回到家裏又休養了幾個月，終獲復原。

心臟負担驚人的工作，每天輸送三千加侖血液，經過好幾千哩的血管，爲了營養心房的筋肉，需要極大量的血液。這種血液是經由兩枝大動脈管輸入心房的。普通人的大動脈是清潔而光滑的，可是有些心臟病者的血管却堆積了一層類乎蠟的油質，大凡吃得好的人們，血管裏總難免有此種油質的堆積。血管的油質堆得厚了，血的輸送發生障礙。一個人太辛苦了，或者因爲劇怒，血管裏油質的堆積層可能馬上增厚而障礙血液的流通。這就是血塞症。血液的流通不能舒暢；一部份血液滲出血管外部；那時動脈管發生反動，把整個血管關閉了。心房缺少血的營養，發生劇痛，同時遭遇到極大的損壞。心臟病醫藥上的名稱雖然多，原因不外如此。這是中年和老年人最普遍的一種疾病。

心臟病沒有特效藥可以治療，主要的治療方法是長期休養。心臟能夠自動修補損壞部份，如另闢動脈代替關閉了的大動脈，增加新的血管，擴大原有的血管等等。根據統計，美國患心臟病的病人百分八十可能治癒。艾氏的年紀雖然老些，今年六十五歲了，可是他的健康很好，體重超過正常標準不及十磅，他顯然有百分八十的復原機會。但即使他的心臟病痊癒了，還需要長期間的休息。

茶丐趣話

·小丞·

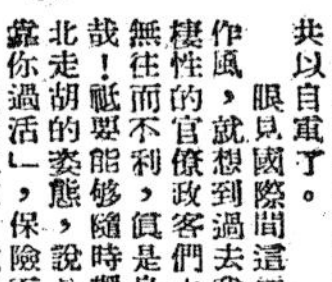

古今來嗜茶成癖的人，實繁有徒，盧同陸羽，因嗜茶而著有茶經，自可作爲嗜茶的代表人。但是還有極其貧困的人，而對茶仍感興趣的，自不能不視爲趣事。

這裏就是一個窮得做乞丐而嗜茶的故事。相傳福建有一家規模大的茶行，東家做壽，六秩開一，賓客盈庭，大施貧窮。忽然內中有一個五十多歲的叫化子，他不要什麼壽桃壽麵，却嚷着要「壽茶」。他只要施給他一些好茶就夠了，但是這個例外的要求，不會得到用人的接納，他若纏不去。終于驚動了壽翁，吩附照給，這老「乞丐」拿起手來放在鼻上一嗅，馬上退還他們，說今天壽翁喜慶，不應該這麼吝惜，把中茶當上茶給他，還是若纏不去。

第二次驚動了壽翁，親自出馬，拿出另外一種好茶，可是在他一嗅之後，還說這不是上茶，這時壽翁見他辨茶的功夫老到，再拿出家中唯一的岩茶來，他這時才說可以拜領，口氣之大，使壽翁不得不問世上還有什麼茶比他的更好。

他不慌不忙的在乞兒籃中，取出一小包東西，打開了三層草紙，拿到壽翁面前一幌，「這就好了。」紙中只有一小撮「雀舌」，問他好到什麼程度，他說壽翁慷慨，這一「泡」，壽翁多福多壽，他這一「泡」……

老乞丐選取「井心水」，又吩咐用乾橄欖核作燃料，焚到相當「火候」，才放上茶壺，水熟到「蟹眼」時，才珍重的將茶葉泡進去。泡茶又用他那隻積滿茶渣的「小沖罐」，倒出時又用他那隻骯髒小茶杯，陰陽怪氣的端到壽翁跟前，教他飲的時候要「吞氣」，飲後又要「閉氣」，一口而盡，……自然感覺它的好處在那裏了。

一股芬芳，直貫丹田，茶業世家的壽翁，也不覺拍案叫絕。

這個故事，不禁令人想起茶葉的可貴。我們飲茶時，也許從不會想到一個人做了乞丐，還會對飲茶如此考究，可是這位「茶丐」居然對飲茶之道尚能遠勝富翁，即以這一點而論，也足以自豪了。而富翁不如乞丐之處，可豈止這一端。

科學增加人口

日本面臨糧荒

·文鑑·

隨着科學的進步，與原子彈同樣可怕的世界人口激增問題，對世界許多國家形成一種嚴重危機，日本便是其中之一。在一九四五年，當美軍初佔領日本時，曾致力於減低其死亡率，卻忘掉減低出生率，當時日本全國人口僅七千二百萬，衛生專家在全國極力撲滅各種病源，利用預防等方法，使死亡率減少了一半。

美國公共衛生專家，且在日本作了驚人的工作，使人口的出生率，由千分之二十三．二，漲到了千分之三十四。比美國一九四八年的出生率還高得多。目前，日本的人口總額，已經增到八千七百萬，有人預料到一九七〇年，就可達到一萬萬！

日本三島所產的糧食，決無法供給這些人口，目前日本的糧食，要依賴海運輸入，如果一旦發生戰爭，海運受阻，將直接影響日本的食糧。據估計，假使敵人潛水艇，把每十艘糧船打沉一艘，日本就會發生糧荒，而如每五艘中打沉一艘，日本便會遭遇災亂，不能不算是嚴重危機。

陽光電池用於火箭

·布衣·

近代科學最重要的趨勢是如何利用陽光。科學家曉得太陽每天放射到地面的熱力等於地層包含的煤，煤油，和鈾所能發生熱力的總和。

人類若果能直接利用太陽放射到地面的熱力，那麼全球的機器和燈都可以獲得充分的動力，這並不是理想，已經見諸事實了。

根據美國卑盧電話公司的報告：他們發明了一種使用陽光發電的電池。這種電池能夠將陽光變成電流，以供人類日常的需要。最妙的，是這種電池只需要兩種物質：一種是沙，另一種是矽。（矽是泥土的重要成份）矽和沙代價很低，而且是用之不竭的原料。此種電池一經製成，即能利用陽光發電，無需增加原料，亦無需修理。

根據該公司報告，一平方尺面積電池所發生的電力足供一盞電燈的應用。該公司對於陽光發電經已試驗成功，準備於最近將來大規模製造此項電池。

陽光電池的製成，對於美國探測高空秘密的火箭，也有極大幫助，可供給其中儀器所需的電力。

洞仙歌

爲玉廬詞草題句　丁治磐

詩降爲詞，溯一些影事。蓋自六朝已然矣。儘才人，倚偏玉笛新聲，試妍手，盡是瑤華公子。消愁今日酒，景物全非，風絮烟花帶兵氣。荆棘認銅駝，嘆下何人，更省識，愁殺將意。從君去，臨水復登山，便秀句能傳，也應心碎。

歡娛的日子似乎都是短促的，當夏姬貪婪地向荆軻索取饑餓和枯渴的滿足之後的第三天，便給太子調離了賓館，沒有互道別離的時間，也沒有後期的約訂，彷彿夏姬只是一件工具，一件解決男性需要的工具，爲的是任務而來，也爲的是任務而去。

「大哥，我走了！」經過寺人的再三催促，夏姬終於檢起了幾件日常更換的衣裳，向荆軻淒然地擺了擺手！「希望有機會再見到你。」

「我也這樣希望，夏姬！」荆軻的情感變得有點麻木，說不出對於這一個供媚了自己兩天歡娛的女人存在着變念，還是存在着憎惡。

「我想，我們也許還有一個重聚的機會！」夏姬的嗓音低啞而沉重。

「機會？重聚的機會？」

「是的，大哥，在你要動身的時候，我希望能夠再來看一次你。雖然這樣的日子也短促得很，可是，只要我可以，我一定不能放過這一個機會。」

「如果連這樣的機會也沒有呢？」

荆軻這時候忽然感到一絲的蒼涼在侵襲着自己堅實的心靈。

「那末，大哥，你的影子也一定永遠永遠留存在我的心中！」夏姬的眼角開始懸掛着兩顆豆大的淚珠，像是在對荆軻傾訴，又像是在對自己說話：「如果有一天，我能夠恢復了自由的身體，我會走遍天涯，走遍海角，把你找到，在你的懷抱裏，即使我只能夠做你的一個婢妾，我也會感到無比的快樂，無比的快樂！」

「謝謝你，夏姬，但願有這末一天，但願我能夠功成歸來，相信我們的聚首並不是一件太困難的事。」荆軻不得不極力用冷靜去圍護着情感的堤防，用力地揮了揮手：「夏姬，不要再耽擱，我送你上車子。」

車窗綾質的簾幃隱沒了夏姬豔腴的身影，連揮手的餘暇都沒有，馬車已經向着昌城飛馳而去。

夏姬走後，只是一陣短暫的時間，太子的車駕又出現在賓館的大門前。太子的笑容依舊還是那末和藹而親切，只是眉頭却比幾天前的日子鎖得更緊、更深，一踏進門口便問：

「荆先生，一切都還滿意吧？」

「嗯哼！」荆軻只有含糊地報以一笑，跟着便隨便問了一句：「這兩天趙邊的戰事有甚新發展沒有？」

「戰事倒沒有甚麼？可是，消息却十分不利於燕國。」

「你是說……？」

「前天秦國逃來了一個帶兵的將官！請求我們庇護，叫做樊於期，他告訴了我們許多事情！」太子嚴肅地仰望着賓館高聳的雕梁，像是在想着些甚麼心事。（四十一）

語意學漫談

評判語句的促使運用

徐道鄰

最足以代表「評判」語句的「促使」運用者，莫過於「道德」語文MORAL DISCOURSE。道德語文者，是用評判語句來說出某些行爲是「好」的，某些行爲是「壞」的，而「促使」聽者去作那些好的行爲而避免那些壞的行爲。這些所謂「好」或「壞」，不是單獨的就某一個人的利益來講，或單獨的就某一件事情而講，而是以這個整個社會團體的利益來講。這就是「道德」語文和「批評」語文，「工藝」語文或「宗教」語文不同的地方。

因此，「道德」語文，和社會行爲是不可分開的。而既足以對於整個團體的福利之影響，作爲衡量的標準，所以一個人對於他自己的行爲和目的，有時候自己也認爲是「不道德」的。把人的行爲，不論是自己的，或他人的，就它對於社會利益的影響加以評價，這就是道德語文的中心要素。一切包涵你「應當」怎麼樣怎麼樣的語言（爲臣「應當」盡忠，爲子「應當」盡孝），都是道德語言，因爲一方面它是對於一種行爲的評判（「忠」，「孝」，是「好」的），另一方面，它的作用，是促使你根據這個評價來指導你的行爲。

一個社會團體，大體上都有它的道德標準。但是這個標準，既不一定是全體一致，更不一定是絕對準確。因爲人們對於一種行爲的「目的」，其認識有不同，對於達到一個目的的「方法」，其認識更有不同。所以有些人，在某一個時期，被人認爲是「壞」人，後來又被人認爲是「好」人，有的先被認爲「好」人，後來又被看成「壞」人，有的則在同一時期，有些人認爲「好」，有些人認爲「壞」，即如蘇格拉底，當時是以「不道德」被民衆法庭判處死刑，但是他的弟子們却認爲他是非常道德的，而此後兩千多年來全世界的人們，更沒有一個人認爲他是不道德。（六十六）

自由人
THE FREEMAN
（第四七九期）
中華民國僑務委員會
頒發登記證台新教字第一零二號
中華郵政台字第五〇〇號
執照登記爲第一類新聞紙類
（半週刊每星期三 六出版）
每份港幣壹毫
台北市售價台幣壹元
督印人：陳文華
地址：香港高士威道二十號四樓
3 rd. fl. 20 GAUSEWAY RD
HONG KONG
香港發行及事務接洽
高士打道66號 電話：七四〇五三
承印者：東南印務出版社
地　址：高士打道六十四號
海外總經銷
友聯書報發行公司
香港：德輔道中二十六號A二樓
台灣特派員辦事處
台北市館前街五十號
台灣總經銷處
台北市西寧南路壹壹號二樓
台郵劃撥儲金戶九二五二

本報啓事

本報爲慶祝國慶，下期增出特刊一張，共出紙二張，本港並增送精印國旗一面，並不加價。

洗腦能成功麼？

·丁文淵·

中共一向以無產階級自居，借無產階級來號召羣衆，它們認爲工人和農民是今日「新中國」的主人。它們最痛恨而用全力來打擊的，是知識份子。原因是：它們這一套欺騙的把戲，只能夠欺騙無知的青年，無知的工人和無知的農民。一遇到知識分子，它這一套西洋景就要被戳穿。所以它非用全力來打擊知識份子不可。然而滑稽的，就是中共上層掌握政權的一批人，如毛澤東、劉少奇、周恩來等等，無一不是知識分子，確沒有一個是眞正的無產階級。話說穿了，中共並不是眞正和知識分子過不去，非打倒不可，它們僅僅是實行它們的「排除異己」，它們必需要做到「順我者生，逆我者死」的，無人性的專制政體而已。

可是中共也還懂得，這批知識分子的內心反抗，不是可以用「殺戮」來消滅的。因此它們運用它們的「思想改造」法寶，想把知識分子的思想，澈底改造，於是所謂「民主評議」，「自我檢討」，「批評和自我批評」，「說服」，「羣衆大會」等等手法，就五花八門的表演出來。「思想改造」的殘忍，遠超過我們一般的想像之外。一九五一年洪德在紐約出版了一部「洗腦」，「思想改造」過程中的可怖性，才大白於世界；「洗腦」一詞，也才普遍爲西方知識分子所採用。然而我們留美的學生，居然還有不明眞相，受了中共的蠱惑而不悟的，這眞是一件很可悲、可惜的事實。最近——九月十七日——胡適之先生在紐約州北部的避暑勝地休根諾，應我國留美學生暑期會議的邀請，發表了一篇「大陸洗腦運動的現狀」，把大陸上知識分子，慘受中共洗腦鬥爭的荼毒慘況，描述得詳盡無遺。與會的留美學生，一共有一百六十餘人，經胡先生如此分析以後，對於中共的殘酷手段，沒有不激起共鳴。我願意將胡先生所說的，沉重的介紹如下。

胡先生認爲「洗腦」這兩個字，並不是中共自動採用的，而是一般老百姓經過這種改造，自吃足了苦頭，想出來的名詞。大約受了聊齋誌異中陸判官爲書獃子朱爾旦剖腹換心故事的影響，才用洗腦這兩個字。他以爲中共這幾年來雖然用盡心計，實施洗腦，可是它的眞正結果，「充其量不過是逼着金岳霖教授，對馬列主義和毛澤東思想，說聲『硬是眞的』，這『硬是眞的』四個字之中，就充滿着無窮的憤怒，仇恨和抗議」。胡先生更沉重聲明，這「硬是眞的」是大陸學人的呼號，也就是大陸學人的一種自由與暴力抗爭的象徵。胡先生又指出，這樣「洗腦」的運動，中共於一九四九年，已經開始實施。不過當時中共初得政權，不得不採取一種比較溫和的手段。那個時候的「洗腦」，是用自我批評和公開批評的方式，只要公開「坦白」一下自己的思想，就可以安然無事，如三十八年十二月五日北大教授羅常培就是如此。可是到四十年的十二月廿八日，北平人民日報的社論，就引用了羅教授從前未曾發表的一篇文章，來攻擊他的思想，說他還未搞通。「洗腦」運動，跟着就和「三反」「五反」，在大陸橫行了。沒有一個有獨立思想和自由意識的學人，能夠倖免於中共的「洗腦」。上述北大哲學系教授金岳霖的一句：「硬是眞的」，就是奉命研讀毛澤東的實踐論，在中共的監視鬥爭之下逼出來的。金教授當時不得不說：此前的哲學是反科學的，馬列主義在我們的思想上，應當處於領導地位。各大學哲學系，更當將訓練馬列主義的宣傳員，作爲他們的主要任務。胡先生認爲金教授被逼所說的：「硬是眞的」，就是明白表示他內心的痛苦。

以後所有的學人，都得跟着金教授，爲中共的「洗腦」所屈服，從表面上看，好似馬列主義已經統一了大陸上的思想。可是去年春天，中共又指責大陸上的文人學者，仍然沒有改變他們「反動落伍」思想的根性，因此「洗腦」運動又復發狂的橫行起來。適之先生將過去一年，中共在大陸施行的「洗腦」慘劇，分析爲三個階段：

第一就是俞平伯的「紅樓夢研究」受到了嚴厲的清算。俞平伯起初雖然會修正他這一篇名著，而受到中共的歡迎，一旦爲中共青年團團員李希凡、藍翎的發難，就變成了一個「繼承資產階級唯心論的罪人」。李、藍在山東大學「文史哲雜誌」上所發表的「評紅樓夢研究」，且說俞平伯的「紅樓夢研究」在發揮胡適的思想遺毒。對此中共機關報人民日報，就借題發揮，並指示中共的「文藝」，硬指俞平伯是胡適思想與方法的繼承者，「胡適的幽靈，還是附在俞平伯和其他一部分文化界人士的身上。認清胡適思想中的反動性，清除他的影響，是文化界當前的任務」。

接着第二階段，就要驅逐胡適的幽靈！然而胡適的幽靈究竟是什麼？胡先生認爲：中共所以急急清算的幽靈，不外是他在胡適文選自序中的一段：

「在這些字裏，我要讀者學得一點科學精神，一點科學態度，一點科學方法。科學精神在於尋求事實，尋求眞理。科學態度在於撇開成見，擱起感情，只認得事實，只跟着證據走。科學方法只是『大膽的假設，小心的求證』十個字。沒有證據，只可懸而不斷；證據不足，只可假設，不可武斷；必須等到證實之後，才可以奉爲定論。」

「我在這裏千言萬語，也只要教人一個不受人惑的方法。被孔丘、朱熹牽着鼻子走，固然不算高明；被馬克斯、列寧、史達林牽着鼻子走，也算不得好漢。我自己決不想牽着誰的鼻子走。我只希望盡我的微薄的能力，教我的少年朋友們學一點防身的本領，努力作一個不受人惑的人。」

胡先生這幾句話，當然是針對現在青年的金石良言。可是在大陸上的青年，只要稍懂了胡先生話，還有誰能相信中共所宣傳的，這種無眞憑實據謊言？這當然是中共對胡適的幽靈，不能不作一個深刻的清算鬥爭。然而中共眞能將胡適的幽靈驅逐出大陸麼？

胡先生認爲：清算胡風是「洗腦」的第三階段。胡適認爲中共雖有若干自由氣氛，然人民日報和文藝報之間的派系鬥爭，才是這一次清算的重要因素。胡風在抗戰以前，上海左翼作家的聯盟，很受魯迅的器重，他們兩人在風格上，也確有相似之處。今天胡風受到了清算，如果魯迅不死，恐怕也難倖免。只有他的早死，才能不做中共「洗腦」的犧牲者。

適之先生又指出：去年四月份，在「文藝報」胡風事件發生以後，曾發表了胡風的一篇長達四十餘頁的，關於文藝界思想問題的自白書。到了五月十三日，「人民日報」指責胡風的自白書是虛僞的，同時發表了胡風許多私信，證明胡風的眞實思想意識，才搜集胡風先後發的私信一封一封的發表，中共把它全部發表了八十一封信。胡風致路翎的信中，有謂：「這個僵屍統治的文壇，我們咳嗽一聲，都有人來錄音檢查。但我在磨我的劍，窺測方向，到時候，我要把頭顱拋擲出去，把那個臭的……擊碎」。中共當然根據上述內容，認胡風爲反動，胡風被補，雖然現在還沒有下落，可能。適之先生則推測，胡風已被殺害了。

胡適之先生這一篇演說，說明中共雖用這種殘酷的方式，對大陸上的知識分子施行「洗腦」，所得到的結果，並沒有說服他們，僅僅能夠將知識分子的信仰壓制，而使他們充滿了憤怒、仇恨；金岳霖教授的一句「硬是眞的」，就是無言的抗議。而中共也爲「洗腦」而犧牲，做到了一種臣服，而沒有做到眞正的信服，「洗腦」是一種像溫和的手段，把他們的胸懷堵住，還要「命」？你還有可以自由？這清楚的證明「洗腦」是不足以證明中共的失敗麼？

前十一次中共「解放軍」的戰俘，曾有人說：「寧願留在大陸受中共裁判，不回……」「洗腦」是失敗的……

中共大專教育的失敗

李金曄

大陸上的大專學校是在九月中旬開學的。根據中共的「高教政策」分析，這一學年的工作重心是：第一「提高師資保證教育質量」；第二，「在中共各地黨委統一領導下，分批分期地肅清一切暗藏的」反共分子。

中共幾年來一直對外宣傳自詡其高等教育是如何地成功，以學校多，學生多爲宣傳主要內容。但實際的教育工作，卻爲其粗製濫造的罪惡所暴露了，證明其完全失敗，故不得不喊出要「提高與保證教育質量」的口號。

技術人才到處缺乏

中共大專教育究竟失敗到何種程度呢？可以用中共「高等教育部」計劃司司長一張宗麟的自供來回答。他說「根據對八個工業部門技術幹部調查，……絕大多數的廠礦感覺技術人材不足，尤其是能夠獨立解決生產技術問題的高級技術人材不足」。爲什麼會不足呢？他的答案是「工科的本科畢業生照理可以做助理工程師，但目前情況，只能做一般的技術員工作。至於專修科畢業生的質量，就更差些」。

又據中共「第一機械工業部」今年二月間在華東、東北四十九個工廠調查的資料爲例：「在上述工廠的工程技術幹部中，一九四九年以後畢業的高等學校和中等專業學校學生，佔工程技術幹部總數的百分之五四、三，其中共產黨員和青年團員佔百分之四六、六，幾年來提升爲助理工程師和技師的畢業生，只有畢業生總數的百分之〇、七五」！這數字實在小得驚人了。

由於畢業生程度低劣不能勝任工作，又接受了分配的廠礦單位，既不敢批評，又不能「退貨」，對於這大批大批的不夠格的大學生，就感到難以處置了。大多數既只能做一般的技術員工作。因此，有的就只能調派到收發，管卷或管理「文化宮」、「俱樂部」崗位上去了。也因此，造成了廠礦方面不斷反映人材不夠，和另一方面大專學校拚命粗製濫造「人材」的惡劣現象。廠礦寄幻想於「用數量來抵補質量」，於是往往所要的人數超過了實際需要，竟使中共「高等教育部」難以供應了。張宗麟雖對這種惡劣現象形容爲是「惡性循環」，但他卻又狡猾地推諉責任，說這種結果是「因爲要的數量多，高等學校只有大量招生，質量也勢必愈差。」

政治思想爲錄取條件

其實造成這種結果的主要因素，是一個政治問題。

中共大專學校錄取新生的主要條件是要政治思想可靠，但政治思想「可靠的」卻都不是功課好的學生，再加上統一招生和統一分配，每年按「計劃」，將學生納入一定的系科，而不顧學生的志願和興趣，學生團員失去自由選擇，再經過了政治篩選大量進入高等學校後，組黨、搞團，政治活動凌駕在學業課程之上，他們就成爲寄生在學生群中的「政治警察」了。畢業之後仍是個不學無術的「特警」。這就是造成大多數畢業生在廠礦對業務操作無法勝任的主要原因。

時事述評

·李秋生·

又一次民意測驗

每年十月初旬，在港九照例是一次測驗民意的機會。因爲港九是自由地區，民意的表現純任自然，不受外力作用；因爲港九已成大陸各省逃亡者的尾閭，此間的民意表現，可說是大陸民意的縮影。

六年以前，在當權「起義」高唱入雲聲中，我們曾在雙十節看到國旗與汚腥旗約略相等的怪異現象。然而最近幾年間，十月一日的僞國慶一年比一年冷落，雙十節一年比一年熱烈。不久以前，曾聽說中共使者四出遊說，要拉攏各方人士赴大陸「觀光」並參加十月一日大慶典。然而結果只有幾個久經籠攏的冷星偷偷摸摸的進了竹幕，四天前此間的實際情形更爲有目者所共睹。可見儘管國際間有若干政客大大替中共盲目亂吹，到底還是中國老百姓們的眼睛雪亮。

目前在聯合國，曾有人提及在中國大陸舉行公民投票之說；其實歷來國際間的公民投票，從來沒有一次是居民絕對自由的發揮意志，至於鐵幕之內，即使眞能舉行公民投票也更是徒勞。到是本港民意的表現，是眞正的自由意志表現，值得全世界重視。

法代表退出聯大

爲了聯大以一票的多數通過討論阿爾及利亞問題，法國認爲是干涉內政，立即揚言退出聯合國，並撤回全部出席的代表。這是聯合國十載歷程中的最大挫折，其影響遠非過去蘇俄濫用否決權與退會可比。

阿爾及利亞問題本身並不簡單，阿剌伯土著的民族要求値得同情，但是暴亂之來顯有國際背景，其軍火來源可遠溯到布達佩斯。法政府的統治政策也並不高明，至今未脫出十九世紀殖民政策窠臼，然而在法理上阿爾及利亞卻是法國的「本土」，在兩院中都有該地選出的議員。聯合國憲章上規定只管國際間和平安全，「不得干涉在本質上屬於任何國家國內管轄之事件」（見憲章第一章第二條第七項）。國際國內之辨，在今日本雖難截然劃分；但聯合國過去對蘇俄之侵併波羅的海三小國，殘酷鎭壓伏爾庫拉叛變，南非施行荒謬無理的種族隔離，聯合國都從未過問，此次卻單要辯論阿爾及利亞事件，無怪法人氣憤不服了。

聯大不是不可以辯論阿爾及利亞問題，但辯論的主題應該是暴亂的國際背景，而不應涉及法國的政策。可惜連法當局也見不及此，而只顧遷就頑固的殖民主義者，不知那一套早已不容於今日的世界。

一個基本的矛盾

現在俄共正以絕大陰謀分化中東，擴大暴亂，這是今日從西北非洲到西南亞洲的中心問題。相形之下，種族與國家之間的恩讎，少數特權階級的利益，都該放在第二步去考慮。法國以此遷怒到聯合國，儼然是過去維辛斯基馬立克的退會手法，除西歐保守人士外，無人會寄以同情。但這還是比較膚淺的看法。

一個國際機構的堅強有力，必須以每一會員國都肯在必要時犧牲一部分主權爲前提，此義已有多人加以闡明。那又必須各國間都肯推心置腹互相信任纔能做到。自從蘇俄肆行運用擴展侵略陰謀，自由世界各國也不能不強調國家主義立場以求自保，聯合國存在的基礎已大爲削弱。此次法方舉措固不足爲訓，但又有那一國肯犧牲本國利益或主權一服從聯合國的決議？這種情形不變，聯合國的衰落是必然的。這罪魁無疑是蘇俄。厲行國家主義，清除國際主義，都是蘇俄作倆。現實情形如此，試問聯合國除提供冷戰戰場作用而外，還能發揮什麼積極性的機能。

從艾森豪的病：看美國大選

·江濤·

海外通訊

大選前途形勢不變

美國下屆總統選舉，按例將於一九五六年的十一月舉行；而各黨的競選運動，則將於明春三月正式開始。然各黨爲競選而進行的準備工作，則早已開始，例如共和黨全國委員會之預訂電視廣播時間，民主黨領袖德沙波之替哈里曼暗中部署人事等等。

共和黨內部意見紛歧，人所共知，然在艾克患病前，關於該黨提名總統候選人的事，似乎沒有問題，因爲大家一致認爲非艾克莫屬。非艾克不足以和民主黨抗衡。可是，艾克本人雖從未表示其是否再度參加競選，而由於黨內絕大多數人都早已把希望寄託於他；[illegible]，艾克一旦病倒，共和黨內部的提名發生了問題，同時大選的形勢也起了重大變化。

美國的大選，按慣例及憲法規定，是先由各黨各自舉行各地方的預選會，選出黨內提名的總統候選人，然後舉行全國代表大會，在各提名候選人中，決定最後正式參加大選的正副總統候選人各一名，同其他各黨提出的正副總統候選人競爭。

一九五二年大選前，兩大黨參加總統提名競選的，共和黨有艾森豪、塔虎脫、史塔森等人，民主黨有史蒂文生、凱福佛爾、哈里曼等人。結果是艾克和史氏分別當選爲總統候選人，最後艾克擊敗史氏，當選爲美國第三十四屆總統，使共和黨於在野二十年後，重握政權。

共和黨中意見分歧

共和黨執政三年來的政績，並不太令美國人滿意；然三年的國際緊張局勢表面之趨和緩，大大地增加了艾克的個人聲望。我們可以這樣說：如果艾克不病倒，如果他決心再度競選，下屆總統，他是很有希望的。可是，他現在病了，病得不輕；即使完全康復，病後的體力和他的年齡，都將阻止他「重作馮婦」。

共和黨內可以獲得或者希望獲得提名出任總統候選人的，據一般推測，有副總統尼克遜，大法官華倫，參院發言人諾蘭，前紐約州長杜威，財長亨佛萊和國務卿杜爾斯。

尼克遜少年英俊，在艾克一手扶植之下，不僅獲得很多實際從政經驗，而且爭取到相當高的聲譽，在黨內提名大會中，如果艾克公開支持他，他很有可能獲勝。但在全國範圍內，他的聲望，遠不及民主黨的幾位可能候選人。

華倫爲一老政治家，現年六十四歲，頗有聲望。但他的身體健康不好，曾表示願以大法官終其身，不願再從事政治活動。

諾蘭和尼克遜相反，爲保守派所擁護，自由份子派所反對。在東西緊張局勢正趨和緩之際，厭戰的美國人，對他不會有好感，即使他在分裂的黨內幸而獲得通過的話。

共和黨自塔虎脫死去，杜威消沉，加上艾克病倒以後，除華倫與尼克遜兩人外，可說是沒有第三張王牌可打出。有人考慮到杜爾斯和亨佛萊，然就目前情形及兩人地位來看，這一可能性是很少的。

民主黨內人才濟濟

反之，民主黨方面，卻是人才濟濟，且各有所長，無一不是共和黨的勁敵。上次和艾克抗衡的史蒂文生，脫離實際政治雖已三年，而聲譽迄未稍衰，他的精明幹練，人格風度，都稱得上第一流政治家。上次大選雖以少數之差敗於艾克，他對白宮的野心，從未放棄。民主黨如果最後仍拉出他來，尼克遜或諾蘭要能擊敗他，那將端視國外局勢的轉變了。

在民主黨內，史氏的勁敵是凱福佛爾，因爲他在選民心目中是一個揭發黑暗，爲平民說話的英雄，是一個出身民間，實際政治家。在預選會中，他幾乎有百分之九十的把握擊敗史氏；可是，如果史蒂文生真的失敗，現任紐約州長哈里曼一定會出馬支援史氏，或者自己競選，如果用中國評語來說，史蒂文生是得「天時」，則哈里曼得「地利」，凱福佛爾是得「人和」。然不管三人在黨內競選的結果如何，他們之中的任何一個獲勝，都會使共和黨不易應付。

此外，參議員詹遜也有可能出山，不過他現在和艾克一樣，正在養病（不久前患心臟病）。杜魯門最近曾大肆攻擊共和黨，似有捲土重來之勢，惟此公年逾七十，而火氣未消，在選民心目中，已失去聲望了。

目前兩大黨的形勢，大致如上所述，未來發展如何，主要仍將取決於國際局勢。

西伯利亞須譯鮮卑利亞

·吳宗嶽·

三，思田先生所指之鮮卑，乃東迄滿北胡之間狹義之鮮卑，故有所謂『最早活躍於「西伯利亞」者首推丁零、匈奴』之語。其實鮮卑即夏、即獯鬻、即獫狁、即匈奴，黃帝與舜，皆鮮卑人，其牧鄉史居「西伯利亞」。鮮卑式微，乃有突厥，蒙古代興，惟鮮卑版圖祇小於蒙古而大於突厥，韋爾斯世界史綱謂北魏擁有「西伯利亞」大部份，嘗吸收中國文化，由其勢力而使中國貿易及知識遠達北極一帶，足引爲證。至其影響於中國，則較突厥、蒙古遠甚。故以鮮卑名「西伯利亞」，並無不當。縱退一萬步，如思田先生所云：鮮卑最盛時不過佔據「西伯利亞」一小部份，認爲北邊大患，代有所出，不能以鮮卑一族，概括全「西伯利亞」。然則試問：「西伯利亞」能以區區一失必兒汗國而得名通用於千古，獨不能以千百倍於失必兒地盤之鮮卑一詞統名「西伯利亞」耶？

四，鮮卑族活動範圍在今東北與「西伯利亞」，一度曾擴及黃河流域，今「西伯利亞」之俄人，皆鳩佔之斯拉夫族，固不足論；其土著則均滿人與蒙人，此與我國滿蒙二族同宗同源，文字語言，生活習慣，信奉宗教，了無差異。拉鐵摩爾LATTIMORE曾有一謬論云：在中俄兩國之間，可各劃出若干萬哩以爲緩衝，而不影響兩國之領土與民族。蓋即指滿、蒙、新、中亞、「西伯利亞」皆滿蒙回族世界之意。惟滿蒙回族與斯拉夫一爲黃種、一爲白種，風馬牛絕不相及；而滿蒙回族與漢族五千年來相爭相鬥，卒歸融和同化，成爲中華民族血緣中之一份子，洵爲顛撲不破之事實，故「西伯利亞」乃中國之民族領域。加之漢唐明清曾統治「西伯利亞」局部，北魏、蒙古曾統治其極大部份，先後垂千年之久，是「西伯利亞」又爲中國之歷史領域。惟須附註者，在歷史上「西伯利亞」未曾屬於中國版圖之極北凍土地帶，亦仍爲鮮卑始土著所居，與俄帝斯拉夫族毫無因緣。

五，鮮卑王朝（北魏）乃正統王朝，其原因：

（一）魏收之北魏史與李延壽之北史俱爲二十五史（正史）之一；

（二）歷史上北朝與南朝對稱，故在正統上彼此應平分秋色，若以北魏爲異族恥列正統，則元、清何以當之？

（三）北魏以異族進據中原，一時士大夫因其非我族類，羞與爲伍。此種觀念，在當時猶可謂正確，但在千餘年後之今日，漢民族經歷永嘉、靖康兩次大變，血統早已混雜，今黃河流域居民，咸有胡人血液，可以斷言，故異族因素已不復存在。本來民族大混合，始足以產生高度文明與優秀品種，人非作物，純系未必佳良，雜交始克盡善。今我國五（宗）族一體，只有中華民族，別無所謂漢滿蒙回，若欲劃分涇渭，標榜歧異，是易啓強鄰非分之思，中其分化之計，不啻千古罪人。美利堅以民族大熔爐而雄視寰宇，具高度文明，便是一例。若因其蠻夷而遭鄙棄，投以不屑眼光，則羅馬時代之蠻族，正近世睥睨全球之日耳曼人；素爲希特勒蔑視之斯拉夫族，正今日惟一足與美國爭雄長者。思田先生其亦鑒諸！語云：知彼知己，若以恥學鮮卑語之精神，從事反共抗俄大業，是猶不識原子彈而侈談現代化戰爭，危險孰甚！

夫人有智愚、勇懦、仁賢、奸惡之分：懦者無史，愚者昧史，仁賢正史，智勇創史，邪惡者刼史，奸詐者玩弄歷史，以欺騙國族人民，並及天下後世。是故創造歷史，造福國族人類者，實少數人倡導以竟其功；而玩弄歷史，禍亂國族人類者，亦少數人鼓惑逼迫有以致之。思田先生其亦能袪其標新立異之說，不爲親痛仇快之論，齊一步調，共張撻伐於解放鮮卑之舉乎？（八月二十一日脫稿於台北江山樓）（下）

我所看見的蘇俄

·美科學家陶奇博士著·

一個人訪問蘇俄，會得兩種不同的矛盾印象，一面是一個現代化的蘇俄，有良好的設備和高度發展的工業，生產汽車、飛機、坦克、和原子彈。另一個是落後的蘇俄，它過着原始水準的生活，有資產階級的氣息，辦事效率的低弱。像莫斯科那樣的城市中，就能見到這兩種現象，在市中心，可以發現現代化的寫字樓，和一棟一棟新的建築物。但是你只要走過一個庭院的門口，在建築物的後面，就可以發現百年歷史的老房子，好像兔子棚。

我們問過一羣學生，他們信不信美國是戰爭販子？他們異口同聲的回答「不是」。他們抱怨美國政府的「侵略政策」，尤其是「有錢的美國資本家」。他們人反問我們爲什麼圍繞着蘇俄建築基地，我們爲什麼打北韓。我們的交談，有時很激烈，雖然大家都無惡感。他們認爲我們政府不是代表美國人民的，他們這種觀念，是中了報紙宣傳之毒。但他們雖然以南韓攻擊北韓，你和四五個學生及其他人士談到這事時，他們倒並未提起美國進行細菌戰」的問題，這是一件有趣的事。我們認爲，這是因爲他們並不真正相信，才未提起。

我們遇見過幾個俄人，他們不僅批評，而且公然反對政府。有一天午飯時，一個年青的俄人同我們坐在一起，說到他聽美國爵士音樂和美國之音，談起來口沒遮攔，越說話越多。我問他學業有了成就時，要在什麼地方工作，他說：「莫斯科很好，列寧格勒更好，里卡亦不錯，但最好莫過於美國。你知道，在這個國家，討厭的是，你說了些什麼話，就可能被關進監獄。在你們美國，你卻須做了什麼事，譬如偷了東西，或者殺了人，才會得關起來，他們不能因爲你說了什麼話，就這麼辦。在這裏，你只要說了什麼話，就可以被關起來」。

在這個餐室裏，有一羣中國人，坐在靠近我們的桌子，使我們驚駭的是，有一個青年人說起在集中營唱反共歌曲。他說他如果在餐室裏唱這支歌，便要坐監廿年。

蘇俄在過去二十五年中，已產生了一種層次不同的社會金字塔。農夫和不熟練的工人，蹲在底下，享高薪，掌特權的那些幹部高踞在上。一個老的工人，對這情形說得很妥切，我們問他蘇俄情形怎麼樣，他說：「對某些人是好的，對某些人卻不好，正如革命以前一樣。」

蘇俄的報紙是非常單調，枯燥的，平日是四頁，第一頁登載官方新聞，命令，勸獎的領袖，及社論。第二頁是討論鼓勵經濟發展，或自我批評，第三頁有幾篇書籍、電影、或藝術的批評，及其他補充材料，第四頁刊登國際消息。蘇俄報紙也登載有關人物的消息，但這些人物以有政治意義的爲限。

報紙所記述的領袖們的活動，都是官式的活動，不涉個人，報紙從不把他們當個別的私人看待。報紙也不時把打破生產記錄的某些工人或拖拉機手工捧一下，這是有組織的增產運動的一部份。這類文章倒也有關於私人的描寫，但祇被利用於達成宣傳目的。它們從不報導社會上的意外事件，認爲這不是新聞。蘇聯有一個新聞觀念，與美國完全不同，就是「報紙爲共產主義鬥爭的主要武器」。我們聽到一個大學教授對一羣新聞系的學生說：「新聞必須用以促進在蘇聯的共產主義社會的進步，才成爲新聞」。

蘇俄許多教堂都已棄置不用，但有些古老的教堂正在修繕。還有一些也仍利用，據說去教堂的都是老人，我們有一次看到的，有三百人去做禮拜，但祇有十個八個年青男女，和十幾個小孩。當第二次大戰期間，俄人的宗教興趣一度復活，但我們看來，現在是日趨衰落。蘇俄的宗教已只靠老年人在維持着，青年人跟我們談起來，嘲笑宗教信仰。學校的感化是反宗教的，一個教員即使虔誠地信教，他也不會用宗教去影響任何學生。（矜式節譯「美國新聞與世界報道」）

葡·法·之·行

·奔流·

【本報特約通訊】今夏我利用假期的時間，由我求學的地方馬德里出發，到西歐走了一轉，這一次，以整個西歐而言，我先去葡萄牙一周，然後，再從馬德里出發，前後四十天的時間，把法、比、德、荷、瑞士及義大利，走馬看花的旅行了一圈，論路程大約有好幾個千公里，論地方，它亦正好代表了整個西歐的土地，不算太大，也不算小，正可看見歐洲的雛型。

我們訪葡之行，是我國留西同學會主辦的，其目的是因爲我留西同學，百分之九十以上是公教信徒，有宗教信仰的人，對於「朝聖」一事，當然明瞭其中之奧義，所以訪葡之動因是「要」到法地瑪去朝聖」，其次，順便利用這個機會，在我們的國民外交上多少做一點工作。這一切，無論那一方面說，都不會沒有意義。可是，事後卻有些感想，值得一提。（一）中國留西學生集體訪葡，希冀於他邦文化有所認識，並且與別國之青年的有所聯繫，是自動自發的國民外交，這種精神是可貴的。（二）令人遺憾，就是對於同學申請旅行之集體護照簽准——葡國政府之簽准——由同學會自己申請獲得。這一點，對我駐在地之使節，是一個很大的諷刺，爲什麼正式的外交官連一張「集體簽准入葡境」之證明都不能獲得，反而由這些無名小卒的老百姓做成功？這是很可惜的，在今日這個生死存亡的片刻，馬虎，拖延，擺官架子一類的作風，是要不得的；對於這件作風，我的話只說到這裏，繼續寫下去就，亦是無用。祇希望我國駐外官員會深自檢討一下。

至於我們在訪葡期間，以在里斯本的數天爲例，多少還算不錯，因爲我們的訪問是非官方的，所以葡國政府亦是間接的以學生和我們聯絡，里斯本大學學聯會代表及葡萄牙青年團——一個屬於葡國教育部之教育青年機構——負責人，對於我們頗爲盡了東道之誼；我駐葡王公使，這次亦爲我們幫忙不少，極盡招待。像這樣一個單純的訪問團，對葡國青年代表們，也頗感到意外，因爲在這個國家和在西班牙是差不了多少，他們除了知道澳門這個地方外，對於中國的一切情形，知者甚鮮，這一方面亦與他們自己之教育水準有關；但在另一方面我們自己亦得退想，他們爲什麼不認識這個東方文明古國？這個問題，顯然不是易找到答案的。

巴黎，這個名字是多麼的有吸引力和帶有誘惑性，擲住他的人，有不知千萬，誰都認爲有認識她的必要，事實上它也永遠是旅行的人的目標。從馬德里到巴黎去乘火車要廿四個鐘點，由於交通工具的改善，一切並不怎樣煩人，不過，長途跋涉，亦頗不好受，尤其是從馬德里到西班牙北部邊境這一段爲然。過了這一段，踏上法國之國際列車後，[illegible]

八月五日晚上十二時許，巴黎在夜色蒼茫中抵達了，與我同行的有四位同伴，另外來接我們的有一位友人，已經在車站的「月台」上，故友重逢，另有一番滋味，使我掛在心中的一些瑣碎問題，迎刃而解了。

偽國慶浪擲港幣六十萬 兩面作戰敗得奇慘

共產黨曾以兩個月的時間和六十萬以上的港幣投資在這一次「十、一」的所謂「國慶」，可是所得的收穫，卻出乎意料之外的悽慘。

我所說「出乎意料外」，當然是指中共的嘍囉他們的。

民心向背 銀彈無效

比如說，中共負責游說香港工商文化人士返回大陸「觀光」的計劃，開始時就遭遇了挫折，他們用盡了一切辦法，引誘香港在他們認爲「中立」的甚至「死硬」的僞領進入大陸，他們用銀彈投向新聞界，且提出能夠「安全地」歸來，甚至歸來後不必撰述甚麼觀感之類的優厚條件。祇要能夠有一人在這些條件下返回大陸一行，他們的任務就算完成了。然而，新聞界人士，並不是銀彈所能夠打倒的，誰相信這些向來言不由衷的嘍囉們，他們又有什麼資格去保證他人的安全呢。

雖然這些嘍囉們還嚷出了什麼「國際採訪新聞自由」的大道理，不過，關於這一方面，他們一開始就注定了失敗。

在工商界，他們經過一番努力後，表現也是非常悲慘的，中華總商會公開否認了曾經派出九個或十二個代表北上，雖然有一、兩個靠攏的商人自負責任，偷偷摸摸地經過澳門進入大陸。可是這麼一來，曾變戲法的人，也都無所施其技了。

女伶潛行 賣座慘跌

中共所能得到的是什麼呢？「小撮早已靠攏的所謂「藝人」，一聲不響的潛入大陸，沒有一個香港的僑胞對此會感到驚訝。這些人能夠做出點什麼來呢？一個叫紅綫女的女伶，當鬼鬼祟祟的入了大陸後，她主演的影片賣座力開始慘跌，適向美洲「賣花」的一部片子，也給人要求退回訂金了。

有人說，今年在海外的嘍囉們因爲要「兩面作戰」，所以力量分薄了，但是兩個陣綫都遭受了慘敗，卻不是他們所想像得到的。

「兩面作戰」這句話，將怎樣解釋？一方面，這些嘍囉們要拉一些人進入大陸；另一方面，卻又要把香港的場面搞得好看一點。

中共把從人民身上刮來的錢，肆意濫化，能夠用錢的地方，他們都用了，像極力誇張門面的佈置和大請客一套手法等，但有許多地方，卻是有錢也沒有用的。

場面冷落 聽衆木然

一個曾被邀參加所謂「港九新聞出版界慶祝大會」的外國報紙記者說：「一切都不是如事先所想像的」。

這個記者以爲共產黨的集會總是守時的，可是當他依時在下午四時趕到「金陵酒家」，場面上十分冷清，二十分鐘後，才有三百名二十歲左右的青年點綴着會場，某報的督印人會以一個多鐘頭的時間演述「祖國」的生產如何「偉大」，可是台下的青年對此似乎並無所知，他們祇知道聽到「毛澤東」這三個字時，便機械地鼓掌。在台前約有二百個席位，原是留給被邀的「貴賓」的，可是「貴賓」中，祇有一個叫包××的，比較爲記者所熟悉，其餘的「貴賓」祇好由「籌備委員」濫竽充數。

這一個記者還說明的，有一點是應該聲明的，就是大會的負責人必須感謝這三百名不知是何時請來的青年人，因爲他們的到會支持了這次集會的舉行，如果沒有這三百人，這個會延至什麼時候才開得成，無法估計。

「愛國」代表 英語對白

一個集會是如此冷落，其他的集會又何嘗不然。在另一個集會上，許多人都木然地坐在一角，聽着台上一個非常「愛國」的中國人，卻用英語大講一輪。大家坐在那裏，都不知道這位先生究竟說些什麼。直到這位先生用半鹹不淡的中國話，喊了一句「中華人民共和國萬歲」後，大家才恍如從夢中醒來，知道是完了，循例鼓了一輪掌。否則沒有這句口號來收尾，大家不知要受罪到什麼時候了。

這個先生似乎很感滿足，顯然認爲他們所說的這句話，比起他們全部「英語對白」來，畢竟還有點「中國腔」呢。

勞工跳樓 腰鼓無聲

「十、一」的集會如此這般地過去了，中國酒家樓頭，靠攏銀行的中國實業銀行的工人黃崇幹，因爲接到家鄉的壞消息，連「腰鼓」也不表演了，卻演出了跳樓斃命的悲慘一幕。

在中共看來，這是不夠悲慘的，最使他們難堪的，該是「十、一」這一天，港九懸出的僞旗數字，據報界的統計，在香港區，全部大小祇有一百七十八面，整個九龍半島得八十一面；由北角到西營盤，這橫貫港島心臟的大道上約八千家商戶中，祇得一面；在住宅區裏一面也沒有，懸旗的祇有幾間靠攏銀行的商戶，和工會，若以港九兩地二百多萬的僑胞的人數與戶口做比例，懸出僞旗的祇有百分之一弱。

中共對這次「十、一」，用盡了一切力量來鋪張與渲染，可是，卻得到這樣的後果。這就是二百五十萬港九僑胞對中共「十、一」無言的答覆：「我們憎恨的是什麼！我們喜愛的是什麼！」（柯）

港督赴平度假

港督葛量洪爵士夫婦昨日赴北平渡假去了，香港人對港督此行雖然沒有提出很尖銳的評論，但多對這一次的決定與選擇，感到相當意外。

固然，北平對於港督夫婦是有着一頁緋色的，羅曼蒂克的回憶的，但此時此地，儘管倫敦方面否認和沖淡港督之行的意味，香港人依然對港督的赴平有着冷靜而異常的興趣。

香港人暫保留對這一件事的評論，乃是基於現實環境的條件，但至少有一家晚報，已公開表示對港督夫婦選擇北平休假地點感到迷惑。

目前，香港人有一個共同的信念，認爲港督之行並不影響到香港今日的安全與地位，因爲最近訪問過香港的英殖民地部大臣關諾斯波德曾坦直強調，英國無意放棄香港的地位。

同時，港督的言行素來是反對共產主義的，他對共產主義並無好感。有人以爲，港督這一次赴平渡假，容或尙有其他意義，但從倫敦及香港的官方聲明看，這只是一次尋求事實的旅行，也有人以爲此行將有利於中共，但，我們不能忽略了港督是一個熟悉中國問題的人，他並不像一般訪問大陸的外人容易爲中共所惑，同時，他經常在香港接觸數以萬計的反共人士，他瞭解中共的深度，是很易猜想的，因此，港督此行，很可能以其銳利的目光，將其在中共區所見所聞的實況，參考倫敦報告，作爲英國對共政策的參考資料，在這一點上，港督此行是確有他的價值的，以一般情形來說，香港市民是正以冷靜的態度等待港督夫婦渡假八日歸來。

謠言震撼中共政權

上海女校，血手執字條：「共黨必垮」；辮子造武器，可以「解決台灣」；一聲船隻被徵，食鹽搶購一空；紅毛野人出世，見人便吃……

胡希

每當人心惶惑的時候，總是謠言紛紛。謠言有各種各式，有些謠言是謠言；有些謠言是經誇大渲染而產生，多少還帶着一點實際的成份；有些謠言則完全是無中生有，毫無事實根據，用廣東話說：是「離譜」的。

照理說，這種「離譜」的謠言，總會自然消散，然而今天大陸內的情況卻不同，許多希奇古怪的謠言，不但廣泛流傳，而且主要是流傳在大城市的知識份子之間。這正足以說明大陸內知識份子的苦悶和惶惑。

一個月前，上海「解放日報」登載了一篇肅清「紅手」謠言的文章，後來「人民日報」也轉載了這篇東西。

女廁見血手 共產黨必垮

「解放日報」說：上海培進女校的一個高中生在廁所內見到了一隻沾滿鮮血的手，手上拿着一張紙條，這個女生當場就嚇昏了。於是，關於「紅手」的故事就迅速從培進女校流傳開來。幾天後，全上海大中小學都流傳起這個「謠言」來，流傳在復旦大學的「謠言」說：這隻紅手上拿着的紙條寫有「共產黨必垮」的字樣；第一醫學院學生說：這張紙條寫的是「共產黨明年離上海」；其他的說法不下數十種。有些中小學學生，爲了「惡作劇」，把紅領巾套在手上，到廁所去嚇同學，於是，這個謠言流傳得更廣泛了。

且不論這隻「紅手」確有其事還是那個培進女生一時的幻覺，總之，在復旦等大學產生的謠言，充份表達了青年對共黨的憎恨。

人髮造武器 女學生喪胆

另一個謠言，是載在今年第十八期「中國青年」雜誌（九月十六日北平版）上的關於「剪辮子」的謠言。據說在去年十月間，武漢市一些中小學校中流傳着這樣的謠言：「人髮可以製造武器，政府號召有辮子的同學捐獻頭髮，支援解放台灣。」並且恐嚇說：「留辮，留辮、腦袋兩半。」這個謠言流傳得很快很廣，廣州、天津、北平等都發現了類似的謠言。有的女學生聽到這謠言後，因爲怕剪辮子，晚上就不敢出門，並使許多人對「人民政府」發生了懷疑和不滿。

這個謠言竟發展到如此嚴重的地步：天津一個中學校的黨團組織信以爲真，由團組織召集學生會執委會議，籌備召開全校學生大會，號召同學「捐獻頭髮」。

共黨對這些謠言的態度，先則是抱着「無所謂」的心理，甚至抱着好奇心理，到處打聽和傳播各式謠言。他們以爲：「國民黨幾百萬軍隊都被打垮了，難道幾句謠言還能夠把他們變回來？」稍爲看得嚴重一點的，也只認爲「只是少數無知之徒，在播弄是非，說長道短，起不了多大破壞作用。」

但現在，由於各種各式的謠言此起彼落，嚴重地影響了生產和軍民、黨與非黨群衆之間的團結，因此共黨完全改變當初對待謠言的輕視態度，一度而爲採用高壓手段，不但窮根追源，把首造謠者槍斃示衆，並且把一切傳播謠言的人都判處一年以上五年以下的勞動改造。

食鹽遭搶購 共幹告丟官

譬如最近在毛澤東的老家湖南湘潭，發生了這樣一個謠言：「政府要解放台灣，船隻都被徵用，食鹽不能來了。」於是，大批鄉民爭購合作社內的食鹽，食鹽存量原本不足，一經搶購，頓時售罄，這樣就更引起鄉民的恐慌，有的就跑到長沙去搶購，使長沙市面也大起混亂，湖南省合作總社社長因此被撤職。

去年年底，浙東地區謠傳「共產黨調來五十萬軍隊準備南下渡海，攻打台灣，軍糧非常緊急，老百姓別再想吃米了。」這謠言造成糧食搶購，合作社因無法供應，引起數十個鄉的農民暴動。結果迫使共黨眞的調來大批軍隊鎮壓，而鄉民更深信當初的謠言是正確的。直到今年八月，共黨仍在不斷撲滅浙東地區「一貫造謠破壞的反革命份子」。

紅毛野人來 見人卽吞噬

今年三月間，湖南發生這樣一個謠言：「去年大水，今年大旱，紅毛野人出世，見人吃人。」使無知的鄉民不敢下田生產，互助組無法開會，使春耕無法完成預定任務。

這樣看來，即使是最「離譜」的謠言，也是能夠產生一定作用的。主要原因當然是因爲六年餘以來，在共黨愚民政策下，大陸人民，特別是農村羣衆，普遍變成了不會運用頭腦的呆子，他們必須無條件接受共黨的每一句話，當然也造成他們以同樣的態度去接受謠言，這樣，就爲一切謠言開闢了決口。

僑胞歡送子弟返國升學

這是今年第一批香港僑生返國升學的擠擁情形，在碼頭上，與僑生和親友們殷殷道別，家長噓寒問暖，揚溢着歡欣情味。這些僑生許多都是本港僑胞的子弟，他們的家長對子弟們這次能夠返國升學都感到莫大的興奮，有一個叫劉潤九的僑領就曾經爲他的兒子考入台大而舉行慶祝舞會，還邀請新聞界參加。

中共的爭奪戰

「第一號理論家」是誰？

誰是中國共產黨內的「第一號理論家」？這問題在過去兩三年中，一直得不到結論，最近似乎是澄清了。

如果認爲毛澤東是中共「第一號理論家」，那簡直是笑話。除了黑格爾學說以外，毛澤東對哲學的知識是極膚淺的。即使對馬克思列寧主義，他也不能算是精通。正如胡風集團的人說：「新民主主義論」只能當作「高中學生課餘的必讀的近代文藝讀品之一。」

陳伯達和胡喬木，只能算是毛澤東的「理論顧問」和理論問題上的發言人而已。稍夠得上「理論家」資格的，應當算是艾思奇。在以往兩三年中，特別是在一九五二年把列寧的「國家在過渡時期總路線」的理論販運到中國來時，艾思奇儼然被大家認爲是中共的「第一號理論家」。

當時艾思奇担任中共最高理論學校「馬克思列寧主義學院」教授。而「馬列學院」的教務長，當時是由剛從莫斯科歸來的楊獻珍担任。楊獻珍是在一九二八年七月中共第六次全代大會後被派赴莫斯科學習的，直到一九五二年才回國。曾在共產國際領袖之一，前保加利亞工人黨總書記季米特洛夫手下工作過四年。

去年十一二月間，艾思奇受到了批判。除了他的「農業集體化與工業建設平行的發展」的理論受到批判外，他的私生活引起非議。陳伯達在共黨高級會議中作了「關於艾思奇同志等言行的報告」。胡風密信中要求蘆甸把「陳作關於艾等言行的報告」的筆記寄給他，就指這件事。

今年二月，「馬列主義學院」改組爲「中國共產黨中央委員會直屬高級黨校」，簡稱「中共中央直屬高級黨校」。以前由毛澤東兼任「馬列主義學院校長」，現在的高級黨校校長由楊獻珍担任，教務長一職由共黨宣傳部長陸定一担任。教授名單中沒有艾思奇，雖然艾思奇並沒有受清算，仍經常在「學習」雜誌發表文章。

從上述情況看，楊獻珍無疑是中共今天的「第一號理論家」。他最近發表的一篇文章是關於社會生產的第一部類（重工業）與第二部類（輕工業）在社會主義建設中的對比關係的理論。他的結論是：「……必須保證加速生產資料的增長速度，即加速重工業及其核心機器製造業的增長速度。如果不遵守這個條件，那就不能實現社會主義擴大再生產的高度速度，就不能實現農業、輕工業和食品工業的不斷增長。」但在一年之前，艾思奇曾發表完全不同的觀點，他認爲「生產的目的是適合人民需要，因此重工業的優先發展，不能當作社會主義生產方式的規律，因爲在這種情況下，生產和消費的矛盾會不可避免地形成；在社會主義下，生產應爲增加人民的消費而進行，因此應優先發展輕工業」，

• 草田 •

談改造政風

馬五先生

孔子曰：「君事臣以禮，臣事君以忠」。這是說搞政治的人，上下皆得保持其應有的禮節，也就是尊重各個人的人格。所謂「同寅協恭」之義，即是以禮貌為出發點。禮之用，和為貴，彼此能協和相處，則敬重對方的心情，大家不期然而然了。

在民國以前的封建政治時代，據老輩人所說，部屬持着文書稿向長官判行或請示時，長官如昂然坐受而不起身為禮，部屬即掉頭而去，不能責也。迨民國初年，革命黨人劉揆一在中央政府任農林總長，即不許僚屬在文字上稱他為「鈞座」，認為這是腐敗官僚的玩藝，應予革除。可見四五十年前的政治人物，尚有尊重個人人格的禮義思想。降及現在，所謂禮義問題，乃或斥為迂腐不合時宜之談。長官對僚屬，頤指氣使，視之如僕傭，隨便可責罵，無所顧忌；僚屬對長官，卑躬屈節，奉之若神明，盡情諂媚逢迎，唾面自乾。甚至有以屢受辱罵為榮幸，藉以驕其鄉鄰戚友者：「倒霉，今天又挨了老總一頓臭罵！」過去在南京、重慶時，即隨時遇見這類自鳴得意的從政之士，別人感覺毛骨悚然，他卻引為無上榮譽哩！

這種惡劣風氣之所由來，我認為大半都是些不學無術，而又妄自尊大的軍人應負其責。自民國以來，政治上重武輕文，軍人萬能，目空一切，而一般嗜官如命的士大夫，又自甘下流，以奴顏婢膝諂附軍人，而能事廉恥道喪，禮義乃掃地無餘，因而形成奴才政治生活，亦習為固然，恬不為怪了。共產政權以奴役人類為統治手段，無所謂人格尊嚴的。我們要奏反共之功，應該先從改造政風，提倡禮義廉恥的生活而操入手，庶幾廉頑立懦，知有勇知方，積極培育文化思想上的反共潛力，才是根本之道。

中國文物在巴黎

·陳永昌·

我國人士到巴黎，總不免有這麼一個希望：在短暫的時日裏觀察一下中國文物在這西方文化之都所處的地位。他們雖然初來巴黎，會暫時忘卻五光十色的櫥窗，酒綠燈紅的夜總會，車如流水的艾利善場，莊麗奇偉的凱旋門，別尋清趣地去看亞洲文物薈萃的所在地——巴黎集美博物院。

集美博物院於一八七九建於里昂，一八八八年才遷徙至巴黎。那是一座較小的博物院，建築遠不如包羅萬象的羅浮宮那般雄偉，然就內容而言，中國文物在該院佔有極重要的地位。該院合計分三層，二樓及三樓專門陳設中國的文物，現在姑且分門別類向讀者作一大略的描述：

（一）漆器——二樓第一間室內陳列的是一幅巨大的漆屏風，黑底襯以五彩的人物山水畫，技藝精細，秀麗可愛。另有黑漆小櫥櫃數座，烏底金花，精緻玲瓏，這種漆器乃是明朝產物。

（二）象牙——在漆器陳列室左角的玻璃櫥裏，陳列着象牙雕刻的人和獸，這些牙器雕工不很細緻，品質也不算上乘，不能算是中國雕牙的代表作。

（三）銅器——（甲）商朝的銅器多為形狀各異大小不同的鼎、盤、觚、壺，款式雖然迥異，而雕刻的花紋皆是幾何圖案，平衡對稱。（乙）戰國時代中原人士開始與北方遊牧民族接觸，中國文化多少受了他們的影響，遊牧民族的武器多以野獸為飾，故戰國時期的銅質鼎多雕刻着野獸搏鬥。（丙）漢代的銅器漸進化，有的變為裝飾品，有呈龍蛇形的銅帶扣，還有小型銅人。

（四）甲骨——在古銅陳列室裏，有一個玻璃盒，內中擺着占卜用的龜甲骨片。

（五）玉器——玉器陳列室裏有各式鼎、壺、觥等。上述各種皆是公元前之玉器。公元後玉器，有玉扣、玉環、玉鐲、玉璽等。

（六）雕刻：（甲）墓碑——樹立墓前的石碑，上刻死者的生平事跡，或中國古代的傳奇故事。院內陳設着各式的墓碑，雕刻的圖樣迥異，或萬馬奔騰、千軍疾馳，或龍飛鳳舞搏鬥。（乙）佛像：隋唐時代佛教興盛，這個時期的雕刻多以諸佛為題材，室裏陳列着佛像不少。（丙）獅食羊：雕刻陳列室裏最吸引觀衆的是一個石刻的獅子捕羊，那獅子的雄健猛酷和小羊的溫馴怯弱由雕刻表現得無微不至。這是唐代的傑作。

（七）燉煌藝術——（甲）織錦：燉煌的石窟裏的各種花樣的織錦，由於窟內沙漠乾燥，織錦尚未腐爛，顏色亦依舊鮮明。此種織錦起源於中國，唯花樣全屬地方色彩，或受波斯影響，如錦上有織錦鑲嵌珍珠之勳章及搏鬥之怪獸，皆源於波斯。（乙）雕刻：由於佛教之傳入，燉煌的雕刻題材多以宗教為主。有泥塑的神像、鬼臉及木頭雕刻的諸佛。此外，亦有少數美女頭，綫條和表情都類似中國的雕刻。（丙）壁畫：燉煌主要的藝術卻為壁畫，院內的壁畫題材多為釋迦牟尼的生平事蹟，顏色濃厚，背影深暗。諸佛的服裝皆有唐風。

（八）繪畫——該院陳列的中國畫不多，只有唐朝詩人畫家王維的山水一幅，及明清山水花卉十餘幅。

（九）瓷器——中國瓷器負國際盛名，所以在集美博物院裏瓷器陳列室幾乎佔了整個三樓，陳列品中有原始陶器，也有上過釉，施過色及畫過的各代各種瓷器。由各種陳列品看來，可見中國文物在巴黎所佔的地位。雖然被忽略的中國藝術品還有很多很多，不過尚可令人感到安慰的，是遙遠的西方人們並沒有忘記我們古老的文化。和歐洲其他國家比較起來，巴黎中國文物之多，已可稱驚人的了。

祝英台近

致丁治磐先生　·孟玉·

拱龍頭，環豹首。威武懾羣醜。立馬中原，方面鎮河右。詩文雅頌兼通，鏘金鑠玉，又心折，漢宮春柳。

臨林藪。盱衡濁浪清流，白雲忽蒼狗。羈旅相逢，且盡杯中酒，消魂忍說銅駝，歸期何日，留重舞，乾坤長袖。

蘇俄球票黃牛

最近一位訪俄歸來的西方人士說，莫斯科球場門口，也有所謂資本主義國家中常見的「黃牛」。他們爭先排隊，將門票買到，再轉賣給向隅的人，藉以牟利。在蘇俄，這是嚴重的經濟罪行之一。

可是球迷們為了節省排隊的時間，或錯過一場好球，寧願多出一點，去買這種黑市票，雖然他們實際上也是犯了「協助犯罪」的罪行。

這些「黃牛」的錢也不是容易賺的，他們常在售票處未開門以前即排隊，整整等了二三小時才能買到三張票子（按照莫斯科運動場的規定，最多祇能買三張）。而他們冒着重大危險而賺到的錢卻也不多，一張門票通常的代價是七個盧布（照官方匯率，一盧布等於美金二角半），黑市賣出，約能賣到三十至五十盧布。

這種情形，共報也已公開承認。「蘇維埃體育」記者曾親自到體育場門口調查，在一次盛大球賽中，球場外的「黃牛」竟有數十之多，警察對他們竟也採取眼開眼閉的態度，等到一個警官親來調查時，才抓到了三個。押了警局，他們也祇罰了二十五個盧布，便釋放，這筆罰款還不及一張黑市票的代價。

·平新譯·

泰山頂上動土

△德國法蘭克福一個法官的汽車被竊，警察立刻發出通告，說明車主的身份，下令各地警察嚴查。兩天後，那輛汽車突然駛回法官住所門口，且剛上過蠟，光亮耀目，比原來還漂亮得多。

偷車為了姊姊

△美國威斯康辛州，一個二十一歲的青年維斯特偷了他姊夫的汽車，被警察緝獲，解上法庭。他對法官說：「我以為我姊姊應該買部新車了。我偷了她這部舊的，她便可用保險公司的賠款去買輛新的。」他雖振振有詞，法官卻還是判了他五年徒刑。

相士洒粉種金

△美國佛洛烈達州的希基，被控竄改支票，被捕後他自稱是著了迷，據說有個相士，在他的支票上洒了點白粉，原來票面三元二角五分，竟一變而為四十元六角五分。

（琦譯）

姓名奇談

·小丞·

封氏見聞錄：楊伯博任山南縣縣丞，其妻陸氏，名家女也。縣令朱某婦姓伍，偶與諸婦會席，既相見，縣令婦問賀府夫人何姓？答曰：「姓陸」。次問主簿夫人，答曰「姓戚」。縣令婦勃然入內，諸夫人不知所以，欲回，朱聞之，入問其婦！婦曰：「賀府夫人姓陸，主簿夫人姓戚，以吾姓伍，故相弄耳，其餘夫人賴吾不問，問必曰姓七姓八矣！」朱大笑曰：「人各有姓，豈相弄耶？」令婦復出主宴，按縣令夫人姓伍，縣丞夫人姓陸，主簿夫人姓戚，一氣相連，如此巧合，誤為相弄，大可發噱。

千吳集：兩人相遇，甲問乙姓，乙曰：「姓孫」。因轉問甲，甲曰：「不敢」。乙曰：「問姓何諱之有？」甲曰：「姓祖。」乙悟其戲己，乃曰：「巧哉？我孫君祖，君祖我孫也！」

以上是關於姓氏的嘲謔，還有關於姓名誤會的趣事，陸放翁「老學庵筆記」所記的一件故事，亦很有趣，據說：

「紹聖元符間，有馬從一者，監南京排岸司，適漕吏至，隨衆迎謁。漕一見怒甚，即叱之曰：「聞汝不職，本欲按汝，何不亟去，尚敢來見我耶？」從一皇恐，自陳湖湘人，迎親祿，哀求不已，漕察其語南音也，乃稍霽威，云：「湖南有司馬氏乎？」從一答曰：「某姓馬，監排岸司耳。」漕乃微笑曰：「然則勉力職事可也。」初蓋誤認為司馬溫公族氏，故欲害之，自是從一刺謁，但稱「監南京排岸」而已，傳者皆以為笑。」

這是一件很可笑的故事，當日的文學如果加上標點，就不致有此誤會了。

美國人緊張賺錢　歐洲人享受作樂

美國歌舞明星安密勒最近遊覽歐洲中東後回到好萊塢，對美國生活的緊張大皺眉頭，而對歐洲生活卻大為嚮往。她說，歐美生活的分別是：「在美國，三十分鐘要匆匆把午餐吃過，趕快去賺錢；再匆匆做事，又趕快賺錢；你該進步，不怕生病，賺錢最要緊。在歐洲，主要的是享受人生樂趣，吃喝作樂。要做的事情可以先等一下，享受要緊。」

劍底秦庭

歷史小說　奚如

勛：「樊於期？」荊軻的心忽然動了一下：「他為甚麼要逃到燕國來？難道……」

「據他自己說，不過是為了行兵偶有差失，被仇家趁勢在秦王面前說了許多壞話，嬴政一怒，便把他的全家都抓來砍了。好在消息傳來的時候，他自己剛好在邯鄲地方，因此得以就便出亡，來到我們這裏，看樣子，倒是蠻可憐的！」

「太子，恕荊軻魯莽！荊軻覺得把一個秦國的逃將收容，是一件最愚笨不過的事，難道太子不怕秦王借着這一藉口，就近從趙國派兵，以索取樊某為名，進入燕？」

「太傅鞠武也這樣說！」太子頓了一頓：「他主張我把樊於期送入匈奴，以免秦國借口，可是……」

「可是什麼？」

「我覺得有點不忍。因為一入匈奴，無異便是把他送進死路。再說，樊將軍也供給了我們不少關於秦軍方面的情報，萬一燕邊有事，說不定還得借重他的。」

「哦！」荊軻起初還打算指摘太子之仁，在此危難之下，不應該再存在婦人之仁，一聽到太子最後的兩句話，這才明白了一切，不自禁的輕輕舒了一口氣，便再也不作聲了。

「荊先生！」太子凝望着荊軻。

「嗯！」

「我聽夏姬說，荊先生要等一個人，然後才可以計劃切身的事情？」

「是的，這是一個了不起的人物，只有和他在一起，我們所計劃的事情才可以有更高的成功希望！」荊軻毫不躊躇的回答着，眼睛放射出興奮的光芒。

「不知道這一位壯士甚麼時候才可以光臨敝國？」

「嗯！他也和我一樣，到處浪跡，現在大概還在楚國洞庭一帶。只是，我們已經約好明春在這裏相見！」

「明春？」太子的眼裏忽然露出了無比的失望：「明春！荊先生，秦軍南窺，燕邊朝夕不保，明年春暖時候，不知道已經是一個甚麼局面？一旦秦軍渡過易水，即使我，即使全國的人民都在期待這位壯士的到來，可是，那時候還有甚麼用處呢？」

「嗯哼！」荊軻茫然地點了點頭，他不知道應該怎樣去向太子解釋。他自己有盤算，可是太子的說話也不是沒有理由啊！

……。

片刻的沉默過去，太子又抬起頭來：

「荊先生！」

「嗯！」

「在我的心目中，倒有一個人，也可說是一個了不起的人。不知道是不是可以作為你的副手？」

（四十二）

評判語句的組織

語意學漫談

徐道鄰

雖然如此，道德語文究竟是一個民族生存和發展的主要因素。因為有了道德的標準，一個團體的群衆，行為才能一致，才能使他們行為有從進而無毀害團體福利的作用。

『道德』語文和『科學』語文和『批評』語文，是不可相混的。許多『批評』文字，並不是以道德為其標準。而許多研究道德的科學，則其本身是一種科學語言，而不是一種道德語言也。

使用

我們一般所稱為『批評』文字（CRITICAL DISCOURSE）的，都是代表一種評判語句的組織使用。批評文字者，是就另一種文字，尤其是對於其評價的一部份，加以評價。換句話說，它是一種有系統的評價的評價。它的作用，是運用一套評判語句，引導讀者對於另外一篇文字加以衡量，對於他由這一篇文字引起來的心理反應，予以重新組織。

最好的例子，莫過於詩評，我們平常讀一首詩，本來並不覺得它怎麼好，忽然一個批評家指出它用意的深刻，取材的新穎，使用典故的恰當，對仗的工整，意境的新鮮，……（這是使用「評判語句」），於是我們對它馬上另有一種看法。原來我們並不懂得欣賞的，現在懂得欣賞了，並且我們還會自動地指導別人去欣賞它（把我們的評價反應，重新予以組織）。人文學、藝術上的修養造詣，全靠偉大的批評家的發展，也就是這個道理。

批評文字有多種，皆隨其所批評的評價而異。是批評詩歌文字的評價，就是詩評，倫理學是批評道德文字的評價，神學是批評宗教文字的評價。但是這些批評它們本身，還是一種評價（「評價」的評價），不是對象之「好」「壞」的「敘述」或「一些客觀的事實」，而不是一種科學。所以「詩評」，不是「詩學」，既不是「詩學」（POETICS），倫理學（ETHICS）和神學（THEOLOGY）一樣，它們祇是一種「批評文字」，一方面既不屬於語文的「道德」，另一方面，或他們不是宗教「道德」，或宗教「學」。

自由人

THE FREEMAN

（第四八〇期）

中華民國僑務委員會登記證僑台新字第一二號
中華郵政台字第五〇〇〇號執照登記爲第一類新聞紙類
（半週刊每星期三六出版）

每份港幣壹毫
台北市價新台幣壹元

督印人：陳文華

地址：香港高士威道二十號四樓
3 rd. fl. 20 CAUSEWAY RD HONG KONG

香港發行及業務接洽
高士打道66號　電話：七〇四五三
承印者：東南印務出版社
地址：高士打道六十四號

海外總經銷
友聯書報發行公司
香港：德輔道中二十六號A二樓
台灣特派員辦事處
台北市館前街五十號
台灣總經銷處
台北市西寧南路壹零號二樓
台郵撥儲金戶九二二五

本報啓事

本報為慶祝國慶，本期增出特刊一張，共出紙二張，本港並增送精印國旗一面，並不加價。

四十四年之雙十節

伍憲子

辛亥革命，雙十節成爲國慶，至今已四十四年，每年皆有一度熱烈慶祝。我爲慶祝雙十節，寫紀念文章，雖不至每年都有一篇，但至少亦有二十篇以上。年年此日歲歲今朝之祝頌詞，我是向來不寫的，而況今當艱難局面，更不願發此無聊之言。迴憶數年前，在雙十節慶祝大會中，有人作極高興之演詞，謂明年雙十，我們當在廣州慶祝。於是博得全場熱烈掌聲。誠然，反攻大陸，早日成功，無人不希望。然復國大業，負荷艱巨，不能以中馬票之僥倖心自我陶醉，更不能學小孩子望新年，收利是，過度天眞。必須有憂勤惕厲之心，慘淡經營，忍辱負重，開誠佈公，團結羣衆，而後可以振起全國一致之精神，收分工合作之效果。

雙十節之意義，與其說慶祝革命成功，不如說紀念民主開始。然而不幸，四十四年來，民主安在，革命之光輝又安在。我們今日亟宜從紀念方面，發動其反攻復國之良心，不宜從慶祝方面，暴露其表功與自欺欺人之稚氣。因此，我今日面對雙十節，不知從何說起，應說之言，都已說盡，空言無補，感慨徒增，不是袍笏登場，只有掩面慚愧。

我從前說過，紀念雙十節，先要認清所以造成雙十節之史實，再要尋求雙十節所以遲遲不能發揚光大之原因，而後可以決定今後不幸負雙十節之做法。現在爲避免重複，凡關於造成雙十節之史實，與雙十節所以遲遲不能發揚光大之種種原因，我在從前已說過者，現在皆不願再言。我今站在四十四年時代，願依四十四年雙十節之意義，寫一篇應節文章，一吐我之所懷。

我偶然想起，雙十再加上四十四，就成爲六十四，適符大易六十四卦終於未濟之位。現在我們之時代，未濟之時代也。須知易卦以未濟終，此義至爲深遠，此貞下起元，終而復始之象。大學說「事有終始」，不曰始終，而曰終始，與易義之不終既濟而終未濟之意同。蓋世界進化，永無窮期，既濟，便停頓而不進，未濟，而後能進，序卦所謂「物不可窮也，故受之以未濟」。未濟，比既濟有朝氣，與不濟更異，不濟，則希望絕，未濟，則前途未可限量也。現在自由中國，具反攻復國之決心，抱民主革命之精神，而所居地位，則僻處台灣，人才未得集中，物資時感不足，國際情形又對我不利，此正是未濟之時。未濟之卦，坎下，離上，水火不交，不相爲用，六爻皆失其位，惟有盡人事，循天理，以補救之。卦詞曰：「未濟，亨」；程傳謂：「有亨之理，有致亨之道」。假令吾人善於讀易，將卦詞與爻詞細玩之，反攻復國辦法就在斯，民主精神亦在斯。

今先說卦詞，卦詞於：「未濟，亨」之後，繼以「小狐汔濟，濡其尾，无攸利」。程傳謂「狐能渡水，濡尾，則不能濟。其老者多疑畏，故履冰而聽，懼其陷也。小者則不識畏懼，故勇於濟。汔當爲仡，壯勇之狀，書曰：『仡仡勇夫』。小狐果於濟，則濡其尾，而不能濟，故无所利」。此義遡之於初爻，初六爻詞云：「濡其尾，吝」。釋者謂「六以陰柔在下，譬之新進喜事，急於求濟，然濡尾，反不能濟」。我們試細繹之，證以經驗，可知政治之爲物，不能專任青年，不能專靠勇氣，不能輕藐古訓，不能狎侮老成。尤其是未濟之時，知進，而不知退，知得，而不知喪，知私，而不知衆，知暴，而不知仁，則勢必覆敗。此就是小狐濡尾之象，此就是不當位。

復次，我們再要明白九二爻詞。九二爻詞說，「曳其輪，貞吉」。此乃表示未濟之時，彼此遽去異從同，互相退讓之象，不宜各走極端。彼此當明白所居地位，九二爲居柔得中，在未濟之時，過剛實宜深戒。程傳謂，「倒曳其輪，殺其勢，緩其進，戒用剛之過也。」假合彼此皆不識此義，當權者以偏見統制國家，在野者又欲同時共赴國難，結果，恐推倒政府，須知洩其輪，不是開倒車，曳其輪，是防傾覆，此乃明察大勢，知身在坎中，未可過用其力。雖勇於赴義，亦足敗事，是穎考叔挾輈以走，而忘子都拔戟之逐也。

復次，再讀九三爻詞，「未濟，征凶，利涉大川」，征凶，此義更當深察，征凶，是獨往，利涉大川，是合羣。程傳謂「三以陰柔不中正之才而居險，未有出險之用而征，所以凶。但未濟，終有可濟之道，險，終有出險之理，若能涉險而往從之，則濟之，故利涉大川也」。此義當合九四爻詞觀之，尤爲易明。

九四爻詞「貞吉，悔亡，震用伐鬼方，三年，有賞于大國」。讀此詞者，當明白，震者動之極，震用伐鬼方，謂震動而使之驚畏也。震於卦居東方之位，震用伐鬼方，則台灣反攻大陸之象也。利涉大川，則渡海也。三年，三年，言不能太速，有賞于大國，言必得大陸。但不能以僥倖得之，我們應注意貞吉，悔亡，貞者，正義也，三與四，皆非君位，九三陽剛之德，程傳謂：非「濟天下之艱難，非剛健之才不能也。」合九三與九四之爻詞觀之，可見出險之象，濟在衆心，而非濟在獨斷，權在人民，而非權在君主，善讀易者萬不能忽之。集中人才，而後可以出險，合羣衆之力，而後可以利涉大川。否則仍不免於小狐濡尾，未濟征凶。

復次，再讀六五爻詞：「貞吉，无悔，君子之光，有孚，吉。」此義至明顯。五爲君位，六爲險輔，交，虛其心而陽爲輔，此離之象，未濟既濟，故曰君子之光，其義也以柔居尊，所以貞吉，无悔也。反言之，若居君位者陽剛自用，則人不能虛以受善，才被拒於外，民意怒於中，九三之利，九四之貞，皆喪失，雖成未濟之功，小狐汔濟濡尾，無所用也。

末了，說到上九爻詞：「有孚于飲酒，无咎，濡其首，有孚，失是」。此亦當與六五爻詞合觀。六五虛其心，以陽爲輔，上九飲酒，則可以無濡其首，此言能逸於求賢，則不致勞於自弊也。程傳釋之，謂飲酒自樂，上九以剛在上，居未濟之極，非得濟之位，無可濟之理，當飲酒自樂，則无咎。若不樂其處，則忿躁隕穫，入於凶咎矣。濡其首，謂耽肆過度，不能安其處也。有孚，指中有自信之心，失是，則愈自信，愈失，則輒得咎，易義眞神明哉。得其義，則雖艱難，可成未濟之功，失其義，則汔濟濡尾，濡首，未濟，遂變成永不濟矣，此宜引爲深戒者也。

我今天寫紀念雙十節之文，局爲絮絮言易義，豈不以明易義，不足以應今日之變也。易義包羅萬象，今所言，只未濟一卦，因六十四卦以未濟終，今四十四年之雙十節，又適符六十四之數也。故因紀念四十四年之雙十節，而感觸及之，庶於紀念方面，鼓起反攻復國之精神，應付今日之危局，或有小補。然而易義深遠，汔濟濡尾者尚昧於時義之大，則以腐儒嘲之，勢亦難免。但正義終不能掩也。

雙十談往

不堪回首的二十年

・左舜生・

年年有個雙十節，每逢着這一天，總也照例有機會寫一兩篇文字，就我個人說，這樣的生活，已經過了三十年，別人不知怎樣，在我却多少有一點厭倦。

以這四十四年分析來說，最初經過了袁世凱的一段；袁皇帝結束以後，繼起者爲十年以上的軍閥橫行；軍閥的行爲使大家受不了，於是有孫先生的『容共聯俄』，蔣先生的黃埔建軍，費了好大的氣力，總算把軍閥次第消滅，而得着一種形式的統一，於是國民黨也就開始了『以黨治國』。中國的統一是與日本軍閥的野心不相容的；國民黨的『以黨治國』，是與共產黨無法和平相處的；於是又不能不有十年的剿匪，八年的抗日。

抗日時期的一個故事

要抗日便不能不停止剿匪，共產黨其所以在口頭上竭力鼓吹對日作戰，其目的便在借對外一致的美名，以求得他們自身的生存與長大。經過了二十五年西安事變一幕，這一非抗不可的形勢，便已完全造成。根據當時內外的情況，儘管若干眼光比較看得遠一點的人，深知道抗日無論勝敗，都不一定會有良好的結果，可是形勢強於一切，所以當時這般比較有遠慮的人，也都被逼得有口難開。我順便要在這裏自我坦白：我的抗日決心是到重慶以後才有的，當抗日重心移到武漢以後，我還是搖搖不定，因爲在這個時候，我已經接觸過不少的共產黨黨員，深知道他們在那裏要把戲，志不在小！記得正是陶德曼奉命調停中日戰爭的時候，（這一幕的內容我並不清楚）有一天，在張公權先生家裏談天，最初在坐的只有張岳軍張君勱和我三個，公權比較遲到一二十分鐘，他一走進來，便問我說：『舜生，據你看，假如在目前的形勢之下，眞和日本妥協，全國人心是不是會如現在這樣一致的擁護蔣先生？』公權這個問題提得很巧妙，我因爲根本對共產黨不能信任，也深知道在抗日戰前日俄兩國的對華侵略，其勢力總是一長一消，如果這一戰的結果是日本勝利，蘇俄在西方爲德國所牽掣，也決無發動一次『新日俄戰爭』的可能，最後中國便將被日本壓迫得不能立國。如果是日本失敗，共產黨便一定抬頭，蘇俄的勢力也一定在中國突飛猛晉。這個問題，我在當時已思之爛熟，因此，公權這個問題一經提出，我便斬釘截鐵的回答了他：『戰固擁護，和亦擁護，勝固擁護，敗亦擁護，總而言之，統而言之，擁護到底！』我當時儘管是以和戰勝敗並舉，但重點自然在和而不在戰。當時三位姓張的先生聽了我這一番話，君勱睜着兩個眼睛望了我，好像不了解我爲什麼會這樣說，岳軍公權兩位，則似乎是心知其意，沒有出聲。過了一兩天，看見陳布雷，他又向我提出類似公權所提的這一問題，我仍答以如前的二十八字，並加以詳細說明，張陳兩位是否會把我的意見向人說起，則我不得而知，但後來的抗戰便一直抗下去，不會中途改變，原因自然很多，但對這一問題太無把握，恐怕也不失爲原因之一。

毛澤東的重慶之行

抗戰勝利本來是中國的一大轉機，也可以說是甲午戰爭以後的一大轉機；當三十四年的秋初，勝利已經確有把握，我所焦慮的，乃是國共武力衝突恐怕依然無法避免，所以我和褚慧僧傅孟眞幾位，才於這一年的七月有延安之行，而希望毛澤東能到重慶談談，便是我在七月四號的午後三點鐘在延安向毛當面提出。回到重慶以後，我和褚先生同去看蔣先生，我想讓褚老先生多有一點談話的機會，所以我對延安情況只說明兩點：（下轉第二版）

時事述評

・李秋生・

小胡佛參與國慶祝典

後天雙十國慶紀念，只要是生息自由的所在，國人都會盛大熱烈的慶祝，這是最純眞的愛國精神表現，有這種精神在，中華民族總有復興的一天。

今年在台北的盛大祝典中間，有一位例外的嘉賓，就是美國副國務卿小胡佛。他是國務院第二位首腦，美國對外政策的主要決策執行人之一。他此行如果像美官方所稱，是搜集有關遠東的資料，則在這一祝典中間，自由中國抗共復土的決心，兵强馬壯的實力，都應該使他得到極深刻印象，有助於美當局今後關於遠東問題政策時的考慮。

美援與美遠東政策

小胡佛東來消息，最初透露出來是在六月中旬，彼時艾克和杜勒斯國務卿都在渡假中，在日內瓦，則美大使詹遜正與中共進行僑協議。可見此行與艾克之病完全無關，可能到是由於美方與中共可能有妥協趨勢，因而想進一步明瞭遠東各國的影響和反應。他這次所要訪問的中韓日菲四國，正是西太平洋反共防綫的最堅强堡壘所在，也是最受中共侵略威脅的所在。

此次與小胡佛偕行東來者，有美政府主持援外法案的霍立斯特署長，彼等與中韓等政府當局的會談，無疑要涉及美援問題。近幾年來，美援外方案的重心，已轉移到遠東方面，但遠東的反共陣綫不只未見加强，反到經常在動搖中，像日菲兩國就多少受有中立路綫的影響。這情形不能只怨遠東國家當局不夠堅强；以美國之强大，一向被視爲自由世界的領導者，且不惜低首下心，爲了幾名被拘的美俘美僑，與中共侵略者去進行談判，考慮與俄共「和平共存」，又怎能怪第一綫上的小國發生動搖呢？數以億計的美援功效，抵不過從去年日內瓦會議以來美當局「和平政策」的逆流。在將來小胡佛向國務院提出的報告中，這應該是最重要的中心問題。

對中共禁運問題

因爲日本各報報道稱小胡佛會對鳩山首相表示美國正考慮放鬆對中共的禁運，使他不得不在六日鄭重發表聲明，說美當局並未考慮對中共的禁運。這其實只是重申美當局一再闡明過的立場；我們知道美國現在不會放鬆禁運，就像不會在本屆聯大會期中讓中共進聯合國一樣。但如果日內瓦進行着的談判一切「順利」，中共無條件釋放美僑，保證不用武力進侵台澎，則大概美當局對中共的整個政策都會改變，禁運問題不過是其中末節而已。像這一類的保證，我們已聽得太多了。我們所希望美當局坦白說明的：中共到底是不是侵略者？如果是，美國是不是準備靦顏與侵略者共存？

巴巴哥斯之死與中東危局

希臘總理巴巴哥斯元帥於四日以胃病痼疾逝世，這位民族英雄之死，受影響者止不只是希臘一國。

巴巴哥斯抗禦外侮削平內亂，是希臘政爭多端中唯一能孚衆望的人物。他反共與親西方的立場都非常堅決，但他却與國王意見不合，外有美國支援，內恃民衆擁護，他纔得以其所領導的大會黨組成堅强的反共政權。現在巴巴哥斯遺體尚未下窆，希臘政界已隱約發出了中立呼聲，如果今後再政變迭生，前途更將不堪設想。

美國在杜魯門主義之下，以大力從陷入鐵幕的邊沿把希臘搶救回來，現在希臘是北大西洋公約會員國，又與南土兩國締成巴爾幹聯盟，使蘇俄南疆成爲最脆弱的軟下腹所在。乃自今春赫魯歇夫訪南，狄托已呈動搖，爲了塞浦洛斯島爭端更引起希土交惡。今後希臘再有變動，在地中海和黑海形勢要完全改觀了。

中東是自由世界一大隱憂。埃及的軍火事件，尚可諉爲埃人久已別有野心，致使俄帝乘虛而入。至於巴爾幹的裂痕與中立主義的孳生，却值得西方決策者猛省。

論軍魂

黃震遐

國際聲中大局在變，在變的局勢中，當前有目共覩的軍事僵局及其重要因素之一，值得重視。

關鍵在主動備戰

客觀上，軍事問題要牽涉到的問題太多，不能一一檢討，是不可能有一個結論的，但主觀上的條件也很重要，今天需要怎樣使軍隊重新鼓舞一種情操，一種軍魂，主動地積極備戰，來達到軍事上的目的，是打開僵局的重要關鍵。

歷史上打開僵局的軍事力量，每非靜待局勢和運用局勢，而是主觀地相信我們必有此種力量，在困難的環境裏，單有一個分析的頭腦是不夠的，單有一些情緒亦必不夠，問題的樞紐是鐵一般的意志，不是複雜的空想。

軍事情操最重要

論反攻復國，目前再沒有比重建軍事情操（軍魂）更重要的。

這該用什麼語言來表達這種境界呢？中國古軍事家的軍事境界是嚴肅的，甚至於是神聖的。西洋軍人的最高「精神制服」是一手執十字劍的「白馬騎士」，和基督教十字軍的精神不可分，中國古軍人的最高精神制服則是一襲道袍，一切頂盔貫甲的都屬於次等境界。民族主義在軍事上的靈魂是在此，並不在美援，民主主義在軍事上的精神，則是軍人要有出家的境界，不是常家。

軍事和政治任務不同。猶如軍人之與工程師藝術家不同，軍人必須有它獨特的人生哲學。要從根本上去建立一個軍事情操下手。目前所需要的情操，不僅是「反共抗俄」的精神，而是要部隊無論處於任何環境，絕不動搖其必勝意志。

蘇俄和中共實際並不靠馬克斯主義打仗，在史達林格拉德和黃草嶺堅決死戰的共軍士氣，是國防情操，英雄情操，絕非共黨的階級教條。這證明共黨軍人的「哲學」也是獨立的。

創國新歷史要有新軍魂

在硫磺島，達拉瓦島，比亞克島等絕海孤島中，對十倍大敵戰至最後一人的日軍打的是「武士道」。在兜率山，白馬山，首都山對中共人海拼至最後一人的南韓軍打的是「花郎道」。（「花郎道」使美國大大驚嘆南韓）。德軍打閃擊戰時的軍樂不是納粹的黨歌，而是一百八十年前腓德烈大王的騎兵進行曲。

軍事上要有傳統，要不斷去創造並豐富，加強，和刷新這個傳統，傳統不是阻礙，傳統是舊瓶新酒，是發揚的，動進的。英國軍隊的每一面國旗都繡上二百年來參加戰役的戰場地名，而獨有其最新的仗。美國軍隊已有它在轉戰全球的新傳統，日軍傳統一天不恢復，日軍是不足畏的。

向這點看，國軍要創造新歷史，一定要有新的情操，要有推陳出新的新的軍魂。有了這個主觀條件，才配運用更多的美援，戰勝敵人。

我們目前所缺少的是一個夠水準的軍官團。至少我們的軍官還沒有能夠形成一個很好的傳統。那是事實。

美國不能給愛國情操

和美國合作祇能得到最新的科學技術知識，熟練新武器的技能，美國不能給國軍以愛國情操，永遠不能給我們以藝術的靈感。這是美國無法彌補的弱點，國軍祇能爲祖國作戰，不能替美國打仗！國軍有幾分把握，美國才有幾分信任。

當年爬惠州城，衝汀泗橋，血戰龍潭的時候是有革命情操的，直至抗戰初期，淞滬武漢長沙諸役，黃埔精神還在繼續發揚，此後「投降起義」之事一再發生，而死難殉職之事不多，就有問題了。這是什麼原因？主要在國軍減少了一種情操，都不會補償以另一種情操——取消了同俄國合作時的情操，卻不會建立中國自己的應有情操。至少很膚淺，很混亂。

中國的歷史最豐富，中國軍人曾出過第一流的天才，中國軍隊曾跨崑崙，渡大漠，深入中央亞細亞，中國曾有白起、韓信、霍去病、李靖、蘇定芳、馬仙芝這些人物，在天才上都不比拿破崙差，可惜我們的傳統中斷，我們失去我們的軍魂。但共黨卻不敢「起用」這些人物，因爲他們大半都是打向俄國的方向的！

艾森豪康復後 會再競選嗎

一個心臟病專家的意見

艾森豪病後，各方所最關心的，莫過於他明年會不會參加總統大選。據他的醫生蜚聲世界的心臟病專家懷特說：根據他過去的診病經驗，由於現代醫藥的進步，許多人患過心臟病後，仍能保持正常的健康，過正常的生活。因此只要艾森豪安然渡過二星期的危險期，得到良好的復原，以他的體力而論，仍能再任四年總統。

這篇聲明立刻成了美國報紙的頭條新聞。懷特恐怕引起誤會，當晚又在電視節目中對他的聲明加以補充。關於艾森豪能不能再連任總統的問題，他說：「許多能做的事情，並不是適宜的。如果我處於艾森豪的地位，看過總統任務的艱巨繁重，我一定不願再出競選了。」

這話發出不久，懷特又對記者發表了一篇談話，作進一步的解釋。他說：「以我個人來說，我不會希望負起美國總統仍負擔的那種重荷。這句話或會被解釋作爲我會向艾森豪提出這樣的勸告，但相反的，如果艾森豪能維持他目前的良好復原，而且他也有意繼續保持他現在的任務——這當然對於美國，對於整個世界都有極大裨益——我決不會反對他再度競選。但這還得日後才能決定」。

懷特在電視中曾透露，他和艾森豪談過，他說：「上星期一，我曾和總統詳談過一次，我把我們在醫學上對他病況的看法，都告訴了他。他將這一切都泰然接受了，我相信他是一個很好的病人。」（汪敏節譯「時代週刊」）

從·國·慶·看·民·心

王征

年來香港居民對國慶的慶祝已成爲一種「民意測驗」了。但它寓意嚴肅而深遠，卻遠非一般「民意測驗」所能比擬。

六年來中共的氣燄並未斂戢，反共的軍事及政治形勢，基本上亦並無好轉，然而海外反共的民心，卻逐年在增長着。香港是最好的例子，有的是來自中共的龐大威脅，有的是來自中共的多般利誘，而香港反共的民心竟毫無忌憚。如果把香港反共的形勢，從一九四九年起，繪製一份圖表，將清楚的標誌出反共民心的激長是一條直升的曲線。這一趨向，具體的表現在一年一度的國慶中。

十月十日，香港的居民儘可以不懸旗，絕對無人干涉。但他們不理一切威脅或利誘，自動的，絕對自動的把國旗懸掛出來。這毅然決然的態度表現着一種大義凜然的民族情操，表現着反極權，爭自由的堅決意志。

民心未死·國魂仍在

國慶日，從香港居民懸旗慶祝的熱烈情形，可以看到海外的民心未死，中國的國魂仍在。但慶祝的熱烈，並非由於單純的感情因素，乃是由於理智而來的。香港是最接近中國大陸的自由地區。在這「櫥窗」的一角可以清楚的聽到大陸上的呻吟和哭泣。香港反共民心的逐年增長，是由於對中共的所作所爲逐年的更加瞭解。香港反共不是由於任何反攻的宣傳，一般人分明的知道，國軍反攻的時間可能是更遠了；更不是由於任何人的唆使或說服。可以說，居住在香港的中國人之所以反共，是理智的，是由於瞭解中共的眞實面目而來的。

十月一日中共的旗幟插在少數又少數的中共機構的門上。

十月十日中國的國旗卻遍插在平民、勞動者的門口，懸在每個小販的攤位，擺在無量數的兒童們的手裏。

在香港，這一對比太顯明，太突出了！設使海外中國人民對中共的瞭解一如香港，則他們的反共意志亦必一如香港居民的熱烈而堅決。除非他們格於當地的限制而無法表示。

真實的意志

大陸上的人民，除了以反抗的行動及犧牲之外，已無法表現他們的眞實意志了。在台灣，國慶日懸旗已屬必然。海外其他地區，像印尼、星馬、泰、緬等地華僑，或因當地政府的限制不能懸旗；或有懸旗，似亦不若香港居民對中共瞭解的深刻而普遍。因而香港居民在國慶日的懸旗已經不是一種「應時過節」的表面文章，它說明在海外，幾乎在一個唯一的地區，中國人可以無拘無束的選擇他們的國旗，表示他們的眞實意志。

大陸民心雖無從以懸旗等方式表示，但年來反抗及犧牲事件層出不窮。尤其是近來反抗事件，如「人道主義大同盟」等，多出於青年學生羣衆，這說明大陸反抗事件的性質與已往數年大不相同。從大陸到海外，反共的民心在逐日增長，但至今卻並未化成足以切實打擊中共的實在力量。

反共與團結

這是很可惜的。海外的反共民心大部還只是表示他們的反共意志而已。

一般人在國慶日懸旗，表明他們的反共，卻並不必然表示他們已經全部滿意今天政府的現狀。可以說，在海外不少人對政府六年來在政治上缺少基本政策，軍事上缺少反攻表現，是失望的。

任人皆知，政府失去大陸的一項重大原因是失去民心的支持。而反共復國的大業，很清楚的，是必須從收拾人心、團結人心做起。然而六年來政府在這方面的努力，卻顯然不夠！政府何嘗不希望促成全國的團結，但團結必須有原則——民主的原則；有基礎——法治的基礎。否則在任何包辦的方式下，團結是經不住考驗的。反共民心亦何嘗不希望團結；但民間的團結卻必須有重心，有道路。就民間團結來說，海外文化工作者應首先團結在一起，從觀念到思想，從思想到理念，到社會風氣的開創，展開一個壯闊的文化運動，一方面促成民間的團結，一方面促進政府的改革，使政府成爲一個代表人民、服務人民的政府；使台灣成爲眞正民主自由的燈塔；使海外的民心化成一致而堅強的力量。

然而，六年多的時間不能算短，民心的向背已極顯然。民心依然，但目前國際停滯在協調散漫的氣氛之下，而未團結，使我們已不能不担心反共中國未來的地位問題。事弄到今天這個地步，事在人爲，爲了局面的好轉，反省一下，檢討一下，看我們的做法如何，表現如何了！

西貢赤色份子嫉視僑教 越知用校長唐富言 遭暴徒狙擊已傷痊

【本報西貢九月卅日航訊】僑校越南知用中學唐富言校長，於八月三十日在校遭懷械青年暴徒擊傷頭部，經住院診治後，現已傷痊回校視事。此次唐校長爲不知名之暴徒狙擊，顯爲預謀陰謀，綜其經過情形是這樣的：

知用中學自在西貢創辦以來，已越十七年，向由知用學社唐富言先生主持校政，成績卓越，爲越南著名之僑校。自北圻淪入鐵幕後，南逃華僑青年日增，該校即盡量容納，不使流離失學，遂爲赤色份子嫉視。

八月三十日下午二時十五分（西貢時間），適該校全體師生職員齊集禮堂聽自由中國赴越觀光僑校之教授講學，唐校長一人在校長室內辦公，遂爲暴徒所乘。該暴徒爲一不知名之青年，係預早潛伏於校長室後貯藏室內者，故當其自唐氏身後潛行突襲時，唐氏並未警覺，致遭暴徒毒手，以槍柄向唐氏頭部連續猛擊達六七下，當堂鮮血四濺！唐氏雖年已古稀，幸尚能與暴徒奮力掙扎，並逃出室外，大聲呼救，該暴徒見行兇目的已達，且以全校震動，聞聲兜捕，遂即逸去。

唐氏被擊除傷及皮肉外，頭蓋骨亦有破裂，當經送中正醫院診治，經旬始漸痊癒，刻已早離院，並到校視事矣。唐氏平日待人和靄可親，不僅爲人師表，且有長者風，十七年來服務僑校，深得校胞愛戴，故當唐住院期間，每日均有四五百人前往慰問。

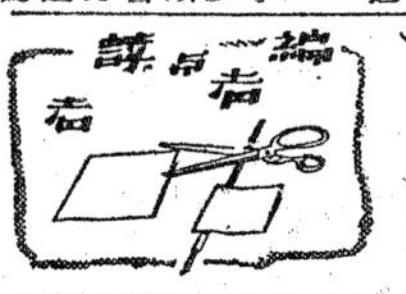

一、本報今日伍憲子先生的「四十四年之雙十節」和左舜生先生的「雙十談往」，將他們對雙十國慶日的感想，很明白的寫出，兩先生爲本報讀者所素識，不須介紹。

一、特刊錢穆先生的「雙十國慶答客問」，對於兩個中國的謬論，一層一層的加以辯斥。詞直義正，足使反對者動容。錢先生爲香港新亞書院院長，國際間負盛譽的歷史學者，不久且將爲本報副刊執筆，謹先爲預告。

一、唐惜分先生爲名教育家，本港珠海書院院長，本期所刊唐先生「辛亥革命精神」，當能使讀者有聞鷄起舞之感。

一、黃震遐先生爲本港有名之軍事政論家，「論軍魂」一文，說明了我們當前之所必需。

一、王征先生爲一知名之青年作家，「從國慶看民心」立論亦極中肯。

一、李樸生先生爲行政院僑務委員會副委員長，「孔子，仍是青年的導師」一文因郵寄稍遲，未能在孔子誕辰發表，其內容對於「讀經」和「尊孔」問題，均有獨到之處，茲特爲鄭重介紹。

一、本副刊之薩摩訶爲自由中國一負盛名作家的筆名，自本期起，經常爲本副刊執筆。每一小品，均有其獨到處，祈讀者注意。

一、本期爲篇幅所限，尚有廣告未能一齊登出，至爲抱歉，下期必將全行補登，特此聲明。

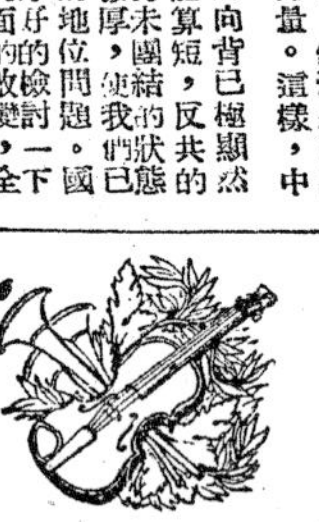

雙十談往

左舜生

（上接第一版）

一、毛澤東雖是一個文人，他確有指揮軍人的一套辦法；二、毛澤東雖是假仁假義，當時的共產黨，確沒有脫離羣衆。這是我在延安所親眼看到的重要事實，其所以選擇這兩點向蔣先生提出，其目的也無非在促起他老先生的注意而已。後來因爲美大使赫爾利的斡旋，毛澤東居然來了，但卒以中共的開價太高，終於無法妥協，再留下一個政協會的尾巴，我知道已近蛇足，斷然無法談好，所以我當時向青年黨的領袖曾慕韓先生說明，堅持對這一幕我決不參與，雖因此而引起周恩來的一度責難，但我毫不爲動。後來到了南京，我依然參加了交通銀行的會議，又和周恩來談了幾次，但這個時候我的主張已經側重在開國民大會，頒憲法，舉總統，其目的在乘着勝利的朝氣，結束黨治，納政治於常軌，即萬不得已而要對共用兵，亦在所不惜。所以我當時所採取的行動，惟有把這一個永遠得不出結論的會議，促其提早閉幕而已。我這種心理，是其時熱心奔走這一度會議的梁漱溟等所最不了解的。後來戰爭終於爆發，而我方軍事的脆弱，乃出於一般人意料之外，見事不明，即在我個人，也是不能逃避責任的。

憲法動搖不得

現在大陸的淪陷，已經進入了第七年，我們所剩下的雖僅僅只有一個台灣，及其附屬的島嶼，但在我個人的心情上，卻並不如一般人的悲觀，我總覺得反攻復國的機會還是很多，辦法還是好想，最要緊的乃在我們必須具備如下的幾點認識：

一、我們必須認識目前的這個政府，確係依據現行的這部憲法產生，動搖了憲法，即是動搖了現政府的基礎。

二、只要實行憲法，便可團結全國的人心，用不着召開其他的任何會議。

三、惟有實行憲法，才能繼續爭取國際的同情，鞏固現有的國際地位，否則必致誤解叢生，更授予中共挑撥離間的機會。

四、在反共期間，特務制度自不可廢，要緊的乃在使它制度化，換言之，即機關要簡化，職責要分明，人才要精選，除防止匪諜以外，決不可使一般人民也感到特務的威脅。

盼望只是一種謠言

最近港九方面，忽然有一種傳說，據云台北有少數人，依然感到憲政非常迂闊，遠不如加強黨治來得痛快，甚至主張回復到『軍政時期』，而另立一個所謂『黨政軍一元化』的機構。果若人言，我很担心這劑藥吃下去，不僅不能立起沉疴，而可能使目前的局勢更加僵化，我惟有默禱這僅僅只是一種謠言而已！

萬千國旗到處飄揚
港九僑胞熱烈迎國慶

華麗、簡陋的牌樓紛紛樹起，點綴着每一角落；大大小小的國旗迎風招展，烘暖了每一個僑胞的心；工商界、教育界、文化界、勞工界的慶祝集會、茶會、晚會，更將形成最熱烈動人的場面。

雙十國慶的來臨，使香港人狂熱與鼓舞，隨時隨地可以看到爲籌備國慶而忙着的人羣。雖然沒有人事前能夠估計今年的國慶較去年熱鬧多少倍，但作爲一個新聞記者所看到各階層的籌備情形，許多地方是使人非常感動的。

國慶並不是祇是有錢人的事，也不是少數人的事，遠在國慶日前一週開始，

節衣縮食 慶祝國慶

我們在若干難民區裏，木屋區裏，已經看到一座座小型和簡陋的慶祝牌坊，綴上意義深長的對聯，一塊木，一片竹都是難民們的心血。有一個叫吳嗣暉的讀者就曾經寫信給報館，說他每天看到報上港九各界籌備慶祝雙十國慶消息，不禁爲之興奮，昨天赴柴灣第五段訪友，值友正與其台恩邊區同鄉多人座談，爲籌備慶祝雙十國慶儀式，已經決定進行搭建兩座牌樓。他說，因爲他的友人是一個窮人，但爲了慶祝國慶，不惜節衣節食，資爲之，使他非常感動。他相信這一類情形很多，但不會爲外界所知的。他希望透過報紙，讓全世界的人類知道港僑是如何地自發去愛他們的祖國。

感人故事 不勝枚舉

事實上，這一類事實是非常衆多的，每一個牌樓，每一面國旗裏面都有着一個感人的故事；但我們能夠寫盡多少呢？

上月底，馬鞍山一位工友曾很堅決地對記者說：「我願意跟你保證，十月一日那天，馬鞍山區絕對不會看到一面五星旗」。

我奇怪的說：「你還什麼來保證呢，你保得了自己，却保不了人呀」。

這位工友看見有人懷疑他的說話，他不禁有點急了，他結巴巴地說：「你不能這樣不相信我們馬鞍山的工人，好得十月一日距現在還沒有幾天，將會有事實給你瞧的，我不想和你打賭，因爲你準定輸給我」。

十月一日悄悄地溜去了，一直到前天，馬鞍山另一個工友出來渡假，他說，馬鞍山果眞在「十、一」那天沒有一面五星旗，我問怎的不見那位工友出來喝我一杯凍茶，這位工友說，他們正在忙着籌備慶祝雙十國慶呢。

國旗如林 飄揚港九

雙十國慶，可不是一兩家銀行的事，也不是一兩家工會的事，而是整個香港的二百五十萬炎黃子孫的事，一踏入十月，市面上就烘烘的，街頭一面面小型國旗的出現，不期然使人感到一陣陣的溫馨。

十月二日，灣仔龍鳳茶樓大門上那一團龍鳳圖案上就被門外的書報小販滿插了小型的國旗，大成酒家門口有三個書報攤，三個書報攤都插滿國旗出售，街頭上已經開始看到小孩子們手執着國旗揮舞。

十月二日起床後不久，就有熱心的讀者從電話裏找記者，告訴我們一個消息。這位熱心的讀者從電話裏也能想像到他當時是何等的興奮，他說：「你們快點派個人來吧！金陵酒家有一幕奇景呢，昨天掛在金陵酒家下層的五星旗還不曾卸下，現在青天白日滿地紅的國旗已經飄揚在金陵的樓頭了，覆蓋了淡然無光的五星旗了，金陵門前，正聚攏着不少人在拍掌圍觀呢。」

木屋老翁 製旗分送

人，只要是人，見到了自己的國旗就是那麼興奮！

一間承印國旗的印刷公司，由九月中旬開始，就停止了接入其他印務生意，一心一意把紅藍兩色的濃濃的，鮮艷的油墨倒在純白的紙上，印出數以萬計的青天白日滿地紅旗，日裏，夜裏，那付印着國旗的平板不斷地在旋轉不息。

同樣的，蓮花宮山一座矮矮木屋裏，一個老人正流着汗，孜孜不息地工作着，紅的、藍的顏料染滿了一手，孩子在四圍靜靜地看着，看着這個老頭兒努力地用石印把國旗一面一面地印出，好一回才歇了一歇，看到孩子們好奇地圍着，他含笑地把那些油墨還未乾透的國旗分送給孩子們，把他們打發去了。

當我們看到家家戶戶都插上了國旗的時候，其中也許有一面是這個老頭兒的心血。

港九街頭的國旗

雙十前夕，這是港九街頭隨處可見的鏡頭，在十月一日，青天白日滿地紅國旗已經開始出現在港九市區，這一類小型國旗非常搶銷，除了許多團體、單位用以佈置雙十會場外，小孩子見了國旗就搶着要買。

小販樂意批賣，僑胞樂意購買，所以飄揚着的國旗隨處可見。有些小販還販售可愛的小國旗，大小約如明信片，最能迎合兒童們的興趣。（林禳）

大家比賽 誰的旗大

無數感人的故事發生在國慶的前夕，大家都在出奇制勝的想把國慶日點綴得更輝煌，更熱鬧。

人心是興奮的，沒有什麼能夠阻止民衆的熱情，國旗，國旗，蔡漢山那裏的國旗襟章生意已經開始忙個不了，大中實業公司的總經理尹致中拍拍胸口，要豎起一面港九最大的國旗。好大的口氣呀，一個荃灣紗廠區的工友說，看你的大，還是我們的大吧！

國旗，這幾天許多社團、學校就寫信，打電話到報社，要國旗，買國旗忙個不了，還有些讀者打電話問：「你們今年還贈送國旗嗎，是一面，是兩面，是紙的還是布製的。」

想像中，十月十日那天，就像一個旗海。

千艘小艇 掛燈結綵

中華航業海員工會今年慶祝雙十的辦法是別開生面的，他們在雙十的晚上，爲海上一千艘小艇點上一千個雙十的燈籠，海上的人家正興奮地等待着這新奇的禮物。

盛會實在太多了，工商界的，文化界的，教育界的，勞工界的，個別的，集體的，雙十國慶的請柬在報社的寫字檯上就是厚厚的一疊，包括上午的慶祝儀式，集體旅行，雙十茶會，聯歡晚會，千人聚餐，雙十晚會，狂歡舞會等等。

迎接雙十國慶，香港的僑胞都在狂熱中。（柯）

大國旗比賽

爲了國旗，僑胞都在興高采烈地忙亂着；商家，商會，工會都在出奇制勝地要懸出最大的國旗。

當大中實業公司總經理尹致中提出了大國旗的口號後，引起許多人的濃厚興趣，雖然愛國的熱誠並不是和國旗面積的大小成比例，但我們由此可以看到香港二百五十萬僑胞是怎樣地用盡方法要使這一次國慶生色。

關於尹致中所準備縫製的一面大國旗的面積，到昨天他還保守秘密，他說，當他提出大國旗的口號後，他至少接了二十五個以上電話打聽關於他那面國旗的面積，但他希望到十月九日國慶的前夕才告揭曉。

大國旗的口號是刺激了許多人的，九龍總商會已經決定製了一面高十八尺，闊二十七尺的大國旗，這面國旗還裝了光管，高豎於九龍總商會大廈之頂，入夜將照耀了整個九龍半島。此外，國旗之上，一串LONG LIVE FREE CHINA的紅光管也將隨着吐着鵝黃色的光芒。

據說，有幾間重視大國旗的工會，也在討論如何造一面雄視全港的大國旗，二十尺高，二十六尺闊的巨型國旗，迄昨天爲止至少有三個團體正在趕製中。

大量印刷國旗的鴻生印刷公司昨天對記者說，他們已經印就了小型紙製國旗三十萬面和紙燈籠一萬打，但還是不敷顧客的要求。

雙十節的國旗，就是這樣使到香港的僑胞興高采烈地忙亂着。（白）

十四歲少年做廠長 理化教員充技師

中共在福州設少年奴工營，黨委書記大權獨攬，控制一切活動。

中共在沿海各地加速完成「戰時措施」，重工業機構及學校紛紛內遷。爲了支援各地需要，將利用初中學生設置「少年工廠」維持現狀。南京「新華日報」最近發表了一篇福州通訊，說明了中共力防反共分子滲入及奴工們的反抗破壞，福州第四「市立」中學附近，在今年六月間開始辦了一所「少年工廠」。這所工廠是一幢灰色磚樓房，由一個十四歲初中二年級學生傅香仁任「廠長」，另外兩個副「廠長」則由該校黨委書記及黨委宣傳部長擔任，實際掌握控制全廠工作的大權，總工程師由該校理化教員擔任，另外一些工程師、技師等職務由高中部的學生分任。

這個廠共有五個車間，分担土木、模型、繪圖、化工、電機等任務。這個「工廠」業務，據說：土木車間有三十四個小工人，他們都屬初中一年級學生，每個人都在趕製米突尺，製出來的成品將供給各校使用，這個車間的工程師是個名叫「天熊」的老木匠。

模型車間的小工人在製造各種石膏像，如史達林、毛澤東、朱德、彭德懷等的半身或整個形像，有一部分在試製粉筆。負責領導的是初中一年級學生馮亘銘。繪畫製圖車間的工人們站在畫架前寫生。「廠長」說，他們下期將設計繪畫化布圖樣。

他們並且經常替學校設計和佈置各種會場。化工車間的桌子上、地上，擺滿了瓶子、罐子和雜葛東西，工作檯上酒精燈火燄猛正舐着小鐵鍋，鍋裏正在溶化蠟，這個車間的工人都是初中二年級的學生，他們剛學念了光學課程，他們正在製作鏡子及曬圖紙。電機車間擁有「很多」儀器。但是工人們使用的工具則是半機械化的。他們正在製造電流計和驗電器，他們第一批製造的電流計，一共二十幾部。這個車間工程師是由學校理化教師担任的。全廠奴工一百三十人，他們都是無給職的人。

製出來的成品雖然可以獲得極低貨值，這筆錢將是他們唯一的生命源泉。共產黨利用他們的學習空餘下來的時間，加重他們工作的負担來控制他們的頭腦，使他們專心研習學業和技術，不使他們存有反抗的意識。那「百多個少年奴工之中，華僑子弟佔有了百分之八十點二。

「新華日報」說，他們的學習既很忙，工作又無空閒，所以，他們連寫信回家的時間都沒有。

蕭軍與胡風

·田雪·

共黨「文藝運動」的歷史，實際上就是「毛澤東文藝思想」與各種非毛澤東文藝思想進行鬥爭的歷史。這些非毛澤東文藝思想，包括資產階級的，和眞正馬克思主義的。

在這部鬥爭史中，有三件較重要的事件。其一是一九四二年五月在延安對王實味的清算。王實味就是一個眞正的馬克思主義者，他曾留學莫斯科，在延安的主要任務是翻譯馬列主義的經典著作。後因看不慣延安的「昏黑空氣」，就寫了「野百合花」一書，諷刺共黨領導階層的腐化生活。結果他被指控爲「托派匪徒」，遭到了最嚴厲的清算。

其二是一九四八年在東北展開的對於蕭軍及其主編的「文化報」的批判。其三是最近半年來，對「胡風反革命集團」的鬥爭。

與王實味不同，胡風和蕭軍都不是中共黨員，兩人都是靠自稱爲魯迅的學生和共產黨的朋友而起家的。和胡風一樣，蕭軍也說過自己「跟共產黨走了二十年」的話。

因此，蕭軍和胡風對共產黨的看法，可以說是客觀地代表了一部份知識份子的看法。他們兩人對共黨的批評，有許多地方是不謀而合的，顯示了共黨確有這些缺點存在。這裏，就讓我們來比較一下他們兩人對共黨的看法。（一）

大陸農民罷耕
中共「三定政策」又失敗

中共目前在大陸各地農村大力推行「三定政策」的結果，業已普遍激起農民的消極罷耕運動。這種情形，中共「人民日報」及「江西日報」也都已承認。

所謂「三定政策」，係「定產、定購、定銷」的簡稱。所謂「定產」，即核定每一農戶應有之產量，俾作爲征收「農業稅」及「收購餘糧」的根據。所謂「定購」，即預先核定每一農戶每年應售的「餘糧」。所謂「定銷」，即預先核定每一農戶准予配售之口糧額。此爲中共以前所行「查田定產」的更進一步，目的在全面硬性控制征糧及購糧數額，控制糧食生產者的口糧及農村糧食市場。惟由於中共要求過苛，定產過高，定購太多，而定銷則太少，以致普遍引起了農民的恐慌。其中尤其一般被核定爲「餘糧戶」者，定購額既多，定銷權利則被剝奪，眼見一年辛苦所得不免饑餓，乃對耕作前途大爲悲觀，紛紛激起了消極罷耕運動。

大陸農民的消極罷耕，據中共檢討，主要有兩種方式：

一是不施肥，不除草，不捉虫，不灌溉，以移用其勞力於其他副業生產，掙扎生活，而聽任稻谷生產荒蕪，不讓中共坐享其利。據說去年大陸糧食減產，除受水災影響外，即爲受農民消極罷耕影響所致。中共說：農民消極罷耕的情形，在農業合作社中表現得尤爲顯著，致自去秋以來，合作社「搞垮了的」很多，垮得最多的地區，竟達百分之六十之多。

二是乾脆放棄耕地，舉家向外逃荒覓食，中共爲防止此一傾向，曾宣佈凡放棄耕地者，將永不發還；且再三通令各地鄉村機關禁止農民外出。惟此種命令並無效力，各地農民依然紛紛放棄土地，向外逃荒。結果不僅農村的勞力日益缺乏，且使各大城市或工業區的社會秩序亦受到了嚴重損害。（文）

由病想到死

自由談　馬五先生

艾森豪總統臥病之後，醫師不斷地發表「總統病況良好」的消息，可是，美國朝野的政治人物和輿論界却「鬧麻」了。既然大談其繼任總統的人事問題，又研究明年大選該擁護那位好漢來競選總統；最有趣的就莫過於官方宣傳機構，竟將艾克總統的「行狀」也向國內外發出了。這情形如果是在東方國家，不特駭人聽聞，而且豈有此理！但在美國人的心目中，大家當伊倷介事，恬不為怪。

史達林「死球」了還要秘不發喪，必須經過親信幹部多方佈置戒備以後，方敢正式宣佈。在他抱病期間，誰要偶語一下繼承人的問題，包管馬上招來滅門之禍。所以，自列甯到史達林，以及歷史上一般專制暴君的死因，都是不明不白的，給後人以揣測疑問之餘，且使其幹部據為政治鬥爭的口實，拿死人來作政爭武器，眞是「死有餘辜」！明代末葉一個皇帝餌服春藥喪了命，滿朝文武即鬧得昏天黑地，醜態百出，即其顯例。

因此之故，我認為民主方式無論對任何問題，總是利多於害。大家遇事公開討論，各抒所見，先把言語牽順，彼此互相瞭解後，自然就能夠互相諒解，事到臨頭，誰也不會多所爭執了。像艾總統抱病這回事，大家即把繼任或代行職務的問題預為討論，並且約請最高檢察官來研究法律手續，一切公開進行。假如艾總統眞有三長兩短，人民心理上早已有了準備，毫不足驚。他如告康復，亦絲毫沒有妨害。至於替他發出「行狀」，似乎有點尖教，實則無傷大雅，人總是有一死的，自身的生命力強，延年益壽，他人縱然燒香拜神詛咒我死，也無用，否則即使國耳際常年帶着「長命富貴」的金牌兒，還是不得行的！

民主生活的好處就是百無禁忌，事無不可對人言——尤其公衆之事，一是皆以大衆意旨為依歸，硬是要得！

國慶佳節憶天壇

・魯人・

北平已經淪陷七年了！

記得民國三十七年北陷前的最後一次國慶日，正值東北軍事節節失利，平津威脅日深，守土有責的文武大員，多半都在為妻孥財產的安全打算，準備遷地為良，老百姓硬着頭皮，懷着恐懼的心情，等候不可知的噩運降臨的時候。整個的北平，籠罩在一種死寂的氣氛中。為了慶祝國慶懸掛的國旗，在北國深秋的寒風中飄揚着，增加了無限蕭索淒涼的景色。唯一活躍在街頭上的是：在共匪指揮操縱下的「東北流亡學生」，在吃飽了政府發給的白米白麵後，大喊「反飢餓」。這些民族的敗類，一面吃飽了之後喊飢餓，一面成羣結隊把名勝古蹟據為穴巢，首先遭到劫數的就是名聞中外的天壇。

天壇是我們先民遺留給我們的無價寶，壇內的祈年殿早已成為北平的標識，在現存的北平壇廟中，雄偉瑰麗無一可與倫比。壇建於明永樂十八年（民元前四九二年），是歷代皇帝祀天之所，民國後，曾遭袁世凱的破壞。袁在民四稱帝，擬做明清皇帝多至祀天。因為圜丘壇的石隙中雜生野草，清除不易，遂下令拆除重還，當時以為一個三層的圓形白石平台，重建絕無困難，所以在拆除之前，既沒有繪圖攝影，又沒有在拆下的石塊上作了標識，等到拆完重建時，無論如何也無法把這些石頭拼湊在一起修復原狀。按照壇制：「圜形以象天，南向三層。上層，徑九丈，高五尺七寸。二層，徑十五丈，高五尺二寸。三層，徑二十一丈，高五尺。上層石面九重，自一九環甃遞加至九九。二層自九十遞加至一百六十三。三層自一百七十一遞加至二百四十二。合一三五七九陽數。每層四出陛，皆白石九級。上層石闌七十二，二層一百零八，三層一百八十，合三百六十週天之度。柱亦如之。」這樣複雜的建築，難怪如拚七巧板一樣，拚不到一起去了。不久袁死，這一堆拆下來石塊，一直堆在那裏，直到抗戰前兩年袁良任北平市長時，才修復原狀。袁世凱所破壞建築的，有袁良來修復，但在三十七年遭「東北流亡學生」所破壞的歷史文物，是永無復元可能的了。

這羣「東北流亡學生」佔有天壇後，祈年殿，齋宮，皇穹宇，皇乾殿，長廊，各處門窗牆壁，無一不被破壞，最可痛心的是圜丘壇外壝東門外神庫，廚庫，祭器庫，樂器庫，欞鷹庫，各處所存的器物，全部被盜取一空，所有能充燃料的如樂器、祭器之木製者，都劈作木材用以煮水燒飯，不能作燃料的銅瓷器具，大型的不便攜去的全被搗毀，小型的或可為個人使用的便變為私有。在三十七年國慶之後，這羣敗類因為住壇廟不便，所有壇內器物已被毀一空無可使用，於是又輾而強佔民宅，當他們從天壇出發往佔民宅時，把視為私有的朱漆描金小型供桌及全部欞鷹，攜以俱去。等入了民宅之後，因為有人民的器物，可以予取予求，這些攜來的供桌欞鷹，又不及民宅內的現代器物使用便利，於是焚之大吉，全部付之一炬，天壇內的歷史文物是永絕於人間了。這些敗類在共匪進佔北平之後，並沒有受到任何的賞賜，反被驅回山海關外眞正流亡去了。

繼這羣敗類之後，對天壇重加破壞的，是現任偽水利部長認賊作父的傅作義。

當三十七年十二月九日，北平被圍，城外的兩個機場已入匪軍射程之內時，傅作義一面把自己的眷屬送到香港，一面嚴禁北平的官員離境，在東單牌樓之南崇文門內路西趕建臨時機場，預備作靠攏不成功時逃亡之用，因為東單牌樓跑道太短，不甚適用；於是選定天壇的外壇，修建機場。蔭蔽參天，大至合抱的柏樹，慘被伐去無數，才築成了一條一千七百公尺的跑道，這些被伐去的柏林，是經過數百年才長成的，幸而天壇長達一萬九千八百七十五尺的壇垣內是一片蓊綠的樹海，佈滿古柏老槐，劫餘的柏槐，將來仍足供我們欣賞，不然，天壇將如圓明園的遺址，徒供後人憑弔了。

天壇三度遭刼，以最後兩次為最慘重。在四十四年國慶日回憶往事，猶有餘痛！

白雪陽春曲

王沉裴

共匪名曰尚赤，實則道地白色帝國主義。雖一時暴力縱橫，終必土崩魚爛，可斷言也。正如層冰積雪，一見春陽，自然消滅。只待我反攻號角一響，立見共匪內部崩潰矣。

悄無人。正山居寂寞，獨倚柴門。無端風搖古木。地暗天昏。霏霏雪滿江邨。

驀然地，有流鴉一陣。幾聲啞啞。斜度寒雲。

臘梅初放。式宴嘉賓。覺暗香疏影銷魂。問寒威。何凜凜。把白袍披了。分外精神。

到來日，莫羞羞澀澀。蕊蕊樓樓。怕見陽春。

墮地蘋菓的微歎

・淳・

（一）

多謝你，牛頓先生，自我祖我宗，生來便有墮地的本能！

而人們只有少見多怪的愚蠢，紀載一些絕不能向我驕傲的川竭山崩。

聰明些的會說句把「道在屎尿」，也從不向我表現萬有吸力的偉大動作去垂青。

我祖我宗，菓生菓落，世世代代盡了現身說法的大犧牲。依然是寂寂無聞。

詩聖如摩詰只有印象的素描，說甚麼「雨中山菓落，燈下草蟲鳴。」

而今！極童騃的中小學生，一說地心吸力，便會提起我的芳名！

眞眞多謝你，你獨具隻眼的牛頓先生。

（二）

然而，牛頓先生，你還不知我的心事呢！

自我祖我宗，都是這樣想：

「大地呀，你是馬司（MARS ），我也是馬司。你有份量，我也有份量。

上帝造你我的時候，不已一視同仁地賦你我以互相吸引的力量嗎！

互相呀互相，何嘗你便封了王。」

所以自我花之初胎，我便抱有一種癡情，待我成熟辭枝之時，把你向我懷中吸引，的確，我是這樣想。

你看我多麼端莊美麗又清新，少女們頰泛紅霞，還要借重於我，自稱蘋菓臉以相矜。

（當然，世間也有說蓮花似六郎的無恥小人。）

然而，大地呀，你總是大模大樣地絲毫無動於心。

難到那山西幫錢鬼子們，把金鑄成銀鑄成的不動大尊，也是你同氣同種的兒孫！

於是我，芳心欲碎，無可奈何地迅速墮向你懷而親吻！

砰！微微的微砰，我便肢裂而沾染上腐化一切的微塵！

牛頓先生，多謝你，你總算個好人，不說破我的醜態與癡情。

所以我，還是鮮紅嫩綠的地利蛇菓。

恐懼的反顧

・薩摩訶・

東德美術學院最近有一次畫展，這畫展引起了東德文化事業部不安，趕快召集了一個檢討會。批評畫展中大部分的作品，是與實生活、與為德國與和平的鬥爭，與社會主義的成就背離。許多作品都是反映出知識階級政治立場之動搖，一種旁觀的等着瞧與渴望中立的態度。黨報「新德意志」于這樣批評後接着說：「我們中間有些藝術家在害怕西德的藝術同人會看輕他們，而西德藝術家是完全為他種完全不同的觀念所支配的。」

于是黨報對東德藝術家號召了：「與黨一同前進，無懼的反顧。」

這使我想起了敵偽時期被御用一羣文化人士，他們也是怕中國人看輕他們，在態度與作品之中，多少帶點等着瞧與渴望中立的色彩。

這一方面可說是藝術家的良心未泯；他們知道什麼是藝術，什麼是眞，什麼是美。另一方面，可說是政治上的氣候，自從阿德諾訪蘇，被隆重招待以後，東德已感到自己傀儡地位之無足輕重了。反映藝術家的態度上，自然有了「恐懼之反顧」。

但是這祇是歐洲的情形。在東南亞，恰巧相反，當日內瓦美國與中共會商，美國報紙大讚周恩來之外交大才的當兒，有些美國所僱用所鼓勵所津貼之編輯與作家，也不免有「恐懼的反顧」了。

這一方面可說，這些編者與作家良心迄未會自覺。另一方面也正是美國對這些御用人物是視作無足輕重了。

「與黨一同前進」的口號雖是空的。但是美國對御用人物連這樣的鼓勵都沒有呢！

劍底秦庭

歷史小說　奚如

「太子說的是誰？」荊軻想不到燕國還有一個足以稱為英雄的人物，一直在懷疑地望着太子。

「秦舞陽！」

「秦舞陽？」荊軻對於這一個名字是陌生的。可是，太子並沒有因為荊軻的遲疑而消滅了推荐的熱誠。

「他是敝國名將秦開的長孫，秦開將軍雙破東胡，開土千餘里的事蹟，荊先生總該知道吧！」

「哦！」

「將門之子，秦舞陽也必定會繼承他祖父的先榮，為燕國，為天下剪此兇暴！」

「好的！」荊軻不再表示意見，他明白即使再加一點甚麼解釋，也不過是徒費唇舌的事：「讓我們見一見面，便可以決定一個動身的日子！」

……。

幾天裏的變化，有點像燕國上空的陰霾！

秦軍侵進了燕國的南鄙！

燕國向西秦發出了停止進軍，派使談和的呼籲！

秦國的逃將樊於期忽然在一夜之間，暴斃在賓館裏！他的頭立刻給割了下來，變了談和的第一件犧牲。更使人悲痛的是，老處士田光也自殺了！

荊軻呢？沒有驚訝，也沒有流淚，只是日以繼夜的在太子丹的密室裏，和秦舞陽演習着狙擊的一幕！

冬天，就在紛亂和憂鬱的氣氛中過去了。浮蕩在易水河面的薄冰，開始溶化；易水南岸，可以隱隱看見秦軍的旗幟在沉雲下飄舞。

河的北面，在某一天凌晨，來了一羣穿着白衣的人。每一個人的面上，都充滿着悲壯的神色。

「荊先生，我們不送了！願你馬到功成！舞陽，記着，今天是你的光榮歷史的開始！」太子左手握着秦舞陽，右拳放在荊軻的掌心裏。

「太子請回！荊軻舞陽此行，有信心把西秦庭的命運放在我們的劍底之下，叫嬴政在我們的劍尖之下低頭！」荊軻的每一句說話，都在震盪着送行者的心弦。

「再見，荊先生，再見，舞陽！」太子的眼眶裏孕含着淚、，淚光就像易水河上的波光。

「再見，太子！再見，鞠傅！」一縷信號的火箭高起，忽哨一聲，一艘快艇已經從對河秦軍的陣地飛也似的開了過來。

太陽從河的盡頭升起，金黃色的光芒把易水照得眩人眼目。慢慢地吞沒了荊軻的快艇，也吞沒了燕國從武王以來八百年的國運……。（全文完）

語意學漫談

徐道鄰

批評文字的適當性，只有從另外的批評來衡量之，此外再沒有其他的客觀的標準。一個科學報導文字，是否正確，我們可以從文字以外的事實求得其證明。批評文字則不然，蘇東坡的洞仙歌（冰肌玉骨，自清涼無汗），幾百年來的批評家，都一直推為佳作。但前天有某君却說它是『淡而無味』。吾友某君則目此君之批評為『妄語』。所以，批評人家的，就免不得被別人批評，也就永遠難有一個絕對的『定論』。幾百年來批評蘇東坡的批評家，不能防止某君對於他們批評的批評。某君批評這些批評家的批評，更不能防止吾友對此君批評的批評，而將來對吾友對某君之批評將加以批評者，又大有人在也。（所以『評價』最後的標準，還是靠一種『評價』）。

一切行為的產生，無不基於一種評價（採取足以滿足需要的行為），所以一種評價的改變（組織），也正是一切行為進化的來源（批評可以使混淆得以澄清，可以使紛亂成為齊整），一個人，在任何方面，凡是有了進步的，對於尚未進步前的行動，都會有更深的了解，都能恰有當的批評。所以，批評是一切進步的動力，也是任何進步的先決，批評之意義，固不大乎！

十九・規約語句及其四種用法

規約語句的功用

人類有不同的需要，所以對於不同的事物，有不同的反應。譬如在口渴時候，對於飲料有好的反應，對於食料則否。又因為他有不同的構造和經驗，所以對於同類事物的不同代表，有的歡迎，有的不歡迎；譬如同是口渴，有的人要喝熱茶，有的人則要喝冰汽水。不但如此，人類對於一種事物的『反應方法』，他的『行為方式』BEHAVIOR PATTERN，也往往各人有各人的習慣，各人有各人的固定方式。譬如同是喝酒，有的人喜歡一滴一滴的細細品嚐，有的人則一飲而盡，總是一口一杯。同是睡覺，有的人喜歡赤裸裸地，一絲不掛的鑽入被窩，有的人則一定要穿上睡衣睡褲，最好還是才洗才熨的，不然，他俯仰不安，一夜不能入睡。（六八）

自由人慶祝中華民國四十四年國慶紀念特刊

雙十國慶答客問

·錢穆·

或問於予曰：近日國際間頗有承認兩個中國同時存在之擬議，子意云何？

答曰：國家必代表當人民而始有其存在，今天世界上止有一種中國人，並沒有兩種中國人，則中國只應是一個，不該有兩個。

人民自由有其限度

或曰：人民有自由意志，如是中國人自願分裂為兩個中國，則如何？

答曰：此指國家所賦予人民之自由言，此種自由便有其限度。如美國在林肯總統時，南北部分裂，林肯總統不能承認其南部人民之要求，因施之以討伐。

或曰：然則，北美十三州人民何以得對英國宣佈其獨立？

答曰：此因英帝國當時，並不願以平等法律對待北美十三州。政府既對這一批人民另眼相看，這一批人民自可對此政府要求自已之獨立。

中國不統一世界無和平

或曰：為當前世界和平計，國際間同時承認兩個中國，亦有其苦心。

答曰：此不然。為求世界和平，德國不應該分裂為東德與西德，韓國不應該分裂為南韓與北韓。中國民族存在歷史特別長，果為世界和平計，中國更不應分裂成兩個。中國不統一，則世界無和平。

或曰：最近周恩來曾說，台灣問題，此係中國內政問題，此亦不承認同時有兩個中國之存在，子意云何？

答曰：凡屬中國人，都不肯承認同時有兩個中國之存在，而周恩來所說，則又當作別論。

中共不能代表中國人

或問：何以故？

答曰：當知中國人，乃屬生而即賦與以為中國人之資格者，此亦一種天賦人權，中國人一生下，即有被承認為中國人之客觀存在了。而今天的中國大陸政權則不然。今天的中國大陸政權，自認為代表着中國人，但彼衷心中之中國人，乃另有一條件。條件係何？曰：你非信仰馬克思，崇拜列寧與史達林，即不得成為一中國人。因此必須坦白思想，必須接受洗腦。如洗腦無效，其人即該被清算，被鬥爭，被屠殺，被取消其在中國大陸自由生存之權利。因此今天大陸上的中國人，乃必須在信仰馬克思，崇拜列寧與史達林這一條件之下，而始可獲得其為中國人之資格。故今天的中國大陸政權，乃是代表共產主義，馬列崇拜者的政權，而非代表中國人民自由意志的政權。

中國問題非內政問題

或曰：中國政府采用共產主義，此亦屬中國內政問題，別國不便干涉，只就其有此一政權而加以承認，此乃今日國際間承認中國大陸政權之一般意見，子意又謂何？

答曰：此乃只承認了一個共產政府，卻不能說承認了一個中國政府。因中國人生來本無必然需要信仰馬克思，崇拜列寧與史達林的先天義務，而今天的大陸政權，卻必要強加此束縛在每一個中國人身上，認為信仰馬克思，崇拜列寧史達林，乃其人之被認為算得是一個中國人之先決條件。我當正告周恩來，即此一點，顯見已不是中國的內政問題了。若周恩來認真要講到中國內政問題，則共產政權已在中國大陸大力推行了整整六年了，至於共產思想在中國大陸之宣傳與煽惑，更已歷有年歲了。若今天中國大陸政權，還懂得尊重中國人民，還要開口講中國內政問題，其第一步驟，應該讓大陸中國人普遍來一次自由的投票，看眞個信仰馬克思，崇拜列寧與史達林的到底有幾個。因此，今天國際間，凡屬承認大陸政權者，在我們中國人看來，只是他們不承認有中國人。

並無台灣問題存在

或曰：君謂大陸政權之設施，已不是中國內政問題，敢問其意，請再申說。

答曰：今天中國的大陸政權，並不是為尊重民意而推行共產主義者，乃是為要推行共產主義而壓迫民意者。並不是由尊重民意而對列寧史達林致其崇拜者，乃為崇拜列寧與史達林而對民意強以服從，於民衆肆其殘殺者。此而謂是中國之內政，何執非中國之內政？

或曰：請再更端言之，今天是否眞有一個台灣問題之存在？

答曰：今天只有中國問題，沒有台灣問題。

不是思想問題

或曰：有人謂今天的中國問題，乃一思想問題，子意又謂何？

答曰：今天的中國問題，已不是所謂中國的內政問題了，當然更不是所謂中國的思想問題了。今天的中國問題，簡言之，是為何大陸政權，定要強迫每一個中國人必然得崇拜列寧與史達林？是為何中國人對此政權竟無力作抵抗？

或曰：然則，子所認為之中國問題，將如何解決之？

答曰：明白言之，今天的中國問題，已牽進了蘇俄共產帝國的問題而混並為一了。要解決東西德問題，必然得牽涉到蘇俄，要解決南北韓問題，又必然得牽涉到蘇俄。難道只是解決中國問題，可以不牽涉到蘇俄嗎？

中國問題是世界問題

或曰：牽涉到蘇俄，便牽動到全世界，今天國際間，正為怕蘇俄，所以只得承認大陸政權，只得想承認兩個中國同時存在，子對此又表不贊成，何也？

答曰：中國既是世界之一環，中國問題同時也即是世界問題了。因此，中國也只得與世界同其命運，而前進。若使全世界還有好多民族好多國家，可以不必崇拜列寧與史達林，試問中國人為何例外，定要被強迫來崇拜列寧與史達林？因此，凡屬存心強迫中國人必需崇拜列寧與史達林者，其勢也非強迫其他世界各國人全來崇拜列寧與史達林不可。至少，在中國之四鄰，便非強迫他們來崇拜列寧與史達[illegible]。因此中國問題[illegible]那一面講，其勢也非牽動到世界問題而將永不得一個解決的。

中國問題須自己求解決

或曰：如子意，是否可以靜待世界問題之解決來解決中國問題呢？

答曰：今天的國際意見，大體是想把問題分開逐步求決解，因此一面主張東西[illegible]國之存在。

或曰：中國人在此形勢下，如何自求解決？

答曰：中國問題須由中國人自己來解決。今天國際間縱是怕蘇俄，卻也沒一個說法來禁止中國人自己努力求解決自己的中國問題呀！

辛亥革命精神

·唐惜分·

一、

辛亥革命成功，國父孫中山先生由歐返國，上海各報盛傳他帶有鉅款。國父告訴記者說：「予不名一錢也，所帶回者，革命之精神耳。」

什麼是辛亥革命的精神呢？

國父在其所著的中國革命史裏說：「予從事革命，建主義以為標的，定方略以為歷程，集畢生之力以赴之，百折不撓。」這顯然是說他從事革命的精神，要發揮這種精神，以進行他的革命運動，他更定下三種事功，也可說是三個步驟：（一）求天下之仁人志士，同趨於一主義之下，以共同致力，於是有立黨。（二）求舉國之人民，共喻此主義，以身體力行之，於是有宣傳。（三）求此主義之實現，必先破壞而後有建設，於是有起義。

國父自乙酉中法戰後，有志革命，即先後致力於這三種事功。乙未之秋，革命思潮沛然可用，乃集同志始義於廣州，不幸失敗。其後數年，各處紛紛舉事，前仆後繼。其身或死或不死，其事或成或不成，而意氣所激發，則再接再厲。於是有辛亥之大舉，先之以三月二十九日，廣州之役，繼之以十月十日武昌之役，而滿社遂屋，革命告成。國父綜論諸役，說：「革命黨人以一往直前之氣，忘身殉國，其慷慨劝餉，多為華僑。熱心宣傳，多為學界。衝鋒破敵，則在軍隊與會黨。踔厲奮發，各盡所能。有此成功，非偶然也。」這無疑的是說辛亥革命精神高度的集體表徵。

自從那一次革命成功，滌蕩前清遺暴殘刻封建統治之積習，使國內諸民族一律平等。鏟除四千餘年專制君主奴役人民之劣迹，使民主政治於以開始，中華民國因而建立，誠屬偉大！可方百世！時光飛逝，今天已是中華民國四十四年的雙十節。緬懷先烈，精神如在。景仰之餘，極目中原，則已山河變色，盡成地獄，我們實不勝其感慨了。

二、

我們知道，革命精神之所由產生，有兩種必然的因素。一為使革命要求所由產生的客觀情形，又一為使革命精神得以引發的主流思想。

撫今追昔，辛亥革命前，滿清以滿族特權為本的封建統治，固有其產生革命要求之必然情勢。然以視今日中共，以俄製傀儡為首，而以共幹特權為本的新封建統治，則無論在任何方面，均較之滿清為如水益深如火益烈。國父說：「夫世界方今何為而有革命。乃所以破除人類之不平等也。」中共竊據大陸後所造成之不自由與不平等，乃天下古今之最，而無可比擬。其所為違反人性，缺乏人類愛，蹂躪中華民族之優良文化傳統，迄今則已惡貫滿盈，比滿清為更應予驅除，而不容稍留。革命要求之必然產生，無可懷疑。

顧我受迫害的同胞，轉輾而不獲喘息於極權鐵蹄之下，雖反奴役，反飢餓，反殘害的抗爭，此起彼伏，不絕於途。然以妖魔般的中共，集天下古今專制統治之大成，使革命力量未容貫連集結。我海外僑胞，雖已痛心疾首，無不發生「時日曷喪，予及汝偕亡！」的慨嘆，而或囿於私人團體之成見，或惑於中共統戰之謬論，使革命思想亦未能滙迴瀰流。竹落既下，更無由灌注於大陸同胞，遂致首創偉蹟，今感切需的辛亥革命精神，未能復現於當世，導致行動，良用太息。

國父說：「建國之道，雖經緯萬端，要其一貫之精神，即為自由，平等，博愛。」自由，平等，博愛三者，是人類自然的要求，也是中華民國創建的理想。中共放棄此三者，所以更改國號，變易國旗，其一切所為亦以毀滅此三者為目的。時至今日，涇渭已分，「漢賊不兩立」。吾人已不容猶豫，而必須團結天下之仁人志士，以共同致力，趨於自由，平等，博愛之理想下，而不願作中共奴隸的同胞們，亦必須共喻自由，平等，博愛的可貴真理，身體而力行之。庶幾辛亥革命精神不死，而中華民國之建設有望矣！願以此為中華民國四十四年國慶祝！

看：我們的旗幟

——國慶獻歌

·金谷·

看，我們的旗幟
飄舞在藍色的高空，
飄舞在碧綠的海面，
飄舞在廣闊芳香的大地；
哪裏有自由，
哪裏就有我們的旗幟。

我們在光輝旗幟的照引下，
踏垮了愛新覺羅的金龍寶殿，
結束了洪憲王宮的竊國把戲，
也壓倒了那瘋狂一時的旭章旗，
今天，更要使那眨着小眼睛黯淡無光的
污腥旗驚惶顫慄。……
向我們的旗幟敬禮！
向我們的旗幟宣誓：
把它由海外插向大陸，
從南方插到北方。
在長江和黃河的堤岸上，
在天山和白山黑水之間，
在科爾沁綿草原，
然後，在天安門下
我們舉行勝利的會師。

我們的旗幟，
浸染着先烈的碧血，
凝結着現一代的意志，
象徵着四億中國人民的願望，
顯示着我們復國的決心和信心。……

看，我們的旗幟萬古常新，
我們跟着它高歌猛進。

（十月七日於九龍）

從武昌起義說到反共復國

——爲民國四十四年雙十節作——

邵鏡人

一

自甲午戰敗，割讓台灣，並賠款二百兆以後，旅順，大連，威海衛，先後喪失。於是舉國心驚，志士髮指。康有爲，梁啓超，以布衣上萬言書，力陳變法維新，可是，當時滿朝頑固派，拚命反對新政，遂演成戊戌政變，西后垂簾，德宗受囚，康梁亡命海外，譚嗣同等六君子，梟首朝門。然而，事雖失敗，卻喚起四千年國人的大夢，卻自此時開其端！

同時，孫中山先生，固早以傾滿清，興中華，建民國，號召國人。章太炎，蔡元培，吳稚暉，于右任等，又以文字鼓吹革命。徐錫麟刺殺恩銘於皖，秋瑾女俠就義於浙，熊成基狙擊五大臣，汪精衛謀刺攝政王，黃花崗七十二烈士，更烘烘烈烈殉難於廣州。狂瀾巨浪，風起雲湧，革命怒潮，遂一發而不可遏止了。

二

一九一一年，十月一日，即清宣統三年，八月十九日，武昌新軍熊秉坤，一槍發難，全城響應，總督瑞澂狼狽而遁，滿清文武官吏，均棄城潛逃，武昌遂爲革命軍佔領了。

因爲，當時較有聲望的革命軍人，多不在場，黃克強更遠在香港，一時趕不回來，領導無人，黎氏是新軍第八鎮二十一混成協協統，在清軍將領中，很得軍心，他的部屬參加是役者，又復甚多，推他爲臨時主腦，確是適當的人選。有人說：是從床底拉出來的，也許是事實。可是，時勢造英雄，他從此一帆風順，位極大總統了。

在一個月以內，各省相繼宣布獨立，選派代表，製定臨時約法，並公舉孫中山先生爲中華民國臨時大總統，我們這個老古帝國，一變而爲中華民國。但，北洋系軍人領袖袁世凱仍擁有雄厚武力，解職北京，而全國人民又無參政的能力，孫先生看到這點，本着天下爲公的精神，飄然下野，讓位袁氏，希望他能改變作風，爲國努力，殊不知，利慾薰心的袁氏，國家可亡，權位是不可放棄，人民可死，而擴張一己實力，培植兒子實力，刻不容緩。幸賴梁任公，蔡松坡，唐繼堯，雲南起義，把他打垮了，他死以後，民國復活，但仍爲北洋軍閥所把持，以至連年內戰，民生水火，皆由於袁氏一人私慾所造成。

三

孫先生護法廣州，對抗北洋軍閥，局促一隅，創業維艱，直至馮玉祥倒戈，逐清帝，囚曹錕，演成段祺瑞執政，孫段張三角同盟，孫先生北上救國，雖然積勞以歿，但，已奠定北人民對革命之向心，使北洋軍閥有土崩瓦解之勢。

迨至民國十五年七月九日，國民革命軍總司令蔣介石先生誓師北伐，這是民國史上大分水界，這時，全黨同志是全國人民祇有一個目標：完成北伐。周武王有言：『紂，有臣億萬，惟億萬心，周有臣三千，惟一心。』所以，全黨全國一個心，才能一往無前，打得五省聯軍總司令孫傳芳，棄甲曳兵而走，北洋軍閥集團一敗而不能復振。

但是，北伐完成，革命仍不夠澈底，以致官僚，政客，軍閥，搖身一變，笑而逢迎，榮膺中委者有之，位極顯要者有之，更加黨內若干敗類得意忘形，三民主義變成敲門磚，敵通了，把他束之高閣，所以，才啓強鄰覬覦之心，長跳梁囂張之氣，『國必自伐，而後人伐之。』這是致敗的總原因，假如把這筆爛賬，完全記在一個人身上，也未免太寃枉，恐怕全黨同志，什九也要負一點責任吧？

四

日本侵略中國，造成九一八事變，終至第二次世界大戰爆發，蔣介石先生以堅忍的精神，負起領導的大任，又得全國人一德一心，敵愾同仇，八年之間，使日軍顧此失彼，耗費甚巨。中國對大戰，對同盟國，供獻最大，而人民生命財產損失也最大。迨至日本投降，南京傀儡政府隨之垮台，中國一躍而爲五大強國之一，自應從此發奮圖強，以保持勝利的光榮，然而復員接收，一蹋糊塗，幾乎無一處辦得好，許多人祇想混水摸魚，撈一把洋財。因爲復員失敗，更增長貪污腐敗的氣習，以狡黠貪污爲能，以忠實服務爲愚，相習成風，傾詐我虞，梁任公先生有言『國之有亂，其將畢乃鉅，其始也起於一二人心術之微，及其既成，則合千萬人而莫之能禦。』到了莫之能禦，雖有賢者，無能爲力了。所以，中共才得乘虛而入，席捲大陸，以造成今日的局面。

五

中共竊據大陸以後，五年之間，屠殺人民在兩千萬以上。固然，有許多貪官汚吏，土豪劣紳，借黨營私的黨棍，憑借惡勢力的地痞流氓，在國民黨時代，就應該殺而未殺的，但是，中共所殺的，絕大多數以上，是素無劣跡的公教人員，智識份子，和有點祖遺田產的良民，未經法定程序，一律殺掉了。同時，中共以民主外衣，掩飾其極權罪惡，實際則摧毀中國的民主精神，固有文化，人民生存的條件，固有道德，和用高壓，純用欺騙，維持政權。這種作法，如能維持長久，那末，人類正義、是非，是統統等於零了，所以，中共失敗，是注定了的。『天作孽，猶可爲，自作孽，不可活。』縱使無外力壓迫，而他們內部，必然要起變化，以至崩潰而後已。

六

因此，我們當前的階段，是民主與極權，光明與黑暗鬥爭的階段，是民主人士急起直追，團結一致，貢獻其生命共同奮鬥的階段。要知道反共復國不是一件容易的事，勾踐臥薪，而後沼吳，文公布衣，而後興衛。我們要把過去的派系觀念，個人主義，褊狹胸襟，一掃而廓清之，變成公忠體國，開誠相見的心腸和作風，然後把政治、經濟、文化、軍事、社會各種力量，集合起來，才能夠負担起時代使命，中華民國，也才有光明燦爛的前途。

國慶感言

青年論壇

劉起

一年容易又雙十，溯自四十四年前的今日，由孫中山先生所領導的革命黨人，於武漢首義，推翻滿清帝制，並結束了中國四千餘年的專制政體；使旨在民有民治民享的中華民國誕生，迄今已整整四十四個年頭。然而，回顧這段過程，中華民國歷經坎坷，屢遭危難，除大小軍閥的相繼混戰外，曾一厄於袁世凱的稱帝，再厄於張勳的復辟，三厄於日本軍閥的蹂躪；尤有甚者，中歐爲朱毛漢奸，甘爲俄人爪牙，悍然與國人爲敵，蓄意顛覆，終迫政府還治台灣，已六年於茲，吾人於今而對大陸五億人民之身處水深火熱，又值中華民國四十四屆誕生之日，其將爲國慶慶耶？其將爲國人悲耶？

往者已矣！四十四年過去了，讓它過去罷。但中華民國的敵人——中共，他是知道大陸上所有不願作奴隸的人心，無不緊屬，傾向着台灣，並準備異日作我反攻之師的內應的，所以中共認爲中華民國在台灣的存在，乃是對他大陸統治的一種重大威脅。因此，他對於凡可以顛覆自由中國的陰謀手段，亦無所不用其極；我們曾見，中共尤曾以不惜用武力的姿態，企圖嚇退巡邏海峽的美國第七艦隊，繼用靠攏份子的嘴巴，隔海傳聲，企圖離間自由中國的人心，治事實證明兩者皆無效時，即改變策略從國際入手，乞援和平掮客尼赫魯來透過英國影響美國，至今已把台灣問題搬到日內瓦大使級的會議桌上談了。他看海峽不能飛渡，就打算用談判繞過海峽。總之，中共對顛覆自由中國的活動時刻未放鬆過。我們面對中共日益加緊陰謀自由中國之時而慶祝國慶，萬不能忽視這個大敵當前的局勢。

無可諱言，由於國際對中共姑息和共存疑雲的飄渺蕩漾，又使此度的國慶日，籠罩着沉悶氣壓，然而此不過爲一種時令氣候的外感，固無傷於反共大業，但我們能有固定的復國政策，作爲鬥爭目標，我們更應有適應世變的政策，以免陷於孤立。環顧世界大勢及本身立場，我們要反攻，實不能撇開盟國而獨行；而反攻的成敗，更關係中華民國存亡絕續的命運，在只許成功不許失敗的要求下，故行動不得不慎重，準備不能不充足，假如條件不完備，輕舉妄動，反足僨事。

在今天，我們每一個人，都不應該爲本身之僥倖脫離鐵幕，獲有自由，自慶能有今日，因此無所謂藉國慶來狂歡一日；或因反攻行動之有待，即自喪信心，陷於失望，流於頹廢，悱怨繼之，遇雙十而盡一日之悲。這對於我們的反共事業，都是毫無積極意義的。

須知國家興亡，匹夫有責，不要只是究責別人的愆謬，應該先省察一下自己過去和現在對國家是否够盡力，嚴格說，失陷大陸，人人都有責任，如能以從頭作起的心情，爲反攻復國輸誠而補過，尚未爲晚。這次教訓還不够嗎？現在是人人都應該猛省自覺的時候了。

我們在今天是以無限地沉痛心情來慶祝雙十節的，但我們應該化沉痛爲力量，把生活、意志、行動都積極起來！我們現在的生活雖感艱苦，但最低限度還能够呼吸自由空氣，這比之陷於鐵幕內同胞已經好過百千倍了。固然，我們今天過的不是理想生活，但理想生活的實現，惟有從反攻復國工作的勝利中追求，才不會落空。然而不要忘記，這種大業就決定於我們今後的努力。基於上述要求，政府應該從反攻復國政策正確的領導上，取得各級人民更大的信任。各級人民也應該向反攻復國準備的努力上，只有政府的領導力，上下一致努力，才能構成巨大的力量，亦惟先能立於不敗之地，反共才有憑藉，才足以言復國。

蕩漾於自由世界的對共姑息和共存陰雲有待我們去化散，倒懸、大陸上被中共奴役着五億同胞的桎梏，有待我們來解救，我們應該及時奮起，宏揚辛亥革命精神，打倒共產極權，以便異日能與全體向胞，花大陸共同慶祝一年一度的雙十國慶，則今日之慶祝國慶，才有意義。

△△　△△　△△

孔子，仍是青年的導師

李樸生

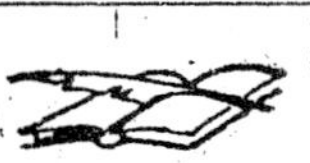

孔子是一個中國最有名的教育家。他對學生很和氣，親切，常常和學生隨便談天，讓學生自由發表意見。他從不擺出老師的架子，便到談話的氣氛極輕鬆。如果學生歡喜彈彈琴，儘可以一面彈琴，一面談話。他歡喜和學生「辟克匿克」，游游水，唱唱歌，食食風，騎騎馬，射射箭，活潑非常，毫不呆板。

他教學生，極重視其個性與環境，同一個問題，他會用幾種不同的方法來講解。他不隨便觸到學生的短處，免他失了自尊心。他講話錯了，學生提出來，他很高興。他不是開學店，不計學費多少。學生貧富不同，他不會勢利，巴結有錢學生。他教他們互助。他把學問，道德放在第一位，要學生不分貧富，尊德性，重學問。他最得意的學生，是一個最窮的顏回，不是有錢的冉求子路。

像這樣一位偉大的教育家，當時受學生的崇拜。逝世後，學生還要廬墓三年，捨不得他老師。照理，我們現代的青年，也應該崇拜他，歡喜他。但，現在懷有進步思想的青年，似乎孔子都沒有多少好感，而崇拜孔子的，却是一眾中年以上有了地位的人。

我少時是讀私塾，四書讀得頗熟。我讀廣東高等師範，是選文史，四書更常常看。但當陳獨秀，胡適之們要打倒孔家店時，我是站在離經叛道的一邊。我個人是如此，不少青年也和我一樣。我們推原其故，並不是世風日下；而是負教育責任者，沒有懂得青年的心理，拖累了孔子。我們如果能夠把青年和孔子活潑潑地結合在一起，然後孔子的精神才能夠永遠地爲青年所樂於接受，就在原子時代，也還不失去『聖之時者也』的榮譽。

孔子的道理，是人生極精粹的道理，不是有高度的修養，豐富的經驗，不易瞭解其價值。而且四書五經的文字，在今天並不易使人瞭解，我們讀四書五經的年紀又太輕，全無人生經驗，怎麼懂得其意義。加以塾師有些對經書的道理還不能貫通，自然不會循循善誘，深入淺出地教學生，他們往往只會強迫學生死讀死念。所以我們對四書五經沒有得到好的印象，我們心目中的孔子，是一個嚴肅，呆板，不近人情的老古董，不是一個現代的教育家。

我還記得在高師讀書的時候，有位同學陳良烈君（現在香港教中學）有趣地編了一段孔子卯香港住酒店，食西餐，在淺水灣扒艇，在跑馬地打足球的故事，在一個晚會演講，大家聽得很有趣。我想孔子如在座，也有『吾與點也』的風趣。但却給老師們認爲是『狎大人，侮聖人之言，』要把陳君記過。孔子就是如此給腐儒們硬從青年羣衆中拉出來，成爲冷冰冰，孤獨的偶像。這是一個好例子。

自漢朝罷黜百家，獨尊孔子以後，皇帝們便利用孔子做專制政治的工具，官僚們便利用孔子做求取功名利祿的敲門磚。一直到袁世凱籌備稱帝，也提倡尊孔，北洋軍閥又想利用孔子來壓迫青年思想。來鞏固他們的地位，和反對改革的工具。某軍人在廣州時，一方面提倡讀經，一方面却禁止一位著中國哲學史大綱，要青年認識那『知其不可爲而爲之』的孔丘的胡適之先生演講。（詳見香港出版胡適著的南遊雜感）眞是孔其所孔，非吾所謂孔也。孔子喪失了眞面目，替專制的帝皇，橫暴的軍閥，腐敗的官僚，縛上十字架。孔子竟像成了一個巫婦，給他們將他的幽靈附在身上講話，難怪懷有進步思想的青年，對孔子發生誤會，站在打倒孔家店一邊了。林語堂先生也會指出這個原因，可見這是大家都見到的事實。

現在爲反共，提倡孔子的倫理教育，本是很對症的特效藥。但如果我們又像從前皇帝，軍閥，官僚，腐儒們那樣強迫兒童讀經，又把孔子活潑有趣的生活變成枯燥無味，孔子和青年在精神上仍是距離那麼遠，而又靠幾個官吏去孔廟祭孔，只靠幾篇官樣文章提倡尊孔，正是：『禮云禮云，玉帛云乎哉！樂云樂云，鐘鼓云乎哉！』絕不會受青年歡迎的。我以爲最好邀請對孔子道理眞有研究的人重新把孔子的道理來一個系統的整理。汰除封建的渣滓，發揚時代的精神，用淺顯的，通俗的，趣味的文字，介紹與青年。更選聘有口才，有熱情，品行好的教授作巡迴公開的演講，必定可以得到好的效果。我做學生時，見有不少同學聽了艾迪博士的演講而信仰基督教。我今年到曼谷，是陪崔進先生講演中國文化，覺得中國文化確是需要有一套新的講演方法。十誡的影片，尤其在廣大的羣衆中有深刻的影響。如果把孔子傳用迪環圖寫出來，一定受小學生的歡迎。兒童到禮拜堂，有糖菓，有彩色圖片，有歌唱，何等快樂？現在他們到孔廟得到什麼東西？如果他們像孔子的每事問，還會給老先生們不高興地瞪幾眼。

孔子是一個活潑，誠懇的教育家，我們今日要還他本來的眞面目，讓他的道理能通俗易解。讓他的精神和青年們在一起。孔子並不要考試院把四書列入試題而後能站得住，八股時代稱爲大成至聖的孔子不會比春秋時代在陳絕糧的孔子有價值。關雲長，諸葛亮都不靠政令強迫提倡而後受社會的崇敬。淸教徒在政治力量壓迫之下還能開闢新世界。眞正對孔子道理有信仰的人，要像孟子那樣自動爲孔子奔走宣傳，不要再學董仲舒那樣利用皇帝的權力。董仲舒要利用皇帝的權力，結果是皇帝利用了孔子做工具。歷史上，好皇帝沒有幾個，壞皇帝却多得很，孔子與壞皇帝在一起，青年們便要打倒孔家店了。我們今日不要再做這樣傻事！一種道理與學說如果不靠本身的力量存在，要靠槍桿與政治來支持，終必是失敗的。哥白尼被判受火刑，基督被判釘十字架，他們所受世人的崇拜，不下於孔子。孔子本來有其眞面目，共產黨用政治力量也毀滅不了人心之靈，我們更不必靠政治力量去揠苗助長。

自由人

THE FREEMAN

（第四八一期）

中華民國僑務委員會
核發登記證台教新字第一零二號
中華郵政台字第五〇〇號
執照登記為第一類新聞紙類
（半週刊每星期三 六出版）

每份港幣壹毫
台北市售價台幣壹元
督印人：陳文蕃
地址：香港高士威道二十號四樓
3 rd. fl. 20 GAUSEWAY RD HONG KONG
香港發行及事務接洽
高士打道66號　電話：七四〇五三
承印者：東南印務出版社
地址：高士打道六十四號
海外總經銷
友聯書報發行公司
香港：德輔道中二十六號A二樓
台灣特派員辦事處
台北市館前街五十號
台灣總經銷處
台北市西寧南路壹壹壹號二樓
台郵撥儲金戶九二五二

本報啟事

本報此次雙十節國慶特刊，以銷路激增，致台灣區未能全數當日航運，至以為歉，除已於次日如數補寄外，倘台灣區讀者仍有未收到者，請就近告知本報經銷處，以便補行送上為荷。

自由人報社啟

在國際「和平」空氣下——政府應爭取更廣大的支持

·王聿修·

一、國際新情勢

今天的國際情勢對我們是一個難題。二次大戰以來，共產集團侵佔的地域擴大了，控制的人民增多了。要推翻這個已成的事實，最後必須用大規模的武力。雖然有人認為，在共產政權統治之下的人民，尤其是共產衛星國家的人民，因受不了無限的壓迫與剝削，終將起而反抗。例如去年東德人民的暴動，又如中國大陸一直不斷的人民反抗行動，甚至在共產專政統治下將近四十年的俄國，仍有反抗事件發生。我們承認這是打倒共產政權的一種大力量，但在現代的武力組織之下，我們認為，要消滅一個共產政權，最後一步必須使用武力。只有國內人民的零散反抗，如無外來的大規模的武力支持，恐怕不容易成功。

我們說推翻一個共產政權，需要大規模的外來武力，是因為共產集團幾乎是一個整個的，例如韓戰時聯合國軍隊幾乎將北韓共軍驅逐至韓國國境之外，但它可撤退到鴨綠江中共控制下的東北。甚至中共軍加入，又捲土重來。又如北越，其攻勢也是由中共俄共支持的。由此看來，對付這樣一個國際性的力量，小規模的或局部的武力，不大可能有最後的決定性作用。

二、推翻現狀與維持現狀

凡是受共產壓迫的人民，全是希望推翻現狀的，因為不推翻現狀便無法活下去。這些人深知道，要推翻共產政權，不論用什麼力量，最後的成功一定需要武力。不錯，戰爭是不人道的，不能解決問題的，但這些人不得不祈禱戰爭，因為長期受零碎宰割，比戰爭更痛苦，也就是艾森豪威爾所說，「兵士的背包不比枷鎖更重」。

在另一方面，今天共產黨要維持現狀和暫時用戰爭以外的方法發展現狀。這因為共產黨看到，自由世界尤其是美國，在軍事力量和生產力上，遠超過共產集團。並且蘇俄本身亦有困難，例如農業生產落後，並且史達林死後何人掌政府的最後領導權，亦尚未澄清。所以，在蘇俄自覺尚不能作進一步的大冒險之前，共產集團利於維持現狀。如果西方國家也同意維持現狀，那就等於承認蘇俄近些年的侵略果實，等於至少暫時放棄拯救共產虐政控制下的人民。在蘇俄的這種「和平共存」以退為進的攻勢之下，共產集團可以消化它的侵略果實，並準備未來的侵略。

而且，西方國家也顯然是願暫時維持現狀。所以在這一點上，西方國家與蘇俄有相似的趨向。只要蘇俄在表面上向這方面走，甚至美國也願採取「走着看」的暫時維持現狀政策。因為一來是只好暫時採取這個政策，二來是美國人厭惡戰爭，認為一個文明民族不應以戰爭為手段。美國自開國以來從未向他國先宣戰，亦從未以戰爭為實現國策的手段。不過如果戰爭逼到頭上，美國這個民族的英勇鬥戰，是不下於任何人的。現代的兩次大戰證明是如此。

三、拖的局面

當然美國也不會上蘇俄的當。月前在美英法俄開四巨頭會議之前，艾森豪威爾招待記者時說得很明白，他說他絕不相信蘇俄已放棄征服世界的野心，不過既然蘇俄表示出「和平態度」，美國應盡量在蘇俄這種態度中，尋求有什麼可能。以研究蘇俄聞名的大衛達林氏，也認為東西之間將有一個拖的局面（見上月五日的「新領袖」週刊），但他主張：（一）西方在這期間絕不可再有任何退讓；（二）須使共產國家明白，它們如再進一步，便是戰爭；（三）並且，不論受到多大壓力，也絕對須支持自由中國。

在維持現狀的拖的國際局面之下，對於一切在共產政權壓迫下的人民說，是很討厭的事。

四、我們的有效對策

我們不能祈禱戰爭，因為這與我們盟國的一般人的情緒不合；我們不能把我們反共復國的決策，基於另一次大戰，因為這是一個渺茫而不可控制的因素。任何不好的政策才基於一個不可知的因素，我們的唯一有效對策，是加倍努力，增強我們自己的各種力量，迎接時機來臨。我們知道共產國家是不會長久安靜下去的，按它的主義和它的本質，它必然早晚仍要闖出禍來，以致引起大戰，或甚至它自己發動大戰。在歷史上，發動戰爭的往往是結果戰敗的瘋子，遠如拿破崙，近如希特勒與東條，共產瘋子亦不例外。

我們的反共復國準備，包括：（一）增強軍事力量，運用外交和民間輿論的力量，爭取盟國的更大軍事支持；（二）海外華僑真正團結起來支持甚至具體參與國策的制定與推行；但更重要的，（三）政府爭取更廣大的支持。

五、政府如何爭取更廣大的支持

在國際新情勢之下，現階段的反共復國準備以政府爭取更廣大的支持為最重要。因為一來局面也許要拖一時期，二來反共復國不能完全靠武力，所以把握人心是最可靠的最有效的途徑。換句話說，政府要作得更合乎人民的希望。現在，中國人反共幾乎是普遍的；但反共的人並不一定完全是無條件贊成政府的。今天，政府的作法一定要更好更虛心迎合人民的意思，務必自己先作到：使大陸上的人民衷心願意冒一切危險，迎接政府回去；使海外僑胞衷心願意犧牲一切，支持政府反共復國；使國際間覺得，只有這個政府真能代表中國人民。我們相信，如能造成這種形勢，一旦時機到來，中華民國的大好山河必能自共產黨手中奪回。

政府向這方面作，並不一定真有多大困難；而且我們知道政府一向是往這方面走。這由今天總統的文告中，也可看得出。不過也許政府作的仍不够，也許不可能使外間對政府事事都瞭解。但是，今天政府要使外間瞭解，比任何時候都重要。平時政府作不到的，今天也要格外努力作到。例如多多虛心接受輿論的批評；多向海內外同胞解釋政府的施政；對於引人注意的幾個司法案件，無論新的舊的，迅速解決發表，免與人以批評材料；對於出入境，尤其是出境，盡量作最大的放寬，凡非萬不得已者，不加限制；與海外僑胞中的政治領導人物，作經常的聯繫，務使彼此間的情感融洽。凡此以及其他類似事情，實際上全是政府不難作到而又容易藉以得到更廣大支持的。

我們知道政府正在這方面不斷的努力，但如果百尺竿頭更進一步，把握了海內外整個的人心，是擊敗共產黨「和平」攻勢與我們恢復國土的最有效的途徑。

（十月十日夜）

蘇聯敢言經濟競賽麼？

——斥赫魯曉夫之無恥——

·曾旭軍·

九月十七日蘇聯共黨第一書記赫魯曉夫，竟大言不慚的對非共產國家的外交官與記者說：『資本主義制度，在競賽中，必敗於社會主義制度』。但實際上蘇聯的工人生活，連比一個窮乏的印度之工人還不如。遑論比其他的資本主義國家。（參見本報四六四期筆者所作「蘇聯的物價與幣值」）

其實蘇聯的經濟制度，是野蠻殘暴的史太林主義，不是真正的社會主義。美國社會主義各派，曾在一九五〇年秋，發表一聯合聲明，闢斥史太林主義不是社會主義，列出十大理由，指證蘇聯實行『國家奴工制度』。蘇聯運用『加緊生產』、『工資級差』、『警察統制工人揀業』、『劣工打入奴工』，種種想入非非的制度，來奴役與壓搾工業勞動者。真是違反社會主義基本條件。

赫魯曉夫今既明白的暴露其推行其史太林主義於全球。質言之，蘇聯已率直的表示不放棄其世界革命去奴役全球人類的政策。因此美國與西方國家不能苟安於目前的繁榮，妄圖與蘇聯共產集團共存。我們須知：新資本主義並不怕與蘇聯的史太林主義經濟制度作純經濟上的比賽的。因為蘇聯在事實上，已不是實行真正的社會主義，而是『不知自覺，墮落到最落後、最野蠻的黨棍封建奴役制度』。而新資本主義也不能以馬克斯的陳舊理論去解釋了。馬克斯理論只能去解釋拿破侖及期時代的英國古典派資本主義。新資本主義所怕的，不是經濟上的比賽，而是蘇聯的外交的縱容，政治的滲透傾覆，和軍事上的最後一擊的滅亡。

新資本主義，非獨沒有馬克斯所說的內在矛盾，而且有其內在的適應環境的活力。即如美國在一九五三年的將軍工業轉移到建築工業，以增加軍建及現代化工廠之投資消滅了通貨膨脹，以及補救失業的因素，這似乎都不是蘇聯御用經濟學家所重視的現代資本主義的特色。現代資本主義的特色是高度的公共管制及分配，政府祇是部份或分散的干涉生產。甚至此種方式亦因情形而異。就最近的二十年資本主義的發展來看公共管制生產及分配的不一律。乃為其特色。現代資本主義制度之改變，特別是在最進步的國家為甚——美國英國及若干大英自治領國家。此等國家實行工資經過集體協議調整，其目的在保證工人收入穩定的社會安全制度，儘管利潤或抽稅至百分之八十至九十之多。則不再有私人分配與公衆分配生產的矛盾。

按照馬克斯學說來論「生產無政府狀態」和「勞資的對立矛盾」是資本主義的「致命傷」，但就以實際演進情況來看，他的咒詛不成為事實。這一方面證明了馬克斯的理論有錯誤，其錯誤即在他未能將資本主義的演進因素加以慎重的估計。今天赫魯曉夫又在大言不慚，歷史既能否定了馬克斯的理論，赫魯曉夫的話還能有什麼根據呢？

時事述評

·李秋生·

怎樣發揚革命精神

蔣總統雙十節發表的告全國軍民同胞書，提出了大陸同胞何日得救，與反攻復國何日實現兩點，這都是國人此際所亟求解答的問題。文告中最重要的一點，是從歷史的分析，說明我們過去幾次革命大業，都缺少良好的國際環境，主要所恃在革命精神；而今日的國際情勢並不能說太壞，龐大美援尤為過去所未有。我們反攻復國的機運操諸自己手中，不應徘徊動搖，更不該存心僥倖依賴。這確是值得國人深省之言，不同於通常的紀念文告。

然而國人心理上的動搖依賴，却是無可否認的事實，海外固然，在國內也所難免。這一部分是沿襲過去大陸時代的餘毒，另一方面也是許多現實因素所促成。何以我們現在就缺乏辛亥革命北伐抗戰等時期那樣的精神和氣概，這問題是值得深長考慮的。

一項有趣的對比

以港九的雙十節與「十一」偽國慶來對比，那天掛五星旗的多屬黨辦的或中共所經營的商業金融機構，而懸青白紅國旗者却以工人區和貧民木屋區之類為最熱烈。我們由此只能得到一項粗淺的結論：中共把財富都攫奪在手裏，却征服不了廣大民衆的心。

美B三六型機臨台訪問

台北的慶祝雙十大典，參加的外賓除小胡佛與蒲瑞將軍外，還有一項來自遠地的貴客嘉賓，那就是三架美國B——三六洲際原子轟炸機，參加了慶祝表演。此種機型是美國戰略空軍的主力，是要藉摧毀俄帝心臟以報復其侵略行動的有力武器。這次該機初次飛臨西太平洋，而且更破天荒飛到距離鐵幕邊緣最近的空域，對自由中國而言，是參加祝賀盛典，若對中共而言，則是一種嚴重警告。

在原則上，軍事應該是政治的延長，在今日的美國，却總是軍事往往走到政治的前面。儘管在政治圈中共存姑息聲浪尚唱入雲，在五角大廈與若干統帥部，却並未被蘇俄和平攻勢所麻醉，而在逐步進行其必要的軍事部署。假如不受政治因素牽制的話，韓境盟軍早打過鴨綠江彼岸，奠邊府的敗績也還得挽救，沿海外島的美軍更不致手足那東一味挨打。假如那樣，會造成全世界的毀滅嗎？我想決不。被摧毀只有鐵幕與極權統治而已。

我不禁想起孟子所說「城非不高也，池非不深也……」的一段舊話。政策的決定不應該是軍人的事。在美國，却只看到政治壓鑄大錯，軍人僨事反而比較少見。

莫洛托夫地位瀕危

曾傳可能失勢的蘇外長莫洛托夫，最近忽在聯共理論刊物上公開承認錯誤——不只是理論上的錯誤，而且「在政治上可會損害蘇聯和共產主義」的錯誤。問題是他說「蘇俄社會主義的基礎已告建立」，而沒有說蘇俄的社會主義「已告確立」。這種語言學上的詭辯，是俄共的傳統特點。遠自浦列哈諾夫、馬爾託夫時代，俄共（社民黨）許多鬥爭都集中在這一類的文字上，直到今春馬倫科夫趕下台，也是如此。這不是一字之爭，而只是藉此遂行其傾軋鬥爭的陰謀而已。

莫洛托夫一向被視為克里姆林宮的左翼，因為他曾具有仇視西方的成見；但他却是一個穩健而審慎的人，列寧稱他為「最好的檔案管理人」。他也許沒有太大的政治野心，因此他的權勢總能從二十年代初年一直延續到現在，雖然他並未如一般所猜測，成為史達林的繼承人，他與伏羅希洛夫同是史達林最密切的股肱；史達林已死，史氏親信也沒有理由還繼續得勢。莫洛托夫不像伏羅希洛夫那樣凡庸，他大概不致遭受殘酷的整肅，但赫魯曉夫或布爾加寧却都不會讓他長此掌握現今最重要的對外運用大權。

台灣通訊

民國以來的中國工程師學會

爲慶祝中國工程師學會創立四十四週年紀念暨該會與各專門學會在台舉行聯合年會而作（上）

·楊力行·

中國工程師學會暨各專門學會，爲擴大慶祝本年第二十屆年會，決定提早於十月十三日在台北舉行，會期兩天；會後並將分組赴台北郊區參觀各工廠。

中國工程師學會創立於中華民國元年，迄今已四十四週年，特將該會史事簡單介紹於後：

創立時期

我國自清季同治、光緒年間，舉辦「洋務」開始，技術人員多借材外國。光緒三十一年，詹天佑氏主持京張鐵路建築，開國人主辦鉅大工程之始。嗣後教育革新，工程人才輩出，其對國外工科留學生，已有關於學術性質之集會；國內如南洋、北洋、唐山及上海兵工學校畢業生，亦多聯絡。辛亥革命，民國肇造，學會組織遂應運而生。時適詹天佑氏，主辦粵漢鐵路，即在廣州約集同志，創立中華工程師會；同時，顏德慶、吳健、屠慰曾亦在上海創立中華工學會；又有徐文炯等組織路工同人共濟會。三會名稱雖不同，而宗旨相仿，且皆推詹天佑爲會長或名譽會長，旋三團體協議合併，改名爲中華工程師會，在上海，廣州分設辦事處。翌年於漢口開會議決：以漢口爲總會地址，蓋武漢適爲當時粵漢川鐵路之交通中心。八月再度舉行成立大會，選舉詹天佑爲會長，顏德慶，徐文炯爲副會長，會員計有一百四十八人。及民國三年十一月舉行第二次大會時，會員增加爲二百四十九人。四年七月第三次大會仍在漢舉行，更名爲中華工程師學會。民國五年十月決定遷總會於北平。六年二月購定北平西單牌樓報子街七十六號爲新會址，是時會員已增至四百餘人。該會成立以來，年出報告一冊。三年春改名爲「會報」，定爲月刊，每年編印一卷計十二期。中經詹會長手訂徵文條例，每年懸捐百金，懸賞徵文，施行五年，得論文百餘篇，每年編印「論文叢刊」一巨冊，內多有價值之作。

統一時期

二十年三月，中華工程師學會正式推舉韋以黻和夏光宇爲代表，中國工程學會（初由在美之留學生組成，後始發展到國內）則推舉惲震與徐恩曾爲代表，經六個月之討論，提出兩會合併具體辦法，及新會章草案。八月在南京舉行聯合年會，通過合併案；並議決以民國元年，爲該會創始之年，設總部於首都。此即現在之中國工程師學會。時會長爲韋以黻，胡庶華爲副會長，會員計有二千一百六十九人，從此會務日益發達。並繼續發刊「工程雜誌」，改前「會務月刊」爲「工程週刊」，於二十一年一月一日起發行第一卷第一期。

二十一年起歷屆會長爲：顏德慶，薩福均，徐佩璜，顏德慶。

（未完）

海外通訊

巴黎中國留學生

·奔流·

【本報特約通訊】前些時，讀過左舜生先生的「近三十年見聞雜記」一書，其中提到他到巴黎來的情形，深使我未到巴黎前有一個簡單的印象。在巴黎逗留了一個星期，我和左先生所說的差不多，就是跑書店，翻覽於塞納河邊的舊書攤；然後，教堂、博物館之類，同樣是我遊訪的對象。巴黎的聖母大堂，盧佛博物館，爲我都不是生疏的地方，唸藝術史時所看的圖片，今日親臨其境，看起來自然是特別有興趣，印象亦特別的深刻。走馬看花似的參觀了盧佛博物館，花了我一整天開放的時間，而在巴黎的「鐵塔」上，祇是上去和下來，稍爲觀摩一下，便化了半天工夫。巴黎的市區在塔頂俯視，有如就在掌上；在我沒來巴黎之前，總認爲這座「花都」之建築，是高大和到處如花似錦，可是，事實上和幻想不同，「花都」的建築，普遍的都是三四層洋房，一座座黯淡異常。

中國學生留學法國在整個留學史上應佔一頁非常重要的地位，她對於中國今日新文化之影響是非常驚人的。在這麼一個完全享有思想自由的國度裏，留學生到這裏來，正如我們到一家中國飯店裏去，願意吃些什麼就什麼？便飯美餚，任你隨個選擇。我的這種看法，對於留學生們留學的狀況作這樣膚淺的比如，相信不會太過火。我讀過燕廬先生的「留學百年紀念罪言」這篇文章，雖然其中所指的對象側重在美國方面，我認爲在其他的地方，同是一樣。即使我不完全贊同燕廬先生的話——外國人絕對沒有辦法爲中國造就人才——最少我們自己的派遣學生出國留學，應有一個確定的目的，計劃……等等的準備。過去和現在，我敢說派遣學生的機關，對於一個留學生在外之生活情形，求學狀況……等等，都缺乏澈底的了解。如果是公費生，政府每年除供給金錢外，對於其他各方面，便很少過問。這是一個嚴重現象。

談到留學生在國外的事情，一定離不了要談些我國駐外使節的事，因爲政府派遣青年出國，到了外國，使節就是有關他們種種事情的負責人。別的地方不談，以法國的爲例，當我聽到旅法之同學們談及我青年學生與使館之關係時，真是令人痛心疾首。我不相信在法國的中國青年都是左傾的，都是共產黨，我發現大多數的他們都是熱誠的愛國者，祇是他們在今日，很多感到失去生活的重心？看到國家的境遇如此，感到前途的渺茫，爲什麼一個國家的青年在外國會有如此的不幸現象呢？是偶然的嗎？這責任完全應由這一代青年自己去負嗎？這話不見得對。在外國，駐外使節對於這種情形，更不能袖手旁觀，甚至將留學生拒之於千里之外，完全不聞不問。

在許多的旅法同學談話中，我得知了兩件事，在此值得一提，其一：據說我駐法使館某大員於不久前，回到寶島去一次，於公式化之觀察述職之餘，最後還獲蔣總統之召見，他返法之後，便大擺「官架子」。他這種態度對於許多關心祖國的青年們帶去的，祇有失望和怨言。他們連想見他一面，亦難如上青天。

另外一件事，聽說政府這次對於出席聯合國大會，增派了許多的新人，而且都是年輕的。在這許多新人中，據說有一位是不久前從法國回去的，許多旅法的同學們，得知某君居然也代表着堂堂的中國政府到聯合國去，莫不爲之惋惜。因爲他們認爲某君的私生活一向不檢，顯然並無適當資格代表一個堂堂的國家政府。

這事對我來說，當然祇是傳聞，因爲我既不認識某君，也不清楚他的私生活究竟不檢到何種程度，但這一類的事，仍值得作爲政府的參考資料，在選用新人時深切地檢查一下。

熱烘烘　笑咪咪
僑胞歡度國慶佳節

旗海、燈山、花牌，歡笑、吶喊、乾杯，交織成偉大的場面；在空前的熱烈的氣氛中，僑胞們強化了扭轉逆境，完成反攻復國鉅任的精神準備。

二百五十萬香港區僑胞渡過了一個熱烈的國慶，這是包括了天氣與人心。整個香港，無論那一個角落，大家都是喜氣洋洋的，祗要有人的地方，就有青天白日滿地紅國旗在招展，一切都是那麼地興奮。

自由武器打擊敵人
接受考驗表現忠貞

記者在這一天曾經參加三個不同的幾大集合，是文化界，工商界和勞工界，有一點是共同而必須指出的，當二百五十萬僑胞在慶祝的狂熱中，大家沒有忘記在艱苦中奮鬥的祖國，更沒有忘記堅定反共抗俄的意志和反攻大陸的要求。

這一個表現在文化教育界三千人的集會上是最強烈的，正如影界老前輩王元龍所說：「蔣總統曾給我們說過一句話，那是：『疾風知勁草，亂世出忠臣』，我不敢說我們是忠臣，但我們都是勁草」，王元龍的話贏得了全場的掌聲，他還指出，在四十四年的雙十，大家面臨着嚴重的一天，但願我們都是勁草，我們並願疾風中的勁草自勉。

王元龍說出了人的心聲，我們目前正處着一個逆境中，惟有在這考驗中，才能表現我們的忠貞。

這一個集會是熱鬧極了，掌中沒有一刻停止，大會主席團丁文淵首先指出了一個違背人民的政權是絕對不能存在的，我們要爭取民族自由，民族自由是打擊中共唯一最有力武器。唐惜分更大聲疾呼地說要打倒共產黨，打倒了共產黨，我們在大陸上的同胞才能談自由，平等與博愛這三大原則。考古家董作賓用文字的起源，說到了十月十日，他以「朝」字來拆一個「十月十日」，他說：十月十日是一輪殘月低下去了，一輪紅日讓着照耀大地，這一輪紅日象徵了光明，也象徵了國慶。

在滿江紅與國慶頌的嘹亮歌聲中結束了這一個大會。

商會舉行隆重升旗
謝伯昌斥在商言商

在九龍總商會的升旗禮是莊嚴的，也是熱鬧的，近二百名九龍總商會的理監事和會員在理事長謝伯昌的領導下向着徐徐上升的國旗行着注目禮，在簡單的儀式中，大家都有點像這一種罕見的場面所感了，尤其是將港，這一個外國人的殖民地，這一種愛國的表現是偉大的與可畏的。

謝伯昌沉痛地指出了「在商言商」的不當，他說就因爲商人不理政治，使到國家這些年來搞到一團糟，政治是每一個人的事，正如反攻大陸也是每一個人的責任呀。

謝伯昌的講話得許多人的共鳴，他們都感到年來商人爲祖國所做的事，實在太少了，他們殷殷盼望反共抗俄成功，達到反攻大陸目的，解放大陸的同胞於水深火熱之中。

做□務的□握明對記者說出他的秘密，他說九龍總商會爲慶祝國慶，撥出三百元，但我不怕擔起這三百面大旗，三天之內，商人們知道我們的困難而紛紛捐款捐物的，已超過了三十倍，幾達一萬三千餘元，中華總商會的常務會董□□無危，他在大會中獎了一個價值一千多元的光寶，但祗收了五百元，這說明了什麼，說明了商人愛國不是甘後人的。

大家關心反攻復國
數千勞工振臂高呼

工人，廣大的工人愛國的表現是感人的，他們以熱誠的心，來支持慶祝國慶的盛大場面，當港九工團總會的慶祝會在「英京酒家」樓頭舉行的時候，數以千計的工人爲中華民國萬歲而振臂高呼，這是最有力的吶喊，正可以表示中華民國，未來的國運，並使敵人喪膽。

「中華民國萬歲！中華民國萬歲！」的呼聲充滿了街頭巷尾，隨處可聞，就像過新年那般的使人感到一股溫暖，一股春的氣息，因爲祗有站在中華民國一起，我們才能夠反共抗俄成功，我們要反攻大陸，也祗有現在中華民國一起才能獲致。中華民國正像新年帶來春天般給我們帶來了希望。

然而，我們什麼時候才能夠反攻大陸呢，在國慶的場面裏，大家都盼望反攻大陸，是那樣的迫切，關於這個問題，蔣總統已給予我們一個確切的答覆，在蔣總統的國慶文告中，已經宣示我們反攻機運業已操諸吾人手裏，復國事業不能略存僥倖。文告中同時指出了國軍將先行反攻，大陸同胞立即響應。

正如每一個人所期望的，我們反攻的期限又告不遠了，雙十節的消息，報章給香港二百五十萬僑胞帶來了這一個消息，整個市面更加熱鬧，在慶祝國慶中大家都不忘在中華民國在蔣總統領導之下反攻大陸早日成功。

大旗長聯競相輝映
自由劇團演梁紅玉

除此以外，僑胞是一心一意爲中華民國四十四週年紀念而熱烈慶祝，有人曾經估計，香港的中區是熱鬧的，但不及灣仔，灣仔固然是熱鬧了，但還不及西區，整個香港看來已是一個旗海了，筲箕灣的大中實業公司出現了最大的一面國慶，廣樑油漆工會出現了二百二十四字的長聯了，但和九龍區比較，還是略略遜色，但新界郊區和九龍一比，又似略勝一疇了，到了新界家家總統像，戶戶中國旗。

另外有一處遠離香港，但是永不能被人忘懷的，就是調景嶺忠貞難胞的祝國慶場面最實太使人感動了，一個個難胞一月前即開始節衣縮食作盛大的籌備來迎接這個偉大的日子的來臨，雙十那天，調景嶺營內一片熱鬧，每個難胞出錢出力，還特地舉行了一個異常隆重的慶祝典禮，邀請了「自由劇團」前往開演助慶，演出「梁紅玉」擊鼓退金兵」和「專諸刺王僚」這一類富有民族意識的古劇，來激發每一個人的心情，一位難胞幽幽地說，我們今天慶祝國慶是熱鬧的，正因爲我們是逃亡自大陸的人，我們更知道有中華民國是值得慶祝的，惟有中華民國才能幫助我們重振家園。今天我們每一個人都在不斷□胆毅的在鍛鍊自己，有一天，當祖國反攻的口角高鳴時，我們亦將振臂而起。

兩岸彩燈
光芒萬丈

入夜，雙十節的夜景也是美麗的，維多利亞海峽的兩岸，彼此可以望見輝煌的燈色，還有海中點點的繁燈，那也是慶祝雙十的一個節目。四十四年的雙十過去了，但慶祝雙十國慶的情緒將一直延長下去。

殘月低沉 旭日高昇
董作賓拆字慶國慶

董作賓教授在慶祝雙十的集會上，拆了一個字，那是個「朝」字。

他說從前有人用「朝」字做謎面，打的是十月十日國慶，今天，他準備以文字學的研究者身份來拆這一個「朝」字，董作賓說：當三千多年前，這個「朝」字是上面從草，下面也從草，左旁一個「日」字，右旁一個「月」字，這是我們祖先們所創造的一個象形文字，因爲祖先們在黃河流域廣大無際的草原平上，看到一個月亮在水平綫下去了，接着一輪旭日升起。古人創造這個字的時候，可能是農曆的廿五六或廿七八，因爲他所見的是一彎眉月，是所謂「柳岸曉風殘月」，當殘月低沉後，我們的祖先看到一輪旭日，關於草原之草，從來演變爲「十」，因此，現代的「朝」字，就是上面下面各一個十字，當中還是一個月亮和一個太陽。

董作賓說，我之所以要在雙十來說「朝」字的淵源，正是我預備告訴各位的，十月十日出現了，就是我們將會看到一彎殘月消失，而旭日開始露出光芒。

董作賓說得是相當含蓄的，可是每一個人能夠領會，當董教授語畢時，會場上的掌聲歷久不絕。

文化教育界雙十慶祝會

這是慶祝雙十國慶許多集會中的一個，圖示文化教育界三千人在樂聲戲院舉行慶祝會的會場面首佈置，「中華民國萬歲」的標語中，每一個字有四尺高。

中共積極從事學校內移
交大遷往西安
「山大」被指遭胡風分子滲透

中共正積極從事沿海各城市高等學校內遷的計劃。據南京「新華日報」披露：明年暑期以後，除了留下「上海造船學校」繼續維持現狀，並逐漸收縮它的業務範圍之外，其餘一律依照內遷計劃，如期完成。該報說：上海七所高等學校，包括交通大學遷往西安；復旦大學移至迪化；第一醫學院遷重慶後改名「重慶醫學院」。西安現時所進行的一項大規模建築工程，預備建立一所「西安建築工程學院」，它的工程預期明年六月底前完成，以使東北工學院、西北工學院、青島工學院（一部），蘇南工業專科學校、浙江大學等全部併進，同時並將各校院除名撤銷。「新華日報」又說：「武漢測量製圖學院」一經建築完成，上海的同濟大學、天津大學、華南工學院、南京工學院等同時撤銷，所有學生教師並包括青島工學院（一部份）併入該新建的「武漢測量製圖學院」。計畫中並規定：蘭州石油學院、鄭州動力學院、太原化工學院亦將撤銷，各學院的學生，教師併進「成都電訊工程學院」新校；鄭州新建的「河南大學」將兼併現設青島的「山東大學」。據稱「山大」過去曾被胡風分子滲透，去年畢業的學生思想均有問題。內蒙呼和浩特現已新設內蒙古（綜合）大學及醫學院各一所。

該報又說：中共計劃在一九五七年之前，將可完成二百零八所高等學校目標。（兇）

中共醫生草菅人命
活人竟當牲畜醫

盲腸炎誤斷便結，服大量瀉鹽送命；患小瘡打針發炎，寸步難行，竟告斃命；開刀大塊紗布留在腹內，腸子遭爛斷。

粵共在廣東各地設立的醫療機構，儘管有所謂省立醫院、縣衛生院、行政區醫院、市立醫院、區鄉聯合診所、鄉村巡迴醫療隊、工人醫院、接生站等等，但因醫藥人材奇缺、藥品器械匱之，設備太壞，經費不足，尤其是共幹作風惡劣，不僅徒耗人民血汗，而且成爲草菅人民的場所。目前廣東人心目中的許多「人民醫院」，是和「人民政府」、「人民公安局」、「人民監獄」等組織沒有兩樣，同爲有損無益的害人機關。

廣東各地原有學驗俱優的醫生，不是遭受殺害，就是被調赴朝越服役，中共粗製濫造的速成醫藥幹部，一無所知，且人數不敷龐大醫療機構的需要，連獸醫生、護士、司藥、醫院雜工人等擢升「人民醫師」，工作中不但笑話百出，抑且誤人無算。例如韶關市立醫院內科醫生李傑原爲「粵中行政區獸疫防治站」獸醫生，今年七月調到韶關任職。八月中旬，韶關市民范三德患慢性盲腸炎到該院求診，李傑誤斷爲便結，使服大量瀉鹽（按照大水牛用量，比大人用量大五倍），范三德病了一整夜，第二天就死掉了（見九月二十四日粵北農民日報）又「粵東區醫院」替工人郭英明醫治股上的疔瘡，原任醫院雜工提升的醫師柯仲生給病人在右股上打一針，因消毒不好，不但疔瘡沒有痊癒，且在針口處又生了一個大瘡，並且病勢沉重，寸步難移，千求百請醫生臨門診治，始終不獲允許，竟因此喪命。又汕頭市民張七，患闌尾炎，八月二十三日在汕市立醫院由魏金和伍子森兩個醫生施行切除手術，一週後，體溫升到攝氏三十九度八，經檢查發覺傷口化膿，由護士提升的這兩個寶貝，認爲張七的傷口化膿，是由於腹膜炎所引起的，須要注射藥針消炎就行了，到了八月三十日，仍不見好轉，該院實習醫生陸顯續用鉗子挾棉球探入張七的傷口拭膿，卻把一個小棉球掉在傷口裏了，當他用長鉗子伸入傷口內尋找棉球時，卻從傷口內拉出來一條五寸多長寬的紗布。這才證明，張七的傷口化膿原是醫生做完手術之後，把這塊紗布縫在肚皮內而引起的，後因傷口長期化膿，腸子也腐爛了。九月二日一條蛔蟲從傷口爬出來，腸外穿孔，張七因此死亡了（見九月二十六日粵東農報）中共報紙所透露諸如此類的「人民醫師」誤人性命的事例，是不勝枚舉，無怪「南方日報」也不禁慨嘆：「一般醫生的水平實在太差了！」

據「粵西行政區文教局」透露：「湛江市立各學校反映，各中小學教員到院去就診的時候，醫生不是說他們病不嚴重不必治療，就是叫他們稍等兩天，看看病程發展如何再說，即使有時給治療一下，也不過數衍了事地弄一弄，從不配發藥，今年七月份因病沒有得到適當醫治而死的教員，就有一十八人。」（見九月二日南方日報）赤色教師尚且如此，平民不問可知。

又「海南行政區」因藥品無着，竭力提倡針灸、放血、抽痧、艾火……各種古老的無藥療法，據說還力請粵共「省人民委員會」推廣到全省呢。

啟：本期篇擠，「蔣軍與胡風」下期續刊。

中共驅策大批青年
赴東北開荒
華東區移殖人民 年底須達三百萬

中共預計在一九五七年以前，在黑龍江省開墾一千五百萬畝荒地；從華東移殖該省的墾荒人民，在一九五五年十二月底以前將有三百萬人。據共報透露，一批「青年志願墾荒隊」業已九月四日到達黑龍江羅北縣的鳳翔鎮，他們是在八月三十日從北平乘火車出發的。這一批由「北京市青年團」組織的青年，一共有一千五百多名，可組成十餘個「墾荒隊」。他們因爲本年度企圖升入各個高等學校，在考試中未能符合標準；可是他們在中學畢業考試中卻是「准予畢業」的。因此，「新民主主義青年團北京市若干團員，於今年七月間發起組織了這一支墾荒隊伍，分批前往東北墾荒」。（祝）

書獃子見解

自由談 馬五先生

說來眞可憐！生在二十世紀六十年代，別人已能夠製造衛星，且準備征服火星世界的時候，我們尙在呀呀學語，大談其追求民主自由生活的願望，據理力爭，面紅耳赤，弄成疏親慢友，犯上駭俗的尷尬情況。這不教英美人士笑脫門牙嗎？

我們的國體號稱「民國」已經數十年了，而民主生活始終創造不起來，原因當然很多，但其中有一項不大不小的責任，我們這些被譽爲智識份子，隨時爲爭取民主自由而打頭陣的讀書人，似乎不能諉卸。因爲中國士大夫們於不知不覺之中，一面力爭民主自由，同時又有違背民主自由的毛病在身，未能尅制也。

譬如說：政治權位祇要給我一份，就是民主，否則便是獨裁；我的自由言行是無邊風月，別人的自由却顧不了許多；平日痛駡貪官汚吏，自己一旦作官，又以抓錢爲首務；反對官僚政治，自己幹上一官半職時，即擅作威福，亂打官腔。如此這般的講民主，爭自由，當然得不到社會大衆的同情共鳴，更不能使權威人士折服敬憚，接受民主的要求。像這種情事，無論過去或現在，屢見不鮮。難怪中國的民主政治這樣難產了！

我們也是喜歡談民主自由這類調調兒的，所以，隨時深自反省警惕，害怕沾染了上述的毛病，給別人笑話。我國政治社會中，每以不知上諂下驕，作威弄權，或見錢眼開，違法貪墨的人物，叫作「書獃子」。如果多有些書獃子起來作民主自由的戰士，中國政治前途，或可望走上眞正民主的大道去，太聰明的士大夫，是不適宜於作民主先鋒的！

集體創作

有一位叫做「高朵馬列夫」（KORCHMAREV）的音樂家要寫一個歌劇，他邀了一個青年詩人爲其寫歌詞，寫完了兩幕以後，他與列寧格勒同一個劇院訂了一個合約，合約上寫歌詞的人竟變成了他的太太。這個青年詩人責問高朵馬列夫何以不用他的名字？高朵馬列夫說他太太當供給內容，不過詞句由青年詩人來寫吧了。於是這個青年詩人拒絕了合作。

以後高朵馬列夫又找了一個女詩人來合作，可只像點菜一般的在電話裏叫她怎麼寫。女詩人很不願意如此做法，可是高朵馬列夫說時間來不及，必須急趕。于是女詩人就只好照他所說的寫了交卷。

最後這個歌劇終是在小戲院試演了，得文化部贊同，又訂了一個合約。在合約中，這個歌詞的作者，僅列名于插曲的作者之中，連稿費都一文未得。

上面的故事見于蘇聯眞理報上，而這類的事情並不少見，眞理報記者有以下的註證：「這些藝術契約有時將別人的劇作據爲已有，有時把他們自己與別人的心血拉在一起，有時直接控制了一個青年畫家或襲據了有希望的年輕塑造家的作品。」

這文章供證了蘇聯所提倡的集體創作的實情。在竹幕裏的中國，藝術家的頭腦怕比蘇聯還改造得澈底，大致都已變成已了有效力的機器，所有作品不過是一個模型裏出來的貨物。所以作者的署名實在不必要，任何作品只寫一個毛記即可。讀了幾大關于本紅樓夢問題的文章，關于清算胡風的宏論，深感要如許作家來署名總像是個人主義意識未淨，如果用一個毛記，也許倒顯得是集體創作的偉大成就了。

·薩摩訶·

前塵

短篇小說 ·劉敏行·

又逢中秋，單身漢的假期是寂寞的，我和老張都無處可去，閒着幾個月餅，祗好談天說地消磨時間。

正談得高興，老張從口袋取出手帕擦汗，一不小心，掉下一張女人相片。我搶前替他撿起，取笑地說：「老張，你眞有一手，這女孩多漂亮，訂婚了沒有，今夜何不去找她團聚一番？」

「不，不要開玩笑，老劉，她不是我什麼人，她是一個愛情的犧牲者」。老張忽然面色變得很嚴肅，這是他從所沒有的。我意味到這件事的不平凡，央求他告訴我一點關於女主人公的事，他想了一想，說：「好，橫豎告訴你也不會再損害到她了，我就對你說罷。」下面就是他說的故事：

五年前，我窮得一籌莫展，肚子餓得再難忍受的時候，平時聽來的那套「自殺是弱者行爲」的理論也被餓火推翻了，我把一個做醫生的朋友以前送我的安眠藥，一口氣吞完，躺在床上等死，不料人雖窮命却不該絕，安眠藥份量不夠，反而弄得我不死不活，呻吟聲吵醒了隔房一對夫婦。她們慌忙報警，十字車駛來，把我送到醫院。洗胃後，我清醒了許多。在香港，自殺也是犯罪的，警方便把我押上法庭問話。坐在警車裏，我心情沉重得像被鉛球壓着，忽然間，我發現跟我一起押上警車的還有一個年輕的女人，衣飾入時，身材適中，從側面看過去，她面色蒼白，烏黑眸子現出疲憊。她也是由這醫院押來的，除了像我一樣「求死無路」外，我能在她身上想出什麼罪名呢？她上了囚車，一直沒有開口，呆呆地望着車頂出神。我掏出醫院送給我的一包烟，也許是由於「同病相憐」，我遞了一支給她，她不客氣地接過，我便藉此找機會和她攀談起來。

我先說明坐上這部警車的理由，也問她是不是和我一樣。她笑一笑，祗點點頭。

「死有好多理由的，你的是那一種？」我繼續問。

「你這人很奇怪！」她答非所問地說。

「我就是個讀書不成，因爲貧窮而犯罪的人。」

「爲了職業？」

「爲了一日三餐。」

「那麼，我倒可以幫助你」，她說完，揪開了紅色手袋，取出一張名片，對我說：「這是家兄，你出去後，可以按址去找他，他一定會幫助你」。

我被她這突然的慷慨和信任驚呆了。不過，隨後一想，人與人的關係原是這麼微妙的，我還是接過了卡片，感激的望着她，說：

「小姐，謝謝你，想不到在這裏會碰到你這樣好的人救我的命，但我能不能也幫助你，使你不至再走上你我的老路？」

「謝謝你的好意，不過我的事你不必管，亦無法管」。

「你有什麼難言之隱？不過，他們看見你那麼倔強，會監視你的。」

「你太傻，誰會像你這樣多管閒事，即使他們可以看管我一天，我還是可以等一年，是嗎？」

「你是說，出去以後還要再來？」

她點點頭，最後得意地笑着。

我忽然猜到她要自殺的原因，握着她的手說：「你一定是爲了愛情。但愛情不比麪包，有什麼關係，世間仍有許多良善的人，你還年靑，你仍有許多時間去愛人和被人愛，何不看開一點，耐心去找」。

她顯然被我一語道破，先前的和藹態度突然變成盛怒，大聲對我說：「滾開，你祇知道麪包，懂得什麼愛情！」

我正想再勸，車子已開到法庭。我們被押下來，便分開了。

後來，我再也沒有看見過她，依着地址去找他的哥哥，告訴他這件事，他祇嘆息着搖搖頭。我得到了工作，爲了紀念她，向她哥哥要了這張照片。我想，她一定已經死了。

美國人不怕患癌 香烟消耗量大增

吸烟可能長癌的說法，引起許多人的恐懼，有人且因此禁烟，或改吸雪茄或板烟（據說祇有香烟，才會患癌）。但據美國農業部最近宣佈，美國的香烟消耗量不僅沒有因患癌恐怖而降，反是增加。照目前的趨勢，今年將較去年增加百分之四，今年的全年消耗量將達三千八百三十億支，約超過去年一百五十億支，較高峯的一九五二年僅小一百十億支。

△政治家的條件

一個人向邱吉爾提出一個問題：政治家應該具備什麼條件。

邱吉爾不加思索答道，『政治家是這樣一個人，他能夠預測明天、下一月、下一個年將會發生的事情。同時，又能夠解釋爲什麼到期那些事情沒有發生。』

△養孩子與下水禮

一個在軍艦服務的水兵跑去見艦長，想要請假回家。艦長問他爲了什麼事。他說，妻子快要養孩子，非趕快回去料理不可。

艦長狂笑了一會，說道，『你這個人眞蠢，譬喻做船，安裝龍骨的時候，你得在場。現在船已經做好了，行下水禮了，你還回去幹什麼？』

△經濟學日新月異

一位著名經濟學教授，每年大考的時候總出同樣的題目。他的題目由一班傳給下一班，由一代轉給下一代，已經好幾十年了。

一天，教授的一個老學生，看見兒子的考試題目，還是和三十年前教授出給自己的題目一模一樣，一個字沒有更改。

他忍不住了，跑去找教授說：「三十年來，你的題目絲毫沒有改變。三十年前我答這些題目，三十年後我的兒子又答同樣的題目。那是什麼緣故？』

教授拿起烟斗，點着了火，吸了一會，才說：『經濟學是這樣一門科學，題目雖然一樣，每年的答案可不能相同。』

（牛布衣）

語意學漫談

徐道鄰

人類對於他的行動之有固定方式，大概是因爲在經驗上惟有如此他才能得到最高的滿足。而事實上，宇宙間有許多事物，也確實是先天的規定了一種一定的反應規程，一定的應付方法，如此作則『成功』，不如此作則『失敗』。譬如油和水的調和，滾水中加油，是安全的；滾油中加水，就要闖禍。（不像紅茶和白糖牛奶，先放茶後加糖奶也可以『歐洲大陸習慣如此』，先放糖奶後加茶也可以『英國習慣如此』。）又譬如鐘錶開發條，由左向右則有用，由右向左則無功。（所以在利瑪竇的時候，宮中的自鳴鐘，停了，非傳他進宮去『發動』不可。）開汽車的時候，一定要先開油門，後發動馬達，然後才能走動，如若顛倒過來，一輩子你也休想移動一步。人類所習慣的種種行爲方式，是否都一一具有這一類的客觀的有效性，而這些有效性，是否可以歷久不變，這些都不是問題，但是人類在某一種環境之下，都喜歡表現出某一種固定的行爲方式（譬如在疲勞之後，一定要脫光了大睡一覺），則是一個宇宙間普遍的事實。而用語言符號向對方表達出一種固定行爲方式者，就是我們在這裏所要討論的『規約語句』PRESCRIPTOR。

看見了樹林裏一條梅花大鹿，於是你輕輕地告訴你的獵伴『趕快拿鎗對牠瞄準』，這就是一句充份的『規約語句』。『趕快』者，因爲慢了『牠就跑掉了』；『拿鎗』者，因爲這是打獵的好的利器；『瞄準』者，要對準牠放之意，不然，亂放一陣，打雖打不着，嚇却要把牠嚇跑了。所以，規約語句者，是說話者用以向對方表達某一種環境下最適當的某一種行爲的方式。

『規約語句』，常和『指示語句』一同出現，但二者並不相同：規約語句是在規定對於某些事物所採取某些行爲的『方式』（例如『喝酒』），它既不是單獨描寫『事物』（例如『酒』），也不是單獨描寫『行爲』（例如『飲』）；而是在一種行爲的各種方式（『一大口』、『一小口』、『乾盃』）中作一個選擇。所以規約語句是一個人的各種不同的行爲方式中作一個選擇，如同評判語句是一個人在環境中的各種不同的價值中作一個選擇一樣。評判語句是說『酒是好喝的』與『喝』？怎樣一種喝法，是我要你把這種酒……（六九）

推銷術

·平·

日前一位美國推銷專家遊港，向港商大談生意門檻。據說，港商人一般反應都說不夠佳，他們雖對美國推銷術之複雜新奇，大加讚賞，却認爲並不適合本地環境。譬如一個推銷員將其貨品像美國那樣按戶兜售，不僅不會受港人歡迎，反而每次都會被饗閉門羹。

這事不免令人想起美國官方的宣傳。美國人常喜歡將爭取某一國的人支持其政策，稱爲「推銷政策」，由此可見在美國人目光中政治與生意的關係。今日許多美國宣傳方法之不能在施行地區獲得廣大擁護，可能也正是犯了美國商人的同樣毛病，對當地情況缺乏了解，以致失去作用。

美國大學開除前共黨教授的風波

美國文教科學校兩大學都一致認定，他們不能聘用共黨做教員。許多學校也決定一致是前共產黨員，如拒絕對共黨過去的生活，包括共黨活動，提出滿意的答案，他們也不能加以聘用。可是對於坦認一切，而前共產黨員應如何應付，則是一個疑難問題。最近，美國的華盛頓大學便遭遇這樣一個問題，且引起軒然大波。

這事的主角是法學教授福克斯。他在一九四九年受聘於華盛頓時，他並未說明過去生活中有何不安的事情。但在今年六月，他却被衆院非美活動委員會傳訊，首先他不肯吐露以前所來往的人，後來却終於將過去秘密和盤托出。他說，他在一九三四年參加共黨，到一九四六年內爲「澈底覺悟」而脫黨，在這段時期內，他曾任職於衆院鐵路調查委員會，後來又在戰時勞工局做事。在這些機構中，他都曾坦白一個共黨細胞組織的主持者。

當福克斯的供認最初洩露時，華盛頓大學校長安特遜立刻出面替他辯護。他說：「福克斯是個聰明、忠誠而專心的教師。他祇犯了一個嚴重錯誤，現在却已承認，而且公佈了。」安特遜又說，校方準備繼續用他，「此刻如採取其他立場，便違反了一個具有基督教關係與義務的機構的尊嚴。」

可是隨着福克斯供證的發展，安特遜不得不愼重再加檢討。他對福克斯在十二年參加共黨期間牽涉範圍之廣大爲震驚，起先要他暫時請假。經過三個月的考慮，他和學校的行政委員會共同決定應將福克斯解聘。但這個決定不論是否合理，各方却都並不擁護。

著名的芝加哥論壇報，華盛頓郵報和時代先鋒報都大加譴責。就是衆院非美活動委員會委員施勒爾也說：「開革一個與本會合作的人，祇要使其他的人不肯再和本會合作。」至於福克斯自己，他說：「把我開除，並不能一時合有用的目的，這違背了悔改和寬恕的教義，這事表明了校方一種毫無根據的恐懼，唯恐影響學校名譽。這事也不會使美國生活中任何團體感到高興，也許祇有共黨除外。」（羅譯）

自由人

THE FREEMAN

（第四八二期）

中華民國僑務委員會登記證僑台報字第二號

每份港幣壹毫　台幣壹元

督印人：陳文華

地址：香港高士威道二十號四樓　3 rd. Fl. 20 CAUSEWAY RD HONG KONG

海外總經銷　友聯書報發行公司　香港：德輔道中二十六號A二樓

台灣特派員辦事處　台北市館前街五十號

台灣總經銷處　台北市西寧南路壹壹零號二樓

台郵撥儲金戶九二五二

從孫元錦之死——想到的幾個問題

轉載「自由中國」半月刊社論

本刊（「自由中國」）這一期登載了一篇通訊，「關於孫元錦之死」（請先看那篇通訊再看本文）。孫元錦是台灣毛絨廠的業務部經理。孫之死是兩個月以前的事，到現在我們才看到這樣一篇比較詳細的報導。犯有重大嫌疑的軍職人員李基光，將來如何發落，這是軍法方面的事情，我們不能有所主張。但從這件事的發生，我們想到幾個有關的問題。這幾個問題，政府應該切切實實地考慮、解決。

美援不能長期依賴

第一，台灣的經濟問題——大家都知道，這幾年台灣的經濟穩定乃至若干經濟建設，主要是靠着美援。但美援不是可以長期依賴的；本年八月十一日美援會的秘書王蓬對監察院財委會的報告中說得很明白。他說：「今後爭取美援，不僅在原則上困難，且在條件上亦將逐漸苛刻，並且中美兩國於民國三十七年簽訂關於經濟援華的協定時，其基本精神即在使受援的國家能夠自立更生，逐年減少撥付援款。目前台灣所處的環境，固有其特殊的地方，但依賴美援的程度則反而似有逐年加重的趨勢，在這兩種情形之下，展望我們的前途，殊值得我們的政府以及全國人民來檢討。」他又說：「這段話，顯然認為國內各方面在數年來對於謀求經濟上的自力更生一事所作的努力，仍嫌不夠。」王秘書長這番話是很率直的。我們現在試一檢討，像台灣毛絨廠所遭遇的這事件，是不是給經濟上自力更生以嚴重的打擊呢？

僑資與逆產的關係

誰都知道，台灣經濟是一個島國型的經濟，島國型的經濟要求自力更生，必須就有利的條件來發展工業；有高度的工業化，才可在現代國際經濟體系中有所自立。這是極平常的道理，人人都會了解的。同時大家也都知道，要發展台灣的工業，專靠台灣本身的資金是不夠的，政府有鑒於此，所以這幾年特別鼓勵僑資歸國。鼓勵的效果雖不能說是等於零，但距我們所理想的境界實在太遠。其原因雖有許多是在法規方面之不妥善，而法外的干擾，也是使僑資聞而卻步的一大原因。今天，如談歡迎僑資，其可能歡迎得到的，大部份是在香港（據最近估計，香港有華僑游資三十億港幣之鉅）；但香港的僑資，可能回到台灣的，大都來自大陸。來自大陸的資金，總難免與陷在大陸的廠、礦、公司有過直接或間接的關係。這種已往的關係，如果都拉扯出來，而強調為逆產的話，則今天香港的僑資，可免於逆產嫌疑的，恐怕是太少了。所以為鼓勵僑資來台，我們就不能追溯往事對於這些資金加以逆產的罪名；我們所要求的，只是那些資金現在不再為附逆者所有，現在不再被附逆者運用。我們只問這些資金的現在和將來，不問它的過去。但是，像李基光對台灣毛絨廠的這種行為，則恰是反其道而行之的一個事例。我們相信，李基光這種行為，只是他個人的不法行為，而不是有什麼法令憑藉的；我們相信，現在的法令不會有一條一款可以用來追究私人資金之過去歷史的。但是，儘管如此，我們還要進一步希望政府明白公告，凡是大陸或海外來台的私人資金，只要現在不為附逆者所有，不被附逆者運用，過去的關係一律不予追究。

僑資為何不大量回祖國

我們這一主張，並非為某人，或某些人的權益呼籲，而是為關係台灣前途的經濟問題着想。本刊（「自由中國」）第十三卷第三期登載的白瑜先生「歡迎僑資與整飭金融」一文中說：「我們大陸陷匪後，香港由轉口商埠的地位一躍而為工業區域，……香港工廠，一九四六年為三六六家；一九四九年為九九一家；一九五二年為一七〇〇家；一九五四年為二〇〇〇家以上。香港自製產品在出口總額中，一九四七年僅佔百分之一，至一九五一年則為百分之二十五；一九五四年已達三分之一。」我們看到這報導，但不禁感慨萬千。香港是英國殖民地，台灣是我們自己的國土。大陸退出的資金，寧可在英國殖民地內開廠，而不大量地回到自己的國家。這個現象還不夠引起我們政府切實檢討，研究切實的辦法嗎？

治安機關的職權

第二，治安機關的職權問題——在我們的理解中，台灣省保安司令部是一治安機關，治安機關執行軍法時，當有一個不可踰越的範圍。我政府遷台之初，軍法管轄範圍曾經擴大得漫無邊際。後來經過兩度修正，到了四十三年十月十五日以後，軍法範圍確已縮小了。那時我們曾經發表過一篇社論（見「自由中國」第十一卷第九期）頌揚我政府的軍法革新。照那次修正後的辦法，軍法機關自行審判之案件只限於：（一）現役軍人犯罪；（二）戡亂時期檢肅匪諜條例，懲治叛亂條例所定之罪。凡與匪諜無關，與叛亂無關，與軍人無關，依此規定，均非軍法機關所可過問。又查四十一年五月十日公佈而現在已廢止的「台灣省戒嚴時期軍法機關自行審判及交法院審判案件劃分辦法」第三條中括弧內尚有這一規定：「擾亂金融等犯罪行為，軍警機關自可依其職權偵查檢舉，但其審判應交由法院辦理」。這一規定，在四十三年十一月十五日的修正辦法中已不保留。可知關於偵察檢舉經濟方面的作奸犯科，也已不在軍法機關的職權內。因此，我們就要提出一個問題：執行軍法的保安司令部現在尚設置的經濟組，其職權是些什麼？職權的根據是什麼法？像台灣毛絨廠這次所遭遇的事件，除掉李基光個人的因素以外，四十三年修正後的軍司法劃分辦法是不是沒有嚴格執行？

獎金制度應廢除

第三，獎金制度——從孫元錦的遺書，本刊（附件二）看出，李基光的作惡，顯然受了獎金制度的引誘。關於獎金問題，本刊曾經提出討論過。我們不僅認為治安機關不應有獎金制度，即稅收機關的獎金制也要不得（稅收人員的獎金收入，不僅不課所得稅的，也不計入戶稅。更豈有此理！）獎金制度雖然可以鼓勵工作情緒，但其流弊，則是百姓遭殃。利弊相權，獎金制是應當廢除的。公務員勤於工作，是他的本分事，沒有理由給以額外報酬。而且，在同一政府中工作，應當同級同酬、同工同酬；不應有少數機關採用獎金制度。這個問題，也值得政府切實檢討。

治安機關人員待遇問題

第四，治安機關人員的待遇問題——李基光任保安司令部一個組長的職務，而其法定俸給只有三百多元。他有一個妻子及三個小孩。大家可試想想，在今天台北這樣的物價水準下，三百多元能買些什麼？這種不合理的待遇，叫一個仰事俯畜的公務人員，如何生活下去？多年來我們政府在「精神重於物質」這個口號下，養成了一個反乎人情的作風。就是把所有道德上名詞，硬塞進餓人的腸胃，以為這些東西可以療饑，可以度命。這種不顧現實，不合人情的作風，直接間接地不知造了多少弊政，多少罪惡！李基光的罪嫌，很顯然也要歸因於這裏。但是，我們要聲明，我們這樣講，並非有意為李基光的罪嫌辯護而要人原恕，而是要特別指出，要防止治安機關的人員濫用職權以謀利，必先使他們能以合法的收入，維一個適合於其身份的生活水準。這個主張適用於一般的公務人員，尤其是對於治安機關的人員，其行為之是否守法，對於老百姓的心裏關係太大了。而老百姓的心裏，是我們現在不可一刻忽視的！

我們的幾句話

對孫元錦案與「自由中國」改版事件

關於台灣毛絨廠業務部經理孫元錦自殺的消息，遠在本年六月二十三日，曾見台北華報簡略刊載，標題是：「不堪敲詐苦，一死求解脫」。三月以來，未更見下文。近來此間一部份日晚報，突競刊孫死消息內幕，言人人殊，莫衷一是。九月十六日台北出版的「自由中國」半月刊，第十三卷第六期，曾刊出孫元錦自殺經過的詳情，並刊有孫元錦「絕命書」照片三幀，但遺憾的是這一期的「自由中國」半月刊未能在我們的自由中國自由發行，曾被奉命重新改版刪去此項消息，及該社對此事所發表的社論後，才准予出版。

我們對於這個自殺案本身的看法，認為是社會上可能常常發生的不幸事件，並不算是一件什麼了不起的大事，即使孫元錦確實是不堪軍職人員李基光敲詐勒索自殺；李基光確實犯有假借職權敲詐威逼而威逼人命的罪嫌，只要政府依法調查審判，實與一件普通的刑事案件同樣無特殊可以使人重視之處，更不足以據此以臧否政府，因為一個在職的公務人員違法犯紀，是其個人的私行為，並不是他所屬的機構違法犯紀，事理至為顯然，即在英美各民主國家，在職的公務人員為非作歹的也是常有的事。主要的是能否依法公平審判，勿枉勿縱，如果不予以公平的審理，或嚴禁消息傳佈，那我們倒感覺有些「事態嚴重」了，本來是一件沒有什麼可以隱諱必要的小事，如果公開發表，任人評論，不特足以表示主辦機構的大公無私，而一般人的心理，反會因事件公開而不予以注意，諱疾忌醫，倒是最大不智之舉。

據我們知道，犯有罪嫌的李基光已被拘押，監察院亦在調查這宗案件，立法委員彭爾康也在國民黨的黨政會議上質詢過，蔣總統更赫然震怒，嚴令法辦，看來這件案件，可能於短期內有所公佈，我們暫不打算複表孫元錦的「絕命書」，對本案也暫不有所批評，更不願在判決之前來斷定孫元錦確實是受逼自殺及李基光確犯了嚴重的罪行，以免影響承審法官及一般人的視聽。

不過，這個案件，已經發生了三個多月，迄尚未見公佈審判的進展經過，似此拖延，殊覺欠妥，倘李基光並未犯罪，濫空被羈押數月，豈非冤枉！反之，孫元錦如確係不堪敲詐自殺，豈非常此含冤，不能昭雪，並且久不審判公佈，難免不被人有所猜測，禁止消息發表，其結果，這個消息反而不脛而走，傳佈益廣，我們之所以甘心情願顛沛流離吃盡千辛萬苦，在青天白日旗幟之下，來從事反共，主要的目的之一，是希望獲得一切合法的自由及生命的保障，倘若連一點發表正確消息的自由也被剝奪，人遭橫死，而不能早獲昭雪，我們如何能不感到萬分的痛心？這次「自由中國」的發行遭受干涉，我們認為是不需要的一件舉動。這樣不需要的對言論自由橫加干涉，政府似應加以取締，否則因為主辦機構的輕舉妄動，而使得一般人民對於政府喪失信心，這實在是得不償失的。並且「防民之口，甚於防川」，其後果是不堪想像的。我們相信這個案件的眞相一經公佈，則一切流言蜚語，及無稽的揣測，自會冰釋。希望蔣總統這次的嚴令法辦，能夠澈底依法執行。

自由中國半月刊的社論「從孫元錦之死想到的幾個問題」，態度光明，語重心長，與本刊的意見，不謀而合，特為轉載。

•編者。

時事述評

•李秋生•

日內瓦談判應即停止

美與中共在日內瓦進行着的「大使級」談判，是美國外交策動中最拙劣的表現。對於一個侵略者無理扣押美方軍民，施以精神肉體雙方的凌虐，美方不能以正義的力量迫其放人，反而低首下心，把中共當做對手方去進行談判。縱容敵人，自墮威信，在道義上，在實際上，都使自由世界蒙受重大損失。

現在談判已進行了兩個半月，獲得釋放的美僑只有二十二名，照中共的說法，這是出於他們的「寬大處理」；另外的十九名，中共表示尚待完成其「法律上的程序」。至於在韓戰中失蹤的五百美俘，則遭被中共斥為「毫無根據」。實則在韓戰中失蹤的美軍何只數萬人，這五百人只是事有佐證，確曾被中共拘俘而變成下落不明者而已。

美國如此耐心與中共談判，表明了西方的人道觀念，迥異於共黨之視人命如草芥；其所付出的代價卻是正義的原則，美國的威望，與若干的留美華籍學生。假使美僑美俘都能迅速獲釋，總算還不無收穫。事實證明：中共只是以美僑美俘做為人質和籌碼，用以做為對美國做政治敲詐的資本。

上週杜爾斯國務卿在記者招待會說他找不到足以證明中共有意不遵守協定的證據，那話說得太輕率了；遣僑協議成立月餘，十九名美僑的命運迄今不明，這就是證據。

假使日內瓦談判一切順利的話，結果只是以助長西方姑息中共的趨勢，決非美國之利。沒有理由讓日內瓦談判像板門店一樣的拖延。如果說是為了對中共進行試探，這兩個月來的事實已十分明顯。從任何方面而講，美國都應該立即停止此種不榮譽的談判，別籌有效對付中共之道。

英工黨的荒謬決議

英工黨年會中通過決議，要求中共參加聯合國，國軍退出台灣，讓當地人民自決其前途云云，以肯定中共大陸沒有蒼蠅的英工黨領袖，對於遠東事件即使做出較此更加荒謬的決議，其實也無足驚異。像艾德禮摩里遜這批人的觀察和智慧，我們已充分領教過了；此起美國工會領袖敏尼路透等人，眞是相去不可以道里計。英國是講現實的民族，有遠見的政治家原不多見，而工黨更為現實之尤。即使遠東中東都淪於鐵幕，也許他們會認為那將有益於世界和平前途，其所唯一斤斤計較者，只是他們那些社會政策必須貫澈。在二十年代，工黨內部一度分裂，幾乎潰不成軍，我看那日子大概又快了。

只是在西方陣營中，俄帝與中共何幸而有這樣一個代言人！

自我奮發的重要性

在「日內瓦精神」影響下，西方若干國家對蘇俄中共態度都在發生變化，最近的例是加拿大義大利與比利時，三者都是美國在北大西洋同盟中的重要盟友。美國國內反對中共混入聯合國的立場儘管堅強，其在國外的影響則日見削弱，一方還是共黨炫人的宣傳發生相當功效，另一方面也是美政策動搖所引起的必然結果。

在自由中國自身，也有值得反省之處。這世界是個現實和勢力的世界，你能卓然有以自見，自然會得人敬重；你越動搖萎縮，則落井下石者大有人在。幾年來台灣的進步，好像已到飽和點，很少聳人聽聞的重大表現，另一方面又總像缺少一點什麼似的——朝氣和精神，力量雖不夠，這道理大家都耳熟能詳；今日的國際逆境，是實際的——自己不能鼓氣打開難關，充實力量，才是辦法。

伊朗參加巴格達協定

面臨俄共在中東威脅的加強，伊朗毅然參加土耳其伊拉克防衛公約，和英國巴基斯坦進入一個安全體系，並與北大西洋公約發生間接聯繫。儘管俄共恐嚇言嚇，並不足以動搖伊人決心，這是近東方面一件值得興奮的事。

迴顧遠東，則連一個民間的反共同盟至今還是歧見叢生，難道那些阻力就眞是無法克服嗎？

論當前文化運動與知識份子（一）

· 胡秋原 ·

文化自信之建立

黃震遐先生云：「年來與數百作者接觸結果，感到：大體而言，五十以上者，多知東西傳統（或偏東偏西）不知有共（或不得知）；四十之人，多略知東西文化及共，而不能作全盤運繫及了解；三十之人，多僅知亡國經驗（日本俄國），而不知國人亦曾發憤圖強，二十之青年，多僅知有共，其整個生命是站在共黨思想基礎上。無論擁共反共，脫不了共氣；反共數年，學得「自由民主」四字，而並非實際。這共產霸權之刺激和吸引力太大，非青年所易于擺脫。四十上下者責任最大了。怎樣用青年口吻說話呢？怎樣重建三十左右者的信心呢？今日青年，不管他們對與不對，是否也如我們當年一樣覺得四十以上者迂腐了呢？許多二十至三十青年跑了。南韓因有軍事光榮無此現象，西德固有文化自信無此現象。我們竟不能建立和集中吸力」。未看黃君來信前，略有所感，然沒有感到如黃君所云之眞切。我看了三次，心是沉重的。

黃君所觀察之現象，業已指出悲劇之由來，目前艱難的現在，如我們不能解決這一問題，則中國民族便還有痛苦之將來。

今日悲劇之遠因，自是至少一二百年來，我們文化之積衰，學術之積弊，知識份子之積弱；而更具體的說，我們自進入現代世界舞台後，缺乏大的教師與精神舵手，創造新的學問與風氣，爲現代中國人安身立命之地，應付世界之一方。無文事自無武備。到了今天，軍事光榮顯然非一時可期。可爲之事，尤在我們而言，只能建立文化自信了。國家之難由於人才之衰。而人才又只有靠學術灌溉。孟子云：「今之欲王者，猶七年之病求三年之艾也。苟爲不畜，終身不得。」無現成之艾，不如種艾；臨淵羨魚，不如退而結網。今日操之在我者在此。一分耕耘，一分收獲。爲將來奠基者亦在此。以下主要就此一言。

大陸淪陷讀書人有責

今日赤禍之劇烈，由雅而達而來，但其源流實在長遠。一個洪水必須有一個深固的河床才能免于泛濫。我們的河床是在乾嘉時已經朽敗的。一個瘟疫必須在開始發生時撲滅。在民國十年左右，至遲在民國二十年左右（九一八），我們學術界沒有大的砥柱與長城，利器與勁旅，就無法阻制共產主義運動，障百川而東之，挽狂瀾於既倒。此非說共產主義此後即無阻制機會。在抗戰之中，還有機會的，但這要以政治的努力爲主，而非一單純學術問題。

學術之效在未然。學術不能救者，政治救之；政治不能救者，[illegible]唯有戰爭國際戰爭[illegible]救之。除了雅爾達以外，只有學術、政治、軍事、國際外交四者合力，才能挽救。今天在洪水泛濫瘟疫發作之後，一面是要救災滅疫，一面是要研究教訓，準備修河材料，治病消毒藥品，和整個國家水利，民族營養問題。

然共產主義之統治中國，並不是神乎成功的。他在軍事上政治上外交上打過仗，尤其是在思想上打過仗，遇到抵抗的。共黨並非沒有遇到勁敵，打過敗仗（即以我言，在文學戰中似乎還未曾敗于共黨之手）。但此無礙共黨的最後勝利。這原因，當然由于共黨在思想上有一套武器戰略戰術，尤其是有一有組織的軍隊，而又善於到處組織便衣隊，而思想上反共者，或軍隊不行，或武器不行，再不然即是沒有統一指揮協同合作，被他各個擊破。因此，知識份子，包括我們在內，斷乎不是沒有責任的。在一種意義上，我們比政府所負責任更大也未可知。所以我們亦當作一番「審鑒」。何以學術上前線乃至我們的一代，沒有在思想上造成花崗岩爲中國之柱石；建立大的殿堂，使青年有一歸宿呢？何以沒有能及早阻擊共產主義呢？何以沒有造出新式的武器、鍊出新的武器，養成新的生力軍，能擊潰共產主義呢？乃至何以未能協同作戰，形成相持，抵抗轉之「一面倒」呢？

我曾經在「中國之悲劇」中以「眞空」狀態形容共產主義入侵（民國十年）前中國思想界狀態，並說明其由來，曾得黃君同感。現在我想提出二點較具體的補充，並說明其原因：

一、在共產主義入侵以前，中國固有文化早自鴉片戰爭時期起，已被西方文化戰敗，而新的國民文化尙未形成，故共產主義入侵後，中國沒有補給系統，沒有有力武器，甚至沒有任河一套武器，只有徒手作戰。二、中國知識份子早在鴉片戰爭之前久已士氣不振，以後一連串的內外戰因，使中國知識份子日益成爲潰兵散兵，沒有裕餘，沒有精力，乃至沒有塞克特式大將，以新的精神與戰略思想，來組織一有力的國防軍，遂使共黨所遭遇的，不過若干團練，鄉勇，和狙擊兵而已。對此，今日根本問題，是重建士氣，重鍊武器，重鍊將校，重組新軍。」

西化派、中國派、俄國派

先說第一個問題、自中外交通以來，中國問題已移到世界平面上。但我們對這世界眞了解得太遲和太少。這是最初失敗之根源。要言之，林則徐不內行，曾國藩對世界還是太隔膜的。假如他有他親戚（郭嵩燾）和公子（紀澤）之了解而天假之以年，中國也許不同一點。自同治至光緒初，西洋科學書由西士及李善蘭等譯出了不少。而李鴻章也在極力建設兵工，由於他的一知半解，「洋務」在甲午一敗塗地，大家注意力集中政法問題。平心而論張之洞較李鴻章高明得多了。今大家都笑張之洞中學爲體西學爲用，而忘記他早說過「西藝非要，西政爲要」。甲午前後，嚴復先生開始介紹西洋哲學，而梁啓超、孫中山二先生各主改革與革命，章太炎、劉師培先生等辦「國粹學報」，然由一面有拳救國，一面有康有爲之「大同書」，譚嗣同之「仁學」，乃至吳稚暉等在巴黎「新世紀」所提倡之「安那其社會主義」，已經表示中國精神之不穩定，表示中國在弟所謂「亞洲之悲哀」中了。清末之人不少嚮往「蘇菲亞」的。這表示一種虛無主義氣息。在一種意義上，此時已開始感染俄國式之病毒了。所以必須承認嚴復，梁啓超和孫中山先生是不可及的。然如果一個軍隊最大效能有一定壽命；一個人的思想儘管其本身價值永久的，在時代潮流中的最大效能，是有一定時限的。此「江山代有人才出」之重要。三先生後，在學術上繼起無人，是可惜的。辛亥以前，大家擁往孫先生之革命。辛亥以後，他的建國大計已被人目爲迂論了。自鴉片之戰至于辛亥，中國人是發奮圖強，用過思想的。中國之精神空虛，實在民初。蓋世變方急，民初大熱心於內爭，致于就擱也。不少的人總以爲共產主義是五四帶來的。其實如孫中山先生所云，庚子之役以後，中國人的信心早已失去了。辛亥前後大家過「周末」去了。此時只有康有爲之「孔教」，袁世凱，從辮帥之「尊孔」。巴黎和會一場將中國人打昏，這才使當時靑年發生一種反動，要「打孔家店」。這和北伐以後靑年眞正打祠堂廟宇是同一心理。

五四未能填補民族空虛

五四之眞意義，實在想填補民族之空虛，不幸沒有成功。已。當時中國文化對西方文化之失敗，不是致命的。一切落後國家與西歐文化接觸後，在一個新的創造之前，必然發生「西化派」與「民族派」。這是德國、俄國、土耳其乃至于日本都經過的，甚至是美國也經過的。此在我國，五四以前分野尙不分明。中國第一個「西化派」是五四初期的陳獨秀先生，平心而言，他初期言論，不可厚非。而第一個「民族派」或「中國派」實在是梁漱溟先生。他的「中西文化及其哲學」，是民國九年開始演講的（陳序經說他是復古派，乃淺薄之見）。如這兩派能繼續發展一個時期，各成體系，實在是一個新的國民文化之基礎，可望塡補眞空。而必須有新的國民文化，才能在新基礎上團結國民，並給全民族以自立之道，及給付新世局之才能，然不等到此事完成，此時俄國革命給俄人對外推銷「俄學」、「俄化」機會，此一革命關係五四之前，而五四又爲中國人經售洋貨時期，使俄貨乘機輸入，這眞是一不幸之事。陳獨秀因其學養有限，也許又因他對法文文化所知較多，由西方派變爲「俄國派」。他的朋友胡適之先生繼爲西方派之代表。然此時中西二派尙未成體系之時，民國十三年國民黨改組後社會主義及俄國派聲勢大增，而馬列主義已認有一體系了。當俄國革命之日，只有嚴復表示唾之。而他的力量過去了。當陳獨秀等提倡社會主義之日，只有梁啓超先生表示反對（民國十年）。但他沒有完整理論與對案，因爲他不是經濟學家。當國共合作之時，曾琦先生等組青年黨於巴黎，實反共運動之先驅，自一時豪傑之士。然而他們的武器，卻不是很新穎的，尤其缺乏一點哲學，又在我們局外人看，如果他們多運動，慢點組黨，說不定更有效果。

民十二年「科玄之戰」，同時也多是東西文化之論戰。張君勱先生所言，不可厚非，惜乎內容有限，在丁文江、胡適之、吳稚暉人來辭高之前，顯得失敗。當時科學派（亦即西化派）表面勝利，在我今日看來，並非中國思想界之福。因這一論爭如能深化，必能提高中國人哲學水準。而當時科學派只是一種素朴的科學論，較李鴻章洋務高不了多少的。陳獨秀當時自任科學派之盟軍，而他文章，反中調，得較他科學派有力，蓋他有唯物史觀之武器也。許多人至今不知，沒有哲學、科學，等於無將之軍，無太子之位的哈姆雷特。

胡適之的「全盤西化」

到了民國十五年前後，共產黨大談反帝，同時寄生於北伐之中，對青年給予大的衝動。漆樹芬之書數衍列寧帝國主義論，影響之大，一時無兩。社會主義已成時髦。此時胡適之先生明白主張西化乃至「全盤西化」（還有「一時之林語堂先生）。他許多歐美留學生之領袖，一時抵抗了共產主義之潮流，其功永不可沒。他反對暴力革命，但對社會主義多少表示同情。他有時批評馬克思主義哲學，但不是很有力的。他介紹實用主義，此在美國有力，然在中國，民無實用主義所生之背景，便缺乏感人之力，而當時所介紹的，也實是一點大意。他所了解的西洋文化基本特色即是科學，而對於中國問題，則只有「五鬼」之說。當時梁漱溟批評他「我嘆息一般革命家輕率淺薄，而非難革命家者，還出革命家之下」。其未足服人可知。老實說，西洋文化精神並不祇是科學，科學祇是結果，科學出於人文主義理性精神。這二者也不一定是西洋文化獨有的，他們其所以在東方之先創造近代科學者，就是一主要促進力。科學之利誰也了解。李鴻章也不反對科學，誰還反對科學？但共產主義以及其他獨裁主義卻不是純科學所能抵抗的。科學之德國不能抵抗希特拉主義。而共產主義冒馬克思主義，早已自稱「科學社會主義」一哩。要對抗共產主義，至少要有哲學、史學、政治經濟學全套武器和武器，而是當時西化派所沒有的。此外民國十六年國民黨分共，功在國家。戴季陶先生之「哲學基礎」起了歷史的作用。在這種意義上，國民黨自此轉而爲中國派。但在學術水準上，決非甚高，至少沒有繼續增高。而在政治上，與當時一切民主派，西化派合作，在經濟上，仍含糊提倡社會主義。國民黨其他各派（如陳、顧等人），亦不以社會主義爲言，其理論亦皆不脫馬克斯主義及共黨格架。而此多數改組派[illegible]。梁漱溟先生反對西化，但仍[illegible]資本主義之說，提倡鄉村治運動（與農民合作），心與熱忱足可佩。可惜他對共產主義之眞正[illegible]與西方文化[illegible]，究竟所見[illegible]，而否定中國工業化，實是一種浪漫[illegible]。二十年[illegible]主義[illegible]，思想儘管[illegible]，在政治上失敗，但共黨在哲學、歷史、經濟方面，他們並有新譯述小冊[illegible]，援「武器」，即辯證法，唯物辯證法是「俄」也（一九二九年後才逐漸流行的）。「科學社會主義」已開始征服亦即赤化中國[illegible]的精神，潮在蓄積其源泉了。日本之侵略，使國民黨處於一個異常困難的地位，所謂「民族文學」及「中國本位文化運動」應時而起。然學術之基礎不厚，亦無政治之配合，曇花一現；而後來借用義大利理論，亦流弊滋多，這就是說，當時中國派也沒有抵抗共產主義的武器與武器。我想，梁漱溟先生以後，中國派方面有力者，是今日錢穆先生了。

由於以前中國派西化派都沒有完成（這是要時間的），且沒有合作，國民黨亦未能與這兩派合作，所以俄國派乃潛勢力日大，而今天中國也成爲俄國派的天下了。

我們不是沒有責任的。九一八後，我與黃君已開始思想，著作。我[illegible]武器不同，但不滿獨斷馬克思主義俄國共產主義則一。我們並非沒有活力，但功夫卻未深。我們只能衝殺一番，沒有壓倒火力，更進一步組成主力殲滅之。假若當時黃君與我能有我們今日的知識與經驗，而且能如我輩者有數十百人，我相信共產主義潮流即在當時擊倒，非不可能；[illegible]於當時擊倒也了。又假如當時陳獨秀能有其晚年的境界，他又將能爲國家作多大貢獻？由此說來，中國之不幸，也是我們的手錶太遲了。

民國知識份子之弱：急功近利偷工減料

所謂鐘錶落後者，無非是中國近代知識份子之努力不足，氣力與功夫不足，因此才沒有能迅速的有所創造，有所成就的。這原因，自[illegible]中國知識份子士氣之衰。[illegible]漢人[illegible]腐心於奴之患。[illegible]日本驚心中國[illegible]吉田松陰[illegible]西田[illegible]我們並未[illegible]戰後，此種士魄乃至於[illegible]。而此種士氣之衰，文化之衰，有更深遠之背景。我分析中國知識份子氣力不足之原因，這有客觀的和主觀的原因。[illegible]實在一個很遠[illegible]。結果不是原因。凡富強的國家，是學術領導政治之國，知識份子才是有實心的，於是這是有生氣的，總能富強的國家；而政治領導學術之國家，知識份子必萎靡，政學必終屈縮牛角。尤其是政治不自立之國，政治領導學術，即外國政治領導學術，結果是大家爭「用夏變夷」，終爲全國人之心紀綱分裂。中國自古以來，大體上是學術[illegible]治的。孟子[illegible]堯舜[illegible]信心[illegible]。漢以來[illegible]幾個王朝！我們[illegible]精神[illegible]一代典章制度，[illegible]也大抵出於知識份子之手。這都是學術領導政治之證明，而[illegible]所以俠者知識份子[illegible]能有極強之自尊心，責任心。[illegible]傳統，自清以已經一變，而[illegible]國以更是大變。而[illegible]知識份子，漸失責任心。而其間西方文化衝擊而來，我們失敗無所成立，於漸失自信心。此以庚子是一大關鍵。是知識份子之積衰久矣。於是中國人看不起中國人了。等到美國人退卻，中國人便以得到俄國了。

我近曾寫「近百年中國思想史」一，追溯此一過程。大意以爲：清初混一漢滿蒙回藏，幸成中國之大，然數民族主政，滿漢之見極重，則不幸帶來醫疾之深。清初倡程朱，行八股，順明末遺老之澤韻猶存。至雍正，閉關，內而興文字之獄，此不僅學術之厄，亦知識份子之劫，而士風卑陋自此始。漢學者，實用識份子一隱然以抗，近人一味批評漢學者，是不對的。此反清運動之源泉（左宗棠言之）。然清廷取軟化政策，於此即四庫之開館。漢學末流亦小化爲技術之學。而嘉道之際，士風益卑陋矣，此由龔自珍之「明良論」文可知。他指出生氣萎靡，廉恥敗壞；起視其世，亂亦不遠。於是有志之士別求學問，[illegible]地，亦即消極爲抵抗，蓋博學於文，即行已有恥也。乃轉爲域外之學。[illegible]之變外患疊迫，有經世之學。於是思想漸得解放。此由焦循，阮元，李銳，李兆洛，包世臣，宋翔鳳，陶澍，唐鑑，管同，徐松，賀長齡，林則徐，龔自珍，魏源，余[illegible]，[illegible]觀光，馮桂芬，陳澧，李善蘭，以至俞樾，何秋濤等可知。而此亦羅澤南，曾國藩，左宗棠等所由來。然鴉片戰後，我們並無根本的普遍的了解或覺悟，尤以清廷之私心自用爲然。曾氏時代人才[illegible]一時之盛，且見用於[illegible]時。此亦英法聯軍及洪秀全之亂，清廷一時放鬆統制有以致之。及太平事定，曾氏既死，清廷雖在未運，對付知識份子仍有餘[illegible]李鴻章[illegible]。又過清末士風之卑陋，此由「官場現形記」可知。然仍有王韜，[illegible]郭嵩燾，薛福成，吳汝綸，張之洞等，有[illegible]文廷式，傳播風氣。有嚴復、[illegible]梁啓超諸先生著書鼓吹，清廷始明令變法、廢科舉，立學校，派學生，練新軍，一時亦有發揚蹈厲之氣。然舊習氣一時未革，此由「二十年目睹之怪現狀」可知。而民族精神已大受深劇之傷，此由法人頌貞德而我們則詠賽金花可知。而新生新軍新銳之氣，以所讀不厚，竟在辛亥一洩而無餘。雖然如此，許多可嘆對國家之誠意苦心，實在是感人的。惜乎今日二三十歲的人不甚了了而已。

袁世凱的責任

而民國以來，就知識份子誠意若心精誠而言，似大不如前。我想袁世凱是責任最大的。他沒有識力公識，應付一個艱難局，爲民國創造一個好傳統，卻以私愚之故，留下兩個不良傳統。一是軍閥制度。共黨謂軍閥乃帝國主義工具，自是他們以心度腹之見。沒有西方帝國主義與經濟力[illegible]過程，是誠間接的。首先，西方帝國主義對清朝政權發生破壞作用，也使中國經濟發生消極的積極的變化。其次，清廷爲[illegible]練新軍。

孔松維護國旗犧牲 自由勞工掀起巨浪

各界發出正義呼聲一致支援 疑兇赤色工棍靜候公正裁判

十月十一日，益豐搪瓷廠工友孔松因維護國旗而犧牲的事件，在香港的整體自由勞工中已掀起一個巨浪。

目前，撕毀國旗而謀殺自由工會主席孔松的疑兇赤色工棍李濤的命運，正靜候香港法律公正的裁判，但因爲李濤的行兇和孔松之死，已給香港的工人一個最大的警覺，這說明了赤色工棍事實上並不如他們表面上般沉默，而這不過是他們的僞裝，而隨時隨地在製造事件和進行他們一貫的破壞的陰謀，祗要他們有機會的話，他的是絕不會放過的。

工棍毀旗毆人 絕非偶然事件

正如工團總會在十一日晚所指出，這不是偶然的事件，我們不能把它看得過份單純，我們必須追究幕後，當這句話言猶在耳，十二日的下午，香港紗廠又發生了工棍毆打自由工人王家寶的事件，這接二連三的不幸，這是不是表示赤色工棍不甘雌伏，或者在進行某一個更大的事故呢。

無論爲了自由工友本身，無論爲了香港的治安，這實在不容忽視的嚴重事態，正如工團總會的常務理事黃鑑錦對記者指出，工棍們把香港這塊英國殖民地看作赤色大陸了，否則他們是不敢這樣狂妄和目無法紀的，當然，香港當局是絕不會放鬆任何無法無天的人。

自由勞工強大 力足應付工棍

電車工會的理事長黃波爲孔松事件會坦白地對記者說，如果以自由工友的力量而付諸行動的話，我們在一天之內可以消滅了這一小撮赤色工棍，但我們並不像他們那樣採取卑劣的行徑，即使孔松慘死，對我們是悲痛的，但我們依舊抑制我們激勵的情緒，一方面請求當局依法懲兇，另一方面還勸告每一個自由工友冷靜下來。

黃波以爲自由工友的力量是龐大的，但並不須做出法律以外的事故來。

工團總會於十三日晚爲孔松被害發出了一項聲明，痛斥赤色工棍的目無法紀，還指出了孔松之死，不過是證明了中共政權失盡民心，暴力的醜行，徒見心勞日拙而已。

認清共黨面目 勞工紛起團結

工團總會對赤色工棍製造這一事件的看法是中肯的，當一九五一年三一事件發生，香港赤色工棍醞造罷工風潮未遂以後，這些赤色工棍是曾經潛伏了一個時期的，他們知道工人已開始離心，已開始認識了赤色的面目，自由工會就在這一個時期紛紛掘起，形成了一股龐大的力量，不但可以和操縱了工人多年的赤色工棍對抗，而且因爲得到了廣大工人的支持，使到赤色工棍雖然不甘心，但也不得不暫作蟄伏，這一種形勢一直維持下來，期間曾經有幾次赤色工棍準備蠢蠢欲動的，像的三個月前，他們還準備採取懷柔政策，僞裝親善，企圖分化自由工友，但在工人的高度警覺下，成了他們最近的一次失敗。

但，赤色工棍的陰謀是永不會放棄的，除非他們已被徹底的消滅，否則任何的僞裝依然和他們的陰謀不可分的，如果自由工人稍一鬆懈，那實在是一件非常可怕的事。

糾察罷工失敗 懷恨尋仇行兇

關於孔松遇難事件，從香港自由工運歷史上看，已死的孔松和疑兇李濤始終是對立的，而且還有着發生過直接的鬥爭，這是開始於一九五一年的三月事件，當赤色工棍在益豐搪瓷廠進行罷工時，疑兇李濤是糾察長，而孔松則是領導自由工友開先復工而獲得成功者，這一個打擊對李濤是太大了，如果說共產黨是不會忘記任何仇恨的話，李濤是不會忘記這一大慘痛失敗的。

此後，孔松組織了搪瓷自由工會，一連四屆担任主席，會務一天一天蓬勃，會員一天一天增多，四年前，孔松的表現得到了香港當局的賞識，並委爲香港政府的勞工顧問，這足够證明孔松所走的路了是正確的，然而也正因如此，更增加赤色工棍對他的痛恨。

這一隆重的葬禮，在香港是空前的，而以孔松之血，寫下這新的一章，也可以說是受之無愧。

孔松是死了，是光榮的死了，但孔松的精神並沒有死，香港五十萬自由勞工奮起了，他們將跟着孔松之血前進，並繼着孔松的遺志和赤色工棍周旋到底。

中共搬演新「欽差大臣」 大騙子揭露官場醜態

胡希

李萬銘憑僞造證明文件及共黨大官介紹信，五年內竟以「高級復員軍官」身份，升官發財，做到「中央農林部行政處長」，「部長」也小心侍候，替他買機票……「公安部長」承認：「這不是偶然的孤立事件」。

大城市黨官受檢查

今年七月底，僞「國務院第一辦公室主任兼公安部長」羅瑞卿在北平「人代會」中揭露了所謂「李萬銘事件」後，頓時轟動起來，十幾個大城市的黨委組織部長受到檢查，從「中央級」至「地方級」的許多軍政機構換了不少文書人員，因爲他們把機密要件洩漏給這個大騙子李萬銘。

九月初，上海「公營實驗劇團」把李萬銘事件編爲話劇上演，企圖引起民衆對「反革命份子」的警惕性。

北平出版的「人民警察」雜誌，最近揭露了李萬銘事件的眞相。這件事牽涉到許多中共黨政軍要員，一方面顯露了李萬銘本人的神通廣大，同時也顯示了中共制度的腐敗和共產黨徒趨炎附勢的嘴臉。正像果戈理的「欽差大臣」揭露帝俄的官場黑幕一樣，這個「李萬銘事件」也充份揭露了中共官場怪狀。

初騙失敗再接再厲

李萬銘是陝西安康人，現年二十八歲。據說抗戰後期加入「三民主義青年團」，曾任青年軍第二〇七師文書及准尉政治幹事。民國三十八年五月南京陷共後，他冒充中央大學「進步學生」，混入第二野戰軍軍政大學學習，同年十月「畢業」後，被派到常州「市政府」建設科任科員，但他僞造印信到當時設在無錫的「蘇南行政公署」撞騙，企圖謀得較高職位，但手法不够高明，被發覺，判處了三年徒刑，直到一九五一年一月在獄中有「良好表現」，提早假釋出獄。

李萬銘受到這次「教訓」後，他的方法變得更巧妙，行動變得更猖狂，他知道在華東區無法立足，就僞造了第二野戰軍的介紹信到陝西，冒黨內。稱是榮譽軍人轉業，居然給僞陝西省民政廳介紹給安康專署，又僞造了黨籍的證明信，並且被專署機關黨支部信以爲眞，因而不但騙取了專署民政科科員的職位和殘廢軍人的「光榮證」，而且還混進了共產黨內。

「品質優良，大堪造就」

一九五一年十月，專署黨支部見他「品質優良，大堪造就」，就派他到西北農學院深造。赴農學院報到後不久，他想出了更大的騙局，捏造了一個「歷任紅軍連、營長和志願軍團參謀長」的履歷，和第二野戰軍軍政大學組織部要他「到中南局報到」的命令。這個荒唐命令本來是很容易識破的，但西北農學院黨總支部書記見他有這樣大的來頭，就毫不考慮地把他介紹到中共西北局轉中南局。而中南局的組織部在見了這些眞假參半的介紹信和文件後，就把他以「高級復員軍人」的資格分配到中南農林部，使他担任了中南區農業科學研究所的主任祕書。以後又由他的種種謊騙，歷任中南農林部人事處副處長和黨總支書記，並和一個女共產黨員結婚了。

「急電」「軍團總司令」有

一九五三年九月，這個神通廣大的騙子因功調昇到北平「中央林業部」，並被任爲「中央林業部行政處長」。去年十一月底，這位「行政處長」又僞造了共軍第一兵團總司令王震給他的「急電」和「親筆信」，說是王震要他「回十二軍任參謀長，兼第三十五師師長」，並要他「火速乘飛機去蘭州商談軍務」。林業部財政處的幹部，見了政處長有緊急公務在身，就熱心地撥款給他買飛機票。當時買飛機票是不容易的，因此由僞「中央林業部部長」梁希親自和「民用航空局」副局長王鳳梧接頭，費了九牛二虎之力，使他在一九五五年一月三日飛赴蘭州。但他在途中想到了蘭州以後，勢將無法應付，因此在西安下機，又找到原來的西北農學院總支書記，還想到那個農學院去混兩個月，以便彌縫眼前的僵局，製造下一步的撞騙。但是這一次，這個黨總書記發覺了李萬銘的馬脚，才由陝西省公安廳加以逮捕。

全體黨員俱受調查

李萬銘從一九五一年一月到一九五五年一月的四年中，跑過十幾個城市，闖過十幾個軍政機關，竟然都一一蒙混過去了。正如羅瑞卿所說：「李萬銘事件決不是一件甚麼偶然的和孤立的奇聞」。因此中共自本年七月開始，迫令全體黨員「交待個人歷史問題」。

蕭軍與胡風

·田雪·

蕭軍曾經把共黨和共黨的文藝稱的「無產階級領導」比做「丑角當權」，他認爲共產黨裏「眞正的丑角是穿上龍袍，善良的人却又充了丑角，共產黨儘讓那些丑角當權，使有血有肉的人都成了被談談笑笑隨便凌辱的屍丑，台下的人都看得大拍其手，可見觀衆的日趨逃避現實，神經的日趨堅硬，並不是無稽之談了。」

蕭軍是於一九四七年在哈爾濱說這些話的，當時松花江以北已在共黨直接控制之下。而同一時期的胡風，則在上海對共黨地下工作者提出「同樣的批評」。他說：自「左聯」以來，共黨在文壇上的「機械論的統治勢力，悶死了有生力量，權貴當道，擠死了小人物。」稍早後，當抗戰期胡風還在重慶的時候，就曾經稱共黨的文藝領導幹部（即蕭軍所稱的丑角們）是「鄉紳」、「馬掛」、「市儈」等等。

蕭軍在「文化報」的一篇「新獻辭」的「贅語」裏，用了一百廿五個「主義」描述共黨幹部嘴臉，例如：「不要臉主義」，「潑婦罵街主義」、「對朋友同志落井下石主義」、「害賢嫉能主義」、「仗勢欺人主義」、「假傳聖旨狐假虎威主義」、「貓哭老鼠主義」、「黃鼠狼給小鷄拜年主義」等等。而胡風把這些「主義」在文壇上的表現總結爲架在作者與讀者頭上的「五把刀子」和「三條棍子」。不論「主義」也好，「刀子」和「棍子」也好，總之都是共黨用來迫害黨外人士的手法。（二）

共報承認學生反共

中共雖進行了幾年的「洗腦」，改造，反共份子仍遍地皆是，最近「南方日報」即開承認了學生的反共，據稱：「在某些大學裏潛藏着的反革命份子，還暗中宣傳『實力政策』，反抗思想改造。中小學範圍比較大，潛伏的反革命份子更多一些，他們用反動言論毒害學生，教唆學生反黨，反政府，逃避兵役……他們造謠言，愚弄文盲群衆，宣傳第三次大戰即將來臨，宣傳台灣解放不了……有些學生，反動思想嚴重，散佈反動言論，不滿社會主義，有的甚至形成了組織，如中山大學，廣西師範學院都曾破獲過這樣的反動集團。這些反革命份子，站穩了他們的反革命立場，像胡風份子一樣，死也要進行罪惡的反革命活動的。」

民國以來的中國工程師學會（下）

至二十五又與中華化學工業會，中國化學工程學會，中國自動工程學會，中國電機工程學會，中國機械工程學會合開第六屆年會於杭州，會長爲曾養甫。二十六年年會，原已定與中華實業協會，及中國土木工程學會，機械，電機，化工等工程學會與中國紡織學會在太原聯合舉行，因「七、七」抗戰停開。

抗戰開始後，我國工程師領導各地員工，努力於戰時各項工程工作，其功績與戰士名譽實不減於前方戰士。經二十七年十月八日，重慶臨時大會，決定在西南各重要城市組設分會；同時，奉軍事委員會令組織軍事工程委員會，委吳承洛、曾養甫爲主任委員，顧毓琇爲副主任委員，以協助政府處理抗戰時期軍事工程事項爲主要目的，其時會仍不斷出版各類工程雜誌。二十八年，在昆明舉行第八屆年會，會長由曾養甫蟬聯。二十九年於成都集會，改選陳立夫爲會長，決定以大禹誕辰——六月六日定爲工程師節。三十年，第十屆年會在貴陽集會，會長凌鴻勛。其後會長人選，有[illegible]三十八年原定集會於廣州，因中共全面叛亂，未果。而該會事務人員多未及撤出，以致一切財產基金及檔案紀錄，與會員登記卡等皆歸散失，會務又復陷於停頓，年會亦中止舉行，乃以通訊方式選舉沈怡爲會長（沈氏現任石門水庫籌備委員會委員兼執行長）。三十九年因部署未定，在台會員決定將總會遷台。四十年三月，總會一切業務正式在台北恢復。至四十年第六屆年會時，登記會員仍有二千四百人，會長爲凌鴻勛。並在台北、台中、高雄、花蓮及紐約、加拿大、日本成立七個分支會，由周幾柏，林一民、黃朝輝、王秀林、趙曾珏、EDWARD S. CHUNG、王德立等分任理事長。總會並編印出版台灣工程界月刊，另自該年七月起，按月發行「會務通訊」，免費寄發在台會員及海外會員，此爲該會聯絡會員之精神總滙。

新生時期

自四十一年之第十七屆年會起，各屆會長：楊繼曾、侯家源、莫衡。本年集會爲第二十屆年會，登記會員已增至三千六百餘人，會長以沈怡及郭克悌（台灣工礦公司董事長）呼聲最高。

中國工程師學會自宣佈遷台以來，一切重新創建，積極擴充，最值得稱道者，厥爲圖書館之建立，台北愛國西路新址完成時，僅有書櫃兩個，所有圖書均係各會員捐贈及各公私營事業機關贈送之業務報告等，當由凌鴻勛氏以當時會長資格函請在美同仁購買大批工程學新書，分批運抵台北，現已有圖書萬册，陳列於新建立圖書館中，專供會員及外界人士閱覽。

該會及各專門學會：土木工程，水利工程，機械工程，礦冶工程，化學工程，電機工程，造船工程，紡織工程，化學工程學會及農業工程學會等，經常舉行學術講演會，敦請中外工程界名流學者主講，成績斐然，近年來台灣學術研究空氣之極爲濃厚，無疑是該會領導之功，不能磨滅的。

現在國外會務活動，以美洲分會與美國各專門工程學會密取聯繫最爲有聲有色。基此，受國際間之重視，故其供獻之亦大。推其來，自由中國的工礦交通水利等各項建樹，實可視爲是我工程界的異彩，象徵我工程師學會的新生！

·楊力行·

過來人語

自由談

馬五先生

在澳洲選擇了自由生活的俄帝特工幹部彼得洛夫，最近在美國刊物上，寫了一篇關於英國兩個外交人員——麥克連、福格斯——替俄帝作間諜的報告文字，敘述他們失蹤的秘密情況，使世人知道韓戰之所以弄成虎頭蛇尾，完全是這兩個「英奸」從中作祟的結果。西淨的臭蟲比我們東方產類更厲害，不識英國工黨那些稱讚中國大陸上沒有蒼蠅臭蟲的先生們，讀到此文時，是啼，抑是笑？更不知今後是否還好意思信口雌黃，胡扯遠東的反共問題不？

彼得洛夫慨歎這兩個「英奸」走入蘇俄的盲目行爲，他說：「欲瞭解蘇維埃制度，有一項必須知道的重要事實，即在蘇維埃制度下，人民是無關重要的。一個重視人民的制度，就會有與蘇俄截然不同的政府，這種政府是有自由的。根據我們的經驗，蘇俄政府就不能，也不敢容許人民有自由」。這是過來人的甘苦有得之言，可使自由世界一般親共媚共的自命社會主義者仔細思量，少發囈語，也教一般矢志反共抗俄，而又想以共產極權方法來達到目的的英雄們，醒醒頭腦，領略其中的利害得失，稍知自覺。

對日抗戰時期，北方有個投降日寇的軍人石友三說是：「未作漢奸的時候，即不知漢奸的味道，當了漢奸以後，才曉得其中的痛苦。媽拉格巴子，漢奸眞不是人當的！」上述彼得洛夫的一段話，將跟石友三的語意相同。凡是體驗過共產極權生活的人，纔眞正知道自由之可貴，他一旦醒悟過來，其反共的意志，即比我輩更加死硬得多哩！我們看過彼得洛夫這種經驗之談，如果還不知愛護自由，瞎說八道，自暴自棄，雖欲不拉他進瘋人院，其可得乎？

馬五先生曰：微自由，吾其披髮左衽矣！

筆的進化

・小丞・

毛筆。這是中國特有的產物，釋名謂「述事而書之也」。古人所謂「能畢舉萬物之形，而序自然之情」，這都是筆的功用。我國是文明古邦，紙筆的發明最早，毛筆據傳是秦將蒙恬所造，見之於晉張華的「博物志」。五代馬縞在「中華古今註」也說：「蒙恬始用鹿羊毫毛爲筆」。

到了漢代，由於隸、楷、草、行字體的變化，及蔡倫造紙成功，毛筆的需用日益進步。那時的筆，是用各種獸毛來製成的。當時張伯英製鼠鬚筆，蔡邕製兔豪筆，在歷史上都有記載。毛筆的製作，到了晉代已登峯造極。

到了唐代大文學家韓愈寫了篇「毛穎傳」，以毛穎爲中山人，當時製筆以中山著名。唐詩人白樂天詩詠「紫毫筆」說：「紫毛筆，尖如錐兮利如刀，江南城上有毛兔，吃竹飲泉生紫豪！宣城之人採爲筆，千萬毛中揀一毫」。

又在「鷄距筆賦」裏說：「不得兔豪，無以成起草之用；不名鷄距，無以表入木之功」。

可見唐代之筆，種類繁多。近代由於鋼筆的進化，攜帶極爲便利，學校青年，多已摒棄毛筆而不用。所以在這次國民大會中，特別通過了一個重視毛筆的提案。案由爲「爲保全民族進化優良傳統，與發揚固有之文化精神，對毛筆書契應加珍重以存國脈」，其理由中提到有人甚至終身不知毛筆爲何物者，實慨乎言之。

鉛筆。大家也許以爲外國人先用，其實是我國用得最早，遠在一千八百年以前，我國已經用鉛筆。在漢明帝編修的「東觀漢紀」裏說：「曹褒寢則懷鉛筆，行則誦讀書」。

南朝時，梁國的文學家任彥昇，他在文章裏也說道：「人蓄油素，家懷鉛筆」。

近代在甘肅敦煌莫高窟發現六朝的佛經，卷上還有許多鉛筆條紋，這些鉛筆是用石墨製的，當然不會像現在我們所用的鉛筆形式，但總已經開始應用鉛筆了。以後，在一七六〇年時，德國人才發明用石墨的粉末與琉璜混合，製成鉛筆心，這就是我們近代所用的鉛筆起源。

鋼筆。它是西方發明的，古代的亞述，希臘，埃及，羅馬，初時記載的文字，是刻在石塊鐵板上的。後來用粘土製成泥版，用尖銳的獸骨，銅器，刻劃文字在泥版上，把它晒乾。

後來用木版，羊皮，紙張來紀載文字。筆是用蘆葦，鳥羽來做成的。中世紀時用鵝羽製成的筆叫做鵝筆。一七五〇年筆頭才開始採用金屬的。一七八〇年，英國人已發明用機械製成鋼筆頭，這就是現在的鋼筆頭。一八〇九年，英國人發明自來水筆，那時的筆桿與筆尖是用玻璃及木器製造的。四十四年以後，美國人發明利用筆桿貯藏墨水，這就是現代自來墨水筆的鼻祖，利用合金來製成筆尖。

催淚筆。由於時代的進化，筆不僅是「述事而書」，「傳達文化」而竟成爲人類一種輕便的防敵利器。

這種筆的發明，還是由於「催淚彈」這種武器的演變，美國人把這種催淚藥品，放在一顆很小的子彈裏，再製成一種好像自來水筆那樣的催淚筆，成爲一件極隱秘而方便的防身武器。催淚筆的用法，非常簡單，你祇要按動一個小扳鈕，便會立即噴出一種毒氣，使「敵人」淚落如雨，失去抵抗的能力，而你卻可以從容避開危險。催淚毒氣並不會殺死人畜，僅暫時使「敵人」失去知覺而已。因此，它實爲一種最理想的防衛利器。

輓林蔚上將

・楊雪航・

澤畔驅馳無見期，平潭洗水亦同悲。
門前大樹留遺愛，海外豐碑紀永思。
霧起赤城哀落景，靈迴白馬顯班師。
束芻又灑餘年淚，薤露欷歔奠一辭。

△愛人祝升官

幾年前，美國一位海軍上將由倫敦乘飛機到地中海參加第六艦隊的演習。因爲只準備作幾天停留，他祗帶了隨身的一套藍色軍便服。

演習完畢，當地政府宴請這位上將。參加這樣的盛宴，自然非穿白色的禮服不可。白色禮服還容易設法，最難找的是上將階級的兩個肩章。

找了好些時，沒有結果。上將吩咐副官向各軍艦廣播，看誰有這種肩章，暫借一用。

軍艦裏的人員，聽到這個消息，莫不暗笑，誰會這麼樂觀，隨身帶着上將肩章，準備升級做上將？

但一位剛從海軍學校畢業的練習生卻在箱裏找到了這樣一副肩章，交給了上將。那是愛人在他畢業時送給他的禮物。愛人還附着這樣一封信：『你雖然祗是一個剛畢業的練習生，在我眼中，你卻是一個海軍上將。』

△賭博與政治

英國人喜歡賭，邱吉爾也是此中的能手。他有一次競選失敗了，到法國南部去休息，晚上常去賭博。他喜歡賭場的情調，喧噪，和戲劇化的變化。

邱翁認爲賭博和政治的原理相同。一個人運氣好的時候，無妨多賭，本錢多的時候，無妨大賭。運氣不好的時候，要曉得罷手。

邱翁賭的方法是這樣的：輸了算數，從不作打翻本的主意。每一次到賭場，他另帶一筆本錢，運氣好，多賭幾局，他贏錢的本領相當大。輸了呢，他便空手回家，不和運氣去拚。

他這次在法國南部住了五個月，所贏的錢居然足夠他在法國的開銷。

賭博便是政治，政治不離賭博，邱吉爾深知此中道理。（牛布衣）

拉丁美洲爭購美國原子電廠

美國在積極發展原子發電之餘，正準備替三個拉丁美洲國家建造原子電廠。美國的著名國際性電力器材廠「美國與外國動力公司」已擬定計劃，以一千三百萬至一千五百萬的資金製造三所原子電廠，每座能發電十萬千瓦，但巴西、阿根廷、哥倫比亞、科斯達黎加、古巴、危地馬拉、智利、墨西哥、委內瑞拉、巴拿馬與厄瓜多爾等國，都希望獲得這些電廠，因此公司當局一時還無法決定，這三座電廠在那幾國建立。

博・愛

・葉楚傖遺著・

葉楚傖先生，工詞章，更善治說部，民國初元，即享小說家之名，後以顯貴，不復事此。此篇爲葉先生精心傑構，署名小鳳，於民四撰投姚鵷雛主持之春聲雜誌，以流傳甚尠，四十年來，幾不爲世所知，茲得鈔本，亟爲刊載，俾人文並傳。・編者・

余老矣！追念往事，覺地下無地獄則已，否則余名字必錄籍此中。佛說：「口頭懺悔」；孔子曰：「既往不咎」，此特大聖人勉人改過耳，何足以例余！余家素封，先大夫隸官籍，車馬在門外，笙歌滿堂上，巍然勳閥。褓襁中母嘗攜余見戚黨，戚黨咸譽余爲令器，余誠令器也！官階食廩，莫不擅赫一世，而余罪以是重矣！

母婢吉兒，余之佳伴，余雖幼，固朝夕與俱，母姙妹，揮余就婢宿，余恒中夜失乳而號，婢濟解衣就余，芬馥噴溢，頰襯雙頰，酣然睡矣。母姙既彌月，余乃無夕不與婢俱，視婢如母。日就傅讀，自信黠倍常兒，傳譽於父母，但顧余笑，竄余與吉兒嬉。長畢五經，傳授余文選，歸爲吉兒愛聲誦之，吉兒喜，以果餌佐余。夜深課罷，衾輭枕雙，熱香四流，吉兒恒以薄怒瞋余，而愛護益篤。時余年十五，果餌余者，頎長玉映，父母德其護余，識損賀券，論婚士族，吉兒於是覥然作師母去矣。

師爲黃州士人，譽於學，窘於命，四十餘猶老童子。得吉兒，感主人誼，不忍去，賃一廬於牆左，夙興入教余讀，而余慧大減，日與兩兒嬉。師以余不耐讀，輒早歸，歸得觀余於其室。視師母，方凝笑執鍼綫也。越三月而師母姙，余遂不復與兩兒嬉，顧不慧如故，師亦不復嚴督余，且日誦余慧於母前。時毗陵莫嫗，新寡，遺腹女於鄰，得毗陵莫嫗，出嫗乳儲，入余家後，恒陰捻余腕，余甚畏其健，飄逃之師母家，師母拒余令返。及三四返，遂稍稍與嫗習。一夕，聞母語父曰：「嫗乳驟減，似不能飫阿大妹，當別僱一人，而以莫任襁褓。」余不解所謂，戲以語莫，莫竟怒視者再。余驚欲號，遽至師母許，告以故。師母不特不余慰，且泫然向余，余亦不期泣下。余家驟多一人，其人服事如莫嫗，而嬿媚過之。余母屬呼以媽，余乃媽之。默念媽與嫗年歲不相若，呼以媽，殆匪於嫗耳。顧嫗由是日常怒余以目，且攻媽短於母。母以愛余妹，讒不欲信，益與媽親。未幾而余妹期歲矣，親朋畢集，交口之譽，直如印刷之紙版，苟無三舊家覘嫗者，余且中席逃矣。（一）

語意學漫談

徐道鄰

規約語句，雖然有時不能發生規約的效力，然而並不因此失去它的規約語句的性質。例如大都市的馬路上，處處看得到『汽車駕駛不得超過時速三十哩』的招牌，然而眞正遵守它的規約的能有幾個人？同時，在某種環境下，有些語句，在一般人看來，並不是規約語句，而在某些人看來，卻是地地道道的規約語句。例如先生上公事房，臨走時，太太說：『今天晚上有人請我看戲』。在別人聽了，以爲這是一個『報告』，在先生耳中，這卻是條『命令』：到了公事房之後，馬上放車子回家，送太太去理頭髮。

規約語句，可以分成三種，一是絕對的規約CATEGORICAL PRESCRIPTORS 這是一道無條件的命令，如『到這裏來！』是也。二是『有條件的規約』HYPOTHETICAL PRESCROPTORS，即在某種情形之下，要作某種行爲，如『張媽買菜回來之後，你到我公事房裏來』是也。三是『附理由的規約』GROUNDED PRESCRIPTORS。這是一方面表達出規約，一方面又敘說出理由，例如『到我公事房裏來領薪水』是也。一般規約語句，常常喜歡附帶理由，因爲這樣它似乎更能發生作用。大家又常常喜歡用『應該』兩個字。彷彿這就是這個規約的『理由』，例如『你「應該」去看看他』，或者『你「應該」向道他歉』等等，而話即往往到此爲止，並不另具理由。這實在祇是一個沒有理由的理由，它只是在表面上有理由之形，而在事理上卻並無理由之實。因此，在我們日常生活之中，有『你應該怎樣怎樣』的話，表面上彷彿是客觀的規約語句，而實際上，不過祇是幾個人的評判語句而已。

規約語句的報導使用

——技術語文——

凡是述說一種工作的技術，一種工具的使用方法的，我們都可以稱之爲『技術語文』TECHNOLOGICAL DISCOURSE，而這是規約語句的報導使用的最好的代表。洗衣機附帶的使用說明書，『橋牌百日通』，『汽車駕駛術』等等，都是這一類語文的最常見的例子。它們都是用『規約』語句（你應『這樣』作，不可『那樣』作），來向讀者報導怎麼樣才能達到某種目的。所以，凡是用以解說達到一種目的的技術者，我們都可以目之爲『技術』語文。而人類的目的既是極爲多端，所以技術語文的種類，也是應有盡有：譬如科學，道德，宗教，數學，運動，休息等等，凡是與一種人類行爲有關的，就有它的『技術』TECHNIQUE，就有它的『技術語文』。（六〇）

亂世是非

辛文

現代社會中，個人的權利講得太多了。爲了保護個人的權利神聖不可侵犯，國家訂下了許多法律。誰冒犯這些法律，誰就倒霉，有坐監之危險也。

正義，因爲法律代表了公道，但是在我們這個社會中，國家本來不大講法律，而一國人治。久經變亂，情形就不同了。看來，一個人偷人家老婆，本夫打死人，死有餘辜，但是在現代法律面前，和姦並不要緊，打死人卻至少『於法無據』，『有預謀殺人』之嫌，蓄意傷害致死，罪在本身。

下了，我們在這樣的情形下，根本失掉了斷曲直的標準。公說公有理，婆說婆有理，然則是有理大家有理，誰也是一個兇險的傢伙。

插身進來了——如果我偷了人家的老婆，『可以從人類歷史中分析』，從弗洛伊德講到『七年之癢』，以心理學的評價，證明我的行爲正當，而報告光明正大的婚姻制度壞了，那麼如果社會正常，我三平的意見，會有人附和我，稱讚我是一個正人君子；如果李四跟我有不痛快，那麼他當然會搬出人類以文明而進化，民族傳統上之必需維持，通化在道德上是不可饒恕的大罪過，悲慘等等理由，來把我罵個狗血淋頭。法官判案在於維持私生子的命運，理直氣壯的話，個人的權利，卻不是跟道德然有點符合法定，是依道德，而左右的是非就難講得很。法庭之外的是非，我們這一代人允其了。

其實，你缺少點可以依據的行爲，白是美德，財勢也是誰不要，把你踢下險地，你是一個險惡的人，不以爲你狡猾。你也許會說是一種失敗的。但是有人卻以其人之道，還治其人，自己混帳，通了，含蓄，胡說的，要你自己混帳了。

每一個社會都有這樣的變動，情形恢復了平靜，終止了，一套整個的價值標準，就產生了。個人的私利看，就生在變動的社會中，吃着不算數，但是有大抱負的人物都喜歡生在亂世，因爲除了盛世的一切根深蒂固，你就祗有別的法；亂世的一切都等着創造、形成，有大抱負的人正好施展他的身手，幹一番事業——不過，話講到這裏，似乎又太迂了。

自由人

THE FREEMAN

（第四八三期）

中華民國僑務委員會
僑發登記證台教新字第一零二號
中華郵政台字第五〇〇號
執照登記為第一類新聞紙類
（半週刊每星期三　六出版）
每份港幣壹毫
台北市售價台幣壹元
督印人：陳文華
地址：香港高士威道二十號四樓
3 rd. fl. 20 CAUSEWAY RD
HONG KONG
香港發行及事務接洽
高士打道66號　電話：七四〇五三
承印者：東南印務出版社
地　址：高士打道六十四號
海外總經銷
友聯書報發行公司
香港：德輔道中二十六號A二樓
台灣特派員辦事處
台北市館前街五十號
台灣總經銷處
台北市西寧南路壹壹零號二樓
台郵撥儲金戶九二五二

殖民主義的大辯論能產生什麼奇蹟？

·張丕介·

殖民主義與帝國主義是近代世界史的一對孿生子，而且他們的存在與發展是彼此依存着，若有其一，必有其二，若不能消滅其中的一個，也必不能希望根除其另一個。

殖民主義與帝國主義同是近代西歐白種人的傑作，也同是四五世紀以來全世界最大的災害。他們有一個共同的基本觀念，就是白種人的優越，理當代天行道，征服世界，統治世界。大砲、軍艦、宗教、科學、政治、經濟，都變成了殘暴的手段。

為了帝國主義的擴張，殖民地之爭奪成為民族與民族，國家與國家之間經常的和最凶狠的鬥爭。所謂落後民族的命運，固然極端悽慘；而所謂文明國家者，也脫不了彼此互相殘殺。四五百年來的國際戰爭，大部份都起源於殖民地問題。

殖民主義與帝國主義都是人類最大的愚蠢表現，最大的文明罪行，然而那一錯誤觀念一日不除，這一可悲的現象便一日存在。——好像人類永遠學不乖似的，經歷了兩次掀天動地的世界大戰，至今並無悔禍之心，而居然還有些國家要設法保持其染滿了血腥的既得殖民地（舊帝國主義與舊殖民主義），大有同歸於盡而甘心的氣概；另有一批國家竟敢在二十世紀的中期，假借好聽的社會主義之名，實行建立一種新型的帝國主義和新型的殖民主義。

看起來，自啓明時代以後的人權思想，平等博愛自由的口號，天下一家世界和平的理想，一遇到這兩個醜惡的政治怪物，便統統立刻消逝得無形無蹤了。

第一個提出現代式的國際組織，以消滅爭端，而實現國際和平者為康德，時間是一千七百九十五年。到現在已整整一百六十年了。除去因戰爭失敗而放棄殖民地者外，有那一國肯自動取銷其帝國主義作風？第一次世界大戰後的國際聯盟曾給人類以短期的信心，但是它不久就變成了帝國主義強國宰制弱小國的工具，造成文明歷史的一大污點。第二次世界大戰產生的聯合國呢？它有什麼不同的表現嗎？十年來它令人失望得太多了，還能希望它造成什麼奇蹟？

若說它能產生什麼奇蹟，我們可用最樂觀的看法，來觀察它本週關於殖民主義的辯論。——不是說，它會因辯論而產生任何有效的決議案，因為那已是決定了的無結果的吵鬧；而是說，它居然有勇氣，敢把這個為帝國主義國家諱莫如深的問題，公然提出討論。知其不可而為之，我們只能說它還可以反映文明人類的呼聲。這場辯論，依我的想法，也最好至此停止，讓大家痛痛快快的吵鬧一番，但決不可希望一次，乃至一年之內，求得任何具體結論。若能藉着辯論，證明殖民主義基本觀念是錯誤的，證明帝國主義，不論其是新是舊，統統是違反世界文明人類共同意願的，那就夠意義了；至於如何解決這問題，還是實際政治力量有資格作最後的決定。聯合國只能像法庭宣判一個罪人的死刑，至於能否緝獲到案明正典刑，不是法庭力量所及，只好等候大有力者出而執法了。而這大有力者卻並不是別人，而是受壓迫的殖民地之本身。只要殖民地獲得世界公認的平等人權，只要剷除帝國主義觀念的護符，我相信這是極有可能的。

我們担心這一辯論根本不能做到痛痛快快的大吵一番，而是被聯合國中強有力份子所阻撓或扼殺，至少有被擱置的趨勢。

這次辯論的主題是兩項人權契約，其一包括公民權與政治權，其二包括經濟社會與文化權。這是去年人權委員會擬就的，今年春季由社會經濟委員會審查通過，而轉交聯合國的一件實義重大的文獻。（此時只好稱之為文獻！）看它序言中宣言：「一切民族可自由選擇其本身地位。」這差不多完全針對新舊殖民地之自求解放而言。只要通過這一原則，就等於宣告帝國主義的死刑。

這樣的契約能順利通過嗎？小國多數是贊成的；但大國呢？法國是第一個死硬派，為了北非殖民地問題，甚至要退出聯合國。一向最會望觀風色的英國，為了塞浦路斯島，幾乎和希臘翻了臉。莫斯科肯同意一個殖民主義的嚴格定義嗎？一切以帝國主義起家的國家，如比、荷、意、西等，肯接受這一宣言嗎？只有美國一個大國沒有帝國主義嫌疑，但它敢公然主持正義，開罪那般有力的盟友們嗎？

人權契約的下場大致是以下的三部曲：第一，延宕討論，是提而不議；或者第二，是懸辯一場，議而不決；或者第三，是勉強求出結論，但大國拒絕簽字。我們懂帝國主義發展史，知道其目前形勢，那麼對於這三部曲的進行，便不以為異了。帝國主義是一個具有相當長久的歷史現象，百足之虫，死而不僵，它不會不作最後之掙扎的。甚至我們不妨假定，在它作生死鬥爭的當中，很可能使新舊殖民主義合流，以達其狼狽為奸的目的。

我的預言也許太早了些。——本週開始的大辯論或者給我們一些比較可靠的事實，作為判斷將來發展的根據。但是無論如何，不能因人權法案的提出討論，而遽然認為殖民主義已響起了喪鐘。技術與科學的進步速度，並不能證明人類智慧的增加速度有同樣樂觀的理由。人類還要遭受更大的災難，忍受更長久的罪行，為了實現天下一家的理想，還要付出更大的代價。

艾森豪的遠東政策

中國人心的反應

·毛以亨·

白宮宣佈艾氏重掌政務，而杜勒斯亦將首途赴日內瓦出席四國外長會議，繼續而必涉及所謂第二項有關台灣海峽之問題，自在意料之中。

所謂日內瓦關於台灣問題之第二項談判，實足以沖淡以武力保衛台灣之軍心與民氣，即使中共已大有所讓。台灣不特已問題，而且問題已暗示着可以解決。解決之道，必為中共所能接受，蘇聯所願誇獎，否則便不是和平了。最近所傳，有兩個中國，托管，台灣獨立國三種辦法，而此三者均非我們中國人所能接受。反對此三種方案之實現者，國府與反對黨及民間是一致的。以國府與中共並列，我固然選擇國府，即以美國與國府並列，我亦是選擇國府，因為我尚未入美籍之故。自然這不是說，我將無條件擁護政府，因為我是反對黨一分子，反對黨的職責，是批評超過擁護的。

艾氏個性與表演

艾氏之和平政策，雖環境所迫，亦與其個性有關。有特殊天才的美國人，是不易當選為總統的。我者謂艾氏曾當過麥克阿瑟十一年的少校助理，不平庸固然伺候不了心高氣傲的麥帥，亦不會經過十一年不升遷而效死勿去，因為四年升一級，是美軍的成例吓！

有主張有鋒鋩的美國人，必不易當選為總統，而當選者多為空洞而自己無主張之人。艾氏與史梯文生競選總統時，我讀到兩氏百篇以上的演說，覺得艾氏愈說愈空洞，而史氏則愈說愈有主張。美報並謂經過四個月競選，史氏竟成為有名的演說家，而以勝利者的姿態退出競選，誠非過譽。我又嘗怪美國在遠東之無積極政策，祇聽見其執行人，作不可這樣，不可那樣的消極限制，曾憤而問他們，究竟有無關於政策上之訓令？則答曰，訓令是有的，祇是太空洞了。

但平庸與空洞，究不能使美國人選他任總統的，必有各種表演，博得美國人歡心纔成，而這亦副官們最拿手的好戲。競選時紐約時報，刊出艾氏二十多種的表情照片，提到塔虎脫時，則面孔一擺，提到麥卡錫時，則眉頭一皺，提到麥克阿瑟時，則昂首仰天而表示憤慨。其表情之豐富，較之好萊塢明星曾不多讓，而好萊塢明星亦是美國人所願擁護的吓！

美國人自知戰後已負起領導世界之重責，尤需要先爭取英國之擁護，與蘇聯之贊同。艾氏既任聯軍總司令於先，其出而競選，亦預得邱吉爾之贊同，故獲得以親英著稱南部民主黨各州之票。他又強調與朱可夫為好友，不難通過朱氏以與蘇聯謀和，而慕尼黑時代，任張伯倫祕書之財長布特勒，亦在那裏暗中叫好。

美國遠東政策

艾氏以無個性而善表演之人，故不特無固定之政策，且常為了選就其表演，而使其政策益形搖擺不定。其令人無所適從之程度，已至動搖了遠東近東的反共基本信念了。

美國在遠東，在第一次大戰以前，是無辦法的。但雖無辦法，而卻能製定政策，如海約翰之門戶開放政策，史汀生之不承認主義。後以政策得人擁護，使美國在遠東得以進展，逐漸變無辦法為有辦法。自二次大戰以後，美國所以使遠東人民助其國力之進展者，自然是反共。與蘇聯之促遠東人民助其國力進展者，為反殖民地之民族獨立，適相抗衡。然民主黨之反共已不徹底，至放棄中國大陸，韓戰猶作半島防禦戰，與島嶼保衛戰與守衛台灣是。至艾氏則以不出動海空軍使法越棄守北越，退至南越，已不顧作半島防禦戰了。至是否繼續防衛台灣島嶼，亦以日內瓦會議之後，而使人對之大打折扣。昔美國于無辦法之時，尚能有遠東政策，而現在總算是最有辦法的國家，竟自無政策，則艾氏誠不能不負責。

或曰艾氏何嘗無政策，其政策為和平與裁軍。殊不知和平一詞，只在自由世界之辭典中有之，共產集團則其意識已為鬥爭所充滿，假令有和平之意識，即不復為共產黨了。裁軍則尤難，為自由共產兩個集團都難做到的事，因為這是以前試過而沒有辦到的事。第一次世界大戰後，曾開過十數年的裁軍會議，今日艾氏所提的視察制度，亦是當時老方案之一。但愈開愈離題了，竟由軍縮會議，開成軍擴會議，最後終于培養出一位執行軍擴會議決案之希特勒始止。

我看美國的基本企圖，在培養德日以制蘇，逼迫蘇聯冒東西兩面作戰之危險。英國則與上次一樣，充總預備隊與兵工廠，庶于經濟及國力，可以顧到。但這是美國人的如意算盤，不特絕對行不通，而適足以妨礙反共之執行。蓋德日而欲扮演主角，必先自充沛其國力始，其道除先與蘇聯中共通商外，尚無其他，自已獨立執行的辦法是以反共始而以聯共與親共終了。

且培養日本，尤為百年來為日俄輪流侵略之中韓人士所不喜。蓋韓國獨立，使日本失去到大陸之跳板，自然給蘇聯以獨佔之優勢，這是不利的。但美國不以培養中韓實力為其根本政策，而以扶植日本使恢復當日殖民地之現狀以制衡俄國為得計者，則中韓兩國人民，必誓死反對的。美國在遠東，而不得各民族之支持，則其退出遠東，亦為期不遠了。

時事述評

·李秋生·

浙海空戰國機獲勝

浙海上空空戰，軍刀機牛刀初試，以四對十二的眾寡之勢，擊落中共米格機一架，可能另又重傷一架，這是自由中國防衛實力堅強與空軍健兒優良英勇的表現，同時更說明了中共人海並不一定像某些人想像的那樣可怕。

最近各方面報道，都表示中共大修閩浙沿海機場，新型機種相繼進駐，這無疑是配合其軍事侵台計劃，伺機一逞。像這一類的空中遭遇戰，與沿岸共軍對各外島的砲擊，今後只會日益加強。對於幻想台灣海峽停火的人們，這是一個重大打擊。

假如從一年前的金門砲戰以來，國軍可以自由出擊，則沿海共軍結集與機場修築都不會如此順利，海峽危機反可減輕。束縛住自己的手腳，而放任敵人的發展，從任何方面講，這都是最拙劣的策略。

日內瓦談判的頓挫

軍事情勢如此，政治方面怎樣呢？美當局對日內瓦的談判，表面上是為了放人，骨子裏是想獲致停火；而中共則藉人質來要挾，以達到其驅美艦隊出台灣海峽，放手進侵台灣的妄念。到現在放人的進展並不順利，中共反而攻訐美方，還慫恿國際掮客如梅農之流也就急忙往晤杜勒斯國務卿，要求從速召開美與中共間的「高級會議」。

用金馬交換停火，只是西方政客的如意算盤，但中共對於這樣的禮物卻還看不上眼。中共的驕矜之氣已被西方的怯懦動搖縱養成功，他們看出氫彈不會輕易在大陸投落，又何必向你多所遷就？

揚言報復而實際在姑息，看起來還是張伯倫到坦白些。

和平攻勢下的日本

由於美當局的動搖，世界反共陣綫已發生許多裂痕，目前最可慮的是日本。

戰後十年，美國耗費無數金錢心血，把日本從毀滅的邊沿上扶持起來，乃有今日的興盛，但美國並未獲得應有的酬報。美國希望日本成為遠東防共主力，是為西太平洋大局着想，也是為日本自身着想。結果則氫彈落塵誤傷了一些漁民，竟掀起澎湃的反美運動，到現在，舉凡美方為了防衛日本安全而做的軍事措施，諸如立川機場的擴建，富士山麓的實彈射擊，「誠實約翰」的運日儲備，都遇到日人強烈反對和阻撓。另一方面，則日本與中共雙方的訪問團體，正不斷絡繹於途，劉少奇周恩來願與日本建立正常關係的和平攻勢，顯已發生相當影響。社會黨兩翼合併後，已成日議會第一大黨，而民主自由兩黨的合同運動，則至今還有許多暗礁。萬一日政府稍有變化，政權落到社會黨掌握，則亞洲東北一隅可能面目全非。

這纔是今日足以威脅美國，遠東以至整個自由世界的嚴重問題，像空中觀察的裁軍計劃之類，「可憐無補費精神」，實在不必煩勞艾克在病中去拳拳關注。

中共厲行「農業合作化」

中共通過加強農業合作運動計劃，共報以整幅封面，刊布毛澤東對此問題的長篇報告，自稱是進入農業革命的第二階段。共黨過去用以號召農民的「土地革命」顯已告一段落，現在要開始對農民作更進一步的搾取。

中共的口號是「農業合作化」，有意避免不用集體農場名稱，事實上所謂打擊富農，消除農村資本主義等等，還不就是蘇俄三十年代厲行農業集體化的翻版。除了蘇俄的一套，中共再也變不出任何新的花樣來。大陸人民這六年來生活已經夠苦了，現在纔算要走進真正的泥犂地獄，二十年前蘇俄農村中一幅血腥殘酷的畫圖，眼看就要在大陸上展開。

我們應該促起國際上那些姑息中共的人士注意：誰對中共曲加優容，誰就是迫害中國民眾的幫兇。

海外通訊

日美會談與日蘇交涉

·安世·

〔本報東京特約通訊〕「親美而不反蘇」這是今天日本各黨一致的外交原則，其實西德外交，也是這個原則，何以西德運用這個外交，在若干方面，已獲相當成果，例如對俄關係的建立（雖然付出了重大代價），而日本運用這個外交，似乎到處碰壁（至少日蘇交涉是如此）。

日蘇德蘇談判比較

有人說，這是因爲西德政局比較安定，而日本政局太不安定的緣故。記者認爲這種看法，未免倒因爲果，政局的安定不安定，其原因在政治家不在政局。何況日本政局，並不是「不治之症」。日本四大報紙之一，每日新聞（日銷百萬以上）爲此曾建議政府，勸他們對於日蘇交涉，學學西德的態度。這個建議，本不太錯，不過學習一事，談何容易，臭皮匠固學不像諸葛亮，即諸葛亮也沒有辦法去學臭皮匠的。

今天登諸表現出來的天才與態度，是俾士麥以來所僅見的，可是俾士麥利用的是強國盛世，他利用的卻是「三分天下有其二」的殘局。他在訪蘇以前，先向美國請教，美國不以爲諂，到蘇以後，處處對蘇表示強硬，蘇亦不以爲驕。雖然蘇俄對登諸也採取強硬態度。此爲記者研究國際問題四十餘年來在外交史上少見的人物，堪爲現代一般弱國外交當局學習。

日蘇談判擱淺原因

日蘇交涉，談了十幾天，至今仍在倫敦擱淺，原因何在？日本報紙一致認爲是領土問題。

領土中的千島與庫頁島，是十七世紀以來，日俄兩國紛爭的中心，到了明治初元，才歸屬於日本。千島原名蝦夷島，一部與北海道極接近，不過確定爲日本領土，已遠在一八五五年。（第一次日俄通商條約）至於南庫頁經濟價值，更比各島爲大，該島產魚佔日本全國產魚量百分之三十以上，而且木材豐富，不僅是日本造紙工業的中心，也是人造纖維原料的中心。

當日本政府派遣松本大使到倫敦以前，對於日蘇交涉，鳩山與重光意見不一，鳩山主張先解決其他懸案（如釋放戰俘等）暫時成立一個和約，至於領土問題留待最後決定，重光則堅持先談領土問題，俟得領土問題協議，再談其他。各黨亦同意重光的看法，重光爲什麼要先決這個困難的領土問題呢？一種人認爲重光知道領土問題責任太大，不願受輿論指摘，也有人認爲重光工於心計，知道領土問題，不易談出結果，所以特別提出在先，讓他們在倫敦慢慢去談，俟他到美國後，刺探美政府的眞意，再說下文。其實這是重光腹案的全部。所以日蘇交涉的擱淺，表面上雖是領土問題，骨子裏是問題以外還有問題。

英報界觀察診誤

在日蘇交涉停頓的當中，倫敦輿論界，一致責備日本，大致認爲日本的對蘇要求，意在國際舞台上擡高身價。七月二日的經濟學人雜誌，認爲由日本外交可證明日本人思想落後五十年，乃爲他們還是一九〇五年（日俄戰爭）時代的思想。有「東方世界」（倫敦唯一遠東問題雜誌），則認爲「日本對蘇接近，是強化他們對美交易。」這些批評，固是相當深刻，只可惜都看到一面。蓋四巨頭會議既不談亞洲問題，日蘇已失相互利用之機，對美施展姿態，又若謂日本人思想落後五十年，實應是英國觀察日本之誤，落後了五十年的，還是因爲今天英國人的看法，還是以佔領時代的日本來觀察日本。殊不知獨立以後的日本，竭力要爭取國際上的兩件大事，是靠蘇聯諒解：一是立刻加入聯合國，使提高國際地位，至少不在印度之下。一是要竭力打開國際貿易的局面，通過蘇聯這一大關，然後和中共其他衛星國做生意。

談判無害對美關係

因此說日本對蘇接近，是強化對美交易。記者自來便是這種看法，不過「對美交易強化」以後，在今日保守局面之下，重心還是偏於美而不偏於蘇，這也是「兩利相權取其重」「兩害相權取其輕」的現實老辦法。鳩山重光固然看清楚了這一點，艾森豪和杜勒斯也看清楚了這一點，所以這次重光到美國，所受到的歡迎，遠在吉田之上。

現在松本全權代表已奉政府之召回到日本，提出報告，據聞日本政府已有向俄作重大讓步，擬議在年內建立邦交之說。

日蘇交涉將長期拖延

究竟日蘇交涉前途如何？照當前日本的立場和今後蘇聯的需要，日蘇交涉是有結果的，不過時間問題而已。據最近鳩山在國會的表示：日蘇交涉在年內必將告一段落。但據重光對議員的表示：日蘇交涉，是一個長期的交涉，何時始有結束，殊難預斷。

不過最近日本各黨的要求，和輿論的表示：一致傾向於「領土問題，交聯合國處理，日蘇交涉，應先決定一切懸案，懸案決定後，可先成立一暫時和約。」不過這都是日本的想法。總之日蘇交涉，日本着急而蘇聯不太着急，除非日本也有西德的魄力，寧使談判決裂或停頓，而不肯對蘇作重大讓步，否則日蘇談判，仍將長期拖下去的。

論當前文化運動與知識份子（二）

·胡秋原·

知識份子的動搖

其次，新軍領袖——袁世凱接收清廷政權，並以軍治國。其次，袁氏失敗了，變爲小領袖割據。這是一個大綱。袁世凱不是馬上得天下，而是操場得天下的；他也操場治之。他在不別之世，不圖結全國以圖存，卻爲黃袍加身之兒戲。他略爲讀過書，故亦知讀書人之用。所以，他第二件壞事，便是誘脅兼施，敗壞中國智識份子之廉恥與自尊心，民初士氣卑下到何種程度，由「洪憲文學」可知，由民初國會議員（他們當時新知識份子之菁英）之綽號可知。另一方面，不滿現實者，趨於所謂「鴛鴦蝴蝶」，已經是豪傑之士。青年亦多趨之。五四時代文學家，恐怕除周氏兄弟外，很少不是由鴛鴦派轉出來的，包括許多白話詩人在內。至此再談什麼學術，領導政治，豈非迂談，充其量牢騷而已。然「書劍飄零」者，又誰之過？此後，中國知識份子之志趣在北伐前後一度振奮。然此如一劑強心針，此後即無培本固精之功，旋即廢弛，自是厥後，一般而言，士氣是順流而下的。所謂「中國的文化」……乘此對知識份子給以精神打擊，共黨則以奴辱之。然共黨何以能組織潰敗的知識份子戰呢？共黨對知識份子是用奴兵方式部勒的。他能以人海戰術擊無組織之師。此共黨能組織投降國軍來打韓戰，可以了解。至此，唯有眞正自由人之軍，且有堅強火力與卓越心理戰，才能對付，也必能對付的。

因西方經濟衝擊，而生之經濟瓦解，及軍人政治而生之內戰，使中國知識份子在生活上日益動搖。考試制度之破壞，使知識份子不能如過去有參政之合法軌道。那麼，難道好做學問了。可是現實的貧乏，使知識份子很少爲學之餘裕。牡丹雖好，全仗綠葉扶持。近代學問，尤需設備，將圖書儀器等問題除外，學問與學者個人生活，是需要（PATRON）或後盾的。在西方，文藝復興期學者，頗賴銀行家及貴族附庸風雅。十八、九世紀以降，除國家學院之外，社會上有一批名媛、貴婦、「沙龍」支持，對學者予以經濟支持，甚至精神鼓勵。近代則因國民經濟發達，有富商企業家，及軍火大王之類，設立各種獎金會。其在我國，貴族子弟，多能附庸風雅。社會上亦多有人講學。政府開四庫，私人有大吏阮元、張之洞等，刻書收藏。如清初毛氏，以刻書不朽，社會上此風不替。民國以後，幾成隔世。所謂「學問」已非政府之急務，大學及研究院，縱非「書記」，也是可緩之事。書店多在教科書和學生身上打主意。富豪要到外國和香港買房子，而貴婦名媛者，亦志在侯門第一——他們或她們恐無欲附驥尾而名益彰者乎？於是知識份子除作官教書外，只剩下印刷術所造成的市場爲之生了。而由於經濟之不發達，五億人口之國，一書印三千部，一報賣三五萬份已爲成功，如此所謂稿費版稅者，如何能養活知識份子呢？又如何能支持他們寫出人所著作呢？這也是中國知識份子，除了嘗試「爺有新詩上相公」「全家皆在秋風裏」之外，祇能設法賣散工，做零售商，挖空腦筋，鶉肋餘式之稿酬而奮鬥了。知識份子又常以室家之累（常勸青年遲婚及研究山格之術，還不是重要的），日困於開門七事，久之自然志氣消磨，又有何國家大計，名山事業可談？然而莫斯科可以謀人之國，當然也就可以投資，由這裏及買一部份知識份子，何況還有「世界革命」之頭彩呢？

然另一方面，亦有主觀原因。西方文化對中國衝擊，不僅對國家爲一大變，對知識份子本身亦發生根本的攪亂，而這攪亂是日益擴大而深刻的。昔日科舉制度製造知識份子，工業的學校則爲大量生產。這只有近代產業才能吸收，而此產業發達，才能使學問實業合一，亦將使國力日益進步。否則，受新教育的人愈多，必愈思想與生活矛盾，形成社會生活矛盾，「知識份子過剩」（並非眞正過剩）現象。這矛盾，原是許多落後國家必經之苦痛過程，此亦許多落後國家革命原因，亦即「亞洲悲哀」之背景。要變此矛盾爲進步，唯有中國工業化，而這又是一複雜工程，需要各種條件與人才。要工業化，必須外有國際和平或平衡，內有統一而有效政府，通商惠工，同時領導國民勤儉；在無現代生產前，切不可有現代消費。如果政府不行，則有改革或革命二途。而二者皆須準備，尤需要新人和大智慧。然大家對此艱難細膩之事，是無所知的。何也？知識份子很久沒有對國家負過責任，對現代國事亦不甚解，遂不知稼穡之艱難耳。於是似乎變爲另一情形：於國家生活方式不變，餘知識份子日多，除一部份擠進政府學校之外，其他散在「十字街頭」，變爲散兵游勇。二者中自多賢者，但大部份說，前者多逐漸鄉愿化，研究院官僚化；後者則多「浪人化」（LUMPEN INTELLECTUALS，BOHEMIAN），他們著「救國祕訣」，或「炸彈萬能論」，等而之下，提點黑市，乃至寫黑市作品，而甚至還可以敲詐到女人！這些人部份是小政治鬥爭對象，而也是蘇俄募兵對象，後補者。蘇俄不惜工本，自亦能動之。然無論鄉愿，無論浪人，既非中行，亦不是眞的狂狷。因爲他們缺乏眞正的自尊心因而責任心，所以不能在政治上學術上有眞成就。於是在政治上的急功近利，一如學問上之減料偷工。說到此處，便知孫先生的偉大。我於孫先生佩服者，首爲民初一段。他知對袁氏不宜鬥力，他願讓總統，退修鐵路。其事如成，鐵路可以打倒袁氏，而且可以建國統一。可是，用時後竟稱他何號呢？一般青年對他又是如何觀感呢？他提倡「知難行易」說，他是說理想重於實行，而以理想家自任耳。

青年一代不如一代

學問上之偷工減料，尤其顯然。世間豈有天才，要亦功夫而已。我們對學問不認眞而已。而毛病是日益嚴重的。如「介紹思潮」，嚴林二人以後，幾個有他們的氣力？說整理「國故」，能與乾嘉功力相敵者，似亦不甚多。如比西洋人，不說內容，他們的書，稍爲像樣的，莫不皆有索引，徵引有出處，即是四書，必說明來源，錯字幾乎沒有。再比日本，我們之草率爲何如了。論對中國西洋文化，我們能如其精勤「勉強」否？我們的留學生，不知比日本多多少，但我們對於西洋名著，就沒有用過他人工夫。再說中國左派知識份子，他們固然是浪用精力，但我們非共派的人，對中西文化所下的工夫，就不如他們對馬列主義之大，想到人數之不同，尤其顯然。這工力之不敵，即今日之勝敗之所由分。這除了客觀原因之外，也有主觀上對國家對學術之責任不足的問題。

十餘年前我嘗稱此爲「孤憤之害」。可惜許多人竟誤解「豈不幹幹」之哲學，豈不可痛？黃君說今天青年是否一四十以上者迂。其實孫先生在民初已被當時青年目爲迂。我們正應告訴青年，今日之禍，亦青年急功近利之懲罰。縱有善言，青年無判別力，國家也是無法的。然而我們又如何能責備青年呢？曲高而和寡者，孤掌之難鳴也。青年是有模倣性，喜熱鬧的。他們看到中年人多急功近利，故亦隨波逐流，是很顯然的。如果還有一個原因，即我們知識份子熱心小乘政治，鼎盛一時聲光，亦頗浪費許多賢者之精力。例如梁啓超先生，即前者一顯明例子。而有希望青年爲一時成就而自滿，因而自限其前途者，亦不知凡幾。

由於前輩之急功近利減料偷工，一般青年多成「現實主義」，他們不甚根本，頗喜歡鬧風潮，再不然，則爲文憑主義，看「考試指南」，談「ABC」。ABC是需要的，猶之吃飯也是重要的。但不當止乎此。不過，我們如何能責備青年？我們無非是或不過看見前一代不如一代的原故。這便是一代不如一代。再如馬列主義然，他們看見馬列主義無所不備，這反而使若干較好青年，走入左道。這便是一代青年飛蛾撲火之故，而也怪不得他們的。

我相信中國知識份子未能以其成就來領導政治，同時也即是他們不能有一種氣力，以抗共產主義的原因。然學術之不能領導政治，不僅有知識份子智力上的原因，尤其有道義上的原因。民國以來，知識份子地位固然低落，抑非「人必自侮而後人侮之」耶？知識份子逐漸沒落了，但我們不能否認，我們有無數新學生留學生加入政府。前些時「自由人」有「留學生百年罪言」一文，大部份我有同感。他們多能身據要津，不是不可爲國家效力的。許多人說，他們知外而不知中。我的見解剛剛相反。他們對外國學問知道不多，而對中國「國情」知道得太多了！——我在上面說到近代中國知識份子缺乏之社會支持，幾無爲學之餘裕。可留學生似有當除外者。又中國有一筆很不光榮的錢，爲文化事業之用的，即所謂庚款，亦即西人所謂「拳師賠款」者是也。這是中國文化恥辱之紀念。涉此款者，應如何雪恥？然此款除設置「等華人外，其所謂事業者，似亦有限矣。聽說一個基金會曾決譯「莎氏全集」，未見完成。而一個未出國的青年朱生豪將其譯成，而其人卻肺病而死。此亦可見中國之非無人才，無數朱生豪被埋沒。所以我要表彰他。又一般人每談官吏貪污。然名流學者對於庚款手續，賬目，亦非忽於在紐約還有某庚款大學辦事處，校長當然也在美國，不論其生活來源如何，總難免爲人懷疑，這如何能做政府之「諍友」呢？這又如何能做青年師表呢？如果中國最高知識份子不能樹立道義威權，不要說政治民主，連起碼的政治清明都是無望的。

從濊，豈僅知識份子之餘。此外，在教育上，從派系之「飯碗同盟」到六職之戰，就像說明中國知識份子之可哀了。於是乎校長見廳長「立正」，而小學以兒童爲捐雜稅對象，推銷油條書本之顧客。這還有什麼「師嚴道尊」？想要孟子說孔子賢於堯舜之浩然英風，我們成了什麼人？代天立道，傳道授業之人，既不講道，整個社會必然勢利是崇。勢利莫大于洋人。故洋人一言褒貶而榮戚在焉，奉一洋人之說而眞理在焉。然而「羅宋」者，究亦洋人也，于是以能說「親愛的太陽」「老大哥」以至于「父親」「叔叔」（接共報稱史爲父，最近又命小兒稱一切俄人爲叔叔）爲莫大之光榮了！學術之空虛，政治的輕率，已經使我們精力日弱，氣力日衰，文明古國竟成爲一個輕浮的民族，到了道義之日就斷喪，即使我民族最後一點力量亦爲之銷蝕。世在過去，還有玩世之士，但氣盡力微之後，這也絕無內容，而成爲紙人，與木人。即可以飛舞，一陣風來，或一道鐵鍊穿上，也就可以任意擺佈了。這就是大陸淪陷前後的情形。

客觀困難主觀不足

而這二者——客觀困難主觀不足——又互爲因果的。結果是知識份子地位之日下，豈僅不能領導政治，且日益受不良政治習慣之支配了。政治上之打旗吶喊，告密賣友，古已有之，也還是政治上的問題。民國以來，最可嘆事，莫如文人之不自愛重，不自愛重其筆。全謝山云，文人之于其文，當養之如處子，讓之若處子，今日則既不甚養，亦不甚讓。古人于壽祭悼贈之際，亦爲溢美之詞，然于酬答，則尤稱道不遺餘力，苟非其人，罕有以其權勢公然阿諛者。今也不然。夫貧而仕可也，實酬而隱惡揚善亦是也，朋友標榜歌頌名伶，亦人情之常，尤其是恭維自己的女朋友，可謂文人獨有之特權。然對於先生權貴僅以權貴而爲阿侯之文，斷乎不可。官大好吟詩者，固亦文人之不自貴重也。夫既能爲阿好之詞，自亦必有對異己者之醜詆。二者並爲涼薄之風。昔王符謂「文爲天心」。天乃何等溫厚者乎？生今之世，豈能盡言？然不論言論之自由，乃斷不可讒諂者。而文章之不可讒諂者。

知識份子的自卑

所以儘管中國之憂患，學術之衰落，士氣之消沉有客觀原因，究極說來，必說國家之憂患，由於學術一天天的貧困，學術一天天的貧困，由於知識份子一天一天自卑。由于知識份子自卑，不自知尊嚴，自不以天下爲己任，才沒有能使學術領導政治，使學術有益於國家；同時也自然不覺其行業——學問之尊嚴，不過「儒冠誤我」，聊以卒歲。這自然也不好學。孟子講「任」與「志」。春秋末，周之士不悅學。「春秋」嘆其必亂必亡。

塞島爭執影響中東防務
哈定面臨重大難題

·孫頤·

（本報倫敦特約通訊）「我生平養成了英國軍人的一種信念，以爲沒有辦不到的事。」這是英國哈定元帥以傳統口吻說的話，他的新工作就幾乎是一件辦不到的事。哈定今年五十九歲，原任帝國參謀總長，最近奉命調任塞浦洛斯總督。

希臘要求合併

塞浦洛斯是地中海東部一個小島，第一次世界大戰後，才由土耳其正式割讓歸英國所有。但數年來，希臘曾屢次要求統治塞島的權利，當去年英埃兩國談判蘇彝士運河撤軍之際，希臘政府因塞島居民和國內宗教團體所請求，再向英國提議，以公民投票方式，使塞島與希臘合併。這要求爲英國拒絕後，希臘政府便向聯合國提出申訴，請求依照民族自決的原則，決定塞島的地位；而土耳其則以歷史和地理的關係，絕對主張維持塞島現狀。

英國對塞浦洛斯的法理權利，在希臘、土耳其都未表示疑問，兩國均認定英國對於該地區繼續擁有軍事控制權，自英軍從蘇彝士運河撤退，英政府用去相當於八千四百萬美元的款項，把塞浦洛斯發展軍事基地。那是中東地區內在英國充分統治下最後存留的領土，就軍事觀點而言，各方對此都沒有異議，而英國統治塞島的期間，曾予該島以經濟權利，塞島人民都是享有充分權利的英國公民，可以自出入英倫各島，享有任何地方英人所享法理的社會的文化的權利。最近英外相麥米蘭也曾表示，英政府現準備向塞島人民提出一種憲法，包括有一個民選議會，一個行政機構，由任開員的塞島人士組成，但英國總督仍將保有國防外交和保安的任務。

土國關懷中東安全

土耳其雖是中東回教國家，但外交政策一向依從西方集團，近數年以來，土耳其更已成爲英美的親密盟友，故英美在中東的勢力，亦常受土國的援助和支持，當英埃兩國發生蘇彝士運河爭執之際，土政府即宜布擁護英國立場，反對埃及要求歸還運河基地，土耳其認英軍留駐埃及，可以維持中東的安全。（上）

讀者來書

台灣教育怪現象

新生要捐錢替教職員造屋，備取生入學須自己購桌椅。

編輯先生：貴報前曾發表讀者來函，指出台灣某小學教師以「課外補充讀物」名義，向學生推銷書報的怪現象，我有兩個孩子本學期考進中學，竟遭遇了另外兩種更奇怪的怪現象，一是學校當局要新生出錢替教職員建築「疏散房屋」；另一是備取生只要出錢替學校添置桌椅，便能立即註冊入學。這兩件事是否合理，本人不願妄加批評，特將原函兩封附上，希能刊布，以待社會公斷。

讀者孫林上

台灣省立台中女子中學家長會主任常務委員郃春福本年九月三日致新生家長函：

「查本校家長會擬建本年度教職員疏散房屋八戶，建築費預算新台幣一拾萬元正。其中半數由增班新生樂捐，半數由本年度正取生及備取生每一學生樂捐新台幣一百元以上事，于民國四十四年八月二十四日本校家長委員會決議，記錄有案。懇請貴家長以自由樂捐方式協助本會擬建疏散房屋。並請註冊時將樂捐款項送本校內家長會收納」。

×　×　×

台中市立中學家長會首席常務委員林傳旺於本年八月二十六日致備取生家長公函：

「查貴子弟此次投考市中，名列備取，茲以各備取生家長紛紛囑轉請學校准予入學，以免失學前來，經向學校接洽，校方以正取生缺額無多，而學生課桌椅又不敷用，如能援照去年前案，捐得相當數量桌椅，自可通知入學。復查學生課桌椅每套約需價款八十元。務希貴家長惠予捐助課桌椅一套以上，藉減學校困難，是所至盼。」

函後另有附註：「如能按照去年前案捐助者，請於八月三十日上午到校本部辦理報到手續。」

改變許庇穀許岳「地主成份」

中共陰謀徹底失敗
僑胞反共立場堅定

過去慘痛經驗記憶猶新

最近，中共掌握了香港中華總商會會長許庇穀和中華廠商聯合會會長許岳在南海太平鄉改變地主成份的資料，進行了一次有計劃的宣傳，可是一開始就遭到了失敗。

照說，這一種宣傳，是可能對中共有利的，許庇穀和許岳是香港工商界中著名的一對許氏兄弟，他們分別主持了香港商業和工業的兩大僑團，如果中共在這一方面能夠透過許氏兄弟發揮一點宣傳力量，那對本港工商界是會有些影響的。

許氏兄弟無動於衷

但是，所謂「改變地主成份」，對許氏兄弟非但無動於中，相反的，卻給中共吃了一記悶棍。這在中共說來是非常傷心的，許氏兄弟根本連什麼叫做「地主成份」都不會理解，有一次許氏兄弟就曾公開對記者說：「我們有好多年沒有返鄉了，連有多少田地都不知道，什麼叫做地主，什麼叫做改變地主成份，對我們都是非常模糊的」。

究竟什麼叫做「改變地主成份」呢，那不過是中共的一套自欺欺人手法而已，由於當中共認爲某一個人尚可以供給他剝削時，他就指控你是一個地主，地主的遭遇是悲慘與殘酷的，除了將所有田地，不論這些田地是多少年辛苦耕耘所得，一律予以充公，然後對個人再予以精神與肉體上的清算，要一個被認爲地主的人掃地出門，要清算「地主」的先人，甚至有「地主」陪死，這一類的例子實在太多了，一切罪惡都加諸地主身上，尤其是在一九五一年前後，在廣東，祇要是一個自耕農，就會遭受到「地主」的看待而加清算。被清算後的「地主」都變得一貧如洗，喪失一切生存的依憑，在這種情形之下，即使求乞，亦必須接受中共的看管，不准在指定的區域外行動，一直維持到中共認爲已經「改造」成功時，就略略故示寬大，說麼什「改變地主成份」，可能予以一小塊的耕地，洗去「地主」的惡名，然而許多「地主」在「清算」或者「改造」的過程中，早就磨折而死了。

中共陰謀昭然若揭

中共就是這樣對付「地主」與華僑，當它用得着僑胞的地方，不惜千方百計加以拉攏，即如這一次許庇穀許岳的被宣佈改變了地主成份，而且還說是提前改變的，它的目的顯然是利用許氏兄弟在香港的地位而引誘香港僑胞轉變對中共的敵視。但，許氏兄弟對這一點並不會發生興趣是意料中的事，可以這麼說，偌大的田地都已損失了，又何在乎得回小小的一塊呢，在大陸，一個人被加上了「地主」的惡名，怎樣也洗不掉的了，這又是一種無法補償的精神損失，雖然許氏兄弟沒有直接地受到清算，但在中共的眼中看來，一個「地主」無論如何，總有着罪惡。即使今天被提前公佈改變地主成份的優待，實質與原來所謂地主身份實際也毫無分別，有人也許會說這樣便不必再怕再受清算了，但中共要清算一個人，豈不隨時可以找到藉口？

這回中共利用名詞的玩弄，希望能透過許氏兄弟的地位而獲得香港僑胞的好感，這已很明顯地受到了失敗。但，有一點仍必須指出，中共另一個指標是不能加以忽略的，它可能藉這一個機會而游說許氏兄弟，進而掌握了中華總商會和中華廠商聯合會這兩個在香港數一數二的工商社團，誰都知道中華總商會的少數主事人的主張，與行動是傾向中共的，如果中華總商會和中華廠商聯合會爲了少數人的利益關係，而被中共所利用了，那是很不幸的。

事實證明詭計慘敗

有一部份有遠見的工商業人士曾經有這樣的隱憂，這不是對許氏兄弟不予信賴，而因爲共黨慣於狡計百出，許多人都明白中××商會爲什麼懸掛五星旗，造成全港商人一種恥辱的原因，就是當時的理事長，一個經營西藥業的商人，他大部份的資金和商業都被中共控制了，因此他不得不支持懸掛五星旗作爲一種交換的條件。

這雖然是四年前的事了，但時間並沒有沖淡商人對這一個恥辱的記憶，如果今日歷史重演，所謂「改變地主成份」會許氏兄弟是一種餌，那實在是太危險了。

然而，事實證明這不過是一個杞憂，在許岳主持下的中華廠商聯合會首先通過了十一月一日商人節和十一月十一日工業節的慶祝，而這兩個節日都是中華民國成立的節日，當然不是中共所願望的，但中華廠商會在廣大的會員要求下，順利地通過了這兩個提案。

這說明了中共雖然想利用許氏兄弟，但無論對他們本身，對香港華僑都不會發生了絲毫影響。不過由這件事，也可看出中共爲了爭取僑胞不惜使用一切手段，這次利用許氏兄弟雖告失敗，但以後卻一定再會使用其他手段的。

從中共歷屆黨代會議看：

中共的內爭與矛盾

·胡希·

本月十五日「新華社」宣佈共黨即將召開第八次全國代表大會。這次大會除了將決定「農業合作化運動」的方針外，亦仍將與歷屆黨代大會及其他重要會議一樣，充滿着內部鬥爭的矛盾，也就是共黨所說的「團結問題」。

值此第八屆大會舉行前夕，且讓我們檢討一下共產黨歷次大會及其他重要會議所表現的矛盾。

反知識份子鬥爭

民國十年七月一日，中共在上海召開第一次全國代表大會，亦即成立大會。到會代表有陳獨秀、陳公博、劉仁靜、李漢俊、李達、陳潭秋、王儘美、鄧恩銘、何叔衡、董必武、毛澤東等十三人，代表黨員五十餘人。選舉陳獨秀爲黨中央領導者。

從中共成立的一天起，就出現了內部紛爭，表現在這次大會中的主要矛盾是以劉仁靜和李漢俊爲首的極左派與其他出席者之間的鬥爭，他們主張以「無產階級專政」爲直接的鬥爭目標，反對暫時參加國民黨領導的民主運動，認「知識份子是資產階級思想的代表」，應一律拒絕他們入黨。後來劉仁靜成爲托派份子，李漢俊被開除了黨籍。

民國十一年五月，在杭州西湖召開第二次黨代大會，到會代表二十人，代表黨員約百人左右。並在這次會議中決定參加共產國際。這次會議的主要內部鬥爭是剝奪劉仁靜和李漢俊兩人的發言權。

反左反右鬥爭

民國十二年六月在廣州召開第三次黨代大會，到會代表二十人中，有陳獨秀，瞿秋白，張國燾，張太雷，蔡和森等人。這次大會發生權宜鬥爭，一方面是攻擊陳獨秀的右傾領導，陳以主張把共黨的一切活動受國民黨領導，這種觀點突出地表現在這次大會的宣言中。另一方面是對以張國燾爲代表的左傾份子的攻擊，張氏反對和國民黨作暫時合作，認爲合作將「混亂無產階級思想」。在這次會議中，瞿秋白和毛澤東當選爲「中央委員」。三次大會後，毛澤東從湖南調到上海的「黨中央」工作。

民國十四年一月，在上海舉行第四次黨代大會。這次大會一方面徹底批判了張國燾，同時醞釀對陳獨秀「右傾機會主義」的總清算。大會在極端份子的把持下，使許多較溫和的「中委」和「候補中委」於會後宣佈退黨。

毛澤東被斥異端

民國十六年四月十二日國共決裂後，共黨在危機中於四月廿五日在漢口召開第五次全代大會。毛澤東在這次會議中被陳獨秀斥爲「異端」，排斥在大會的領導之外，並被剝奪了在大會上的發言權；另一方面，瞿秋白和任弼時首次在共黨的大會中公然指責陳獨秀和彭述之。陳、彭兩人提名的「中央委員會」候選名單」中，沒有毛澤東，經湖南代表團力爭後，才勉強把他列入候補中委候選名單。

民國十七年七月，中共在「革命」最低潮時期召開了六屆全代大會，但仍念念不往內部鬥爭。在這次會議中，陳獨秀既已被推翻，就集中全力於攻擊新的黨中央領導者，以瞿秋白爲首的「左傾盲動主義」。毛澤東在此次大會中重新當選「中央委員」。

民國卅四年四月廿五日在延安舉行七屆全代大會。大會正式代表五百四十四人，列席代表二百另八人，代表一百二十一萬黨員。在這次大會上，雖表現了共黨從未有過的「空前的團結一致」（胡喬木在「中國共產黨的卅年」一文中的用語），但仍通過了「繼續進行整風運動的決議」。現在，繼清算高崗、饒漱石之後，將舉行八屆黨代大會。劉少奇在去年二月的七屆四中全會中指出：未來的黨代大會將加強「團結」。

八七會議與遵義會議

此外，尚有兩次極重要的會議，雖不是全代大會，但較歷屆全代大會更重要。由此可見，共黨毋需召開黨員代表大會，由少數寡頭就可決定一切，所謂「黨代大會」實際上只是表示「黨內民主」的形式而已。這兩次會議就是民國十六年（五屆與六屆全代會之間）八月七日在漢口召開的「八七會議」及民國廿四年一月在貴州召開的「遵義會議」。「八七會議」撤換了陳獨秀的領導。自中共成立以來，陳獨秀即執行共產國際的一切指示，兢兢業業爲共產主義在中國找到了立足之地，但「四一二事件」證明了第三國際的指示完全錯誤，而「國際」則把責任推在陳獨秀一個人身上。「八七會議」在少數「黨中委」把持下，特別是瞿秋白和向警予的操縱下，推翻了陳獨秀，由瞿秋白繼任領導。

「遵義會議」是在「長征」途中，毛澤東以陣前兵諫姿態，迫使當時的黨中央領導人王明（陳紹禹）和博古（秦邦憲）下台，由他自己攫取了領導權，直到今天。

蕭軍與胡風

·田雪·

蕭軍和胡風一樣，也是一個有民族自尊感的作家，他對中共向蘇俄表現的奴顏婢膝的態度，也深感不滿。在「文化報」第五十三期的社論中，蕭軍以「八一五第三週年紀念」爲題，強調「各色帝國主義」對中國的侵害。他違反共黨御用文人的常例，在抗日勝利紀念的社論中，隻字未提蘇俄紅軍「解放」東北的「英雄業績」，並提出了這樣的意見：「……同時也將是各色帝國主義——首先是美帝國主義——最後從中國土地上撤退他們底血爪的時日。」當時紅軍尚未完全退出東北，他的論調無非是向共區中的讀者暗示蘇俄也是帝國主義，要讀者在仇恨「美帝國主義」的同時，也要仇恨蘇俄。

這論調和胡風早期出品之一的「狂人世界」中的論調如出一轍。胡風在一九三六年時說：「他們只把黃浦江裏的外國兵艦當作帝國主義的象徵，從兵艦上懸掛的各色國旗來區別誰是帝國主義；卻沒有想到有些帝國主義是不用大砲轟開中國的大門，而是用政治思想的挖心戰術來瓦解中國」他所指的，當然也是蘇俄帝國主義。

許多共黨作家——包括黨員和非黨員，都曾對蘇俄向中國的擴張提出「充滿淚水的溫和反抗」（胡風語），他們把中共譽稱的蘇俄對「中國」的「援助」看成是「狐狸婆婆對白兔孩兒的撫愛」（蕭軍語）同時他們也知道蘇俄的毒辣陰謀終有一天要被「奉令翻身的人們看來覺得奇怪。」（王實味語）。（三）

君子羣而必黨

自由談

馬五先生

若干年來，我國政治上有一種很奇特的現象，即許多人一面高談民主政治，同時又標榜着「無黨無派」的社會賢達氣派，好像這樣才算是如假包換的民主人士，可以睥睨當代，不可一世；而政治當局亦對這些人另眼看待，特別重視。實則眞正的民主政治就是政黨政治，沒有黨派的組合，還甚末方法來創造民主生活，發揮它的功用呢？所以，我去年在台北聽到胡適之先生自稱爲「二無黨」，（無黨無派之意）即勸他出來正式組黨，以資號召。

要搞民主政治，就得以政黨活動爲中心。無黨無派的人固然可以談民主生活，但若在無組織的一盤散沙狀態之下，談談是熱鬧的，却永遠於事無濟。我們從來就未聞英美政治社會中有所謂「無黨無派的」的「民主人士」這類名詞。他們祗是禁止在役軍人參加政黨活動，也不强迫一切公務人員必須有黨籍而已。如果有人在英美政治界以無黨無派的民主人士相號召，而從事政治活動，一定將被視爲神經失常之人，引爲笑話哩！

我認爲今日希望享受民主政治生活的人，應該先行參加政黨活動，假使現存的政黨都不滿意，就不妨糾合志同道合者自己組黨，組黨的目的如不在急功近利，以「扯靶子」的方式，向執政者爭取一官半職的話，那怕人數極少，祗要鍥而不舍，終歸有成就的；最忌現炒現賣，安於眼前的小便宜，而沒有政治理想，我國民主政治之難產，這也是一大因素。

汪精衛於對日抗戰之初，無端的造出「社會賢達」這一名義來，到今日幾乎成了內政上一種中立主義的代名詞，這對民主政治前途實在沒有益處。（我對一般被稱爲社會賢達的人，決無輕蔑之意，且有尊敬之心。）如其社會上一般有知識有才學的士大夫，都是些無黨無派的中間路綫者，試問政黨政治的功用怎能發展？沒有政黨政治，還談甚末民主生活呢？

必·勝·論

薩摩訶

我讀過不少的帝俄必敗論或中共必敗論一類文章。

這些論據都是無法否認的。其實也不必否認，因爲連毛澤東也說過共產黨是辯證過程中會消滅的政黨的。

自然毛澤東所說的消滅是正反合的發展，以爲經過無產階級的專政，烏托邦就實現了。與「必敗」論的主題是不同的。

但是「必敗論」已有二十年，可是政權並未變動。

也可以說是「烏托邦」的必敗論，那就與毛澤東所說的很接近而祗是術語不同吧了。

原來所謂必敗可以說三年五年必敗，也可以說百年必敗。三年五年是烏托邦的必敗論，百年也是烏托邦的必敗論。

有人從人心說必敗，以從現在中共已經失了人心，所以「必敗」是很快就到了。我很相信其失去人心而所以「必敗」。但並不相信這必敗是很快就會到的。歷史上有失去人心後的政權很快就倒，也有失去了人心後而政權歷久不倒的。蘇聯的人心其實早已不向共產黨了，少說說怕也

人心向背是必敗的因素。必敗的因素很多，經濟必敗論也是一種，以爲中共的經濟山窮水盡之時，就是他必敗的日期。而經濟的情形可以從數字來統計，所以照現在人民餓肚的情形，計算 必敗的日子不會遠了。這個想法，在民主國家政黨制度下也許很對，可是在獨裁的奴隸王國裏，飢餓祗是使他們多幾個勞動集中營，並不會使政權倒坍的。

我以爲人心必敗論與經濟必敗論都是因素論。因素論也正是反共論。因爲如果多數人民贊成共產黨，人民都能安居樂業，我們就無反共的必要了。

這樣說來，究竟必敗的說法，有沒有非烏托邦的呢？

我想非烏托邦的必敗論則必是必勝論。

但是，寫必勝論者，可就要科學地切實地，找出必勝的條件，有必勝的，使人心歸附的，口號與目標。有必勝的精神與必勝的努力。進一步，就必有必勝的計劃，步驟，程序，這樣才有必勝的日期。

這個必勝的日期，才是敵人必敗的日期。

因此，我期待有人，甚至有許多人寫不同的必勝論的書與文章。

嫁人三思而行

美國奧蘭基市已離婚的四十五歲波萊爾夫人，到婚姻登記所申請，打算和五十八歲的克拉克結婚，但忽然改變主意，當天下午又回到登記所，說她不嫁克拉克了，要改和三十六歲的艾格爾斯登結婚。可是許可證領到以後，她再仔細一想，決定不嫁艾格爾斯登，又到登記所去改變新郎姓名，改回原來的克拉克。（白譯）

共幹升官圖

【原載中共「新觀察」雜誌】

名人的遺毒

·鄭靜·

共產黨似乎有自打嘴巴的習慣，常常會做出些滑稽的事情來。今年他們紀念海涅，安徒生這些詩人作家，屎急找茅房的趕譯趕印他們的作品。反正大陸上的作家不敢亂說亂動，平常搞中國文學的大註其『離騷』、『莊子』，甚至於搜集脂硯齋『紅樓夢』眉批，集印成皇皇巨著；搞外國文學的就臨老學俄文，譯阿毛阿狗夫斯基的不通大作，那些語學天賦不好而一時學不會的，只得趁機會看風勢，如周作人譯『伊索寓言』，葉君健譯譯安徒生之類了。涇渭分明，河水不犯井水，只要今天相安無事，就算萬幸，反正是鑽牛角尖，索性深深的鑽進去吧。

當然，即使鑽牛角尖，也得有個漂亮的口號，鑽遺產的叫作『整理反學遺產』，鑽洋貨的叫作『介紹古典作品』。偶翻去年他們以『紀念世界名人』名義而出版的『雨果詩選』，就覺得十分好笑，雨果一生除編入遺著的不計外，共出詩集十四卷之多，但是共產黨只印了薄薄的一本小冊子，寫詩二十二首而已。這還不說。如所週知，雨果以抒情詩著名，但是共產黨所選的，多半是些火藥氣息濃厚的作品。這爲『立場』所限，也不說吧。偏偏他們又選了一首『月亮』。全詩共十節四十行，每一行都是『反共反人民』的。不信看我隨便抄上兩節（譯文不達不雅，懶得改了）：——

「殘酷而可恥的虐政，
爲着要使失望的人民感到窒息，
它把錯誤和謬見那座沉重的
黑色鐵門緊緊地關起，
又把堅定的思想家和英雄，
一羣又一羣地提進監牢，
但是『思想』一振翼，
就會把這些牢固的欄杆毀掉。」

雨果的確是值得紀念的，只是共產黨應該反躬自問，本身配不配紀念這位偉大的詩人。我一向欽佩共產黨的皮張之厚和胆子之大，像雨果，海涅，安徒生這些人，都是他們的死對頭，不錯，但是他們死了，他們的『思想』裝遍在每一行文字中，無論你怎麼選，怎麼注，『人民』的眼睛是雪亮的，他們總會從其中獲得你所恐懼的東西，乃屬無疑。

博·愛

·葉楚傖遺著

學使按郡來，余被父命，襁被入南都 試，所以伴余者，厥莫如師，時師母已 ，余生世弟，且彌月矣。人謂余世弟酷似襁褓中之余，余頗笑其妄。父母愛余篤，屬余於師伉儷，俾一司寒暖，一督課業。余彌感父母愛子之懷，跳躍出門去，所不捨者，余世弟甫彌月，即令別其父母，從莫嫗乳耳。

秦淮河畔，寓廬櫛比；淮、徐、揚、鎮、間，水旱且四五載，老弱轉溝壑，流離至此者，號謂科舉積德，賺錢向士人，暨於大賈腹賈倍，因是災鴻之數，幾十倍於遍士人。時師方奔走故舊間，余隨師母居，纍渐灑掃，樂乃不支。一日師母午睡方酣，余偶覆衾垂帳，出倚戶際，見有纍僂局促以前者，乞兒女也，含淚言：不食三日，願得炙餘。余審視既周，引以入，顧不入廚下，竊師母盥濯之具出授女，女初不解，揭巾視几上，則澄澄作魚肚白色者在焉。盥濯既畢，爲理髮作雙丫髻，而師母醒，呢喃呼余矣。

榜發獲雋，欣然隨師與師母歸，去里門三里，迴視行李，不特多謄黃捷報，且爲師母鬻雛婢歸矣。征車甫卸，讓婚者接踵來，余意此時若躍欲多得油酥蹄，資饞吻耳。然余家豈少是區區者，街各擬所欲以去，余且擁衆美作南面王矣。顧父母平日若甚愛余者，至是獨靳靳，僅許一人走出。余初頗怏怏，漸亦置不復念，惟自此日而後，師母過余輒避，即鬻來新婢，亦不復加余以顧盼，其他若莫嫗、鄭媽，且聯合以詬余，余欲走告靚姨，而姨又病矣。

既婚，始服師母譏讒，實有不可及者。吾妻脂香粉膩，而新嫁娘嬌羞儀態，又足令人放眼人間，不識一物；況媵以來者，如勃之於漢高，皆有造作一世之概，因是余幾以吾妻與媵所私有。夫七尺丈夫，而私有於妻媵，豈人情哉？顧父母見余如此，相顧欷歔，若僻生平，此誠事之大惑不解者。余於是磨刀霍霍，作潰圍突陣計，孰意不及一月，父母竟命余妻媵歸，妻無父母，寡嫂視吾妻如女，則婿余可知。居數日，余方樂此不疲，而吾妻信讒，遽挾余歸。夫余 臥榻之側，耿耿於余者，且倍蓰於寡嫂，而妻乃挾余歸，不智孰甚！時余猶二十許少年耳，自顧來日如錦，天生福於余，不取有挾，乃竭余之力以嚮。嚮知事乃大謬不然。余妻有宿痼，是措易怒，既歸余，疾益劇，囂訶徧闥內，怒後必繼以泣，父母罔知余妻疾，每左妻而抑余，余乃起坐如針氈 幸是歲冒於鄉，例得官，父以余不習吏事，不欲余行，余念靚姨等不來，妻又善怒，決意仙去，乃罄貲入都，擊饑得江右。及謁省吏，吏迎余以目，溫澤逾同輩。及論，竟小字余而不名 余以嬰月到省，聽鼓未許，得署星子。星子在山僻，自是而余之厄運至矣！余行時，左錢頗盛，顧皆不足濁余，獨寓主呼女行炙，舉杯道珍重，則此情彌可感耳。（二）

小問答

胡辛

問：醫生施手術時，確實會把什麼東西忘記在病人身體裏嗎？

答：確有這種事情。不過人類的身體却有一種奇怪的抵抗力，能應付這樣的事。最近，美國利施關市一個醫生，在替一個病人開刀時，竟在肺部發現一只外科醫生用的手套，後來查出還是十二年前施手術時留在裏面的。這十二年來並沒有發生嚴重病症，而將手套取出以後，病人不久即告康復，與常人無異。

問：陽光對身體是不是有益？

答：並不特別有益，在醫學進步的今日，一粒維他命丸便能抵得上幾小時的日光浴，而且陽光常會損傷皮膚和眼睛，和它的利益比較起來，反會得不償失。不過陽光在精神上所引起的振奮作用，却不是醫藥所能比擬的。

問：一個人看書，最快能快到什麼程度。

答：以美國來說，據專家統計，大多數的人看書，平均每分鐘可看三百個字，一個人稍加訓練，就能快到每分鐘六百字，但看得快，不一定能領悟所看到的東西，而且讀物的內容，也影響閱讀的速度。美國讀書最快的人，是丹佛大學的一個學生，他每分鐘中能看八千字，且大都能記得其內容。

語意學漫談

徐道鄰

這些語文的作用，既不在於稱贊這些行爲目的之優良性（『汽車駕駛術』並不去描寫汽車是怎樣非坐不可），所以它不是一種『評價』的表達，它又不是在促使讀者去表現它所規約的某種行爲（『汽車駕駛術』也不是在勸說你馬上就去『放油門，開馬達』），所以它也不是『促使』的表達。它祗是在『報導』已。它的中心在『行動方式』，而不在用這種行動方式來達到的目的，所以它主要的『是一種規約文字』。

技術語文之是否適用，要看它所表達的技術能否教使用者達到目的爲斷。所以技術語文和科學的關係特別密切。（但是因爲它用的是『規約』語文，所以它不屬於科學語文）但是人們有一種習慣，就是對於過去一向認爲有效的方法，多喜歡予以保留，就是後來已經很明顯的知道這些方法爲無效的，仍然尊重和愛惜這些『儀式』，各種民族的各種『求雨式』；小孩病了，到廟裏許願燒香；都是這個道理。一艘載噴射飛機的航空母艦，在初下水時，也還要請名婦人來『擲瓶』，請一位『主教』來祈禱呢。

人類的心理，大部份是受情感支配的（腺體作用），而情感又是大部份受習慣的支配（例如節制反應）。一種儀式RITUAL，一種護身符TALISMEN，爲了這個心理作用，影響一個人作事的成功或失敗者甚大，我們例不可以輕率的認爲『巫術』或『迷信』，而置之不睬也。

政治語文

政治語文 POLITICAL DISCOURSE的形式，是用規約語句，表達出人們對於社會的組織和制度，應該採取怎樣怎樣的步驟，而其目的，則在造成他們對於這種組織和制度的贊成和擁護的心理。所以政治語文是典型的『規約語句的評價使用』。

孟子說：『王何必曰利，亦有仁義而已矣。』（梁惠王上），這是純粹的規約語句，而其目的則在把梁惠王重利輕義的心理，改變成重義輕利的心理。齊景公問政，孔子說『君君臣臣！父父子子！』（論語顏淵），這也是一種很顯明的行爲的『規約』，而說得齊景公心服口服：他說：『善哉！信如君不君，臣不臣，父不父，子不子，雖有粟，吾得而食諸』所以這都是一種標準的政治文字，而不是科學文字。（六一）

愛廸生求婚記

牛布衣

天才發明家愛迪生年青的時候專心學問，到了中年，事業成就了，還沒有成婚。

他的實驗室裏，用了好些年青女子，其中有一位名叫做瑪麗。

一天，愛迪生站在瑪麗身邊，且不轉睛地望着她。瑪麗莫名其妙，停了工作，也注視着愛迪生。

愛迪生笑了，問她道：『你覺得我什麼樣？你喜歡我嗎？』

『愛迪生先生，你把我嚇死了。我……』

『不要忙，不要忙！除非你想嫁我，不然你不必把心事告訴我。』

瑪麗忍不住要笑。愛迪生接着說：『我的話是眞的。不要忙，回家跟母親商量商量。下禮拜二答復我罷。』

愛迪生和瑪麗的婚姻是十分美滿的。

自由人

THE FREEMAN

（第四八四期）

中華民國僑務委員會
頒發登記證台教新字第一一二號
中華郵政台字第五〇〇號
執照登記為第一類新聞紙類
（半週刊每星期三六出版）
每份港幣壹毫
台北市街價台幣壹元
督印人：陳文蔚
地址：香港高士威道二十號四樓
3 rd. fl. 20 GAUSEWAY RD HONG KONG
香港發行及事務接洽
高士打道66號　電話：七四〇五三
承印者：東南印務出版社
地　址：高士打道六十四號
海外總經銷
友聯書報發行公司
香港：德輔道中二十六號A二樓
台灣特派員辦事處
台北市館前街五十號
台灣總經銷處
台北市西寧南路壹壹零號二樓
台郵撥儲金戶九二五二

對最近國際動向的一些看法

——中國問題畢竟是一個國際問題

左舜生

目前整個世界局勢是這樣的：一切非共反共的國家，尤其是足以領導這一非共反共行動的國家，依然為共產集團的陰謀詭計所顛倒，浪費很大的時間，甚至動搖基本的信念，天天在那裏從事一種枝枝節節的工作，一心以為世界的和平有望，人類的福祉可期，整個共產集團，可能為他們這種安撫綏靖的努力所軟化；但不幸事實的發展，乃剛剛與這一希望完全相反。概括言之：

已到達爭取德日的階段

共黨集團對歐洲，必以全力爭取德國，對亞洲必以全力爭取日本，還是五年以來我們一貫的看法。目前事實的表現，則德國的統一無期，即最近的外長會議，也斷然不能有圓滿的解決；同時蘇聯與中共，正以各種方法誘惑日本，而日本的心理與行動，確也是去共產集團愈近，去民主陣綫愈遠。假如德國始終無法統一，或統一而僅能以中立的姿態出現，則所謂歐洲局部的和平，便可能完全落空。又假令日本以左右兩派社會黨的合併，政局驟生變化，則共方的誘惑技術，必將進一步的展開。我們知道最近幾年，印度已心甘情願的被共方充分利用，事事為中共幫腔，如今後以中共為樞紐，蘇聯又從後面加以策動指導，更以發展貿易，交流文化等美名為媒介，則中共與日印不難聯成一氣，（儘管不影響到他們國內政治的全面）對亞洲問題作更有力的發言，果不幸真有做到這樣情況的一天，我很担心英美對亞洲各國的影響，將更趨於微弱，而只好一切惟蘇聯的馬首是瞻。

我對德日外交的失敗

不久以前，正當西德恢復獨立的時候，我們便看見台北的報導，說自由中國最近即可與西德恢復邦交，但實際這僅僅是一種皮相之論：不要說今天在德國自身的根本問題未解決，她決不會投身於遠東一種麻煩而不必要的複雜關係，即過去我們對德絕交以及當時處理德僑問題等所留下的若干癥結，恐怕也決不是我們今天的外交當局所能洞悉，甚至於一種一廂情願的希望，便把這樣一個重大問題看得如此輕鬆，實在是近於可笑！至於自由中國和日本的關係，除台北東京在名義上有雙方使節駐紮，並相互有小額的貿易以外，實際上可以說是一張白紙、八十以上高齡的芳澤大使，還偶然在台北發出若干空頭支票以相慰藉，（他很知道中國人也頗重視這類空言的安慰，）我們駐東京的董大使，卻更是一籌莫展，呆若木雞！（當董被任為駐日大使的時候，我們早知道結果必然如此。）最近一年多以來，大陸與日本之間，非正式使節往來如織，大陸一個略具規模的商品展覽會，也已經正式在東京出現，這一趨勢，今後還可能積極發展，中共在蘇聯的策勵之下，更可能對日本作重大的讓步，如果日本的保守政黨，（自由黨與民主黨）終於無法切實團結，則鈴木司能代鳩山而起！我很担心日本的社會黨捲土重來之一天，即中共與日印加強合作之日，亦即自由中國被日本放棄之時！我自然希望這樣一種看法祇是我個人的過慮，可是像這樣一種可能的趨勢，自由中國當局好像是熟視無睹，實在是令人扼腕之至。

小變化可積累成大變化

復次，今天自由中國所目營心注的，祇是一個聯合國的位子問題，而中國在聯合國的地位所以還至今無恙，（至少一年內還不會有大問題）其關鍵乃全在美國！可是美國的態度是不是會永遠不變呢？所謂大使級的談話，即詹遜與王炳南的談話，至今仍在進行，中共的態度，自然是十分狡猾，但他們狡猾的程度，終以不完全斷絕美國的希望為限，（即杜勒斯的外長級會議，促成此而真正與周恩來坐下來談談的會議）。我們也看不出有無可能。果不幸而真有這末一天，其對於中共擠入聯合國的企圖，自然影響很大，尤其可慮的，乃更在若干至今依然承認自由中國的國家，態度可能發生變化，不久以前，已喧傳比國的對中共的承認，這已經是時間問題，法國也在採取這類行動，萬一比、法、意等類國家次第發生動搖，繼之而起者，中東若干的小國恐怕也會發生異動！中共在國際上所贏得的點數越多，即自由中國所削弱者越大，長此以往，再拖上一年兩年，即令中共依然不能擠進聯合國，但實質上的勝負之數，豈不更將趨於決定？

我們曾作多次無希望的進言

最近幾年以來，我們不斷希望政府把我們的外交陣容來一個徹底的刷新，換言之，即希望政府在用人方面拋棄成見，多趕掉幾個只懂得做官的飯桶，而讓若干較有見地，較有聲望，也較有魄力的人物，能得着一點為國家效忠的機會，大家來作一度最後的掙扎。我們明明知道這種話說了不會有效，但為了站在反共的立場，國家的利益，我們還是以一吐為快。所希望者無他，但求在最後不幸的一天，對國家能減輕自己一點良心上的責備而已。

最後，我們總覺得當前的中國問題，畢竟是一個世界問題，「得道多助，失道寡助」，最後的決定權依然操在國際，而不能完全倚仗自身。說中國的反共復國，必倚靠他人便可解決，以這種話作為自己的策勵未嘗不好，即到萬不得已時，作背城借一的圖留，也未嘗不是無策中的一種下策，但在今天公然的說得太多，實在大可不必。今天台灣的八百萬人，連衣食住行，尚且教育醫藥等方面，不能不多少仰賴國際，遑論反共復國的大業？徒為大言壯語，以取快一時，雖不免使得親厚者寒心，而為見仇者所稱快，事實上是無此必要的。

「農業合作化」是：毛澤東的墳墓

李金畔

七月三十一日，毛澤東在中共「省市區黨委書記會議」上作了「關於農業合作化問題」的報告。

從表面看，毛的報告似僅以整頓「農業生產合作社」為主題，但骨子裏卻暴露了大陸農民問題的嚴重，以及黨內各級幹部對農業政策意見的分歧與不滿。故毛的報告也可以視作是向黨內的反對派所作的嚴厲警告。

農民反抗擴大

毛澤東是以欺騙愚弄農民起家的，一九二七年的那篇「湖南農民運動考察報告」，使他有機會在黨內爭奪領導權，使他拉桿子搞武裝有了根據。但現在卻是玩火自焚了，大陸上自覺地反共最烈的正是農民！據陳伯達十月四日在中共七屆中委六次全會上作的「關於農業合作化問題的決議草案的說明」分析，由於「搞合作化」，農民反抗已勢成燎原！他引用甘肅省委給中共中央的報告資料說，「有的同志害怕合作化發展下去會出亂子，出皇帝」；毛澤東的報告，也要幹部「不要前怕龍，後怕虎」。

但，實際的情況是：在黨內的中央，有人捧了聯共黨史，抓住了當年蘇聯的痛苦經驗為根據來反對它，主張「砍掉一些合作社」；在地方上，由於幹部無法控制農民不讓散夥，害怕強迫入社和不讓退社使亂子鬧得更大，就用「堅決收縮」來對中共中央的政策作事實的否定。於是像浙江省「一下子就從五萬三千個合作社中解散了一萬五千個包括四十萬農戶的合作社」。

榨取陰謀戳穿

問題還不在此。須要研究的是為什麼在當「農業生產合作社的數字在作全面上升時會突然轉變得如此嚴重，並且延長了一年多還未曾解決。這決不是毛澤東所說的是幹部犯了錯誤和須要整頓可以解釋的。基本上是農民已經普遍地識破了「農業合作化」的高度壓榨性的本質。農民感覺到在土地改革後所得太少而付出太大，目前由於「三定政策」的結果。已經搞到餓定、窮定和死定了！因此農民甯願單幹，不願合作。他們確認惟有單幹，才有機會少吃點，多藏點，才有機會使自己上昇。參加了合作社，就什麼都完了！

可是共黨的政策，是決不容許農民有可口富裕的機會的，不能讓小農經濟和私有制存在的，否則就必然「從他們中間分泌出資本家來」，必然增長了反抗力。列寧既認定「農民是最後一個資本主義階級」，（見列寧主義問題」——史達林著）那麼要消滅它，就唯有從農民手裏把土地和生產工具掠奪過來！實行「合作化」，就是再次對農民掠奪。根據中共七屆中委六次會十月十一日的決議，證明中共的「合作化運動是要將大約一億一千萬農戶由個體經營改變為集體經營」，它的目的就是在經過「合作化」消滅農民的私有權，把農民從所有者的地位打下來成為「合作社」或「集體農場」的雇佣者，轉變成為農業的無產者！

自取滅亡之途

但是歷史證明任何政權要去傷害農民，必然是自取滅亡的。即使農民真是「最後的資本主義階級」，但它卻是社會經濟結構的基層，它是從不被撼動的。所以當蘇聯在推行集體農莊時，農民不僅不出賣糧食，甚而「採取恐怖手段來對付集體農民，來對付農村中的黨和蘇維埃工作人員，放火焚燒集體農莊和國家倉庫」。（見聯共（布）黨史」這種情形現在也正在大陸上漫延着。毛澤東雖未在報告裏指出他的反對派是誰，但我們可以相信中共黨內必然也有布哈林、李可夫、托洛斯基、季諾維也夫等陰魂存在着。而史達林最後堅持實行集體農場時，就同時把他們消滅。

今天毛澤東，也正踏着這條舊路前進，他要堅持把「合作化」搞下去，因此很顯然的，他也要清算反對他的人和從新在農村裏展開對土改後出現的「新富農」作鬥爭！這也就是毛澤東所說的「不可避免的高潮」。

鼓勵農民反共

面對這個「高潮」，毛澤東又臨到了一個新的「誰戰勝誰」的關頭。他是不是能像史達林一樣，在經過一度大殘殺鬥爭之後「成功」呢？相信這是不可能的。

今天的客觀形勢既非一九二六——二九年的蘇俄歷史背景，史達林當年可做的，卻不一定是毛澤東可以學的。中國與蘇聯農村和民族性的不同，固是中共推行「農業合作化」的失敗原因之一，而最主要的還是因為當年的俄國農民是孤立無援的。他們不僅沒有一個自由政府，且亦無海外僑民為之聲援。所以，當史達林的政敵倒下之後，農民也只有絕望地聽任宰割。

但是，今天大陸的農民不是孤立的。他們不僅受二千萬華僑的關心，且受自由中國的精神領導。他們敢於堅決反抗中共，正因為是心裏存在着有自由中國。因此，我們不必懷疑中共的「農業合作化運動」的失敗。要緊的是我們必須發動海外華僑注視這個問題全面地聲援。自由中國更應該善於運用這個新的有利的形勢。

中共不可能在農民的單獨反抗中迅速地倒下去，但它的失敗卻是由無法解決的農民問題所註定了的。

孫立人案報告書公布

從八月間政府宣佈孫立人案並任命委員會進行調查以來，歷時已滿兩月，海內外國人都像是一塊重石壓在心頭。因為今日自由中國處境艱險，實在禁不起發生大的風吹草動，而且孫立人一向負海內外重望，如果連他都不可靠，試問國人還敢對何人寄以信任？

現在九人委員會報告書全文發布，其中為世人所亟欲知悉的一點，就是判定孫立人不是共諜，他也沒有掩護共諜的行動。以郭廷亮與孫氏關係之深，信任之專，也只能利用這種關係以掩護其顛覆工作，迄未能從思想意識方面影響孫氏。而郭某的「兵運」工作，則是利用士兵情緒，從私人聯絡來入手。一到他準備發動叛亂階段，則平日受他聯絡的軍士，即毅然舉發，不為所動。於此可見在今日內國軍，從高級將領到士兵，都具有堅強的反共意識，不是共黨滲透工作所能輕易影響。共黨所處心積慮所佈置的一項重大顛覆陰謀，也終於功敗垂成。

孫案與郭案

此次公佈的報告書僅以孫案部分為限，但問題的中心卻是郭廷亮案。在郭案內容未經公佈前，我們無法知道此一軍事陰謀到底怎樣，例如「苦諫」與「兵諫」的內容，與彼等準備如何從「兵諫」激成「兵變」。如報告書所指出：「郭廷亮的意圖，顯在利用孫將軍於四十四年五月底隨總統前往南部校閱部隊之機會，上下勾串鼓煽，造成事變，引起混亂局勢，以遂其製造大變亂，實行顛覆政府之陰謀」，也還嫌籠統；如有較具體詳細的說明，當更能使國人了解此次事件的重大危險性。

所謂「兵諫」「兵變」，想即類似西安事變那種劫持統帥的陰謀。那次事變，張學良也許用心無他，其結果卻促成抗戰過早爆發，使中共由喘息而坐大，卒致有大陸的變局。現今自由中國正逐漸走上現代化與民主政治的途程，即使現狀還不能盡滿人意，這趨勢是值得欣幸的。而竟又發生這種違法亂紀的陰謀；事變既出非常，其處理也未能盡依法治常規。此次變亂陰謀雖未獲逞。國家所蒙損害已難以數計，這是國人所同感痛心的。

時事評述

李秋生

孫氏責咎所在

關於孫立人將軍部分，報告書中揭出他的責任在於對部屬失於覺察，在軍中搞小組織，致為共諜所乘，那都不是最嚴重的問題。據報告書的透露，孫氏對於軍事上若干事項有其個人的意見，要想在部屬中結成一種力量，以為實行其意見的支持（見報告書第三節第三項），而且他對於「兵諫」「兵變」的陰謀，最少是知情。孫氏過去是陸軍最高統帥，後來任總統的參軍長，都是高級將領中的最重要職位。他的意見與抱負，自有正當途徑可循。今乃不此之圖，反而搞小組織，要以違反法紀的手段實現其主張，這是任何現代國家所不能容許。照報告書所陳種種，孫氏自有其應得之咎。

刑期無刑　防患未然

然而「刑期無刑」，國家在艱危中竟失去孫氏這樣一個有用的人才，固可惋惜，更值得嚴重注意的是如何消弭發生此種不幸事件的原因與背景。例如國防部對於「國軍軍官已在未曾接受正式軍事基礎教育而現在充任兵科軍官職務」者的補訓問題，現已有所補救（見報告書第三節第一項），不失為明智之舉；但如果能早見及此，是否會使郭廷亮的鼓勵更無所施其伎倆？又如軍中如果有不同見解或不滿情緒存在，應如何予以宣洩疏導，勿使鬱結，致生他變？這都是今日亟應注意的根本問題。

因此次事件而引起海外愛國僑胞的痛心，也尚非國內所能充分體會。幸而現在真相已明，政府對孫氏於執行法紀之中，仍予寬宥愛護，未予議處。值得欣幸的，不僅是共諜陰謀一無所成，而且從孫案發生以來，共方藉此問題掀起的挑撥破壞性宣傳，到現在也完全落空。

小胡佛訪華的檢討

安撫乎？援助乎？

台灣通訊

【本報台灣特約通訊】美國副國務卿小胡佛雖已歸去多日，但他這次訪問遠東，引起了廣泛的注意和揣測，最主要的傳說有兩點：一是此來的目的是安撫已經對美國頹於失望的亞洲民心；二是對美援工作在這一區域推行的情形作一廣泛的了解並搜集充分的資料，以便有所改善。

安撫亞洲人心

小胡佛這一次訪問了日本、韓國、自由中國和菲律賓。和他同行的，除了胡佛夫人外，還有美國國際合作總署署長郝理斯特夫婦，國務卿特別顧問包睿諾，合作總署計劃局副局長與來，合作總署管理局副局長史考悌，遠東經濟事務副助理國務卿鍾華德，合作總署遠東區主任穆懿爾、國務院新聞局遠東事務局副局長白來福、國務院秘書處特別助理史達次曼、秘書馬丁。由這一張名單看，他們此行表面的任務是着重在美援問題，但一般觀察家則認為不完全如此簡單，因為如果專門為了瞭解美援情況，由郝理斯特署長前來看看已經很夠份量，又何必要勞副國務卿的步浩浩蕩蕩地率領這樣多人前來呢？

檢討亞洲局勢，自從艾森豪上台，在韓國強制地結束抗共戰爭，對胡志明姑息造成了越南分裂起，美國在遠東就逐漸失去人心，而日內瓦所謂「四巨頭」會議，創造了安協的「日內瓦精神」，隨着八月一日起，美國又與中共在日內瓦舉行所謂「大使級」談判，亞洲人對美國不滿的情緒，可以說達到高潮。正在此時，小胡佛等前來遠東，難怪要令人懷疑他們的任務，是企圖安撫人心了。

兩條鞭政策

自由中國的觀察家們認為，美國目前對亞洲所持的，是兩條鞭政策，一方面姑息共產主義，一方面又討好亞洲自由人民，因此才產生一面與中共的王炳南在日內瓦談判，一面又拿美援來堵亞洲人的嘴；因為美國明白，今天亞洲人必須要靠美援來維持生存，縱使對美國不滿，又敢如何呢？

小胡佛等先到日本，次韓國，然後來台灣訪問並轉赴菲律賓，即返美國。觀察家指出，中、韓、日、菲四國，是對美國腳踏兩條船的雙鞭政策最不滿意的國，然而，要談反共，在亞洲必須要靠這四個國家，美國既不能完全對侵略者抱旁觀態度，就必須要取得這四個國家的諒解和合作，這就是胡佛此行的主要任務，他一方面要瞭解美國的現行政策，一方面還要促成四國——尤其是日韓的徹底合作。

胡佛等一行，是本月八日到達台北，九、十兩天最忙，九日三度與美國在台官員舉行會議，聽取一般報告並交換意見，此外並忙於拜會我行政首長。這一天最重要的節目，是下午三時舉行中美會議，美方出席的有小胡佛一行全體及在台官員，我方出席的有俞鴻鈞、徐柏園、嚴家淦等財經人員，所談的內容，是有關美援的技術問題。十日除參加我國慶閱兵典禮外，並兩度與總統會談，參加會議的僅有總統，胡佛，郝理斯特和藍欽，傳說所談的都是有關美援原則的問題，是否談到美國現行的遠東政策，沒有確聞，觀察家認為這是不可避免的課題。

政府五項要求

關於美援部份，中國政府提出了五項要求：（一）希望美國增加對華與軍事有關的經濟援助；（二）希望美國就其對遠東區特別美援預算項目下，撥出一部份增強我軍事實力；（三）希望美援的撥付及運輸手續予以簡化；（四）希望美國援助中國解決退除役軍官問題；（五）希望美國協助建設石門水庫。這五項問題，聽說胡佛等業已表示同情，準備回到美國後，代中國表達上述要求。

胡佛等在台，除了與我官方會談外，極力避免公開露面，更沒有舉行記者招待會，僅在到達機場及十一日上午離別台灣時，在機場與記者有短暫晤面，除發表空泛的官式書面談話外，對記者所詢的一切問題，都以「無可奉告」為答，尤其對他此行所負的「安撫」使命，更是隻字不提。

此間一般評論，認為美國目前的對華援助，是持的消極態度，即是以保衛台灣為滿足，而缺乏積極堅定的政策，來援助中國政府收復失土。其實，不僅對華政策如此，對韓國，對越南，又何嘗不是如此？這種消極的援助，不但不足以挽回亞洲失去的民心，而且更足以使得敵人坐大。美國一方面與敵人在日內瓦進行姑息的談判，一方面又來安撫這些反共的國家，如果美國這種模稜兩可的政策不變，胡佛此行於實際究竟有何補益呢？（十月十四日）

・小魯・

論當前文化運動與知識份子（三）

・胡秋原・

孔子說「好學近乎智」，又說「好之者不如樂者之」。中國近代之可悲，莫如人無遠志，士不樂學，不真正好學，自然不力學，不用力，自然無所成立；無所成立，自然空虛。無力之結果，不是為過去包袱所壓，即是讓自己頭腦變成洋人跑馬廳；馬列是洋人，結果也就為共黨所懾伏。然「自然忌憤容」。於是又只好以抱殘守缺為足，以販得西人之成說為富，甚至以為馬列為奇貨，「欣然同意」，況不同意，「俄學」也要乘虛而入乎？數百萬人齊解甲，是武士之恥。而數百萬人坦白，亦文人之恥。嗚呼，龔定菴在鴉片戰爭前已嘆「積百年之力，蕩天下之廉恥，既殄既夷」，即不能求人民之有氣。自此又百年矣。仁人志士，曾在學問道德上作培養工夫，而又為袁氏所蕩。此後四十年，固有承事勢之流者，而中國知識份子培養之功不足，也是無可諱言的。此所以不免于陸沉也歟——所以今日政府奮發，三軍效命，要緊；而知識份子修德講學，更要緊。「德之不修，學之不講，是吾憂也」。

以上所言，不是要批評任何人，或算覆帳，而是研究一代廢興之故，為互勉之資，而大家共為復興文化，恢復知識份子尊嚴而努力。

言行一致為本前提

今天要建立文化自信，必賴文化之有物。而欲有物，亦必先有自信。在此創建過程中，不僅是一知識問題，而是一道義問題。不僅是BRAIN問題，而且是一MIND問題。不僅是一口說問題，而且是行為問題。中國人一天不言行一致，便一天國運不會有轉機。如果言行不一致，則說黑說白亦無區別，同時說與不說亦無區別。我們可以不說，可以不信，但既說了，信了，便一定要做。如果共黨有一點勝於我們的，即他們的話，一部份是騙人的，但有一部份是兌現的。我們如不能全部兌現，即不能戰勝共黨。這是一切問題的先決問題。

在這根本前提之後，我想一個新中國文化之創造建設運動，其應注意之事有四：第一、要如陸象山所云：「先立其大」；二要會通中西文化並針對共產主義；三要表現我們的功力，同時有分工合作；四要注意下一代人材之培養。

所謂先立其大者，第一是要提高個人自尊心，民族自尊心，人道自尊心。每一個人每一個國家均有其德性權利不容侵犯，同時亦不得侵犯他人。此尊嚴感必由己推人。蓋未有不自愛者而能愛人者。智識份子尤當善自貴重。一失去自尊心，我們將失去一切立腳點，一切皆無可談。其所以無恥，亦由於無自尊心。要相信自己有力量，能為國家及世界盡力；相信中國人有力量自救救世；也相信世界人類大都也與我們相同。民主制度，科學知識、技術和方法，是我們必向人學習的。但說到民主哲學如果是基于人格尊嚴之義，則我願說，這卻是中國文化之基本傳統。先聖教人，千言萬語，無非是「堂堂做人」。而自古以來，中國是堂堂立國的。五千年間，墮落僅近一二百年事。這不當使我們失去志氣。

良心觀念的樹立

年來台灣有一股留美熱，青年千方百計以求之，家長傾家蕩產以謀之。這當然是出於求知欲為多，但一國的青年都要如此，還有什麼國家？十三州獨立之時，美國只有二百五十萬人。美國還不是人造的。我也喜歡美國，但我相信中國人做不成美國人。沒有中國，到美國也是受辱造罪已。有志氣青年應使自己比美國一樣乃至更好。我們必須承認人家確比我們好，但也相信「有為者亦若是」。我遇見一位老友兒子，他與美人混了好久。他說一個對一個，中國人不弱於美國人。我聽了很是高興，這才是有希望的青年。

其次是要樹立價值觀念，即良心觀念，亦即有是非善惡之心。無此，我們將無標準，亦不會有社會國家文化。所謂價值觀念，即理性精神加上道義勇氣。不一定要說，也不一定要行動，但心中必有基于理性的判斷。不僅要有性質判斷，也要有程度判斷；所謂「我心如秤」是也。有了清楚判斷以後，應維護自己選擇的權利。對不對不好的應拒絕，即不拒絕，亦不能贊助；而內心認為對的好的，應盡可能贊助。所謂「與人為善」「成人之美」是也。所謂價值觀念，也就是公道；有公道才能與人以向上希望，也才能不忮不求，鞏固自尊心；才能就事論事，有健全判斷，所謂價值觀念，也包括自己有錯也要承認，這才有進步，文過飾非是可恥的，也是自害的。

自尊心與價值觀念，才是自由民主的真實基礎與泉源。此二者是可以由各種學問充實的，尤其是史學與哲學。有自尊心與價值感，必能加強道義勇氣。能說實話，才能不怕罪惡，也才能不怕承認自己的錯誤。不怕，才能有所反，才能反共。道德決非奢侈品，而是制勝之道。至少如章太炎所云，不得者多時，有德者必勝。

必先建立知識份子之尊嚴感，才能發揮其氣力，才能談得到創造。未有說假話，自卑而無勇氣者，能有任何成就的。萬惡扯謊為首，百善自尊為先。

中西文化之會通，俄學與反共

任何人皆知一個新文化之創造，其方法必然始於中西文化之會通。問題在過程或步驟。

當東西文化相遇之初，必有「摩擦」，繼而交流，同時發生『LINGUEFS ONCHE』。此在我國表現為文明戲，為洋涇濱、為高等華人之西褲長衫，為苦力之西衫中褲，為我國許多「制度」，乃至于許多「學說」。但不久表現為「民族派」、「西化派」之對立。故我國亦有中國派、西化派。我信只要有真誠，兩派都有益。不僅因為只要不是「俄國派」就好，而且兩派對立，乃一個新文化創造所必經過程，最後又必殊途同歸的。故雙方當自己深入，互相辯論，同時共同對抗俄國派，最後必能共同產生出或合流為新的「國民文化」。只有此時，我們才能不空而已，才能真正自立。己立立人，己達達人，豈僅抗俄反共而已。

「土貨」與洋貨

但我不願任何一派。這便是因為一個新國民文化創造，還有第三條路。我想對此作一通俗說明。

我想原始中國派正如土貨，原始西化派等於洋貨。由於需要，由於相競爭，將各發生加工。此可為土貨洋商標，洋貨土商標或以上土產配合洋物（如有人以常山湯治瘧，加奎寧二粒為引），不失為中國派」，或以洋貨配上土料（戰時重慶汽車工人以竹管當汽車零件，不失為西化派），或以中國材料做西式（如西式洋房），或以外國機器造中國貨物（如以洋機織布）。這是必經步驟。但最後目標必定是新「國貨」。因為不論中國派、西化派，所加工製造之土貨洋貨，不過主要成份不同，多少要用點外國材料，外國機器，外國方法。

「西學古徵」太險危

而這些東西有時可能不合用，有時可能缺貨，尤其因為外國最新東西，不會為我們所知。因此總要落在人後。「新國貨」云者，乃其貨（MADE IN CBNIE, LY CBINESE），因此，他一定合中國之用，即（FOR CLIESE）；然因其水準不遜於任何國家之貨，亦必合世界之用，即（FOR HE WORED）。到了（MODE IN CLNE）在世界上信用卓著，如今日美貨之時，才是我們的成功。而這又不單是少數人成就，而必與大多數國民生活漸不可分。至於中國才有新的國民文化，而中國才具有一完全獨立的現代國家之基本資格基本能力。

所謂第三條路者，即不是上面加工過程，而是暫時可用土貨者用土貨，必用洋貨者用洋貨，同時，對土貨、洋貨的成份、方法，中國材料與需要，外國技術與得失，先作詳盡研究，然後開始直接製造新國貨。但是，這不是說前二者可廢，反之，正因前二者加工過程中之「嘗試錯誤」，可得許多經驗與教訓，才可使第三條路得到許多便利。這便是我對上述二派都表欽佩的原因。我只說文化創造不限於上述兩條路而已。不過，由過去雙方人士之努力中，我們已經得到許多教訓了。民族派或中國派不可專靠民族情感，尤不可回到復古主義。「西學古徵」式之見，以為一切古已有之，尤其危險。即使外人以「奇國情調」恭維我們某一點，亦不足自滿。真正的民族派之創造，只能由自己的文化歷史的研究，由整理自己全部文化開始，然後由中國來看世界，以提高自己水準。另一方面，西方派不可專靠移入西方現成的東西，尤其不可一味鄙棄乃至隨便破壞自己固有的東西。真正西方派創造，要以整個西洋文化史作一綫索，對各國各種成就都加以研究判斷，然後從世界看到中國，學習，選擇，變化，以豐富自己知識、各國的成就方法都當考察比較，擇其善者而從之，不要迷信一國。整個西洋的人文科學自然科學都是應該學習的，切不可只學一點技術，更不可羨慕人家的物質成就和享受。

精神文化與物質文化

前不久「自由人」有某君一文，說中國文化沒有什麼，只要學西洋技術才有用。此則亂說。須知中國近代之失誤，正是李鴻章輩只知道一點技術。有一時期，我國教育政策是注重理工，輕視文法，效果如何？沒有精神文化，那有物質文化？一個沒有靈魂的民族，不僅不會有技術，有之亦僅足資敵而已。近代帝國主義國家對其殖民地恰恰是教一點技術而不贊成學哲學歷史的。尚須知任何一種文化，是有正副作用的。一個民族與文化與不同文化接觸後，一定要他自己本來的思想文化在一種健全發展狀態，才能一面逐漸適應新環境，一面發展自己才能，以維持其生存與發展。而如果他沒有自己的思想，或其文化已在衰微之狀，他不僅不能吸收新的文化，有益於自己，只有且只足以使自己退化，甚至受外來精神或物質文化副作用影響，中毒毀滅。這是人類學所告訴我們的。中國就在這毀滅過程中。這不是面子問題，而是實際利害問題。更可注意者，吸收外來文化，如不能吸收精神文化，其物質文化亦很難有效吸收；同時，必在自己精神文化上有所樹立和超過，才能在物質文化上事半功倍，超過他人。這是比較亞洲各國及美、德二國歷史可以看出的。

國民道德與文化

又在我看來，一國如果在國民道德頹敗以後，恐怕什麼文化都難吸收。美國人今日技術進步，其社會乃至國民道德之健全，是一個很大的原因。又如若干人看到西方國家之一時優越，想到自己文字不行，非簡化及拚音化不可。此不僅不知在我們將一切土地人民文化蕩盡之後，幸有最後一點，中國字維繫；中國人，不能再破壞；而不知此一破壞將使中國文化基礎完全消滅，將根本無法吸收他人文明。又不知道有了印刷術，早不生字體繁簡問題，不知在今日要求便利不在筆劃問題，應由機械設法，而這已經由日本人先我們而成功了。

如何打通中西文化

又見黃君在一文中云，民族主義是利劍，然生銹即無用；人道主義和基督教育有深厚聯繫，不是一個基督徒而談人道主義就牽強了；抓一些自由主義和人道主義口號加上民族感情，乃「反共八股」之蕪亂根源；反共不是一部分學問和主觀願望所能為力的，「社會科學的觀點，一切經濟學，社會學，心理學，文化學，民族學等，使二十世紀的人類建立了許多科學化的觀點；了傳統文化上的優良遺產，要通過客觀的社會科學觀點，才有的拚擊馬恩列等一世紀來所奠定的教條。及其民族形式的基礎。」這大部份是我同意的。

今日將要中西文化打通，打通不是附會，而是使雙方能互相發明，且自然聯絡。這由互相了解始。我信中國之仁、義、忠、恕，實與自由民主之義相通。中國人之人道主義比西洋人道主義發展得更早甚至更圓滿。孔子將堯比天，孟子則說人皆堯舜。此以人等于天。這加上他的性善論，民為貴論，實在是民主政治最好的哲學根據。

從艾克之病看民主政治

·江濤·

（本報華盛頓特約通訊）美國政治家們對白宮的爭奪，由於艾森豪一病，刻已急遽展開。人們口裏雖表示對總統健康的關切，實則他們所更關切的，是對於白宮的如何攻守。正如「紐約時報」記者列斯頓所說，人民關心的是總統健康，但政治家們關心的卻是總統職位。

就所有現象來看，這一次的總統競選，將為一九二〇年以來最長期而最激烈的一次鬥爭。照一般慣例，競選運動總在大選之年的春初開始，這不僅可以節省許多人力物力，而且可以使現政府有更多時間安心工作，不致因競選而影響政策的推行。然最近半月來，表面上儘管都在為總統的早獲康復而祈禱，實則兩大政黨的主要首領們，已開始暗中活動，準備大選的預先部署。

共和黨全國委員會不顧艾克的一再警告——警告他們不要依賴他一人，現在好像很有把握似的，認為艾克雖遭這場大病，健康並未受損，仍然會以全力來拯救他們，

把一切希望寄託於一人之身的這種思想，曾被艾克公開責難。當羅斯福被視為「和平唯一希望」時，共和黨人士且會力加駁斥。不幸這種思想，正流行於共和黨內部，好像除了艾克以外，幾無可選之人；好像總統職位是艾克恢復健康的一劑良藥；好像做總統和作一家大公司董事長那麼恰意一樣。

民主黨方面，幾位大亨都曾公開為艾克的健康祝福；然這種政治上的偽善，大多數的美國人民都會看得清清楚楚。說得動聽些，這是民主政治中的政治風度；實則輿論界早已指出這種「風度」的實質是什麼。史蒂文生最近曾赴德克薩斯的奧斯汀附近詹森的農場，和這位參院民主黨領袖晤談，同時衆院議長雷朋也參加了。詹森是在養病，他和艾克一樣，在幾月以前患心臟病，但現在還沒有完全康復，但史雷兩氏為何同時去看他呢？據史蒂文生說：他同這「兩位老友」晤面，是一種「友好的社交訪問」。並謂艾克的病不會影響他的計劃。他不過是想知道民主黨各領袖的意見如何。把情形弄清楚後，他將發表他的意見。不過目前他剛剛開始。

雷朋則堅決否認民主黨會因艾克之病而改變策略。詹森說：「我並不想把參院變成黨的提名大會，或者在議員中物色選區負責人。」接着雷朋又表示民主黨從來不仇恨艾克。「我們從不想這樣，我們確無此心。」

可是，紐約「新聞週刊」說這次會談早在八月間即已安排好，而且是利用史氏在德克薩斯大學演說的機會。這能說沒有政治意味嗎？儘管他堅稱此次會談絕無政治意義，但他自己又留有一個餘地，他說：「我是在兩位政治家之前，談話也許會回復到政治上去，這是可能的。」

職業政治家總是吞吞吐吐，甚至口是心非，他們被視為美國生活中的神祕人物，「狡猾起來像狐狸，天眞起來像學童」。他們尊重人民意見，但又像瘋漢似地使人民感到可怕。他們愛說話，但很少是「開門見山」的。

政治是最容易使人失去常態的一種職業，史蒂文生本是一位風度最好，行動最守邏輯的政治家；但當他攻擊共和黨剽竊民主黨政綱，甚至說他們為「富人所有，富人所治，富人所享的政府」時，就有點過火了。

艾克一病，政界人物都漫漫露出了尾巴，「老爺子」還未「斷氣」，兒媳們就吵着分家了。未來白宮主人究竟誰屬，雖難預測；這次爭奪之提早半年開始，而且，正值艾克「政躬違和」之際，殊令人有「政治無情」之感！

電車解僱勞工妥協
左翼工會支離破碎

三十一名解僱勞工「鬥爭」十五個月，獲捐款十五萬元，自知面臨失敗，卒告軟化，向公司繳出制服，進行領取恩餉。但左翼勞工領袖未來出處，仍是一個未解之謎。

被香港電車公司解僱的三十一名左翼職工，經過十五個月鬥爭終告軟化的事實，是說明了當前香港左翼工會內部意見的分歧和鬥志的消沉。

加強職工團結 解僱左翼勞工

事件發生於去年的七月，電車公司為了加強職工間的團結，和使工作更有效率地進行，當時曾解僱了三十一名工人，全部是屬於左翼電車職工會的會員，其中包括了電車公司服務二十九年，担任全港左翼工會的集體組織工會聯合會理事長和左翼電車職工會主席的陳耀材。

香港電車公司這一個決定對左翼工會的打擊是嚴重的，這不單影響到電車職工會的瓦解，同時也影響到整體的左翼工會的力量。

個人去留問題 影響左翼工會

如果這一次開除的三十一名電車工人中，並不包括陳耀材在內的話，事態的嚴重性在左翼工人看來大大減輕了，這裏必須指出陳耀材在左翼工會的重要性，由於當一九五〇年電車大罷工的時候，陳就是職工會的副主席，而由一九五〇年起工聯會一連幾屆的主席張××，麥××，歐陽××，先後被「勸告離境」後，陳耀材即開始承其缺，成了左翼工人領導上一個最重要的分子。假如他離開了電車公司售票員的崗位後，他在電車職工會和工會聯合會的領導上是失去其根據的，因此，無論陳耀材個人，電車職工會和工聯會，對陳的去留都是必須爭力的。

如果明瞭了這一次「鬥爭」對左翼集團，或者可以說是中共在香港佈下這一隻棋子存亡的嚴重性，而「鬥爭」的結果終於失敗，這並不是這一個「鬥爭」本身的失敗，而是全港左翼工人的失敗，影響到一個集體的瓦解。

十五萬元鉅欵 準備長期鬥爭

事實上，電車職工會及左翼份子是非常重視這一次「鬥爭」的，他們甚至以長期戰鬥的精神，利用巨額的資本作為後盾，來杯葛電車公司的決定。根據所謂保障職業生活委員會的透露，由各「友會」的捐助就超過了十五萬元之鉅，這一個「委員會」並沒有進一步透露這些捐款「友會」的名單，但這十五萬元的數字是足以驚人的。

左翼工人就利用這十五萬元作沉着的長期應付，這十五個月來，支付三十一名解除工人的生活費就達六萬餘元，工人的集體購食費一萬六千餘元，還支付了四千五百元，如果沒有這龐大的資金，這一次鬥爭是絕無辦法支持的，而左翼工人事實也早已了解到這是一次長期的「鬥爭」，因此，開始就有了充分的準備，和作長期的打算。

自始處於劣勢 罷工計劃失敗

這一次「鬥爭」在左翼工會方面說來，無異是處在劣勢的，本年一月，他們曾設法以罷工行動來打開這一個僵局，但結果亦歸於失敗。

在電車公司來說，一面固然是以逸待勞，然而，始終感到這件事必須有一個解決，公司方面一年來經常是將已解僱的工人的解僱金和恩俸數字循例臚列於報告牌上的，可是一週前，突然在這一筆解僱金項下加上了「再加考慮」的四個字。這四個字的被加上，是表示了公司方面始終沒有疏忽了三十一名人解僱的事，而且也暗示了十五個月前的決定將予重新考慮。

公司方面這一次突然的措施對左翼工人固然是感到意外的，同時，電車公司後依法向高等法院進行訴訟，對三十一名工人繳回制服的要求。這一來，左翼工人更大大的起了恐慌，在本月十一、十二、十三日晚間，即開會討論應付的辦法，到十五日晚的一次會議，才決定了向公司繳回制服和進行領餉。

繳回制服領餉 維持生活要緊

這一個決定，無異自行承認這一次「鬥爭」的失敗，按照左翼工人的一般心理，如果不到失敗的關頭，是絕對不會自承失敗的，這四次會議中後，出席者明顯地分成「低頭」與倔強到底的兩派，「低頭」的一派是固然也贊成鬥爭繼續下去的，但問題是不是再有雄厚的本錢來支持到底，維持生活是鐵一般的事實擺在眼前，沒有一種能夠使人不吃飯的理論，因此，經過了不斷的說服工作後，終於決定了繳回制服和進行領取恩餉。

但接踵而來的另一個問題是關於陳耀材的出處的，這是今日左翼工人面對着的一個大難題。

高崗事件餘波
大陸中西醫生反共
東北衛生部長代罪

據中共「人民日報」透露：在大陸各地的反共浪潮中，中西醫生的反共力量是一支主流。中共認為中西醫生的普遍反共，是將彼等視為「資產階級」及「封建醫」的政策錯誤所致，於是將所謂屬於高崗系的重要幹部，前為東北衛生部長後調中央衛生部任副部長的王斌作替罪的羔羊，加以鬥爭，以掩飾黨的錯誤，挽救惡劣的政治影響，並藉此以消滅高崗的餘黨。

醫生反共治死共幹

「人民日報」一再指出：在農村個別的反共事件中，反共者屬於中醫界的人極多。在集體反共事件中，且有不少領袖人物即係中醫生。甚至還有不少中醫生當了反共游擊隊的領導人。而在各大城市，特別是中共「國家醫院」中的西醫，則常有藉醫術與醫藥治死中共軍官、幹部等情事發生。據最近「人民日報」以「從一切角落裏肅清反革命分子」為題的社論舉例說：最近如石家莊專區第一「人民醫院」即曾發現醫師王丕昌等集體反共事件，彼等以蒸餾水混充盤尼西林使中共傷者錯過救治機會，以割破膀胱、尿管等方式使中共軍官及幹部多人致死。據說中共醫院中被治死的就有二十二人，被治成殘廢的二十一人，其中因輕病被故意治死的，還係中共縣委書記一類的重要黨務幹部。

共黨自認政策錯誤

該報又指出：大陸中西醫生普遍反共的最基本原因，即係一般幹部將中醫一律視作「封建醫」，而將西醫一律視為「資產階級」。在此種盲目偏狹的意識之下，乃有大批鄉村中醫被以「惡霸」、「土豪」、「地主」等罪名清算殺害，而有大批城鄉西醫到處遭受到排斥和欺凌。這種情形也使大陸各地本嫌不足的醫藥條件更形凋零。適韓戰發生以後，因共軍傷亡嚴重，勢須到處抽征西醫赴韓服役，而以中醫承担國內較多之醫務工作。而結果，致中醫西醫的人才均極缺乏，且現有人才的態度均極冷淡，乃頓悟歧視中西醫的政策完全錯誤，由是立即發出指示，並喊出了「團結中西醫」的口號。其奈為時已遲，被害的醫生既已不能復生，新培養的醫生亦非短時所能運用，而原有倖免於難的醫生，亦已洞燭中共的面目，反共的意識業已根深蒂固，再加上共區社會各方面的情形在在皆刺激民心，激發反抗情緒，中西醫的反共決心，自非中共一紙命令，一句口號所能消除的了。

惟中共一貫的作風，領袖不會有錯誤，黨不會有錯誤，凡錯誤的事必係若干幹部有「叛黨陰謀」或「資產階級思想」所致，從而予以鬥爭，以掩人耳目。因此，高崗系的中央衛生部副部長王斌便變成了造成此一錯誤的罪魁禍首。

「部長」被鬥爭

中共在文字上的鬥爭王斌，首先從衛生部的機關報「健康報」展開，而後發展到中共中央機關報的「人民日報」。中共鬥爭王斌的理由，即指王斌在東北衛生部長任內所作的會議報告、論文等，曾公開指中醫不科學、封建、和公開指舊有的西醫為「資產階級」，並採取了一些限制中醫的措施，業已帶來了惡劣的後果，使黨在醫藥界的威信受到破壞，使廣大的醫藥力量不能發揮，使「人民的保健事業」受到嚴重的損害。

王斌在被鬥之初，曾在「健康報」著文加以辯解，但事件發展到「人民日報」以後，王斌已無置辯餘地。被鬥以後，「中央衛生部副部長」的職務已被撤除，最後命運如何，當可想而知。（著）

蕭軍與胡風

·田雪·

蕭軍是一個因冒險經營而破產的商人的兒子。他和胡風一樣，童年是在富裕的環境中渡過的，但到青年時期，因家道中落而開始了流浪生涯。胡風自幼失孤，他的長兄是湖北大地主，當他青年時，就離開了家庭。

他們的流浪生活，在一定程度上使他們孕育起反抗統治者精神，並使他們自然傾向當時也以反抗統治者的精神，並使他們自然地傾向當時也以反抗統治者作標榜的共產黨。但當共黨自己成為統治者後，他們對統治階級的這種仇恨心理，並沒有稍減。當北伐革命以後，共黨完全處於「被壓迫」地位之際，蕭軍和胡風都剛在「左聯」露頭角，當時他們和共黨可說是「情投意合」的，只是因為他們都有強烈的自由主義傾向，因此始終沒有加入共黨，只是和共黨站在同一陣綫。以後，當共黨勢力逐漸膨脹之際，他們也逐漸開始對共黨顯示不滿；到共黨統治大陸以後，他們就像反抗以往的統治者一樣，公然起來反抗新的統治者。但共黨是史無前例的殘暴統治者，決不允許他們對獨裁政權的攻擊，因此他們在共區內的反抗，雖獲得了讀者的共鳴，但自己卻遭到了最殘酷的清算。

中共在「共產革命」的低潮時期，曾極力拉攏一些有自由主義傾向的作家，利用他們對統治者的不滿，「造成對共有利的形勢」，但到「革命」成功之際，這些自由主義作家就成為清算的對象。蕭軍和胡風就是這些被共黨利用的作家中稍著名的兩個。（四一一完）

塞島爭執影響中東防務
哈定面臨重大難題

·孫頤·

目前土國反對希臘要求塞浦洛斯，也是基於同樣的安全理由，因塞島離土國海岸最近，若英國放棄該島的主權，撤退其海空軍隊，那麼土耳其南部海岸便喪失了一個盟軍保護的屏藩，並且使整個地中海東部會驟然發生防務空虛的感覺，故塞島問題，實際上已成為英土兩國和希臘的衝突了。

哈定爵士的任命，是在聯合國大會拒絕考慮希臘對塞浦洛斯爭端的要求以後宣佈的。說希臘語的塞浦洛斯人，在島民五十萬人口中，幾佔百分之八十，他們的要求是跟統治塞浦洛斯近二千年之久的祖國希臘合併起來，在戰略問題的觀點上，拒絕界予更多的自治權，土耳其則着眼在十萬說土耳其語的塞浦洛斯少數民族。土耳其與希臘許多年的宿怨，就因為塞島爭執而爆發起來，上月伊斯坦布的反希暴動便是一例。

塞人以罷工迎哈定

正當哈定爵士準備執行他的新任務時，塞浦洛斯突然發生了廿四小時總罷工。軍隊和警察把希臘國旗扯下來，以催淚彈和棍棒對付投擲石頭和玻璃瓶的示威者，由於領導與希臘合併運動的希臘正教大主教馬卡羅斯號召消極抵抗，許多鄉鎮者起響應，提出辭職，政府行政因此遭受重大打擊。

「塞浦洛斯是國際的，而不是國內問題。」倫敦的經濟學人雜誌對英國政府提出了這樣的勸告。但是英國人雖然一面在考慮一個大胆的新辦法，而充滿希望地談到對塞島共同統治的可能性，在另一方面希臘政府則繼續使這個爭端處於沸騰狀態。為了報復聯合國之拒絕討論塞浦洛斯問題，雅典當局已封鎖其機場，拒供英土兩國使用，並退出最近北大西洋公約聯軍在地中海舉行的演習。

英國希臘和土耳其三國對塞浦洛斯的爭端，如不能及早獲致解決，此一問題可能引起北大西洋公約機構及巴爾幹公約的分裂，而使希臘與土耳其的對抗情緒更形惡化而危及西方在整個中東的防衛體系。面對這樣的局面，哈定元帥的未來任務是困難而又複雜的。（下）（十月十日寄）

以孫立人案爲例

自由談

前烏克蘭總理，現任反布爾希維克聯盟主席斯托茨科，最近在台灣訪問中，發表談話，認爲自由中國政府的對外宣傳太不夠，歐洲方面對於台灣情形，每多誤解云。斯氏是來自歐洲的，他的話當然是出於一片愛護自由中國的熱情，值得重視。

莫說歐洲那末遠，就是近在咫尺，大量僑胞薈萃之地的海隅吧，據我在最近五六年來所聞見的情形，由於我們政府平日不講究宣傳效用之故，亦對台灣隨時具有誤解或曲解的觀感。即如孫立人案件：事發之初，政府不將共諜郭廷亮犯罪事實，摘要發表，僅准孫氏辭職，派大員多名予以查辦，好像孫立人是主犯的樣子。如是乎，海隅若干報紙即以「想當然」的心理，指爲這是一場政治派系之爭，繪影繪聲，維妙維肖，一方面刺激人心，對台灣發生不良印象，同時即給共黨以統戰宣傳的口實。假使當時將郭廷亮、劉凱英等人的自白書與口供筆錄摘要公佈，然後暫令孫立人停職，聽候澈查核辦。（如經濟部長尹仲容案然）等到調查報告書發佈，才予以免職而不議處的寬大措置，豈非名正言順，合情合理的事？又何致給海外輿論界以捕風捉影，揣測紛紜，使政府蒙受無謂的疑謗呢？

宣傳業務不是貼標語喊口號那末簡單的問題，這是一項需要高度智慧和技術的工作，尤其需要主其事者能夠發展個人的潛能，目的唯一，方法互異。最要緊的一點認識：即宣傳的對象是外在，而非內向的。若祇顧及自己的胃口，孤芳自賞，那就與宣傳目的背道而馳，其不流於制藝八股之道者，鮮矣夫！

馬五先生

秋天

薩摩訶

秋天到了，雖是在香港，秋天的景象也多多不同于夏天呢？許多樹葉落了，許多紅花萎了。

代替這已落的綠葉，代替那已萎的紅花，將是新的樹葉與新的花朵。決不是那獨的復活與新生。這是新陳代謝的鐵則。

如今我們已經看到紅遍了大陸的毛澤東思想已經枯萎，五年到如今，它已經過了輝煌的盛夏。

當它還在春天的時候，我們這輩四十歲以下的人，誰不被它新鮮的色澤所炫惑呢？可是一到紅遍了大陸，上四十歲的人已經感得它的垂老的氣息！在五年輝煌的盛夏中，只是被年輕的一代在欣賞了。

可是一到秋天，衰豔的盛日已過，二十歲以上的人已經覺得它的腐朽與枯萎。

大陸上竟有了青年反共運動出現了。

許多青年在被殺在流血，還有無數青年在預備被殺與流血。

秋天本是新陳代謝的季候，然而在人類社會，已老的已腐朽的思想永遠要壓抑新的的活躍的思想的產生，五四運動到如今，這已經不是一次兩次的蛻變了。可是繼續下去的還是新的活躍的青年的生命，而老去的總是埋在歷史裏去的。

了解這一點，我們當知道代替那已腐朽的一定是更新更年輕更活躍更具有生命的。

民族的生命正像一株大樹，我們無法離開那根，可是那樹根，却正需要埋在地下努力吸收，使它的生命澎湃，繼續生長新芽新蕾。我們知道許多樹木的落葉往往就做了樹根的肥料，往而使明年春天有很茂盛的綠葉與紅花。因此，還是讓新的思想，新的意念，新的口號，新的標語，新的呼聲，新的暢快而自由地吐露吧。讓枯萎的陳舊的就很快的全變爲泥土與灰塵了。所可憐可怕的倒是在他們變成泥土與灰塵以前，不知要有多少青年的鮮血要爲它殉葬呢！

死後的善舉

一個富翁對他的牧師訴苦說：「爲什麼人人都說我吝嗇，他們都知道，我早已立下遺囑，我死之後，我的財產都撥作善舉？」

牧師答道：「讓我告訴你一個故事，一只豬向一只牛訴苦，說人人都討厭它，却常常談起牛的和善慈靄。的名字雖然用來作爲一種駡人的話，豬也承認牛能供給奶和奶油，可是豬它所供給人類的東西，却比牛更多。它埋怨道：『我們豬既供鹹肉火腿，又供豬鬃，就是骨頭也常被人用來製造用具。』

牛仔細想了一會，和氣地說：『也許因爲我們在活着的時候就給了人們許多東西，你們却要到死後才給』。」（平譯）

△馬戲班女郎晒衣新法。

博・愛

・葉楚傖遺著・

子平生頗有青雲志，既至是，始譜宦途生活，非人生所能堪。山城十里，左右侍余者，皆罷羸奇醜，直如枯臘，口鼻演呼，恒汚穢頻聞，而擾破皂靴，足却與之相稱。嗚呼！此豈人世間物？或犬公姑余，故降余於此羅刹之獄耳！苟能棄官歸里門，即受余妻扑責，猶天堂矣。而上官偏譽余能，非余不勝疲難，留不令去。小隸有沈某者，每出必侍輿前，吆喝聲，清以越。余偶矚之，雖髮鬖覆額，遂呼專侍衙內，倍其廩給，一時被執綺，呼總管矣。然使余而不爲赫赫邑宰者，又何因而獲此奴子哉？昔鄭板橋得一王二，至形諸篇什，持吾奴子去，不知老人當復何若？

星子地朴，民椎魯，不習私法，余從前賢治亂世用重法之說，刑法頗峻。一日，有星隸來訴者，言夫傭工鄰邑，婦私從里中惡少宿，夫出年許，而妻孕者再，惡少以利啗夫後母，僞稱婦不孝，告里黨而出婦，婦遂醮於惡少。逮夫歸，入室覓妻，得其實於好事者之口，憤然以估婦訟惡少。余乃諜拘惡少乃婦至，見婦楚楚年猶少，因押惡少於吏，傳婦人燕寢處，密問之，翌日，一鞫，讞，惡少逾牆摟人婦，罪且不赦，姑以遇婦不甚，減械三年，杖二百；婦夫乘不顧，情義已絕，判離；婦留官給配，而追惡少賂後母者入官；堂下聽者，錯愕叩謝去。余退堂，狂呼沈隸進酒，隸色殊懈，余惟故爲不察耳。

余涖邑歲許，讞案以百計，而邊僻小邑中，始稍有南朝金粉氣。古人以變理陰陽責宰相，今乃知爲之。嗟呼！苟令余宰天下，如此邑矣。

余昔求去不得，至此日漸不欲去，而省吏忽以上控案飭員來勘。倉皇謁之，拒不克見，饋以鎰，則捧以還，曰：某非爲醉飽來！余不知所措，獨自進酒，歡急視沈隸，隸未語而委員之書來，言欲借新入署之女傭去，是固非余所願，然何能不願哉？

天道之行不息，其禍福人，乃如雲雨之下降，雲雨將霽，於晴雨之交，必有溟濛之氣，絢爛之霞，以承上轉下，沈隸與村婦案，殆將霽時霞氣乎？或謂是直亡國之壓弧箕服耳！余不知究爲何屬？然余意以是行矣！舟泊潯陽，聞琵琶聲甚苦，出窗竊聽，絆於亙緣，顛入水際，檣觸雙目，江水灌如流泉，嗟呼！歸愈幸爲官人身，人肯援以出，而雙目盲矣。代人致李浙東書，謂心猶未盲，使余並心而盲者，亦少作幾許孽。世之盲於目者，其心懸，其欲熾，余固然，凡盲又何獨不然哉？

隔夕，琵琶聲又作。余以盲，益識其哀怨，且身業已廢棄，即臍噬眷，何補前愆？此時不作放浪，愚已！遂呼彈者入，以手代目，知爲伎人。有蝶讓於左右者，急揮之去。迷離一覺，江水搖落船下，兩岸聞浣紗女聲，清越靡曼，漸作鄉語，蓋泊金陵城外矣。余斯時自喜，盲余目者，聽余耳。柴扉近處，必有莫嫗與媽；余妻與媵，媚聲以悅余。苟然者，余將以摸索作賭，而以渠囂爲樂。庸知甫近故鄉，聞呼聲甚厲，嘈雜中，竭余耳之聰辨之，云某家火，全家成灰燼，幸留一子作官去，否則且絕香火，嗟乎！誰使聽余耳而令余辨此傷心語哉！

（三，全文完）

艾克講笑話

艾森豪的病，引起許多人的爭論，認爲總統的任務過於繁重，過去已使幾名總統死於任內，又有幾位總統在任內患了重病，因此憲法必須修改，將總統任務加以減輕。艾森豪做總統所遭過的問題，不僅是疑難的國家大事，就是在許多小地方也很大傷腦筋。這裏就是一個這種場合下的一個小故事。

有一次他涖臨空軍節演說，必須講一個輕鬆的故事，這故事第一必須適合當時的軍事情調；第二必須使席上的軍官和太太們都感興趣；第三又須特別有趣。

他事先想了幾天，才想出這樣一個對這三項條件的故事：

四十年前，他晚上從辦公室步行回家，途中看到兩個糾糾軍官在前面緩步而行，一面走，一面談着今晚怎麼消遣。一個提議玩一場撲克，另一個說，祇要瑪麗（他的太太）不反對，儘可以到他家裏去玩。

「祇要你太太不反對」第一個軍官說：「這是什麼話，你是什麼，男子漢還是老鼠？」

「當然是男子漢，」第二個軍官答道：「瑪麗是怕老鼠的。」（林譯）

信・手・拈・來

親上加親

・憶永・

孫桐萱爲西北軍之後起，出身行伍，不學有術，官癮甚深，以內戰軍功擢升至師長，隸韓復渠部下。韓任山東省主席，孫駐軍兗州。抗戰軍興，韓被捕時，孫歸中央，因功得嬰韓之軍職，而軍長總司令焉。嗣調駐鄭州，復以通敵嫌疑撤職下獄；獲釋後，羈留重慶，以迄勝利。孫雖幾遭殺身禍，而官癮未稍殺，尤以未得一嘗省主席滋味爲憾，嘗思進身捷徑，莫如交接顯要之副官。出獄後，在渝流兩年，酬酢往還者，均此輩中人，孫與國民黨中委張溥泉氏（繼）爲河北省同鄉，對張諂媚，無微不至，因囑其妻張伯珍拜張之夫人崔震華爲義母，藉事拉攏，行禮之日，儀式隆重，香燭紙馬，三代神位無一不備，孫妻盛裝向崔納拜後，呼媽喊爹，熱鬧異常，崔喜極，對孫父曰：「我們從今天起，是至親了，我看不如來個親上加親，我拜你做我的乾爹吧」。語未畢，已施袵下拜，孫父及參與盛典者，均瞠目不知所措，一篇糊塗賬蓋不知如何算起也，勝利未幾，孫父歿於南京，旋張溥泉氏亦謝世，孫桐萱夫婦則於大陸變色後，聞亦先後困死北平，現僅存在，惟崔一人旅寓台北，客中徜憶往事，究味何如耶？

語意學漫談

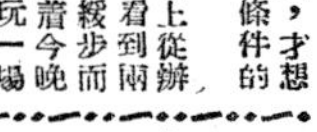

美國的獨立宣言，盧騷的民約論，易於辨別的：它是在規約一種團體行動的方向，來支持一種社會的組織和制度，而其目的，就是在影響這個團體對於這一種社會的心理，而使他們對之加以贊成和擁護。馬克斯的共產黨宣言，更是政治文字中最明顯而具有代表性的例子。

政治文字都是對於一些政治行爲（有關社會組織及制度的行爲）作具體的要求（規約形式），而其表達的結果，却使讀者自然而然的覺得這些要求是合理而必要（評價作用）。它不是在『約』一個現有的社會制度，而是一種對於未來社會的『規約』，而它這些規約的目的，不是機械性的促使讀者盲目的行動，而主要的是有力地影響讀者心理中對於這種社會的有利的『評價』。

一篇政治語文的是否成功，全看它能否爭取讀者對於它所規約的社會的擁護心理爲斷。而爭取讀者擁護的要素，則（一）要它的報導部份具有高度的可信性CONVINCINGNESS，（二）要它提出來的內容和當時的現實社會問題，具有高度的相關性RELEVANCY。而人類的知識的程度，是日益進步的，社會的問題中心，是時有轉移的，所以在某一個時期極有力量的政治文字，往往過了一個時期，就大大的失去了它的影響讀者的效果。同時，人類是具有高度的保守性的動物，社會是時刻包涵着革新動力的機體。所以保守和革新的對立，是任何時期中任何社會所呈現的現象，而這一個對立，在政治文字中所表現的，是尤爲明顯和凸出。所以，凡是成爲一個民族的，它具有多少年的文化，它就具有多少年的政治理論和爭論。

宗教語文

代表『規約』語句的『促使』用法的，莫過於宗教語文RELIGIOUS DISCOURSE。

宗教語文，都非常具體的規定了人類的種種行爲方式（規約語句），而又非常有力的要求人們去這樣作（促使運用），例如舊約裏的十誡：『除了我以外，你不可有別的神！』『不可妄稱耶和華你上帝的名！』『當記念安息日，守爲聖日！』『不可殺人！不可姦淫！不可偷盜！』（出，二十）又如藥師本願經：『若見男子女人，有病苦者，應當一心爲彼病人，常清淨澡漱，或食或藥，或無蟲水，咒一百八遍，與彼服食。』這都是何等具體的規約，和何等有力的促使！

（六十二）

・徐道隣・

巴里島沒有肥女

肥是老的一種象徵，一個人過了五十歲，多會發胖，這表示老了。歐西女人都怕胖，以爲不胖不投正代表青春，可是世上有長保青春的藥嗎？爲了找尋不老的滋養品，美國哈佛大學營養專家司達博士曾去印尼的巴里島研究，他環遊全島，在那裏住了一個多月，竟沒有在島上發見一個肥女人。這是什麼緣故？理由是巴里島的女人都吃得很少。

他們的日常營養是這樣的，早上六時吃一杯甜咖啡，過了一個鐘頭，吃小一包芭蕉葉包的冷飯。再過一個鐘頭吃一點水菓。雖然未必是每一個鐘頭都吃，但巴里島女人吃的次數很多，祇是每次份量少得很。他們的主要糧食是飯、豆餅、魚、椰子肉、水菓、甜水，等都是富有營養的食物。

她們不感到饑餓，因爲她們吃的甜東西多，血液裏保持充分的糖量。她們多吃水菓，很少吃肉。

・牛布衣・

自由人
THE FREEMAN
（第四八五期）
中華民國僑務委員會登記證僑台字第一零二號
中華郵政台字第五〇〇〇號
執照登記爲第一類新聞紙類
（每星期三、六出版）
每份港幣壹毫
台北市價台幣壹元
督印人：文華
地址：香港高士威道廿二號四樓
3 rd. fl. 20 GAUSEWAY RD HONG KONG
香港發行及事務接洽
承印者：東南印務出版社
地址：高士打道六十四號
海外總經銷
友聯書報發行公司
香港：德輔道中二十六號A二樓
台灣特派員辦事處
台北市館前街五十號
台灣總經銷處
台北市西寧南路壹壹壹號二樓
台郵撥儲金戶九二五二

兩個世界勢力之轉捩

——和平與鬥爭——

錢穆

一般的看法，總認爲世界是分成爲兩個了，一個是自由世界；而另一個則爲鐵幕世界，極權世界，即不自由的世界。人類又誰不想自由呢？如此看來，好像不自由的世界，應該斷不能與自由世界並立爲敵。然使我們眞肯面對現實，當知此一看法，實在太皮相，太膚淺。若眞據最近趨勢言，不僅這兩個世界，儼然可以並立，成爲敵體，而且自由世界一邊，往往像是屈居下風，不斷有捉襟見肘，招架不迭之象。這又是什麼理由呢？

爭取自由 兩種方式

若我們肯換一種看法，當知人心斷無不喜自由的，然而爭取自由，則可采兩種不同的方式。一種是憑仗個人才智，分別來爭取自由。另一種則是憑仗團體，集合來爭取自由。若我們肯改用如此的看法，則憑仗個人來分別爭取自由的，應該不會比憑仗團體集合來爭取自由的更強些。若我們肯如此來看當前的世界，便會使我們減少樂觀的成分了。

近代所謂個人自由那一派思潮，與起在西歐，旺盛於北美，他們是爭先一步，攫得了世界之霸權。然而因於一部分人之站在自由之優勢上，而使另一部分人轉逼到自由之劣勢方面去。那站在劣勢一邊的，固然涎羨這一邊的個人自由，然而形勢逼人，逐漸引他們認知要爭取自由，卻非結成堅強的團體不可。他們要結成堅強的團體，還得他們甘心暫時犧牲個人自由，來貢獻於此堅強團體之凝成。即如以前希特勒，能在德國建立起一個操動世界、威脅自由的極權政治，何嘗不是把握到這一種心理的呢？

三種心理 凝成團體

這一種堅強團體之凝成，大體不外利用幾種心理。一是階級的，一是民族的，一是宗教的。蘇維埃共產主義，並不全仗全世界無產階級共同團結鬥爭的一口號，而使其堅強不可破。它一面還是有民族心理作後盾，以大斯拉夫主義作爲其背後暗藏的另一股鼓勵與團結的力量。他們這幾十年來，馬克思列甯已崇奉爲一種宗教迷信的對象。因此在蘇維埃內部，是階級心理，民族心理，宗教心理，三者混合利用，而纔始建立其今天之對內獨裁，對外侵略，那一股力量的。

至於蘇維埃思想之對外滲透，亦是三方並進，只看隙縫在那一面裂開，他們便向那一面滲進。就宗教言，今天全世界尚有兩三個以上的大宗教分立著。信奉耶穌教的各族，比較已獲到自由的分數多了些，信奉其他各宗教的各民族，難免多少都有些被誘迫之感。他們會感到，在他們同宗教的各個人間，本已無多少自由可言，不如集合着向外爭取。而蘇維埃在這上，正願冒充爲他們之同情者。

民族集團和宗教集團，有時分不開，同一民族，往往信奉同一宗教。一民族可以自覺地集合起來向外爭取自由，而幾個民族又可集合在同一宗教的陣綫下面來向外爭取自由的。

各顧利害 各守自由

階級的分別，本來在各民族的內邊都可說有其存在的。但若換一看法來看，世界上顯有某幾個民族，現擁有過多的資產，而某幾個民族，則從大體比較上來說，如近代之所謂落後民族，僅即是無產民族了。如是則在打倒帝國主義，取消殖民政策之號召之下，儘可形成各宗教各民族，乃及此各民族中之各階級，暫時都會團結起來，而向已先占得自由優勢者來爭取他們之自由。

所謂已先占得自由優勢者，無疑就目前論，只屬信奉耶教的西歐北美幾個民族了。但他們，個人主義之色彩太濃重。國內政治，取決於個人，從違之多少數，而國際外交，也不免各國各的利害，各守各的自由，而難於形成一致的力量。而且，正因爲他們是佔到自由之優勢者，因而其意態亦偏在消極方面，只求各自保其所已得之自由而止。這就遠不如那一邊之站在主動積極進取鬥爭方面之團結而更有力量了。

若如上所分析，則所謂自由世界者，其實只在保守其已得之自由，而其所謂已得之自由，又是分屬之於個人的。而所謂極權世界者，其中亦有許多意向乃在爭取未得之自由，而其爭取之手段，則還仗於集體的凝結，如此說來，則強弱之形，顯會顛倒過來，而勝敗之預測，也很難說勝利定在先占優勢的一方！

個別力量 難擋團體

今天所以世界像若形成兩個對立，而一時未見勝敗之誰屬者，則正爲尚有許多站在中立的界綫上，而猶豫未決定其投向那一邊之故。但此許多站在中立綫上者，其實也都是站在自由劣勢一邊的。只他們尚不肯犧牲個人自由理想來從事團體結合作鬥爭而已。若他們的個人自由理想，終於得不到，或是愈見減縮了，則他們也會翻然變計來改站在集體鬥爭的那一邊去。到那時，中立分子少了，兩方強弱勝敗便會立刻而判了。我敢正告站在自由世界那一邊的人，你們當知，自由是眞理，但向你們來爭取自由，同樣是眞理。自由是該屬於個人的，但向你們來爭取自由者，卻結成了大團體。這卻又是個別力量所難得抵擋的！

若自由世界，昧忽了這一眞理，因其自己站在自由優勢之地位，而傲視自由劣勢者，舉例言之：如帝國主義者之傲視其殖民地羣衆。又如國際間之背棄其自由友邦，而來討好極權強敵。則正可證明自由世界並不重視別人之自由。則有志爭取自由者，自會另尋道路。循此以往，世界終有大轉變之一天。

一面坐大 一面坐小

今天國際間，正喧嚷着和平共存的聲浪。但自由劣勢者，顯已與自由優勢者不平等。不平等引起不和睦，不和睦即到底會引起鬥爭，而陷致於不共存。蘇維埃帝國主義，正存心等待此一情形之逐步轉進，而已占自由優勢者，則只求暫時目前確保其優勢。當知兩大之間，縱可和平共存，而衆小被壓迫者，則必自擇所趨。今天世界動盪之關捩，則正在此衆小間。即如當前中東與北非情形，豈不明白易覩了嗎？

我以上這些話，並不是危言聳聽，爲要求世界人類和平自由之幸福，繼長增高，莫使人類陷入大災禍。

（下轉第二版）

紅色書報業的現狀

燕容羽軍

這一年來可說是紅色文化與自由文化的混戰年。目前雖未確定誰戰勝了誰，但紅色文化向海外販賣的計劃確是夠狠的，似非一向取正面的，單純的，方式的自由文化界可比擬。這樣說，並非意在小覷自由文化界，實爲便於切實檢討。茲就掌握的資料向國內外人士作一簡要的報導，使大家亦知所警惕。

「內部通報」的指示

紅色陣營是有一套的，比如，「內部通報」曾命令大×、文××等報按政策實行其自分之八十的標準，但是，卻導致銷路慘跌，使原定的津貼額不足維持開銷。「左派仁兄」，着急之餘，就實行轉變以圖挽回。把原政策改爲「以不同手段完成政策」，來靈活運用。這一改變，實則仍採取「新辦報紙博取銷場，原有報刊緊守崗位」的辦法，因此，第一步是令新辦的報紙盡量黃色以適合市井的、工人階級再以稍爲高一級的洋華員工商界知識份子爲對象。由另一家晚報以中間偏左姿態出現，果然其計得售。但兩家日報的銷縮卻已到了山窮水盡之勢。遂又運用了獨「作家南下」的策略，先後搜羅了「紅學專家」俞平伯，寫小品文的周瘦鵑，寫章回小說的張恨水，寫武俠小說的劉白羽和以「第三種水」著名的張競生。可是港紙，使紅色的「馬掛」們眼紅了，經過一番喧嚷後，結果，俞伯平以帶有「胡適思想」首被開刀清算！香港的大×報不惜長期地加以辱罵，繼之遭殃的是張恨水的「梁祝」。

津貼出版收買文丐

刊物方面，中共是強行「定量分配」制，由「華南文聯」直接控制。所謂「定量分配」，即將同性質的刊物縮成一個，萬元港幣開銷的刊物，只化了幾萬元，餘下的便移交給「×學出版社」去專搞出版方需。經過幾次失敗，他們對雜誌出版方針，再加變更，決定不再自己出版，改以津貼方式，津貼模稜兩可的中間性雜誌和收買流港的失意文丐，搞幾個刊物，以達到其統戰和分化的目的。據說，現在籌備中的已有兩家之多。本年下半年來，赤色出版系統的主要方向在叢報，因爲叢報銷場不僅較雜誌爲多，同時，可以替赤色電影做宣傳工具。

用古書爭海外市場

中共出版業由於在大陸內部和鐵幕外打不開銷場，遂轉輾採取編印「古典文學」。這方針本與共黨反歷史，反古典的相背，文藝政策，且與掃除舊書店運動相矛盾，因此起初，有許多學生不敢接受「組織」的命令讀「水滸」、「紅樓夢」（據見其黨的文藝報）。後來經過「勸」，「人民」自打嘴吧解釋古典文學中的「人民性」，卷縮形勢才漸漸地扭轉過來，時也從人民手裏括進一筆。尤其是在海隅，自「古典書籍南下」以後，赤色書店的門市才稍見躍活。但「南下的古典書籍」是「正統」的赤色書店專營。因此，像商×、中×就只能被迫搬出庫存舊書拍賣，重版「辭源」，或兼營文具儀器等以苟延殘喘了。至於那些新出版社，像學×、×文、集×、大×等，就只能出版些什麼經！交友指南，學習等書籍以廉價號召找尋出路；此外，還不斷推出他們連載的小說以收書籍與報紙互相宣傳的效果。

小書櫥的流毒

赤色文醜的另一陰謀，是以大量的資金去開小型書店。不完全的統計一年來，樓梯口小書櫥，都經過了一些擴展了八十多間，這些書店，一偽裝專銷其外圍出版的書報；也有號稱「中立」，左右均銷，擺幾本自由文化界的書籍裝飾裝飾，實則積極的推銷左翼書刊，作大都設在新建的樓宇和街口轉彎處，一如其工會利用樓梯口的地利，以收宣傳效果。樓梯口的小書櫥，則兼營租書，反正目的不在賺錢，有錢大受歡迎，拉攏了垃圾尾，撥出一批本來無聞就夠一年，其流毒何異於鴉片，因此，我們實不能輕視那些小書櫥，其流毒何異於鴉片呢！

時事評述

李秋生

台灣光復十週年

台灣回返到祖國懷抱，轉瞬已是十年。回憶光復之初，台胞欣喜若狂的景象，彷彿猶如昨日。不幸勝利未久，即遭逢新的國難，台胞倒懸甫蘇，又要替祖國負起復土基地的重大任務，這歷程是相當艱苦的。

藉台灣作規復中原的張本，這並不是第一次。然而在鄭延平時代，一則台灣是草萊未闢，不足以充分發揮軍事基地的機能；二則當時處境完全孤立，外無聲援，到清軍乘虛進攻，即無以爲禦。那情形與今日是截然不同的。

這十年間，台灣的社會經濟文化民生都有長足進步，尤以土地改革與實行地方自治二者最爲內外所一致稱道。持與大陸中共鹵莽滅裂削足適履的做法相比，充分說明了民主與極權本質上的分野，正不只仁暴之別而已。

目前國際逆流盛漲，反攻復土的願望顯非短時間內可償（但也不是不可能發生突變）。今日必須要有十年沼吳的抱負和耐性，同時更需要有先把台灣治理成一塊繁榮樂土的決心。燥急虛憍，與頹喪脆弱，同樣足以僨事，這十年間在台灣的成就並不太少，但許多地方還很不够，也還有許多弱點有待克服。

越南公民擁戴吳廷琰

南越人民公民投票的結果，吳廷琰總理獲得絕大多數擁護，保大則爲越人所共棄。這是順理成章的結果，毫無值得驚異之處，聞南越將於今日宣佈爲共和國，謹祝南越國運隆昌。

吳廷琰受命於危難之際，在日內瓦九國會議中間出任越南總理，他的處境也開始非常艱困。法人不足以阻遏越盟進侵，卻有力量妨害越南民族主義的發展。吳廷琰以中圻的天主教徒，到佛教佔絕對優勢的西貢組織政府，各教派反對他，保王黨疑忌他，再加上軍人反側，黨派離心，甫就任，就有岌岌不可終日之概。幸而美方認定他是唯一能夠挽救越南的人選，力予支持，甚至因此而與法方衝突。另一方面，他又淡泊廉潔，在貪污盛行的越南政局中，猶如雲中一鶴。然而這都不是他成功的主因。他有眼光，有魄力，具有敢做敢爲的一股銳氣，反對他的人從阮文興到高台、平順、和好三教派，都比他擁有深厚的根基和實力，卻都禁不住他的一擊，最後連保大也在人民的自由選擇中倒了下去。這厲情形不禁使人回想到三十年前我們初期國民革命運動那種凌厲無前的氣概。自由亞洲的復興，所需要的正是這樣的一種氣概。不管南越處境如何艱險，那是東南亞前途最光明的所在。

外長會議與遠東危機

西方外長集中巴黎，會同應付日內瓦外長會議策略，西方視綫都集中到西歐一隅與裁軍計劃之類，共黨集團則悄悄的在遠東中東大施魔手。歐洲第一的觀點，從第二次世界大戰中間就鑄了大錯。近十年來，中國大陸的淪喪，韓戰的失敗，北越的淪亡，以至中共的坐大，無非這一概念所賜。到現在西歐僵局已成，再經過多少次的談判也無濟於事，西方當局的精力與興趣卻偏要集中在那方面，而對遠東許多急迫問題都熟視無睹。難道說一定要等日本政權落入左翼掌握，非律賓泰國都皈依了中立主義，纔倉皇急起直追嗎？西方當局試走共存路綫，爲時已歷一年，這一年間，到底是誰得利，誰吃虧，應該已經十分清楚。現在亟謀挽回還來得及，再遲就更難了。

薩爾否決歐洲化

星期日另一次公民投票在薩爾舉行，表決是否贊同法德方面定的歐洲化計劃（那是巴黎協定附件），結果以過半數票遭受否決。今日情勢不同於二十年前，不必就以爲薩爾之歸德會成爲日爾曼軍國主義興起的前奏。但薩爾歐洲化實爲一項進步的設計，將形成西歐聯邦的前驅和起點（那是根除西歐亂源的唯一途徑）。這一計劃的失敗，間接說明了今天還是國家主義的世界，世界主義與國際主義都只是遙遠的理想。

台北重視日與中共勾結

・台灣通訊・

日本自從一九五二年與中華民國政府簽訂和約以來，始終缺乏一個明朗而堅定的對華政策，吉田內閣如此，鳩山內閣尤其如此，他們的態度相當曖昧，一方面維持對中華民國正常外交關係，一方面又不斷地向毛澤東漢奸賣國集團飛眼討好。對日本這種兩面人的作風，幾年來自由中國朝野，都極感不滿。最近兩個月來，日本議會及民間紛紛組織什麼代表團，到北平去訪問，名義上好像與日本政府沒有關係，實際上他們的行動日本政府不可能不淸楚，因此，引起台北政界及外交界的密切注意和重視。

首先到大陸去訪問的，是所謂：「日本恢復日中、日蘇邦交國民會議訪華團」，團長是久原房之助，在大陸上訪問達兩個月之久，於本月十五日離開北平飛返日本，在北平期間，會與毛澤東會談兩次，與周恩來會談五次。他們談話的內容，據久原房之助十六日抵達香港時對記者說，是所謂「恢復中日邦交」問題，但，日本與中共是否能恢復「邦交」，久原也無自信，他說，這「全靠國際的情勢變化如何」而定。令人驚異的，是久原房之助，這次竟是以鳩山首相「非正式」使者的身份而往北平的。

第二個到大陸去的，是所謂「日本國會議員訪華團」，該團由上林山榮吉率領，到大陸已經一個多月，也就要離平返日。他們的使命，據說是為了建立日本與中共的「友好關係」，使日本與中共的「邦交正常化」，並擴大貿易。本月十五日，曾與毛澤東談了三小時，周恩來也一再表示希望「復交」，十六日晚上，劉少奇舉行了盛大的歡送會，強調在建立「正常關係的基礎上」，實行「互尊領土主權，互不侵略，互不干涉內政，平等互利，和平共處」五原則。他指出中日兩國都是「被侵略的國家」，因為美國既「佔領」了台灣，又「佔領」了日本，大有同病相憐的意味。十七日雙方已經商獲了若干協議，其中包括恢復友好關係，發展貿易、強化文化接觸、僑民、日本戰俘等各點，這些協議，已經由上林山榮吉和劉少奇簽字公佈了。

另一個定於十一月六日赴平的「訪問團」，是由「日本憲法擁護國民聯合會」的片山哲所率領，一共二十七名，他們都是屬於左傾份子，此行的目的，仍不外是為了「友好」。

對於以上這些日本團體的訪問大陸，記者連日分訪此間的政府官員和日本問題專家，探詢他們的觀感。官方人士對這件事保持相當的緘默，不願發表任何評論，但仍然隱瞞不住他們的憎惡和忿慨。某一權威觀察家指出，日本這些團體的訪問大陸，顯然是得日本政府的默許的。日本政府正在亞洲的歧途上徘徊，既想向共產集團表示友好，標榜「中立」，又不能不依靠自由世界來維持生存。觀察家警告說，日本政府如果不改變這種騎牆態度，前途將極暗淡。

另一觀察家則認為，日本這些訪問團到北平去，不可能發生大的作用，所以不足重視。日本已經在一九五二年與中國簽訂和約，不可能與北平偽政權再簽和約，祇要國際局勢照目前的狀態發展下去，日本的「中立」為不可能之事，更不可能完全倒向共產集團的一邊，既然有這兩種不可能，則與自由中國政府的正常關係就不會斷絕，中日兩國有條約義務的限制，日本不可能不顧中國的反對而與北平建立所謂正式的「邦交」。目前這些什麼訪問團，不過是些左派人士和想與大陸做生意的商人的玩藝而已。左派人士天然是傾向共方的，我們不必管他，至於做生意的人，目的是為了賺錢，今天毛澤東漢奸政權，正在削尖了腦袋設法去賺別人的錢，那有錢給日本人賺呢？所以日本商人的夢想總有粉碎的一天，不妨讓他們去試上一試。

韓國駐華大使金弘一批評說，日本政府目前的政策，是兩隻腳站在兩條船上，遲早總會沉在海中溺死的，因此金弘一警告鳩山應該儘早修正他的矛盾政策。

日本駐華大使芳澤，日昨曾對記者說，日本與中華民國訂有和約，所以祇承認中國政府，至於北平政權，日本政府是不顧和強盜去做朋友的。那些日本議員去訪問北平，僅是私人的行為，不但不能代表日本政府，而且也不能代表日本人民，所謂與中共建立「邦交」云云，更不是日本政府的意思，芳澤希望中國人民不要誤會。他說，有自由中國才有日本，兩國必須為和平而合作。芳澤的話是對的，然而，中國人民能不「誤會」嗎？至少，對日本政府縱容其議員與一個「強盜集團」去談判「復交」，是不能諒解的——因為這對自由中國是一種污辱。此間朝野人士不得不懷疑日本究竟要走到那裏去？

（十月十八日寄自台北）　・小魯・

論當前文化運動與知識份子（四）

・胡秋原・

中國之天理觀念，即自然法思想，亦即自由主義之基本觀念。但西洋人在細密方面，在論證方面，在一套可行程序方面，有進一步成就。我們應精深研究他人成就，且以其成就來發展自由，然而不可以其限制自己。然而同時，我們還應研究亞洲各國民族，尤其是蒙古西藏回教世界文化，利用我們過去的關係和基礎，促進亞洲之相互了解。不僅打通中西、而且打通東西文化，是中國人應盡之責任。有「亞洲之悲哀」即有「亞洲之負担」。這負担，中國人是應該担一大分的。我們要發展自己長處來反共，不能以現代武器反共。同樣，我們要運用西洋武器來反共，但不是可專靠西洋武器來反抗共產主義尤其是「馬列主義中國化」的。一個中西文化之溝通，自是世界大同之基礎。

創造新文化須了解敵人

而今日一個新中國文化創造，無論為自己，為世界，不可不知敵人，不可不「通」俄學和共產主義。共產主義我看作是「俄化」「俄學」之別名。一個俄人說，俄人運用歐洲創造，俄人確甚少新東西。「第三羅馬」是保加利亞人的，連大斯拉夫主義都是捷克人的。馬克思主義不用說。俄學有如我們買美國零件配車子與收音機。要了解俄學與共產主義，第一必須研究俄國史，世界對俄國之衝擊，俄國對世界之衝擊，而這一研究，必以中亞細亞西北利亞乃至巴爾幹高加索史地為背景。我們抗俄反共數年，至今還沒有一本較詳細俄史（我寫了一本將成，因兜售不出而暫時擱下，明春擬自印之）。第二，必須研究黑格爾主義，馬克思主義以及歐洲社會主義運動史。而這一研究，必以歐洲思想史，經濟學史，以及歐洲國際運動，政黨運動，秘密結社（FREEMASON）史與許多反理性主義思想發展為背景。將這兩套連結起來，才能了解俄學之靈魂，乃一種深刻之奴性與虛無主義，此必以人格價值觀念抗之；才能了解今日列甯、史達林主義及其中國工具之本質，才不致為俄人冒牌馬克思主義所欺騙，且能以中西學問破擊之，才能了解俄帝權力源泉在中亞北亞，給我們實以解決今日俄國問題之亦為將來亞洲問題之解決奠基的知識。

溝通中西文化以反共，而反共者，在我看來，不僅是文化創造之目的，而且是其方法，是其標準，

我所謂反共，乃指針對共產主義之靈魂、結構、全體、部份及每一環節、齒輪、螺旋而反之。如上所言，俄學很少自創的，乃選配他人的。但俄人選配成的一套，正是文化之絕對反對物。俄人造配的材料，很少好東西，都是值得反對的；而他所配合運用之方法，則應該反對。我們決不模倣，求勝而攻之的。總之，反共不能有一樣像共，而不可有一樣不自出心裁。此之謂反共。至於漢奸之所謂「中國化」，只是利用民族感情，掩飾其賣國工作，更是應該處處事事與其針對相反的。此之謂反共。一像共黨，就是糟糕。所以共黨所是者，百分之九十九是我們應該非，而共黨所非者，百分之九十九應該說是的。一定要與共黨立異。即使名詞偶然相同，亦當區別眞偽。此之謂反共。所以任何一種理論著作，將與共黨有者加以比較檢查，稍有相同，即當改變。此之謂反共。由于俄學之根為奴性，正是文化之正反面，因此每一絕對顚倒，每一相反，每一針對，就是人性之提高，文化之進步。這是我們一大方便。

功力與分工合作

所謂必有工力，指今日反共已應在文化水準上高于俄國派以準備反攻。「反共八股」是必經的，亦必要的，但現在不夠了。我們要做之事至少有八：一，中西古典文化著作之整理。台灣印廿五史及藝文印書館之印古書，是其開始。二，但西方正統文化著作乃至亞洲各民族古典翻譯必須同時努力。三，各部門學問之以新材料新方法新觀點研究之紀念碑式著作，包括對俄國及中共有關的研究在內，這些著作必須是在量，在質力求不遜於西人，尤其是必超過俄國和中共的水準；庶取法乎上，以代表自由中國人之知慧與力量。四，同時，要有各方面的入門書，通俗曉暢然內容並不庸俗的作品，供青年閱讀。五，其他藝術部門相似和平行的努力。六，要有幾本東西寫成或譯成外國文（如英、日、馬來，及回文等）使世界及亞洲了解中國人今日之思想和意志。七，此外，有一個很好的中外文字並用的雜誌，即使是季刊都好。八，臨時問題的小書或小冊。能有很好的小書或小冊。「亞洲」年來在反共相持戰中已盡極大努力，我相信現在已當準備高階段反攻了；不知兄等以為然否？

「聯合研究委員會」

必須分工及專門化才能表現功力。每一個人，一團體，一雜誌，一報紙，都宜向一方面深入。然同時亦須合作。俾能呼應，集中重點，亦避免重複。我願建議香港同胞，海外僑胞，和台灣同胞，出版家，著作家，學術家，學術團體，有一「聯合研究委員會」，並與中國政府取得聯繫和外國學術團體等發生聯絡。他不是超國際的團體，而是一團體協助的團體。它籌募經費，協助並委託研究，出版工作，調查人才，調整活動。它是中國文化界及知識份子之一大團結之樞紐。它是一個民間的團體，除反共外，不涉其它政治問題。他勾通結集反共人士意見，然決不求領導。

我信這種中國人誠意、力量與知慧之提高與集中，將對中國政府及國際與論都發生影響，增加反共世界之力量；而它的事業，亦必能對青年發生直接吸引力；這是無問題的。

青年之培養教育

最後，還是青年之培養教育問題。昔孔子射于矍相之圃，觀者如堵，使子路出延射曰：賁軍之將，亡國之大夫，與為人後者，不得入，蓋去者半，入者半云。一二兩種人物，如有知恥之心，去陋俗衰之氣，自仍可言勇鬪存。共黨乃為人後者；如不忘其祖國，自仍有報國之地。但建國大業，總需新的人才為主力。覆巢之後，在香港難民羣中，在海外華僑社會及各種團體中，在台灣各級公教軍隊團體中，農村都市中，特別是全自由中國之報社、雜誌社、學校乃至許多學術團體中，獨立、孤立沈默之人中，自然到處有未來人才，青年一代的人才，大家應該注意培養、選拔、鼓勵，傳薦；青年也是未來領袖人才，都應以大器自期的。黃君說到青年難免赤色吸引力之事，固一時難免之事。[illegible]

[illegible]予以協助；二，是機會主義，此則小亡國大夫之習，那就不足重視了。我想一個青年只要有三點，即不希望扯謊，[illegible]最後，我想是首知[illegible]外史，著手[illegible]問。我常需要[illegible]為陽明之入門書[illegible]朱子為高，但王學之[illegible]終不如朱學之經久普及者，在朱學有一套讀書指導也。（如生活書店之人，却著編書。別如學問，共黨有哥立，罰為章，清可封「忠」侯一，而鄧蜜宜追增「文正公」也）。然後，勸他們每人專精一門學問，至少一門技術。今日要將才，不是普通的兵。有了若干優秀青年，他們仍能將中年人之語言，翻譯為更合乎他們的耳目之口吻也。

[illegible]界亞洲與大陸問題，及理解青年之心理及語言，而準備供給他們以新的語言，確務使我們確能有權利，信自己創造的學問，足以領導中國政治。中國人有自治之才能；才不負今日之若難，我想，我們是應以充分理由，作此希望的。

[illegible]開闢風氣，擊鼓迎春！（本文原為致黃震遐先生第二信）

和平與鬥爭——兩個世界勢力之轉捩

錢穆

（上接第一版）

則自由世界一邊，正須大大改變其以往乃及當前之態度。國際間當以正義相號召。當以平等相對待。切莫太重視了各自獲得的那一分自由優勢，而忽略了站在自由劣勢中之各宗教各民族各階層之絕大羣衆，若天天只注意於和蘇維埃帝國謀和平，而不惜犧牲弱小。當知世界之各弱小，亦無不希望其各自之自由。自由世界若有意犧牲他們，正好給蘇維埃帝國主義者之煽動與利用。如是則只要在兩大和平共存之現狀下，一面會坐大，一面卻會坐小，其勢顯然，不待多久，我言必驗。

我亦並非幸災樂禍，希冀戰爭。只是提醒自由優勢一面，若不講正義，不尚平等，僅與強敵謀求和平，則當知今天的世界，實並非兩大壁壘之對立，而尚有多數弱小者之游移中立的那一分力量，實為兩大互爭勝利所首當角逐而爭取也。

言及中國，正是站在劣勢弱小羣之中，中國人要想爭取自由，分別着個人來爭取，其勢也會一無所得。今天的自由中國，莫仗着站在自由一邊，站在眞理一邊，勢不至收。當知自由世界一邊，如我以上所分析，正多弱點，此層不可不警惕。而自己之弱小劣勢，則更當加倍警惕。若求善處之道，仍莫如自己團結，以團結的力量來加進自由世界，求其先為不可侮，以使人之莫能侮，則庶乎是立國之道，亦是為吾中華民族爭取一個人終極自由之惟一正道也。

俄殖民政策必失敗

在一代之衰以後，我深信中國之將來，然我之信念，實在大綜上歷千辛萬苦而不撓者，和下一代的青年。[illegible]

變而急轉直下之後，大陸之變化——如黃君所言，大國之變化是不可測的。近來甚可注意之事，即大陸上反共運動者多為青年，共黨內部之青年不是共黨所能騙住的，表示中國青年已不信中共，中共必敗於青年之手。但是，在世局及大陸之大鐵幕中，[illegible]

[illegible]

「太太團」打入「中總」

傳為赴大陸「觀光」伏筆

高卓雄表示：「港督都能去北平，杜慧珍（高氏太太）去廣州是不值得希奇的，即使高卓雄有機會去廣州，也不是問題。」

中華總商會在最近的一次會董會議中，迅速地通過了七名女性為「中總」的永遠個人會員，有人以為這是寫下了「太太團」返回大陸「觀光」的伏筆。

沒有人在事前會體味到這可能是一種含有濃厚政治性和有計劃的行動，這一個「太太團」是以現任副會長高卓雄的太太杜慧珍為首，此外，是幾位常務會董和會董的夫人。

太太當會員　先生作介紹

最巧的是，這些太太加入「中總」，却都是由她們的先生做了介紹人，七位太太的名單如次：杜慧珍、鄺慧芳、郭月英、鄧雪兒、何蕙蘭、馮蕙珍、馮蕙芳；介紹人依次為：高卓雄、蔡屏南、譚立甚、余耀棠、黃鏡初、龍鳳牛、和許庇毅。

當這一個陣容列出之後，許多人都忽略了這七個會員入會的重要性，祗有敏感的人才會想到這是一九五六年商會改選活動的前奏，一班活動的人把太太們抬出來，以增加選票的需要，但從沒有人會想到除了這一筆還有更厲害的一筆，如果不是報紙的揭露，是沒有人想到會做生意的商人果真是「滿肚密圈」的。

機密告洩露　準備去廣州

一直到本月初，有關方面透露了一個極機密的消息，說港澳工商界在籌備一個「返國觀光團」和參觀在廣州舉行三月的「蘇俄展覽會」，預定担任副團長的就是高卓雄的太太杜慧珍。

這個消息是在「太太團」加入「中總」做會員後不久就洩露的，於是有人把高卓雄、杜慧珍，「太太團」、「中總」間的關係串連起來，發覺「太太團」的加入「中總」，問題實在並不簡單。

以杜慧珍為首的「太太團」返入大陸的迹象越來越顯著，有許多屬於「保密」的蛛絲馬跡足以支持記者對這個太太團返入大陸的佈置已到密鑼緊鼓階段的看法，同時，作為「太太團」的丈夫亦公開承認有這一種傳說的存在。

動身赴大陸　時間有差別

當雙十節的前幾天，傳出了這一個「太太團」已經動程的消息，當是記者曾和一個和「太太團」有密切關係的商會常務會董取得聯絡，他坦白地說：「到目前為止，我能保證他們不會，動者在本月底以前成行。但下個月的事，我就不致保證了」。

太太變名人　大旗打起來

這一種說法，無異是承認了有這一種行動的在醞釀，祗不過是時間上的差別而已，一直到十六日，高卓雄答覆記者詢問關於他太太杜慧珍的行蹤時，他明白地表示他的太太還在香港，但如果要到大陸，並不是一件值得驚訝的事，高卓雄的看法是：「既然港督都能北平訪問，杜慧珍的去廣州是不值得希奇的，即使高卓雄有機會去廣州也不是問題」。

從高卓雄的「三股論」說法中，杜慧珍的去廣州似已成了定局，不過，說高卓雄要去廣州，那未免太早啦，如果高卓雄真的要去廣州，就無須捧出「太太團」那樣大做文章了。

我們必須了解到這次「太太團」的進入大陸為什麼必須要和「中總」拉上了關係，事實是非常明顯的，要是杜慧珍沒有參加「中總」做會員，則杜慧珍祗是杜慧珍，盡其最也不過是高卓雄的太太而已，但做了「中總」的會員後，就可以打起大旗了。

以杜慧珍為首的「太太團」是不是要進入大陸，是不是有這樣的居心，到目前還不能作最後的揭曉，即使她們果真成行，她們的表面目的祗是「遊覽」或「探親」，但很容易會使人懷疑她們此行是為了「親善」和進行「試探」鋪路工作的。

先生有顧忌　太太可出面

為什麼香港的「先生」不斷，而要「太太團」出馬呢，也許有人解釋到這些「先生」們一面對進入大陸還有一些顧忌，一面還懼於香港二百五十萬僑胞「雪亮的眼睛」。但是否如此呢，至少在目前是很難說的。

但，為什麼支持「太太團」的成行呢，那祗是先生們的一個「密底算盤」而已，這「算盤」能夠打響嗎？有着數嗎？很難說。

固然，這一切祗是根據外間的傳說，而「太太團」是不是有這樣的一個組織呢，任何人都沒有公開承認，同樣的，也沒有一個人公開承認過是否有這樣一個「太太團」正在籌備的北上，不過，經過的情形却是頗堪玩味的，香港人對這件事的醞釀與傳說是密切地加以注意的。

如果有一個類似這樣的組織北上，對香港的一般商人說來，那真是一件非常尷尬與使人不安的事。（毅）

一個月內五大盛典

港工商界熱烈籌備　下月慶祝自己的節

三個祝壽團月底可組成

十月在香港是熱鬧的，當然，在自由中國和有華僑的世界每一角落，都會同樣的感到熱鬧，因為在多彩的十月，我們有三個慶典，那是：國慶，華僑節和總統誕辰。

國慶，華僑節都在盛大的歡樂中渡過了，總統華誕，也在積極地籌備中，迄目前為止，至少有三個祝壽團在月底以前組成，這包括了工商界，勞工界和電影界的。

接着，十一月的來臨，又有着兩個重大的節目，那是十一月一日的商人節和十一月十一日的工業節。

這兩個節日並不單是工業和商業界人士自己的事，在香港方面而言，却關係着整個的僑胞，第一，因為國定的節日，第二，香港目前正由一個商埠蛻變成一個工業城的過程中，無論工，無論商在香港都有其重要性的。

也許有人說，香港的僑胞經過這三大慶典後，精神或者有點疲了，但並不，相反的，籌備這兩個節日的負責人却越來越有精神，越來越興奮。

單說十一月一日的商人節，除了中華總商會雖有常務會董提議慶祝而不獲通過外，九龍總商會，中華廠商聯合會都準備盛大慶祝，此外，至少有十五個行業將分別地舉行慶祝儀式。

至於距離商人節後十日的工業節，籌備的情形更加熱鬧，九龍總商會更決定舉辦一個工業產品會，無論在形式和意義上，對工業節的慶祝是隆重的。

為了使到二百五十萬僑胞對工業節有所認識，在工業節舉行一個工業展覽會，是非常適合的，九龍總商會並且通過了工業節那天聚餐後的摸獎餘興，將由工業界捐出大量作贈品，使到參加歡宴的人有皆大歡喜之感。

由國慶，華僑節，總統華誕，商人節一直至工業節，這短短的一個月間，香港人要經歷五個盛大的慶典，可是沒有一個人感到疲倦，相反的，越來越興奮，因為有這些慶典，總是值得高興的事。（岡）

千萬元建新屋

可容納八千人

屋宇委會第二期計劃

為了減少本港屋宇住客過擠，及改善市民居住條件而設立的香港屋宇建設委員會，現又決定實施第二步建屋計劃，地點在堅尼地城加多近街尾的西北山麓。那裏一帶是梯形或崎嶇不平的山地，有菜田、曠地和約百間左右的木屋。這些木屋雖然沒有接到通知遷出日期；但已受徙置區寮仔部人員登記，聲明隨時遷徙，且經指定在現有地點的東北崗上，為重建木屋之所。

建屋面積大約佔四英畝，屋宇的容納量和建築費多少雖然未見公佈；但鑒於該會第一步建屋計劃在北角渣華街的設計，相信在加多近街建築的房屋可能容納一千戶以上，人口八千人，建築費約一千萬元。

因為渣華街建屋面積佔六英畝半，擁有居住單位一千九百五十五個，可容住客一萬六千人，建築費約二千萬元。加多近街的面積約等於渣華街百分之六十，所以上述數字大約很接近。

加多近街與渣華街地點有許多相似的地方，同是非鬧市的邊緣，電車或巴士都可以到達，它與中區的交通電車費時二十分鐘。巴士約十五分鐘。（廣）

中共醫藥機構內鬨

揭穿暴利黑幕

王茅

在上海，有一家「公私合營」的民用藥廠，一九五〇年初被命令「合營」時，資產總值是五萬四千元共幣；私股約佔百分之六十三，公股約佔百分之二十九，餘為「代管股和合營股」。但五年後，却竟然賺了二百零九萬餘元，尤其在一九五一至五三年韓戰熾烈期間，該廠獲利最豐。

爭利揭露內幕

由於該廠私股比率為公股的二倍多，在盈利項下私股所佔利益比重遠遠地超過了公股，遂引起了中共的覬覦，不惜暴露自詆該廠在公方（中共）代表韓保棠和黨支部書記高強華的領導下的暴利經營秘密為非法，由「輕工業部監察室會同了上海市第一輕工業黨委和第二輕工業黨委統戰部等有關單位派遣檢查組對該廠進行檢查」。（見十月九日天津大公報）

事實是該廠經營之道，完全是通過了中共黨的組織和公股代表——高強華、韓保棠總經理之後，才實行的；鉅額的暴利，也是得自他們的鼓勵認為「多賺點錢沒啥，反正資本家拿不走」，才做的。但現在却一變而以「私方資本家麻痺他們串通腐蝕」等罪名來加以清算了。

四項暴利罪名

該廠究竟如何暴利呢？它的罪名有四：一、「利用公私合營招牌，進行投機取巧」；二、「利用試製新產品，搞虛報成本牟取暴利」；三、「製定獎金制度，隱蔽腐蝕職工，逃避監督」；四、「抗拒國營醫藥公司領導，用欺騙手法達到暴利目的」。（十月九日天津大公報社論）

但根據天津大公報的「上海通訊」分析，這個非法暴利的內幕，實由於上海「國營醫藥公司」為了和民用藥廠互爭市場利益的矛盾才被暴露的。緣前者力圖以專營包銷，委託加工的領導姿態獨佔該廠的產品，而後者却積極自謀開展自產自銷。當「國營醫藥公司」以控制原料扼制該廠時，該廠則向「自由市場進貨」，並以低價的進口貨混充自產品，高價賣給醫藥公司」。這就是它「抗拒領導，非法暴利」的全部罪名內容。

共幹皆大歡喜

當一九五一年韓戰最緊張時期，該廠奉命積極從事「新產品試製」，一方面為適應趕任務，訂了一個獎金制度，「每月抽月度盈餘額的百分之十按工資比例發給職工，另外每個季度再抽季度盈餘額的百分之二發給職工」。這套制度實則亦是得中共黨組織的暗示和批准，由公股代表總經理由負責執行的，換句話說，這是上自黨書記，下至工人皆大歡喜，利益均沾的制度。但現在却成為「隱蔽腐蝕職工，麻痺幹部」的藉口。

從非法謀利的角度來看，該廠產品之所以能夠獲得暴利，乃是中共「國家資本主義」領導獨佔壟斷的自然結果。真正受害的自然是老百姓，根據暴露出來的資料看，該廠出品治療婦女病的「二羥二苯已烯」的暴利達百分之一千以上；治療甲狀腺機能亢進病的藥品「甲硫氧嘧啶」每公斤實際成本二八一點九元，而上報成本却是六〇七點二元；一九五四僅在專治麻瘋病的「苯丙楓」和「氧苯楓」二種藥品上，利用虛報成本的結果，利潤達到百分之三百以上，僅暴利二十三萬元共幣，佔全年盈利的百分之三八點三。

消滅「合營」企業先聲

由於與「國營醫藥公司」競爭市場，該廠不惜削價拋售「六合維生素」二萬五千瓶，而拒絕將產品賣給「國營醫藥公司」。該公司原意圖按市價四元五角打八三折全面收購各廠產品後壟斷市場，但該廠却以每瓶四元二角拋出，這可見暴利欺騙人民的不只是民用藥廠，「國營醫藥公司」也是一樣從事暴利剝削的，後者既是獨佔性的機構，其暴利當更富於前者。

這件案子，從表面上看，是民用藥廠本身遭受清算，僅該廠的私股董投資人將遭受到無妄之災。實質上却是中共有計劃全面清算「公私合營」企業的先聲，將之作為吞食私股利益的範例。做刻下中共已喊出「堅決反對合公營私」的口號，擺出了要作「無情的鬥爭」的態勢！

因此，可以相信緊跟着這件案子被攻擊的「合營」企業，仍將發生，以實現其消滅「合營」企業內私股資本的陰謀！所謂「公營」，本來就是過渡性的措施，中共的最後目的，便是將一切私人資本都掃蕩無存。

上海迫遣停頓

碼頭大事擴充

上海實施強迫疏散後，百餘萬不事生產的平民離境，已使上海物質消耗比重大大地減輕。過去六個月間被迫遣的市民，最遠的被遣送到東北，最近的遣回京滬杭甬各地。據最近來港的外僑說，迫遣實際已因人民普遍反對而告停頓。但是大批的物資，如米糧、棉花、蔴業、和其他次要農產品則紛紛集中到上海，使上海運輸負荷大大增加。

據南京「新華日報」的消息說：為了增加和適應上海的交通上需要，黃浦江邊許多碼頭上，將有七十五架新的傳送機投入生產。最近架起了新的輸電綫。為了適應機械操作，碼頭上修起了近七萬平方公尺的道路，鋪設了五千多尺的輕便鐵軌。該報說：「依照五五年計劃規定，上海港灣在繼續增加裝卸機械。到一九五七年底，機械裝卸的比重，可達到百分之五十。」

該報又說，上海的私營碼頭、倉庫，都已改變了形式，而納入了「國家計劃軌道」。因此，不再有私人的碼頭和私營的倉庫。以使中共擬訂「整體計劃」，將來設置一批煤炭、糧食、鋼鐵、礦石等專用碼頭和倉庫，並將港口吞吐能力提高。而企圖將上海成為華東集結物資的中心點。

「新華日報」更指出：從吳淞口到鰻鯉嘴這一條長達三十六公里的上海港的航道上，現在每天都可聽到隆隆的挖泥船在工作，這條航道將可保證萬噸巨輪在最低水位時通行無阻。並闖打破過去沒有的夜航慣例，添設許多新燈塔、燈浮；使每天有數逾千計船隻晝夜航行。該報復強調「今年上半年來自各地物資的輸入量，比一九五三年的全年總輸入量達到相等的數目。」由此不難窺見上海集中大量農產品是怎樣迫切。但是，上海的本身消耗已顯着銳減，中共為何要將華東各地的農產物運集上海，誰都覺得很驚異的。

事實上，上海的地位祗是一個物資轉運站而已。「新華日報」解釋說：日暉港車站和麥根路車站是和南方各有物資交流的咽喉，它和北方各省的鐵路系統同樣地重要。又說「今年進出口物資比一九五二年增加到百分之八十八。這一事實，顯然是中共同東歐、中東若干國家物資交換比重增加而來。由於這種需要，中共的鐵路系統，也就和蘇俄、北韓、越盟、蒙古、羅馬尼亞、保加利亞、捷克斯洛伐克、匈牙利、波蘭、阿爾巴尼亞以及東德之間，現在已經陸續組成了『聯運網』。」

為了適應中共備戰的迫切要求，不惜勒索民食作飢餓輸出，以換取戰略物資，和支持共黨附庸國的侵略。上海的棉布代銷店，「百貨公司」和「合作社」的門市部顧客，一天少似一天；廿五元一担的大米定價，只是裝裝場面，在糧食「配給」下，早已有價無貨。每當來自海外的國際遊客，看到寬闊的馬路、新建的築物和如供展覽的物資時，自然不會意識到購買力消失的市民，經常受到飢餓和恐怖威脅的。（總）

不祥的生活

自由談

爲着一個皇家小姐的婚嫁問題，從英國到全球各個大小都市中，凡是有報紙的地方，皆鬧成滿天神佛之象，天下最無聊的事，未有逾於此者！

英國人由於傳統的文化思想，以及王位繼承權的法制關係，對瑪嘉烈公主的戀愛對象有所議論，無怪其然。英國以外的人士，也跟着起哄，卻是爲何？爲的她是帝王之家的女兒嗎？現時流連在意大利風景區威尼斯一帶的各國帝王後裔，如公主親王之類的青年男女，車載斗量，豈事不一而足，大家何以又不注意了？唯有對於這位平平無奇之公主的羅曼史，乃喧嚷不休，極盡好管閒事的醜態，可哂孰甚！

假使這位瑪嘉烈小姐是生在尋常百姓家，那怕她演出任何可歌可泣婚變奇跡來，也沒人浪費精神，要在報紙上連篇累牘，不擇煩瑣地發表消息了。過去她的伯父爲愛情而犧牲王位，那是值得注意的大新聞，像現在的瑪嘉烈小姐，她願意嫁給誰，有啥稀奇呢？倫敦的泰晤士報居然對此事大發議論，表示反對，已覺可惜，而其他國家的輿論界亦像煞有介事地吆喝不已，替今人担憂，不亦怪哉！

即此可知人類不但生在帝王之家是一樁大不幸的事，就是一般政治人物的私生活，也特別容易招惹是非，嘗受無謂的煩惱。因政治關係而連個人的私生活失卻自由，隨時給別人作爲消閒解悶的談話資料，甚至構成政潮，激迅政變，從人生的意義設想，實在是不祥之至！然而，人類又偏多喜歡稱王稱帝，拜相封侯那種活受罪的生活，禍延自己的兒女們亦所不惜，好似撲燈蛾一樣，朝着政治權位那種烈焰熊熊的燈光，拚命地撲去，奈之何哉？人，是否眞係萬物之靈，待考也。

馬五先生

友與敵

薩摩詞

共產黨有一句教條是「劃清友與敵」，可是他的友與敵天天有不同的劃法。用術語來說，這是辨證的劃分。今天的友可是明天的敵，明天的敵也可以是後天的友。這因爲友與敵有矛盾的統一。

其實，以黨爲中心，友與敵是很容易劃分。服從黨的爲友，不服從黨的爲敵。可以被黨利用的是友，沒有可以利用的就是敵。在與黨利害一致時是友，在與黨利害對立時是敵。是友是敵，無論如何變化，不出這三四個原則。

可是在民主陣營中，想劃分友與敵，這就不容易了。

有人也是以黨爲中心，做共產黨之法來劃分，可是偏偏標的是民主的旗幟，並不能像共產黨一樣的響響亮亮叫出來。因此他的友敵之分非常不明朗。

也有人以個人利益爲中心，那裏給他錢，就認爲是友。友之敵人即爲彼之敵人。他的友與敵永不固定，隨錢的來源而定。

也有人以個人之主張爲中心，合於他主張的爲友，不合於他主張的爲敵。因此他的友敵之分，隨時隨地不同。

也有人是有敵無友論者，他認爲一切現存的各黨各派各種主張者都是敵人，無法合作。因此他自己以爲是最正確最清高最超然。

也還有人是有友無敵論者，他認爲一切現存的各黨各派各種主張者都是他可以利用的友人，混水摸魚，在他們彼此對待摩擦之中，他可以無往而不利。他以爲自己是最聰明最強者。

要這羣民主人士團結，我們對團結大會裏的情形是不難想像的。你說反共的都是友人，親共的都是敵人麼？有人就說，他雖是反共，但也反我，所以我不認他是友人。有人就說，我雖反共，但要吃飯；但吃飯第一，反共第二。你先給我飯吃，我再同你反共。有人就說，我雖反共，但我的反法無法同你一致。有人就說：我在反共，有人給我支持，你要同我團結，可是想分我的津貼麼？還不如各幹各的。有人要說：團結是對的，但有了某派或某人，我就不想參加。……

民主陣營，實則並無陣營；團結不易，因此就成了：「大家是友，彼此是敵。」

如果以文化陣綫來說，當日大陸上自由文化人之所以未能阻擊左翼文化運動者，正是自由文化之「大家是友，彼此爲敵」之態度也。

此時此地，別的都談不到；自由文化人倒是需要一個原則上的共同綱領才對。遵守共同綱領，雖不是積極的友的團結，至少也是消極的敵的劃分。

願區區此意，可得各報各刊反應。那麼或有熱心人士，會起而共同擬此項原則上的綱領了。

馬毛雪茄

·牛布衣·

愛迪生最喜歡抽雪茄，他的老伙計常在他的烟盒裏拿起雪茄就抽，愛迪生想和他們開個玩笑，叫烟廠替他特製一盒雪茄；原料是馬毛，漿糊，和其他燃燒起來發生惡臭的東西。

這時期，他正在研究一項極難解決的問題，把馬毛雪茄的事完全忘了。過了幾天，烟廠的老板來看他。愛迪生問他爲什麼不替他特製馬毛雪茄。

『不是製好了嗎？兩個禮拜前便親手交給了你，』老板好奇地說。

原來愛迪生聚精會神於他的工作，把整盒馬毛雪茄都自己抽完了。

艾克吹泡泡，吹出人造衛星（轉載英「笨拙」雜誌）

語意學漫談

一切宗教語文的出發點，都認爲它所懸擬的理想人格，是人類生活最高的目標，而它所規約的行爲方式，是達到這種人格完成的最直接的道路。所以它的規約和促使，全是以最高權威的態度出現，而絲毫不容他人的爭論或懷疑。不過宗教究竟是人爲的（由人所造成的）。而人類有生活環境和文化進化的不同，所以人類中也就有許多不同種類的宗教。因此，權威和權威之間，就不免彼此發生了對立和衝突。

世界上既有不同的宗教，每個宗教又規約了許多不同的行爲方式，所以爲了辯護各種宗教的理論和生活，於是環繞着這種宗教，就逐漸產生了一大套的批評辯論的文字，這就是許多神學典籍的由來。它們多半都是旁採科學和形上學的理論，說明各教所規約的，怎樣的適於宇宙和人類的本性。同時爲了扶助宗教情緒的發達，人類又運用了種種美學的形態（唱歌、音樂、圖畫），和許多工藝的技術（雕塑、建築），而成就了許多極可觀的文化產品。所以，詩歌、音樂，繪畫、建築等等，雖然不能說是宗教的直接產物，但是在它們成熟和發展的過程中，它們却都和宗教生活呈現過不可分離的聯鎖。

宗教語文的目的，是給人們一種生活的目的和方向。人們能接受它，它算成一切，不然則否。當一種宗教語文不能給人們一種滿意的目的和方向時，這個宗教就走上衰落的路程，這時馬上會有新的『先知』和『教主』現身，來講說他們的另外一套的『法』，如若有足夠和多的人們對於這個新道理能加以接受，於是一個新的宗教，就這樣的產生和發展。

人類生活在世上，對於他這個生活，似乎都須要有一種較基本的態度和觀念，有了這個基本態度，他才覺得他的生活有意義，他的行動有了定向。沒有這個基本態度，他好像大海中一隻失去了舵的船，就是無風無浪，他也將要爲徬徨恐懼所毀滅。而對於這種基本態度作強有力的提示，正是人類一切宗教所共有的特徵。所以，人類存在一天，他的這種基本需要也存在一天，而宗教語文，不管它未來的形態如何，也就有存在的理由，原由和價值。（六十三）

·徐道隣·

蔣廷黻徐謨之爭

憶。永。

信手拈來

頃友人歸自海牙，備道徐謨在國際法庭受人崇敬之隆，一時無兩，爲之一喜。

國人任海牙國際法庭法官者，前後共有三人：王寵惠之後爲鄭天錫，鄭後即爲徐氏，以迄於今。

徐氏自北洋畢業後，留美讀碩士一年即歸。初受天津南開大學校長張伯苓氏之聘，任教授。時現任我國駐聯合國代表團長之蔣廷黻氏亦任教南大。蔣對張伯苓氏之聘徐氏頗持異議，蓋以徐氏之學歷並不輝煌，蔣氏之意：徐僅能任講師；充其極，副教授已足，決不能任以教授。事聞於徐，爭論遂迅。徐對張氏曰：「教授能否勝任，應視其有無實學。講授是否深爲學生所喜。而使學生確能獲益；能否以本國文字寫作，而流暢敏捷；其著作是否確有學術價值：三者皆爲首要，不能徒憑博士虛銜。敢請與蔣君一作比賽，倘余確如蔣君所稱，當不敢誤人子弟，自貽伊戚也。」徐氏不特精其所學，中文尤佳，書法亦勁秀，非蔣所及。張氏初聞蔣言，正是疑躊躇，至是，意遂決。

徐氏開始授課未幾，已名噪校內外，課室上課鐘聲甫響，課室已無虛席，外系學生未選徐氏課者，亦環立兩邊而聽。時華北年有八大學演講比賽，自徐氏任教南大後，南大每次參加，均由徐氏率領，指導，屢獲勝利，南大之所以成爲國內名大學之因素固多，徐氏之功實不可沒。

徐氏飽學，口才便給，敏於思，實至名歸，飲譽海外，宜也。

隨想錄

紀瑜輯譯

仰·慕

一、我們常常愛那些仰慕我們的人，而不愛那些我們所仰慕的人。

二、我們衷心所讚揚的，通常是那些仰慕我們的人。

三、我們對旁人的信賴，有一大部分出於我們要求旁人的同情和仰慕這個願望。

事·情

一、人和事情都有它們縹渺的一面；爲了好好兒判別，其中有些必須近看的，也有些如果你不近看，永遠不能好好兒判別的。

二、有些事情和弊病可以用東西偶爾刺戟一下，而聰明人的本領，就在知道什麼時候使用這些東西而沒有危險

三、在重大的事情上，人與其利用它所呈現的機會，不如少去促使它發生機會爲妙。

苦·惱

一、有些我們在苦惱中找到的藉口，其實不過產生於利害和虛榮心。

二、苦惱中包含着好些虛僞：例如，我們爲親愛的人有所損害而痛哭，實際上只是爲我們自己而痛哭；我們惋惜一個好主意無法實踐，這主意總跟我們有關；況且，我們之難過，不外乎我們的好處、歡樂、謹慎等趨於減少的緣故。我們爲死者流淚，實際上只是爲了生者。諸如此類的虛僞並非出於故意，我們在自欺而已。但是此外也有希虛僞是出於故意的，因爲它們欺騙大家：例如那些苦惱，覺得動美麗永恆的痛苦之火，實際上事過境遷，它馬們上就消滅了。

糧食問題

秦敏

東京正舉行世界規模的大的國際節育會議，討論應付人口激增的危機。同時日本天主教領袖也在東京開會，譴責節育違反教義與「天道」。兩者形成了一個強烈的對照。

世界人口激增，足使人類普遍陷於饑餓，已不是新的說法，遠自馬爾瑟斯的人口論面世以來，一直有人不斷加以討論發揚。美國全國家庭計劃協會主席伏格特在這次東京會議中提出警告，人口增多，而糧食的增產不能並進，將來必將引起新的戰爭。這種理論，實際也不脫馬氏窩臼。

戰爭固然是發生之於人口問題，但在今日的原子時代已不能成爲全部的原因。去年美國出版的一本社會問題新書，也曾提到人口增加的趨勢必須加以抑制，但作者也認爲，即使地面的糧食不足應付未來人類之需，但海洋中還可取之不盡的海藻之類的植物可供人類食用，而且，在科學的新發展之下，某些將來極有可能出現「綜合食物」，使人類至少不會挨餓，雖然未必能獲得口福之享。由此可見，如說糧食問題必會引起戰爭，未免顯然落伍了。

人·獸·之·間

辛文

在朋友家裏閒談，不曉得怎麼一來，話題轉到各人以往的經歷上頭去了。各人講各人的，講完之後，各人臉上都露出了悻悻之色——或怪旁人不能了解他，或者怪自己口才不好，言不達意。

其實這種不滿是不必要的。家家有本難唸的經，人人肚子裏有包苦水。比方最近名揚一時的婦女遭強暴案，旁人談起來多數對她表示很『同情』，其實呢，在她本人，一定覺得都是隔靴搔癢，毫不相關的。

人的經歷不能完全相同，由這經歷刺戟而生的情感也就不能完全相同；既不相同，便無所謂同情。況且即使參加同一戰役的戰友，被同一丈夫先後遺棄的女人吧，經歷相同了？但是各人的性格又不會完全相同，其感受刺戟而生的反應也就不會完全相同。而其間毫釐之差，往往一去千里。人，是注定了寂寞的動物，你只能在宴會中暢談風花雪月，深夜夢回之際，卻永遠只有你自己！

基督教講上帝造人，夏娃是亞當的一條肋骨，所以『這是我骨中的骨，肉中的肉』。夫婦之間，命運相共，起居與俱，該比較可以互相了解，彼此同情了吧？基督教之反對離婚，根據就在這里。其實夫婦之間也是無法了解，無法同情的。男女之成爲夫婦根本多數由於情欲，情欲旺時，歡愛十分，沒有功夫談什麼了解和同情；情欲一熄，大家覺得厭倦，更沒有心計談什麼了解和同情了。父子之間是兩代人，隔膜太多，兄弟之間又往往是競爭的對手，同性相斥。也許只有兄妹姊弟之間可以有一點了解，因爲彼此有點吸引，就有關心，但是不會有情欲迷住眼睛。可惜『同情』也者，仍然很難的。譬如一個妹妹不願意生孩子又不願意打胎，這苦惱就不是哥哥所能體會；弟弟在交易所裏投機失敗，其苦惱又不是姐姐所能體會的。充量至極，以爲『他（她）現在很傷腦筋，我清楚』。他們眞清楚麼？胡說！

人跟動物的基本差別就是人有思想，情感，思想和情感又有語言可以表達。但是言語所能表達的思想和情感究竟有多少呢？簡直不能想，想起來便『人』傷心。

自由人

THE FREEMAN

（第四八六期）

中華民國僑務委員會
頒發登記證台教新字第一署二號
中華郵政台字第五〇〇號
執照登記爲第一類新聞紙類
（半週刊每星期三六出版）
每份港幣壹毫
台北市售價台幣壹元
督印人：陳文華
地址：香港高士威道二十四號四樓
3 rd. fl. 20 CAUSEWAY RD
HONG KONG
香港發行及業務接洽：高士打道66號 電話：七四〇五三
承印者：東南印務出版社
地址：高士打道六十四號
海外總經銷 友聯書報發行公司
香港：德輔道中二十六號A二樓
台灣特派員辦事處
台北市館前街五十號
台灣總經銷處
台北市西寧南路壹壹壹號二樓
台北郵撥儲金戶九二五二

封鎖大陸口岸是否合法

·趙冰·

近因我國政府積極執行封鎖計劃，引起外間議論甚多。一部份人士，尤其外國商人，爲其生意之利益，極力反對，認爲國府之封鎖計劃爲非法；另一部份人士，基於正義感，擁護國府之封鎖計劃，則認該計劃爲合法。孰是孰非，莫衷一是。茲特請中外知名法學權威現在香港執行大律師業務的趙冰就封鎖法發表其觀點。幸讀者注意。——編者——

封鎖分爲二種，一爲和平封鎖，一爲戰爭封鎖。前者爲雙方並未交戰，而以封鎖手段強迫對方就範；後者爲交戰時期用來切斷敵方之一切對外交通。

和平封鎖

所謂和平封鎖，例如甲國對乙國有所要求，而爲乙國所拒絕，或乙國之作爲妨害甲國之權利，爲迫使乙國就範，而同時又不願與乙國交戰，僅封鎖其港口，阻斷其對外之交通，是謂和平封鎖。

和平封鎖造端於一八二七年土希戰役，時土耳其正於希臘之領土上與希臘作戰，英法俄三國爲強迫土耳其接受調停建議，封鎖希臘之港口，使土耳其之作戰物資不能運交其在希臘作戰之軍隊。自是而後，凡強國爲使弱國就範而又不欲與之交戰者，每使用和平封鎖以達其目的。

和平封鎖初被採用時，並無任何爭議，但當其變爲國際習慣之後，問題於是接踵而來。英國主張和平封鎖不能干涉與爭論無關國家之船隻，對於敵人之船隻，僅能扣押而不能沒收。法國則主張執行和平封鎖之國家，不僅有權俘虜及沒收被封鎖國家之船隻，即第三國家之船隻通過封鎖綫時，執行封鎖國家亦得俘虜並予沒收。此兩種不同主張之爭執，於一八八四年時達於極點，英法兩國因而幾啓戰端。是年，法國爲迫使清廷接受其要求，會將台灣海岸之一部份封鎖。因法國主張凡企圖駛進封鎖區之任何船隻，一律均得俘虜及沒收，爲英國反對，幾致對法國宣戰。嗣以清廷懦弱，屈於法國之壓迫，封鎖未久，即行屈服，英法戰爭始免。同樣之事件於一八九三年亦曾發生於暹羅，法國因強迫暹羅接受其要求封鎖湄江，亦因暹羅政府旋即屈服，英法之戰又免。經過多次爭執之後，英國之主張爲列強所採取，即：和平封鎖之執行，不得干預第三國之船隻，亦不得沒收任何船隻。

重要事實

所謂戰爭封鎖，亦即本文討論之主題。在未討論之前，吾人應首先確定一項重要之事實，即國共交戰狀態是否仍然存在？

自一九四九年中共受蘇俄之驅使及援助，反叛政府並侵佔大陸，國府爲平亂及收復失地，由南京還都台北之時起，已入於交戰狀態。平亂乃獨立國政府之職責，爲國際公法所承認，況國府在聯合國係被認爲代表中國之政府，大多數國家又承認國府爲中國唯一之合法政府，則平亂爲國府之責任自無疑議。而國府既有此職責，而中共又不停的作攻台之準備，是國共交戰狀態，從未停頓，以迄於今。

國共交戰狀態既仍存在，則根據國際公法，國府當然有權封鎖中國大陸之任何港口或海岸。當美國南北戰爭時，美國政府亦曾封鎖南方反叛政權之港口及海岸。此乃國際公法給予合法政府之權利，亦爲合法政府對於反叛政權之必然的及必須的制裁行動。

戰爭封鎖

戰爭封鎖乃一種敵對的軍事行動，同時亦爲海上的行動，是以應爲國際公法之特別海事法所管轄。戰爭封鎖既係用以截斷敵方對外之交通，其目的乃攔阻敵方對外貿易，使其不能獲得外援。首先用戰爭封鎖之國家乃荷蘭，當十七世紀時，荷蘭類其稱雄世界之海軍，不顧中立國之利益，不分皂白損害敵方與友方之商業。及其海權衰減，乃又極力主張中立國之權利，以與新興的英國海權對抗。世事是循環的，當英國海軍不及荷蘭雄厚時，英國極力主張中立國之權利，英國成爲世界海上霸主之後，亦只顧封鎖者之權利而忽視中立國之利益與荷蘭殊無二致。

封鎖法是因時勢而變遷的，最初，封鎖國須以充足之軍艦停泊於被封鎖國之港口；且須對企圖駛入被封鎖港口之船隻個別警告。迨遠程砲發展之後，停泊於被封鎖港口之軍艦，易受威脅，不能執行職務；加以蒸氣機之發明，汽船代替帆船，封鎖法不能不隨之而變更，只須有足夠之軍艦巡邏於封鎖港口之外即被認爲合法。

倫敦宣言

現代的封鎖法，可於未批准之一九〇九年「倫敦宣言」內窺見一般。當其時，因海事法之零亂及陳舊，英國政府召集海軍國家在倫敦會議，簽訂「倫敦宣言」。該宣言雖經參與會議之代表簽字，但以參與會議之國家各懷鬼胎，致迄未個別予以批准，雖然如此，該宣言事實上則爲列強所遵守，如在一九一一年至一九一二年義、土戰爭時期，義大利即遵守該項宣言，第一次世界大戰之初期，英法俄亦遵守之，直至一九一六年七月七日，因德國之橫行無忌，迫使英法不得不將之放棄。當通知中立國放棄「倫敦宣言」時，英國之備忘錄云：「因海陸戰術之不斷的發展，新式軍械之發明，加以敵國之集中其整個的財源，以完成其軍事之目的，以致現代之戰爭全然與昔日之海戰不同」。「倫敦宣言」雖已廢除，但其精神則仍然存在，在未訂立其他協定之前，「倫敦宣言」之精神仍爲列強所尊重。（注：「倫敦宣言」中國並非簽字國家。）（上）

社會主義錯在那裏？

趙國棟譯

社會主義之理論權威們，對於曾在英國實行及經在美國提倡之社會主義，最近重加檢討，認爲理論不充分。換句話說，事實證明馬克思完全錯了。

最近作此結論的是魯益世教授（LEWIS）。他是英國工黨中理論家之一，並爲英國社會主義者們所尊敬的人物。他批評國有及其他社會主義者所持之理論，認爲有些資本主義者之見解——例如，企業中之高利潤——畢竟不太壞。

在他之前，美國社會黨黨魁，湯麥士，亦曾下過結論，說多少年來社會主義者之主張不可能照計劃實行。

他們及其他社會主義者們，以往總是把社會主義描寫得像是能使人人快樂、人人富足的唯一確實有效辦法。在社會主義之下，工人好像眞的是生產工具與設備的主人翁；並且由他們控制。政府好像是經濟計劃者及控制者。高稅率好像會能強迫富豪去把他們的財富分給窮漢們。

魯益世教授現在所批評的就是這些概念；尤其以二次大戰後英國工黨當政時期，接管煤礦與鐵路，徵收高稅使私有財富至於大部絕迹，並經由政府法令嚴格管制私營工商業等措施爲批評對象。

魯益世教授在英國「社會主義評論雜誌」中寫了兩篇文字，分析社會主義之錯誤。要點有三：

一、工人在工業中之主有權

「……所辦到的是將資產移轉給政府，並沒有交給工人。工人繼續爲被僱傭者，工作時仍然須忍受大企業下之一切困惱……。那些期望公營後增加工資者全都失望了……。新辦法並不能解決任何勞工問題；它減少了私有財富之重要性，但只是漸進的；它產生了許多未能解決的管理問題；它產生了我們願給我們政府多少權力之爭論。」

二、私營事業上之政府管制

整個制度……究繁……不合民情……無必須之要……。它把整個人民置於政府科員們之操縱與擺佈之下；配給物品之請領，房屋修飾許可證之請領，汽油購買許可證之請領，一切之一切皆然。

三、向富人抽重稅

「我們在國內推行累進稅制，業已到了一個危險地步：……即將個人冒險之激勵動機毀滅了。沒有人肯爲有巨大虧損可能之事業而冒險，除非兼有相等的巨大利潤之可能。如果我們弄到巨大的利潤無有可能，那麼我們是在那裏窒息企業。」

此外，魯益世教授又指出：

利潤：是一種「必要」

他說現代的社會主義者應當做的是拋棄一些陳舊的理論，而採取一些資本主義的見解。他的解釋是：

「我們要小心謹慎，勿使我們的生活費用超過我們的收入……消費必須節制。現金工資每年決不可增至百分之十，因爲我們的生產增加不多過百分之二也。」

「我們的祖先從不爲經濟之發達而煩心……而今我們却明瞭到經濟發達之諸多條件中，還需要大量的投資。回過頭來說，這個即是消費中之節制。更糟的是在私營企業之經濟中，大部分儲蓄來自利潤，而且大部份投資祇在有利潤之獎勵時才會出來。所以我們如果想要有巨量的投資及迅速增高的生活標準，我們必須要有高度的利潤率。

「在我們黨的傳統中，每逢有人提到『利潤』名詞的時候，總會有一條血管爆炸了。要求節制工資，而使利潤能得增高，那是褻瀆神聖的論調。然而這正是我們清清楚楚出現在我們面前的眞情實況，我們必須面對之。」

所得稅：是「錯誤」的。

轉到社會主義者的「擠取富人」的重稅理論上，他說：

「……任何一個着重所得稅之政策，都是對向錯誤。所得之差數有如此巨大之原因是在機會與資產之不平等。如果我們減少資產之不平等，並經由教育以保有更多的機會平等，則所得之不平等自然而然會減退；因此，重的累進所得稅之需要亦然。

「在一個所得差額不大而且合理的社會中，我們可以完全依靠各種間接稅。間接稅實在是最良的稅制，不但因爲間接稅之徵收費用輕微，每一個人又不必爲填寫報表而傷腦筋；而且亦因爲間接稅不阻抑企業心與進取心。」

國有：是「極權主義」

魯益世教授對於政府主有權之批評是：

「我們眞的想要授權給在位的政府而不怕太多嗎？我們是『人民』的黨。所有的資產及所有的就業機會全部集中於一個政府，這樣的一個機構不是社會主義者之觀念，而是極權主義。

「……其他辦法之一爲資產民主化，不用政府主有方式而取大衆分配方式。在一個社會之中，每一人主有一部分等這的資產，要比政府主有全部資產近乎社會主義理想。……建立徵稅制度，遺產制度，財政制度，以折散資產集中，而重新分配資產主有權；這是可能的。」

政府管制私人事業

對這問題，他的意見是：

「……並不是說全部管制都應當拋棄。除非保有若干極少的管制，經濟制度不能美滿實行。我們該特別注意的是保持全民就業，防免不景氣區域之緊急狀態，維持保住支出平衡。這些我們必須標榜之，並改善之。」

社會主義今後之趨向？

魯益世教授承認以上見解與往時的社會主義有重大的抵觸。他又說道：

「有些黨員……好像以爲我們還在一九〇〇年代，依然乞靈於那陳舊的處方。……說來說去，那是我們黨內的知識份子不肯在這些問題上用點腦筋。……我們的任務不是拉住一九〇〇年代之一輩人物；而是要爲我們爭取今後的男女青年之忠誠與熱忱。」

這些是一位英國第一流社會主義哲學家的結論。他是一位像許多其他社會主義者，開始發現社會主義中有許多錯誤，並在資本主義中發現許多優點。

（譯自「美新聞與世界報導」）

時事評述

·李秋生·

根本無望的四外長談判

四外長會議前天在日內瓦召開，從開幕的氣氛來看，顯然是歧見多於和諧。現在所要談判的第一項主題，即德國統一與歐洲安全問題，本是日內瓦四巨頭會所遺留下來的不了之局。把與會者的階層低一級，難道就會產生奇蹟嗎？

四巨頭會以後唯一的重要發展，是西德總理訪俄及雙方建立外交關係，此舉表示蘇俄正式承認「兩個德國」的存在，也就是無意使東西德復合。德國即統一，也不致威脅到東歐與俄人的安全，此理在克里姆林宮何嘗不洞若觀火。西方迭向俄人提出安全保證，實際都是多餘的。

現在，歐洲的僵局已成定局。西方斷不肯放棄西德，使德國中立，更不會自行拆散所恃爲安全保障的北大西洋公約；蘇俄也決不願丟開東德，讓德國重獲統一。任何「日內瓦精神」，碰到這項僵硬的問題，都是無能爲力的。

西方列強無疑把四外長會議當做一件大事看待，法國搖搖欲墜的內閣，只因爲怕沒有一個政府代表法國到日內瓦去開會，纔得到苟延殘喘。艾森豪總統更從病榻之側，爲希望蘇俄「提供眞正渴望和平的證據」而提出呼籲。蘇俄的興趣則好像並不在此。因而以一個顯著失勢的莫洛托夫去出席四外長會，只是說明了俄共對此會議並不重視，也無所期待。

俄共助長中東危機

歐洲僵局一時不易打破，能夠引起重大發展者只有中東和遠東。西方也許並不一定對中東遠東輕視，但至少是放在第二位去考慮，因此就給予俄共以可乘之機。

中東危機已呈白熱程度。共產集團以軍械供應埃及諸國後，各該國相互間又締結了軍事協定，這顯然是一次新危機的信號。

在以色列與其阿剌伯各鄰邦間，隨時都有觸發大戰的危險。據美國務院所得情報，則蘇俄也曾向以國提出供應軍火的建議。西方過去爲了維持以阿雙方實力的均衡，曾以一定的比例供應雙方軍火；但蘇俄的此項做法，即顯然是在火藥庫旁撒佈火種。

西方藉巴格達聯盟的「北部連鎖」以防範蘇俄，蘇俄却利用軍火供應橫斷「北部連鎖」而侵入中東。情況發展至今，西方還拿不出有效的對策。

中共兩項新策動

在遠東，最近有兩項值得注意的發展。美遠東空軍總司令庫特上將在東京表示，中共蘇俄可以共用的空軍基地正逐漸伸向南中國，台灣對海的五個機場尤具軍要性。他抵達台北時，又在機場對記者談及他具有中共在內陸集結空軍力量確實情報。這是東南亞地區的一個嚴重的警號，正不只是台灣海峽受其威脅。而沿海日來砲戰又不斷發作，間或還可聽到中共「解放台灣」的恫嚇聲音。

其次，中共最近突藉澳門舉行開埠四百年紀念，對葡方大施攻擊，並表示要收回澳門。

這兩項在形態上性質不同的策動，其行徑同樣是對自由世界的攻勢，其目標也同樣謀共黨的擴展。也許目前中共未必驟即出於行動，而祇是藉此嚇詐西方，針對西方姑息苟安的心理作進一步的勒索，但却決不應排除其斷然發動狂暴行動的可能性。西方一貫的政策運用，已使主動權掌握在共方手內。

慎防俄共的聲西擊東

這情勢使我們想起幾件往事。一九四八年，俄方封鎖柏林，西方惶惶然若大禍之將至，以耗費億萬的空運從事應付，另一方面，共黨却趁自由世界之漫不爲備而席捲中國大陸。去春，在柏林召開的四外長會議，德奧問題難獲協議，却無端引起日內瓦會議的召開，造成斷送北越的悲劇。目前情勢正臨到類似的危機。但願西方當局不要一味執着於盲目追求無望的妥協與和平，反而忽視了眞正的侵略危險。

海外通訊

從左右兩翼動態 管窺日政局前途

●安世●

【本報日本特約通訊】在日本政治社會中，有兩個問題爲國際所注意，可是鬧了四五年，仍不得解決，一個是保守合同，一個是左右社會黨合併。戰後日本政局，紛擾十年而不安定，其重大原因，即在於此。

鳩山緒方總裁之爭

所謂保守合同，因爲保守各黨，在議會中均無絕對多數，必須聯合，才能組織政府。所以民主黨與自由黨想聯合起來組一新黨，但是總裁人選發生了問題，鳩山以擁有多數議員，當然不肯讓緒方，可是緒方幹不了總裁，又何必合併，還有重光根本不太重視緒方，並且緒方之後還有吉田，因此保守合同鬧了半年以上，至今未得結論。

至於社會黨合併，到於本月七日以迅雷不及掩耳之勢而告初步完成，社會黨從二十六年分裂（左派反對再軍備，右派不贊成）何以到今天正值日共宣告轉換戰術時突然合併，並且今天社會黨的運動方針與政策綱領，百分之九十五，皆與日共是一鼻孔出氣，所以今天日本社會黨，（統一以後）就是從前中國的民主同盟，現在先把社會黨統一後的運動方針和政策要點介紹於左，然後加以檢討。

據該黨發表運動方針，約有五點：

一、對於國際，以促進緩和緊張局勢而努力。（表面文章）

二、對於國際經濟，注意共變化發展。

三、對於國內情勢，促進各階級深刻分化，反對再軍備，恢復對蘇聯及中共外交正常關係，注意保守合同及日共戰術。（其實他們今天的戰術，已經和日共是一而二，二而一了）

四、對於政局動向與黨之態度。以促進世界和平與日本獨立爲號召，利用勞動問題以樹立社會政權。

五、日常鬥爭之基本方針，隨時與日共保持密切關係。

新政綱正合共黨利益

十月八日再度發表的政策大綱，徹底完全證明合併後的社會黨，不折不扣是日共的尾巴。茲舉其最重要幾點，介紹於左：

（一）獨立，和平，安全保障：

一、外交方針：

甲 取消日美安保條約及行政協定；乙 以和平方法收回小笠原冲繩諸地；丙 在美蘇兩陣營間維持友好關係（骨子裏則完全親蘇反美）；丁 實現日本參加聯合國；戊 實現對中共蘇聯正常外交關係；己 禁止使用原子兵器。

二、防衛方針

甲 反對再軍備；

乙 阻止自衛隊擴充並求其漸減。

（二）民主主義之確立與國家體制化：

一、擁護和平民主的憲法。

二、廢止反動諸法令。（如破防法、公安調查廳法、禁止罷工法、教育法等）

（三）經濟之新建設：

一、中樞金融機關國有化。

二、重要基幹產業國有化。（電力、石炭、國家管理。）

照上述種種看來，今後的日本社會黨，決不是德國的社會民主黨，英國的工黨，而是從前中國的民主同盟，──日共的尾巴──標準的親蘇反美的有力政黨。

保守黨合併可能性

反過來看，「保守合同」的領導人鳩山和緒方分於十月九日及十日兩天在大阪公開講演，以博取多數聽衆的同情，保守合同，何時可以成功？大約有兩種看法，樂觀的看法，認爲年內可以實現，但還有相反的看法，認爲短期內不易實現。

我們要知道政黨的原則，分裂容易，團結甚難，莫道兩個政黨，就是一黨由分裂而歸于復合，必有意外驚人的壓力，還有左右社會黨的初步團結，當然由于背後的大力領導──第一日共，第二蘇聯，第三中共。可是保守黨的背後，誰是大力者，已成疑問，大力者的領導技術，又是疑問。不過，社會黨突然達成初步統一，卻是對保守黨發生了一個很大壓力，或者保守合同，由此實現也未可知。

展望保守合同成立

然而即使是保守合同實現，保守黨不過是議院中的多數，並不是過半數，要是實行當前再軍備計劃，其須先行修改憲法。要修改憲法，勢必解散議會。到那時社會黨固不會有絕對多數，可是保守黨也未必有絕對多數，若是保守合同成立，則政權仍在保守黨之手；若不成立，則社會黨出組內閣，頗有可能，因爲戰後日本，有一個憲政習慣，就是各黨票數皆會多數時，則比較多數者可以組閣。假使保守合同不成，而社會黨或者比保守黨只多一票，那他們也可以組閣，（現在多數人有此看法）自然這種政局也不會十分安定，不過當此再軍備聲中，無異是將日本一切國防上外交上秘密，向蘇聯中共一一公開了。所以無論如何，我們希望他們的保守合同成功，更望吾國朝野對於這一緊急問題，要與以充分注意，提高十二萬分警覺才好。

記印尼大選日

●唐璜●

（本報耶加達航訊）印尼首屆普選，雖尚在進行中，由於其情況熱烈，各黨所獲選票差距相近，此起彼落，至爲緊張。

目前雖距最後結果尚遠（須俟本年底方正式公佈結果），但此次普選，乃彭獨立十年來之創舉，全國人民熱誠投票之情況，却是值得一書的。

大選前後之景況

印尼各政黨競選活動原本相當劇烈，及至到達九月廿日，距（廿九日）大選爲期僅十日，競選宣傳工作進入高潮。各政黨領袖固席不暇暖在各地展開競選演說，即各政黨內部人員亦莫不通宵達旦地工作。

廿五日競選宣傳截止，但直至午夜十二時以前，椰城街頭仍呈現活躍之競選狂。情勢隨之開始緊張，而各種破壞性的謠言，即乘此代替了宣傳、政綱開始漫天飛舞，民心惶惶不可終日。城市傭工和肩挑販夫，也皆不約而同，束裝還鄉，各地鄉間拉票之激烈，於此可見一斑。

軍人在大選中的職權

印尼的陸軍，自始至終表現了軍人愛國守法的精神，前此印尼發生政潮，雖原因衆多，但直接的導火綫還是在參謀長的任命問題上。但軍人並未興風作浪掀動「革命」，可謂深顧大局。因此，在印尼人民心目中，軍人未捲入政潮，愈見其超然於政爭之外的可敬。及廿五日競選宣傳活動截止後，國民黨──即現執政黨，竟違反競選法規，使用蘇加諾總統名義作爲競選活動之宣傳工具。至此，副陸軍參謀長遂於廿七日發出一九五五年第一號軍權決定書，禁止使用此總統之名義作口頭或書面之宣傳活動。

在獄囚犯一樣投票

此次印尼大選之準備工作，做得頗完善。以椰城言，男女選民共九十九萬四千八百四十八人，分北部，西部和東南部三大選區，分設政府機關投票處二百十九個和普通市民投票處一千零六十七個，嗣後又再增設，故全部投票處達一千五百個左右。

爲防止弊端，分爲普通選民通知書及D一通知書，這是專供軍公教人員投票用的。

各在押拘留所和在獄的囚犯，也一樣享有選舉權，在拘留所和監獄內設立投票處。

首日投票即景

廿九日晨八時，警報一響，投票開始，全市鐘鼓齊鳴，各投票處已擠滿了選民，秩序井然，長龍一望無際。雖投票時間已超過原定時間，但一經登記，即可享輪流投票權利，直到選舉結束時止。惟當天下午二時以後遲到的選民則被當作棄權論。

投票開始後，全市顯得一片冷落，各商店均打佯關門，交通亦呈癱瘓狀態，除一二私家車往來外，公共交通車輛及三輪車一律停駛，武裝軍警則在各通衢要道及小巷出入，維持治安。政府機關除少數人員辦公外，餘皆在附近指定投票處投票。

當投票尚未開始前，凡各政黨張貼在投票處左右五十公尺處的宣傳品，悉被撕去，完全做到不讓選民在臨時發生任何心理影響，此可謂此次印尼大選中的特色。同時，並當衆將投票箱舉起給選民察看，以示空無所有，之後再下鎖。於是一面進行辦理登記領取選票，一面即開始投票。投票工作一直進行到晚間七時尚未完畢，掛起汽燈繼續進行。

綜觀印尼此次大選，固勿論鹿死誰手，以一個初獲獨立爲時僅十年，而又是第一次舉行普選，竟能有如此井然的情況，實是難能了。（十月十五日寄）

薩爾推翻歐洲化計劃的影響

●燕生譯●

在薩爾依林恩鎮的礦區，一個小會場擠滿了人，裏面大喊大叫，充滿刺激。台上懸着一個黑色的老鷹商案，襯着一面紅旗，上面有「新薩爾民主黨」幾個縮寫字母，中間鑲着白十字，隨風飄揚，更顯威風凜凜，黨魁斯克薩德爾是一個律師，四十八歲，個子矮胖，眼色顯得憂鬱。他跳上講台，向一群煤礦工人演說。那一群人中有黃髮的青年，也有頭髮花白的第二次大戰中在蘇俄前綫打過仗的老兵，他們引耳靜聽，聽到他聲嘶力竭的呼喊時，則狂熱跳起來喝采。「我們是德國人」，斯克薩德爾叫嚷着。二次大戰中，他是在戈培爾宣傳部工作的一個納粹黨人。他又喊着：「當我們在十月二十三日投票時，我們將成爲第一批表明德國人需要再統一的德國人」。礦工們站了起來，高興地唱起「德意志高於一切」的德國國歌，接着又唱「薩爾是德國的」，這一支歌，是從希特勒倒台以來從未聽過的。

三個月以來，這種擁護德國的集會，在法國管制下說德語的薩爾區，差不多夜夜都有。這是公民投票的前奏。薩爾九十六萬公民自由投票所要決定的，是接受還是拒絕去年法德政治家所最後同意的「歐洲化」體制。當時他們在二次大戰對德和約未簽訂以前，歐洲化計劃是解決這一千年以來的薩爾爭端之最好方法。選票祇有「是」與「否」兩種，薩爾人如果投「是」的票，他們就認爲這片在過去三次歐洲戰爭中換手四次的土地，便實行「歐洲化」，也就是在新的七國西歐聯盟之下，獲得政治自主，而與法國繼續保持戰後的經濟聯繫。一個專員（可能是英國人）將代表西歐聯盟「監管」薩爾。另由薩爾人所選出的議會繼續處理薩爾各項事務。薩爾每年產煤一千三百萬噸，鋼三百萬噸以上，這些產物將繼續由法國管制，更法國在歐洲煤鋼聯營機構中可與擁有魯爾財富的西德相對抗。

但是這個把薩爾歐洲化的長遠計劃，却不易實現。前納粹黨人斯克薩爾德。在說德語的薩爾人中鼓起了舊的民族主義意識，且將三個新成立的親德黨派組成了一個「祖國陣綫」。他們完全不顧西德政府熱烈支持薩爾歐洲化計劃的事實。愛特諾總理以他致力於歐洲統一的理想，以及超越民族主義欲望的努力，卒將西德人士要求索回薩爾的叫囂抑制了，但是他却無法抑制薩爾本身德國民族主義情緒，在斯克薩德爾的猛烈抨擊下，薩爾總理霍夫曼及其親法基督人民黨的命運，已與歐洲化計劃的命運陷入同樣危險的境地。親德派替霍夫曼的支持者起了個綽號，說他們親法是爲了物質的利益。他們又嘲笑霍夫曼是長期的法國傀儡，且投石擲臭彈，破壞親法派的集會。他無論在什麼時候出現，大批群衆就把他包圍起來。最近有一次他向鋼工人演說，搗蛋的人擁在會場門口，等他離開時，便大喊「不要臉」。

愛特諾總理在臥病前，曾與法總理傳爾同到盧森堡會談，以求解決他們的困難問題。他們對如何挽救薩爾情勢，足足談了八小時，愛特諾爾希望傳爾同意展緩公民投票，而強制霍夫曼舉行議會選舉，使薩爾人可以轉移對霍夫曼的敵意，因而不致讓歐洲化計劃在公民投票中被推翻，因爲霍夫曼的不孚衆望極可能促歐洲化計劃成爲無謂的犧牲者。但是巴黎和邦城方面前此已同意不干涉薩爾本身的決定，因爲兩位領袖僅同意發表一個含糊其詞的聲明，說他們仍信賴「歐洲化」。

薩爾人如投票否決歐洲化，則法國早已表明，薩爾將仍和以前一樣，是受法國所控制的地區，薩爾財富也仍將流入法國經濟範圍之內。但是薩爾的民族派如獲勝，他們決不會退到一角，就此安靜下來。法國人常回想到希特勒在二十年前另一次公民投票中，從他們手中贏得薩爾後的情形。前阿爾及利亞總督納格倫最近著文說，「德國民族派希望在薩爾獲得其首次成功，如果德國人成功，他決不會就停在那裏，一定還要在西方其他地方獲得成功」。在旁觀者看來，這九百萬方哩地區公民投票，已不僅是歐洲化計劃的取捨，且足以影響更大的事情，這是法德修好及歐洲統一。但現在薩爾公民投票的結果，親德派大致勝利，推翻了歐洲化計劃。歐洲統一因此遭受嚴重的打擊，各方面人士都憂慮法德的關係復趨於緊張，祇希望他們能相互合作，另謀解決辦法。

本報約稿

本報各版，均歡迎投稿，敬訂稿約如左：

一、每稿最多請勿超過二千字。長篇鉅製，以限於篇幅，無法刊登。

二、惠投各稿：評論要切合時局，新聞要記述事實（所有消息，應有人名、地點、時間，人名不便刊登者，可於稿內註明），雜文要生動活潑。

三、來稿除附有足夠退回原稿郵資外，概不退還。

四、稿末請附註眞實姓名，地址。政治性論文必用眞實姓名發表。文藝譯述，趣味短篇等稿聽便。

五、譯稿請附寄原文，如原文不便寄來，至低限度請詳細註明出處。

六、來稿務請用稿紙直寫繕清。請勿用鉛筆，橫寫，或兩面寫。

七、稿酬每千字六元至十元，一經刊登，即寄奉稿費通知單，憑單向本報領取。

八、稿件請逕寄本報，封面書編輯部收，萬勿書私人姓名，以免延誤。

叫囂索取澳門 中共的神經戰

葡萄牙是大西洋公約會員國，澳門雖不屬西方聯防範圍，中共一旦輕舉妄動，盟國仍難坐視，中共也明知這種情形，所以其叫囂「收回」，主要不過是一種神經戰，從澳門人士的初步反應看，中共這方面的目標，顯然並未達到。

光榮變華麗 商人感震動

本月二十日，澳門經濟局長羅保博士宣佈取銷了籌備幾歷半載的「澳門開埠四百年光榮慶祝大會」，同時，把「光榮」的字眼改爲「華麗」。當這一個決定公佈後，寧靜的澳門起了一陣波動，欲在藉十一月慶典舉行時熱鬧一下市面的澳門商人，宛似迎頭淋下一盆冷水，一夜之間，澳門的地產和屋價下跌了幾及三分之一。

這一個決定並不如羅保博士所謂基於經濟理由那樣單純，消息靈通與敏感的澳門中外人士已了解到這是出於政治上的原因。

果然，四天以後，中共即分別在廣州和北平的電台抨擊葡萄牙對澳門「侵佔四百年的誇張慶祝」，和有權要求「收回」澳門的土地。

對澳門問題 葡反應鎮靜

我們不能不不承認澳門葡萄牙當局政治觸鬚的敏銳，但澳門政府的決定並不能說明這是對中共讓步的一種態度，相反的，葡萄牙顯然很有計劃地在處理澳門的問題。

我們首先要了解澳門地位的複雜，和與中國大陸地緣的關係。葡萄牙是承認自由中國的國家，但在環境上她又必須忍容親共的份子在澳門作有限度的活動，如果說澳門是東方的蒙地卡羅，那無寧說是東方的卡薩布蘭加來得恰當。因此中共的廣播發出前四日，澳葡當局已接獲了這一項情報，而這一項情報，有一說是通過了某一個親共的有勢力人士以非正式方式「透露」的，實際是一個要求。

即使葡國當局是接受了這個要求而取銷了慶典，在葡國說來這是一種並沒有損失的讓步，或者可以說是避免某一種刺激，但中共在廣播卻成了一種示威性的「禮礮」。

難民庇護所 成中共威脅

以對中共的重要性而言，澳門是不能和香港相較的，中共亦沒有立即「收回」澳門的需要。但澳門的存在對中共的刺眼是不容否認的，澳門與大陸的聯系比香港更嚴切，無數由大陸逃亡而無法來港的人，都以澳門成爲庇護所，廣東沿海漁船流亡的目的地除了香港就是澳門，澳門與大陸的邊界有歧關直通，尤其是最近十月十日，在灣仔共區的人可以望見聳立於澳門新馬路的國際大牌樓，這些在中共看來，都是不能忍容的。

因此，中共早就希望利用政治的壓力來對付澳門當局，當亞非國家高論「殖民地」問題，葡萄牙本身又爲果阿事件而困惱之際，中共喊出了有關要求「收回」澳門的口號，無疑可以達到它心理攻勢和擾亂政治神經的目的，但根據中共歷來詭詐行徑所留下的印象，這一次並沒有採取眞正要「收回」澳門的手段。

葡萄牙，澳門明智的人士都深深了解這一點。他們認爲，即使中共立即要「收回」澳門，也只是一種一相情願的說法，無論英、美、中國和其他盟國都不會袖手旁觀，何況澳門的位置在葡萄牙說來是重要的。

金市仍平穩 地價竟大跌

然而，儘管事實如此，沒有一個人能夠鎮壓一種無意義而惶恐的人心。澳門的政府對中共的廣播採取了最審慎的處理，但澳門的居民從廣播和香港的報章已獲得了這一個消息，反應得最敏感是地產和屋價，四日來，下跌竟達三分之一強，尤其是澳門各報的分類廣告欄中，物業出售脫手求現的突然增多，一萬二千元葡幣左右，即可購買一座很宏麗的洋房，物價糧食方面亦告微漲，只有一向靈活的金市反應比較遲緩。

對國際局勢一向反應靈活的金市，這回反而呆定，這個事實可以顯示一部份掌握澳門經濟的人士，以及足以影響政治的人士，對這次的問題已有深切了解，對澳門的前途仍抱樂觀。

但，澳門的人心有一個相當時期的浮動，這也是難以避免的。在這方面也可以說了中共是達到了它的騷擾目的。

更有一部人指出了中共這次廣播的目的，一方面固然是對澳門施壓力，另一方面是爲印度對果亞事件打氣，因爲印度這一個國際間的政治掮客給中共做的買賣實在太多了，這回，中共爲印度而攻擊葡萄牙也算是投桃報李。

葡海外屬地 可牽涉盟國

這一個看法，並不太「離譜」，事實上，中共陰謀往往是「一石三島」的。

澳門和香港的關係太密切，無論與中國的淵源和歷史背景，和目前的地位，都有許多相似的地方，因此，當中共喊出有權「收回」澳門的口號後，許多人便連帶想起香港。

不過，雖然有人爲香港擔心起來，香港的一般反應似非常遲緩，金價和有價證券也落的幅度如常。相反地，有人還認爲香港的物業可能受到刺激，有一個時期仍會有好。這一種看法是否正確，還沒有一個人能夠預斷。

香港也有人認爲澳門事件並不是地方性的，無論中共怎樣做，都足以促成國際化。而且葡萄牙是大西洋公約會員國，盟國也負有聯防責任，中共一旦輕舉妄動，盟國決不能坐視不加援手。

雖然按照公約規定，遠東的殖民地不在聯防範圍之內，但今日世界每一角落的糾紛，都是「牽一髮而動全身的」，幾乎已不能僅僅局限於某一地區，因此中共索取澳門，如果眞的訴諸行動，便不能不牽涉到盟國。

慶祝會取消 商人表失望

澳門是珠江西南口外的一個半島，距廣州約九十英里，三面環海，陸路祇通中山縣，以關爲界，距中山縣城約六英里，澳外島嶼林立。

澳門全市面積約六平方哩，東、西及北三面皆爲小山，市區於東南方，總人口約二十萬，其中中國人佔百分之九十七點五，葡人佔百分之二，非洲黑人及印度人佔百分之零點四，歐美人佔百分之零點一。

對外交通，陸路經歧關公路通中山縣，水路有內河航綫通廣州，新昌，荻海，長沙，江門，石歧。港澳間則有定期航輪。

絕大部份中國人均支持自由中國，祇有少數有利害關係而親共的靠攏份子例外，葡萄牙和自由中國有正當的外交關係，目前中國在澳門設有外交專署，專員是閩縣的陳元屏。現任澳門總督是史伯泰海軍少將。史伯泰原於本年六月間任滿返國，而由里斯本另派新人接任者，但以主持慶祝「開埠四百週年」關係，史氏遂延任迄今。這一個「慶典」最早於本年五月，由葡京正式宣佈，當時澳門的官紳、商人都準備盛大的鬧一次，好得刺激一下久以冷寂的市面，但典禮突然撤銷，工商界的希望也隨之成爲泡影了。

菲律賓報人過港返國 對共區見聞吞吞吐吐

菲律賓兩個報人，最近從中共區「訪問」回國，近經香港，曾在格蘭酒店招待記者，可是對香港記者的問題，又都以「不能洩露」爲藉口，吞吞吐吐，不肯爽直答覆。他們一個是馬尼剌紀事報的新聞編輯摩利絲奧，一個是該報記者馬惹勒。他們表示第一手的新聞已經採訪得手，此行任務已經完成。

但是，這一手的新聞又不對本港記者發表，據說：他們自己的報紙要優先採用。

周恩來的情形，他們說：他們一到北平後，便提出會見周恩來的要求；但至前星期日前，他們在漢口採訪新聞時才被召往見。周恩來對他們提出互不侵犯條約的擬議，他們在談話時對他們表示「非友好」，問他們到底怎樣會說起這事來？他說：他們請求會見時，會提出中共對非的態度問題，所以他認爲這是回答他的問題。周會見他們時，「面露笑容」。他又說：「周恩來還講了一些別的事情」。於是有些記者好像猜謎般問：「是貿易嗎？是在非中國僑民的國籍問題？還是什麼……？」的答案一律是：「請你們不要問這些事」。他們又說，馬尼剌紀事報的背景是獨立的，報人全部都是非律賓人，銷數很大。「報館當局派我們去觀察一些事情，我們做到了。我們要變得的，就是眞實第一手的情報」。

人民吃飯無自由 中共實行糧票制

（本報訊）從十一月一日起，大陸上人民的食道將爲另一種新的飢餓制度所扎緊。據新華社十二日發佈的消息：「國務院已經責成糧食部指示各地，自十一月一日起，凡是市鎮居民在本市鎮購買掛麵、切麵、米粉、年糕等一類糧食複製品，或出外旅行到別的市鎮購買糧食和糧食複製品時，一律要按當地規定憑糧票購買。市鎮居民凡要在省、自治區、直轄市範圍購買糧食或上述食品的，必須按規定手續，領取地方糧票備用；凡要超越省、自治區、直轄市範圍外出旅行的，必須按規定手續、領取全國通用糧票備用」。該消息並謂：「目前各地糧食部門已把全國通用糧票和地方糧票發到基層糧店，預計在十月二十日前後將開始發行」。

這條消息裏證明了大陸糧食恐慌已到無法掩飾的地步，而中共管制人民肚皮的方法也已發展到極端化。上海市民買不到麵過生日的消息在今春即已流傳到香港，於此已可進一步加以證實。（曄）

人民購買力日低 中共企業大蝕本 銷售計劃俱告失敗

【本報訊】據中共「國家計劃委員會」主任李富春報告，目前中共所經營的各項「國營企業」和合作社系統的營業，業已壟斷了整個大陸百分之八十五以上的日常貿易。惟據「人民日報」社論檢討：由於人民日益貧困，購買力不斷下降，以致一般市場極爲蕭條，非僅少數殘存的私營工商戶業已奄奄一息，即中共所營一切商業亦虧蝕甚鉅，損失慘重。

社論說：大陸各地自去年發生大水災後，人民的購買力即逐日惡化，市場情況益顯薄弱。根據今年一月至七月的統計，所有「國營企業」（包括合作社）均未完成銷售計劃，而七月份較六月份的營業額，下降尤多。據稱由於營業慘淡及其他貪污、浪費等原因所造成的虧蝕，去年一年即達新「人民幣」五千五百一十二萬五千三百餘元（合港幣一億兩千萬元以上）之多，其中僅「中國食品公司」因雞蛋與豬肉滯銷而致腐爛所造成的虧蝕，即合「新人民幣」八百餘萬元之多。且此等情形，今年上半年較去年更爲惡劣。

據社論分析，由於市場蕭條，目前中共商業部門業已產生一種極端矛盾的現象，使中共困擾不已。據說去年年尾及今年年初，中共中央商業部爲圖活躍市場，曾以大量輕工業產品向農村推銷，使各地「國營企業」之批發站及供銷合作社儲備了超量的商品，而推銷結果，情形極慘，致有大量商品積壓、變質和損耗，使一般商業單位的負責幹部都遭到了檢討批判。此後，一般商業幹部即普遍產生了悲觀消極情緒，不僅當時即將大量積壓商品向上級商業機構報退，且此後配貨，不論其爲冷門熱門，亦盡量少配、遲配、乃至不配，以致相反地出現了庫存空虛、貨類奇少、貨量奇缺的嚴重現象，使一般地區的人民生活必需品發生了恐慌。據社論舉例：江西豐城縣一個合作社極平常的手巾、肥皂、水壺均未備售，火柴亦祇存一包。桂林區一個合作社則全部庫存僅粗布二十三疋而已。此種過與不及的現象，均係市場蕭條所造成，可見大陸社會經濟情況惡劣之一斑。（著）

中共大專教員調俄受訓洗腦

蘇俄爲加強各附庸國家的統治能力，嚴格規定高等學校教師經常調派赴俄受訓。過去五年，中共各大專學校教師調赴莫斯科大學「洗腦」的共有一百零三名。除一名死亡，九十八名已先後返平，另外四名情況不明。

最近又有三十三名將赴俄接受國際共產「洗腦」。據南京「新華日報」說：這批被派赴莫斯科大學「進修」的教師，係來自「全國十八所高等學校」。其中包括由「中國人民大學」、北京大學、清華大學、北京農業大學、浙江大學、交通大學、武漢大學、大連工學院、東北林學院和東北畜牧獸醫學院」等選調出來的。「清華大學」佔六名，其中括有該校機械製造系副主任、水利系副主任、水能利用教研組主任、施工教研組主任、基本電工教研組主任等；「人大」的五名教師中，其中三人是教研室主任和副主任。這次在俄「進修」的時間，通常是一年半至兩年。（祇）

中共兒童讀物大鬧恐慌

文學創作陷入眞空狀態

冰心等被迫每人一篇

中共在文學上陷入眞空狀態，祇好拚命翻印古典文學來彌補一時，但兒童讀物的缺窒，卻不是這種辦法所可以補充的，於是「人民日報」刊出了「大量創作、出版、發行少年兒童作物」的口號。「著名的兒童文學作家」謝冰心自日本潛回大陸這許多年來，還一點「少年讀物」也沒產生過，她除了替中共做做傳聲筒外，還在遼闊的海邊長大、也是靠着「海」給予靈感的作家，在「一切都要爲黨」的原則下，如何能夠產生作品？何況中共這個難侍候的主子又是朝夕多變，志趣迴異；今朝若是寫了歌頌某「英雄」的文章，晚上這個英雄，被認爲「反動」，那麼你這無辜的作家也將要罹無妄之災。

因此大陸上多數的作家認爲「創作兒童文學沒有生活，語言不夠」「認爲只有優秀的作家才能創作出兒童文學。」這些比較含蓄的，那些對中共不滿比較直率的就說出「歌功頌德」的兒童作品，「寫一件不爲共產黨的事情，是一件不光彩的事情，是一件沒有出息的事情。」並以非常憤激的口吻回答中共當局說「不敢膺此重任」。中共雖沒有名目張胆的處置這些「反動」份子，但卻拿出了牠的看家本領，着郭沫若捧出一頂無比大的大帽子來。郭某奉命在「中國文學藝術界聯合會」上面孔鐵青的向與會者說：「作家們並不重視兒童」。其實不重視兒童的並不是「中國作家們」，這是舉世有目共睹的。中共奴役學齡兒童，連牠們自己的報紙也不加以掩飾的。十月十二日「光明日報」載稱：「學生的精神整天是緊張的，每天起來除了上課自習，就是開會、集體活動、談話，甚至在晚飯後，運自習的空隙時間還要談工作、研究問題」。「學生每天下午的時間多零碎的會議，聽報告、搞鍛鍊等佔去了」。這樣」，學生的每天生活過度緊張，腦力和體力都得不到應有的恢復，以致許多學生到了夜晚還時常在夢中作習題，甚至失眠」。「他們的功課常常做不完，讀課外書、報時間非常的少。」中共將一切罪責推到「作家們」身上，顯然還無理由。雖然如此，中共又授命謝冰心、張天翼等四十七人，展開了「一人一篇運動」，叫他們「在今年內每人爲兒童創作一篇」，「一九五六年六月一日以前，每人再創作一篇」。

自由談

祝壽有感

馬五先生

這幾天，海外各地僑胞，紛紛結隊集團，前往台灣恭祝中華民國元首蔣總統壽誕，甚盛事也。當此國運艱屯之際，海外僑胞對於領導全民反共救國的元首誕辰，永矢弗諼，熱烈慶祝，以表愛戴之忱，可謂人同此心，誰曰不宜。區區雖然羈身海隅，未能隨大衆之後，躬預盛典，但心香一瓣，固亦由衷地遙祝我總統康強逢吉，永垂無疆之庥呢！

我於虔誠歡祝之際，竊有一項希望：即希望總統宣告海內外民衆，自今以往，非到光復中原河山時，不復稱壽。理由是：大陸上數億同胞皆在水深火熱的奴役生活中，已飢已溺，仁君之志，使大陸同胞知道國家元首猶在宵旰勤勞，與民衆共憂樂的心情，沒有不聞風感奮，增益「后來其蘇」的堅強信念者！

記得對日抗戰末期，在重慶有人向蔣主席行獻九鼎之禮，以讚頌其領導抗戰建國的豐功偉烈。然主席當時大不謂然，諄諄告誡，說是廣大的同胞們尚淪陷在敵騎之下，個人豈忍受此慶功之典？現在的情形，較之當年抗日戰爭尤爲艱苦，我相信總統虛懷猶昔，謙德彌光，一定不會以這點芻蕘之見爲狂妄的。

所貴乎擁護領袖的忠貞意志，是在大家遵循他的政見與政策，各盡所能，各守崗位，朝着反共救國的共同目標，奮勇前進，達成最後勝利，報國家，即所以報領袖，亦就是以壽世者壽人，其意義不更崇高而偉大乎？

他年光復大陸，恭逢總統壽誕，全國同胞不妨狂歡三日，高呼萬歲，在這項良辰到來以前，似可留以有待也。

對牛彈琴

信手拈來

・憶永・

宋子文（似乎應稱MR. T. V. SOONG 以示尊敬）雖係華人，然不喜用華語華文，任行政院長時，仍不改其任漢冶萍洋文秘書之習慣，一似非用洋語洋文不足以顯示其尊貴，實則宋不過徒具其自視不甚高貴之華籍，確未受過中國文化之薰陶，不通中文，無怪其然。勝利之年，宋出任行政院院長，到任伊始，即以六折發給黃金儲戶存金而喪失政府對人民之信用，時論攻擊，宋不之顧。某次在重慶國府路行政院會議室以華語對商人代表「訓話」，宣示政府「政策」，竟有「我對你們說的話，不過是對牛彈琴」，諸位原諒」「妙語」。語出，衆譁然失笑，宋亦所覺，尚以爲聽衆欣賞其講演也。

由宋子文之「對牛彈琴」憶及二十五年間，國內盛傳時任山東省主席韓復榘「對牛彈琴」之絕妙講詞：「今天到會的人很茂盛，本席十分高興衙勁！平時到的人數最多不過六七成，今天大約有七分之八九，是好現象，誰還沒有到？凡沒有到的舉起手來！

我兄弟是槍桿裏頭出來的，你們大家多半是筆桿裏頭出來的，我對你們演講，不過是隨便對牛彈琴，當然引不起你們大家的性慾（興趣）來。我今天講的是新生活運動，蔣委員長現在提倡新生活運動，實在太好了，大家想想：舊生活運動，有什麼意思呢？跳高、跳遠、攀槓子，每年開運動會，給幾個小子出風頭，對大家一點好處也沒有，新生活運動卻叫大家運動，那好處就大了。不過有一點我不很「贊」委員長的「戲」，就是叫大家都靠左面而走，人都擠到左面去，右邊空着不叫人走，實在不太衛生……」

據曾隨韓任秘書之某君言：韓並未作此演講，乃好事者由韓於民國二十五年夏對中學會考學生演講結尾時說：「我是個軍人，說不出什麼道理來，今天不過是『對牛彈琴』而已，謹祝你們諸位前途不堪設想！」而來。韓出身行伍，不習文事，「對牛彈琴」，似尚可恕。宋爲國家最高之行政長官，竟不學一如韓復榘，國事不糟，不可得也。

總統夫人不會停車

・牛布衣・

有一位年青的太太，丈夫駐防在里安溫泉。營房裏不能住眷屬，他在三十哩外一個小鎮替她找了一所房子。因爲丈夫不易請假，她時常感到寂寞。一天，她感到非見他一面不可，車房裏有一輛汽車是她爹爹的，可是她不會駕駛，祗好向鄰人請教開車和轉彎的方法。學到差不多，她便打了個電話給他，說馬上駕車到軍營去。

年輕的軍官在營房外候着，她果然來了，駕着父親的車子，開得很慢。他笑容滿面，向她不斷招手。

『快跳上來，艾克，我不會停車。』

她便是三十年前的艾森豪總統夫人。

隨・想・錄

紀瑜輯譯

行・爲

一、我們所謂美德，時常並非出於勇敢和仁慈，不過由於我們的聰明或者偶然，能夠把某些行爲和利害合式的配合起來而已。

二、我們的行爲彷彿有吉凶的星宿在那里指引，所以我們應得的褒貶，大部分應該歸於它們。

三、如果我們以爲：野心和愛情之類強烈的情欲能夠戰勝一切，我們就錯了；儘管惰性顯得陰陽怪氣，時常倒是它能夠征服一切。它統治着人生的每一個傾向，每一件行爲；它漸漸的侵蝕和破壞了所有的情欲和美德。

台灣的養女

・潔流・

台灣受日本統治五十年，影響所及，淫風甚熾，光復以來，淫風未戢，「養女」爲主要原因之一。蓋昔日治，寅寅剝削，民不聊生，家有女兒者，自孩提即抱送他人養育，以省負担。日久成風，陋習難除，馴至中人之家，莫不有養女；既非親生骨肉，便無憐愛之念。

「養女」一屆破瓜之年，其養母每出售其皮肉，姿色佳者，代價四五千元，次者二三千元，下者亦一二千元。嗣後則驅之爲私娼，或待補酒家侍應生，北投侍應生。其出路特優者，則爲公共食堂（即酒樓）陪酒侍應生。或公共茶室侍應生，然均有賣淫事實，換來出賣肉體代價。

「養女」亦有受過中等教育，而且亦受過我國「四維八德」之教育達八九年者，既非文盲，於此種不合理之壓迫，自有不甘心者。然稚年弱女，日受百計誘惑：以珠翠飾其首，以輕綾披其體，以甘鮮足其口，日久益勤，若慈母之待嬰兒，晨夕浸浸，則心自變奪，情由利遷，所謂「欲迫利誘」。靡不變其初志。

甚或設局欺騙，以尊長病重入醫院割治，病愈負債，債主迫脅，無以爲計，不得已而出此下策者，亦有以生理經營失敗，負債莫償，受迫無奈走此末路者。間或有其「養女」見父母處境困難，日夕啼哭，見義勇爲，挺身而出之者。然多騙局。

最近台灣省議會通過一項管理妓女辦法之法令。決定在二年內禁絕台灣省境內娼妓，立意善良，輿論稱許，可是「養女」惡風如不革除，禁絕娼妓決難收效。省議會諸君有見及此，故會通過一項保障人權改善台灣養女習俗之法令，送請台灣省政府切實推行。此項法令共十八條，其主要內容：（一）確立養女的法律地位。（二）婚嫁的自由。（三）防止虐待保護人權（不得有虐待買賣轉讓抵押迫良爲娼引誘賣淫等情事）。（四）輔導就業。（五）調查及保護。允稱顧及周詳。

語意學漫談

宣傳語文

爲『規約語句』的『組織使用』，找出一個適當的例子，並不困難，但是爲這個例子找一個適當的名稱，却就比較不容易。在沒有更好的辦法以前，我們姑稱之爲『宣傳』語文。PROBAGANDISTIC DISCOURSE這些語文，是把各種規約語句，加以組織，而加強其規約效力。譬如說，廣告上畫出一個服裝入時的人，旁邊寫着：『二十世紀的人們，應當相信科學』，這是一句規約語句，接着畫出一個化驗室裏的白衣老科學家，手指頭指着你，口裏說：『夏天應當多服維他命丸！』這又是一句規約語句。把這兩句規約語句如此聯合起來，就馬上發生了更大的規約作用，而成了一個有力的廣告。世界上所有的政府，沒有不強調『人民應當遵守政府法令！』，接着政府的法令就跟着說：『人民應當儘先完稅！』。這又是運用兩種規約語句的組織，以影響讀者對它們的心理反應。反對社會保險制度的，先說社會保險足以減低被保險者向上和求進的心理。接着說，我們不應當保護和提倡人民的求進和向上的心理嗎？所以我們要反對社會保險制度！反對限制女工工作時間的，先說一個人的工作就是一個人的所有權。接着說我們的憲法不是保障人們的所有權的嗎？那麼我們就得反對剝奪女工們的所有權的提議！報紙社論，商業廣告，議會辯論，競選演說，凡此種種，我們略加留意，到處不難發現這一類巧妙的語言運用。

司提文士C.L.STEVENSON把這一類的語文，稱之爲『說服性的定義』PERSUASIVE DEFINITION（MORRIS，O.149）。說穿了，這實在祗是一種『符號的借用』而已。就是說，把『資產』的符號，借用到『工作』上面，而把保障資產的一套語言工具，來運用到『工作』的各種問題上去罷了。然而，這正說明了規約語句的組織使用，在影響到人類的心理反應時，是怎樣的一種過程，以及爲什麼它發生的作用會如此之大。

宣傳語文有一種性質，就是它多半是和其他語文混雜着出現的。因爲規約語句有賴於評判語句者甚大，所以宣傳語文常常借用詩歌語文，道德語文和批評語文。而被組織使用的規約語句，有時候是技術性質的，政治性質者，或宗教性質者，所以宣傳語文有時候和這一類語文又很難分開。同時，宣傳語文的運用，有時候是爲了其他的目的，譬如用以報導，用以評價，或者用以促使，因此它的組織使用的性質，有時候也就因之較欠明顯。但是，無論如何，宣傳語文自有它的特別的作用和意義：就是它把不同的規約語句，組織起來，使一種規約語句加強另一種規約語句的效力，以求更有力的控制對方聽話者的行爲。從語意學的觀念來看，這一個特質，是任何其他語文所不能混淆的。

宣傳語文之能否生效，要看它所包涵的『敍述』，是否使人相信，和它所包涵的『評價』，是否影響了對方的反應。因爲任何規約語句之作用，無不大有賴於其所包涵之指示語句及評判語句也。（六十四）

・徐道隣・

名言讜論

・鄭靜・

我們恭維旁人發表的意見，總說『名言讜論』，尤其對於一位學者、政治家的如此。其實那些『名言讜論』有一半是濫調——而另一半呢，又常是廢話！恭維的人心中明白，被恭維的人也心中明白；彼此『不宣』而已。

那麼你以爲，學者和政治家們愛唱濫調，愛說廢話麼？却又不然。學者做的是學問，老實說，做學問都不免鑽入牛角尖。以一個鑽入牛角尖的人，除了本行，他對一般的人事自然有點霧中看花，見不真切；而我們如果要他對本行發表意見，濫調和廢話就不能避免，可是他們的高論，我們這些常人却聽而不懂，並且也不感興趣。有人偏要他們談談時局，人生觀之類，那他們只好套幾句濫調，講幾句廢話敷衍一下了。這是『實逼出此』，不得已也。

至於政治家呢。如一位名人的『名言讜論』所說，政治又常是跟卑鄙齷齪不能分家的，就是說，政治上有許多行爲根本無法公之於天下，例如燊燊大材的羅斯福，竟偷偷的犧牲了別國的主權去討好大鼻子，他好意思說什麼呢？一定要他說，他就說爲了早日結束戰爭，拯生靈於塗炭，這個那個——則又近於謊話，不僅是廢話了。我們之所以仍說它是廢話者，因爲他說他的，連他自己在內，誰也不會相信。政治家的廢話十九都這樣。

即使他不說這種謊話式的廢話吧，還有別的。他唱四大自由：居住遷徙之自由啦，言論出版的自由啦，不虞匱之之自由啦，免於恐懼之自由啦，聽在耳中，十分舒服，寫在紙上，還之儼然——然而限制外人前往居住最嚴格的正是美國，其他不必說了。你說羅斯福存心說謊麼？不見得，你說他眞想實行麼？雖然死無對證，可以說也不見得的；說歸說，做歸做，還是政治家的入門第一課，誰以爲他言行能夠一致，誰就是『不懂政治』。

鐵幕來鴻

・雪譯・

保加利亞一個難民到了美國，收到收鄉寄來這樣一封信：

「親愛的朋友：

自你離開故土，我最快慰的事情便是收到你的明信片。我心裏塞滿了抑鬱，我的前途是這樣淒涼，我眞不曉得怎樣給你寫信。

你走的時候，我還算是一個人，還開着一家小裁縫店。你去了，共產黨說我是資本家。理由是我有許多存貨。什麼存貨呢？三架老衣車。共產黨把我的裁縫店收歸國營，同時把我兩輛衣車搜走。

我把剩下的一輛衣車搬出家中，想辦法在各處接一點東西出來家裏車。因爲共產黨說我是資本家，我祇好在市上買一點舊衣裳，拆了，剪去扣子，把他翻成一套比較新的衣裳。生活太困難了，想盡了辦法總不能夠維持一家的食用。

有空的時候，請你寫信給我。你的信能夠增加我的勇氣。如方便，請你包幾枚針放在信裏寄來。在共產的天堂裏，我們窮人眞是一無所有。

你的小裁縫」

鐵幕出來的信都經過檢查，檢查員在本函後面加了一行用藍墨水寫的字：『不錯，保加利亞的情形比較信裏寫的還要壞得多！』

×　×　×

人・情・味

現在，從丹佛到全世界，都在關心艾森豪總統是否會競選下屆總統了。

一般的答案是「不」！在艾氏病前不久，有人問他太太，她說：「他也已經幹得夠了。」

奇怪的是他病發的那天早晨，他曾與他的醫生也是友人新達少將談起他要退休的志願。他在去高而夫球場前，曾經簽閱一些公文。當時他的隨從告訴他的老友舊袍澤突然死亡的消息，艾氏愴然放下筆，搖搖頭說：

「我了解這個，這於他及他家屬是一個很大的打擊。他一生的工作與積蓄，原爲他退休後以樂餘年，今竟未能如願。」

於是沉吟良久，自言自語地說：

「我不願我也如此。」

如今又知道艾氏病發後的第一句話也是對新達少將說的，他問：

「我的病狀怎樣？」

「很嚴重但不致死。」

「好的，那麼我能完成我的志願了。」他說。

艾氏眞是可人！亦唯民主國家能使領袖與英雄有此種人情味耳。

艾氏也許早懷退休之意，唯如不病，恐別人未必肯放他；經此一病，當決不再謀下屆之競選矣。

唯病唯老唯死，可使偉大與英雄覺悟到人是完全平等的，能在未病未老未死之時，想到人之必病必老必死，才能產生謙虛敦厚的氣質。

艾氏之能得美國人民愛戴者，其在此耳。

自由人
THE FREEMAN
（第四八七期）
中華民國僑務委員會
登記證新僑字第二號
郵政登台字第五〇〇號
執照登記為第一類新聞紙類
（週刊每星期三出六版）
每份港幣壹毫
每份台幣壹元
督印人：陳文華
地址：香港高士威道二十號四樓
3 rd. fl. 20 CAUSEWAY RD
HONG KONG
香港發行及事務接洽
高士打道66號　電話：四一四〇五三
承印者：東南印務出版社
地址：高士打道六十四號
海外總經銷
友聯書報發行公司
香港：德輔道中二十六號A二樓
台灣特派員辦事處
台北市館前街五十號
台灣總經銷處
台北市西寧南路壹壹號二樓
台郵劃撥儲金戶九二五二

華僑社會中的文教事業

·唐君毅·

一、賴文教凝結華僑

現在中國大陸雖然淪陷，但台灣八百萬人，加上散佈在全世界各處的華僑千數百萬人，人數亦與四強之一的法國差不多。法國今尚可左右國際政治，如果全世界的華僑，都能合力同心，即不算了大陸中無數的人民內心的反共，又何嘗不能扭轉乾坤？此中最大之問題，在世界華僑，都是散處各地，政治上受他人統治，用政治方式把世界華僑之力量團結起來，勢不可能。經濟利害，亦復各不一致。因而只有先賴文化教育之力量，以凝結團聚各地華僑之精神，然後才能進而謀經濟上政治上之聯繫與合力。華僑社會中的文教工作究竟應當如何作？這問題實值得大家多多用心。我在此短文中，只想貢獻一點意見。

二、僑委會一個通知

我這一點意見，是在採立人的案件，政府尚未公佈如何處理以前，此地一些刊物，得僑務委員會的一個通知引起的，這通知之內容，是說到關于採立人的事，政府正在審查期間，望各刊物報紙不要作揣測性的評論。但是有的刊物社及報社，看了此通知，當即生了反感。本來照我的意思，在當時政府希望刊物報紙暫不作評論是可以的。如果一刊物報紙是屬於政府的，加以命令亦未嘗不可。但是得到此通知的刊物報紙，儘有是不隸屬於政府的，其經濟來源是獨立的。其所以反共，亦各是根據於編者們個人的思想的立場，或個人直接對國家民族文化歷史的責任感。簡單說，即其是直接生根是在社會，而不是直接生根於政府之一部門。即政府的通知，便至少不宜雜有命令的口氣，而應以有禮貌的書信體裁寫信與編者表示政府的希望。這大約即是該通知當時引起一些刊物報紙的反感之故。由此事便使我想到關於華僑社會的文教事業的一點意見。

我的意見是一切華僑社會中的文化教育事業，應當力求生根於當地的社會，而與政府的關係彼此不必拉得太緊。我說此話的意思，不是要拆散團結而正是要成就團結。政府要團結華僑，最重要的智慧，即是尊重能生根於華僑社會的文化教育事業之對政府的一種獨立性，而此尊重，應當是出於一衷心的尊重。

此種衷心的尊重，首先依於我們雖必須承認國家民族之高於個人，但屬於一國家民族中之政府與社會的地位，是平列的，政府中的個人與社會中的個人之地位，亦是平列的。次依於我們必須承認現在散在全世界各地的華僑之求反共復國，是由諸華僑個人之親身的遭遇，或自己對於中共之殘暴的認識，對於自由生活的實愛，對於民主政治的嚮往，對於中國文化歷史的愛護，或自覺他的人生態度社會文化理想之與中共之政權無法相合，因而自其深心自動自發的要求反共復國。而實際上亦唯有此諸個人之自動自發的反共復國之要求之集會，才能形成真正的力量。此種要求，直接是自其個人發出，亦是為國家民族的。但不必直接是為政府。我們只能說為了個人與國家，我們應當愛護政府。因為一國家之人民不能無政府。但是我們卻無理由要他們一切屬於政府，為了政府。這也是一個事實上的不可能。然而只要他們的工作，是有助於反共復國的，他們雖不是為政府，而在事實上亦即幫助了政府。這是一很簡單的道理。

三、減少依賴政府

我們上文說政府應尊重華僑社會中的文化教育事業之獨立性。此在另一方面即是說，華僑社會中的文化教育事業當減少對政府的依賴性，並少着眼於政府，而多着眼於當地的社會。譬如出版刊物報紙亦是文化事業之一。究竟華僑社會的刊物報紙，是應多着眼於國民政府的施政呢，或多着眼與當地社會人心直接相關其他的社會人生文化方面的事呢？

【下轉第二版】

封鎖大陸口岸是否合法

·趙冰·

合法封鎖

根據「倫敦宣言」及國際公法所承認，合法之封鎖須具有以下之要素：

（一）封鎖須要有效的。

所謂有效之解釋為：凡企圖駛入或駛出被封鎖港口之船隻，都會遭遇顯然的及迫切的危險。封鎖之軍艦無須駐在被封港口之附近。至于軍艦之應在地點及船數多寡，應就地形、水道、潮流等而定。克里米亞之戰役中，英國僅以一艘軍艦來封鎖俄國之力加港口，而該軍艦乃離力加港一百二十英哩之外。美、西（美國與西班牙）戰役時，美國亦僅只以一艘巡洋艦封鎖西屬聖爾安港口。總而言之，軍艦之多寡及軍艦與被封鎖港口之距離，對於封鎖是否合法並非重要，只求其能妨礙任何船隻在被封港口自由出入足矣。在「倫敦宣言」第二條對此曾有明白規定：「封鎖之是否有效，乃一事實問題，而非法律問題」。

（二）封鎖部隊無權阻止開進中立港口之通路，換言之，即封鎖不能伸展至敵岸之外。美國南北戰爭時期，美國之合法政府，在其封鎖南方反叛政府時，未將介於美國與墨西哥之間河流之河口劃入封鎖權內，即為避免妨礙開進墨西哥之通路。以同樣之理由，法國在一八七〇年法、普（法國與普魯士）戰役期內，因中立國有臨愛門士河之城市，亦未封鎖愛門士河。

（三）根據「倫敦宣言」第九條，封鎖國務須預先發出封鎖宣告書，說明封鎖開始日期，封鎖地區之境界及中立國船隻由被封鎖地區開出之期限，關於中立國船隻由封鎖區開出之期限，英國限期為十五日，過期則不能開出；美國則限三十日，但在第一次世界大戰時，交戰當局僅限二日至四日。該宣言之第十一條雖規定封鎖國須以書面通告中立國政府或其外交代表，但英國之主張：如果封鎖在商界係為衆目昭彰及為人人所共知者，則封鎖國雖無通告發出，封鎖亦為合法。

（四）關於何者乃違犯封鎖之行為，歐陸與英美之看法則有不同。法國之意見為：船隻企圖駛入封鎖綫方算為違犯封鎖，而英美之意見則謂：有意破壞封鎖或曾經破壞封鎖而未被發現之船隻，均為違犯封鎖。根據英法之意見，封鎖之權利極為廣泛，其所主張之CONTINUOUS VOYAGES（繼續航行）使未駛入封鎖綫之船隻或已駛入封鎖綫而未被發覺之船隻，均有被俘之可能。根據此種主張，違反封鎖之標準乃視乎船隻之最後目的地而不在船隻之所在地。「倫敦宣言」，第十七條規定：中立船隻駛入封鎖綫內，始能被捕。雖有此規定，但英國政府在取消「倫敦宣言」之際，同時發出命令，以CONTINUOUS VOYAGES（繼續航行）之主張代替之。自此而後，英國法院，在判案時，即根據「繼續航行」主義，而不顧「倫敦宣言」之規定。由以下之判決可以證明：大戰時有中立國商船，載滿七千三百萬磅的糧食、樹膠及生牛皮由紐約（其時美國尚未參加大戰）開至丹麥（也是中立國），該船在途中被英國海軍俘獲。英國法院根據「繼續航行」主義，判決該貨沒收。以該貨雖由一中立國運至另一中立國，但其最後目的地乃為敵方德國也。

（五）關於違犯封鎖之船隻及其所載之貨物應如何取置之問題，在「倫敦宣言」第二十一條有明文之規定：「凡違犯封鎖之船隻應被沒收，其所載之物資亦應被沒收。」照該條之語氣，似乎立法者有意注重船隻，而將貨物置諸次要地位。所以，如果船與貨為同一人或公司所有的話，船與貨是一併沒收的。如船為甲所有，但所載之貨物屬於乙者，甲知封鎖而乙不知，則沒收船而發還貨物。但證明不知之責任在乙，乃法院在未證明不知之前是認為乙已知者也。

歐戰之例

在第一次世界大戰時，因德國將英國海峽，法國之西北岸及英國四周之海岸劃入封鎖區內，英法為報復德國不法行為，於一九一五年三月一日通告各中立國謂：聯軍有自由權扣留任何船隻，並押其入港聽候審查，若查明違犯封鎖者，沒收之，若查明無罪者，放行之。美國立即反對，並謂，此種不分皂白之扣留船隻，等於封鎖中立國之港口。英國政府答覆云：「凡交戰國均不能坐視其敵人由鄰近之中立國獲得物資而不設法制止之者。回憶美國政府在一八六一至一八六五年南北戰爭時期，因實施繼續航行主義而確能制止物資流入敵方。英國所採用者，乃封鎖法之伸展，以應付已變更之環境耳。若環境再度變更時，新的違背封鎖法之行動亦不能不作為正當與合法也。敵國之水陸交通網，緊密的連接中立國港口，致使陳舊之封鎖辦法不能有效的適用，因此之故，聯軍不得不採用另一種方法，此方法乃首先制止物資到達中立國也。」

綜合以上之分析，吾人可以肯定的說：國府之封鎖大陸港口及海岸，尤其福州，廈門，汕頭等港口，乃一合法而必要的軍事行動。國共之戰爭從未停頓，交戰狀態依然存在。況國府在其遷都台北之後，業將封鎖作公開的通告，並明白說明封鎖地區之境界，而封鎖共區之事實，亦為各國商人所共知者。至于「倫敦宣言」，中國雖並非簽字國，然引為依據，自無不合。

時代轉變

再「倫敦宣言」，在其簽訂時，飛機尚未開展至能適用於作戰的工具，甚至在第一次世界大戰時期，交戰國家亦並未普遍的使用飛機以為作戰工具。難怪在一九〇九年簽訂「倫敦宣言」之國家，只將海軍為封鎖工具，而不將空軍列入也。當今科學昌明，其發展之速與時日俱進，「倫敦宣言」尚且不適用於第一次世界大戰，而卒被取消，何況經過第二次世界大戰之後，空軍對於作戰之效力，絕對不亞於海軍，尤其原子彈發明之後，空軍實較海軍更為重要。是以，自第二次世界大戰起，交戰國之採用海軍與空軍併用，以封鎖敵國者，已成為國際習慣矣。總而言之，無論單獨使用海軍或海空二軍併用，對封鎖之是否合法，在乎其是否有效，而有效之標準，乃視乎執行封鎖之部隊能否使企圖破壞封鎖之船隻遭遇危險耳。故軍艦之多寡與其距離被封海岸之遠近，均無關重要。

吾人須知，國際公法，尤其封鎖法，乃隨勢而變更者，變更之手續，須經長久之時期方能成為成文法律，非一朝一夕可能辦到。交戰國家，因以戰勝為目的，又何能等待新的成文國際法之降臨歟！因是吾人不能不欽佩英國對於違犯國際公法之雄辯。其勇敢之精神，的確值得吾人贊許。因此余不避重複，將英國二次對於被人譴責違犯封鎖法之雄辯重述之，以證吾上述之主張，有所根據。英國於一九一六年七月七日取消「倫敦宣言」時云：「因海陸戰術之不斷的發展，新的軍械之發明，加以敵國之集中其整個的財源以完成其軍事之目的，致使現代之戰爭全然與昔日之海戰不同也。」

在其答覆美國反對其不分皂白的扣留船隻時，英國作以下的辯護：「凡交戰國家都不能坐視其敵人由鄰近之中立國獲得物資而不設法制止之者。……英國所採用者乃封鎖法之伸展，以應付已變更之環境耳；若環境再度變更時，新的違背封鎖法之行動，亦不能不作為正當與合法也。……」（下）

時事評述

·李秋生·

四外長會與「新精神」

四外長會議剛只開了五天，看情形好像已經是觸了礁。關於德國和歐洲安全問題，雙方立場的距離和過去一樣的遙遠，二十九日的會議中間，杜爾斯國務卿已在斥責俄方建議並未顧及「新精神」了。

其實所謂「日內瓦精神」者，如果只是指俄共首領七月間在日內瓦的「笑容」，則這次莫洛托夫的單人表演也並不算壞。至於具體問題，則今天四外長在日內瓦所爭辯的，與三個月前同樣沒有多少差別。那究竟是否符合「新精神」，局外人實在有點茫然。

侈談「新精神」者只有西方，克里姆林宮卻在一味加緊運用冷戰策略。通過去高呼俄共政策已有重大轉變的人，最近也都喊得不大起勁，這種自我陶醉的想法，還是少談為妙。

德國問題的僵局

關於對德問題，西方曾竭力向俄方提供保證：德國的統一不致威脅蘇俄及其附庸安全。其實是多此一舉。在希特勒的全盛時代尚不能摧毀俄國，難道像現今這樣的德國，就會危及鐵幕安全嗎？蘇俄所要的是德國永久分裂——至少也要把西德做成中立的緩衝區，更重要的目標是拆散自由世界所有的軍事防衛體系——最重要的自然是北大西洋公約，取消美國在國外為確保安全而設置的軍事基地。簡單一句話說，就是要自由世界解除武裝，俄方自己也將以撤銷一個無關宏旨的華沙同盟之類做為陪襯。這是一項談了十年而毫無結果的一筆爛賬，如果說世界和平的前途希望都視乎此項談判的成就，那還是乾脆向世人宣佈和平根本無望好些。

眼光應放到歐洲以外

據說四外長準備要談到本月十九日纔結束，則今後這半月中可能是歐洲以外引起重大危機的時期。

誰也知道今日的中歐已成均勢之局，等閒不會發生重大事變。西方所謂德國之永久分裂可能引發大戰者，也只是認為德人在不堪忍受永久分裂時，可能鋌而走險以求統一而已。那種可能至少是遙遠將來的事。在歐洲以外，則中東熱戰正隨着鐵幕軍械之不斷運達而擴大爆發，在遠東，中共更向着其現存的邊界之外施用政治或軍事壓力。克里姆林宮顯然是藉歐洲問題牽制住西方，而到歐洲以外施其魔手。看莫洛托夫在日內瓦對中東問題裝聾作啞，俄共宣傳機構則把中東危機諉之於巴格達聯盟，這顯然是一項用意深遠的陰謀。

過去西方慣以某項現實問題去測驗俄共「誠意」，現在俄方對歐洲的企圖已極明顯，沒有繼續測探的必要，這一方式應該轉而運用到歐洲以外。

澳門問題

共方另一齣齋，是最近中共藉澳門問題所施的恫嚇。許多人拿此舉與印度之於果阿相提併論，其實在本質上是截然不同的。不管其政府政策如何，印度總是個獨立國家，對外也還沒有侵略行徑；即使其反對殖民主義有些偏頗（只反對西方殖民主義而對蘇俄的新殖民主義視若無睹），也還不失為民族主義的表現。至於中共，外為蘇俄的奴僕，內非中國人民所擁護，而且蓄意侵略，在韓越兩國都留下醜惡的紀錄，則其任何對外企圖，都應視為一種侵略行徑，都是替共產鐵幕謀求擴展。我們對於舊的殖民主義並無好感，對於共產極權的殖民主義尤其深惡痛絕。舊式殖民地之取得獨立自由並非難事，一旦淪於共產鐵幕，則萬難脫身。這是國人所應根本認清的一點。

至於中共此一舉動，顯然是把握西方另一弱點，藉以施行種種勒索。葡方在高壓之下已開始進行側面「談判」，某種程度的屈服殆所難免。但須知中共政權並非中國的合法政府，對中共的任何交易，將非中國人民所能承認。同時更不容以自由中國的利益或自由世界的利益，換取虛幻的苟安。

立委建議政府：改善留學政策

台灣通訊

（本報台灣特約通訊）自從教育部於幾個月前舉行留學生出國考試發生流弊後，社會上對這件事極爲注意，立法院這一次集會後，曾有立法委員對留學考試所發生的流弊以及留學考試制度問題，作激烈的抨擊和中肯的建議；十月二十六日立法院教育委員會開會時，在場立委喬一凡、程毅志、王大任、錢雲階、王化民、應維藩、張一清、夏景如、任培道、林棟等，對放寬自費及獎學金留學考試的尺度問題，曾作熱烈討論，因爲發言的人多，意見又極紛歧，所以沒有獲得結論，但各委員認爲茲事體大，最後決定另行定期開會，對這個問題再作專題討論。

不合理的規定

教育部對於留學生出國升學，在現行的制度下有幾項最不合理的規定：第一，凡是獲得外國學校學額而申請出國留學的青年，在出國之前，必須要經過教育部的考試，凡是考試「及格」的，才准許出國，如果「不及格」，顯然手裏拿着外國大學的入學證，那也祇好望洋興嘆，徒喚奈何？

第二，獲得外國大學入學資格後，聽說我們的教育部限定時效爲一年，換句話說，如果在「有效」限期內出國考試沒有及格，縱使這個青年若修到以後能够考試及格，也失掉了出國留學的機會——雖然外國學校仍然承認你入學有效。

第三，凡是考取出國留學的學生，不論他是自費生，或是獲得外國大學獎學金的學生，一律要繳納存款證明，例如美國則須繳兩千四百元美金。此項存款證明，必須要事先存在留學國的銀行或台灣銀行，然後才獲准辦理出國手續。

教育部的過慮

教育部之所以有以上這些規定，動機或者是善意的，考試的目的，可能是爲了求得中國留學生對所習課程事先達到某一水準，以免出國丟臉；繳保證金的目的，可能是避免中國留學生到外國後生計成問題。不過，一般批評的人，却認爲教育部這些顧慮未免多餘，因爲留學生之所以申請出國，是因其已經獲得了外國大學的學額，否則他不會無目的的申請。外國大學之所以准他入學，當然事先已經把這個學生在國內的學分成績審核合格，認爲滿意，並取得對其成績眞實的證明，然後才核准分配他的學額的，這就表示這位青年出國升學，在所學學科的程度上已經沒有問題，那又何勞我們的教育部再來一次出國考試呢？這個考試制度的存在，就等於限制了學生出國深造，因此很多學生經過了幾許奮鬥才獲得的外國大學入學資格，却被我們的教育部否定掉了，而時效一年的限制，更使出國考試不及格的青年，缺少補救的機會，只好瞪着眼失去升學的機會。至於保證金存款，更與教育部風馬牛不相及，那是屬於留學國政府的事，如果外國學生沒有經濟的保證，該國自然不會准其入境，又何必我們的教育部來代謀呢？

違背造就人才宗旨

據在美國留學回來的人談，美國各大學分配給外國學生的學額本極有限，而給予外國學生獎學金的名額更是有限，在這些有限的學額與更有限的獎學金中，分配給中國學生的，那尤其少得可憐。中國學生出國留學的主要是到美國，而這些獲得美國大學和獎學金的學生，更是中國幾千青年中極少的幸運兒，得來之難，可以想見，站在政府培植人才的立場，應該鼓勵幫助之不暇，更不應該加以限制，無形中剝奪了他們出國深造研究學術的權利。各國政府很少聽說限制青年出國留學的，而我們的教育部却偏偏這樣做了，這與造就人才的宗旨實在背道而馳。據說自中國實施這個出國考試制度後，考試不及格或雖僥倖及格又因其他種種困難而不能及時趕到美國去入學的中國留學生，常常請求美國大學准許延期入學，美國各大學在遇到種種麻煩之餘，對我們的印象十分惡劣，奇怪中國學生爲什麼會輕易失去留學機會。

因此，社會上一般人大多希望教育部趕快取銷這種不合理的制度，部份立法委員主張至少要放寬留學考試的尺度。中國因爲戰亂幾十年，以致教育水準，學術成就，都遠落人後，這是人才缺乏的主要原因。今後我們在建國途中，需要人才正殷，如果我們的教育當局不積極培育英才而消極限制發展，簡直不可思議，因此立法委員們大聲疾呼，希望教育部趕快廢止留學考試制度。

華僑社會中的文教事業

唐君毅

（上接第一版）照我的意思，如果一刊物報紙要求在當地社會生根，應多重後者。誠然，一刊物如本是純政治性，或一刊物之社會地位，自量能影響現實政治，又當別論。如其不然，則有些應時的政治評論，及不出自眞情實感的政治宣傳，不必要的政治牢騷與攻擊人陰私的政治內幕新聞，大可減少。因爲這恒不是廣大的華僑社會中的人所特別關心的。在此點，我又舉在香港南洋一帶銷路頗多而由一些青年學生所辦的中國學生週報爲例。這刊物並不一定很合理想。中年人儘可說其見解不免幼稚。但是牠却無一些中年人所辦的反共刊物之充滿政治宣傳與政治牢騷。其十分七八之篇幅，都是正面的談些學術、文化、生活上的事，對政治上反共的問題，亦從人生文化之觀點去談。這樣便較能適合青年學生心理的需要，而能團結一些華僑青年之精神。我以此刊爲例，是證明以上的話，而非爲此刊宣傳。人如了解此義，亦儘可辦出比此刊更好而能在華僑社會中更能生根的刊物。

此外在華僑社會的學校教育中，我亦認爲無論對學生宣傳三民主義或第三勢力的政治主張，亦都莫有大效用。無論講國民政府如何好或如何壞，都不是青年學生與當地社會人士所能眞有親切感的，因政府不在眼前。這些宣傳的話，都並不能達到擴大反共與非共之陣營，及團結華僑社會的效果。亦不能使學校之教育在華僑社會中眞發生影響，更說不上生根。這我亦可現身說法舉我六七年來參加的新亞書院爲例。

新亞書院不是已成功的學校，亦尚不是一已在香港社會生根的學校。但是香港是殖民地，則我們僑居於此，亦算華僑。而此校經錢賓四先生及各位董事先生之苦心經營，其前途雖仍不可知，但直到現在爲止，仍不能不說多少對香港的青年與華僑社會有些影響。但是這些微的影響是如何來的？這我可簡單說一句，即由不直接着眼於政治而直接着眼於社會人生文化方面來的。當新亞書院初辦的時候，別人說這學校是政府的，是準備造政治勢力的，其中的先生學生亦都是反共或非共的，因此亦遭受多方的猜疑攻擊。這些話對不對呢？至少最後一句話可說是對的。但是實際上新亞書院是一純教育機關。其中的先生初莫有一個人是不反共而反共的，更說不上爲政府而反共的。因爲他們皆素無實際上的政治關係與政治興趣。新亞書院自初辦到現在，並不禁止學生看馬列主義的書，初來的學生思想，亦儘有左傾的。然則何以此校被人稱爲反共非共者之集合呢？這理由只有一個，即此校之先生們能多多少少眞切認識到有無數他們所寶愛的人生價值，學術價值，文化價值，倫理價值，社會價值，歷史價值，理想價值，眞理價值，共黨要加以否定。爲了要保護發揚這些價值，所以勢不能贊成共黨之所爲，而自然成了反共或非共者。如果新亞書院的先生對於青年能有些微影響，幫助他們更成爲眞正的自由人，此亦只在其先生們之能多多少少展示他們深心所寶愛的這些價值於青年心地之前。而此中初不含任何政治性的企圖。因我們之所以要反共，就是反對共黨之以政治包辦一切，但是亦正因此中有一點爲教育文化而教育文化的精神，所以牠才能多少作一點凝聚民族精神之事而多少盡一點對國家之責任。這中間有一辯證的智慧，我亦希望人能了解之，而辦出無數比新亞書院更好的華僑社會中的學校。

十多年來，我即形成一個思想，即人必須先有眞肯定，才能有眞否定。人必須先有他眞寶愛的價值，才能爲保護此價值而奮鬥，亦必須能開啓激發他人對於此價值的自覺，才能使他人亦自動自發的爲保護此價值而奮鬥。這幾年我個人所以寫此寫之文不少。而由新亞書院之多少對一些青年的影響，更使我相信在一切華僑社會的文化教育事業，必須要有直接對社會人生文化之價值有眞認識而眞寶愛之，直接對國家對個人良心負責的人來辦。這些人應當先在社會樹立信用。這些事業，應力求在廣大社會中生根。而其工作之要點，亦當初不在反面的反抗與批評，而當在正面的喚醒人對於各種社會人生文化，歷史理想之價值之自覺。由人們之此自覺而生之精神上之團結，方爲眞正之團結。而此團結中，終當轉化出無限的力量，非表面以觀，所能臆測者。至實際上作之如何作法，則有各種隨境而易的情形。本文不能討論。本文之目標，只是希望在華僑社會從事文化教育事業的人大家之着眼點，不必太重在政治與政府，而應轉向到當地華僑社會，如何轉移此廣大社會中之人心，以成就民族之精神上之凝結團聚上用心。而此亦即今所急需之最大的政治，將來復國建國之眞正基礎。

讀者來書

奇·文·共·賞
台教育界又一怪現象

編輯先生：

貴刊曾以自由而寶貴的篇幅，揭發本省教育界少數濫竽充數，誤人子弟的校長和老師，態度嚴正，效果宏偉。

本人現在也要爲一部分孩子請命，特剪附基隆市省立女子中學校長石季玉於重陽敬老節公開在報端發表的文章，以見今天作爲一個中等學校校長的學識。這種情形也恐怕不會限於一人。社會每好責備今日青年國文程度的退步，但看了這篇「宏文」，我不免爲青年抱屈。關於石先生如何能做到雨港女子最高學府校長，本人不知其詳，但以他的文章來看，顯然不是憑其學識掙來的。

請看文內「尤而效之」之語荒謬得出人意表，又何怪在寶島引爲笑談之某青年稱他母親爲「半老徐娘」呢？

貴刊爲讀者喉舌，用請惠予刊佈爲荷。

讀者鍾林

×　×　×

敬老節感言

石季玉

今日爲敬老節，昔者敬老尊賢鄉黨尙齒的倫理道德觀念，今日反共抗俄的基地台灣來把它提高並發揚光大，這實在是大富有意義了。

我們知道中國的政治哲學與倫理哲學是合一的，政治以倫理爲基礎，倫理是政治的準繩，因此我們今天來重振倫理觀念也就是等於崇尚政治理想，我們來舉行敬老節，也就是等於啓發倫理觀念的表現。但是我們應該怎樣的敬老？語云：「鄉人飲杖者出斯出矣，鄉人儺，朝服而立於阼階，」這是孔子對鄉黨公共活動的態度，傳統到現在，我們還是應該尤而效之，才不致失禮，也可以說是做到了敬老尊賢。

現在我們緬懷大陸於淪陷之初，共匪即喊出打倒孔家店口號澈底毀滅倫常破壞固有道德，不但不尊長敬老，而且還唆使青年人做出子殺父，兒婚母的種種滅人倫的事實，如今歷六年了，依然是在不斷的製造中，大陸上的父老同胞，慘遭共匪殘酷的迫害，罹於難者，眞是不堪勝數，孟子說：「愛人者人恆愛之，敬人者人恆敬之。」又說：「殺人之父，人亦殺其父，殺人之兄，人亦殺其兄。」由此看來：共匪的這種滅絕人倫的賣國暴政，何得不使大陸上各省各地掀起抗暴高潮？

所以祇要我們認識的國家政治，基礎發揚我們敬老尊賢的傳統道德精神，提高倫理觀念大陸上民心永遠是趨向我們的，反共的勝利也一定屬於我們的了。

本報稿約

本報各版，均歡迎投稿，敬訂稿約如左：

一、每稿最多請勿超過二千字。長篇鉅製，以限於篇幅，無法刊登。

二、惠投各稿：評論要切合時局，新聞要記述事實（所有消息，須有人名、地點、時間，人名不便刊登者，可於稿內註明），雜文要生動活潑。

三、來稿除附有足够退回原稿郵資外，概不退還。

四、稿末請附註眞實姓名，地址。政治性論文必用眞實姓名發表。文藝譯述，趣味短篇等稿聽便。

五、譯稿請附寄原文，如原文不便寄來，至低限度請詳細註明出處。

六、來稿務請用稿紙直寫繕淸。請勿用鉛筆，潦草，或兩面寫。

七、稿酬每千字六元至十元，一經刊登，即寄奉稿費通知單，憑單向本報領取。

八、稿件請逕寄本報，封面書編輯部收，萬勿書私人姓名，以免延誤。

俄報人訪美受窘

·明易譯·

蘇俄七名高級報人在十月中訪問美國，這是一九四六年俄作家愛倫堡以消息報記者身份，與眞理報及紅星報兩名記者訪美以來，蘇俄作家赴美考察的第一次。

至少在表面上，這批報人此行目的，與愛倫堡頗有不同，艾倫堡曾利用種種機會發掘美國間生活的陰暗面，藉以宣傳，但據這個代表團的主席波爾伏艾（蘇俄暢銷小說作家及蘇俄作家協會秘書）說：「我們這次計劃的要點，是將美國人民最好的東西及美國人民引以自傲的東西加以宣揚」。

他們最早訪問的地方是華爾街。紐約股票市場主席向這批訪客解釋了如何藉購買股票而擁有生產的工具。有一個蘇俄報人開玩笑地提到蘇大羅諾夫既是個生活優裕的劇作家，又兼任蘇俄成功的一本雜誌「奧哥尼克」的編輯。旁邊一個美國股票經紀立刻給了他一張名片，以備「不時之需」，如果他想投資，儘可找他。

這批俄人參觀都會藝術館時，對藝術品倒不甚注意，却去看肯一位教師向一羣學生們講解藝術。波爾伏艾說：「這才是經營一所博物館的方式。」到哥倫比亞的新聞學院時，蘇俄「國際生活」月刊的編輯伊薩柯夫說，莫斯科大學有一千八百名新聞系學生，而且都是免費的。在曼漢頓的市政府大廈中，市長華納向他們解釋這個都市是不同的信仰，不同的文化，不同的膚色的人管理的，伊薩柯夫又乘此機會大加宣傳，說：「這正是良好的共存。」

他們參觀聯合國和合衆社，也遊覽了著名的白鶴俱樂部和哈倫餐室，其間他們得到印象最深的，是美國報章雜誌的豪華。波爾伏艾表示，和莫斯科寒傖的報紙比較，美國報紙出報之多令人驚訝，他說美國人在一週之內能將雜誌出得像床墊一樣厚。有一位蘇俄記者乘此機會對蘇夫羅諾夫開了個玩笑，說他是「蘇俄一本瘦雜誌的最肥的編輯。」

當這批訪客在海外記者俱樂會舉行記者招待會時，初次看到了美國的記者工作情形。二十餘名記者向俄人們提出了許多窮於應付的問題。有一位美國記者問他們蘇俄爲什麼干擾「美國之音」，一個俄人最後祇好說：「要解放我們，用不着「美國之音」來管。」一個以色列記者質問幾名猶太籍記者在蘇俄失蹤的情形，與伊薩柯夫同任翻譯的「新時代」週刊總編輯貝爾茲阿夫說：「去問莫洛托夫。」

遊完紐約，這批俄人即前往克利夫蘭，一位記者問他們有沒有看到美國準備侵略的任何證據，波爾伏艾答道：「我們並沒有發現戰爭販子。」芝加哥的「立陶宛日報」記者問他們爲什麼他的太太被囚禁於西伯利亞，伊薩柯夫迅即憤然退出會場，一面大喊：「豈有此理！」

這批俄人對美國的感想，並沒有公開表露。其中一人說，由於這次行程匆促，他們還沒有時間向自己的報紙或雜誌報發消息和寫通訊。但等到他們回國之後，他們不僅將寫下在美見聞，且將集體寫一本關於美國的書。

名作預告

黨國元老賈景德先生，道德文章，久爲世仰，今應本報之約，撰成「秀才、舉人、進士」一文，即將連續刊載，當爲讀者所共樂聞，謹先預告，祈讀者注意。

影劇界代表五十餘浩浩蕩蕩返國祝壽

鬼鬼祟祟 浩浩蕩蕩

紅綫女和馬師曾被人牽着鼻子參加所謂「十一」的慶祝，去的時候是那麼不可告人的，回來了，又是那麼鬼鬼祟祟的，和新聞記者來了一次最大的不合作，無怪有一張晚報的記者提出了「趙孟能貴，趙孟能賤之」的警句。究竟返回大陸是不是一件光榮的事呢，如果說是光榮，爲什麼行蹤又要如此詭秘和閃縮，如果是不光榮的，爲什麼不乾脆點就不去呢，問題就是如此令人感到可笑。

相反的林黛、李湄、王元龍、白光和馬、紅同樣是在香港的藝人，可是林黛他們，這回爲了慶祝蔣總統的六九華誕和慰勞三軍，一行五十六人打了堂堂正正的大旗浩浩蕩蕩的行列於十月杪飛返自由中國去了。同樣是藝人而已，可是一個去共區，一個返祖國，行爲上，却有着這樣大的分野。

勞軍演出 保證精彩

返祖國，是沒有見不得人的地方，這一天的啓德機場無上，我們看到了數激後的人羣，而松山機場上，歡迎的人有像洪流，泛濫了松山。這說明了這一羣愛國的藝人的得人愛戴，無論在什麼地方都是一樣的，正因爲除了他們的藝術外，還有一顆赤誠的愛國的心。

我們看到，這一次返國祝壽藝人的陣容是強大的，他們包括國語、粵語和潮語電影的監製、導演、編劇，男女演員，平劇藝員，票友，粵劇的名演員，和音樂界的歌星和從業員等，正像王元龍當抵達松山時，面對着千萬的影迷說，他們這次勞軍的演出「保證精彩」。

用什麼來保證呢，就是一顆愛國的心。

這次祝壽團有幾點是值得一提的，比如說中聯的導演珠璣這次的歸隊，就顯得不很平凡，誰都知道，中聯是一個[illegible]的電影組織，它支配了一部份粵語的電影從業人員，在香港還算有點力量，珠璣、吳×、秦×、和吳×一向是被稱爲中聯的四大導演，因此，對珠璣的返國，許多人都感覺到有點意外，在珠璣返國的前一天，他曾沉痛地向記者指出外間許多人對他的誤解，他說我雖然是中聯的股東和執行導演的工作，但思想上我和他們有很大的距離，我一向嚮往於蔣總統領導下的自由祖國，這次我能夠返國爲總統祝壽，是衷心地感到快慰。

選擇自由 掙脫羈絆

珠璣的行動並不是個別的，一年以前，中聯的前董事長張瑛，就公開聲明過脫離中聯而投向自由，這說明了認識自由可貴的人，總有一天會知道自由的可貴和選擇自由的。

還有，擔任顧問的歐德爾，是一個在本港從事電影的美籍人，他主持了永華公司一部份的業務，同時於前年又創了一間國際電影公司，從事國語和粵語電影的攝製，他這次以一個美國籍的「客卿」身份赴台祝壽，是因爲他在香港和自由影人接觸得多了，使他對自由中國和蔣總統有着無限的欽仰，藉着祝壽團的行列，他於是以顧問的身份同行。

林黛她在電影界裏所獲的盛譽，她對自由[illegible]嚮往已久，但[illegible]，這還是第一次，祖國的影迷對她也許不很熟悉，然而，在東南亞，她卻擁有無數的影迷，最近有一個關於她拍片所引起的傳說，可以說相當驚人，據說最近和她簽約的一間公司合同滿了，有兩家財雄勢大的公司就展開了一次爭奪戰，有一間公司送了一隻鑽石腕錶，另一間公司就送了一架價值二萬五千元的「道奇」大型汽車（原本林黛的一架是「康素」小型車），有一間公司提出了一百五十萬元五年合同的建議，另一間就提出了三年一百萬的合同，後來是那一間公司得勝呢，據說是出價三年一百萬的，這雖然是電影圈中的一個「路邊新聞」，但也可以證明了林黛的吃香程度，這一次不但她自己成行，還帶了她的母親呢。

犧牲睇波 返國祝壽

這裏是必須提到粵劇團的白玉堂和陳非儂，他們這一次祝壽團非常熱心，白玉堂和陳非儂都是粵劇界裏的老前輩，最近兩年已不常演出，偶然漏演一次，都得到廣大戲迷的擁護，白玉堂還是一個十足球迷，每一次足球賽卻定必到場，這一次祝壽團返台，卻剛巧碰到球季的開始，在他說來是一種犧牲，但白玉堂說，看球是小事，祝壽勞軍才是大事呢。還有一點，自由中國的影迷也許還不知道，被稱爲「玉女」的尤敏的父親，就是這位白玉堂。

陳非儂是有名的刀馬旦，這些年來，他一直以培養下一代作爲自己的責任，他開辦了一家粵劇學院，像芳艷芬、白雪仙、鄭碧影這些紅得發紫的粵語伶星說來都是他的門生，這一次雖然他個人成行，他却帶了千百粵劇從業員對祖國的歸心。

此外，像王元龍、李湄、葛蘭、嚴幼祥、胡晉康、陳燕燕、王豪、楊志卿、唐煌、洪波、婁貽君、王植波、翁木蘭、鄭玉如、張翠英、沈雲、夏厚蘭、于聰、金帝、王龍、馮鏡華、馮佩華、李宙民、唐迪、薛宗淵、何拾青、張秀蘭、柴淑英、朱冠軍、何子青、朱鳴玉、倪德、楊天、江帆、小雯、黃山、黎明、吳源祥、施振華、劉子煒、梁宗晉、許行、汪琦、陳依，他們都是香港的國語，粵語，潮語的電影從業員，平劇藝員，粵劇藝員，歌星和音樂工作者，自由中國的人對他們也許有一部份陌生，也許不陌生，但他們的愛國是一致的，正如總領隊李祖永所說的：「我們是一羣愛好自由的影劇工作者，我們雖然居留海外，但對蔣總統，由衷地熱愛和崇敬，這一次能夠在慶祝元首華誕的前夕，回到祖國，實在令人倍覺興奮。至於自由中國的政治修明，社會安定，軍容強盛，我們已經聽到了許多的報道，此次返國，我們將有一些時間的逗留，回來的時候，希望有更有好的消息帶回給香港僑胞」。

是的，自由中國的軍民正狂熱地和這一羣來自香港的影藝人打成一片，而香港的二百五十萬僑胞也正希望他們歸來時帶來祖國新的訊息。

港泰合作查僞鈔 找換業收兌謹愼

最近關於僞泰幣案，已使香港銀錢找換業也風聲鶴唳，許多店鋪已不敢隨便收換泰幣，以防魚目混珠，不過自泰國人民披露僞鈔辦別方法後，這種情形已漸好轉。本港對於此案，有關當局正在嚴查，同時據說曼谷警察當局連日繼續展開大搜查僞泰幣，在本周內又在羅華力路搜出二萬四千餘銖僞鈔（全屬百銖鈔）泰國當局，認爲大部僞鈔，均從香港方面運來。又懷疑香港運去之書報，可能混入此等僞幣，因此對香港書報進口，一度搜查頗嚴。

關於僞泰幣之辨別方法、泰國當局已明白指出，最主要點爲行長簽名不同，僞鈔中之簽名有一個泰文字母與眞幣不同，一經細察，便不難分別。

自從上週間曼谷方面發現大量的僞鈔後，曼谷方面的警察，曾扣留由本港寄運至曼谷的書報，詳細檢查，恐有夾帶。

本港方面與曼谷有商業來往的商行，和經營金銀貿易的找換店，對此甚爲注意，彼等已紛紛去函泰國有關商行或親友探查眞相。

至於上週此間傳說航空公司暫時不輸運本港的書報前往泰國一事，據一間航空公司表示，此說並非實情。事實上，上週間，他們的公司因爲運往泰國的貨品太多了，所以曾經告訴客人，請求他們過兩天才可送來，不然的話，也不外太多了，運不及，可送來的貨品，堆積在倉而已。

另外據悉，曼谷的大小商店，現對於紅色的百頭[illegible]鈔，都不敢收入，以免蒙受損失。非特曼谷方面如此，即泰南的大商埠合艾等地，亦已發現僞鈔。

農民不滿供求失調 中共搜購農產受阻

「女顧客問：「奶瓶子到了沒有？我買了兩三個月了」！營業員說：「缺貨」。」（見十月十五日天津大公報）

民用工業生產落後

缺貨！——從奶瓶子到針、綫；從小五金到火柴。從吃的到用的，樣樣都缺。要買什麼，沒什麼。這是目前大陸農村市場上極嚴重的症狀！但中共卻諱言這是「工業品脫銷」。

究竟是缺貨？還是「脫銷」呢？就十月十六日天津大公報社論的定義來看，完全證明這不僅是缺貨，而且是供應失調。該社論說，「脫銷的意義是供應量趕不上需要量，供應量與需要量之間產生了差距」，就是供求關係失衡。事實證明中共民用工業生產量遠落在需要之後！

無貨供應的實況

根據最近的中共報紙研究。缺貨是長期的現象，今年的情況較以往均嚴重。十月四日天津大公報載：「今年早稻上市後，在湖南、湖北、安徽……等地的農村市場上，香烟、肥皂、火柴、鏡子、青布就曾脫銷」；十七日該報更詳細地暴露，「江西省發生手工業用的角鐵、方鐵、鋅皮、雜銅等供應不上；河北省交河、唐縣、徐水等地八月份就發生袋色、白礬，小蘇打、硫化青等脫銷；山東泰安、汶口等地直接擬鹽脫銷竟達四個月之久；遼寧省的海城、營口、阜新……也發生鉛絲、元釘、供應不足；……小五金、工具兩類商品脫銷竟達一百七十多種」。十六日該報再稱，「遼寧省不少地區已經發生了嚴重的脫銷情況，昌圖縣要一千把牛角梳，三百個奶管，二千八百斤糕乾粉，都沒有貨；通源縣供銷合作社白毛巾、長五眼鞋都脫銷，一個老鄉來買十隻飯碗都沒有買到；青城子供銷合作社肥皂脫銷，小學生用的白紙本也沒有」。買油的便要排長龍，爲了買二三兩油有的甚至要排隊兩三個鐘頭。」

農民的不滿

這些事實，絕非是局部現象。同時也可以看出，缺乏民用工業製造品最嚴重的地區是東北——這個重工業區，和華北、華中地區的農村及城市。

在華南方面，農村不僅缺貨且亦缺糧，情形更甚，據中共「粵東行政公署主任」羅範羣的報告，在揭陽梅北區，「收購[illegible]供應壓大，緊縮[illegible]「農民、礦工、[illegible]要跑六、[illegible]二兩豆、[illegible]五、[illegible]門市部[illegible]

又據十月四日及十六日該報的社論綜合研究，這種缺貨的現象是全面性的。該社論說，「農村出現工業品脫銷，品種不夠的現象，已引起農民的不滿」，「商業部門應該充分認識到問題的嚴重性」！……

但問題的嚴重性又豈止於此呢？該論又說：「如果農村市場上工業品繼續脫銷，閉塞了貨幣回籠的主要渠道，貨幣過多地在市場上衝擊的結果，也是有引起物價波動的可能性的」！「而更嚴重的是影響「有關鞏固工農聯盟和支持農產品收購的政治、經濟任務」。而後一問題，是直接產生動搖中共政權的動力！

目前大陸農村，正因爲「農業合作化問題」展開了新的鬥爭形勢，農民反共的覺悟已提高，農民在痛受「定產」和「統購」剝削之後，又遇到持有貨幣，卻買不到日用品而遭遇的刺激，不滿是當然的。

挑回去！

市場無貨供應，本是中共欺騙榨取農民的目的，但，大量鈔票在農村泛濫，不回籠，卻使它意想不到的自食惡果。一方面固須恐懼物價波動，而最現實的冲擊是其政策因鈔票不能回籠，而影響了它在農村繼續創「收購」的進行。因此，在農村出現的，不僅是缺貨，而且還缺鈔！相反的，未賣農副產品的農民有貨，已賣的則有鈔，相應而來的情況迫使中共不得不「因收購資金供應不上而停止收購」。（見十月四日該報社論）怒潮並未因此平息，中共停止收購「而排隊農民經過露宿、待售」，而結果遭此打擊，當然心有不甘，於是「不滿」情緒高漲，「挑回去！挑回去」的情況，就「造成了農產品收購計劃完不成」（見十六日該報社論）但是，中共依賴

農民拒售

「用農副產品做原料的工業品」，卻佔全工業總值的百分之五十以上」！（同上）這就愈顯出問題的嚴重性了。

目前的情況是中共根本沒有工業品出售，滿足不了農民的需要，事實發展形成爲一個惡性循環的死結。

看樣子，問題不會馬上得到解決，而農民的不滿和反抗，卻必然因此而益加積極了。（范珍）

中共派大批文化特務赴伊犂赤化哈薩克人

伊犂在新疆西部邊陲，爲蘇俄攫取新疆的第一個重鎭。大多數係哈薩克族人集居。自經中共劃爲「自由州」後，將吉爾吉斯、布魯特、羅布、蒙古及滿洲人驅離，成爲單純的哈薩克族人社會。因爲俄人滲入較早，人民生活習俗，許多方面已被同化。中共伊犂區委會爲了徹底赤化哈薩克人，而於十月一日在伊犂首府伊寧市出版「伊犂日報」一種。據共報所載伊犂通訊說，這一份「哈薩克文」的報紙，大多數工作人員係由「華東新專」調去的，他們過去曾在華東各地從事新聞工作；對伊犂方言及哈薩克文字曾經一年以上的鑽研和學習。該報相信今後對哈薩克族人的「政治意識將會大大提高。」所謂政治意識的提高，也就是進一步的赤化。（鄒）

共黨迫小學生要學習做特務

中共的「人民教育」雜誌九月號社論提出，要共區的小學生做特務。該社論認爲做特務工作是共區「全體教育工作者一項莊嚴的政治任務。」社論中繼續對學生要求互相檢舉，告密並揭發他們的家長、親戚、朋友……。「目前肅清反革命分子的鬥爭，正在全國範圍內廣泛展開，反革命案件一在不斷地陸續破獲，各地學校應抓住這一有利時機，發動全體青年學生特別是中學生投入這一劇烈的階級鬥爭，大膽地揭發檢舉一切反革命分子，使每個學生明確認識，揭發檢舉反革命分子是每個愛國者的光榮、崇高的責任，每個人要把自己周圍的情況檢查一下，看看有沒有來歷不明，或形跡可疑的人，有沒有反革命分子的活動，說不定在我們的家庭中，親戚中，朋友中，街坊鄰居隨便甚麼人羣中，有帝國主義間諜、特務匪徒藏着，以及各種反革命分子在那裏隱藏着，一經發現，就要馬上報告公安機關或黨的組織，這對人民事業將是很大的貢獻。（竹）

中共檢討糧食「浪費」

米質降低 摻雜泥沙玻璃

大學生不愛吃拋擲滿桌 廚工不敢揀賠不起重量

上海的糧食經過一再全面檢查，浪費情況依然十分嚴重。南京「新華日報」舉出了一個例子，它說，許多浪費事實，反映出他們造成浪費原因，並非絕無理由的。這個例子是說「交通大學」的學生，在膳堂裏每天要糟蹋不知多少糧食。

該報說：上海「交通大學」自從實行節約「標準」米、麵、改食「標準」後，浪費情況日形嚴重，因爲「標準米」是次一等的「標準米」；每一碗飯如果將穀、稗子、砂粒、玻璃碎等細算一下，祇剩得十分之三四的糙米飯；饅頭裏的泥沙、鼠屎更難估計。

於是，學生們每餐像餓狗一樣搶光了菜，離開膳堂之後，滿櫃、滿地撒滿了飯和吃殘的饅頭。這些情況，根據「新華日報」說，學生曾經屢次向「領導上」反映，並且一再提出「改善米麵質」要求。「領導上」並非不加理會，而歸於廚工「同志」不負責任，指摘廚工偷懶。有一天，廚工「同志」在「批評會」上挺身而出，他忿怒地指控「領導上」不明事理，不了解情況，盲目亂下「命令」。因此，「領導上」要廚工提出具體事實來批評。廚工說：「我並非不能將米麵揀淨，問題是賠蝕不起少了的重量。」大家撈了一陣，面面相覷，不出一聲。廚工又站了起來，他說：「揀淨米麵不難，只要領導上允許銷蝕耗。」至此沒有結論。結果仍由廚工打破這沉悶僵局，他說「我相信誰也解決不了這個問題，除非有一天「標準」米麵質提高。「浪費」雖然是個不好聽名詞，現下只好聽其自然了（祗）

不平之鳴

馬五先生

埃及與俄共集團作了一批軍火交易，英美爲之疾然驚動，忽然作色，向埃及提出「哀的美敦書式」的警告，說是要把納塞政權打倒下來。這話我十二萬分相信其正確性。合英美兩國之力，不但打倒一個弱小的埃及政府易如吹灰，即龐然大熊之俄帝，也是不堪一擊的。

不過，我們這些東方「落後地區」的人，智慧實在僬陋，莫測高深。俄帝售給了一些軍火於埃及，就認爲是擾亂世界和平，促進三次大戰的滔天禍事，然則俄帝曾以更大批的軍火和財力人力供給中韓共黨，在亞洲公然實行武力侵略，何以英美又不特不聯合警告制止，而且對中共百般示弱見好，唾面自甘了呢？敢情中共挾着俄帝勢力在亞洲橫行肆虐，就不是妨礙世界和平的行爲不成麼？

再說埃及在未向俄共集團購買軍火以前，曾經請求過西方列強供應同樣的軍用品，而反應冷淡，並且非現金交易，即免開尊口，俄帝既願廉價售予，實逼處此，祇好接受，甲國與乙國的買賣行爲，自不必向第三國呈請核准的。若謂這是俄帝故意搗亂，那就應該向俄帝提出強硬警告才對，何以獨對埃及作此咄咄逼人的威脅言行呢？怕強欺弱，毫無絲毫正義公道可言，我若是埃及當局，一定答復道：「老子還要多買些俄帝的軍火，恭候你們來打倒我吧！我若不悉索敝賦跟你們幹到底，就算是懦種！」

看西方列強對待非共的埃及和共產的中共政權這些作風，確使自由世界的弱小民族國家不寒而慄，所謂「自由運動」與「解放政策」，眞是些屁話。凡我東方「落後地區」的自由人民和政府，如再不警覺團結，自強自立，而一心以仰賴西方列強爲救主者，非愚即妄也！

自由談

廟宇與廣場

雷啸岑詞

神總是在天上。我們人間祇有人，可是有歷史以來，有許多人覺得自己是神的「駐世經理」，他要代表神。也僱有人相信他，於是他就自以爲是神了。

如果有兩個這樣的神，就有了衝突與戰爭。偏偏世界很大，神還不祇兩個。

自從人類進步到把神請回到天上，人間的神的代表也就改了「行」，他從駐世經理變成人民的代表或民族的代表。

當人代表神的時候，他要別人對神有各種奉獻，由他來接受這些奉獻；當他代表人民或民族的時候，他要別人對人民或民族有各種奉獻，由他來接受這些奉獻。所以招牌不同，行業無別。

於是他的奢侈是人民或民族的面子，他的正確是人民與民族的正確，他的享受是人民與民族的享受；違反他就是違反人民與民族。

他不會有錯，如果說他有錯，那等於說人民或民族有錯，那就是侮辱自己的人民與民族，這個人當然是帝國主義或走狗或奸細。

他與以前神的駐世代表沒有什麼不同，所不同的是以前神的代表必須有一個廟宇或教堂，以表示他代表神在領導人；現在這個人民或民族的代表則必須有一個廣場，可以在國慶一類的節日集合許多人民在他面前遊行，表示他代表人民或民族在領導人。在廟宇前處異教徒于死刑，在廣場上對異己者的公審，就是異途同歸強姦善惡顛倒是非的手法。

迷信於廟宇的是狂熱的香客，迷信於廣場的是狂熱的羣衆。

因此，民主的基礎決不在香客與羣衆，而在一個一個有健全的理性與獨立的頭腦的個人上面。他們決不作甚何的盲目奉獻，祇是勇敢而合理的要求自己的權利，而又熱誠而謙虛的尊敬別人的權利。

井塘周甲生辰賦贈

·許紹棣·

朱顏不可再，年光逝若遒。
與君同學始，倏忽四十秋。
羨君鬢猶昔，嘆我今白頭。
德充神始旺，君實荊山璆。
自從喪亂來，浪迹若萍浮；
契闊懷友生，況在天之陬！
流離辛苦際，幸君手足侔；
疑義相與析，佳章時見酬。
當其快意時，亦足消我愁。
方今國未活，朝野讐同仇。
君負三君望，奈何事息游？
國知君子意，苟得非所求。
際會合有時，蒼生未解憂。
逢君耳順日，願添海屋籌。
君既無違逆，進德實所由。
丈夫天行健，淹留向所羞。
景福滋膏澤，良田終滿收。

信手拈來

徐堪「絕未貪污」

·憶永·

頃與友人閒談，偶及「恨斷今生」作者崇玫君女士。崇女士原名潤，安徽人，戰前以反抗盲婚離家出走，旋赴法留學，歸國後，識徐堪。大陸變色，徐倉惶變籍渡美作寓公，崇留港，憤鬱成疾。今歲五月病逝港中醫院。病中作「恨斷今生」，哀艷淒絕，蓋爲其本身寫照也。不知[illegible]（徐堪字）讀崇之遺作，有所感否？

徐堪，川人，舊官僚而着新裝者也，機警善變，從官有獨到處，法幣改策實施時，徐任財部錢幣司長，以職務關係得消息獨早，今日得作紐約寓公之甚[illegible]於爲奠定。徐（[illegible]而名遲未顯。[illegible]期，仍與鄒琳併任[illegible]次，還都重慶後兩年，中央爲統籌軍糧民食，設糧食部長司其事，徐以川籍，復得孔祥熙之援引，始平地青雲，榮任部長。

糧食部新立未幾，適參政會開會，徐既爲部長，例須出席報告並備質詢，老於斯道之院部長，早有經驗，如何應付，成竹在胸，縱參政員有過激之指摘，亦坦然受之，面不改色，氣不發喘，若無事然。徐破題兒第一遭，當無如是之老練，一似新嫁娘，未免慌張。報告書及可能被質詢之問題，雖均早事準備，日夕持誦，登台後，仍不免緊張，讀不成句。被質詢時，更手足無措，面紅耳赤，汗流浹背，不知所云，幸散會時屆，草草終場。徐如脫大難，不暇與人招呼，匆匆登其米色新車，急馳而去。凡此窘態，一一爲時事新報出席旁聽記者黃君收入筆端，刊於「會場花絮」欄內。翌日徐見報大怒，以代電致該報，要求更正道歉，該報置諸不理。徐更嚴詞再函該報，如石沉大海，毫無消息。徐盛怒之下，親與該報社長張君交涉、又爲張君所拒，徐正徬徨間，外間復盛傳，糧食部征運發生弊端，徐以新貴深恐丟官，亟宴各報社長，即席聲明，竭力洗刷，致詞中有：「本人自入贊中樞後，絕未貪污」語，在坐者聞言，均掩口葫蘆，糧食部司長李永懋時在坐，急以目止徐，徐不察，繼言如故，蓋徐以急於表白，於不知不覺間露出馬腳而不自覺也。李君現在台，讀此所記，諒必大呼：「要不得」不置。

西班牙哲學家加塞特逝世

西班牙當代最著名的哲學家加塞特，已於十月中在馬德里因癌病逝世，享年七十二歲。在佛朗哥的統治下，馬德里的報紙過去對他一向未表示過好感，但這次對他的死訊，卻多以顯著的地位加以報導，首都的第一流報紙「ABC」更以十一版的地位刊載他的照片，生平，以及各方的追悼文章。

加塞特是反佛朗哥的。一九三六年爆發內戰時，他對西班牙的失望益顯著，以後九年，他流亡於法國、阿根廷、和葡萄牙，繼續從事寫作。一九四五年他回到馬德里，卻並沒有重回馬德里大學的哲學教授原職。他說：「在這羣情激烈的時代，知識份子的責任是保持緘默，因爲在情感衝動的時代，一個人不得不說謊，而知識份子都不應該說謊」。關於在佛朗哥獨裁制度下的生活，他常說：「我雖然在這裏，卻並不存在於這裏，我不要參與任何事情。」

加塞特的哲學中心，正如他在青年時代所說：「我是我加上我的環境」。對於西班牙，他是熱愛而又失望，他曾說：「三百年來，西班牙已陷於漫長的自我昏迷狀態之中，今日我們已不能算是一個民族，而祇是一團塵埃，浮盪於空中。」（文）

語意學漫談

二十一、善於說話的人和不善於說話的人的故事

我們以上一章一章所講的，都是關於語言的功用和運用。語言本來是我們天生的工具，我們日常也從來沒有感覺到話之不易說，而我們在此地不憚煩的予以反覆申詳者，就是因爲我們對於它的功用和運用，平常不甚了了之故。而語言和人生的關係太大了！因爲語言不但是人和人表達意思的符號，而一個人之能作思考，完全靠他的語言作工具。所以，我們可以毫不遲疑的說，善於運用語言的人，不但思考健全，他作事作人，處處都會成功。不善運用語言的人，不但作事作人，常常遭遇失敗，甚至於他的生命都是時常在危險中。

我們且看下面這個事例。

二十九歲的戈登，梅卡夫 GORDON METCALF，買了一部一九二七年式的老爺汽車。這輛車給他帶來了不少的開支和煩惱。一九四八年九月中的一天，梅卡夫駕這輛車出遊，車子又拋錨了。梅卡夫大怒，走到車後，對着它後面的玻璃窗就是一拳。不料這一拳劃破了他好幾條動脈。當梅卡夫還沒有被送到醫院以前，他就以失血過多而死去。（CHICAGO DAILY NEWS, SEP. 8, 1948 HAYAKAWA, LANGUAGE IN THOUGHT AND ACTION, P. 186）

我想當梅卡夫舉起拳頭打他的汽車的時候，就是他口裏沒有講，他心裏一定在講：『你這個老混蛋，我非教訓你一頓不可！』這正是一個人受到他的語言的困惑。而結果是使他失血送命。

還有一件眞實的事情。

麥基什 CHRISTOPHER MAIKISH 在飯店吃飯，剩下了半個香腸麵包。旁邊一個退役戰士叫康隆 VINCENT CONLON 的，勸他帶回家去餵狗。麥說他的狗是不吃香腸的。康說，『那牠眞是一個難伺候的畜生（FUSSY NUTT）』。麥基什認爲這是對於他的狗的一種侮辱，拔出鎗來，一鎗把康打死。審判的結果，認爲麥是故意殺人，把麥判了電椅的罪刑（CHICAGO DAILY NEWS, JAN. 22, 1948, HAYAKAWA, OP, CIT P, 35）

這兩個人，一個被殺，一個犯罪，都是對於語言的運用，沒有學好。（六五）

·徐道隣·

兩盡集

·尤三·

錢穆先生答「今天世界上止有一種中國人，則中國只應是一個」。善哉斯言！盎格魯沙克遜民族，却不懂這道理，明明是一種人，遷居紐西蘭者，自稱紐西蘭人，遷居加拿大者又稱加拿大人，甚至於一島之上，居島北者自稱蘇格蘭人，居島南者稱英格蘭人，誰云眞理只有一個？中西文化之不同亦在此矣！

× × ×

北平秧歌王朝大封功臣，雷嘯岑先生題爲「中共的封神榜」，無意中侮辱了封神榜上的人物。楊劍拉什麼都是有人格有正義的神話英雄，怎好與北平那一羣李登科巴夫羅夫研究的對象相提並論！

照歷史唯物論的記載，一九四九年朱毛革命成功，中國已進入原始奴隸公娼制的社會，尚未達到神權時代。

× × ×

日本人口激增，三島不够容納，但澳洲，加拿大，西伯利亞，巴西沃野千里，無人居住，老實說，近百年來，黃種人口實在增加得太少了。如果白種人不放棄種族歧視，將荒地開放給大家居住，第四次世界大戰，仍不免是一次人種戰爭。

× × ×

中共驅策城市剩餘勞力下鄉開荒，第一應從北平中南海一帶的剩餘勞力集中點着手。如果不信，只將十年前及今日毛酋的照片作一比較，前如枯髏，今如猪頭，都知剩餘勞力之充沛了。

『氣節』

·辛文·

某半月刊最近有一位處羽先生發表大文，題曰『微言大義』，廣徵博引，言與論之如何如何（如何者，廣博得我看不出究竟來也），那篇大文只有頭尾兩段比較明朗。起頭的那段談到世亂中有氣節的人，大意說『積極的，著書立說，消極的，便成爲隱逸之士了』云云，竟使我疑心作者是唐宋六朝的賢者，因爲那思想看法，跟當代是頗有距離的。

怎麼叫有氣節呢？作者未加解釋，就一般的解釋，應該是『擇善固執』『有所不爲』的意思。這種人當然是值得尊敬的——不過，問題來了：積極的著書立說。好極！想必能夠傳誦永久的。然而他著的書要不要出版，立的說要不要發表呢？如果他擇善固執，人家就望而卻步，如果他有所不爲，人家就會以爲你好像得罪了他們的祖宗三代，非團結一致，讓你『無所能爲』不可（原因見伊索寓言：沒有尾巴的狐狸）。當然，有氣節的人可以自費印刷，免費派送——可惜這需要錢。著書立說之『餘』不免吃飯住房子，也需要錢。

那麼隱逸去吧，越發好極！南美風景如畫，瑞士山水如繡，任選選擇。但是護照呢？買飛機票需要錢，到了那里置什麼什麼『山莊』需要錢，在『山莊』中寄情於詩酒婦人，更非錢不可，主意非常精采，令人遺憾的是處羽先生明知其辦不到而要大談一論——如果辦得到，他老早在南美或瑞士等地享福，不會在那份薄薄的半月刊上寫文章了。

當然，我們也見過[illegible]學，舉家遠遊的隱逸之士，此外，目前書店裏就陳列着印刷精美的某門社會科學的巨著。不過這不能追根究底：他們有錢，錢從那兒來的呢？擇善固執的孔老二一生落魄，有所不爲的老聃翁寂寞不知所終；都是死後纔被人捧爲聖人哲人，鞠躬誤拜，忘其所以的。

今天提倡氣節，絕不是一件壞事，不過情形複雜，還以少說多做爲妙。否則高調唱得響亮，難免有不知天高地厚的小夥子聽了，要想眞幹一番，那就會碰得頭破血流，幸而不死的話，退回來成爲擇惡固執，無所不爲的憤世玩世的棍子，那就糟了！

世界之大

牛布衣

十五年兵役

歐洲各國認爲兩年兵役時間太長了，紛紛謀求縮短。巴基斯坦的情形可完全不同，好些巴基斯坦人把十二三歲的兒子送去當兵。政府把兵役期間延長到十五年。當兵是光榮的事情，好些地方的女兒都想嫁軍士。

長壽秘訣

美國加里福尼亞州一個農民慶祝一百歲生辰。鄰人問他長壽的秘訣，他的答復是獨身。

他說：「結婚這件事祇有利於婦女。男子漢應該拒絕上當。」

睡覺的意見

一位年青戲劇家編了一本劇本，最後一次排演時，他請了一位著名劇評家到場，請他指教。

戲劇剛上演，劇評家便睡着了。等到演完，這位作家責備他說：『你來了便睡，難道你不知道我要請你發表一點關於這劇本的意見？』

劇評家笑了笑說，『睡覺便是我的意見』。

× × ×

自由人

THE FREEMAN
（第四八八期）
中華民國僑務委員會
頒發登記證台教新字第一零二號
中華郵政台字第五〇〇號
執照登記為第一類新聞紙類
（半週刊每星期三　六出版）
每份港幣壹毫
台北市售價台幣壹元
督印人：陳　文　華
地址：香港高士威道二十號四樓
3 rd. fl. 20 CAUSEWAY RD
HONG KONG
香港發行及業務接洽
高士打道66號　電話：七四〇五三
承印者：東南印務出版社
地　址：高士打道六十四號
海　外　總　經　銷
友聯書報發行公司
香港：德輔道中二十六號A二樓
台灣特派員辦事處
台北市館前街五十號
台灣總經銷
台北市西寧南路壹零號二樓
台郵撥儲金戶九二五二

感時述見

·徐淑希·

五六月間，瑞士葉茂，鳥語花香，光溢空際。五六年來，因編法典，每於此時，客旅其地。而春光明媚，景色宜人，益起故國之思，反深陸沉之感。厭於公務之餘，寢饋之際，對於問題，有所思索。茲節錄所見，以供參考，非敢謂其道既得，亦藉以拋引而已。　淑希附識。紐約四四年八月八日。

一、

禮法二字之義，東西稍有不同。我國今日師法西歐，所謂法者，有刑法、民法、憲法，而禮則專指儀式。若就從前而言，則所謂法者，祇為刑法。至於民法，憲法，則同於儀式，俱稱為禮。但不拘東西，禮法俱有制裁，重者及身，其次及財，尤其次及於名譽。

子夏問孔子曰，「巧笑倩兮，美目盼兮，素以為絢兮，何謂也？」孔子曰，「繪事後素。」曰，「禮後乎？」孔子曰，「起予者商也，始可與言詩已矣。」然則禮之「前」，所謂素者，又為何物？孔子曰，「人而不仁，如禮何！人而不仁，如樂何！」禮樂，猶禮儀，禮義乃禮也。故禮之素，唯仁乎！誠以禮為形式，仁為底子。無禮則仁不得表現，無仁則禮無所遵依。

禮法，所以維持社會國家，為人羣造幸福者也。無仁以為底子，雖社會，國家，臨時得而維持，至所造的幸福，則恐不在大羣及而在小數。反仁而行之，雖社會，國家，臨時得而維持，其為人羣所造者，則恐不是幸福，而是禍亂。有仁為底子矣，而仁之種類為消極的，雖社會，國家，得而維持，人羣的幸福，亦得而造，但於尋常則如是，於變亂則不然。惟仁為積極的，而後於尋常如是，於變亂亦如是。故欲維持社會，國家，為人羣造幸福，必須有積極的仁，道義的觀念，正義的手段。盡消極的仁不足，功利的觀念，詐暴的手段，則俱不可也。

二、

孔子生於春秋，見禮樂失墜，不能支撐周室，故出而言仁。至其所言者，則有兩種。消極的有「己所不欲，勿施於人。」積極的有「己欲立而立人，己欲達而達人。」孔子對於二者雖未加以比較，稱量，但察其行徑，則可知其着重後者。苟孔子而不積極，則何以僕僕風塵，席不暇暖？

義者仁之積極，非另為一物也。孔子言仁而不及義，而義存其中。子路告隱者曰，「君子之仕也，行其義也。道之不行，已知之矣。」觀於此言，可知也。孟子生於戰國，見干戈已代禮樂，有改造天下的必要，故着重義，以之進干梁齊而外，特別地為之立言。故曰，「惻隱之心，仁也。羞惡之心，義也。」「親親，仁也。敬長，義也。」「未有仁，而遺其親者也。未有義，而後其君者也。」又曰，「仁，人心也。義，人路也。」「仁，人之安宅也。義，人之正路也。」「居惡在？仁是也。路惡在？義是也。居仁由義，大人之事備矣。」觀至於七篇之首，開宗明義，便言對梁惠王曰，「王何必曰利！亦有仁義而已矣。」

仁道出於孔子，至孟子而大備。苟後來學者，能體二子之志，而光大之，則若岳飛，文天祥，史可法者，何至如鳳毛麟角，史不多見！可惜董子雖能以道義對功利，而祇談天人的感應。查董子生於盛世，猶可原諒。至若荀子，朱子，則又如何？荀子生於戰國後期，較孟子之世尤亂。而其所言，祇限於禮法。無怪其所成就者，祇為法家造個集大成的韓非，與個焚書坑儒的李斯。朱子為南宋人物，淮河以北，早落金手。而其所注意者，則為誠正修齊，一若時為西周漢唐，垂拱而天下可治，無怪不旋踵而蒙古滅宋亡華，又倍從專制，犬馬士夫，使中國的進步從此停頓。迨陽明出，倡知行合一之說，似近於道矣。然其「致良知」，脫胎於禪，着重修養。其所欲致的「良知」，則異於心理學上之知，然實解釋。查陽明能以心學繼理學，示人於出世不得之外，又有出世不必之訣，對於人生，極有貢獻，但總不若立人達人，居仁由義之合於常識，切於實際也。使非有總理總裁革命的精神，和革命的實踐，則經女真，蒙古的摧殘之後，中國的文化，國家，將無從而興復矣。

三、

耶穌言愛，為仁的具體表現，故謂耶穌言仁亦可。耶穌之仁，為愛人如己，與立人達人，同為積極，雖不言義，而義存其中。此其道，二千年來，所以能發揚光大，宣傳至於地極，其所孕育的西歐文化，於各文化之上也。所可惜者，西歐的政治和宗教，不相為謀，仁義不能直接地控制禮法。

帕米爾以西，原有文化發源地三處，即兩河河畔，尼羅河河畔，愛琴海沿岸是也。其情形與以東之僅有黃河河畔者不同。祇宜於分而不宜於合。故中國一統相承，數千年不易，而西方則三文化之局，一變而為地中海和西亞的對峙，再變而為基督教和回教的相持。而各文化又不免再自分裂。基督教文化之別為東歐，西歐，與西歐文化之別為新教，舊教，即其例也。

耶穌所生之地為猶太。但猶太非地中海文化的重心，又非有變於該文化。故耶穌所傳的道，不獨自成宗教，且不免與政治衝突。保羅竭盡所能，務求愛道成為該文化的底子，但須經數百年，始稍見效，而屆時該文化已面臨末日，不可救藥矣。

政教既成為對立，兩方皆不免吃虧。以教而論，則在於側重來世，此風一長，則輕視今生矣。故政教益無法融合，西歐基督教雖成為中世紀的中心，所謂「文化」的權，高於一切，而政教迄未打成一片。迨所謂「文藝復興」之後，王權膨脹，族國建立，繼之復有基督教本身的分裂，新舊派南北對峙，有王遂夷為首席的祭司，而政教更分道揚鑣矣。情形既是如此，言仁義者，自言仁義，言禮法者，自言禮法，苟有互相影響，亦祇限於間接的而已。

四、

春秋之世，有墨家者，出而言愛。其愛固為積極，但其觀念則與孔子的不同，即世所稱為功利者也。戰國之世，有法家者，出而言法術。法術以詐暴為手段，正與仁義相反。漢武帝崇尚儒術，排斥百家。自彼以後，儒術獨尊。故醉心於法術者，自不免自號為儒，遂有世所稱為內法外儒者。儒術於孔孟之後，既成為消極，而法術之為性，又反近於積極。故一般以儒應積極者，亦於不知不覺之中，成為外儒內法。故我國之患，豈獨限於仁義之成為消極，毋亦因仁義之成為法術的裝飾物，附屬品乎！

西歐文化中，政教既不相為謀，而仁義與禮法之互相影響，又既為間接，則其結局，亦不免於奇形怪狀的雜出。王權膨脹的結果，「朕即國家！」民族國家，而自由主義者出，依基督教義，創自由平等之說。及英美法的革命相繼發生，民主政治遂因而成立。三國革命成功之後，政教仍不相為謀，而自由平等的原則，不免成為消極，自由主義者，亦不免提倡功利。迨後因所謂「工業革命」，寡雖不患，而不均益甚。資本家，金以兆計，勞動者，力難養活。社會主義者出，依基督教義，提倡個人的寶貴尊嚴。共產主義者出，以勞資對立，則主張無產的專政。未幾首次世界戰爭發生，共產主義者遂乘機佔據俄國，以詐暴的手段，對付人民及鄰邦。及二次世界戰爭發生，又乘機佔據東歐小國及我國大陸，進迫韓越，威脅東南亞，造成與其他各國對峙之局。

五、

文化乃人羣團結的表現。人羣團結自有其途徑，禹會於塗山，到者「萬國」。春秋經傳所載，祇餘百數十國。戰國之世，強者七國而已。未幾遂有嬴秦的統一。此中國文化演進的迹象也。地中海文化，又何嘗不然！雅典與斯巴達爭霸之時，邦國多不勝數。未幾一變而為馬其頓的囊括，再變而為羅馬的席捲，統一成矣。

西歐文化的壽命，及今祇千五百年。其初數百年間，乃在「黑暗時代」，無所謂邦國者。至「封建時代」，始有一般的政治組織。迨後族國勃興，政教分立，遂有十七世紀以後的國際社會。同時力量膨脹，宗教與商業齊勵並行，開拓與併吞並行，遂使新大陸和東歐，回回，印度，中國等文化，相繼地成為西歐文化的一部分，其中的各國成為西歐國際社會的一份子。宇宙包舉，四海一家！

然而西歐文化雖成為世界文化，其必循人羣團結的途徑，以達於統一，則為事所必至，理有固然。可是世界情形，早已變更，統一的方式，不必與前相同。苟民治可代專制於國家，則團治自可代一尊於國際。此於兩次世界戰爭之後，之所以相繼地有國際聯盟，與聯合國的組織。無奈共產主義者，未曾悔禍，尚欲師希德拉，莫索里尼的舊智，以詐偽和暴力，做嬴秦羅馬的勾當。此有違反進化之理，亦其自趨失敗之因也。

六、

苟以上所言，尚近於理，則如何應付今日的局勢，可知矣。第一着在實踐和提倡積極的仁。以往一般儒者消極的仁，已不足抵抗普通的獨夫，何況欲用以消滅科學化的共產主義！至於進行，亦似非難事。革命的精神，和革命的實踐，既與積極的仁暗合，則所應為者，不外在使二者普遍化而已。

共產主義，獨為我國之世仇，抑亦為普世之敵。故應付的方法之第二着，在聯合各主義，而集合之點，則在於攻擊共產主義之詐暴。蓋詐暴為各主義所共同深惡痛恨者也。自由主義，社會主義固然，與民主主義對立的保守主義亦然。至更進一步的辦法，則在領導各主義，使其離開功利之途，走上道義的路，俾能更有效地，更堅決地，與我合作到底。查政教雖分離，而不至於敵對，其關係雖間接，而未曾斷絕，主功利者之中，常有並宗道義，而成為外功利內道義者。故欲領導各主義入於正軌，似尚不至於了無希望也。

時事評述

·李秋生·

中東戰爭爆發

日內瓦四外長結束冷戰的談判並無些須進展，巴勒斯坦的以埃兩軍熱戰到大舉發作，在某些若心孤詣覓致和平的西方人士，際此殆有啼笑皆非之感。

巴勒斯坦從一九四九年春天締成停戰協定以來，一向在勉強維持着武裝休戰，不斷爆發邊界衝突，至於演成大規模戰爭者，這還是六年來的第一次。衝突的背景自然是以阿雙方的互相敵視和猜忌，但這次竟醞成正式大戰却是受蘇俄供應軍火之賜。一面提高埃方作戰的信心，一面激起以人的強烈反感，這確是擾亂自由世界的妙着。

西方的輕忽和失策

據聞遠自今年五月間，美駐埃及大使貝魯德即曾向國務院報告共黨國家與埃及進行軍火交易的詳情，但美中央情報局則斥為虛偽，美當局也未加注意。直到消息正式透露，纔忽促派遣艾倫前往斡旋，則交易早成定局，中東危機也無可挽回了。

情報不夠靈通，曾使西方在冷戰熱戰中吃了很多的虧，而對敵人的輕忽，尤其是不可輕恕的罪過，在這裏「日內瓦精神」無疑又發揮了相當作用。

近年來中東許多變亂，都有共黨背景在內，最近埃及當局交歡印緬，勾結中共，其動向已很可疑，但西方却漫不為備。而所謂「改善東西之間關係」者，在某些大國也許只會顧一些商業利潤，在若干小國則無異趨共墮入俄共羅網。如果說打開鐵幕的結果只是如此，則無寧還是堅壁清野比較安全。

一面倒的中立主義

這日緬甸總理宇努正在遨遊蘇俄，受克里姆林的盛大款待，其結果又是和南斯拉夫一樣，發表聯合公報，要禁絕核子武器，並支持中共侵佔台灣。狄托還可以說獲得俄共卑躬厚幣做為代價，宇努此次却是為了什麼？比起西德總理阿台諾爾以戰敗國訪問蘇俄，而能風骨嶔勁，抗辯不屈者，其賢愚實不可以道里計。

其尤不可恕者，是宇努竟然擅自代表亞非國家，邀請蘇俄參加亞非會議。亞非會議中縱有少數國家袒共親共，其主要特點却是反殖民主義，蘇俄是現今最大的殖民帝國，其在亞洲擁有的領土全部都是殖民地，既然英法都被屏諸亞非會議之外，蘇俄又憑什麼資格參加？

宇努說他「發現蘇俄是一個亞洲國家」，這話連布爾加寧都感到幾分難為情，連忙辯解說只是「蘇俄某些加盟共和國與亞非國家之間確有許多相同之處」。宇努所用以標榜的中立主義，其實是一面倒的中立主義。

四外長會的僵局

在日內瓦會議中，蘇俄隨着其所提「歐洲安全計劃」之後，又提出對德問題建議，這次莫洛托夫不再侈談解散北大西洋同盟，也接受了艾登所提建立非武裝緩衝區的意見。但莫氏的非武裝區並非劃在東德與波捷的邊境，而是在東西德的交界，這顯然要使東西德的分裂變成永久化，適與西方統一德國的希望背道而馳。至於其對德建議所要設置的全德理事會，儼然又是過去所主張東西德政府先行合併的又一形式，而對於西方所特別重視的自由選舉則一字不提。於此可見蘇俄即使在小處略有「讓步」，根本主張則初未稍變。

這十天來，雙方立場已完全判明，其距離並未比過去減少。預料再談下去還是如此。據聞西方並不死心，此次如無結果，準備明年再談。明知勞而無功的事，還是省些力氣吧。

日內瓦的小型談判

曾遜與王炳南在日內瓦的談判，已談到美與中共關係問題。美方對此次談判的兩項目標：關於開釋美僑，已被中共利用作為要挾；至於台灣海峽停火，可能構成更大的陷阱。事關美方威信與中華民國權益，美當局實有特別慎重的必要。

論外長會議

林特萊著　白每譯

如果仍得四國巨頭會議所激起的希望，此次四外長會議不能達成任何重大協議，尤其是德國統一問題以來，必然會令人失望，但如以巨頭會議為指標，四外長會議竟無結果的外交行動，也不會令人驚訝。蘇俄領袖可能是並不準備在任何特殊讓步，我們以便建立和平，祇有等待將來再試。在這種情形下，沒有人應該以為四外長會議是成功了。但就是有關促進東西接觸的次要協議，也是令人歡迎的。不過這種協議却不應造成我們的鬆懈，事實上，沒有談判東西接觸也在增加中。這次會議是四巨頭會議的副產品，其進程也是四巨頭所指定，目的在處理他們所未完成的事，如果不能獲得重大進展，便必須若痛地重加檢討。

我認為最有建設性的具體建議，是艾森豪的交換軍事藍圖與相互空巡的計劃，它是針對最嚴重的危險，即摧毀性的軍事突襲。它也正如史塔森所說，是裁軍的門戶。它也是增加東西接觸的門戶，因此它也是促進互信的門戶。據說在巨頭會議中，蘇俄與美國都已同意，不進行戰爭。艾森豪的建議表明了我們的和平意向，而且是要求今日的和平。蘇俄如予接納，不僅是一步構造令人相信的證據，證明蘇俄也要求持久的和平。

德國統一以及其他特殊問題的解決，都牽涉到蘇俄與美國利益上的巨大衝突，就是這些問題都暫告延擱，如果蘇俄接受艾森豪所計劃，那麼「日內瓦精神」也是可以維持的，因為如果雙方都真實要求持久和平，這計劃如告實行，就是「四強」不能對其他問題達成協議，也可以符合巨頭會議所引起的希望。

（摘譯十一月七日出版「新聞週刊」）

布特勒提出緊縮計劃
英國人被迫減少消費

·平易譯·

今日，英國人民的生活水準普遍提高，產量增多，衣食住改善，工資亦增加，這種情形，已達空前程度，但財相布特勒卻面臨一個不愉快的責任必須履行。在國會復會的第一天，他提出了個應付經濟的補充預算，頓使繁華的夏天宣告終結，而進入一個緊縮的冬天，其情況頗如工黨政府時代已故財相克利浦斯所實行的「束緊腰帶」計劃。英國的過度繁榮，並未使經濟情況好轉，反而引起了許多問題。布特勒的應付計劃，也與過去的緊縮計劃相同，主要是增稅及減少消費。

經濟問題的癥結

布特勒在國會發言時，顯得憔悴而疲之，工黨議員對他大加調嘲，保守黨議員則不作聲。他的演說首先是描述較好的一面，指出他前此提出的「收縮放款」措施，已加强了英鎊地位，且有效地阻遏了英國庫存的下降。英國的工業產量仍在以每年百分之六的比率上增，可是他也說：「雖然增產創立了新紀錄，我們仍然面臨鋼鐵的缺乏，而每一個失業者也有二個空職可待選擇。輸入也較一九五四年間一月份增多百分之十一」。

布特勒的問題，其中心癥結乃是：一面是英國工業所吸收的外國物資原料愈來愈多，一面是英國人用了許多機器與產品，而這些機器與產品卻正應該向國外輸出以抵償所輸入的原料。結果引起了典型的通貨膨脹，貨品與勞力的需要超出了供應，物價與工資循環地上漲。一言以蔽之，英國是一時要做的事太多，既要保持整軍，向聯邦國家投資，調整其經濟，又要提高生活水準。

在這種情況下，布特勒祇有一個乾脆的抉擇，他的預算的目的，能在於大規模增加生產，使供應能趕上需求，否則便須限制消費。布特勒令人失望的決定，是「限制需求」。

限制私人支出

作爲一個保守黨的財相，他應該是主張自由企業，因此，「限制需求」可以集中於政府的支出，例如所謂「福利國家」的種種支出，但布特勒卻對私人支出發出了最大的打擊，這使對他最表支持的人也很惋惜。

布特勒的補充預算，包括以下要點：

一、大量增加電話費及郵票。英國內的電話費將增加百分之三十。

二、劇烈增加購買稅，尤其是在必需品方面。過去九年來免稅的若干家用器皿，今後須納稅百分之二十；以前付稅百分之二十五的貨品，如腳踏車與牙膏等，今後將抽稅百分之三十；以前付稅百分之五十的物品，如汽車、電視機、電冰箱等，今後將抽稅百分之六十。

三、私人公司的花紅增稅百分之五。這是布特勒對工會方面的讓步。工會曾表示，如果花紅加以限制，他們將抑制增薪要求。

政府支出方面，祇有一項是財相加以大量削減的，這是房屋津貼。工黨議員雖大喊「辭職！辭職！」布特勒還是宣佈了削減房屋津貼的計劃，其中祇有貧民窟的改建除外。英國駐美大使館中已決定建造一所價值二百八十萬美元的新屋，現在也暫時停建。

當晚，布特勒在電視廣播中對全國演說，解釋他故意使人民增加負担的原因。他說：「我們必須減少消費，否則其他各方面都將遭受嚴重影響。」（上）

校長人選仍未決定
南洋大學將成學院
先修班已開學教授僅十餘人

（本報星洲航訊）南洋大學自林語堂離星後，內部風波表面雖已平息，但校長一職至今仍久懸不得解決。現熊式一氏亦已辭職赴港（聞已應聘香港大學），該校本擬聘熊氏繼任校長，現熊氏既已離星，該校實已成一無頭之「神龍」！未來校長究爲何人，即該校當局似亦無所知。何人堪任斯職，決定之權似不在用錢大佬如陳六使等之手中。總之南大內部情況複雜，校長之不易爲和不可爲，實乃智者所不敢輕於嘗試者也。

該校先修班現已開課，共有學生四百多人，教授則僅得十餘人。據聞該校擬先辦文商兩院，惟前途如何，則又言人人殊，目前，已不成其爲大學，則是事實。（十月二十八日）

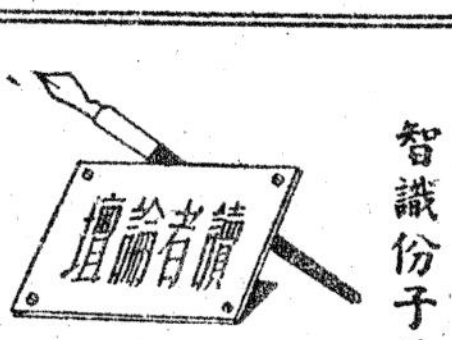

智識份子的苦悶

正如左舜生先生所說，「中國問題畢竟是一個國際問題」，因此，今天任何一件國際間偶發事件，都會驚動我們居住在台灣的人。大家總不免提心弔胆，懷着高度的警覺性。其中尤以智識份子爲然。

不過，今天的智識份子有一個最大的苦悶，一是報紙上所載新聞太少，不能滿足一般智識份子的求知欲；二是報紙刊物雖多，（即台北一地，就有二百餘家）但各立門戶，不輕易接受外稿，讓大家熱烈的發表意見；三是報紙社論多應景之作，讀來枯燥無味，即令也常有國際問題的分析文章，仍嫌不夠分量，四是官吏不大肯虛心接受智識份子的意見，認爲「書生之見，實在好不到那裏去」。

我們知道，智識份子是最重精神生活的。如果多讓他找到發洩的機會，自然也就無若悶之可言。發洩原本不是一件壞事，問題是難得開口，稍一疏忽，就會有人指爲「民主濫調」。在這種情形下，智識份子的注意力，自然而然地便轉到國際問題方面去了，這也是台灣智識份子之所以特別對國際動向關心一個原因。

夜郎自大乎？

由於上述原因，自由中國之智識份子對國際動向，有他自己的一套看法。這種看法，可以說是直覺的，純主觀的，而且是缺少參考資料的。

是怎樣的一套看法呢？這問題實在不易肯定作答。我只能把我個人的感想略爲說一說。我認爲，不管今天國際上發生什麼事情，我們儘可放心一些，因爲我們具備了下述兩個條件，由於這兩個條件，我們決不應爲國際局勢所左右，反而可以左右國際局勢。

第一，台灣在西太平洋上的全球反共戰略價值，是被確認了的。這塊自由的土地，西方自由世界誰也不敢輕易的把她「出賣」。正如前紐約州長杜威在「論全球性戰略」中所說，「假使台灣一失，那末日本也就沒有什麼再守的機會。假使台灣有失，今日搖搖欲墜的新印尼共和國還能保持多久？假使台灣失守，菲律賓處於包圍之中，還能保持多久？那時我們美國是否要退守夏威夷？或者我們眞的全部退守加里福尼亞海岸？」因此杜威說，「鐵的事實是，一旦夏威夷或加里福尼亞暴露於西方，而同時沒有一個自由歐洲存在於東方，那時我們勢必眞的成爲四面被圍孤守無援的堡壘了。」

杜威不但說明了台灣戰略地位的重要，而且還暗示着台灣正是保衛美國在西太平洋安全的前線。因此，她對國際局勢的影響是很大的，任何人都不可忽視她的價值。

第二，台灣還擁有六十萬訓練精良，裝備現代化的英勇愛國的國軍部隊這一點非常重要。假如沒有這支强大武力，不只是英國有意出賣她，恐怕連日本駐台北的大使館，也老早撤回東京了。僅就這一點而論，我們的外交政策宜乎强硬，是理所當然的。

但話又說回來，在今天這樣一個動亂的大時代中，我們光是憑着上面這兩個有利的條件來看國際動向，仍然是不夠的，而且不免流於「夜郎自大」之嫌，流於「井底之蛙」之嫌。因此，我們必須進一步檢討當前的宣傳政策。

在台灣看國際動向
——兼論宣傳政策

張力行

宣傳政策問題

也許是東方民族富於保守思想的緣故，凡是一個政策決定後，就很少有人動腦筋去把它翻新一下，俾趕上世界的潮流，其中尤以宣傳方面，因需要富於高度的適應性，時代性，根本就不應「泥古」，一切拘泥於某一形式，而是要看廣大人羣的吸收能力和反應怎樣。因此，我認爲自由中國上反共抗俄的國策這一大前提下，不妨把尺度稍微放寬一些，一方面報紙上多讓它登幾條新聞，另一方面多讓智識份子找機會發洩，（如果說這不對，自然有人會加責難），須知在這樣一個大時代中，正如蔣總統在今年雙十國慶告全國軍民同胞書中所說，「凡是中華民族有血性有志氣的兒女們，都是我們反攻的鬥士」！反攻鬥士如智識份子者，他是應該盡到言責的。

英國殖民部認錯
烏干達王卒凱旋返國
臣民誓不剪髮迎候歸來

·偉郛譯·

狂歡五日 熱烈慶祝

當飛機降落信號從機場傳出時，莊嚴的鼓聲熱烈地響起來，兩年以來，這還是初次。鼓聲是向全國人民宣告，他們可愛的「卡巴卡」（國王）回來了。成千加侖香蕉啤酒早已釀好，飾以花冠；十六個拱門，排列在遊行行列的大路上，巴干達的一百卅萬人民，手持着旂子熱烈歡呼：「他凱旋歸來了！」卅一歲的國王莫特西二世，穿着整潔筆挺的服裝，坐着敞篷汽車向堪巴拉王宮駛去，他看着那羣大喊大叫，一面流着眼淚，一面舞蹈的臣民們！拘謹地向四面八方鞠躬。羣衆們守着他們的特殊禮節，像印第安人那樣連拍着自己的咀吧，蹦蹦跳跳，一見國王，都俯伏在地上。他們一連五天五夜，狂歡鬧飲，不醉不休。

這位年青的國王，在他的倫敦朋友間有一個別號，叫做「佛利德」。對他來說，這次歸國，既是他得意的一刻，也是對英人的溫和報復，因爲他在一九五三年受過屈辱；當時他謁見烏干達（非洲英屬地巴干達爲其中一部）的英國總督考亭在辦公室按動電鈕，呼喚副官，匆促地把他押上了飛機，放逐到倫敦。他連換換衣服，和妻子告別的機會都沒有。他所犯的罪名，是敢於抗拒總督的計劃，反對把巴干達正式併入烏干達爲一省。

英人權利屢受限制

英國人主張把烏干達併入白人所統治的堪雅和唐幹夷卡，組成一個「東非聯邦」。「卡巴卡」是這個古老王國的統治者，一向十分自傲，他對白人也限制甚嚴，白人要購買土地，每會遇到法律上的種種困難，他不願意把這塊地方變成多種族的聯邦。他要求與烏干達分離，並要求英國人定下一個日期准烏干達自治。此外，他又阻撓考亭總督的建議，在新成立的立法會議的五十六個議席中，僅將二十席分配與非洲人。（在這一地區中，非洲人有五百卅萬，而白人和亞洲人僅有五萬七千名）他這些行動都使英國殖民者感到驚駭。他們認爲這個愛搗蛋的年青人必須驅逐，然後議會可以另選一個可駕馭的人代替他。殖民地大臣李特爾頓曾說：「這項決定（指放逐烏干達國王）是最後的了」。

殖民部長 洒鱷魚淚

對於英國來說，這個辦法似乎簡單而乾脆，李特爾頓似乎服了工黨的責難，他還發表了一篇動人的演說，表示他和這位烏干達國王的私人感情是如何深厚，說到這裏激動得幾乎流下淚來，他說：「使我更痛苦的，是因爲他是我的大學裏的同學，亦是我在軍隊裏的同事，又是我兒子在劍橋大學的朋友」。報界對他的話大加稱讚，批評的人也復歸平靜，都不說一語了。

幾乎沒有人注意到：倫敦國會中的勝利，在巴干達並不能產生任何影響，烏干達議會曾拒絕選舉任何人代替「卡巴卡」，總督考亭常受土著譏嘲。成千臣民非等到國王回來，誓不理髮。甚至在英國提出若干讓步時，烏干達議會也拒絕接受，非要國王回來不可。國王由英國出費安置在倫敦及一所旅館裏，行動仍十分謹慎。

最後，英國政府終於被迫認錯，新殖民地部大臣波德同意「卡巴卡」由專制君主變爲憲法君主，而佛利德國王亦同意恢復對女王效忠的誓言，但他從英國人那裏所得到的比他所給予英國人的爲多，英國改組烏干達立法議會，其中非洲人比上次白人席次更多，並允許烏干達不併入東非聯邦，又將巴干達的資源、學校、和地方政府等方面的控制權交還巴干達政府。非洲人在這保護國的「內閣中」獲得三個職位，這是非洲人第一次能掌握行政權力。

總督演說 酋長嘲笑

英國殖民部以英國政府典型的禮貌，表示卡巴卡的放逐出來這件事，從頭到尾都是爲巴干達自己的利益着想，最近英國政府所以這末做，是要將巴干達從一個「專制頑固的國王」手中拯救出來，在新協定簽字儀式中，國王發表演說，歡聲雷動，隨後總督考亭站起來說道：「誰不相信經過這一事件以來，英國和巴干達的友誼，非但並未減弱，反而加強呢？」他這句措詞婉轉的說，祇引起會場中部落酋長粗暴而輕蔑的大笑。

泰政壇兩派紛爭
波及世界日報
自由僑領將另辦中國日報

（本報曼谷航訊）數月前在此出版之世界日報，以其有雄厚之實力與背景，聲勢浩大，隱然有成爲東南亞具影響力之華文報紙，惟以採反共立場，旗幟鮮明，至遭泰國政壇左派力量之干擾，發行未久，現已因該國左右派勢力之消長，月前該報已發生若干變化。

據聞，原任該報副總經理之蔡氏及王氏已因受壓力而去職，尚未去職者，亦備感困難，能否安於職務亦未可知。若彼等再行去職，則該報除夭折或全爲左派人士操縱外，已別無他途。

惟旅泰之愛國僑領，反共意志甚爲堅決，正以全力支持由世界日報退出之若干新聞自由新聞工作人員，另行籌辦「中國日報」，下月中旬即可出版，此亦泰國僑界中一可注意之大事也。（十月廿八日）

稿約

本報各版園地公開，歡迎讀者投稿，性質不拘。來稿請用稿紙，勿兩面寫或橫寫，最好不超二千字，特殊稿件例外。譯文請附原作，如原文不能附寄，亦請註明出處。來稿不便刊用時需退還者，請附郵票。

拉攏「右翼游離份子」 中共爪牙弄錯對象

中共大耍把戲，搬出所謂「特別優待入境辦法」，企圖遊說「右翼游離份子」赴穗「參觀蘇俄博覽會」，但香港就沒有「右翼游離份子」存在，有的至多祇是「左翼游離份子」。

游說二千人 爪牙遇難題

中共最近在廣州舉辦了一個所謂「蘇聯展覽會」。還若有其事地對港澳僑胞訂了一個「特別優待的入境辦法」，外傳特要拉攏二千港僑返穗參觀，這一項拉攏工作，主要是以「右翼的游離份子」和「灰色人物」為對象。

如果中共要在香港勵員二千人，或者更多一些，相信暫時還不致過份困難，但要游說二千名正正經經的人返回大陸，那倒實是一個難題。必須指出，在中共的心目中，所謂「右翼游離份子」和「灰色份子」，究竟是何等樣人呢？今天的香港，還有「右翼的游離份子」嗎？

就記者這一個月接觸所及，並沒有看到或聽到中共的「搞手」向所謂「右翼的游離份子」進行游說工作而獲得成功，記者確會接觸到這一些活動於各階層的中共觸鬚，他們的確在這一個月來緊密地進行這種工作，而對象是沒有政治背景，也沒有任何政治淵源而祇和本港發生直接關係的工商界人士和少數文化工作者。如果這就是「右翼游離份子」的話，那祇有中共自己才能解釋。

公開變私人 上鈎者寥寥

中共這一次游說香港人返穗參觀「蘇聯展覽會」，是和策動港澳人士返大陸「慶祝十一」有着不可分的關係，而且是二而一。他們的工作是這樣進行：首先，他們向一部份人士以友誼方式拉攏他們返大陸「慶祝十一」；這一部份人是並沒有什麼政治背景，同時也沒有對政治發生興趣的，可以說是地道的「香港人」，當中共的爪牙街以「利害」和勵以「感情」後，他們經不起這一種「盛意拳拳」，可能有點異動，然而他們為「慶祝十一」的題目太大了，恐怕惹起外人的非議，但，進行游說的人並不勉强，而也不放鬆，他們表示既然不參加「國慶」，則「參觀展覽會」亦無不可，這祇是一種「私人性質」而已，而無須「豎起大旗」的，在這一種情形之下，是有一小部份的人會被上鈎的。據說，中×××會，南×行的少數會董和一小部份和大陸做蝕本生意的商人，經過這種游說後，可能於本月中旬返穗。事實上，中共的「舌人」確曾向徐××，黃××和陳××這一批被認為「死硬派」的工商界領袖下過一番工夫，然而他們是失敗了，也許他們會把某一些人看成「右翼游離份子」的，但他們這回的估計，卻完全錯了。

記者訪問過好些工商界人士，據他們說：「容許我有時對政府某一項措施表示不滿意而發一點牢騷，但如果因此認我不滿政府而成為『右翼游離份子』的話，那無異是太天真了」。

進攻文化界 採銀彈政策

「舌人」們除以上述方式向工商界游說之外，向新聞界和文化界也進行同樣的游說，祇是手段不同，對新聞界他們甚至採用銀彈政策，但最先遭到失敗的，也就是這一方面。

當「十、一」時，幾間左翼報館的外勤人員藉他們採訪新聞的關係，會以私人方式向其他各報館相熟的記者，發出參加「慶祝大會」的請柬，至少有五十份，但屆時，被邀而至的只有×××報的三個記者，×××報的兩個記者，而他們參加的目的，只是採訪新聞而已，此外，參加者有一個通訊社的記者三人，據說還有某一張晚報的一個編輯和一個記者（事後，這兩個人會極力向人否認有此事，並表示將來可見諸於事實），以如此的「陣容」，中共無疑是失望極了。

較早的時候，中共游說本港若干「中立」報章的負責人而告失敗後，他們即向一般外勤和編輯着手，他們以為如果被游說參加「慶祝會」成功的話，進一步就可以邀請他們返穗參觀「蘇聯展覽會」的，然而，卻不料會有這樣的一個結果。

外圍機構中 找嘍囉湊數

許多事情如果是正大光明的話，是不須要進行任何游說或勸之以利的，據記者所知，中共曾經向本港一家銷路甚廣並無政治背景，商辦的小型報的一個編輯游說失敗後，相反的，該報的採訪主任已經最近和某一個祝壽團體飛返台北了。

今天，香港並沒有所謂「右翼的遊離份子」，無論是工商界或文化界都如此，有的只是沒有「翼」或者「左翼下的游離份子」，珠×，韓××、熊××他們不就是很好的例子。中共或者中共的同路人把擁護自由中國的僑胞稱為「右翼份子」，我們知道在青天白日滿地紅的國旗下是沒有「游離份子」的，相反的，只有「左翼的游離份子」投向自由中國來。如果說中共這次在香港一無成就，這也不能說，至少有一部份蠢擁的商人會「奉召」而去，但能不能達成「任務」，湊足二千人的數目，卻很難說。

據「中間派」人傳出的消息，中共已料到除非勵員左翼職工否則便無法足數的，事實，因此在十日前，已經抽調了一部份左翼文化機構，電影機構和商業機構的職工以及眷屬，這些職工並不都是「前進份子」，但中共卻一方面藉此而湊足人數，一方面把這些人「教育」一下，因此，當左翼機構展開這一運動時，公司甚至貼補薪俸。

這裏還必須一提，中共為什麼要以「右翼遊離份子」為對象呢，很簡單，目的不過是藉此以壯聲勢，對別人可以利用便利用一下。

對象弄錯 差使難交代

今天，祇要是愛國的僑胞，都是自由中國的一個份子，是整體的，沒有游離的，更不是灰色的。

有人指出，像衛立煌就是「右翼游離份子」，我們必須認清這只是一個會被國家通緝的失職軍人，他已為人民，為國家所棄，連兒子也不認其作父親的無恥者，像這樣的人，早就與「右翼」無緣了，只是一撮渣滓而已，聽說中共在較早的時期，曾派出黃××和譚××前來，找尋一些和衛立煌走相同路綫的「右翼遊離份子」，可是還無法交差呢。

千句併一句，今日只有「左翼的遊離份子」，而沒有「右翼的遊離份子」，只有「左翼的灰色份子」，而沒有「右翼的灰色份子」。中共這次的拉攏工作，自始就弄錯了對象。

促進漁業機械化 港府訓練技術員

港府最近為促進漁業機械化，特舉辦了一項漁民貸款，鼓勵帆船改裝機械，但漁船改裝機動、漁民遭逢僱請機械員的困難，因此漁政當局乃設立漁船主訓練班及機械一漁業專門學校，以訓練必需之機械新人材。上述兩項人材訓練，分別由漁類統營處各區辦事處主辦，成績異常良好，年來已訓練人材不少，對機械員困難已漸解決。

馬鈴薯收購失敗 俄糧荒將再擴大

●王芳●

蘇聯糧食問題的嚴重性是極大的，它毫不例外的像所有一切附庸國家一樣在鬧糧荒。因此，也同樣的實行將播種細糧的面積縮小，而擴大改種粗糧的面積（即將種小麥的面積縮小而改為大量地種馬鈴薯，這和中共今天在大陸上的糧食增產辦法相同。根據中共「國家計劃委員會主任」李春富的「五年計劃報告」來看，是因為「稻米的單位面積產量比小麥高至兩倍，玉米的單位面積產量比別的雜糧可能增加百分之五十，薯類像紅薯、土豆等則比例一般雜糧的產量要多五六倍」。因此，「如照李富春的計劃，專在量的方面着想，先擴大薯類播種面積二千萬畝……增產糧食二三百億斤。」（註）），以解救缺糧問題。這一辦法是由今年開始的；同時，蘇聯還派遣了農業考察團到美國去專研究玉米的種植法。

農民消極抵抗

但是，由於蘇聯農民的消極抵制，增產馬鈴薯的部份地區失收了；而另一些地區則因受國家採購機關的官僚作風的影響，破壞了收購計劃，使馬鈴薯的增產計劃整個破產。

根據十月八日「真理報」社論「在毫不鬆懈的監督下採購蔬菜和馬鈴薯」的文章剖析，顯示出這次欠收將可能帶來今和明春的糧食恐慌。很顯然的，馬鈴薯是今日蘇聯人民的主食之一，「真理報」社論並解釋說，「蔬菜、馬鈴薯向國家交納任務的程度，在很大的範圍內決定着這些東西對勞動人民的供應和滿足食品工業對農業原料日益增長的需要」；該社論還强調說，「馬鈴薯是天天需要，人人需要，家家需要的產品，並且在居民的日常生活中佔着相當大的比重」。

由於此，「蘇聯各地一九五五年大大地增加了它的播種面積」，其主要的地區包括了烏克蘭共和國、摩爾達維亞共和國的全部和北高加索省和邊區以及中央黑土地帶和伏爾加流域，普遍改種馬鈴薯。

生產計劃受威脅

但是，從蘇聯的商業部以至基層的合作社，其間還有消費合作社中央聯合社和蘇聯食品工業部的各機關，對收購工作卻完全以不聞不問的態度來對付。因此，「採購進行很慢，使按時完成國家計劃收到威脅」。其實際情況是，「到十月初收購和採購的馬鈴薯，比規定的計劃任務相差很遠。至於運到莫斯科、列寧格勒、牟爾曼斯克及其它城市和工業中心的……就更少了。」而農民又如何對待這個問題呢？乃是將之「喂了牲口」！這個現象，當然不會祇限於「克拉斯諾達爾邊區卡岡諾維奇區的史達林集體農莊」才有的。同時農民對於度穫還取了消極的態收，讓它埋在土裏，這種現象則發生在「布良斯克省、梁贊省、加路格省、土拉省、加里寧省、蕎洛夫省」等地區。對於農民這種消極的抵制，該社論則證實是因為這些「地方的黨組織、蘇埃和農業部門沒有高速度地進行收穫工作」所致。

可笑的官僚作風

至於更可笑的官僚作風，這個國家機構根本就沒有作好收購準備，像「在卡遲斯克、格羅德湟斯克、白俄羅斯的克里契夫斯克等地區……連倉庫也未修理好」！此外則「許多（國營的）商店也拒絕接收」。

目前事態已發展到極嚴重階段。一方面由蘇共黨中央委員會和部長會議決定，「在短期內完成採購計劃並把它送到城市和工業中心去」；並責成「黨組織和蘇維埃機關努力……完成採購」；而另一方面則在進行追究「法律上的責任問題」。該社論不僅斥責了蘇聯商業部，更指出了該部副部長阿列克謝夫「沒有制止這類有害的行為，而實際上縱容……商業工作人員」的責任。同時對「消費合作社中央聯合社及它的理事會主席克里莫夫」則認為有「法律上的問題」，認為他有「容忍某些地方消費合作社人員在採購……方面所採取的反國家的態度」！

事實發展止此，顯然尚未終止，對於像這樣的「烏龍」事情，在共黨的統治政制下本已見怪不怪；問題的重心還是在由馬鈴薯欠收對於蘇聯糧食分配問題所直接產生的影響——缺糧。

缺糧，已經成為是共產國家的不治之症！

（註）：見林孟工著「論中共五年計劃」

禁運政策奏效 中共承認生產受挫

原料缺乏計劃無法完成

近來，正當國際上姑息主義論調復熾，解除禁運政策之說囂張之時，中共卻無意間透露禁運政策對中共政權之打擊情形，甚為嚴重；此實不啻為姑息主義者的當頭一棒。

據中共「國務院第四辦公室副主任」宋劭文最近在報告輕工業生產情形時稱：由於一般工業原料進口困難，存量日少，不僅未能維持正常的生產計劃，且使甚多產品因原料規定之使用量不足而降低了品質，乃至變成了廢品。宋劭文謂此等情形表現在輕工業製造品方面的，尤為顯著。

據稱：由於工業原料貧乏，中共中央輕工業部曾號召所有輕工業品製造廠在節省原料，保持產品質量的原則下研究出新的操作方法，必要時，且可以改變產品結構和改變原材料配方的辦法去達成此種要求。但結果，此種研究大部並未實行，有之亦未成功，而不得不以偷工減料的方法，從降低產品質地的原則上去節省原料。因此之故，大陸各地原本已在技術及工人情緒等因素下遠較國民政府期低落了的產品質地，乃愈形低劣。據舉例：現在大陸捲烟廠出品的紙烟已普遍縮小，而且多雜菸梗，裏捲稀鬆。自製輪胎的膠質降低，一般已只能行駛八千公里，不足規定使用率（兩萬公里）的一半。橡膠鞋因含膠量及化學份量不足，大多穿不到一月而會破爛。酒類大多因含水過量，淡而無味。糕餅類大多因粉質粗糙，糖量及香料不足，故市上已無可口之糕餅食品。麵包及蛋糕已普遍改小，且麥粉少，殺粉多，酸味過重。牙膏、肥皂、火柴等日用品，大多均因化學原料不足，故所產多屬次貨。紗、布及一般綿織品據說亦受原料影響，產品多不合格。而產品質量低量更嚴重的，則為藥品；據說西藥的針劑化廠內就有百分之二十以上的廢品率，出廠以後，又有百分之三十以上的廢品回籠，其中尤以哥羅芳、蒸餾水注射液，配方阿司匹靈，氫化鈉針等十八種為最普遍；片劑則有約百分之七十左右因含藥量不足，粉質過多，不易溶化，服之有害無益，故無法服用；至於中藥，亦有因產量不敷而使用茯菇代替川貝，青皮代替枳實，或黃柏磨粉摻入黃連等現象。（著）

粵農民反抗農業合作化

中共最近已公開承認，廣東農民及下層共幹，都反對毛澤東號召的「農業合作化」運動。

中共粵西區委書記張雲在最近舉行的中共「廣東省第二次代表會議」上說：「有不少區、鄉接受建社任務的勁頭遠不如去年，都是層層要求削減數字，生怕辦多出亂子，有些還叫嚷上頭是主觀主義、冒進。所謂「發展容易鞏固難」的錯誤論調十分風行，對現有社所存在的問題，片面地加以誇大。」

張雲又舉例說：「今年早造因為災害嚴重，（廣東）有百分之二十的社（農業合作社）減了產；有些幹部看到農業合作社出現社員退社的現象，情緒十分緊張，把部分農民的積極性，看作是假象、盲目性、隨大流……因而不僅不去滿足他們的要求，反而給以限制和壓抑。」

中共新會縣委書記黨向民接着更指出：共幹因農民反對合作社運動，因而「不准辦大，不准辦多，不准這個，不准那個」，更「黨」在農村中的政治思想工作顯得軟弱無力。」黨向民又說：「並且，出現了這樣一些現象；對農業合作化的好處，不敢宣傳了，（懼怕農民們以事實來申斥和反對）對抵抗合作化的思想不敢批判了（事實上，批判甚至拘捕鎮壓都不能平息飢餓農民的憤懣了）對破壞糧食統購統銷工作的謠言也不敢駁斥了」事實勝於雄辯，又從何駁斥呢？

政治立場

馬五先生

自由談

搞政治，或者談政治，最忌諱是沒有立場。

自中共竊據大陸以來，若干遠離在海外的中國智識份子，指摘國民黨執政當局之無能失職，可以的；因而以反共救國為己任，組織政治團體，要求改變現狀，也是應該的；若夫創辦刊物，批判庶政得失，臧否當道人物，更是應有的自由權利。可是，如其眞以反共非共為職志的，則對於中華民國及其政府基礎，必須始終愛護，才算是鮮明的政治立場，無論在任何情勢之下，立腳點都站得穩，也能夠博得別人的同情共鳴。

假使因為不滿意執政的人，即以這嬰兒和沐湯一起倒出去的心情，對中華民國和其政府亦鮮所愛惜，表示唾棄；甚至於對中華民國政府所在地的台灣，亦視為不值一顧，將國家、政府、領土，與執政者個人併為一談，概予否定，這正是共產黨的立場，自命反共非共的自由主義者，可如是耶？即如一般政治人物所謂「第三勢力」之說，亦就是自喪立場的玩藝，外國朋友以局外人的地位來看中國問題，把國共兩大陣營以外的政治活動稱為「第三勢力」，無怪其然。反共的中國人為甚末妄自菲薄，甘為第三種力量呢？然而竟有人在海外著書立說，而名曰「中國第三勢力」，這只是向外國人推銷商品的生意經而已，自由思想云乎哉？反共立場云乎哉？

我們對國家庶政得失隨時有所批評，對執政人物尤多臧否，有時縱被認為離經叛道之徒，亦所弗惜，但對中華民國及其政府却竭力愛護，義無返顧的。別人說我們「跟台灣有關係」，一點不錯，台灣現在是中華民國的政府所在地，我們既是站在反共非共的立場，不跟台灣的中華民國有關係，難道要教我們作無國籍的亡國之民不成麼？

和德國青年一起生活

·何西寄自馬德里·

我們從比利時的處汶到德國的科倫，要經過比國接近德境的一個電器工業大城——列日——並且要在這裏換車。在這個低地國的土地上，天氣老是細雨迷濛，這給於旅行的人，在精神上會感到很不舒服。還好的是從布魯色爾開往科倫的國際列車準時的抵達。可是却沒有使我想到車上的旅人是如此的擁擠，另外的一種感覺湧上心頭。車上的旅客們的情形，使我理會到一種另外與以往格格不入的空氣彌罩着。有三位不知那一個國家的青年在我們的旁邊，他們那副莊重嚴肅的面孔，似乎在他們的心中有許多不可告人之事一樣；為了旅行上之方便，我的一位同伴用法文問他們這一列車最後一站要開到什麼地方？他們之中的一位，很嚴肅的先回答我的朋友說：「我們不願說法文，最好是英文或德文」。然後，他才用英文回答說：這列車可以開至捷克斯拉夫，我們聽了莫名其妙，就想要繼續問下去，亦只有作罷！過了一會，我才記起，在這個車上的人，已經不是完全如問我們生活在自由世界的人一樣了；我們幾乎可以暢所欲談，不必思前顧後，而另外的一些人，雖然他們暫時是呼吸着自由的空氣，可是，自由的空氣都不能一時把他們緊張的頭腦鬆下來，何況他們有一些還要返回「人間地獄」呢！

在歐洲旅行，一般的在過國境時，查護照的人員都來車上查驗護照。所以節省了許多為查護照而花的時間。火車終於午後抵達了西德名城之——科倫。

關於今日西德之一般情況，以後再談，先說一些這次我參加一個國際青年夏令營之生活和感想。

這個夏令營是德國的一個公教社會訪團體——高平社——主辦的，地點今年擇定於比利時北部的綠木(LOMMEL)鎮附近的一個德國軍人墳場傍邊的樹林。參加的青年，大多數為德國青年，其他的，普通均有西歐各國青年，其目的就是要使青年的一代，不論是那一個國家的青年都能知道侵略者之惡果為何。其次為利用假期的時間，使各國青年都能相聚旬日，加增彼此間之瞭解。大家在一起工作，修飾這個少見的軍人墳場。

這次來這裏的青年，共有六十餘人，包括了社會各階層的人物。前後十天的工夫，我們有六天的時間在這個葬有四萬於二次大戰犧牲的德國軍人墳場，許多許多的墓碑上刻着「無名氏」的字樣。

生活在這樣的一個環境中，六天的工夫，天天可以看到這些無辜的野骨，一行行的墓碑，天天的早上中午下午，都有不少的憑弔者從遠方來，為死者獻花。據他們告訴我，二次大戰，德國共犧牲了五百萬無辜的生命。有一天，德國的一個新聞片攝影公司及記者來問，他們一定要我們或表一點關於這個坟場的印象或感想。經過一番思索，才給他們題上某古詩人的詩二句云：「可憐無定河邊骨，盡是春閨夢裏人」，以代表我們的看法。關於希特勒的瘋狂，與最後的命運。從四五十多位德國的青年口中，得到兩種不同的結論：有一些顯然他們在思想上是受了戰後新思潮的影響，他們對於希魔的瘋狂，在看法上和我們完全一樣，其討厭怨恨的程度與我們比較有過之而無不及；另外一種，是他們認為希特勒於上台之初，確為德國民族做了一點事情，以後的九年他發動戰爭，全是他個人權力慾的作祟，神經失常，弄到德國變成廢墟。說這些話的人是德國人，他們認為希特勒之所為，是為了他的大日耳曼民族，故他的時代雖已成歷史上陳跡，然他的思維方法，並不是這十幾年就有辦法消除的。

這十幾天的與德國青年生活在一起，我發現了他們在教育上收穫的奇大和民族性的不同：

德國經過了兩次大戰的摧毀後，年青的一代，已深深的覺悟侵略者的結果；可是在另外一方面，他們在民族自尊心的表現却仍是一如以往的強烈，他們並沒有因戰敗而氣餒。這還不足為奇。可貴的是他們有了民族自尊心，却和以往不同，他們已能自尊尊人了。這事從我們的一點表現就可以發覺的。原來在我們抵達了夏令營的第二天，我們要求——一方面在這個夏令營亦有此習慣——把青天白日滿地紅之國旗在我們的營幟前面升起，負責人對於此事，馬上答應，並置我們的國旗於最尊敬之位置，負責人對於此事絲毫都不以為是麻煩，他們認為這是可尊敬的表現，在同一營幟內，尚有其他國家的青年，他們都疏忽了這一點，所以我們頗有獨享其榮之感。起初的時候，許多的德國青年對於這五位中國青年看得很平常，平常到和看待他們自己的國家的青年一樣，當我們提出把國旗升起後，他們好像有所感觸，全營的人都另眼相看。有一天，一位德國青年很莊重對我說：

（上）

明知故犯

波評

香港與日本之間，近來手錶走私之風大盛，東京警察廳調查，終於查出一個擴大私梟組織，而其幕後主持者，竟是一個東京的「犯罪防止協會」主席。

語意學漫談

·徐道隣·

而一個善於運用語言的人，能怎樣化險為夷，化敵為友，請看下面這個故事。

在一九四二年的春天，美國人到處懷疑有日本間諜，人心正在惶惶的時候，日本語意學家早川先生 HAYAKAWA 在一個陌生的城市中的一個小火車站上候車，一候候了兩三個小時。當時間慢慢的過去的時候，他發現許多候車的人，都一個一個在望着他，而露出對他敵視的心情。尤其是一對帶着一個小孩子的夫妻，對他表示特別注意，而彼此一再耳語。於是早川慢慢走到他們旁邊，向先生表示，在這樣的一個寒冷的深夜，火車一誤就是好幾個鐘頭，實在是太糟糕了。先生點點頭。早川又說，在戰爭中間，火車常常脫班的時候，又是一個寒冷的冬天，這時候帶着一個小孩旅行，實在是一件特別辛苦的事情。先生說：『可不是嗎？』早川又問這個小孩子多大了，接着又說，就他的年齡講，這實在是一個特別胖大和非常健壯的小孩。先生又表示完全同意，並且還帶着一點笑容。而彼此之間，一種緊張的情緒，漸漸鬆弛。

在彼此又交換幾次意見之後，這位先生說：『希望你不要見怪，那麼請問你，你是一個日本人。是不是？你認為這一次日本人有希望打勝仗嗎？』早川回答說：『這一點，你我還不都是猜着瞧嗎？我的知識，也祗是從看報得來呀。不過，就我看來，日本對於煤，鐵，汽油，都是乏缺的，她的工業，又是那麼有限，和一個強大的工業國家像美國似的為敵，我不大看出來，她怎麼會打勝仗？』

早川這些話，雖然是這時候美國報紙和廣播天天在講的，在這位旅客聽來，却是非常入耳。他完全同意早川的回答，同時，他臉上的神情，更加自然和表示更多的友誼。這時候，他們二人之間，已經完全沒有隔閡，這個可以從他下面一句話看出：『嗨，我希望，在現在戰爭中間，你家裏的人不是在日本吧？』『怎麼不是？父親，母親，還有兩個妹妹，都在那裏。』『你有他們的消息嗎？』『怎麼會有呢？』『那麼你以為在戰爭未結束以前，你完全沒有法子看到他們，或者得到他們的消息嗎？』先生和太太，同時表示出關切和為他難過的心情。

這樣子，說談前後還不到十分鐘，他們已經和早川約好，明天到他們那裏去看望他們，和在他們家裏吃晚飯。這時候，全車站的人，看見這個日本人和另外一位毫不可疑的美國夫婦那樣親密的談天，也就再沒有人去注意他們了（HAYAKAWA, OP. CIT. P. 73）。

這一件事，和同類的事情，對於每個人都會發生的。那麼怎麼用語言來消災免難，還不值得我們在平時多用些功夫加以研究嗎？（六六，全文完）

年紀

紀瑜輯譯

一、精神上的失敗會促成衰老，正如它對我們容貌的影響那樣。

二、我們一生中時常脫不了愚蠢。有些人似乎聰明，只因為他的愚蠢跟他的年紀和地位相配而已。

三、隨着年齡的增長，我們的愚蠢和聰明也會增長。

四、極少人在年輕的時候，旁人看不出他將來會怎麼樣衰老枯萎。

五、我們來到一生的每一個階段，都覺得樣樣新鮮，所以儘管年紀一點點增加，我們同樣的缺乏經驗。

信手拈來

諸葛亮荐韓信

·憶永·

宋哲元得任華北冀察政委會委員長後，冀、察、平、津，實已成為半獨立局面，凡中央所有之行政機構，無不還設。中央有交通部，宋設交通委員會；中央有財政部，宋設財政委員會；更做盧山訓練團，招各區專員及各縣縣長施「訓」焉。

受訓之專員縣長結業時，宋於北平中山公園之中山堂作結業「訓話」，指示「為政之道，重在得人」。筆者時為記者，曾列席旁聽。頃檢行篋，得當時速記稿，敢照錄以為讀者飯後消食。宋講詞曰：

「……方才我對你們說：用人一定要用人才，不能用沒有本領，專靠面子拿介紹信找飯吃的。這種人除了混飯吃，一點用處也沒有。你們要是用上一大批這種人，只有誤事，不會成事，也就不是本委員長說的：『為政之道，重在得人』的意思了。不過，無論什麼事情是不能走死路的，有的時候也得心眼活動點，拿介紹信來找事的，有的時候也許是個人才，你要一粗心，就把人才放跑了，比方來說吧：你們大家大概都聽過『蕭何月下追韓信』這一齣戲吧？你們想一想。蕭何又沒有神經病，吃飽了飯不在家裏呆着（註：休息之意），半夜三更騎着馬追韓信幹什麼？韓信又不該（註：欠也）他的錢！他追韓信是為了追人才，因為劉備那時候想統一天下，到處找人幫忙，可是來的都是些拿介紹信找飯吃的飯桶。劉備一生氣以後凡是介紹信都不看了。有一天諸葛亮寫了一封介紹信給劉備，信上說：韓信是天下第一條英雄好漢，我主有他一個人就可以三分天下。劉備一看又是些吹牛皮的話，把信往桌子上一扔，也沒有見韓信。等到蕭何來見劉備，事子上有諸葛亮的信，拿過來一看，問劉備給了韓信一個什麼官做，劉備說：這種拿介紹信來找飯吃的人，我現在是一律都不見。蕭何說：我看怎麼能把這個人，此人才具勝臣十倍，軍師並不是吹牛。劉備一聽，說：那怎麼辦呢？你快去叫他來見我，別讓他走了。蕭何，趕快到韓信住的旅館裏一問，店小二說韓先生已經走了。蕭何問小二他打從那道城門走的？小二說是出西門走了。蕭何一聽，騎馬就追，一直追到月亮都出來了，才追上韓信，說了多少好話，好容易才把他拉回來去見劉備。你們想一想，劉備差一點就把一個人才放跑了。劉備要是把拿介紹信找事的都看成飯桶，是不是也會把人才放跑了呢？（下略）」

錄至此，不禁擲筆贊曰：嗚呼！懿歟休哉！懿歟休哉！

名作預告

德先生黨國元老，道德文章，久為世仰，今應本報之約，撰成「秀才、舉人、進士」一文，將於下期起連續刊載，當為讀者所共樂聞，謹先預告，新讀者注意。

「勞工天堂」

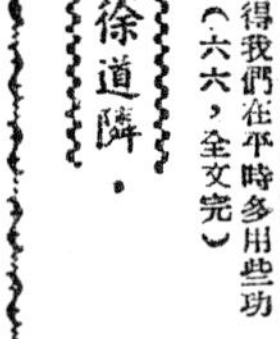

捷克總理責備工會不能夠執行工人的訓練。對於捷克共產化以後工人工作時間反較「資本主義」時期為長一節，他作了這樣的解釋：

『在資本主義制度下，共產黨爭取八小時工作時間，使工人有充分時間研究共產主義來打倒資本主義。現在捷克的資本主義已經打倒了，每天八小時的工作制度失去了作用。從前的革命行動現在變成了反動。從現在起，工人是屬於國家的了。』

慈善房東

一個人跑到一家人家請求捐款。他說這條街上有一位寡婦好幾天沒有飯吃了，最可憐的是天氣是這麼冷，她欠了四個月房租，房東決定把她驅逐出屋。

『你這個人眞好，你眞肯幫助別人。』這人家的主婦對他說。

『我最了解她的情况，我就是她的房東。』

只取一半

父親打開銀包，看見錢少了，指着兒子說：『你又在我皮包裏拿錢？』

『你怎知道是他拿的？』太太說：『我不是也常在你皮包裏拿錢嗎？』

父親搖了兩下頭，說：『不是你，因為皮包裏的錢只拿去一半。』

·牛布衣·

自由人
THE FREEMAN
（第四八九期）
中華民國僑務委員會
僑發登記證台新字第一二二號
中華郵政台字第五〇〇號
執照登記為第一類新聞紙類
（半週刊每星期三六出版）
每份港幣壹毫
台北市售價台幣壹元
督印人：陳文蒂
地址：香港高士威道二十號四樓
3 rd. fl. 20 CAUSEWAY RD HONG KONG
香港發行及業務接洽
高士打道66號　電話：七四〇五三
承印者：東南印務出版社
地　址：高士打道六十四號
海外總經銷
友聯書報發行公司
香港：德輔道中二十六號A二樓
台灣特派員辦事處
台北市館前街五十號
台灣總經銷處
台北市西寧南路壹壹零號二樓
台郵撥儲金戶九二五二

中國近代三度改革運動的檢討（上）

戊戌，辛亥，五四．

·左舜生·

在最近的六十年，由中國人自動的，有意識的，指着一個高尚純潔的目標，結合一部分奮發有為的同志，就整個的中國，實行一度具有規模而極有意義的改革運動，就我所知道的來說，好像一共只有三次：

第一次是一八九八（光緒二十四年）的戊戌維新；

第二次是一九一一（宣統三年）的辛亥革命；

第三次是一九一九（民八年）的五四運動。

這三次偉大的改革運動，自然各有其影響，而且這種影響至今也還在發酵，可是就當時主持或參加這三度運動的人所懷抱的理想，和所希望達到的目的來說，卻都是失敗的；至少也應該說：其結果決不符合他們的理想，也並沒有達到他們所希望達到的目的。

共產黨不值一談

就今天的大陸來說，共產黨自然也自命他們是在進行着一度空前的改革運動，可是在他們這種運動的過程中，首先屠殺了兩千萬無罪的人民，又不勝其自卑感而奉蘇聯為上國，甚至連若干先烈的鮮血所凝成的「中華民國」四個大字，他們也敢於一筆勾銷，一定要以所謂人民共和國的名義去加入蘇聯附庸的序列，而甘心情願去聽燃的驅策，無論他們說得如何天花亂墜，在一個有志氣的中國人看來，總覺得這是無恥之尤。

以目前的台灣來說，以「反共抗俄」或「反共復國」這類的口號來號召，自然是很正確的；可是由中山先生所手訂的一部三民主義，乃至根據這一主義所形成的一部憲法，以這幾年來台灣所表現的一般政象，是否能與所標舉的主義和現行憲法一一脗合，我們也實在不能無疑；至於規模狹小，人才寥落，不能構成一種中興的氣象，這更是無容諱言的了。

因為如此，在當前還在進行中的這兩種運動，暫時只好存而不論，現在所要檢討的，乃是前面所說的「戊戌」，「辛亥」，和「五四」這三次運動的成敗得失，希望從這幾次寶貴的經驗中，能得到一些切實的教訓，以供我們為未來中國設計的參考。

在戊戌的當時，世人便多以康梁並稱，其實梁啟超的重要並不在戊戌以前以後，在這一幕中，只有康有為才是真正的主角，梁不過是重要的助手之一而已。

戊戌是一種青年運動

從光緒二十四年四月二十三日下詔「定國是」算起，到八月初六慈禧的重掌政權，為時不到三個半月，因此世人又有所謂「維新」的這一個說法。我們在今天細讀光緒帝在這三個多月所下的幾十通詔書，我們可看出這次改革所涉及的範圍確實不小，可是一切一切，都成了曇花一現，都成了紙上空談，而且失敗的結果，使得參加這次運動的若干重要分子，被屠殺者被屠殺，被放逐者被放逐，而反動者的氣燄乃愈益高張；因此在當時乃至到現在，還有不少的人責備這班維新人物求治太急，過於孟浪，其意若曰這次失敗未嘗不可避免，徒以躁進者不得其法，乃遭遇了這種無情的打擊。其實這種責備是多餘的，充其量也不過是「事後的諸葛亮」，曾何損於這班維新門士的毫末？原來中國自甲午戰役以後，經過乙未，丙申，丁酉這幾年，中國的情勢確實是陷於空前的危急，例如說：在甲午戰前，中國沿海與區除掉澳門香港兩處以外，還是金甌無缺，不過三兩年工夫，如旅大，如膠州，如威海，如廣州灣，乃一一落於列強之手，而且已經有了『勢力範圍』這個不祥的名辭，乃至鐵路，鑛產也都岌岌不保。戊戌這班人物的年齡，除黃遵憲已經到了五十一，康有為已經到了四十一以外，此外如六君子之一的林旭不過二十四，梁啟超不過二十六，譚嗣同也不過三十四，乃至陳三立，江標，徐仁鑄，張元濟，熊希齡，康廣仁，等等，也都不過三十左右，四十不到。因此，戊戌這一次的運動，嚴格說起來，也就正是中國近代一次最早的「青年運動」，還與後來的「辛亥」和「五四」兩役，並沒有何等的區別。青年人與老年人的心情完全兩樣，他們眼看見國家陷於極度的危險，便只有急起直追，力圖挽救，至於成，敗，利，鈍，生，死，他們那裏顧得了許多?!而且青年們的這股熱情，也不僅在他們的同輩中發生了共鳴，就是一般年事較長的，如北京的大老翁同龢，李端棻，徐致靖，張蔭桓，疆吏如張之洞，陳寶箴輩，又何嘗不對他們寄以莫大的希望呢？日本的明治維新，本來也就是這樣幹起來的，所不幸的，是日本在明治以前，經過了一個長時間的和平保育，而中國則對外屢經挫敗；日本有一個少壯有為的明治天皇，中國則僅有一個遭受壓迫而柔弱無權的光緒皇帝，環境有難易，人事有糾紛，一定要把失敗的責任，一切歸罪於這班維新門士的本身，這實在是過於苛刻而且是過於攏統啊！

康梁是做過基本工夫的

另有一種論調，便是責備康梁預備工夫做得太嫌不夠，而且沒有提出一個比較切實的全盤計劃：這也並不盡然：康有為第一次的上書在光緒十四年，後來繼續不斷一共上書七次；二十一年，二十四年，更在北京那是非之地先後發起了「強學會」「保國會」，以力求當時那班士大夫對改革運動的了解；二十二年，梁啟超便和黃遵憲汪康年在上海創辦了「時務報」，在當時居然銷到一萬多份；二十三年，梁又跑到我們的長沙去講學，更結合一班志士發起「南學會」，刊行湘學報和湘報，當時時務學堂的學生，只有四十名，這位總教習的年齡只有二十五，可是幾個月的工夫，已經把一個素以保守著稱的湖南，曾左胡羅的發祥地，鬧得滿城風雨，這是郭嵩燾曾紀澤所望而卻步的，可是這位二十五歲的廣東小伙子，卻如入無人之境，演了這樣精彩的一幕，使得那班頑固分子如王先謙，葉德輝，孔憲教之流，嚇得舌頭吐出來收不回！我們試想想，在中國最近的六十年，更有那一次運動，事前的宣傳能比康梁做得更為澈底？

他們決非沒有全盤計劃

至於說他們沒有全盤計劃，這也不合事實：他們懂得要建立制度局以改革全部的制度；他們知道要興學校練新兵；他們更知道非廢除八股文，改善科舉制度，學校一定辦不好；他們也知道非開鑛、築路、振立工商業，中國到底無法自立；至於修建公路，開發水利，擴充郵電，改善公共衛生，……他們更是無所不談；甚至還剪髮、易服，廢除跪拜，他們也敢於在那個時候公然提出，試問這不是全盤計劃，要怎樣才算是全盤計劃呢？

共產黨歪曲事實

現在共產黨人所編的一種中學歷史教科書，更是妙想天開：他們責備戊戌人物只懂得結納知識分子，接近資產階級，忽視了群衆，忽視了農民階層，因此他們的失敗乃是活該；這確實是一種歪曲事實的邪說！試問在六十年前，所謂群衆在做什麼？所謂農民階層又在做什麼？他們還在油燈下面唸八股，還在一榻橫陳的抽鴉片，還在關起房門裹小腳，還在迎神賽會求雨求晴，康梁這班人，本來都是進士舉人，既沒有看過牛，也沒有檢過狗矢，你們叫他們昧着良心冒牌去代表農工群衆，他們如何混得進去？他們本身根本就是十足道地的知識分子，他們不向知識分子中去找他們的同志，還更有什麼第二條路可走呢？

借重武力也未可厚非

此外，還有一種人，更責備康梁當不該想憑藉武力去改革政治，更不應該信任一個並不深知的袁世凱，以致弄得一敗塗地；實際這也是只知其一，不知其二：不論古今中外，大凡一種政治已經演進到了陳腐不堪，例如慈禧那樣會戀權位，榮祿剛毅那樣腐化頑梗，不用武力來一次摧陷廓清，實在也別無辦法。至於袁世凱之為人，他在戊戌時代固然出賣了一度康梁，但十三年以後，他又何嘗不更欺騙過一度孫黃？結果康梁孫黃不失為君子，而袁世凱則終為小人，這類歷史上可能常有的失敗，是不足以令一般仁人志士灰心短氣的。

論華僑回國投資

—由立法院辯論「輸入其他物資」說起

陳式銳

修

修齊治平，具有本末；為學論事，亦莫不皆然。近立法院於討論「華僑回國投資條例」時，發生了不算小底爭論，整個「條例」已經二讀，惟第三條尚保留在辯論中。正反雙方之立委不但在立院侃侃發言，於報章雜誌亦可發現宏論。所爭論之中心，厥為第三條的「輸入其他物資」一項；對此，我也曾經於十月十三日在台北自立晚報為文論之。看形勢，不一定能迅速獲得解決。我想起孔子與弟子論學問禮時，有一段對答頗具啟發性。

子夏問曰：「巧笑倩兮，美目盼兮，素以為絢兮，何謂也？」

子曰：「繪事後素。」

曰：「禮後乎？」

子曰：「起予者商也，始可與言詩已矣。」

禮

禮，以忠信為質，無其質則無以為禮之裝飾，須先有倩盼之姿。反之，有其姿才能修其美，有素地才得施繪事，亦則有忠信始足以言禮。可見姿、素、忠信為本，無其本則無以言美、言繪、言禮。所以孔子聽了子夏說：「禮後乎？」他知道他的弟子知本，直讚他「起予者」，可見孔子是如何底高興了。

華

華僑，久被譽為「革命之母」，因為他們曾為革命出力，亦會以僑滙平衡國際收支。至於回國投資，單提我家鄉（福建）的一條鐵道，我在中學當童子軍時曾經同它的火車賽跑過，抗戰時已通路軌也被撤去，現在全被遺忘了。那時候，華僑的景況好，回不回來投資也無所謂，最多不過像他們滙款在本家蓋起大廈顯耀鄉閭而已。時過景遷，南洋以民族主義方興未艾，華僑日受當地政府與人民排擠之苦，思鄉之心油然而生，亦猶人性之常；正於此時，國家橫遭大變，內外團結共赴國難，相依為命，蓋亦自然底趨勢了。惟考實際，幾年來，我們但聞僑資曾變香港為近代工業之城（參閱十月廿三日香港聯合社電），未見它對自由中國的經濟引起了作用；實際上，僑資並未成規模地進入台灣，亦正因此之故，香港乃藉以繁榮，楚才晉用，有什麼話說！夫經濟的發展，必先有優良底環境，諸如當地的經濟制度、經濟政策、銀行、稅務、行政效率：……等；這些納入常軌，經濟乃得順以開發。所謂華僑回國投資，根本上亦在乎以上諸端能夠構成一種有利投資底氣候，他們投資的事業才能生根發育。所以有人以華僑投資為問，如孔子在世，想必又將喻以「繪事後素」了！財政部長徐柏園十月十八日在立法院不也說過：「就當前本省（台灣）經濟情形看來，僑資在最近二三年內，恐不會大擧來台」嗎？

輸

輸入其他物資為什麼成為爭辯中心？說來很簡單：其癥結在外滙貿易管理辦法上。如果有人再問：「怎麼辦？」答案也在外滙貿易辦法上。台灣收入外滙對新台幣的比率，自本年三月以來，有一美元對新台幣二一．五五元（滙款一五．五五元加結滙證六元），有一美元比二〇．三五元。（下轉第二版）

反攻時機問題

此次許多海外僑團返國觀光，都提出了何時反攻的問題，這是海內外千萬同胞心目中念茲在茲的一件事，亟望得到一個確切的答案。

蔣總統所提出五年到七年可以完成反攻使命的話，也許會使若干焦急期待中的同胞感到不耐。但須知反攻復土一事，在我們是光復故土，就世界意義言，則是自由民主對共產極權的一個重大決戰。要達成如此沉重的任務，是不能過份執着於時間的遲速的。

主要問題仍在於我們主觀力量的充實與準備，會否盡到最大的努力。日前國際形勢之低沉惡劣是事實，但過去韓戰進行方殷，大陸上「三反」「五反」鬧得鼎沸之際，我們也只能坐視良好時機逐漸消逝，雖說當時由於國際間諸多束縛，難獲自由展布，可是假如我們具有旋轉乾坤的意志和力量，客觀形勢也不是不能被克服。

但願今後能確切把握住有利時機，完成海內外同胞的一致熱望，再不要蹉跎延誤，坐失事機，令人有河清難俟之歎。

巨頭會還要再開嗎？

四外長會議經過三天休會，昨天續開。德國統一與歐洲安全固陷僵局，裁軍談判前途同樣渺茫，甚至連較為單純的所謂促進東西關係問題，事實上也有不少歧見。照這情形，此一會議之無結果而終，決不是意外的事。本來顯現在西方當局的軟弱和處境，俄共又何必亟亟要獲致妥協呢？

據說日內瓦的一種看法，認為四外長會如成僵局，會再度召開四巨頭會以謀解決。那可能只是迷信巨頭談判萬能的人們片面幻想。四外長會本來是替巨頭會議收拾不了之局，即使巨頭們有一談再談的雅興，怕也不是國際公正與論所能容許。

西方測探蘇俄誠意以謀共存的任務，運用經年，答案已大致得到，證明這是一條走不通的路。要為全世界謀撥亂反正，還是別籌良策吧。

時事評述

·李秋生·

小型的日內瓦談判

站在一個東方人士的立場，對於所謂小型日內瓦談判，即美與中共間的談判，其關切程度無疑更在四外長會議以上。西方對歐局和德國問題的立場，籌之已熟，等閒不致發生疏虞。若一涉及遠東問題，則弱點畢露，不只三強之間互有歧見，就連美國政策也是猶移而欠健全，適予共黨以可乘之機。

我們並不耽心杜勒斯等聞會與周恩來會談，更不信王炳南所提四條件之類會影響美國，甚至發布「不用武力」的共同宣言，無論就美國與情或國家利益看來，美當局在這些地方還不致輕易上當。

中心問題在於美方對遠東問題的一項基本態度，即要中共保證不使用武力。武力決非共黨所用以實現其侵略企圖的唯一方式，像波羅的海和東歐各國之被納入鐵幕，克里姆林宮何嘗假手於武力侵略？

只求避免戰爭而不問其他，是掩耳盜鈴的政策，假如為此而不惜付出某種代價，更是愚不可及。

、杜爾斯與狄托的協議

杜爾斯訪問狄托，想抵消俄共政治攻勢對南國所發生的惡果，顯然並無重大成效。西方曾拯狄托於危難，到頭來還抵不過赫魯歇夫的誘惑；美國自己且想走共存路線，又如何能打消南斯拉夫的中立念頭？

只有杜爾斯與狄托成立協議，認為東歐各衛星國應該恢復自由，可說是較有意義的一點收穫。但先決條件卻應該先恢復南國人民的自由。

胡案宣判以後

·台灣通訊·

鐵·牛·

(台灣通訊)正當台北黨軍政各界爲蔣總統慶祝六十晉九壽辰之日,台北地方法院恰巧把轟動海內外的「胡光麃詐取國家財物及尹仲容、周賢頌共同連續瀆職圖利案」在這天宣判了。宣判的主文很簡單,但宣判三人無罪的「理由」却長達一萬二千餘字(連標點在內)。

民間反應如聞警報

宣判的時間是在三十一日上午九時;到下午兩點,台北幾家晚報摘要發表新聞之後,自由中國的人們立刻像聽到了空襲警報似的,奔走相告,從心底掀起了驚濤駭浪,擴展爲整個社會的輿情盡皆籠罩着一片激動!這種現象無可比擬,如若勉強譬喻,那麼可說好似六年前美國無情地發表了白皮書之時,使千千萬萬追求民主自由的中國人民陷進了困惑與憂慮。

誠如七個月前有人在胡案初識之時所預言者一樣,今天司法當局給這預言作了一次肯定的證驗!然而,大多數的人們在這七個多月的期間,總還是懷着半信半疑的心情去觀測胡案的發展;假若他們眞的完全相信預言,那麼就不會有今天這樣的驚濤駭浪出現了。

「我早知道會宣判無罪」

胡光麃到底不愧爲「識時」的「俊傑」,他在跨出司法大廈的門檻時,笑着對人說:「我早知道我們可以宣判無罪的呀!不過,現在總是民主化了,若在二十年前,像尹部長這樣地位的人,是不會上法庭的」。從這兩句話裏,更可以證明了七月前的「預言」並非毫無根據而信口開河。祇可憐社會上竟有那麼大批傻瓜胡胡塗塗過了七個多月「疑信參半」的冤枉日子!

胡光麃的神氣,比之入獄以前,並未稍減。灰西裝、白襯衣、黑領結、黃皮鞋、綠絲襪、臉刮得很淨、髮梳成波浪式,一表人才,那裏像個囚犯!他下得堂來,在勝利的微笑中對前往旁聽的觀衆們抱怨道:「雖然判我無罪,但我却已坐了七個月的冤枉牢」!聽他此言,如果我們中國實行冤獄賠償制度的話,則敢保我們的政府還要再付他幾十萬元的賠償哩!

尹公館賀客盈庭

然而,這終究是一場充滿了驚險的官司!所以,今天在我們的尹部長公館裏,從上午十點起,直到午夜過後,賀客盈庭,造府拜賀的絡繹不絕。未悉底蘊的路人,還誤以爲尹府上設有壽堂,人們在競往爲總統拜壽呢!不知道尹部長是痛定思痛呢,還是官場驚夢?就在宣判後的兩小時,他便繕就了請辭經濟部長的辭呈,馬上送到行政院去。他這一手懸崖勒馬的行動,立刻引起了社會人們的好奇——有的說,這是「強硬」的抗議」,抗議他被停了職。有的人則認爲,這是「無言的訴冤」,因他曾經在法庭上大發過牢騷,說他爲國盡忠執行「國策」,却落得滿身罪嫌。也有人揣測,尹部長可能有心意俱灰之感,覺得這年頭的官兒不好做,乃遵循古訓「急流勇退」之義,告「老」歸隱,靜享幾年清福再作道理。總之,俞鴻鈞院長如何應付這支胡案的插曲,倒是耐人尋味。

傳說紛紜莫衷一是

至於胡尹案的判決「內幕」,亦是傳說紛紜。有人說,這次臨判而延期,事前曾由司法行政部部長向最高當局請示過,最高當局對判尹胡無罪,頗爲不滿,深恐司法有疏漏,堅囑依法公平審判。司法當局再三詳核始行作了最後的判決:宣判無罪。又傳:在判決書擬就之後,例由辦案的推事簽蓋章的時候,某推事忽然拒絕簽章,不用說,這位推事是位相當耿直的「怪人」,據說他表示不能同意,寧可摜掉紗帽棄官而去。後來不知怎的,終於蓋了章。此些傳說,眞假尙難證實。不過,由於社會上對宣判結果的心理影響,確是相當嚴重的。因此,何時可以掃清了社會上的疑雲,解除了人心的困惑,那要看原起訴的檢察官在將來是否提出上訴,才能決定。好在十天(上訴期限)既眼即屆,人們只好「靜心俟之」了。(十月三十一日寄自台北)

讀者論壇

農業合作化——中共的毒瘤

·白濤·

在本刊第四八四期讀到李金疇先生所寫「農業合作化是毛澤東的墳墓」一文,說出大陸農民對農業合作社轉變如此嚴重,基本上是農民已經普遍識破了農業合作化是高度壓榨的本質。並從歷史上證明凡有任何政權如有傷害農民的,必然是自取滅亡的。我覺得此文對於中共的「農業合作化」的本質這一層分析太嫌不夠,願把我平日一點淺見寫出來。

這幾年來,我從研究中共問題獲得了一個見解,就是世界上無論怎麼優良的政治制度,社會制度,經濟制度:……等,如果經過了共產黨的做法,這種制度的本質就完全轉變了,好的變成壞的,利的變成害的,眞的變成僞的,仁的變成暴的。農業合作化便是其中一個最顯著的例子。

一般民主國家的合作組織,全爲自由自願的民衆團體,政府最多只站在從旁協助和指導的地位,並沒有直接操縱控制的權力,而中共的合作組織,則純係中共用以剝削人民的吸血管,其一切業務,也是完全操於各地共幹之手,名爲合作組織,而實際上是套在農民頸子上的一條鎖鍊。

中共竊據大陸以後,爲了要各個擊潰和消滅「個體經濟」,「私人資本主義經濟」與「國家資本主義經濟」,達成共產主義型態的,高度剝削的「國營經濟」的任務,在所謂「革命」過程中,運用各種形式不同的合作社組織,以所謂「半社會主義經濟」的姿態出現,在廣大的農村中普遍展開,壓榨農民的血汗。

中共所以要在農村發展合作組織,是有其深長的陰謀的。土改期間,中共一方面要消滅地主富農,一方面也要漸次消滅商人,所以首先建立供銷合作社,將農村貿易供銷業務,取而代之。同時在土改階段,農民原有的借貸關係爲之摧毀,中共爲求農業生產不致中斷,並對貧僱農略予小惠,所謂農貸如耕牛,農具,種子和肥料等,都是透過供銷合作社而貸給農民,爲「信用合作社」搞好基礎。土改完成,中共爲欲誘致農民走向「國有農場」,「集體農場」的道路,又把農民組織起來,而發展爲「農業生產合作社」。這樣一來,農民被迫「互助合作起來」,農村借貸業務漸次增加,「信用合作社」乃應運而生,脫離供銷合作社而獨立,則爲各種合作組織中對農民敲骨吸髓的中心機構。

在農業的產銷方面,有了「供銷合作社」和「生產合作社」的設立,中共的控制益爲周密,在農村的金融方面,又有「信用合作社」的建立,則供銷,生產,與信用三位一體,中共對農村的整套剝削體系,乃全部告成,抑且運用自如。因之,中共一手拿農民自己的錢貸給農民生產,算是「國家貸款」,一手又將農民生產的實物掠奪淨盡,其結果,農民成爲單純的生產者,成爲眞正的奴隸,稍有反抗,不僅要喪失耕作的土地,且將失掉生活的資料,於是農民永遠任由中共的奴役,並且赤貧如洗,祇有向中共乞討告貸,加強其對中共的依賴,同時中共對農民貸之愈多,控制則更嚴密,農民被迫增加其生產,因而增加了中共剝削的財源。

在中共最近發表這兩項文件中,透露了大陸的農民,甚至一部份共幹對中共推行的「農業合作化」,都掀起強烈而普遍的反抗,現在仍在繼續進行擴展中。所以中共必然陷於崩潰的這一趨勢,乃是絲毫無可懷疑的。

英國人被迫減少消費

布特勒提出緊縮計劃

輿論展開抨擊

第二天的反應却表明了英國各階層的人都感到不滿。保守派的「每日郵報」說:「布特勒勒索妻子們。」保守派的「每日快報」與自由派的「新紀事報」意見一致,認爲「布特勒劫掠廚房」。從鑛工到鐵道勞工,都紛紛要求提高工資,以追趕物價的上漲。

通常極力支持布特勒的「每日電訊報」也說:「他的戰略是令人失望的,因爲他沒有對政府支出發動正面進攻」。

在國會中,工黨議員大爲憤怒,也紛紛發動攻擊。布特勒的「危機預算」已完成了艾德禮和他的副手們尙做不到的事:「這是使反對黨團結一致,且使他們得到一個攻擊政府的良好目標。工黨提出了一個責難案,譴責政府「無能及疏忽」。被選出來領導這次進攻的,是布特勒的敵手,前工黨財相蓋斯格爾。蓋氏現年四十九歲,出身牛津,是個傑出人才,他的經濟哲學與布特勒十分近似,英國人會把他們的姓連結起來,創了一個新字「布斯格爾主義」,以形容他們的經濟理論。冷靜而英俊的蓋斯格爾可能是艾德禮的繼承人,他的支持者也希望藉這機會加強其在選民間的聲望。

蓋斯格爾攻擊財相

蓋斯格爾的演說,首先提到今春使保守黨當政的上屆普選,當時在普選前數星期,布特勒曾提出樂觀的減稅預算。蓋斯格爾說:「四月間預算的眞正目的,並不是鼓勵人民加緊生產,即是鼓勵人民投票擁護保守黨。」他隨即發出他的主要攻勢說:「財相以賄賂收買到他的選票之後,現在已被迫不[illegible]他所開支的支票,而且他早已知道這張支票是不能兌現的。」

蓋斯格爾且指責布特勒誇耀保守黨所造成的繁榮是故意欺騙人民,他說:「布特勒一直是個規避策略的專家,現在他且沉溺於似是而非的說法。」這一次工黨對布特勒的攻擊,是邱吉爾與貝凡的激辯以來最激烈的私人攻擊。蓋斯格爾又說:「我對財相個人並無惡感,但他在過去一年的政績是令人惋惜的。他開頭是愚蠢,其次是欺騙,最後是反動。他應該跑到首相那裏,卸下他職務的重担,他已顯然沒有資格繼續負起這些任務了。」

蓋斯格爾的攻擊不論如何不公平,却擊中了對方的弱點。布特勒臉色泛紅,在表決工黨的責難案時,幾名次要工黨議員竟背叛了他而投反對票。最後保守黨雖然勝利,布特勒的預算也獲通過,但他的救藥不僅不孚衆望,且被許多人認爲仍嫌不足。最近,十七國組成的歐洲經濟合作組織也指責布特勒的政策上「基本上不正確」。對布特勒個人來說,他過去雖有繼任首相的希望,現在却正面臨一個黯淡的冬天。(下)(譯自「時代週刊」)

美俄交換空巡可能獲致協議

華府官方看外長會議

據華盛頓傳出的內幕消息:美官方認爲俄外長莫洛托夫已準備接納艾森豪總統所提空巡建議的一部份,而美國務卿杜爾斯也會同意一部份蘇俄的反建議。

但假使如此,這並不表示裁軍便能立即開始,任何關於原則的協議,都還祇是第一步。其他微妙的細則,仍待在聯合國裁軍小組中加以解決,這一步驟必然充滿困難,而且進展遲緩。

又傳:日內瓦會議中也可能達成關於擴展東西貿易的協議,而鐵幕內外的「文化交流」,亦有促進的可能。杜爾斯決不同意所謂關於戰略性物資供應蘇俄及其附庸國的禁運,不過他可能作大讓步而減少禁運物資的名目。作爲一個交換條件,他將要求蘇俄予附庸國以較大的自由,也知道這樣條件要求不會發生迅速的結果,但他認爲蘇俄將來或可能被說服。[illegible]由作爲蘇俄交涉中的一個課題。這一點如蘇俄接受,事實上也並不重要,可是美國政府認爲,這至少能成爲一個開端。

關於[illegible]問題,美官方認爲[illegible]能達成協議,也不致因爲[illegible]問題而破壞會議。國務院官員私下表示,德國繼續分裂,祇要西德堅定地站在西方陣營中,仍不致威脅美國的安全。(摘譯「新聞週刊」)

論華僑回國投資

陳式銳

(上接第一版)(出口外匯一五.五五元加結匯證四.八元,更有一美元比一八.五五元)香港出口外匯一五.五五元加結匯證三元);此外,還有「優惠匯率」,即駐台各使領館暨美國駐台各機關職員個人費用,台銀一美元核給新台幣三五元(近減爲三四元)。除「優惠匯率」接近黑市三七元左右外,每一美元所得新台幣與黑市比較,其差額自一五.四五元、一六.六五元、至一八.四五元;就是結匯證市價上升至十[illegible]元,其差額仍在七元[illegible]。因此之故,華僑回國投資,其資款進入台灣,馬上遭受重大損失;[illegible]之故,該條例[illegible]爲吸收僑資乃在出資種類中列入「輸入其他物資」,以補償[illegible]

[illegible]

立法委員崔唯吾[illegible]

去年三月十七日國民大會第二次會議曾通過「當前經濟改進方案」一案,對外匯貿易主張:(一)改行外[illegible]

[illegible]

在市場尋求自然水準[illegible]與「優惠匯率」一致。一方面,開放自由市場,[illegible]備外匯進口,用以增加物資供應,而壓低物價水準;這樣一來,華僑輸入其他物資[illegible]特權,就不致變爲一種[illegible]害也可以減除了。[illegible]台灣外匯市場價[illegible]上升,主要原因在通貨膨脹,[illegible](參閱本刊四六一期附刊)。[illegible]底匯率結果與實際背道而馳,通貨膨脹將永遠[illegible]的結論:華僑回國投資,[illegible]外匯貿易的安定[illegible]膨脹,[illegible]孔子的「繪事後素」[illegible],其是之謂歟?

蘇俄向西班牙展開和平攻勢

近來蘇俄共黨的「和平」攻勢[illegible]西班牙[illegible]居然對西班牙代表[illegible]肩上拍了一下;西班牙代表也已預定參加莫斯科的影展,[illegible]國際會議,討論[illegible]

西班牙雖與蘇俄自一九三九年起即已斷絕關係,但[illegible]在馬德里[illegible]

[illegible]基地網以後,蘇俄的運動,就是企圖[illegible]優勢,這一年多以來,[illegible]貿易協定以後[illegible]十五名第二次大戰中[illegible]

[illegible]

武裝共艇海盜行徑　襲擊漁船慘殺無辜

最近一週間，武裝共艇襲擊本港漁船已發生兩起，三名無辜婦女慘遭殺害，三名兒童受傷。共黨這種暴行的目的，顯然一面是向準備逃出魔掌的漁民施報復，一面則是向逃亡的漁民示威，企圖使他們懾服於槍下。

在最近一週間，由本港出海的漁船先後兩度遭受到武裝共艇殘暴與示威性的襲擊，其中的一次，竟然是發生在英國的海域上。

這是一種殘暴的獸性行爲，在這兩次襲擊中，曾有三名無辜的婦人死亡，和三個十五歲以上的小童受傷。

四千漁民　奔向自由

同時，這無疑是一種示威性的行動，由於在過去一個月來，中共佔據下之萬山羣島和中山唐家灣一帶的漁民，因爲不堪中共的魚肉和迫害而向港澳逃亡的超過了三百五十艘漁船和四千漁民，這對中共的恐怖與飢餓統治是一個最好的事實說明，中共爲了防止今後同樣事件的發生，它必須加強對轄區內之漁民的統治；另一方面，它更經常地襲擊已經獲得自由的漁民，作一種報復性的示威。

漁船的首先被襲是發生在上月三十一日的下午，一艘F二八八一HA號漁船，自香港駛赴澳門途中，經過澳門港外公海時，即遭受到一艘共艇追擊，當時船上人員見勢不佳，既無以爲敵，惟有加速航力，揚帆急駛，但在共艇的連續射擊下，一個年約四十餘歲的婦人和兩個年約二十歲的漁家少婦當場飲彈斃命，另一個十五歲的少女左肩亦被子彈擦傷。

這一艘開火傷人的武器共艇一直追蹤至澳門港口附近時，這時這始掉首而去，這一艘受傷的漁船爲澳門的巡邏砲艇發見後，保護駛返澳門。

武裝共艇　越境開火

另一次本港漁船被突襲發生於本月三日清晨的海內深灣海面，這次被襲擊的一共爲兩艘，漁船約爲儎重約萬餘斤的巨型蝦罟艇，一艘是F三七三HC，船上除船主陳基外，還有妻兒和夥伴共八人，另一艘是F八二〇HC，船上是船主陳成和妻兒夥伴十五人，兩艘漁船的船主是親兄弟，不堪大陸漁區的橫征暴歛，三年前即開始相繼潛逃來港，申請了本港牌照，在自由的海域自由地捕魚。

這兩艘來自大陸的漁船三年來經常在沙橋角和伶仃洋一帶海面捕魚，習以爲常，亦從未發生意外，到了三日的上午，當陳氏兄弟的兩艇聯帆出發，駛赴流浮山北面的沙橋角近深圳河口（即近中英邊境）地方作業，至中午十一時，船上人員正當撒網緊張工作之際，突發覺對面深圳河附近，有單桅船四艘鼓浪而來，船有便衣而不像漁民每的男子約七八名，當駛近時，四船突告散開，各相距約十餘丈，向兩漁船採包圍態勢，陳氏兄弟及夥伴見情勢有異，已起戒心，當四艇駛近漁船的二十五丈時，船頭上即有人厲聲喝令「迅頭」（即令漁船起錨與他們同行），陳氏兄弟知道來船的目的不善，立以最迅速的動作拖起漁網，一面扯起風帆，幸當時正吹起強勁的東北風，兩艘漁船藉着風勢，得以迅速突破包圍，而向流浮山海面逃逸。

兄弟突圍　兒童受傷

這時四艘武裝共艇見陳氏兄弟的漁艇「抗拒命令」，立即啣尾鳴槍追擊，槍聲拍拍如連珠，此彈彼應，使寧靜的深灣海面突呈緊張。

突圍時，陳成的船在前，陳基則殿後，因此陳基的F三七三HC號船成了四艇的襲擊目標，船尾的彈孔纍纍有如蜂巢，一直到將近流浮山海面時，這四艘武裝共艇才放棄追擊，豎起紅旗，駛返共區。

這兩艘漁船雖逃過了比死亡更慘劣的命運，但陳基的兩個孩子均中彈受傷。

目前，兩艘香港登記的漁船在沿海被襲的事件，本港警察當局尚在詳細調查中。然而經過了這次的襲擊後，香港仔漁船對出海捕魚都有着莫大的戒心。

武裝共艇爲什麼要不斷地襲擊這些本港的漁船呢，受襲的本港漁民已經很明白地指出了中共顯然是極端不滿自大陸逃亡來港澳而獲得新生的漁民，由於重獲自由的漁民，對中共的威脅最嚴重的，一方面，因爲他們的成功促合到更廣大的漁民隨着逃亡，另一方面，他們身受的生活，成了自由國家和鐵幕國家一個強烈的對比，因此，中共必須設法防止漁船的繼續逃亡，襲擊海外漁船顯然是它們所採取辦法的一種。然而，這一種恐怖的辦法是不是有效呢，當然，這祇是增加漁民對暴的憎恨而已。

大捕漁民　灣仔共幹

據澳門方面一個不願透露姓名的漁民說：中共月來派出了共幹多名在和澳門相對望的灣仔地區，調查漁船的偷渡和「地主」、「舊漁船逃亡的事件，許多漁民因此受到牽連被捕、拘捕後下落不明。統計月來被捕的漁民共達三十餘人，這些共幹在調查期間，無所不用其極，因此更使到未被捕的漁民人人自危，加速他們採取逃亡的行動，因而冒死逃離灣仔駛往澳門的漁民將一日比一日多。

由一九五二年開始，由華南沿海奔向自由的漁船自始是偶然的，個別的，最多也不過是三五成羣的，但自今年秋天開始，漁民是集體的逃亡港澳，這一種現象是說明了漁民的投奔自由是一貫的，較遲或較早是爲於環境與機會，而這一次集體的逃亡最大的原因，如所週知的，是大陸糧食與物資的嚴重缺乏，這是中共雖然欲掩飾而無法掩飾的事實。

一方面無法供給人民有足夠的糧食，一方面用恐怖的手段阻止人民的逃亡，由這次漁民的事件，我們可以看到。所謂屬於「人民」的中共，就是這麼樣的一個政權。實際上共黨這種暴行，祇會更引起人民的反感，漁民們既因不堪暴政而逃亡，又何懼槍砲呢？

農民發動消極反共　出售棉花滲混槍彈

中共承認收購計劃遭嚴重破壞

·珍·

從十月十二日至廿一日，中共「全國供銷合作總社」召開了棉、蔴、菸葉收購工作會議。其中在對於棉花收購問題的處理討論中，暴露了棉農的反共和不滿情緒。

棉農生活陷絕境

農棉的不滿主要是由於賣出了棉花買不到生活必需品。如在「山東、山西、江蘇等省，棉農買不到布疋，副食品和小農具；山西省則甚至食鹽，捲烟也買不到；在浙江、河北、遼寧等省，則中共又採取了限制收購，停收，（十一月一日天津大公報）致使已賣棉花的農民和未賣棉花的農民同樣陷於絕境。

摻入雜質藉以報復

因此，棉農遂以報復，破壞來反抗中共的搾撤。他們在棉花裏不僅摻混鐵器、木器、石頭；甚至摻入火柴、砸砲等危險物品。

其中尤以紗廠和有關部門反映的事實最爲嚴重。該廠說：「共中以鐵器、鐵絲爲最多，佔百分之五十三點六；火柴、磚石、木器亦不少，佔百分之二十二點三；……各地還不止一次地發現槍彈、砸砲及易燃物品。」

據該報列舉的事實來看，從「一九五四年七月至一九五五年八月，共發現特殊雜質二、二七五次；

雜質棉花造成破壞

由於棉農在出售棉花時摻入了這些「特殊雜質」，於是各地工廠就連續發生了重大的破壞性的事故。

「如四川省大華紗廠一九五四年內棉花中混有特殊雜質，光清花間就發生了火災十二次，共損失棉花一、一〇五斤，停工二二一點一〇台時；河北省邯鄲國棉一廠豪豬式開棉機內棉花內夾有磚瓦、石塊、鐵器，曾被打壞了三次，其中有一次停工了四十二天，造成損失百萬元；河北省石家莊同族加工廠軋花時軋着火柴而燃燒；山東省德州打包廠僅改包棉花三十五萬斤，就因特殊雜質而發生火災四次。」

四川省遂寧縣永興鄉棉農出售棉花時夾入火柴的事情在山西省孝義縣也同樣發現，而「東北房店」的棉農則更在棉花裏「摻入砸砲二十九個」；有些紗廠還發現夾有枚彈」。

對於上述這些事實，我們可以清楚地認識到，棉農的反共和破壞行動是一般性的，而破壞的方法又是多種多樣的。卒使中共幹部防不勝防。這些事實，只不過是中共公佈的極小的一部份，但已足夠使我們窺一班而知全豹了！

大陸死亡率大增

環境惡劣營養不足醫藥缺乏　流行病蔓延勞工學生受害

共黨統治下，環境惡劣，營養不足，沒有充分睡眠的勞動階級，由於醫藥缺乏，死亡率大大增加。天津市第二區水梯子大街，是一個擁有十萬勞工的區域，其中祗有一個「保健聯合診所」。這個由九名私人醫生併合組成的「聯合診所」，常被稱作「小醫院」。這所醫院通常對於求診病人都應接不暇，雖然內科外科小兒科產婦科眼科包羅俱全，但附近有四十五家工廠也需要他們經常到廠診視工人病症，以致顧此失彼，就誤了重症病人。於是不得不設法尋求適當對策。

胃病感冒　打破紀錄

據南京「新華日報」消息透露，今年七、八兩個月間天津的胃腸病，流行性感冒患者特別衆多。這個問題的嚴重性打破了以往紀錄。該報說：「聯合診所」所長張白文濤和內科醫生張謙六，爲了撲滅病源，他們檢查了四十五家工廠，舉凡車間設備，院子、廚房、廁所的環境衛生，作了深入了解。據他們檢查以後反映情況，認定胃腸發炎是由於廚房衛生不好引起的。於是他對工廠提供了改善各家廚房衛生的具體建議；設備和炊購方法作徹底的糾正和改革。

該報又說：「公私合營萬新染整廠」，被查出是流行性感冒的唯一發病根源，白文濤和內科醫生賀文閣到該廠檢查時，看到工人們都不戴口罩，患者也不予隔離，認爲這是該廠行政上一個重大錯誤。因此一方面授與該廠治療及撲滅病菌方法，另一方面配了大量漱口水，教他們履行「無藥治病」。

飲水不潔　病者激增

「新華日報」指出「聯合診所」對於學生們的保健，也盡了力量，它說，天津市第三區共有十一個小學，擁有一二萬一千多名就讀學生，因爲這些學生經常去診所求診，作全般病人中佔有很大數字；以致該「聯合診所」感到應付困難。經過四個月逐個檢查，體格、血液、糞便，檢查結果，發現大多數學生都有蛔蟲，在二次覆查結果，六千八百多人之中，仍難全部根絕。這些嫖禍都歸咎於「飲水不潔」。

化驗員另外根據報告，有四十多名小學生患有傳染病，他特別地帶了顯微鏡和玻璃片去學校，當場讓學生們從顯微鏡中去看痰裏的細菌。提高他們的警覺和預防。這個病理化驗員公開地在幾個學校中說：「你們學校不但不設法防病，反而製造出更多的病人來，麻疹、傷寒、肺癆、流行性感冒……這些都是從痰液裏帶來的；因此，痰液不准隨便亂吐；患者必須隔離，同時還給他們戴了口罩，要不管患者或預防，都要養成戴口罩的習慣，隨時戴上。」他還說：「除此以外，要貫徹「勞衛制度」。」又檢查了學生家庭，張說：「都忙於生產勞動，至少有十九個學生的家長出外勞動去了；他們沒有時間照顧孩子，學校該負大部分責任。」（祁）

工廠主任無事可辦

中共河北一個公私合營工廠籌備委員會裏，有一位私方代表的副主任，每天的工作就是：練字、看報，和工人聊天。每天最妙的是，他消磨了辦公時間，而且把他的辦公室，公然題做「養性齋」。這樣是不是這一個工廠沒有進行籌備工作呢？不，十月十五日天津大公報說：「籌備工作是企業公私合營，私方人員獲得改造的開始，清產定股，生產佈置，人事安排，等等一系列的工作，都是繁重而緊張的！」那麼，這位養性齋主任爲什麼沒事幹呢？有人問他，他回答說：「我有職權，有所爲而不可得」，只好自甘於「養性」！」他這話固然道破了中共公私合營企業下被併吞的私營企業所有人的悲哀，但這位副主任也算夠風趣了！（平）

中共麥種貸款手續奇繁　幹部乘機舞弊花天酒地

粵共最近爲了補救今年糧食歉收，號召農民擴大多耕增產，並舉辦「麥種貸款」，聊示提倡。然因手續過繁，加以共幹從中作弊，弄得有名無實，農民未見其利，反受其害。十月二十日「粵東農民報」報導說：「人民銀行興寧支行在發放麥種貸款時有七道手續：填表申請，覓人担保，鄉幹部介紹，小片工作組審查，大片工作組批准，銀行營業所辦手續，到售糧點買麥種。使災民往返多次，不但浪費金錢、時間，而且嚴重地影響了生產。如二區山邊村郭明生借款五元，往返跑了四天，開銷旅費二元四角，只剩二元六角了」。又說：「海豐縣支行在發放貸款時，光摸底、不發放，弄得災農乾歡喜，白開會。」「普寧縣四區李莊村李大德社以從事漁業生產爲名借款五百元，搞起販買牲口的買賣來，因生豬死亡過多，差不多已虧蝕光了。」「梅縣一區中區委書記何其光挪用麥種貸款一千二百元，花天酒地的用去了一大半，因此，影響一部分災民借不到款。」

醫生強姦護士

這是大陸一個醫務幹部強姦護士與女病人的故事。

醫生強姦女病人，在香港曾鬨動過一時，但在大陸卻並不稱奇。

有這樣一個人：名叫劉漢義，是中共的老幹部，既是太原鋼鐵廠醫院的院長，又是護士訓練班的主任。他先後強姦了許多女護士，其中一個被強姦時還只是一個十七歲的小姑娘，據她自己在「人民日報」上說，這位劉院長第一次強姦她的時候是用「個別談話，了解思想情況」的名義將她喚到了院長公館的，然後，他對她說，愛人不在家，精神很苦悶，要她給他「解決困難」。她一聽這話就逃，他立即拉住了她，對她說，如果不從，就要將她開除出院。「開除」這兩個字，在大陸是跟死刑差不多的，她自然只有低頭就範，給他「解決困難」了。這以後，以同樣的藉口就將她召到公館裏連續強姦了她，並且以將她介紹入黨和如有洩漏秘密和反抗就要開除出黨作爲他的金鋼箍，前後將她強姦了四年。後來，她懷孕了，着急起來，向院長哭訴，院長卻說：「別怕，醫院裏有的是打胎的藥，就是打不了也沒要緊，我個愛人，事就完了，我們卻仍可照常往來！」

又有這麼一個人，名叫祁鳳山，他是山西工農速成中學醫務所的醫生，每當女生去看病的時候，不管病在那裏，他按例要檢查子宮，動用手術，趁機會施放春藥，等病人一直反應，他就實行強姦，得心應手。但後來卻出了小亂子，有兩個女生被強姦以後不服，聲言要提出控告，醫生就放出空氣，說這兩個女生性關係太多，已有性病。結果，這兩個女生就羞忿自殺了！（著）

自由談

外交上的痼疾

馬五先生

最近有朋友從美英經歐洲大陸各國遊歷歸來，談到中華民國的外交情況，他認為連新大陸的使領館在內，他所見到的，凡是舊時那種腐敗低能 暮氣沉沉的本質與作風，原封保持，絲毫沒有變動。他隨便舉出了一個對照的事實：有個中國留學生，由美國到歐洲，走到荷蘭境內，旅費用光了，向當地的華僑借了一些錢，再經過法國赴瑞典。沿途沒有中華民國使領館的地方固無論矣，即設有外交機構的，也是投訴無門。但，這學生一到了瑞典後，秧歌王朝的所謂「大使館」，即派人招待，並且替他償還荷蘭華僑的借款，目的當然是勸他回國「為人民服務」。他雖然託詞婉謝了，唯在情感上，對我們那般腐敗低能而高高在上，絕不願意跟僑民接近的外交人員，即具有莫大的反感。

另外又有一位新近從巴黎回來的某博士告訴我們一件故事：他在巴黎時，曾於一個並非禮拜天的午后三時，前往我們的使館訪問朋友，不料從大門口一直跑到四樓，依次扣拍各房門，寂無人聲，連司閽的工友亦不見，要想留張名片而不可能，只好黯然溜返旅館了。前兩天，本港某報紀載一篇華盛頓通信，說我們駐美大使館的重要職員，且有不知中華民國紀年的數字者！

我把這類事象縷述出來，難免沒有人指為「自己暴露弱點」，長敵人的志氣，然自己的醜風。可是，一味地諱疾忌醫，瞞上欺下，這是否過去丟掉大好中原河山的主要因素呢？大家如果不否定這項慘痛的歷史教訓，那末，外交上這樣的濃胞毒瘤若不把它揭破，施以刀圭之術，使其去腐生新，試問我們有甚末方法來獲致「得道者多助」的外交效用嗎？

我們要唾棄自欺的諱疾忌醫觀念，要剷除傳統的人事派系制度。外交事務固應如此，其他一切的政務亦莫不應該如此！

歧視與侮辱

薩摩訶

據漢城十七日中央社電訊，服務於聯軍統帥部登記核准之各外國通訊社之驗籍工作人員，今日向聯軍統帥雷米澤將軍抗議他們由第八軍團憲兵所受到之「歧視與侮辱」。……

這令我想到一位合衆社記者的朋友張君告訴我中國政府要人，對待中國記者之歧視與輕蔑。以前在美國，駐美的中國記者也時常講到宋子文先生怎麼樣對美國記者之超座握手而對中國記者擺着官僚架子的種種。我不知道歸國的政要是否也像中國政要一樣，把自己本國的記者不看在眼裏，如果是的，那就毋怪乎美軍的憲兵有歧視的態度。自然，我們是非常同情記者的抗議的。

在台灣，當美國副總統尼克遜蒞台之時，外國記者有權到飛機場內，尼克遜一下機，就可迎談。中國記者則分兩種，一種則在欄外，也許可以望見尼克遜下機，但無法接近，另一種則在場外，連尼克遜如何下機也望不見了。這是許多記者親口同我講的。

尼克遜訪遠東，我看見他在日本機場被日本記者包圍情形的照片。而一到台灣，中國記者竟需隔離；我不知道這是因有尊敬尼克遜，還是看輕自己的記者？

同是記者，也許同在一個通訊社或報館任職的記者，就因為一個是洋人，一個是中國人，竟有如此的分別，那末洋人的記者之可歧視中國之同事也就成為理所當然。而這是在中國的境內。那麼在外國的境內又將怎麼樣呢？我知道中國也有不少駐外的記者。

中國的政要往往以為中國的人民都是他們的下屬。殊不知如果是民主國家的話，必須先承認人民是他們的主人。

即使這個通訊社與報館是屬於政府或是受政府的津貼，而這個通訊社與報館在不違背基本國策之下，政府並沒有權力侵犯它的自由，它也沒有理由要聽政府的指使。服務於報館或通訊社的記者，是充分有法律範圍內的言論自由與採訪的自由。如果政府限制他們，政府已經違背憲法了。

如果這是政策中應當秘密的事情，（尼克遜訪華當然不是什麼機密）那麼祇有可以給中國記者知道而不能給外國記者知道的事，決沒有可以給外國記者知道而不能給中國記者知道的事。

民主國家之精神建立在對於個人的尊敬，對於個人的尊敬就要對於他的工作上職權的尊敬。中國的政要往往以為任何小官小吏都是他們的下屬，動輒以權勢威脅人家之生命自由或飯碗，以致警察不敢干涉他們的違警，關員不敢檢查他們的走私，而新聞記者對於被「歧視與侮辱」也不敢抗議，祇好在友好面前發發牢騷，覺得大家無非吃口飯，馬馬虎虎就算了。

個人工作上職權的尊嚴不被政府保障，人民對工作是祇能馬馬虎虎的。年前有一位美國官佐為與某將軍之女結婚在中國法庭上大打出手，而中國警察竟未能將他拘捕，這所證明恐怕不是警察與憲兵之無能，而是他們太聰明了，避免得罪洋人自身受罰起見，還是「馬馬虎虎」算了。倘若是一個健全的政府，我想對當時這些有「法警」「警察」或「憲兵」之「馬馬虎虎」的態度，必然有其「不盡責」的懲罰吧。現在則得其反，不盡責的人員安然無事，一旦盡責，反被叱責，或甚還要以犯法者論，此所以大家祇好「少做少錯」「不做不錯」了。

當韓國記者向聯軍統帥抗議他們由第八軍團憲兵所受到之「歧視與侮辱」之時，我覺得中國記者之被政府或政要們「歧視與侮辱」之時，也應當有所「抗議」吧。

和德國青年一起生活

何西寄
自馬德里

他們說：「明年的暑假我要到法國去渡，我一定要和你們一樣，製好一面國旗隨時帶着，一有機會我就要把國旗升上。」這就是反映出他們對於一個知道愛國，有國家民族思想的青年的尊重態度。

要真正的對一個民族的文化和特性有深刻的認識和瞭解，最容易奏功之辦法就是與他們生活在一起，從生活和工作中，可以實際的體味到您想知道的許多事情。

從這裏我就連想到我們自己的事情，已經不是一次了，好幾次我都知道某些大員到海外來考察僑情，他們眞正能知道海外僑胞的狀態是死是活之嗎？我眞不敢相信；不要說別的，在一個標榜是民主政治的國家裏，立法委員是民選的，代表着千萬的老百姓，監督政府，表達民意，可是有多少次，他們到海外來，多少我們做老百姓的根本就休想見他一面，多少關懷祖國的青年，他們是多麼的期待知道政府的種種措施之實情，想不到連自己選出的代表亦軟化了；他們每到一個地方，就是出當地之駐節使館包辦，習慣的一套就是請客，拜訪當地政府首長，參觀名勝古蹟——其實在這時，他們不一定有心情去領會該名勝古跡的歷史意義——照照幾張相片，隨便東拉西扯了一點牛頭不對馬嘴的東西，向上面報告，就算完了考察的任務。他們根本就不知道，今日在海外有多少在歧途上徬徨的青年，他們都是天眞無邪的熱誠愛國份子，政府為什麼置之而不顧？比如說：一些有正義感的青年他們雖然生活在一個承認了中共政權的國度裏，他們情願不要一個不能代表中國的中共政權所發給的護照而犧牲自己的前途，到別的地方去求深造；但是他們卻期待政府發給他們護照，可是卻又難於上青天，據說政府對海外僑民申請護照要在台灣有兩位將校級的軍官担保之要求，我不知道這話是否屬實，如果眞的是如此，那未免太嚴格了。

我的話拉得太長了，可是卻不能不說，現在還是回到原來的題目上吧！從這十幾天的共處，我看到他們在教育上的成功，他們的自動自發和負有絕對責任的表現和普遍化，這在別的國家我尚未有這麼強烈的感覺過。他們做事認眞的精神，我覺得是我們應當學習的。

（下）

秀才·舉人·進士

賈景德

遜清光緒二十八年，詔令廢八股文試帖詩，科舉改試策論經義，其後四年，全國科舉制度徹底停止，國家頒布學堂章程，各省設大學堂，各府直隸州設中學堂，各縣設小學堂，從這一年起，所有隋唐以來歷經宋元明各朝施行不輟的考試制度，便正式告終了。鼎革以後，由於教育制度的全盤革新，以及時代的遞嬗，與夫社會環境的蛻變，很容易造成了青年一代對科舉制度印象的模糊淡漠，甚至加以輕視與謗議，而這種制度在歷史上曾經存在了一千二三百年之久，其影響的深遠，幾與中國政治社會有密切不可分的關係，很有考究的價值。自由人編者以我曾經身歷其事，囑為分秀才舉人進士三階段撰文追述晚清科舉一般概況，慚愧的是現時在台灣曾身經此三階級的人只賸下了我一個，我當然是義不容辭要勉竭簑庸來慨然應命的，無如我這段經驗的開始，至少也在六十年以前，事過境遷，細文曲節，甚難於儘考清楚，只能就記憶所及，報導個大概輪廓，以饗讀者。

中國在秦漢以前，是世祿世官，無考試制度的必要，秦漢以後，改世官為選官，選賢與能，於是始而有漢代的鄉舉里選，繼而有魏晉南北朝的九品中正，至隋初，廢中正制設秀才科，煬帝時設進士科，從此易選舉為考試。使人才在客觀的考試標準上，公開競爭，唐宋元明各朝，大體沿用隋舊，然亦不斷予以增減刪潤，規制日趨周詳，到了明清兩代，科舉制度發展到登峯造極，允為公道完善而流弊甚少的考試制度。

清代科舉制度考試的內容，大抵先試四書義試帖詩，次試五經義，最後作對策，秀才考試的門類多寡，各省地方雖有不同，舉人進士則終始一樣，其唯一不同之點，不過考秀才試帖詩用五言六韻，考舉人進士用五言八韻而已。並且題面易見，考試重心是經義，經義在宋代就是抽繹五經四書的文章。明清兩朝改稱制藝（俗稱八股），今人視八股為最無聊扯淡的文章，所謂墨卷派，是應考的舉子，將歷科春秋闈中式的舉人進士墨卷，熟讀揣摩，做成對比的文章。他的作法，只知堆砌，滿紙是腦滿腸肥，只講聲調，上下文毫不貫串，在當時就有人譏誚他的造句如「天地乃宇宙之乾坤，夫婦是伉儷之配偶」，可謂極盡堆砌之能事，更有鄙薄過甚者，說他的文氣好似崑曲中的開場白，「小生年屆半百，尚在童年，不幸父母早卒，今日是雙親壽誕之期，我不免到後花園中——祭奠一番，你看白雪紛紛，好一片夏景也。」聲調何等鏗鏘，而按其實際則是上氣不接下氣，每句中間，都應加一橫槓，豈不是大大的笑話。這是說八股文流弊到墨卷派的故事。

（一）

信手拈來

飽暖思淫慾

讀第四八七期自由人第二版「奇文共賞」，鍾林君為「孩子請命」，痛責台灣基隆市，省立女子中學校長石季玉重陽節發表之「敬老節感言」，因而聯想到前四川省主席劉湘部下之某營長阿諛劉母「飽暖思淫慾」故事：

民國二十年，劉湘以四川善後督辦，率其二十一軍所屬各師王陵基、潘文華、唐式遵、王纘緒、范紹增，聯合楊森、鄧錫侯、田頌堯等，與時任四川主席之劉文輝戰於資中內江間，大勝。次年復將劉文輝逐往西康，遂據成都繼為主席。「壯志」得酬，適值母壽，於是大事舖張，炫耀鄉里。劉以新貴，賀客特多，三山五岳，群「雄」咸集。

習俗女壽，賀者例於壽堂行禮稱賀，有營長某，原為劉之勤務兵，劉母壽日，亦來祝賀，知賓導至壽堂，某則堅持非入內宅向劉母叩拜不可，知賓初不知某營長與劉湘之關係，再三謝拒，某營長怫然怒曰：「你個龜兒子爲啥子不准我進去，我在公館裏侍候老太太的時候，你個龜兒子還不知道在啥子地方吃奶呢！」言訖逕入後堂，全副武裝，跪地叩首。禮罷，對劉母頌曰：「老太太你老人家眞好福氣，氣色多好，紅裏透白，白裏透紅，眞是飽暖思淫慾，再過幾年，等我們主席做了皇上，你老人家就是老太后了。」有在坐者以其「語無倫次」，速其往前庭，某營長不肯去，謂：「我有一年沒有看見老太太了。我還要陪老太太坐一下，你們不知道，老太太頂喜歡我，因為我是個老實人。」繼對劉母曰：「老太太，我說的都是老實話，對不對？等你老人家當了老太后，不要忘了我啊！」

某營長僅識之無，以「飽暖思淫慾」頌劉湘母，殊無足怪，石校長「尤而效之」，似不可恕矣！憶五年前在台，友人之女，肄業女中，其歷史教員竟將王莽，讀作王奔，乾隆之「乾」讀作「干」音，此種校長教員，似應令其入幼稚園再識幾年方塊字，以求深造，徒責之無益也。

年羹堯有名聯曰：「不敬師父，天誅地滅；誤人子弟，男盜女娼」。誤人子弟之「師長」讀之，不知有動於中否？

·憶永·

女·作·家

鄭靜

最近讀一個女孩子所出的短篇集子，想起了一點事情，頗有感慨。

說句不怕挨罵的話：我對女性作家一向是有幾分偏見的。我認為她們根本不適該從事藝術活動，實在心嚮往之的話，也頂多只能作一個欣賞家——或者竟如以往法國的沙龍女主人，對男性作家給以靈感、鼓勵、批評和影響而已——這並非看不起她們，而是另有緣故。

藝術，無論從哪個觀點看，都是現實生活的影子。一個作家之產生，又跟其時代有不可分割的血緣。首先講體驗現實生活，必須先深入之，纔能領略其中的苦樂哀喜。這『深入』，換句話說，就是為了謀生（或陞官發財），在生活的槍林彈雨中打滾，跟敵手短兵相接，有過血肉橫飛的經驗。女性在這一點上已經難得了。因為一向的社會都以男性為中心，女人謀生（或謀陞官發財）總屬票友下海性質，內外行都不免讓她們幾分。況且她們多半在家庭裏養兒育女，作作平凡的偉人。她們受的風浪既小，其體驗的現實生活和感受的時代壓力就不免於局部而不夠深刻，因此她們創作的作品也就不免流於纖巧和淺薄。高明如李清照、奧斯丁，都不例外——拿她們跟杜甫、雨果一比，是立刻看得出來的。

藝術之中無二流，不成名角，便成『基本演員』。這是一定的。而每成名角必須下苦功，十年廿年，還不一定能成。女性似乎經不起這樣搞，因為如果終於不成，她們就吃虧大了。這也不說。看文學史，在藝術上成功的幸運人，往往在人生上失敗，兩全其美的例子甚少。因為人越往藝術的路上走，就越不能適應人生，正如愛看影子的人對眞人未免感到生疏，不能應付。這代價是否值得付出呢？我們賭錢，總想以少博多，並有相當把握，而如上所說，女性作家其實是以多博少，並且殊無把握的。權量得失，自然以不下這個注為上算。

但是我倒同情那位小姐寫作，她是『傷心人別有懷抱』，我只希望她把文學當作宣洩情感的一種工具，偶爾玩玩，若認眞要搞，那就大可不必了。

自由人
THE FREEMAN
（第四九〇期）
中華民國僑務委員會
頒發登記證台教新字第一零二號
中華郵政台字第五〇〇號
執照登記爲第一類新聞紙類
（半週刊每星期三 六出版）
每份港幣壹毫
台北市價台幣壹元
督印人：陳文華
地址：香港高士威道二十號四樓
3 rd. fl. 20 CAUSEWAY RD
HONG KONG
香港發行及事務接洽
高士打道66號　電話：七四〇五三
承印者：東南印務出版社
地址：高士打道六十四號
海外總經銷
友聯書報發行公司
香港：德輔道中二十六號A二樓
台灣特派員辦事處
台北市館前街五十號
台灣總經銷處
台北市西寧南路壹壹號二樓
台郵撥儲金戶九二五二

薩爾問題的歷史教訓

・張丕介・

史學家告訴我們，歷史不會重演。這固然是一個絕大眞理；但是在某項歷史現象的基本因素沒有消滅之前，那一現象却還有重新出現的可能。而且就國際政治史來看，這類重演的事實，也正復不少。十月二十三日薩爾公民投票，否決歐洲化案，便是最典型的例證。

薩爾問題與愛羅兩省

提起薩爾問題（SAAR PROBLEM）就不能不遇想到一千多年間法德之間的爭執和所謂「法德世仇」，而這一爭執的具體對象却正是萊茵河中游西岸那段介於兩國之間的土地（愛爾薩斯與羅林兩省）。我們局外人不必追問此中是非，但是清楚的記得因此而發生的多次凶險變化，深刻的影響着歐洲和平，也間接的構成了世界的和戰關鍵。

一八七一年德國戰勝法國，把兩省併入德意志帝國；一九一八年法國戰勝德國，又把兩省併入法國領土；一九三八——四五年，德軍乘戰勝餘威，把這兩省重新劃入德國行政組織之下；至一九四五年二次世界大戰結束，德國戰敗，兩省再歸法國。統計在八十四年之間，這兩省的宗屬權就反復變化了四次，而且每次變化都埋藏下再一次戰爭的火種。

時代意義及爆炸性

比起愛羅兩省，薩爾的命運也差不多。若改就經濟觀點看，薩爾的變化更富於時代意義和爆炸性。原來這個面積不過二五六七平方公里（相當於舊德國面積千分之五），人口不足一百萬（一九三九年戰爭開始時，相當舊德國人口千分之二‧三）的小地方，自從俾斯麥帝國時代起，是德國現代工業化的重要基地之一，曾和羅林魯爾兩工業區聯合起來，鼎足而三，形成中歐重工業的中心。三個煤鐵工業區在德國有計劃的開發經營之下，使德法兩國經濟與軍事競爭的優勢，完全屬於德國方面。於是一九一八年歐戰一結束，法國便於取得愛羅兩省的同時，佔領了薩爾。一九二三——二四年又藉口德國賠款不力，進軍魯爾，把三個重工業區完全囊括。這對於以工業爲經濟基礎的德國，不啻一種追闊割，而對於民族主義思想旺盛的德意志人，更是一絕對無法忍受的打擊。結果迫出來一個狂熱的納粹運動。「一九三五年的春季，薩爾公民投票，決定其宗屬[illegible]時，我適逢其會，曾到薩爾布魯根去參觀投票的一幕。我那時的印象是：投票的結果將是又一次德法大戰的火種。」——想不到事隔二十年，歷史重演，又一次公民投票，而且還是差不多的情形，雖然這時的德國已經沒有了納粹，沒有了希特勒。

與民族思想原則爲敵

民族主義披上了現代國家的外衣（「民族國家」）有一種謎一樣的強大生命力，愈壓迫，愈昂揚，愈挫折，愈激烈。反之，如果善爲處理，不故意煽動，不違反其自然要求，却反能保持冷靜的理智，國際之間，就減少了磨擦和戰機。然而我們看近代在西歐白種人導演之下的國際政治，却眞不敢恭維了。不但在歐洲以外的世界各地擴張殖民地帝國主義，就在它的老家歐洲，也儘情的與民族思想原則爲敵。許多國際糾紛，分明可以冷靜合理解決的，却一味的發揮權力政治原則，處處違反自由平等的自然要求。德法之間的長期爭執，莫不種因於此。其他不論，祇以薩爾問題爲例，便足證明

歐洲化計劃的失敗

法國於一九一八年佔領薩爾，原是求取報復與經濟物資之意，但它的野心却擴展到合併領土的地步。自一九一八至一九三五年共計十五年的時間，它用盡一切方法，希望把薩爾居民同化，比日本在我東北，台灣，和北韓國的做法，更爲認眞。但一九三五年公民投票時，差不多百分之九十八的票傾向德國。我們不應把那種決心表示完全上在希特勒的賬上。那是民族主義的自然要求。法國二次佔領薩爾的時間，起自一九四五年八月三十日，至這次否決投票，整整二十個年頭，所有法國同化的努力和「歐洲化制度」的動聽名詞（歐洲化是要薩爾不歸法德任何一方，而由歐洲七國委員會共同設置的中立形式，由各國共同投資經營當地工業，由各國共同負責其政治安全，而由當地公民自組自治政府），完全落了空。民族是民族，它只有一個自然的要求，要求回到久被隔離的祖國。不過這次投票拒絕歐洲化案的票數，只達到百分之六十七點七，遠不如上次的一面倒形勢罷了。但這是可以理解的：第一、薩爾之被法國統治時間比上次多了五年，而在方法上可能比上次統治改善了一些；第二、世界和戰形勢未定，公民中一部份畏懼加入戰爭，頗夢想歐洲化的中立作用，可以避免戰禍；第三、西德畢竟還沒有統一全國，民族主義的熱情，尚不足和一九三五年希特勒時代相提並論。然而百分之六十七點七的票數也足夠表示民意的趨向了。這還是一次民族主義的自然表白，還是民族主義的一次明白的勝利。我們在國際政治上，無所用其左右袒，這是我們中國的文化傳統，但是我們却不能不爲民族主義每次的勝利而欣慰。假設這個方式——用公民投票的民主方式——推廣到每一國際糾紛的場所：讓公民自行決定他們願意選擇的宗屬國和政府形式，我們相信一切大小爭執，莫不可化干戈爲玉帛，創造一個眞正和平的世界。當然，這是近於幻想的假設，而且曾經多次破滅過的幻想。二次世界大戰剛結束時，法國合併愛羅兩省的條件，不是公民投票，而是軍事和戰勝國的條約。這種結果能不能永遠爲當地居民所接受呢？我們看了薩爾投票的結果，便很難作肯定的答復了。德國再起之後，會不會重新來一次民族主義的統一要求呢？那只有等待歷史來回答了。然而有一點，此時已可以斷言的，在這次投票之後，西德政府極力設法避免對法國的刺激，而法國方面也極力壓制其不愉快的反應，這却是當前局勢之中最冷靜的現象。如果雙方面，除去接受投票結果之外，別無意氣枝節，也許終可避免再一次的歷史重演罷。

薩爾的工業力量

然而這就很難預言了。如果注意薩爾的經濟地位和德法兩國軍工業的發展情形，我們更不致作這種預言了。下面的幾項數字，可以看出兩個競爭國家之間，薩爾重工業的舉足輕重之地位：（資料採自一九五四年西德出版的 DEUTSCHLAND HEUTE）【見左圖表】

	一九五二年	一九五三年
煤產量（千噸）		
德國（西德）	一二三，二七八	一二四，四七二
法國（愛羅兩省在內）	五五，三六五	五二，五八八
薩爾（在法國之下）	一六，二三五	一六，四一六
鋼產量（千噸）		
德國（同前）	一二，八七七	一一，六四五
法國（同前）	九，七七二	八，六六六
薩爾（同前）	二，五五〇	二，三八二

假定以一九五三年的煤鋼產量爲準，而按這次投票結果，把薩爾兩國重工業併入德國，那麼比較，就很明顯了：【見右圖表】

	煤產量（千噸）	鋼產量（千噸）
德國（西德）	一四〇，八九〇	一四，〇三六
法國（愛羅兩省在內）	五二，五八八	八，六六六

重工業對和戰的影響

我們知道，近代國與國之間的分合戰和，往往以重工業爲契機，尤其煤鐵生產情形，關係重要。德法兩國，除去糾纏不清的歷史爭執，和民族感情之外，萊茵河兩岸的煤鐵礦是最重要的關鍵。德國自一八七一年統一之後，其工業水準老是遙遙的跑在法國前面，這是兩個強鄰間說不出的危機。現在東西德還未統一，戰敗後的半個德國，在工業上又已大大超過了復興的法國，這是個戰勝國所難以安心的。假設國際之間，尤其歐洲幾個大國之間，不能竭誠和平合作，其危機還多得很呢。今天之所以相安無事，非對蘇冷戰，不得不然而已。然而無論如何，這個威脅歐洲和平的薩爾問題，總算獲得了一個使人比較放心的解決，而且從它的民族意識，我們必須承認這一個民族思想與民主方式相結合之下解決國際糾紛，最合理智而有效的方式。我們政治家應該有這一代的勇氣和智慧，接受這個饒有意義的歷史教訓。今天世界政治中，正似在薩爾問題的糾紛，類似的叢出不窮，隨時都有引發大戰的危險，如歐洲的東西德統一問題，鐵幕內附庸國的解放問題，亞洲的南北韓，南北越問題等等，如印巴糾紛，如果希望獲得一個和平的眞實基礎，以避免歷史現象之循環重演，我想薩爾問題所教訓的，斷不可等閒視之。

中國近代三度改革運動的檢討（中）

戊戌，辛亥，五四

・左舜生・

從戊戌八月的政變到辛亥八月的武昌獨立，爲時是整整一十三年。因爲這兩幕的距離，在時間上不算太短，一般研究歷史的人，便不免發生一種誤會：他們總覺得，戊戌是戊戌，辛亥是辛亥，前者還承認一個滿洲的朝廷，還主張保留一個君主；充其量不過是想做到君主立憲；後者乃主張『驅除韃虜』，『建立民國』，所要求的乃是民主共和；兩者的政治立場既是截然不同，因而性質乃等於冰炭之不能相容，換言之，乃只有相尅，而並無相成的道理。不過從另一角度上看，事實便完全不是如此。

維新與革命的聯帶關係

在戊戌維新黨人的心目中，他們決不是把滿洲這個朝廷看得十分重要，例如『明夷待訪錄』，『揚州十日記』，『嘉定屠城記』……這類的小册子，在戊戌以前，便早已出現；等到戊戌失敗以後，他們對於滿廷腐敗的暴露，更是無所不用其極；甚至如嚴又陵先生其人，他更不把推倒滿清的這件事實，完全歸之於後來的革命黨人，而說亡滿清的乃正是康梁這班人物；這個話也許不免說得有些過分，但維新運動與革命運動不是沒有一種聯帶關係，却是無可否認的事實。

本來，所謂戊戌維新最主要一個藍本，便是日本的明治維新。我們看康有爲在當時一些比較具[illegible]之七八可以說都是從日本抄襲[illegible]以爲保持一個舊有的君統，以[illegible]的憑藉，對於傳統的歷史不會[illegible]工作要比較的來得輕鬆；如果[illegible]底推翻，而一切另起爐灶，其[illegible]實在不難想像，甚至革命以後[illegible]入一定加强，形形色色的反動[illegible]起，而軍閥的割據，更難保[illegible]分裂；……凡此種種，幾乎[illegible]的意計之中，我們今天在五[illegible]以後，頭腦已漸趨冷靜，把當[illegible]論，重加一番檢討，豈能說戊[illegible]便毫無是處？【下轉第二版】

時事評述

・李秋生・

胡光麃案的餘波

中外注目的胡光麃一案於十月二十八日宣判後，輿論有不滿的表示，立法院有人提出質詢，監察院也要進行澈查，行政當局則於昨日立法院會出席答詢。凡此種種，只要一切都是遵循民主常規進行，我們並沒有許多話要說。所應促請各方注意的一點，就是自由中國的司法，根基未固，必須維護司法的健全與尊嚴，纔能發皇民主政治的前途。但台灣的實際情形，一般尙未樹立絕對尊法守法精神，有些司法人員也缺乏應有的自肅，如果法治不能充分發揮健全的效能，也就很難望民主政治有理想的進步。這是今天自由中國上下各界所應一致注意的一個最基本的問題。

「日內瓦精神」幻滅了

經由談判以鬆弛國際緊張局勢的試驗，從去春的柏林外長會議算起，已有快將兩年的經驗，其間能夠導致妥協者只有日內瓦的越問題會議，但那次却是自由世界犧牲了自身的血肉，此外可說一事無成。連日內瓦四巨頭的「精神」成就，在這次四外長會議中間，已證明全告幻滅了。最近國際間只見俄共和號稱中立主義者叫囂不休，西方則相當沉寂，這不僅由於艾森豪總統臥病未痊，所有的西方列強當局，在此等情勢之下，心情無疑都是十分沉重的。「日內瓦精神」的幻滅，竟比慕尼黑路綫更快。當時張伯倫雖受盡時人詬病，一旦看出希特勒的貪慾不是安撫政策所能滿足，便立即聯合法國，以堅強的運用彌補由慕尼黑所造下來的創傷。今日的西方當局，好像還缺少這一點「頓悟」。

美拒絕中共建議

前幾天，來自日內瓦的電訊報道如雪片飛來，說美國即將與中共發佈彼此不用武力解決紛爭的宣言，我們從一開始就不相信美當局會愚昧到如此程度，竟輕易會上中共極淺顯的圈套。中共用心，顯然是要以最小代價佔台灣，並要美國退出遠東。果然詹遜大使星期四對中共的答覆，主要指出共方必須切實保證放棄對台灣及其他中華民國島嶼放棄使用武力。這可以說是業已拒絕了共方建議（所謂其他中華民國島嶼，可能括有金門馬祖在內）。中共的討價縱然高昂，而且等閒還未必讓步，却不是絕對不能還價，只要看美方準備出怎樣的代價。但若從最近共方又不斷譏罵美國，強調「解放台灣」的論調看來，美當局心目中的從台灣海峽停火達到「兩個中國並存」的路綫，到底是無法走得通的。

俄否定德國自由選舉

小型日內瓦談判只是四國日內瓦會議的一個枝流，西方也許有人幻想對俄的僵持不一定妨礙對中共的妥協，其實決不會有那樣一回事。而連日的四外長會議却是眞正走到了窮途。莫洛托夫藉十月革命紀念節機會返俄就商，其所帶回來的並不是一件妥協方案，而是空前峻烈的從根本否定了西方的根本主張——藉自由選舉統一德國。此次判明克里姆林宮要繼續分裂德國，要堅握住東德不放，要共產化整個的德國。從一九四七年三月莫斯科外長會議開始討論對德問題以來，俄共想長期控制德國的野心沒有比這次再露骨的了。

如果說這些年來許多有關對德問題的談判都是爲了探明俄方眞意，則現在答案已經得到，俄人不讓德國恢復統一，除非未來的德國是照俄人的模式塑造。

根本考慮對策的必要

對德問題擱置後，裁軍問題也必無結果。因爲西方建軍主要是爲應付中歐危機，中歐依然對峙，裁軍又何從談起。更何況中東，遠東，到處都埋藏着危機。結束對俄談判的階段，從根本考慮有效對策，現在是適當的時機了。

關於國民黨的自清運動

本報記者

台灣通訊

中國國民黨自從政府遷到台灣以後，因鑒於大陸的失敗，黨的組織鬆弛，紀律敗壞，是主要原因之一，所以五年前實行改造，嚴密組織，重整紀律，以期由黨的改造，而刷新政治，改良社會，為反共復國奠立基礎。改造之後對於黨員，曾有過一次「自清運動」，目的在肅清共諜，這運動雖然對黨員的自尊心有所損毀，但是，那時大陸變色不久，大家痛定思痛，為了國家的前途，所以毫無怨言地接受了自清。但是，事隔幾年，國民黨當局突於最近宣布另一次大規模的自清運動。

簽約填表黨員相互訴苦

這一運動開始於十月份，預定在十一月十四日終結，無論在性質上，在規模上，都比上次自清大得很多，每一個黨員，在自清中必須簽具公約，而且還得填具十五份項目繁多的自清表格，這些表格，包括黨員自清表，對大陸關係清查表，檢肅報告表等，其內容為調查每一黨員的身世歷史、思想、社會關係、政治活動，家庭狀況，與大陸親友關係，及大陸親友動態，並須檢舉在台可疑的親友。這十五份表格，以平常老於寫作的人，亦須窮三小時之力，始能全部填完，但事實上有很多欄根本無法填答者，故這一個月來，黨員相見，很少不相互訴苦的。

「自由中國」率先譴責

黨員自清運動，雖然是國民黨內部的事，但在自由中國來說，也可說是一件大事，無論黨內黨外，都非常重視，但除了私人之間見面發牢騷之外，輿論界從無一字置評。但十三卷九期的自由中國半月刊，卻以「自清運動要不得！」的題目為文勸請國民黨當局趕快停止「自清」。該刊開頭引用論語上的一段話作社論的楔子：「葉公語孔子曰：『吾黨有直躬者，其父攘羊，其子證之。』孔子曰：『吾黨之直者異於是。父為子隱，子為父隱。直在其中矣。』」這說明了儒家尊重人性和尊重人權的精神，與現代文明國家法律禁止使用強迫手段使犯者不為利於己和其親屬的證言，其義實不謀而合。該刊指出這就是我們今天要反共的原因，因為共黨剛剛是反人性，反人權，反現代文明法律的。該刊繼着坦誠地指出這次國民黨的自清，「其思想之模式，從根本便是布爾雪維克型的。其與儒家尊重人性的傳統，顯然極不相容；更與現代民主自由的基本精神相抵觸。」因為人性有其尊嚴，人對自體自瀆的行為，非萬不得已是絕對不願為的，所以該刊「以愛護國家，愛護國民黨的心情，憤思熟慮，對於這項自清運動的推行，期期以為不可。」

矛盾心理下敷衍了事

自由中國半月刊這一篇對國民黨的「諍言」，可以說相當代表若干人的心聲，為了人性，為了人權，為了民主政治的前途，這次自清運動固然有點欠妥，就是避開這些不談，專站在反共抗俄的立場來說，自清也是欠妥的。「反虜之道在事事與虜相反」，如果與虜相同，那反共就失其意義了。很多國民黨黨員雖然不滿這次自清運動，但本着服從的精神，仍然在不聲不響地進行自清，他們一方面有感於人權尊嚴的被侮，一方面又不得不顧到黨的尊嚴的維繫，在這種矛盾的心情下填表，簽公約，唯一的態度祇有敷衍了事而已。

德國難民的比喻

一位黨員對記者說，東德數十萬難民為了選擇自由，潮湧地逃向西德，西德敞着大門歡迎，不但來者不拒，而且輔導就業，絕不怕他們偽裝間諜來推翻西德政府，倘如把人人都假定為間諜，則西德政府必無寧日，然而西德信任人民，所以他們的政府極為穩固，不但西德人民擁護，而且更成了東德人民嚮往自由的象徵。這一段話似乎與國民黨的自清運動風馬牛不相及，但細細想想，是很值得警惕的。人類的基本要求是自由和民主，而共產黨則違背這一要求，實行奴役和極權統治。凡是和潮流對抗的，必定要敗亡，所以共產黨一定會失收，共產主義一定會消滅。我們今天反共，所反的是極權和奴役，而反共最有力的武器，是民主與自由，這也是我們終極的目標，違背了就無從談反共，更談不上勝利。在這個基本認識之下，所以一般人對國民黨這次自清運動很不以為然

海外通訊

杜爾斯訪西的意義

・奔流・

【本報馬德里特約航訊】美國國務卿突於日內瓦舉行四外長會議之期間訪問西班牙，這消息是頗有刺激性的。

十一月一日，杜氏一行十餘人，內有他的助理國務卿，美政府歐洲司長及其他對外經援的要員們，浩浩蕩蕩的在西班牙首都渡過了一天。杜氏及其同僚訪問過西國元首佛郎哥將軍，西外長雅泰和及其他四軍政界負責人等，匆匆間，於同日又返回日內瓦去了。杜氏這次訪西，雖然說是應西政府之請而來，不可否認的，在今日的世局中，尤其是在西歐，是有其特別重大的意義。所以杜佛會談之引起各方面注意，也是很自然的。

這事令人回憶到二件歷史事實，因為這是佛郎哥執政以來，面臨第二次的考驗。記得於一九三九年二次大戰爆發後希特勒以壓倒的威力，前後一周的時間，佔領了法國，那時，希特勒和佛郎哥曾經於西法邊境舉行會談，佛氏的一個「不行」，否定了希氏有藉西班牙之便，封鎖直布羅陀海峽，佔有地中海，直吞非洲之企圖。從此，西班牙以中立態度，守住了獨立。這段歷史之意義，說明在戰略上伊比利亞半島之重要性。二次大戰後，聯合國封鎖西班牙，一九四九年艾契遜向國會提出諮文，建議解除封鎖，其後，各國即相繼與西政府恢復邦交；一九五三年九月美西軍事經濟協定成立。這一段歷史，又說明西班牙在反共鬥爭上，特別是對西歐防禦工作上之重要性。

從歷史事實的發展，可以看出杜氏此行，同樣是有其特別的歷史價值。杜氏西行之消息發出後，反應最強的當推義大利。因為這次杜氏去日內瓦前，曾到羅馬去過，與義國政界當局商談了關於地中海共同防禦之問題。杜氏尚準備訪問南斯拉夫。從這一點可以看出杜氏於訪義之後，訪南國之前，來訪問西班牙，很明顯的表示，其重點是着重於地中海防衛問題。

整個地中海區局勢之日見惡劣，已引起華府當局的關懷，這正如羅馬方面的觀察家所說：「杜氏訪西，說明華府當局對『日內瓦精神』之信念動搖」。北非的流血行動，埃及和以色列間的衝突，塞浦路斯島之反英事件，共產黨之向回教天地之中東近東及亞剌伯集團之滲透，這都表明了冷戰的激烈。共產黨集團的征服世界野心，決不是「日內瓦的妥協精神」所能遏止。同時在東地中海方面又發生種種混亂，希臘總理柏伯高之死，對於整個東地中海邊緣之防衛工作，影響非常巨大，甚至有動搖的可能，這當然使杜爾斯氏無法安坐於日內瓦之方桌邊與蘇聯妥協商談。我們可以說：杜氏已體味到克里姆林宮之口是心非，因此必須再另找門路，為世界安全傷腦筋。

對於西歐的防衛，此次杜氏來西也有極重大意義，自薩爾歐化問題被薩爾人民否決後，歐洲局勢又起了新的變化，德國統一的問題，當然不是短時期內可解決。而美國在歐洲之盟友中，英法可以說是美國之纏脚石。為了爭取反共工作上更能合作之盟友，美國的目光不得不轉到西班牙。美國最近極力幫助西班牙進入聯合國，便是這方面的明顯例證，杜氏之行，對這件工作，無疑有莫大的幫助。

美國自一九五三年和西班牙簽訂軍事協定後，美西方面之合作與諒解，已有長足進展。在諸受援的西歐國家中，美政府最感頭痛的是西班牙，同時最令他看得起的，也可說是西班牙。這是西政府當局有骨氣的表現之自然結果。在戰略上言，德國是在歐洲東西可能發生衝突的最前綫，而西班牙，則是西歐防禦的最後一條防綫。西班牙在地形上之佔有先天的優勢，對西地中海之保障，負有極大的任務。為了這些理由，美國務卿之訪西，必能促成軍援之增加。在一點又四十二分鐘的杜佛會議及又另外卅分鐘杜氏及西外長之會晤中，對於軍援之增加問題，在所發之公告上，也曾特別的提到，由此可見其重要。

這次美國務卿訪西，是四外長會議中的一個重要插曲，這個插曲對於美西兩國本身，對於西歐，甚至對於自由世界都是有利的，並且在不久的將來，關於地中海的防禦問題，一定再會有具體的新發展。（十一月二日．馬德里．）

中國近代三度改革運動的檢討

（接第一版）

，因為它誠如自由中國半月刊所說，是「布爾雪維克型」的，也就是違背自由民主的原則的。

清廷的遠患與近憂

可是清廷的頑固派，尤其是那拉氏和榮祿剛毅奕劻這班人，他們卻不是如此想法：他們以為革命黨的勢力在當時還不很大，只是他們的遠患；維新派逼近肘腋之側，乃成了他們的近憂，因此非竭全力把維新派撲滅不可。因此，當「百日維新」一經閉幕，頑固派除恢復二十四年四月以前的一切舊觀以外，更連續造出許多反動的事實：第一步幽囚光緒帝，更想一氣呵成，實行廢立；第二步建立大阿哥作為隨時可代光緒帝的準備；第三步因外人庇護康梁，對光緒帝更表關切，使得他們的廢立陰謀無法實行，因而演出一種瘋狂的排外，以致發生二十六年的庚子拳變，一個由咸同以來碩果僅存的人物李鴻章，也便在這一幕中結束；還延到了光緒三十四年的十月，那拉氏已病重非死不可，但最後她還要來一次反動，一定在她死的前一天，把光緒帝先行解決！溥儀嗣立，載灃監國，照理說仍不失為一個轉機，可是他懂得要去掉一個袁世凱，但對於戊戌黨人，則仍排斥不用，而且變本加厲，更有所謂「親貴內閣」，「皇族內閣」出現，以致弄得滿漢對立更趨尖銳，全國離心，而滿清這一個二百六十八年的君統，到底不能不因而毀滅。

辛亥革命的成功，便是由滿清最後這一串反動的事實中醞釀而出的，亡滿清的不是康梁，也不完全是革命黨，實際乃是滿清自身！

袁世凱第二度的投機

在辛亥這一波浪壯闊的風潮中，有一奇怪的現象：便是革命黨人經過長期奮鬥所得來的這一革命果實，依然為一世梟雄的袁世凱攫奪以去！當時實際的情形，不只是戊戌有關的立憲黨人把所謂「君恩友仇」拋到九霄雲外，對袁世凱寄以莫大希望；即革命黨中的現實派，也覺得非與袁合作，即無以提早促滿清於亡；至於危疑震撼的清廷，自更非期待袁世凱出來作曾國藩第二不可！

袁世凱這樣一個不學無術的野心家，何以會在這種微妙關頭，一下便變成了天之驕子呢？實際這個道理很簡單：原來袁世凱乃是近代中國第一個懂得製造私人軍隊的發明家，前此領導湘軍的曾國藩固然絕對無此存想，即領導淮軍的李鴻章，也絕不敢存此希望；惟獨袁世凱居心叵測，當他在小站開始練兵，即已懂得在軍隊中建立他的私人關係，當日他的部下如王士珍，段祺瑞，馮國璋，便早已有了袁門的『龍、虎、狗』之稱，他們既不會效忠清廷，自然更不會效忠國家，他們所惟一懂得的，乃是效忠他們的『袁宮保！』

當武昌義旗高舉之初，清廷即命蔭昌統率袁世凱所手練的二四兩鎮南下，但蔭昌一到前綫，便懂得不把他們的眞正主子請了出來，馮段等決不會欣然用命，於是清廷不得已才於九月初六任命袁世凱為『欽差征討大臣』，果然袁世凱一度親赴前綫，而授機宜，馮國璋即從九月十一日將漢陽攻下，而武昌也受到威脅。其時的革命軍雖已奪得南京，但軍隊由各方雜湊，內容相當複雜，而飢軍嗷嗷待哺，更岌岌可危，甚至向上海日本人方面借到三十萬元，還非由張季直出面担保不可，革命軍的內容，空虛一至如此，如果不承認現實，把臨時大總統讓給袁，恐怕等不到民國二年，革命便會提前遭到失敗也很難說哩！

書生可欺而不一定可欺

袁世凱憑藉他自己這點私人力量，居然輕輕巧巧，拾起了辛亥這個落地桃子，他便利令智昏，一心以為世莫予毒，於是乃加緊反動：第一步暗殺革命元勳，第二步大舉外債打平了第二次的革命，第三步乃實行自雄，非做一個開國的太祖高皇帝『不可！』可是事有出人『意表之外者』，他決沒有想到他之失敗，乃敗於戊戌前一年梁啟超在長沙時務學堂所教育出來的一個十五歲的小學生蔡鍔之手，可見書生可欺而不一定可欺，袁世凱亦枉為中華民國的一個叛徒而已！（蔡松坡卒於民國五年，年三十五。）

袁世凱的遊魂為厲

袁世凱雖然死了，但民五以後，繼承袁世凱衣缽，把國家軍隊視為一私人的政治本錢的，仍大有其人，如北洋的老將曹錕，吳佩孚，孫傳芳，唐繼堯，馮玉祥等等，固無一不懂得這個淺薄的道理，甚至連一個半吊子的書生如毛澤東，也知道非在軍隊中培養他自己的力量，決不足取得政權。最近讀到台灣九委員關於『孫案』的調查報告，乃知道一個受過美國軍事教育的孫立人，也居然想在軍隊中組織他個人的組織，他對民國以來的一切失敗的歷史，好像一無所知，其陷於一種非常狼狽的境地，自屬當然。中華民國憲法第一百三十八及一百三十九兩條，曾有如下的明確規定：『全國陸海空軍，須超出個人、地域及黨派關係以外，效忠國家，愛護人民。』『任何黨派及個人不得以武裝力量為政爭之工具。』我相信這兩條中華民國憲法的精神不亡，遲早總會要表現力量的。

（更正：本刊上期本文的第二段，括弧內的『維新』兩字上面排漏了『百日』兩字。）

台灣教育問題

讀者論壇

・愚人・

台灣的教育，目前可說是惡性膨脹。就學的兒童及青年，每年增多；教室與設備非常不夠；有辦法的人，除了終生為教育的工作人員外，誰願幹這個窮教師，就是政府每年分發到各學校的大專學生，也有很多不願幹這行差事。師資是如此缺乏，為反共抗俄着想，為教育前途着想，令人搖首三嘆。我覺得對教師的尊崇，不特需要精神的鼓勵，且要教師能得到實惠，所以提出下列幾點意見，以就教於教育當局：

第一：要安定教師生活，精神究竟是吃不飽的東西，教師是拿的乾薪俸，尚不能與一般公務員者比，使其能夠維持最低生活，因此教師的待遇，政府應優先提高。

第二：要注重教師的進修，一個教師不止是能夠教學就算了事，應當獎勵教師作更進一步的學問研究，年來政府雖一再鼓勵，惜乎名額太少，應該盡量的放寬尺度。

第三：尊師重道，不僅是教師節那天才注重尊師，應現之于平常，養成一種社會風氣，要知道尊師是中國固有文化倫常的發揚，更可激勵人心，於反共前途有莫大裨益。

第四：校長對教師的聘請，不要只看文憑，必須還要注意其是否眞有教學經驗，為提高教育水準，極力避免濫竽充數現象。

第五：政府要嚴格注意校長人選，那批仍和過去一樣帶着官僚氣習的學官，應該澈底更換，讓一批眞正幹教育的人來從事教育行政工作。如果政府怕安插他們的官位有困難，何不多設幾個參議委員之流，讓他們得個掛名差使，免得損害教育。

高卓雄行蹤詭秘 兩日內大陸往返

中華總商會的副會長高卓雄潛返大陸四十八小時後，又重新出現香港。

像高卓雄這一個人的返回大陸，原是意料中事，同時也並不值得重視的，問題是高卓雄這次的去爲什麼要悄悄的成行，和「火燙腳」般抵即歸來。

避入耳目 沙田登車

其實，高卓雄這次返大陸可有很好的藉口，因爲中共正在廣州大張旗鼓地舉辦所謂「蘇聯展覽會」，而又積極拉攏港澳僑胞返穗湊數，高卓雄能夠以「觀光」的態度進入大陸，相信或能起一點作用。但高卓雄竟放棄這一個機會，而悄然離開香港，不及四十八小時後，又立即歸來，這種神祕行蹤，實使人有莫測高深之感。

說高卓雄悄然而行，並非誇張，據報載高卓雄在星期一那天上午進入大陸，並不是按照正常的旅程，由九龍尖沙咀車站搭上羅湖客車，而是乘私家車抵達沙田後，再搭上入深圳的火車，此舉顯然是欲避人耳目。

爲什麼要避人耳目，這正和任何一個進入大陸的人一樣，總有了越少人知越好的一種莫名其妙心理。

高卓雄選擇了星期日成行，也是完全配合他的計劃的，因爲星期一適巧是公衆假期，他在這一天不在公開場合露面，也不會使人奇怪，否則，他的進入大陸很快就會被人發覺。

高卓雄之行，事前已成了公開的秘密，但爲什麼行期又要如此神秘呢。

匆促往返 兩個理由

似乎祇有一個理由：那就是故作神秘。

然則，爲什麼逗留四十八小時的短暫時間後，又迅速歸來呢？

歸來後的高卓雄並沒有立即答覆記者這一個問題，但卻有人說，高卓雄此次作「先頭部隊」，有兩個作用，第一：是爲中華總商會少數會董的組團返入大陸作鋪路工作。據說這些中華總商會一小部份會董，在某種理由下，準備上廣州去「應酬」一次，可是又怕有問題，遲遲未敢成行，因此高卓雄就被推舉爲解決「問題」的人，至於「問題」解決了沒有，這就要看以後的事態發展了。

第二，由於高卓雄是中華總商會的副會長，無論如何，在香港商場上總算有點地位，中共就利用了這一點，如果高卓雄爲「中總觀光團」的鋪路工作不會成功，則高卓雄就以他「副會長」的地位發表「參展」觀感，在「陣容」上，仍可算爲中華總商會負責人之一，說來也就可「聊勝於無」，而「工作人員」亦可藉此交差，豈不兩全其美。

放棄藉口

暴露身份

自從澳門中華總商會的理事長何賢去了一次廣州後，本港一家中立的民營報紙曾感歎地說：「澳門的中華總商會公開靠攏」了，但高卓雄的去了一次廣州是並不能說明香港的中華總商會就此「靠攏」，而祇能說，高卓雄是公開了他的身份罷了。事實上，中華總商會大部份會員是反對高卓雄的，高卓雄的行動並不能代表全體香港商人。

可以預見，高卓雄這麼一來，對他今後工作的展開將會「順利」得多，因爲此前，高卓雄會常以「在商言商」的藉口來否決中華總商會對「商人節」的慶祝和其他許多事情，今後他則可更振振有詞了；即以「商人節」而言，「商人節」照說就是中華總商會本身的節日！可是問題是：這個節日是由中華民國制定而非由中共所制定的，以高卓雄的立場來說，他當然不會贊成，今後他當不必要用「在商言商」的藉口來否決任何如「商人節」這一類議案，他可以光明正大來說，這還不是「祖國」決定的，我們可以不必理會。因此，有人說，高卓雄去了一次廣州，更使人明白了他的「身份」。

像這樣的一個「祖國」，對商人有什麼前途？有什麼好處呢？

沒有一個投機的商人肯放遠目光，把這個「祖國」深深地了解一下，今天在香港的商人還可以來一下「在商言商」，可是，在大陸的，今天在做生意的是什麼人呢？商人又在做些什麼呢？

荃灣擴建徙置區 可容木屋二千間

荃灣六咪半的大窩口徙置區，刻下正大興土木，擴大範圍，以備收容荃灣區內千數百間非法木屋或石屋居民，配合當局推展荃灣區的計劃。

大窩口擴大地盤工程，自本月二日開始，每日僱用泥工二百名，另貨車十餘輛，運泥填鋪地台，擴闊面積共二十六萬三千六百九十七方尺，該處徙置木屋計劃，將使荃灣青山道之二百三十間木屋及九咪半一帶之木屋徙置該處。上述木屋居民，已接獲當局通知，再接到徙置通知遷拆書後一個月內，便須遷往大窩口，故木屋遷拆之期，當在此一地區填妥劃定地界後，才告執行。

該徙置區，估計可容木屋二千間以上，近公路之地段，將闢作商店，較高之地方爲與建固定尺寸之木屋，每間面積爲十二乘十四尺，居民與建木屋或石屋，可觀其能力而自建。

當局同時計劃開闢二條公路，其一由大窩口直通荃灣墟，另一條由大窩口出青山道，以利居民來往。同時準備削平該處一個山丘，作與建儲水池之用，以便區內住民食用。

中共消滅私人資本

中共早已說過私人資本必須消滅的話，現在中共正走着消滅私人資本的路子，我們看到私營的企業變了公私合營，公私合營的變了「國」營，私人的資本已瀕臨徹底消滅，爲了加速這種消滅，中共已開始對大陸僅存的少數商人作進一步的迫害。這幾天，根據大陸的報章透露，中共又展開了另一次反「五毒」運動了，什麼是「五毒」呢？十月二十五日天津出版的「大公報」報道了浙江一個「資本家」的故事，他吃了十七隻雞，中共就指他是在商業改造過程中，採取消極抵抗的態度，顯然有着「樹倒猢猻散」的心理，中共還指這種「抗拒」並不是單純而是政治性的。

十月二十九日的大公報也說要制止上海市資本家的「非法行爲」，該報說：「資本家對社會主義改造心懷不滿，進行了消極怠工的態度，實施「五毒」，根據上半年度的統計，單是上海市工商行政管理局處理的資本家「違法案件」就達一千三百八十一起，如果加上「人民法院」直接處理的「違法案件」，以及有各「國營」公司自行處理的案件，必達超這個數字。

罔顧事實 燈蛾撲火

經過中共一再「改造」，一再「合併」以後，所得的私人商業祇是少數幾個非主要的行業，可是在「工商行政管理局」，「人民法院」，「國營公司」的虎視眈眈下，還是動輒得咎，理由甚爲簡單，目的不過是使到消滅私人商業能夠迅速實現而已。今天，在大陸不進行反「五毒」的，單是上海這一地，十月二十八日的天津大公報也指出了天津，濟南和西安這幾個地區的資本家「五毒」行爲嚴重，由此可見，這一個反「五毒」運動很快就會在其他地區也普遍起來。

祇有一句話，是私人資本根本是不能容許在中共統治下的大陸存在的，中共也明明白白地說過要消滅私人資本，而消滅私人資本的手段又是如此殘酷，可是可以自由貿易的海外商人，卻竟會盲目得有如撲火的燈蛾。

這些話，說給某些人聽，他們是會掩耳疾走的，因爲他們不願聽見的事實。（毅）

俄官僚政治如瘟疫 政令推行發生窒礙

「消息報」暴露實情極嚴重

・王芳・

在極權政治上的官僚作風和腐化氣息，在蘇聯已經是三十多年的不治之症了。

列寧死於一九二四年一月，當他患病期間——一九二三年三月，他寫了最後的一篇論文——「寧肯少些，但要好些」。該文的主要目的，就在針對俄共黨內的官僚政治加以指斥。但是幾十年來，俄共的腐化卻反而愈來愈深，而他臨終前的話，則變成了俄共黨內派系鬥爭，互相駡戰的武器。官僚政治的結果，遂使俄共不得不在史達林死後，以「集體領導」來加以掩蓋其長期存在的弱點。

集體化的官僚政治

但集體領導的結果，反促使原有的官僚政治產生了雜換症，使一切政令的推行發生了窒礙，使官僚政治形成集體化。五月三十一日的「消息報」說，「某些部和委（即委員會），藉口集體解決問題而確定了複雜的協議制度，這一制度要求領導人員及其助理在解決任何的，甚或不重要的問題時都要作出不同的結論和決議。這樣的不良事實滋長着官僚習氣和不負責任的現象，產生出轉嫁責任於他人的典型人物」。

較此更「烏龍」的情況是「地方蘇維埃和各加盟共和國部長會議的工作……常常根據檢查執行中央或地方機關某一決議的結果來通過新的決議，這一新決議重複「先前所通過的關於該問題的決議」。換句話說，即照別人的決議，依樣葫蘆地再通過一次，把它變爲是地方議會和地方政府的「新決議」。這種不敢負責的作風，固表現出蘇聯衙門的官僚程度，但也說明了，在俄共中央極權制度之下，各級地方議會和政府機關的無能。

然而，「消息報」——蘇聯政府機關報，所暴露的而不止於此：

赫魯曉夫 狂吠不已

今年一月，赫魯曉夫在俄共中央委員全體會議上，把蘇聯國營農場部駡得狗血淋頭，因爲「國營農場部整日忙於會議和文牘……去年十一月間召開了二十次部務會議，十二月間召開了十七次」。「消息報」對此指說「在這樣會議連綿的情況下，部的領導人員當然無暇從事組織工作和考查國營農場的工作情況，也無暇組織克服國營農場生產落後狀態的實際工作」。

這些官僚化的絕症，就像瘟疫一樣在蘇聯的各級政府機關內傳染着。像在「蘇俄農業部修繕企業總局和土地調整局」整日忙於寫作文件，把大量的指示、命令和質問發給下級農業機關，工作人員終日坐在辦公室裏寫滔滔不絕的文件」，即爲一鮮明的實例。當然，農產品的減產、失收，足以使赫魯曉夫發怒，但是除了農業機關之外，可以肯定也相信這種現象是普遍的事實。

各級機關杯葛裁減

因此，俄共中央會在去年開始。着手進行所謂「精簡整編」工作。這一工作是由中央機關一直到村蘇維埃，同時進行。在中央是「把各部劃分爲小單位，擴大部長和地方權力機關的權力」，在地方的基層組織則實行「合併村蘇維埃」，並「消除並列的不需要的」「中間的各管理機關」。其唯一作用，是希望達到減少「公文的抄寫」和「各種會議」，而同時進行大量裁員。

據「消息報」說，經此一來「國家在管理機關生活費上的開支（列入預算內的）比重，假定一九五〇年爲百分之三點四，一九五四年即減至百分之二點五。中央各部、委機關人員，從一九五二年到一九五四年裁減了百分之二十點六」。但問題並未解決，於是今年初，該報又再繼續特別指出「精簡」「蘇聯採購部和蘇聯消費合作社中央聯合會等，卻以令人難容忍的拖延態度來對待這一工作」此外，「個別部委和企業的領導者企圖保持膨脹的編制，採用各種詭計——「縮減」，把職員改名爲工人而仍然留在他原來的工作崗位上……」。由於蘇聯各級機關對裁減工作「採用各種詭計」，顯示出這一工作將不能如理想地完成。對此，「消息報」也不能不承認「管理機構仍然是龐大的」這一事實，指出「龐大的機構滋長着官僚習氣和官僚主義，產生着互相推諉和不負責任的現象」將仍然存在，而以哀鳴的語氣說「龐大的機構乃是國家的沉重負担」。

列寧說：「靠集體制來掩蓋任何官僚習氣和不負責任現象都是極惡劣的事情」。今天蘇聯正標榜以實行「集體領導」而走上了官僚政治的末路，這固然是獨裁政治的結果，但列寧的話卻成爲俄共政治上的讖語。

中共設少年奴工營 僑生被迫種菜耕田

繼「少年工廠」之後，福建又出現了一個「少年農場」。這一個擁有一百二十名兒童的奴工營，據南京「新華日報」所載，福州的消息說，是最近闢劃，而於十月廿一日正式成立的。它「農場」位於福州市的郊區後嶼鄉。那些奴工全係福州市郊第二中心小學的「少年先鋒隊員」構成的。全個「農場」劃分：蔬菜、塊根、樹苗、禾本、動物飼養等五個區。每一個區有個教師負責指導，同時他並且要帶頭領導這些少年奴工從事課外勞動生產。目標將是達到能夠自給。

「農場」除了場長、生產管理委員會由中共區委兼任之外，秘書處、生產隊、技術組、會計處等工作，都由奴工們自行推選出來的；但是他們在這些行政工作之外，同樣要參加勞動，舉凡選種、播種、施肥、灌溉、改良土壤等的農業基本知識和農場管理知識，都要逐個逐項深入鑽研的。

這些少年兒童的待遇和一般奴工營沒有甚麼顯著的差別，不同的只是勞動時不若成年人奴工營那麼長——九至十小時。因爲他們畢竟是「利用課餘活動」的時間從事勞動。

「新華日報」解釋說，這批「少年先鋒隊員」都是旅外華僑們的子弟，因爲斷絕了家庭接濟，只有藉他們自己生產來維持他們生計。因此，他們每天勞動完畢之後，同樣要「評分」來計算應得的工資，以十分爲最高標準，代價爲新「人民幣」三角。（禮）

「農村合作化運動」下 無錢入合作社 農婦被逼自殺

農民頑抗共幹高壓

中共喊出「加強農村合作運動」的口號後，大陸各地共幹即採取高壓手段，圖使農民屈服於這空前未有的大規模迫害與掠奪下。共報最近的報導，一面暴露了共幹的殘酷，另一面也說明了這計劃所遭遇的反抗。粵東農民報十月廿四日透露：中共梅縣第三區區委書記劉文斌爲發展「農業生產合作社」工作，十月十二日的在該區召開幹部會議佈置工作時，會聲稱說：「不入合作社的，就是劉備思想，就是不想跟共產黨走，就是死硬的反動派，就是死路一條！」區長阮正材說：「今後只講數字，不管情況，任憑落後鄉也好，空白村也好，只要全部合作化，不理其他。十六歲以上的人一律入社，假不入社，就問他田從那裏來的。」第十二村農民余三弟開會遲到五分鐘，就被扣押五天，除「反省」之外，還被吊打好幾次。」第九村農民李日保在會場頻頻咳嗽，被副區長傅傑連打幾個耳光，打過後問李說：「你故意擾亂會場，我打你，應不應該，你有什麼意見呢？」李回答說：「你是人民政府幹部，我有什麼意見呢？」李被打後，咳的更厲害。散會時，羣衆回去了，李被留下，綑綁送縣。十月十九日「粵北農民報」亦透露出：始興縣第二區第七村農民方金生一家六口，符合入社條件的有四人，因上年歉收，今年缺口糧，祇入了一股生產合作社，區長杜桂成即指責說：「你乾脆不入算了，並且要打路證到台灣去。」並且要不肯入社的農民把土地還給「政府」。仁化縣第四區第三村有兩婦人，因無錢入社，逼得自殺，就把傢具和衣物拿去抵繳，全鄉計收了羊氈四十二床、棉被十九床、棉衣七十五件、錫桌子四張、鋤頭九把、圍蓆八床、籮筐二十二對。進化鄉甚至有農民把飯鍋、石磨、麵機器搬到合作社抵交股金的。十月七日「粵西農民報」亦指出：陽江僑眷劉張氏被強迫入社，她不服氣說：「政府規定農民入社應該自願互惠，現在爲什麼要強逼入社呢？」該管的第五區副區長竟說：「你把分到的田交還政府，給你打路條到帝國主義殖民地去享受自願互惠的優待好了。」

催眠術奇談

・宜明譯・

一般人都認爲一個催眠專家不能使一個人去犯罪，因爲一個人雖在催眠狀態中，仍不會去做一件他認爲錯誤或犯罪的事。

可是在法國却有一個叫李吉奧教授的催眠家會向警方表現了幾種犯罪的方法，他甚至曾使一個女郎拿起她認爲裝着子彈的手槍向她自己的母親射去。不過，心理學家承認這是一種罕見的事，一個普通的催眠家並不能使人去幹搶劫銀行或謀殺敎士之類的犯罪行動。

因此，一般人都認爲催眠並不能成爲犯罪的原因，但這種觀念，最近已被一位英國律師所寫的一本書所破壞。這位律師也是一個有經驗的催眠家，他這本書稱爲「催眠術的意義及實施」，是一本權威性的著作，寫作期間曾獲英國心理學研究學會協助。他雖同意催眠家很難使旁人去犯罪，但他却很可能使自己犯罪。

他可以利用計謀去騙錢，例如他能把一個女人催眠後，對她說，她欠了他多少多少錢，必須立刻歸還。她一定會聽從指使而當場簽出一張支票，然後他又能使她產生一種難以消失的印象，即使在醒覺以後，仍以爲自己確是欠了他這麼多錢。

這類欺騙的方法，花樣變化無窮，例如他也能與他人合作，以舉辦慈善事業爲藉口，欺騙受催眠的人捐錢；他也能把其對象說服，以極高的代價去買一種竟無價値的東西。

更嚴重的是一個催眠家很可能犯一件謀殺案而自己逍遙法外。這樣的事看來也許不可思議，但對一個催眠家來說，方法却十分簡單，他祇要使其對象自殺就够了。

許多人都常服安眠藥，這樣的人正是因爲患了某種精神失常病症而會去找催眠家的人。催眠家祇要先將他催眠，然後對他說：「你吃了安眠藥便會覺得好些，現在他的問題是因爲還吃得太少。你祇要臨睡吃上二十片，便能得到你有生以來最舒適的安眠了。」這句話便足以將其對象殺了。

催眠家如果遇到一個喜歡遊泳的人，其殺害方法也同樣簡單，他可以將此人催眠後領到一座鐵路橋，或一所高屋　屋頂，對他說他是站在一條游泳池的跳板上，儘可向下跳去，當然立時粉身碎骨。

根據此書作者柯頓的結論，一個催眠家也許不能使人犯罪，但他極易利用催眠術而犯了一樁不利於其對象的罪行，不論是欺騙或謀殺，因此

種特殊的醫藥或科學上的理由，很少願意接受催眠，而且就是在這種情況下，他也必須事先獲得嚴格的安全保障。

在英國，催眠術的運用，是在一八五二年一條特殊法律所限制的，這法律禁止公開表現催眠術作爲一種娛樂，可是，私下表現催眠却不受限制，這就引起了重大危險。

按照法律，一個催眠家如沒有可靠的第三人在場而對任何人施以催眠，可能即被視爲犯法，可是這本書舉出了許多例子，證明一切使第三人在旁觀察，他自己也極可能被催眠，以致仍然不能發現或指證催眠家的犯罪行動，

據柯頓指出，催眠術是很簡單的，幾乎隨便什麼人都能輕易學會。

在此書出版以後，英國的醫學催眠術協會主席也發表了一篇公開聲明，討論催眠術使人犯罪的問題。他說：催眠術能使一個歹徒去做某種犯罪行動，也能使一個素來慷慨的人受騙而出錢，可是它却不再能使一個守法的人去犯一種罪行。同樣的，催眠也不可能使一個誠實的人去償付一筆事實上他並未欠過的債。

這是因爲一個人即使在被催眠以後，他的行動仍會受兩個條件所限制，一是他的行動不能傷害自己或別人；二是這行動不會與他平時的行動完全相反。

在舞台上的催眠表演中，有人經過催眠後，似乎會做平時他不會做或不願做的事，但如果催眠家要其對象飲一杯毒藥，或將這毒藥拿給另外一個人飲，他會發生怎樣的反應？他會立刻醒過來，他決不會毒害自己或別人，即使催眠家向他提出了某種良好的理由。

一般人都不知道一個人在催眠狀態也仍然沒有思想能力的，他們接受催眠家的指揮有一定的限度，超過這限度，他便會加以反抗。

在舞台上，催眠家可以一個人相信他是站在一條跳板上，只使他跳下去「游泳」。可是如果此人是跳在一座鐵路橋或高屋頂上，同樣要他向下跳去，他却會拒絕。他知道這會使他送命，並不是舞台上的那種娛樂了。

不久以前，醫生甲曾做過幾次試驗，他對一個人說，他可以睜開眼睛，去參加一項罪行。他又對此人說，醫生乙是個壞人，正計劃運用致命性的細菌去殺死許多人，把那醫生殺了，正可完成一個善行。

醫生甲又將兩塊方糖做了個記號，說裏面藏有毒藥。後來等到醫生乙來時，此人仍在催眠狀態中，自動去沏茶，且將那兩塊有記號的糖放入茶中，給他喝了下去。這當然沒有引起任何反應。於是醫生甲把此人叫到一邊，對他說這事弄錯了，同時又從註着劇毒兩字的盒子中取出一片藥，裏給醫生乙去喝。這時，此人便立刻驚醒過來。

這個試驗可以表明，一個人在參加某種表演時，他是會對催眠者唯命是聽的，他即使在催眠狀態中，仍然知道那兩塊糖並不藏有毒藥，但那兩片藥由於是從那註有劇毒字樣的盒子中取出的，他仍能意識到它們可能是毒藥，因此立刻從催眠狀態中醒來，不復聽從對方的指使了。

因此，就犯罪而論，這位主席認爲催眠術是無效的。

自由談

哀聯合國

據說，西方大國準備將中東最近發生的軍火糾紛問題，提請聯合國安理會處理，這當然是堂哉皇哉的。可是，過去若干關係世界安危的大問題，如越南戰事，如北非民族獨立鬥爭，何以又不經過聯合國，而由幾個強權國家秘密決議處理了呢？不特此也，曾經聯合國大會決議譴責、出兵討伐的韓國侵略者——中共，西方大國却無視聯合國的煌煌宣告，竟要跟它單獨談判，唯恐侵略者不肯妥協，竟不惜甜言蜜語，許以優厚條件哩！

如此看來，聯合國乃成了三幾個強權國家的御用工具，專門爲強權主義者自私自利之目的而服務，且以全球的弱小國家民族作祭品。這種樣子的聯合國，還有甚末信譽之可言呢？其存在的價値亦等於中國古代的周天子，徒然替一二強霸的諸侯當傀儡而已。西方大國常以「敝帚自珍」的心情，視聯合國席位爲金蘋果，藉作誘致極權侵略主義者相與妥協的大法寶，却不知聯合國的靈魂早給毀滅了。

因此之故，中共是否闖入聯合國的問題，殊不値得重視，它能否闖進去，完全受着一二強權國家的私心支配，與我們的注意力毫不相干。問題祇在我們是否有站得起來，拿得出去，示人以不可隨便輕蔑擯棄的本事。君不見現在若干並未取得聯合國席位的國家如西班牙等，強權主義者竭力要好拉攏之不暇，且要爲其爭取聯合國席位乎？若認爲有了聯合國的一席位置，便是「泰山石敢當」，一切高枕無憂了，那就是天下之至愚者！

極權侵略主義者視聯合國爲賭三話四的落子館，西方列強以聯合國爲術私代過的機器人，這一沒有靈魂的軀殼亦快要宣告死亡了，我們除却敬陪末座，等候替它送終之外，今後總以埋頭自強不息，少談聯合國的問題爲好啊！

馬五先生

隨想錄

紀瑜輯譯

愛・情

△給愛情下定義最困難。我們也許只能够說，它是我們靈魂中最有權威的情感；在精神上，它又是一種同情；而在肉體上，它恐怕只是必須經過許多周折纔能把愛人佔有過來的一種隱蔽而微妙的欲望。

△如果有一種純粹而不勞任何情欲的愛情，它一定是潛伏在我們心的深處，連我們自己都不知道的。

△愛情存在的地方，沒有一種面具可以把它隱蔽；愛情不存在的地方，也沒有一種面具可以扮充它的樣子。

△如果我們根據它多數的結果而判斷愛情，則愛情便像仇恨，而比較不像友誼。

△世界上只有一種愛情，但是有千萬種不同的副本。

△愛情跟火一樣，必須不停的燃動，纔會熾烈，而如果沒有了希望和恐懼，它就立刻熄滅了。

秀才・舉人・進士

實則制藝這種作品，他的本義乃是代聖賢立言，最上等的要以淸眞雅正的文字，闡述題目內所含古聖先賢的微言大義，選擇出個人精確的見解。其次亦須拿上誦讀經史所得的資料，用纂組錦繡的才能，來織成個人藻典麗的文辭。當時批評這樣的好制藝，所謂有藻有書者是也。我在少年時，是趨庭承訓，我的祖先先父先四叔都是我的受業師，當時絕不許學生看閒書，而我的個性，對八股文又不甚感覺興趣，每屆課期，或做三大股完篇，或竟做十餘股乃至二十四股，逞奇立異的不守軌範，先君工制藝，是清眞雅正一路，先四叔博學能文章，我受業時期最久，爾時所讀的明清兩朝制藝，現在事隔多年，已不能完全上口，會記得我十五歲那年，做過一篇窗課，題目是「以能保我子孫黎民」，全篇十二股，他老人家在文尾又添了兩股，文曰：嗟呼，妖夢兆余，獲千乘之雄狐，幾以致罃弘於烈燄。貪人敗類，望二陵之白骨，何顏見父老於都門。」鎔經鑄史，擲地作金石聲，那能說八股文是浮詞濫調嗎。這兩股文章，不過是略舉其一，在這文字後，我應該將題解及引用的典故說明，使讀者能加以明瞭，進而能予以咀嚼玩味。春秋時秦穆公要襲取鄭國，不聽老臣蹇叔的諫阻，被晉惠公打敗於殽，（一名殽谷，在函谷關的東頭，有南北二陵。）並將三個大將孟明、西乞、白乞俘去，他後悔的作過一篇誓文，昭告國人，想要求一個休休有容的大臣，使能保他的子孫黎民。在此事發生的十八年前，他要伐晉國，占了一卦，說是三敗必獲晉君，其卦辭是「千乘三去，三去之餘，獲其雄狐」，千乘是大國，雄狐象徵大國之君，故能三戰三敗晉軍，生擒晉惠公以歸。晉大夫跟蹤而至，穆公遣使辭退說，他同晉君西歸，是踐履晉國的妖夢，並非敢將晉君拿解回秦，他的夫人伯姬，知道她的兄弟要解回秦國，就搭了一個台子，下面架上乾柴，帶着兒子罃弘，兒女簡璧，登在台上，一面遣人穿上孝服，去迎接穆公說，晉君早晨到，我們晚上死，晉君晚上到，我們早晨死，穆公因此就改館惠公，並且送之還晉。貪人敗類，是詩經上的話，其解釋是國家引用貪婪暴戾的人，必致毀滅其民族人類。看了上述的解釋，這兩股文字的命意、用典、遺辭的好處，就可以徹底瞭解了。

因解釋舉卷兩字，拉雜的寫了許多，是不是犯了喧賓奪主的毛病，筆者在此，是要請求讀者原亮的。（二）

賈景德

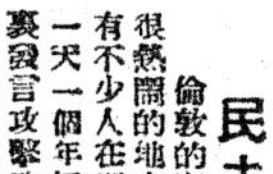

世・界・之・大

民主精神

倫敦的海外公園是一個很熱鬧的地方，每天早上總有不少人在那裏發表政見。一天一個年輕的演說者在園裏發言攻擊政府，說英國的不安應由政府負完全責任，他甚至建議焚燬下議院和白金漢宮。

站在路上的人多了，妨礙車輛交通。警察跑了來，對聽衆說道，『請你們移向兩傍，讓車輛通過。』他現出滿臉笑容，繼續說：『贊成焚燬議院的朋友請到左邊來，贊成焚燬白金漢宮的朋友請到右邊來。』羣衆聽了這話，便一哄而散。

樑上留名

美國南北戰爭前，一位青年跑到一個富有的農家做工。他砍柴，看牛，做一切粗重工作，在廚房裏吃飯，在工人房裏睡覺。

到了夏天，他鍾情主人的小姐，向他求婚。主人驚異道，『你是一個窮小子，沒有錢，沒有名譽，沒有前途，眞是癩蝦蟆想吃天鵝肉。』主人把他趕走了。

過了三十五年，主人拆屋重建。房子上面的一塊樑寫了JAMES A GARFIELD加非奴三個大字。加非奴就是當時美國的大總統，也就是三十五年前想吃天鵝肉的青年。

三人難爲情

一家小報徵文，題目是『難爲情』，稿酬十元。

一個人投了一篇稿，祇有這麼幾個字：『昨天晚上回到家裏，看見我的好朋友抱着我的太太狂吻。』

此人還附了一封信說：『當時我眞難爲情，太太和我有同感。這篇小文的稿費應該是三十元。』

小報給他三十元，回信說：『你漏了一個人，你的朋友豈不報銷。』

鐵幕新罪名

東德一位青年在牆上寫了『自由』兩個字，警察把他逮捕了，說他犯法。

『我犯了那一條法律？』青年道。

東德的司法部長是個叫希魯達的婦人，她是鐵幕裏的法律權威。法院院長把這案子向她請示。她祇在紙上批了『妨礙和平罪』，判有期徒刑七年。

『妨礙和平罪』是鐵幕裏的一種新罪名。凡不屬於反革命、反動等條例的罪，都可以歸入此罪。

・牛布衣・

讀者來書

關於「蔣廷黻徐謨之爭」

「自由人」編輯先生：貴刊四十五期登載「蔣廷黻徐謨之爭」一文。其中論叔謨先生如何在南開大學成爲名教授及如何在海牙國際法庭受人崇敬兩段都是正確的事實，値得廣播的。不過此文又說我反對南開聘請叔謨先生爲教授。這一點完全與事實不符。叔謨先生到南開當教授是民國十一年九月的事情或者尙早，我是十二年二月底才到南開的。

不過這個故事也不是完全出之無因。我到南開的時候，發現學校並沒有教授副教授講師名稱的區別，差不多人人都是教授。我覺得學校對任教者應該有所區別。我還記得曾向伯苓校長說過這樣一段話：「假使我留在美國教學，充其量不過作講師」。那時我新從研究院畢業，教學沒有經驗，學術的貢獻更談不到。伯苓先生頗以爲然，就派了一個委員會研究這個問題。委員會一致贊成名稱要有區別，並提議委員概貶爲副教授。我是委員之一。據我的記憶，叔謨先生也是委員之一。

此祝

撰祺

弟蔣廷黻　十一月二日

實用心理學

一個結了婚的少婦去找心理學專家格關，目的是要和丈夫離婚。她說，她憎恨丈夫已到極點，要設法報復，使他遭到最深的痛苦。

格關氏答道：「此後你對於丈夫極盡殷勤，使他認爲你眞心愛他，使他不能够一刻離你——到那時你再提出離婚。」

過了半年她回來見格關。格關對她說：「現在你可以離婚了。」

「不！」少婦答道：「我愛上他了，特來向你道謝。」

（雷）

自由人

THE FREEMAN

（第四九一期）

中華民國僑務委員會
照發登記證台教新字第一零二號
中華郵政台字第五〇〇號
執照登記爲第一類新聞紙類
（半週刊每星期三 六出版）
每份港幣壹毫
台北市售價台幣壹元
督印人：陳文韜
地址：香港高士威道二十號四樓
3 rd. fl. 20 CAUSEWAY RD HONG KONG
香港發行及業務接洽
高士打道66號 電話：七四〇五三
承印者：東南印務出版社
地址：高士打道六十四號
海外總經銷
友聯書報發行公司
香港：彌敦道中二十六號A二樓
台灣特派員辦事處
台北市館前街五十號
台灣總經銷處
台北市西寧南路壹壹零號二樓
台郵撥儲金戶九二五二

華僑回國投資問題

·張九如·

華僑回國投資條例草案，行政院早於去歲八月間咨達立法院審議，經財政經濟僑政交通四委員會各推委員五人成立小組進行初步審查九次後，又由四委員會出席委員聯席會議審慎研討三次，始將修正草案提院會討論。但是僑第三條規定出資之種類第二種「由國外輸入國內所需之機器或其他物資」，對「其他物資」四字，就在院會中激烈論辯至大天之久，其間尚邀經濟財政僑務三機關首長列席說明二次，我個人則成爲反對輸入其他物資最力的一人，與我見解大體相同，當起論爭者計七人。直至本會期第十三次院會，總算通過了一個不盡合理的條文。

部會亦未獲得滿意決定

行政院院會中對這四個大字並未獲得一致的見解，最後只得照抄外國人投資條例第三條的全文，作爲藍本，讓立法院討論決定。所以當財政部長閔次列席立法院院會時，總表示當時因爲匯率偏低，不得不讓他們用自備外匯輸入准許進口的普通物資，向國內出售，以彌補結匯的差額，今既試行與市場匯率相差無幾的優惠匯率，就無須沿行弊多利少的物資變價貼補辦法。經濟部代部長亦總表示輸入物資貼補匯率差額的辦法，本是一種不得已的措施，在審核何種物資可許輸入不許進口時，寬嚴之間，極難使得申請者諒解，此無異自找麻煩的辦法，使人非常感覺頭痛。今既能在匯率上設法，自無堅持原辦法的必要。及第二次有關部會首長列席說明時，僑務委員會委員長亦終表示可以放棄輸入其他物資的老辦法。

徒然便利不良官商

根據考察僑資工廠及工商各界內情的經驗，而爲華僑回國投資的眞實福利着想，我始終認爲讓華僑輸入各種物資自圖彌補匯率差額的手段，對華僑不是優待而是虐待，對國內不良商人及貪吏更是在法律上給他們開一個聚斂的方便之門。前者一由於華僑輸入各種物資時，必須經過調查、申請、審核、採購、包裝、運輸、驗關、繳稅、倉儲、變賣、付佣金、納稅捐十數種手續及費用，尤其在驗關及變賣時，更難免不受到留難、詐取、及延擱、跌價、霉爛、破碎等損失，如華安金屬用品廠延至八個月始能提貨，廣生塑膠廠輸入的士林藍圖對，擱至半年以上向無法脫售，錦綸紡織廠受到稅捐處令其繳納行商稅的困擾，便是例證。二由於辦工廠的華僑未必同時具備貿易經驗，對於國內市場又多隔膜，往往在前一二個月纔得核准進口的物資，待其運入台灣時，價已慘落，出售則虧本，不出售則資金擱淺。即使中途發現此種物資已無銷路，申請改易輸入別種物資，然主管機關又不易處理，照准則情已因此賠累的僑資工廠疑爲勾結，不准則不合情理。而且改易的物資待到輸入之時，又未必不仍陷窘境。於是回國興辦工業的華僑，乃不免經常分心於貿易業務的盈虧。如僑泰興麵粉廠輸入的紅綠日光燈等，因市價暴落，縱虧本出售，亦很少人過問。台灣塑膠廠進口的飼料，因供過於求，擱置甚久。尤其中國輪胎公司，雖獲得「專案核准」輸入價值港幣四百餘萬元之物資，然終因銷路不佳而歇業，而核准該案的部會，且因此備受社會的懷疑調評。三由於輸入物資必經物資局出售，價款必存入合銀，由經濟部核准後始能提用，因手續繁複之故，致不能乘時採購原料，甚至不能按時發付工資，如德豐搪瓷廠僑泰興麵粉廠文武工業公司曾對此嘖有煩言。綜此三因，名爲優待華僑，實則同於虐待矣。後者一由於國內不良商人乃至不肖員吏，假借港僑名義，串通港澳人士，以申請設廠爲名，設法使有關部會批准，從而輸入各種物資，作爲攫取暴利及搾取此間人民財富的捷徑，一俟物資出售後，即設法提款出境，如三月前汪世耀自稱係香港陸某的代理人，僞裝在台灣創辦製革化工原料廠，待運入物資售得十餘萬元台幣後，即朦蒙經濟部核准提款，款既到手，便準備離台，及被發覺，始予扣留。二由於不肖員吏濫其權力，破壞輸入物資的經售及提款等規定程序，致兜售物資於市場，致閉塞眞正華僑輸入物資的銷路。如最近某機關有力者三人，既將台幣套滙出去，又將其他物資輸入以後，終於演出强迫物資局交出提貨單一幕醜劇，已引起立法委員的質詢。又如台灣某企業公司早備文申請輸入美金二十萬元的人造棉紗人造絲，企圖坐收百分之一百五十的淨利，因主管部會不能斷定立法院對僑資條例中規定輸入物資的範圍如何，尚未核准。此事亦正在部份立法委員注視之中。三由於過去行政院頒行的華僑回國投資辦法，尚祇是行政措施，修正較易，但其弊已迭出，而華僑回國投資條例，則係經立法院通過經總統公布的法律，若已發現弊竇不予堵塞，則無異立法院以法律保障弊竇，後之效尤者將更有恃無恐。何況立法院審查時，竟加入一條，除普通准許進口物資外，又包括一切管制進口及暫停進口的物資在內，豈不是更在法律上擴大弊竇，並予以保障。此種法條如予通過，實際上更不啻間接虐待華僑，直接優待不肖官商矣。

不宜誤將手段作目的

何況准許輸入其他物資，本只是彌補匯率差額的一種手段，絕不是華僑回國投資的原始目的，回國投資者的本意在興辦工業，不在經理貿易，其有關設廠的各種資金，理應由國外輸入，不應取給於台灣市場。且東南亞僑資的匯入香港者既能達港幣九億以上，自亦同樣可以設法匯至台灣。倘仍如過去實情，輸入其他物資價值與資本額總值的百分比相較甚高，則所謂回國的純僑資，豈不少得可憐。豈非大部分資金須取給於台灣市場上的「內資」。如錦綸廠輸入其他物資的價值占其資本額百分之八八、一二八。僑泰興廠輸入其他物資的價值占其資本額百分之八六、七，慶生染廠輸入其他物資的價值占其資本額百分之七〇、〇四，此而可以爲訓，豈不糟塌了「僑資」的美名與實利。更何況進口物資預算，每年每期均有規定，倘僅許華僑輸入一般進口貿易商可以輸入的物資，則其經驗決難與一般貿易商競勝，若特許輸入管制或暫停進口的物資，則不但擾亂財經兩部統籌物資進口及物資調節的決策，並使奢侈品更充斥於市場，坐損國民儲蓄用於生產的力量，尤使保護新興工業產品銷路的政策由此摧毀，此於已開辦的或正準備開辦的僑資工廠，均屬無益而有害。

且事實所示，引誘企業家投資與起的條件，爲環境安全，手續便利，及有利潤可圖，僑資的願否回國，而非完全決定於匯率差額的小問題。香港政府並未頒行華僑來港投資條例，更無准許輸入各種物資的特別規定，而匯入香港的僑資則甚鉅，已可見入台僑資不甚踴躍的眞正癥結，尚待解除。倘仍不揣其本而齊其末，仍恐條例雖好而來者仍少，尤恐既開輸入各種物資的大門，則利用此門者並非眞正華僑而仍爲冒充華僑的不良商人及少數不肖員吏，而其所輸入者除「其他物資」以外，並無別的「其他」。瞭解此種種情實的立法委員，故在院會表決時，主張刪除「其他物資」改用「優惠匯率」者，尚占出席人數二百五十餘人中的一百人。

輸入其他物資，是使華僑自圖保障其輸入外匯實值的辦法，此辦法有害於國家，無利於華僑，已如前述。改用優惠匯率，以結付其輸入的外匯，是政府直接保障華僑匯實值的辦法，僑只須遞一紙匯單，即可兌取與外幣市值相差無幾的台幣，立即購地建廠。蓋優惠匯率係根據每月物價總指數及市場外幣兌換率隨時調整，上數月爲每一美元可向台銀兌取台幣三十五元，特與八月份市場換率相較，每元僅少二角，在台外籍人員所支之薪俸自依此匯率向台銀換取台幣以來，咸感滿意。來台入學僑生攜回之外幣或外匯，依此兌款亦表歡迎。台銀得此外幣後，交由物資局用以進口物資，機動出售，既可調劑物資供需，亦可使由此溢出的台幣回籠，辦策甚當。

不必要的顧慮

惟有若干人士顧慮四點，不主張列入條文。一則顧慮借資如大量湧入，勢將使通貨增加發行。初未想及過去三年來入台興辦工業的僑資總額，僅二百餘萬美元，平均每年不到七十萬美元，每月不到六萬美元，即令照每一萬美元兌與三十五元，但如扣除其中例應給予十五元六角五分的牌價匯率，每月實祇增付台幣一百一十六萬元餘。又即令這能一次湧入過去三年積累的二百萬美元僑資，其增付台幣亦不過三千八百七十萬元。何況既能由此獲得外幣作爲發行準備金，或獲得外匯作爲國際收支平衡基金，則以每一美元發行台幣十元二角二分，（因合銀得出外匯一元，原收台幣二十四元七角八分，今以三十五元台幣收購美金一元，祇須多付十元零二角二分），亦可謂甚高的準備率。更何況此多付出的台幣十元餘，皆係用於華僑建設工廠，並非成爲游資，殊無憂慮通貨膨脹的必要。又何況本條例通過後，財僑兩機關首長亦都不敢斷定究竟有多大的僑資回國，則顧慮更屬多餘。二則顧慮優惠匯率，未經立法程序，缺乏法定資格，未便訂入條例。初未想及自三十八年至今，匯率已變更六次，均由行政機關便宜行事，全體官民亦均依照實行，現行的優惠匯率，不但事同一理。且已行之有效。何況台灣沿行的戶稅及防衛捐，其本身亦都未經過立法程序，然都已經立法院赫然列入自已通過的統一稽征條例之中，過去既未置異議，今何爲獨不然。三則顧慮優惠匯率會助長黑市金鈔價。初未思及此一匯率施行已七個月，金鈔市價並未因此增高，八月下旬的美鈔市價，且曾一度跌入三十五元以內。何況很多人早主張提高匯率，使出口有利，使生產發展，使公營事業出口的貼補費及奢侈品的消耗量均由此減少，又何獨致疑於此。四則顧慮來台投資的外人將援例要求同等待遇。初未想及外國人投資條例與華僑回國投資條例截然爲兩事，否則即不必另訂華僑回國投資條例了。何況外資條例中已訂入「其他物資」，僑資條例中既不訂入「其他物資」，而惟代之以「優惠匯率」，外人縱會得無厭，若想魚與熊掌二者得兼，於法於理決說不去。蓋自立委主張以優惠匯率代替其他物資的理論根據，即在於此。至表決時竟有一百八十餘委員贊成通過行政院原案「由國外輸入國內所需之機器或其他物資」者，實有三因，一則防止此一條如不獲在場過半數人贊同，則將導致通過審查會所加的條文，連管制進口及暫停進口的物資亦都包括在「其他物資」範圍之內了，故許多本來反對行政院原案者，在表決時亦紛紛舉手。何況大部份人對「其他物資」範圍的瞭解，及對立法原意的認識，實爲「機器零件及有關其製造之半成品」，並不涉及除此以外的物資，此實爲外國人投資條例審議程序第二條及華僑回國投資辦法第三條所一致規定。如作超出範圍的解釋，則又何必反覆爭辯？抑將何以防止外人援例要求？二因院會出席者對審查案向少修改，如不急速通過行政院原案，便將促成通過審查案的危險。三因本主張對其他物資作擴大範圍的解釋者，眼見難得過半數人的同意，並以爲即令刪除同審查時加列的擴大範圍解釋之明文，而執行機關在審核申請進口的物資案時，仍有其自由伸縮的餘地，故亦隨衆舉手。此一案實爲各委員立場觀點不同甚至個人情感利害不同而妥協了事的代表作（不能與其他法案之折衷結果並論），至於是否有人插手利用輸入其他物資條文的情形，恕不明言。以此三因，故原來反對行政院原案的大部分人亦不得已而求其次了。

（下轉第二版）

時事評述

·李秋生·

四外長會議的窮途

日內瓦四外長會開了三週，今天已到預定結束之期，德國統一與裁軍問題固然一無結果，連所謂促進東西接觸問題也迄未談攏。俄人從事外交談判的習性，往往在最後一秒鐘提出讓步，以表現其「顧全大局」的精神，因此這次莫洛托夫突派葛羅米柯於十三日晨返俄，就又提高了某些人士的一相情願幻想。但若從整個會議的進程看來，奇蹟到底是不可能產生的。

如果說四外長會也有比四巨頭會略有收穫的話，那便是從具體問題的談判中，證明雙方立場懸殊，縱然西方表現出誠意，俄共仍在玩弄冷戰的機謀。

四外長究將以談判一無結果向四巨頭覆命呢？還是耐心等待，明年再做一次會談呢？這要等今天公報發佈纔能揭曉。但無論如何，藉談判緩和緊張局面的企圖總是完全失敗了。儘管一談再談，局勢的緊張只有加甚，並無任何鬆弛可言。

日內瓦精神不死！

俄共機關報說「日內瓦精神依然未死」，這話並不能算錯。莫洛托夫的笑容和握手表演，未必就遜於赫魯歇夫布爾加寧；他在尊俎酬酢之間又何嘗不談笑風生。尤其是莫洛托夫踵門拜訪杜爾斯麥米倫，更證明他要維持祥和氣氛，不讓這會議再僵下去。你能說這不都是「日內瓦精神」嗎？

然而在國際間一切都是現實的，精神克服物質的說法，在外交場合就未必能夠應用。像加薩地區那種蝸角蠻觸之爭，好像「日內瓦精神」至今還無能爲力。我想讓這精神繼續保持下去也好，即使第三次世界大戰爆發，也好調劑一下戰時氣氛的單調。

解放政策舊事重提

諾蘭參議員忍不住了，他在呼籲恢復一九五二年的解放政策。可貴的是他並非在外長會議失敗後纔舊事重提，二三年來在共和黨中好像只有他還記得過去在競選時曾向選民提過這樣一項諾言。

他現在提出這問題，也許正是適當的時機；明年是大選年，那些在「烟霧瀰漫室中」的競選智囊們，大概不會忘卻這可能仍是具有吸引選票的一個有力口號。

這些都是閒話。我只希望艾森豪先生在格提斯堡農莊閒話桑麻之餘，能把問題澈底想一想。羅斯福總統以姑息蘇俄受盡非難，却誰也不能抹煞他對美國[illegible]界的不朽貢獻和功績。但願將來後人批[illegible]艾森豪總統，不致認爲他的成就竟只有「日內瓦精神」。

集體參加聯合國問題

據說爲了爭取十三個自由國家參加聯合國，美國將不反對蘇俄四附庸國的加入。儘管美當局對於俄共另一私生子外蒙還不肯輕假辭色，却已經是把進入聯合國看成一種交易了。

什麼樣的國家纔有資格進聯合國，憲章第二章第四條有具體的規定：「凡其他愛好和平之國家，接受本憲章所載之義務，經本組織認爲確能並願意履行該項義務者，得爲聯合國會員國」。還有比這更清楚的嗎？

即使鐵幕集團在聯大的議席從六個增加到十個，也沒有什麼大不了；問題在於此舉無異承認各附庸國都「愛好和平」，都接受並確能履行憲章義務。這無異於聯合國的自殺。

名器不可以假人，凡是眞誠愛護聯合國者，都該深思一下。

日保守政黨合併成功

隨着社會黨的合併，日本自由民主兩黨也合併成功了。爲阻遏左翼勢力覬覦政權，這是值得歡迎的一點。其實自由民主兩黨的政治分野，還不如社會黨左右兩翼之間鮮明。合併一舉，只是着眼於現實利益而已。

既成政黨腐敗無能，民間左翼勢力膨脹，這是今日日本最大危機所在。政黨間的分合得失，其實都不是值得注意的事。

外交陣容將有變動

小魯

（本報台灣通訊）自從今年夏天亞非會議以後，整個國際局勢，起了重大變化。在國際風雲瞬息萬變之中，我們現有的外交陣容，事實上已難於應付裕如，弱點充分暴露，例如埃及與中共進行勾結，我們的駐埃使節似乎不甚了了，毫不知情；泰國本來和我們很友好，同站在一個立場上反共，但這半年來態度顯然大變，彼此似已有了距離，而我們也未見有何改善的對策；菲律賓一直在進行排擠，我們也一籌莫展；日本自從鳩山上台後，更公然地與中共來往，最近且在商業上加緊合作，也未見我們的外交當局採取什麼對抗的措施。這一切，都說明自由中國在外交戰場上漸漸趨於劣勢，如再不振作，前途將益爲困難。

因此，這幾個月以來，台北一直在傳說外交部將着手調整外交陣容，俾能爭取外交主動，以挽回頹勢。在葉公超赴美出席聯合國會議之前，就作了若干安排，本月十一日葉公超自美回來，立即盛傳短期內即將發表一批新的任命。

我駐菲律賓大使，已於上月正式任命陳之邁繼任，陳氏正在自美返國途中，本月初可以到達台灣，先了解自由中國一般情勢，然後於短期內赴菲履新。自從菲律賓發生菲化案陳質平大使免職後，駐菲館務一直由周書楷公使代辦。目前菲律賓華僑正處於一個惡劣的局勢中，亟待陳之邁大使前往予以改善，而中共亦正向菲政府陰謀談判華僑國籍問題，故目前對菲外交不容忽視。我雖在菲設有大使館，而菲僅在台北設一公使，此一情形，亦亟待改正。

陳質平垮台後，因在外交部人緣很好，一度想活動任駐泰國大使，但因輿論所反對，所以胎死腹中。不過，泰國對自由中國的態度亦漸漸變爲曖昧，因其對中共所採的立場不穩，所以我外交當局也決定暫時不派使節駐泰，以靜觀演變，而泰國駐華代辦自九月下旬回國後，並未派大使前來，仍派了一位名叫張年的代辦來台。不過，外交必須爭取主動，靜觀不是辦法，如何加強我與泰國外交關係，是仍待努力的。

現任外交部常務次長時昭瀛，將奉命出任駐巴西大使，此事國民黨中常會已經通過，等待葉公超提交行政院會議通過，即可發表。時昭瀛使巴西的主要作用，與胡慶育派駐阿根廷一樣，是爲了加強我與中南美各國的邦交，因爲我們在聯合國必須要獲得中南美各國的支持，中國派了胡、時這兩塊外交王牌到中南美去，預料當可不辱所命。不過，巴西昨天又發生政變，這對時昭瀛的任命是否有礙，又得靜觀一個時候了。

時昭瀛如果出使巴西，則所遺外交部常務次長一職，將調駐菲公使周書楷升任。周氏在駐菲期間，所表現的還不算差，因爲他做了一陣代辦，陳之邁去後，他不便再留下去，回國來又無其他出處，剛好時昭瀛準備到巴西去，於是常務次長一職就意外地預定落在周書楷身上了。

行政院新聞局長吳南如，就任以來，也無什麼表現，因此，當局已決定予以更換，早已內定由沈琦繼任。不過，吳氏以在沒有接到新任命前，不肯主動辭職，當局甚感難辦。因爲吳南如是外交界老人，於是當局對他的出處交到外交部設法。葉公超擬派他使伊朗，他認爲中東是火藥庫，那時伊朗態度搖擺不穩，所以駐伊不是好差事，不願前往，這時葉公超已去美，沈昌煥表示如不肯使伊，只有改任外部顧問，聞吳於失望之餘曾去問計於某要人，某要人勸其就任駐伊大使，故雖已表示願往，惟目前有無變化，須待葉公超來做考慮了。

馬共首領被迫提議談判

棣坡譯

星加坡新任總理馬薛爾最近接到一封邀請的信，信內的英文毫無瑕疵，而且措詞十分客氣。這封信由檳榔嶼發出，貼着英女王圖案的郵票，發信的人是陳平，他是檳榔嶼通用汽車公司東主之子，頗有教養，戰時曾獲英政府英勇勛章，在過去幾年，他又是馬來亞四千遊擊隊出沒無常的首領；曾被當局懸賞八萬四千美元，加以緝捕。

陳平是被取締的馬共的總書記，他的信中提議，在十一月內與馬薛爾總理，及馬來亞聯邦英國高級專員賴曼舉行板門店式的談判，討論停戰，馬來亞當局立刻表示可以接受，但談判必須在森林外的一個安全地點舉行。

一年以前，兩方都認爲談判絕無可能，陳平手下的一羣兇暴的戰士，跟一萬一千人，其中包括英國人、歐洲殖民者，以及他們的橡樹園和錫鑛的工人們，另外還有軍隊警察和民兵，共二十七萬五千人，從事森林戰，殘忍的凶殺，死傷日趨嚴重。一萬二千名馬共大肆屠殺搶掠，聯軍方面就死傷了八千四百人。馬共雖然從廣大華僑中補充新兵十分充足，但相信最少有廿萬士著是不願支持共黨的。

本年六月馬華巫聯盟在自治選舉中，首次獲得空前勝利。該聯盟領袖會勸說英國人，認爲與共黨談判的時機到來；九月，政府派飛機和直升機繞着森林地區，散發四千萬張傳單，大赦游擊隊，不久，游擊隊廿七名退出了共黨，而大規模戰爭仍繼續不斷，在佐和耳以南的地方，一隊有戰鬥力的隊伍，攻打一個陷於孤立的橡樹園，埋伏下車輛，把工人都屠殺了。於是英當局開始以九個大隊的兵力，大舉掃蕩，那時候陳平才把邀請的信寄出來。

陳平有兩個煽風的耳朵，說起話來很動聽，他曾於一九四五年在倫敦參加聯邦勝利遊行，而三年以後，又在馬來亞跟英軍打起仗來，這是共黨的一貫技倆，傑浦曼爵士是在星加坡陷入日軍手以前，做潛伏工作的領導人之一，他認爲「陳平是一個年青而有吸引力的福建人，以後他又成爲英國最信賴的游擊隊代表」。另外有一個英國官員，曾參加馬來亞抗日戰爭，戰後他供給陳平資金，經營單車工廠，陳平僅報以一笑。（上）

海外通訊

民主黨開始競選活動

江濤

（本報華盛頓特約記者十一月三日航訊）美國的總統競選運動，現在雖未正式開始，然共和民主兩大政黨的總統候選人的提名競選，已在暗中活動。特別是民主黨內部，由於逐鹿者多，在各州預選會中，預料將有一番激烈競爭。

在某種情況下，預選如取得一兩個重要州的勝利，常常大有助於最後的全國大選，一九四四年的大選前，威爾基因爲在威斯康辛州的預選中被杜威擊敗，結果退出了大選；一九四八年的預選中，杜威在俄立根州擊敗史塔森，使其被迫失去了參加大選的資格。

在另外的情形下，預選中獲得大勝的人，不一定能獲得提名爲總統候選人；反之，不參加任何一州預選的，却可能在黨的全國提名大會中獲得勝利，例如在一九五二年的大選中，民主黨的凱佛福爾在很多州的預選中都取得決定性的勝利，但黨的負責人估計他不是艾森豪的對手，決定把史蒂文生抬出來，因此，史雖未參加任何預選，在提名大會終於獲得多數而被選爲總統候選人。

就民主黨來說，在這次的預選中，凱佛福爾仍佔有很大優勢，這位「出自民間」的參議員，一向爲中下層社會所愛戴。因此，在艾森豪患病以前，史派人物都勸史蒂文生還是和一九五二年的作法一樣，不參加任何預選，等候全黨提名大會的最後決定。因爲艾克如果再度競選，民主黨領袖非抬出史氏來和他競爭不可，別人都不是艾的對手。

可是，艾克一病，整個形勢改變了。共和黨方面自然要考慮更替人物，民主黨內也起了觀念上的變化。「非史莫屬」的看法，已過時了。有野心的黨內領袖，無不想趁此機會一試；各派系，各地方集團，也都想把他們自己心目中的人物抬出來。因此，史蒂文生的個人威望雖未見低落，但黨內競爭，已勢所難免，在提名大會上，很可能實行公開投票，不加限制。

黨領袖的意見，認爲這樣可以使競爭者能提出比較更迎合多數意見的政綱，在大選競爭中，有更大擊敗敵黨的可能。在這樣情形下，史派人物現已感到他有參加預選會的必要，而且應該表明他準備競爭提名的意思。在預選中如果獲勝，他可能使某些黨內競爭者退出提名競選。

史蒂文生似已接受這一意見。據說他已準備參加明尼蘇達與加利福尼亞州的預選，可能還有其他的州。他於本月十九日正式宣佈參加總統候選人競選時，將同時宣佈他參加預選會的事。

有人認爲史蒂文生之匆匆作此決定，也可能與參議員羅素由海外歸來後發表的談話有關。羅爲民主黨內的「溫和派」領袖，聲言他們將擁護俄亥俄州州長勞謝爲總統候選人。同時參議員麥克里蘭也說勞氏可能在僵持局面中出馬，德克薩斯州長席佛斯也對勞氏表示擁護。

羅素的聲明，雖說可能刺戟史蒂文生去參加預選會，但勞謝本人對史氏不成爲嚴重威脅。一則因爲勞氏並不爲很多民主黨領袖喜歡，支持他的人，遠不及支持史氏的多。二則因爲他是一個天主教徒，在正式大選中，很可能失去南部諸州的選票，斯密士在一九二八年的大選中，就曾因此失敗。

就黨內而言，眞正的威脅，還是紐約州長哈里曼。哈氏雖曾說過他擁護史蒂文生，然在政治生活中，這種口頭的諾言，常常是靠不住的。在他沒有「逐鹿中原」的形勢時，他可能合力支持史氏，這是爲黨的利益打算；現在他躍居要津，且有歷史道路可循，他怎能放棄這一機會。在紐約的二十萬民主黨選民中，有百分之八十一擁護他，而擁史的僅佔百分之十四，據說這是一個很可看出未來結果的測驗，哈里曼「前途似錦」，於此可見一斑。

不過，據「蓋洛普」的最近民意測驗，在民主黨方面，史蒂文生仍處壓倒優勢，百分之五十五擁護他，凱福佛爾佔百分之十六，哈里曼僅佔百分之六。

不管前途如何，黨內的競爭，顯然已經開始了，這情形和以往不同；競選的提早開始，從另一角度看，實爲社會的一種損失。

國際討論自由的前途

【本報特訊】最近有一項消息是和我們自由人有關係的，就是在本年九月十二日至十八日，於義大利的米蘭城，舉行一國際性的會議，討論『自由的前途』——（爲正確起見，援引其原名，爲：FUTURE OF FREEDOM）

此係由「文化自由大（　）」所主持，參加者有英國、德國、美國、義大利、日本、澳洲、法國、比利時、印度、等三十三國之經濟學家、著作家、政治家等。

其宣言中有謂：『十九世紀原有憧憬，係人類的物質上與精神和諧的發展顯然與目前之事實相違背。今天世界上廣大的區域，已有不堪想像的奴役出現。此外更有許多區域，人類的自由受緊張的國際局勢與工業技術文化必然的趨勢所威脅或減削。某種外表爲自由的思想，不能夠解釋甚至簡單的說明新的政治現實。更糟糕的，是此種思想被極權國家主義所利用』『諸政治名詞，一如現實所反映，正在轉變其意義。下列莊嚴而質樸的相對名詞，尚餘有若干意義？此即資本主義對國家，進步對反動，左對右，自由對權威，個人對國家。曾經被視作自由的進展障礙之傳統制度，居然有若干次證明爲自由的保障。』

在會議中演說，最值得注意的，是美國的「蘇聯通」佐治‧季南（GEORGE F. KENNAN）。他的演題是『自由的戰略』。

我們知道季南以訂下美國圍堵的外交政策著名，但在該演說中，他[illegible]維護自由要有責任感。

他說：會中有人不滿意美國，並沒有像蘇聯能標[illegible]一個主義足以集合力量。他不贊同這個說法。姑不論此種措施是否係撒着仇恨、欺騙、猜忌的種子，祇是爲主義而設主義，已經是不安。然而他自己承認美國今天的社會，——他不願說到別國——實在是太過自私，無目的，祇爲自己自由幸福而無道義感的追求。

他說：自由不是抽象的和絕對的。而是在相對的狀態，正如德國一作家所說：EINE FREIHEIT WOHER VND EINE FREIHEIT WOHIN——從任何事物獲得自由，同時犧牲若干自由。我們的世界充滿着爲了與別人相處，而互相忍讓，和有若干強制性，如要尋求自由，而沒有責任感，結果祇有受新的奴役。

尚有美國哈佛大學的芬索特教授，提出一個有趣的問題，即共黨政權是否因其極權性質的轉變而受到腐蝕。即社會潛伏的力量是否腐蝕極權的機構？是否能改變此等政權成爲一爲正義與永久和平而努力的政權？和在我們的時代，戰爭之妖靈，是否威脅我們？他沒有正面的答覆，只是援引另一個學者所說，即人們應正視危機，而不忘記危機，以合理的方法去求可能實現的。

・曾旭軍・

華僑回國投資問題

已盡心而尚未盡責

（上接第一版）如上論述，可見立法工作其難其慎程度的一致。僅這一條條例中的四個字，反復論辯至如此之久，而猶僅得差強人意的決定，立法者雖已盡心，然畢竟不能認爲完全盡責。非注意到本條例施行後確能夠興利除弊，使眞正僑資陸續回國開發工業，並非冒充華僑者不再能套滙進貨圖利，時用質詢方式糾正執機關的疏誤，甚或於必要時修正本條例，務期止於至善，便不得謂爲已盡責任。就我個人言，雖曾登台發言至九次之多，並發表書面意見九篇，計共二萬餘言，上會期在審查會中發表「對僑資條例緊急呼籲」，請求慎重決定，又發表「極不利於華僑回國投資的輸入其他物資條文及如何修正的意見」，而以「極可能流爲商人套購投機條例」一小標題喚起注意。本會期先發表「論證僑資條例中輸入各種其他物資的十八種大弊害」。而以「本院願意擔負製造弊害的責任麼」一小標題促[illegible]警惕，次發表「論輸入其他物資的弊害及其對策」，出自由中國印行，又次發表「輸入其他物資與原幣保値兩種辦法不能並行」，說明其中相妨相礙的事理，再次發表「僑滙問題的困擾」，而以「明知有弊，爲何不除」？「有人說：留此漏洞，纔好利用。」「又有人說：留此弊竇，看人出醜」幾個小標題警醒各人，復次發表「從僑滙實際上看其他物資的範圍與解釋」，最後發表「請教同仁八個問題」，請各人自由裁決，但雖已盡其心，並未盡其責，故曾公開表示，「倘竟通過其他物資於條例之中，我一定盡我保護華僑及國家民族的責任，永遠運用我的批評權，隨時搜集證據，揭發情弊，用我的一枝筆一張嘴，糾正到底」。盡心而未盡責這一感覺，不但我個人作如此觀，有不少同仁均作如此觀。若有人說「天下無如立法難」，我們都願高舉雙手以示贊同。

啓事

左舜生先生因故不克執筆，「中國近代三度改革運動的檢討」下篇下期續刊。

香港舞院的怪現象

許多人都知道，滿佈於港九的跳舞學院，有一部份已成了社會色情和罪惡的淵藪。

警方調查 少女伴舞

由於這個現象的形成備受社會一般人所非議，警方已開始採取行動，據有關方面透露，港九好多間舞廳的持牌人，已經接獲警方所發出的控票，其中一部份，更受到警方提出「停牌」的警告。上述舞廳，多數是屬於違反牌照規章，和隱瞞一部份雇用的舞女不向警方登記，其中更有容納未滿十五歲的少女伴舞的事。

這一次警方嚴厲地取締違例舞廳，固然是因為若干舞院的行徑引起當局的注意，而另一個近因，則是警方有鑒於月前揭發了東區某一間舞廳中所發生的駭人事件：一個年僅十四歲的舞女，竟然和舞客數度外出，非但發生性行為，結果還發生墮胎慘劇。這一次秘密的揭發，起因於警方在向各舞廳進行突擊檢查時，發現其中一家舞廳中，有一個十五歲的舞女，另一個則更年輕，祇有十四歲。這一個十四歲的少女，竟能「熟練」地在廟所進行墮胎，這種情形實有令人有不堪想像之感。

要做舞女 憤然自殺

最近一個時期內，若干小型舞院之成為無知少女的陷阱，已有過幾次證明。曾經有三次以上，少女的母親們於警方協助下，在舞院中找到她們的孩子，最近，更有一個曾受中等教育的少女，為了家庭拒絕她去做舞女而竟忿然自殺。事實上，她有一個富裕的家庭，他父親在美國內匯款足夠她過很好的日子，且能繼續她的學業。然而她寧願放棄大好的家庭前途而去供人擁抱。

一週以前，一張專門登載舞女消息的刊物，曾公然地指出若干舞廳院已成為女學生和職業女性變成「紅舞女」進身之階；更有一幅漫畫諷刺一個父親在黑燈舞院裏發現了她的女兒在當「助教」，做父親的當然對這種「奇遇」怒不可遏，可是做女兒的卻夷然而曰：「如果不是在這裏，你又如何肯每小時給你的女兒四元四角作零用呢？」

為什麼有這許多少女嚮往於伴舞職業呢？上面所說的漫畫，祇能說出一部份的事實，這些少女為了達到她們過奢的物質慾望，甘願供人擁抱去換取金錢，且有無知的少女，卻以為伴舞是一種快樂的生涯。

無錢跳舞 門外溫存

記者曾經注意到一間「六角一鐘」的舞廳的舞女與舞客的生活形態，結果發現了一部份年齡平均不少超過二十齡的舞女和一羣亦同樣不超過二十歲的青年舞客有着並不普通的「友誼」，甚且超過了舞客與舞女的關係。

這些舞女與舞客通常廝守於舞廳附近的一間茶寮。當這一個舞客囊中有足夠六毫錢的時候，他便會昂然地推門進入舞廳買舞一刻。如果這一晚無法湊足六毫錢，和他相好的一個舞女便甯願借機會免費外出，在門外溫存一會，於是「兩得其所」。

這一種「熱烈鏡頭」無時無刻不在演出，這可以令人了解今天的小型舞院已經變質到何等程度。絕大部份已不是真正學習跳舞的地方，也不是正當的跳舞場合，而祇是某一種男女關係的媒介。

好些無知的少女還誤以為這就是一種「戀愛」，這就是一種「自由」。她們沒有想到這所謂「戀愛」，所謂「自由」很容易就此葬送她們一生。

爭風打鬥 竟以為榮

我們發覺混跡於這一種小型舞院的舞客，經常是一般所謂亞飛型的市井少年，他們也同樣誤解了「戀愛」與「自由」。為了「戀愛」，為了「自由」，這些小型舞院就往往成了爭風吃醋，甚至打鬥傷人的地方。這一類市井少年且以打鬥為榮，這一類舞女也以成為打鬥爭奪的目標而驕傲。所有小型舞院的舞女，她們不論是來自學校，來自普通的家庭，來自工廠，甚至由妓女蛻變，除了絕少數外，可以說她們都習慣於今日的生活了。

為戴金錢 不惜賣身

記者曾和一個年僅十五歲的舞女談過一次，她最初是一個人家的婢女，經不住物質誘惑，結果悄然出走，這時候正當所謂「艷舞」蓬勃一時，她就去做「艷舞」女郎，後來轉入一間舞院伴舞。也許由於她對男女之關係並不太認真，兩年來，在物質方面可以說已經獲得相當滿足，至少她已戴有一隻渴望已久的「勞力士」金手錶，雖然這一隻金錶如何得來不便究詰。事實上她對獻身於一個陌生的男子，並不以為是一種損害，相反的，她以戴一隻「勞力士」手錶為榮，甚至也以能夠以肉體結識「有名人士」為榮，她尤偏愛於所謂「大牌球員」。

這一種因虛榮而拋棄貞操觀念的心理，正普遍存在於一般舞女中，上面所說那個舞女，還不過是其中一個例子。記者可以再舉另一個實例：即如因強姦疑案（這案有關強姦部份，因被告架仔「吳威利」等上訴而被裁定不成立，但因觸仍留罪維持原有徒刑）而成名的舞女紅眉，當她再度下海時，她的名字上甚至加上「正牌」兩個字，這說明了有人還以為「紅眉」是一個光榮與悅耳的姓名，於是許多「副牌」和「冒牌」的紅眉出現了，而紅眉為了表示貨真價實起見，竟來一套「正牌紅眉」，以資識別。

這事說來，好像是一個笑話，可是更可笑的還有呢，像當「開鏤」這一句名詞流行後不久，就有一個舞女自號為「鏤仔」，在報章上登出她進入某一家舞廳的廣告上，竟寫上了「鏤仔」兩個大字。

怪誕渾號 恬不知恥

這一類渾號，在一般舞女之間，似乎是每人都有一個，似乎非如此，不足以廣招徠，最普通的如「天皇紅星」，「舞國嬌娃」等，但還有許多不倫不類，使人想入非非或無以解釋的「花號」更是越來越怪，不勝枚舉，而更有用「朱八戒」提名的，更是怪得令人莫名其妙。

此外，一部份舞院更把舞女分成「貴婦」，「玉女」，「妖姬」，或有以A、B、C、D來分型，使舞客能夠「隨意挑擇」。如果是個以真正伴舞為職業的女性，當她看到舞廳把她稱為「妖姬」或什麼的，她會有怎樣的感想。然而，大部份的舞女卻因被目為妖姬或妖婦而高興。這就是今日香港舞院和舞女的一個怪現象。（可）

十年來的中共廣播事業

●胡　希●

大陸各地電台，在今年九月五日舉行了「慶祝中國人民廣播事業成立十周年紀念。」共黨廣播事業的歷史，在十年來可以分為兩個時期：第一個時期從一九四五年九月五日延安新華廣播電台正式播音開始到一九四九年十月一日北平「中央人民廣播電台」成立時止。第二個時期：從「中央人民廣播電台」成立到現在。

第一個時期三項任務

第一個時期，正是抗日戰爭結束以後，中共為了篡奪勝利成果，把八年抗戰期中積儲的力量全部用來投入內戰，用當時共產黨的說法是：要進行「第三次國內革命戰爭」。當時，「新華電台」成立的主要目的和廣播的主要任務是：一、向政府區的聽衆宣傳共產黨的「革命主張」和「政策」，特別是向政府軍宣傳共黨的「寬大俘虜政策」，企圖藉此動搖政府區的軍心和民心。二、所謂「報導國內外時局發展的動向」，着重在渲染蘇俄的「強大」和「解放區」的「鞏固」，其目的是安定共區內部的軍心和民心。三、介紹共區人民的生活如何「安定富足」，特別是介紹共區青年的生活如何充滿「光明」和「前途」，其目的是誘使政府區的青年投奔共區。

廣播中砲聲可聞

當時，技術設備非常簡陋。延安「新華廣播電台」的輸出電力只有三百瓦，機器房和播音室都設在離延安城三十多里的山溝裏。在一九四七年胡宗南部隊進追延安的時候，「新華廣播電台」撤離了延安，改名「陝北新華廣播電台」。在戰爭的環境裏，播音時斷時續，有一個時期，播音室設在深山中一個又小又破的土地廟裏，有一天晚上，胡宗南部隊離播音室只有三里，因為沒有絕音設備，在廣播中可以清楚地聽到槍砲聲。

在一九四五年九月五日「延安新華廣播電台」開始播音的時候，每天播音兩小時，廣播節目有新聞、評論、「解放區介紹」等三項。從電台成立一週年──一九四六年九月五日起，增加了演講和「人民呼聲」兩項節目。「人民呼聲」節目是由「中共中央統一戰線部」負責的，播送政府區內的騎牆份子和投機份子的言論，經常引述胡風、聞一多、李公樸等人的言論。同年十月二十一日，又增加了「對國民黨軍廣播」節目。到今天，北平電台仍有「人民呼聲」和「對國民黨軍廣播」這兩項節目，但今天的「人民呼聲」主要是播述一些立場動搖的海外華僑的言論，如最近廣播了一個香港商人高××和香港大律師陳××在廣州發表的談話。

增加英語節目

一九四七年九月五日，播音時間增加到每日三小時，增設了英語廣播節目，由最近被清算的前上海市委副書記吳亮平負責。

和「延安新華廣播電台」差不多同時成立的有「張家口新華廣播電台」（後來改名為晉察冀新華廣播電台），接着又先後成立了東北、齊齊哈爾、邯鄲、華東等「新華廣播電台」。到一九四八年底，共區共有十六座廣播電台。

隨着共軍進侵，政府區城市的廣播電台，陸續落入了共黨手中。「陝北新華廣播電台」在一九四九年三月搬到了北平，並改名為「北平新華廣播電台」（當時共黨還沒有把北平改稱北京），在一九四九年十月一日偽政權成立的那一天，又改名為「中央人民廣播電台」。共黨的廣播事業從這時開始就發展到了新的時期。

政治宣傳的武器

廣播，對大陸內部說來，已成為共黨對新佔領區人民進行政治宣傳的武器；對國外說來，已成為渲染「新中國」的「和平政策」和「建設成就」及破壞自由中國威信的武器。

五年多以來，共黨利用政府區原有的廣播設備，大量擴充廣播事業。現在全大陸共有五十五座「人民廣播電台」，在一些中小城市，工礦企業和少數農村中，還設有廣播站約五千個。這些廣播站除了轉播附近「人民廣播電台」的節目外，還可自行向當地民衆廣播。「人民廣播電台」與「播音站」的區別就是前者有長短波設備，後者只有長波設備。

同時，從一九五〇年四月開始，採用蘇聯的「先進經驗」，在各地建立收音站，現在全大陸縣、區、鄉共有收音站一萬餘個。部隊的廣播站和收音站約二萬個。今年，偽「國務院」又發出指示，要在農業、畜牧業和生產合作社建立收音站一萬個，並要在邊區和少數民族地區建立一千五百個收音站。這些收音站的建立，使廣播的影響大為擴大，現在廣播工作已成為共黨「宣傳部」的主要任務。廣播的地位，在共黨宣傳部門中，已取大陸淪陷初期的報紙的地位而代之。

「中央」與地方廣播

「中央人民廣播電台」對大陸內部的廣播，在開始時，只有一種節目，每天播音七小時半。從去年起，同時播送兩種節目，現在每天共播音十九小時半。為了配合共黨口頭上的「解放台灣運動」，該電台從去年八月起，增設了對台灣廣播節目，開始時每天播音四小時，從今年五月起，增加到每天十二小時。

該電台從一九五〇年四月起，加強了對外國廣播，呼號是「北京廣播電台」。現在每天用英、日、朝鮮、越南、印尼、緬甸和泰國七種外國語播音，還用北平話、廣州話、潮州話、廈門話和客家話向海外華僑廣播。每天共播音十一小時半。

各地方電台以「中央人民廣播電台」為中心，使地方廣播與「中央」廣播相配合，逐步形成一個有力的廣播宣傳網。現在大陸五十四座地方台，每天共播音五百八十三小時。

甘作蘇俄附庸

偽「中央廣播事業局」已和蘇聯、波蘭、捷克、匈牙利、羅馬尼亞、保加利亞、東德和阿爾巴尼亞八國簽訂了「廣播協定」。「中蘇廣播協定」中特別規定：中共電台轉播蘇聯電台的華語節目，蘇聯電台也轉播中共電台的俄語節目。但實際上，中共電台並無俄語節目，因此在表面上看來，這協定是「平等」的，實際上則是對單方面有利，為蘇聯在中國大陸找到了用不到付出代價的傳聲筒。但這並沒有什麼稀奇，中共政權本身就是蘇俄的附庸。

據偽「中央人民廣播電台台長」溫濟澤最近著文說：該電台在第一個五年計劃的最後一年（一九五七年）對大陸廣播每天要同時播送三種語言，對國外要用二十種以上語言。在第二個五年計劃的第二年（一九五八），還要籌辦電視節目。為了達到這兩項目標，共黨現在北平、上海和廣州三地創辦了三所「廣播人員訓練班」，在廣州的這個訓練班，主要是招收精通外國語言的華僑青年。

合作運動阻礙重重 中共向農村大開刀

自毛澤東關於農業合作化運動的報告發表以後，中共各地報紙即大舉展開了有關農業改造的各項宣傳，惟亦同時暴露了中共在農業集體化過程中的種種嚴重困難，及其為克服此種困難而大肆鎮壓的殘酷情形。

綜合中共報紙透露的情況，中共在農業集體化過程中最大的困難，大致有如下各項：（一）農民普遍抗拒中共藉「合作」沒收土地，控制生產，劫奪生產成果，因此不願參加「農業生產合作社」。（二）有組織的反共農民破壞合作社的建立和發展，或滲透合作組織，從中掌握組織，進行反共活動。（三）中共缺乏足夠的農村合作幹部，鄉村中缺乏足夠的知識份子補充合作幹部。（四）現有合作幹部及一般農村行政幹部大多都有所謂「右傾」思想，不僅對合作運動消極悲觀，即對整個農村或農業前途亦異常悲觀。（五）作為統治核心力量的中共農村黨部組織異常脆的，黨員分子複雜，其中且有不少是所謂混入黨內的「反革命分子」。

但農業合作運動是中共劫奪農業生產，轉入集體操作的必要過程，亦為發自極權統治者毛澤東的最高命令，乃為勢所必行。故中共除大舉訓練合作幹部，並向農民大肆展開欺騙宣傳外，立即因在農村大舉展開其所謂「整社整黨」工作，俾使用屠殺的恐怖手段，去達成其掃除暴政障礙之目的。

所謂「整社整黨」工作，即係藉整頓原有之「農業生產合作社」機會，大舉整肅有反共嫌疑的農民，而在整頓農村黨部組織的機會中，大舉清除有反共嫌疑或有反合作化情事的黨員和團員，以及一般合作幹部。

據中共「人民日報」所刊佈的社論，鄭重指出：認為各地農村中現有一般「農業生產合作社」，為反共農民掌握或破壞的情形，業已到「不可容忍」的地步。據舉例說：四川省威遠縣一個鄉的合作社中，有幾十個農民都是有組織的反共分子；雲南省宜良縣一個合作化的新村被一個反共的農婦縱火，全部焚毀；吉林省伊通縣紅光合作社的十九頭耕牛全部被反共農民從社中下藥毒斃。據說反共農民混入合作社的人數多得不可估計，他們一般都藉秘密團結，分化幹部，縱火、下毒，反宣傳等方法對抗中共的農業劫奪政策。

又據該報另一篇社論指出，中共農村黨員中的自由經濟思想業已日益濃厚，彼等與一般農民同樣不願參加合作組織，將土地、勞力及生產接受統一控制。有些已參加合作組織的黨團員，則不願投資，不願出力，對黨的政策完全抱着敷衍態度。至於在有些鄉村的黨支部中，更已被存有反共情緒的「落後黨員」所操縱，從而使黨的政策在許多農村中無法推行。該報最後代表中共中央政治大聲疾呼，要將所有鄉村黨員實行甄別，將大批認為「有問題」的黨團員清除出黨云云。（著）

自由談

捐激之談？

馬五先生

「吳國楨在芝加哥買了住宅」，這是一位剛從美國來到海隅的本國朋友告訴我的新聞。中國人在海外作寓公的，有錢購買一座住宅，並非甚麼稀罕的事。但我對吳氏這項新聞却不能無言。

記得去年春初，吳國楨在美國大唱政治反調，指摘政府各種缺失時，一面即以清官廉吏自炫，說他一家大小在美國的生活，是靠太太賣畫維持，而且夫婦二人每日躬任炊膳烹飪之役，表示其清貧狀況，好不寒傖也！到現在間時不過一年餘，却有美金添置房屋了。以芝加哥那種工商繁大都市的物價來估計，一所住宅的代價，起碼是要以美元萬數作單位的。他在「生活雜誌社」作了一年的記者，竟有如許積蓄，這比美國總統的收入還多啊！至於他太太的畫，在國內從來沒人見過，也未聽過有清末一個女畫家的傳說，居然能在外洋澀繪畫營生，更可謂驚人的神蹟也矣！

因此，我認定他去年大唱政治反調的作用，完全是爲着掩飾自已的貪污劣迹而然。這末一來，政府縱然查得他過去任何貪臟瀆職的證據，也可誣稱爲政治性的陷害行爲，振振有詞了。過去那位久任郵政局長的徐某，乘機捲逃大量公帑到海外後，不是亦聲明他曾經在國內組織反對黨遭忌，因而藉着「政治犯」的口實，拒絕引渡的嗎？吳國楨即屬這流人物，無論就其品格、知識和行爲上來觀察，他都不會比徐某高明多少。

其實，這類人物祗要跟他接觸往還一下，凡對世故人情稍有閱歷者，皆可以辨識其決非有爲有守的純正之材，充其量只可小知，而不能大受的。我從歷史教訓中體察到一項關於衡鑑政治人才的蓋然律：凡是藉閹宦或裙帶關係作進身之階，從而邀寵得勢者，都是些成事不足敗事有餘的奸佞之徒。不信，請把最近二十年來的政治聞人生活史迹，分別檢視考核，就知道我這話決非捐激之談了。

・流亡追記・去張家口

・陸逵・

北平陷共後的春天，正當限制通行的前二天，我這個挑書可讀的學生，決定同老何出走，從此一起成了「流亡學生」。

晚上九點多鐘，陰沉寂寞的夜，使我心中感到無言的淒傷，又是一次逃亡！眼前擺着的是一條茫茫無際的路，無目的飄泊，無期限的別離！爲了趕十點鐘的夜車，我匆匆地回家吃晚飯，本來那里還吃得下呢？不過爲了不拂老人家的意思，祗好勉強吞嚥，飯後，穿起臃腫的棉衣，拿着幾條大嬰牌的香烟，同老何急忙奔向車站；那里有弟弟爲我們叫好了的二輛三輪，家人把我倆送到大門口便住下了，爲了減少不必要的傷感，我們未回頭地往東西去，弟弟一直翻騰不捨地跟着車子跟在前間，經過幾次勸阻，才揮別而返！是一個寒冷的夜，呼呼的西北風吹得人更加凄清，商家多已上板，街上的行人也少得可憐。陳舊的路燈，發出微弱慘淡的光，我們坐在三輪上默然四望，對一石一木，都感到無限的愛憐，我開始覺到這種「瀕什瀕瀕無書」的滋味，我幾次想叫車停下，可是那祗是剎那間的幻念，車到鎮西直門了，我們並未十分麻煩地過了檢查站，買了兩張飛票，一刻鐘後，便鈴響放行了。

因爲剛陷落，車站上雜亂無章，車上也是漫無秩序地擠滿了跑單幫的人，他們販的多是米、烟、酒、雞之類的東西，弄的人聲吵雜，騷嚷腥濁，我們因爲抵抗力不够，甘願冒着風雪坐在外面的車梯上。這夜的嚴冷是逾常的！凜冽的漠風傳是沁寒刺骨，穿了這樣厚的棉衣，却像置身冰窖一樣，毫無暖氣！一夜之間，把我們幾次都凍睡，又幾次把我們凍醒了。車在冰川上飛馳着，慘淡的月色，鬱鬱地洒下慘淡寒光，愈使人覺到征途上的淒楚！車很快 穿過了居庸關的隧道，濃厚的烏烟縷風而上，車如流光似的馳過了蒼茫的塞外草原，把冰樣的寒夜劃上一道澈膂的貝痕，在曉風殘月的淒冷，我們到了牛羊的滿目，漢蒙雜處的塞外重鎮——張家口。

在張垣一下車，便覺是在旅途中了，投宿找車，便要自己關心了。因爲當天去平地泉的汽車票，早經售罄，又因老何傷風，便祗好在一家汽車站的旅館住下。

下午我去定好了鋪，順便到市里買了點日用物品，和一頂張家口皮帽子。張家口的市容是「土燕」，市面也很繁榮。不過，由北平剛來這里的感覺是一切「土頭土腦」的。牛、馬、騾車，駱駝、氈帽頭子，老羊皮板，便是街頭景色。吃的很便宜，也有幾家像樣的北平館子，不過那粗手大腳，滿口綏綏土音的侍役，確實在不敢領教。總之，張家口的一切生意，市面，大都仿效北平，初到這里，除了心情還遣不定外，一切還算順適！

在汽車上認識了老曹，他是北平師院西語系的學生，人倒還熱誠，就是「榜頭青」，動不動就光火。大概在學校裏和「民主人士」有過不愉快的事情來吧！所以也踏上了這流亡的征途。他身高八尺，虎臂熊腰，鼻樑架着一副很雅致的一副古董眼鏡。頂着一個羊皮帽頭，足登一雙日本軍靴，身上披着一件布面皮裏的黑大衣，我們一路沾了他這一身怪打扮的光，幾乎每到站口，「同志們」都要把他請下車來，慰問一頓，不過，他倒滿不在乎，他講得一口地道的綏遠話，每到難關，他便拿出他底看家本領，「嚕嚕」一番，有時也很惹人生氣，但在擠車的時候，他又是那麼有用，實在說來，他是我們直到綏遠的愉快伙伴呢！

×　×　×

經過了三天半的曉行夜宿，車馬勞頓，飽過了浩瀚的察北荒漠，到過冰天雪地的尚義縣，聽慣了餓鷹啼嚎和牧犬夜吠，穿過了羊羣的野火，和漫天的蒼雪，我和我底同路人，抗着我的小行李，走進集甯的市街。

集甯是綏東的一個重鎮，扼鐵汽兩路的樞紐，市面因爲剛淪陷，顯得異常陰沉，一枝獨秀的祗有車馬大店。在鐵路不能暢通的時候，大車便成天之驕子了。集甯爲平津陷共後，去西北的唯一要衝。共黨在這裏設有一個總檢查哨。遇有嫌疑份子，立刻扣留。幹部多由平津派來，查問之嚴，令人不敢存邊城飛渡之想。當我們到達集甯車站時，負責檢查的共幹，已扣留六位平津流亡學生了。內有師院，華北學院及清華的學生，當時心中恐慌的情形，真是難以形容。幸好同伴老曹有吸引力，好年共幹多去照顧他去了。我和老何急忙找了一位土包子入路，混出了帶獸口，混過去了。這時老何又披上他那件呢子大衣了，共哨一看，好似學生，於是又當街搜查一番，最後介紹我們投宿中華客棧，這座中華客棧是共幹經營的，上上下下，全是「翻身份子」，素來是去容易出來難。我們選入不久，即見老曹和那對學生一塊來了，領頭的是一位闊「同志」，據說是上海復大的學生，闊「同志」進來便宣佈當晚開「聯席坐談會」，並把我們底名又抄了一次便去了。我當時內心情，祗完全陷於絕望，以爲有被遣返北平一條路，愁也白說，可去就是犯人了。還是預備眼前的「坐談會」要緊，爲了避免再度搜查，所有帶英文字的書信，本地地址，我把付之一炬，和老何練習，詢問正詞，討論今晚來如何應付，開會時如何答理，如何逃出我們集甯，本來，從集甯到旅下營是有火車的，不過誰敢坐？聽說但在眾房裏就住着四個共幹，他們非常客氣，見人就想攀談，攀談就想挽留。我們現在就怕這種好客的「同志」，所以這條路不敢冒險。最好就是搭牛車，不過，雇車問題是需要好眼力的，一不小心，碰着「同志」的車，那才叫絕了。所以我主張去天主堂，說神父代僱比較妥當，集甯是個主教區，教堂和學校連在一起，校址現被借作新民主主義訓練班之用，我們到校役室，見兩位工役正在那里吃飯，全戴着聖牌，一望便知是天主教徒，他們說明了來意，他們首先盤問了我們，又看了我底學生證，方答允爲我們[illegible]，我在門房坐了[illegible]刻多鐘，也未見[illegible]影，我不禁急[illegible]後，又評過一番[illegible]去見本堂神父，[illegible]二層深院，快[illegible]帶進一間暗室，[illegible]處坐着一位穿[illegible]的神父，我便[illegible]手寒暄，相視[illegible]本堂神父不是別人[illegible]

隨想錄

紀瑜輯譯

愛・情（二）

△人在愛情中，時常會懷疑他平素最相信的東西。

△愛情的最大奇蹟是，它能够治療賣弄風情。

△君子之可愛跟匱子一樣，但是跟瞞盜虫不一樣。

△不信任會熄滅愛情。假如我們想：只有避免引起妒忌的人纔值得妒忌，我們就不應該妒忌了。

△我們用來壓制自己愛情的力量，往往比愛人對我們的冷落更加殘酷。

△人在[illegible]愛着的時候，跟不再愛的時候，同樣地難於滿足。

△年青的女人如果不願意顯得風流，上了年紀的男人如果不願意顯得可笑，那他們就不應該認爲愛情是一件跟他們有關的事情。

△所有的情欲都會使我們變得愚蠢，而愛情使我們變得更加可笑。

秀才・舉人・進士

我認爲以經義策論乃至詩賦雜作，爲科舉取士的作品，確是當年主試者煞費過一番苦心。唐人的記載曾說，太宗私幸端門，見新進士綴行而出，曰：「天下英雄，入吾彀中矣」。後人因此說所謂玉尺量才的科舉制度，不過是專制帝王籠絡天下人才的手段與工具，固然，以科舉方法來籠絡羈縻天下的人才，實際上就是對知識份子加以思想意志上的控制，未始不是專制帝王鎮壓反側的妙用，然而從另一個觀點來看，國家取士，無論用什麼方法，都可以拔取賢才，但必須出於一途。我不是爲科舉制度辯寃，也不是十分贊美科舉制度，憑良心說公道話，自有科舉制度以來，是否拔取了多少特殊偉大的人才，對國家的建設是否有很大很多的貢獻，此是歷代事實上的考驗，不可一概磨滅而一筆抹煞的。況自古有國者，無不希望其國家長治久安，革命大業，起於湯武，都是歷數百年而才有一次，如果事事言革命，常常行革命，生民何以託命，國家胡能久安。中庸哀公問政，子曰：「爲政在人」。因而選賢與能，成了治國第一要務，而科舉制度的精義，便是在公平合理的原則下，羅致天下人才，任之以政。而拔取賢才既是科舉的目的，如此，則必須考驗試人的學問經濟，又必須考驗其寫作的文章，中國古代多言形上之學，所謂「論道經邦，燮理陰陽」是也。經邦的大道，全出於經史，故必須在經史上找出題目，使應試人各抒其心得議論，成爲文章，由主試者較量其高下，再說，各種考試的場面，大者可以到萬人以上，所考的既非今日分門別類的科學，又無分場考試的設備，爲了嚴杜抄襲，科學化，機械化的答案，務須盡量避免，故選擇簡人學問範圍的「八股文」「策」「論」「詩」「賦」等等，成了這種情形之下最合實用的考試工具。雖然行之既久，不無流弊發生，然而天下無不弊之法，只好隨時加以補救，其過固不在所立的法與當初立法的人。（三）

賈景德

不嫌米碎的太太

・李樸生・

她的父親

我的太太，姓郭，名琪珍，（在學校用「新貞」名字）南海人，是郭仙洲先生的長女。仙洲先生是一個窮苦人家出身，沒有讀幾年書，會看報紙，寫信也寫不通。少時，在廣州大新街一家賣珠玉店做燒飯學徒。一清早，珠玉店裏要撿些貨品，用兩個玻璃面的框子，挑到玉器墟擺攤出賣，（這是廣州珠玉店一般的老規矩。）他也是挑担子的一個人。他的眼光銳利，對珍珠，玉質很有鑒別力，也會打算盤，三十歲左右便起家，在商會裏做董事。他很熱心革命，倡辦自治講習所，所裏的教師請了不少同盟會員担任，鄒海濱先生就是他所聘請教師之一。辛亥革命，廣州商會的態度，影響張鳴岐（兩廣總督）很大。若干民軍軍費的籌措，頗他出力。莫紀彭先生（現在台北）就因革命事情，和他相識。他發財以後，討了七八位太太，琪珍是第三太太龍氏所生。他不大愛龍氏，很愛琪珍。他住在東關，沒有好學校，便送琪珍到西關的公益女師讀書。往來太遠，便拜託蔡叔華先生夫婦招呼琪珍，住在蔡家。

蔡家的父女

蔡家是西關有名的富翁，前清考試，叔華先生中了舉人。又學打拳，自負有教十人敵，但他抽了鴉片，白天都在家裏，晚上則歡喜邀一羣人在烟牀邊談天，有牛津大學的導師風味，琪珍也是在烟牀邊給鴉片烟噴長了不少知識的。他有位五小姐名詠裳，聰明活潑，與琪珍同班，考試總高過琪珍一兩名，辦事却不如琪珍。兩人感情最好，出入相偕。出席學生聯合會，也是一起。詠裳爲提倡平民教育，曾把兩間樓房撥出來辦義學，自己和琪珍，杜宜明，（現在香港，是陳炯明太太）李懿年（現在香港，在調景嶺服務）幾位同學做義務教師，辦得相當好，嘉惠貧民子女不少。

歸真反樸

民國七年，我們爲反對北洋軍閥與日本軍閥訂立軍事密約，組織學生聯合會。琪珍是公益學校代表，我是高師代表之一，因此見過幾次面。[illegible]後，即往北平。我們一直沒有通訊。民十年，我在高師附中附小教書。她回廣州，陳炯明的父親和仙洲先生是從少同做夥計，有了錢又同合股做生意，兩家都很熟，便給我做媒人。換年庚時，我媽嫌她有錢，家裏太大。她家裏嫌我太窮，當時追求她最力的[illegible]學生，在農業專門學校教書，（農專後來併入中山大學）[illegible]寫了很多首詩給她，她給我看，我佩服他的多情，熟讀紅樓夢，牡丹亭，[illegible]他，從才學方面，我[illegible]比較，一定失敗了。[illegible]很有錢的，生意[illegible]是老交情，非常[illegible]文字通暢，要她在家裏做一個能管家務，能懂生意的[illegible]而追求她的還有多位。（一）

客觀罪

牛布衣

在鐵幕裏，客觀是一種罪。東德司法部長希儂達說過：「只有共產黨員才夠資格做人民共和國的法官，[illegible]的人每每自稱客觀主持公道。[illegible]得主持公道是一種罪——客觀罪。[illegible]屬刑事，是要處罰的。」

對於律師的任務，他又解釋道：「人民共和國律師的任務和資本主義國家不同。人民共和國的律師不替犯人辯護，而在使犯人知道他是罪有應得」。

自由人
THE FREEMAN
（第四九二期）
中華民國僑務委員會
頒發登記證台教新字第一零二號
中華郵政台字第五〇〇號
執照登記為第一類新聞紙類
（半週刊每星期三　六出版）
每份港幣壹毫
台北市價台幣壹元
督印人：陳文華
地址：香港高士威道二十號四樓
3 rd. fl. 20 CAUSEWAY RD
HONG KONG
香港發行及事務接洽
高士打道66號　電話：七四〇五三
承印者：東南印務出版社
地址：高士打道六十四號
海外總經銷
友聯書報發行公司
香港：德輔道中二十六號A二樓
台灣特派員辦事處
台北市館前街五十號
台灣總經銷處
台北市西寧南路資壹號二樓
台郵撥金戶九二五二

反共前途一個大問題

·伍憲子·

我們無政權，無兵權，手持七寸管，聊當十萬兵。我們之所謂大問題，就我們身上說，不必談到軍事，亦不必談到政治，我們先注意文化。因此願在文化陣營中，提出一個問題，是反共前途極有關係之大問題。

先從風氣之轉變說起

所謂風氣轉變，就在近三數十年間，文章之方向，有一個大轉變。從前之所謂大文章，都是政論。在漢代，如賈誼之治安策，董仲舒之天人對策，劉向之封事等。在唐代，如姚崇之十事要說，陸宣公之奏議、韓昌黎之原道等。在宋代，如司馬光、歐陽修、蘇軾、王安石諸人，其可傳之作不少。乃至南宋，歷明、清，以迄近代，由朝士一至書生，論政論道之文，仍占最重要地位。清末，立憲與革命之爭，新民叢報與民報之辯論，皇皇之大文，仍是引人注意，影響時局。然不料自新文化運動後，白話作品，漸漸轉移風氣，由論政論學之大文章，變為文藝小品。當然，文章是為大衆，不是為帝皇，更不是為握政權者。能描寫社會實相，方是民間文學。我們斷不反對此轉變，而且要提倡此轉變，追隨此轉變。但是不應該打倒舊文學，厭棄舊文學，以為是貴族文學，封建文學。因此轉移了許多青年的視綫，趨向於白話文藝，標榜其自由文壇之新創作，以為把握住廣大人生社會。其實因陋就簡，遺棄了許多與政治學術有關之大文，大家不注意及此，亦不能為此。於是無形中為共產黨宣傳開闢一條大道。

共產黨就浩浩蕩蕩文藝進軍

共產主義，在歷史上，已失去時間性，當馬克思時代，初期資本主義，確是虐待勞工，剝削論可以乘虛攻擊。到現在，資本主義已改變面目，資本主義下之勞工福利，在共產侵略下之勞工觀之，實為天堂。故共產侵略國家，冒認為社會主義，無論從學術方面觀察，抑從政治方面觀察，共黨之立足均不穩，馬克思主義自是時代落伍者。然此種觀察，必要懂得政治，懂得學術，懂得歷史，懂得人性文化，懂得歷史辯證法之荒謬，方能識破之。共產黨自知其弱點，其宣傳遂避開正面，而專從挑撥階級鬥爭入手，向社會各機關滲透，藉所謂大衆文藝，激動仇恨心理，不平感情。三十年來，共黨刊物如雨後春筍，小册子滿街飛，小書店遍市鎮，小小文藝作品，成了普羅階級的精神食糧。於是許多活潑而無知之青年，與不讀書而好動筆之作家，無形中就做了共產黨之俘虜。他們一面震驚於不甚了解之唯物辯證法，一面故以艱深文其淺陋，而挑撥起社會不平之憎恨心，其實他們何嘗下過若干功夫研究馬克思主義。共產黨之收功，實得力於膚淺之文藝。

不意反共陣營未會留心到此圈套

共產黨利用社會之弱點，人類之不平心，以挑撥離間。尤其痛惡人性文化，倫理政治，必欲毀破之，摒散家庭，燃燒起父子兄弟間仇恨之火。中國人性文化關於處家庭，有兩件頗令人難曉之事，不可以理解者。一為大舜，處父頑、母嚚、弟傲之家庭，吾人幼時讀孟子，覺其所設之詞，種種難解，結果，克諧以孝，頑父，母嚚，傲弟，均為感化，雖不必一定有此事，然此種倫理教育，相當解悅人心，化除戾氣。一為閔子騫對後母之刻薄，能泰然處之，所謂「母在一子單，母去三子寒」之哲理名言，其深奧通達，眞是語大，聖人有所不知，語小，愚夫愚婦可以與知。朱九江先生講學，謂骨肉之間，爭財者罪，爭氣者罪，爭理者亦罪，因舉出孟子仁術之語，謂「有變，則以仁術存之。」繼舉出其鄉人掃地北之軼事以為證，此種理與事，在世界文化中，比尋常高超幾等，更可為無產階級作模範。可惜一般趨新青年，在打倒孔家店之氣氛下，對儒家人生哲學所講之人性人情，全不理會。於是共產黨之憎恨哲學，就橫衝直撞，如入無人之境，到現在，反共陣營中許多作品仍受其圈套。

徹底反大舜反閔子騫

風氣轉變，大家恥談古典，性情日薄，大家要宣傳憎恨，於是有的文藝作家，要反大舜，反閔子騫，而且反得變本加厲。大舜之家庭，是父頑、母嚚、弟傲，閔子騫之後母，初時亦不好，要大舜閔子騫憎恨之，本可說。然變本加厲之文藝作家而不如是，他們有極慈愛之父母，他們亦存偏見，極憎恨之，而有天倫之弟弟，他們亦存偏見，謀殺之。此類變本加厲的反大舜反閔子騫作品，令性情深厚之人讀之，眞是莫明其妙，為什麼要培養此仇恨心理。在十年與二十年前，共產黨浩浩蕩蕩文藝進軍時候，趨風氣，湊熱鬧，高興寫此，猶可解說。為什麼在今日反共最吃緊關頭，大家正研究心理戰思想戰時候，有活活潑潑之心靈自由，在海闊天空環境中，何以言論自己甘心扼殺之，而受困於共黨魔掌之內五指山，我是百思不得其解。此話並非胡說亂道，大家稍留心與檢討反共陣營之刊物，諸如此類之作品，隨時瞧見。大家何嘗不提倡慈愛，偏要鼓吹仇恨。此無他，就是三十年來，共黨之禮拜堂太多，醉心文藝之青年，直接間接，有形，無形，已受其洗禮，此是反共文化前途一件極危險之事。

回頭一說掃地北

上文提過掃地北，今再略為說明。掃地北者，以掃地為職業，其為無產階級可知，在一生勤儉貯蓄，作小經營，幸而一家衣食，尚能過去。掃地北有弟，常失業，寄食於兄家，掃地北時接濟之。因是為其嫂所厭惡，屢譏叔於夫之前，藉端離間兄弟之情。但掃地北不與其妻爭道理，世俗所傳，腐儒所說，所謂「兄弟如手足，夫妻如衣服」之半通論調，掃地北從不以此實妻。掃地北但常誡其妻，無開罪叔叔，因為叔叔有福氣，凡所經營，用叔叔名，必獲利，用己名，必失敗，故小康之家，皆託叔蔭庇。於是其妻，改變態度，敬禮叔叔，一家和諧。九江先生稱之，謂其所用是孟子所說之仁術，此眞儒家之教，仁術，無形中轉憎恨為仁慈，轉乖戾為祥和。今後，若要為世界謀和平，為人類求幸福，斷不能追隨共產黨之憎恨老法，此不是以其人之道，還治其人之身，以暴易暴，是以火救火，亦非長治久安之法也。儒家哲學非迂腐，非怯懦，以大仁行大勇，儒家與我們今後之反共理論，先明白此點，否則，一切問題，皆無從說起。

今將問題要點提出商榷

現在許多反共理論，專從馬克思主義眞偽，為之爭辯是非，什麼唯物，唯心，辯證法中打圈子，此僅是一方面，不足以折服共黨之心。復次，則轉向到實際方面，集共黨種種殘暴事實，證明共黨之無人性，此亦是僅一方面。揭穿共黨之假面目，本是重要舉，但比事利害參半，共黨正想用恐怖政策，制服人民，逼從，以待罪之身甘做奴隸，故祇宣傳其殘暴，亦是中共宣傳之計。復次，宣傳武器殺人之慘，原子內而畏懼戰爭，幻想和平，凡事皆委曲相就，此則其仁可嘉，其愚不可及。吾人並不反對和平，但吾人應覺得感幻想和平，愈委曲就求和平，即和平愈遠。吾人能定和平，是仁，戰爭是勇，如何運用仁勇，是智，三者不能缺一，不能偏枯。智之運用，第一、要知到原子時代，資本家不須再對勞工，原子時代，勞工更不是生產之主要力量。故今日而談馬克思主義，是落伍。第二、要知仁是勇，勇是仁之後之中堅，長識斷不能得和平，仇恨更不能反抗共黨。第三、要知中國文化，是人性文化，智仁勇是三位一體，不畏戰爭，而後可以消弭戰爭，不向侵略者談和平，而後可以促進和平。第四、要知文藝不能離開學術政治，不能離開社會人生與背景，寫出傳統之人性文化，模做共黨寫憎恨文藝，對社會不能收良好效果，更會種下反共前途無窮大禍。現在局勢，斷不能求得和平。但亦不至發動戰爭，今後冷戰之時間必增長，今後冷戰之技術當改變，掃除一切功利主義，與姑息幻想，而後可以行大仁，與大勇，從政治、學術、歷史、人性文化，築起堅強堡壘，而後可以講文藝。風氣是隨時轉變的，墮落之後，亦應當回頭，共黨能支持危局，今後再不開新風氣，要以仁慈對憎恨，並非秀才遇老虎吟詩，而是我佛對地獄，餓鬼，畜生，一概以佛力超度，此方是仁。但必貫之以大勇，斷不許姑息、與幻想和平。去其纏綿，此方是智。去其風氣，媚青年之投機心理，把定船舵，衝破狂潮，導青年以正當方向，救無知於沉溺深坑，此方是勇。否則隨俗浮沉，為三十年來之風氣所囿，無論政治、軍事、文化、以及反共之身，仍旋在共黨範疇中打滾，用共黨方法以反共，此則天下之至愚，至可哀者，而反共陣營中，不少根基深厚，明達眞理，能任重致遠之士，當不河漢吾言。

中國近代三度改革運動的檢討（下）

戊戌，辛亥，五四

·左舜生·

以我所知，所謂「五四運動」，一般人對它的認識是相當模糊的。從本質上說，過去的戊戌維新和辛亥革命，可以說是純政治的。五四運動則除政治一點而外，乃是一種廣泛的文化運動。

政治意義的「五四」

假如我們說：五四運動便是指的民國八年五月四日由北京學生所策動一幕天安門的羣衆大會，其經過則燒了曹汝霖的住宅，痛打了一頓章宗祥，一部分學生因而被捕，以致釀成全國若干地點的罷課罷市，最後則政府屈服，將曹章和陸宗輿三人罷免，被捕學生則無罪釋放。影響所及，中國未在巴黎和會中所訂的對德和約上簽字；其涉及山東問題的「一五六」「一五七」「一五八」三條，美國參議院也曾加以保留；而卒於一九二一年所召集的華盛頓會議使日本不能不將山東依然交還中國！自經過這一幕以後，不僅中日關係更趨緊張，中俄關係也進入了微妙階段；而所謂「打倒帝國主義」和「取消不平等條約」等等口號，也從此高唱入雲。可以說從鴉片戰爭以後以迄民八的八十年間，以一次羣衆運動，影響及於政治外交經濟（如排斥日貨提倡國貨）有如此之廣泛而深刻，確實是不曾有過的。

以上係就「五四」簡單的作一政治性的說明。如果要就「五四」作一種廣泛文化意義的估價，則情況便相當複雜，而其影響則到今天依然是方興未艾。

文化意義的「五四」

原來中國人對西方的認識：第一段是堅甲利兵，第二段是工商業和政治，第三段才是思想學術以及文學藝術等等。關於這種認識的進展，我們雖然不能就時間上劃出很明確的段落，但甲午以前停留在第一段，甲午以後則進入第二段，一直到「五四」前後，才算是眞正走進了第三段，這大致總是不錯的。（下轉第二版）

時事評述

·李秋生·

四外長會沒有失敗嗎？

日內瓦四國外長會議果然一無結果而告結束。七月間四巨頭所說下的幾項議程——德國統一問題固然完全破裂，甚至連促進東西接觸問題也並無進展，西方對後者所提建議，根本談不到是打開鐵幕，像直接通航，取消外交人員旅行限制，和改用出版物及影片的交換等項，無償反而對俄有利，而竟也全遭拒絕。可見莫洛托夫這次前來日內瓦，並非為達成協議而來，而只是顯示蘇俄的強烈態度，要西方接受屈服。西方既不準備無條件投降，會議便只有失敗了。

使人驚奇的，則是西方當局至今還諱言會議失敗。十六日晚間所發佈的聯合公報，至少也是力謀減輕世人的失敗印象。在一般不清楚會議經過詳情的人看來，會議閉幕時的談判十分和諧。並還可以解釋為由於有俄方參加的緣故，另外西方三國認為德國及安全問題所作的聲明，語氣就有些不同。而據華府人士所稱，杜勒斯務卿竟認為會議只是「僵持」而不是「失敗」。這是故意掩飾呢？還是自欺欺人呢？

將由外交途徑解決

為了國際局勢嚴重，而避免予人民以強烈刺激，這種掩飾也許未可厚非，但年來西方的輿情已經夠麻痺，是不是還要繼續加以催眠，使世人都成為泰山崩於前而懵然不覺呢？所謂是僵持而非失敗的設失，其含義大概是認為此次縱告僵持，但將來還有希望打開，公報中「將經由外交途徑予以解決」的話，也正是這意思。看情形西方外交家又將為召開下一次外長會議而努力了。這種鍥而不捨的耐性固可佩服，只是克里姆林宮對此未必有多少興趣。

不要太重視談判

前些時許多跡象都顯示莫洛托夫將失勢，而俄方竟仍由他代表出席四外長會議，曾有人解釋為是俄共的對外運用重心並不在日內瓦之故。這話到現在已完全應驗，莫洛托夫所執行的只是形式外交，俄共主義的對外運用則另由赫魯雪夫布爾加寧親自處理。從俄共的立場看，赫布二氏對西南亞洲的訪問，其重要性就決非出席四外長會議可比。世局的緊張並不是從談判而來，冷戰能否結束也不是談判所能為力。可憐西方當局就執着於談判一事，幾乎全部精神和注意力都集中於此，這錯誤應該覺悟了。沒有聯軍在鐵三角的壓倒性勝利，馬立克決不會呼籲舉行停火談判；西方若不是利用空運打破柏林封鎖，也決不會打消俄共對柏林西區的企圖。要想改變俄共這種倔頑態度，唯一途徑是自由世界在冷戰中打一次決定性的勝仗。

十八對五的交易

加拿大等二十五國所提十八國集體加入聯合國事，這兩天已達白熱程度。若干年來的一項僵局，如能得到正當解決自屬佳事，但卻決不容蝕損聯合國的尊嚴和憲章的神聖。眞正愛護聯合國者，在這種起碼條件方面不應絲毫放鬆。

十八國集體入聯合國之議，骨子裏是一種交易行為。公正如紐約時報，竟也表示以五個鐵幕附庸換取十三個自由國家，是一件值得的事；該作者顯然忽略了此其結果，決非聯合國之福，而祇有日益貶損其聲價。另一方面，這又是對於蘇俄若干年來杯葛新會員國一舉的屈服。

外蒙與「滿洲國」

至於外蒙，情形又與東歐各附庸國不同。羅保列底最多年來的獨立國家，外蒙則完全是俄人所一手製成（據早且在帝俄時代），與「滿洲國」情形完全相同。國聯還有始終拒絕「滿洲國」的勇氣，聯合國卻要考慮外蒙成為會員國了。死在橫濱被犯審判絞架下土肥原，地下有知，應該向全世界控訴冤枉。

阿根廷的新政變

平敏譯

阿根廷自朗納迪將軍推翻貝隆而繼任總統後僅五十日，反貝隆革命運動本身卻宣告分裂，而溫和的朗納迪卻參加了錯誤的一邊。他乘大砲尚未架起，便安靜地下了台，另一個較強硬的革命者阿倫布魯少將又繼之出任總統。

革命運動的分裂

這次決定性分裂的形成，是由於一個被激勵地爭辯着的問題，即：對於已失敗的貝隆份子，是應該加以嚴峻的報復，還是不再既往，加以寬容。朗納迪的一部份支持者，主張對這些貝隆派分子加以強硬的鎮壓，他們認為過去的貝隆分子實際上等於戰犯，稍予機會，必會破壞革命；但朗納迪的另一批支持者卻勸他說：對於貝隆份子最好溫和一點，他們過去為貝隆服務，並非出於自願。朗納迪的裁決是：將隨便行，人都不列為勝利者或失敗者，結果這個政策，使兩邊都不能滿意。

這個爭執，起先尚未定形，最近數週則逐漸尖銳，而迫得阿根廷人要向那一邊。到本月中，兩個陣營已相當明朗地形成。

協商委員會

主張強硬的一面，包括一個由自稱「民主自由派」的海軍軍官及其他軍人組成的秘密集團，一批過去因被貝隆拘捕或放逐而要求報復的激烈分子，急進黨，以及其他過去反對貝隆的較少政黨。朗納迪最近會成立一個協商委員會，向他提供政見，在這委員會的二十個委員中，這一派的人竟佔了十八席。他們在內閣中的代言人是內政及司法部部長波蘇。但他們的實際領袖卻是朗納迪的副總統羅加斯海軍中將，他要求將二百七十三名前貝隆黨國會議員以判國罪起訴。

反對這一派的，則是常被稱為民族主義派的右翼份子和新納粹份子、一批企圖藉民族派之助而恢復勢力的舊貝隆份子、還有一部份在天主教徒主持下的新右翼政黨與中間黨派。由於貝隆黨現在已成羣龍無首的情況，這一派任何人祇要取得貝隆派的支持，即能充實實力。這一派的發言人是總統新聞秘書戈耶納施及陸軍部長班哥砥。

衝突的導火線

最近，自由派正式要求朗納迪驅逐內閣中的「法西斯分子」，遂爆發了不可避免的衝突。朗納迪面對這種要求，祇得讓步，將班哥砥及戈耶納施俱予免職，但他又向全國發表一個宣言，這使自由派的快慰頓遭消失。他這宣言說：「政府寧願讓一些犯罪的人逃避懲罰，而不願讓一些無辜的人受罪」。這是對副總統羅加斯要求大規模整肅的計劃正面打擊。朗納迪又將波蘇免職，這事更進一步激怒了要求鎮壓的一派。

協商委員會忽促在國會大會中舉行會議，外面一批羣衆大喊：「我們要民主，不要納粹！」十八名自由派委員隨即集體提出辭職，對朗納迪的行動表示抗議。這一步驟實際上已摧毀了這年輕的政府。朗納迪在星期日也接見了大批來訪的將軍與政治人物，他們一致決定，朗納迪必須讓位與另一個領袖，俾能對貝隆分子採取較強硬的態度。朗納迪這時正患病，這個衝突更使他窮於應付，祇得悄然下台。

新總統阿倫布羅是貝隆所一向不敢信任的，過去連一個次要的駐軍指揮官職也不讓他担任。他是屬於強硬派的，他接任總統後，立即恢復了羅加斯的副總統職。貝隆分子之遭受強硬的鎮壓，現在看來，已為時不遠了。

中國近代三度改革運動的檢討

左舜生

（上接第一版）

這種逐漸認識的過程，在時間上經過了一百年左右，吃過了千辛萬苦，也受盡了侮辱與損害，然後才學得了這一點點乖；可是一直到今日為止，依然不能說已經學得十分到家。而且就在這一百年中，別人因為已經有了很好的底子，所以還是繼續飛躍的前進，幾乎使我們感到望塵莫及。在我們自己呢？一面既要花費許多氣力去除舊，一面又要更多的氣力來迎新；再加上一個民族的固有文化，總是具得有一種惰性的，中國人既自命是一個具有悠久文化或高等文化的民族，因而她這種抱殘守缺牢不可破的痼疾，也眞是十分難於醫治。

百年以來中國沒有當權的政治家

本來，當一個民族正在接受一種新文化的時候，假定這一民族能適逢其會誕育一二不世出的政治家，則登高一呼，即不難使一切的推進特別加速；可是不幸得很，中國在最近的這一百年，別種人物，也還偶然可舉出幾個充數，惟獨政治家則剛剛在這一時期絕了種！甚至像日本明治以來如伊藤，大隈，西園寺這類二流人物，我們也在中國舉不出；即有，也大率屈居下位，憂傷抑鬱以老以死，而卒不能得一機會以一展其長。於是乎中國乃陷於一切如今日的現狀，而被這羣膿包所領導着的中國國民，就到今天也還是皇皇無主，不知道走向何處去！

民主科學與文學改良

「五四」前後的這一個新運動，總算對中國如何吸收外來文化以充實中國新生命的這一命題，跨進了一大步。他們提出民主與科學為目標，而以改良文學為入手點。總也算是抓住了要點。假定在最近的這四十年，大家能夠不三心二意，抱定民主與科學這兩大目標，運用現代語寫成的文章來談政治，談科學，來介紹外國的名著，外國的文學，更進一步來寫作自己屬於各方面的東西，我想延到今天，一定已經大有可觀了。以我自己所體驗到的來說，我在抗日以前的上海，確實覺得有一種蓬蓬勃勃的氣象，一種進步之快，眞是一天比一天不同。假如我們不誤於自己的政治（軍閥與黨治），不被干擾於日本的軍閥和俄國共產黨，使得中國一切新的事業能夠平流並進，則中國的情況何至會如今天這樣糟糕？今天大陸的共產黨，把他們的政權建築於軍權之上，絕對不把人民當人，而偏偏又要假人民之名以濟其惡，民國以來軍閥與黨治這兩大惡劣現象，可以說到共產手裏已合了流，這當然是一種反[illegible]！

共產黨反民主

這種反動是不是可以長久下去呢？我看不會的。在今天來看中國的民主和科學，自然還是令人喪氣；可是改良文學的成績則終於不可動搖。

大陸上所寫清算胡適思想的論文儘管已經出到六大本。但胡適之所提倡的白話文則到底推翻不了。往日憑藉中國舊文學所蘊藏的帝王思想，封建思想，權貴思想，以及一切奴才以奴才所假藉文字以獻媚於其主子那些餘毒，終必隨文學的改革一掃而空，只要廣大的羣衆能夠接觸書報，只要他們能以淺顯的文字去表達他們的思想和情感，他們便自自然然會覺悟到自己才是眞正的主人，那些騎在人民頭上耀武揚威，口啣大憲而自命不凡的東西，則終必被人民一一勸絕而將其送入墳墓。我們所講的『反共』，第一個要點就是反『反民主』，在今天說來，也可說凡「反民主」的就是共產黨，凡是那些陰一下，陽一下與民主作對的人，更毫無疑義的便是「共諜」。我要在這裏普告大衆：但凡你們看見一個反民主的人，你們便要對他懷疑；但凡你們看見或身受一件反民主的事實，你們便可直截了當的斷定，這一定是「共諜」的行為！認識民主，擁護民主，以生生死死的精神去爭取民主，這是今天人民惟一自衛，自立，自主的武器！

共產黨也反科學

今天的大陸，不只是反民主，實際也是反科學，大家看見共產黨在那裏搞什麼五年計劃；在那裏大吹大擂從事他們的所謂建設；乃至卑辭厚幣請來許多的大鼻子去作他們的指導；大家乃可能發生一種錯覺：以為共產黨至少總是不會反科學的，殊不曉得凡不講秩序，不講條理，不審度可能，而一味的胡亂為，濫費物力，濫費民力，以十分百分的勞力去換取一分兩分的效果，甚至不惜把人民一羣一羣的餓死，以換取他們所謂的建設，這便是反科學之尤！大家千萬不可為一個建設的美名所迷惑，今天的共產黨只是以建設去粉飾他們的政權，也猶之乎古代的暴君以萬里長城，以金字塔在象徵他們的權威是一樣，我們今天誠心誠意的來提倡科學，首先應該反對的，乃正是這種魔術一般的建設。

總而言之，自我觀之，『戊戌』，『辛亥』，『五四』這三度改革的精神是前後一貫的：有了戊戌的失敗，才引起滿清更大的反動，於是乎我們打倒滿清；有了辛亥革命的失敗，才引起軍閥和復古的反動，於是我們繼之有『五四』；『五四』沒有得到健全的發展，才引出共產黨的反動，今後我們惟有繼續發揮『五四』的精神，以眞正的民主，眞正的科學，去打倒共產黨！

讀者論壇

自從蘇俄前任總理馬倫科夫擬製的和平共存商標，招徠了西方國家的向往之心後，兩年多來，蘇俄開口閉口把和平共存濫調叫得天花亂墜，西方國家亦因此無時不渴望着蘇俄眞能放下屠刀，共同致力於人類樂園的肇造。這固說明着人類在今日核子武器的威懾下，要前進和平共存，乃是唯一可循的途徑，所以東西雙方對和平共存的追求之能一拍即合，也似乎是不可厚非的。

俄修整外交畧策

然而，西方國家，却不該迷惘於蘇俄和平共存的魔影而自亂步伐；也該回首溯察一下從有和平共存之說以來，見之於蘇俄的實際行動，是不是與和平共存的目標一致，以及其是否已摒棄了傳統的顚覆、擴張的意圖？顯然，蘇俄所以唱出和平共存論調，主要是因為它有必要及時修整外交方略，這話怎麼解說？在史達林逝世前，凡非屬共產制度的國家，因見於史達林外交政策的冷酷，殺氣逼人，故莫不防蘇俄如猛獸，避之唯恐不及；而且當時，韓、越之戰不能息，各國咸認為對俄應羣起而攻，懲此禍首；同時由於狄托之背叛共產國際情報局，西方又以蘇俄少一黨兒而稱慶，則史達林強硬政策之失道寡助，彰彰明矣。迨馬倫科夫登台，鑒於史達林強硬政策之失，乃從外交上改弦更張，喊出願與不同制度國家和平共存的論調，因世界人心的厭戰，遂奏一唱百和之效；於是影響所及，相繼有可倫坡、阿剌伯中立集團出現，且漸漸倒向蘇俄。南斯拉夫復與蘇俄棄嫌修好，西德、日本又與蘇俄進行談判建交。尤有近者，盟國的集體防務漸趨懈弛，對其禁運政策亦日益解體。最近蘇俄又乘中東之多事趁火打刼，使出誘脅手段，引得埃及入彀，與捷克（實際是蘇俄）簽署了軍械協定；蘇俄且不以此為足，更伸出魔手，欲將一切阿剌伯國家擁入懷抱，為其操縱，從此一舉斬斷美國所久經佈置的中東對共屏藩，使缺口敞開，任北極熊南下引汲於地中海。

從和平共存到俄援埃

劉起

軍械協定埋下動亂種子

誠然，埃及與阿剌伯國家及新建國的以色列素不相睦，並時起糾紛是事實。但蘇俄如眞願見天下太平，則應以大事化小事，小事化無事的公誠，協同英美法着手消弭這些糾紛才對。然而不然，它所樂見的，乃是中東均勢的破壞，以便插手中東，為其征服世界的基本政策開道，故以軍火供給埃及，向中東埋下動亂種子。蘇俄是只要能困擾西方，得放火就放火，誰同正去走和平共存之路！可笑的是，西方國家對此蘇軍事[illegible]之餘，只是吞吞吐吐地責怨埃及不該向蘇俄買軍火，迄未敢對始作之俑的蘇俄迫其自中東縮手，此係畏蘇耶，媚蘇耶，抑和平共存之迷夢未醒耶？

西方國家應亟思自拔

可以說，蘇俄要藉和平共存的魔棒，眞已極盡其分化盟國的妙用。這都是因為一般人只知和平共存之可貴，而不能深察蘇俄和平共存的用心，以致適足授蘇俄以穩步侵略之助，堪貽世界比核子武器更大的殺人禍害而不自知，豈不可哀！

西方國家如果不願自我沉迷，即應視蘇俄此次供給埃及軍火為顯屬無誠意與世界和平共存的證據，且為一種起聾振聵的警鐘，而亟思自拔。要知道，共產主義的最終目的是征服整個世界，其所謂和平共存，乃又是退一步進兩步的策略，到現在為止，它藉助於此一口號的收獲已相當可觀了。倘西方國家仍不憬悟，再長此與共黨謀「共存」下去，則十年之後，不惟無不親蘇之盟國，即其本國人民亦將喪失抗共的勇氣了。

俄魔掌伸入中東　美政策勢將改變

孫頤譯

艾森豪總統由丹佛返抵華盛頓後，所面臨的問題中，最大而又急迫的，就是穩定中東情勢。蘇俄最近已按照契約開始向埃及運送坦克一百輛，噴射機二百架，和潛水艇兩艘。以色列現在也請求美國供給軍火，如果美國拒絕以色列的要求，共黨的龐大新陰謀，最後終會把中東的實力均勢給打破。如果艾森豪答應供給以色列以軍火，又會引起產油的阿剌伯國家的敵對。而在這項難題所牽涉的特殊因素外，這事還有一個更大的問題這是艾森豪能不能再長久保持美國對阿剌伯和以色列所採取的不偏倚友好政策。

美國政府對中東政策，曾明確地在去年由當時的助理國務卿，現任駐埃及大使拜魯特加以闡明，他對以色列人說：「你們應該眞誠的視自己為一個中東國家，而從這個範圍內去看你們的前途，不應把自己的國家當做散分各地一羣廣大而有特殊宗教信仰的人之總部——或者說是核心，而這羣人必須在以色列國內擁有特別權利，且須負起義務。你們應該放棄征服者的態度，且放棄這種觀念，即武力與仇殺政策，才是你們鄰國所能了解的唯一政策。」他又對阿剌伯人說：「你們應當承認以色列國家是一個既成的事實。你們是故意企圖維持一種介於和戰之間的微妙情形——既不要戰爭，也不要和平。」

在另一方面，蘇俄卻向阿剌伯大獻慇懃，他們並不像美國那樣，希望保持不偏倚態度，四千五百萬阿剌伯人高呼，對抗一百七十萬以色列人。蘇俄且同意埃及對共黨軍機的價款，部份可用埃及棉花支付。共黨國家需要棉花，而美國卻不需要。而且美國還能在世界市場大量傾銷自己的剩餘棉花，此舉對脆弱的埃及經濟形成一種潛在的威脅。

艾森豪總統對這使他進退維谷的問題，最近發表一篇措辭穩重的聲明。他說：「雖然我們願意繼續考慮供給合法自衛所必需的軍火要求，但我們不願意助長近東的軍火競爭。」駐華盛頓的以色列官員認為這項聲明是對以國有利的，便開列為「自衛」而用的軍火清冊，據一位官員說：這項軍火將能使我們保衛自己，而抵抗在米格機掩護下史達林式坦克所侵襲。」美國政府主管部門將研究以色列所開清冊，然後提出報告，以後將由總統決定是否供給軍火，及供給什麼軍火。

正當戰爭在以阿間一片荒蕪而不安靖的邊界上重燃之際，美國和英國又正式警告以色列和埃及兩國，他們將反對發動「預防性戰爭」的任何一方。

啟事

本期稿擠，「馬共首領被迫提議談判」一文改下期續刊

香港出版界畸形現象

報章雜誌門戶林立，於是產生包登稿件，從中剝削的怪事。……作者自掏腰包出書，本港市場滯遲，南洋書款難收，每告血本無歸……，兒童讀物銷路好，出版商搜羅毋需稿費稿件，乘機刮龍。

保險發表　從中抽佣

最近，許多熱心學習寫作的青年揭發了一件怪事，那是有一種「出版社」收取每千字兩元的代價，代人修改稿件，而負責於一星期內在報章的副刊登出。

其經過情形是這樣的：一個青年在報章的讀者版上登出一則求友的啓事後二日，即收到了一間××出版社的來信，大意說：「如果你願意報紙上發表你署名的大作，請你將你的稿件另附港幣二元，寄××郵箱，一個星期包你能在報章上發表」。

這一個「出版社」顯然是針對香港的青年熱中於寫作而興。這說明了香港青年對寫作是有着濃厚的興趣，但賣文者的遭遇如何呢？

這一個出版社本身，如果能夠保證報社必能發表它的稿件，則它社裏的人可以直接投稿，又何必會闖這兩塊錢的筆金呢。用意是在提拔後進嗎？這個可能性實在太少。

特等作家　月入三千

事實上，香港靠賣文為生而能過得相當舒適、不愁衣食的可以說絕無僅有，有人提出××等人能夠每月收入三千元以上，可是能夠收入三千元的，就祇有這麼一個或兩個。而且我們不能因為他們收入之高而加以羨慕，他們絞腦汁的情形也是他人所能想像的。儘管如此，許多人雖欲出賣「腦汁」亦不可得，據估計，在香港純靠賣文為生，而每月收入一千元以上的，絕不超過二十個人。但在香港，不提做生意的人，祇以在政府工作的公務員而論，官方新聞機構的一個翻譯員，剛開始時，月薪已有八百餘員，根據年資遞增，三年後，即超過一千元。

封鎖地盤　編者訴苦

大部份在報章副刊雜誌投稿的作家，他們即使整天在稿紙的方格子裏討生活，又能換到多少金錢呢？就香港一般出版物而言，普通稿費每千字在五元至十元之間，固然有十五元，二十元，甚至三十元一千字的，但更有一張報紙竟會付出每千字二元的稿費。真使人無法相信。

我們再來一個假定平，均每千字的稿費七元吧，一般人寫稿最高的速度，大致不會每小時超過一千五百字。即以這個數字計，每小時的收入是十塊錢，一天工作六小時的話，一個月就可以得到一千八百元的收入，但，第一，一天是不是能夠寫稿六小時呢，第二，每天九千字的出路又向何處尋呢？

一個陌生的作家，即使在一個所謂「地盤公開」的刊物上也很難找到一點錢。因此，許多作家都感喟香港的編者門戶之見太深。作為一個編輯呢，他也會承認自己有着門戶之見，但他又會說，這一種門戶之見是有理由的。好些投稿者常忽略了某一副刊所須要的是那一類的稿件。這使一個接到外稿過多的編者往往沒有時間去選擇；其次，部份不是經常寫稿的非職業作家，他們的稿件多半是比較生硬或內容與他所投稿的報紙立場不甚相符的，一個編者在百忙中不致有多餘的時間去刪改而加以採用，於是，這樣的稿便被決定放棄了。刊物的所謂「門戶之見」，大部份也是因此而來的。

無可否認，不論是一個成名的作家或一個普通的作家，他們一半的命運是操縱於編者或出版者之手

還。

自己出書　困難重重

一比較有地位的作者，他為了不願意受編輯的氣，或出版家的剝削，每會自己印行自己的作品，但這也不一定是有利可圖的，祇不過是不必受到編輯或出版人的操縱和支配而已。因為他必須付出一筆在一個文化人看來是相當大的印刷費，而他的收入，就祇有賣書所得的一途。

假如一本小說，一次出版二千冊，香港能夠容納的一般，不過四五百冊，此外，必要依賴南洋方面的銷場。就是南洋方面的銷路好，賣書所得的現款，經過書商的積壓和滙兌，拖欠剝削，來回就是三五個月，真正到了作者的手，除了成本，所賺的也祇不過四五百元左右。而為了這四五百元，作者卻必須要用一個月以上的時間去完成一部十萬字的小說，出版後在這三五個月，他還要担心「風險」，萬一沒有銷路，不但這四五百元沒有，連血本也無歸了。

兒童讀物　銷路最好

以香港的出版者的興趣而言，他們已無心於那些巨著，一般的小說或其他性質的單行本，除了幾個特別吃香的作家，偶然還見有二三本新書上市外，一般唯利是視的出版人，正有着一種趨向，就是將興趣集中於兒童和少年方面，目前全香港出版最多和銷路最好的，是適合兒童的長篇漫畫集，這類漫畫多數是先刊於各種報刊，然後彙集成冊，印刷發行的，每一冊約售四角，大約有一萬本上下的銷路。為適合於兒童的購買力，有一種售價一角的小人書，成了今日全港銷路最好的出版物。

這一類書都是不須要負担繪圖費，稿費之類的開支，成本減輕，故有大利可圖。因此，出版商目中最感興趣的，便是出版這一類的東西，即無視於需稿費的作家的「大作」了。

美教會擬在港擴展救濟貧童

美基督教兒童教養院監督海德伯牧師，最近抵港，視察該會之兒童救濟工作，以計劃如何發展收容貧苦兒童工作，然後由港飛台北，再取道日本返美。海牧師日來曾迭往新界各地視察，尋覓適當地址，以期請求當局撥作兒童院址。彼將以觀察所得，向美總會報告，以便擴充本港院務。港會經常任務為收容港九貧童，予以免費教育。

大陸產品質量低落　次貨充斥銷售困難

農民說：「別看外面好，樣子貨！」

·子裕·

中共獨佔工業生產和壟斷市場的結果，在大陸農村出現的是「買不到貨」的嚴重「缺貨」現象，在城市裏出現的卻是劣品次貨充滯的現象。關於前者，本報四八七期已有摘要報導，茲再將劣品次貨充滯市場的情況作簡要的報導：

球鞋斷底算尺不準

據中共「北京市百貨大樓鞋部膠鞋組、文教體育用品部、日用化粧品部」的幹部反映：「百貨大樓現在經營的商品，有不少不能滿足顧客的需要，它們的質量，規格都很壞，顧客因而不買或者少買，意見很多。有許多產品，在我們開始經營時，它的質量就不好，長期以來沒有提高。例如橡膠球鞋，北京橡膠廠和天津第一橡膠廠的產品都不很好，質量次。燈塔牌膠鞋，百貨大樓開幕了一個月，才賣出一雙，文教用品中的計算尺不精確，學生、技術人員選購時，總要挑過來挑過去，很不放心。綠寶香皂，香味不濃，消費者都指出這個缺點，所以銷路也受了影響；白熊牌雪花膏，質量下降，落後於人民的需要。某些工業品質量不好，價錢又高，貨與貨相比，不好銷售」。（見十一月六日天津「大公報」）

另據該報的社論暴露，橡膠品的品質低劣，幾乎是全面性的，「例如國營橡膠四廠和地方國營的遼東橡膠廠，今年上半年生產元寶鞋，後跟裂口脫底，鞋底易斷。」

造紙工業偷工減料

中共曾大吹大擂地宣傳其對東北的造紙工業，但據一個名叫寶小舟的共幹暴露的實象是：「東北地區部份造紙工廠產品粗製濫造，質量低劣，包裝不牢，規格不符，摻雜次品。僅今年第三季度發往徐州、上海的八千九百餘噸紙張中，單是必須貶價與增加的整理費用，即達一百三十四萬元」共幣（按中共僞滙牌價約合港幣三百多萬元）。並且指出「國營錦州造紙廠出產的十七公斤一號副品有光紙，實際只有十三公斤半，而且有砂眼、出花、漿花、厚薄不勻斷頭等毛病很大，消費者和消售單位紛紛要求退貨；甲號副品書籍紙，尺寸不足，原規格為三十一吋乘四十三吋，但來貨中有二十八吋乘四十三吋的，相差達三吋，而且有污漬、腳印、破張，用戶要求退貨，此外，甚至雜有雙層鐵板及鐵板頭，大切菜刀，大鐵絲等」，更嚴重的還發現紙張上有反動的圖畫及字句，因此，該文說：「紙件內摻雜鐵塊、菜刀等，是否有反革命份子從中破壞，應該深入追究」。

電筒不亮毛巾百孔

「山西大仁縣百貨公司」反映，「瀋州台營東洲電筒廠的『貓頭牌』電筒，百分之五十根本不能通電發光，百分之四十雖能發光，但不能對光或對光時若斷若續。農民說：別看外面好，樣子貨。」「河南伊陽縣百貨公司」反映，「特種乾電池，一檢查全跑電，一箱之內想挑一打好的也很困難，電池成了廢品」。「中國百貨公司梅河口地區採購供應站」和「山西趙城百貨供應站」也抱怨「哈爾濱電池廠」和「太原市電器修造生產合作社」出品的電池品質低劣，推銷困難。」

據江西修水保險公司的一個幹部反映，「毛巾的壽命太短了，只能用一兩個月。新毛巾質量太次，很快地從邊邊上出「洞」，然後向中間發展，變成千瘡百孔！」

紙烟味苦硬如手指

另有名于放的幹部對於捲烟的批評是：「我發現有幾種捲烟的質量很壞，空頭、偏鬆、偏緊、味苦、熄火。我周圍會吸烟的人都有這樣感覺。」他又說，「我吸大嬰孩牌捲烟，發現味道不對頭，乾燥發苦。我換吸恒大牌、哈德門牌、紅錫包牌、從丙級烟提高到乙級烟，可是乙級烟也不見得好多少，開包以後，只要仔細看一看，烟支的鬆緊不勻，有的頓一頓就空出一節，有的像小手指那樣硬。」

棉紡工業質量下降

以上事例，只是天津「大公報」發表的幾封讀者來信中比較輕微的事實，據該報社論所述，則連「食鹽的質量也下降」了。其它如「原棉含雜多，纖維短，影響紗、布的強力；金筆的筆尖不耐用，釀酒改用地瓜乾等影響香味，油脂工業的油料、肥皂工業的油脂、搪磁工業的黑鐵皮等品種多而雜，性能不一，供應不合理，產品質量不穩定」。

比較情況嚴重的是「上海的棉紡工業、印染工業，產品質量全面下降」！而這些事實大都又發生在所謂「國營」的廠家。據十一月七日的天津大公報的報導，「上海幾個國棉紡織廠的布黑白點最多，看上去簡直像芝蔴布，產龍頭細布享有盛名的國棉十七廠，所產的棉布質量也不例外地降低了」。

中共加緊掠奪　商人反共日亟

最近中共報紙一連串透露的消息，充分顯示中共對大陸民間的經濟掠奪，業已益見迫切；除毛澤東發佈加緊推行農業集體化命令，及偽「國務院」公佈開征六億偽幣（約合港幣十四億有餘）外，且已由毛澤東親自召集「工商聯」主委，副主委、委員，及中共中央政治局、書記處、「人代會」，和國務院各有關部會之首腦，舉行了一個關於如何加緊掠奪民營工商業，大力擴展所謂「公私合營」企業的座談會。

據悉會議結果，毛澤東已決定自目前至一九五七年年底止，共沒收民營工廠八千間，估計約值五十一億五千餘萬「人民幣」，折合港幣約達一百二十億元之多。沒收的方式，即係以「工商業的社會主義改造」為藉口，而以「公私合營」為手段，從而由民營改為「合營」，而再由「合營」過渡到「公營」。

根據中共官方統計，大陸民營工廠被以「公私合營」名義沒收的，自一九五二年至一九五四年年底止，已共有一千七百四十餘間；自今年一月至九月，又有九百餘間，合共二千六百間有餘，約佔大陸全部民營工廠的百分之二十弱。據悉在毛澤東召開上項會議之後，天津、上海、北平、瀋陽、營口、武漢、南京、廣州、重慶等都市，最近又有大批民營工廠被下令沒收。其中最多的，首推上海，僅一批之中，就有兩百七十餘家之多，包括棉紡、毛紡、麻紡、麵粉、輾米、造紙、搪瓷、捲烟等八個行業的全部。這些沒收的工廠，大多被中共合併成少數幾間大廠，設立一個專業公司統一控制之。

據悉由於中共掠奪民營工廠的過於急切，大陸商人在「公私合營」企業中對抗中共統制的手段亦已日形機巧，鬥爭亦日益尖銳。據「人民日報」記者王惠平撰文指出，大陸商人對抗中共「合營」的巧妙手段，目前最主要的和最普遍的，大致有三種。即：一方面是拉攏中共駐廠的領導幹部（包括總經理、黨委書記、各部門主管），建立私人感情，獲取信任，從而使彼輩漸漸模糊代表中共的立場，站在商人一邊，作為商人對抗中共統制的有力擋箭牌。一方面是巧妙地發揮業務能力，通過共幹的職權，掌握生產計劃和技術，以及經營部門，從而從若干利潤分配中，保持商人最低限度之權益。又一方面，則為訂立內部獎金制度，按月從利潤中提出百分之二十作為職工獎金，按原有工薪標準分配，因此，自共幹以至小工，都有所得，從而使共幹及全部職工在經濟關係上與商人打成一片，激發了彼等對中共的對抗情緒。而此種利潤，則係中共認為乃「國家」（實係中共）所有者，以致此事已無異為商人利用了中共的財富，發揮了反共的政治影響。

此外，又據說：被迫納入「合營」企業後的商人，曾經常秘密保持廠際連絡，互相交換「合營」情況，隨時密商對策，不斷改進方法，以對抗中共的經濟掠奪，求取生存云。（審）

閩共搾取僑滙　建校推展洗腦

汕頭禁止煮飯有鍋巴

閩共藉口在僑鄉興辦學校，大肆向僑胞壓搾經費，據十月二十一日福州共方發表的消息說：今年由搾取僑滙血汗而興辦的學校，計有：福州培英中級補習學校、泉州市華僑中級文化學校、廈門市中級文化學校等三所，現在改為「僑資」私立的中學，永春縣的帖山鄉、漳州市和龍溪縣僑區、南靖縣曲江鄉等，都由中共強迫華僑「捐」資偽幣十九萬四千元，以便在該鄉等創辦華僑中學三所，晉江縣私立石光中學，在中共縣委迫令下，若干華僑去參加時，都被迫簽簿捐款與建新校舍，甚至拘禁刻在吉隆坡經商某華僑的母親和妻子，迫那華僑負責晉江青陽鎮希聖小學每年的經費六千元偽幣，永春縣夾際鄉的僑眷被迫捐款六千多元給縣立小學。

同時據汕頭消息：主要僑鄉汕頭市糧食奇缺，中共為節約糧食計，規定：（一）煮飯不許有鍋巴，如有鍋巴，煮飯者須担承浪費糧食之罪，須接受批評教育，並應寫悔過書保證下次不再違犯。（二）煮飯，禁止淘米及剔除谷粒，以免減少飯量。（三）嚴禁市面賣雜糧食物如小米粥、煮熟的番薯、芋頭等。（四）機關、團體、學校膳堂所用煮碗，一律採用最小號者，並不准製大饅頭，愈小愈好，以免浪費糧食。

自由談

殖民地讚詞

馬五先生

殖民地是現代人所詛咒憎惡的，還有值得頌讚的地方嗎？答曰：像香港這塊英國殖民地，我就覺得它頗有可以稱讚之處，試申其說。

住在香港的人，祇要不違犯現行法令，凡思想、言論、著作、出版、居住、遷徙、職業、宗教等大部分的基本自由人權，並無種族國籍之別，一律享有，這是大家公認的事實。試看看咫尺比鄰的中國大陸人民所過的生活情況，於意云何？若回憶一下過去在安南那類法國殖民地所經歷的會殘黑暗生活現象，還一個中國人的心情來比較觀察，你對於香港，能說不抱有天堂之感嗎？尤其是自一九五〇年以來，如果沒有海隅這塊殖民地，則爲數在一百五十萬以上的中國政治難民，十九都已成爲共產暴虐政權下的屈死寃魂了！光是這項功德，即值得我們這般幸免於難的流亡客深加頌讚，永矢弗諼哩！

人生最大的痛苦，蓋莫過於失去安居樂業之自由，縱使馴良安份，也隨時感到恐怖之神，如在其左右，香港居民的日常生活却沒有這種情況。談到交通、治安問題，在遠東地區，本港尤爲首屈一指。香港社會生活當然亦有黑暗面，但多係一般號稱獨立自主國家之內的共同情形，非此間所獨有也。我們可以說，此一殖民地社會生活的黑暗面，在一般獨立國家的社會中皆所不免，而其光明面，每爲若干獨立國家之內所不及。當此共禍猖獗，人類常有遭受奴役殘殺之懼的今日，能有此一自由天地存在着，不宜頌讚乎？

沒有喪失過自由生活的人，即不會感覺自由之可貴。假使一個獨立國家的人民，其所享受的自由人權，最低限度如不能與殖民地的香港等量齊觀，那就未免自慚形穢吧！

交友之道

萬香堂

時代一切在變，連交友之道也在變，如果我們交友稍一不慎，即禍害常會到我們頭上來，不僅誤識了一位共匪就會有殺身之禍，即誤識一個騙子，亦會使你傾家蕩產，但你如果交友得法，得到良師益友，則不僅學問會進步，事業有幫助，而且你每天的生活也得到愉快的精神營養。M. DESCUDE URG 說：『友誼是世間惟一無刺的玫瑰』。可知是怎樣快樂啊！不過，人生很複雜，交友很難，所以古人有「得一知己可以終身無憾」之感！

前讀「自由談」所載祝秀俠兄之「師友篇」，頗有所感，覺其意未盡，故亦寫此題，湊湊熱鬧：朋友爲五倫之一，孟子以爲「使契爲司徒，教以人倫，父子有親，君臣有義，夫婦有別，長幼有序，朋友有信」孟子之所謂信，即乃其所謂「有諸己之謂信」之「信」了，「信」乃人類道德之一，誠篤不欺，有約必踐，爲其表現之特質。不過，朋友是人海中的獵物，初期只要談話投機即開始發生友誼的關係，而其在悲歡離合中，發生許多變化，經過許多考驗，經淘汰，而結果彼此認爲是知己朋友了，應該是怎樣寶貴的，但往往經不起金錢的、愛情的，事業的爭取，而發生決裂，交友之難，古來已然，不過於今爲烈而已！

誰也有求友的興味，「今日世界」徵友欄，一天比一天多，近竟增刊一特輯，才夠應付，可見一班，詩經所謂「嚶其鳴矣，求其友聲」便是描寫求友的渴想，而孔子以「四海之內，皆兄弟也！」表達其求友之熱情，更爲興奮！而在交通發達之今日，社會事業發達之今日，交友廣泛之需要，更爲必然之趨勢，中國有一句老話「在家靠父母，出外靠朋友」實可以形容出交友是怎樣重要了。因此，古今一般哲學家，教育家便不得不把交友作爲一嚴重的課題：曾子說：「友直，友諒，友多聞」。這是古代交友之道的範圍，以爲交友能達到和和氣氣便合乎理想，但以現代眼光來看，是不夠現代條件的，因爲照現代的眼光看，以爲結交朋友，以「道同志合」爲第一要素，道同即爲思想相同，志合即爲志願方向相同，在這種類型的友誼下，絕不是和和氣氣便可以盡朋友的責任的，應該是除「直」和「諒」之外，還應以嚴正的態度，予以規過勸善，及以喜悅的態度，予以慰勉督促，才可以的。但，「規過」「勸善」及「督促」有時會發生相反的效果的，因爲人類誰也有自尊心的，有些人更不喜歡別人指出其弱點的，當友人向其忠告時，他便誤會別人有意糟蹋他，挖苦他，以致加深了他的心理變態，他決心要報復那個好朋友了，於是好友便變爲寃家了。這種悲劇，當常會出現的，所以在向友人進忠言的時候，必須審慎才可以的，如果知道那個朋友不接受忠言的，不如服膺曾子的「友直、友諒、友多聞」好了。

重功利的社會風氣，必導致輕信義的，現在有一句很通常的話「人情薄過紙」，友情漲落的行情表，是早晚時價不同，其中尤以政海浮沉的寒熱表，使人齒冷，使人感慨有如此之「仕」」。筆者雖不是一個失意者，但曾一度因受友人之欺騙，以致閉門謝客很久，但人類是感情的動物，我不甘忍受蟄居家中的寂寞，我開始責備自己不夠偉大，屆而學習寬宏的幽默，更實踐「助人爲快樂之本」的嘗試，於是我終於獲得新生，第一次使我感覺獲得溫暖的，是幾位同志對我的眞誠，後來，從報紙副刊上、雜誌上，結交了許多久已神交的朋友，又從畫展中，我賞識了許多有天才的無名作家：約他們從各地到台北來遊，一見如故，便餐招待，非常有趣，至於以前的舊友，也一律打開大門歡迎，即有宿怨亦不計較，每天嘻嘻哈哈，非常感覺有趣。

我永遠記住拿破崙說的「一個忠心的朋友，是菩薩的化身。」我更記住斯邁爾斯（SAMUEL SMILES）說的「交上一個赤誠而有耐心的朋友，不問你處境如何，他必與你共甘苦終始；雖在你坎坷失意之際，亦決不會以背向你，年輕時堪爲良師益友，年老時更是唯一可以慰你寂寞的良伴。」

女秘書求職

牛布衣

美國一位女秘書在紐約時報分類小廣告登了這樣一個求職啓事：『女秘書，年齡二十四歲，勤儉能幹，相貌和背景都不錯，性格和善，想找一位說話清楚、和悅、沒有家庭問題、不看鐘、不丟東西、能夠交付責任、能夠接受意見，大學畢業，辦公室裏有新式設備的老板。來函除附寄證件外，並應註明願付薪金數額。』

三日之內，女秘書竟接到老板延請信十餘封之多。

相思樹

松風

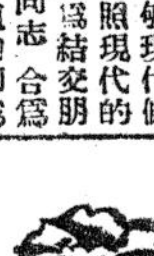

形管集：「韓憑爲宋康王舍人，妻何氏美，王欲之，捕舍人，築青陵之台。何氏作烏鵲歌以見志，遂自縊」。歌云：「南山有烏，北山張羅。烏自高飛，羅當奈何」？「烏鵲雙飛，不樂鳳凰。妾是庶人，不樂宋王」。列國志以韓憑爲韓馮，何氏爲息氏。並云：「馮自殺，息氏自台上投地死。宋王大怒，故爲二塚隔絕埋之。使其東西相望而不相親。有交梓木生於二塚傍，其枝自相附結成連理，里人名其樹曰相思樹。台灣此樹最多，隨處可見。葉似柳而樹心焦灼，經多不凋。何氏不移於貧賤，不淫於富貴，不屈於威武，此婦女中之大丈夫也歟！

問儂底事惹相思，裊裊腰條似柳絲。烏鵲歌成無限恨，至今猶有傷心枝！

秀才・舉人・進士

賈景德

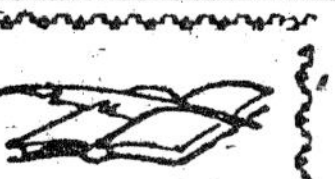

清代科舉制度，大致是由童生考秀才，由秀才貢監考舉人，由舉人考進士三個階段。所謂「縣考」「府考」「院考」，是童生考秀才的階段，這三種考試，大都是每三年舉辦兩次，每屆縣考，凡縣屬考生，名之曰童生，須具備三種保結，方准下場應考，其一由鄉約地保，其二由鄰右各具保結，證實該生身家清白，不是倡優隸卒的後人，並無冒籍頂冒名頂替情事。其三由考生自書親供，塡寫三代名字，拜請廩生一人作保，名曰認保，更防認保與考生通同作弊，再由儒學衙門指派廩生一人加以監視，名曰派保。考生辦妥這三層手續，而後下場參加縣考。縣考最少分五場，（各省情形不同，有多至六七場者。）每場放榜一次，每次淘汰若干，最後由縣官錄送被取人名，册報本管知府。使參加府考，府考與縣考程序大致相同。縣府考試取列第一的名曰「案首」。院試時非有重大過失，沒有不考取秀才的，故一般人看案首很重。府考完畢，由知府將錄取名册，造送院考，院考是學台主持的考試，學台的官名爲欽命提督某省學政，一稱學院，故名曰院考，因爲他的地位是欽差，故視爲省行政區內的臨軍考試，通常由學合巡迴考試，在各府州劃定試區，依次按臨考試，（俗稱考棚）又因他要考試武生，故加提督官銜，以示崇隆。院考分歲科考兩種，均是考完生員，再考童生，科考歲考的時間，雖然是三年兩次，俗稱三年兩頭考，但在邊遠的府州，則例外可同時先後舉辦，名爲科歲並行。院考童生正場，通常分兩次放榜，初步選擇，皆係按各該府縣應取定額，加倍錄取，所出之榜曰「招覆榜」，即招來覆試之義，榜的排列，係圓圈形，僅寫正場坐號數字，無姓名亦無首尾之分，以示不分次第。招覆試大都僅考「起講」「前兩比」或「中後兩比」，取中後，再拆彌封，書寫姓名，正式放榜。

學台按臨各府州考試，大致分「書院場」（策論）「經古場」（律賦，試帖詩）正場（八股，試帖）三場，前二場非經制的考試，各省情形不一，或竟只考一場，生童應試與否，亦聽其便，正場正榜錄入的童生，才是我們所謂的秀才，其正名爲「府」「縣」學附生。各學秀才的額數，多少不等，視該縣人口賦額，乃至文化程度教育水準而定。多者到三四十名，少者只有六名八名，遇有地方捐輸報効特多特大，國家可加恩增廣名額。（四）

更正：四九〇期本文內第十一行內「先」「祖」二字誤植「祖先」，又第十二行「白乙」誤爲「白乞」，特此更正。

不嫌米碎的太太

李樸生

她母親不識我，跑到學校來觀察我的時候，是下午在四時，我正教小學生打足球，分門比賽，我做裁判，穿了短褲，跑來跑去。我們的操場，每天下午都有運動，學生父母來看子女運動的平常總有十多人。她母親一行站在那裏觀察我，我全不知道。有位陪同的觀察家批評我，說我很有王羲之坦腹東牀的氣概，毫不作態。這個批評對我自然很有利。我們結婚是在民十一年農曆八月十四日，我們同學賀我一聯：

花好月圓

歸眞返璞

現成切題。我們結婚時，仙洲先生訓話，再三囑我不能討姨太太。有七八位太太的人，到自己做岳父的時候，就會爲自己的女兒幸福打算，不讓女婿討姨太太。大家聽了，又好笑，又感動。

庸德之行

我太太有什麼懿德呢？要說，實在說不出來，也沒有什麼了不起。她和我結婚的第一年，學校欠薪十個月，窮教員遇到這種情形，眞是羅掘俱窮，但她沒有一句怨言。後來我參加了黨務，政潮屢起，亡命遍千，更顧不了家裏生活。她在廣州，給鄧世增捕去，坐了兩天牢，泰然自若。汪精衛發表豔電時，她住澳門，和陳春甫太太同住一處，極不直汪所爲。（陳春甫太要也是反對汪做漢奸的。）民廿七年，我從西貢要回重慶，打算繞道香港看她。她給我兩三封信，都囑我不要經香港，說香港汪派多，如果一重私人感情，便會失足。我自己有把握，仍回港看她。在港果然遇見很多人，如陳春甫、陳××、羅君強、易季霄、李浩駒等，都勸我暫留香港。但她力促我快走。我要同她到重慶，她爲着照料母親，不能同行。（二）

世界之大

減肥有術

美國加利福尼亞州一位醫生專醫肥胖婦女，名聞遠近。一個朋友問他：「減肥的方法是怎樣的？」他說：「我的方法是這樣的：病人來了，我要她踏到磅上，磅讀了，我吩咐她把每天所吃東西的名稱、分量，和時間，都詳細列表報告我，跟著叫她過兩個禮拜回來上磅。過了不過五個禮拜，病人會瘦了十磅以上。我告訴她就照這樣行事，成績不錯。」

當選妙策

美國一位新當選的參議員得意洋洋跑到參院，同僚問他，他的參議員是怎樣得來的。他說：「我不喜歡從前本黨的那個參議員，便和他競選，把他打倒了。」「黨的支持也沒用。」選民裏認識我的人，投他的票；認識他的人，投我的票，我朋友多，他所以老資格，把他打倒了。」

流亡追記 大車與野店

陸逸

謝過了王老頭兒，我急忙趕回店中，叫着老何，老曹，托詞遷店，偷偷抗着行李，溜出店逃出了城去，「小馬車很順利地支油支油」地走向後山，當晚夜行到淩晨二時，才宿在牧地──八螞營子。

憑良心說，坐大車倒好過坐汽車，第一車上沒有那麼擠，第二大家一團和氣，頗有同舟共濟的意味，這種大車，其實並不大，是北方民間通行的交通工具，只是改良了一點，用汽車膠胎代替了舊日的鐵輪，顯得既輕快又穩當。一匹壯馬在前面拉着，大家坐在後面車板上，從綏遠前進，車，我們的車主是山西大同人，頗有風趣，屬地主階級，自己被共黨「掃地出門」，自己趕着一輛大車，往來與集寧、綏遠之間，藉以謀生，常及逃避共幹的盤查，每逢有棒卡，哨的站口，他總是設法饒舌，說來也算是一道，所以大家相處得極融洽。車一轉後山，便算了自由區，怕的再不是共軍了，而占形形色色的土匪了，他們擁負着種種財物，便招嚀，不讓幸遇到他們，財物便算出讓了。雖然如此，我們仍然覺得比集寧奮發，以及一切其他像集寧那樣共黨控制下的地方，自由得多了。過了八螞營子，眞是想看個人影都不容易，我們就像一籠脫了籠的小鳥，自由地翱翔在遼闊的穹際。大家有時坐，有時走，開始欣賞坐小馬車的情趣，車行的很慢；但堅定地向前轉着，發出極有節奏的聲音。大家散坐在車的兩邊，燃起香烟，漫無經緯地談笑，偶爾有好唱的朋友，亮開嗓子來兩句「借馬」「搬兵」的京腔，或是代車主揚鞭策馬，趕會兒路程。上坡大家推車，下河大家拉車，有時爬上絕峯之巔，有時行在谷洪之濱。大家似乎都忘了在逃難，反而覺得好像在旅行。天晚了，大家便投宿在荒郊的野店裏，這種野店就是散居荒谷間的三五家人家。它雖然簡陋的厲害，但在風餐露宿的征途上，得一飽之餘，還能在溫暖的坑上，休息一天來的疲勞，已算得是溫暖之鄉了。（中）

自由人

THE FREEMAN

（第四九三期）

中華民國僑務委員會
照發登記證台教新字第一零二號
中華郵政台字第五〇〇號
執照登記為第一類新聞紙類
（半週刊每星期三　六出版）
每份港幣壹毫
台北市[illegible]價台幣壹元
督印人：陳文壽
地址：香港高士威道二十號四樓
3 rd. fl. 20 CAUSEWAY RD
HONG KONG
香港發行及事務接洽
高士打道66號　電話：七四〇五三
承印者：東南印務出版社
地　址：高士打道六十四號
海外總經銷
友聯書報發行公司
香港：德輔道中二十六號A二樓
台灣特派員辦事處
台北市館前街五十號
台灣總經銷處
台北市西寧南路[illegible]號二樓
台灣郵政劃撥儲金戶九二五二

論國民黨的自清運動

・陳伯莊・

昨日看到十一月十二日自由人登載「關於國民黨的自清運動」，據說：「每個黨員，在自清中……必須簽具公約，而且還得填具十五份項目繁多的自清表格，包括黨員自清表，對大陸關係清查表，檢肅報告表等，其內容為檢查每一黨員的身世、歷史、思想，社會關係，政治活動與大陸親友關係及大陸親友動態，並須檢舉在台可疑的親友。」這一件事，性質十分嚴重，茲從審勢，推情，度理幾方面試一論之。首先要聲明的是：幾年來本人與世事隔絕，對於一切內情實情略無所知，故所論純為推想的。其未能曲盡事理，乃必然的。然而直覺所及，深感此一措施實為斷喪元氣的自戕舉動。縱使有得，所得決不能補償所失的嚴重。黃台之瓜，「一摘使瓜少，再摘使瓜稀，再摘由自可，三摘抱蔓歸。」自清運動，毋乃類此！

道德意識和道德情感

茲先從道德意識、道德情感說起。馬克斯認為道德意識與情感，無非社會階級意識的反映，其錯誤在「無非」的武斷，在把「無非」抹殺其他一切因素。我們於不抹煞階級為一個重要構成因素的認識下，把道德意識與情感，看成為一個多因構成的社會產物，為理智與情感交織的複體。它既為社會產物，因而一社會的歷史和環境，對它都發生有決定性的作用。它既為理智與情感交織的複體，因而每一個人依其處境與社會接觸循其情感的要求和理智以辨識，而調整出來一種綜合意識，凝成一種自以為是而夠得見心理為情感的自衛與進攻的信念。心理學指出自我尊嚴，係人類的基本要求之一。但到臨事之際，每個人所持以自衛其尊嚴的有定標準，不但依其處境不同而有異，並且依於對方所加的侵凌程度之不同而有異。處境不同，如以昔日上海長三妓女，不以接客為恥，而以野雞妓女站街拉客為恥。同一處境，因於侵凌程度不同而反應有異，所以魯智深向鄭屠挑釁，開始要他切一大包淨瘦肉，鄭屠一一欣然應命，繼而要他切一大包淨肥肉，也沒有說，後來玩笑越開越大，便無從忍受了。所以道德意識，並非抽象的道德設定，而是有條件的道德信念。既是條件的，所以便是相對的。

自我尊嚴的基本要求

為政不難，不得罪於所依以為治理的份子的自我尊嚴。孟子說：「君之視臣如草芥，則臣視君如寇讎。」把人當草芥一樣隨便踐踏，其傷害自我尊嚴到若何情狀呢！

然而人們自我尊嚴的基本要求祗是離事抽理的一種說明，不足為處事為政的判斷。至於處於某一階級或團體內某一段位的份子——例如國民黨中層及其以下的黨員羣——其基於歷史傳統性和基於適應所處環境的經驗而產生的自衛尊嚴的有定標準，便為活生生而不可忽視的意識，為處之而當則成功，處之而不當則失敗的客觀力量。

往日中山先生於討袁失敗後，重整步伐組織中華革命黨，要黨員打指模，因而引起一部份浸潤於傳統道德意識的舊同志的反抗。他們感覺打指模係傷害個人尊嚴的舉動。中山先生未必非，反抗打指模的同志未必是。然而反抗打指模則確為一些人一種自衛尊嚴活生生不可否認的客觀力量。「自由中國」舉出的孔子論攘羊的一段話亦未必是，而自清運動要黨員檢舉在台可疑親友亦未必非。但是如果我們承認當前國民黨中層及以下的黨員羣，其傳統的道德意識一大部還是基於孔孟之教，而對於這種植根建基的道德意識，如果我們承認為健全的因而應該保障和培植的，那末，事理的是非當否，判然自明了。

為了測驗這一自清運動，是否侮辱了傷害了最大多數黨員的自我尊嚴，國民黨何妨來一次民主的舉動，何妨命令各黨員投無記名的投票表示贊成或反對這塡表運動。

輪夫心理的故事

末後，讓我說一個描寫轎夫心理的故事吧。大老爺坐上綠呢大轎出衙門，前呼的皂隸們吆喝清道，跟着便到轎首第一名轎夫神氣十足地高聲道白唱：「揚眉吐氣」！在大老爺轎簾前第二名轎夫跟着幽默地高唱：「不敢放屁」，因他屁股後面便是大老爺呢。貼近轎身後面第三名轎夫便跟着唱：「昏天黑地」。第四名轎夫又跟着唱：「毫無主意。」轎抬完到茶館擺龍門陣，旁人說：「你們高與甚麼；人都是人，而你們卻做了抬人的人，狠甚麼！」轎夫們齊聲反抗答道：「抬豬也抬，抬人也抬」，自我尊嚴是曾得找到補償作用的！而四人中又祗有一人揚眉吐氣，何苦來！

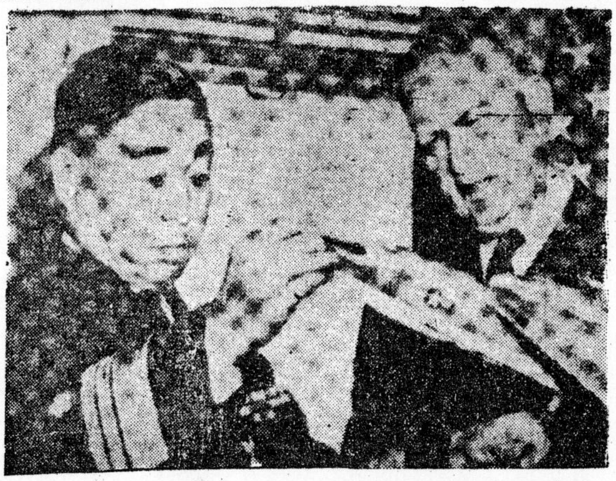

日海軍將領訪美

日本海上保安廳參謀長長澤浩海軍中將於十一月十一日抵美作二週訪問，考察美海軍設備。圖示長澤在華府國防部正與美國海軍作戰部長布克研究美海軍噴射機之模型。

羅馬北平間的貿易談判

・李金曄・

據泛亞社二十日台北消息謂：「自由中國已開始與意大利談判訂簽商約，以抵制中共向意國提出商務談判以及進而建立友好關係之建議」。

這項消息是非常值得重視的。但該消息又謂，「至於意方反映如何，此間官方未予透露」。

從這則消息裏，顯示我謀與意國簽訂商約，是為了抵制意大利與中共的商務談判。究竟意國與中共間談判經過又是如何呢？

意與中共商談經過

本年九初，意政府即命其駐日內瓦官員與中共接觸。同月二十八日，意外長馬蒂諾在下議院正式宣稱，「駐日內瓦代表費利奧，正依據政府指示，同中共王炳南進行商談」。嗣後的十日間，談判在暗中積極進行。

十月七日，在日內瓦的中共發言人揚言，「羅馬與北平間的貿易談，可能即將在米蘭舉行」。實則此係中共試探羅馬的方面的決心，以圖正式向意大利作外交進攻。

馬蒂諾受此引誘，旋於十月十二日發表聲明：「若日內瓦的接觸有滿意的成就，即將派遣一個貿易代表團前往大陸」。其意似不欲將此項談判在意國境內展開，以免引起國內人民和美國的不良反應。

但自此後，中共即展開了威逼利誘的宣傳攻勢，並進而提議建立外交關係和以蘇聯協助意大利入聯合國的保證為餌。至此，馬蒂諾不竟心動，一口吞下了王炳南的釣餌。

十一月十一日，意大利外交部正式宣佈，「中共已經同意和意政府進行目的在於使兩國貿易關係正常化的談判。」

意對外貿易的檢討

事實很明顯，中共的目的不在於貿易，意外長馬蒂諾也懷疑中共的外匯支付能力，但兩者畢竟同意進行談判交易，則顯見彼此間是另有企圖的。

若就貿易言，近幾年來，羅馬、北平間根本無交易可言。且意大利的市場，在戰前向以東歐和其殖民地為主，亞洲並非其主要之市場。戰後，意國經濟狀況之復甦，還在西德、日本之後，東歐市場既已淪入鐵幕，殖民地市場亦不復存在。其主要的貿易對象為美洲和亞洲地區的若干國家。但在這近五年來，與中共則鮮涉交易。

一九三五年九月間，意國曾與蘇聯簽訂了一項貿易協定，繼之與東歐各附庸國間才稍有往來。但據意大利對外貿易部副部長特雷維斯九月間對記者的談話分析，其不甚滿意東歐及蘇聯的貿易是極明顯的。他說：「一九三八年意大利向東歐的輸出，佔總輸出額的百分之七；從東歐輸入的則為百分之十一。一九五四年對東歐的輸出雖有百分之五點九，但東歐國家所能供應的，卻僅為意大利輸入的百分之二點七」。因此，意大利對東歐的貿易是難能有樂觀的發展的。

反之，意大利對亞洲國家的貿易，以一九五三年為例，其輸出總額已由戰前的百分之四點一，跳到百分之十二；亞洲國家對意的輸入總額，亦由百分之七點二增加到了百分之十六。

這種情況，說明了一點，即意大利在自由國家的貿易圈內的活動，是比較廣泛的。

應積極與意締商約

從意大利的對外貿易實況來看，足見意與中共的相互勾搭，實非出於純經濟利益之需要，而是與政治內素相糾纏不清。惟其如此，卻讓我們認識到一個事實的要素，雖然意大利是天主教國，但卻不能誤認為她的政府絕不會做違反民意的事情——與中共建立商務，或外交關係。儘管意政府當局，亦曾於杜爾斯訪臨羅馬時面向保證，絕不承認中共，但這也還必須我外交當局直接有所努力，才能見效的。

就現今我與歐洲國家的邦交言，意大利的態度，是極其值得注意的。值此法國一再放出考慮承認中共空氣之際，如果我國正能進一步爭取與意大利締結商約成功，相信可以一掃南歐諸國彌漫着的陰霾。

台省物價波動事件

此次台省物價波動，經當局決心平抑，實行若干措施後，米糧與一般進口物價均告下跌，連鮮肉猪隻也在繼續啓運。足見這一波動性質並不怎樣嚴重。日來共方宣傳機構不斷以幸災樂禍心情乘機中傷，其實台省充其量只是物價一度上漲幾成而已，一般人民依舊是豐衣足食，比起大陸同胞缺米缺油三月不知肉味的苦況，根本是不能同日語的。

此次物價波動的原因很多，主要因素是關稅與貨物稅改採從價稅，外匯調整，和統一發票辦法的修改。自由中國現今處在戰時，戰時物價上漲是無可避免的事，但卻必須要遏阻物價的暴漲。上述各項措施，就財政立場來看都無可非議，所遺憾的是未能計及其對於國民經濟的影響，而預做有效的佈置。

現政府號稱財經內閣，此次以最大決心應付物價，俞揆更以個人的去就做為保證，都值得稱許。我們所不能已於言者，今日自由中國的財經問題，盤根錯節，經緯萬端，必須要以遠大眼光，堅毅魄力，謀整個經濟前途的開展，並兼顧到財政與經濟雙方政策的配合，而不僅僅以事後補救為能事。

時事評述

・李秋生・

今後到底準備怎樣

四外長會議失敗後，世人從失望中引起了新的希望：西方領袖們是否會因此一挫折而生頓悟，拋開姑息式的談判，別採有效的冷戰對策？

蓋府山莊的艾森豪總統，連日正與其閣僚會商今後軍事外交大計，但杜爾斯國務卿十八日晚間所發表的廣播報告卻很難使人興奮。他指責蘇俄破壞諾言，無意與西方合作以獲致協議，他也不願再作談判，可是他並未指出今後應該怎樣去做。「艾森豪總統仍然堅決致力世界和平」這句話是欠缺之具體內容的，即在俄共頭袖，又何嘗不揚言是致力世界和平。

不要再讓世人沉溺在虛幻的希望當中了。俄共的冷戰攻勢在四外長會議之前即已加緊，自由世界若再畏首畏尾，那祗有失敗到底。

西南亞洲的危機

中東若干國家已踏入俄共彀中，現在克里姆林宮的經濟政治攻勢又正向印度大力展開。協助發展重工業，供給經援技援，而並不需附帶有任何條件，以及攻擊「西方反動份子」，隱賀印度得脫西方羈絆等等，對於天眞而貧困的印度人民，何等動聽。儘管尼赫魯還在惺惺作態，表示希望赫魯歇夫等人不要企圖使印度投入共黨集團，但他卻連幼小的兒童都派到機場去列隊歡迎俄酋，並開會傾聽赫魯歇夫的說教。其鋪張揚厲，比之共黨國家實有過之無不及。影響所及，今後印度之倒向俄共集團，尼赫魯即想阻止也無能為力。

從中東到西南亞洲，是今日冷戰焦點所在，僅僅靠一個巴格達公約，決不足以阻遏這一澎湃的逆流。

馬來亞恢復進剿馬共

也許是受了「日內瓦精神」的感召，馬來亞聯邦政府成立後，第一件重要施政就是對馬共宣佈大赦，並進行和談。年來在剿共戰爭威迫下，馬共雖只剩幾千武裝黨徒，偏促於森林沼澤地帶一隅，卻並未忽視運用機謀，企圖利用和談，反敗為勝。在這兩個半月期間之內，馬共投降者不過三十人；另一方面，共方卻要藉此喘息機會，結集整補，並爭取合法地位，把馬來拖上韓國越南的老路綫。

現在和談仍在僵持中，馬政府方面已宣佈放棄大赦計劃，實行全面進剿，這是明智的一著。自由國家從來不會從任何和談中獲有任何成就，只有靠堅決的實力運用，纔能使共黨屈膝。

蘇俄二酋至印幹何勾當

·曾旭軍·

蘇聯共黨魁首赫魯曉夫與總理布爾加寧之訪印度，懷有外交、經濟、與政治的陰謀。雖然待赫布二人到印度各地觀光後，才回到新德里與尼赫魯談判，但據印度方面的報導，赫布二酋初次與尼赫魯會商，待赫布二人到緬甸與宇努密談後，再回新德里，才作最後之決定。因赫布二人有來西南亞佈置網羅的計劃，其內容已略顯露端倪。

赤色馬歇爾計劃

蘇聯的「紅色馬歇爾計劃」，不是自今開始，早在上月印度的資源部長馬拉維雅，已給蘇聯扮了「聖誕老人」回到印度。這位「聖誕老人」的口袋裏，有許多和蘇聯商量的計劃。蘇聯答應供給專家與技術人材，去開採拉雅斯題等四處的石油礦，及目前未經踏勘的一切油礦區。此外，蘇聯礦師到印度協助開採非鐵金屬，與鑽石，以及煤礦。此次隨赫布二人來印度的有工業與貿易專家，圖伸張其勢力到印度一年半以後將展開之第二個五年計劃。

蘇聯的卡岡諾維支新計劃，本來需要的技術人員已不夠，派往中共及東歐附庸國的亦不敷。但蘇聯派的人員，不是誠心協助別國的發展，而是謀作經濟的滲透而已。特務控制重於技術協助。因此在中共的大鼻子技術人員及工程師往往鬧笑話，就是這個緣故。尼赫魯之欲以經濟結好蘇聯，無異引狼入室，在印度新德里出版的「思潮什誌」社論，已有論及此舉爲「大胆過於智慧」。

藉印度加强附庸地位

在外交方面探聽到的新消息，是：蘇聯欲藉印度以增强其附庸之地位。一般人以爲蘇聯之討好印度以打擊中共，這種看法是十分謬誤的。此無異於欲中共爲南斯拉夫第二的錯誤想法。中共已爲蘇聯的忠心奴才，現成的爪牙，印度到底還是鐵幕外繼的國家，焉有以印度打擊中共之理。蘇聯早已在宣傳上詆毀印度爲帝國主義之寵兒，尼赫魯不及毛澤東。尼赫魯爲求據爲利益，以中立會圖苟安，而不惜摩頂詐作不知而已。今則蘇聯與印度之結納，目的在使印度作外圍的址皮條客。

據悉，此次赫魯曉夫與布爾加寧到印度將對尼赫魯提出印度承認東德的問題，目前印度正式承認西德政府，印度亦不欲承認東德，以致給人指責欲德國永久分裂。但蘇聯可以威迫利誘，使印度暫行承認，從事建立對東德之外交與貿易關係。尼赫魯上次訪問莫斯科，雖然回到新德里也納對記者招待會說，他不過問東歐及德國問題，但若將尼赫魯在莫斯科與俄共簽訂之共同聯合公報細讀，則已知尼赫魯對印支、台灣及中共問題與蘇聯採一致之立場，實已吞了蘇聯的釣鈎和綫。他對記者所說的話，是掩飾他要求蘇聯取消共產國際情報局的失敗，用以解嘲。

尼赫魯與梅農對安全理事會的永久會員席，久已垂涎三尺，前次之聲明婉卻而欲留給中共補上的謬語，將猩猩作態而已。此次俄酋到印的秘密會議，將商討如何使蘇聯對尼赫魯亞洲的政權支持，而以支持印度獲安理會永久會員席作釣餌，因安全理事會已擴大之議。

美報人責政府壓制新聞

國會正展開調查

美國公民自由協會最近發表了一個報告，討論政府壓制新聞問題，所得結論說：「美國聯邦政府機構濫用權力，壓制對全國有價值及有興趣的消息，現在已達到空前的程度」。報告中表明，政府之將消息列爲機密而拒不透露的情形，並非屬於某一政黨的事，杜魯門政府時代也施以同樣的壓制。但「政府活動之守秘，許多年來沒有今日之嚴重。」

這個報告之發表，正當衆院小組委員會對同一問題傳詢記者，以詢問有關情形。報告的擬撰工作是由美國的名記者雷蒙主持，他曾任紐約時報及紐約先鋒論壇報的駐國內外記者。爲調查華盛頓的新聞壓制情況，雷蒙曾以六星期的時間訪問首都的記者及官員，他的長達七十頁的報告，蒐集了許多久已困擾着華府記者的事實，其中主要的有不謊數宗：

一、「秘密」及「機密」等保安標幟，原先主要是加諸於軍事及國家秘密，現在卻不僅在國防部封鎖了新聞，且遍郵局及田納西管理局、民航局、財政部、內政部等機構也用以壓制新聞的發佈。

二、農業部對於發表其顧問委員會的建設問題，屢加拖延。最近經過五日的延擱，才發表了某一組人事，五十項建設中的五項，八星期後，發個報告表明那四十五個被壓制的建設中，許多都是反對該部政策的。

三、甚至在國家安全的確實範圍中，國防部與原子委員會也將蘇俄已能獲及的情報不讓美國大衆知道。例如二種定向飛彈經停放於公共機場，隨便什麼人都能看到，以後的一年，國防部尚不准將這些飛彈的照片公開發表。

報告說，政府過度的守秘，除掩飾其愚蠢、腐敗、或政治上的偏私外，可能發生損害國家安全的影響，而並不是保障安全。報告中又舉了一個例子。「航空周報」即提出這種指責，且警告政府，由於國防部的新聞檢查，美國的飛機工業正大受損害。最近該刊又再度攻擊政府，並透露了一個「驚人」事實，這是美國之發展超音速飛機的某種更快的構造，爲時三年多，大多數美國飛機設計家還幾乎完全不知道。「航空周報」的一篇社論說：該刊最近發表了關於這種構造的詳情後，「我們接到了航空工業許多工程師的探詢，他們顯然都從沒有聽到這個東西，現在空軍當局明瞭，爲了過度的保安守秘，他們付出了多大的代價。」

報告說，這許多合法新聞之被壓制，華盛頓記者本身和他們的報紙也難辭其咎，由於多數報紙發行人支持政府，許多記者便不再全力去採取政府內部的秘密，他們且知道這些秘密即使獲得以後，在發表時也會被低估其價值，或竟放到不顯著的角落，而不像在羅斯福政府或杜魯門政府時代那樣，被放在第一版加以強調。」

但這報告也指出，使華盛頓成爲「一個祕密之城」的，府不是報界，而是政並。正當衆院小組聽取記者們對這問題的意見時，它發表一本厚達五百五十二頁的書，縷述六十個行政機構對關於新聞政策八十個問題所提出的答覆，其中表示政府用以壓制新聞的藉口已愈來愈多，官員共有三十二種方法可將某一項新聞拒向記者發佈。

·紫勤·

御用文棍霸佔文壇

中共大嘆缺乏新人

中共北平光明日報最近以「擴大書稿的作者範圍」爲題的社論表示：中共區的書報，除了翻譯蘇俄的東西外，其餘便都是中共多年培植和訓練的御用文人的作品，極少新作家產生。該報以新華書店主編的「圖書聯合廣告」爲例說：「如果有人把上述『圖書聯合廣告』研究上十期或五期，那你就會發現一個奇怪的現象：所有的科學技術書，幾乎百分之九十以上是翻譯的。這當然是需要的，可是我國科學技術工作人員從實際中總結經驗的著作或理論著作，學術著作——特別是研究當前迫切問題的學術著作，有時簡直等於零。通俗讀物是增多了，而作者卻是大家熟習的一些成名的作者，很少新的作者。」該社論又指出：「即使是思想修養一類問題的書稿、『文藝讀本』，估據一大半這類書稿署名的，翻來覆去總是那一些知名作者。」又說：「奇怪的是，我們的出版機構爲什麼不能多組織一些新作者呢？」

中共搜刮　猪也遭殃

中共區人民吃了猪的糠，原來用以飼猪的飼料自然須另想辦法。據十月三十日「人民日報」消息，廣東現正大量種植水浮萍作養猪飼料。水浮萍又名大葉浮萍，產於淡水池沼中，形似盛開蓮花，原爲欣賞植物，珠江三角洲隨處皆是。粵共爲解決猪飼料問題，特在各地大量推廣。「人民日報」說：廣東省各地農業部門在一百多個畜牧場、專、縣示範農場和一萬五千多人農業生產合作社中，推廣優良的養猪青飼料作物水浮萍，在蕉山的粵北和興梅地區，也有許多農民進行引種。

台灣通訊

台大校慶十周年

高宗魯

本月十五日，是國立台灣大學建校十週年紀念日。該校自十五日至十七日舉行爲期三天的慶祝活動。節目有學術演講會、學術討論會，新儀器展覽會、運動會、及遊藝晚會。

台灣大學，前身原爲日治時代的台北帝國大學，始創于民國十七年三月。民國三十四年光復後改爲台灣大學，將原有的講座制度改爲現有的院系制度。目前該校共有六個學院，（醫學院附屬醫院，內設高級護士職業學校），包括三十二系，和十數個研究所，共有學生五千七百卅五人，僑生仍陸續增加，加上夜間部二千五百八十九人，總數已達八千餘人。學生數目較十年前增加十多倍。設備、儀器、教室、宿舍十年來也大有增加。

校慶日上午，在該校大操場舉行紀念大會及軍訓大檢閱，特請陳副總統蒞臨校閱。錢思亮校長在紀念大會上，特別追述傅故校長孟眞先生規劃調整之功，誠然，傅先生羅致了許多教授來校任教，保持着台大自由研究的學風。傅先生曾在台大爲清寒同學設立大批獎助金名額，籌建了大規模的學生宿舍，因爲傅先生認爲，欲使學生安心向學，必先解決學生「食」「宿」問題。記得，當時有人對台大早上沒有升旗儀式，有所指摘，傅先生不爲所動，傅先生留給台大的校訓就是「敦品勵學，愛國愛人」。傅先生做事反對形式主義，有人說傅先生將北大淳樸之校風帶給了台大，是有道理的。

在該校慶紀念會上發表演說的除却陳副總統外，嘉賓唯有新自美返台的梅貽琦博士，他說看見今日台大情景使他彷彿回到了十年前抗戰時在昆明的西南聯大一樣。他希望台大學生負起救國的責任，爲國家爭光榮。實在，大陸鐵幕深垂，清華園中群魔亂舞，梅校長怎能不有一番感觸。清華研究所即將恢復，所址將設台大附近。據說胡適博士也將返台在台大作短期講學，台大在梅胡兩位老校長協助下，必有更輝煌之前途。

十年來，台大各方面都有着優良的表現。試舉幾椿小事爲證：在國內歷屆高普考試錄取名額上，台大學生占有很高的比例。本年，十一位公費留學生中，台大畢業生占三位。台大畢業生在國外成績卓著，國內外報紙時有消息刊載。此外，投效軍中的畢業生，僅以本年度考入國軍編譯官訓練班者有一百四十人之多。再如，擁有大廈十座，病床五二五張的台大附屬醫院，每日門診病人最少六百人，最多一千二百人。規模之大，遠東第一。此次凡十五日零時起至夜十二時止在該院出生嬰兒，一律免費優待，以示慶祝。該院除却診療病人外，並對醫學院學生及附設護校學生，實施臨床教學，負有培養青年醫生之責。對社會貢獻至大。中美原子能和平用途協定簽定後，我國設立了六處原子能專題研究中心，其中兩處，分設台大理學院及農學院，這雖是初步工作，但正朝着目標努力。

十年來，台大能在世局動盪中，求安定，求進步，使其成爲自由中國最大的模範學府，在國際文教合作下，正逐漸躋於世界大學之林，實爲自由中國値得慶幸之一件事。當然，今日台大需要改進之處尚多，「百年樹人」，古有明訓，願台大師生更繼續努力以赴。

泰國的民主改革

·加雪·

泰國總理鑾披汶是一位富有革新精神的政治家。他主張傚法歐西，實行民主。他是一個法國留學生，仰慕法國的自由和浪漫傳統。二次大戰前，鑾披汶第一次掌握政權，他命令軍隊實行歐洲的操練辦法，農民穿起鞋子，政府官員離家時須和妻子吻別，他把暹羅改名泰國，表示和封建的暹羅絕緣。

第二次大戰後，鑾披汶重掌政權。本年春，鑾披汶爲了考察民主，夏天回到泰國，對於民主已有了進一步的認識。回國後鑾披汶的第一個措施便把新聞檢查取消了，恢復言論自由。泰國各報利用這個機會攻擊政府官吏污枉法，把政府罵得體無完膚。鑾披汶卻處之泰然，反而進一步命令各部門長官每周舉行記者招待會。因爲記者的熱烈質詢，這種會議常耗時三四個鐘頭。

鑾披汶最新的民主建設，是在曼谷建立一所類乎倫敦的海德公園，容許人民發表政見，批評政府。鑾披汶把曼谷的公地改成規模和倫敦海德公園相似的一個地方，公園揭幕，泰國人民便在裏面大肆批評政府，[illegible]鑾披汶對於泰國的民主改革，結果如何，雖然不能斷定，可是他那開明遠大的眼光，是值得欽佩的。（譯自「新聞周報」）

馬共首領：被迫提議談判

·棣坡譯·

戰後兩年，陳平已取得馬共首領的地位而代之，早在一九四八年，共黨蘇俄和東南亞代表，對加爾加答秘密會議後的行動，起草一項報告書，陳平當時沒有參加那個會議，他在曼谷遇到由印尼返國途中的代表團，盡得其情，於是一月以後，他在馬來亞又發動攻勢。

關於陳平的事，外間知者很少，他有一個勁敵，那人原是共黨首領，於一九五一年退出了的，會痛苦的說：「當我的軍隊在北方作戰方酣，陳平和中央政治局人員，以及他們情人，都聚在門特卡博，每天吃喝玩樂」。當戰事危機四伏時，陳平正患着疾病，由一個親信副官護持着，東藏西躲，任何人很少看見他，而他亦是由共黨學來的那一套，不信任任何人。馬共成功的奇蹟已經沒有了，陳平除了靠北越莫斯科的物質支持，繼續勉強作亂外，在森林地區已有一個失敗，或者這是他最後的一步死棋，他現在感覺要獲得社會地位或勝利的機會，只有經由談判一途了。（下）（譯自新聞週刊）

（譯者按：據星加坡二十一日消息，陳平要求與馬來政府首席部長晤面舉行，同時，馬來政府亦宣佈對共黨游擊隊恢復全面進攻。前公佈的特赦條例，亦已準備撤銷。）

來·函·照·登

頃閱本月十六日貴刊第四九一期登載，署名小魯先生所寄台灣通信一篇，題爲「外交陣容有變動」，文中涉及鄙人之出處問題，所述各節，頗多與事實不符之處，至深遺憾。公務員爲國家公僕，職務更調，端在服從，個人甚少抉擇之自由，鄙人之進退，亦難例外。素仰貴刊立場嚴正，報導翔實，用特函請惠予訂正，無任感荷。此致

自由人報社

吳南如啓　四十四年十一月十八日

暗無天日的黑獄

——嘉維利神父痛述共區慘遇——

當嘉維利神父追述他一九五三年春初和五月兩度被中共無辜囚禁於湖南醴陵的監獄的生活時，透露了以前尚沒有人提及的中共如何殺害政治犯於暗無天日的黑牢中的情形。

嘉維利神父是最近被中共釋放的美僑之一，他所描述的囚禁的日子，不是一個身在自由區的人所能相像的，但這鐵一般的事實，確實存在於中共統治下的大陸。

目擊難友摔斃獄中

嘉維利神父說：那是在醴陵一座細小而無窗的石屋裏，在一九五三年的春初和同年的五月，我一共在那裏和二十個中國籍的政治犯渡過了五個星期我有生以來最黑暗的日子。在這五個星期中，我目擊有四個中國人摔死獄中，而中共就像拖一尾霉魚般，用一個薄木盒子把他抬了出去，便算完事。我雖然是一個神父，但眼看着一個無辜的魂靈走上天堂，不能爲他作最後的一次祈禱，因爲同在室中的人並沒有一個獲得移動一步的自由。

當黑暗中，我曾經看到獄警在檢查一個犯人是否死去，我遠遠的看到晉息全無，我大聲地問：「是死了嗎」，可是沒有人回答我。下午，一個木盒子就把這個人載了出去。這個人是完了，但沒有來得及證明這個人是否完全死去，也沒來得及爲他祈禱，這祗是無上的恐怖。

相背直坐　不許動彈

那是一個滿怖蟲豸與霉爛無窗的石室，每一個囚犯日間祗能背對背地坐着，或者面對着牆壁，但又不能靠牆，要正直地坐着不許移動頭不准打盹低下。祗有晚間才能獲得臥下的機會。

每一個囚犯白天就木偶般靜坐，但滿佈於室內的虫蟻却不斷地加以侵襲。如果囚犯熬不住這一種痛苦，他必須向衛兵報告他要開始捉蝨子了，否則他未報告而略一移動，即會遭受到衛兵的皮鞭打和脚踢。

這是一個犯人在監獄中所應受的待遇嗎？可是中共並不管這一套。如果一個犯人要小便了，也要向衛兵報告，但這要看衛兵的興緻如何，有時准許，有時却不准犯人外出，而祗能就地解決。

糙飯兩碗　滲雜碎石

嘉神父又說，一天之中，犯人祗有兩次被准作室外的活動，這種活動祗是在指定的地方作小鴨般列隊散步，這說來已是無上的恩遇，但每一次的散步祗有三分鐘。如果連三分鐘的散步也告喪失，則囚犯們便無法想像，當他有一天僥倖尚活着出獄時，他的雙脚是否再會照常走路。

至於囚糧，也是在一般意料之外的。每天，我們的糧食是六兩米或兩碗飯，另外全室祗有一盆蔬菜和一隻大匙。我們不知道是共幹們有意尅扣囚糧或是米中早有滲雜有許多石粒，我發覺中共們顯然用石粒來補足了米的缺乏，我就因吃飯吃着石粒而斷了兩隻大牙。

蔬菜成了我們每天的主要副食，難得有什麼大日子像端午節或十一「國慶」之類，我們才知吃到一點肉，每餐的一盆湯，每人祗能分得一個半盎斯或兩盎斯。

嘉神父還說：囚犯們的飲料，我們叫做「水」，可，不知你們叫它做什麼，監獄中的共幹用桶在混濁的沅江（YUAN RIVER）汲滿了水，略加煮沸後，就送到監獄來讓犯人「享受」。

囚犯在這一種非人的生活下，每天在痛苦與死亡中掙扎，在獄中較老的囚犯。如果不再迅速改善或獲得較佳的衛生環境，他們很快就會患病和死亡。嘉神父說：我曾經找機會把這一種悲慘的情況向監獄的管理當局陳述，可是他們絕不理會，無動於中，還駡我說，這不關你的事。

共幹恫嚇　揚言處死

嘉維利神父的指證是眞確的，因爲他就是二十一個被迫害中一個，在獄中，他曾經目睹四個中國人在無救助下死去，而獄中的一切悲慘而無天日的遭遇，更不是一個未曾身歷其境者所能想像的。

嘉神父是一九五一年十二月二十一日在湖南醴陵被捕的，一九五三年七月九日被轉押往長沙，在被捕之始，中共即對他說，他的罪行是十分嚴重的。且說他將會被判死刑。中共更恐嚇他，假如他不認罪的話，他就會被押往北平行刑。嘉神父並憤憤地說：中共指他是美國聯邦調查局和國務院所訓練出來的特務，又指他和國民黨合作，供給大陸各種有關的情報，又在湖南西部進行反革命活動，組織教會裏的聖母軍。

被控特務　堅拒認罪

罪名是這麼一大串，嘉神父說，中共要我一一坦白認罪，我因爲拒絕「坦白」，共黨就把我送入監獄。

嘉神父還指出牢獄中的可怖，他說，他和另一個懷特神父同關押於同一監獄裏。相距祗有五十呎，但從沒有彼此知道，一直到彼此釋放的日子，才有機會見面，目前，嘉神父已被送往赤柱瑪利諾教會作一個時期的休養，以待健康復原。他說：以往的一段日子，在他是終身難以遺忘的。

魔鬼統治　訴諸世界

但，他或許也能感到某種滿足吧！由於他的經歷，已使全世界的自由人類，知道了中共的不人道與非法酷刑及黑牢之存在於今日中共統治下的大陸。美國合衆社的記者和好些外國通訊社的記者，在嘉神父於十九日自大陸被釋的一天，曾工作至深晚，把嘉維利神父的的獄中遭遇作極詳盡的向全世界傳播，讓全世界的天主教徒知道他們的教友是如何在中國大陸被殘虐，也讓全世界的自由人士知道黑獄和酷刑正在不斷殘殺着被奴役的人們。

較嘉維利神父早三個月被釋放的芮歇尼神父目前在港正從事一項偉大的著作，芮歇尼神父說，我著書最大的目的是要讓全世界人類都知道有近六億善良的人民在魔鬼的統治下如何淒慘生活。

芮歇尼神父是北平輔仁大學的校長，他是一個在中國享有盛名的美籍神父，當中共佔領大陸後，他正如其他許多教會人士同樣被中共以間諜罪拘捕下獄。在獄中他所獲的待遇是無理的，因此當他被釋後，決定暫時不返美國，而留在香港從事著作，把他這些年來在大陸的所見所聞寫成專書。他把中共的統治，形容成魔鬼的統治，他說中國人民是善良的，他的離不開香港，正因爲香港有着善良的中國人。

由嘉維利神父想到芮歇尼神父，更使人想到在今日的大陸，正無處不滿佈着使人可怕，使人喪命的黑獄。

日大學教授過港返國
揭露周恩來對日陰謀

關於中共對於上門去的日本「訪問代表」大加拉攏，日前過港的日本代表高桑純夫又披露了一些新的事實。高桑是所謂「憲法擁護國民連合中共訪問代表團」團員，原是愛知大學哲學教授。他由廣州來港後，曾在新樂酒店發表談話。他說團長片山哲等已往東北，他因有事行返日。他說於十一月十四日，該團九人在片山哲領導下與周恩來會談，經過四小時的討論，據高桑純夫說周恩來對他們發表了數點意見。最重要的是：中共及日本命運相同，日本名雖獨立，但實際上仍受美國支配；因此，日本應與中共「和平共處」。

破壞活動日益擴大
中共五年計劃失敗
最初二年措施全遭否定

●胡希●

中共「五年計劃」的最初兩年所規定的任務，顯然沒有完成，因此在這個計劃進入第三年的今年，中共除了完全不談最初兩年的「成就」之外，還想盡了辦法來補救。例如今年七月間召開了「第一屆人民代表大會第二次會議」，提出一套新的「五年計劃」方案，並完全否定了頭兩年的措施。而更重要的補救辦法，則是展開全大陸規模的「肅清反革命分子運動」。從僞「公安部長」羅瑞卿在「人代會」上的發言中可以看出：大陸內的反共分子正全力破壞「五年計劃」，共黨政權的「國民經濟」，特別是重工業所受到的損失是嚴重的。

「重工業部」的破壞活動

談到共黨重工業部（即「第一機械工業部」）內的破壞活動時，應當先講一講遠在去年十二月被捕的「第一機械工業部辦公廳主任」兼該部黨委員會書記徐寶華。徐寶華一九三四年在陝北加入共產黨，當時他是陝北紅軍司令劉志丹部隊中的總務處長，一九三八年他任延安唯一的小型兵工廠廠長，抗戰後期他是共黨「晉冀察邊區政府工商部長」，勝利後，他出關接收松花江以北的工廠，後來担任共黨「東北財經委員會辦公廳主任」，僞政府成立後，他調任北平「中央重工業部辦公廳副主任」，一九五三年初，工業部門改組後，他出任「第一機械工業部辦公廳主任」。他拉攏了長屬「辦公廳」的「人事局局長」瞿萬里等一大批人，他們兩人是在重工業部門內進行破壞和暗害活動的主要組織者。

「高崗叛黨集團份子」

照共黨的說法，徐寶華等都是「國民黨特務」，但從徐寶華的經歷看來，他是「長征」以前即在陝北的劉志丹和高崗的老部下，抗戰勝利後他又隨高崗出關，當高崗權勢最囂張的時候，即担任「國家計劃委員會主任」的時候，徐寶華在重工業部內佔了重要職位。與其說徐寶華是「國民黨特務」，不如說他是「高崗叛黨集團份子」更爲適當。不論徐寶華的背景怎樣，總之他的職位使他有更大可能在安排反共活動時破壞共黨的經濟建設。他是根據下列原則進行工作的：

一、他從共黨所謂的「反革命分子」（實際上是高崗集團份子）中，選擇有領導經濟工作經驗的人，提拔他們，把他們派到各工業建設中心，担任獨立工作或領導工作。

二、給他們佈置任務，要他們獨立地選拔人（不僅選拔高崗集團份子），在各工業系統中組成一個強有力的宗派。當高崗在一九五三年秋被秘密清算後，徐寶華指示他們在各自的工作崗位上進行破壞。

三、一九五四年初（高崗已失勢），徐寶華指示他們在破壞活動中不要分解力量，要把力量集中在有關國防的巨大工業對象上。

破壞份子取得領導地位

在這些原則指導下，以破壞份子在重工業部長屬的各個建設單位內佔了領導地位。最近半年來，已揭發了一百多個持有黨證的經濟領導工作者和在重工業部門內佔據重要職位的非黨員工程師和技師。他們對「五年計劃」頭兩年內的破壞程度是無法估計的。

「五年計劃」頭兩年的重點是建設大規模的化學和煉焦化學工業，然而這方面的建設工作完全被徐寶華破壞，他在這方面的破壞活動，可分下列幾方面：

一、編製，提出和批准了這樣一個軍事化學工業發展計劃，它實際上使資金分散呆滯，使必要的工程項目不能按期投入生產。

二、在硝酸工業方面，主要是用系統地長時期地修改設計的辦法來拖延新工程的施工日期。

三、在硫酸工業方面，用降低經營偽效的辦法削弱實際生產能力。

四、在製碱工業方面，阻礙生產能力的發展，結果使中國本來可以無限量生產的碱，一直成爲稀缺產品。除此之外，還不准利用適當的原料來源，例如利用製鉀工業或東南一帶鹽田建立新的製碱中心。

我們可以從最近一期北平「工業建設」雜誌中看到這些破壞工作是如何進行的。

這本雜誌登載了太原化學工廠一個參加破壞份子集團的工程師的供詞。他們破壞得太多了。連這個招供的人也很難講出每件事件的細節，他只記得一些較大規模的暗害事件。

這個工程師敘述，從一九五三年底開始，和另兩個工程師一直進行破壞活動，做到他們最近被扣押，活動範圍包括煉焦化學工廠、硝酸肥料工廠、電力廠和住宅建設。

一碰即破的花布

在中共的官僚政治下，「國營」工廠出品質量的低落，已成爲一種普遍現象，共報也不得不一再公開承認。下面是十一月十日中共「大公報」所揭露的又一件新事實：

（「本報訊」天津市印染廠自七月份爲中國花紗布公司天津採購供應站加工深色花布以來，產品質量很次，正品率僅百分之六十五左右，每月都不能完成生產任務。

這個廠加工的產品色澤暗舊，配色不調和，地色不勻，布面起毛無光，在殘品中，有很多已經脆化變質，例如幾何形的兩種花嗶嘰，凡是有藍桔色的地方，手指一碰就破個窟窿，這樣脆化變質的產品就有八百多疋。又如鳳凰牡丹的大花貢呢，原來很漂亮，很受消費者的歡迎，採購供應站加工了一萬疋，結果生產出來的卻很難看，大紅花變成粉紅花，黃色變成白色，這樣的次品有六千疋。由於產品質量低劣，紛紛向採購供應站減退合同，上調撥的數字，站裏庫存內大都是這類殘次品，造成各中撥調分配的呆滯，定產無法確定。中國花紗布公司天津採購供應站把這種情況向該廠領導機關天津市紡織工業局提出後，局內印染處處長和總工程師就駐廠整頓，八月下旬情況開始好轉，但十月下旬，處長和總工程師因工作離廠後，該廠生產技術仍然很差，生產管理仍然薄弱，目前質量的波動還是很大，亟待繼續努力改進。）

一碰即破　【原文插圖】

自由談

美國的大選潮汐

馬五先生

美國的大選潮已開始泛濫了。民主黨人史蒂文生一馬當先，大發競選議論，聲言：如果艾森豪明年繼續競選，他亦決不以艾氏的健康問題為鬥爭題材。這類語氣有如當着和尚罵禿頭，是在警告艾克不要再作馮婦，也就是害怕這位勁敵再出陣對壘。因為史氏明年二度競選若失敗，此身將永無入主白宮之望了，共和黨的杜威，即上此當，以致變成政治上的黑馬呢！共和黨是否仍擁艾森豪出來拚命？另外還有甚麼人物堪勝此任？我們都不必替今人耽憂。反正美國必須選出一位總統來，不管他是共和黨人也好，民主黨人也好，對我們的國家，都是「唯之與阿，相去幾何」。過去民主黨杜魯門政府主張一筆勾銷中華民國，縱共黨竊據大陸，仇視「美帝」；現在共和黨艾森豪政府則一意凍結中華民國，跟共黨妥協求和，希望它不再仇美。杜魯門要協防台灣，不使其落入非友好國家之手，艾森豪篤規曹隨，並無兩樣，而且承襲他的厚意，協助我們棄守了大陳、南麂各外圍島嶼，以示維護和平的精神。所以，我們如果斤斤於美國兩大黨人物對中華民國孰為有益，那就是愚昧之見。自己有辦法自強自立，能挺起胸膛說話，誰都稱你為「老友記」，不惜翻摸，否則個個都可以拖眼皮，鷄帶有臉色，夠你瞧的！

為整個自由世界的前途設想，我覺得美國自羅斯福死去之後，竟沒有一個雄才大略的政治家了。這是自由世界的一大隱憂。未曾登過台的人，固不能斷定他的本領如何，但如史蒂文生這類大學教授式的人物，却不敢相信他是個非常的政治家。至於已經現身於白宮而又健在者，比較觀察，只杜魯門還有點敢作敢為的幹勁，其餘不足觀也矣！

三·個·歷·史·人·物

·馮虛·

讀史，可得閒中趣。最近看到三個人物——一個閹人，一個矮人，一個女人。在咱們以先的世代，他們向來是不大受人尊敬的。但儘管世人對他們的看法是那樣，儘管他們未被稱為最偉大；他們卻對國家頗有貢獻，在歷史上有其地位，總算是不曾辜負一生。

閹人是三保太監鄭和。當亦朝燕王棣篡兵向闕，奪了他姪子的寶座，對失蹤的前任皇帝，總是大不放心，恐怕他恢復帝位，顛覆永樂王朝，就派遣鄭和帶一支隊作戰的遠征軍，乘海由南洋、經印度、波斯，達非洲東岸。在總司令鄭和率領之下的遠征軍，數度出海，揚威海疆，打了不少勝仗，海外諸國爭來朝貢，他拓疆域、宣天威的成就，雖或不逮拔都西征，卻未遑多讓班張衛霍，洵足稱道。這位宦官出家的上將，眞是前無古人，後無繼者。

春秋齊國景公時，有位國務卿晏平仲（晏嬰），他在那個施行強權政治、祕密外交、複雜聯合國的政治局面下，折衝樽俎，出使諸國。他雖身材矮小，卻絕不辦條件外交，絕不怕大個子。在使楚時（那時楚是天下莫強焉的大國）表現尤為出色。「南橘淮枳」的比喻，尤為人所稔知。他「食不重肉，妾不衣帛，一狐裘三十年，盡忠補過，名顯諸侯。」此公雖不像穿硬領，吃大菜那一套，又沒有專攻之類的派場，卻仍能辦外交，而且辦得好。我們看他的「外交詞令」，簡直感到生動地跳起來。自非見了洋人凌就戰慄，變牛臉，裝笑臉的人可比。

賽金花，本青樓女，嫁了個狀元，又隨夫出國當大使夫人，頗得洋人喜。夫喪，居北京，稱滑的王公大人為之驚魔。義和拳亂作，八國聯軍入京，賽金花不但作了最漂亮的翻譯人才，並且大走國際路線，縱肆斷於洋人間，儼然「黑市大使」身份，其風頭宗曾稍遜李少荃也。對於國家出力不小，傳說中的賽金花本領之大，足以使職業外交家羞得面紅老臉增紅。

現在之世的「人才」裏面，有如此三八者不？若能得如此人才，我鄉貢建議：畀予特達之知，畀以「牛類官」做做，以為國家出力，為國家爭光也。

神經衰弱

一位老太太是農家人，生了九個兒女，除了料理家務，還得做饑農作，活到九十五歲，沒有生過病。

醫生請教她長壽和健康的祕訣，問道，「許多年輕婦女，只有一兩個兒女，家裏機械設備齊全，享受着安舒生活。可是她們時常生病，最普通的是神經衰弱和神經痛的病症，你一生勞碌，可曾患過神經衰弱病嗎」？

老太太答道，「一天忙下過來，我心裏十分認為神經衰弱的病甚……。後來我曉得神經衰弱是有閒階級的疾病，是一種勞動人們夢想不到的奢侈品。」（雪）

十三不祥嗎？

·陳永昌·

歐美有一種迷信，以為十三這數字不祥，但美國國徽卻充滿了「十三」，裏面有許多十三的數字：

「十三」顆星兒；
「十三」條斑紋；
「十三」枝箭子在鷹爪裏；
「十三」片彩雲在光輝中；
「十三」個字母在格言內；
「十三」塊柱選；
「十三」粒漿果在桂枝上；
「十三」根羽毛在鷹的左翼；
「十三」根羽毛在鷹的右翼；
「十三」根羽毛在鷹的尾部；
三倍「十三」個字母在「美國的紋章」

從上面數一數，「十三」這數字恰巧重疊「十三」次之多。

秀才·舉人·進士

賈景德

歷代考試，重視防弊，武后始創試卷糊名之法，清代無論「縣考」「府考」「院考」，凡係正場均須用彌封試卷，並且步步設防，其制度均在嚴防舞弊，以院考為例，其補傭考場規則，均足以表現主試者用心之良苦，院考開正場之前一日，學台升堂，親督差役將推集在堂上的坐號戳子，（其制是用千字文的天地玄黃等字編列坐號戳子，如天字若干號，地字若干號等等，）用紙紋亂，然後由書吏任取一個，印在卷面上方，另在卷面下方，粘貼浮籤，上寫考生姓名，加蓋關防，考生交卷時，先將浮籤揭去，免在未拆彌封前露出姓名。次晨四五時左右，天尚未曉，朝氣清寒，學台在試院儀門內右方設案升座，府縣官員及各學教官，當堂後，率同各縣廩保等在學台對面蹲立；是時與考童生已各在燈牌下集合，所謂燈牌者，係仿高腳牌式，四面用紙糊粘，中空插燭，上書考生姓名次序，每牌三十人，考生須認清名牌，各在牌前站立，因考生人數衆多，最易紊亂秩序，故用兵法部勒，以昭齊一。當是時即由執事者將牌高舉；考生依次隨從魚貫入門，官，候書吏唱名前進，每唱一名，考生即趨至學台公案前領取試卷，其認保廩生亦即趨聲報名曰某某保，然後到龍門口，經過一番嚴重搜檢，認為毫無夾帶，始放令認號入坐，學台親登大堂，命題監考，各學教官分班巡場，嚴杜傳遞，槍替，並且一經入場，考生除得急症外，一律不得外出，內急雖要出恭，必須持試卷至大堂上請求加蓋出恭戳子一個，然後才能到大堂兩廊臨時搭蓋的草棚內為之。蓋得戳子多了，學台閱卷，必加以考慮，不肯輕予錄取，恐其藉出恭為名作弊也。考生自黎明入場，日落時即須繳卷出場，不准給燭，至期不能完卷者，即強制執行，撤去試卷。其防範的周密，可謂無微不至。然而年深日久，串通舞弊，暗通關節冒名頂替的笑話，亦在所不免。記得我有位翟姓的遠親，事前商好請一同考生槍替，臨時發現兩人分坐東西兩棚，槍手只得將八股文寫在瓦片上，乘人不在意，自西向東擲送，其起講首句為「昔賢者……」云云。瓦片最後又註明「瓦塊小，寫不下，老兄，你做吧！」等字樣，誰知這位翟先生不過是略識之無，又慢不經心，不分青紅皂白，就往卷上謄寫，非但瓦片末尾的語句照抄不誤，而且將「昔賢者」的昔賢兩字寫作「廿一日上天」，因昔字寫的距離較大，俗寫賢字的賢字係「実」，寫的距離亦大，故出此笑話。學台閱卷，始而莫明其妙，繼而恍然大悟，啼笑皆非，碰巧他也頗富幽默感，於是即以其人之道，還諸其人，立即掛牌上寫「翟××上天有日，本院不敢強留」，翟生因此取消資格，就不准參加次一場的考試。（五）

最甜的東西

雪人

蜜糖是人類最先嘗到的甜味，也是世間最甜的物質。比較蔗糖，蜜糖要甜一倍以上。蔗糖只有一種滋味：蜜糖的成份係花粉，因此含有種種不同的香味。

原始時代，人類使用蜜糖來表現各種甜蜜的關係。男女成婚，總在身上搽上一層蜜糖。古代羅馬在新房的入口滴上一層蜜糖。古代歐洲和亞洲的人士總在酒上加上蜜糖，給新娘新郎做合歡的喜議。歐洲夫婦到現在還是互稱「蜜糖」。

蜜糖是一種最純潔的物品。因為糖質的成分高，微菌在蜜糖裏只能夠生存一個小時。去年埃及發掘出三千三百年前帝王的古墓，從頭找出好的蜜糖。經過好幾千年的歲月，糖的顏色加深了，成份加濃了，品質卻絲毫沒有變壞。要是在蜜糖裏加上水和蔗糖，在極短時間內蜜糖便要發酵成酒。

蜜糖裏頭含有豐富的鐵，銅，錳，鈣等礦物質和蛋白質，維他命。患糖尿病病者不能吃蔗糖，可是蜜糖對於此項病人卻絲毫沒有妨礙。蜜糖裏面的杏仁露和咳嗽藥都了解成份的蜜糖，蜜糖能夠防腐而且有消毒的功用。

不嫌米碎的太太

·李樸生·

父子三大兵

民卅二年，我們抗戰軍事失利，形勢很緊，蔣先生號召智識青年從軍，我兒子在重慶大學，女兒在中央政治學校，都響應這個神聖使命的號召。她只有這一雙兒女，過慣準備離開讓場，她心裏很難過，常對我流淚。我當時又恰要在復興關進修六個月，穿了軍服，她看見更覺沉鬱。但她是一個徹底的，堅決的反抗日本帝國主義者，她從民國七年起，到民廿七年，就實行參加抗日運動。一直到澳門的汪派氣氛中，仍反對汪精衛的投降主義。她寧願我們都打仗戰死，決不願我們屈膝偷生。她理智上雖有這樣最後的決定，平日的感情總不免受着刺激，不能安寧。她不願獨住在海外，寬闊僅有兩席的房間裏，便搬到龍井，寄居陳克文兄家中。並請克文兄介紹她一個僱員級的書記，做做事，以排遣時光。

我們全家四口人在重慶，一天同拍一張照片，我和兒子女都穿了軍服。我又是海外同志社的書記。（太平洋戰事發生，許多僑胞回到重慶，黨部便組織這個僑社，他們推我任書記）我便在照片上題上「夫妻兩書記，父子三大兵」，她批評我的吐屬也變了大兵化，一點文學的意味都給訓練去了。

生病逝世

民國卅五年春天，我們回廣州拜我媽媽和她媽媽的墓。她在飛機上就感到不舒服，下機就病了，即進紅十字會醫院。她的病反反覆覆病了三四個月，到七月卅一日下午六時左右在夏葛醫院逝世。

她媽媽和她病的時候，都是由她妹妹琪瑜料理。琪瑜陪她在博濟醫院住了一個多月。她姊妹不見面中，在醫院中追念與感。她很感激琪瑜在患難中照料她的媽媽。她知道兒女在這幾年中，還要繼續到外面讀書，我又會失魂魚般東跑西跑，家裏沒有人，希望琪瑜伴在她身邊。她逝世的時候，琪瑜和兒女都在她身邊。我到她身邊時，她已沒有氣了。

她的個性

她的個性很強，主意一定了，不會改變。她是一個有錢家的女兒，而甘淡泊安貧。她對我媽媽和對她媽媽一樣。她對子女的教育，不肯放鬆，我流浪這麼多年，子女沒有一天停學。她要把子女從幼稚園讀完大學，再留學，做一個受完全教育的公民。她只成功了一半。另一半不成功，不是她的責任，而是她的兒子不能趕速把握時機。她歡喜自主，處理什麼事情，都不會游疑惶惑，不必等候我的意思。她不喜歡熱鬧場面的交際，只喜歡幾個熟朋友談天小敘。她不喜歡甜咀滑舌的講話，也不喜歡多講話，如講話，一句一句地講清楚，不管你願意不願意。她不隨便和人家往來，怕麻煩；卻珍視朋友的友誼，可以雪中送炭。她逝世時，多年不見面的李滌生兄在廣西讀着一篇短文哀悼她，在這一篇短文中，可以見到她對朋友的古道熱腸。她常懷念家的慈愛，最可惜詠袁在上海翻譯了很多本有名的左傾小說，她想起詠袁結婚的幸福（開明書局版）的婚姻不如意，思想趨於偏激。詠袁在上海淪陷後，她在香港受嚴厲的同情。詠袁抗戰期中在香港逝世，她回廣州後曾想去祭祭她的墓，自己又病起來。（三）

最偉大的演說家

邱吉爾是近代最偉大的演說家。第二次大戰的時候，邱氏對於國會的演詞非常精心撰寫，一篇演詞常費五六個鐘點的時間。邱氏每於國會開會的前夕，把講詞分為各種最妙的是他在講詞裏加上許多註解，如拍手，大拍手，拍手歡呼等五分鐘上。這紙條也就是邱氏的演講的時候，邱氏把這張紙條掌握在手上，指揮聽衆，一從他的指揮。

流亡追記·樸實的鄉民

·陸遠·

在這裏能找到的食物多是鷄蛋、肉類和蔬菜等。鄉居的東西，他們曾經不十分計較錢，他們常說見了人就有一種親切的情感，熱情的感覺，比較物質貴的多，雖然你給他們，他們也不收，但他們也不是假裏假的虛套子，就看來去的時候，他們那種歡迎和留戀的神情，便可以知道。晚上，七點鐘，飯好了，大家都盤膝坐到炕上，圍着一張小桌，在油燈閃光下，吃到滿頭大汗，那種「家庭」的情調，如歸的溫暖，令人羨慕不已！晚飯以後，把門關上，使安靜在暖暖的熱炕頭上，屋外的朔風打在紙窗上，聽說從來幾度過處的洪蘭，使人感到家的溫暖，而漸漸陶醉在甜蜜的夢鄉了。

這些野村的居民，好像桃花源裏的人不知有漢一樣，對於所謂大局，一點也不知道，我們很抱歉帶給他們一些獨特的俗言隱語，使他們那些羨慕的鄉里，他們趕了一陣的不是傅作的，也不是跟着強迫，不他們關心的只是他們那田野里的麥麥，和牛羊的孳壯，以及那些搶掠了的土匪們，像這樣樸實善良的人，還什麼還要給他們這樣多的磨難呢？

車友們除了老何、老曹和我之外，多是傅作義的下級幹部，他們多是因不滿北平之和而離開小營的，他們多帶着希望到遠嶽之後，重新執起槍桿和共軍一拚的。他們那種不屈的服的精神，令人為沮喪中的國軍感到驕傲。他們多偏感情用事出身的青年幹部，處處有生氣，有戰鬥氣魄，從他們那種樸實的言談和生活中，使人感到青年人的堅強魄力量，同時也令人覺到青年人底迷惘和悲哀。我常想：是他們對不起國家嗎？（下）

自由人
THE FREEMAN
（第四九四號）
中華民國郵政登記認爲第一類新聞紙類
中華郵政台灣省內政部登記證內警台字第五〇〇號
（每逢星期三、六出版）
督印人：[illegible]
地址：香港高士威道二十號四樓
20 CAUSEWAY RD HONG KONG
高士打道66號 電話：七四〇五三
承印者：[illegible]
友聯書報發行公司
台灣總經銷處
台北市[illegible]
台北郵政信箱[illegible]

如是的「日內瓦精神」！

—英國外交的失敗—

·黃華表·

美國人是甚服膺威爾遜總統，和約翰杜威的實驗哲學的。威爾遜似乎曾經這樣說過：「假使我和一位小姐結婚，可能離婚和一位小姐結婚」。這是教你單戀，不斷的單戀，不斷的追求，最後終是戀愛的成功者。共產黨是「天知」「地知」「無人不知」最詭詐，最不足信的人物，然而艾森豪，杜勒斯輩的智識與經驗，竟不能知之。而必須待一次二次三次試驗都失敗了以後，才能覺悟嗎？恐怕不是，這可能便是威爾遜，杜威之所謂實驗哲學吧！

不見棺材淚不流

所以「四巨頭會議」開幕的時候，艾森豪便欣欣然向美國的公民歌頌「日內瓦精神」！預選一次「四外長會議」不歡而散，杜勒斯還是欣欣然向美國公民歌頌「日內瓦精神」！我相信，現在埃及和阿剌伯兩國家被投入共產懷抱了！中東局勢一再的緊張了！印度揭破中立的面孔，也將向共產一面倒了！艾森豪杜勒斯還是會一樣歌頌「日內瓦精神」的。因爲在共黨的原子彈沒有落在美國D.C.以前，「日內瓦精神」總還是存在的！艾森豪、杜勒斯還當選要歌頌，不會就停止了的！

艾森豪、杜勒斯，似乎都具有對共黨「絕不須使用武力」，總聯可以使之化干戈爲玉帛」的信心。正好像我國古語所說「精誠所至，金石爲開」，我們又怎可以武斷他們是「愚蠢」是「傻瓜」呢？所以我這裏也就不必多所論列了。

最難堪的是英外交家

不過我想，此時心理上最感難堪的，應該是英國的外交家。因爲美國這幾年來的外交行動，完全是「唯英國的馬首是瞻」的。不獨他們平常的外交行動是「唯英國的馬首是瞻」，便是他們號稱兩黨決定的外交政策，還是要隨「盟國」的好惡，以爲轉移！我們試問，在韓國自縛手足的所謂「有限度」戰爭，是杜魯門艾奇遜所主張的嗎？板門店會談，是艾森豪、杜勒斯原來願意的嗎？日內瓦會議，將越南硬劃做兩邊，又是艾森豪、杜勒斯所願意的嗎？乃至「四巨頭會議」，大家都知道，是邱吉爾首相多年來的主張，最後艾森豪才不得不順從而召開的。所以這一切一切，無論是成功，是失敗，都應該是由英國的外交家負其責任！艾森豪杜勒斯，可謂冤寫。倘若一定要說艾森豪杜勒斯有什麼責任，那只可能是「聽才說」四個大字。但這是要待將來的歷史家論定的。

我爲什麼要說自日內瓦四外長會議失敗以後，心理上最感難堪的，應是英國的外交家呢？這是因爲：在世紀以還，世界上無論什麼大小問題，都莫不是以英國爲解決重心的。而英國又爲一向以善於運用外交著名的。英國雖不是沒有維係「實力」在其外交的後面，但最爲「實力」只管變幻曲折，終歸達到成功的目的。英國過去的外交，也曾有時表面似乎是失敗了，但其進退靈活，雖經波折，亦終底於成功。我們只看第一第二兩次世界大戰的歷史，就可以證明前之言。英國人常常自詡「國旗無日落」，雖然是事實。但這，與其說是英國「武力」的結果，毋寧說是英國「外交」的結果。

英國的外交手法

不過到了這十幾年，不知是否同中國古老人所說的「命運」有關，恰巧來了一個後起的蘇俄。自俄國共黨躥起以後，英國的外交便有些難着不如人了。我們全知道，大英帝國的聲威之所以能維繫世界，完全是由於其殖民地之多而且富。所謂「取之無盡用之不竭」，恰是英國殖民地的寫照。即使加拿大澳洲紐西蘭自治領除外，單算亞非兩洲尚餘留的，還是世界之冠。近年印度和緬甸兩國，雖則表面上算是獨立，而其精神還是完全屬於大英帝國的。外交上的一切，還是同英國亦步亦趨。自共黨擒入了中國大陸以後，就根本不同了！不但其他，單是毛澤東傀儡政權的出現所給予大英帝國的威脅，可能便是大英帝國有史以來所未曾有的事「恐讓」，實在也已超過了任何自治國家所能忍受限度。同時所有大英帝國集團還時時爲「中共」捧場；處處爲「中共」「作勢」；像印度尼赫魯梅農輩之爲「中共」在外交上的努力，恐怕要超過了爲其本國及大英帝國；這手擇東南亞來自己，恐怕澳洲紐弗如——然尼赫魯梅農輩以及其他英自治領之所以如此對「中共」賣力，世界上每一個人，都會認爲這是英國外交手法的一面。其目的，無非是爲大英帝國在遠東方面，暫時緩和「中共」對英國殖民地的進攻，好讓英國在西歐方面，得以全力對付蘇俄罷了。

六十老婦倒繃孩兒

我自然最最信賴英國外交家手腕的一人，一切一切，自然都猜做英國外交家的錦囊妙計；艾森豪杜勒斯之流之所以要一切聽命於「盟國」的理由，恐怕也在於此！誰也疑心「中共」歸根要上英國這種「遠交近攻」政策的大當！又誰知其結果，乃大謬不然！恰恰是出乎一般意料之外！所謂「四巨頭會議」，以至「四外長會議」本來是英國外交家的手法，而其結果，乃反完全被布加寧，赫魯曉夫利用了！布加寧赫魯曉夫只一度笑臉，便輕輕地把英國那育白年的埃及和印度爭取去了！阿剌伯國家，緬甸，還不在其內，當初英國，所以要召開四巨頭會議，原想先穩定了歐洲，亞洲非洲，是隨時可以取締的。卻不料，歐洲不但不能穩定，反失去了亞非兩洲最重要的兩個國家！試問英國失去了埃及印度和緬甸，在亞非兩洲，還有什麼可攻可守的地方？還用什麼方法？假使南非也將被共產滲入了，英國還可以用香港星加坡抵抗「中共」的武力嗎？雖然這並非當議到「中共」便會向英國施用武力，可能需要加緊利用英人，再召集幾大「日內瓦四巨頭會議」，以便鞏固其已得的利益。不過待到「中共」大陸鞏固了，印度又完全投入共黨營壘了，南非也獨立了，那時便可能要由「蘇共」「中共」召開他們的巨頭會議了。要英國退出香港星加坡和塞浦魯斯了！因爲這正是「日內瓦精神」！

在開羅看中東局勢

蘇聯着着進攻，英美顢頇無知

·方劍·

（本報開羅特約航訊）

自以埃衝突擴大，埃及又獲得捷克軍火「商品」供應後，中東全面危機日增，從紅海到死海，雖調低沉，整個中東地區爲火藥氣氛所籠罩！

開羅實已成爲今日中東政局的樞紐，納薩則更是洋洋得意，不可一世！

開羅外交戰熾烈

在開羅來觀察中東問題，以埃糾紛並非是全局的重心。自從莫斯科指示捷克准以軍火爲「商品」出售，並表示擴大供應噴射機後，問題顯於棘手，再也無人敢說以埃問題，只是單純的兩國邊境衝突問題了。

英美兩國對中東緊張局勢的惡化、焦灼不安，已非一日，曾一再向埃及提出警告。但開羅當局則充耳不聞，對英美的強硬態度不稍顧及，卻對蘇聯所表示願作長期投資建設，感到莫大興趣。

因此，儘管西方外交官的活動頻繁，卻遠不如莫斯科一個媚眼對納薩來得更具誘惑力。所以就開羅外交界的冷戰競賽言，其熾熱程度，並不下於以埃邊境的戰事，中東政局實際的發展，誠然出了英美對中東問題的傳統認識的錯誤。英美的焦灼和關心，固日甚一日，但納薩在阿拉伯國家中的地位和聲望，卻隨着這些英美外交官的無效的活動而日漸增高。不惟各阿拉伯國家的元首與民間團體對之贊揚不已，即不滿意他的人，也認爲他這一招要得，佩服他能打破英美對中東的傳統控制，跳出西方的實力圈。

阿拉伯的民族英雄

在埃及來說，納薩認爲祇要蘇聯答應予以經援，在軍事上就有足夠的力量以號召阿拉伯國家締盟，納薩審要以盟主地位領導反抗以色列，並抵制英美實力，來由已久，今則適逢其會，時勢加強了他的英雄主義的意識。

這種純出自民族利益的要求，雖對國際局勢產生了不良後果。但在阿拉伯人的眼裏，今天誰能以不妥協的精神領導反抗以色列，誰就是阿拉伯人的「民族英雄」——因此，雖則阿拉伯集團間內部存有矛盾和磨擦，但在這一點上，卻是能夠一致的。而蘇聯也看準了這一點，故不惜顛倒黑白，指鹿爲馬，以軍火當作商品出售。在蘇聯來說，只要有一個阿拉伯的「民族英雄」敢於在中東縱火，它就必傾力以援助！

納薩想成爲狄托

蘇聯之覬覦中東，乃沿襲數世紀來帝俄對中東利益的傳統野心，值此中東多事，故力促其附庸國以軍火出售，己則以故示友好的態度，高唱和平，並囑各附庸以組織各種政治、經濟、文化代表團訪問和派遣歌劇、球隊等，遍訪歐洲各國。據開羅政界方面透露的消息，中共的戲劇團與商品展覽等，亦將在近期內抵達這尼羅河畔的古城。同時，納薩也宣佈了在明春訪問莫斯科及東歐附庸國，且倡言來年的亞非會議，預定在開羅舉行。

由於捧蘇的論調高唱入雲，雖不能說今日的埃及已爲蘇聯所「征服」，但此間的反美、反英的情緒，確已達到空前未有的熾烈！埃及之爲蘇聯所麻醉於此可見。

納薩敢於如此做作，實非無因。他至欣賞地中海彼岸的狄托，能藉翻手爲雲覆手爲雨，周旋於美蘇兩大之間賺取利益。以今日埃及之在中東所居地位的重要，故他自以爲不妨仿作狄托之在東歐施之效顰。他認爲美國既不能限制狄托參加大西洋公約組織，則埃及亦可以仿效其道而行之，而以埃及可吸取俄援而在政治上不接受共產主義及蘇聯的限制，來回答英美的警告，故決定邀請狄托訪埃，且時時公開表示對狄托仰慕至再。

納薩的想法和做法，明眼人一看即知其志在投機，且愚不可及。但由於英美假以詞色，遂促使他決心倒向蘇聯。目前即更在興風作浪，鼓勵其他阿拉伯國家採取同一步驟，向蘇俄訂立購買軍火的條約，致造成中東一幕[illegible]了時髦的「親俄」、「反美」的國際浪，實則納薩導阿拉伯集團墜入蘇聯的圈套而不自知。

南希埃欲共謀中立

若是打開地圖，從開羅將視線移往莫斯科，根據克里姆林宮的對外策略來研究，就不難發現蘇聯的目的其全然是欲自北歐的芬蘭經挪威、波蘭的捷克穿過中歐，由巴爾幹出愛琴海，跨過地中海，經中東之伊士以至印度洋，造成一條親俄的「中立」國地帶，以對抗西方實力的防衛圈。因此，在遠東找尼赫魯爲代理人，在巴爾幹再度收買狄托，而在中東就看中了號稱「民族英雄」的納薩。（下轉第二版）

（下轉第二版）

時事述評

·李秋生·

台峽危機與日內瓦談判

最近美三軍首長不斷巡視台灣海峽，太平洋地區最高指揮官且會親赴外島視察，並表示美國準備協防各島，應付任何外來攻擊。凡此種種，都不是無謂的放矢。另一方面，中共對台峽威脅正日形強化，陳毅且公然聲稱：解放台灣，便要藉武力來完成，這話決不能只當作一種冷戰姿態來看。

近頃種種，都顯示台峽危機只有增劇，毫無緩和之勢，而日內瓦中共談判，也徒然替侵略者提供談判時間。[illegible]都是最關骨的答覆；若爲了放人，則美方所付代價又實在太大，無論如何也得不償失。喪失自身威信，引起與國的疑慮，中共利用這種會談[illegible]日內瓦談判或許多數給上述經濟上的交易，當局自是何待言？

阿登諾爾病愈視事

西德總理阿登諾爾從十月七日因氣管發炎臥病，休養七週，直到本月二十四日總統出視事。前些天因阿氏抱病而引起關心的人們，現在可以暫時鬆一口氣。

如果說希特勒是毀滅德國的罪人，則阿登諾爾便是復興德國的偉人。波恩政府成立不過六年，西德的繁榮蒸蒸日上，連蘇俄都不能不變[illegible]，主要都是阿氏的功績。但他已是八旬高年，不時患病，所唯一待期者，便是阿登諾爾一旦捐館，西德便失[illegible]將對俄屈服，而捨棄下西方。

我們自然希望阿氏能老而彌壯，長保健康，同時也希望阿氏能以有生之年，對於身後事早作妥善安排。波恩政府的經濟部長艾哈德，外長布倫塔諾，原子能部長[illegible]，都有繼承資格，也都具備充分的條件。艾森豪也許可以仿照尼克遜多方訓練政[illegible]照例的散播伴食，卻[illegible]而且[illegible]

但願阿登諾爾不僅使德國從廢墟中獲得新生，而且更替德國的將來打下堅實基礎。

訪俄的人看到些什麼？

近頃西方若干訪問過蘇俄的人們，一般都說俄政情安定。但俄人自己所公佈的消息，則內部[illegible]，在史達林貝里亞的故鄉，一批高級共幹已遭處決。此外[illegible]也被斥爲浪[illegible]，莫洛托夫的沒落只是時間問題，這是政情安定的表現嗎？

因此我很懷疑那些訪問人士在俄國究竟看到些什麼，是觀察力不足，便是受了矇蔽。而西方所致力謀求的究竟是對誰有利，也還是一個疑問。

氫彈與共存

赫魯曉夫以一幅悲天憫人面孔，迎合印度人傳統的和平心理，說蘇聯希望停止製造氫彈，製造氫彈是爲自衛，俄國氫彈永不需要予以爆炸。但美國立刻就戳穿他的謊言：蘇俄最近就舉行過一次氫彈試爆。

赫魯曉夫的話也許可以騙過愚闇的印度人，凡都知道氫彈的製造是俄人最先開始，直到一九五[illegible]行首次氫彈試爆之際，美國尚未製成正式的氫彈。氫彈性質不同，後者可以製成武器，前者[illegible]一面自己拚命製造，一面誣賴西方擁有同樣[illegible]共的「公道」。

國際間的共存路綫是由氫彈所引起。現今西方仍保持絕對優勢，俄共的行徑卻是純謀征服[illegible]共存路綫的人們應該覺悟了。

印度的共黨威脅

● 胡養之 ●

正當俄酋布爾加寧，赫魯曉夫訪問印度之際，印共在孟買引起了傷亡二百餘人的大暴動，這事已足以暴露印度內部共黨威脅的嚴重。

合法非法雙管齊下

印度共黨政治局領袖丹奇且在孟買演說，表示印共將繼續發動騷擾，要求建立一個孟買邦，而以孟買市爲都會……。

在以往印度政治舞台上，印度共產黨的實力，是個外間所不知的謎。在東南亞區，印度的政治秩序在表面上尚稱安定，但是印共的實力不可輕視。除了國大黨之外，印度沒有別的政黨，能像共產黨那樣同時進行合法非法兩種行動。

據悉印度共

印共的外圍組織

在實際上，印度政治獨立之後，經濟情形並沒有改善。而受影響最大的是入息固定的中等階級。過去民族主義的人士宣傳一旦當權，就當改善民生，現在諾言不能兌現，予共產黨以攻擊的題目，共產黨的外圍組織計有：「印蘇友好協會」，「印華文化同盟」，「國際和平委員會」，「進步作家聯合會」等，經常召集有名教授、作家、科學家、和新聞記者們，前往中共區，蘇俄參觀。

印共曾否認施用暴力和威嚇，可是它們在印度好幾個地方實行割據。最有名一處，是在海德拉巴和馬德拉斯兩邦中間，佔據土地幾百方英里，印度政府曾數度派軍征剿卻始終沒有救平。這海德拉巴的資產階級，由於不滿意國大黨，故樂得假冒左傾，共產黨，與政府爲難。

袖萊氏，最近在美國新共和雜誌發表一篇文章說：印度共產黨黨員的數字，始終保守秘密。大約少則五萬，多則十萬。裏面的幹部，數目雖少，卻力量很大，能夠直接間接經由外國機構而動員羣衆。印度左派人士認爲印度名義上的政治獨立，並沒有擺脫了實際上帝國主義的經濟控制。共產黨因此隨時可以把印度反帝國主義的思想，轉移對共產主義的同情。

其次是印度文化中心加爾各答，也是共產黨領袖藏身的安樂窩。孟加拉省禁止共產黨，但是共黨一九四八年通過對東南亞政策的代表大會，便是在加爾各答舉行的。東南亞各地共黨代表以及共黨國際代表，差不多近千人。而搗亂當時會議的印共總書記約西，匿居地點就是在當地的某校校長家裏。

政府政策模稜兩可

印共的潛勢力既然有這麼龐大，如果政府准許它們在出版，言論和行動都有充份自由的話，也許它們成績更有可觀！不過印度政府對共黨的態度，一向都是模稜兩可。有幾個省禁共，有幾個省不禁。中央政府曾聲明沒有限制共黨的合法行動，但卻也沒有放棄不經審訊而扣留人民的緊急時期權力。據說目前被扣的共黨份子還有一千五百餘名。

從前蘇俄對印度持的是「靜觀」態度，因此印共也就缺乏一個固定的政策。現在印度政府既與俄共勾結，並且多次在聯合國中與共產集團國家態度一致，所以印共會一度奉命暫時公開擁護尼赫魯政府。繼約西之後充當印共總書記的闊那地維，會主張效法中共，成立多個小型的革命地區，以動搖當政的政府。而印共的地下政治局卻發表宣言，反對暴動，揚言提倡合法的羣衆活動。可是印度政府卻沒有受騙，共產黨更乘機推說因爲政府壓迫，是以不能融洽合作。

有人認爲，蘇俄和中共預備對尼赫魯表示，假如印度外交政策遵循共黨路綫，則共黨便不和印度爲難。事實上，尼赫魯早已走上了它們的路綫。可是中共的遣兵藏，尼泊爾的有共黨滲入，印緬邊境的共黨動亂，以及蘇俄勢力的經由新疆而迫臨喀什米爾，在在都不能令印度政府放心！

法軍叛變反抗調往北非

盟軍當局憂慮法軍士氣

法軍是美國賴以保衛歐洲的主要力量，但其內部最近發生的數次叛變，已對其可靠性引起新的疑問。

在一個月之內，被再度徵召入伍的法國後備軍曾三度叛變，反抗調往北非，與該區三十五萬法軍共同鎮壓北非民族主義暴徒的武裝叛亂。

西方軍事領袖所感到不安的，是法軍這種反抗命令的行爲，是不是反映着法國陸軍中士氣的普遍低落。如果這種揣測屬實，則他們將被迫把歐洲的軍事防綫作一劇烈的調整，因爲歐洲潛在敵人的實力，無疑遠超裝備惡劣的數千北非回教徒，要法軍應付這些民族份子尚發生了這樣的叛變，將來他們去對抗北敵人，其反應如何，誠令人不敢設想。

這三次叛變的經過大致如此：第一次，五百名後備軍拒絕爬上火車，開往摩洛哥和阿爾及利亞；其中大部份雖在掙扎了數小時後即告和平屈服，但另外三十人卻盤據於他們的營房支持了二十四小時。第二次是四百名法國空軍人員拒絕在巴黎搭火車，最後警察只得將他們押到一個機場，由飛機將他們運到北非戰區。第三次是一百二十名後備人員在離開法國前夕突告逃亡。

這些事件再度引起了關於法國共產主義危險的問題。在法武裝部隊中，共產黨員約佔全部軍人的百分之一，另有人百分之十五出身於投票支持共黨的家庭。自從現在的歐洲防禦體系五年前在艾森豪領導下建立以來，共黨一直運用報紙、傳單、公開煽動，企圖破壞法軍士氣。法國目前發生的事，正可授與共黨一個現成的機會，以鼓勵反叛與暴動。整個法國，包括宗教團體和政治派別在內，都對北非問題陷於分裂。共黨則正全力利用這種情況。有一個共黨市長曾親率一批羣衆，濫擲磚石，企圖將叛兵們從兵營中「解放」出來。還有些共黨又在後備軍出發前夕到他們營裏訪問，第二天早晨再到他們的兵營外面大喊，要他們拒赴北非。

因此，盟軍指揮官正愈來愈憂慮，不過他們暫時的結論是：這些叛變不能表示法軍已不堪一擊。同時，盟軍當局也正嚴密研究關於法軍叛變的報告，且鄭重注視着德境和北非的法軍行爲。

在兩次叛變事件中，法軍軍官顯然缺乏領導能力。在一個小城中，該區法軍總司令竟到叛變結束以後才出現於現場。那次火車站的叛變，實際是由於指揮官的容縱所促成，他非但未在場監督後備軍上車，反而到咖啡館去喝酒，喝了二小時，以致酩酊大醉。

與法軍有密切聯絡的美國軍官說，在法國的正規軍中，官兵的士氣仍然很高。根據這些叛變所表現的情形，叛變似乎祇限於突被再度徵召入伍，調往北非的後備軍中。由於徵召命令過於急促，他們都有一些私人的怨憤，有些是已婚的人，必須立刻拋家而去，還有些則是獨子。

這是一九三九年以來後備軍的第一次緊急徵召，在命令之後數週，關於軍餉、及其他問題，都發生混亂。在法律上，仍有許多漏洞尚未填塞，如醫學系和教育系許多人，便無法獲得保證，當他們的兵役期結集以後，仍能回原來的工作。

薪餉問題也引起普遍抗議。陸軍中的已婚人員，他們如在法國服役，月薪約等於美金四十元，調到北非，則增至六十二元。對他們來說，在收入方面，他們所受打擊最大。一個單身漢調到北非服役，月薪僅二十七元，即使有守寡的母親須他贍養，他也不獲家屬津貼。

目前的叛變，如和一九一七年法陸軍中的叛變比起來，當然規模小得多。現在這幾次叛變，是由於民衆對於政府處理北非戰亂的方法感到不滿。但這種不滿情緒卻授予共黨一個良好的利用機會。

一位曾與法軍並肩作戰的盟國軍官說：「法國人是我在戰場所看到最好的士兵，他們對於軍隊生活能以溫和態度去應付。受到優良領導，他們又發展了傑出的戰鬥精神。法國的職業軍人和受過良好訓練的徵兵，祇要有適當裝備，便絕對可靠。但如要徵召後備軍作戰，卻必須首先使他們與全國國民都瞭解他們是爲什麼而戰，而且要使他們相信這個目的。」（吳林譯自「美新聞與世界報導」）

在開羅看中東局勢

方劍

（上接第一版）爲甚要打破這一算盤，勢必先要折散（至少也要離換）巴爾幹同盟！因此，當塞普魯斯島的紊亂，帶來了希土英三國間的不愉快時，蘇聯就運用希臘的不滿情緒，擴大矛盾，形勢固迫使希臘與南斯拉夫間愈趨親密，而希共在蘇聯的授意下，也鼓勵希臘的左翼政團倡導「中立」主義。於是同情狄托和尼赫魯的在希臘境內日漸增多。而蘇聯則更經外交路綫力策南希埃的合作實現，使之成爲地中海兩岸的「中立」砥柱。

據來自雅典外交界的消息，謂蘇聯外交官曾對南希當局暗示：如果希臘允加入「中立」集團，俄願將阿爾巴尼亞剖分爲二，以酬南希！固暫勿論此一傳統的眞實性如何，然其誘惑力之强烈是足以使希臘爲之怦然心動的，何況此說又似絕非空穴來風呢？

假使南希埃三國組成了中立集團，則土耳其即陷於孤立之境，打斷了他與大西洋公約國和巴格達協定國家的聯系。結果將促使歐亞非這一三角地帶的形勢爲之大變，而直接產生對自由世界和平的威脅。

現今，蘇聯外交當局正與南斯拉夫在暗中作此積極的努力，其發展堪爲英美當局注意。

中東局勢的檢討

納薩獲得共黨軍火供應和經援的承諾後，得意非常，他認爲世界上的事不過如此而已。因之驕橫日甚，並對其他阿拉伯國家意圖作全力控制，俾永居於盟主的地位。不過納薩的行爲如何？造成今日中東的惡劣局面，實爲下述諸因：

一、英美對中東的政策不能合作。英國的傳統政策固不足取，即美國的闊少作風也要不得。

二、由於英美對中東政策的不協調，至漠視了中東國家的願望，輒以「彼何能爲」的態度冷淡之，遂導使中東國家對英美失望而生離心。

三、基於上述原因，遂對埃及的政治外交不加理會，復由於傳統的錯誤觀念，對埃捷的商務談判，既不設法防患於先，又不爲之籌劃解決於後，初不料蘇聯久已俟機一旁，遂致瓜熟蒂落，垂手以得。

走筆至此，不禁擲筆三嘆，舊殖民地觀念加上了落後地區民族的愚昧倔強，遂讓蘇聯在中東有可乘的機會，但再深入研究，則中東之有今日之局，也實因英美當局忽視和自誤所造成！（十一月十七日）

海外通訊

美國的嚴重房荒

● 江濤 ●

（本報華盛頓十一月十五日特約航訊）美國居，大不易，到過美國的外來人，都有這一感覺，作爲一個普通美國公民，更是身受其苦，無法解決。

人們常說，美國地大物博，冠於全球，爲什麼連「住」的問題都不能解決？莫斯科，柏林、巴黎、羅馬、東京，等名城，因爲戰時慘遭轟炸，戰後之發生房屋恐慌，理所當然。紐約，芝加哥，舊金山等美國都市，自開埠以來，從未受到砲火，爲什麼會有「居不易」的現象呢？

有錢的人長年住旅館

可是，不親到美國，你是很難相信有這樣的事實的：少數富有者，爲了避免找住宅的麻煩，情願長年住在大飯店內，每天的房錢開支，至少可以養活十個普通美國人。其他因爲住旅館而難免的額外開支，更是無法估計。他們本人有的是錢，當然不在乎，然就整個社會說，這是很大的浪費。

其次是受薪階級的人們，他們既沒有可能自建住宅，也沒有能力僦居於舒適的飯店內，只好各就力之所及，租一兩個房間，把老婆孩子安頓下來，日光，空氣，私秘與舒適，就只好碰自己的運氣了。有些主婦爲了買點零碎什物，如果電話叫不來，就得用小車推着孩子，通過電梯的協助，沿着擁擠的人行道，跑到適當的鋪子裏去購買她所急須的某樣東西，時間浪費不說，精神上的負担，眞是無法估計。她的唯一補償希望，是節衣縮食，省下點錢，到了週末或假日，偕丈夫孩子到郊外去玩玩，找個僻靜的地方去坐坐，讓一週來的緊張情緒，獲得暫時的輕鬆。

貧民區的擴大

等而下之的低級工作員與散工人員，除了人口簡單的還可以住住公寓而外，普通都只好向貧民區集中了。美國也有貧民區嗎？有的。我們也許可以這樣說，現代都市的畸形發展與假虛繁榮，是矗立在廣大的貧民區之上的。不然的話，爲什麼紐約與倫敦這樣的「首善之區」，人口愈增，市區愈大，貧民區也愈形擴展呢？貧民區的形成與擴大，主要由於房屋問題的日益嚴重，而房屋問題之日益嚴重，主要由於新的房屋建築，趕不上實際的需要。求過於供的結果，房價高漲，租金奇昂，收入微薄的人，只好委曲求全，到貧民區找庇護所。

據建築商人們說：八千至一萬元一所的廉價房屋，很容易出售。年來由於國內的經濟繁榮，兩萬至兩萬二千元一所的住宅，也有搶購的現象。某公司的負責人說：他們只要開工，就有買主來問價或訂購，經常是每棟住宅，總有五個買主。據他們估計，本年房屋的出售，較去年增加了百分之十。

照這樣情形看來，利之所在，應該是趨之若鶩，以致在一定時期內形成供過於求的現象。這是自由經濟的市場規律，絕無例外。但美國自大戰結束以來，房屋經營成爲非常有利的事業，而迄今仍不能滿足實際需要，此其故何哉？一言以蔽之，人謀不臧！

解決房荒的困難

首先是政府對建築住宅的地段，未能作合理而公允的劃分，差不多所有的主要城市，現在都很難找出蓋住宅的地皮了。都市地價的暴漲，是一個重大障礙，而由於交通的便利與一般人的生活享受觀念的某種改變，郊區也成爲富有階級的爭奪對象。以致有平均每人佔地千呎者，有每人佔地不到二十呎者，向郊區發展，也並不容易。

政府所訂關於房屋建築貸款抵押條例，表面是不惜支出龐大公帑來鼓勵建屋，實則條件苛刻，限制綦嚴，使很多商人，不敢伸手，最近已有很多建築商在籲請放寬抵押條件，然據政府官員透露，放寬的可能性，似乎很小。

其次，建築材料的不斷高漲，也使建屋計劃受到影響。一九五〇年新建房屋數字，曾由戰後的六十七萬所增至一百四十萬所；然自此以後，卻始終在一百萬至一百三十萬所之間。今年的情況之好，僅次於五〇年，而由於上述種種問題的無法解決，來年的景況，一般都不樂觀。而在另一方面，美國人口的增加率，正在穩步上漲。這一問題如不解決，十年以後的美國人，雖不致「拿着金碗討飯」，卻很可能「枕着金磚睡街邊」。

天下小事

新電子機騷擾雷達

美國陸空軍最近舉行的聯合演習中，有一件事已使美國領袖大爲憂慮，空軍的一支「敵軍」運用一種新的電子機械，首使美國最佳的雷達設備全失效，致使「守軍」遭受「摧毀性」的原子「襲擊」。因此，軍事當局正就心許多探測敵機，敵人轟炸，及定向飛彈的複雜工具，可能已成爲落伍。

美計劃造原子空母

美國海軍已批准了初步計劃，準備建造世界最大的軍艦。這軍艦將是一艘由原子能發動的航空母艦，排水量八萬五千噸（目前最大的軍艦超級福萊斯特航空母艦亦僅七萬六千噸）。國會料將力促海軍加速實行其原子軍艦計劃，從設計階段迅速進入建造階段，並趕快造成而下水。

美坦克售與阿拉伯

美政府已批准向沙烏地阿拉伯出售坦克二十輛左右。這是一筆現款交易，據說坦克也已在運輸途中。國務院人士認爲這筆交易與埃捷軍火協定都不足破壞中東實力均勢而對以色列不利。

誘唉僑胞回穗「參觀」 中共騙局揭穿了！

最近幾天來，本港的幾間左翼報紙，不斷宣傳本港居民返穗參觀「蘇展」如何踴躍，同時更利用所謂「讀者來信」的一套手法，把廣州說成天堂，然而事實又如何呢？

無可否認的，即使返穗的居民甚多，但其中百分之九十九並不是嚮往所謂「蘇俄展覽會」的「偉大」，而最大的目的，祇是藉這一個機會返廣州和四鄉探望一般隔膜已久的親友。事實也說明了返回廣州的人並不多。

數字證明受騙者少 回去多爲探訪親友

這裏有兩個理由，其一是因爲每一個返穗的居民對「蘇展」並沒有興趣；另一個理由也是最使香港居民失望的，這是返回廣州後，行動並不自由，要返四鄉，必須在廣州重新申請。

可以用數字來證明去廣州的人並不多，根據本港移民局的紀錄，自本月七日至十三日，共發出的邊境通過證一千九百七十張，十四及十五日共發出的通過證一千〇六十二張，總計九日來，去廣州的人也不過三千人左右。

那些回去的人，除了共黨份子與左翼機構中非去不可的職員之外，大都是趁這個機會返回內地看看家人或探訪親友，但是他們返港之後，都向人大嘆「呻笨」。據他們說：抵廣州之後，行動都得不到自主，首先，要簽名參觀中共和蘇聯的展覽會，絕少時間讓他們自由地去訪晤親友。

擠入會場走馬看花

這些展覽會在外表看來似乎不錯，但隨着大隊去參觀，你擠我擁，不容你選擇你所喜歡看的東西，在會場內雖有幾個鐘頭的逗留時間，但是過了一個攤位又一個攤位，轉來轉去，有如走馬看花，直要走遍會場爲止，實在談不上有什麼印象。如果說有印象的話，那無疑是在說謊。可是共方人員一定又要你發表觀感，在這種環境下，任何人只有亂說一些讚美之詞，誰也不敢作客觀批評。

會見家人共幹監視

有一個屬於某團體的人說：他返穗一週，所有的「日程」事先都給人安排好，只能和在廣州的家人作了四小時的會面，但在這最寶貴的短促時間內，他和家人們也不能暢所欲談，因爲街坊小組的共方人員都選擇這個時間到來訪問，且以鄰里的姿態表示「歡迎」，絮絮不休的找些題目和他談話。爲什麼這些共幹，揀這個時候來作家庭訪問呢？很簡單，就是香港的歸客非但每一行動都受到了監視，連到和親友敘會的機會都受剝削，此乃由於共幹們深恐這一種敘會會透露了共區的實情，因此，他們不得不藉詞打擾來達到目的。

又據另一個曾返廣州參觀的人說：他由香港抵深圳時，遇着兩個以前從香港被遞解出境的人物，由深圳坐火車去廣州，這兩個人物也跟着上車，並開始向他大談其反美親共論調，他只覺得刺耳，弄得他不聽不可，聽下去就噁厭萬分。

僑邊攝影即遭拘捕 牽連同伴留穗調查

像這一類「觀感」，幾乎每一天在本港中立性的英文和中文報章上，都有披露。也由於這一個影響，香港居民返穗已知所戒懼，人數一天比一天減少，因此，中共不得不用包銷制的「特別優待」辦法向若干左翼工會要人。

然而，由於中共在廣州反映來港的事實，使到那些貪圖小利和衝動的青年裹足不前。據本港英文虎報的透露：在本月七日中午，有由香港返回廣州參觀的青年僑胞兩人，在廣州長堤向海珠橋攝影時，被駐守海珠橋的共軍所窺見，立即對這青年採取包圍，並將他們加以逮捕。

當共軍包圍兩名港僑時，他們曾經表示是屬於歸僑的身份，但共軍指海珠橋爲「具有軍事秘密」的橋樑，（按海珠橋由前年起，共軍爲防國軍飛機空襲，在橋上設有高射砲位，橋之兩旁圍有鐵絲網，經常有共軍一班駐守巡邏），指港僑攝取橋樑照片是「特務」行爲，即將這兩名香港僑加以逮捕，迄今下落不明。

該兩名港僑原爲在港參加某團體小組組成的集團，由港集體回穗「參觀」者，因這一次事件的發生，一時仍無辦法歸來，留穗等候偵查。

帶書回港途中被捕 偶攜港報被拒入境

接着發生的是兩名港僑邱×清與胡×，於返抵深圳途中，其中一人不幸被共幹拘捕，指爲特務，幸而胡×乘機逃回香港，透露了這一個事實。

據稱：胡×和邱×清都是本港某一左翼書局的員工，透過一間左翼報館代辦手續，上了一次廣州，在十八甫南方書店買了五本不同期的「工商半月刊」，購書還要登記姓名及職業與住址，豈料毛病就出在這幾本書上，由廣州返深圳途中。有好些港僑因私攜書籍而被迫由大沙頭打回頭，當時他們對這些事尚不以爲意，不料當抵達深圳邊區檢查站時，檢查員即預知他們行李中有書五本，指爲意欲往廣州偵查共區經濟情況的「特務」，因此加以扣留，胡×則藉共軍偶一疏忽，即奔越邊境返抵共區。

像這種稍一大意即遭妄加罪名而生死難知，許多居民遂因此裹足不前。不但如此，有七個被騙回大陸的男女，因爲攜帶了幾份本港出版的報紙，就成了被拒入境的理由，並且還證明書上寫下了：「對入境條件不遵守，大陸並不歡迎」等字樣。據其中一個南洋歸僑伍×瑞說：他在火車站上買了幾份報紙的原因是準備解除旅途寂寞的，當車抵達羅湖時，在匆忙中，放在行李箱中，不料通過羅湖鐵橋抵達深圳時，被中共邊防檢查局檢查員查出，以不遵守入境條例而被拒入境。當時在一羣旅客中，另外還有六人以同樣的理由被逐返。

一切行動俱受控制 照相底片亦須嚴查

這就是「天堂」般的大陸嗎，說來是非常可笑的。中共一方面爲了達到宣傳的目的，故示寬大「歡迎」本港居民進入大陸觀光；在另一方面卻又隨時加緊控制港僑一切行動。上面所述，就是最顯明的例證。其他例子，更不勝枚舉，即如每一個港僑在廣州照說是准許攝影的，但所有軟片（菲林）必須在廣州冲洗，由共幹檢查每一張照片的背景，如果一有可疑之處，不但底片被沒收，還連到攝影的人都有問題。中共的職業宣傳家就把這樣的一個廣州說成「天堂」，實在揭穿了不值一笑，而其用心的齷齪與卑鄙，更爲人齒冷。

一億元興建平民屋 蘇屋村闢地十五畝

本港屋宇建設委員會，曾由當局指定撥款五千萬元，作爲興建一般平民屋宇之經費，最近復鑒于是項計劃範圍廣闊，故特決定再予增撥五千萬元，即連前合計共達一億元。

當局除確定本港北角渣華街之部一批平民屋宇建屋地點外，其他另已選定者，並有本港西環加多近街及九龍深水埗蘇屋村之地段。蘇屋村，現在係第三批，該處地區廣闊，總面積達十五英畝，預料將來興建落成出現於此處之平民屋，其範圍將爲三處計劃中之最龐大者。

中共「司法部」新指示 加緊對付農民反抗 同時進行內部清黨工作

范珍

「農業合作化」的鬥爭浪潮，已經在大陸農村裏普遍的展開而漸趨高漲！一方面中共宣傳各省的「農業生產合作社」數字在繼續膨脹；另一方面則反抗、破壞的情況也日漸擴大！

農民開始普遍破壞

據中共「司法部副部長」閔剛候的供述：瀋陽市西郊區大檢村反抗「合作化」的農民「邢德昌、邢貴和趙景貴等三人合謀殺害了積極參加互助合作運動的農民李景雲全家八口人，並放火燒燬房屋和屍體，企圖消滅罪證。」（十一月八日「光明日報」）這只是一個活生生的實例。但農民反抗、破壞「合作化」的事例，又豈止這一件呢？且也不自今日始！

按諸七月七日的「人民日報」所暴露各地農民反對「合作化」的事例來看，這種堅決破壞的活動情況是普遍性的，也是長期性的，在很久以前就開始了。共報說：農民是「針對農村各個時期的中心工作，進行騷擾的破壞」的。

縱火放毒暗害共幹

「農村互助運動」既是農民「破壞的主要目標之一，其破壞的手段，也是多種多樣的」。具體的情況是：

「在合作化運動發展的初期」，農民的反抗是「在社外進行破壞，以阻攪合作化運動發展」；現階段則改用「鑽進社來，僞裝積極，篡奪領導，或是挑撥離間陷害和打擊積極份子和幹部，破壞黨的威信，企圖從政治上瓦解農業生產合作社」，更進而「毀損農具，破壞水利，縱火，放毒，殺傷耕畜，暗害幹部」（同上）

農民的反抗「合作化」絕對是無須有人領導的，共黨的迫害使他們一致的產生了自發的力量，因此他們的破壞方法是千變萬化的，使共幹難以捉摸。

中共指示加強迫害

正由於此，中共「最高人民法院」與「司法部」，經過會議，「在最近發出了「關於加強司法工作保障農業合作化運動的指示」，要求各級人民司法機關必須積極行動起來」，（同上）

「指示」的全部內容，經分析包括下述各點：

一、確立「堅決、及時地打擊農業合作化的破壞活動」的原則。即對反抗「合作化」的農民加以撲滅。

二、責成「各級法院和司法行政機關，通過審判實踐和總結工作，找出破壞農業合作化的方式及其活動規律，並綜合農民反抗破壞的各種方式，加以研究，俾擴大對農民的鬥爭面。

三、用盡量發佈農民破壞活動的事例，和殘酷迫害農民的暴行來「充分地「教育」（即脅迫）農民積極參加農業生產合作社」。

四、在推行「合作化」過程中，中共的「司法人員」，負有直接監督各地共幹推行工作的責任。因此，必須「總結審判實踐中發現的問題，建議有關黨、政領導，堵塞漏洞。」

五、由「法院和鄉政權」會同指派「調解委員」駐「農村，從事監督實際情況，管理「調處社內外民事糾紛和輕微的刑事案件。」

六、由各級黨委統一領導司法、公安、檢察機關，「通力合作……發揮審判威力」，對反抗農民展開鬥爭、鎮壓反共暴動。

從「土改」到「農業合作化」，中共一直在欺騙農民，其對農民的迫害也一次勝過一次。這次中共加強「司法機關」權力，不僅直接在殺害農民，還意味着有對各級共幹加以監視督導的責任。因爲共黨內部對「農業合作化」有着分歧和反對的意見，這一部份的人，就是毛澤東所指出的「小腳女人」，他們在時間上反對過急的提早實行「合作化」，在手段上不同意過激地迫害農民。因此中共在「農業合作化」的第一階段上是失敗的。如果這個現象再繼續發展下去，惡化下去，將基本上危及中共政權，這是共黨內部不協調的結果，所以緊跟着在毛澤東的報告之後，中共中央也發出了指示，這次中共司法機關的指示，可以看作是中共對待農民和幹部的最後通諜。這不僅是農民的厄運，也是共幹們的「鬼門關」，中共是決心要在這次推行「農業合作化」的同時，展開一次黨內的整黨運動，爲它來年的八次全代大會鋪平道路。

農民普遍怠耕 福建土產銳減

在中共區天災人禍交煎中，福建土產普遍減產。十一月二日「廈門日報」透露：今年紅茶減收百分之七，青茶減收百分之十一，僅武夷岩茶即減收百分之十三。永定烟葉較去年減收百分之五。木材減收百分之四。此外，花生、甘蔗、桔、荔枝、桂圓、蔴、樟腦、筍乾、香菇、生漆、桐油、茶油、松香之等收成均歉。其中桐油收成最差，僅及去年百分七十。閩省土特產減產主因，不外（一）苛捐雜稅；（二）壓價統購；（三）征兵征工征夫過多，徭役頻繁；（四）資金欠缺；（五）風、虫、雨、旱、凍、水等六災俱全。其中尤以農民不但無利可圖，且須虧蝕血本，還要忍飢挨餓，因而普遍怠耕之影響最大。共方自承：晉江、龍溪、南平等專區內桐農，擅自砍桐林之風盛極一時；建陽專區各縣焚燒森林事件防不勝防。

父兄做了中共砲灰 子弟讀書慘遭虐待

許多死於非命的中共「軍烈」的子弟，現在都遭遇了悲慘命運。南京「新華日報」最近披露了這樣一件大批兒童遭摧殘的事：「福建龍岩專區有一個「軍烈」屬子弟學校。這所學校的副校長姜壽賞（共黨黨員），和教員蘇士棟、黃族生、藍鑑宗、曾志先等，三年來一貫殘酷地體罰兒童。」該報指出：這所學校所施用的體罰方式，計有罰勞役、罰站、罰跪、罰跑步、罰檢討、罰曬太陽、罰停止活動、罰停止吃飯及禁閉等多種。體罰的種類如此之多，據說是因爲這個副校長提倡體罰，許多教員就以體罰作爲主要的「教導」方法。據不完全統計，受罰的學生有一百〇一人，佔學生總數百分之八十；有個學生受罰竟達三十九次之多。

這些學生到底犯了些什麼過錯，而要遭受這種殘酷的懲罰呢？該報說，有五十五個學生被罰勞役，挖挑泥土七十四點七十五公方（一公方約有一千三百多斤），是因爲這些學生忘了收回或收錯了晒洗的衣服，或者是因爲打破了一塊玻璃，一個電燈泡，或者講了一句粗話。學生陳敬仁和呂正佳是兩個不滿十四歲的兒童，姜壽賞罰了他倆挑五千斤石頭，要由河邊挑到學校後面最高的山峯上去。原因是：這兩個學生爲「慶祝八一建軍節」練習打腰鼓把鼓皮打破了。其實鼓皮是由於太陽下晒久受熱膨脹而破裂。這樣的體罰結果，造成了學生對「勞動」認爲是一種極端的恥辱。

罰停止吃飯是怎樣一回事呢？該報又引述了這樣一件事，它說，這種處罰的標準是教員掌握的。學生鄭笑珊在星期天被迫去北山上鋤地瓜草，回來晚了一些，教員黃族生就不給他吃飯。另一學生林建文因爲吃飯時拿着一個皮球，被同學拍了一下掉在地上，教員曹垣德就搶去他的飯碗，不准他繼續再吃，並令林建文站在旁邊看着別人吃飯。

受到停止活動的學生特別多。據不完全統計，有五十個學生被停止活動一百〇八次。輕者一、二天，重者幾星期以至三個月。如學生張玉益在端午節假期中返家，回校較遲，被停止各項活動。學生徐啓泰因和同學打架，姜壽賞就停止他和家屬通信，而且扣留了四封信及三十多張照片。學生江聯防因爲和同學玩，被同學追得無法時，跑進了教師辦公室，教員藍鑑宗就罰他站立三小時。學生柯生桃因爲不懂普通話，被罰跪了兩次。彭日生因爲上體育課時發生肚痛，在場邊休息。被姜壽賞看到，說他違反「勞衛制度」，罰他在操場周圍跑五個大圈。

更嚴重的，該報說，莫過於毆打學生，摔倒學生以及禁閉學生了。如學生方錦泰在熄燈後勸同學不要說話，教員蘇士棟反說他犯規，扼住他的喉嚨，然後又把他禁閉。（誠）

自由談

做人與為政

馬五先生

無論幹那行職業的人，如果一般親戚朋友們還有人批評指摘你的所作所為，說是說非，紛紛議論，儘管這般人的議論都是些不切實際的閒話，卻證明你這個人在社會上尚有其存在的作用與價值。最怕是好壞沒人理睬，一提起你，凡是相識的，大家相率嗤之以鼻，不屑齒及，說是「這種人談他幹嗎」？那你就成了時代的棄兒，其前途殆可想見。所以，我常常接到一些批評指摘，乃至於謾罵我某些言論主張不對的函件，不管他的動機是善意或惡意，總是抱着「有則改之，無則加勉」的心情，並無難過的意念。因為這是表示社會上還有人注意我的言論主張，瞧得起我哩！

同樣的道理，人們對於管理衆人之事的政府當局，隨時批評其庶政得失，臧否其文武百官，亦正是表示關切與愛護政府的心理，所謂望之也切，不覺責之也深。即令望之過當，責之逾份，甚至立於純粹反對地位，近乎意氣用事的攻擊，也無所謂，因為至少他尚認定這政府跟他有休戚與共的關係。假使社會大衆對政府採取漠不相關的態度，置理亂於不聞，聽其自生自滅，這政府還有甚末存在的作用和價值呢？

因此之故，政府對於民間的批評指摘，虛心看待，加以省察，而不宜出以拒諫飾非的態度。尤其所謂「善意」與「惡意」批評之說，殊不合理。善惡的分別是在動機，動機之認定又隨着各人的立場而不相同。就廣義說，凡是批評性的言論，都可視為惡意的，也可說是破壞性的，結果祇有歌功頌德者，才算是善意的和建設性的批評，當然的結論就是不許有批評政府的言論了！

做人與為政之道是相通的，希望搞政治的不要忘記做人的道理，即幸矣！

閒話譚嗣同獄中詩意

。湯鍾瑤。

戊戌政變六君子之一的譚嗣同（一八六五——一八九八），雖然從被逮繫獄到腰斬於市，僅僅三日，（戊戌八月十日被捕，十三日即與楊銳林旭劉光第等六人見殺於宣武門外菜市口），但世傳其獄中絕命詩有七絕兩首。民國三四年間，我為小學生時，讀新民叢報便曾見之。也祇記得其中的一首，即「望門投止思張儉，忍死須臾待杜根，我自橫刀向天笑，去留肝胆兩崑崙」近亦見錄於萬竹樓筆記，並引梁任公及近人陶菊隱的解釋。梁謂兩崑崙一指康有為，一指大刀王五；陶則謂係指王五胡七二人，皆國術中的崑崙派武技名家。

民國三四年我祇是一個十二三歲的小孩子。當時在家於秋冬夜間做點舊學功夫，翻讀家藏汲古閣毛本的後漢書，因為史記漢書已經翻過了一下。對於譚氏詩中所引的張儉杜根，正好稍為知道一點。但沒有看過甚麼武俠小說，崑崙一詞，不知何解。大約一年左右之後，偶閱增廣事類賦統編，原是家藏木刻大本的，我喜歡看統編內註解所引用的故事，纔知道唐人小說紅綫傳中崑崙磨勒奴的事情。（至於得讀正本唐人傳奇，是十八歲以後在北平求學時的事了。）於是便把譚氏這一首詩的意思上下句連貫起來，重新一讀，現在大胆解釋如左：

（一）張儉的事實，見范曄後漢書卷六十七黨錮列傳，儉為張耳之後，因結仇於中常侍侯覽，被鄉人朱並上書，告儉與同郡二十四人為黨，於是朝廷刊章討捕，儉亡命逃走，望門投止，人重其名，皆破家相容。後止東萊李篤家，外黃令毛欽操兵來捕，篤對欽曰：張儉知名天下，亡非其罪，汝忍心執之乎？欽本重儉，拊篤背，歎息而去。篤遂送儉逃出塞外得免，但儉亡命所經歷之家，被誅殺者以十數計，宗親殄滅，郡縣為之殘破。黨事解，乃得還鄉里。譚詩亦謂「望門投止思張儉」應是指康有為（或者包括康梁）當時亡命日本而言，此亦為任公之解釋所自。

（二）杜根的事實，亦見後漢書卷五十七杜根傳，根為直諫和熹鄧后及歸政，殿撲幾死一事，已見萬竹樓筆記所引，不贅。根既詐死逃竄，隱於宜城山中酒家為保，歷十五年，酒家知其賢，厚敬重之。及鄧后誅，安帝左右皆言根等之忠，帝謂以根已死，下詔布告天下，錄其子孫，而根方歸鄉里。譚詩「忍死須臾待杜根」，原是自況，亦萬竹樓主之解釋所自。或者譚作此詩時，尚不知慈禧后必將置之死地，而有所待；抑或雖知不免一死，原欲以死激勵同道，以鋤后黨，亦如杜根忍死之所期。

（三）崑崙的事實，崑崙磨勒見唐人小說紅綃傳，我此時手邊沒有唐人傳奇的書，無法引用。但知唐代閥胄貴族，往往蓄有馬來人或尼泊爾阿富汗等地的棕色人種為奴，崑崙磨勒便是這一類的家僕。他在紅綃傳中的表現，乃是為其主人解決一樁桃色事件。黃夜深入權貴之家，撲殺巨獒，背負其女紅綃，在監守嚴密中，悄然躍越重門叠牆而歸。宋明以來的中國文人，描寫家奴，往往引用此典，名曰崑崙。如清代蒲留仙聊齋卷二余德篇有云「向暮，有兩崑崙，捉馬挑燈而去……」，即指兩僕人而言。譚詩末句所云「去留肝胆兩崑崙」照全詩上下各句連貫讀之，便是「去」者指望門投止的人；「留」者指他自己忍死須臾的人。這去留兩者，對滿清德宗皇帝之肝胆相照，可謂忠懇已極，到頭來不過是為他們主人家的私事做了犧牲的兩個愚忠家奴而已！雖然獄中無刀可橫，但詩人的意志激昂，好像是橫刀仰天而笑，可悲亦復可憫，如蒼天者何！所以「兩崑崙」仍然是指一去一留的人，也就是原詩首二兩句所說的康有為和譚氏自己。

假如上面的解釋，不大有錯，是與大刀王五或者胡七似乎都沒有關係。而且，越是把王五胡七拉入詩中，越覺得這首詩的意思晦澀難解，或者全詩上下句連貫不起來。我想，譚氏一腔熱血，革新政治，以圖中國爭強於世界。不料為了慈禧與德宗母子的衝突，新舊兩派的惡鬥，落得個大事無成，寃獄以死。正是叫他悲憤填胸莫可言宣的時候，那裏還曾想到無能為助的崑崙派王五胡七！據陳乃乾撰譚嗣同年譜云：康有為維新既敗，或勸嗣同亡命日本，則曰：各國變法維新，無不從流血而成，今中國未聞有變法而流血者，此國之所以不昌也，有之，自嗣同始。又梁啟超戊戌政變記附譚傳云：譚氏告啟超曰：不有行者無以圖將來；不有死者無以酬聖主。觀此，譚氏果有如是恢宏豁達之思想，而仍謂其迷信崑崙派的力士可與共圖大事，乃至見之於絕命之詩詞，斯誠不啻誣譚之妄！偶拾通人唾餘，強為謬解，敬以請教於萬竹樓主人。

多夫制在印度

．牛布衣．

印度喜馬拉雅山一帶高原的人，還保持多夫制度。此種制度起源何時，已無可稽考。印度著名史詩『馬拉他』記載一個故事。潘度王第三個王子何珍拿，因為五箭通中紅心，竟得般陳拿王的公主為妻。帶了回到宮裏，母后甘提對何珍拿說：『你得與兄弟共有此』因此弟兄五人同婚公主。在印度的高原地帶，一家弟兄娶一妻。多夫制度是高原民族的傳統習俗，上自王族、下平民都不能有所例外。

秀才·舉人·進士

賈景德

咸豐戊午順天鄉試的舞弊案，不惜將主考官大學士柏葰以下分別正法治罪有差，就是為給槍替通關節冒名頂替者一個儆戒。說起槍替一節，我又想起一個故事，山西澤州府貢院的斜對門，原來住了一家姓秦的秀才，名叫秦一士，某次在場內為人槍替，被學台查出，受戒責後枷號轅門，並在枷的四角，高插蠟燭四支，大放光明，又揭露犯者姓名及案由示衆，秦秀才的妻子聽見門外人聲嘈雜，說有個秀才枷號轅門，她在樓上開窗看看熱鬧，不料一看之下，正是自己的丈夫，一時羞愧難當，遂即懸樑而死，秦一士被釋回家，目覩慘狀，愧悔無地，自此足不下樓，閉門苦讀三年，居然中舉人、中進士、點翰林，官至雲南按察使。到我下場的時候，人們還稱道不衰呢。

以上是科舉制中，童生到秀才的階級。

童生進了秀才，隨即舉行入學典禮，學有府學縣學的分別，府學大都無直轄的地區，院考放正榜時，所有各縣撥入府學的秀才，姓名上都蓋有「撥府」二字的紅戳，府學於學台起馬後，不待散歸各縣，即由知府送往府學入學。其他秀才回縣，另由縣官定期召集，送至縣學入學，這是地方人士很注重的典禮。在這個時候，縣官集合新秀才於大堂，新秀才衣冠楚楚，寶藍衫，戴金頂紅纓帽，胸旁插金花，身披十字紅綢，縣官坐轎，秀才騎騾，鼓樂前行，由縣衙向孔子廟進發，沿途民衆仕女，觀者如堵，秀才揚眉吐氣，容光煥發。行至孔子廟，先繞泮池一周，是為遊泮，泮池作半圓狀，中架一橋，古時天子曰「辟雍」，諸侯曰「泮宮」，秀才入學，必先遊泮，滿六十年並有重遊泮水的典禮。國家視本人的身分高下頒賜恩賞，我未滿十四歲入學，因為身裁矮小，泌水城內沿街的婦女許多指呼「小秀才！小秀才！」民國卅三年在重慶為四川榮縣趙香宋老人題重遊泮水圖，有「五十年前泌水來，泮池光射影徘徊，青衿騎馬城西路，也被人呼小秀才」的詩句，即寫此事，往事歷歷在目，思之不覺莞爾。遊泮已畢，到正殿祭孔後，隨至明倫堂前序立，先由縣官向儒學教官（通稱老師）行賓主禮，（賓東嚮，主西嚮，相對行一跪四叩首禮）新生復對縣官老師各行一跪四叩首禮，禮畢教官送定縣官，就在明倫堂命題考試詩文，而後，乃為正式入學。（六）

胡秋原新著序

．于右任．

歐陽公云：文章如精美金玉，市有定價，非人所能以口舌貴賤也。胡君秋原，文名當代。抗日與戡亂時期，為國家，為眞理，其嘔心血之作，多散在京滬渝日報與雜誌中。來台後，所作益閎肆，而分散益甚。余勸其結為一集，以便讀者；並樂為之序。

追胡君文集編成，試為詩，則興會立至，而余文遲遲未就，雖短律，自謂頗能傳君之文大且雄也。而君謂向許為文，易為詩何也？曰：以君長江大河之文，我以細流環繞之，何敢，何敢？詩則我如公之為文，操縱自如也。無已，存詩並為之序。

美玉精金市有價，
文章在世與之同。
時當湯武天人戰，
各有河山創造功。
比翼名家增霸氣，
為新世紀作勞工。
白頭才盡雖為序，
幾以詩歌引大風。

流亡追記

乘車受罪

．陸逸．

常聽到外國留過學的朋友說，在歐美，乘汽車旅行，那一種享受，更是一件愉快的事，因為車子既好，公路又平，路底兩邊，或是小湖，或是林木，乘汽車旅行全國，也極其普通。不過，以我的經驗來說，將我們的汽車，公路，跟人家一比，便成了強烈的對照，幾乎不祇是程度上的分別，而是成了性質上的差異。我這次流亡的全部行程，三分之二是乘汽車，如果說乘車就是受罪，（其實不假），那麼，我這次流亡行程，應該說三分之二是在痛苦中撐過來的。小時候，就愛坐汽車，但是坐的機會是那麼少，時間又是那麼短！這次坐車的機會來了，盡以繼夜地坐，反而使我望車生畏。

坐汽車這份罪，說來眞是要命。大清早就要去哀求司機老爺，千祈萬求之後，才給定下車位，這也就是開始受罪的時候了。這種長途汽車，多是舊日的友邦軍用貨卡，正常坐額，是不應超出二十位的！可是車主在金錢第一的信條下，乘客的人數，便突增三倍。坐法除了通常的擠沙丁之外，更由車內發展到車外。那就是行李通行李向外延展，直到車的前後左右出現「空中行宮」為止。但就車頭上來說，乘客就通常不下十人，那就是司機台頂上，和司機門旁的踏板上。至于車裏的坐法，普通是婦孺坐中間，男人坐四週，愛上下活動的小伙子坐車頭。我底經驗是甯冒着危險坐車邊或車頭，也不坐車中心。坐車裏邊雖然安穩，可是麻腿的滋味受不了。難的是：腿麻了還不能動，如果一伸腿，前後左右馬上就要迎來，惹起全面大騷動，痲痺了腿，而不許動的這種滋味，使我連想都不敢想。坐在車的四周，因為可以把腿放在車邊下面，所以平常沒有麻腿的威脅，不過；摔下車來的或然率，却很大！這一方面因為行李堆積，綑綁不牢，容易滑下；另一方面，是最普通而又最危險的情形，就是坐在車邊的人，不能打盹，而長途旅行，日夜行車，不打瞌睡，似乎還屬奇蹟，坐在車邊，一打盹，手一鬆，車一顛，性命就差不多交代了。坐在車頭的呢，雖然可以居高臨下，窮目四極，不過，那凜厲的寒風，即是身裹重裘，亦難抵受，普通車頭搭客多風塵滿面，狀如土偶，手足僵木，面青鼻紅，如果提防稍有差池，也極容易表演「快車飛人」！就在這種情形下，還買到票，每一上車，永無例外地是一場激烈的爭奪戰！唉，常言道：「在家千日好，出門時時難」，想到搭車，眞是一言難盡！

微笑中的鼓勵

不嫌米碎的太太

．李樸生．

琪珍看見我辦小學，認為我的個性較適宜于辦教育，不贊成我辦黨和從政。她認為在政潮迭起，派系排擠的局面下，絕不是我的能幹與脾氣應付得了的。老老實實去做，出力不討好，還要挨罵，挨打，挨暗箭，挨拘捕。她在廣州代我坐過兩天拘留所。她在重慶，親見有同志怒氣冲冲，一手扯着我的領帶，要打要殺。我們去看看電影，就有小報告。她每看見我遭遇到這類麻煩，不開心的事情，精神緊張，常是微微地笑着。

我的個性，確較適宜于辦教育。民卅五年，歐陽惜白先生任廣州市長，原邀我回來辦教育，還想義務地到孤兒院服務，（這是她多年的宿願，因為廣州的孤兒院，在潘達微先生和她父親支持下，曾有過好成績，她印象很深刻。我亡命滬平時，她就想到孤兒院做事。）但市府分配職務的結果，我不是辦教育。她知道我擔任秘書長，又在病牀上微笑說，你總不肯擺脫麻煩，你怎麼可以接受秘書長這樣麻煩的職位。我告訴她，呂燦銘先生是老秘書出身，惜白先生是老秘書長，已經有了辦事的秘訣，只要「如擬」「照核」四個字，就可以不麻煩了。果然，我的麻煩不在秘書長的如擬照核而在地政局的大胆直衝，就是她的一塊小郊地，也因人家的風水問題，來了一段小交涉。

寡交際，挑起家庭責任，在危難中微笑的太太，配襯我這一個好事，常惹是非，不理家人生產，流浪四方的丈夫，正像廣州諺語所說『多謝臘鴨，』一個肥的，大的，要搭上一個瘦的，小的。人間不能完全沒有缺憾，完全有缺憾的就不是人間，這是我們共同的人生哲學；所以我們有時發生爭辯，結論是她宣告『你不要嫌我羅嗦，我也不要嫌你米碎』便停止發言，兩家和解。

我的家庭，就是這樣一個平凡而有一些幸福的家庭——我的太太就是這樣一個平凡而有若干個性的太太！（四十四年十一月）（四·全文完）

自由人

THE FREEMAN
（第四九五期）
中華民國僑務委員會
僑發登記證台教新字第一零二號
中華郵政台字第五〇〇號
執照登記爲第一類新聞紙類
（半週刊每星期三 六出版）
每份港幣壹毫
台北市售價台幣壹元
督印人：陳文華
地址：香港高士威道二十號四樓
3 rd. fl. 20 CAUSEWAY RD
HONG KONG
香港發行及業務接洽
高士打道66號　電話：七四〇五三
承印者：東南印務出版社
地址：高士打道六十四號
海外總經銷
友聯書報發行公司
香港：德輔道中二十六號A二樓
台灣特派員辦事處
台北市館前街五十號
台灣總經銷處
台北市西寧南路壹壹號二樓
台郵撥儲金戶九二五二

所謂集體參加聯合國問題

李秋生

十八國集體加入聯合國問題，週末已到攤牌階段，這問題很不簡單，在縱的方面，是十年來一貫僵局發展的尖端，在橫的方面，又關乎這和平安全機構的未來命運與冷戰的前途。這問題必須從多方面加以體認。

蘇俄妨碍集體意向

聯合國與國際聯盟一樣，都是世界大戰的產物。這種以集體力量維護世界安全和平，是美國政治家的傳統理想也唯有經過美當局積極倡導運用，並利用戰時各國並肩合作的精神，此種機構的建立纔有可能。聯合國的名稱起於太平洋戰爭爆發後廿四盟國所聯合發布的宣言，具體化於一九四三年十一月中美英俄四外長在莫斯科所發布的普遍安全宣言，因而當一九四五年十月在舊金山召開的聯合國創建會議，與會者僅以共同作戰的盟國爲限，其他中立國家，即使是絕對忠於和平，並絕對能履行聯合國義務的，例如瑞士瑞典，都不在創建會員之列。因爲懲於已往國際聯盟孱弱無力，不能發揮維護安全和平的任務，因此聯合國把一切權力集中於安全理事會，連新會員國的加入，都規定要由安理會負責推薦（憲章第二章第四條第二項）。在安理會中五強是擁有否決權的，任何議案的通過，照規定必須括有五強全部與另外兩個非常任理事國的可決票（憲章第二十七條）。這一規定，到戰後竟形成聯合國中無窮糾紛的來源，單蘇俄一國就使用過六十二次否決權（此外只有法國在一九四七年爲印尼事件運用過一次），使聯合國和國聯同樣的癱瘓。蘇俄一國竟妨碍了五十幾國家共同意志的行使，新會員國的加入不過是其中一端而已。

藉聯合國作冷戰戰場

大戰尚未終結，蘇俄已經故態復萌，戰時精誠合作的氣氛，隨着勝利屆近而日見消蝕，當聯合國在舊金山創建之際，與四強代表分別在頓巴敦橡樹會商起草憲章的情形已大不相侔，如果不是羅斯福之死，使俄人受到相當感召，莫洛托夫可能根本不去舊金山開會。蘇俄在聯合國中間，正與其在國際社會中間相同，一切都以自身利益爲前提，在克里姆林宮看來，聯合國只是宣傳的機關，冷戰的戰場，至於世界安全和平之能否維持，則決非其所措意。另一方面，又只有和平安全的破壞纔是發展共產侵略的機會。是以聯合國從成立的那一天起，早已注定會逐步走上國聯失敗的舊路。雖然在國際間排難解紛，如巴勒斯坦與印尼戰爭的解決，不無相當功績，其主要貢獻實在於若干附屬機構，如經社理事會和文教機構，都爲世界人類福利盡到最大努力。最受人詬病的反到是安理會，不到十年之間，否決權被俄人運用到六十二次之多，試問還能有何作爲？其唯一偉績爲出兵援韓，湊巧是遇到蘇俄杯葛退席的機會，經過那次教訓之後，俄人更一步都不肯放鬆了。

因五附庸十餘國被拒

發起創建聯合國者是五十一個共同作戰國家，戰後接着憲章第二章第四條提出申請入會者有三十個國家或政權，其獲得通過者只有九國。最初獲准者是阿富汗冰島瑞典和泰國，其次是葉門緬甸印尼巴基斯坦四個亞洲新興國家，最後進入的是以色列，連發起國一共是六十個會員國。其他二十一個申請者，至少有十四國家是由於蘇俄在安理會中悍然否決，以報復其他國家反對若干蘇俄附庸的參加，其在六十二次的否決權使用中，用於杯葛新會員加入者竟達二十九次之多。如果說否決權的設置是爲了在必要時保障五大國的重要切身利益，則蘇俄此種舉措可說是濫用之尤，因爲像這十四國之參加聯合國，可說對俄國利益毫無不良影響。其中如義大利是在大戰中首先反正並協助盟軍作戰的國家，奧地利芬蘭是大戰中的受害者，葡萄牙西班牙愛爾蘭是中立國家，約但錫蘭利比亞是戰後新獨立的，這些國家都具有獨立主權，其愛好和平與履行聯合國憲章義務的能力都無可置疑。但由於蘇俄的杯葛，使這些國家只能徘徊在聯合國殿堂之外。

另一方面，蘇俄所支持的羅馬尼亞匈牙利保加利亞以至阿爾巴尼亞和外蒙，後二者純粹是由俄人導演而成的傀儡政權，在鐵幕之外從未承認其爲獨立國家，前三者的獨立和主權也很可疑，在戰後最初幾年中，前後都扮演過侵略希臘南斯拉夫的幫兇。沒有人相信這些單位會愛好和平，他們所履行的只是克里姆林宮的意志，而決不是聯合國的義務。爲了五個無資格參加聯合國的附庸，竟拒絕十幾個有資格的國家加入，這是俄共破壞聯合國的最大罪惡，如果聯合國還能維持其憲章尊嚴的話，對於此等罪行是不能曲予容忍的。

否決權必須取消

每年聯大開會，照例要提出新會員國申請入會問題，也照例是遭受俄人否決而一無結果。國際正義既無力予俄人以制裁，就產生了兩種補救的建議。一種是主張修改憲章，取消或限制安理會中的否決權使用，至少要做到聯大有權決定會員國的加入，不受原來憲章中「經安理會之推薦」的限制；另一種主張集體參加，以同意幾個附庸的參加做十餘非共國家參加的交換條件。從原則上看，新會員國的加入一定要先通過安理會，實在是極不合理的規定，握有否決權的任何一個國家，竟能箝制聯大五十幾個國家的意志，這是專制，也是霸道，蘇俄就是憑藉此種專制與霸道以威脅自由世界各國。國無大小，其主權與權益同樣需要維護，大國需要否決權來保護，難道小國應該一味聽人宰割嗎？一個國際機構要發揮集體力量，必須每一參加的國家都多少犧牲一點主權；假如每一國家都把本國利益放在第一位，而罔顧集體利益，則這一機構只有解體。由於整個世界的分裂，聯合國已踏上此種危機。如果想使聯合國還能有點做爲，則否決權必須在取消之列，聯帶着新會員國的僵局也不解決而自解決了。

至於集體入會之議，是「和平共存」理論的另一表現，也是一種無原則的政治交易。拋開憲章規定與根本是非，只求遷就現實，姑息罪行，這種做法非把聯合國根本斷送不止，集體入會是一個好聽名詞，其實只是對蘇俄投降。（下接第二版）

否決權的運用

外交上的勝利不弱於十個兵團的戰績

・李金華・

蘇聯運用縱橫的手段，堅持十八國（包括外蒙）集體加入聯合國事件，現已面臨攤牌階段，安全理事會定於本週末着手處理此一棘手問題。

採用否決權的態度

關於蘇聯脅持外蒙加入聯合國此舉，中外電訊皆已盛傳我政府不惜一切加以阻擋，必要時且將運用否決權。本月二十五日台北外電且謂我當局已將此項決定正式訓令我駐聯大代表團。

自中樞將此項堅決意向表露後，從成功湖到東京，一致表示關注。本月二十六日，日外務省次官門脇並請我駐日大使會談，傳達日方意見，希望我勿運用否決權，而連帶阻及日本不得加入聯合國；來自紐約的消息則謂，美國也正在勸阻我勿使用否決權，期以說動非共國家駐聯大代表，以一致棄權阻止該案獲法定多數票通過。同時，二十六日華府的消息則更謂，菲駐美大使羅慕洛已向我進行疏通，放棄否決權，易以棄權。

從後來的這些跡象看，顯示我政府正處於友邦的重重人情包圍之下，究將以否決權否決外蒙加入，還是以棄權處之，我當局並未再有所表示。然吾人深信我中樞定有明智的決定，是無疑的。

美外交官的謬誤

惟對此問題，國際間却流傳着一些糊誤的概念，淆亂聽聞，莫此爲甚。其値得吾人加以注意者有三：

一、據二十六日合衆社華府的消息說：美高級外交官公開表示相信我政府對外蒙加入聯合國案，表決時棄權的可能性增加；

二、又謂若干非共國家已被告明接受：如認外蒙不是一個獨立國而拒其加入，則會令人將波蘭等也當作獨立國看待的概念。

三、外蒙古加入聯合國遲早足以引起蘇聯與中共的磨擦。該官員並謂：因爲中共不高興外蒙爲蘇聯的衛星國。

對上述二三兩項不值一笑，其見解之幼稚與無見識是極顯明的。但就第一項言，極易予人以惡劣的印象，即美國在左右自由中國的外交！

就此項事實言，一個美國的高級外交官，輕易向外表露一個友邦國家的外交決定，實是令人難以容忍的。

我方棄權與否，是外交秘密，中美兩國基於友好關係，對此類重大問題有所商討，本屬常事。但按說，這種有關兩國外交上的任何協商內容，尤其是涉及我國之權益的協商，應屬兩國共同保守的秘密！豈有不獲同意而公然對外發表或作暗示性透露之理！乃美國外交官竟連此種常識都無，率爾向記者表示，不能不認爲是遺憾！

應依法使用否決權

就我國對本案應否運用否決權一點論，如出席聯大非共的友邦眞能齊心一致以棄權對付之，則能夠避免運用否決權固好，但必要時，則實斷無妥協的餘地。

聯合國憲章第十八條第二項載明「大會對於重要問題之決議，應以三分之二之多數決定之」（新會員國之加入批准亦明確列在該條文內），但縱然能獲大通過，在安理會上我仍可以否決之。同時，吾人應認識到，蘇聯對本案所持的態度既是無理的，必須以十八國集體入會爲條件，否則就用否決權拒所有其它國家入會，則我國之依法使用否決權，更是富然的了。

對外蒙應有的認識

再就外蒙言，自我與蘇聯絕交並廢除中蘇條約後，對外蒙傀儡政權，也同樣產生否定的意義。以吾人之認識言，外蒙、中共與波蘭等，雖同爲蘇聯之附庸，但實質上不能無差異。蓋我政府至今仍爲國際上多數國家所承認的合法政府，我主權所及於整個中國大陸，其與東歐附庸之無自由政府存在並爲國際所公認者，其差異至大。

若此次遷讓蘇聯脅持外蒙進入聯合國，則試問對於中共又將何以處之，且亦不啻再度默認蘇聯掠奪外蒙爲合法，更無形中等於承認外蒙在國際上的法律地位。因此而產生之後果，必將直接影響將來對外蒙失地收復的主權，發生基本的動搖！

請拔外交的原子彈

從國際現實利害言，我國今日固須要更多的友好國家，但犧牲我實際的權益，而易取空洞的道義保留，其利害得失關係至大。若就國際道義言，無國際利害關係爲之助，鮮見有單憑國際道義而能解決問題者，因此吾人何能輕信空洞的道義保證，而不對以「棄權能阻外蒙入聯合國」一語加以懷疑。

堅決的用否決權以阻擋外蒙潛入聯合國，在今日言是一場具有非常重大意義的外交戰，若竟然棄而不用，寧非與反共抗俄之國策相背。吾人應明確認識，外交上的勝利，其意義並不小過前綫十個兵團的勝利，其對自由中國海內外民心士氣之鼓舞，作用尤大。因此，若聯大竟以三分之二的多數通過，我亦應在安理會以堅定的決心投以否決票。在今日言，此一票的力量可視爲是自由中國外交上的原子爆炸，其必將獲得我全國人民一致的擁護，殆可無疑。

時事評述

・陳克文・

肯南計劃已面臨破產

在歐洲第一的戰略據點下所擬定的美國外交政策，已經到了必須改弦更張的地步了。

著名的肯南計劃——圍堵政策，並未如理想地發揮出阻止赤流向自由世界防綫的冲擊。歐洲看來像是比較鞏固，但那是西德屹立不倒所助的結果，與肯南計劃風馬牛不相及。在中東和遠東，肯南計劃已顯出了破綻！從蘇彝士河經印度洋，繞過麻六甲海峽以達暹羅灣，肯南的堤壩已險象環生。

特別是東南亞的危機，日漸增加。

泰國反共態度不夠積極，實已削弱了東南亞防衛公約的力量。共產國際爲配合蘇俄對東南亞的政策，現已密令泰寮緬各國共黨作積極的叛亂準備。

泰總理鑾披汶雖聲明其外交政策與立場不變，但是實際上中共對泰國的「和平攻勢」，壓力已愈來愈大，迫使泰國在內政上對共黨不得不作龜縮。泰國也正在找尋「中立」的美夢呢！

圍堵政策眼見就要破產，美國的新對外政策似乎遲遲不能確立，因此遠東問題跟着就緊張起來，台峽的風雲逐漸加緊，似乎已到了箭在弦上之勢了。

對台峽局勢的看法

在台的軍事與外交人員，對中共是否敢於作進犯的試探一點，似乎表現得異常鎮定。

從史登普和芳澤謙吉的談話，足以反映出今日自由中國的軍力和信心。從金門方面發來的消息，更顯現出國軍的士氣昂，凌厲無匹，廿八日對大磴珩厝的砲戰，也斬獲豐碩。這些事實，都足使海內外民心感到振奮。

若說今後台灣海峽可以平安無事，乃是大謬，共軍積極備戰，意圖顯明，但若謂其即將動手，似亦未必。然目前台峽情勢的緊張又確屬事實，則中共用意究將何在？我們的答案是，與外蒙入聯合國問題不無有關。

外國的觀察家說，中共不願見蘇聯把外蒙捧進聯合國，但在我們看來，中共是不能不予支持的。如果外蒙眞的踏入聯合國，不僅共黨集團多了個吹鼓手，且將準使中共加入聯合國的問題更趨複雜棘手。這就是目前中共在台峽虛張聲勢的一個目的！

英蘇的互責

英國人憤怒了！首先對蘇聯發難的是任職十年的英外交部發言人，他因駡赫魯曉夫與布加寧是僞君子而調職。

但繼之而痛詆此二僞君子的，却是英國全國的輿論！甚至主張政府應取銷俄共領袖明春訪英的成議。

英國人本來是很不容易動肝火的，素來講究紳士風度的英國人，這次竟認爲大英帝國的臉面在印度給蘇俄頭目丟盡了。因此，不惜以牙還牙，再顧不了紳士風度了。

英國在地理上雖是歐洲的國家，但隔離歐洲大陸，一貫的政策是從均勢中取得利益。這種佔取便宜的作風，在歷史上俄國人向來是看不順眼。過去的歷史，法德都不是英國的眞正仇人，眞正勢不兩立的，却是俄國。當然，俄國人也不是不明白這道理的。

因此，英蘇互相駡戰，不足驚奇。所要注意的，蘇俄頭子之敢於破口大駡，實在是英國外交家這兩三年自己造成的局勢。

今後，要挽救這一尷尬的局面，英國外交家必須痛切自反，否則終有噬臍莫及的一天。

「共和基金」運用問題引起 美國自由與安全之爭

美國的「共和基金會」主席赫契斯說：「共和基金是一種『美國之夢』的基金。這個夢的要素過去和現在都是自由」。可是美國退伍軍人協會全國司令華格納最近卻反駁這種說法，他說，「共和基金正給以美國的敵人以慰撫。我們深信這基金正從事一種邪惡工作」。赫契斯和華格納的意見，都各有其響應者。赫契斯受到許多美國人喝采，他們唯恐美國正犧牲公民自由以求取安全。華格納所代表的一派美國人則憂慮自由的濫用可能破壞安全。因此「共和基金」最近在美國引起了兩派的激烈爭辯。

維護自由的政策

這基金是三年前由福特基金會設立的，它是一個獨立單位。全部經費是一千五百萬，奉命用以支持旨在消除美國思想、徵詢、表現自由的限制之活動，以及發展最能適合於保障這些權利的政策與步驟。「迄今為止，這筆基金已使用的部份，大多顯明地符合基金會的指示範圍。該會曾以六萬四千元由華盛頓雅莫林斯基主持一項研究工作，結果提出了關於現行「聯邦人事安全方案」的幾個令人驚人的例證，足以證明這一基金需要存在。該會的其他計劃，包括以四十萬元補助「南部地區研究」在十二州內設立分會，以促進「關於種族關係的地方教育」；三十萬元由康奈爾大學的魯西特教授主持研究共黨對美國宗教、政府、教育、藝術、及娛樂活動的影響；以及十八萬五千元由哈佛大學的史杜佛教授主持研究民衆對國內共產主義以及公民自由的態度。

由於這種任務的性質，基金會必然會受到攻擊，因此便緊於其發言人應付各方攻擊的能力，赫契斯本月就是一個引起爭議的人物，他個人獨攬對外聯絡及發言的工作，有時似乎喜歡惹事生非，以表現他的辯論之才。

鼓勵關於自由的爭辯

他以個人喜惡，對這基金下了一個自己的定義。他說，這基金的任務，是「激起對公民自由的興趣，並鼓勵關於這些自由的辯論」。

即使沒有「共和基金會」的鼓勵，美國在戰後也已充滿關於自由的激辯。因此目前所需要的，並不是擴大辯論，而是提高辯論的水準，以及尋求若干答案，以解決共產主義以及一個自由社會中其他方式的有組織罪惡所引起的許多困難問題。例如雅莫林斯基根據事實的報告，便表明了美國政府尚缺乏適當的水準與程序，一面既能保護政府對抗顛覆活動，一面又能保障公務員不受迫害。

赫契斯為引起各方的注意，曾以幾種奇怪的方法，以表明他對自己的意見。例如賓州一所私人性教友派圖書館有一個女職員曾援引憲法保障，拒絕說明她有沒有參加過共產黨，圖書館當局決定仍予留職。對於這件事，許多美國人都會不加讚貶，既反共也反迫害的美國人聽其自然，可是共和基金會卻對這圖書館給予五千元的獎金。

雇用共產黨員之爭

最近，基金會本身也雇用了一個叫關特曼的職員，曾藉憲法保障拒絕說明曾否參加共黨，赫契斯為他辯護時，並不以他個人相信此人的忠貞為滿足，卻籠統的說：一個人即使是共產黨員（他沒有指明過去的共產黨員），只有他的才幹符合他的工作，他仍會毫不遲疑地加以雇用。他只說：「他能不能適職，祇有我可以決定。」

這種過度的自信，實際已告落伍，赫契斯仍然如此剛愎自用。不久以前，他曾自稱是一個「十八世紀的保守份子」。以十八世紀的亞當姆斯和勃爾克比較起來，赫契斯當然不會比他們更親共，可是他們在應付當時的現實問題時，卻決不會想到自稱「十六世紀的保守份子」。最近各方對「共和基金」的攻擊，大多數是無稽荒謬的，但其他的攻擊，卻必須顧到赫契斯的個性。他是一個學者和雄辯家，也是一個喜歡故作與衆不同的人。（明譯自時代週刊）

海外通訊

印尼前任司法部長 佐第瀆職被控

驅逐僑領章勳義的就是他

（本報椰加達航訊）印尼前司法部長佐第的瀆職案，其發展已接近最後階段了。在本月五日最高法院舉行第十一次續審中，起訴人副總檢察長鴨都慕拉摩洛提請法庭判佐第徒刑二年。該日雖未當庭判決，但距離最後的判決日期是不會太遠的。

佐第面目可憎

佐第被控的罪名是瀆職和貪污。這裏的華僑誰都知道佐第是個怎麼樣的人物，他顢頇、幼稚、貪污成性而又特別嫉視自由華僑。椰城的自由僑領章勳義被驅逐出境，就是他的傑作；而隱蔽黃金昌的名義，給予司法部情報員的賄賂，發給其永久居留證的，也就是這個名字：在華僑的腦子裏，印象是很深的，他給華僑們的印象是：一個面目可憎的官僚！

佐第被捕後，不僅轟動了整個的印尼，也引起了全世界的注意。由於他是前內閣的司法部長，以一個高級的國家官員而竟犯了可恥的罪嫌，這可間接證明前內閣的腐敗無能。從驅逐自由僑領章勳義一點來觀察，也可以看出前印尼政府的立場和它的政治路綫。

檢察官起訴簡要

在這此第十一次的續審中，檢察官極肯切而有力地指出佐第下令驅逐章勳義所引起的後果問題。該起訴書說：「正當我代表國在聯合國大會努力奮鬥收回西伊里安的期間，司法部長佐第竟採取斷行動把椰城僑領章勳義驅逐出境，這個事件不但震動了國內人士，同時也引起了國際人士普遍的反感」。檢察官論以生動的語氣說：「對於本案的起訴，已受到國際人士的注意，尤其是香港和星洲方面人士更為關懷」。

關於佐第的貪污部分。檢察官的起訴書說：「對於黃金昌的被准於永久居留，被告的行為是完全抵觸其理所直接管的司法部長的職務法律範圍的，他利用其司法部長之職位，不顧及其它有關機關的忠告，而公然幹下去，倘無現款四萬盾的存在，絕不能順利進行」。檢察官指出，「被告偽稱是要利用黃金昌為司法部的情報員，才發給永久留居證的。但是事實證明，當黃金昌先後撥給四萬盾，獲得了永久性居留證，而再度從香港返回印度後，被告並未委任黃金昌的職務」。他更有力地指出被告供詞的矛盾：「被告曾供稱，不認識黃金昌其人，但又說他未曾認識的人，怎可以委他為情報員呢」？

所謂集體參加聯合國問題

（上接第一版）

俄人以二十九次的否決權行使，拒絕了十餘個有資格的國家參加，其目的只是為了使其他五個附庸混入。如果自由國家不反對附庸混入，則其他國家也早已獲得加入，俄人更根本不必使用否決權。自然是皆大歡喜。如此自由世界也就是失敗到底。

此次集體入會之議，起於上月間加拿大外長皮爾遜訪俄時，與莫洛托夫的酒談。此公近頃露骨的走姑息路綫，這次關於入會問題的交易，可能又是出自英方授意。其具體辦法是：在過去申請入會的國家單位中，只把韓越兩國剔除，此外則一律容納加入。這種整批加入的方式，已把憲章完全拋開，也不管申請者是否符合愛好和平與「確能並願意履行」憲章義務，只是以賄選方式做交易。可異的是只有中美等國表示反對外蒙的參加，而絕少有人指斥此舉是自由國家對蘇俄的投降，是對於聯合國精神與憲章的破壞。姑息共存路綫剛在日內瓦受到打擊，卻又在聯合國猖獗起來。自從蘇俄橫施威脅，表示如果外蒙不獲加入，則將杯葛所有其他各國之後，連美國都有遷就的趨勢，準備在安理會中僅以棄權對付各鐵幕附庸。以言論公正著稱如紐約時報，甚至欣然認為以五國交換十三國是一件划算的事。整個自由世界，就真是這樣連一點志氣都喪失了嗎？

被迫使用否決權

現在中國處境最感困難，凡是具有民族觀念的人，誰也不忍見由俄人一手造成的傀儡居然也成為世界安全和平機構的一員，另一方面，國際情勢的微妙複雜，不責蘇俄的凶狠毒狡，反而像是十三國非共國家能否入會，都繫於中國之否決權是否行使。我們根本反對否決權的存在，更不願在敵人濫用時加以攻擊，而在自身重要關頭仍要借重來行使。即使僅僅用一次，也認為是遺憾。但是舉世滔滔，我們現在已被迫到沒有其他的路可走。所應強調說明的是：我們不只認為外蒙根本不具備參加聯合國的條件，我們更根本反對這種集體交易的辦法，即使自由世界處境並不十分有利，但還不需要在光天化日之下公然對俄共投降。

我們對於申請已久而至今未獲批准的各非共國家不勝同情，這些國家既切望成為世界安全和平機構的一員，就不應因自身的加入使聯合國蒙上新的污垢。幾年都已經等了，再等一下也沒有什麼大不了，如果此舉足以維護聯合國尊嚴的話。所應認清的是：妨礙各國加入聯合國的是俄共，不要認錯敵人，反而還怨到苦心維護憲章精神的國家。

台灣通訊

台北鬥牛記

·小魯·

「黃牛」在中國一直鬧了好多年，從大陸鬧到台灣，政府始終一籌莫展，沒有一個妥善的對付辦法。「黃牛」在台灣鬧得最厲害的，是台北的電影院，幾家頭輪影院的電影票，幾乎全被黃牛包銷了，你要想看一場電影，必須要多花幾塊錢從黃牛手上去買，否則就休想跨進電影院的大門。台北最貴的電影票，每張六元一角，但如果遇到好片子——如羅馬假期，黃牛票最高價可能賣到十元一張。不過，縱使價格這樣高，還是場場客滿，看客們為了一飽眼福，也就不吝惜那幾塊錢的黑市價了。

警察與牛鬥智

警察對於黃牛，幾年來可以說是挖空了心思，想盡了方法來取締，但是，「黃牛」有一股牛勁，猖獗如故，使政府莫可奈何，這就是說，黃牛的知慧，在這一方面要高過政府，每一次鬥法的結果，總是黃牛獲勝。黃牛獲勝的道理，主要是靠合作，台北市靠「黃牛」這一行生意吃飯的，直接間接達幾千人，他們似有無形的「公司」組織，有人領導、設計、籌劃，他們還有資金賠墊，假如某場電影的黃牛票賣不出去，也不會因賠墊而垮台——賣不出去的事，實際很少。同時黃牛各有地盤，各人守着一定的電影院，誰也不能超越碼頭做買賣。因為他們的組織嚴密，所以儘管政府取締，社會吵鬧，黃牛依然故我，誰對之也無辦法。

黃牛遭逢厄運

不過，天下也沒有絕對無辦法的事，自十一月份起，黃牛的厄運來了。政府規定辦法，凡是到影院買票的，必須先排隊，購買「座位券」，每人不限張數，買得座位券後，即到門口劃座位號碼，並立即入場，不得在門口徘徊。凡事一利總有一弊，這樣規定，黃牛固然無可施其技了，可是顧客卻又叫苦連天，感到十分不便，因為第一、買票必須排隊，常常一排半里路；買票的人多，排隊必須要提前，為了看場電影，可能排隊兩三小時，如遇颱風，下雨，出大太陽，也只好忍受下去；最不可忍耐的是，兩腿站得發酸，好不容易挨到自己買票，正好窗口掛起了「客滿」的牌子，那只好下場請早。第二、一人限換座券一張，全家看電影，老婆兒女一起排隊，這還不要緊。如果老婆買到票，輪到先生正好「客滿」，那祇好一人進場看電影，一人上街遊馬路，如果是一對初戀情人，遇這情形，那就更煞風景。第三、劃位入座，並非自願選擇，而是順着號碼向前劃，如果兩個朋友相約進場，碰得不巧可能一人座位在東頭，一人座位在西端，那只好散場再見了；至於老花眼排在第一排，近視眼排在最後一排，那只能怨自己的運氣不佳。第四、買了票必須立即進場，而且不能退票等等的不便，尤其餘事。

影迷懷念黃牛

因為有這樣多的不好，所以影迷們又很自然地懷念起黃牛來，覺得還是黃牛好，有黃牛時，祇要多花幾塊錢，一切的麻煩都沒有。看電影本來是為了求愉快，因為一取締黃牛，反而找來許多煩惱，所以許多人又甯願多花幾塊錢來買黃牛票，這就叫做財去人安樂，而事實上黃牛又復活了，祇要你有錢，還是可能買到黃牛票，這就等於反過來說，天下事也不是使你絕對有辦法的。

肅清黃牛之道

任何一件事的發生，都必須追求它的根源，單是表面的解決，是不會生效的。黃牛的存在，是社會的病態，在一個健全的社會裏，人人有正當職業，生活無問題，誰還願意做黃牛？求生存是人的本能，在無飯吃時，不偷不搶，已是好公民，做黃牛擠電影票賺口飯吃不為過份，要想根本肅清黃牛，還是要從解決失業問題着手，否則黃牛也許能夠絕跡，而小偷扒手可能會多起來。

其次，台灣對電影票價的管制，也是造成黃牛猖獗的原因，此間電影票價不分頭二三輪，也不分影院大小設備好壞，都是限制在一個價格上，於是觀衆都願花同等的錢取得最高的享受，所以頭輪影院場場客滿，黃牛也就趁機活動。一個民主的社會，商業應發展合理的自由競爭，不應有不合理的限制。要想黃牛絕跡，最有效的辦法，還是取銷對電影票不合理的限價，其餘的辦法，都是枝枝葉葉，不着邊際的。

讀者論壇

國民黨需要自清

王式一

我對國民黨自清運動，有一個看法，這裏我是以國民黨黨員的身份，說幾句要說的話。

一個大家庭人口衆多，子弟有賢有不肖，有的不守家規，在外胡作非為，狂嫖濫賭，鬧得傾家蕩產，家長整飭家風，要管教子弟，而對症下藥，不管打他們，罵他們，甚至把幾個趕出家去，近則親戚朋友，遠則街坊四鄰，看到這種情形，是不是認為家長管教的不合理？

黨雖是一個團體，其親切好像是一個家族，對外另是一說，對內則有自己的制度，有自己的紀律，對黨的主義有信仰的人，才參加為黨員，黨員對黨要服從紀律，有什麼問題，在黨內可以提出討論，黨與國家的性質不同，因為國家和人民的結合，與黨和黨員的結合不同，如果以治國的方法治黨，或以治黨的方法治國，則大相柄鑿。

國民黨的紀律，這多年太廢弛了，黨員多了，份子複雜，貪污的，枉法的，投共的和替共黨當間諜的，聲名狼藉，大不容諱言，使黨在政治上蒙上了污點，受了很大的影響，大陸不能立足，致退到台灣，黨員個個皆應負責。國民黨今日推行自清運動，是為對黨員有一番甄別，加以整肅，亦是早就應該辦的事，與黨外無關，純係自己內部問題，家長整飭家風，有什麼大驚小怪？我們要認清這一點，如果國民黨對政治有什麼不當，舉國之人皆可鳴鼓而攻之，不接受就是不民主。

今日的國民黨自清運動，要辦到澈底為止，才有效果，不然始終是一池污水，有人認為手續煩複，剝奪黨員人性的尊嚴，其實在心地清白的人看來，這種辦法對他毫無損害，我們要反省一下，過去為什麼才搞得一團糟，若不從內部澈底澄清，則黨亦非至垮台不止了。

供水時間突銳減 輿論界紛表不滿

未雨綢繆需市民合作 解決水荒尚須待二年

沒有缺乏食水經驗的人，不會知道食水的可貴，在香港，經過數次試驗人造雨終告失敗、而雨水成了唯一水源的時候，水有時比什麼都更可貴，因水傷人甚至發生人命慘案，似未必比爲錢而發生血案的例子較少。這種情形不是其他地方所能想像的。

水荒威脅嚴重 爭水鬧出人命

香港居民對於制水的生活已有了無可否認的是「豐富的經驗」，自一九四九年以後，由大陸逃來香港的人驟增，結果，不但影響到香港住的問題，連帶使水的問題越加嚴重，雖然一年有幾度的旱季，會教育居民如何應付，缺水的環境，可是每一次制水的開始，總會發生許多糾紛。十一月二十六日的一次制水，是本年度最嚴制水的第一天，這一天的反應也並不太好，同時遭受到輿論界的指責，這是歷次香港制水期所罕見的。

供水時間太早 居民希望延遲

這一次嚴厲制水，港九各地分區，分上午一次過供水兩小時半，根據連日來居民的反應，都認爲當局辦法並不完善，水喉的壓力便不如理想。灣仔區可能由於人烟稠密，一座四層高樓宇，平均每層樓只獲供水三十七分半鐘，而地下或二樓，倘有蓄留雖或暗中「偸水」，將水喉開啓一點，則三、四樓即因此而缺乏應有的供水量。所以，洛克道和謝斐道一帶的住戶發生爭擦事件，已屢有所聞。且上午供水時間由上午六時半起至九時止，目下清早六時半，天僅微明，須開啓電燈，方能貯水，若再遲三五週後，北風凌厲，主婦或傭婦，均在擁衾高臥之中，故六時半供水，在此冬季寒冷之季節，實嫌過早，照理應稍爲延遲。因此，一般居民均希望你將供水時間改爲由上午七時至九時半，則於原定放水時間之限制，並無抵觸，但對各區居民，的確有莫大裨益。關於此一點，各區街坊福利會已接納各區居民的意見，而加以考慮轉向當局提出。

至於輿論方面，對此次制水方法的反應，也未見良佳，被稱爲本港最具權威的英文南華西報，亦兩度著論抨擊，並特別指出制水當局失諮預先籌劃的不當，該報說：爲着有備無患，限制食水供應的措施，原屬無可厚非的，但當局應該進行得有計劃和更爲圓滑，而不該突然作使人錯愕之舉。以人口增加及工業發展而論，在當局方面，早已便應瞭如指掌，用水耗水的數字應有精確的統計和估計，不應用期待十月或十一月的降雨減少而突施嚴格制水，須知這種期待是靠不住的，老早便應作科學的統計把供應辦法安排得有計劃。關於各水塘的目前總存量若干，當局也沒有正式公佈，讓居民知道各塘的儲量，今後亦應該都如此，便不會茫無所知，而對當局的措施有所不滿。本年的食水供應，在雨季剛過之後，是太過放寬了，而現在則太過緊縮了。」

英文虎報的社論也說：戰後香港人口增加兩三倍，食水始終是當局和居民所同感頭痛的問題，造成本港祇有「制水」和「嚴格制水」的雨季，在大欖涌水塘還沒有完成的今日，祇有希望居民與當局合作，節省用水，以渡過嚴重的水荒。現在政府的宣傳，也由往年的「不要浪費食水」，而改爲「珍惜食水」了，當此食水不足的今日，如果每人能珍惜涓滴，對人對己都有好處的。

星島晚報也指出了食水供應時間經劃減爲每天兩小時半後，一般的反應都不大良好。輿論方面感以爲水荒的日趨嚴重，雖然是事實，但在統籌食水供應的水務當局，應該事前有所準備，而不該突然來一次出人意外的減縮，每天供水兩小時半，是多年來所沒有見過的。這對二百餘萬居民說來，誠然是感到震驚的事件。

水務局作解釋 用水超出預算

至於水務當局對這次減縮食水，又作怎樣的解釋呢？據工務司鮑寧說：政府此次採取嚴格制水辦法，有下列兩項原因：（一）居民的用水量，逐漸增加，遠超過本月卅實行目前供水制水時所預計的數量。（二）由於缺少雨量之故，水塘及引水道所獲得的水量，大爲減少，而且今後所獲的水量，預料將再行降減。

鮑氏同時指出，自本月三日起施行每日五小時的供水制以來，每日用水量已降低至三千一百萬加侖，但用水量之減低，遠較渠本人所希望減少，最初預料每日供水時間至五小時，可使每日平均水量降低至二千六百萬加侖，但此一數字與事實距離太遠。

鮑氏也承認本港人口的迅速增加，和工業的逐漸發展之故，使食水的需要量永遠上升。

關於這一點，本港的二百五十萬居民，事實上每人都有一分責任。因爲當供水時間延長的時候，居民們每會隨便而不必要地消耗食水，或者可以說，從未作過有限度的節約用水，可是當用水的時候緊縮一步一步接着，居民開始埋怨當局並沒有作一個全盤的計劃。可是一個居民，如果肯接受教訓，當然會了解香港的水源隨時隨地會告減少，水荒隨時會來，我們在水源充足的時候，假如減少食水的消耗量，則水荒來臨時，不致束手無策。同時，水荒亦不致立刻來臨。

待大水塘完成 水荒即可解決

這次水荒渡過以後，每一個居民都應接受這一次的教訓，除非我們沒有水荒的恐怖。什麼時候才會沒有水荒的恐怖呢，由港督葛量洪爵士至工務司鮑寧都曾一再聲明，大欖涌的工程，那是等待完竣後，香港的居民就可以獲對充量的食水了、

大欖涌水塘預算要在兩年後始能完成，在一九五七年以前，我們是沒有機會可以暢快用水的。

我們可以看到香港政府爲這次食水作宣傳是一九四九年後最認眞的一次，也由此可以證明今次食水的缺乏，確是相當嚴重的。

爲了避免再進步的制水，唯一的辦法是市民的充分合作，大雨已是不可待，更何況最近連一點雨的訊息也沒有，事實上，香港已進入了嚴寒的旱季呵。

港府接納民意 決定保留古墓

深水埗李鄭屋區興建七層徙置大廈，第一批中之第一座，可望下月中旬完成，李鄭屋建廈計劃，原定十三座；惟在開發地基時，發現古墓一處，政府現已接納民意，決予保留，改闢公園，古墓所佔地區面積本來可建大廈兩座，收容災民五千，因什關係，只能在李鄭屋建廈十一座，政府經發表聲明，李鄭屋雖少建大廈兩座；但當局無意妨礙徙置工作程序，因此決撥回可建兩廈之地址，以爲替代，但究在何處建廈，則未見公佈。徙置事務處即將對此事發表聲明。李鄭屋建廈計劃進行情形，第一批興建五座，經着手建造中，預期明年二月間完成；第二批五座，亦已開投建基，可望明年七月完成。

共報再度公開承認：肉類蔬菜都缺

香港應聲蟲們的謊言粉碎了！

王　芳

在香港有一位以宣傳回廣州去吃狗肉的閒人，極力地代中共鼓吹大陸的「美麗」；也有一些爲中共御用的「明星」也幫腔宣傳，吃在廣州。

但中共的報紙却無情地粉碎了這些謊言。吃狗肉的人畢竟在中國不是多數，而實際上存在的事實是：大陸上又出現「副食品供應狀況緊張」的現象了。

肉食蔬菜缺乏供應

據十一月十七日天津大公報稱：「最近不少地區又出現了主要副食品（如猪肉、家禽等）供不應求、情況，尤其是某些大、中城市的肉食供應更顯得緊張」！（見該報社論）

另據同日該報的一篇專論文章中，則坦率地承認這種供不應求的情況，是由於「副食品生產增長的速度還是趕不上人民需要增長的速度。」

除了肉類缺乏之外，還全面缺乏「豆腐、豆芽、粉絲、粉皮之類的副食品經常供應」。

價格波動搶購儲存

嚴重地缺乏肉類、蔬菜等副食品的原因，據該報的專論說是，由於「城市實行糧食定量供應以後，限制了城市居民的一部份購買力，這部分購買力必然要轉移到它方面去，而油脂、布疋也實行了定量供應，以這部分購買力就轉移到副食品方面去」。但是該文又特別強調，「由於對糧食定量供應辦法存在着各種不必要的顧慮，因而增購某些副食品，進行儲存。」

從上述的引文中，反映出大陸上缺乏之物資的實況。因而就帶來了「價格不穩定」的物價波動，這種情況據該文說，「影響廣大職工的實際工資收入和人民羣衆的生活。」

傾力外銷騙取外匯

缺乏副食品既是由於生產量的不足，即可足以證明農民對副產品的經營不感興趣也是事實。但中共在強迫收購農業副產品後，獨佔的「國營」「機構，却以官僚作風來處理，在供應過程中，就常常把「死猪壞蛋，臭魚爛蝦」賣給老百姓。

有人或許不會相信大陸上的這種「烏龍」現象。因爲他們在海外可以吃到由大陸運出來的罐頭食品和一些凍藏的鮮貨。但這正是中共欺騙海外僑胞和套取外匯的手法，又何足爲奇呢！如果認識了中共的物資外銷政策和內銷政策的不同之後，就不會再迷信中共的宣傳和欺騙了。

大陸婦女消極反共

共黨驅策增產失敗 再令實行全面動員

最近，大陸上各地報刊，幾乎一致反映各種不安情況，尤其是勞動婦女、家庭婦女不能提高生產效率，鬆弛和散漫與不肯負責的種儲心理，以致對於所謂節約糧食、收集廢品均不見效。因此，中共「中華全國民主婦女聯合會」，於十月七日發出了一項「全面動員」的「指示」。這個指示是發給各級婦聯會的，要求她們必須認眞、切實、普遍、深入地動員一切生產崗位上和廣大家庭中的婦女實現生產節約。

「全國婦聯」曾經接到許多有關婦女們的「浪費」報告，如田野、平原所收起的稻穀和大豆。田間遺留下不少穀子，稻草打得並不干淨，許多稻穗存留在草端任其腐爛；還有，當大豆趕收的時候，漫山遍野都撒滿了大豆，這種難以估計的損失，都歸咎於農村婦女不肯「負責」。

該「會」又說，「有等家庭竟然浮報牲畜飼食，用好糧餵畜，留下許多不堪入口的殘糧給檢查員登記；而且她們通常忽視野生作物，不好好地運用，有的拿來餵畜，有的點上一把火燒光」。從這些情況看來，可以相信各地婦女，她們甯可挨餓，不肯甘心給共黨增加糧產。

於是，「婦聯」又大聲叫囂：「全國城鄉廣大的家庭勞動婦女和各階層婦女，在節約用糧和助國家收集廢品的工作上，必須作出成績」。於是，該「會」在「指示」中說：爲了節約糧食，各級「婦聯」，必須推動農村婦女「養成細收、細打習慣」。（鏗）

木牌字跡已模糊 農田荒廢無人耕

共幹不加理會互相推諉責任

幾年來，大陸各地儘管有廣袤衆多地區荒廢了許多土地，以及到處遍見的無人理會的田野。這種現象，對於糧食生產說來，毋甯是一個重大打擊，但是，各地報紙所列出的農產物數字，非但比過去沒有減少，反而增加，這一矛盾情形，據南京「新華日報」反映，並非沒有原因的。它說，這幾年許多農場在「不顧困難勇於開闢的結果，結成了廣泛增產的數目」，但，「假如每一幅荒地、每一畝荒田都植作物，相信農作物的產量將會大大地增加」。

該報所引述的「青年報」消息，更暴露了大陸荒地只有增加，而並未減少。它說，每一縣市和鄉村都有許多無人理會的荒地，而且每一幅荒地也不是沒有業主的，因爲原來的業主所有權給一方木牌替代了，要問這一方木牌的來歷時，嚇！原來是列入「五年建設計劃」中一項未曾開始的工程。可是，這塊木牌幾時豎立的字跡已經模糊不清了。

它說，「從鄉政府到區政府、縣政府去追問這方木牌豎立了幾時，幾時開始建設？他們都一致回答『不知道』。也不知是誰經辦和那一個機構做的計劃。於是，這幅荒廢已久的土地，也因爲誰都怕負責任，誰也不顧加以處置。」

該報又說，這種事情也很難怪，做計劃的「同志」大概早已調離了原服務單位；也很難說，這個單位的主管可能已經遞嬗了幾次，這些荒地就在這樣情況下被輕率地撤棄了。

它說，雖然近兩年各地「單幹戶」已改變了成份，依然還有許多「頑固」的「地主」甘心情願被孤立，他們差不多被孤立有九年之久，初時，他們以爲不參加「互助小組」，不加入「合作社」，也不考慮「聯營」，依然可以生存；只是沒有人替他耕種。早兩年，大多數農民都參加「聯營」，組成了「互助單位」、進一步參加了「合作社」之後，「單幹戶」非但買不到種籽、肥料，甚至農具也買不到（「合作社」拒絕賣給）。在這樣的處境下，有許多「單幹戶」便自動地請求改變成份，而走入了「羣衆路綫」，那些「頑固」的「地主」，依舊地在死亡綫上掙扎，任令田荒。

該報繼又引述了「新聞日報」的一段消息，說閩廈地區的僑民和僑眷的「地主成份」大多數已經改變。但是，這些「地主」大多數均留居海外，「單幹戶」被改變成份的僅佔百分之二十六。上海「勞動報」反映：「地主」這一名稱目前雖然已被消滅，「單幹戶」這一名詞在「集體化道路上依然是一大障礙。」這一「障礙」能不能去除，據該報說，「端賴這些地主面目未盡洗除的單幹戶自己去決定。」事實上，各地被列爲沒有戴上「反動」帽子的禿頭「地主」，他們的處境和判處無期徒刑的囚犯無大區別。他們不願參加「互助」、「合作」，無非看到參加「互助小組」與「合作社」的農民，這樣受到剝削和迫害。因此，他們感得與其任令共黨奴役，倒不如坐在床上等待着死亡日子來臨。（鄗）

速記學校被迫解散

據北平「人民日報」披露：私辦亞偉速記學校業被中共北平市「人民委員會」勒令停課解散，凡函授部、面授部、專修班、講習班、以及速記月報等，均全部撤銷，校長唐亞偉遭中共嚴詞批判、清算。

按亞偉速記學校，係中共竊踞大陸後僅存的一所私立職業學校，中共當初允許其暫時存在，係因中共機關部隊中需要培植速記人員，現則以此種人員業已培養足額，失去再予存在和利用價值，乃輕易加上一「招謠撞騙，散播反動思想」的罪名，予以一筆勾銷。（謇）

自由談

悼大山郁夫

馬五先生

報載日本左翼學者大山郁夫病入昏迷狀態中，命在旦夕了。他是我在早稻田大學直接聽受過兩年政治學講座的恩師，雖以七十五歲高齡而溘逝，可謂無遺恨的善終，然在我亦難免心喪之感哩！

大山先生的政治思想，我在受業時期即不相投，除却一部政治學講義外，他的著作很少購讀的。但是，我由衷地尊敬他那種始終一貫的思想節操，自青年到老死，雖遭遇到無數的危難折磨，仍不易其所信所守。以視另一位當年名列共黨首要，對我們講授社會學的佐野學先生，於中日戰爭時被軍警逮捕下獄，即將思想轉變的情形，大山先生不能不說是高人一等的思想鬥士了。所以，我對於近代中國的軍人，頗贊佩張勳，儘管他的思想落伍，行為荒唐，然始終不改其對帝制的信仰，這點精神，也算是難能可貴的。

忠於思想主義與忠於人的關係，決不能相提併論。前者是以信仰的潛力為基礎，經得起盤根錯節的考驗，而百折不回；後者乃以感情或個人利害為依歸，一遇危難，或者利害衝突時，意志即容易動搖的。大山先生晚年曾潛赴莫斯科接受「史達林和平獎金」，又到中國大陸跟中共周旋，我們若站在反共的立場，當然不贊許他這種行徑，因為他並非共產黨。若從純學說思想的觀點看，即覺得這是殉道精神的表現了。

凡是一個智識份子，自己有了一種成熟的思想，祗要抱持守死善道的信念，萬變不渝，無論做學問也罷，幹事業也罷，終歸是有所成就的。大山先生除晚年作過國會議員外，一生沒有從事過政治生活，然在日本學術界與社會大衆之間却有其崇高的地位，就是忠於思想的成果。因此，乃知我們過去在大陸上號稱有六百萬名的三民主義信徒，竟不免於神州陸沉之禍，豈偶然哉！

寄托

・迺恭・

某甲整天喊着生活無聊，這是情緒沒有寄托；某丙常感到前途渺茫，這是意志沒有寄托；某丙腦袋裝滿了幻想，這是思想沒有寄托。如果一個人到處找不到適當的寄托，便難免變成糊塗的混世者，做一天和尚撞一天鐘，什麼也不去打算。要不然便是頹廢的厭世者，找最下流的刺激，來腐蝕自己的生命，填補自己的空虛。再不然便是鬼魂的嫉世者，對社會一切成規迅反抗，做出殺人放火的勾當。

寄托對於人生是非常的重要，就個人講，如果找到適當的寄托，可以心安理得生氣蓬勃的活下去。就國家講，如果大家都有了共同的寄托，社會可以安定，朝向建設的路上走。古往今來，不少聖賢豪傑，憑着自己的智慧找到寄托以後，還要影響大衆，形成一種共同的寄托。有的從哲學上提出各種思想，指點人生的迷津；有的從宗教上提出各種教義，號召衆生來皈依；有的從政治上提出各種主義，吸引羣衆的信仰。這些哲人在某一段時間和某一個空間，曾經發生過力量，使許多人得到了寄托。可是時間過去了，空間改變了，力量漸漸消失，大多數人又仍然感到空虛，需要尋求新的寄托。

現代世界各色人種文化發展的進度差別很大，有的還保留原始社會的型式，有的已進到了原子時代的社會，需要寄托方式也就大不相同。但是我們深信人類的文化，終有一天要普偏的提高，達到共同的境界；到那時，人類也就可以獲得共同而永久的寄托。

什麼是「人生共同而且永久的寄托」呢？就我粗淺的想法，其實也很平凡。只要每個人憑着自己的聰明才力，各展所長做一項乃至數項工作，來共同為人類謀福利；每個人憑着自己的愛好，選擇一種乃至數種高尚的娛樂，來陶冶自己的性情；每個人還要憑着自己的良知，充分發揮愛人和助人的道德，來安頓自己的心靈。這便是「人生共同而且永久的寄托」。如果大家都能夠這樣做，身心上一定會感到調和與充實。決沒有興趣去喝酒打牌，浪費自己的生命；決沒有精神去鬧人事搞派系，消耗自己的聰明；也決沒有念頭去拜菩薩做禮拜，望梅止渴的想修來世或進到天國。

上面所提出人生的寄托，雖然十分平凡，但要每個人都能夠做到，却不是短時間可以兌現的。個人方面必須有深刻的認識和足夠的修養來安排自己；社會方面必須有安定的秩序和合理的組織，給予個人選擇和發展的自由。因此，我們為了獲得人生共同而永久的寄托，還須不斷的充實自己和努力提高人類的文化水準。

金魚的始祖

布衣

三國演義有這樣一段紀載。劉備率兵伐吳；給陸遜擊敗了，病逝白帝城。曹丕乘機發動多路軍馬準備進攻西蜀。後主劉禪登位，曉得國家危急，坐立不安，好幾天，沒有見孔明上朝；急不及待，他跑到相府，看見孔明在後園的一個小池旁邊觀魚。

孔明看的什麼魚呢？三國演義雖然沒有指明，我們却沒有懷疑孔明看見的是金魚。漢朝到現在一千多年了，金魚在中國最低限度有了一千多年的歷史。中國人養狗，為了看守門戶；養貓，為了捕鼠；養金魚，為了怡悅性情。

金魚是中國的特產。可是金魚產在中國什麼地方？有人說是山西，有人說是山東，也有人說是雲南的昆明湖。傳說紛紜，都沒有實在的證據。

美國加里福尼亞州大學的漁業研究所，把剛好孵生的小金魚，放在大池裏養。經過一年多的時間，小金魚變成了大鯉魚，最大的一條達到兩磅。魚身長了，尾短了，和鯉魚一模一樣，那證明了鯉魚是金魚的前身。金魚的尾，為什麼會變成這麼長，身體為什麼變成這樣短呢？那是因為中國人用淺的圓缸養魚，缸的面積太小了，金魚在缸裏不停轉動，為了適應環境，身體變短了，尾長了。

送思光赴香港

・張閎生・

海上相逢晚，綢繆得未嘗，六年思故國，匹馬去殊方。

殘局爭興廢，孤懷與狷狂，亂離千萬意，迴溯賦河梁。

衰疾仍為客，艱屯此送君，歡情隨逝水，別緒逐行雲。

把贈惟肝膽，相期在典墳，所嗟知己少，直諒况多聞。

碩果懸孤島，遲遲去國情，乘桴慚舜水，覆轍弔延平。

親老難為別，時危壯此行，離筵須盡醉，滄海正潮生。

文物羅千劫，江山鬱百哀，一匡秦失鹿，三戶楚多材。

邪說從誰闢，橫流倘可迴，海隅宏正學，新運待重開。

南溟鵬振翼，飛動意何如，陵谷供歌哭，風雲待卷舒。

艱難天下計，浩瀚古人書，莫遺芳華老，蹉跎壯志虛。

慷慨君南渡，香江我昔遊，儘多懷舊感，不敵別離愁。

閱世桑生海，感時葉報秋，殷勤留後約，惆悵獨淹留。

秀才・舉人・進士

賈景德

我乘此機會還想敘述一下明倫堂的制度，舊制上自首都各省省會下至府廳州縣，孔子廟或左或右，例必建立一座明倫堂，為教官平時講學及學台按臨講書之地，堂之中心，在遜清時一律端書聖諭廣訓十六條，刻石嵌鑲壁上，下面並刻程明道先生視聽言動四箴，名曰臥碑，表示廩，增，附生為學的正鵠，東西兩壁分嵌麟，鳳，龜，龍四個徑尺大字，以示育才得人的祥瑞，秀才犯了規矩，教官則罰令跪讀臥碑，以示懲儆。這堂的命名，原係使人顧名思義，效法孔子的人倫之至，其示罰也，完全是尊重師道，表示國家教士之嚴，台北市孔子廟內修建較晚，全工未畢，即值軍興，此堂的建築經計劃，未及動工，我為尊重這種對於倫理的重視，與社會上的必需，正在聯合地方紳耆共同發起籌款建築，不日當可竣工。

介乎秀才舉人之間，還有幾個今人不多知道的名目，進學後的秀才，通稱「府學附生」或「縣學附生」，學台每三年一次歲考，附生必須參加，不能逃避，除年屆古稀，呈請免考，國家照例由給予附生衣衫頂戴，名曰「衣頂榮身」，准免考試而外，只有請遊學假，報丁憂的可以免試。此種歲考的作用，消極的是為防止附生學業怠荒，積極的是為附生覓一個升遷任官的機會，向例秀才應歲考，其優劣可以多至六七等，一二等為優等，三等為平等，四等則須隨棚考試，五等以下就要受戒尺或斥革功名，在明朝施行此種制度至為嚴厲，附生經歲考一等前列者，可以升補增廣生員，簡稱「增生」，由增生再考一等前列，可以升補廩膳生員，簡稱「廩生」，每年由官給予廩糧銀六兩或四兩，均係按八折減給。究係若干，因為我的廩糧都是由教官領去，故不知道確實數字。但補廩是有年度的限制，如歲考考列一等的，到科考時尚未補廩，以後縱有廩生缺出亦，應由科考名列一等者遞補。年資在前的廩生，遇有貢生缺出，就要升補貢生，在仕途未擁塞以前，還可以升任教官。貢生分恩，拔，副，優，歲五種，上述遞補之貢生曰「歲貢生」，逢皇慶大典年分，則名為「恩貢」，每逢酉年由學台考取拔貢生一次，府學兩名，縣學一名，曰「拔貢」，拔貢的特點，是來年照例上北京應朝考，取一等前列的授七品小京官，分部任職三年，升六品主事，其次為分省知縣，二等任教官或直隸州州判。此外鄉試取中正榜的舉人以外，另有副榜數十名，各省數額多寡不等，名為「副貢」，此種貢生沒有朝考，不如優拔貢待遇之優，有兩次取中者，俗謂兩個副榜頂不上一個舉人，遇有這種情事發生，在填榜時，充任監臨的督撫，即商得主考同意，將他撤消，另在備中卷中依次取出一名補之，以資調濟。（七）

・流亡追記・

綏遠到了

・陸逸・

過了旗下營車站，便是進入眞空地帶了，在這個地區旅行，便等於在刺刀上，槍膛裏旅行，隨時隨地都有向上帝報到的機會，緩和的時候，遇到雙方放哨的尖兵，盤查一番就放行了。但是，如果遇到緊張的時候，雙方往往不問青紅皂白，見影就拔火。鑒于這種生死攸關的嚴重，在車一出村，大家便提高警覺，眞是眼觀六路，耳聽八方，集中精力來應付這段絕險之途。大家議定：如果碰到哨兵盤問的時候，全車由一人代表答話，在未辨明國共之前，絕口不談國事，純以商人身份旅行。從旗下營到綏遠城，也就是十幾里路，車主在大家敦促之下，馬上加鞭，飛一般地向西馳駛。在夕陽斜照的時分，我們遙遠地望到由綏東機場從機翼上反映出的光輝，大家知道已進入國軍控制的區域了。大家緊張的心情，頓時鬆弛下來，又恢復了山區行車的樂趣，笑談歌唱，彷彿到了家似的。又行了一刻鐘的光景，便看到綏遠城垣上迎風招展着的國旗，這時綏遠當局，對北平之和，尚持懷疑態度，所以崗哨不但沒有減少，反而增添了好多！碉堡戰壕，比比皆是，城外的田原上，許多兵士正在操練，喊着響亮的口號，卡車一輛接一輛地交叉飛馳，備戰氣氛充滿遐邇。經過了兩道卡哨，因為我們底證件確鑿，理由堂皇，還很順利地被放行入城。

綏遠又名雙城子，在荒涼偏僻的塞外，就算大城市了。有電燈，醫院，電台，學校……等都市設備，其實也只具粗具其形而已，像樣的街道也只有大南街一條，至于學校，醫院更是徒擁虛名。學校比較對付的只有綏中，和恒雅兩間而已。前者是官立，後者是輔仁校友辦的，都是男女合校，師資也還強差人意。有錢人家的子弟，多去北平讀書，每年畢業的很多，但絕少返鄉服務，大都設法在關內謀職，留故鄉於腦後，大概也是憎惡塞漠的漠風吧！

綏遠的物價很低，生活程度也平，一般老百姓比起平津的市民生活得舒服。這時的綏遠，謠言很盛，尤其是對于傅作義的談和，和未來綏遠的結局，望風捕影，妄加臆測。

我和老何同車友們握別了之後，便去牛橋街找賈垣——賈英的哥哥，在北平輔中比我高一班——帶我們去找天主堂，賈垣當時在綏遠電台做事，經常住在其表兄孟君的家里，找賈垣無形中就找到王云彼了，王云彼在學校時的綽號叫老王八，念特別生物系，為人和善而用功，法文很棒，因為上校考試給人打槍，叫學校停了學，只好在家鄉——綏遠教學，他在輔大時跟我們熟極了，整日拿他當靶子打醉洋拳，這次在異鄉見面，顯得更親熱了。當天晚上就為我們設讌洗塵，後來把我們送回天主堂，在天主堂裏我們並不受歡迎，被納神父——那時的本堂，後來在香港瑪利諾會又見過面——安排在門房里，老何因為剛出籠，氣也很粗，所以跟人家管家老爺打了一架，非要找他底組織和人家不行，後來經我千勸萬說才算平息憤怒，就這樣渾渾噩噩地過了三天，在二月廿四日早晨，便同合會長搭火車去綏西的巴拉蓋教學去了。

天・下・之・大

共黨疲勞審訊

共產黨對於政治犯運用疲勞審訊方法，每把一次的審問延長到十二小時，二十四小時，最高的紀錄是八十四小時。審訊人員採輪班制，四小時換一班。政治犯能夠捱受二十四小時審問而不屈服者，沒有幾個人。

疲勞審訊是世間最殘酷的一種刑罰，那是因為睡眠是人不可缺的一種要素。生理學家吉門氏對於睡眠作下面的解說：「動物平均能夠挨餓二十天，可是五天不睡即死。人類可能六個禮拜不食，可是十天不睡即亡。」

對不起的答覆

在板門店會議期間，對共談判許久沒有結果，美國派了一位上校參加會議。新代表是一個十分自負的青年人，認為板門店的僵局是因為代表團不能幹，只要參加了會議，便能在極短期間內解決韓國戰局。

他第一天參加會議，無意當中，他碰了對面中共的上海籍女秘書一脚，他連忙說：「對不起！對不起！」

共產黨女秘書沒有睬他。她向旁邊一位上校耳邊講了幾句話。上校又向旁邊一位中將耳邊講了幾句話。中將離開了議席，跑去打長途電話。

過了五十分鐘，中將回來了。中將在上校耳邊講了一句話，上校又向女秘書耳邊講了一句話。

這時女秘書臉上才表現出笑容，用英語對美國的新代表說道：「沒有關係」。

規矩商人

一家眼鏡舖請到一個新伙計。老板教他道：我們是規矩商人，我們的價錢是再規矩沒有的。

客人來配眼鏡。配好了，他問你多少錢。

你說：「十塊。」

要是客人表現出不在乎的樣子，你說：「十塊錢是指框子。鏡片另計，鏡片的價錢又是十塊。」

若果客人還是不在乎，你說道：「鏡片的價錢每個十塊。」

希特勒是瘋子

根據醫學上的分析，一個獨裁者多是精神不正常的人，希特勒也不能例外，他的一生行為，處處都表現了他是瘋子，是一個不學無術狂人。

最新出版的一本希特勒傳，對於這個獨裁者有這樣的描寫：「希特勒不吃酒，不抽烟，是一個素食者。希特勒身上從來不帶錢，死後除了奧國的一所小房子，並無遺產。他患失眠症，晚上便讀書，看的是有關科學，工程，傳記，和藝術的書籍。」（雪）

自由人

THE FREEMAN

（第四九六期）

中華民國僑務委員會
頒發登記證台教新字第一零二號
中華郵政台字第五〇〇號
執照登記為第一類新聞紙類
（半週刊每星期三 六出版）
每份港幣壹毫
台北市售價台幣壹元
督印人：陳文華
地址：香港高士威道二十號四樓
3 rd. fl. 20 CAUSEWAY RD
HONG KONG
香港發行及事務接洽
高士打道66號　電話：七四〇五三
承印者：東南印務出版社
地　址：高士打道六十四號
海外總經銷
友聯書報發行公司
香港：德輔道中二十六號A二樓
台灣特派員辦事處
台北市館前街五十號
台灣總經銷處
台北市西寧南路壹壹零號二樓
台郵撥儲金戶九二五二

美國對外政策的檢討

·雷嘯岑·

報載：美國總統艾森豪前天召集國家安全委員會，將從新製訂外交政策，以應付日趨緊張困難的冷戰局勢。我們認為美國現行的對外政策——以軍經援助自由國家，增強其反共力量——原則上並不需要從新改訂，充其量祗是技術上的問題而已，如今後的外援經費應否增減，如何分配等等，這與全盤對外政策的基本原則沒有多大影響。

我們認為美國對外政策應該重新檢討的，是運用這項政策的效用問題。美國每年耗費數十百億美元，替若干自由國家創進其軍事與經濟潛力，何以效用迄未大著，一些本來是反共非共的國家，且亟亟於標榜中立，不願接受美國的好意援助呢？這原因，決非政策本身有甚末缺失，乃是沒有能夠使這項政策發揮高度效用的精神力量。換言之，即是沒有政治理想，以激發受援國家一致奮鬥的勇氣。因此之故，無論軍援經援，皆形成一種事倍功半的結果，甚至吃力不討好，等於「購買」友誼的商行為，不亦冤乎！

美國對於外援計劃兩大項目（軍援與經援）的作用，我是建設軍力以便憑實力談判和平，提高人民生活水準以防制內部顛覆活動。截至現在為止，還作用甚屬渺茫，其故安在呢？白宮當局如要從新檢討外交政策，這就是值得特別注意的問題哩。

經援問題的癥結

所謂「提高人民生活水準以防制內部顛覆活動」云云，是源於「貧窮為共產主義溫床」之說而來的。實則這種觀念祗適用於美國以及西歐那些產業發達，文物燦然，而其民族又已享有獨立自由生活的國家。至於一般被認為「落後地區」的弱小民族國家，最迫切的要求，不是「無匱乏之自由」，而為「無恐怖之自由」，即獨立自主的政治生活是也。他們並不急於每天吃維他命丸，用抽水馬桶，聽無線電收音機，但期得到不受壓迫奴役的精神自由而已。共產主義者的壓迫奴役固然痛恨，反共非共的人若有同樣行為，尤其憎恨。去年越戰激烈之際，奠邊府附近的一村落由法越軍收復後，曾經救濟機關派遣醫療隊到村中替居民打防疫針，且給以大批奶粉，食糧，衣服等物質援助，不久，這村落又陷於越共之手了。一位美國記者即覺得很詫異，村民既得這樣優良的生活享受，為甚末還不能抗拒共產黨呢？這位記者的觀感，正可以代表美國對外經濟援助的看法，可謂牛頭不對馬嘴之談。

經濟援助既與做生意不同，也非施與性的慈善事業，祗要是反共非共的國家，即應一視同仁，樂於贊助，這樣才可以團結自由世界的力量共赴一的。可是，美國的作風並不如此。例如：過去錫蘭曾跟中共進行樹膠與米的交易時，先向西方國家求售樹膠，反應冷淡，且給價低，頗有「料你賣不出去」的氣概，等到錫蘭被迫以高價與中共交易之後，美國又申申而詈，說要依據「巴特爾法案」，停止對錫蘭的援助，結果又並未實行，徒然引起錫蘭的反感。據埃及總理納薩最近對英國記者說：埃及曾經迭次向美英要求供應軍火，然非現金付價不可，埃及無此財力，乃告訴美國大使不得已將向共產國家購買軍火的心思，而美大使當面指其敲詐勒索。迨埃及與俄共集團簽訂了軍火買賣協定後，美國又大為發慌，竟向埃及提出嚴重警告，聲稱要弄垮納薩政權。諸如此類的對外援助作風，還甚末理由能夠博到受援國家的好感呢？又怎能不使一些具有獨立自尊心的弱小民族國家，不改走中立路綫呢？阿富汗表示要與蘇俄接近的姿態，美國即聲言原定給阿富汗兩百萬元經援外，另外還要增加。至於若干始終效忠於自由世界的國家，美國似乎不特沒有這樣慷慨的手面，而且總是說的多，實行的少。此無他，把經援視作做生意或抑制友邦獨立自由意志的武器，既無政治理想，也無道德精神，焉能發揮重大的效用呢？

軍援的目的何在？

美國對於友邦軍援的最高目的，應該是使他們具有反抗共黨侵略的實力，藉以減輕美國本身對反共鬥爭的人力負担。因此，我們對於所謂「憑實力談判」之說，並不反對。可是，對於祗講實力，不問其他的共產黨，如果不表示一點實力的作用，而僅是夸說實力強大無比，或發些「鐵料報復」「猛烈射擊」的大言壯語，希圖嚇倒敵人，那是無用的。有實力而不能運用，即等於毫無威力的紙老虎，也就是紙上談兵。我們說話的意思，並非希望美國要與俄帝從事原子大戰，只是要在必要的時機，表現一點實力的本能，教共黨知所忌憚，然後才可以達到「實力談判」之目的。例如中共揚言進攻台灣，美國卻不利用自由中國的實力，予以懲創，而惶惶然教台灣國軍從外圍島嶼撤守之後，即與中共作降身辱志的日內瓦談判，這那裏是「憑實力談判」呢？只是「憑虛聲談判」罷了。

美國動則指逃援受軍援的友邦如中、韓等國的實力不足以抵抗共黨，若有戰爭，必須美軍參戰，因而隨時害怕被別人拖下水，引起大戰。充此一念，乃將受援國家的實力凍結於一邊，不敢試用，而拚命向共黨要求談判，即不發生絲毫實力作用了。職是之故，美國對於受援國家的實力乃不願盡力培植，以防發生戰事，連累美國，切以美國自己利害為目標，絕不顧到別人的利害。美國自己要維持永久和平，不願有戰爭，又不願摩受共禍的國家從事實力鬥爭，更不相信這些國家的實力可以跟共黨鬥爭，然則所謂軍事援助的目的是甚末呢？難道只是在替美國作搖旗吶喊的啦啦隊不成！果如此，則一般受援國家的建軍工作，對其自身究有甚末意義耶？

所以，我們認為美國現行對外政策的原則並不錯，只是缺乏運用這項政策的政治理想，有如一種沒有電力發動的機器，自無法發揮其應有的潛能。若不及早補救，則每年所耗於軍經援助的物力財力，大部分都是浪費了！

中國的事體怎樣辦？

·劉符初·

董時進的建議

中華民國到了今天，海外賢哲，誰都願意它有所作為，是以不時有種種主張的提出，但是能夠具體地提出一個方案出來的，董時進先生要算是第一次。

董先生在祖國週刊第一四四期發表「中華民國的事體怎樣辦」一文，他主張蔣先生在總統府內設置一個「政治協商委員會」，由蔣先生聘請國民黨非國民黨的政治領袖十餘人組織之，這個政治協商會的職權，要由蔣先生鄭重表示願意做到下列幾點原則：

一、政府一切重要措施，凡須經蔣先生核准者，必須先經協商委員會通過；

二、政府任免人員，凡須經蔣先生核准的，必須經協商委員會通過；

三、協商委員會得向蔣先生建議政府興革事宜，及應任應免之人員，凡經協商委員會議決提出之事項，蔣先生必須負責使其通過立法院或其他機構，付諸實施；

四、蔣先生如不同意協商委員會的議決事項，得加以否決，發還復議，但復議之後，如仍維持原案，則蔣先生必須負責依照施行。

董先生認為這個辦法有好多優點：在法律上沒有困難，在國際會有好影響，不牽動政府根本和變更蔣先生地位，不須興師動眾，勞民傷財就能發揮蔣先生的優點補救他的缺點；他認為這一個協商委員會與軍閥時代的政協不同，因為軍閥政協是分贓式的；他認為這個協商委員會與北平政協不同，因為北平政協是個虛偽的幌子。

政協會之議太天真

我為了看到董先生能夠提出具體辦法而興奮，我希望一般人對於「中華民國的事體怎樣辦」這個大問題，能有更好更具體的辦法提出來，因為建設性的主張勝過消極的批評，具體的辦法勝過籠統的口號，所以我對於董先生的見解，便油然而有所評議，非敢謬述己見。

董先生對於反共救國會議認為不能解決問題，召開不召開，沒有什麼大的關係，我認為這個會議可能也是沒有結果的。董先生認為中華民國不能沒有蔣先生，政府也不能根本改組；同時董先生也認為如果照蔣先生的老辦法做法就會失敗到底；我認為董先生這些主張，從某個角度來看，不是完全不對的。

至於董先生所提出的辦法，認為組織了一個政治協商委員會，中華民國的事體就有了前途，這也未免過于天真了。

委員們大權在握之後

按照董先生的主張，政治協商委員會的職權，雖非蔣總統的太上政府，至少也可以說要把總統的權力來一個春色的平分，不僅蔣先生本人一切都要聽命於政治協商委員會，而且蔣先生還得負責把政治協商委員會的主張設法通過於立法院和其他有關機構而付諸實施。

董先生既然知道蔣先生「喜好獨裁作風和特務政治，兼之他個性頑強無法變改」，那末董先生所提的政治協商委員會的辦法，又怎能使蔣先生樂於接受？即退一萬步講，蔣先生為了國家，對政治協商委員會百依百從，試問這些參加政治協商委員會的領袖們，一旦黃袍加身，有此大權在握，他們所代表背境不鮮明，他們的主張也許各異，他們的後面又有誰來予以監督？他們即不主觀地想來分贓，但是客觀的形勢，也許易於促成他們各行其是而各取所需；否則他們便也只能做成一個虛偽的幌子。

何況蔣先生對於「廣開言路」的辦法，向來就有一套，他在文的方面，早有國策顧問委員會的設置；武的方面，也有國防計劃委員會的存在，光復大陸設計委員會，人數之多，幾近兩千；國防會議，權力之大，籠罩一切，最近又將有政策委員會之籌議，疊床架屋，謀士如雲，各黨派以及無黨無派的領袖，多在羅致之列，各此外有言責，有官守的機構，如行政、立法、監察、司法、考試五院，均有正當職權，總統的權能，在憲法本有規定與限制。中華民國的事體辦不好，已有的那樣多的人才與機構都不能有所匡救，難道說這個政治協商委員會的組織，就有起死回生的功能？

憲法對總統的限制

憲法為蔣先生本身所公佈，人民身體、言論、著作、出版、居住遷徙、秘密通訊、集會結社、請願訴願、選舉、罷免、創制、複決等自由與權利，均詳載於憲法第七、八、十、十一、十二、十四、十六、十七、二十、二十二條，人民除現役軍人外，不受軍事審判，也規定在憲法的第九條；命令與憲法有抵觸的無效，憲法第一七二條也有明白的規定，至於民國三十八年四月十八日國民大會所通過的「動員戡亂臨時條款」，總統得不受憲法三十九條及四十三條所規定程序的限制，如不待立法院的通過可以宣佈戒嚴；如總統得於立法院休會期間，發佈緊急命令為必要的處置；但臨時條款的第二段，同時也規定立法院對於總統的宣佈戒嚴和必要的處置，也可以依憲法第五十七條第二項規定之程序以變更廢止，並不是總統可以為所欲為。〔上〕

退此一步即無死所

我政府決定不惜採用否決權，以阻止外蒙附庸混入聯合國，這是若干年來一項重大果敢行為，值得海內外同胞一致擁護。我國積弱多年，過去在外交上一貫失敗，是激起國民革命運動的主要原因之一。統一之後，繼以抗戰，國家剛在國際社會中抬起頭來，又遇到中共叛亂，到大陸失掉之後，我們竟又降到在國際間受人輕視的地位，為了顧全大局，不惜忍辱持重，這苦心固無可厚非，而年餘以來的結果卻是我們越容讓，共黨越猖狂。國際姑息主義者又復囂張為幻，肆其讕言，好像東方國際形勢之所以緊張，全是因為自由中國反抗俄共所致，只要中國俯首貼耳受其宰制，遠東就可確保和平安全。我們知道美國朝野並未為此種謬說所動，但是美方所走的姑息路綫，已與我國民族利益不能相容，而且也必然會招致遠東的更大災禍。時至今日，我們已退到最後一道防綫，無論如何，不能再退讓，與其苟且圖存，不如壯烈犧牲。「退此一步，即無死所」，在今天的國際關係中間，我們應該有這樣決心和氣概。

真認錯了目標

我國反對整批加入聯合國的方式，反對既不「愛好和平」又不會履行聯合國憲章義務的蘇俄附庸如外蒙者混入莊嚴的國際安全和平機構殿堂；這是為了中國民族利益，也是維護聯合國的憲章精神。但姑息主義者的讕美論調紛至沓來，「自殺政策」，「自掘墳墓」這類可恥論調竟洋溢在國際間，甚至有人竟以讓中共代替中國政府在安全會地位來橫施恫嚇。如果說為反對一個蘇俄附庸，中國在聯合國就該受到那樣的卑劣打擊，我們到覺得繼續留在那裏是一件奇恥大辱。

時事評述

·李秋生·

我們知道反對中國行使否決權的各國人士並非盡屬姑息者流，而大多數是為十三非共國家也將因而不得加入感到遺憾。但事實卻：我們只反對外蒙，連對其他附庸都可能只以棄權來應付，而絕對擁護各非共國家的加入。其準備否決所有非共國家加入者是蘇俄而不是中國，假如說最後此次整批加入計劃終告失敗，那一定是由於蘇俄的否決。

一個兇手殺了人，卻要拿一個抵抗過那兇手的無辜者來抵罪，天下還有比這更不平的事嗎？

不合時宜的政治交易

所謂整批集體加入聯合國之議，是共存主義的產物，也是「日內瓦精神」的發揮，而實際佔便宜的卻是俄共。因為十年來發動二十九次否決權以杯葛新會員國闖交換其附庸混入的用心，終於獲得實現了。

但是此舉卻嫌有些不合時宜，如果是在今年七八月間，還可諉稱是由於大多數人士都受了「日內瓦精神」麻醉，現在從任何角度都可看出冷戰加緊的跡象。美國務院公佈的四外長會議紀錄中，笑容溫語已被辛烈的相互責罵所代替；新由歐洲返美的前經合總署署長霍夫曼（他是熱烈擁護艾克的人，卻並非在朝的共和黨）對艾森豪總統說，他在歐洲看到「冷戰已進入最頑強階段」，連日柏林局勢緊張，蘇俄又是封鎖柏林的重演。與此同時，聯合國卻揖讓雍容的與共黨鐵幕做着政治交易。這使人不能不懷疑西方各政治家外交家們的智慧。

俄酋訪問的教訓

同時在印度，則正扮演着最尷尬的局面。赫魯歇夫與布爾加寧的訪問，到處都旁若無人的大放厥辭，做着「從未有過的最大規模宣傳運動」（英工黨議員庇語），直把印度當做附庸看待，以致連尼赫魯都忍耐不住，忙不迭的解釋辯護。至於此次訪問的影響如何，尚有待於未來事實判明。對於熱衷邀請俄酋訪問的人們，這是個慘著的教訓。

埃及的現實外交

埃及購買捷克軍火的原因
我駐埃大使對記者一夕話

・・方劍

海外通訊

（本報開羅特約通訊）記者到埃多年，對埃及政情，年來曾屢有報導，發表於本刊者亦不少。頃據讀十一月十六日四九一期本報，台灣通訊「外交陣容將有變動」一文，內有我駐埃及使節，對中共與埃及進行勾結不甚了了之語。特走訪駐埃大使何鳳山氏，詢以究竟，承何大使接見，並詳答記者所問，茲分述如下，當可爲讀者了解埃及外交政策之參考也：（以下記者問，何大使答）。

問：「大使對於『自由人』『台灣通訊』，不識有無意見」？

答：「『自由人』的立場和態度是我熟知的。但開羅與台北之間距離既這麼遠，身爲一個外交官員，又不能隨便發言。這裏倒底做了些什麼，除了外交部外，當然外面是不會容易知道的」。那位先生說『不甚了了』，和毫不知情」大概便是這個原因」。

問：「大使的意思，是否貴使館對於埃及與中共的往還情形，均已有詳細的報告給外交部了」。

答：「不錯，一個駐外大使館向外交部詳細報告駐在國與本國間的有關情況，是使館的主要責任」。

問：「在不妨礙大使的職務範圍之內，可否將埃及與中共的往還經過稍加說明」。

答：「埃及與中共往還，最先由尼[illegible]牽線。迨至本年亞非會議，埃納蕯與周恩來繼而埃及宗教工商部長先後[illegible]後中共[illegible]表團及朝[illegible]種發展[illegible]曾隨時有詳盡報告，且曾隨時設法交涉勸止」。

問：「大使所說的『設法交涉勸止』能否再加說明呢」？

答：「關於這一點，恕難有所奉告。不過有一點，値得我們體認，即埃及的外交政策，自新政府成立以來，已採取現實主義。埃及外長曾坦率地說：埃及在經濟上已發生困難，只要埃棉能有銷路，經濟就能好轉。誰能買埃及的棉花，誰就是埃及的朋友。證諸目前的事實發展，埃及購買捷克軍火，就是用棉花爲交易手段。這是現實主義的具體表現」。

問：「就大使的話來看，埃及的對外政策不是循着有奶便是娘的路線發展嗎？如果這樣，埃及會不會和自由集團愈走愈遠呢」。

答：「要說埃及會和自由集團愈走愈遠，也不見得。關鍵要看今後英美對埃態度的發展如何而定。就目前的情勢說，納蘇總理的話還是値得注意的。他說：埃及的敵人只是以色列，埃及不知什麼是共產黨的危險，也不知道什麼是東西冷戰。只知道自衛，埃及需要的是軍火。這可見埃及態度的一斑了。」

問：「中東的局勢如此，埃及與中共的私下交易又如彼。請問今後中埃的關係，究將會有什麼轉變呢」？

答：「以中東的情勢看，有雄厚實力的美國尙且不免束手。何況其他。僅談國際正義和私人友誼，在外交的運用上是不夠的。現在我們唯一可以相信的是埃及的外交政策完全建在現實之上。中埃今後關係，誠無須悲觀，也不能隨便樂觀。天助自助，一切要盡其在我。」

談話至此，筆者以就誤時間不少，乘機告辭。臨別何大使尙表示，「希望能多聽國內人士的有關建議。」（十一月廿一日開羅）

冷戰中的原子外交戰

・曾旭軍・

最近蘇聯宣佈爆炸一空前最猛烈的炸彈，赫魯曉夫說，其彈炸力等於一百萬炸藥。後來塔斯社雖然慌忙更正，說有數百萬噸，但美國在一九五四年三月一日，在太平洋安尼威托島試驗的氫彈炸力，傳已達二千萬噸炸藥。可見蘇聯如何的利用西方氫彈恐怖病，而大大發揮其神經戰。

赫魯曉夫得意忘形之下，也率直自認『此等炸彈可影響凡欲發動新戰爭者之神經』。我們極可懷疑蘇聯的『氫彈』，是一個怎樣的氫彈，已無形無影的震毀了許多人的神經了。氫彈雖然嚇不倒願與日偕亡或聽天由命的東方人，但千金之子坐不垂堂的西方人，使十分緊張了。試看美國原子能管理局委員湯麥斯．茂萊在上星期四說：氫彈如何可怕的厲害，他建議最好請蘇聯、中共和俄共集團附庸國的代表來參觀美國試驗氫彈，他們便願坐下來談判，而『更願現實的更有效的』和國人談判了。世有如此天眞的政治家。

美政府對付共黨的策略，既不是解放策略，亦不是眞正的圍堵策略。因爲他們只顧西方圍堵，而在東方漏洞百出，而幾至視若無睹。目前蘇聯拉了印度入懷抱，插足中東。我不知世有所謂英美已佈下了包圍蘇聯的陣勢，迫着蘇共集團和平投降之說，是何所根據。反之，變假蘇聯從拉攏「中立」的國而成爲「反包圍」禍患。

美政府對付共黨的策略，一言以蔽之，曰：核子武器遏抑侵略的策略。西方人善於用物質戰，而不善用心理戰。他們迷信核子武器足以嚇人——其實是自嚇——便可以增進和平機會。

艾森豪威爾所提倡的「日內瓦精神」，便建築在這個基礎上。他認爲在這七月巨頭會議，雙方已對核子武器有認識，和把握了這個事實，而變得協議。

杜爾斯不但欲用核子武器以阻大戰爆發，亦欲以之阻小戰。去年杜爾斯對中共說，如再侵進一步，即實行「總報復」（MASSIVE RETALIATION），此眞美國典型之原子遏抑政策。但他失敗了。因爲共黨已看穿美國不敢使用，反而鼓勵如韓戰一般的小戰爭。

我看美國的遏抑策略，也含有一種所謂分級的遏抑用意（GRADUATED DETERRENCE）。他們把武器分成三個範疇，第一是平常武器（CONVENTIONAL WEAPONS），此即指一九四五年投原子彈於日本以前的武器。第二，是戰術原子武器，其破壞幅員直徑大約一至二哩。此又可謂中型武器。第三種即戰略的原子武器，即所謂足以毀滅文明的氫彈。

分級遏抑策略，是欲用大武器，大威嚇，以阻大戰。用平常武器，或加上戰術原子武器，實行小威嚇，以阻小戰爭。杜爾斯或艾森豪威爾總統嘗言以「二倍三倍」的報復，就足以證明我看出他們有分級遏抑的觀念。他們的理想是：未來戰爭限於普通武器（一九三九——四五年的），而又加上戰術原子武器，但保持大武器即戰略原子武器的優勢，以報復的聲勢遏阻侵略便好了。

邱吉爾曾說：在大戰後十年，美國的保證和平的，是美國原子武力優勢。然說得很對。但不用優勢去瓦解俄共集團，拆除鐵幕，因循自誤，反而令俄共擴張鐵幕。其弊在圖利用優勢作消極的遏抑「大戰」而並不能遏抑「擴張」。造成今日之危機，讓蘇聯有能力自私苟安的作風判斷，不你是否用原子武器，不用說戰略原子武器，甚至運戰術原子武器說，亦不敢用。韓國說一聲用原子砲，也害得艾德禮屁滾尿流，連忙跑到華府去遏阻。杜魯門原來的西方的遏阻武器策略，如此是遏阻下去！雖自己的原子彈儲蓄千萬顆，氫彈炸力比蘇聯大百倍千倍，也等於廢物！

對待俄共集團，不是單獨原子核子武器可以嚇倒他們的。並非說原子武器無用。我們亦不妨嚇嚇，但必定要抓着使其倒，而能了解俄共的弱點。

俄共的弱點是什麼？就是他們馬列史主義的聖經，已被事實證明是錯誤，落伍，殘虐，害自己人。蘇聯赫魯曉夫的「農業城」計劃失敗，毛澤東的自我中毒，都已證明作業化蘊藏千千，不敢「氫彈大戰」一起。他們必然[illegible]。

自由世界對俄共，要做到眞正的「實力外交」，千緒萬端，非本文所能盡言之。簡言之，不以求苟安，積極扶助被奴役的國家，不惜以實力解放鐵幕同胞的國家，主動建議，才是原子外交。

台灣通訊

李茂松貪污未遂免職
楊請無幽默與人互毆

（本報台南通訊）嘉義縣長李茂松，因處理嘉義縣立中學，電綫走火，焚去校舍十五間的復建工程，涉嫌索賄台幣五萬元。於八月九日，爲該縣議員，提出質詢，當經議會議決，送嘉義地方法院起訴。

本月十六日該案已定讞，處有期徒行一年，褫奪公權二年。

又新聞記者陳晉松，因共同索賄，處有期徒刑七月，褫奪公權一年。

李茂松貪污案何以與陳晉松有關呢？緣陳晉松爲某報駐嘉義記者，四十三年四月間，李競選縣長時，爲李利用協助競選，並代運籌策劃，報導宣傳。因而當選。李當選後，即視陳爲心腹，同年六月九日，李邀陳遊關子嶺，排宴慶功，比擬漢高三傑，對天立誓，緊爲手足，關係益加密切。

李任職後，陳亦曾爲某報駐嘉義主任，出入縣長公館，幾無虛日。

嘉義縣中復建工程費以台幣一百六十二萬發包，因經陳晉松從中奔走勾通，包商廻允賄款四萬元，唯李陳進而要求先行一次付足，致未成交。然李茂松以營私未成，仍恐事情敗露，遂自行呈文省府，報告工程舞弊以圖掩飾。後經議員調查質詢，乃東窗事發。

法院判決後省府以李茂松罪證確鑿，依據縣市地方自治綱要第二十二條，予以免職。在李茂松上訴期間，因距下屆選舉不足一年，則不另再選。省府派民政廳第五科科長金氏，於十二月一日到縣接代。

按李茂松係國民黨員，四十三年參加競選，擊敗黨提名的原任縣長林金生，旋被開除黨籍，任政以還，戰戰兢兢，終以貪污未遂去職，可謂咎由自取。相反的台南市長楊請，於此次（第三屆第三次）議會開會時，亦被議員杜希英提出質詢：關於「台南市建築橋樑工程，外傳市長，從中得款二十萬元，請市長說明眞象」。結果以問心無愧結案。可謂是兩個鮮明的對照。

楊請市長雖以清廉聞名台南，卻亦以缺之幽默見稱。緣本月二十一日，台南市議會揭幕，散會後，市長晏請議長辛文炳及議員多人，食罷上海餐，又進國際公共食堂，（公共食堂，多係本省人開設，有酒女作陪）。酒意正濃之際，遇本市華南銀行經理蔡人龍氏，蔡與楊市長相識，蔡爲應菲律濱同鄉祝壽幽祕書蔡建安之宴。並握手寒暄。之後蔡經理向楊市長乾杯，蔡以打趣口吻，拜託市長說：「我女兒自師範畢業後，已在市郊任教有年，不堪跋涉之苦，糟糕每晨五時即起，爲女作炊燈點，求市長幫忙調入市內」。繼詢「市長亦有女兒，即可師範畢業，將派往何處。」楊亦打趣地說：「當然派在市內」。蔡因酒意大作，聞言即識諷楊市長，說他不公平。楊以彼此戲竟然當眞，遂亦進行以不堪入耳之粗言對罵。蔡人龍因楊市長，身爲一市之長在此大衆廣衆之中，出言粗劣侮辱，即舉杯向楊潑去未中，雙方爭吵劇烈，惡言交加，互不相讓，楊順手用椅子擊蔡，爲旁立友人所阻。楊即揚言：「明日九時上班時間，到華南銀行找你清算」。至此，雙方遂即散開。

誰料未幾，國際公共食堂，闖入有名彪然大漢，（據稱內有一人爲楊市長侄兒），不問皂白，將蔡人龍飽以拳脚，蔡倒地求饒，血流如注。行兇者則逃去。大武行排演後，蔡人龍由友好送往省立台南醫院診治。楊市長則於當晚發電話台北華南銀行董事長劉啓光，謂其分行經理，出言失禮。

蔡人龍亦恐上峯誤會，帶傷北上，面陳出事起因。此事如何收場，尙未可知。惟一般皆以楊市長欠缺幽默感，不能忍讓爲憾。另據某議員告筆者謂：「肇事後，某方曾多面，電請各方懇求不予揭露」。又謂：「總統華誕日，市長曾在市黨部簽訂不浪費公約，墨瀋未乾，而身爲市長，又兼市委，竟有此不檢行爲，而輿論又表示緘默，可謂絕無公道」。

・呂增勳・

俞大維訪美爲何？

・小魯・

【台灣通訊】緊接着美太平洋地區總司令史登普上將訪台之後，我國防部長俞大維，突於十一月二十六日離台飛美。俞大維這次赴美，相當突然，事前新聞圈內除一二人知道此事外，直到他起飛後國防部發表簡短公報，大家才知道他已經去國。俞氏出國的前兩天，還冒險飛往大陸作低空視察。當此海峽彼岸共軍正在積極加強作戰部署之時，俞氏匆忙去美，各方極爲重視。雖然國防部發表的公報說他此番赴美，是爲了醫治宿疾，但無人相信他此行原因如此簡單，縱使療疾或係事實，但一般推測其必有重大任務。在四外長會議結束「日內瓦精神」死亡之後，中共忽然又叫囂着要「解放台灣」，而事實上，閩浙沿海共軍的作戰部署，也正在積極加強中。

目前中共海軍主力，仍然潛伏於舟山浙海一帶，待命出犯，但海面則隨時有中共魚雷快艇出沒馬祖金門，均速企圖[illegible]，且艇等輕型艦隻的蹤跡。一旦海峽有事，中共海軍必將傾巢而出，在海面上支持其陸軍作戰。雖然，中共海軍尙極幼稚，其實力不足與我海軍對比，然亦不能對之輕估。

空軍爲未來戰爭的決勝主要因素之一，故制空權的控制，爲敵我雙方必須爭取者。據美國空軍方面的估計，中共與北韓目前的空軍實力，總計約有飛機七千五百架，其中包括三千架噴射戰鬥機，七百架輕型噴射轟炸機，其餘爲舊式螺旋槳的輕型、中型轟炸機、戰鬥機、運輸機。在這七千五百架飛機中，有一千架以上，計劃或已經完成了福州、建甌、龍田、沙地、漳州、長汀等五個噴射機基地之用，就是供給第一綫千架飛機之用，如果加上華東一帶的空軍基地，中共的空軍部署在與中美空軍相當強，其目的已經可以爭奪海峽制空權，是很顯然的。

海峽戰爭何時爆發，爲未知之數，惟照共軍最近積極部署的跡象來看，此一戰爭已在不斷醞釀之中，只要時機成熟，隨時均有爆發可能。雖有心人認爲中共在大陸邊緣的軍事供應系統，尙未完成，使據以斷定至少在六個月內，海峽不會發生戰事。但是，由於韓戰的事實表現，證明中共對沿海理有一套西方不能理解的做法，可能此刻中共已另有準備，故我們不能暗中隨時提高警覺，以應付突發的戰爭。未來的海峽之戰，將是海陸空立體戰爭，將非昔日決戰方式所能比。大勝負的力量，是決定於戰略的運用與對比，國軍能否回大陸，也決定於能不能在這一戰爭上。我們今天對海峽所控制，就是最大的問題。

依照中美共同防禦條約的規定，美國在協防台澎及其他有關島嶼的義務中，這個條約簽訂後，美國已經從事上的合作，而中美軍事聯絡中心已改名爲協防司令部，事實上美軍顧問團已經不再增加，但美國對於軍援也日益積極，加強可見美方並非不能對台灣海峽的前途，儘管事實上並不到中美軍事的合作有甚大的距離。美軍的協防海峽，與美國的政策不可否認是在戰略上的立場，而非在攻勢戰略上的基本觀念。而中國的是用於防守台灣爲滿足，我們的任務是收復大陸，所以我們所需要的是攻勢的戰略，與用於攻勢的軍事物資。但是，如何把美國的守勢戰略觀念改變爲攻勢戰略觀念？如何使美國改變對華的軍援性質？據一般推測，這或者是俞大維這次突然赴美的任務吧？

蘇聯工業生產低落

冬衣嚴重缺乏

眞理報自認供應情況緊張

子裕

現在在蘇聯境內已是臘冬，在其全部幅員內，冬季平均溫度，約在零下二十餘度，酷寒，積雪，而整個冬季季節之長也是無比的。但人們却須在缺乏皮衣和氈鞋下挨過。

當時期的缺乏寒衣，暖鞋，在號稱工業化的蘇聯已不再被認爲是怪事，但今年的情況却比往年較爲嚴重！

新農業區物資缺乏

據十月二十日的眞理報說：「今年剛進入秋季後，許多城市和農村商店的暖衣、暖鞋及其它秋季用品發生了脫銷，甚至像膠鞋也很少」。從秋季一直到度過寒冬，沒有暖衣和膠鞋供應，人民的狼狽是可想見的。

除了普遍的缺乏冬季用品外，像「帕福洛達爾省消費合作聯社，在第三季後連一公斤茶葉和一塊肥皂也沒有得到」！

帕福洛達爾省、哈薩克斯坦，是赫魯曉夫的糧食增產計劃中的新農業區，從蘇聯各共和國被移徙來此的大量移民，正在這一地區內從事開墾生荒地和熟荒地。但在奴役勞農制度下，他們還要和寒冬作「鬥爭」。從眞理報的社論裏，不但反映出缺少吃的和穿的，連木器傢具也缺乏，該社論說，「帕福洛達爾省國營場各商店對需要的木器傢俱滿足得很不好」。

各工廠生產量低落

蘇聯的國營市場發生「脫銷」現象，基本上和大陸上今年所發生的「脫銷」現象是同樣地由於產銷失衡，供求失調所造成。

眞理說報，「列寧格勒『紅三角』鞋廠、莫斯科『紅色勇士』鞋廠以及化學工業部『托姆斯基』工廠，不能供應消費者所需要的鞋」，這些工廠對鞋的生產量不能按照計劃完成生產，而「莫基利夫斯基的沃洛達爾斯克廠也沒有執行女大衣的供應計劃；威特比斯克『工業化旗幟』工廠未執行供應男外衣及小孩外衣的供應計劃」。類似事實眞理報還說，「在其他共和國和省也存在着」，而「產品質量低劣、式樣花色陳舊也是普遍的情況」。

上述各廠生產低落的實況是：「紅三角」廠今年八個月期間少產十七萬雙長腰帶扣「閃電鞋」和八萬雙膠鞋；「托姆斯基」工廠在今年下半年則根本就未執行女膠鞋生產任務。

以主要經營農村業務的羅斯托夫的商業組織爲例，手工業生產合作社收到了羊毛而却擱置了一萬三千雙氈鞋的製造。

白俄羅斯缺乏煤油

不僅上述各種物品缺乏，眞理報還說，在「白俄羅斯及其他某些地方還發生了煤油脫銷現象」。石油工業部對於此項「過失」，已受到了證實。

同時受到批評的，是「蘇聯商業部所屬的許多批發站組織，——服裝貿易總公司，紡織品貿易總公司及鞋類總公司」，認爲這些機構「沒有建立必需的秋冬季品種的商品儲備，從而造成商業工作上的緊張狀態。」

從普遍缺乏冬季消費品的證實、批評來看，充分地表現了蘇聯生產部門的落後和蘇聯官僚化的嚴重，但這些官腔對於飢寒交迫的蘇聯人民來說，又有什麼效用呢？

中共搞農業合作　賴全面飢餓政策

不久以前，毛澤東在他的「關於農業合作化問題」的報告中，大吹大陸農民要走農業「社會主義」的道路業已出現了「高潮」，但最近中共「國務院」副總理兼財政部長李先念的報告，却不打自招地說：農民根本就不要也不懂「合作運動」，要使此一運動普遍推行，還有賴使用飢餓政策去迫使農民就範。

李先念公開承認：用饑餓政策去控制農民是蘇俄當年行之有效的辦法。他指出當年蘇俄實行農業集體化時，農民也同樣的反抗，但後來控制糧食，餓死了數以千萬計的農民以後，農民就低頭了。他認爲農民根本就不會歡迎集體制度，但如將糧食、及棉花、油料等農產品和其他生活資料加以嚴厲掌握之後，則從蘇俄的經驗證明，無路可走的農民終將向「合作運動」低頭。因此，李先念說中共必將在目前大力征收農民的糧食，使農民在明年三至六月的青黃不接時期，完全陷入饑餓狀態，然後，中共抓緊此一機會，從糧倉中撥出少量的糧食，以此作爲農民參加合作社，接受集體控制的主要條件。

據李先念說：中共控制全部糧食的工作將在今後三個月內徹底完成。他說糧食的「三定」工作，必須將產量定高，購量加大，而銷量則盡量縮小，而且必須要在農民的確連雜糧也吃完了的時候，才「考慮」是否配售少量糧食。李先念毫不隱諱地說：「經驗證明農民是很少會餓死的，今年春間飢荒嚴重時，不少人靠樹皮草根也活了下來，他說餓死的人是由於懶惰所致」，他說今後縱然農民再有吃樹皮草根的日子也無妨，他說這是農民爲走向「社會主義」所應有的「堅強精神」。

同時，李先念還竭力鼓勵共幹們說：農村一般工作及「農業合作運動」的推行雖然很有困難，但必須大力進行，決不能憐憫農民的困苦而產生消極的或「右傾」的情緒。

在李先念的報告之後，專門替中共宣傳經濟工作的天津「大公報」還撰刊了一篇社論闡發了李先念的論點。社論說糧食「三定政策」的切實執行，嚴格控制住農民的口糧，却是推行「農業合作化運動」的有利條件云。（著）

中共女奴工

「光明日報」的自供狀

大陸的「女子測量隊」是中共認爲「重視」女性和「提高」女權的一個自鳴得意和向外宣傳的傑作。在「測量隊」中那一批「幸運」的年青女孩子的實際情況又怎樣呢？據「光明日報」所載：「玉門油礦女子測量隊隊員黃金洪」，便是一個最好的例證。該文說：「『女子測量隊』現在有隊員三十二人。大都是二十歲左右的姑娘。兩年多以後我們都是學生，一九五三年夏天來到了西北，進入了西安石油工業學校。短短的三個月，我們學習了測量的基本知識，一九五四年四月我們來到了玉門油礦工作。五月份地形組開工後測量五萬分之一的地形，地形但大多數都沒學過，不會跑尺。我們就定了師徒合同，用生手跑裏圈，熟手跑外圈的方法，因爲測量儀不好，最多就測到十四個平方公里了。

「去年九月中旬，爲着完成一件新的任務，我們在荒無人烟的戈壁灘上迷失了方向，天黑時候走進一道兩百多公尺深的溝，中間夾着一條滿是小石子的羊腸小路，峽谷黑得看不見人。怎麼辦呢？我們還是決定扛上儀器，到工具，從這條人跡罕到的小路上走下去，我們互相警告着：『當心啊！千萬不能跌倒！』話音未落，就有一個同志跌了一交。這時，大家都坐下去，一隻手扶着背上的平板、儀器箱和肩上的標尺，一手撐在地上，溜倒了溝底。到溝底一看，前面一條大河擋住了去路，遠處又傳來了野獸的吼叫聲。這時，誰也顧不得害怕了，只管脫掉長褲，向河水走去。我剛把一隻脚伸進河水裏，不由得又馬上縮了回來。九月末的夜晚，祁連山融雪的河水冰涼，滲骨，『衝過去呀，同志們！』周玉梅像指揮官下命令一樣喊着。於是，大家都撲通、撲通的跳進激流。我們的意志戰勝了寒冷和石子刺脚的疼痛。當渡過河水趕上宿營地時，已是十一點半了。

「在去年一天早晨，天空連一絲雲也沒有，想不到中午變了天，眼看就是一場暴風雨。怎麼辦呢！回去呢！不能，今天的任務還沒完成。轉眼間，一陣狂風捲着細砂，直向我們撲來，這時，我們首先考慮到是把儀器和圖板保護好，大夥忙用自己的棉衣，油布把它蓋起來，風還未停，大雨像水柱似的夾着豆大的冰雹，猛打下來。我們大家就拉起手，跳起集體舞來，還唱『勘探隊之歌』來抵禦風暴的侵襲。」

「在五月下旬的一個中午，我們的隊長黃金洪從隊部駐的野麻灘出發，到陳珠英小組去檢查工作，可是陳珠英來信時祇說她們在山溝裏住，是哪一個山溝却沒有交待清楚。因而，晚上九點鐘還沒有找到。雖然天越來越黑，可是她仍然沿着崎嶇的山路往前走。向前看，黑糊糊的山溝，向後，沒有人烟，向上望，祇有稀疏的星星。這時，她有點害怕，聽人家說，合黎山是野獸出沒的地方，『要是眞的來一隻狼，該怎樣對付？』夜裏，十二點鐘時，她頭昏眼花，兩腿發軟，一步也支持不住了，於是就不由自主地倒在地上。身子雖然很疲倦，但還不能安祥地睡覺。但想：要是她在浙江的母親知道她一個人深夜獨宿曠野時，也許會爲女兒流淚吧！第二天，天剛曚曚亮時，她又向前走了。還肚子餓得咕嚕咕嚕地響，才想吃乾糧，又饑，但她祇得忍着饑餓，一脚高一脚低地往前走。直到黃昏，才下了山，找到這一個老鄉家吃了飯，還是沒有找到。「第三天，碰巧陳珠英小組撤下山來了，才算到達了目的地。

「今年五月份，陳珠英小組在大山裏工作，有一次兩天沒有水吃，有的同志渴得沒辦法，就去拿醋解渴，小組長陳珠英看到這種情形，還哭了兩天。就決定陳依關，齊玉梅到我們這裏拿水。這倆個女隊員走都走不動，加上好幾天沒有洗臉，臉顏色也變了。當她倆跑到我們這裏時，她倆祇能說出一句：『水有沒有。』……」（琦）

中共合作社　農民紛退出

大陸農民，實不願參加中共的所謂「農業合作社」。十月二十四日「人民日報」透露出，廣東省揭陽縣梅聯鄉中共一個名叫魏逢泉的黨支部書記，當其上級黨委及中共魚湖區委，要他在今年建立十五個新社時，他回答說：「我看老社社員有半數人要退社，社外農民一個也不願入社。」

一齣諧劇的風波

「麗的呼聲」的諧劇廣播員鄧寄塵因爲一齣「剃死人頭」和全港理髮業鬧出的風波，雖然經過幾度書信往來，調解道歉，但仍未平息，看來還會繼續演變下去。

目前，這一個糾紛已成了社會上一部人談話的資料，究竟誰是誰非，各執一詞，很難遽下判語，但我們首先了解整個過程後，或會得到一個自己的結論。

女屍改扮男裝

鄧寄塵所講的「剃死人頭」諧劇故事中心，是說有一對面貌極其相像的夫婦，做丈夫的因貪圖妻子二十萬元的保險金，因此當他的妻子死後，就用重金找了一個理髮師回來，把他的妻子改爲男裝，自己則扮作僕人，女佣阿嬌則扮充死者之妻，以求瞞過保險公司的調查員後，即可獲得二十萬元保險金，以阿嬌爲繼室，共同享受，豈料騙過了保險公司的調查員，却瞞不了剛巧歸寓的女兒，於是一幕諧劇於焉告終。

這原是一幕不合常理和荒誕不經的故事，鄧寄塵以獨脚戲的方式演出，由一個人分作不同的身份口吻道白，其目的在於諧趣與逗其聽衆一笑，可是由於道白中的打科插諢即如廣東人所謂臨場爆肚，或因失諸檢點，而被理髮師同業認爲公然侮辱，惹起軒然大波。

開玩笑成侮辱

理髮師們的不滿可以歸納爲三點：第一、是理髮師的技術問題。他們指鄧寄塵所說，眼眉當鬍子剃去，刀損十餘刀等，無異譏諷工作神聖；第二、是鄧寄塵所言，指剃頭工值百元紙幣撕開兩張分期付給等語，是涉及誹謗理髮師的信譽，和誹謗理髮師的道德；第三、是指劇中的理髮師剃死人頭以協助他人行騙人壽保金涉及助人行騙，更損害整體的理髮師的守法精神等等。

對鄧寄塵的反感首先由個別和少數的理髮師而傳至整個行業，這個諧劇經鄧寄塵於上月二十一日最初在「麗的呼聲」播出時，「麗的呼聲」即不斷接獲聽衆的要話，要求對這個諧劇中止廣播，可是當時絕料不及會惡化到這種程度。

美髮業公會，（包括資方與勞方的組織）。這次採取了劃一的行動，他們不但發動宣傳攻勢，一面向「麗的呼聲」當局交涉請求停播外，另一面則向社會各界人士呼籲，希望得到支持。

萬二分的歉意

擾攘，理髮業方面的要求獲得了勝利，鄧寄塵的諧劇廣播了一半後，即告中止，用另一部叫「千年酒缸」的諧劇爲代，二十六日表示歉意，「麗的呼聲」和鄧寄塵都分別致函理髮業，「麗的呼聲」的覆函說：「關於鄧寄塵君在敝電台廣播之諧劇，純屬虛構，實爲無可能發生之事實，故對貴行業絕無抵觸，在未接尊函之前，已有人來電敝台，將鄧君已播之諧劇停播，亦已命停止，故特函請萬萬原諒，本公司與鄧寄塵君謹以萬二分至誠，特致歉意」。

至於鄧寄塵本人的信，則稱：「查鄙人在本月二十一日播出『剃死人頭』一劇上段後，即有貴會會員電話請於翌日停播下段，鄙人素持與人無爭，與人無忤之旨，故翌日即改播「千年舊酒缸」爲代，足見鄙人播出劇本，絕無侮辱任何人士之企圖，所謂言者無心，聽者有意，致發生誤會耳，然既奉大函，寸衷亦極抱歉，至於貴會所請求停止該劇續播之要求，鄙人爲息事寧人，以和爲貴計，更早已自動遵辦，想邀諒察，區區之忱，可質明鑒」。

滑稽變成苦臉

雙方的交涉，至此原已告一段落，可是毛病依舊出在鄧寄塵信中「言者無心，聽者有意」的那句話中，美髮業以爲鄧寄塵對道歉並無誠意，並不滿足。因此，除了堅持要鄧寄塵在報端公開道歉三天，電台上本人道歉及由「麗的呼聲」保證再無同樣事件發生的三項條件外，還向港九工團總會呼籲，發動其他工會友會支持，以求斡旋到底。

至於鄧寄塵方面，當他事後會見記者時，已一反平素的滑稽態度，而不勝唏噓，他再三向記者解釋，他同樣是一個工作人員，俗稱所謂「講古佬」，當然不敢開罪任何一方面，更無針對某一行業的存心，今不幸有此意外，他本人除對理髮業中人表示歉意外，還希望社會人士加以同情和原諒，今後一切行止，當唯公司方面的指示是從。

關於事情誰是誰非，雖難下斷語，一般人則以爲鄧寄塵播出這樣的諧劇，可能對理髮業確無侮辱的居心，但言詞似欠檢點或屬事實，然理髮業方面的要求爲了本身的令譽，固屬合理，不過堅持下去的結果如何，就很難說了。

想起兩件往事

記得在戰前不久，上海也曾鬧過一度同樣的事件，是一套「假鳳虛凰」的影片，當時上海的美髮業中人亦曾公開抗議此片，所出的亂子較今天還大，可幸後來經過調解後，終告平息。

再說，年前即有另一個被稱爲「空中小說家」的李我，因爲在廣播故事中，談及「新聞記者接受賄賂的事」，這又使全港新聞同業引起莫大反感，而出以杯葛，事後由李我親自到一個記者集合的場所公開道歉，才獲解決。

這次鄧寄塵和理髮業的事件及李我與新聞記者的轇轕可謂無獨有偶，而和上海的「假鳳虛凰」更是無巧不成話了。

但以前的兩宗糾紛都獲得合理的解決，這次事件，如果雙方都能容忍一點，想必也能得到一個妥善的解決，否則僵持太久，不僅不會對任何一方有利，且可能被第三者稱快。

巴拉圭歡迎中國移民　無經濟能力亦可申請

巴拉圭歡迎中國人移民的辦法，最近已宣佈放寬，即使無經濟能力，而具有知識、體力、經驗、行爲良好者，經審查核准，仍可前往移殖。因此目前曾經登記，但因經濟條件不合，遭拒絕申請者，可再前往登記，聽候審查。

以前曾經赴巴拉圭領事館申請登記，擬移民至該國發展農業及振興實業者，當時因有大部份聲請人經濟能力不足，無法依照規定手續購買農地，或雖無資金但具有智識經驗之人，已遭當局拒絕接受。

現在巴拉圭當局對該項人士歡迎前往登記，但須品行良好，而有智識、勞動能力者均可前往登記，但仍願購買良地者，尚有限額。

規定中國移民額爲二百五十家。

當局此項辦法因鑒其他有經濟能力、而可資助其他無經濟能力者，使勞力與經濟可融會合作。

要自殺，就請便！

自由談

蘇俄在聯合國行使否決權已不下百次，西方那些所謂大國盟邦也者，從來不敢表示半句反對或譴責的話。中華民國要對外蒙古闖入聯合國問題行使一次否決權，他們即面紅耳赤地吱吱喳喳，喧鬧不已，而且公然向我恫嚇，說是將要「動搖」我國在聯合國的地位，好像那聯合國席位就是他們幾個帝國主義者自由予奪的贓物。可恥的姑息主義，可鄙的卑怯思想！

最無聊的還有紐約時報，竟說一九四六年我國曾經承認過外蒙古獨立，今天絕無理由反對外蒙加入聯合國了！却不知道一九四六年之認許外蒙獨立一事，是由於美國總統羅斯福在雅爾達代爲出賣外蒙古後，强迫我國與蘇俄簽訂的「中蘇友好條約」而然的。這「中蘇友好條約」因爲蘇俄不履行，首先破壞，早經我國宣告廢棄在案。紐約時報憑甚末法理根據和權力，能指摘我們不應該否定外蒙爲獨立國呢？美國自己不顧信譽，莫名其妙，既搶先聲明不承認外蒙古爲具備着獨立國家條件，沒有加入聯合國的資格，一會兒又說要「默許」外蒙加入了，並且不惜以帝國主義的面目，壓迫別人也不許反對，這算是甚末玩藝？還好意思責備別人嗎？

日前美國民主黨參議員喬治聲稱：「我們是已經成熟的國家」。光看這次對於外蒙古問題的處理態度與作風，是否「成熟」，一目了然矣。法螺儘管吹得嗚嗚響，其於事實俱在何？

現在西方國家對我唯一的威脅手段，就是說要讓中共加入聯合國這一煞手鐧了。然則過去你們不許中共加入，就眞是爲的尊重我國的地位，或者是顧全道義嗎？笑話！你們既要營私舞弊，扼殺聯合國，儘可讓所有的共產傀儡政權都加入，我們且將羞與爲伍哩。你們若喜歡自殺，請便吧！

馬五先生

・日內瓦會議小鏡頭・

杜爾斯逃過莫洛托夫圈套。

加雪譯

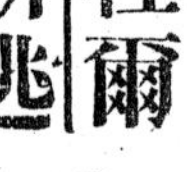

共產黨最善宣傳。本年六月日內瓦「巨頭會議」期間，艾森豪和布爾加寧握手拍了一張十分親熱的照。蘇聯把這張照片放大了，規定附庸國家的報紙雜誌在首頁和封面刊登，同時又在各地的廣告牌照上同樣的放大鬧片；附庸國家裏到處都呈現他們兩人相視而笑的照相。那確是一種十分聰明的措施，因爲這張照片象徵着美蘇的親善。蘇聯的用意是：『你們看，布爾加寧和艾森豪多麼友好，多麼親熱！你們還夢想美國跑來解放你們嗎？不要再做這個夢了！』

十一月日內瓦開外交部長會議的，蘇聯和衛星國家的攝影記者要求杜爾斯和莫洛托夫同拍一照。杜爾斯的答復是：『不！』

開會的三星期，蘇聯和附庸國家的攝影記者們追隨杜爾斯不舍，想找尋機會替他和莫洛托夫拍一張親熱的照片並不是難事。莫洛托夫的策略是這樣，看見攝影記者們準備好了，他便以迅雷不及掩耳的速度跑到杜爾斯面前，表現出十分親熱的態度。若果杜爾斯報以笑容，好事就成了。

開會不久杜爾斯到莫洛托夫的別墅回拜他；出來的時候，蘇聯和附庸國家的攝影記者們在他的汽車附近埋伏好了。杜爾斯跑到車前，莫洛托夫趕來和他握別，那眞是一個十分危險的圈套。但成竹在胸的杜爾斯裝做沒有看見，跳上汽車，跑了。

美國記者們請四外長同坐拍一張四人照片，杜爾斯也回絕了。一天晚上，參加英外相麥美倫的宴會，鐵幕的攝影記者們認爲機會到了。可是杜爾斯處處留神，記者們替他們拍照的時候，他總設法躲開莫洛托夫。

最後一次，瑞士總統宴請四外長。杜爾斯站在瑞士總統旁邊，莫洛托夫出其不意跑了過來，表現出十分親熱的笑容，伸手握着杜爾斯的手。旁邊十多個鐵幕攝影記者便同時開機攝取。莫洛托夫勝利了。經過三個禮拜的艱苦籌謀，結果和杜爾斯攝得一張握手的照片。可是當底片印出來的時候，莫洛托夫才曉得前功盡棄。照片裏，杜爾斯面容嚴肅，那是一張絕對沒有宣傳價值的照片。杜爾斯在日內瓦的三星期，始終沒有上過莫洛托夫的當。

扯・謊

・迺恭・

誰都知道扯謊是一種壞的行爲，扯謊是可以抹煞眞理，把黑說成白的。扯謊可以用美麗的言辭騙取人家的同情，扯謊可以用堂皇的理由推却自己的過失。甚至還可以用扯謊來栽贓，陷無辜者於法網；用扯謊來競選，騙老百姓的選票。凡人的所有的罪行都幾乎和扯謊發生關係，所以一提到「扯謊」，誰都深惡痛絕。

可是，事情常有例外，就在某種情境之下，每個人可能都是扯謊者。譬如我們遇見朋友在吃飯，他一定會問你，「吃過飯沒有？」而我們雖然餓着肚子，也一定會說：「吃過了。」這是在禮貌上不得不扯的謊。又如在路上碰見一個人不小心把我的腳踏痛了，那個人立刻表示抱歉，並且很嚴厲的問：「踩痛了麼？」我雖然有些痛，但口中不免要說：「沒有什麼」或是「不怎麼痛」，這是在人情上不得不扯的謊。還有我們請朋友上菜館，彼賬房敲一記竹槓，開了高價的賬單，我們只得忍痛的會賬，朋友說：「太破費了，」我們一定回答說：「這算得什麼。」這是在面子上不得不扯的謊。

一位母親騙生病的孩子吃苦藥說：「你病好了買一架飛機給你駕着飛。」這是慈愛的扯謊。一位醫生遇着命在旦夕的病人，請他診斷以後，他對病人說：「你的病不十分要緊，只要好好的休養便會好的。」這是道義上的扯謊。任何一位公務人員對職務上的機密，都不肯說出，只是支吾其詞，這是在責任上的扯謊。所以我們在日常生活中，隨時都不免碰到扯謊的情境，而這種扯謊的動機，有時候是很純潔，扯謊的後果，也對人沒有損害。可見扯謊並不一定是壞行爲。

在歷史和文學上，我們不難找到許多的例證。三國時東吳的黃蓋用苦肉計瞞曹操，擊敗了八十三萬大軍，保全了東吳半壁江山，贏得許多人對他的忠義表示欽敬。天方夜談扯了一千零一夜的謊，改掉了皇帝殺人的壞習慣，成爲文學上的美談，這種扯謊是值得我們歌頌的。

良善的動機，純正的結果，乃是人們處世的一種特殊技巧，在某一種情境之下，必須適當的運用，纔不會發生毛病。可是話還得說回來，做人總應當憑着良心說老實話。非萬不得已時，尤不能任意的扯謊，把扯謊養成爲一種習慣，以後絲毫沒有正義感，逢人花言巧語，這是萬萬要不得的。

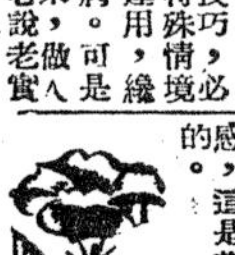

比史達林危險十倍的赫魯曉夫

・大冰・

史達林是一個十分猜忌的人，不肯輕易離開莫斯科。當他跑到南方休養的時候，他的行蹤也很神秘，除了幾個親信，從不讓外間曉得，而且在國際和國內局勢平靜的時候，才敢離開莫斯科。

赫魯曉夫則不然。日內瓦外長會議毫無成就，而中東戰雲又告瀰漫的時候，他攜同布爾加寧遣遊印度大事宣傳「和平共存」。由礦工出身的赫魯曉夫對於國際和國內事務似乎比較史達林有把握，鎮定而且從容。

獨裁者史達林是一個十分陰險的人物。陰險狠毒是獨裁不能少的條件。史達林部下沒有一個人不陰險而不可測度。他們是一羣陰謀家，戴上了一種威嚴的假面具。

赫魯曉夫却剛好相反。表面上，他是一個十分豪爽的人物，友好而且積極。他喜歡拍肩頭，拉相好，喜歡酗酒，隨時隨地可以醉。赫魯曉夫是史達林典型裏的一個怪人。表面上，他是一個十分平庸的俄國人，兩年前沒有人夢想到赫魯曉夫能夠繼承史達林做蘇聯的主宰。

赫魯曉夫平庸嗎？不！他是一個不擇手段，敢作敢爲的共產黨。史達林提拔他，因爲他做事澈底。土地改革的時候，經他清算和殺戮的蘇聯農民爲數超過十萬。史達林死了，馬倫可夫繼位。赫魯曉夫擁護馬倫可夫，推行他的新路綫，和農業政策，可是後來他却拿蘇聯重工業落後做題目，把馬倫可夫打倒了。

馬倫可夫倒了，赫魯曉夫提出布爾加寧繼任總理，把政治局的權力掌握到手。赫魯曉夫以是坐上了克里姆林宮的第一把交椅。爲了應付蘇聯糧荒，他下令在蘇聯廣大地區種植粟米。年來粟米收成毫無可觀，他依然得意洋洋，認爲粟米的種植係蘇聯的德政。他和布爾加寧又赴南斯拉夫想把狄托拉回山寨。受盡了奚落，赫魯曉夫也毫不爲意，喝酒高談，不改故態。而他在南斯拉夫收穫出乎意外的效果。

日內瓦首長會議，赫魯曉夫是『日內瓦精神』的主持者。他吩咐布爾加寧，莫洛托夫和其他參加會議的蘇聯人員帶上笑臉。日內瓦精神是赫魯曉夫的得意傑作。

赫魯曉夫是史達林主義的忠實信徒，他在印度宣傳和平共存，同時又宣傳資本主義必歸潰滅。他的目的是一貫的奴役世界。赫魯曉夫比較史達林棋高一着。史達林威嚴，赫魯曉夫親熱，史達林兇惡，赫魯曉夫和善，史達林固執，赫魯曉夫能屈能伸。克魯曉夫是克里姆林宮最危險的人物，比較史達林，克魯曉夫要危險十倍。

秀才・舉人・進士

賈景德

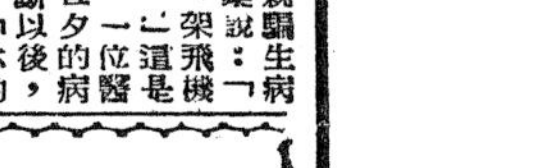

再其次就是上文所說的優貢，各省學台在科考年份，例命各府州縣教官保舉優行廩生若干人，由學台考試後，在鄉試場前會同督撫舉行優貢考試，大省考取六名，中省四名，小省二名，是爲「優貢」，明年到北京應朝考。一等任知縣，二等任教官，但不得任小京官，更有一個特點是每次考取優貢，必須照額加倍取列陪貢若干名，遇正貢中有鄉試中式者，則依次遞補之，有的新科優貢，以爲次年如果不能保險中進士，反以不能應次年的朝考爲失意，我就是其中的一人。

五貢又另有一種優待，就是每遇捐納官職，例免繳納捐免保舉費，因五貢是正途出身，非正途者，照例在捐官時，要有保舉一層手續，捐免保舉費，需要庫平庫色不折不扣的紋銀七百二十兩，名曰捐免保舉故也。遜清一代由拔貢小京官而游升至尚書侍郎的，亦不乏其人，曾任軍機大臣的錢子密尚書就是其一。又俗稱秀才出學有三種，舉人拔貢優副貢謂之飛出去，恩歲貢謂之走出去，捐納出貢，則謂之扒出去，可謂謔而虐矣。然而五貢並不是當時理想的正式的出路，仍須下鄉試場，冀圖中式舉人。在這以後我就要敍說舉人的階段了。

清制每逢子午卯酉年，舉辦鄉試一次。三年一度，鮮有變更，如遇慶典，則另開恩科一次，不拘上述年限。鄉試由京放正副主考行之，每屆鄉試，學台將所錄取之科秀才，送請主考考試，未經科考者，學台可以臨時補考一次，曰「錄遺」。與前次科考錄取者，同下舉場。下順天鄉試場的秀才，如非直隸省（河北省舊名）本籍者，則須加捐不折不扣一百零八兩銀子的監生。

說到順天鄉試，還有他的一套特殊制度，各省鄉試，非本省人應考，就是冒籍，「順天府」因爲是帝都所在，凡係中國人，都有應考的權利。但是有個特點，中解元者非直隸省的人不可，各省的舉子心有不服，尤其是南省的人，遂將每科第二名的舉人，稱爲「南元」，蓋定制每科中式第二名的舉人，例須准取錄直隸人也。此外各省捐監生下場的舉子，其試卷編號，照章分北皿，中皿，南皿三種，一如貢生編貝字，旗人編爲方字等等，也是爲了直隸本省及其他各省地方與民族各有其中舉的額數，故取監字下的皿字旗字旁的方字編號，以資識別。其中額大致是直隸一百二十名，各省地方及其他民族，則視應試人多寡，此照三科數目，斟酌擬議，臨時請旨定奪，大概中額，是與直隸省不相上下的。（八）

兒童讀物

・玉人・

目前的出版界似乎有兩大暗流：一種是純生意眼兒的黃色畫報刊物充斥於市；一種是純「統戰」作用的赤色書報刊物廉價大推銷！

這兩大暗流，可說從上層到下層社會，從知識分子到小市民，無孔不鑽，無處不流。而最惡劣，也最危險的一個現象，是連天眞純潔的小孩子們也成了黃色讀物的大主顧和「統戰」讀物的大對象；

不過雖然香港一般出版狀態陷於萎靡，也仍有人在幹着對抗這兩暗流的工作。記得不久以前，香港社會服務聯會兒童叢書委員會曾舉辦過一次兒童讀物的徵文比賽，其中最優良的兩篇徵稿，且由亞洲出版社印成專書發行。最近，香港政府和民意機關也已注意到了目前兒童讀物中的危險傾向，乃有清查兒童書攤和取締有害兒童讀物之議；可見兒童心靈被戕賊的嚴重問題，已引起了重大的注意和積極的行動。

取締有害兒童讀物，還只是一個治標的辦法。因爲兒童天生喜歡追求趣味，僅僅取締其有害的而不補充其有益的兒童讀物，則非但不能滿足兒童的需要，反而會使兒童對那些被取締的有害東西增加了神祕感和好奇心。要有效地解決這問題，還得標本兼顧，一面取締，一面補充，使其逐漸改觀。

聽說最近亞洲出版社已擴充兒童少年叢書部，準備大量編印健康而良好的兒童少年輔助讀物。「亞洲」的這一措施是否爲針對上述需要而發雖不得而知，此種工作無疑切合目前社會的需要。

「亞洲」編印兒童少年叢書，據說共分初級童話故事、中級童話故事、高級童話故事、及歷史傳記、文學創作、民間故事、科學故事等七類。閩文並重，以提高讀者興趣。每出一次，即彙成十冊。其出版方針是使兒童少年自幼即樹立一種健全的人生意識。

讀了本報前載「香港出版界的畸形現象」一文，不能不爲香港出版前途悲。如果亞洲這次的叢書能達到各方所預期的水準，也許可以在香港出版界樹立一種新風氣，影響其他的兒童刊物也繼之改善內容，提高水準，而在建設性的競爭中同獲進步。

答魯恂丈

・梁寒操・

魯恂丈以遊園見落葉有感二什見示，即此原韻奉答。余皈依基督教，然於莊生之旨，亦半師之也。

塵界羣生各一天，因緣羅裏逐波遷，能鳴雁幸邀先赦，無用樗翻得久全；陣上戈揮云反日，山中柯爛却忘年，辭枝衆葉何悲戀，落溷飄茵總偶然。

計出蒼翁得喪均，底須悲溷抑歡茵，法輪常轉原無息，大化何窮起一塵；聖域能容憂與懼，人生當作釜乘薪，秉彝好德關天命，立信終皈第一因。

自由人

THE FREEMAN

（第四九七期）

中華民國僑務委員會
僑發登記證台教新字第一零二號
中華郵政台字第五〇〇號
執照登記爲第一類新聞紙類
（半週刊每星期三 六出版）
每份港幣壹毫
台北市售價台幣壹元
督印人：陳文奉
地址：香港高士威道二十號四樓
3 rd. fl. 20 CAUSEWAY RD
HONG KONG
香港發行及事務接洽
高士打道66號 電話：七四〇五三
承印者：東南印務出版社
地址：高士打道六十四號
海外總經銷
友聯書報發行公司
香港：德輔道中二十六號A二樓
台灣特派員辦事處
台北市館前街五十號
台灣總經銷處
台北市西寧南路壹零壹號二樓
台郵儲金戶二九二五二

中國在聯合國的代表席

。。。徐淑希。。。

如果聯合國接納中共政權代表中國，我認爲這是聯合國的自求毀滅。這一行動必然破壞這世界組織，且將摧毀其賴以建立的基礎。

愛好和平的判斷

聯合國憲章關於新會員入會的第四條載明：「凡其他愛好和平之國家，接受本憲章所載之義務，經本組織認爲確能並願意履行該義務者，得爲聯合國會員國」。又憲章中關於開除會員國的第六條載：「聯合國之會員國中，有屢次違反本憲章所載之原則者，……得將其由本組織除名。」一個國家如何能判斷其爲愛好和平，抑或慣於屢次違反聯合國憲章的原則？自然，其判斷水準是自稱代表這國家的政府之行爲。如果這一點正確，毫無疑問聯合國又怎能接納中共政權代表中國而不否定其本身，更自招災禍？

中共政權可根據兩點判斷其不是愛好和平的：第一，它從事侵略。聯合國本身即曾宣佈其爲韓戰的侵略者，而且它又對東南亞從事間接侵略，例如裝備越盟叛軍、派「志願軍」越界侵入越南、以及在其他國家組織種種活動，以求以暴力推翻其政治與社會制度。第二是殘暴。中共政權似乎不以侵略爲足，猶進而破壞戰爭法規，尤其是在戰俘的待遇上；更以政治及社會理由迫害中國大陸的平民。在這些迫害中，五六年內已造成一千五百萬左右人民的死亡，到現在這種暴行仍未稍歛。僅在奴工營中，今日即有二千萬人呻吟於中共的鐵蹄下。

中共侵略行爲昭然若揭

如所週知，侵略可分直接與間接的兩種。間接侵略，由於其改頭換面，常常難予約束，因此自宣佈侵略爲非法的國聯時代起，侵略者便一直嘗採種種繁多的間接侵略，而比較不喜歡直接侵略。但就中共政權而論，它所採取的行動，却屬於昭彰之類，因爲例如武裝越盟叛軍、派遣「志願軍」越界侵入越南、以及在東南亞其他國家策動顛覆活動等，都受一般國際法所證實。而且上述第一第二兩項例證，又受三十年代初蘇俄及其鄰國的倫敦條約所證實，而上述第三項例證，又受一九四八年美洲國家巴哥達會議宣言、一九五〇年聯合國大會「以行動表現和平」決議案、一九五四年東南亞集體防禦公約、及一九五五年中美防禦協定所證實。

迫害是不人道的行爲，正與戰爭中的不人道行爲一樣，遠自格魯歇斯（HUGO GROTIUS）時代起，即遭取締。這位「國際法之父」很早便說：一個政府對其人民犯了不人道行爲，其他政府即有理由加以干涉，因爲一個國家的人民是全人類的一部，不受國界所局限。雖然在十八世紀有些國際法學者反對這種意見，認爲抵觸國家主權的原則，但十九世紀歐洲若干領導國家曾根據這意見而干涉奧吐曼帝國對基督教徒的迫害。

中共會洗心革面？

今日，可以說格魯歇斯的理論已被普遍採納爲國際法。事實上，第二次大戰後，紐倫堡戰犯法庭即曾對納粹份子根據他們對平民所犯的有關戰爭的罪行而論處。一九四八年，聯合國也通過一項條約，取締根據種族或宗教原因而犯的集體殺戮，不論是否與戰爭有關。一九五四年，聯合國國際法委員會又正其違反人類和平及安全罪行法草案中，將對平民的殺害、奴役、迫害，列爲國際法下的罪行，與根據種族及宗教理由所犯的罪行一樣。

中共政權是否能從其過去與現在在國際法下所犯的罪行中洗心革面，這是一個疑問，無論如何，在它未如此洗心革面以前，便談論准其參加聯合國，至少可以說是時機尚未成熟和不當的。

中共不能與俄相提並論

我並未忽視在聯合國中代表蘇俄及其附庸國的政府都不比中共政權較愛好和平的事實。但這一事實不能用來替接納中共政權爲會員說話。蘇俄及其附庸國的政府，是在聯合國組成時被接納的，當時一般人以爲國際關係上已展開一個新時代，在這時代中，以前不愛好和平的政權也會變得愛好和平。當這假定證明錯誤時，由於蘇俄的否決權，要採取行動糾正這局勢，已經不及。但這一點却不能提出作爲贊成准中共政權入會的理由，而使一個已經很壞的局勢變得更壞。

我也並非不知道有人願意輕率忘記在韓國戰死的三萬子弟，以及數倍於此的受傷者，或且從中國大陸、北韓、北越、東德、東歐國家與無數友人喪失於共產主義之下。但就是這些人，他也應該對於保持聯合國的生存與健康具有若干興趣，因爲聯合國是這一代世界希望寄託。因此，提醒世界了解中共政權一旦被准入會所能對這世界組織所引起的影響，當非徒費時間的事。

蘇聯支持外蒙入聯合國的目的，顯然是與他歷次支持中共入會不果一點有關。自我政府堅決表示對外蒙入會問題不予妥協後，結局雖尚難料，但間接却對中共的未來潛入聯合國問題，產生了良好的影響。外蒙不是一個獨立國，是國際上多數國家所公認的。蘇聯企圖先將外蒙傀儡帶進聯合國，爲中共開路之陰謀，現已爲我政府揭櫫於世，使其無所遁跡，實爲明智。本文係徐淑希先生自美寄來，特譯載以供讀者參考。

——編者——

中國的事體怎樣辦？（下）

·劉符初·

過去人民沒有自由，政治便不能民主，國家的事體便不能上軌道，蔣先生以爲蔣先生過去所頒佈的憲法，他可以不遵守，只要蔣先生再一次對於政治協商委員會作一次承諾，便可以爲一諾千金嗎？

最可慮的，過去和現在，一般人出境入境的權利，爲政府所控制，今後當不能例外，政治協商委員會諸君一旦榮仕之後，萬一蔣先生的主張不爲政協諸君子所接受，抑或政協諸君子所主張的不爲蔣先生所接受，甚至公報上所報導的並不是實際的情形，則政治協商委員會的設置，不僅等於虛設了，勢將成爲皂白不分，是非不明。

憲法徹底實行即有辦法

總之，中華民國的事體，事到今天，多少聰明才智之士，都很難提供一個具體辦法，蔣先生以及台灣袞袞諸公，又何嘗在主觀上不希望把國家搞好，只是也是難於提出一個好的辦法出來。

我認爲不維持中華民國現有的法統，到可另想辦法，如果要維持中華民國現有的法統，中華民國的事體，也不是難於解決，民國三十八年所頒佈的中華民國憲法，雖不十分完善，如果要從頭到尾細讀一遍，它確是一部走向民治、民有、民享的憲法，總統和文武百官的職權，分得淸淸楚楚，大家如果早些能遵行憲法，大陸也許不至於完全撤守，台灣的政治，也許早見光昌，它的內容，沒有特務、獨裁的跡象，它不容許任何人把國家視爲己有，任何人隨意下手令，使憲法黯然無光。

我認爲今後之計，只要台灣各學校，各部隊，各單位把研讀總統訓詞的時間，改爲研讀憲法，各單位把效忠總統的口號，改爲恪遵憲法，即等於效忠總統，研讀憲法，也可以說是研讀總統訓詞，豈僅中華民國事體有辦法，蔣先生也就有前途，民主自由的政治也就可以逐漸達致。

我記得蔣先生於去年中國國民黨六十週年的時期，他很痛心地說：一般黨員，只記得他本人的誕辰，不重視黨的誕辰。（大意如此，原文見自由中國半月刊）可見蔣先生對黨對國的忠誠，也是不願後人的。

只有憲法得以徹底實行，人民的身體、言論、通訊、居住、遷徙、出版、著作、集會、結社等等才有自由，人民有了正當的自由，政治才能民主，國家才談得上現代化，否則任何不完整不成熟的辦法，均很難在保存現有法統上起到良好的作用。

蘇聯奴工的「改革」

。。。曾旭軍。。。

自史太林死後，蘇聯的新統治者，看到史太林的嚴峻和剛愎做成的蘇聯擴張的窒礙，都把它們改變了。史太林之死，不會引起蘇聯的危機，反而是一個蛻變，給赤色大帝國主義一個改革的機會。坐而待變的愚庸政治家，可以休矣。下文是從於一九五六年二月一日出版的一本『蘇維埃制度六關鍵』的一章『所謂「工人的國家」的工人』的內容摘要寫下來的。

囚犯調作奴工

在一九五四年和一九五五年，蘇聯洩漏了工廠和農場大量缺少勞動力的秘密。蘇聯政府因此徵用到集中營的囚犯，美其名曰回復到「自由勞工」。此種奴隸的生產，原本是很冷淡而僅足維持其生活，對於國家生產毫無增益的。

在往昔實施可怕的集體農場，隨着又實行大饑饉的時期，因殺人過多，出世嬰孩因而減少。屬於這個時期出世至今成爲成熟青年的，又太缺乏。足以徵募爲蘇聯步兵的，顯然是不夠了。蘇聯政府被迫着宣佈所謂自動縮小步兵組織。雖然較早人們已知蘇聯可用的人力儲血已減少，但蘇聯硬說這是和維持「日內瓦精神」有關。爲補償陸軍量的降低，蘇聯努力求陸軍現代化，機械化，以提高作戰能力，作質的補救。例如增加裝甲裝備，砲隊的火力，定向飛彈及洲際轟炸機，噴射機，及潛艇等。然而重工業的負担又太重了。尤其是缺少技術熟練的勞工，這是蘇聯強調「重工業第一」的一個主要原因。雖然馬連可夫非純因此而受黜，亦不無有關。

獲釋後仍受監視

從西伯利亞東部之科力馬（KOLYMA）和伏庫達（VORKUTA），最近被釋放歸來的德國俘虜，說出的證據，和部份透露出來的人口統計看來，（例如「自由勞工」的突增）已透露出集中營的釋放及改短徒刑期，因而人數減少。同時改善集中營的奴隸之生活，設還可得去的飲食所，以及重訂八小時工作制度。

在一九三七年之前實行，而至「大整肅」時廢止的辦法，是：奴工眞正完成或超過標準一天的工作，便可減少兩天或三天的徒刑。若奴工身體強健，而生產多，則判處五年囚刑的，則三年或四年便可釋放。

實際上，這並不意味着他在被釋放之後，便成爲『自由』公民。由於政府的法令，或被釋囚犯護照上所規定，他只能在他服刑的地區內生活及工作。或在相類似的苦境中生活，被警察監視着。在人口統計上他是自由工資勞動者。實際上，他被限制在一個區域，或被差遣或獲准選擇一個遙遠的地區，和他原爲奴工的環境相差不遠的地方。例如科力馬、伏庫達、卡薩所担等地。但他可以住在營外，還迎他的家眷來，或自立家室，知道自由生活區的消息，享受自由工作。他由強迫勞動轉變到強迫居所，無論如何，可算已改善生活了。

【下轉第二版】

反對外蒙應堅持到底

這次中國政府堅決反對外蒙混入聯合國，在必要時不惜運用否決權來阻止，這一堅決立場，連日獲得海內外同胞一致熱烈支持擁護，認爲是一項正確而果敢的作爲，並在民族復興前途上具有重大意義。

若干年來，我國的重要禍亂大都來自國外，每一次民族精神的發揚，都是藉對外鬥爭爲契機而表現出來，從五四運動到對日抗戰都是如此。近年國家處境艱危，對外難免多所遷就，對於國民的戰鬥意志實有重大損害。這次我們抱有知其不可而爲的決心，毅然在聯合國維護久已消沉了的正義精神，不管俄共及其同路人如何栽誣，執迷於「日內瓦精神」的國家怎樣沮喪，無疑會激發我民族的戰鬥精神，增強反共復土的實力。

但願政府這決心能維持到底。三十六年前，爲了國家利益，我們拒簽過凡爾賽條約，這次不要讓人家笑我們連北洋政府的勇氣都不如。

時事評述

·李秋生·

共存路線的崩潰

年餘以來，西方整個戰略都建立在共存路線上面，一種虛幻的「日內瓦精神」，竟被看成萬能，好像單靠這精神，國際間任何問題都可迎刃而解。這一路線，到現在已經完全崩潰了。

日內瓦四國首領會議甫經閉幕，俄共即加緊其對自由世界的攻勢，到現在，整個形勢的險惡已超過史達林臨死以前的時期。而在聯大政委會中，却還侈談緩和國際緊張局勢問題，那議案，竟又是蘇俄代表提出的。伊拉克代表查瑪立對俄共的抨擊，似尙不夠一針見血。

英政府往那裏去

事實上，這幾年，美國都在跟着英國走，共存路線的策劃者，是唐寧街十號，而不是白宮。

現在英國却受到最大的困擾。赫布二酋訪問印緬之行，惡毒的狂罵英國，竭盡挑撥離間能事，遠超過外交常規所允許的範圍。這兩天英當局已有招架不暇之勢。最妙的是俄共狂罵英人，翻過來反而譴責英方對俄侮辱。以希特勒的狂暴，對於張伯倫好像都沒有像這樣過；過去以抨擊張伯倫姑息政策而蜚聲國際政壇的人，是否就這樣逆來順受呢？

從四外長會議失敗後，英方當局相當緘默。前日華府倫敦同時公佈，艾登首相已應美總統邀請，於一月間訪美會談。但願這次能對共存路線做一澈底淸查，以積極主動態度應付當前危機。

邱翁忍不住了

邱吉爾下野後，好像又恢復了當年的遠見和氣概，對於俄酋明春訪英之行，他首先提出要英政府愼重考慮。其實又豈只這一件事而已，凡是基於「共存」和「日內瓦精神」而產生的措置，都該從根本考慮，像集體加入聯合國事件就是一例。

邱翁過去曾經是積極策進對俄姑息的人，但他並不固執成見，一錯到底，這正是他的可愛之處。

韓日捕魚綫之爭

韓日間漁業糾紛，是自由亞洲一大暗影。五十年的佔領關係，血肉的仇恨，自難一朝釋然，但現在是同舟遇風的生死存亡之秋，一定要爲蝸角蠻觸之爭鬩至兵戈相見，那是笑話，也是自殺。

就事論事，韓國固涉偏激，日人以武力相威脅，也難免令人懷疑其動機。懸崖勒馬，尙未爲遲，美國義不容辭，應該立即制止雙方挑釁行動，再對捕魚綫問題談判一個合理的解決。

外蒙入會問題激怒自由中國

·小魯·

台灣通訊

兩個星期以來，台灣人心在激動中過去，大家懷着悲憤的心情，注視着聯合國關於外蒙入會問題的發展。關於這件事，華盛頓對台北會不斷地施予無情又無理的壓力，企圖迫使中國放棄對外蒙入會在安全理事會使用否決權，這是自由中國朝野憤怒的主要因素。截至現在爲止，美國艾森豪總統，已兩電蔣總統，國務卿杜爾斯，也三電葉公超外長，美駐華大使藍欽，一謁蔣總統，五訪葉公超，這些行動，都是在努力勸止中國政府阻止外蒙入會的既定政策。

然而，中國政府的態度，像鐵一樣的堅定，對華盛頓的無理阻撓，決定不予理睬，這是中國外交有史以來最強硬的一次，中國絕不會重蹈屈服於雅爾達密約的歷史覆轍，致把外蒙從中國的版圖中分割出來而又任令它以「獨立國」的資格進入聯合國。

在基本上，中國是不贊成用否決權的，這一次之所以決定使用否決權，完全是出於不得已，它的主要作用有兩點：第一、維護中國領土主權的完整，第二、維護聯合國憲章的精神。因爲，如果我們不否決外蒙入會，等於就默認外蒙是「獨立國家」，這就斷送了我們的版圖；同時，如果我們不使用否決權，十八國集體入會的整批交易成功，等於自由世界集體向蘇俄投降，聯合國憲章的精神也就因此死亡了。

爲了是否運用否決權問題，政府最高決策當局，曾經引起激烈爭辯，顯然分成兩派意見。主張使用否決權的一方，認爲如果准許外蒙入會，不但領土主權及聯合國憲章精神都將發生問題，而且明年中國在聯合國的席位亦將保不住。國際姑息主義者既然今年可以准許外蒙及蘇俄其他四個附庸國入會，明年就同樣可以准許中共入會。外蒙如果進入聯合國，就等於強盜進入堂奧，能進來一個強盜，就能進來多數強盜；因此，我們必須要把強盜阻止在聯合國大門之外。反對使用否決權的一方認爲，如果我們否決了外蒙，就等於否決了其他十七個申請入會的國家，這其中除了四個共產附庸國外，十三個是自由世界支持的，十三國中，又有不少是中國的與國——如日本西班牙，義大利等，我們必然因此得罪這些朋友，而且同樣將得提出集體入會整批交易以加拿大爲首的二十七個會員國。中國目前在外交上正需要朋友的時候，一下子得罪了四十個國家。則明年我在聯合國的席位，同樣將受影響，因此，以不使用否決權爲宜。

主張少用否決權的，以張其昀爲首，不主張使用否決權的，以黃少谷爲首。他們各自都站在國家的利益前提上立論，在第一線作戰的蔣廷黻，則沒有表示任何意見，而聽候台北的決策。經反覆討論慎重考慮後，終於決定了使用否決權，而不顧美國的阻撓。這一個星期以來，台北的外交部夜夜燈火輝煌，葉外長無日不是深夜歸去，以與蔣廷黻不斷聯絡。所以台北紐約間，電話頻繁，希望在這次外交戰線上打一勝仗。　十二月四日寄

俄虎視眈眈下的中東

「日內瓦精神」帶來的災難

·奔流·

（瑪德里特約通訊）

海外通訊

在四外長於日內瓦舉行談判以前，就預定要談三個問題——德國的統一與歐洲安全；裁軍；及東西加緊接觸——其之一無所成早在觀察家的預料之中。現在，不但上述三點無有任何解決，反加上了「中東問題」。

中東今日的情勢，競購武器的比賽，加上赫魯曉夫與布加寧的訪問印度，這是很淸楚的意味到蘇聯滲透中東及阿剌伯回教集團之嚴重性。杜勒斯要求莫洛托夫保證唯持「中東均勢」的企圖不但完全失敗，就是今年七月間之「四巨頭會議」所決定統一德國的議案，莫洛托夫也一口加以否定了。並否認有使西德「蘇維埃化」的事實與企圖。這二件事據權威觀察家的看法是蘇聯本身裝弱的反證，可也是蘇聯運用「日內瓦精神」蒙蔽世人誤認其有和平誠意的幻想所致。蘇聯真的喜歡「日內瓦精神」嗎？那是活見鬼，若世事繼續的鬆懈下去，使大家不斷的沉醉於和平幻想中，則中東之大亂是無法可免的，因爲共產主義的武器就是唯恐天下不亂，假如西方世界對中東之態度不變，則是正合符「克里姆林」宮的鬼計。

俄先玩弄利比亞

蘇聯着眼於中東的重點在於地中海。自從利比亞王國承認了蘇聯政權後，它就看重了這一點，雙方所交換的外交使節，不論在質與量上，均非利比亞王國可比。利比亞這個新興的國家，雖然有強烈的國家主義，在南方的佛山（FEZZAN）地區有法國的武力枕戈以待，但在內政，技術與經濟方面還是異常缺乏的。且還受着英美插足其間的軍事協定之包圍，如在埃及種種新的防禦工事之建設，無論在教育與其他各方面，都比利比亞強。開羅官方今日之舉棋不定，對於玩弄「中立分子」者並不稀奇，叫利比亞的落後而不爲人注意，牠代表的意義卻更爲明顯：在牠本身看來，英美武力對他的威脅與內在之不健全，使這個國家成爲滲透者最理想的溫床。

再製造中立集團

其次，以埃及爲首的「中立集團」包括沙地阿剌伯，敍利亞，黎巴嫩及約但——他們都是想來抗衡「巴格達條約」及其所代表的國家。在這一方面，埃及的中立主義極端的發展，可以從其輿論界作一百八十度的轉變看將來。在埃及最近某報曾因刊載一篇專論共產主義對世界文化威脅的文章而遭受懲罰。據大馬色的 AL NASSER 報載，敘利亞的國防部長柏馬達答某記者所詢：如果阿剌伯與以色列有衝突時，美國有可能派遣武力的問題稱：「如果此事發生，蘇聯的武力同樣會到這裏」。另外在同一地方也有一份報紙——AL MANAR——，這是回教機關報，立論要求與蘇聯正式成立軍事同盟。根據所知，蘇聯在這方面之經營，是利用一批前德國納粹黨員，如高伯夏（FRITZ GOBHA）之流，在莫斯科的「中東局」裏負全部責任，一位醫生名 VOSS，他是 GAMAL ABD-EL-NASSER 的軍事顧問；還有一位名 VON HENTIG 他是沙地阿剌伯王的顧問。

阿剌伯以色列對立

第三，這是最令人注意的一點，阿剌伯與以色列之流血事件不斷的發生，未嘗不可視爲戰爭之導火線，以色列有離去美國而轉向蘇聯之企圖，又正合莫斯科策動猶太人與回教集團生爭執之計謀，就是以色列與回教天地正面發生大衝突，正是蘇聯求之不得。這個衝突若阿剌伯集團得勝，不可諱言對蘇聯之侵略世界有更大之幫助；假如失敗，則同樣激起他們的革命情緒，這也就是蘇聯不斷供給武器唯一可以解析的理由。

直至現在爲止，阿剌伯人與以色列之爭，後者佔上峯是非常明顯的。阿剌伯集團的國家求助西方既不可得，就只有轉而走向蘇聯。是蘇聯而不是捷克斯拉夫。我所以重複一遍，是因爲捷克沒有資格插足其間，它是聽命於莫斯科的。不信且看下面的事。軍貨是捷克出售的，但捷克駐開羅之公使卡畢施克對於埃及與蘇聯駐開羅大使蘇洛特的談判聯售軍貨一事，直至雙方發表共同聲明時止，捷克公使並無所謂，被蒙在鼓裏，是事實。

俄插足中東咎在誰

所以蘇聯向中東滲透突飛猛進，確是非常嚴重的，自由世界不能加以忽視，坐待紅色箭頭，一直指向非洲。今日的後果，完全是西方各強所引起，假如自由世界對它們能提早關心及除去許多無謂的冷淡態度，蘇聯是無法進行的。這些事是伊拉克駐紐約聯合國代表雅馬里說的：「中東之門洞開，讓蘇聯插足其間，完全是西方的政策毀壞了阿剌伯集團的國家及其人民之合法權利所致」。

關於以色列與巴勒士坦的疆界問題，事實上，在今日只是一個形式問題，聯合國爲他們決定之約束，今日是成白紙一張；以巴之停戰協定，無非也是使以色列更積極的向共產集團購買軍貨，加緊軍備；一九五〇年英美法三國之共同聲明，保證以巴邊界之不受任何力量襲擊，於今又有何用；承認了以色列爲聯合國之一員，今日爲非作歹，東征西伐，聯合國之存在又有什麼意義，欲在這一方面，若不謀求急切的對策，加以徹底解決，後患將不堪設想。

總而言之，以蘇聯爲首的共產主義者在中東滲透工作，其目的：一、實現蘇聯俄帝時代開南窗的政策，他們雖然反帝，這涵義並非如同我們所想像的，故其爭取中東是企圖使他的潛水艇控制地中海；二、完成佔有中東國家是蘇聯共產帝國實行「世界革命」的一步驟，進一步就是指向整個非洲心臟，切斷中西之交通，滙合遠東方面之力量，完全佔有「舊天地」而孤立「新大陸」，至於西歐方面，則不費彈藥而得之。這就是克里姆林宮內人們心裏所想的鬼胎。

蘇聯奴工的「改革」

【上接第一版】

在集中營人們獲得一種印象，即：囚徒之生活，與三十年代之初期，即清算富農地主階級與肅黨大流血時期之間的情形相似。

鉄幕是大集中營

此種改革——假設我們姑給予這個好聽的名詞，——有幾個成因：（一）史太林死後蘇聯領導權的危機。（二）聯合國要調査強迫勞工的壓力。（三）工廠、農場、陸軍徵募兵等各方面，人力的缺乏。（四）史太林死後，伏庫達等集中營，發生反虐待的罷工。（五）自殺貝利亞後，共產黨決定削弱內政部的權力，將邊遠區域的工業的管治權，從內政部轉移到各工業區。（六）各工業關懷的是生產的數字，而少注意到恐怖的懲罰辦法。各工業的主管人設上峯指定提高生產目標，而把這些生產情緒低落的奴工大羣的交給他們管理。他們如果不替奴工略改善生活，便對他們不利。

列寧昔日在沙皇統治時，也曾做過強迫無行動自由的勞工。其時列寧的生活比現在的被強迫居民還較佳。但現在比較昔日史太林時代的算是改良了。據說集中營的奴工也改善了。由於聯合國和國際勞工組織的調査，以及自由勞工會國際大同盟等反奴役的宣傳，蘇聯也有所忌畏。但鐵幕內根本是一個大集中營。大鐵幕不打破，祇改善大集中營的小集中營，是沒有多大意義的，又何況蘇聯的改善奴工，不過係爲利用奴工人力以作備戰之用呢？然則蘇聯奴工的「改革」，反而是自由世界的一個警耗了！

巴格達聯防的成立

·波音譯·

防共連鎖最後一環

在北大西洋公約組織與東南亞公約組織之後，最近在巴格達又誕生了一個「中東公約組織」。伊朗、伊拉克、巴基斯坦與土耳其四國總理與英外相在伊拉克國王的玫瑰宮內集會，使這新的組織正式宣告成立。它連接了西方的北大西洋聯盟與東方的東南亞聯盟，形成了從挪威起以迄菲律賓止的防共連鎖的最後一環。

伊朗總理阿拉抵達時，數日前被回教暴徒行刺受傷的頭部，還貼着膠布。英外相麥密倫，帶着帝國參謀長鄧浦勒將軍同來。土耳其總理曼德爾斯最後到達，正符合擁有這集團最大軍隊的國家身份。美國的「觀察代表」，是駐伊朗大使加爾曼及東大西洋與地中海區美海軍總司令加塞迪將軍。

這五位政治領袖迅即同意組成「巴格達公約永久理事會」，以巴格達爲永久會址，並成立了一個常設祕書處、及軍事、經濟委員會。這組織並無北大西洋組織那樣的聯合指揮部，理事會的常任代表，將由各國駐巴格達大使擔任。

以埃衝突的陰影

但他們雖然一面鼓舞使他們團結起來的共同危險，在另一方面卻並不掩飾對另一個使他們分裂的嚴重問題之憂慮。這問題，就是以埃衝突的危機。十個月前，伊拉克總理薩德同意與土耳其組成這組織的核心，曾激怒了埃及的納薩總理。現在薩德卻希望納薩能夠放心：「任何阿剌伯國家遭受以色列侵略，伊拉克一定動員在資源加以援助。」麥密倫則把握這機會說：共黨在歐亞的挫折，迫得它要去尋找新的擴展地區，埃及與共黨的軍火交易，正是其結果，因此考慮到這種局勢，他也不能置諸腦際。埃捷軍火交易的影響之一，乃是「使我們感到，我們必須比以前更強有力地支持我們的友人」。這也就是表示英國將對阿剌伯世界提供更多的軍火，經援和技術援助。英國誠摯地希望中東公約的基本價值，是在於促進該區的經濟發展。

經軍援助有賴美國

但四位總理也都明瞭，英國不過是一個「老二哥」。主要的經濟與軍事援助，主要尚需依賴美國的支持。這新組織的各國，也坦率地希望美國會提供軍經援助，以作爲他們寧願激怒蘇俄且可能引起經濟報復的應得代價。每個人都注視美國大使加爾曼，巴基斯坦總理阿里說：「觀察員已到了應該作「觀察」的時候了。」伊朗總理阿拉更坦白地說：「我們將熱誠地歡迎美國及早加盟」。可是美國因爲這公約的會員國之一（伊拉克）仍與以色列處於戰爭狀態，暫時不願參加，因此，加爾曼祇好重申美國的鼓勵和支持。

在中東的流沙中，中東公約組織的基礎究竟堅強到什麼程度？實際上，中東公約組織是一個地理上的集團甚於一個軍事上的集團，一個心理上的公約甚於一個戰略上的據點。除英國之外，中東公約組織理論上擁有八十五萬軍隊，但巴基斯坦的二十萬軍隊與土耳其饒勇善戰的五十萬人都已經由東南亞公約及大西洋公約參加了西方聯防。對於中東防務，中東公約組織祇加上伊拉克與伊朗的軍隊，另外便祇再加上了一個防守地位。

這些軍隊並沒有多大的實力。伊拉克的年青新軍，受英國人所訓練，現在還只有四五萬人，組成兩個師，第三師尚在編織中。伊朗軍隊十五萬人，數年來由於共黨的滲透與士氣的低落，一直很弱，目前在麥克魯將軍所率領的軍事代表團指導下，已改編十二個師，其中三個師是裝甲部隊。美國對這兩國的軍隊都已提供了相當數額的裝備。

中東主要防線之爭

但中東公約的防守地位則比較重要。英國自退出蘇彝士運河區，一直主張將中東的主要防線設於自土耳其東部伸展到波斯灣北岸的柴格魯斯山脈。英國人認爲，這條線是「唯一合理的可以防守的平原」，可以從伊拉克輕易地提供必要的供應品。英國也認爲蘇俄一旦發動進攻，三星期內即能由利比亞、約但、敍利亞黎巴嫩將一個裝甲師空運到這地區。柴格魯斯線能有效地保護伊拉克的油田，以及伊朗後面的沙地阿剌伯及蘇彝士運河，且甚至能保護伊朗的油田與阿巴丁的煉油廠。

可是擔軍步兵的軍人，有時好像覺得保護山脈比保護人民更重要。柴格魯斯線的防守，也就是表示要向敵人放棄伊朗的大部份土地。三分之二左右的人口，以及首都德黑蘭。伊朗總理阿拉認爲這種戰略不合理，激烈表示反對。他說，伊朗提議他的領土每一寸都必須堅守，換言之，也就是伊朗無意讓它大部份的土地喪失而將其餘的土地作爲中東公約組織的防線。

中東組織各國都已宣佈它們信賴西方，這也許就是巴格達會議最重要的一點，因此，中東公約組織的強弱，也將繫於西方所得它的支持如何。（節譯時代週報）

從第十三屆工展會看
香港的工業發展

由於本港工業家的努力和香港政府的協助，香港在六年間已成了東南亞一個有地位的工業城市；從工廠的不斷建立和港政府的不斷提掣與培植，我們可以看到資本家們如何對香港感到安全，而英國對香港的如何重視。

有一個西方外交家曾說：「從一個政府對某一地區建設的多寡，足以了解此一政府對該地區的重視程度」。今天，從香港的工業發展，我們有理由相信香港是安全的，從十三屆華資工業展覽會中，我們更可以看到一個龐大的工業在香港的發展。

擴充工業區 訓練新人才

根據中華廠商聯合會的會長許爵岳指出，今後的工作大綱，共有三點：

（一）關於工業區，自一九五五年九月政府責令重新申領官塘區工業地後，僅月餘時間，向廠商會申領廠地的工廠已有四百五十四家，共需面積九百十三萬六千六百方呎，足見工業地區需求之切，因此希望政府能以此少之時間，完成更多之空間，而爲了發展和普及工業起見，廠商會並計劃在工廠區建築樓房，以合理條件供給小型工廠使用。

（二）訓練工業專門人材，亦爲今後的大事，而且獲得了政府的合作，決定在九龍方面設一高級工業學校，以訓練專門技術及工業管理長材，目前廠商會正在用補種方式，如發行券獎等，準備籌足一百萬元，以建築一完整的校舍。此校之完成，不獨有多量人材以配合工業的發展，同時更減輕了許多人升學無門之苦，此等青年之能否審循培植，關係着整個社會的興替甚大。

（三）會員出品陳列所，去年四月，廠商會在會內四樓創設一出品陳列所，成立以來，適應各地顧客查詢，收效良好。陳列室的重要性，雖工業最發達的國家，亦甚重視，即如英國正擬於明春在倫敦設立一陳列總滙；美國亦擬將紐約一重要車站改建爲巨大陳列室；至於日本則早已於去冬新完成了一個佔二萬餘尺，高達十二層的陳列大廈。目前本港的工業家在工商署的協助下，已舉辦一種輪船展覽室，週遊世界巡迴展出。第一艘「羅斯」輪已經啓碇，其他輪船亦將繼續，總而言之，每一項措施，都是以配合向世界市場競銷之需求爲目的。

官商合作下 輸出額大增

無可置疑，港督葛量洪爵士是重視香港的工業發展的，事實上，到今日工業已成爲本港經濟的命脈。因此，葛量洪爵士在工展會開幕之日，也特別提到上述三點。他說：第一、關於官塘工業區，如果倘不敷本港工業的需要時，政府將必設法更闢其他地區，以增供應；第二點，工業人材的訓練，如果廠商會能夠募足一百萬元，政府將竭盡可能，以迅速先行推進該計劃的初步。此初步計劃，將需款二百萬元，換句話說，政府亦將準備捐出一百萬元，尚可有極大的擴展。港督指出，與此同時，希望廠商會能派出有爲青年到外國去研究工業管理技能，工人福利與工業專門學識，使能適應現代工業管理的需要。關於第三點，出品陳列所的意義，與參加海外展覽的價值，在今年本港廠商的參加英工展和加拿大國際貿易展覽會可以證明，目前本港政府決定再行主辦本港製品運往外國展覽，或者在歐洲方面尋求新展覽地區。

葛量洪爵士同時指出了廠商會努力的結果，已使今年工業進展更大更速，工廠日增，製品的外銷，在輸出總值的百分率上，比較去年同期已略增，而輸出總值較前亦增加甚大，計本港製品的輸出在本年最初十個月內，較之去年同期增加三千萬元。輸往最多的地區爲英國；英國的列居首位，本年乃屬初次，殊足令人注意。

事實上，由本月二日開幕，爲期一月的第十三屆工展會爲本港有史以來最宏偉的一次，即以所佔面積，亦較一九五一年增加一倍，參展的攤位，亦較一九五一年增加百份之一百，而一九五三年方始設立爲會員負責陳列出品的聯合展覽室，當時佔地僅一千餘呎，今年則已擴展爲一萬方呎。而今年又首次附設國際工業機器陳列，以本港而論，亦爲一種創舉。

審查極繁瑣 防魚目混珠

還有一點，是值得一提的，就是經過工展會審查部門嚴格的審查下，通過了本年度各廠的新出品和改良品達四十餘種之多。審查部門在工展會說來是一個責任重大而且極爲繁瑣的部門，一方面它要比較寬容，那是指對各廠家的新出品而言，以鼓勵他們改良和發明；另一方面它要特別嚴格，那是以求在港那些改頭換面，和冒充本港出品的製品。此外，每一個審查委員必須每天巡視每一個攤位，隨時抽查他們的擺設品，所以它的工作又是繁瑣的。主持這項審查工作的工業家尹致中曾說，絕大部份香港的工廠是忠實的，自愛的，我們所顧忌的是三數以大陸貨或者日本貨混充香港貨的商人，由於日本貨來港太容易了，而香港已太接近大陸了，偶一疏忽，後果就很難說。

事實上，香港的大多數工廠並無意以外貨混充港貨，問題發生於他們可能忽略於加工的百分比，因而影響到製品的成分，而不能臨許爲本港製品。

不過，這一種情形並不多見，絕大多數的廠商均不斷地努力，不斷地研究，爲了保持他們的信譽，爲了保持他們的原有商場和拓展更大的商場，他們都會珍惜他們的出品。

僅一水之隔 情況如天壤

今天，看到了本港蓬勃的工業，工業家能夠獲得合理的利潤，技術人員和專家能展他們的所長，勞工能有工作和獲得水準以上待遇，社會賴以安定。我們反顧一水之隔的大陸，在「公私合營」和「國營」的「號召」下，資本家與工業家都已到了末路，技術人員和專門人員也學非所用，工人在「勞動競賽」的辦法下，不斷傷亡，而且工廠合併的影響，工人大量失業，整個大陸都在動盪與不安中。

今日在香港的人和大陸一比，那是幸運的，然而奇怪的是中共一面以發展工業成爲「工業國」來號召，在另一面，人民的生活水準卻與一個新興的工業城市相距如此之遠。

官塘填築擴地百餘畝 便利新工廠集中發展

工展會開幕時，港督葛量洪爵士的演詞，着重於官塘填築計劃，使該處成爲工業區。倘官塘地區，仍然供不敷求，政府更將設法增闢其他地區，以增供應。由此可知當局已有計劃盡量拓展增闢一般新工業區域，以利廠商興建工廠。當局在香港柴灣、九龍紅磡、新界荃灣等區，均已計劃進行拓闢工業區，此對一般廠商覓廠址，已相當夠了。同時，當局進行多月之九龍官塘填海工程，其長達一千五百尺的海堤，業已竣工，隨即展開堤內碎石工作，最近亦已全部落成。

官塘填海地新工業區，位在九龍灣頭，即由牛池灣尾伸至茶果嶺亞細亞火油倉附近，目前[illegible]五尺之海堤完成後，正進行填海工作配合全面工程開展。關於原定計劃需用一千萬元之首期填海所得地段，約有八十英畝，比香港中區最近完成之填海地約大八倍，這工程，於最近完成後，填海工程將繼續伸展，使該新工業區達至一百四十畝，以便工廠集中發展。

中共整肅「青年團」 揭露共幹嚴重腐敗

幹部利用女生弱點，恣意蹂躪；女生無路可走，只好檢舉「反革命」父親。

中共在展開黨內整肅的同時，已準備向「青年團」下手。「青年團」整肅的初期，先行檢查是否各人具備「三好」條件。這「三好」不僅是要對共黨有深入研究，且必須具有「高度政治覺悟，能夠維護黨的利益和熱愛勞動……」據南京「新華日報」披露，「北京大學」在十一月十九、二十兩天，由「青年團北大學委會」召開了一次大會，這次大會規定只有四百九十二個所謂「積極分子」參加，其中三百二十人是被許選爲「維護黨的利益」的學生，其餘爲括有「團委書記」胡啓立及團幹部及「工農速成中學」的師生職工等。

「實行三好的成績」

這次集會，對於檢查「三好」是澈底的。報說，胡啓立一長篇開幕詞之後，與會者便開始挑戰。

這種「挑戰」的方式是自己認爲有「積極實行三好成績」的舉手站起來，當時共有駱爲龍、章照止、楊漢義、張靜麗、尹玉英等八人。他們各自起立報告怎樣「勇於檢舉」他們的「反革命分子」父親的經過，以及他們自己的生活情況。

如生物系女生張靜麗，她說曾經檢舉「一個藏匿在組織中的騙匪張子云，張子云是「青年團幹部」，曾經因爲她想掩護她的「反革命」父親，而參加「青年團」，就担住了她的痛脚，一定要佔有她的身體，然後允許她入團，及至她受了「團」的「教育」，覺得像張子云這樣的騙匪很多，因此她不僅揭穿了張子云的罪惡；同時更檢舉了她的「反革命」父親。

男女關係搞亂

又如化學系女生尹玉英的「黨報」，她不但讀出了一篇幹部蹂躪女生的經過，對家庭情況也作出報告，她說她暑假中曾做了一件事，就是動員了她的「單幹戶」父親參加「合作社」。

其他的男女大抵都自己打咀巴，承認他們自己過去怎樣無心讀書，濫了「團」的關係欺壓同學，和調戲女同學，與亂搞男女關係。然後由胡啓立作了總結。

這個「積極分子」大會至此並未告終，「北大」的「副校長」江隆基和中共黨委書記史夢蘭先後站出來講話，前者承認這兩年的校風實在太壞，原因不外是「青年團」的紀律鬆弛，團的幹部不特不能發揮領導作用，反而留下壞的影響。後者則認爲的「教育」不夠深入，以致每個人對於「三好」的認識不夠。結果，化了兩天時間，五百來個人對於這個會都沒有一點感想，誰都覺得：「呵！不過是[illegible]告吧了。」

集體被驅採棉

但在最後的一個節目卻陡然緊張了起來。那是「青年團中央學校工作部部長」曾德麟講話。他說，一個知識分子沒有經過「勞動改造」永遠是落伍的，一個「進步」的知識分子不但要有充分的知識，更必先爭取作一個新型的「勞動知識分子」。」這段話在結束「大會」之後，與會的「積極分子」被凍結在會場上，等待副校長江隆基召集了全體二千多個男女學生編成隊形，然後驅策會場上的人排在前面，一聲令下集體被趕往十里外的西二旗、馬連窪和東北旺「農業生產合作社」參加摘棉花的「義務勞動」的奴工生活去了。（鄒）

洪水無情

·大陸小故事·

這是天津「大公報」所記載的一段故事：七月九日晚，忽降大雨，十日黎明，山洪暴發，水浸了山東薛城縣六區賀甸鄉西桑橋村。中共供銷合作社零售店的鹽存在村北頭張宗侯老漢家。張家地勢低窪，洪水先淌到了張家門口。

張老漢一看水頭向大門裏淌，急忙持鍬邊鏟泥土堵水邊對建銀說：「你趕快喊合作社的老張同志來抬鹽，國家的東西被水冲了，咱們可吃不消啦！」

建銀跑去大喊，但張世光剛起床不久，還沒有洗臉、刷牙，揩着眼睛，站在屋裏向店門外一瞥，看看店門前沒有水，便不耐煩地說：「你看，你爺們吓唬的多要緊！怕啥，你先走，我隨後就來。」

建銀匆匆的跑回去，這時水已經半院子了，老漢着急的問：「老張同志怎麼說！」「隨後就來。」建銀隨答話隨摸槓子，老漢拿擺子做了一個套，爺倆吃力的運抬了三個鹽包，這時水已漲滿院子，眼看就要進屋，老漢忙堵住屋門，瞅了下張世光還沒來，又催他的兒子去喊。建銀丟下了槓子又跑了去。這時張世光從屋裏鑽出來，站在門前，大發雷霆：「你喳呼喳呼地幹什麼。」建銀給頂了回來，屋內已進水了。急得不得了。老漢又催建銀再去叫張世光去。建銀沒奈何，又向零售店跑去。一看，店門已經關了，就站在門外叫：「張同志，鹽都淹了，你看看去罷！」叫了幾遍沒有回音。第二天，張世光對張宗侯老漢說：「鹽被水淹化了是沒辦法的，洪水無情呀！」

嫌天天都是那一套 新聞系學生不看報

中共爲了培養大批新聞人材，以適應海外各地文化統戰工作的需要，曾要各地大學的新聞系學生天天看報，留心新聞，注意天下大事。最近，中共爲了想選派一部份人出「國」，曾在各大學新聞系的畢業班中舉行了一次新聞測驗。測驗的結果，據中共青年團機關報「青年日報」說，幾乎等於零。該報以上海復旦大學四年級的四十一個學生爲例，測驗所得的分數竟沒有一個人及格。而測驗的題目，僅僅是中共在北韓撤回了那幾個師和新近中共所封的「十大元帥」是那幾個人。

爲什麼這樣簡單的「新聞」答不出來？據說那是學生們嫌中共的報紙太「天天老一套！」於是乎，乃成了「問問天下事，個個不知道」了。

大陸青年消極反共 砲灰政策注定失敗

中共最近一面在國際上大放「和平」空氣，一面正在其統治區內積極推行其「全國皆兵」的砲灰政策，使成千萬青年壯丁淪爲中共的「奴兵」。

據中共「國防部副部長」譚政最近在中共「青年積極分子大會」上的報告中指出：中共爲了準備戰爭，加緊實行全國皆兵的軍事計劃，刻已由該「國防部」發出了今年度的征兵命令。

譚政說：全共區去年度應征參軍的青年壯丁共達一千零三萬餘人之多，希望今年能征得更多的名額。惟一般青年壯丁對中共的征兵都抱消極反抗態度，故譚政訓令「青年積極分子代表」在回到各工作崗位後，竭力發動參軍宣傳，並帶頭參軍。

譚政毫不諱忌地說：大舉發動參軍的目的，在使全共區所有的青年壯丁逐年經過一定的軍事訓練，逐年轉入預備役，以無限制擴大後備兵員額，俾一旦發動戰爭時，即可在一聲號令之下，迅即組成新的師團，開赴前綫，參加第一綫作戰。且謂經過此種措施以後，可使共軍的兵員「取之不盡，用之不竭」。

譚政又透露：中共除每年征集大批青年壯丁入伍，施以正規軍訓練外，且將在所有機關、工廠、礦場及中等以上學校中對所有青年壯丁經常施以有關軍事的各項訓練，其中包括：機械操、田徑、射擊、投擲手榴彈、軍事野營、爬山、防空、行軍、武器講解、火綫救護、游泳、划船、以及滑翔、跳傘、航海、駕駛摩托車等等。此外，高等學校並將添設軍事學課，各地民兵則經常進行戰鬥教練。

事實極爲顯明：這是中共用心殘暴的一個砲灰政策，企圖迫使所有的青年壯丁爲其未來的侵略戰爭流血，「慷慨」地以中國人的血肉爲其主子鞏固統治權。惟由於共區青年的日益覺悟，中共此一政策實極可能爲其本身種下禍根。（文）

自由談

學人的罪孽

據說，在大陸上投靠共黨的所謂學人如韋慤、李四光、吳有訓、葉聖陶、黎錦熙、許德珩、袁翰青、李達、陳垣、符定一、劉仙洲、宋雲彬等十二人，最近曾經申請加入共產黨，結果只有劉仙洲（現任僞清華大學副校長）一人核准了，其餘的一律視爲老腐敗，不配作共產黨員。最感淒涼的當無過於韋慤，李達這兩個寶貝，過去替共黨作倀有時，立功不少，仍然只是夠得上奴役資格而已。

最無聊就的是我那位中學校長符定一了。行年已經七十開外，一生是在北洋軍閥官僚集團中打滾，有過不少的反革命行爲，乃於將就木的殘年晚景，還思蛻變爲共黨黨員，再出來撈世界，可謂無恥之尤者矣！

這些人過去在學術界都有些微名，對共產黨的暴虐政治自然也有相當的認識了。其中除了符定一是個老官僚人物以外，都對政治生活不會感到濃厚興趣的，爲甚末投老尙演出這種不自愛的醜劇呢？我想只有一項理由可以解釋：他們眼見共黨對「階級敵人」中之知識份子的淸算鬥爭工作，日益緊急了，而世界形勢又是朝着大戰的路綫演進，時局愈危險，他們的生存亦愈危殆，乃想以共產黨籍作護身符，但期苟全性命而已。其行固可鄙，其心亦可哀！

共產黨如其容納這些人作黨員，那就不成其爲俄式的共黨本質了。指其爲歷史不淸白，階級成份不具備的老廢物，宜也！我不詫異共黨之拒絕這類人作嘍囉，只要是一個講究組織作用的政黨，即不能以收荒貨的方法把一切破銅爛鐵都收攏來的，何況專以淸算鬥爭爲維繫其生機的共產黨呢？可悲的是中華民族的人格與道德節操等，被這些貪生怕死的知識份子摧殘蹂躪，給大陸上的一般青年子弟以惡劣影響，這是他們不可恕的罪孽！

馬五先生

「小國寡民」一解

·馮虛·

讀老子，將竟卷，見「小國寡民。使有什伯之器而不用；使民重死而不遠徙；雖有舟輿，無所乘之；雖有甲兵，無所陳之；使人復結繩而用之。……」

邵陽魏默深（源）老子本義引姚鼐曰：「上古建國多而小，後世建國少而大。國大人衆，雖欲返上古之治而不可得也。故老子主小其國而寡其民」。

爲了達成郅治之政，必須國欲小而民欲寡。欲返斯世於太古，這的是個妙不可言的辦法。毛記「人民」的「新中國」，大概很同意這個政策，故私淑之。君不見，他們把內蒙、外蒙送掉，東北地區特殊化了，後，又把幅員最遼闊的新疆，也「轉移」給「老大哥」了，疑是得老子眞旨。至於調節「人口」與「生產」的方法，據說：按照「老大哥」的「先進經驗」和莫斯科指示，中國人民應該減到三億（若照四億五千萬人口計，是減少三分之一；若依最近發表的「統計」六億，則非弄掉三億不可）。觀乎大陸上這幾項行動，確是要走到「小國」「寡民」的地步，並且已經開始實施「老子路綫」了。

論語却有另外一段記載：

子適衛，冉有僕。子曰：

「庶矣哉！」

冉有曰：「既庶矣，又何加焉？」

曰：「富之。」

曰：「既富矣，又何加焉？」

曰：「敎之。」

以上孔二先生師徒之間的一番對話，充份表現了「資本主義」封建殘餘的落伍的經濟思想。首先，人口多了，用「富之」解決，根本就不是「共產主義」的「進步」辦法；「富之」而後，又加以「敎之」，簡直更是培養封建統治階層的「反革命」勢力了。

爲了消滅這個「矛盾」的存在，歸於「統一」，合行予以更正，借符合中共統治者之「理論」。

毛登台，恩來輔。

毛曰：「人太多！」

恩來曰：「人口過剩，有啥辦法？」

曰：「加緊奴役，增加生產，以淘汰之。」

曰：「人的嫌多，時有饑荒，怎辦？」

曰：「驅爲砲灰，加緊消滅，殺之！」

最寂寞的地方

美國著名探險家勃特少將最近出發赴南極進行第五次探險前，在華盛頓記者招待會中說：「南極基地小美洲是個安靜和平的地方，那裏從來沒有女人到過。」等他到了台拉斯，却發現許多婦女微笑地舉着標語牌，對他這句話提出抗議。他慌忙改口道：「現在我再想了一次，覺得小美洲是世界最寂寞的地方，因爲那裏從來沒有女人。（斂譯）

想做偵探明星的：施漢諾親王

·雪人·

目前正在東京訪問的高棉總理兼外長施漢諾親王，三月間曾向人民廣播道：「我請你們准許我離開我那鍍金的鳥籠……」從這時起，他便把那六層的王室涼傘交給他的父親，離開了王宮。他視王座如敝屣，甯願在選舉中去鬥爭，做個實幹的政治家。

施漢諾現年三十二歲。在退位以前，已在位十四年。當他遜位時，曾對一個美記者說：「放棄了王位，我可能到荷里活去。美國歡喜東方人物，我想做高棉的陳查理。」不錯，他的面貌和陳查理是十分相似的。可是他却並沒有到美國，而在選舉中獲得人民熱烈擁護。

根據日內瓦條約，高棉的大選是在本年九月中旬舉行的。施漢諾拋棄王位，組織了一個黨，叫做「社會主義人民同盟」。

他坐了一輛紅色開蓬汽車，後面一輛卡車載着爵士舞隊和一位女歌者，親到每一鄉村作競選演講。每到一個地方，爵士樂隊奏起跳舞音樂，女歌者高聲唱和，鄉民們擠了，施漢諾便發表他的競選主張。他的政見，主要的是要使高棉成爲一個君主立憲國家。他提倡人民能够了解的民主政治。除國會外，各省都設省議會，執行各省事務。

出身王室的施漢諾充滿了公子脾氣，他使用跳舞樂隊作競選工具。在位的時候，他喜歡做詩，養馬，養象，宮裏還有一大隊跳舞女郎和許多姬妾。可是他却不失爲一位有爲青年。在法人手中，他恢復了國家的獨立自由。對王位，他感覺到失望；君主只是一個虛銜，實際行政的權力掌握在客卿手裏。在位十四年，他沒有能够肅淸國內的貪污和腐敗的習氣。所以是他放棄王位，決心要做一個政治家。

施漢諾當時的勁敵是民主黨，民主黨主持人是他的堂兄波利拉。波利拉是日本佔領時期的總理，是一個愛爭權奪利的投機份子，他曾經親日、親法、反法、親美、反美、親王室、反王室，却沒有公開反對過共產黨。

民主黨反對君主，主張共和。民主黨黨員大部是城裏的居民，他們想把政權爭奪到手。

施漢諾則主張君主立憲，反對共和。他說共和是一種奢侈品，高棉人民對於共和程度相差尙遠。共和的結果是會污。

競選的時候雙方爭辯得最烈的是中立和美援兩個問題。民主黨主張中立，他們說接受美援，會變成美國的附庸國，並且有捲入戰爭旋渦的危險。施漢諾主張親美。他辯道，「接受美國援助有什麼不妥？不見南斯拉夫和蘇聯也都接受美援嗎？」他又向人民宣傳他的主張說：「在位的時候，我不能够肅淸貪污。可是我盡了我的力量，達成了國家的獨立。我不是一個天才，我要向人民領敎。」

高棉的選民共九十餘萬，其中大部是文盲。不認識字的人，祇好在選票內繪圖，選票內，如果繪的是人像，那是社會主義人民團體的選票，象爲民主黨。議員人數九十一人。選舉的結果，施漢諾把九十一個國會席位完全掌握到手，那眞打破了世界選舉的紀錄。

獲勝後，他對記者發表政綱說，他主張把大部份權力逐步交回人民。

在外交方面，施漢諾不主張參加任何一個防衛集團，並拒絕接受東南亞公約組織的保護。至於是否還得繼續接受美援，還得交由國會決定。

「我們是中立派」，施漢諾說：「共產黨一旦侵略我們時，我們當設法抵抗，然後再商量有什麼其他辦法可行。」

最近，施漢諾的外交政策表現出很大的改變。以前，他是偏西方的，競選的時候，他主張接受美援。但勝利之後，他的政策却變了，他主張中立，施漢諾爲什麼會有這種轉變呢？施漢諾是個聰明人，了瞭國際情勢，高棉是一個小國，在激劇的冷戰中，東西雙方無可適從，他從覺得，祇有中間路綫可走了。

秋夜雜詠

·王開節·

儻計今何世？沉淪得苟全，有詩堪送日，無命敢違天！擲老春秋換，憑高燕雀懸，尋思一事慰，淸似在山泉。

俯仰成今昔，人間四十年，神州懸刼在，孤月幾回圓？願滅香仍炷，秋深菊自妍，一甌江海去，猶及補花天。

常恨天涯遠，今憐海角寬，未成籬引鳳，翻見棘棲鸞；轉綠幾猶待，題紅過已難，升天捷徑在，雞犬事劉安。

未濟看終濟，天教願逐違，但能無我相，不作有情癡；境妙忘言候，心空似水時，自饒康濟意，何用乞靈芝！

秀才·舉人·進士

至說舉場百態，眞箇可笑亦復可憐，各地方慈善家捐款發商生息，與公家款項合併，以資助本地士子下場的路費，多者數十兩，少者三五兩不等，曰「賓興費」。另外地方官爲優禮考生，常予考生旅途上種種方便，種種遷就，待逢鄉試年，秀才於七月內聯袂赴會下場，三三五五，成羣結隊，可憐少年無知，恃係應考舉子，一切舉動，便不免涉於狂放。一路橫行霸道，任情滋生事端，爲地方官惹出不少麻煩。俗語說「七月的麻蜂，八月的先生」，實非過份之辭。更壞的舉子入場，往往在號舍無理取鬧，叫囂生事，鄰號考生不問事由，也便吶喊助威，拍擊號舍的柵欄門，鼕鼕作響，叫囂喧鬧，一唱一和。吳春海先生鴻恩曾對我說過，光緒己丑科他由山西寧武府調太原府首府，例充秋闈場（鄉試在秋天舉行，又稱爲秋闈）外提調，一日在至公堂站立，正當附近號舍考生滋鬧，有一位鄉下秀才，也在呼叫助威，他不認識花翎亮藍頂衣冠齊楚的首府，誤以爲是考場管理號舍的佐雜官，連喚「小官！小官！你過來」，（鄉試闈內的號官，考生向稱之爲小官），想打聽鄰號的糾紛。吳先生就恭恭敬敬的走了過來，問「先生叫小官做什麼」？秀才見他翎頂輝煌，氣度非凡，一時說不出所以然來，小官這才慢條斯理的打開話匣子說，「恭喜先生今科來省下場，一定萬事逢吉、文章出衆，金榜題名，是不用說的，明年會試，也必定連捷中進士點翰林，四年之後庶常館散館，先生定榮獲留館。三年後走捷選考取御史，軍機處記名，再候傳到，頂快八年以後補御史，在都察院三年，俸滿升給事中，十四年以後京察一等，記名以道府用，道缺無多，通常是簡放知府，十七年以後調任首府，恭喜先生自今科高中起，經過十七年的一帆風順，才能熬到小官這個地位」。這位鄉下秀才當這個時候，只有面紅耳赤，一句話也答應不上來了。回想當年下場時的形形色色，實在爲這班年青的士子可笑可憐。以北方而言，七八月的季節，就我記憶所及，多半是陰雨連綿，黃土高原久雨之後，一路泥濘滑澾，通衢大道，處處是四套大騾車壓陷成兩三尺的深坑，沿途阻滯。常常須下車幫車夫推挽大車，勞頓情形以及旅店的飲食的粗劣，臭蟲的咬人，絕不是交通發達以後所能想像得到的。我兩次下舉場，都是因爲太原府在庚子年鬧過義和團，不准舉行考試，改在陝西西安府與陝西合闈的，我與于右任先生是同場同年的舉人，就是這箇緣故。

賈景德

壯舉·傻事

·辛文·

一位寫新詩的朋友由於他的詩作了一個新的開風，一個新的趨勢，老早——至少兩年多了——就打算把以往的作品集印起來，一則供喜歡他詩作的朋友們翻翻，一則也算到此劃一條紅槓，表示一個創作階段之結束，和另一個的開始。

對於要印詩集之類的傻子，我一向尊崇欽佩的；說來慚愧，我也曾經發下過寫詩的宏願，至今偶爾還在塗鴉，然不大能够了解和欣賞這位朋友的「氣魄」，所以我還是恭而敬之把他的集稿讀了一遍，然後聽說他付印了，就等着它出版——這是兩年前的事情了。

而兩年過去，消息杳然。每次見到他，我都問起，他照例說：「還有一點小地方要改。快了，快了。」

生在這個時代，我是相當性急的，他因爲對自己作品的不滿，要將舊作一再修改，這是他沉得住氣，我可沉不住了，最後我一再「催」他，要他把大部份打好了紙型送到印刷所。現在，事情總算有了著落，本月內大概可以出書了。

這位朋友的詩，據我看來，富於音樂的成份；[illegible]

西諺云：「一人之肉，他人之毒」。人的口味往往不一致。老實說，我不大喜歡所謂「現代化」的作品，論詩或散文。海明威的「雪山盟」我就讀過三遍，又看過電影，還是不懂。我不至一次向朋友表達過我的意見，他不以爲忤。也許他會笑我淺薄，那不要緊。「君子和而不同」，我們雖不敢自許爲君子，却也沒於這個翻臉。在今天，恐怕這就不容易了。

自由選舉

在失敗了的日內瓦外長會議中，對於統一東西德，西方國家提出自由選舉。莫洛托夫則堅持分裂德國的立場，絕不退讓。杜勒斯說：『如果東德政府對於人民的生活有利，人民絕對擁護這個政府，莫洛托夫先生何必有所恐懼？』法外長畢奈進一步指斥道：『問題是這樣，十年來東德人民反對共產主義，逃往西柏林和西德的，超過一千一百萬人。』莫洛托夫詞窮，只好強辭奪理，辯道：『自由選舉並不是一件公正的事情。帝俄時代，黨派很多，人民對於自由選舉，並不表示滿意。現在蘇聯只有一個黨，選舉只有一張名單，蘇聯可產生了一個代議政府。』

東德的共產黨進一步闡揚莫洛托夫的理論，在黨報上宣傳道：『自由選舉是一個最醜惡的名詞。希特拉是由自由選舉產生出來的，凡主張自由選舉的德國人民便是賣國賊。』

自由力量

西德經濟部長艾哈時常這樣說：『只要讓人民和金錢自由，德國將成爲一個強盛而且滿足的國家。』十一月中旬歐洲經濟合作總署對於一九五五年上半年德國經濟發表了一篇報告說：『一九五五年上半年德國的工業生產達到最高峯，成績比較歐洲任何一個國家爲高。若果和一九五四年同時期德國的生產額比較，本期增加了百分十七，和一九三六年生產額比較增加了百分一百。』自由力量的驚人，由此可見。

·布衣·

自由人
THE FREEMAN
（第四九八期）
中華民國僑務委員會
頒發登記證台教新字第一第二號
中華郵政台字第五〇〇號
執照登記爲第一類新聞紙類
（半週刊每星期三　六出版）
每份港幣壹毫
台北市售價台幣壹元
督印人：陳文華
地址：香港高士威道二十號四樓
3 rd. fl. 20 CAUSEWAY RD
HONG KONG
香港發行及事務接洽
高士打道66號　電話：七四〇五三
承印者：東南印務出版社
地　址：高士打道六十四號
海外總經銷
友聯書報發行公司
香港：德輔道中二十六號A二樓
台灣特派員辦事處
台北市館前街五十號
台灣總經銷
台北市西寧南路壹壹零號二樓
台郵劃撥儲金戶九二五二

堅守革命的戰鬥立場

·劉恭善·

關於加拿大等二十八國提議的所謂「集體入會辦法」，我國朝野各界人士，堅決表示反對，現已進入更劇烈的國際心理戰階段。

心理戰需要羣策羣力

在聯合國的苦戰陣地上，我首席代表蔣廷黻氏遵照政府的決策指示，援引法理，根據事實，已善用其明敏智慮，發表詞嚴義正的演說，博得廣大的同情共鳴。可是國際重大心理戰的進行，並不限於某時某地；而參加戰役的人們，雖或有直接和間接的區分，亦決不限於少數負有職責的人們。自由中國九百萬軍民和海外一千三百萬的僑胞，必須羣策羣力。同認反對外蒙混入聯合國，實爲我們的反共戰爭中獲致最後勝利的一個重要里程；因此，我海內外民意機關，社團學校，和文教商工等界人士，必須努力參加此一重大的心理戰與外交戰役。

在心理戰陣中，報紙、雜誌、廣播，與其他有關宣傳的標語、圖片等等，有關表示民意的羣衆大會，以至紐約與華府等地的中美人士遊行抗議等合法運動，凡可以喚起友邦以至「中立國」人士的注意，而促進其對於我國立場的同情諒解，使足以加强民主國家的團結奮鬥，以摧毀蘇俄之挑撥離間與顛覆聯合國之陰謀者，我海內外同胞必須悉力以赴，分道並進，以發揮心理戰與外交戰的最大效能。

阻外蒙入會應使否決權

此外，我海內外各機關社團並可熱烈致電聯合國，堅決表示我們擁護政府決策的意志。原則上第一步反對「集體入會辦法」，而明斥其爲蘇俄顛覆聯合國的毒謀，同時又斷然違背聯合國憲章的文義和精神；第二步，縱或「集體入會辦法」得經聯合國有關機構依法變通採用，但對於外蒙傀儡組織企圖混入聯合國的詭謀，我中國必須毫不退讓的在安全理事會中行使否決權。

蘇俄自一九四七年起，即曾屢向聯合國大會及安理會提出「集體入會辦法」，一方面企圖將莫斯科征服的附庸國拉入聯合國，而使聯合國承認蘇俄侵略所得的果實爲「合法」，同時杜絕附庸國內人民反抗共產極權的希望；又一方面壓迫一部份民主國家，使在精神上屈服於俄帝的奸惡敲詐，以利於今後得寸進尺的勒索與侵略。

民主國家如果全體同意忍受俄帝的敲詐，這就是精神集體投降的象徵。民主陣營中，如果一部份投降，而另一部份堅決反抗，則蘇俄的陰謀亦已得逞，而其要點乃在離間分化，同時並足使聯合國也漸趨解體，以利俄帝的「各個擊破」。

心理戰可助外交成功

綜合上述要點，倘使赤色附庸由於俄帝的敲詐手法而混入聯合國，既足以增加共產集團的惡勢力，遲早亦將使聯合國精神解體，而自敲其喪鐘。至於外蒙企圖混入的問題，直接牽涉我國的領土主權與海內外愛國同胞堅決反共復國的意志與拯救大陸同胞的神聖使命，我們必須毫無退讓的反對到底。縱或盟邦人士認識未清，甚或有些外交人物誤入蘇俄的圈套，不惜危言聳聽，企圖勸誘我政府忍辱退讓，我們仍須堅守正義的立場，支持政府反共的國策，並促請外交當局在聯合國中，在必要時投下否決外蒙入會之一票。

我們的希望並在善用心理戰與外交戰的策略，促使民主國家一致團結，與我自由中國採取一致的立場，以摧毀蘇俄挑撥與分化，奸惡敲詐，與顛覆聯合國的毒謀。如果這一項重大的心理戰役我們得到決定性的勝利，則「集體入會辦法」固將在聯合國大會中「壽終正寢」，而外蒙傀儡自亦無從後門混入之可能。如是，則我中國代表在安全理事會中亦可無需行使否決權以阻外蒙之鬼混。心理戰的勝利至是乃能協助外交戰的成功。

勝利關鍵在於同胞團結

至於日本，西班牙，和其他反共國家申請加入聯合國，具備聯合國憲章規定的入會資格，多年來均因蘇俄的奸惡手段橫予阻撓，以致未能入會，自應認清蘇俄實爲民主國家的公敵，爲聯合國內的惡魔。全世界民主國家必須合力摧毀此公敵，清除聯合國組織內的惡魔，而後改造此維護世界和平的機構，而後日本與西班牙等民主國家之加入組織，始爲最光榮的行動。我們希望日、西等民主友邦人士，即能瞭解這一個重要觀點。

綜觀這一個重大的心理戰與外交戰役，勝敗利鈍的關鍵，繫於我海內外同胞革命的精神，意志，與力量之强弱。我們願堅守革命的戰鬥立場，在各方面堅決表示齊對共產國際作戰的剛强意志，從而激勵磅礴的精神和力量，必能團結民主陣營，以貫澈我們的主張。

【本報台北特約通訊】十八國集體進入聯合國的批發交易，能不能成交，已經到了最後關頭，自由中國朝野，正以沉重的心情，注視着成功湖，以待事態的發展。今天消息傳來，聯大政治委員會，居然以五十二票對二票通過了，准許十八國入會，有五票棄權，投反對票的除了中國外，僅有古巴一國，這可見聯合國的精神，已經瀕於死亡，國際和平機構，將成爲强盜橫行的天地了。雖然，這個案子明天就要送到聯合國大會去討論，下星期將提交安全理事會作最後的決定，但是，那僅是一個形式問題，相信臨時不會有奇跡出現，如果還有一綫希望，這希望就是中國使用否決權了。

中國決定使用否決權的主要對象是外蒙古，但因蘇俄堅持十八國整批入會的條件，所以否決了外蒙古，就等於否決了其他十七國，這是違背孤立主義的妥協意旨的，但聯合國憲章第四條的精神是不是能够繼續存在，就決定於中國的這一票，憲章規定不容許不愛好和平及不能也不願履行國際義務的國家進入聯合國，如果我們投下這一張否決票，也正是保障了憲章第四條，至於我們使用否決權的後果如何，是無法計較其利害得失的。

葉外長痛述外蒙入會問題
爲後世子孫留餘地

·小魯·

在國民黨第四組於本月六日舉行的一次宣傳會報上，葉公超外長對各報負責人說了一段語重心長的話。他說，他主持外交工作，縱使不能爲後代開拓道路，至少也得給子孫預留餘地。他舉滿清朝的外交爲例，滿清政府在列强欺詐壓迫之下，外交處於絕對的劣勢，喪權失土，極盡屈辱，但每與外國簽訂一個條約，迫到最後，總得保留一個退步，好讓後世子孫翻身。好比光緒二十四年與英國簽訂九龍租借條約，堅持新安縣府在九龍的衙門和官吏，必須繼續駐留，其目的就是象徵主權的存在，不致斷絕後世子孫收回失土的途徑。

葉外長說，外蒙傀儡政權的建立，是中蘇條約的副產品，雖然中國政府曾經派大員前往主持公民假投票，以決定外蒙和中國的分離，但是，這是在雅爾達密約脅迫下的結果，旣不是中國的本意，也不是外蒙同胞眞正的意向，中國廢止了中蘇條約，也就等於否定了外蒙的「獨立」，外蒙的前途如何，應該留待將來外蒙同胞眞正能够自由表現其意志時再來舉行眞投票表決，這或許需要一段相當長的時間，可能是後世子孫的事了，但我們這一代的人，至少不應斷了後世的路，這就是我們今天決定不顧一切後果而要在聯合國否決外蒙入會主要原因之一。

爲什麼？因爲外蒙的所謂「獨立」，除了共產集團外，沒有受到任何一個自由國家的承認，如果我們今天准它混進聯合國成爲會員國之一，就無異讓全世界承認它的「獨立」地位，這樣一來，就斷送掉後世子孫收回外蒙的機會了，這不是我們所應該做的。以顢頇無能的滿清政府，在列强壓迫之下，尚且知道爲子孫留餘地，如果我們今天的外交還做不到這一點，那眞要愧死了。

否決票投下後，我們勢將得罪一切對蘇俄集團姑息妥協的國家，甚至明年我們在聯合國的席位，都可能因此動搖，但是，爲了聯合國憲章的精神，爲了後世子孫的前途，中國政府已擬定寧爲玉碎不爲瓦全的不屈精神，來與姑息主義者作孤軍奮鬥。祇要是爲了正義眞理，中國不惜作任何犧牲而勇往直前。政府尚有少數高級官員今天私下向記者表示，認爲輿論界對否決外蒙入會問題，弓拉得太滿，屆時可能收不回來，這種顧慮，實在仍犯了政府過去幾十年在外交上前怕龍後怕虎的懦弱毛病，過去爲了瞻前顧後畏首畏尾，在外交場上不知跌了多少跤，現在難道我們就沒有骨頭伸直脊樑嗎？所以現在自由中國朝野，幾乎都以悲憤的心情，期待政府在外蒙入會問題上，效法李承晚的鐵腕外交，堅定立場，在最後一分鐘，投下我們神聖的否決票！（十二月八日於台北）

俄酋布爾加甯（左）及赫魯曉夫（右）在印度的獰笑攻勢。（請參閱第二版「俄酋在印度」。）

時事述評

·李秋生·

集體入會案通過聯大

集體加入聯合國一案，七日通過政委會，八日通過聯大，表決的結果都是五十二國贊同，中國和古巴反對，美法希臘比利時以色列五國棄權。於是國際間若干反對我國否決外蒙入會者便振振有辭，認爲中國不應該反對世界上最大多數國家的意旨，其實這是似是而非之論。

集體入會之議數年來雖時有所聞，這次却是加拿大外長皮爾遜與莫洛托夫所私人商定，背後是英國在支持。美法在表決時雖未投贊同票，而在美國這只是一種姿態，法國又是爲了北非殖民利益着想，在骨子裏無寧說是贊同集體加入的建議。這類事在國際間，最大多數的國家本來只以各大國馬首是瞻，各大國既採姑息俄共態度，此案之獲得聯大多數贊成票本是極自然的事。這是權力外交的表現，却決不足以代表全世界的眞正公意。

除中國外，只有古巴代表始終反對整批交易辦法，指出這是對蘇俄無條件投降，是違反憲章之舉。大義鏗鏘，實足愧煞那些最大强國的代表。古巴只是一個國土四萬方哩人口五百萬人的一個小國，惟其如此，也就更值得珍貴。

爲何不去說服蘇俄？

現在國際都把中國看成十餘國家能否加入聯合國的關鍵所在，其實是完全弄錯了目標。中國所要否決者只有一個外蒙，連其餘各附庸國都可能只以棄權來應付；而悍然以否決十三國家加入者則是蘇俄。不責備俄共這種强悍要挾手段，而只集矢到中國之否決外蒙，這能算是公正的態度嗎？

最近美當局對我政府竭盡勸告能力，艾克兩函之外，美使藍欽幾乎每天都和我外交當局在接觸磋商，但對於俄人的無理要挾，不只未聞有人指責，甚至連勸告也不曾做過。如果說根據「日內瓦精神」，那就可打開聯合國入會僵局的話，那麼首先應使克里姆林宮改變其頑悍立場，不以一二政權之不獲參加而扼斷十餘國家的入會希望。西方政治家們何妨從這一方面努力一下看呢？

不去克服俄共的無理要挾，却只怕中國否決外蒙的入會，不祗有違公道，而且是對俄共的怯懦投降。

杜爾斯的演說

杜爾斯先生又在侈談「報復力」和「世界性的警告體系」了。誰也不能否認美國擁有强大的實力，但一種實力決非僅供炫耀之需，却必需要實際發生功效。美方基於報復力的國防政策宣佈快兩年了，現在這實力仍在繼續加强中。但美國的世界威望却一天天在消蝕，自由世界一天天處在更不利的境地，這樣就無怪若干小國紛紛離心，準備轉採只求苟全的中立路綫了。現階段俄共的擴展侵略政策，並非以武力作爲首要手段，美方報復力量即使再强大些，又將何從施展？

杜氏又說亞洲國家領袖不是不知道危險，不致爲虛僞諾言所惑；但杜氏自身日前與葡萄牙外長關於果阿問題所發表的聯合宣言，却正發生爲淵敺魚的效果。我們所望於杜氏者，只是多用些頭腦，少講些淡話。

艾德禮退休了

艾德禮日前辭去工黨領袖之職，將晉封爲伯爵，他從此脫離下議院的實際政治生活，比起邱翁的退休更要澈底。站在中國人的立場，我們不會對這位一味盲目姑息中共的老政治家有多少好感，但也不能抹煞他在戰後建設福利國家的重大功績。只是那一實驗的結果却證明了社會主義並非萬應良方。工黨人士一般通病，在於只着重若干眼前利益——特別是勞動階級利益，而缺乏遠大的識見與眼光。這弱點不克服，工黨在政治上終難有重大成就。

權威人士對——外交人事調動的觀感

·冷觀·

（本報特約台北通訊）最近兩月，外交界的人事調動頗多，陳之邁氏之出使菲律賓，時昭瀛氏之出使巴西，均較重要者，此外尚有若干次要職位之調動，已詳載報端，無須於此贅述。記者頃就目前外交人事調動一事，就訪於外交界某一有地位之權威人士，徵詢其意見。

應付菲局需有新作風

據某君表示，陳氏使菲，以其經驗學歷，自屬得人，惟菲國情形複雜，華僑問題尤多棘手，陳氏到任後，能否打開僵局，亦至難言。處今日艱危局面，負國家使命人員，不僅要有學識經驗，尤貴有魄力與勇氣，舊式之敷衍應酬，絕難完成使命。陳氏服務外交界多年，今茲出使，吾人甚希望此一青年外交家能一洗過去之舊式官僚作風，樹立新外交家的風氣。

少做事，求安全

該權威人士又言，今日之政治圈內，充滿「做官」至上之官僚風氣，實屬無可諱言，固不僅外交界爲然。「做官」至上的風氣之下，第一是少做事，第二是求安全。少做少錯，多做多錯，爲做官寶筏，人所共知。安全感則尚少人道及。但因前外交界此種風氣似甚流行。許多人都有願往「安全區」服務的觀念。安全的意義，即生活安定，事情簡單，不會出亂子，不會冒危險之謂。適合此種觀念的地方，自無過於南美地區了。在那裏地位是一樣的，待遇也是一樣的，責任卻輕鬆得多了。因此南美地區的職位，便成了許多外交界的逐鹿目標，我不敢說在這地區服務的外交人員，全是沒有抱負沒有責任感的官僚，但是只爲着安全感而極力活動，希望到南美去的實在不少。這種人明明想圖安穩，表面上却口口聲聲說，南美反共，地位重要，願爲反共努力，其實骨子裏另有一套也。

重要地區戰鬥力量薄弱

其實辦外交，也應該和作戰一樣，應酌防綫情形，佈置人材，最重要的防綫，應配置最得力的人員，不應以個人的好惡請托，做人才佈置的標準。這樣才能顧全大局，應付艱危。目前的人事調動能否適合此種要求呢？實在不無疑問。艱險吃緊的防綫似乎沒有人肯去冒險犧牲，安全無事的地區，卻大家爭着前往。因此，重要地區，往往覺得戰鬥力量薄弱，甚至弄到焦頭爛額，呼應不靈。這樣的結果，不僅外交因此吃虧，更養成做官不做事的壞風氣。做事的，往往自討苦頭，不做事的反享受清福。既有地位，也有虛譽。這對我們外交的影響，實在太大了。最近幾位從歐美各地旅行回來的有地位人士，都異口同聲的說，我們的使領館在各地的活動力量實在令人嘆息，各地華僑也嘖有煩言。此種現象由來已久，原因亦多，惟人事調配之不得其宜，亦爲重要原因之一。此不能不希望當局深加以注意也。（十二月五日台北）

法共工會受挫

勞工不願做窮人

在法國，最大的工會受共黨控制着。法共所操縱的「總工會聯盟」，自稱擁有會員四百萬，實際大致至少也有二百萬。這工會在法國的工業與運輸業方面，都佔據着戰略性地位。各非共工會的組織比較散漫，全部會員也僅有一百五十萬左右，而在工運方面，它們也不如共黨工會那麼得勢。每遇什麼問題，共黨又總是率先開砲。但在最近，共黨工會卻遭遇了一次重大挫折。

今年九月，非共工會的代表與雷諾汽車公司資方進行談判，雙方同意了三點：一、工資立即提高百分之五；二、工資以後照生活指數而調整；三、勞工每年可獲三星期的休假，假期內工資照給。雷諾汽車業是法國最大的國營工業。有職工五萬二千八。共黨在這工廠中的勢力雖然強大，但由於非共工會與資方簽訂的這個協議卻陷共黨於一種嚴重的思想混亂。共黨工會忘了遵守共產主義理論，有一種勞工們難以了解的原則，這是「逐步的貧窮。」在這理論之下，共黨認爲勞工們必須拒絕收入的巨大增加，以免他們滿足於自己的處境，而阻撓了「無產階級革命」。在今年六月的總工會會議中，這個問題曾提出討論，總工會秘書長佛拉契是個正式共產黨員，他對各代表提出「坦率的警告」，說勞工們必須「摧毀以爲現在的資本主義政權是進步源泉的幻夢和錯覺。」可是在雷諾汽車公司的勞工們看來，新的工資調整辦法卻很好。到十一月底，總工會的共黨領袖們也只得將標準的馬克斯主義路線勉強放棄而贊成了新工資合約。

對共黨來說，時機已十分緊急，因爲非共工會（如社會黨的「勞工勢力」、天主教職工會與若干獨立性工會）在雷諾廠新辦法的鼓勵下，已將巴黎區的六十萬的金屬勞工與資方訂立了相似的新合約。資方與非共工會一致讚揚這新辦法是勞工關係上的記程碑。共黨總工會如不甘落後，似乎非准其會員也接受這新辦法不可了。法國勞工誰願爲了「革命」而變得「逐步貧窮」呢？（平譯）

大專學校公費取銷後

獎金制待改善

銳人

教育部公佈，自本學期（四十四年第一學期）起取銷大專學校之學生公費獎助（功勳子弟及邊疆學生之公費除外），在國難嚴重的今日，這步措施原是很有意義的。但自公費取銷後，教育當局對眞正困苦的大專學生之輔助，與及學術性獎學金的頒發，却無一個完善計劃，不免令人遺憾，筆者現就讀台大，願就實際情形，略述所見，以供當局之參考。

大專現行獎學金制

大專學生公費取銷之後，教育部按照憲法的規定，增設各項獎學金，目前在台大的獎學金，除一些地區性的縣市之類的獎學金和一些名額極少之專門學科之獎學金，（此等獎學金對象較偏）外，還有教育部新設之三民主義獎學金（台大分配名額爲六名每名獎金台幣二千元），自然科學獎學金（台大分配名額爲六十名限於文理院學生卅名獎金一千元），與大陸來台清寒學生獎助金（限於隻身而無直系親屬在台者金額每名每月九十三元）。此外還有一項全國性的軍友社設立之軍人子弟獎助金（以現役軍人之在學子弟爲對象——包括就讀于中等以上學校者，其大專子弟每名獎金三百元）。由此大概情形看來，獎學金之名目也不算少，而後幾項獎金對同學的影響也是相當大的。

軍人子弟應予照顧

從表面觀之，這許多獎學金的設立，各有其對象，似已可包含各方面應受獎助的學生，但如細加觀察，即可見其中一些輔助性的獎助金的學生受益程度比較起來實欠公平。各大專軍人子弟獎助金的金額實在太低了，對貧苦的軍人子弟幫不了多少忙，而目前軍人生活之清苦是盡人皆知的，他們想要以菲薄之薪津供給兒女之教育費用很是困難甚或可說是不可能的事。按目前情形，在大專就學之軍人子弟爲數不會太多（此次軍友社首次辦理獎助金之申請，大專之名額原定二百名，但實際申請者，由士兵子弟至中將子弟總共才六十九人，姑無論由於某些原因限制，亦可見其爲數之不多），今天站在軍中立場說，教育當局對於這些清寒的軍人子弟亦應伸出援助之手。筆者冒昧在此提出一點建議，希望當局能在大專學校中設立一濟助性的軍人子弟（假退役軍人之子弟亦應包括在內）獎助金（自然這不是無條件獎助的，如學業成績即應爲申請時考慮條件之一）；或者從大陸來台清寒學生獎助金中增加少許名額，濟助一些家境的確貧困的中級以下的軍人子弟。

遺教獎金制應改善

又此次教育部新設之三民主義獎學金，其金額之高爲各種獎學金之冠，當局之意原欲以此激勵同學研究三民主義，但惜其申請考核標準僅以學業成績與三民主義之學科成績爲根據，此種規定似欠詳盡。就目前台大來說，三民主義考試不是統一命題，而各班教授之給分標準亦有高低之別，如按三民主義之分數爲給獎條件，則欠公允。同時，在某一方面看來，這獎金之金額也定得太高了，在這非常時期，學術的研究固然是重要的，但教育當局却也用不着抬高獎金額來向青年作物質上的誘惑，更何況現在所要做着的事還多着呢。因此，筆者認爲此獎金之辦法極須改善，獎額宜修改，又如該獎金現定辦法中之給獎條件不變，則須以三民主義教學之劃一爲前提，否則採用論文比賽方式，似較爲公平。

目前設立之獎學金與獎助金多少有些不同，後者在實施上最易發生流弊，如一些亟應濟助者得不到濟助，而不應濟助者反得到政府之「恩典」，這是極不公平的事，乃須予以改進者。而教育當局對大專學校設立獎學金或獎助金，宜先詳細考慮其可能發生之影響，不要拘泥形式。最後筆者認爲目前濟助性的獎助金應多設些，以救助一些眞正困苦的大專學生，在這非常時期，此實有其特殊意義。

中共剝奪人民吃飯自由

·辛植柏·

本年八月中共以避免糧食浪費爲理由，公佈了一項「市鎮糧食定量供應暫行辦法」的新辦法，此項辦法就是企圖把人民的肚皮都置於中共控制之下，受着嚴厲的控制，我們如替它正名定義，此項辦法實在就是一項人民的吃飯條例，因辦法中規定：某類某類人民只准每月吃米多少，非憑糧票才能買到米（共區於一九五三年起即嚴禁糧食的自由買賣），用糧不得超過規定，人人僅有一份，出外旅行也得自己帶着米，否則就須以米票去換取「全國通用糧票」，如遇「婚嫁、出生、死亡、分居、併居的，均應憑證辦理糧食增減轉移手續」。其所吃的固只准一種粗糙的食不下咽的「九二」米，而且在中共的不成文法上又規定要吃爛飯，一斤米須出三斤飯，吃飯條例，顯然就是新奴隸社會特有的一個現象。

中共制定吃飯條例，其所持理由也似是而非，共區人民說得好：「每顆糧食都吃在肚裏去了，有什麼浪費」（見八月二十六日人民日報），珍惜米穀，原是中國人民傳統的一種習慣。中共所以要實行糧食「定量供應」，無疑是中共「飢餓輸出政策」的必然結果。中共曾有一個妙不可言的想法，它估計「全國每人每天少吃一兩糧食，全年就可節下糧食一百三十六億斤（見政治學習第八期「農村也應節約反對浪費」一文）。其所謂「糧食定量供應」制度，便是根據這個道理產生出來的。中共對其治下人民每人每天打算壓縮多少口糧呢？在目前大致是以「四兩」爲度，將來則難預料，因其辦法是「暫行」的，如每人每天壓縮「四兩」口糧，自然人民還只是飢，尚不至於餓，僅這壓縮「四兩」口糧的數字，也就很可觀（總數爲五百四十六億斤），足供實行其飢餓輸出的任務了。由於這辦法所發生的後果，顯有三點：

一、剝奪了人民的吃飯自由。

二、限制了人民的行動自由。

三、最重要的是徹底消滅社會的人情味。人是一種生物而非機械，尤其在中國儒家文化陶鑄下的人民，其所具的人情味特別濃厚，所謂推食食人，及范堯夫之以麥舟助人，社會固常引爲美談，他如請客宴會，朋友往來，與夫婚喪慶弔一類包有人情味的事，也是無可避免，若照中共糧食「定量供應」辦法所規定，一人只有一份糧，這份糧父固不得以讓子，子也不得以讓父，讓即全餓，即親戚朋友往來之間，自亦不得怪其無情不留餐，這樣在共區內，即凡含有人情味的事，從此就要全被消除，使整個人民也就形同囚犯，社會生氣根本斬滅，中共爲什麼要消滅社會的人情味，其目的總不外是要製造奴隸社會及奴隸人而已。

俄酋在印度

·雪譯·

赫魯曉夫攜同布爾加寧飛抵印度，尼赫魯發動好幾十萬印度人民歡迎他們，赫魯曉夫得意之下，好幾次稱呼印度做盟友，儼然以老大哥自居。蘇聯在亞洲第一個目的物，就是印度，司馬昭之心路人皆知，只有尼赫魯尚迷夢不醒。

引狼入室

爲了歡迎赫魯曉夫等一羣狼，尼赫魯把由飛機場通到新德里十二哩馬路上的破木屋全數拆除；路旁的房子從新油飾，不平的馬路都填平了。新德里些馬路沿用舊日名稱，尼赫魯把它們消除了「帝國主義」色彩，例如「皇后道」便改成了「人民道」。此外尼赫魯又發動新德里四萬學生站在赫魯曉夫等所經過的馬路，夾道高唱歡迎歌曲。自一九四七年印度獨立以來，赫魯曉夫到達的一天，可說是印度最熱鬧興奮的日子。

在這樣盛大歡迎之下，赫魯曉夫豈會不趾高氣揚？他們一行來到印度的目的，就是爲了「推銷」共產主義。印度有一百餘萬平方哩的土地，三億五千多萬的人民。印度到手，亞洲的事便可解決。尼赫魯的盛大歡迎，增加給他許多便利。

尼赫魯御用的學生把花冠戴到赫魯曉夫頭上，花圈掛在他們頸上。於是赫魯曉夫好得意洋洋向歡迎羣衆道：「好些人說我們來到印度是有動機的，我們的目的是爭取印度的友誼，我們爭取印度友誼，和其他國家作一種爭取印度友誼的比賽。」赫魯曉夫到了印度沒有幾天，印度的時報批評道：「赫魯曉夫是共產主義最好的推銷員，西方的商業推銷員自嘆不如。」

蘇俄的「友誼」

印度王子請赫魯曉夫和布爾加寧吃飯，送給他們每人一把二百年前的古劍。拔出劍鞘，赫魯曉夫執劍作衛鋒狀道：「卅八年前蘇聯產生了。那時世界上十四個國家聯合起來反對我們，美國也在內。我們把他們全數逐了出去，創立了今日的蘇聯。」「印度落後的責任應由誰負担，我不想有所評論。可是，蘇聯對印度的友誼是眞實的。印度想建立工廠，需要我們的幫助嗎？只要說一聲，我們的幫助馬上達到印度。印度想技術幫助嗎？只要說一聲。印度學生想到蘇聯留學嗎？請他們來，蘇聯將待他們如子弟。」蘇聯不比以原子武器向人示威的國家，蘇聯是誠懇的，話都是眞的。可惜的是就在同一天，「蘇聯」爆炸了一個氫彈。

印度和蘇聯是兄弟

尼赫魯準備了好些節目招待赫魯曉夫和布爾加寧。其中一個是土風舞，參加的都是印度的妙齡少女。土風舞剛要完場的時候，赫魯曉夫爬到台上，抱着一個少女高呼「印度和蘇聯是兄弟」的口號，台下掌聲雷動。布爾加寧在席上搖頭道：「赫魯曉夫的本領眞大！」

赫魯曉夫在印度不停說友誼，說和平，好幾次喊叫印度做蘇聯的盟友。印度一家報紙說：「這種情形，使我們想起尼赫魯三年前說的一句話：『好些人喊和平，喊得太響亮了，聽來好像戰爭似的』。」

赫魯曉夫到印度是爭取印度的友誼，尋求世界的和平嗎？

到了印度沒有幾天，赫魯曉夫把下面的指令交給印度的六萬名共產黨徒，大意說：

「尼赫魯是我們的一種不自知的盟友。我們得設法把尼赫魯拉近蘇聯的政治和經濟集團。表面上，我們得尊敬他，千萬不好攻擊他。印度的共產黨應該利用工會而滲入印度的新興工業，希望於最近的將來把尼赫魯的政權奪到手。」

填字遊戲風靡香港

香港的現實環境，如亞熱帶的氣溫，壓在一般市民心頭，報章雜誌便利用市民們逃避現實的心理，紛紛以「填字遊戲」來爭取讀者。「填字遊戲」的盛極一時，也正反映了香港人的苦悶。

「有文化」的遊戲 填字居然有大王

「填字遊戲」是半年來本港一種最流行的，也比較「有文化」的遊戲，最近這一週來，更是盛極一時。

「填字遊戲」之所以稱爲比較「有文化」的一種娛樂，是有來由的，因爲香港有許多實際上是一種賭博的「娛樂」，往往被稱爲「遊戲」，像「派波拿」之被稱爲「數字遊戲」，像麻雀牌之被稱爲「麻雀耍樂」，甚至被稱爲學校等等。

所以「填字遊戲」，無可否認是比較「有文化」的，它至少是要需動一點腦筋，而大多的時候又並無所收穫，即使有所得，那也祇是在把那些空格都填妥了以後的一種自慰，因此在許多填字遊戲「小集團」之中，往往發現「填字大王」，而被稱爲「填字大王」的人遂以此沾沾自喜。

如何能成爲一個「填字大王」呢，事實上一個真正學問淵博或者學貫中西的學者並不會成爲一個「填字大王」。說句不怕「填字大王」動氣的話，成爲一個「填字大王」的祗是一個「三腳猫」，或者可以說「博」而不「淵」。

市民都想找刺激 填字戲應運而生

我們必須明瞭，「填字遊戲」在報章和雜誌發表的目的，增加讀者的知識固然是其中之一，但大部份是爲讀者提高興趣和供讀者消磨時間。

因此，一般的「填字遊戲」取材，多半是人們所經常接觸的事物，再更上若干通俗的詩句與詞句。翻開各種報章的「填字遊戲」表格，假如手頭有一本唐詩三百首，三字經，千家詞，幾本像孟子論語之類的書，本港地圖和一份當天的報紙等等，則解決一個填字遊戲，實在並不太困難。而事實上絕大部份的出謎者，亦多取材於此。

如果進一點研究，我們可以發覺爲什麼，「填字遊戲」會盛極一時的原因。正如上文所提到的：因爲它能消磨讀者的閒暇和啓發讀者的知識和興趣。香港這一個最鄰小島，擠着超過二百二十五萬的人，每一天每一刻所發生的事情都已不再能使一般小民感到新奇或刺激。至於國際形勢與國家大事，也被多數市民所忽略。香港的現實環境，就彷如濕與熱的亞熱帶氣溫，低壓於每一個人的心頭。因此今日本港的報章無論它的背景如何，讀者對象如何，幾乎無不將其編輯方針轉向着重於副刊和體育版的充實。從國家大事到社會新聞，既不易引起大量讀者的興趣，他們的興趣便轉移到報章的副刊和體育版去尋求刺激。例如最近本港許多人博，而體育新版中更有所謂「鯨口」，予博彩者一種變相的「貼士」，據說一場大球賽，一個集團的賭博彩金能超過二十萬元。

寫字樓中太清閒 白領階級試填字

另一個原因是市面的不景，許多市民太閒了，有大量時間無法消磨，即使在寫字樓工作的職員，許多人就以報章作爲最廉價的消遣品，世界大事，社會要聞在他們看來並不很重要，他們所最感興趣的，倒是社會的「新聞碑」，黃色的副刊和刺激與誇張的體育新聞。

因此，「填字遊戲」就在這一種夾縫中應運而生，無疑地，「填字遊戲」可以說是一種刺激，而且在消磨時間上也發揮了很大的作用。例如「填字遊戲」上有一句「疑是地上霜」，謎面祇說是「唐詩一句」，如果你不熟唐詩時，你不知何人所作，你就必須翻遍唐詩，這樣一來考驗你的知識，以及刺激和消閒三者兼而有之。目前至少有三十五種以上的報章雜誌都有「填字遊戲」之設，即以每日出紙的日報或晚報而論，有「填字遊戲」的佔了百分之八十以上。

工展廠商贈獎品 填字謎如醉如癡

「填字遊戲」到最近半個月已達到巔峯，是因爲各報一面利用「填字遊戲」的爭取讀者；一面又藉着推廣工業展覽會開幕的機會，和各大廠商合作，搞出贈品獎勵讀者，因此更使到有「填字謎」的讀者如醉如癡，整日捧着報章「苦鑽」不已。

大多數有「填字謎」的讀者並不斤斤計較於獎品的多寡，祇要猜中就心滿意足，因此，曾經有一次「填字遊戲」中，獎品的名額祇有二十個，但猜謎的讀者就達到五千多人。

在報社方面來說，雖然讀者不計較獎品的多寡，但能有豐富的獎品時，當更能提高讀者的興趣，最近就有一張晚報自稱「填字遊戲」的贈品竟達五千元之鉅。

許多人以爲「填字遊戲」被一張報紙用來作爲吸引讀者的工具，並不是很正當的途徑，但如果能藉此而誘導讀者去作一種有用、「有文化」，和正當的娛樂，則未嘗不是一個相當好的現象。

看來，這個好現象是會維持一個相當長的時期的，目前還在方興未艾呢。事實上「填字遊戲」並不是今天的「新發明」，而且這種「填字遊戲」早就恒見於英文報章和雜誌，一個優美的「填字遊戲」，不但講究內容，同時也都講究形式，因此，在本地逐漸進步中的「填字遊戲」中，我們已經看到有比較美麗的圖案出現，或者是一個梅花形，或者是一某一個字的形狀。

港府披露計劃 保存宋王台石

港府雖發展啓德機場，但對九龍勝蹟宋王台石，仍將加以保存，並重新安放在現址附近一個公園內之適當地點。

華民政務司鶴健士，在答覆街坊呈文之覆函中說：政府對於該古蹟的保存，曾予鄭重考慮，並已擬定計劃及佰撥款項，在譚公道西，建築一公園，以放置「宋王台石刻」有字跡之部份。

「宋王台石」乃一巨大之花岡石，一面刻有「宋王台」三字，相信該等字蹟，已有六百餘年歷史。二次大戰日軍佔領期內，「宋王台石」所在之山崗，大部份被夷平，該石本身，亦裂爲三部份。刻有字跡之部份，約重一千噸，如將其移動，不僅困難，且需鉅款，故現擬將該石再予以爆裂，而將刻有字跡之部份，重建於公園中。

傳說宋末時期約西曆一二七八年間，宋帝昺被元世祖兵所追逐，與羣臣逃至華南，最後被迫登船，與宋軍水師繼續逃亡，當時帝昺尚幼，年約十一歲。帝昺先出碙州登船，其後抵達香港之九龍灣，在日後名爲馬頭涌村之附近地點登岸。傳聞宋兵曾在宋王台上駐紮約近一年，而帝昺則在附近用木建築之簡陋行宮居住。及後聞蒙古水師即將開往九龍，帝昺則與其部屬移至西江河口，最後在該處之一次劇烈海戰中戰敗而溺斃。石上所刻之「宋王台」三個大字，其刻寫之正確日期未悉，相信當係宋代之字蹟。由於年代日久之故，字蹟模糊，惟於十九世紀之初由廣州提督明令予以修建，修建日期，亦另有刻文爲記，其文係依直行書寫者。

年度將終共幹抱佛脚 工人被迫日夜勞作

加班加點勞工傷亡率大增

最近北平中共報紙透露：中共今年各地廠礦企業及所謂「基本建設」單位大多都未能完成生產或工程計劃。最近因年度將終，中共大起恐慌，乃又習用驅迫工人「加班加點」方法，圖以工人的額外勞力以彌補計劃的不足，由是又造成了大陸工人的大批傷亡。

除了吃飯 絕無休息

中共報紙坦然承認：中共各地工礦部門因迫於「趕計劃」、「趕任務」而額外奴役工人的殘酷情形，已到了駭人聽聞的地步。據說目前一般廠礦單位延長工人工作時間，最少的每天有十四小時；一般都在十六小時與十八小時之間；較多的竟達二十小時以上；有些單位，則竟連續在一個星期之內都不准工人除了吃飯以外有任何休息時間。

據說工人操勞過度的結果，各單位工人的疾病與傷亡人數乃直線上升。關於工人疾病與傷亡的具體數字，中共報紙素所諱言。但最近共黨報紙舉例說：黑龍江省領一個小型機械廠中目前即已因加班點發生了工人傷亡事件一百三十餘起。齊齊哈爾一個小型機床廠中，更已因加班加點而發生了工人傷亡事件二百五十餘起之多。據說工人傷亡最普遍的現象，是屬於斷手、折腿、中毒、昏厥、炸死，或軋死。

操勞過度 百病叢生

據說工人因操勞過度所增加的疾病，最普遍的是眼病、胃病、頭痛病，腳氣病，貧血症；其次則爲肺病與咯血。據說在各地建築工程中，因工人操勞過度，睡眠不足，以致在高空工作時暈厥。或沉睡而跌落下來的慘劇，幾乎每日都有發生。至於在礦穴中因盲目加工所造成的塌崩或瓦斯爆炸等傷亡事件，更是多得不可勝計。

中共報紙又透露：中共工、礦，建築等部門使用「加班加點」的方式搾取工人勞力並不給予必要的代價。有許多單位除了使用「加班加點」的名義外，還以「勞動競賽」或「義務勞動」等名義搾取工人的勞力。倘有工人不「服從」此種榨取，中共的工礦等當局即以「不記工」，「開除」，或以「違反勞動紀律」的罪名予以公開鬥爭。

生產落後 共特大忙

關於中共工礦等部門在過去三個季度（春、夏、秋）生產落後的情形，據中共中央各有關工業主管機關的調查統計，大多都只在九個月中完成了五至六個月的生產指標。其中不少部門，且還不足此數。據舉例：煤業重心的東北地區的煤炭掘進量，平均至完成了百分之三十至四十，如遼源等礦務局所屬的範圍，大部在一個至兩個月的時間以後，即將無煤可挖。而被中共誇耀爲全共區最大鋼鐵生產單位的「鞍山鋼鐵公司」，在過去三季所完成的建廠工程只達到指標的百分之五十。其中土木工程更差，十三個項目中竟至有十一個項目無法完成。

另據「人民日報」透露：中共工礦企業在年終「趕計劃」、「趕任務」的忙亂情形下，還產生了另一種怪現象，而許多單位不懂技術操作的職員、雜工、乃至政治工作人員也都被趕往工場、車間、礦山，從事技術工作，以致不僅損毀了大批機器設備，且產生了大量廢品。此等現象，無不顯示中共工業潛能的薄弱，以及其困擾情形的嚴重。

中共利用伊斯蘭教 加強統戰滲透運動

中共現階段的統戰陰謀，正圖利用伊斯蘭教進行滲透工作，以政治潛力煽動東南亞及中東各國回教極端份子，推動「獨立運動」。頃據南京「新華日報」透露：「中國伊斯蘭教協會」會於十一月八日起至十九日止，在北平舉行第一屆全體委員會第二次擴大會議，一連持續達十一天之久。這一個誠如該報所說的「非常性」會議，在表面上未會引起各方注意，但在其經過情形看來，這次會議不獨檢討了他們兩年來在中共中央統一戰線工作部部長汪鋒所安排的「國際統戰」工作，更力圖進一步建立國際「統一戰線」。同時更追認了一批中共特務爲該會的委員，以對該「會」的控制力趨於周密。

「新華日報」指出：這次會議中，該會副主任優素福·馬玉槐、努爾·穆罕默德·達浦生·伊明、馬台蘇木等均作了報告，他們承認兩年來的「會務」本身，雖然沒有什麼重大進展，但是他們經過中共的「改造」，對共黨「効忠」，却有了具體成就。他們說，這兩年曾在中共統戰部安排下，各別的組織了「訪問團」出發各地訪問，對建立國際「統一戰線」，已獲得了初步成功。同時，對於籌辦「伊斯蘭教經學院」的經過，馬玉槐說穆罕默德教宗所著的「可蘭經」教義，已脫離了「現實」，因此「奉令修改」可蘭經。而竄改爲「伊斯蘭教經義」，而後以滲入共產思想的「新教義」灌輸給教徒，並於同時計劃滲向東南亞及中東各國。但是這種回教的赤色「教義」並不翻印或公開發賣。

在會議中，繼即討論到怎樣支持中共迫害農工商業的步驟。他們決定了先從教徒們開始，凡是從事於農業、手工業、資本主義工商業的教徒，應首先接受「社會主義改造教育」，通過這一「改造」之後，實行「互助」、「合作」，使農民集體走向「農莊」，手工業則由聯營，合營走上「合作化道路」。至於大規模的工商業，不但要凍結「資本主義資金」，更須通過聯營形式，實行「公」私合營。他們承認回教徒在大陸上，在農工商業方面並沒有較大的資本主義基礎，海外則爲唯一目標。他們不僅幫助中共在大陸上向工商界教友榨取，並將向海外伸手，促使僑居海外的教友大力「獻出」財物投注大陸上的各項企業。爲了把握這個重點，爭取僑居地回教徒。

「新華日報」說，在會議中還決定一項計劃，「積極進行國際和平友好活動」，並且組織「朝覲團」。它的內容是說，今後除組團赴麥加朝聖外，並將組織各種性質的「訪問團」在「中央統戰部」指導之下，「加強並擴建國際統一戰線，與回教社會結合並促進它們的獨立」。

最後，會上又追認了楊培之、丁岐山、馬夢達、趙銘周、尚希賢、霍流、馬人斌、馬全欽、馬惠亭等九名爲該「中國伊斯蘭教協會委員」。（按：伊斯蘭教紀元始於六百二十二年，「可蘭經」係穆罕默德創訂教義，亦是阿剌伯文化的啓蒙；此次中共竄改，殆欲毀滅阿剌伯文化的影響）。（禮）

農民不受洗腦 中共冬學失敗

中共爲掃除文盲過去曾推行所謂「冬學」，但最近共報的報道，却證明「冬學」已告失敗了。中共「廣東省教育廳」爲挽救這局面近已發出「今冬明春組織農民學習的通知」。

通知中坦承：「過去是冬學過後，轉入常年民校學習的人很少，因而很多人就「一曝十寒」，「三天打魚，四天曬網」，或者是「三不開船」，結果弄得「年年冬學，年年從頭學」，甚至辦「冬學」的場所，經常是「門雖設而常關。」」

通知要求各地緊跟着農業合作化運動的發展，把識字教育當成農業合作化的一個組成部分。從一九五五年冬季起，廣泛動員鄉村幹部、積極分子、合作社社員、互助組組員以及其他有條件的農民參加文化學習。

通知提出解決學習時間的主要辦法是由鄉村、合作社、互助組的領導方面統一安排生產、工作和學習時間。把農村的合作社、互助組的各種會議，排定日程，不必要的或可合併的會議精簡合併，不必要參加的人不參加；二是發揚農民的學習積極性，固要農民們利用可能利用的一切時間去學習；三是在組織上要根據農事季節和農民的具體情況（包括幹部）採用多種形式，包括小組、包學、包教、班級、自學等。

中共歧視廣東方言

中共「教育部」決在一九五八年內完成中小學的普通話教學。並決定在一九五六年暑期內將全共區中小學語文教師訓練普通話教學完畢。中共華南機關報「南方日報」，曾以洋洋三千言的社論呼籲重視這個普通話教學運動。據悉：粵共決自一九五八年起禁止以廣東話教學，預計在十年以內，消滅廣東語言，包括穗、潮、客語及東莞、四邑等土話。

別廢話！

自由談

據合衆社從台北發出的消息說：美國對於外蒙古混入聯合國這問題的立場，是認爲現在並不是攤牌的時候，同時，自由中國政府若施用否決權，如將疏遠其朋友，到眞正與中共攤牌時，必危及自由中國的地位云。這好像是朋友勸告規過的殷情美意，我姑且表示O．K．略述鄙見。

第一，所謂「到眞正與中共攤牌時」的「時」字，是指的奧蒙爾所說的「一九八四年」呢？還是指聖經上所說的「世界末日」？愚蠢如我者，實在無法想像。再則所謂「攤牌」的情形，究竟是怎末回事？是不是要等到美國在日內瓦與中共從「大使級談判」，進而「外長級會議」成功後，美國把中共製造成爲「亞洲狄托」，搞出了「兩個中國」，而中共忽然又興兵攻打「美帝」紙老虎，這才忍無可忍，非眞正攤牌不可呢？

第二，所謂「中國若施行否決權，即將疏遠其朋友」，這「朋友」的唯一對象當然就是美國，而美國因爲自由中國行使了否決權，不識擺佈玩弄之故，即與我們表示疏遠，馬上拿出過去杜魯門政府對中國的手法來——「停止援助」！同時還要撤退第七艦隊。這是我們爲行使否決權而疏親慢友的最惡劣結果，也就是「危及中國地位」的最大限度了吧！另外還有甚末危害不？

照第一說看來，美國有此耐性，也有這樣的抱負，只可惜我們不是美國人，不敢領教。若照第二說，那更是美國的自由權力，而且是美國素來藉以脅制友邦的煞手鐧，稍不如意，即以停止援助來示威，我們早已領教過了，並不感覺詫異的。

一個國家必有其不可犧牲的國格，一個民族亦有其不能抹煞的人格，朋友相親愛，要以此爲主要條件，相反的，也是以此爲因素。美國如能注意及此，甚末事皆好商量，否則一切都是廢話！

馬五先生

小樓的絕技

婆娑生

劉豁公先生，爲劇評前輩，在今日中國周報，論到楊小樓的成功甚詳。但是小樓之所以爲一代宗師，實在因爲他有許多的絕技。茲就記憶所得，略爲研究國劇者告。恐怕現在的伶界，一些也學不到。誠是非十年寒窗，不能成功，不是一蹴可以就也。

（一）長板坡飾趙雲，除了開打，一點不亂，闖進闖出的神情，極如大將外，他的盔甲上面，所插四旗，人向左轉，旗向左飄，人向右，旗亦如之，此第一的不容易。當糜夫人跳井，走過去抓她的衣服，那一場的姿勢，最爲好看，別人學不像。手中持槍，而再他手持劍砍人，雙手的動作，非常清爽。

（二）惡虎村扮行，走邊姿式好看，而動作之間，手向左轉，脚向右轉，如手反其向，則脚亦如之，妙在靈快，眞是乾脆。進莊談話，似疑若眞的臉部表情，夜探聞警，急然無奈的舉止，可說活如眞景。

（三）鐵籠山扮姜維，起霸的威嚴，架子的沉穩，民初無第二人。最妙是已在打敗的時候，順手接過弓箭，由背後放出，是極快極準，毫無做作。開打的緊湊，就不必說。

（四）連環套是楊氏成名傑作，曾見自行圍起，坐寨盜馬至公堂止，完全眞在念白與身段，幾乎可說無人能望其項背。民十九在上海與金少山初次合演在大舞台，眞是精采百出。自從灌入話匣以後，令人聽聽，處處落檻，字字分明。以前名伶未曾見過，但近卅年中，小樓此戲，堪稱後無繼者，不愧可傳後世，誰也不能否認。

（五）別姬的臉譜，勾得極好，小樓本是長方臉，却靈得異常魁梧，確是一絕。在飲酒時候的一句，如此酒來四字，眞有千觔之重，叱咤之聲，可震屋宇。尤其哇哇的一叫頭，使人觀之興悲。

（六）狀元印飾、常遇春，在試場起火，山門已閉，那馬跳闖牆的一個身段及個頭，實在妙得好看，他人比仿不來。與各元將爭鬥的架子，亦異乎尋常，與他戲有不同。

（七）水簾洞的猴子，有一幕自簾內躍出，蹤坐椅背，兩足蜷起，作搔癢尋物狀，椅既不倒，坐在上面，宛如一猴。先君曾評爲距躍踊蹤，闔座驚絕八字。安天會那更不必細講，李萬春雖以此劇叫座，其打法看來不過學楊的一半尺度，猶未到家。

（八）夜奔的走邊身段，可說高極。其抬頭亮相脚步，均合拍子，唱得頗雄渾。民初無人敢演此劇，自小樓在開明露演，邊唱邊走，一場換一場，觀者無不歎賞，因此每演，必賣滿堂，使梅氏中心折服。

（九）艷陽樓的高登，據片石見告（民七片老年六十），的確像俞毛包。尤其大破仙人担一場，與惡虎村的拋酒罎，異曲同工。蜈蚣嶺的費德功，也是與艷陽樓同一的好看，配叔岩的褚彪，兪振庭的賀人傑（十三歲時），可說人間難覓。

（十）挑滑車的高冲，是威風凜凜，其起霸挑車與闖將合，皆有絕好的身段，使人看之，便可提起精神，不致沒勁。冀州城也是好劇，然而動作與挑滑車即不同，當楊阜將其妻兒殺死，從城樓拋下，那麼個抱屍跌撲，眞是乾淨俐落，無瑕可擊。

（十一）戰皖城劇中，曾見過其飾張繡，也能飾典韋，各有獨到。看那飾典韋的粗暴，想不到飾張繡的沉穩。在謁曹刺嬸兩場，忍氣吞聲與怒目嚼牙，情景不同，誠爲名伶，是扮誰像誰，毫不含糊。

（十二）摘纓會的一齣，民八以前，的確無人能演，到壓軸。自從叔岩在新明成班，由小樓飾蒸生爲陪襯，唱起這齣戲，於是遂紅極一時。不過在堂會中，以小梅替蒸生，無多大出入，唯心仍在楚莊唐蛟身上。設使叔岩一換，便就差勁，好像此齣缺一不可，但是小樓的好，並不因換角而減色。

（十三）陽平關的趙雲，從前譚鑫培晚年唱，非小樓不可，後來余叔岩唱，也非小樓不唱。當黃忠被圍，趙雲去救，兩人互相凝視而別，那幕情景，眞是妙極。倘帶五截山，那開打的繁重，莫怪魏武說，莫不是常山趙子龍，他又來了。宛如小長板坡的格局，他的趙雲戲，當此爲最精。

（十四）失空斬的馬謖，小樓不常演之，但是張伯駒唱，就肯一串，其精采不下於金少山，名聞故都，也是絕活。小樓之戲，將有卅餘齣，上面所說的是其絕技，此外所餘者不少，總之小樓蓋不勝指，也非他伶所可比擬，茲約略就所見知名，以告讀者。

聖經生意之爭

美國印第安納州哈蒙出版公司的聖經推銷員魏霍到費爾貝旅館中去兜生意，碰到另一個聖經推銷員阿拉曼也在裏面銷書。阿拉曼看他進來，駡他侵犯「生意區」，把他打了一頓，又從旅館裏將他逐出。魏霍受此侮辱，祗好報警申寃。（平譯）

靜莊觀菊二首

・許紹棣・

炎邦風物異。綠葉終歲稠。靜莊對佳菊。慨然始知秋。云何制頹齡。朱顏逝若遒。栖遲竟六載。日歸道無由。豈爲樂滯淫。鴟鴞[illegible]我仇。誦彼兩關句。懷我舊時遊。幽賞未及已。悠悠起百憂。

海嶼地氣暖。百卉自怡悅。物情既媚俗。黃華遂蕭瑟。斯闌有新植。薄寒亦秀發。雖乏在野姿。衆口已稱絕。因知稀爲貴。飢來易爲食。翩翩才華士。聲名或異實。

秀才・舉人・進士

賈景德

當時西安府街道係大石條舖的，年久失修，凸凹不平，轎車在其上行動，實在是顚簸不堪。山陝的舉子，下場時，大都是背場籃，滿裝食料炊具，一方面帶上鋪蓋乾柴，彎躬曲背，形同乞丐，倘値雨天，更同落湯鷄一樣，比赴考場，已狼狽不堪了。西安貢院的號舍，是磚牆瓦頂，人各一室，小如蜂窩，在各省比較上還算好的，但是入深不滿四尺，寬僅二尺有餘，中舖木板，坐臥兩用，另架尺餘寬的木板一塊，作爲書寫試卷的桌子。舉子入號，首先打掃灰塵，釘上簾圍，展開舖蓋，掛起號簾，然後檢點場籃，將預備好的晚餐吃了，遇有舊相識的同號，必彼此往來探視，談笑風生，入夜，則一燈如豆，三壁黯然。我在場屋中的習慣，不到十點鐘，就要就寢，但是床板太短，雙腿不能伸直，舒適極不自由，然在疲倦之後，不久亦酣然入睡。到十二點鐘以後，就在夢中被號軍題、題、的呼聲驚醒，隔着號簾，將題紙接在手中，略加審視，仍舊續入夢鄉，直至次晨起來，盥洗畢，而後燃點五更雞，（用火酒炊爨食物之器具）蒸食早點後，便從從容容展開題紙，構思寫作，對第一道題名爲首藝，務要熟思深慮，找着題旨所在，費上心力，命意遣詞，做成斟酌飽滿的文章，全篇約在七百字左右，以求打動主司的目光，才能必操勝算，其餘四篇則水流花放，文從字順，即可入選，這一整天半夜的工作，實在要精力彌滿，不可稍涉鬆懈，第三天晨起，再細加整理檢點，用正楷繕寫，考官要直接閱看舉子的墨卷，字體必須工整，如有添註塗改，在每篇文尾，須雙行書寫添註若干字，塗改若干字，通共添註塗改若干字，以防弊竇發生。而且清制，試卷繕寫，如犯有任何的重大錯誤，第二場即用藍筆塡寫榜示，敘明犯規的緣由，名曰「藍榜」，次一場就取消了應試的資格，不准入場了。官方更有意藉機以神道設教，據說各省在舉子入場內那一日，天尚未明，於明遠樓上豎起了兩桿黑色大旗，在晨風颯颯，黑旗招展中，由承差高喊「有寃的報寃，有仇的報仇，」這樣肅殺悽慘的情況，舉子之中，凡是有作過虧心事的，就不由的疑神疑鬼，心神緊張，毛髮悚然。馴至神經錯亂，發生重病。所以在三場幾天之內，怪事百出。又因舉子多至萬人以上，當暑氣未消時候，因病致死的人，公算很多，衆人遂故神其說，是寃寃相報。（十）

語意學漫談

徐道鄰

（接本報第四四八期）

二十・組合語句及其四種使用

組合語句的功用

組合語句——也就是現代邏輯學中一般所稱之『邏輯語字』LOGICAL WORDS——和以上指示語句，評判語句，規約語句有一個共同的差別，即以上三種語句，都是以某一種事物爲其對象（因此我們可以統稱之爲實體字LEXICATIVE WORDS）。而組合語句，則祗是以語言爲其對象。指示語句在敘述某一些事物的情形，評判語句在說明一個人對於某一些事物的好的或壞的態度，規約語句在影響一個對於某一些事物所採取的行爲。組合語句，和這些事物，態度，行爲，完全無關，而祗是在『組織』包涵這些事物，態度，行爲的言語文字間之關係，而決定一個人在其語言行爲中的心理反應。例如『所有』，『是』，『不』，『或者』，『嗎？』，『十』，『一』，『二』等等，都是這一類的『組合』文字。這些語字既不是對於一些事物的敘述，評價，或規約，而也不是對於一些語言文字的敘述，評價，或規約，而祗是對於一些語言文字的組合，而使其具有各種不同的語言形態而已。

組合字大約可分爲三種：一，定限字DETERMINOR。這些字的作用，是把另外一個字所引起的印象，予以一種範圍，界限。例如『所有』，『任何』，『很多』，『幾個』，『沒有』和各種『數目字』，皆屬此類。譬如牧童來報告，『牧場上的牛死了……』，我們祗是茫然的有了『牛』『死』的印象，必須加上『所有』，『很多』，或『沒有』等字，我們才能對於這個印象加以或大或小的具體的範圍。二，聯繫字CONNECTOR。這是把其他許多字聯繫起來，而使其具有一種固定意義的組合字。『是』『不是』『或者』『和』『等於』『涵意』等等皆是。『這兩個蘋果都是紅的』的涵意，是『蘋果甲和蘋果乙都是有顏色的』，這一句話的意思雖然非常簡單，但其中許多語字及其次序，却都是不可隨便變更的，一有顚倒則其形態即有不同，一些文字使其具有某種表達方式的組合字。普通在口頭說話時，語氣，聲調，面部和雙手的表情，都是在幫助這些方式的形成。而在用文字表達時，就非有待於這些方式組合字的補助不可了。（六七）

徐道鄰先生「語意學漫談」續稿，因寄遞延誤，致中斷月餘，敬向讀者致歉。

・編者・

天下之大

老大哥的關注

捷克駐英大使夏里是一個熱誠的共產黨徒。一九四八年共黨攫奪捷克政權，夏里是主要支持者之一。他在大學教國際法，曾著書痛駡前美國總統威爾遜，頌揚共產主義，得到老大哥歡心，把他升做捷克駐英大使。

一天，夏里在大使辦公室裏發現傳音器，他心裏有說不出的憤恨，認爲那無疑是腐化英國人的卑鄙行爲。夏里於是寫信給英國外交部，要求英國政府査一個水落石出。蘇格蘭場偵察果，然能幹。只幾天工夫，便査出這傳音器是一個捷克大使館職員向一家倫敦商店買去的，這證明了老大哥派在捷克使館的人，正隨時隨地監視着這個大使。

杜魯門當球證

杜魯門喜歡講笑話，下面一段故事是他告訴朋友的關於自己的一則笑話。

「年輕的時候，我喜歡打壘球。眼睛不好，接不到球，球員討厭我，可是沒有辦法處置我。後來他們想出一個辦法，把我升了一級。」朋友問他：『升了一級？』『對啦』，杜魯門答：『他們把我升做球證。』（牛布衣）

蘇俄沒有「可敬的妓女」

法國的親共作家實存主義者薩特爾最近將其劇本「可敬的妓女」在莫斯科一所戲院演出，全劇內容祗有若干重要地方稍加修改，但劇名却改成了「莉茜・麥凱」，據薩特爾的秘書說，劇名的修改，是因爲蘇俄沒有「可敬的妓女」的同義字。在蘇俄，妓女是個非常卑賤的名詞，不可能加上「可敬」這形容詞。（杜明譯）

隨・想・錄

・紀瑜輯譯・

・行・爲・

△身體的情況通常有一個固定的規律，它在不知不覺中轉移了我們的意志，被統治了我們心中的王國，同時不知不覺的左右了我們的行爲。

△我們時常爲了自己罪惡詛咒利害，其實我們也應該讚美它，因爲利害也能促成我們的好行爲。

△我們的行爲每會「牽一髮而動全身」，就像文字游戲中的韻律那樣。

△偉大輝煌的行爲會使人盲目；政治家說它是個偉大設計的結果，事實上呢，它一般都出於氣質和情欲。

△雖然人以偉大的行爲而光芒萬丈，事實上它並非出於什麼偉大的設計，而是偶然的結果。

△不管一件行爲多麼光輝燦爛，如果它不是出於偉大設計結果，就不能被認爲偉大。

△如果讓世人看到動機，那麼最美麗的行爲也會變得可恥了。

自由人
THE FREEMAN
（第四九九期）
中華民國僑務委員會
頒發登記證台教新字第一零二號
中華郵政台字第五〇〇號
執照登記爲第一類新聞紙類
（半週刊每星期三 六出版）
每份港幣壹毫
台北市售價台幣壹元
督印人：陳文華
地址：香港高士威道二十號四樓
3 rd. fl. 20 CAUSEWAY RD
HONG KONG
香港發行及事務接洽
高士打道66號　電話：七四〇五三
承印者：東南印務出版社
地址：高士打道六十四號
海外總經銷
友聯書報發行公司
香港：德輔道中二十六號A二樓
台灣特派員辦事處
台北市館前街五十號
台灣總經銷處
台北市西寧南路壹參壹號二樓
台郵撥儲金戶九二五二

外蒙古加入聯合國問題

・伍憲子・

外蒙古加入聯合國問題，是最近聯合國自身鬧出之糾紛問題。當然，其所以糾紛之原因，是蘇俄搗亂。然所以造成糾紛之現狀，是聯合國自己招來。尤其是美國人失去領導之力，不曉得處置，使自由中國陷入一個進退維谷境地。到底自由中國如何應付，現在猶意見紛歧，用否決權以阻止外蒙古之加入，政府眞有此魄力，貫澈其主張嗎，否決之後果又如何，此皆爲我們亟須討論之事。

先從否決權說起

聯合國安理會常任理事之五個國家，即中華民國、與英、美、法、蘇、五國。在聯合國成立之初，本不應有此規定。有此規定，就是五國之自私。我們平心論事，說一句公道話，是不應該運用否決權的。聯合國之賦予五常任理事國以否決權，是大錯鑄成，應該修改的。然不幸至今仍未曾修改，在此十年當中，蘇俄恃有此否決權，濫用至六十次之多，可證蘇俄確是搗亂。但聯合國各會員似皆熟視無覩，只管心裏不滿意蘇俄之所爲，亦無如之何也。惟對於中華民國最近擬用否決權阻止外蒙古之加入聯合國，則非常驚訝，羣起而施其壓力。據報載，杜尼斯曾警告國民政府，不可使用否決權，阻礙許多國家參加聯合國。澳洲代表史賓塞謂：有人聞使用否決權，以違反聯合國大多數之意見，是不可思議。更有謂，使用否決權，就是自破壞中華民國在聯合國之地位，失許多會員國之感情。我們眞不明白，爲什麼蘇俄濫用否決權至六十次之多，大家噤若寒蟬。我們爲生死存亡關頭，萬不得已擬運用否決權一次，大家就羣起責難，原因何在，除媚強欺弱外，我們是百思不得其解。

寧爲玉碎不爲瓦全

在聯合國媚強欺弱之作風下，功利主義，現實外交，充滿於聯合國中，聯合國之自蔽喪鐘，預備葬禮，似成定局，此種絕無生氣之聯合國，原不足愛惜。但我們爲世界和平，人類幸福計，終想爲之打兩針強心劑。爲什麼加拿大代表馬丁而有整批交易的提案，爲什麼此種違犯聯合國憲章之整批交易的提案，而有廿七個國家之同情附署，我相信其原因必帶有恐共病。

內爲整批交易之十八個國家中，其非共之十三個國家，如奧地利、葡萄牙、約但、芬蘭、錫蘭、尼泊爾、義大利、日本、西班牙、愛爾蘭、利比亞、高棉、寮國，其中多數已提出過加入，而遭蘇聯否決者。蘇俄爲什麼要否決此等國家之加入，就是削西方民主國家之勢。蘇俄更要提出阿爾巴尼亞、布加利亞、匈牙利、羅馬尼亞。外蒙古，五個共產附庸加入，就是壯自己之威。不料西方民主國家果然將就之。古巴代表波賴道提出分別審查之修正案，反不能通過。而十二月八日政委會竟以五十二票對二票，通過整批加入，只中華民國與古巴投反對票，而美、法、比、希、以色列，五國棄權，可算一件奇異之事。此無他，就是恐共病者受蘇俄之威脅，甘自降其國格，以獻媚於蘇俄。我們不能袖手送聯合國之終，我們應提起精神，下大決心，甯爲玉碎，不爲瓦全，或有希望可以扭轉此危局。

勿爲「全數加入或無一國加入」之言所威脅

蘇俄叠次濫用否決權，否決安理會七票以上通過申請加入之國家，造成一個僵局。其後又提出七個共產附庸連北韓越盟在內，遍請加入。並且公然說出「全數加入或無一國加入」之言，以相恫嚇，使聯合國之有恐共病者惶惑，於是有整批交易之離奇舉動。其實「全數加入或無一國加入」之恫嚇，已露出蘇俄專橫暴戾之氣，蘇俄目中已無聯合國全體會員。容忍須有限度，以堂堂聯合國之尊嚴，斷不能姑惜於專橫暴戾之氣。有恐共病者要向蘇俄屈服，要向蘇俄投降，只管各奔前程，聯合國不能阻擋之。但不容許赤率聯合國去集體屈服，集體投降。聯合國自有其神聖之憲章，斷不能任意蹂躪。凡是會員，皆有擁護聯合國憲章之責。假令自毀其憲章，不顧道義，專講功利，試問聯合國之功用何在。本來想安定世界，促進和平，反而使世界日趨紛亂，和平永不可得。與其如此，留存聯合國之殘骸，盡斷喪其精神，不如痛痛快快解散之之爲愈。吾人不忍聯合國受專橫暴戾者所劫持，更不容患恐共病者肉袒牽羊，捧聯合國憲章，降於道左。吾人應粉碎「全數加入或無一國加入」之讕言，吾人否決整批交易，吾人主張根據聯合國憲章，對申請加入者分別審查，此是吾人「甯爲玉碎，不爲瓦全」之決心。

玉不斲不成器吾人速當自省

話又要說回來了，吾人抱「甯爲玉碎」之心，吾人亟當自省，是否已做成玉。若果吾人仍是瓦，則從外人看來，不過贊成瓦合。瓦合，不足以使人起敬，更不足以使人起畏。如此，即不爲瓦全，而爲瓦碎，人亦何足愛惜。故吾人既抱「甯爲玉碎不爲瓦全」之心，其先決條件，就要先做成玉。能做成玉，則可以玉存，亦不至於玉碎。在中國歷史中，有一段小學生皆知之故事，而許多大教授，與外國博士，所未能深解者，就是藺相如完璧歸趙。今不妨一引述之。

史載「趙得楚和氏璧，秦王請易以十五城，趙欲勿與，畏秦強，欲與之，恐見欺，以問藺相如，相如願奉璧而往，城不入，完璧而歸」。此事，大家都贊相如之智勇，智能完璧而不碎，勇能拚死以折秦。但相如之能，不單在此，相如更有其大者。秦之畏趙，不單畏相如一人之智勇，而是畏相如之能合趙人。吾人不妨再讀歷史。史載「相如爲上卿，位在廉頗右。頗曰，我有攻城野戰之功，相如徒以口舌，位加我上，我見，必辱之。相如引車避頗，其舍人皆以爲恥。相如曰，子視廉將軍，孰與秦王，以秦王之威，相如廷叱之，相如雖駑，獨畏廉將軍哉。顧吾念之，秦所以不敢加兵於趙者，以吾兩人在也。今兩虎相鬥，勢不俱生。吾所以爲此者，先國家之急，而後私仇也。頗聞之，肉袒，負荊，至門謝罪，遂爲刎頸交」。此固是相如之能斷玉成器，趙之所以能成爲玉，而不被秦碎，相如完璧，即完趙，相如之能在此，吾今日要反省，不能忘此。

此是人性文化倫理政治之精神

吾人應細心讀史，當戰國之時，攻城以戰，攻地以戰，在常人眼中，是軍事第一，軍人支配政治。但相如爲上卿，以文人而位居廉頗上。此就是以文化支配政治，政治支配軍事之一個很好教訓。以相如之勇，不用之於私門，以上卿之尊，引車避廉頗，門客皆以爲恥，而相如獨不以爲怯，此是相如懂得倫理政治。倫理政治者，人性文化之民主政治，比人權文化之民主政治，其收效有時更宏。陸賈教陳平，交歡周勃，謂「天下安，注意相，天下危，注意將，將相和調，則士豫附，天下雖有變，權不分」，此亦是倫理政治。平勃交歡，由廉頗交歡之精神而來。廉頗之肯負荊請罪，更足爲武夫悍卒，挾功驕塞，犯法凌人，貽禍國家者，借以取法。就是近代人權民主政治，往往兩黨相尼，或多黨相鬥者，視之猶有媿色。吾人今日應返身自省，吾人既醉心民主，自由而曷爲放乘大發，而只顧私黨，曷爲自家本位，而失去友朋。吾人試回首一思，四十餘年來，中華民國之成績安在，外蒙古之喪失，由來已遠，不能專歸咎於國民黨，然中蘇協定，承認外蒙古獨立，不能反抗雅爾達密約諸巨頭之錯，以廣土衆民，地下資源豐富之中國，不能善爲運用，使成大器。致西方國家視爲瓦礫，而輕棄之，此就是國民黨應負之責。故今後要補救中蘇協定承認外蒙古獨立之失，要下決心，否決外蒙古加入聯合國。然此斷非空言所能，我們如徒發甯爲玉碎之空言，人家或視爲只是瓦碎之事實，則我們仍是毫無價值。我們到現在，爲什麼仍不能團結海內外之人心、爲什麼仍不能發揚人性，以運用人權。爲什麼仍執偏枯之黨治。而貌爲民治。海外許多民主人士，愛國華僑，對政府不信任，不肯歸隊，擁護政府，結成大團，固然是錯誤。然政府不識得尊直民主人士，不識得爭取華僑，只知親近擁黨者，以褊狹之黨見作爲廣大民主之見，以極少數之黨人，抹煞大多數之華僑，此種舉動，亦不能不說是錯誤。今事機急迫，局勢險惡，外蒙古之加入聯合國，在世界言之，是聯合國之喪鐘，在中華民國言之，亦是國民政府與國民黨之葬禮。故我們今日萬不能再抱成見，五人一派，三人一系，日日攬小組，遺棄大羣，親其私暱，離開羣衆。必要發揚人性文化，鑄成倫理政治，有廉頗藺相如之朋友，而後可以運用民主政治。要將中華民國造成一件至可珍寶之玉器，而後可以動人愛惜。孔子贊子貢曰，汝器也，曰，何器也，曰，瑚璉也，能成此器，方是國寶。若以爲舊而毀之，求西方之新者，又違其用，置抽水馬桶於大雅之堂，實用主義不如是也，此諺所謂不成器。須知管仲之器雖小，然能造成齊之霸業，其起點猶在管鮑之交、此亦開廉藺之風，倫理文治之先例。故無朋友，即無政黨。無朋友，亦無政治。聚一堆不成器皿之人，瓦釜爭鳴，安足以做成甯爲玉碎之驚人偉業。吾爲外蒙古加入聯合國事，深深替中華民國危，不禁言之痛切。願政府與國人交相覺悟，無苟安而畏縮，無虎頭而蛇尾。什麼甘言，皆不足信，什麼恐嚇，皆不必憂，甯可美援撤銷，第七艦隊調離台澎海峽，中華民國全體代表捲包袱，離開成功湖聯合大廈，此否決外蒙古加入之一票，仍不能不堅持到底也。玉碎之價值在此。平日不能團結民衆，弭患無形，急則治標，亦稍贖前罪，否則玉不斲，不成器，今日不能玉碎，暫偷瓦存，轉瞬之間，依然瓦碎。眞有智慧人，當不爲功利主義者所欺也。

美政府的援外爭執

林特萊著——波音譯

艾森豪總統對下財政年度預算的製訂，現在已接近最後階段。目前的國際局勢，顯然使美國必須對保障的需求重新作徹的檢討。在今年一月的預算中，總統曾適切地運用了「保障」這字，還包括美國聯邦的一切活動，旨在保障美國，對抗外來威脅。這些活動中最主要的數項是美國的軍事建設、援外——軍援及經援，及海外宣傳與消息的交流。

蘇俄的競爭威脅

關於援外問題，政府內部有頗大的歧見。這種歧見，在蘇俄尚未向共產集團的國家提供援助，而坦率表示欲在這方面從事競爭以前，即已存在。蘇俄競爭的威脅，並未解決高級官員間的爭論。在幾方面，甚至反而使爭執更爲激烈。因此總統必須對各方的論點加以抉擇。

爭執的中心是對落後地區的經濟援助問題，這包括那些國家應予援助，採取什麼方式，以及規模的大小。廣泛的說，也就是應該實行一個有動力而伸縮性的計劃，抑或一個狹窄的計劃。這爭執主要是觀點之間，而並非個人之爭。

【下轉第二版】

時事評述

・李秋生・

聯合國的變質

從本月一日在聯大政委會中提出十八國家和政權加入的議案以來，到昨天的安理會，已屆臨最後的攤牌階段。這兩週中，各國代表對此問題所表示的意見，我們從新聞報道中已拜讀了許多。但除中國和古巴外，幾乎所有意見都是姑息蘇俄，更無人顧到聯合國基本精神和憲章尊嚴。最近幾天在安理會內外，種種言論和活動更在處心積慮，俾使俄方勒索能實現，而排除中華民國的正義主張。如果說這種情形可以代表聯合國的今後趨勢，則不必等鐵幕奴才們一一昂然走進聯大會堂，現在就可判定聯合國精神已告死亡。

聯合國的建立主要是羅斯福赫爾和斯退汀紐斯三人的功績，羅斯二氏早已逝世，赫爾亦於不久以前病歿，三氏地下有知，當爲聯合國的變質而慨嘆。像前天五十二國代表團的鬼祟行爲，甚至連美代表都被排除在外。赫爾號稱聯合國之父，幸而他沒有及身目睹今日這一幕。當他於十三年前敦促艾登莫洛托夫和我國代表共同發表聯合國宣言時，決想不到這一維持正義杜絕侵略的機構，到今天竟被侵略者玩弄於股掌之上。

聯合國變質至此，不管將來演變如何，我們對那席位實在也無可留戀了。

全國團結救國的良機

於此也可看出國際間的涼薄與勢利，連美國號稱公正的權威報紙，對我們都有近似侮辱的論調。但我們可以告慰於國際間的正義人士，自由中國雖然偏處海島，卻絕不畏怯任何強權，唯其如此，纔敢以彈丸的海島與龐大的歐亞大陸共產帝國相對抗。比起那些號稱一等強國而姑息敵人，處處顯得進退失據者，應該自感愧怍者決不是我們。知其不可而爲之是中華民族的傳統美德，我們即使只剩一人寸土，也決不向強權霸道投降。

這次海內外同胞的表現空前良好，連一向對政府多所指責者，也都一致支持政府的堅強立場。這可能是中華民族一個新的剝復之機，致力團結救國的人，應該不致輕易放過這良好機會。

「日內瓦精神」與俄共攻勢

「日內瓦精神」的死亡已成定論。最近俄共赫布二酋在印緬和阿富汗所做挑撥性宣傳，雖然拙劣，卻很毒惡萬分。共黨在鐵幕以外這樣肆無忌憚的公開發動宣傳攻勢，還是三十八年來的第一次。在日內瓦所扮演的笑容，到遠東就變成猙獰邪惡面孔了。西方世界在此等毒惡攻擊之下，縱然憤怒，卻只有逆來順受，木然無所表現。在聯合國中，則自由世界的絕大多數代表，正在費盡心機，爲俄共籌謀聯合國的企圖開路。好像「日內瓦精神」竟在那裏發揚滋長，絕未理會那座象牙塔外的醜惡現實。除了啼笑皆非之外，我們還有什麼話好說？

英國往那裏去？

終於是艾登忍不住了，前晚他在議會中曾對俄酋讕言加以痛駁，並指出共存已無可能；至於這是否是眞的大澈大悟，還有待於未來事實的證明。

戰後十年間，在經濟上，在外交上，是英國領導着美國。六年以來，從承認中共政權到今夏的日內瓦會議，這一貫的姑息路綫都是英國主動，美國在有條件的追隨。過去俄共視美人爲大敵，最近的一連串毒惡攻擊，則以英國爲主要對象。英國在遭受納粹閃電攻勢威脅中，是靠着邱翁「我們將戰至最後一人，我們決不投降」的精神，使英國終於得救。今日之事卻全要看邱翁繼承人能否拿得出同樣決心和氣魄了。

蘇聯覬覦尼羅河水利
美已允協助建水壩
·方劍·

海外通訊

【本報開羅特約航訊】蘇聯集團自藉英美對中東政策的不協調，而奪得了埃及的軍火市場後，現更積極展開圖謀掠奪埃及的經濟權益。

新殖民地主義者的侵略方式，不是單靠軍事攻略，也不是單從吸取資源着手，而是以標榜願在落後國投資建設，從根本上來加以控制。因此，在阿富汗蘇聯投資設廠和築路，在印度表示願代建立鋼鐵工業，對埃及，則表示願作爲埃卅年的水利建設投資！

尼羅河對蘇聯的引誘

在埃及一百萬方公里的面積上，全境多屬沙漠地帶，氣候酷熱而乾燥，惟有尼羅河兩岸，得河水的灌溉，使這條南北縱流的狹長的尼羅河谷，成爲一個肥沃的盆地。埃及得以成爲一個農業國，而在中東具有其重要的經濟地位，要點全賴於此。

從開羅溯流而上，直到近埃阿（阿比西尼亞）邊境，尼羅河在埃及境內共有六大瀑布，如果能善用這條河流的水力，埃及希望在中東成爲一個工業國，是有可能性的。

納薩國有意想在他執政期內變更埃及的經濟地位，而爲了對抗西方在中東的傳統勢力，莫斯科也就表示了願爲之助。

在莫斯科看來，要想削弱西方的實力，必須先從拆散他的殖民地利益着手，如果共產主義者，也像大英帝國當年憑軍事力量來進攻，那必然會遭受到嚴重的打擊，因此，莫斯科從守籍一九二〇年的第二次第三國際的代表會議的決議，要用資助殖民地的民族獨立運動，來拉垮西方。尤其是在軍事力量達不到的地區，必須用輸出貨品和供應技術人員到這些落後國家，去從事顚覆活動。爲此，東西集團競建尼羅河上的大水壩的工程爭奪戰，就在開羅激烈的展開了。

東西競取建閘經緯

一開始，蘇聯駐埃及大使就在暗中積極爭取，表示願爲埃及作三十年的長期建閘投資，而美國駐埃大使對此雖有所聞，却是漫不經心不以爲意。而捷克埃及間前此由商務談判進而作成爲軍火交易，西方國家的駐埃使節不予注意阻止，實亦應負相當責任。此次蘇聯故技重施，若能成功，其影響不祇大過軍火交易，且勢將淪埃及於鐵幕。

是以凡屬關心埃及政局之各國駐埃大使，莫不靜觀其發展。就筆者從外交界可靠方面所得之確息，我駐埃大使對此曾向埃及當局有所陳訴，而對美駐埃大使亦有所商談。認爲美國不可斤斤計較條件，必須從蘇聯手裏奪回承建大水壩的工作。至此，埃及財長乃於上月飛赴華府，並進行與國際銀行談商借款築壩。據悉，經匝月的協商，此項談判尙稱順利，惟仍有待於最後達成協議。

觀察家對埃局的看法

自埃及脫離英國勢力圈後，即力圖上游。但在開羅的觀察家均有同一的看法，即美國有碍於英國的牽掣，（蓋英國實不願見埃及能迅速達到經濟獨立）其對埃及的政策，兩國間將有出入。另一方面，美國固亦認爲埃及有時過於頑強，不能事事順從配合美國在中東的政策，故有時亦不免採取旁觀冷淡之態度。而諸如此類之實力外交家的鐵板面孔，在納薩則認爲是近乎是可忍孰不可忍的，故敢謀他圖，遂予蘇聯以可乘之機。

故中東之有今日，大體上可以說是在兩種因素下造成：即英國人不甘心於失去埃及，而美國人則似乎不懂尊重一個民族的獨立性和自尊心。納薩在西方所得不到的，却能從莫斯科獲取口惠。因此，納薩雖有値得檢討之處，而英美當局實亦非無反省之必要。（十二月二日）

反對外蒙入聯合國
旅西僑胞通電支持
並指斥中共出賣新疆
奔流

【本報馬德里特約通訊】中國旅西班牙全體僑胞學生雖然遠離了可愛的祖國，離鄉背井，爲着爭取正義與自由。然而，我們對於祖國的懷念，是時刻都不會忘記的；相反的，我們正好來到這個曾經首當過赤禍之劇的西班牙，我們從他們的經驗中及現有的環境下，我們對於祖國之不幸，更有切膚之痛的感覺，在另外一方面，因爲我們生活在一個曾經戰勝了共產主義的國度裏，我們對於反共必勝的信念，也特別的堅强，所以祖國的一動一靜與我們的一呼一吸，都感到有不可分解的關係。

近日來，我們自聞到中國共產黨的承認「新疆維吾爾族自治區」之成立事，本已義憤塡胸，大家無不認爲此喪權辱國之可恥，恨之入骨；及後於星期前又得知蘇俄欲以「外蒙」進入聯合國爲其他十餘國參加之交換條件，此種勾當，爲我們是不可再忍的了。旅居此間之僑胞及學生感於國際間正義之無存，强權之可恨，而我們却不能就此坐以待斃，我們要就此喊出正義呼聲；我們馬上以行動的表現，通電政府，支援國策；上書我駐聯合國代表，不惜使用否決權，願作後盾；我們即刻發表宣言，以西班牙文，通告全世界呼籲主持正義；同時，也發出中文宣言，要求我駐全球各地使領館及僑團，共同聲援討賊，以盡我們救亡的責職。茲特宣言兩篇，抄錄如左，公諸於世：

中國旅西班牙全體僑民學生嚴正反對蘇聯要挾外蒙進入聯合國宣言：

近日蘇聯以外蒙進入聯合國爲要挾，作其他自由國家申請入會之交換條件，中華民國全體旅西僑民學生對蘇聯此種無理威脅，深表憤慨，特予嚴正駁斥，鄭重聲明如次：

我中華民國政府以蘇聯始終未履行公元一九四五年八月十四日所簽定之中蘇條約，竟以外蒙爲侵略我國之基地，積極支援共匪叛亂竊據大陸，乃於公元一九五三年二月廿五日正式宣佈廢止該約，中蘇條約既經廢止，亦即我不承認外蒙之獨立，外蒙仍爲我中華民國之版圖，自無疑問。

中華民國全體旅西僑民學生，素極贊同西班牙此一文化悠久，對世界具有甚大貢獻國家，與其他自由國家，一併加入聯合國，爲促進世界和平人類幸福而努力；此次蘇聯以外蒙爲要挾，其目的，仍在製造糾紛，阻撓自由國家參加此一世界機構。且蘇聯此種敲詐要挾行爲，無異藐視自由國家之尊嚴，並剝奪其根據聯合國憲章規定應享之權利。中華民國全體旅西僑民學生，竭誠擁護西班牙及其他自由國家入會，唯誓死反對外蒙傀儡政權參入聯合國，並認爲西班牙及其他自由國家入會一事，決不可與外蒙申請參加一事相混淆，而使蘇聯之陰謀得逞。謹向全世界愛好和平，維護自由主持正義之國家暨人士鄭重聲明。

旅西班牙僑民學生嚴正反對共匪出賣新疆宣言：

新疆歷來爲我國領土，載之史乘，定於憲法，不容任何漢奸敵國所變易，乃朱毛匪黨竟由僞「國務院」「批准」僞「新疆維吾爾自治區」，業於十月一日舉行所謂「自治區成立大會」，消息傳來，我旅西全體僑民學生，一致深表憤慨，認爲此係共匪存心出賣國土之又一明證，亦爲蘇聯企圖製造第二外蒙陰謀，欲藉新疆爲其原子時代之心臟基地與南進之踏板，並認爲「新疆維吾爾自治區」之登場，爲蘇聯破壞鄰國尊嚴之鐵證，實危害聯合國安全與和平，應請民主國家，正視蘇聯之侵略野心，否認蘇聯共匪勾結製造之「新疆維吾爾自治區」，新疆自仍爲中華民國之一行省。我們除堅決擁護政府，爲爭取自由祖國領土主權之完整而奮鬥外，特作以上宣言。

這就是我們的呼聲。中國共產黨，不願意做中國人，其實他們也自我否定了做中國人之資格，所以幹了這些勾當。我們——任何一位有國家民族觀念，有正義感，和願意做中國人的中國人——都是中國人，中國是我們的中國，我們要救我們的中國，所以，誰都不能就這樣讓敵人們爲所欲爲，我們要很有毅力的站起來，大家一同來對付共有的敵人，唯有這樣，才能對下一代有所交代，唯有這樣，中國才永遠不會滅亡。（一九五五．十二．四．）

美國南部公民協會
反對撤銷學校種族隔離

美國密蘇里州公民最近在該州傑克遜市舉行了一項秩序井然的會議，出席者有三千名農場主人及小商人，四十名州議會議員，及衆議員威廉斯與州長懷德。他們都衣着整潔，頗像扶輪會或鄉間俱樂部舞會中所常見的人物。這密蘇里州公民協會總會的第一次全州性會議，特請參議員伊斯特蘭出席演說，他的演詞題目是學校中取消種族隔離問題。

他說：「我們南部的人不能再採取守勢。我們必須發動攻勢。我們要將訊號帶到美國的每一部份。」他要求成立一個南部區域委員會，經費由州政府的稅收撥付，目的在於宣傳反對撤銷種族隔離的鬥爭。他說：「取消種族隔離是一種可怖的犯罪，它是政治壓力集團所鼓動，企圖摧毀美國的政府制度，使白種人變成雜種。這些壓力集團包括赤紅的共黨，以及幾乎同樣赤紅的美國全國有色人種協會。種族混合的教會運動是不合法、不道德的。那些要使南部學校裏種族混雜的兒童是違背一種不合法的，不道德的，和罪惡的理論。」

伊斯特蘭的演說受到聽衆鼓掌六十八次，他要求成立的委員會也經一致通過。稍後，他又對聽衆們大加讚揚，他說：「公民協會的力量，沒有人會比全國促進有色人種進步協會知道得更清楚。你們的有組織努力已發揮了高度的傳染作用。」

伊斯特蘭使用「傳染」一詞，雖然奇怪，但公民協會確已使美國南部，特別是密蘇里州發生了傳染作用。在密蘇里州各地，現在已有二百六十個公民協會紛紛建立，都堅決反對任何方式的種族平等，繳納會費的正式會員共有六萬五千人，他們與南部其他各州（包括德薩斯、阿肯薩斯、南加洛林納、阿拉巴馬、及田納西）的同樣團體也已取得聯繫。

第一個公民協會，是在一九五四年五月，最高法庭裁決種族隔離爲非法之後二個月於密蘇里州邱第亞納普拉節建立的。其基本會員是十四人，其中之一是市長，此人也是銀行的董事長。

公民協會的典型會員。他常去教堂，是個社會名流。他認爲不愉快的日子，都是全國促進有色人種進步協會所造成，他堅決要求將這協會的地方會員與領袖都予驅逐。

公民協會所採用的方法與三K黨的暴力手段不同。他們反對流血或直接工具，而主張採取經濟及政治壓力的銳利武器。他們希望以這種武器可以迫使從事取消學校種族隔離的黑人及協助他們的白人都改變立場。

在貝索尼市有一個叫柯茨的黑人，已六十五歲，他是個雜貨商人，他拒絕從黑人選民登記名單上將自己的名字除去。結果他的房東停止了他雜貨店的租約，迫他遷入一所較小的房子，批發商不將貨物批發給他，一家銀行拒絕借款，白人禁止黑人職工和他交易，他的每月平均收入竟從二千元降到八百元。他對這種「冷戰」策略的「抵抗」，終於引起一場「熱戰」，最近突遭暴徒槍擊，以致受傷。貝索尼市的公民協會爲保持其守法的面目，懸賞二百五十元緝捕兇手，但兇手至今仍未落網。

另一個育佐市的黑人鉛管商賴艾特，因爲參加有色人種促進協會積極活動，銀行也拒絕借款，批發商不再供應貨品，終至宣告失業，祇得遷往地特律。

貝索尼的黑人殯儀館老闆詹遜生意興隆，公民協會竟從另一地區遷來一所敵對的殯儀館，使他生意一落千丈。

公民協會最後發言人的代言人是一個叫布拉台的法官，他一再强調黑人應當做奴隸被運到美國得到了「一個人對另一個人所給予的最大利益和道德水準」，但現在他們却已忘恩負義。

布拉台曾著「黑色通」一書，書名是紀念最近法庭宣佈取消種族隔離的那個星期一。書中說：「上帝所創造的生物中，最美、最純潔、而最接近天使的，便是一個有教養及血統純正的南方金髮碧眼的婦女，或她的女兒。而黑人在社會上、政治、經濟、宗教上的習性，則仍如毛蟲或蟑螂，這是黑猩猩的正當食物。」（譯自「時代週刊」）

佐林使德不可忽視
·人文·

提起佐林VALERIAN EORIN這個名字，歐洲人都談虎色變。大家都記得，捷克赤化和馬薩里克的死，這一幕悲劇，都是他導演的。他是蘇俄以前在捷克的特務頭子和劊子手，後來做了蘇俄外交部次長。

這次西德與蘇俄建交，蘇俄就派他做駐西德首任大使，阿登諾這個老頭子也不得不同意。

當這個消息發表以後，十一月廿五日路透社就發出要言不煩的電報說，佐林是捷克赤化的悲劇幕後人，可以證明他的兇狠。聽說，蘇俄駐西德大使館將有三百人的組織，德國想要求限制人數，是否做得到還成問題。由俄放回德國的俘虜正在發表反對德國建軍言論。西德共黨仍可以自由活動。社會民主黨是第二大政黨，難保不被俄利用。西德自貽伊戚，阿登諾隱憂方長，佐林使德後的局面，誠令人不敢樂觀。

美政府的援外爭執
林特萊著——波音譯

一派主張結束經援

【上接第一版】主張狹窄計劃的一派，是出於削減支出的決心，他們認爲有可能，稅率也應削減。同時，他們感到，經濟援外祇是一種臨時的措施，應該儘速結束，而由世界銀行、國際金融機構及私人投資去進行。美國的援助對象應該限於軍事性的盟國，及受共黨直接的威脅國家。這一派對若干採取「中立」的國家大起反感，在另一方面也懷疑蘇俄未必有能力提供大量的對外援助。

另一派則認保衛美國比減稅及平衡預算更爲重要，對於並非美國的軍事盟邦的國家，尤其是亞非國家，也應更爲注意。他們也認爲世界銀行與私人投資不足提供若干落後國家所賴以生存的一切必要援助。他們不願重蹈低估蘇俄能力的覆轍。在這種情況下，他們主張經濟援助應以長期的基礎從事籌劃。

協助自由國家保持獨立

具體的說，主張積極計劃的人要求採取贈與或貸款的方式提供經援，如屬貸款，利率也應該極低，償還條件也須寬大而有伸縮性。這種計劃應該是長期的。國會如通過撥款，不應加以凍結或作爲後備性質，像史塔森上年從國會獲得的一部份經援經費那樣。

對落後地區的積極計劃，大致每年將僅增加數億美元。而由於美國已在軍經援助上度過了較早幾年的高峯，現在對落後地區增加經援，也不會妨碍全面支出的逐步削減。

積極計劃的目的，並非在購買朋友或爭取感謝，而是促使自由國家能保持其獨立，這是美國的首要旨趣，而也符合其他國家的利益，不論這些國家的政府形式如何。南亞和東北的國家，也幾乎都是民主國家，其中若干在外交政策上不同意美國的一部份觀點，但它們的政府對於其本身的獨立與民主，並不是立場不穩。如果這些「中立」國家要保持其自由政府的存在，便必須擴展工業及發展農業來提高人民生活水準。它們需要完成這一任務的外來資金以及技術援助。如果它們失敗，美國的安全便將遭受危害，而其代價也許將超出及時援助的許多倍。（譯自「新聞週刊」）

香港輿情支持政府 堅決反對外蒙入會

迄屬稿時止，舉世矚目的聯合國安全理事會雖已召開，但關於政治委員會與聯大都已通過的十八個國家「整批」入會提案，按照議程猶未提及。由於中華民國在道義和法理上的根據，婉拒了盟邦的苦勸，而於必要時會對「外蒙」使用否決權的決定，已成為轟動國際政壇和聯合國這十年內最大事件之一。

在這一個「整批」加入案迄本月十一日還未有在安理會送聯合國最要重的一關提出前，我們且看香港方面的華僑輿論是怎樣支持中華民國為了「外蒙」的意圖混入聯合國而使用否決權的。

道義理由與法律根據

星島日報二度以支持自由中國採用否決權為題撰有社論，它說：「中華民國之反對容許外蒙古加入聯合國，不祇有道義上的理由，而且有法理的根據，聯合國不是個國際強權政治，秘密外交的集團，卻是個用會議、用理論去解決國際紛爭的機構。這樣的機構，本來祗能容許崇尚自由民主，愛和平，不侵略的獨立自由國家加入。斷斷不能對侵略集團徇私，以容許其衛星國加入，為任何的交換條件。

在理論上，中華民國之反對容許外蒙古加入聯合國，是為了本身利益，也是為了聯合國的利益。這不單是「面子問題」那末簡單，卻是有關於立國之道與立國精神，我們早已說過，作為一個有光榮歷史傳統的大國，應該頂天立地勇往直前，「自反而不縮，雖千萬人吾往也」。為了真理，為了正義，中華民國不能臨陣退縮，不能搖擺不定，更不能左右由人，俯仰由人。」

蘇俄首次征服聯合國

工商日報亦曾三度將「整批交易」著為社論，而它的立論更是積極的，它說：「由過去事實看，聯合國對世界人類的貢獻，本來就不很多，但它仍不失為一個在消極作用上，且有抵抗侵略精神的機構，但是經過這次『整批交易』的表決之後，很明顯的是蘇俄已首次征服了聯合國，而且十多個非共國家則集體的表演了一次對蘇俄的『聯合投降』，蘇俄有了這種收獲與經驗，它以後要澈底扼殺聯合國，自不難沒有更多的方法可行。所以說，非共的國家的接受了蘇俄勒索，不僅是置聯合國於死地，即對他們的個別來說，將可也非吃着惡劣的後果不可的。

聯合國既已面臨一個死亡的邊緣，所以作為一個聯合國主要發起人的中華民國，除了不顧同流合污，於萬不得已時，退出這個腐化集團之外，今天便不能不盡最後的努力，奮然而負起挽救的責任。環顧過遺情勢，唯一能夠拯救聯合國的，已非中華民國莫屬，因此中華民國的斷然行使否決權，正像對一個垂危病人的注射強心針，以後變化如何，雖亦難料，但在現階段上，要聯合國獲得一個起死回生的機會，卻已非執行這種注射不可」。

澄清國際間兩種看法

香港時報指出了否決外蒙加入聯合國是我們的國策，因此我們必須堅定我們的國策，該報還指出了這種新會員國整批加入，無疑是「馬販子買馬」式的建議案，香港時報的立論同時還澄清了國際間的兩種奇談。

其一是說外蒙古之參加聯合國，乃係蘇俄藉以杜絕中共將來控制外蒙的一種手段，必為中共所不喜。這種說法完全是他們過去所謂「共產大國之間有歧見」的亞洲狄托主義那套自說自話的解嘲話，要想掩蓋他們對俄帝妥協降伏的醜態罷了。這祗是姑息主義者對外蒙古加入聯合國一事，感到理屈詞窮而捏造出來的欺人之談。

其二，是美國務卿杜爾斯對記者所謂「否決權是特別的權力，祗能在特殊環境下運用……！」這是一派命令式的口胳，我們恕不接受而且要問問：所謂「特殊環境」是何界說？要在甚末情形之下，才算是「特殊環境」？過去蘇俄使用了幾十次否決權以反對西方國家支持加入聯合國的申請案，是否乃由於未獲得安理會多數合格委員及聯大的贊同，擠成「特殊環境」所使然的？十八國整批入會辦法，是根據聯合國憲章的那一條款呢？如果對於這些疑問沒有合理合法的解釋，則中華民國政府今日為保持領土主權而行使其應有的否決權，實際為應付「特殊環境」的不得已之舉。我們不能呆在「人為刀俎，我為魚肉」的環境下討生活，否則我們大可不必反共抗俄了。

事急矣，我們不必顧慮別人的觀感如何？唯有綜合自己的海內外人民意志，保存國格，堅決執行既定的國策，任何威脅利誘皆漠然置之。假使我們的否決權竟被強權主義者抹煞掉，那末，聯合國即從此解體，而其責任與我們絲毫不相干。在這種情形下，即令聯合國的招牌照舊存在，亦已變成毫無作用的廢物了，還值得留戀嗎。

歷史性的光榮記載

聯合報說：「外蒙本來就是我中華民國領土的一部份，一九四六年受到國際秘密外交的安排，不得已而讓其獨立，但十來年看到外蒙同胞遭受俄共的控制與奴役，我們手足情殷，何日不想加以挽救，此次蘇俄安排外蒙企圖加入聯合國，其結果還不是為虎作倀，俯仰由人！我們反對外蒙加入聯合國，也是為了尊重外蒙同胞的自由意志，勿使他們永遠沉淪於萬劫不復的奴隸而已。

投出否決權，是我們自救也是救聯合國的千載一時的機會，將來在歷史上必不會遺漏這一筆光榮的記載。我政府既已強調聲明，絕對支持十三個自由國家入會，則整批入會雖遭否決，其咎也不在我。」

自然日報的社論也指出：「我們以為政府應下絕大決心，在外交上振作一番，為了領土完整，為了維護聯合國憲章精神，祗要有外蒙古三個字提出，便應即以否決權對付之，因用否決權而遭到日後什麼後果，全國人民都會為政府後盾，支持政府進一步驟，反之，違反民意，與蘇俄妥協，將會銷沉全民的反共意志。

我們不認為不用否決權便會得到別些國家的同情，那些同情是冷酷的，暫時而不能持久的，今日它們要說服我們不使用否決權否決外蒙古加入，異日它們將又要勸服我們不使用否決權否決中共加入了。我們將後悔不迭！見微知著，我們應有一拚的勇氣」。

讀者關注紛詢消息

此外，全港的僑胞對我國的是否使用否決權都表示了莫大的關心，這一兩日間，各報社不斷接到讀者的來信和電話詢問聯大的消息和我們是不是採用否決權。同時，本港工、商、文化教育勞工等各僑團領袖和飽受共產奴役之苦而逃亡來港棲居的港、九、馬、荃和調景嶺的難胞，日前亦聯名電請聯合國秘書長韓瑪紹為拒外蒙古的加入聯合國而伸張正義。

由此，我們可以看到海外輿論的一斑了。

智識份子救濟協會 設獎學金額五十名

據中國流亡知識份子救濟協會宣佈：該會擬頒贈五十名獎學金額給業經登記人士之子女，供彼等以六個月為期，在本港研讀商業課程。此項獎學金之設立，旨在使得獎之青年能獲新技能，俾易於就業，而減輕父母之負担。申請者必須為廿五歲或以下之高中畢業生，且須熟諳相當於本港英文書院畢業生之英文水準，最後將根據英文考試成績加以甄選學習課程，將包括：打字、速記、簿記，與英文信札。日班每週上課約十六小時，夜班每週上課約十二節，得獎學生，可任擇日班或夜班就讀。上述課程，將在本港一間辦理良好之商業學校內開辦，所需教科將免費供應。

中共藉「內遷」為名 加緊消滅私營商店

上海十餘公司被迫改成「公私合營」

一批括有服裝、照相、洗染、理髮等業的公司，已於十一月三十日自上海迫遷洛陽。據上海「新聞日報」消息透露，上海人口經過三次大迫遷之後，各業漸見蕭條，時屆寒冬更顯得街頭的蕭清冷落。這種情形，滬市為第二商業局早已料到，因為市民銳減，消費品的納胥也大量降低。因此，「商業局」曾於今年遣派了一批人去洛陽、西安、寶鷄、蘭州等城市訪問，並和當地的共黨機構對於實際情況作了詳細調查，確定各該地需要遷入何種適當行業。

時裝店改組祗留技工

他們回到上海後，對「商業局」作了報告，決定第一批先將十六家必需行業遷往洛陽，但是這十六家包括了顧雲泰、國泰、蔣順記等八家時裝店，原係上海僅存的一部分私營商店。據「新聞日報」說，這八家時裝店在沒有遷離以前，在「商業局」安排下先行結束了各家業務，然後又改變了他們的私商形式，組成了一家「公私合營服裝公司」。所謂「公私合營」，也就是中共加以完全沒收的初步。這一家所謂「公私合營服裝公司」的目的，「新聞日報」引述「商業局長」的話，是「支援新興工礦城市」。因為，洛陽在這幾年來雖然新建了許多工廠，生產比重也隨着人口大大增加，原有的一些服裝店就無法應付，做一件衣服要兩三個月才能拿到手，假如到上海來訂裝，不但輾轉費時，大批訂貨又恐不合規格而造成雙重損失，為了調節上海和洛陽兩地服裝供應，採取了這一措施。至於新組成的「公司」人事，除了技工之外全被淘汰，而這些技工過去均由「工會」領導他們參加「洗腦」。

照片館被迫合併

萬氏及太平洋兩家照相館也是上海殘存的私商，這兩家私商曾經被指定拍攝「通行證」照片之外，無業可營。此次被迫遷往洛陽之前，也同樣先行合併，然後改為「公私合營」。這種「合營」的條件是這樣的：「公股」方面根本就沒有現金加入，祇是供給一所房屋，這所房屋的估價並沒有私股代表在場，只憑「公股」代表一紙說明，而且「公私合約」根本是在上海簽訂的。共方更苛刻的條件不但剝奪了私方權利，更掌握大權，「合約」規定「公股」代表是「公司」的當然總經理，原來的資方或經理人降為經理、副經理、襄理等。技工仍任原職。

除了服裝、照相業之外，尚有三家洗染公司，那就是華爾登、旭東及盛美華，這三家私營洗染公司據說遷至洛陽後再合組「洗染合作社」。據說洛陽沒有上等的理髮店，高級的商業幹部理髮，不是去南京，就將往西安，或者作一次平津旅行，因此，這一次有三家理髮公司隨同遷往，他們的商業形式會不會改變，則共黨報紙並無說明。

此外，中共為了點綴洛陽這城市，將上海大利等三家酒樓也迫令他們遷往，三家酒樓共有職工一百二十二人，還抵洛陽後，將各別地被參加到「公私合營」的企業中去。因為沒有資方參加，事先未作「合營」安排。（禮）

中共書籍滯銷 一折賤價求售

不論是在大陸上任何一個角落，只要走進了共黨的書籍店，就馬上會令你覺得中共宣傳和出版機構的「成就可觀」。

但當你再走近仔細一看時，就更覺得奇怪了，因為大多數的書都積了厚厚的灰塵。這時你會覺得不像是置身在書店裏，而是像在一所寄柩所裏，因為你翻來翻去，那些書不是扉頁殘缺不全，就是書脊已被老鼠嚙破了的。

這批書，稱之為「特價書」！「特價書」和普通書的不同，不僅在於它殘缺破舊，而是它的售價的折扣，不同價，從九折、八折一直打到一折！而其原價則多在一元共幣以上。定價和折扣之間的差距顯然太大，是中共出版業剝削老百姓的手法，即使照一折買回去，對中共來說，便宜買貨的心情，也還未蝕本。但它「特價書」畢竟太多了。以「北京東單的新華書店特價部來說，特價書老是滿滿的，其中還有許多是今年上半年才出版的」（十二月四日「光明日報」）從它的身價來看，很顯明的，「這些特價書」是短暫的壽命和低賤的身價，既不受歡迎，而它的使用價值是「又比不上舊紙」，因此，它最後的命運是「被私商買去糊紙兒」。據說中共出版總署曾經發出過關於改進「特價書的貨源不絕」的指示，但從事實看，就可證明那不過是官樣文章而已。（裕）

大陸人民陷於半飢餓 上海卅餘萬人吃不飽

本年八月二十五日，中共同時公佈了兩個管制肚子的辦法，其一為「市鎮糧食定量供應暫行辦法」，另一為「農村糧食統購統銷暫行辦法」，用來解決大陸嚴重的人為糧荒！

中共運用這一整套的辦法，實際非在謀解救人民的飢餓，而祗是讓飢餓在強制的政令下「合理化」些。

從九月初開始，中共就在這方面積極推行其「合理化」的飢餓政策，截止十一月底，單就城市計，大陸上已有「三千二百九十八個市鎮先後實行了糧食定量供應制度」。（見「新華社」北平二日電）

全面減糧的結果

根據同一電訊報導，顯示出這種飢餓政策的結果，已被中共認為是滿意的。

據中共「糧食部」預計，如按照現有的紀錄，能再進一步達到「比上年度平均減少百分之七左右」，則全面的「糧食銷售量就可以減少二十或三十億斤。（按這個數字相近於七月份上海市銷售糧額的十分之一，換言之，即達到減縮二十或三十億斤糧食的目的，就相當於要上海市居民十個月不得吃飯。）僅就「上海、西安、濟南、福州、保定、南京六個城市實行定量供應制度以後」的結果來說，「今年比上一年度減少了五億多斤」，而這還僅是九至十一月份的成績！

上海的飢餓實況

再讓我們看看上海的情況吧：

「上海市實行定量供應制度後，……糧食不足的戶數佔百分之四點六四」。（同前）以每一戶大小平均五人計，一百戶是五百人，則每一百戶中有二三．二人——也即是說，每一百人中有四．六四人是吃不飽的！

根據中共於一九五三年公佈普查人口的數字，上海市有人口六百二十萬另四千四百一十七人。（見同年六月三十日港「大公報」）再根據本年六月十八日中共「人民日報」社論所載：「據北京、天津、上海三個城市的統計從去年九月到今年四月的八個月中，人口增加了百分之五」，那麼上海市的人在九月份應該是六百五十一萬四千六百三十八人。從這類數字的百分之四點六四來計算，則有三十萬零二千二百七十九．二人是每天在半飢餓狀態中！

此外，像濟南也有百分之四點四的居民挨餓，而像「江西省撫州市實行定量供應制度後，夠吃的居民佔百分之八十八」（同前），則其表現於飢餓狀態下的百分比更高過上海和濟南了！

飢餓百分率勢將繼增

對於這種懸劣的情況，不能說中共沒有注意，否則不會有數字公佈出來，然而問題是，中共無意於去解決它，而今後的情況還將要更壞。

中共認為像上海這樣的城市，既然仍有三十多萬人吃不飽，那麼就只要從那些勉強吃得飽的頭上刮點下來就可以解決問題。因此，中共已指示「各地政府，組織居民調劑餘缺」。如果這一辦法實行後，則本來吃不飽的未必能夠從此吃飽，而本來勉強可以吃飽的，也將不免要步入飢餓狀態。而實質上，「糧食不足戶數」的百分比卻將因此增高！

再者，從中共歷來的城市政策判斷，大城市比一般市鎮情況為「好」，而今日像上海這樣六百多萬人口的都市能有三十餘萬人陷於半飢餓狀態，則其它的中小城市，鎮集的情況，就可以想見了。（立芳）

通才與舉業

◎陳登◎

十多年前，我在廣州的大光報副刊上，寫過一篇短文，題目是「論師爺政治」，因為覺得當時許多政府官員，大半只辦的是應酬，政務全在師爺們手裏，甚至有些局長之類，自己一直住在外國，頂是如假包換的遙領，論到師爺政治，就不免要教人想起科舉，科舉時代的官員，大半須兩榜出身，他們的本領是做八股制藝，——也即是所謂舉業。但做官所辦的事却是刑名，錢穀，簿書……跟八股制藝漠不相關。無奈國家的制度，又必須科舉出身的人纔可以做官，辦得舉業好，纔掙得出身，在做舉業的時候，自然顧不了刑名，錢穀一類的學問，於是輪到做起官來，就得把這些事情交給師爺們，從前作幕（即是師爺）是一種專業，就因為所有的大老爺們不懂政治的緣故，記得魏子安的花月痕小說上，有一首詠史詩（按詠史是託詞，實際上是詠時事）其中兩句是「消磨一代英雄盡，官樣文章殿體書」，花月痕出書在同光年間，明明就指的是清代的科舉，把千篇一律的高頭講章和方光烏的大卷字體，將所有青年的才氣都磨折死了，所以產不出人才來，當然是有感而發的。梁紹壬兩般秋雨盦隨筆，也說：『某公在村塾執教時，課兒童讀史記，某日忽來一甲榜（按即翰林），見兒童讀書，問：「所讀何書」？答曰：「史記」。曰：「史記何人所作」？曰：「太史公」。曰：「太史公是何科翰林」，曰：「漢太史司馬遷，非今之翰苑」，甲榜乃取書大略一看，曰：「亦不見佳」，一位翰林不懂得司馬遷，照科舉時代的風氣，其實是一點不足為怪的。

儒林外史也是一本關科舉的書，說是某人在四川督學受任出京時，曾在當時的大名士何景明家吃酒，何景明說笑話：「四川如蘇軾的文章，是該考六等的了」。這位學台大人，做了三年主考回京，再會何景明，對他說「學生在四川三年，到處細查，並不見蘇軾來考，想是臨場規避了」。可見科舉時代的甲榜不懂得司馬遷，甚至主考大人不懂得蘇軾，原是司空見慣的事情。

科舉廢掉之後，學校以造就通才自任，但仍然免不了把政務放在師爺們手上，（如今的師爺改稱科員了，所以也有人稱之曰科員政治），是否今天的學校所造就的人物，仍然免不得通才呢？

我們希望將人才變成通才，並不是今日的事情，其實一直就如此，即使在科舉時代，那些主持科舉的人，也何嘗不以為自己所選拔的是通才呢？這一點，儒林外史上也說得最清楚，請看第三十回上馬二先生對蘧駪夫的一番議論「……舉業二字，是從古及今人人必要做的，就如孔子在春秋時候，那時用「言揚行舉」的人做官，故孔子只講得個「言寡尤，行寡悔，祿在其中」。這便是孔子的舉業，講到戰國時，以游說做官，所以孟子歷說齊梁，這便是孟子的舉業，到漢朝用「賢良方正」開科，所以公孫弘，董仲舒舉賢良方正，這便是漢人的舉業，到唐朝用詩賦取士，他們若講孔孟的話，就沒官做了，所以唐人都會做幾句詩，這便是唐人的舉業。到宋朝又好了，都用的是些理學的人做官，所以程朱就講理學，這便是宋人的舉業。到本朝用文章取士，這是極好的法則，就是夫子生在如今，也要念文章，做舉業，斷不講那言寡尤行寡悔，何也，就日日講「言寡尤行寡悔」，那個給你官做？在第十五回上，他又對匡超人說：「人生世上，除了這事（舉業），就沒有第二件可以出頭，不要說算命拆字是下等，就是教館、作幕，都不是個了局，只是有本事進了學，中了舉人進士，即刻就榮宗耀祖」。

從這兩段說話看來，足見舉業之所以吃香，就全在於能以使人做官，但結果是舉業只給人以做官的機會，並不會給人以做官的才能，而歷來政治上的毛病就往往出在這裏。不過，舉業的缺點到底在那裏呢？上面所說的「官樣文章殿體書」，不免仍嫌脫略一點，這裏再抄一點儒林外史的說話：「本朝二百多年，只有這一樁是絲毫不走的，廖元得元，廖魁得魁，……「老先生，「揣摩」二字就是舉業的金針了，小弟鄉試的那三篇拙作，沒一句話是杜撰，字字都是有來歷的，所以才得僥倖，若是不知道揣摩，就是聖人也不中的」，這些話原是八股的法門，但毛病却就在此，因為要揣摩，要字字有來歷，所以知識份子的才氣都窒息了。

科舉廢掉之後，學校自命是培養通才的地方，照理從學校出身的官員，自然該有全副的本領，可以不必靠師爺提刀了，事實却並不然，除了官員們要錢的本領比較高明，[illegible]之外，不見得民國以後的官場比滿清的官場有什麼不同之處。於此，我們又不免想起民國以後，各地方都先後辦過不少的速成學校，先是有課吏館，後來是地方行政人員養成所，黨政人員養成所，教育，地政，會計，統計等等，若照科舉時代的名稱，這一類該叫做特科，真是指不勝屈，但一方面又是大專畢業的學生，依然留學失業或學非所用，可見學校教育原也不比科舉強，我很懷疑，深恐毛病仍然出在「揣摩」，記得林語堂先生辦論語時代，就曾說過在美國寫博士論文的秘訣，既然有祕訣，自然就有所謂「金針」之類，揣摩得當的，就成為洋翰林，回國後，把論文的事擱了，打點做官去了，仔細想想，他們的博士論文，也許要比過去那些甲榜們的朱卷更空泛，與什麼國計民生，人倫日用，絲毫不相干，結果，他們做起官來，[illegible]師爺能辦得通麼？

歷史的事實[illegible]時似乎並未能給[illegible]為教訓，慢慢的我[illegible]又會走到老路上[illegible]看近年來香港的[illegible]界，就隱約出有[illegible]向，這不單指會考[illegible]題在指定的課程[illegible]試的取材上，看坊[illegible]，會考指南之類的[illegible]的程墨特運，可[illegible]有不少的青年在[illegible]些東西埋頭揣摩[illegible]是一名教師，只要[illegible]凡是高中三年級的[illegible]生，便都變得死[illegible]沉，科舉時代的青[illegible]他們祗揣摩八股[illegible]，可能還輕鬆一[illegible]如今却要注意耶[illegible]橄欖山上的嚕文[illegible]季的客廳如何陳[illegible]是式沙律如何擬[illegible]人體上有幾根骨[illegible]一隻火柴盒子可[illegible]少枝火柴？（小學會考，題就有過這樣[illegible]）……啊！

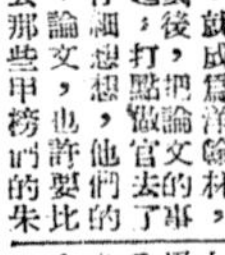

半吊子的觀念

馬五先生

國父說：「知難行易」，這意思是教人先得努力求知，有了豐富的知識，遇事就容易辦得通，乃至於辦得好。

可是，我看許多人祇是認為「行易」，而不感覺「知難」，遇事隨便瞎搞胡來，以為天下事不過爾爾，自己的知識學問已經要不完了。譬如審查書報雜誌這件事，何等的不容易呢！即使學者專家們來躬預其役，有時候亦要發生錯誤的，因為個人的知識不是萬能，而宇宙萬有事象的義理却係無窮盡的。所以，莊生即有「吾生也有涯，而知也無涯」之歎。審查書報雜誌這類問題，完全屬於知識的範圍，主其事者，起碼必須具備着常識充分的條件，照道理應該由學者來負實，庶免笑話百出，謬妄叢生。

習時的軍閥政治時代，審查書報刊物都是派副官馬弁為之，因而連「馬氏文通」也與馬克斯的著作，同在查禁之列。現在固然沒有這類驚人傑作了，但氣人，笑人的情事，還是時有所聞哩！我不反對審查，但希望審查者必須具備相當的知識水準，不要胡搞亂來，莫名其妙。至於動則禁止發行，或扣留沒收等行為，尤其不能隨便。這種案法的結果，只是替政府幫倒忙，而為被禁被扣的刊物增加聲價罷了！

審查書報原是一項特等艱難的工作，並不下於軍國大計，顧一般人竟視如無足輕重的小事體。此無他，祇覺得「行易」，而不注意「知難」，越是無知，越就對世間事看得容易。社會上許多不必要的是非，極無謂的紛擾，都是由於這種「絕聖棄智」的半吊子觀念釀製出來的，可慨也矣！

題嚶鳴集 並引

許紹棣

台中蔡君北崙，前憤日本宰割台灣，慨然謀歸祖國。合人士悲憐其志，以詩文贈行者，百數十人，裒然成帙，名之曰嚶鳴集。嘗誡其家人曰：他日敵寇摧敗，中原光復，即付梓傳為家寶，可也。歲次壬申，君流寓申江，寇犯淞滬，舉家所有，盡付一炬。獨此集未燬。若有鬼神呵護然。乙未夏，來書索題，率爾作此。既嘉其志；復憫其遇，云爾。

湖海漂零日。中原板蕩時。顛危成獨往。歌哭幾同悲。擥躄何壯。傳家意可類。刼餘存此集。貞烈鬼神知。

秀才·舉人·進士

賈景德

我向來下場，總是取巧，應點誤名，拖延到下午進場，未能證實是否究有無其事。但是頭一次在西安下鄉試的第一場，遇見了同鄉親戚某與我同號。我於完卷後，路經他的號舍，想與他一同繳卷，見他校對完畢，正要納入卷袋的當兒、忽然神色大異，有如鬼魂附體，提起筆來，神速的在卷子正面勾了三筆，顯明的成個女人頭，我方來不及阻止，他又斜抹一筆，表示一把長刀，自知必掛藍榜，然已無法可想了。如今推想，當然是受了刺激，心理發生休克所致。然而何以正在此時發生，還能說是沒有神鬼嗎。孟縣李西軒先生也曾說起他下場的經驗，某一次，三更過後，他正獨坐構思，忽然覺得陰風慘慘，自簾外吹來，油燈隨之閃成綠色的光燄，俄傾間號簾開處，倏然露出一個青而紅髮，毛茸茸的大頭，朝這位吃驚的秀才端詳了一會，一疊聲說「錯了，錯了，」縮了頭就走，他驚魂甫定，就聽見隔三五間號舍內一人呼號而死。這類事情，到底是真是幻，也就不可得而知了。

各省正副主考，照例按距北京的路途遠近，先後簡放，如雲南的主考就是六月間簡放的。一經明發上諭，就在寓所大書迴避二字，張貼大門兩邊，不准見客，出京後，沿途馳驛而行，由所在地方官供給食宿，比及到省，先駐貢館，督撫設宴接風，自始至終，主客均不許說話，名曰「啞宴」，蓋防其通關節也。到八月初七日，主考坐明轎正式入闈，儀從體制，極端隆重，觀者塗為之塞。各房同考官亦於是日權被入闈，此時立將場門封閉，斷絕內外交通，這些同考官亦稱房官，大都是舉人進士出身的實缺州縣，在七月杪奉調齊集省垣，經過督撫一次考試，然後得充這個差使，名曰調簾，亦稱簾差。其迴避制度與主考同，省份大，舉子多的地方，可多至十八房，少則八九房，房官入闈後即住在內簾，不准與外簾通消息（春秋兩闈均分內外兩簾，外簾專管總務），批試卷須用藍筆，在闈內用墨筆的，只有正副主考兩人，處處都是為防弊而設。鄉試的舊制，第一場考三篇制藝，包括一道論語題，一道孟子題，一道大學中庸題，另外一首五言八韻試貼詩。第二場是詩書易禮記春秋五道經題，三場五道對策，改試策論以後，頭場五論文，二場五篇對策，三場三篇四書經義。下場舉子，其中不乏名士老手，但中舉的比例並不很高，蓋老手思慮多，得失心太重，一篇做就，總不稱心懷，左修右改，甚至乾脆予棄置，從新另做，誰知文章之為物，貴乎得心應手一氣呵成，所謂「初寫黃庭，恰到好處」，內心一，愈做愈見晦塞，甚至辭不達意，[illegible]往往遲至第四天黎明，號聲嗚嗚，[illegible]還有一套過來人的訣竅（十一）

更正：四九七期本文內第九行「會」字中間漏植「省」字。又四九八期本文內中段十六行「廢除謄錄的一句，「試」字應為「卷」字。特此更正。

語意學漫談

徐道鄰

中國文言文中，這些方式字最為豐富。「陽貨瞯孔子之亡也」的「也」字，表示這是一件過去的事實的敘述。「巧笑倩兮」的「兮」字，表示作者對於這個淺笑的欣賞讚嘆。「帝曰，俞，汝往哉」的「哉」字，表示帝堯的一種命令的口氣。「亦將有以利吾國乎」的「乎」字，表示梁惠王向孟子的一種詢問。這「也」「兮」「哉」「乎」四個字，就代替了西洋的「。」「!!」「!」「?」四個符號。（這個例子說明了為什麼標點符號，在中國文字，沒有像在西洋文字中發達的那麼早。）在日常對話中，「嗎」「呀」「呢」「啦」等字，也代替了西洋文字中許多「字尾變化」的作用。

對於組合字的研究和注意，這是現代邏輯學在最近二三十年中的貢獻。我們對於「所有」「和」「嗎？」三個字的性質和其在邏輯中的功用，能深切了解，那麼我們對於語言的構造運用，才能算具有較深一步的認識。

組合語句的報導使用——

邏輯數學語文

組合語句是我們所列舉的四種語句中最微妙的一種，為它的四種使用方法列舉實例，實在比其他三種語句舉例，較為困難。但是就我們所能舉出的例子來看，組合語句在人類語言中，實在具有極其重要的作用。

能代表組合語句的報導使用的例子，最明顯的擺在大家面前的，莫過於一般稱之為邏輯和數學的語文 LOGICO-MATHEMTICAL DISCOURSE 當然，現代學者，對於「邏輯」和「數學」的確認的「界說」，都還是言人人殊而是一個彼此爭執很熱烈的一個問題。不過，什麼是屬於「邏輯」和「數學」語文的，大家似乎都還容易彼此了解。

「如若人類是動物，而動物是有死的」。這是我們在邏輯中，最熟悉的課室舉例。在這裏，只要前提（人是動物，動物有死）是正確的，那麼其結論（人皆有死）也自然是正確的。我們只要設法證明前提的正確，再不須要對於結論的正確，另求證明。這句話相同於「凡是紅的東西都是有顏色的」，或者「二加二等於四」。只要前提對了，結論自然是對的。結論如果是對，前提也必然是對。[illegible]導」的，是這些語文中所包涵的組合句的性質。

因為認清了組合字句的性質，我們才能分辨清楚，我們才能把我們對於語言界上其他事物的知識，使之不互相混淆。「和」和「不是」，「加」和「等於」四[illegible]們才知道「狗是動物」。「茶壺不是[illegible]個狗不等於四個猫」這幾句話是怎麼樣，我們根本沒有語言，我們也無從作[illegible]其為「人」了。（不明白組合字的作[illegible]上課」，和「我明天不上課」，完全[illegible]文字不熟悉的人們，翻譯文章，往往剛好整個顛倒過來。正是一個最有趣[illegible]（六八）

自由人

THE FREEMAN

（第五〇〇期）

中華民國僑務委員會
頒發登記證台教新字第一第二號
中華郵政台字第五〇〇號
執照登記爲第一類新聞紙類
（半週刊每星期三　六出版）
每份港幣壹毫
台北市售價台幣壹元
督印人：陳文華
地址：香港高士威道二十號四樓
3 rd. fl. 20 CAUSEWAY RD
HONG KONG
香港發行及事務接洽
高士打道66號　電話：七四〇五三
承印者：東南印務出版社
地　址：高士打道六十四號
海外總經銷
友聯書報發行公司
香港：德輔道中二十六號A二樓
台灣特派員辦事處
台北市館前街五十號
台灣總經銷處
台北市西寧南路壹參號二樓
台郵撥儲金戶九二五二

我們對蘇聯的一次突襲

提出今後的幾個應注意之點

左舜生

這次中華民國不受任何國家的威脅，婉辭謝絕友邦的勸告，毅然決然否決外蒙傀儡加入聯合國，給予蘇聯一次嚴重的打擊，確實是一件最痛快的事。

最精采的一幕

尤其可笑的，乃是蘇聯着慌到手足無措，在她一律否決其他十三個自由國家入會以後，並且聯帶其他四個共產傀儡也無法入會，自己知道所造成的過失太大，引起的仇恨太多，不得已乃把她的否決撤銷，另提一除日本和外蒙其他十六個國家同時入會的新案，以圖補救。蘇聯在聯合國，本來是一個行使否決權的專家，這次居然吃了這樣一回丟臉的事，聯帶代表一個大傀儡的毛澤東同志也感到無限羞慚，一個代表腳踏兩邊船的鳩山和重光，也遭遇到與論的嚴重責備，這確實是中華民國外交史上最精采的一幕。

不過，痛快是一回事；深刻檢討，以求今後立於不敗之地，又另外是一回事。從這一次我們在聯合國的成功，我覺得政府今後應該特別注意的有如下的各點：

外交問題人才第一

一、這次我們在聯合國代表團所採的行動，雖然是基於全國國民一致的要求，執行政府堅定的決策，可是代表團爲執行這一決策的一切表現，都能做到恰如分際，有條不紊，確實是值得我們喝采！我們知道，蔣廷黻代表不是一個有任何黨派關係的人，也不是一位由科班出身的職業外交人物，他乃是一位研究外交史和國際問題的學者，教授，這可看出關於外交人才的選擇，原不可執有任何成見。又，平日政府關於任何外交問題的處理，在號稱友黨的野黨方面，素來絕少與聞的機會，但在聯合國代表團中，却還始終保持了青年民社兩黨的兩名顧問，在陣容上究竟還像個樣子。

今後的日韓外交

二、關於調整外交陣容，我們在本刊上屢有建議，尤其以駐日本和南韓的使節爲然，我始終認定董顯光王東原兩位大使，決不能勝任處理日韓兩國外交的重大責任，甚至連觀察研究也談不上。我們知道，日韓兩國和中華民國在亞洲反共陣綫的關係上是何等重要；日韓兩國間的糾紛，以及日本對蘇聯和中共態度的舉棋不定，又是何等的令人懍懍危懼；可是我們在外交上關於這類問題乃不能有任何貢獻和補救，寧不令人扼腕？這次日本因爲未能進入聯合國的失敗，乃立即決定把他們的駐美大使井口貞夫召回，而代以谷正之，其駐聯大的觀察員加瀨俊一，也將被召回而代以駐加拿大大使松平康更，他們關於處理外交人事問題這種斬釘截鐵的手腕，難道不值得我們參考，不值得我們警覺？

蘇聯將採進一步行動

三、我們這次的否決外蒙，只是我們在聯合國闖過的難關之一，今後却還是難關重重。這次蘇聯撤銷她自己的否決而重提新案，在蘇聯的面子上自然是一次大大的屈辱，可是她緊接着把新案提出，在利害上却不是沒有經過考慮；多加入四個共產國家關係還小，把亞非在聯合國的集團突然加强，却對於蘇聯和中共在亞非兩洲的活動大大有益。蘇聯僅僅把聯合國作爲她們外交鬥爭的駐點之一，在聯合國以外作多方面的活動與滲透，才眞正是她們外交的命脈所在。關於這一點，所有反共的民主國家，都應該有所覺悟，尤其中華民國更非澈底覺悟不可！我們既然在事實上處於一個和蘇聯直接衝突的地位，假如僅僅只能在聯合國和她鬥爭，在聯合國以外我們却不能還手，則仍非失敗不可。據我們預測，在明年聯合國大會以前，蘇聯和中共一定還要策動一次亞非會議，其主要目的並不是要把中共擠進聯合國，（這一點她們知道依然很難）陰謀的重點，乃在大拆民主國家的台，以達到她們赤化整個亞洲的最高目的！如何好好的來應付這一幕，乃是我們今後主要的外交課題之一。

外交經費問題

四、我們在聯合國的代表團，以人才論，誠然比較其他外交方面的遠爲良好，可是爲應付今後的一個艱難局面，却仍嫌人手不夠。即以現狀論，我們在代表團的分子，除參加開會以外，便連多寫幾封航空信也不能不加以考慮。本來外交活動就是一種相當奢侈的生活，我們在別處所見其他國家的領事館之類，也往往比較我們駐外大使館的規模良好，其宣傳交際等費用的充裕，更不必論。甚至就連中共，儘管今天大陸的老百姓窮到煤米油鹽也天天成問題，可是他們關於外交費用的大宗外匯支出，也還是要打腫臉充胖子。聽說最近一次與政府有相當關係的文化使節，被別人的首相送出大門，客人還得臨時去找街車，大使館連一部車子也不肯代爲租用，這豈不是滑天下之大稽！現在政府用於聯合國代表團的經費是多少，我們無從知道，但必須讓他們稍有開展的餘地，總似乎是不可少的。以上幾點，只是隨便提出談談，意在促取政府的注意，我們今後要眞要穩定，提高我們的國際地位，應注意之點太多，固不僅外交一方面的人才與經費而已。

香港政制改革問題

曾旭軍

最近倫敦傳來電訊謂權威人士透露，明年四月星加坡自治談判後，該原則可擴展適用於其他殖民地，包括香港，馬爾太，及直布羅陀。英國的建議，大概將是把殖民地地位提高，爲某種「自治領」地位，予以與其他英聯邦成員國平等權利。現星加坡首席部長馬紹爾，正在英國談判星洲自治問題。但記者認爲星洲將來達成之自治原則，斷不能運用到香港。英國研究殖民地專家，克洛克在所著的「自治政府與殖民地」一書，說得好：『各殖民地的自治問題，有不同的解決辦法。』

港人對政制改革的冷淡

香港在地理上居中國大陸的邊緣。在歷史上，與中國有密切的關係。因此對香港的措施，坦率而言，就是以中國的變化爲變動的主要因素。

香港人民對於政制改革問題，似乎很冷淡。他們並非不關心，但總感現在非談論改革政制之時機。有兩個原因：第一，是香港居民以華僑佔絕大多數，他們目睹中國大陸淪共以後，遠東情勢因而劇變，東南亞風雲緊急，亂事日多，他們認清情勢，感覺時艱，不着急從事於改革政制了。第二個原因，是華僑中絕大多數是明瞭共黨非但禍國，而且有意甘爲蘇聯爪牙，作蘇聯擴張侵略之鷹犬，若急急謀實施政制改革，難免給共產黨利用時機滲透，反而將目前隱定的政權，和社會秩序動搖。第三個原因，是香港目前有賢能的總督與政府，使人民安居樂業，對政治冷淡，共產黨無法煽動革命之火。綜合三原因我們可以歸納成一句：我們香港居民爲了防共，要穩打穩紮，緩慢的，審慎的，求改革政制。

良好政府不能代替自治

克洛克氏說：「一個偉大的英國人必識大體，他知道不能以良好政府來代替自治政府」。不錯，現代的英國人是很明智的，他們知道他們的祖先會因殖民地而富強。但到了今天，世界變了。殖民地反而成了他們的負担。必須適應殖民地的要求而謀改革政制，扶植自治，由殖民地而變爲自治領，進而脫離母體而獨立。這已不是理想，而是現成的事實。但今日的香港人却要把上述的克洛克的一句話翻轉過來說。就是：『一個識大體的香港居民，不欲急於求自治政府，而喪失去良好的政府』。香港政制需要改革，非先來自香港居民，却反而是先來自英國政府，就是這個原因。當二次世界大戰結束，香港重光時，英國政府便有意改革香港政制，着令廣徵民意。假如大陸不變色，香港早已由殖民地變成自治領的地位了。然而時代是不停留的。殖民地政制，是不合時宜。爲了香港居民，爲了英國聯邦，爲了世界大勢，我們必須注意改革政制，而有所準備。

在大陸剛變色的時候英國政府與人民，甚而至「香港人」，都用所謂「現實的眼光」來看香港。以爲英國承認中共政權是承認一個現實問題。如果英國不能對中國大陸之現實採取妥協政策，則香港與大陸貿易關係無法改善。其他政治問題亦相繼而產生。約而言之，香港需要一個和平的環境，不能與共鄰國爲敵。

香港安全不在對共妥協

不錯，以當時的環境來看不免認香港爲東方的柏林。不欲以反共戰爭與香港連繫。但時至今日，已證明這都是一廂情願的想法。香港並不因承認中共而獲致超然安全的地位。對大陸的貿易非但不改善，反而變成了無貿易可言。

香港之安全，不在對共產黨妥協，而在本身有力量，和處於自由世界體系中。香港的力量在那裏：第一、是香港人反共意識之濃厚，共黨無法滲透傾覆。第二，在適應環境的經濟能力。中國共區的經濟力量已不像以前那樣能威脅香港的生存。香港人能從工業找出路，香港的國際性與轉運性不致根本消滅，尤其是在香港的主動的適應之下，排除共黨之威脅，而獲得生活進展。第三，香港的安全希望，不能寄在與共黨妥協，而在與自由盟邦的聯繫拉得緊密。約而言之：在政治有反共意識，在經濟有適應生存能力，在軍事有自由盟邦的結合。我們要認清這三點，才能把握香港謀自治的方針。

香港殖民地，與北非及其他落後區域不同。它沒有民族與種族問題。但不能不預防共產黨的滲透傾覆。因此，若將來准許政黨的活動，必須法定共產黨爲非法組織。如任共產黨公開活動，則必作繭自縛。甚至共產黨的同路人的組織亦應收縮。星加坡的前車可鑒。這是我們可預見的措施。

至於立法機構的組織，必須力謀能代表普遍民意及大衆利益的。因此選民和被選人，不應有階級特殊化存在。

關於經濟，宜採取積極扶助工商業的措施。例如減低賦稅。改善勞工生活，又使勞工逐步參與生產資本，而估生產利益

自治首需心理準備

星加坡首席部長在倫敦對記者指出共產黨刻正爲爭取共產黨殖民地而戰。並謂「共產主義係整個世界殖民地主義最惡毒之型式」。他的話不是議論，而是事實。

我們要改革政制和謀實行自治，必須先有正確的心理準備。首先我們對「殖民地主義」沒有盲目的偏見，而必須重新估計其內涵意義。資本主義能蛻變成新的資本主義，否定了馬列主義的落伍思想，而反擊蘇聯的奴工共產主義。殖民地主義未嘗不可蛻變爲新的殖民地主義，而反擊蘇聯的擴張死亡的殖民地主義。——蘇聯把中亞細亞的幾個少數民族滅絕。這種的種族滅殺（GENOCIDE）的殖民地主義，是我們應記在心頭上的。現在俄共在亞非洲正謀進行此種的「死亡」殖民地主義。是故言改革此殖民地之政制，及謀實行自治，大家應有此種心理上的準備。盲目的說「在商言商」之流，實不足以語此。

我們否決了外蒙入會

這幾天聯合國中的變化兔起鶻落，使人有眼花撩亂之感，結果却是我國主張獲得全部貫澈。十二非共國家都獲加入，只拒絕了一個不成材的附庸外蒙。至於日本，那是蘇俄用以替外蒙陪綁，並用作日俄談判中要挾之資，與我方否決外蒙並無直接關聯。事前我方一直鄭重考慮，美當局也再三向我勸告，都是怕十餘非共國家也被阻於聯合國外，致使我國成爲衆怨之藪。事後證明這都是杞憂。當十四日下午，整批交易全被推翻之後，國際間對我國自然不無怨尤，但並不嚴重，最大部分責難都落在俄共身上。於此可見公道自在人心，只要我們的立場正確，儘管堅決以赴，一切畏葸顧慮都是多餘的。

從金門戰事大陳撤退蘊蓄在胸的一口悶氣，到現在纔得儘情一吐，連日海內外同胞的興奮歡忭，正不是偶然。

蔣廷黻代表的成功

有堅定的立場，更需要有良好的運用，在此次事件中，我國在安理會提出支持十三國家加入案，是一個重要關鍵。第一，有了這提案，表示我們是積極支持合乎憲章條件國家的參加，而不只是消極的反對外蒙。第二，我們反對整批交易的精神，從這提案可以充分表達出來。第三，這案提出後，表決時形勢發生了根本變化，使蘇俄成爲首先使用否決權的戎首。其間更有賴於在紐巴議案通過之後，蔣廷黻代表立刻機警的把此一提案變成紐巴案的修正案，於是韓國越南首付表決，使蘇波列夫再沒有迴旋餘地，而我國之否決外蒙，乃形成對俄方行動的對抗。

使用否決權不算稀奇，用了否決權而不落形跡纔是外交上的傑作。這是中國外交的成功，也是蔣廷黻代表的成功。

時事評述

李秋生

舉國團結應付未來艱鉅

但這究竟不是一件十分可喜的事。第一、整批交易是違反憲章的事，爲我們所反對，但整批交易終於做成了。第二、十六國加入之後，加強了中立集團，反共陣容却相當削弱。這無論對於今後大局，對於我們本身，都不是有利的事。蘇波列夫和梅農的叫囂，也許不足重視，但明年第十一屆聯大却是我們一個重大難關。相形之下，到是否決一個外蒙，比較還簡單容易。

我們慶幸這次的成功，但我們不禁更懸慮未來的艱鉅。我們屢次强調團結救亡的重要性，乘此內外人心振奮之際，如能在這方面採取具體有力步驟，必能收事半功倍之效。

蘇俄依舊掌握主動

冷戰的主動地位，依然握在俄共手裏，在這次聯合國會員國的過程，這形勢是極明顯的。十八國的否決與十六國的加入，都只在蘇俄的翻雲覆雨之間，除外蒙是格於自由中國的反對外，西方國家在這門爭中竟表現不出一點決定性作用。當十四日表決期間，外蒙被中國否決之後，美代表洛治曾一度提出要求，擬即將安理會所接受的十七國家提交聯大，但因遭主席蒙羅反對而打銷。轉瞬之間，俄共要求召開特別會議，竟通過了十六國的加入。以類似的建議，出自美方則被打銷，出自俄人則獲通過；而且，那些國家能獲加入，那些國家被擯門外，也都是依俄人意旨而行。只有一個外蒙卒被中國反對掉，但此舉却正是西方列強所竭力阻撓的。這眞是自由世界的嚴重失敗。假如此舉可以代表整個冷戰形勢的話，則自由世界只有注定了失敗。

日本沒出息的想法

日本參加聯合國不成，許多議員歸咎重光，說重光若接受俄方條件，達成協議，則蘇俄的否決將可避免。我覺得這還不夠澈底。如果能無條件投降，形成蘇聯附庸之一，則一定能獲得克里姆林宮更大支援和愛護，又豈只不會遭受否決呢？

危機嚴重的星馬

·大冰·

星加坡首席部長馬歇爾最近在倫敦提出自治的要求，他的條件是軍政和外交暫由英國主持；議會方面，則取銷官派議員，全數改由民選；其他內政完全自主。律師出身的馬歇爾本來是反共的，可是身不由主，他向英國提出的條件却完全為共黨說項。據最近報導，馬歇爾派兩個議員已投向共黨領導的人民行動黨。現在星加坡的議會，共產黨領導的反對黨人數超過了馬歇爾派的工黨，因此[illegible]要求組織聯合政府。無獨有偶，[illegible]張容共的，馬來亞聯邦首席部長[illegible]亞聯邦的完全自主；所提的條件比較馬歇爾還要澈底。因此共黨在星洲獲得優勢，馬共的態度也強硬了，最近不斷向英軍攻擊。星加坡和馬來亞局勢的外弛內張由此可見。

過去三個月，英國和馬來亞的警察和隊伍遭遇到共黨恐怖份子，總先喝問，「是否前來投誠？」才開槍射擊。馬來亞民選政府主張寬赦共黨，歡迎其來歸。民選政府和共黨開過好幾次會議。共黨提出舉行板門店式的會議，組織國際停火監督委員會，和承認共產黨是馬來亞的合法政黨。他們要求和馬來亞聯邦政府平等。這樣的條件使談判宣告破裂，當局隨即下令對其發動全面清剿。

先下手為強，在一個狂風暴雨的晚上，一百多個共黨恐怖份子爬過鐵絲網進入馬來亞中部的一個鄉村。他們使用的武器是機槍，不一會便把警察制服了。他們把村裏三十五枝槍繳了，並把所有能夠運走的食物搶奪到手。他們說村裏一個姓周的農民和政府通消息，把他捉到了，一刀向他喉部劃去，然後揚長而去。

年來馬來亞共黨恐怖份子遭遇到極大的損失。為什麼他們不惜犧牲要和政府軍燃戰火呢？理由是月來星加坡共黨獲得相當成就，馬共因此發動攻勢作為聲援。

星加坡的共黨和馬共採取完全不同的策略。星洲共黨不採取武力，而採用滲透的毒計。星洲中國居民九十萬，佔全島人數百分七十強。共產星洲的槍頭是學生，共產利用學生來應付現在的工黨政府。

共黨使用特務，學生威嚇教師，學校，和學生家庭；發動學生參加示威；支持罷工；和實施反西方宣傳。他們說美國電影，流行歌曲，時裝，書籍和雜誌都屬黃色。一個青年在街上用口琴吹奏流行歌曲被共黨特務學生一刀刺去，說他膽敢演奏黃色歌曲。特務學生分布在電影戲院附近，看戲羣衆被擊傷者頗不乏人。

本年四月星加坡成立了一個工黨政府。新政府成立後共產的聲勢增大了。九月以來，由共黨發動的罷工達到二百二十次。共黨採取罷工作為征服工黨政府的一種武器。

星洲議會的反對黨，人民行動黨，是完全受共黨操縱的。該黨發言人李光佑係星島土生華僑，不識中文，英文程度是好的。他是英國劍橋大學畢業生。他領導反對黨，利用種種機會來阻撓和破壞現在的政府。李光佑的目的在下一次選舉。選舉成功了，共黨將在星洲組織第一個合法共產政府。

星洲共黨使用滲透和恐怖的策略收穫到驚人的效果。上一過美國國務院的一位官員說道，『我們對於星加坡的憂慮超出東南亞任何一個地區之上。』

俄魯在緬甸

·雪譯·

緊張局勢減輕了？

為了鼓勵歡迎俄魯赫魯曉夫和布爾加甯，緬甸政府發給搖旗吶喊的羣衆每人五分錢，可是參加的人數仍未見踴躍。參加歡迎的人們沒精打采坐在路旁，和自備的帆布椅上，人數僅及十萬。俄國攝影人員羣來到攝取影片的時候，他們才勉強起立，做出歡呼舞蹈的機械動作，

佛教是禁酒的，歡迎讌會不設酒，酒徒赫魯曉夫倒能夠保持他那歡笑的表情。在仰光的大會堂，赫魯曉夫，布爾加甯，和緬甸的宇牛三人握手拍了一張照片。照片拍好了，宇牛說道，『因為你們的努力，世界緊張的局勢減輕了。』

宇牛做夢鑿山洞

宇牛領導俄魯參觀金塔，帶他們進入塔邊的一個洞裏。原來兩年前，宇牛做了一個夢，夢見佛打坐在金塔山上的洞裏。醒了，跑去看，山上沒有洞，於是宇牛命令在適當的地方鑿了一所山洞。

指着洞頂，赫魯曉夫對宇牛道：『洞頂漏水。你應該到莫斯科參觀地下馬路。莫斯科地下鐵道的頂是乾的，因為蘇聯精於建築。』

宇牛領導赫魯曉夫等一行觀光緬甸二千五百年的古塔。帶着譏笑口氣，赫魯曉夫道，『英國最古的教堂不過一千年，可是英國人却將緬甸人稱作野蠻民族。』

赫魯曉夫看見一位蘇聯建築工程師雜在美國和法國記者羣裏，赫魯曉夫指着他警告道：『當心點，同志，你不應該雜在美國和法國記者的中間。他們可能勸導你投向西方，正如愚蠢的美國人和法國人要求工程師拉蘇夫投降西方一樣。』

望着法國通訊社記者，赫魯曉夫道，『人們曉得自己的愚蠢，感覺到羞恥的時候，會臉紅。』法國記者答得妙，『我要保持白』。赫魯曉夫氣極，罵了法國記者一句話。於是緬甸政府下令，不准記者們迫近貴賓。

杜爾斯萬歲！

第二天宇牛把俄魯領到新省觀光，路上不少緬甸人民張口觀望。沿路站了一羣的學生，看見俄魯到了，高呼，『布爾加甯，赫魯曉夫，萬歲！』

俄魯滿去了，一位西方記者決心做一權試驗。他對着歡迎羣衆高呼道，『杜爾斯萬歲！』果然，學生們跟着他高呼，『杜爾斯萬歲！』

把俄魯送到新省去了，仰光警察當局才敢進行調查六宗仰光北部共黨破壞火車的案子。

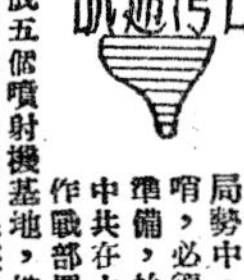

口喊不做的疏散

·小魯·

在瞬息萬變的國際局勢中，台灣處於最前哨，必須有緊急應變的準備，始可以策萬全。

中共在大陸沿海，加緊作戰部署，單是福建一省，就完成五個噴射機基地，按照航程計算，十分鐘即可襲擊台灣本島。如果從海峽對岸起飛，目前海峽局勢，可以說是外弛內張，戰爭何時爆發雖不可料，但隨時均有此可能。台灣既處於戰爭狀態之中，就必須提高警覺，以等待局勢的突變，而在一切的準備中，莫過於空防，防空當局提出的一句口號是「萬事莫如防空急」，這話並不誇張。

說到防空，最急須要做到的事情，是疏散城市人口，可是此事從民國三十九年就叫起，一直鬧到現在，不但城市人口沒有能夠疏散，反而急速向上增漲，即以台北市來說，過去的人口最多時為六十萬，現在却已經近七十萬了，有一家晚報諷刺說是「不疏不散，越來越多」，這就是今日台灣城市人口上升的寫照，也就說明了幾年來防空疏散的成果。

戰時的政府，應有戰鬥的精神，然後才能應付非常的變局。可是我們的政府，在行政上所表現的精神，實在離開戰鬥精神還有一段相當遠的路程，行政效率有時等於蝸步，這不是一個好的現象。以疏散這件事來說，從今年春天行政院決定把省政府疏散到台灣中部起，到現在轉瞬已有八九個月，中間嚴家淦主席並曾宣佈於六月間朝台中搬，可是到了十一月方聽說省府疏散的辦公室在霧峯破土動工，至於何時能夠建築完成，迄今並無消息，大家好像把這件事已經忘記了，相反地，原來疏散到台北附近郊區的若干省屬機構，却又不聲不響地搬回市區，這種情形，那裏談得上戰時的精神呢？

省府如果疏散到中部去，直接間接台北市可以減少十萬人口，這十萬人口下鄉後，雖然仍不能解決空防問題，但至少已造成一種疏散的氣氛，使人口不再朝都市集中，萬一發生空襲，就可減少死傷損失。照目前城市人口增加的速度來看，假如遇到緊急事態，其嚴重後果是不堪想像的，但是，今天政府和人民在感覺上似乎都已麻痺，不但老百姓不願離開城市，即連已經決定疏散的省政府也不願意向鄉下走，能夠拖一天就是一天，這是不可思議的。有人說嚴家淦不願意放棄建築輝煌的台北省府大樓，這未免過於諷刺，但省府為什麼不積極採取疏散行動，是無法令人索解的。

今天台北市人口急驟增加的結果，造成另一些嚴重的情勢，那就是房屋荒，自來水荒，交通擁擠，雖然有人滿之患，面對這些難題，政府也充耳不聞，而都市失業者增加，影響了治安，政府也似乎沒有想到這些，這是令人焦急的現象。除了這些不談，萬一有一天共機真的來空襲了，其後果不知由何人來負責，今天最急的事莫如疏散了，如果疏散生效，不但空防可以減少損失，而且房荒，水荒，失業等等問題，也可以部份解決，然而我們的政府除了喊喊口號外，又誰能腳踏實地的去做呢？

（十二月十二日寄）

柏林冷戰重起　共黨陰謀失敗

柏林最近又成了東西冷戰重要戰場，蘇俄新行動的目的，是捧起東德傀儡政權，向西德表示，如果希望全德統一，必須與東德進行直接談判。

蘇俄當局在給予東德傀儡以「主權」後，已將西德與西柏林之間東德區運河的貨船航行權交與東德政權控制。目前西柏林的供應品，大概有四分之一，須由運河運輸，因此東德控制了貨船航行，也足以控制西柏林的生命綫。

東德政權表示，貨船須由東西德舉行部長級會議，這也就是迫使西德間接承認東德政權。西德總理艾登諾立即加以嚴拒，並召集顧問在波恩舉行緊急會議，討論反擊步驟。如在西柏林禁止東德的貨船通過，或在漢堡禁止東德貨物運輸，都能使東德遭遇重大損失，不過這種反擊還不夠重大。比較強硬的手段，是中止東德與西德每年四千八百萬美元的貿易，因為東德正急需鋼鐵與軍機器。不過西德不賣這些貨品給東德，其他國家却可能乘機打入東德市場。

結果盟國與西德當局擬定了一個計劃，如果共黨對西柏林實施封鎖，便由大西洋盟國集體對東德實行禁運。東德風聞這種報復行動，第二天便態度軟化，表示共黨將繼續承認舊的西柏林貨船航行許可證。

柏林的威脅似乎暫時因此和緩，但蘇俄已將邊境警察的控制權交與東德，這一行動又可能是加強東西柏林交通管制的先聲。（博溫譯）

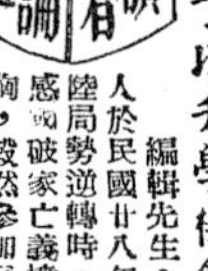

已退役之戰士希望政府予以升學機會

編輯先生：本人於民國卅八年大陸局勢逆轉時，因感國破家亡義憤填胸，毅然參加反共的戰鬥行列，參加無數戰鬥，流血流汗。爬山越嶺，由廣州轉移至海南，最後撤至台灣。最近因病退伍，政府雖妥為安置輔導就業，然本人心智尚未完全喪失，僅體力稍欠健康，欲覓機投考大學，但因連年跋涉，高中畢業證書早已遺失，而教育部於四十三年舉辦大陸來台升學預試，規定在營服務者不准參加，又國軍隨營補習教育本年十一月始舉行，即在教育部舉辦之升學預試與國軍隨營補習教育中間退伍之戰士皆不能獲有此兩次機會之任何一次，殊欠公平，且退伍戰士對國家曾冒死犯難，政府雖費盡苦心安置輔導，但僅為就業，却未有復學之計劃，在升學預試，僅一紙證明，與財力人力物力皆無妨礙，能否考取此項預試以及能否考取大學，尚須視其本身之學識，政府應為此輩尚堪深造者，給予最後一個機會，則對人材不致浪費並可慰退伍戰士。

關於退伍政策等，報導十二月十日香港各報介紹頗詳，因本人在此向各報呼籲未得重視，特此敬請貴刊代為呼籲，相信正義尚在，而貴刊對國事建議頗得政府重視，至希予以披露為荷。一退役戰士李一平敬上。十二月十一日。

美陸軍實行全面改革

·明譯·

美國應付未來戰爭地面戰的計劃，也發生激烈的改變，不論未來戰爭是全面性的，抑或有限度的，美國陸軍在韓戰以後會削減實力，其地位也告降低，但目前已擬訂一套原子時代計劃，準備對噴射、原子時代的戰術、地面戰爭採取的編制、及武器。

大規模演習考驗新戰術

這些新觀念將激烈改變美國陸軍人員的未來任務。最近在路易西安納州舉行的戰後最大軍事演習，對這些新觀念即會加以考驗。這一次演習參加者有陸軍十一萬人及空軍二萬人，區域擴及七百萬英畝，到十二月十五日始告結束。

由這次演習可能產生地面戰爭的改革，大致將包括如下數點：

一、以前那種前哨防綫，在未來戰爭中將告落伍。在未來戰爭中，將是一連串的激烈衝突，每次衝突為時甚短。這些衝突將是附近地區的要點。戰鬥可能在數小時內即告結束，不能像以前那樣可能拖延數星期。

二、主要戰事將在夜間進行。關於夜戰，現在已發展了一種全新的方法，這種戰術包括在黑夜活動的方法，以爭取出奇制勝的效果。

三、攻擊將是立體的。小的單位將由空中升降，飛機及降落傘兵集結，使機運到主要據點區域。迅速建立巨大軍力，能在一旦佔領後，主要部隊將立即由空運加以作戰，部隊以分散的原子轟擊，是在戰爭進行時的目標。換言之，也就是將其地面部隊包括在空中運得，及密切的聯絡。

四、作戰部隊的供應綫將不再拖得很長。部隊的供應將由空中加以直接供應，或諸如利用運輸機、直升機以及新法空投。過去那種龐大必要的後勤組織將告取消。

原子武器及飛彈

五、地面也將運用摧毀性的新武器，包括原子砲彈、原子彈、及各種飛彈，將用以對付戰場上七十五哩左右以內的敵軍集中點或設備。據說已能用以新的化學武器，使敵人因而進退阻遏活動，得在戰術上的勝利。

六、戰鬥區域的深度將遠超第二次大戰的情形，戰鬥可能突然在一個廣大地區內的任何地點出現。空投的部隊將迅速攻擊任何必要的地方，迅速集中人員，而不再將目標向前推進，而是佔領某些地區，換言之，將是對敵人造成一種原子的重壓。地面的得失在戰爭歷史上將第一次失去其重要性。

七、為了實行這些新的地面戰事觀念，美國陸軍正在新的組織、新的編制、新的單位、等方法進行試驗的，例如，試驗編制將取消若干「戰鬥部隊」指揮部，改編「作戰組」，包括步兵、裝甲部隊、工兵、特種作戰部隊及各種兵種，每一單位都很小，但相互的編制能夠獨立作戰，不必仰賴外來的支持或有其他單位的支援，在相當期內能夠迅速集中火力，且能由它們自己的補給基地、裝備由空運調動，所以指揮官能調用新的高級電訊設備，與各單位保持聯絡。

對於這種活動，當局為立即迅速以必要的人員及新的方法，已立即在先試驗，這是正在進行的，將立即運用新的機具、普通的工具，從飛機上搜集及補給，利用最新的電視、攝影、無線電等通訊方法，再轉告各單位。中央機構必要時，可以直接通知附近的單位，這種方法也會在最近的演習中加以試驗。（上）（譯自美國新聞及世界報道）

峻拒外蒙入聯合國
僑胞同慶外交勝利

十二月十四日，中華民國駐聯合國的首席代表蔣廷黻在安理會中，於蘇俄首先否決越南和韓國的入會後，沉靜地、有力的舉起了手，外蒙古這一個蘇俄的附庸欲潛入聯合國的提案便被否決了。

蔣廷黻代表這一次有力的舉手，不但震動國際，同時也是自由中國強有力外交的表現，無疑獲得舉國的支持，尤其是在海外的僑胞，更感興奮。它告訴了一千萬散處世界各地的華僑，也告訴了大陸上億萬的同胞，中華民國是一個獨立的、自主的和有力量的國家。

僑報反應熱烈

十五日，全香港有代表性的僑報，對這一次中華民國的運用否決權，都有了迅速的反應，認爲這是明智與確當的一舉。但同時也指出了今後我們應如何採用另一步驟，以應付未來的更嚴重的局面。

星島日報的社論首先指出：「這次中華民國的使用否決權，是多年來的第一次，這，在中國的外交史上，是值得大書特書的，但事實上，吾人不必驚詫。這也許因爲過去積弱已久，忽然轉趨強硬，使人刮目相看，那是意中事，我們也不必把它誇張。

至於若干會員國對我們的恐嚇，我們卻要正視現實，沉着應付，這也是出於自衛，並非畏懼。

本來，「得道者多助」，我們是不怕沒有人站在我們這邊的，但這並不是說不主動的消極做法，反之，我們卻要積極從事，爭取主動。

我們曾指出，中國過去的錯誤是因爲外交祇是對美外交，爲好了美國，便不必理會其他。這錯誤，已使中國吃了不少不必吃的虧。這回在聯合國中，遭受種種困擾，就是因爲平時太過信任美國，仰賴美國，以爲得一美國，可以無所憂慮所致。

經過這次沉痛的驚險的教訓，中華民國就應該有眞正的外交，有正確的外交政策，有靈活的外交手法，非知人善任，加強外交陣容，不足以在國際政壇中，站得穩。

代表民意的立法院今後對外交，應多加注意，今後對於重大外交事件，更應負督促之責，則今後在外交上，遭受任何險惡，吾人亦深信必能克服。

政治上的氣勢

香港時報也說：「目前一般人最感憂慮的問題，即爲俄帝代表所說我國在聯合國的時間「將以日計」的恐嚇之詞，認爲我國因行使否決權的結果，既已開罪於西方的多數會員國，又已結怨於申請入會未遂的新會員，前者或者合力使中共加入聯合國，已排除中華民國的席位，後者將以承認中共政權爲報怨之舉。我們敬願本國同胞和國際間眞正愛護自由中國的朋友們設想者：過去西方國家之反對中共打進聯合國，其內容是否眞係爲的同情中華民國呢，若干反共非共國家，他們始終不承認中共政權的原因，已完全是爲着對我國表示友好的感情作用嗎？答案如其爲否定的，那末縱使我國不行使否決權，他們若要覲共媚共，還不是一樣的情勢。

當然，聯合國多數會員，若甘心從賊，隨着俄帝的音樂而跳舞，則美國總統艾森豪所說我們行將使否決權，即將「危及在聯合國地位」的話，未始沒有實現的可能。但是，萬一我們因爲保持正義，維護國格，否決了一個外蒙古僞國，而喪失聯合國席位時，却爲中華民國最值得驕傲而光榮的事。聯合國既成了藏垢納污，蛇鼠一窩的國際大雜院，對人類的生存幸福，毫不相干了，我們且應羞與爲伍，自動宣告退出呢。語曰：無敵國外患者，國恒亡。我們國家今後的敵國外患情形，或許更見嚴重，政府固應劍及履及，要有多難興邦的作爲，海內外人民尤須衆志成城，作政府後盾，顯成不可輕侮的興國氣象。政治上的作用，最重要就是「氣勢」，外交上更需要張之以勢，這是全國上下所不可忽視的急務，希望大家敬覺努力吧。」

值得國人興奮的鬥爭

工商日報說：「這是一次值得國人歌頌與興奮的鬥爭，我們在這一個鬥爭以後，要更莊嚴，更沉着，更堅決地去應付未來的艱鉅。

在這以前，國際間就傳出不少對我們恫嚇的妄說，說要把本屆聯大延至明春，以便討論中國席位問題，這一次，俄共代表也於失敗後，戟指大駡，說我們「在會的日子以鐘數計」，我們雖然絕不相信，尚未打算舉行葬禮，但聯合國會畏懼俄共至此，我們不能不於此時，有更堅決的表示：

一、我們應立即指出俄共藉外蒙古問題而一連使用十五次否決權（連前四十三次），破壞有資格的國家進入聯合國之野蠻作法，聯合國對於俄共這一破壞行爲，應該予以嚴厲的制裁，並對於否決權之存在問題，應該予以適當處置！

二、對於十二日「星法院」之舉，我們當本聯合國發起人之一的資格，爲維護憲章之尊嚴起見，應該予以嚴厲之斥責！

三、申明我國對於聯合國的立場，我們有權要求排除聯合國內一切違反憲章的分子，與澄清一切違反憲章的行爲！

四、我們要號召各正義會員國起來作擁護神聖憲章的最後運動，如果聯合國仍然給強權非法者把持，仍然幹其無恥勾當，我們將忍痛考慮是否繼續對這一機構的支持！

五、我們要適時警告那些卑鄙齷齪的國際政客們，我們所代表的是人類的正義，我們所擁護的，是我們所發起的聯合國精神。因此，我們之對於聯合國有權與有理由決定自己之對這一機構繼續支持與不支持，用不着你們說什麼「席位」問題，「驅逐退出」之類的胡言。老實說，我們認爲我們所發起組織的聯合國如果已給你們殺死了，我們至少是不會陪葬的。」

此外，自然日報，聯合報，新生晚報，工商晚報等僑報都先後指出中華民國這一次採用否決權否決外蒙古的加入聯合國，是外交界的一大勝利，也就是重振中華民國聲譽的一下興奮劑，此外，未來的嚴重關頭，相信中華民國本此宗旨做去，亦必能一一予以克服。

蘇俄之突然出爾反爾，撤回否決，而准十六國入會，便是中國立場強硬所迫成。這已足以證明中國這次運用否決權所形成的影響力。

法國記者談大陸遭遇
到處受共黨特務跟蹤

曾在大陸攝影五千四百三十二幀之法國攝影記者（J P CHARBONNIER）沙波尼亞，日前由廣州乘車抵達九龍，在車站曾發表談話。他說：在大陸旅行攝影四十日期間內，全部有中共派人「陪伴」；但是他認爲這對他也有一點方便，因爲他不懂中國話。

他又說，在這種監視之下，他在大陸的活動，尚算得上「自由」。記者曾向他問：「你在大陸旅行是有人陪伴還是自己一個人？」他說有人陪伴後，並表示他認爲有被「注視」的感覺。他說：他知道有人會將他的活動報告上級當局。他曾首先把四十日的工作計劃給共黨當局審查，然後才能到指定地區進行攝影。他說，他的攝影目標，大部份是大陸的表面情況，其內部實情，當然是無法窺探的。共黨曾以機密爲理由，將他的計劃取消了一部份，不過其餘各部份，總算已都已如期完成。

這位年青攝影師是法國雜誌「現實」的記者，他一共帶了四架攝影機入竹幕，其中有一部分是彩色的。沙波尼亞說他在莫斯科住過二星期，後來到北平，又轉到外蒙古。

三定發生夾生回生
造成農村嚴重缺糧
贛省農民預吃明春糧食
共報預示來年春荒堪虞

中共爲盡量搜刮農村糧食，從今年三、四月起，在大陸上展開「三定」（即：「定產，定購，定銷」）到鄉，繼之則推行「三定」到戶。面對「一億一千萬農戶」，中共自認這「五億人口的個體農戶是個汪洋大海」，如果「三定」到戶不能推行，或推行得不徹底，則整個糧食供應問題，就將撼動中共政權！

就目前情況來說，中共的糧食「三定」到戶工作，據稱「大多數地區已經基本結束或即將結束」，只有少數地區還在有待鋪消。從表面看，似乎對中共是有利的。但據中共「糧食部辦公廳副主任」鄭明在十二月四日天津大公報上發表的報告研究，顯示出這一工作已經瀕臨失敗邊緣。其具體的情況是這樣的：

農民以尾欠破壞三定

據該鄭某所供，在已經基本上結束了「三定到戶或正在進行的地區，已產生了「不同程度的「夾生」和「回生」的現象」。所謂「夾生」，就是實際上未能做得徹底和雖然強迫推行了而結果却是無法實現。

不論是「夾生」，還是「回生」，在對來年的糧食供銷上已產生了極大的破壞影響。

據鄭某說：「絕大多數的農民都能按照定購數量交售餘糧，但却存在尾欠問題。一般的是每個鄉約有三、四十戶有尾欠，尾欠數最大約相當於全鄉統購任務百分之十五左右」。由「尾欠」的產生，可以看出兩個大問題，一是共幹所定的定購數字遠超過了農民所能負担的；一是農民仍陷在飢餓中，根本無法完成。而最嚴重的問題，是對於中共所定的統銷數字在「缺糧農民心裏却還有保留或者有意見，還沒有點頭同意」！這意味着，農民根本就在反抗「三定」政策！因爲祇要農民對統銷數字「不點頭」，中共就難能順利進行完成統購。

而在另一些地區（原文謂「若干地區」），却又再度「出現了糧食供應的超銷現象」。

超銷是糧荒的警報

在「定銷」之後出現「超銷」，這乃是糧荒的警報！據鄭某文內供稱，「例如江西上饒專區，八、九兩月各超過銷售計劃百分之五十左右，最嚴重的如樂安縣，八月份竟預支了明年二月的供應指標」！在今年八月裏，就已把預定明年二月吃的糧食吃掉了，這證明這些地區糧食供應問題已到極端的嚴重地步。既無秋收，來年的春荒就必然更增！如果說這種情況是由於「購銷」方面發生了問題才出現的，那麼這是人爲的現象。

天災加上人禍，不僅「三定」政策失敗，且必然影響「農業合作化」。糧食問題已經成爲中共的不治之症了。（王芳）

中共再驅奴工
盲目進行治淮
四十五萬限期編隊

蘇豫皖三省數逾四十五萬奴工，已於十一月二十九日，全部驅赴淮北。他們的任務是繼續進行治淮。從一九五一年到現在，中共藉口保障淮北平原和津浦路安全，曾經驅使數逾百萬計的人，包括工商、知識、電影、戲劇界人士，以治淮來進行「改造」。雖然「治淮」造成了驚人的死亡數字，但淮河崩毀的程度非但未曾減輕，却相反更形嚴重，以致每年冬季，不惜浪費人命物力，盲目進行各種整理工程。頃據南京「新華日報」披露，繼十一月五日淮河上游的南灣水庫建築工程完成之後，一九五五年冬季治淮工程已於十二月一日全面施工，承担此一艱苦任務的，是四十五萬民工、工人，先後在十一月廿九日以前到達蚌埠集中編隊，並絡繹調赴工地開始緊張勞動。

該報引述來自淮北的通訊指出，從本年度計劃的工程進度反映，過去幾年所作的工程，幾乎白費心機，並無顯著成就。

現在淮北已進入酷烈寒冬，儘管遍地霜白，地殼凍裂，衣衫單薄的勞動群衆依然在工地上鼓動，指揮帶頭的人用嘶啞的喉嚨高聲大喊，他要使每個僵硬的勞動者，用縮短工時加緊勞動，來燃燒出體內的熱力，使工程計劃能夠超額完成。然而，他們都不否認今年的工程實在太大了。

「新華日報」說，今年淮河冬季工程的規模，比以前幾年大得多。在土方工程方面來說，有上游的汾河二期工程、中游的淮北大堤加固工程，除繼續修築梅山水庫和射陽港擋潮閘等大型工程外，在中游各主要支流河道上，還要興建各種橋梁九十三座，中小型水閘、涵洞三十三座，以上共要做土方三千八百萬公方，混凝土八萬五千公方的工作量。淮北大堤的工程，按照計劃，恐非今冬可以完成，因爲計劃中希望這一工程能夠抗禦三百至五百年一遇的巨大洪水。而今冬工程祇不過加高培厚和在中游河上建築一批橋梁，俾以行駛汽車、牛車以及拖拉機等。

該報續稱，由於各地建設需要，征調民工已感困難。因此只好利用機械，使人力消耗量減少，在各個主要工地上，據說將會出現大批的膠輪車，負担運送土方任務，因此預料淮北大堤加固工程中，原計劃動員民工二十四萬人，可以減少到十五萬人。

至於南灣水庫建成，說明了什麼呢？該報說，這個遠在河南信陽縣境內，淮河上游支流溮河上的龐大工程，早於一九五二年十二月施工中，由於發生了慘烈的死亡而停工了一年多，到了今年春天由「蘇聯專家」監督下開始全面施工，結果，五十萬人水庫建築者，祇落得這條攔河大壩。能否長期保持，據說要看今後如何保養纔能決定。（祁）

中共玩弄新花樣
刼奪民營工商業

據北平報紙透露：自毛澤東召集僞工商業聯合會各首腦「訓話」，並由僞工商業聯合會舉行委員會議以後，中共刼奪大陸民營工商業的手段不僅益見急切，且已搬出了一套新花樣，謂之「全行業公私合營」。

所謂「全行業公私合營」及「私私合營」，即係將某一個行業之中所有的工廠或商號全部合併。由中共刼收，再由多數單位縮成少數單位，由中共經營管理之。所謂「私私合營」，即係將某些工廠或商號合併經營，再由中共成立各種不同性質的「專業公司」加以監督和壟斷。中共的此等手段，無非均爲其刼奪民間財產及獨佔市場行其遮眼術。

目前已被中共指定即將包括全行業刼收，改爲「公私合營」的，據悉北平有麵粉、電機、製藥、機器染布、機器造紙、油脂、菓脯等行業的全部工廠；上海有棉紡、毛紡、麻紡、造紙、捲菸、搪瓷、輾米、麵粉、製漆、鋸木、電機、製藥、造船、油脂、橡膠等十七個行業的全部工廠；廣州有綫轆、搪瓷、牙膏、橡膠、肥皂、棉織等十九個行業的全部工廠；瀋陽有化工、鑄鐵、製藥、紡紗、製漆、橡膠、電池等七個行業的全部工廠；杭州有繅絲、織綢、織錦、製藥等四個行業的全部工廠；武漢有翻砂、機器修配、機器製造、火柴、造紙、造船、捲菸等十二個行業的全部工廠；天津有橡膠、針織、毛麻絲紡織、車具、染料、捲菸、植物油、麵粉等八個行業的全部工廠。據悉此等地區被全業刼收的民營工廠，目前尚屬首批，今後將連續分批刼收。中共的企圖，要求於今後兩年內，完成其大陸民營工廠的全部刼奪工作。

至於商業方面，目前已被中共指定全行業刼收，改爲「公私合營」和「私私合營」的，亦已很多。據悉被開頭刀者爲上海之毛絨業，該處所有的毛絨經售商號已被刼收兼併爲少數商號，並由中共派人管制，謂之「公私合營」。此後，各大都市凡糧食、食品、旅館、酒菜、茶樓、顏料、食糖、酒、烟、棉布、國藥、西藥、鞋帽、文具、油漆等業，均已紛紛被中共指定全行合併。其中部份即改爲「公私合營」，由中共直接派人管制；部份即稱爲「私私合營」，由中共成立專業公司控制之。據中共的工商聯統計，目前全共區各地的市場雖已被中共的「國營企業」及「供銷合作社」包辦了百分之八十左右，惟私營商號的兼併，尚祗百分之二十左右。中共之企業於今年年底以前，用「公私合營」及「私私合營」方式兼併民營商業百分之五十。其餘百分之五十，則將於明後兩年，全部兼併之。換言之，中共已決定在一九五七年以前用多種方式，刼奪大陸所有的民營工廠及商號。（署）

自由談

不健全的輿論

馬五先生

去年我在台北作客時，常常聽到有人指摘娛樂場所黃牛黨猖獗情形，大罵政府主管機關低能無用的言論，我也表示共鳴。今年台北的黃牛經治安當局設法清除了，我認為這是殊堪贊佩的事。不料近來又聽到來自台北人士的評判，說治安機關不應該取締黃牛，使社會增加失業者，因而小偷亦多了；並且說是因此累得一般觀衆要擺長龍擠着買票，嘗到淋雨晒太陽的苦味，頗有嫌警察局好管閒事的神氣。「人嘴兩塊皮，說東又說西」，如果社會上有所謂「不健全的輿論」也者，這類說法即其代表傑作也！

市面上有了小偷，歸咎於取締黃牛的結果，然則在黃牛猖獗時代，台北是否即過着夜不閉戶，路不拾遺，竊盜絕跡的生活呢？若以害怕小偷的理由就要放任黃牛黨，然則社會上還有刼匪草寇，難道即把軍警機構都解散不成麼？至於候輪子買票太苦的話，你不去娛樂場所好了，這不會有人強迫你非去不可的！

黃牛黨之所以產生，排長龍買票的現象，其癥結都在彼而不在此。台北市的人口逐年激增，而娛樂場所始終釘住在舊有的數目上，不許添設，物價儘管變動上昇，而票價嚴予限制如故。這是那一國的市政計劃？又是世界那位大政治家的行政原則呢？這除了專為既得利益者作聚積財富的鏢客以外，尚有甚末理由可以解說嗎？人們不揣其本，而齊其末，竟視政治當局的良好措施為不是，可哂孰甚耶？

取締乃至消除黃牛，是善政；不許娛樂場所隨人口比例而設置，是苛政；不按照物價指數為限制娛樂票價的尺度，是秕政。希望大家慎思明辨則個！

搬家大工程

·文抄公·

搬家改報戶口，領取一張遷移證，花了無數精力時間，拖延一年半竟毫無結果。遽聽起來，這似乎是個荒誕的笑話，但這樣的事，卻千眞萬確的發生於中共統治下的湖南。下面就是北平共報「光明日報」所報道的這事全部經過。由小看大，這件「趣事」不僅說明了中共的官僚政治已嚴重到何等地步，也更側面暴露了大陸人民的行動受到何等嚴重的限制。·文抄公註·

一個辦理戶口遷移的巨大『工程』

·于一·

八月六日的晚上，黃海清的家裏來了幾位民警同志。他們嚴肅地對黃海清說：『一年半了，你的家屬的戶口遷移手續為什麼還沒有辦好？我看，你根本沒有認眞去辦；要是認眞去辦的話，不可能一年半的時間還辦不來一張遷移證。

黃海清原在湖南寧遠縣第二中學工作，一九五四年三月九日，上級調他到郴縣一中担任教員，到現在已經一年半了。可是他的妻子和三個小孩一直沒有報上戶口。長期報不上戶口，是會發生種種困難的。黃海清正是處在『四面楚歌』中：派出所的指責，鄰居們的懷疑，妻子的埋怨，特別是第四個孩子出生已經九個月了，可是還沒有報上戶口，沒有取得新中國小公民的資格。黃海清在這一晚焦急不安達到極點。夜深了，夫妻相對默然，黃海清想的是：我是眞沒有認眞辦手續嗎？我花的勞動和時間還不夠嗎？黃海清清楚地記得：他全家遷來郴縣是取得寧遠縣第七區區公所的同意的。因為那時區公所說沒有遷移證表格，所以沒有能把遷移證隨身帶走。區公所答應隨後補發。黃海清到郴縣已一個多月了，遷移證還沒有『隨後』寄來，只得去信『催辦』。可是寄來的遷移證只有他個人的名字，這樣，他的妻兒就不能報戶口。黃海清把這情況向學校領導反映，學校向湘南行署文教處反映，湘南文教處去信給寧遠縣人民政府，希望轉知區公所發給遷移證。可是連去兩封信都沒有回音。

不久，湘南行署裁撤。郴縣專員公署文教科接辦了這一縣案。從去年九月九日到今年七月十五日，曾經分別寫信給寧遠縣人民政府、公安局和區公所，請儘快解決黃海清家屬戶口遷移問題，可是，仍然沒有結果。這期間，黃海清也不斷地直接寫信給寧遠方面交涉，不但遷移證沒有辦來，連信也沒有答覆。

今年暑期，學校領導考慮到黃海清家屬戶口問題長期沒有解決，糧食、油、布的供應越來越發生問題，孩子上學也有困難。因此，同意他去新田辦完招生工作親自回寧遠交涉。黃海清於七月二十四日由新田步行七十里到了寧遠，見到縣人民政府的歐秘書。縣人民政府就寫了一個通知給黃海清帶交區公所。通知上寫明照發黃海清家屬的戶口遷移證。黃海清心上的一塊石頭落地了，滿以為這次該把遷移證拿到手了。

第二天，黃海清滿懷信心地到了區公所，心想，現在需要等待的只是填寫遷移證的幾分鐘時間了。可是事情就有這樣巧，區公所接見他的蔣同志說：發遷移證沒有問題，可是區裏沒有遷移證表格怎麼辦？黃海清聽了這句話，眞像冷水澆頭，涼了半截。心裏十分懊惱：怎樣一年半之後，又碰到沒有遷移證表格這樣的事呢？主管戶口遷移的機關，怎會常常沒有遷移證表格呢？這位蔣同志似乎也覺得有些歉然？他想了一個變通辦法：暫時由區公所辦一件戶口遷移的證明信，先去郴縣辦理手續，隨後再補寄遷移證。此外還有什麼辦法呢？黃海清只好依從。只是再三請求蔣同志待遷移證表格一領到就填寫寄去。同時把他的妻子和四個孩子的姓名、年齡等又寫了一份留給蔣同志。

黃海清拿了這件證明信，實在放不下心。第一，拿這樣證明信究竟能不能報上戶口呢？第二，區公所的『隨後』補發，根據上一次的經驗，『隨後』的時間是一年又半。這次該多長時間呢？黃海清又到了寧遠縣人民政府找蔣祕書。問問有沒有其他辦法，縣裏的辦法也是戶口遷移證明信。黃海清取了雙份證明回郴縣，特別是有了縣裏的證明，心裏比較寬了些。黃海清於八月六日拿了這兩件證明信去派出所報家屬戶口。派出所堅決認為證明信不能報戶口，必須要有遷移證。黃海清這時又陷入了焦急和迷惑之中，迷惑的是：派出所不能根據證明信報戶口，那麼縣政府的證明信又是根據什麼出的呢？區公所證明信上的蓋章，不正是那顆蓋在遷移證上的圖章嗎？為什麼這樣不同效力呢？

就在沒有報上戶口的這天晚上，黃海清又受到了派出所幾位民警同志的戶口檢查。

事已至此，黃海清只有用更大的耐心去信寧遠區公所申訴和求助。又過了一個多月，總算有了結果。九月二十七日，黃海清喜出望外地接到了區公所寄來的正式遷移證，上面填寫着他的家屬的戶口。他暗自慶幸：經過了一年零八個月終於完成了這一戶口遷移的『工程』。

照說，黃海清收到的遷移證，應該是他家屬的戶口遷移證才對頭。他本人是早已報上了戶口的。可是，『熱心』的區公所卻把黃海清的名字依然填上，成了雙份。而黃海清急於要看到的名字，那就是在他辦理戶口遷移『工程』期間出生的第四個孩子的名字偏偏沒有，卻把第三個孩子的名字寫了兩個。又是雙份。雙份，對黃海清眞是有緣份。十月二十日，黃海清突然又接到區公所寄來了一張遷移證，它和九月廿七日收到的一張完全一樣。這不又是一個雙份嗎？黃海清眞有些想不通了：為什麼以前為了一張遷移證忙了一年零八個月，仍是『踏破鐵鞋無覓處』，而現在又是這樣『得來全不費工夫』呢？

正確的答案應該是：只有克服官僚主義，人民才能不受到這類無辜的糾纏。

天下之大

誰最辛苦

一個年輕父親告訴朋友道，『太太養孩子的時候，我感覺到萬分難受，這是我有生以來最辛苦的一日』。

『是你養孩子，還是太太養孩子？』一位女朋友好奇地問。

『孩子雖然是太太養的，她上了迷藥，不知辛苦。我沒有上迷藥，一個人負担了兩個人的苦楚。』

了解丈夫

一位新聞記者詢問愛恩斯坦夫人，是否了解她已故丈夫的相對論。

愛恩斯坦夫人躊躇了一會，答道，『我雖然不了解相對論，我却了解愛恩斯坦先生』。

浪費時間

影片公司的總經理問他的女書記，他的鉛筆在那裏。

『在你的耳後』，女書記答道。

『左耳還是右耳？』經理說：『爽快點告訴我，不要浪費時間。」

·雪人·

秀才·舉人·進士

秋闈場的主考，大省始由侍郎階級的大官充任，小省例由年輕資淺的翰林充任，他們年富力強，精力充沛，喜歡飽滿而有份量的文章。會試則相反，總裁大都由四位年老位高的中堂尚書担任，輕鬆清淡的文字，較合於胃口，此是射矢中的的第一義。再說交卷的遲早，也有一套不定為外人道的法門。原來考卷經過一道曲折的旅行，方能達於考官，先是收掌官依交卷先後，將考卷交於受卷所，受卷所再交彌封所辦理彌封後，送交謄錄所，謄錄用硃筆照錄原文交對讀所，校對畢，然後分送各房房官批閱，儘優秀的薦之主考。繳卷過早，正值房官開始工作，聚精會神，眼光甚高，不肯輕意推薦，最好不早不晚於第三天下午八九點左右繳卷，此時所繳的試卷，經過各處所的旅行，正在主考催房官薦卷時候，房官為應命起見，不得已將差強人意的卷子，也就將就薦上。若繳的太遲，由於各房的中額有限，主考業將房官所薦卷子錄取足額，縱有好卷，也被額滿摒棄了。以這樣的繳卷法子，是我個人經驗之談，或者可作不幸之言中，絕非衡鑑之至公，然遇有精力彌滿的年輕主考，常恐尚有遺才，還要將各房官未薦的卷子，全部取出閱看，俗稱曰「搜房」，就又當別論了。

秀才每逢子午卯酉年八月八日進鄉試第一場，每次三場，每場三天，第一天是點名入場，第二天整日做文章，第三天繕寫完畢繳卷出場，十六號三場完畢。應考舉子經過九天的禁閉，又須準備禁閉期內二十餘頓自炊自食的米麵油鹽醬醋，可謂疲憊已極了。在混場的舉子們，第三場的第二天，正值中秋佳節，國家優待舉子，每人例賞豬肉一方，月餅半斤，這些人本來自帶有酒肉，就舉杯賞月，歡呼高歌，喧譁不已。正在苦思作文的人，眞叫做無法可施。經過這麼多的痛苦，等到九月初十日前後放榜，中式的就是「舉人」。放榜以前，主考先將中式的文章，擇優發交衡鑑堂刻板付印，這就是通常所稱的闈墨。說到放榜，還有許多的故事，每屆鄉試放榜，由正副主考會同充當監臨的督撫和本省學政，率同各房同考官，升坐至公堂，拆開彌封，由第六名起將彌封冊上開列的姓名號數，核對無誤，用宣紙長條，硃筆書寫某某中式第幾名，一面填榜，一面將這條子由貢院牆頭送出，交報房星夜馳向新舉人家中報喜。舉人姓名拆完，再拆副榜的彌封，副榜拆完，全體官員即行退堂，另燃巨大紅燭，將書寫姓名條子的硃筆硃墨以及全堂椅披坐墊，一齊更換新的。各官員再次鳴砲升堂入座，由第五名的試卷拆起，每唱一名，書寫一名，寫畢一名，立將硃筆擲出，左右站立的書吏官差，爭先恐後的搶拾擲出的硃筆。依次倒寫至第一名的「解元」為止，通稱為五經魁首，寫榜既畢，堂上所有的大碗硃墨以及一切文具蠟臺椅披椅墊，立即被人搶取一空，俗謂這些物品可以催生闢邪故也。（十二）

賈景德

語意學漫談

徐道鄰

邏輯和數學語文，固然是我們人類思考的最基礎的工具，但是在某種狀況之下，也有時竟是我們思考的陷阱。因為邏輯和數學的知識，既不能代替，也不能增加我們對於世界上其他事物的知識。（但是可以糾正我們這些知識的錯誤）在邏輯和數學上說不通的，固然離開邏輯和數學也行不通。但是在邏輯和數學上說得通的，離開邏輯和數學卻並不一定行得通。而人們卻往往對此忽略，而自造出一種錯覺。譬如說，『人類都有感恩報德的天性，我對張三有過恩惠，張三一定會報答我的。』或者：『我的主意很好，今年賺了一萬，明年就是兩萬，十年之後，就是十萬。』這兩句話的邏輯和數理，都是非常正確的。但是如果你認為事實上也是同樣的正確，因而以之作為行動的準繩，那麼恐怕你很快的就要大失所望了。

組合語句的評價使用——修辭語文

為組合語句的評價使用舉一個例子，並不困難，但是確實想不到一個恰當的名稱。我們無以名之，姑名之為『修辭』語文 RHEOTORICAL DISCOURSE，我們常常可以聽到人們講：『一個女人還是一個女人』，或者『小孩子到底是小孩子』。這就是我們形式邏輯中號稱為第一定律的『同一律』，就是說『甲等於甲』（參看前面第十三章），然而說這句話的人的目的，卻是在使聽者對於這個女人和小孩子加以原諒。意思是說，她們究竟是一個女人或一個小孩子呀，你們怎麼能對她們有過苛的要求呢？又如，人們常講『巾幗鬚眉』，或者『女中丈夫』，這就是邏輯裏所謂『矛盾律』——『甲等於非甲』——用一句在邏輯上似乎不通的語言，卻正強有力的形容了一個女人的了不起。還有一個俗語：『好話不背人，背人沒好話』，這就是用邏輯中的『排中律』——『甲非眞即假』——來逼迫你承認你背人所說的不是好話。凡此種種，都是用道地的組合語句來說明和加強一個人對於某些事物的評價。（六九）

歲除也輪不到吾輩

明嚴嵩當國時，一詩人以遊大人之門起家。其詩大率為懷某閣老某公卿，嘗於元旦賦詩，題曰懷分宜閣老，嚴籍江西分宜也。出示其至友某部曹，某笑曰：歷頭第一日，懷朝中第一品，輪次懷人，或許歲除也輪不到吾輩。同座某君，當從旁麗言曰：三年而後，元旦將以屬君，其時距今，當已千人外，可輪次及君矣。彼此相與憮然有間。（河超）

勞工天堂

匈牙利的共產黨報登載下面的一段新聞。

『工人結婚後，總請假度蜜月，荒費了國家無數的工作時日。度蜜月最是腐敗資本主義的一種壞習慣，是不能容許在工人天堂裏存在的。於是黨部規定，新婚夫婦於結婚後三十分鐘便得回到工廠工作。工人對於黨部的規定，表示歡忻，而同時感激國家對於他們的關切。』

不容置喙

客人接長途電話給太太，電話公司要他一塊錢。

『我只聽，不講話，也得付一塊錢嗎？』客人問。

『為什麼你不講話？』電話公司問他。

『我接電話給太太』，客人說，『和太太講話，我是不許還嘴的。』（李）

自由人

THE FREEMAN

（第五〇一期）

中華民國僑務委員會頒發登記證台教新字第一零二號
中華郵政台字第五〇〇號
執照登記為第一類新聞紙類
（半週刊每星期三　六出版）
每份港幣壹毫
台北市售價台幣壹元
督印人：陳文華
地址：香港高士威道二十號四樓
3 rd. fl. 20 GAUSEWAY RD HONG KONG
香港發行及事務接洽
高士打道66號　電話：七四〇五三
承印者：東南印務出版社
地　址：高士打道六十四號
海外總經銷
友聯書報發行公司
香港：德輔道中二十六號A二樓
台灣特派員辦事處
台北市館前街五十號
台灣總經銷處
台北市西寧南路壹壹柒號二樓
台郵撥儲金戶九二五二

再期待經濟的新創作
——為「財經內閣」作一結賬——

・陳式銳・

我對台灣經濟，近來幾乎懶於提筆，不是我不關心，而是缺乏新事可談。我三五年來所寫多篇，幾乎每於台灣某項財經問題發生時可就其中提出性質相同者加以翻版，相去並無多遠。就說現任「財經內閣」，我於去年六月其成立時，在本刊三四七期發表「就新閣談經濟」一文，一年半以來，它所觸到底問題，今日件件存在；本年多初的物價大波動，何嘗不是過去所種下來的成果，也就是所謂「財經內閣」施政得失的總暴露。

平抑物價要有決心

當事態緊張之時，朋友要我評論，我當時以為已經有立法院說話，我就不必多此一舉；及至行政院提出方案，美國國際合作總署駐華分署長卜蘭德宣佈中美雙方已下定決心「迅速」而「有效」地努力解決物價問題，我才應約為「財政經濟月刊」草成「論穩定當前物價措施方案」一文（十二月十五日出版）。我在該文之中以為方案的加強管理機構，仍有問題；它的治標方面，不可能把物價拉回原來水準；而它的治本方面，還要看有無實施的決心與辦法，若仍說說而已，將來還不免再度發生問題。

平衡供求須增加生產

就整個經濟加以觀察，台灣以廿六年為基期，四十二年的生產指數為一二六・八四，惟人口的指數則為一六七，相差為四〇・二，可見生產不敷消費，而國民所得因亦未能增加；所以增加生產，為經濟政策的中心。「經濟四年計劃」，自四十二年開始，目的即向此努力；但檢查本年度的生產指數（三十七年為基數），一月四七五・八、二月四七九・四、三月五〇四・三、四月三六一・六、五月二八七・二、六月二四九・三、七月二六四・〇、八月二八四・一（自由中國之工業四卷五期），指數顯然下降，增加生產自然並不如理想了。食米方面，上期受旱災影響，本年度可能生產一六五萬噸，較去年減少四萬三千噸（但出口至九月已較去年增加七萬六千噸）。就外匯貿易看，據外匯貿易審議會透露，出口結匯金額已逾一億美元，去年外匯赤字為八百餘萬美元，而目前已有積餘二千餘萬美元（十二月四日台北徵訊新聞）。但進口結匯，本年一至九月為五九・二四四千美元，較去年同期八二・〇〇〇千美元減少二二・七五六千美元（自由中國之工業四卷五期）；是外匯的積餘，不正是進口減少之數嗎？生產與進口的減少，是物資供給量減少了；如果消費需要不同樣減少（不可能），那末供求不調，不正是物價高漲的原因呢？

限制通貨信用膨脹

另一方面，通貨的膨脹，為物價高漲不可分離底原因，已成為我們男婦老幼的常識。我由官方統計資料整理的結果，淨通貨供應量，去年六月至十二月，由一、〇八九百萬元（一〇〇）增到二、〇八五百萬元（一九一），本年六月至九月，由二、四八六百萬元（一〇〇）增至二、九一二百萬元（一一七）；毛通貨供應量，去年六月至十二月則由二、七七五百萬元（一〇〇）增至三、一三三百萬元（一一二），本年六月至九月，由三、八八〇百萬元（一〇〇）增至四、五四五百萬元（一一七）。至於信用方面，放款墊公庫透支及墊款，去年六月至十二月由三、一二九百萬元（一〇〇）增至三、八四三百萬元（一二二），本年一至九月由三、八二五百萬元（一〇〇）增至四、八九六百萬元（一二八）。通貨愈膨脹，外匯越高估，官價與市價相距也就愈遠；且不說進出口所受影響，官方尚且被迫調整棉紗、黃豆、石油等外匯折換率，以致刺激物價上漲。一方面，物資以不同原因而減少，另一方面本質上通貨及信用又已不斷在膨脹中，無時不直接或間接把物價水準拉上去。

頭痛醫頭更刺激物價

由以上數字的啟示，一年半當中，「財經內閣」遭過兩次物價大波動，不正有原因可尋嗎？而且在通貨膨脹中，幣值不穩定，生產與貿易因亦不可能穩定；通貨膨脹中，物價不斷隨之上漲，財政方面亦隨之增加赤字，從而迫令通貨再膨脹。由是雞生蛋而蛋生雞，由相互影響而惡性循環，永無止境；我們過去的一段歷史，不是有痛苦底教訓嗎？由於當局的如是措施，立法委員黃煥如於十一月十一日立法院質詢中乃指出：「去年十二月至今年二月間，政府財經措施未能適應時宜，引起物價惡性上漲，至今年六月始趨平定。」政府仍不警戒前失，仍須痛醫頭，又於七月調整紗價，八月調整石油價，九月調整匯率，迄甫告靜止物價，又趨上漲。漲幅之大，超過春初，軍公教人員（及人民）生活感受嚴重威脅；一般日用品價格，高漲百分之二十至七十，且有超過一倍者」（十一月十二日台北徵訊新聞）。

對國大決議執行不夠

去年三月，第一屆國民大會第二次會議通過了「當前經濟改進方針案」，其決議為「送請政府採擇施行」，行政院長俞鴻鈞於同年十二月廿五日國民大會代表聯誼會年會宣稱：「貴會今年二月的大會向政府提供了很多寶貴的意見，政府各部門都會照着各位代表先生的指示努力去做」；國民大會的議案雖無法律的效力，但以本方案的完整性與建設性（當時頗受與論讚揚），應可作為民意的具體表現，俞院長既又加以保證，其受「採擇施行」，應無問題。我現在把它的「改進方針」列舉如下，以備俞院長暨代表同仁於本屆年會對「努力」所「做」的程度，共同加以檢討：（一）確立自由經濟為主管制為輔的經濟政策，（二）建立便利私營企業的制度，（三）有計劃的激發人民生產力，（四）穩定貨幣價值改變外匯政策，（五）貿易以經濟發展為主的健全財政，（六）為執行政策應明定權責，簡化機構；該方案除明確地分析與檢討現狀外，各項建議之中，或具體說明或提出辦法，極易獲按（該案附錄於台灣經濟七六－八二頁）。

一年半來的總檢討

我去年六月論新閣時說：「新政府的人物，在財經方面說，全是舊人……政府的安排如是，只有退而希望他們在作為上有新底創作」；我期待它的是「新」的開始，而不是「舊」的延續。一年半以來，財經措施的最顯著者是通貨膨脹（以數字為證）及加價（如電力及其他）；若言外匯貿易的改變，也大多有名無實；至於「大刀闊斧」地整頓公營事業，更是雷大雨小了。兩次物價波動換取的教訓，不能讓其輕輕逝去，反共抗俄大業端賴經濟發展以維持，人民的生計亦恃之以安定；新經濟部長江杓適於此時上任，我希望在機構權責的調整及改進方針，行政院乘此機緣有新底創作。我終始認為台灣經濟大可有為，其基礎優於東南亞各地；我的信念至今未變，只是毛病不早作根除，健康不及時培養，再好底身體也會失去活力。今臨歲暮，聊為「財經內閣」作一結賬；一年之計在於春，一切底希望，讓大家祈禱降臨於明年罷！（十二月十一日）

從渡河流時代
到渡氣流時代
人類歷史演進的新方向

・朱際鎰・

作者這一篇文章原文很長，他根據人類的實際生活史，敘述人類在地球上交通的進步情形。他說人類的交通從征服河流開始，進而征服海洋。征服的結果，把河流和海洋都充分利用了。因此，過去人類文化的起源和發展，都和這一征服的過程有關。根據過去，推測將來，作者認為今後的人類交通從渡過河流海洋的時代，進而渡過氣流以入於其他星球的時代，不是不可能的。最後，作者認為在新時代到來之前，人類社會應有事先的充分準備。因原文過長，謹將全文最精彩之末後部份發表如左：——編者——

征服太空祇是時間問題

人類發展星際交通征服太空的報道與討論，自從美國艾森豪總統宣布創製人造衛星以後，更形熱烈起來。雖然這還是一個離事實相當遙遠的理想；但是這個理想經此宣佈實又向着事實邁進了一步，這點似為任何人所相信所承認的。究竟這個理想能不能實現？要是由科學家們來回答，準是肯定的。何時成功？只是時間問題。其他的人恐怕還是滿腹疑問。本文特就這一個題目，專從人類歷史的演進情形作一個說明。我們現來作肯定說明，為時雖嫌過早，但根據下面的推論，人類歷史發展確實有這個趨向，而且非朝這個方向發展不可。（中略）

一、從渡河流時代到渡氣流時代，將是人類歷史演進上一個大轉變時期，這個轉變一旦實現，其變革之大，決非人類過去任何一種轉變，如由游牧進到農業，或由農業進到工業那種情形可比。到那時，人類舊有一切思想觀念生活方式各方面，可能都要隨之大大改變。所以在這個大轉變到來前，我們應精思熟慮，充分準備來迎接其降臨，以免臨時驚惶失措！

人與自然競爭空前劇烈

二、從渡河流時代到渡氣流時代。又是人類所面臨的一個新考驗時期。因為人與自然又進入另一場劇烈競爭，這場競爭的結果如何，完全握在人類自己手裏。人類的進步，不過是將一層一層的自然天網加以突破而已。一部人類歷史，又不過是人與自然相競賽的結果。但是我們要知道，人類過去所突破一層層天網的行動，多是近於盲目的。人類過去所寫下的歷史，也並不是有預定目標按照計劃而寫成的，這一切都是人類在「物競天擇」的自然意識下進行而附帶產生的。也多半是人與人爭的副產品。即此部分人為戰勝彼部分人，而不得不想出制勝方法。此制勝方法與事實表現，便附帶造成了人類歷史進展的主因（有時退步，有時停滯，此為造成人類歷史發展緩慢的原因），這是人未認清其在宇宙中的責任與地位所致。今後我們應該澈底覺醒：人類才是宇宙中的主體，惟有全人類的共同利益，才是人類的利益（註）。其餘一切都是從屬次要的。這就是說，我們是宇宙的主人，我們的活動應以全人類的生存、進步、利益為前提，朝着目標，作有計劃的進行和發展。使人類的進步，不再是近於盲目的；使人類歷史，也不再是渾渾噩噩私慾縱橫的生活下而寫出來的！這個意識如能從全人類中自動覺醒出來，則人類在這場競爭中必可獲得絕對優勢，而促使這一理想得以迅速實現。否則，這一場競爭將恐長久拖延下去，人類又不知要遭受多少浩刼以後，才能看得出一點進展。

（下轉第二版）

「美對華政策不變」

美政府發言人在巴黎對中央社記者說，「美國對華政策不變，對北平態度亦不會軟化」，我們應該照其表面價值相信這話，只是類似的聲明在過去聽到的太多，美政府的實際行徑並不能與此種保證符合。

舉一件最近的例，有如此次反對外蒙入聯合國，最初美國反對最烈，身為外蒙宗主國的我們，自然願與美國共為維護正義和聯合國尊嚴而奮鬥。乃不旋踵間，美國軟化妥協了，反而竭力勸阻我們，不要再反對外蒙。又如日內瓦對中共的談判，最初美當局信誓旦旦，表示決不與北平政權進行談判，結果詹遜大使居然與王炳南以對等地位進行會談了。幸而是中共一味刁難，稱俘進行並不順利，否則，談判進入第二項議程（所謂雙方爭執的其他實際問題）之後，誰敢保證美當局態度變到何等田地？

比起大戰甫停或韓戰初起之際，美國在國際間威信不知降落幾許，這並不盡然由於蘇俄冷戰戰術高明，主要卻是美方政策動搖拙劣的結果。要挽回冷戰中的頹勢，首先是恪守信義，言出必行。一些帶數衍性的外交辭令，還是少說些好。

時事評述

・李秋生・

美訂龐大援外計劃

由於蘇俄無情的發動熾烈冷戰攻勢，困擾西方，西方也要重訂對策，以為應付，其中辦法之一是下年度的美國援外預算將增至五十億元。三年來逐步結束援外計劃的醞釀，在蘇俄銳利攻勢之下，顯已不合時宜，同時這無疑是整個自由世界的喜訊。

但這一龐大預算，無疑將引起重大阻力，尤其是具有孤立傾向和堅主平衡預算的一派。自從故羅斯福總統在戰時提出租借法案以來，美國每年以驚人數量的戰具與物資支援海外，曾經打勝了大戰，挽救了歐洲，並使若干在破產邊緣掙扎的國家獲得蘇息；但若就近年情形而言，則成效確甚可疑。問題中心不在援款的多寡，而在運用的方法。在方法上不求澈底改進，雖多亦奚以為？

援外與納稅人的錢包

不過這卻是政策和技術方面的問題，並不足以替美國反對援外的政客們引為藉口。在政治上不能發揮積極有效的領導作用，而只靠美元爭取與國，已經是低能措置；如果面臨最兇險的敵人和鬥爭，而竟連一些金錢都加吝惜，只斤斤計較減稅和平衡預算，更是鄙吝之尤。俄共的「援外」，有時確比美國更慷慨，而且也絕不附加一些有形的政治或技術上的條件。太重視納稅人的錢包，結果可能失掉整個世界。

改善韓日關係的曙光

韓日關係惡化，是自由亞洲之癌。漁業糾紛的僵持，歷時已將兩年，亞洲反共同盟的組織，由於韓日交惡，也幾乎土崩瓦解。而面臨俄帝中共日益增強的威脅，這些嫌怨竟始終不能解釋，簡直是自由世界的恥辱。

最近韓國取消對日貿易禁令，李承晚總統也提出改善雙方關係的條件，雖多少透露了一些新的曙光，卻顯然還無法打開僵持的局面。雙方都該把眼光放遠大些，不要只執着於一些渺小的私見和私利，致使亞洲東北一隅陷入嚴重危機。

安理會補選席位的僵局

安理會席位選舉之爭，投票到三十五次仍無結果，竟有人別出心裁想出抽籤辦法來，使這和平安全機構，蒙受一次污垢。可痛心的是：這並非自由世界與共產鐵幕之爭，而是自由世界的內訌，最主要的是美英間不能協調。以號稱血濃於水的關係，卻在最高國際機構中演成對立之局。如果連這死結也無法打開，更不要再侈談在國際間排難解紛，維護安全了。

帝汶僑教的危機

僑領許潛源先生一席話　共黨滲透行將佔奪僑校

·文華·

（本報特訊）「葡屬帝汶島華僑約四千餘，大多數都是擁護國民政府，反對毛記的共產黨政權的。帝汶島的華僑和當地土著及葡國殖民政府都相處得十分融洽。」這是新近從帝汶島叻利回到香港一位青年僑領許潛源先生對記者暢談該地僑胞一般情況的一段重要談話。

許先生是廣東梅縣人，十五歲便到了帝汶，現在經過了廿年的長時間，才第一次攜同他的夫人和一位最小的兒子回到香港探視親友。許先生是帝汶中華總商會的理事，兼任那裏的中華中學董事長。他很感慨的說自己沒有受過高深教育，因此對於下一代的僑生教育特別重視。在他和記者兩三小時談話中，對帝汶島的僑教問題，談得最多。

師資困難經費不足

據許先生說，該處中小學的僑民學校現有七八所，學生不下八九百人，從數量說是相當發達的，最感困難的，是師資。當地固然得不到適當的教師，內地前往的，又不能久安其位，去年從內地新聘的幾位，不到半年便紛紛改行了。他很希望有志從事文化教育的青年智識份子，能多些到那裏去。

說到僑校經費，他說那裏的僑校經費都是靠熱心人士捐助的，學費極廉，學校收入，學費僅佔三分之一左右。經費不足，自然也是僑校發展的一種障礙，此外房屋也是一個困難。

升學問題亟待解決

其次說到僑生升學也很成問題，有能力的雖可到澳洲印尼或星洲求深造，沒有能力的讀完初中，便無法再求上進，因為那裏僑校現在只辦到初中為止。他說台灣每年雖招收海外僑生，但帝汶根本便不知道有這樣一回事，他認為政府應該對此加以注意。

許先生又指出，那裏早一代的僑胞多數缺乏適當教育，下一代情形又復如此，這不只是目前在各方面會有種種不良的現象，將來還要吃虧。所以他最關心的是僑教的如何改進問題。

最後許先生說，僑胞擁護政府是不成問題的，不過政府也要做點有益僑胞的事情，否則僑胞和政府的關係是不會十分緊密親切的。（十二月十七日）

（帝汶叻利通訊）葡國是反共的，共黨列為非法組織，這裏的共黨活動向來十分薄弱。惟近一年來，共黨的滲透已逐漸加強，對於僑校威脅亦逐漸增長。此間僑胞之投機及動搖分子受共特之主使操縱，紛向學校當局進攻。首先攻擊董事會，並大放其反對國民黨之口號。聲勢洶洶，一般愛國人士，善良份子，又多畏事，不敢與較。退縮消極，彼等遂更得勢，今後許多僑校或校董會，恐不免逐漸淪入彼輩之手。開學校當局，以應付困難，曾將情形報告我僑務當局，惟遠隔重洋，交通不便，僑務當局始終置之不理，僑校主持人不免因此氣餒，所謂左翼人士氣燄益為高漲，今後帝島僑教恐將與馬來各地情形，同一命運。

又此間左派份子，因我領館曾設法阻止共黨刊物之流通，對領館之攻擊甚力，企圖破壞，使之封閉。總之，共黨陰謀無孔不入，我政府如無適當對策，此間一向平靜之華僑社會，恐將面目全非矣。（十二月五日叻利）

·台灣通訊·

俄為何否決日本入聯國

·小魯·

蘇俄對於日本加入聯合國的議案，在三天之內使用了三次否決權，因而引起了日本輿論界和議會反對黨的不滿；不過，所奇怪的是日本所不滿的並不是蘇俄，而是中華民國。日本人為什麼敵友不分？難道他們的理智竟如此糊塗不清？此間各方連日聽了日本時事廣播電訊後，極為反感，對日本人中了蘇俄的詭計而不知，深表遺憾。

記者曾為此事訪問外交界人士探問觀感。某外交觀察家不願署許日本人對自由中國的誤解，但對蘇俄排斥日本進入聯合國的動機，作了詳細的分析。

該觀察家說：蘇俄最初的目的，是要藉外蒙入會問題來孤立自由中國，所用的手法是逼使中國在安理會中不否決外蒙入會，然後蘇俄以此為理由否決所有非共國家進入聯合國，導使這些國家因而痛恨中國，以造成中國的不利地位。那知最先使用否決權的是蘇俄而非中國，故當蘇俄否決十五國入會後，世界輿論一致譴責蘇俄，反而使其自身陷於不利；面對這一情勢，蘇俄自知不妙，乃將錯就錯，使用翻手為雲覆手為雨的手法，提出十六國入會案，以圖挽回它的頹勢，但卻把日本、外蒙除外，這等於放了一隻冷箭。

為什麼要把日本、外蒙除外？該觀察家指出蘇俄的袖裏乾坤，是有着一套毒辣的作用的。第一個作用，就是製造中國與日本的矛盾，形成一種印象，使日本人感到日本之所以不能進入聯合國，是受了中國否決外蒙入會的影響，因而遷怒於中國，迅速與中國疏遠，轉而與中共親近，陷中國於不利地位。

其次一個作用，是製造日本與美國的矛盾，使日本人感到美國並不絕對可以依靠，因為連日本加入聯合國這個問題，美國都無把握以其影響力而協助完成，其他更不必論；相反地，卻襯托出蘇俄在國際事務中所表現的力量，如果日本要加入聯合國，非必須仰賴蘇俄高抬貴手不可，否則是一無希望。對比之下，無形中使日人喪失對美國的信仰，轉而要看看蘇俄的顏色，並利用左翼力量，加強反美浪潮，逼着日本政府採取中立政策，漸與美國分手，以分化自由世界在亞洲的團結力量。

再次一個作用，是加深日本內部的矛盾，打擊鳩山內閣的聲望，使日本人民對自由民主黨失去信心，轉而信賴社會黨，以統戰手段抬高社會黨的政治地位，進一步奪取政權，培植共黨勢力，使赤菌滲入日本內部，最後把這個島國和中國大陸一樣，變成蘇俄的附庸之一。

第四個作用，是把日本加入聯合國問題，作為外蒙入會的抵押品，以造成如果日本要入會就必須讓外蒙入會的形勢，否則日本就休想作此打算。所以，當本月十五日美國再度提出准許日本於明年入會的建議後，就被蘇俄悍然否決。這完全是一種強盜的要脅行為，如果要脅不成功，聯合國就永久不會有日本代表的席位。

最後一個作用，是蘇俄要把日本加入聯合國問題，作為壓迫日本和它簽訂一項不平等的雙邊和約，而這項和約的談判，現正在倫敦進行。因為蘇俄否決日本進入聯合國所持的理由，是蘇日和約尚未簽訂，所以不能投票贊成；如果日本要想進入聯合國而不受蘇俄阻撓，就必須先和蘇俄簽訂和約，如要想簽訂和約，就須接受蘇俄的敲詐，在和約談判中，對蘇讓步，否則就休想如願。但是，這個讓步所付的代價一定很大，例如日本永久放棄收回齒舞羣島、千島羣島等領土的要求，或者提供脫離西方陣營採取中立的保證等等，都可能是蘇俄敲詐的目標，如果日本被迫接受這種敲詐，犧牲是很慘重的。

從以上這些分析看，可見日本不能進入聯合國，責任完全在蘇俄，不但與中國絲毫沒有關係，而且中國是始終全力支持日本入會的。現在日本社會黨正在國會中興風作浪，藉口日本不能進入聯合國，要求外相重光辭職，左翼黨派的報紙更掀起了對中華民國責難的浪潮，這些現象，都是上述分析的例證。假如日本人忽視蘇俄這些作用，而遷怒於中華民國，實在是太無智慧，而且正中了蘇俄的陰謀詭計。相信公正的日本政府和大多數冷靜的日本人民，是不會甘心受蘇俄利用而錯怪中國的。

印度人眼中的俄酋宣傳劇

·風行譯·

此文係譯自印度新德里出版『思潮週刊』（十二月十日）之通訊。

俄酋布爾加甯與赫魯曉夫訪問印度時，從各省政府和機構接收了許多禮物。我們觀察這兩個蘇共頭目，由新德里經孟買，而至馬德拉斯，再轉到加爾各答的十天旅行中，他們最珍視的禮物，是尼赫魯給他們的廣大聽衆。還給他倆的宣傳以歡呼喝采。

總之，這兩頭目訪印最顯著的事實，是在赴仰光前的十天旅行中，每一個城市鄉鎮出來歡迎的人民，比以往迎見尼赫魯的還更多。在這十日內聆聽赫魯曉夫與布爾加甯演說的人，至少有一千餘萬人。在上次競選運動中，尼赫魯演說吸引的羣衆，是否能獲得此紀錄，至屬疑問。縱然他每次舉行多次的大會，恐怕也沒有這個成績。

試將今年六月時尼赫魯訪問蘇聯，和這次蘇酋訪印比較，不特現在的比那時來得較熱鬧，而且性質也極不相同。尼赫魯在蘇旅行雖然也廣遍，但祇有在莫斯科作政治演說，而且所說的免不了帶着和平與親善的情調。然而蘇聯頭目的旅行印度，遠非限於親善訪問之意，而是大規模的政治宣傳。

除了在馬德拉斯由布爾加甯以總理的身份發表政治演說，在果亞問題上支持印度以外，所有一切的宣傳，都是由赫魯曉夫負責完成。這是表示蘇聯總理與黨魁當中，很靈活的分工合作。這樣便達到緩和印度人的反感之目的。否則印人說他倆違背外交禮節。然而在大多數的場合中，赫魯曉夫也扮演重要角色。每逢到達一個城市，用有地方色彩的花言巧語，作肉麻的表示感謝歡迎。在南加爾便稱頌旁遮普人的勤懇。在潘那便歡頌馬哈拉什人的英勇。在加爾各答便讚揚孟加拉人的愛國。赫魯曉夫先生在他的搭檔伙計做了諂媚的開場白後，便演出宣傳劇的戲肉。

十一月二十二日俄酋首次旅行，初停留在南加爾，便開始大吹法螺。在下午取消訪問根瓜瓦爾電力廠，赫魯曉夫於歡宴後，鼓其如簧之舌，縱橫議論天下事。他作信誓且旦之語謂：『最後一塊麵包也不吝的和印度共享』。他並不像西方政治家一般的，既施與又怕印度人的敏感生出疑懼。他「老實」的說：『我們願你們吃飽』。他表演出共產黨人拿手好戲，一本正經的道：（上）

從渡河流時代到渡氣流時代

不再有分合祇有永合

三、從渡河流時代到渡氣流時代，也是人類邁步永久和平的良好時期。過去，我們常聞「分久必合，合久必分」的歷史律則，這完全是人與人爭所造成。今日我們如能照上點所說，從「人類為宇宙中的主體，惟有全人類的共同利益，才是人類的利益」這一意識中，普遍覺醒起來，集中力量於開發星際交通，征服太空這個目標下，而一致對抗自然的阻力，不僅自然的天網逐層可以突破，而且人類相互殘害的情形也可隨之消除。到那時，人類再無所謂分合，而只有一個永合局面。那也就是我們今日深所企求的永久和平的實現。

總之，時代在轉變，人類歷史的發展將隨這個轉變露出新的曙光。過去那種為求財富擴張殖民地而爭奪殘殺的卑劣醜惡故技，我們決不能再重演；過去那種只顧少數人或某階層的生存權利，而迫害奴役多數人或其他階層的專橫偏狹思想，我們更應將之根絕。

徹底醒覺迎接新局面

我們應從「人類為宇宙中的主體，惟有全人類的共同利益才是人類的利益」這一意識中，徹底的覺醒過來，以接迎將臨的新局面，開創人類的新天地！寫到這裏，我又記起李鴻章的一句話，就是當清末西方勢力衝進中國後，中國一敗再敗，他說那是「中國二千年未有之一大變局」。我想今日的情形，大家也會感到，更是人類發生以來百萬年未有之一大變局。科學落後的中國人，似尤不容對此忽視！

註：今日信奉馬列主義的共黨黨徒，就是以少數信奉該主義的人的利益為利益，以代表全人類的利益。假若人類能從「人類為宇宙中的主體，惟有人類的共同利益，才是人類的利益」這一意識中，徹底覺醒過來，馬列主義者不打自倒，不攻自潰。

美陸軍實行全面改革

·明譯·

航空部隊

美國陸軍為促進空中的迅速機動力，且正計劃大規模擴充其本身的航空部隊。目前陸軍約擁有四千架，其中半數是直昇機，半數是輕型普通型式軍機。

陸軍的直昇機隊將擴大四倍。目前正試驗的飛機，包括迪哈維蘭廠的U型直昇機，可載八名裝備齊全的戰鬥士兵，還有幾種是巨型的新型直昇機，也能載八人，及兩種西柯斯基廠的直昇機，所載十六人及二十人，軍人人都能攜帶全副裝備。

直昇機飛行員的訓練計劃，也已擴充一倍，目前每年培養的駕駛員，約有三百人。普通飛機的飛行員，也將從每年七百五十名，增達一千二百名。

新式武裝，為了配合陸軍採用空中調動上的新戰術，也將在型式上大事增多。其中若干種是供士兵們手執的，最近曾在大演習中加以試驗。有一種可供空運的坦克砲，口徑九十糎，最近已正式試用。這種新砲，部份是鋁裝，能在軌道上自動推動，看起來頗像一架坦克車。它稱為T一〇一型，僅重一萬五千八百磅，能用降落傘空投。其他現有的武裝，[illegible]「伍長」式飛彈[illegible]「誠實約翰」[illegible]射程及正確性上都已提高[illegible]「尼克」式[illegible]其他方面實行基本的改革。

例如有一種新式坦克已能將現在的坦克縱駛能力增加四倍，足以驅馳於巨大的戰場。迅速的運兵車輛也已出現，將能從由飛機空投，然後將士兵迅速運到必要的戰區。較輕的步槍與其他小武器，都已陸續交陸軍使用。

電視部隊

陸軍編制中將出現新的電視部隊，他們的主要工作是促進指揮部與前線部隊之間的聯絡。指揮部的軍官，將能從電視幕上不斷看到前線士兵的活動情形。這種新部隊，還祇是陸軍改善其通訊體系的總計劃之一部。此外，遠程無線電機也將交與士兵們使用。在不能使用無線電工具的地方，指揮部當局將派出低飛的飛機，到前線投落或收取書面的命令或報告。陸軍的新理論認為，在原子戰爭中，保持各部隊之間及總部與戰區部隊之間的密切聯絡，是絕對必要的。

在新的陸軍計劃中，為了應付另一種全面戰爭的需求，一種全新的「解放戰士」部隊也將在編組中。這種部隊[illegible]深入敵區作戰。

敵後活動部隊

這種新部隊的單位都很小，但具有複雜而新穎的無線電工具、破壞武器以及醫藥、小型新式糧食裝備，能夠在敵人區域中維持長時期的作戰能力。他們的任務是組織游擊隊，破壞性的民兵，以牽制巨大的敵人正規軍。這部隊的士兵多數懂得數種語言，且有許多是共產國家的流亡難民。他們都是志願接受特殊訓練，對某種游擊戰術具有專門技術。

但地面部隊的改革規模，大部份仍繫於空軍，因為陸軍的新計劃，是以空中機動力為基礎。陸軍要求獲得巨大的「戰術性機動力」，俾能迅速從某一地區得到必要的戰場。（下）（譯自「美國新聞及世界報道」）

自由中國工商界領袖參觀工展
親述祖國日益繁榮
歡迎僑胞投資設廠
反應熱烈港台貿易將有重大發展

自由中國工商界來港參觀工展團在香港這兩個星期的活動，已充份證明得到了比預期更豐滿的效果。

正如團長王繹齋向新聞界所介紹，這一次來港的十九個團員，都是自由中國工業界的實力派，因此，他們來港的目的，除了參觀中華廠商會所主辦的第十三屆華資工業展覽會外，最主要的是和香港的工商界取得更密切的聯絡，多做一點生意。

工展攤位主人 都以合影為榮

這兩個星期以來，這兩點目的都迅速達到了。在工業展覽會中，來自中國的工業家和香港的工業家打成一片。當他們一行被邀參觀工展會場時，每一個攤位的主人，都以能和祖國的工商界代表合攝一照為榮。當然，這一種光榮不應是屬於團員的本身，最大的作用是甚於他們是來自中華民國。

迄目前為止，以參觀工展團為橋樑的港台貿易，雖然未曾獲得一個完整的統計數字，但可以知道的，至少以台灣的生豬和香港轉口的黃豆作物資的交換，已獲得初步的協議。此外，如軟質塑膠、化工、搪瓷以及若干原料的輸台也都有了相當的眉目。當然，最大的成功，並不是可於目前見到的。

這些日子中，除了官式的酬酢外，團員們都抽空分頭活動，與其本身業務有關的本港貿易商及廠商接觸，聯絡頻頻，在旅邸內難得看到他們。像毛紡的趙耀東，水泥的陳啓清，西藥的許曉初，紗廠的劉文騰，瑞璜的林文仁，及全體團員，分頭商洽，目的都是為着促進台港貿易實際下一番工夫，先打好基礎，鋪下一條大路，掃除這些年來貿易上的障礙，並尋求一個解決。

祖國日趨繁榮 歡迎僑胞投資

這次來香港的工商界代表團全部團員，包括工業界七人，商界七人，僑資兩人，工商協進會的兩人。據他們對記者說，他們和政府是同樣歡迎僑胞們返國投資設廠。根據他們的經驗，實業在台灣的前途甚多樂觀。據毛紡的趙耀東說，單是他的工廠，已經接到南韓方面的定單到明年六月了，而南洋方面的市場亦在繼續開展中。棉紡的劉文騰也說，台省共有二十多萬錠的機器，可是，全部的出品在台省本土內銷，也供不應求，生意很好，所以僑胞返台投資設廠，將來是不愁沒有銷路的。

正因為他們是實力派，這一行十九人在香港獲得了極大的歡迎。他們曾先後參觀了鐵工廠，麵粉廠，五金廠，紡織廠，糖薑廠和醬料酒廠。一般說來，他們都很感興趣。他們曾到過徐季良主持的大華鐵工廠，孫廷芳主持的香港麵粉廠，尹致中的大中實業公司，王雲程和榮鴻慶的南洋紗廠，吳昆生、童侶清的偉綸紗廠，林子豐和鄭植之的捷和鋼鐵廠，涂秀貞和謝伯昌的南華糖薑廠和潘振明的錦珍醬園等，他們一面研究，一面觀摩比較，尤其是麵粉廠和捷和的鋼鐵，他們都決定準備向台灣推銷，如果獲得成功，則對台港間的貿易又促進了一步。

報告祖國進展 會場掌聲雷動

中華廠商會對祖國的工展團也特別重視，在一次聯歡宴上，會長許岳鄭重地介紹來自祖國的參觀工展團團長王繹齋致詞時，曾引起熱烈的掌聲。王氏在席上說，他看過十三屆工展會後，深感香港工業一年勝似一年，出品一年比一年進步。接着他又指出自由祖國工商業也像香港廠商天天在努力，天天有進步，希望香港工商界有機會組團到台參觀，促進港台貿易，自由祖國隨時願意為香港僑商効力。顧問黃馮明也在被邀致詞中闡述了自由祖國工商業情形，及最近頒佈華僑回國投資條例，他說，台灣在日本統治時代，有「工業日本，農業台灣」之稱，因此當時的台灣簡直無工業，但近年來在祖國領導之下，工業已日漸發展，糧食，衣物，用品，不僅可自給自足，更可外銷。東南亞游資無出路的今天，自由祖國實可以投資，幣值雖沒有香港穩定，但亦相當安定，電力充足，原料不成問題，近年來僑胞在台設廠，已有五十三家，資本額達二億元。

慰問忠貞難胞 帶來關懷溫暖

王繹齋和黃馮明這一番話，使香港的工商業界人士對自由祖國的工業情形有了進一步的認識。但參展團的工作表現還不止此，他們更利用空暇，往調景嶺難民營跑了一次，他們代表祖國為這些難胞帶來「溫暖」，正如團長王繹齋那天在難民營所說：「各位能從艱難困苦中掙扎奮鬥，與及忠貞使人感動的表現，都使我們無時無刻能以忘懷。我們今天能和難胞見面是非常興奮的，在自由祖國的人，都會對各位同情，我們願意將各位的生活和願望，向政府和各方面報告。」

因此，許多人都說，來自祖國的工展團團員所表現的，都非常良好，他們一方面為了本身的業務發展。但更不會忘記代表祖國給港地的僑胞帶來關懷。

團員大方敬酒 左翼記者大窘

此外，有兩件事是特別值得一提的：第一件是當他們會見香港的新聞界時，有一位記者問他們，「最近立法院要通過一項所得稅的提案，你們會反對嗎？」這一個問題，由他們的顧問許曉初直率地答覆，說：「我們是絕對支持政府這一個提案的，我們試環顧東南亞各地的國家，自由中國的勵精圖治和軍隊的強大，軍費的負担是首屈一指的。而對工商業復亦關懷備至，政府給我們太多了，我們貢獻與政府的，祇是有限，因此，對開徵所得稅的提案，我們不但不會反對，並且絕對支持」。

第二，是當中華廠商會歡宴代表團時，代表團為了表示對主方的謝意和答謝新聞界的合作，曾輪席敬酒，但他們至其中新聞界的一席時，席中有約七、八名的左翼報紙記者，拒絕起立回敬，但代表團的團員，依然敬酒如儀，這使到那幾個左翼記者羞愧萬分，第二天，好幾份中立性的報紙也報道了這一幕活劇，這說明了代表團這一次的成功決不是偶然的。

港大提高中文入學試水準

文華

【本報訊】香港大學為提高中文水準，關於入學考試命題範圍，今年從新編訂「中國文選」上下兩冊，上冊為普通水準，下冊為高級水準。內容質量及數量，均較過去提高甚多。一九五六年入學試，即以該兩書為命題標準，惟為兼顧學生程度及教授時間起見，明年入學考試，暫將該書分為必修部份與參考部份，以期收逐漸提高之効。茲探得參攷部份之內容，分列如左（其餘均為必修部份）

普通水準（參攷部份）

（八）秋水篇（文首至「窮至大之域」為必修，以下為參考）

（九）乘燮中下篇

（十一）白馬

（十三）長門賦

（十五）水經註部份

（廿一）遊廬山日記

（廿八）無題

（廿九）秦婦吟

（四〇）——（四五）哭宴至長生殿（共六篇）

（四七）——（五二）林冲至桃花山（共六篇）

附錄三篇

高級水準（參考部份）

（一）坤文言

（三）抑

（七）太史公自序前段

（九）二體

（十二）書教中下篇

（十三）自記

（廿）聖哲畫像記

（廿四）情采

（廿六）白居易與元九書

附錄

以上數字均係原書目錄次序

各界重視隧道計劃
港府委會正予研究

港九間鑿海底隧道的計劃，頗為各方所重視，現在這計劃正由港政府各機關聯合組成的工作委員會，加以縝密研究。該工作委員會，由副財政司任主席，並由工務局、海事處、工商業管理處及警務處五機關之代表組成，自上月起，即展開工作。該委員會的任務，是對該計劃財政，商業及經濟各方面，加以研究，此外，並研究該計劃對於土地及城市設計及交通的關係，以及對渡海小輪之影響及配合，然後提出報告。輔政司於本年九月十四日，向立法局提出隧道計劃報告書時，曾宣佈政府決定對建築隧道計劃，加以澈底研究。

大陸藥廠的怪現象
製藥車間蠅飛蛆爬
產品不合藥典食後嘔吐暈迷

照常識來推斷，製藥廠應該是極端的潔淨的。但據十二月五日天津大公報的評論裏所露佈的材料來看，卻並不然。

該評論說：「據檢查，各地藥廠過去雖然訂有一些清潔衛生制度，但很不完整，大都流於形式」。因此，「例如：遼甯某藥廠的製劑車間就居然有蒼蠅到處亂飛；河南某藥廠的片劑車間甚至發現了蛆虫！」

這種怪誕的奇事，似是令人難以相信。以前不僅中共自己宣傳，就像知名的「大人物」如艾德里之流，也曾說大陸上是沒有蒼蠅的了，現在事實證明只不過是蒼蠅和蛆虫轉移陣地而已。

在中共壟斷獨佔下的製藥業，其腐敗既已至此，故其產品之不合藥典規格，以至影響病家健康等情事就更不足見怪了。

由於這些情況，至使「某些片劑藥品病人服後崩解慢或不崩解；有些病人用藥後發生不應有的嘔吐、暈迷以及其它延誤治療現象」。

針劑混濁藥水生虫

據該評論說：「普遍而嚴重的問題就是藥品質量還不穩定，有些藥品的質量甚至還很低劣。這種情況，又以針劑、片劑藥品最為突出」。

其具體的事例是：「某些針劑藥品的澄明度不合格，出廠後往往發生混濁、沉澱或變色，難以貯藏；某些片劑藥品的含量與崩解度不合格，配料不勻，甚至含有什物」。

就今年第一季度言，在「國營」醫藥公司控制下的「上海二十多家私營藥廠生產的針劑藥品，證明不合規格的，就佔百分之九十二左右；今年四月份信生藥廠生產的針劑藥品全部不合格。上海中國藥物建設公司生產的「咳可寧液」不但發生沉澱，並且還發生小生虫」。

中共藥廠 圖財害命

這些不負責任「圖財害命」的事情，是不是祇有私營製藥廠才有呢？不然。在「合營」和「國營」的藥廠裏，也存在着「只顧產量、產值，忽視質量，只顧生產價值高、利潤大的產品，不顧生產產值低、利潤小的產品」。所謂某製藥廠者，就是中共自己直接經營的藥廠。例如：「上海製藥一廠生產的「抗壞血酸」去年成品率只達百分之八十點六一」，實際上，照中共所公佈的比重來說，目前私營藥廠只佔百分之三十五，「公私合營」廠既只顧產量，產值而不顧質量，則其拆爛污的比重就大大地超過那些私商了！（范珍）

大陸學生不理政治
何謂革命莫名其妙

大陸上的大專學校學生，雖日在中共壓力下必須學習政治，但大多數還是虛與委蛇的，因此普遍地表現出，對政治常識漠不關心。具體的事實是可從對時事的不關心，可知一斑。

據十二月十一日北平「光明日報」所載，中共最近在各學校舉行時事測驗的結果是：

浙江農學院有些學生不知道糧食的「三定」政策是什麼，知道「三定」具體內容的學生就更少了。山東大學生物系一年級的學生，連什麼是「十月革命」也不甚了了。四年級學生四十九人參加「時事測驗」，「只有七人及格」。

「東北人民大學」物理系學生回答不出中共七屆六中全會是在什麼時候召開的。雲南大學一千六百八十五人參加「時事測驗」，及格的僅佔百分之十五。（范）

農業合作化計劃受挫
中共竟歸咎知識份子
將實行全面勞動改造

中共區的高級知識分子已面臨全面「勞動改造」的厄運。中共認為高級的知識分子「非勞動改造，不能拋撇他們資產階級的思想包袱」。南京「新華日報」最近引述來自北平的消息說：「九三學社中央常務委員會曾於十一月廿三日和十二月四日先後召開會議，討論「知識分子的團結改造問題」，這兩次會議均由該社主席許德珩主持的，與會的尚有黎錦熙、涂長望、嚴濟慈、薛愚、王之相、茅以昇、周培源、葛庭燧、黃渭川、孫雲鑄、尹贊勳等。這兩次會議並非事先預定要分兩次舉行的。因為第一次會議終結之後，共黨認為未能把握重點，未曾結合情況，是脫離了現實的，一次無意義集會。

因此便繼續召集了第二次會，他們對於中共對知識分子作歷史上任何時代未曾有過的安排，有了一個具體的經驗，由於客觀形勢很快的發展，在現階段幾乎每一知識分子，必須配合「農業合作社」，尤其高級的知識分子進一步進行「思想改造」，以挽救「社會主義」的命運。中共認為近來各地反映出「農業合作化」的頹唐現象，歸咎於沒有知識分子去「正確領導」，對羣衆缺乏聯繫，因為知識分子向來就歸視「農業合作化」和資本主義工商業的「社會主義改造」。它的主要因素指係：不肯輕輕釋去「根深蒂固」、而且由來已久的資產階級思想包袱。許德珩自認結合了這些情況，認為現階段對知識分子的「團結改造」是一件十分重要的「政治任務」。因此他強調：「九三學社全體同志必須全力投入這一工作，摸清情況，以便提出建議，以推動這一十分繁重的工作。」

另一消息，該報同時說明了高級知識分子「勞動改造」已注定了的奴工命運。該消息說：北平各地大專科學生，現已投入「勞改」陣營。「新華日報」指出：北平、天津、上海、山東和東北各地許多高等學校，大批學生被利用他們的課餘時間或星期假日到農村服役，「北大」最近就有該校副校長江隆基領導了二千多個男女學生集體去郊外投入集體農莊勞動（詳情曾誌十二月七日本報）。復旦大學三千多個學生參加了「團委會」組織的「支援郊區農業合作化的義務勞動」，並且還攜帶了許多宣傳性小冊子作深入宣傳。（體）

冬耕進度如虱爬被

中共「廣西省委會」發動「多耕」，但一般農村幹部和農民都提不起勁。桂共承認，各區「多種」進度之緩，有如「母虱爬被」。如桂西地區完成多種面積只佔原計劃的百分之十四，平樂地區，約只佔百分之二十一，容縣地區僅佔百分之二十四，桂林地區似尚未着手進行。造成進度遲緩主要原因為各級領導只空口說白話，沒有切實深入的去解決多耕增產中的實際困難。不但缺乏種籽、耕牛、肥料、資金的困難戶對多耕提不起勁，就是一般農業生產合作社、互助組、中富農、單幹戶也因補種問題，對多種的積極性不高。桂共又指出，目前各縣農民棄田流入城市的現象仍極嚴重，傳蒼梧一縣，流入城市的農民即有二千多人。

我的羞憤語

馬五先生

素有代表官方意見之稱的「紐約時報」，最近為着我國否決外蒙古混入聯合國問題，事前事後，會對我國不斷地發出詆譏之詞：一則指我會經承認外蒙獨立，沒有理由再反對它加入聯合國；再則指我不接受美國當局勸告而行使否決權，乃為「不受抬舉」。像這樣儼然以帝國主義者姿態，頤指氣使，隨意侮辱的混帳言論，至少我這個中國人感到莫大的恥辱與憤慨！

外蒙古當年由俄帝編導演出的獨立把戲，是誰替中國越俎代庖，在雅爾達慷他人之慨，奉獻史達林的？事後又是誰強迫我們承認的？一九四六年的「中俄友好條約」，既因俄帝背信不予履行，我們早已宣告廢棄了，而且俄帝亦已與中共另訂所謂「中蘇友好同盟條約」，有甚末理由，竟說我們不能否認外蒙古為「獨立國」呢？別人可說這類話，美國人尚有資格責備我們嗎？

至於說我們不接受無理的威脅勸告，就是不受抬舉。如果教別人喪權辱國，出賣國格與民族人格亦是「抬舉」的話，那我就要為着創進世界和平而「抬舉」美國一番，敬勸美國趕快把阿拉斯加劃還作俄帝控制下的「人民共和國」，並請它加入聯合國，以免有突受襲擊引起原子戰爭的危險，不亦宜乎？或者紐約時報所說「不受抬舉」的理由，是指中華民國如行使了否決權，美國今後就不願再予支持其聯合國的席位，將被中共闖入佔據了。然則英美各國過去之不使中共加入聯合國，就僅是純粹為着同情我們的友誼關係嗎？笑話！聯合國如果變成了一般強盜流氓們自私自利，非法作惡的分贓機構，我們且將羞與為伍，望望然去之哩！

中華民族的傳統文化精神，是講究「受人點滴之恩，必圖湧泉之報」的道義觀念的，同時也有「不食嗟來之食」的氣魄，決不像西方民族那種勢利鬼的損相。誰要以帝國主義優越感的言行來對待中國人，那根本就不配跟我們做朋友！

忘我

适恭

「忘我」有時是一種詩境，有時又是一種夢境。在花晨月夕下，欣賞行雲流水，只覺心情飄逸，不禁神往，這是一種詩境。在兵荒馬亂中，牽兒帶女，登山涉水，脚走起了泡不覺得痛，幾天沒飯吃不知道餓，這是一種夢境。

還有士兵在戰場上與敵人作戰，衝鋒陷陣，出死入生，只覺熱情奔放，忘記自身的存在，這是值得歌頌的「忘我」。戲迷在戲院中看到精彩的表演，不禁得意忘形，怪聲叫好，這是一種粗俗的「忘我」。窮措大家徒四壁，百無聊賴，把腰包中只剩的幾文錢，買一壺酒喝得爛醉，忘記了自己的窮酸，未免顯得荒唐。善男信女為了對菩薩的虔敬，竟把自己的手臂穿了孔，掛着香爐上廟進香，絲毫不感到痛若，實在有些愚昧。

相反的，有一種人特別注意自己的安全，坐汽車惟恐遇到扒手，看電影惟恐遇到空襲，稍微有點不舒服時，又趕快跑到醫院去檢查，惟恐自己的心臟發生了毛病。這是過於注重自己，吃了「不能忘我」的虧。又有一種人認為自己對於社會人羣的責任很大，時時想到如何貢獻自己的智慧和能力，為大多數人謀福利。這種以天下為己任的胸襟，是「不能忘我」之中值得敬仰者。

從上面所述的形形色色，也許有人要問：「人們究竟是忘我好呢？還是不要忘我？」要解答這一個問題，我們應就每個人的生理現象來講，可說「我」是自己的實體，任何人都無法完全的忘掉。所謂「忘我」的境界，只是在某一情境中暫時的感覺。我們所遇到「忘我」的境界，有的是主動的，有的是被動的，有的是聖潔的，有的是可笑的。因此，一個有修養的人，常常運用「忘我」的境界來滌蕩俗慮，陶冶心性，使胸襟廓然舒泰。反之，沒有修養的人，便不免誤入「忘我」的歧路，顯露粗鄙愚昧的情景。

「不能忘我」本是人生的常態，只為大多數人都為名韁利鎖所纏繞，讓自己在是非得失中兜圈子，便變成人生的病態。如果每個人都能夠從大處着想，時刻不忘自己對人羣所應盡的責任，自強不息的努力奮鬥，那末這種「不能忘我」的態度是我們所需要的。

每個人在日常生活中，能夠把握人生的常態，不放棄自己的責任。同時又能適時運用「忘我」的境界，排除俗念，恢復活力，這是一種人生修養之道。

輓聯

阿超

輓聯以簡明確切頌揚恰如其分為上乘，吳稚老挽蔡孑民（元培），雖只寥寥十字，「生平無缺德，社會一完人」，恰當蔡氏大學校長身分，又絕無阿私諛貴氣息。又于右老挽譚組安（延闓），亦只十二字，「抱武侯兩句話，為民國一完人」，譚卒于行政院長任內，頌揚得體，非譚氏莫能當此。

納粹的「豬玀」

最近西德電視電台播送德俘從蘇俄回國的情形時，德國猶太人協會秘書長頓姆，突在電視幕上看到他所熟識的一張面孔。數分鐘後，他的電話響了，一個緊張的聲音喊道：「你看到那隻豬玀嗎？」

那頓姆和許多猶太人所不能忘記的那張面孔，是屬於納粹生理學家克勞堡的。他是衝鋒隊的將軍，曾一度主持沃施維茨集中營惡名狼藉的醫藥部門。他曾在那裏對猶太婦女殘酷地試驗斷絕生殖能力的方法，許多猶太婦女因此致死。

頓姆詳查他所收集的證據後，認為如對克勞堡控以謀殺罪，將難以證明，因此他上書基爾市的檢察官，僅指控克勞堡在集中營中對猶太婦女「造成嚴重的身體傷害」。這個控告共有三十名婦女的宣誓聲明支持，她們都在集中營內遭克勞堡作為試驗品而倖免喪命。

頓姆只提出克勞堡致納粹魔王希姆萊的信。克勞堡在信中誇言，他的斷絕婦女生殖能力的方法，進展十分圓滿，而且祗打一針即能完成，如果實驗進展繼續如此，不久的將來一天之內將能對數百甚至千名猶太婦女施術。

基爾當局終於接受了頓姆的控訴而將克勞堡逮捕。頓姆欣慰地說：「問題不在這個畜牲坐牢十五年、一年、或一天。我們所重視的是歷史問題。許多人認為紐倫堡戰犯審訊是勝利者的報復，我們要證明，此人不僅在勝利者法律下是犯法的，且在德國法律下也是。」（波譯）

天下之大

模範新村

一家建築公司在市郊建築了一所模範新村。房子造好，靜候買主。

一天夜裏，監工打電話報告經理道：『房子賣出去了。可是今天發生了一宗不幸的事。屋外的架子拆了，房子跟着倒了。』

『蠢東西！』經理高聲罵道：『我老早告訴你，模範新村的房子得先黏好了室內的牆紙，才好拆除屋外的架子。不遵命令，這件不幸的事你該負完全責任。』

輸血害人

奧國維也納一個小偷在商店偷東西，人贓並獲，送到法院。法官問他是否認罪。

小偷不認罪。法官質問他道：『人贓兩獲，還能不認罪嗎？』

『不認罪是有道理的，』小偷說：『我活了六十歲，從來都遵規守紀。去年害了病，醫生給我輸血。自從那個時候起，我便起了不良之心。醫生把小偷的血液輸到我身上，害我做了小偷，所以我不能認罪。』（雪人）

秀才·舉人·進士

賈景德

督撫於新科舉人放榜後，設「鹿鳴宴」宴請主考房官及全體舉人，慶賀國家得人，並為舉人插戴金花，國家另給新科舉人旗匾銀兩，自行豎立單斗旗桿，懸掛某某科舉人旗幟，（進士雙斗）賞給匾額，上寫「經魁」（五經魁首）文魁等字樣，例由督撫列銜懸掛門楣，光耀鄉黨。在三十年內旗桿倒下壓斃人命，免其賠償。儒林外史所敘范進中舉，其情其景，雖然不免誇張過分，然而不能說完全不是事實。上述是秀才到舉人的階段。

舊制皇帝為廣收人才，還有以貌取人的大挑制度，以調劑不中進士的舉人，每屆舉行，除近三科中式的舉人外，均可報名應試，由欽派十二位王大臣在太和殿門臉列坐，應試者每排二十八，依次長跪，由遠而近，步行至公案前，衣冠齊齡，高唱本人履歷，各位王大臣詳加諦聽後，分同、大、貫、日、氣、甲、由、申八個字像形的體貌，決定去取，同字形取其面方體正，風度端凝，天字形取其舉止蕭灑，翩翩有致，貫字形取其體貌頎長，鶴立，日字形取其短小精悍，神采奕奕，列氣字者為其形像左高右低，身體不甚端正，列甲字者為其頭大腳小，列由字者為其上細下粗，列申字者為其中間粗兩頭細，均在棄置之列，立即命其先行退出試場。然後再將前列四等者詳加諦視，分為一二兩等。一等籤分各省任知縣，二等任教職或直隸州州判，由皇帝明發上諭交吏部詢問本人願就何職，名為詢問班，願就教職者，發回本省候銓，州判則由吏部籤分各省補用。

中舉以後，次年北京有會試場，各省地方及社會團體為體恤舉子家境清寒，也贈資與費補助部分川資。但為數無多，不數使用。邊遠省份如雲貴兩廣，兵部特發給火牌，下場的舉人，持火牌可向沿途驛站索要車馬，近於朝廷大員的「馳驛」。然而到航海和鐵路交通事業發達以後，舉人大都改乘火車或輪船進京，而將火牌讓予商人由旱地運貨，反成一種變像的旅費資助了。

家人大致是二月底到北京，新科舉人須先下複試場，三月八日會試開場，規制與鄉試相同，也是三場九天，十六日完場。四月初十日前後放榜，名為中式某某科「貢士」。大致在放榜十日後，舉行殿試。是由皇帝臨軒親自考試，殿試不到的雖可以「告殿」，然必須等到三年後下科殿試場，方能補考。名曰「補殿」。補殿的人，試卷雖好，照例不能列入前三名，所以離家稍遠的舉人，下了會試場以後，只得在北京候榜，不敢離開。當年各省乃至各府在北京均有會館，專供本籍官員士子住宿之用，並有專為舉子下場住宿的試館。（十三）

語意學漫談

徐道鄰

很好的一個例子，是芝諾 ZENO,490B.C 的有名的關於『不動的飛箭』的理論。他說：『凡是射出的一枝箭，當它在向前進的時候，在每一個剎那中，它都是在一個和它本身大小相等的一個空間上。同時，凡是一個東西，當它在一個和本身大小相等的空間中的時候，它此時就不是在動。而既是不動，它就是在靜態中。因為世界上的一切東西，不動則靜。因此這一枝射出去的飛箭，在它向前飛進的時候，在每一剎那中，它是在一種靜態中的。所以一枝向前飛進的箭，同時也是一枝安定不動的箭』。這全是利用一種邏輯（組合）語句──如同『在一個和本身大小相等的空間中的時候，就不是在動』，『既不是動就是靜』，『一切的東西不動則靜』──來把一個說不通的理論，硬說得有理。（即是影響人們對於它認為正確或不正確的『評價』）。古今中外的許多詭辯家，我們細細查究其文字，無不是利用這一類組合語文來加強他們的評價作用。（上面這一套，也是有人認為叫作『邏輯』語文，較為恰當。我們不稱為『邏輯』語文，而稱為『修辭』語文的，因為要避免『邏輯』定義這一個難題目。同時，大多數的『修辭』家，常常是利用這一套語言技術的。）

以上一例，大家都得還看得出來它在『邏輯』上說得通，而在情理上並不通。但是人們往往不是這樣警覺，而在許多場合中，把只是邏輯形式上的正確，當作了事理判斷的正確，而造成了許多行為上的嚴重錯誤。所以我們一定要時時留意，處處留意才好。

組合語句的促使使用
──文法語文

用『組合』語句以達到『促使』目的的，我們在日常生活中，也常常碰見。譬如一個先生等太太一同出門，太太總是不走出來，先生着急了，就說：『你要來就來，不來就罷』（邏輯的形式是：甲或非甲），這雖是一句純組合性的語句，而其目的，卻是在『促使』他太太趕快的打扮好。買東西的人，把貨物看來看去，總是拿不定主意，賣貨的人說：『你到底是買，還是不買？』（『甲或非甲』），而其意思，實在是說：『你趕快決定買吧』！英文裏的『你或是拿去，或是放下』 TAKE OR LEAVE IT！，說得更是乾脆。

每一個民族的語言，凡是到了一個相當發達的階段，就有一套我們通常稱之為文法 GRAMMER 的語言規律。要使一堆零星瑣碎的聲音字詞，變成一套事物的符號系統，就必須遵守這一套語言規律。（西洋文法着重字的『變化』，中國文法着重字的『位置』：『人上山』是一事，『山上人』是一事，『上山人』又是一事。『山人上』，『上人山』，『人山上』就不通了）所以一套一套各種語言的構造和用法的文法語文 GRAMMATICAL DISCOURSE，也道地的是一種組合語句的促使使用。（各種語言中為詩人用的講『韻脚』的書，也可以歸納於這一類的語文中）。（七〇）

答非所問齋數則

·浮·

（一）

問　為甚麼你反對簡體字？

答　因為我擁護正楷字。

問　為甚麼你要擁護正楷字？

答　因為孔聖人不認識正楷字。

（二）

問　你贊成禁止淪陷在大陸各學者已前所著譯的書麼？

答　贊成

問　為甚麼？

答　這幾年來，他們大抵都自己打「自己嘴巴，承認已往的錯誤。他們自己都說自己的文章要不得，我們還不該禁止這些麼！

問　如係譯本又如何？

答　大概所譯的都是資本主義國家作者的作品。那有三民主義的前進呢！

（三）

問　你贊成「全盤西化」嗎？

答　不贊成。

問　何故？

答　中國的烹調，世界第一！

（四）

問　你贊成唯心主義麼？

答　贊成。

問　是不是因為馬克斯列寧都反對唯心主義呢？

答　不是。

問　然則另有高見？

答　「人者心之器」，如果反對唯心，豈不反對人民麼？

（五）

問　緘默的自由，有何好處？

答　當然有，弄巧不如藏拙呢！

問　恐怕是明哲保身吧？

答　不是，是明哲保國。

自由人

THE FREEMAN
（第五二〇期）
中華民國僑務委員會
登記證僑台新字第一零二號
中華郵政台字第五〇〇〇號
執照登記為第一類新聞紙類
（半週刊每星期三六出版）
每份港幣壹毫
台北市價台幣壹元
督印人：陳文華
地址：香港高士威道二十號四樓
3 rd. fl. 20 CAUSEWAY RD
HONG KONG
香港發行及事務接洽
高士打道66號　電話：七四〇五三
承印者：東南印務出版社
地址：高士打道六十四號
海外總經銷
友聯書報發行公司
香港：德輔道中二十六號A二樓
台灣特派員辦事處
台北市館前街五十號
台灣總經銷處
台北市西寧南路壹壹叁號二樓
台灣郵政劃撥儲金戶九二五二

一個外國朋友的忠言

·丁文淵·

最近從上海出來了一位外國朋友，他是一個生意人，對政治並不感覺什麼興趣。然而他在中國已經住了二十個年頭，而且中國話說得很好，中國的朋友也很多，彼此相處得很好，所以他對中國有了極深厚的感情。他這一次離開上海，據他和我說，並沒有一點點惜別的情緒，相反的，他口裏還不斷的哼着歌。他說，他們在上海，沒有一個人有安全的感覺，每個人早上出門的時候，都不曉得當天晚上是不是一定能夠回得來，不致被共幹找去麻煩，或是竟被扣留，坐監。一旦得到了准許離境的通知，他那得不興高采烈的趕快離去，還有什麼懷念？可是現在到了香港，住了不過兩個禮拜，不久就要離港回國，他對於這個滿城都是中國人住的香港——儘管他從沒有到過香港——忽然覺念念不捨起來了。他只想不久有機會再回到這個中國城市來工作，就感覺心安理得了。他也說不出，這究竟是什麼緣故，他說，大概因為中國已經是成了他的第二故鄉了嗎！

他受過很好的教育，他有能力分析事實，能夠客觀的用理智去判斷是非。他曾無故被中共監禁了一年，他認為，這就是中共的這一套手法，毫不希奇，他對中共並不因此口出怨言。因此，他這六年來，在上海對中共種種觀察的所得，值得我們予以重視。

他說：「當中共才到上海的時候，一般人因為不滿現實，所以對中共存了很大的幻想；加以中共當時的宣傳，又開了很大的空頭支票。說是現在要實行社會主義，擺脫資本家的束縛，，不要五年，就可以得到普遍的繁榮。生活水準將一天一天的提高；洋房汽車，人人都應當有一份兒。可是現在，五年的時間早已過去，而生活水準非但沒有提高，竟是一落千丈，連飽暖兩個字，一般人都得不到，還講什麼汽車洋房？從前有錢的人，現在當然都窮了；從前沒有錢的人，現在非但還是沒有錢，而且比從前還要窮，還要苦，一般人當然全都失望了。

「中共口口聲聲代表農工，農人且分得了田地，然而事實上，農民儘管說田地是他自己的，可是田上所有的收穫卻都得以官價完全繳給中共。每人自己每天的口糧，還須出錢再向中共去買，而且受到了定量分配的限制。上海每人每月可配廿斤米，十二兩油。上海要算是全國待遇最好的地方；大約廿斤米和十二兩油，都勉強可以夠吃。只是油並不是純粹的食油，而是一種雜油，許多人都無法進口。鄉下的農民只有四兩油，種田的人廿斤米就不夠吃，只能再吃些雜糧。農民是如此，工人的待遇又如何？當中共占領上海以後，漸漸的將所有私有工廠接管，接管以後，就要工人自動的請減工資，增加工作時間，所以他們的工資，比不上淪陷以前。然而工人最感覺到痛苦的，一是每天工作做不完，還得要開會兩三個鐘點，他們真正吃不下；二是福利大不如前，間接增加他們的負擔。從前工人有病，廠家負擔醫藥，工人的家屬，也得到同樣的待遇。現在中共國營的工廠，只管工人本人，而不管家屬了。私營的商業如大公司等，固然早為中共所接管，其餘的小商店，許多都因無法支持而關閉，現在剩下來的，只要用一個僱員就得要收歸國營，只有自己照料的商店，還可以照常營業，然而一般的購買力太差，也就很難再維持下去了。」

他認為，「中國一般人的長處：一是有自動自發的能力，二是有勤儉的美德，這兩種長處，互相為用，所以造就了現代中國偉大的民族。千萬華僑在世界各地的成就，無一不是基於這兩個優點。中國只要安定，它的繁榮是當然的，它的進步也一定是很快的。回溯他初來中國的時候——就是民國廿五年——是一個很好的榜樣。現在中共不知利用這兩個民族的優點，非但不加以扶植，還盡力加以摧殘。一方面不准任何人有自動自發的行動，只准集體的服從命令；另一方面，並不能勤儉的美德，改進他的收入和他的生活水準，稍一不慎，且將成為他的禍害。長此以往，又何能希望中國能有若何進展？

「許多西方人士，盼望中共能夠一旦脫離蘇聯，和西方合作。可惜這樣的如意算盤，事實上不可能實現。中共六年來的建設，宣傳大大超過事實，一切都須依賴蘇聯，成為蘇聯的一個附庸國。中共出口的物產，大部分都因為和蘇聯訂有經濟合作的條件，在四五年以內，完全無法自己支配，給了蘇聯等運用。西方縱然想要爭取中共的市場，將來恐怕也不可能得到實際的好處。在上海一隅，六年來沒有看到中共的任何一條建設，沒有修理過任何房屋馬路，工廠建設更不必談。據說西北確有建設，我既非目睹，當然無法加以評論。許多人很驚奇以中共的出口貨品，我們在做出口貨方面的經驗，我無法理解中共在經濟上的打算。中共生產的方法古老，所以無法與國際市場競爭。它現在出口貨的價值，最多只能達到成本的百分之三十。在中共固然可以不計成本，只圖宣傳和爭取外匯。然而民力有限，百分之七十的損失，仍在老百姓的頭上，我不相信它能夠長期維持。中共出口的工業產品，是到東歐的路車和紡織機，都是兩種缺乏而又很急需的貨物。中共拿自己的少數物品出口，又用廉價售出，而用貴價從東德買進，以應付市場的急需。這種經濟原則，我們實在無法瞭解。不過並不是說中共的經濟可以崩潰，人民因為中共，不顧人民的生死，它不算百萬人的生命，它不算一回什麼大事，它掌握了全國經濟和人民的全，軍隊，警察，人民只有死亡，不可能有反動。當然不可能抵制，消極的抵制頗為普遍，終是為了取締。三反五反的時候，在上海一個月跳樓自殺的足足三萬人，傳說一個人，這就是說每天有一千多人自殺，那時路上的行人，多緊靠道旁簷下走，以免不幸為跳樓的人所波及。然而這種消極的抵制，又何嘗發生什麼作用？

「上海居民並不和中共合作，所以很少有告發的事情。大家見面的時候，往往偷偷的互問：『最近有什麼變化？』你看他們都曉得台灣無法獨力反攻，一時無法所以還斷絕希望。他們所不願的是西方的悲慘。這種希望很清楚。中國人民已經認清了，不敢若想戰爭的。我祇希望用激烈的戰爭來解放他們。西方強大的力量，能迫中共極權放棄，是最理想的。當然有人在中共的上層，有醒悟的人領導，這樣老百姓可以免了一場大劫。

「我在中國住了廿年，我深知中國老百姓。在這廿年內，當然是受的痛苦，也不知有幾十萬人流離失所，幾十萬人家破人亡。勝利以後，本來都可以得他們所希望的安定了，可是共產黨又乘機而起。這一次破壞，更超過抗戰以來的損失有好幾倍。一般的老百姓，仍在殘酷的專制之下生活，他們除了要順從共產黨以外，許多沒有第二條生路，也就做了他們的老百姓，他們的幹部。他們的本質，實在並不是共產黨。這些人，非常怕共產黨，他們已經努力在那算一個好的公務員。一旦自由中國回到大陸，對這一做裏的公務員，政府批評不能追討既往，似乎這般人再失業流離，使如果讓他們仍然守住他們的一定崗位，可以做自由中國很好的公務員。這也未嘗不是一個可免於浩劫的辦法。這是我對第二故鄉中國的一點臨別贈言！」

我對於這個外國朋友所說的話，很受感動，所以很忠實的介紹出來，我希望能夠得到執政諸公的重視。

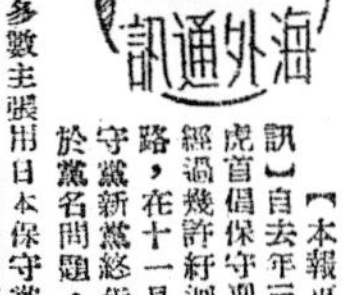

今後日本的政治動態

·胡貫·

【本報東京特約航訊】自去年三月緒方竹虎首倡保守團結以來，經過幾許紆迴曲折的道路，在十一月十五日保守黨新黨終告成立。關於黨名問題，事前會公開徵求，多數主張用日本保守黨的名稱，但是在最後檢討時，因為「保守」有反動之嫌，決定稱為自由民主黨。從字面看，這是名副其實的兩黨的混合體，不論是人物和政綱，都一承舊貫，並無新的氣象。十年來的自由民主兩黨，為了人事和派系之爭，互相攻訐，互相拆台，在反對黨看來是一丘之貉，國民的印象也並不很好。今襲用舊名，實在也表示新黨的性格。

左右翼政黨實力比較

民主政治的原則是服從多數。但是缺之民主精神和政治修養的多數，將成為數字的暴力。十月中社會黨的合併，十一月中自由民主黨（以下簡稱自民黨）的成立，雙方都只在作數字的競賽，爭取議會中的席數。在自民黨成立之前，自由民主兩黨爭得面紅耳赤的，只是總裁問題，換句話說，只是鉤心鬥角於合併的方式問題，而對於立黨的精神，便是綱領和政策問題，未曾有絲毫爭執，一致順利通過了。現在我們從數字上比較一下兩黨的實力。

眾議院	
自由民主黨	三〇〇
日本社會黨	一五四
其他小黨	八
無黨無派	二
缺員	三
合計	四六七

參議院	
自由民主黨	一一八
日本社會黨	六八
綠風會	四七
無黨無派	一三
缺員	四
合計	二五〇

由上表看來，自民黨不論在參眾兩院，都占絕對多數（參院中的綠風會也都是保守派的人物），所以今後不論任何法案，一經提出，便可順利成立。此後日本的政治，必可趨於安定。

二黨政治的開始

這幾年來，日本議會中，有二個保守黨，二個社會黨，就政策而言，保守黨主張自由資本主義，社會黨則代表勞動階級的利益，尤其是左派社會黨，顯明的是階級政黨，不過就政治主張大致論斷，兩個保守黨之爭，並無什麼政策上的分歧，過去的離合集散，一貫的由於人事和權力之爭。

兩個社會黨之間，在理論上並無多大的差別，右社自認為階級的國民政黨，左社自認為國民的階級政黨，都只是在文字上弄玄虛。實際上無法協調的，還是下層組織的地盤問題。所以過去的日本政黨，雖說是多黨政治，但並非如法國政黨的複雜離奇。

照理說，日本政治應該相當安定的，最近二年所以不安定的原因，完全因為個人權力的衝突。舉一個例說，鳩山自解除整肅後，和吉田互爭首揆，組成分派自由黨，後來和改進黨合併，任為民主黨總裁，在議會中和社會黨攜手，逼吉田去職，以少數黨組閣，致許多法案，在議會中受到社會黨的阻撓，無法成立。日本國民對於此種不安定的狀態，已感到厭煩，所以極力倡議兩黨政治，這樣，輿論的壓力，越來越大，政黨方面認為長此下去，議會政治將失去人民的信仰，覺得本身必須檢討一下。社會黨經半年的醞釀，終在十月中合併，自由民主兩黨為了本身的危機，也必須在臨時議會召集之前，團結起來，俾應付社會黨的攻勢，因此在十一月十五日自民黨終告成立。

（下轉第二版）

為光復大陸委會進一言

光復大陸設計委員會日昨召開第二次全體會議，將研討有關此項基本任務的各項問題，流亡海外的僑胞們對此舉無疑都感到興奮，大家六年來含辛茹苦，歷盡折磨，其所念茲在茲的一件事，只是早日光復故土，打回大陸。

這是一項非常艱苦的任務，何況國際環境又在百計阻撓，對我國極端不利。唯其如此，我方纔更應顯示出一些辦法和力量，內以振奮人心，外以衝破國際間的險惡陰霾。我們所不得已於言者，就是這項設計工作必須真正瞭解敵情，更需要緊實深入，實事求是，萬不可流於空疏和形式化。不知設計諸公以為然否？

十屆聯大的總結

十屆聯大於二十日下午閉幕了，幾年以來，這是風波與爭端較多的一次，雖然呈現着一些生氣，那趨勢卻是可慮的。

聯合國在本質上是個理想主義者的和平安全機構，聯合國憲章的前言和宗旨會員各章，都充分發揮這種理想。唯其如此，所以纔產生了權力異常廣泛的安全理事會，纔規定會員國加入有一定的條件。但近年來現實主義與姑息政策猖獗，竟使聯合國逐漸根本變質，這在本屆大會中集體交易與安全理事席位抽籤中事可以充分看出。其因法國與南非退會而竟撤銷北非爭端與民族隔離問題辯論猶其餘事。

現在若干國家的做法，是要使聯合國形成代表地球上所有政權的大雜會，而不管其是否符合聯合國的基本精神，更不要談起集體安全的任務了。這種趨勢若繼續發展下去，中共混入聯合國終將成為無法避免。

在本屆大會中，堅決反對這種墮落趨勢者，只有中國和古巴。美方對這種趨勢並不贊成，但也沒有堅決反對，以謀挽救，只是坐視威爾遜羅斯福的遠大理想，被一些卑劣的政客所葬送。

應該提醒世人：這決不是好現象，國際安全機構被奄割了，世界和平也必然無法保持。聯合國已在亦步亦趨的重蹈國聯覆轍。

時事評述

·李秋生·

日本入會又遭杯葛

美國不能在聯合國發揮領導作用的另一例是日本入會問題，現在日本是美俄所交相爭取的目標，但日本大體上還是站在美國一邊。美國的助力不能使日本獲得加入聯合國，蘇俄的否決竟使所有五十幾國家都無計可施，雖然這些國家都是熱烈贊助日本加入的。

美國如要放棄自由世界的領導權，那麼就讓各非共國家自由選擇自己的路好了；不然的話，便立須別籌良策，這種一味容讓的頹勢實在不容再繼續下去。

看英國內閣改組

英保守黨內閣於二十一日全面改組，最主要的變動是財相巴特勒調任掌璽大臣，外相麥米蘭調任財相，原任國防大臣的勞德編任外相。據說這樣可以減輕艾登個人對國內問題的負擔，以便加強外交方面的指導。

改組的原因，主要是過去半年間財政外交雙方措置都未能盡滿人意，其實這並非任何一位政治家之過。今日英國處境，要在美俄對立的夾縫中求生存，背上又負有歷史遺留下來的沉重帝國包袱，以任何第一流的人材當英國外交財政之衝，都難免有捉襟見肘之感。

勞德是外交界出身，過去在聯合國中以對俄不客氣的指實知名，比對外交一向隔膜的麥米蘭自然熟練得多。但今後指導外交的重心卻仍在艾登身上。正如某觀察家所指出：今日艾登已經不是飽嚐溫張伯倫的衣缽傳人，無復三十年代那股豪氣，他也斷然不是邱吉爾一種類型的人物。據我看今後英國外交至多只會走比較堅強的現實路綫，未必能替自由世界帶來多少新的希望。

胡佛建議增設副總統

江濤

海外通訊

【本報華盛頓特約記者十二月十三日航訊】艾森豪病後，很多人會討論到總統「委託權」的問題。美國國會本來已有現存法案，授權總統委託任何部會首長或曾得國會同意過的其他高級人員，代行法律賦予總統的任何職責。杜魯門和艾森豪，都曾多次行使過這種「委託權」，解除了總統不少工作負担。

可是，由於美國政府機構之日趨龐大，國內與外事務之日趨繁重，以一身而兼任國家元首與行政首長的美國總統，確實有宵旰勞瘁，日不暇給之勢。艾克出任總統後，爲了減輕自己的負担，把很多關於政策決定，社會關係與發表演說一類的事，委託給副總統尼克遜，好些重要的決策會議，多由尼氏負責主持。另外一些關於人事，組織與公文的日常工作，則交由白宮助理阿丹姆斯處理，而以總統名義執行。艾克出身軍人，把「大兵團指揮」的原則，運用到行政領導上來，使他自己在百忙中仍可去打高爾夫和垂釣。這是艾克的一大傑作，然問題也就因此而生。

尼克遜的權力加大，牽涉到憲法問題。根據憲法規定，副總統的主要任務是於總統死亡後升任總統，平時的唯一任務則爲以參議院議長資格，於投票雙方數目相等時，出來作最後決定。此外的工作，則由總統根據「委託權」而授予，但他絕不能剝奪總統的執行權力。因此，尼克遜的權力之加大，引起很多人——尤其民主黨的反對。

委託總統助理，於法並無不合；然阿丹姆斯現在所負責任之重及其所具權力之大，遠遠超過了他的身份和地位，所謂總統助理，事實上已成爲「助理總統」或「幕後總統」。這一發展，在艾克病後，尤爲突出，其引起反感，自在意中。

最近反阿之聲，時有所聞，國會報界，同表不滿。徒以艾克健康未復，暫時還不得不有所倚畀。然如何澈底解除這一問題，已成刻不容緩之勢。

美國前總統胡佛最近提出了一個驚人的建議，建議由國會製定法案，增設一「行政副總統」，由總統提名，經國會通過後任命，一如部會首長然。但他並不是任何部會首長，而是許多部會的領導人。根據胡佛的意見，在現有直接隸屬於總統的六十四個單位中，至少有三十五至四十個可以改由這位「第二副總統」來負責領導。同時，他認爲行政副總統之增設，絲毫不會削弱總統的重要權力；所有執行部門，仍須直接對總統負責。

胡佛於一九四七年主持「政府行政部門改革委員會」工作，於本年七月始行結束，先後提出很多改革建議案，大半都被採納和實施。這次雖非委員會的正式建議，然由於這是一個經過八年研究，經過三百專家考慮的意見，再加以胡氏的年高望重，其受各方的重視，是可以想見的。

有人問他是否可以把這個「第二副總統」所擬承受的權力，直接增加到現有之民選副總統身上。他說這樣會引起許多混亂。而且眞的要這樣作，必須修改憲法，牽涉反而更大。所以他認爲還是另設一專負責行政工作的副總統較好。

把這責任交給總統助理，他也認爲不合。在他看來，阿丹姆斯現在所負的責任，大部都可交給第二副總統，因爲阿丹姆斯爲一幕僚長，不能正式領導各部會，也不能製定特別法令，授權給這樣一位助理來正式領導各部會。即使總統有此意見，國會也絕難通過。

國會既可以製定法案增設部會，自然可以通過立法程序增設一新副總統。惟既可以增設新副總統，似乎也可以增加現副總統的職權。這將是一個爭點。然不管怎麼，總統之須要一位有合法地位的第二人來分担繁重工作，原則上是不會有異議的。將來究竟如何解決這一問題，尚待專家們的討論和艾克本人（或下屆總統）的考慮。

印度人眼中的俄酋宣傳劇

•風行譯•

蘇聯是第一個以經濟援助落後國家的先進國。他佯示蘇聯並未製造核子武器的樣子，要西方國家作友好援助的競賽，而不可忙於製造原子彈。

這是在華府未揭露蘇聯在最近試驗一種極猛烈氫彈的一項消息之前。赫魯曉夫在孟買並未直接提到這件事，而警告西方道：以力量威脅別人是不得逞的。在賓格羅赫魯曉夫愈來愈放恣了，他指責西方反對裁軍。同時他自稱贊蘇俄發言，拒絕艾森豪威爾總統公開領空互相監察的建議。這位蘇俄頭目喜歡僞裝君子。却只要求訂立一項「君子協定」，不用核子武器。」却不要讓人在鐵幕背後實行監察與管制。

赫魯曉夫愈來愈得意忘形，直指西方「敵視裁軍」，有兩個原因：『第一、是壟斷者從軍火製造獲得利益。第二、是欲使蘇俄把所有的資源，用在整軍，而阻止蘇聯向像印度那一類的國家作友愛的經濟援助。」

可是，假如這蘇聯明日不挑起反殖民地的情緒，上述的花言巧語不會引起印度人的興趣，而反引起猜疑。從過去西方國家在印度實行的帝國主義，和其他仍不免有此等殘餘勢力上着想，赫魯曉夫便編造一些恫嚇語說：尚有一種隱藏着的帝國主義，以經濟力量來操縱。聽衆受此騙語，所動。在賓格羅公宴，廣大羣衆同意俄酋之解釋因何印度人歡迎他倆。因此觀之，了。俄酋的宣傳是成功何他倆獲盛大的歡迎之原因道：『印度人民已覺悟：西方國家在如印度一般經濟落後的國家實行剝削，但蘇聯對經濟落後的國家是不自私的，和有手足情誼，忘我的。』（眞是大言不慚）

不管尼赫魯的外交政策是如何的宣稱在民主與共產兩世界當中，同樣的友好和不偏倚，但他對於印度人民的接受此種花言巧語爲欣幸。印度人民的政治教育幾乎完全從尼赫魯的演詞得來，尼赫魯十日不遺餘力的抨擊西方國家在亞非兩洲的殖民地主義。但未嘗告訴過印度人，當今有一種侵略和帝國主義，和西方對付亞非有色人種的一種不同。

尼赫魯也從來不教印度人去想一想蘇聯怎樣佔領東歐，和中共怎樣去佔領北韓和西藏。既然印度人民曾親身嘗過西方殖民地主義的味道，但很少聽聞人說過共產黨的殖民地主義，毋怪乎印度無保留的接納赫魯曉夫的斥責西方是唯一威脅自由者了。

同樣的，關於經濟外援，尼赫魯只教人民看西方的援助是甚可疑的，如接受可能冒着經濟不能獨立之險。如馬拉維雅一類的尼赫魯親信者常說：蘇聯是第一個願意以財富及技術援助別國建立重工業的國家。（其實印度自獨立之後，西方常援助印度工業發展。）又無怪乎赫魯曉夫一旦大吹無條件援助別國，且大叫別國注重重工業達成眞正獨立，印度的聽衆便接受其宣傳了。假如以民衆對赫魯曉夫演說的反應作尺度，則印度人民將樂於切斷與大英聯邦的關係，仇視西方，而加入共產黨陣營。

自然事實上未必是如此。但印度聽衆對於蘇聯的宣傳如此的敏於感應，足見印度人民對於尼赫魯外交政策的認識，有極大的缺陷。這是尼赫魯應負責的。因爲尼赫魯故意不完滿的說明當今之世局，只猛烈抨擊西方國家之種族歧視主義，與殖民地主義，而不說到共產黨的殘暴與殖民地主義。（下）

如何解決——高中生投考港大的困難

英文程度固然不能銜接　國文中史標準也不一致

【本報訊】本港中文學校的高中畢業生，最近四五年，年約一千五百人到二千人。此等畢業生，除少數就地謀得職業外，大多數都發生升學問題，彼等既多不願意回去大陸，到台灣，則不止限於名額，也還有其他困難。香港大學在形式上雖未禁止此等畢業生投考，惟過去各中文學校從不代高中畢業生報名投考，已成慣例，且事實上，中文學校的高中課程，大體按照國內學制，爲預備升入國內大學而設，英文程度自難與港大銜接，故升學港大實與此等畢業生絕緣。

今年香港教育當局特設英文特別班於金文泰中學，使高中畢業生之有志升學港大者，加修英文課程一年，即可參加港大入學考試，自爲中文高中畢業生升學問題多闢一新途徑。

在若干人士心目中，認爲中文高中畢業生，經過初中三年高中三年之修習，前後六年，適與英文學校之第一班至第六班之年數相等。高中畢業既可升入國內大學，則中文課程程度，自足升港大，僅英文程度不足，故有英文特別班之設置，以期補足。換言之，中文高中畢業生加修英文一年然後升入港大，與英文第六班學生，再繼續攻讀高級第六班一年，然後升入港大，均同爲七年，此在理論上，原屬無可非議。

惟現時有關機構，再經考慮，高中畢業生，不僅英文程度未能與港大銜接，即中文課程之國文與中國史兩科亦未能與港大入學試所規定之標準相符。蓋目前港大入學試所規定之國文與中國史兩項課程，與高中現行課程相較，顯有難易繁簡之別，故僅設英文特別班，仍未能解決中文高中畢業生升入港大之困難。

最近有關方面正就此等問題互相交換意見，有主張高中畢業生，應已具備港大入學試高級國文及高級中史程度水準，無須再加補習。有主張高中畢業生不祇要加修英文一年，亦須同時加修國文及中史者。更有主張修改現行高中課程，以期適合港大入學試之要求者。凡此皆牽涉甚多，未易獲得完滿解決。蓋每年數近兩千之高中畢業生，其中有志或有力升入港大者，爲數並不甚多，故修改課程，不能不顧慮及此。如堅持第一說，不再補習，則勢將等於拒絕高中畢業生之投考，故第二說於加修英文之同時，加修國文與中史實不失爲雙方兼顧之道，將來到底如何解決，尚有待於各方面從長計議也。（十二月廿二日）

•文華•

今後日本的政治動態

•胡貫•

（上接第一版）一個傾於保守，一個傾於革新的二大政黨，成爲對峙之局，在日本的政黨史上，還是第一次，所以現在的二黨政治，是日本政黨史上的一個轉捩點，便是從近似法國式的多黨政治，變成了英國式的二黨政治，自民黨近於英國的保守黨，社會黨則類似英國的工黨。

三木的權變

從最近日本二黨併合的內幕和經過，可以看出日本政黨的性格和政治的動向。自由和民主二黨的合併，一方固然出於敵黨的威脅和財閥的撮合，但是二黨之間宿嫌很深，能夠撮合的壓力，當歸功於三木武吉。三木是日本政治上的怪物，他對於近代政黨政治的精神和運用，是不很瞭解，也不願理會的，他長於詭辯，善於機變，在日本政治上，並無組織上的憑藉，只憑銳敏的政治感覺，縱橫捭闔，無往不利。當民主黨以少數黨組閣時，地位是搖搖欲墜的，爲了應付社會黨的攻勢，不得不接受自由黨的要挾，鳩山在議會中處處受制，毫無作爲。三木爲了打破此點難關，在本年四月中倡導保守團結，示意如果自由黨同意合併，鳩山不惜引退。緒方在自由黨中是主張保守團結的人，聽了此言，不免有動於中。嗣三木策動了自由黨中二位元老大野伴睦松野鶴平，在自由黨內部響應後，合併可能性愈益增加。

及至十月中眼見社會黨合併後，二個保守黨知道如不合併，將無以圖存，便進一步討論合併的方式問題。這時三木提出了鳩山總裁，緒方副總裁的辦法，自由黨如接受此項辦法，無異向民主黨投降，即使緒方願意屈就，自由黨也勢必分裂。最後三木提出不設總裁，總裁職權由委員四人代行的權宜之計。自由黨爭持很烈，但最後終接受此項辦法，決定由鳩山、緒方、和三木武吉，大野伴睦四人，爲總裁的代行委員，照此辦法，緒方已完全向三木屈服。

緒方的風度

當談判合併的中間，自由黨曾堅持總裁由二黨議員公選。因爲參衆二院的議員合計，民主黨二百零九名，自由黨二百零七名，相差不過二名。如果用公選的辦法，自由黨方面若團結一致的，只要從民主黨方面收買幾票，則緒方出任總裁，並非沒有希望，萬一失敗，則以一黨員的身分參加，也不失光明磊落。可是民主黨方面始終反對，認爲合併之初，便盛行收買，醜事流傳，將影響今後的黨譽。事實上則鳩山也絕無取勝的把握，如果失敗，將威名掃地，所以始終主張由談判決定。

自由黨內的吉田，以池田勇人和佐藤榮作二人爲首，約有三，四十名，承吉田之意，堅主貫澈總裁公選的主張。本來池田等對於緒方總裁是銜恨甚深的。因爲鳩山和左派聯合提出不信任案時，吉田主張解散議會而緒方主張內閣辭職，結果吉田鑒於大勢已去，悄然下野，緒方繼任總裁，因此一段恩怨，自由黨內吉田派始終怨憤未消，不過爲了對付鳩山，裂痕未曾顯露而已。

當合併方式的談判成爲僵局時，欲求解決，不外三種辦法。第一，鳩山首相，緒方副總裁，使黨政分離，此說民主黨方面絕不同意。第二，鳩山總裁，緒方副總裁，但自由黨方面過於屈辱，決不贊成。最後便是總裁的代行制度，緒方如果接受，則至少在表面上，兩黨是對等的結合，不過在緒方個人的地位設想，還不如副總裁的地位較有保障，因爲即使明春實行公選，緒方已再難控制舊自由黨的幹部，吉田派在參加之初，已表示離散，正醞釀另擁領袖，如岸信介，大野伴睦，正力松太郎等都思染指，躍躍欲試，緒方爲了顧全大局，不惜委曲求全，個人的政治前途，則已無形斷送，據說緒方在接受代行委員制後，曾終夜飲泣，並非無故的。

戰前派抬頭

此次自民黨的成立，有人說是戰前派政治家和戰後派政治家的抗爭，此說並非無因。發動的人物是三木，贊助的是民主黨內的岸信介和河野一郎，自由黨內的大野伴睦和松野鶴平，都是戰前的老政治家，像年逾古稀的三木武吉，匹馬單槍，只憑縱橫捭闔的權術，居然領導戰後最大的政黨，反之，像緒方，石井光次郎，甚至吉田派的池田，佐藤等，都黯然失色，足證戰後派的慘敗。這樣一個占絕對多數的政黨，交託在幾個老政治家的手裏，不瞭解近代政黨的精神，只知發揮個人的政治手腕，還這一套和重於理論，重於組織的社會黨去對抗，雖能在議會中的多數，逞雄一時，但保守黨決難繼續成長，甚至會漸趨萎縮，是可以斷言的。尤其是幾個頑固的老人，如果在議會中沒有尊重反對黨的精神，只憑議席的多數，一意孤行，則自民黨本身趨於硬化，徒然造成社會黨的機會。英國的保守黨，和前進的工黨抗衡，始終立於不敗之地，實賴新進人材輩出，使黨內不失朝氣有以致之。今後幾個老政治家的領導下的自民黨，可能在明春參議院的選舉中，失去一部分席位的。

漸趨成熟的社會黨

社會黨的中堅人物，很多是社會運動的理論家和戰後勞工運動中成長的新進份子，只有政治的理想，沒有行政的經驗，有時甚至把工場鬥爭的方式運用到議會中來，幾次爲了反對自由黨提出的法案，以致用武，給國民以輕躁浮動的印象。

日本的政黨缺乏尊重反對黨的精神，社會黨也不能例外。過去對執政黨所施行的任何政策，所提出的任何法案，都無不站在反對的立場，肆意攻擊，有時不辨是非，不顧大局，一味爲了反對而反對，幾無政治修養可言，在一般國民看來，社會黨還未成熟。【上】

詩巫短簡

（沙勞越詩巫通訊）筆者到詩巫旅行，已有相當時間，詩巫乃沙勞越第三省的省會。該省人口二十餘萬，詩巫人口僅一萬餘，多屬華僑，此間有「新福州」之稱，乃閩人黃乃裳先生在淸末時前來開設者。華僑教育甚爲發達，爲本邦之冠，中學現有九間，即詩巫中華中學，高初中及小學合計，即有學生千人左右，其他可想而知，沙勞越各地僑胞情形大體相似，惟對國內情況頗多隔膜，近來讀報，頗覺心情沉重，例如國民黨自淸運動，即使此間僑胞增加迷惘，一般僑胞，對國家時事，不願開口，惟青年僑生，多以「左傾」「進步」爲時髦，對政府時有不滿不詞，共爲旅途中最令人隱憂之點，實當局及從事海外文化教育工作者所宜特加注意者也。（十二月十四日）

更正

本報第五〇〇期第二版「危機嚴重的星馬」一文內「李光佑」應爲「李光耀」，合更正。

左翼報紙一則新聞 暴露靠攏商人醜態

爭啃骨頭引起狗打架

內幕複雜醞釀半年卒爆發

左翼報紙同載 一則否認聲明

本月十七日，本港左翼的三間報紙上，都同時出現了下面一則消息，其中一間的標題是：「有人在港作宣傳，籌設公司營土產，自稱為「國營」「合營」機構，廣州方面說並非事實」。新聞內文說：「（本報訊）廣州消息：據此間有關機構表示：最近香港方面有以經營我土產為標榜的公司在籌設中，大量印發「成立公告書」及「代售商申請書」，撰寫者並須繳登記費；口頭宣傳為我「國營機構」、「公私合營機構」，並廣發請柬，說是宣告成立。查我有關部門與此公司並無任何隸屬關係，該公司所稱為我國營機構或公私合營機構等，並非事實，深盼港澳及海外工商界人士注意。」

這一則新聞，看來頗似普通的一個聲明，但卻有很複雜的內幕，還牽涉商人「搶骨頭引起狗打架」的把戲。

遠因在半年前 中共飢餓輸出

要了解這一則內幕，首先要追溯到一個月前，一羣靠攏商人上廣州的經過。但這還不過是其中的一個環節，而整個事件還開始於半年以前。

在半年前，中共為了要套取外滙，並對海外僑胞造成一種「大陸人民豐衣足食」的錯覺，正當大陸人民遭受嚴重糧荒之際，還作最大量的「飢餓輸出」，其最主要的目的地是香港，其次是東南亞。

香港的輸出是以土產為大宗，此外還有一部份品質低劣，不堪久用的所謂輕工業製品。此時，這類土特產在香港的零沽單位是有限的，祇有一間×××貨公司和×顯及×福等少數南貨舖，中共為了要作深入的宣傳和大力的推銷，以求爭取外滙，一方面利用左翼工會的「合作社」以廉價方式的買家直接推銷，以達到了他們所謂套取外滙，拉攏民心的雙重目的；另一方面，這一種土特產輸出機構的駐港代表人開始物色一個更大的商場，容納更多的土產，作永久性的推銷。

着眼中環某廈 擬設巨大市場

當時，他們即着眼於大道中，中環附近一間一座規模的酒家。這間酒家於去年，因虧蝕過鉅而告停業，現在還祇有樓下一部份仍營業，以廉價點心作為號召，但依舊時歇時開，因此成了中共駐港代表斟盤的標的。由於該處地位適中和規模較大，一般說來頗為理想，在他們的計劃中，預備利用這一座高達六層的大廈，全部作為土特產的商場，每一層不同地展售各種貨品，這樣無論在號召上和政策上都是有利的。然而，這個計劃因為價格上的差別，一時無法成熟，中共的駐港代表遂不得不對此一項交易暫告中止，另謀發展。因此，這半年來，由於化整為零的政略，幾家專賣大陸土特產的南貨舖，相繼開設。但這一個計劃暫時中止，事實上並未為中共代表們所放棄，而那些酒家也因業主索價很高，和其他種種的因素，一時仍無法脫手。

靠攏商人赴穗 歸來展開爭奪

以上是那則新聞的一個遠因，至於近因，其開始是中共鼓勵港澳居民返穗參觀「蘇展」時，有一羣靠攏商人便利用了這個機會上廣州參見了平時難得一見的中共頭子，其中有若干人本來就是做土特產生意的，因此和中共方面談起這件事。於是「打蛇隨棍上」，恰巧以前不容於海隅的莫××，黃××等這幾個人，也都在廣州負責一些貿易事宜。經過幾度洽商，這幾個人就決定返港後，把這件事重新發動，這也算是中共犒賞他們誘唆其他商人返廣州成功的交換條件。

因此，這一批人歸來後，馬上把這件事搞了起來。他們的目的仍然是中環的那一間大酒家。雖然其中經過了好些派系門爭和權利爭奪，最後大權仍落於中×××、×會和南×××等幾個人的手裏。

這一班人祇可以說是為利而靠攏的商人，他們不但對政治沒有認識，連共產黨究竟是什麼也弄不清楚，更遑論什麼是「國營」與「合營」了，因此，他們取得了廣州×個「國營公司」的輸出代理權後，對外便宣傳本身就是一個「國營」或「合營」機構。在他們看來，這沒有什麼不妥的地方，但本質上，與共產黨的所謂「國營」和「合營」又絕無相同之處，而且不是其中的一個單位。是以當這種宣傳傳入了廣州之後，中共一面要防範可能的惡果，一面又不願意過份譴責這一班尚可利用的靠攏商人，因此，就發表了上述那個「語調和緩」的否認聲明。

貪圖眼前利益 忘記慘痛教訓

至於財迷心竅的靠攏商人，他們的算盤又是有其一套的。他們進入大陸以後，對中共對待大陸人的政策，已略有一點了解。他們也明知私人工商業在中共統治下的大陸是不容存在的。可是這一班人卻又會圖眼前的利潤，濃厚的苟且偷安心理，使他們作了這樣的打算：祇要香港一天仍在英國統治下，他們便一天可以獲得和中共交易的機會。他們已經忘記了年前與大陸貿易的商人早已被中共剝削得頻於破產的教訓。而中共也利用了這一批商人的弱點，不妨給他們一點甜頭。

就記者所知，曾經兩度去廣州，進行游說本港商人進入竹×的中×××，××，中共為了犒賞他拉馬的成功，已經決定把××士敏土廠的總代理權給他，至於其他「熱心份子」，不多不少也得到一些好處。

說到這裏，我們不得不為那些被誘而做了「豬仔」的無知商人感到可悲，他們經不起說客的誘哄，去了一次廣州，可是又得到了什麼好處，人家卻利用他們做豬仔的關係而得到了賜賞，雖然這些人今天取得到的犒賞，他日終將把他們弄得走頭無路的。

美英軍艦集港 同慶聖誕佳節

香港自韓戰以來，可說已成為遠東最具「國際性」的都市，遠東區的盟國，常以此作為度假勝地，今日是聖誕前夕，來港度假的美國軍艦，共十六艘，戰後美艦在港海停泊渡聖誕者，當以本年為最擁擠。十六艘美艦載來美兵三千五百人以上，預料今明兩日，灣仔芬域碼頭美兵之來去，必甚繁多。明日為聖誕節，美艦司令官將在航空母艦上招待四百名小童，小童年齡限在八歲以下，四歲以上者，將由艦上款以大聖誕餐，並將給以比較玩具更為有用之物，以留紀念。游戲節目，則有美國水兵唱英文歌，希望小來賓唱中國歌者，一致歌唱，共慶聖誕。

同時，英國駐遠東艦隊來港渡聖誕者，共有十艘，英駐遠東海軍副司令艾堅時中將之旗艦紐芬蘭號，上星期六由日本抵港。新城堡號則於去星期二抵港。新城堡號本年十一月十七日在星洲重新編配艦員，預定下月二日由港返星。袋鼠號則定本月二十八日駛往星洲，在星洲重編新艦員。

大陸人民挨餓之下 蔬菜也沒得吃

共報承認發生排隊搶購

從今年八月份開始，大陸上各大城市發生了蔬菜供應問題！其情況嚴重到「排隊搶購」，並因此引起了「價格波動」！（見十二月十三日天津「大公報」社論）在肉荒、油荒、豆類副食品荒之後，又繼之以嚴重的蔬菜荒，這充分地證明大陸人民生活的困境。

明春缺菜情況更嚴重

據該報所載，造成蔬菜供應問題的原因是因為：入秋以後，部份地區受旱、澇、霜等自然災害的影響而減產。實際的減產情況是：北平郊區的秋菜減產百分之三十左右；上海市郊的青菜、蘿蔔的減產百分之三十；菠菜的減產百分之五十；武漢、哈爾濱、唐山等地均有減產。

由於秋冬季蔬菜的生產和供銷發生了問題，「明春缺菜的情況將更加突出」！（同前）換句話說，來春的蔬菜供應問題，將不是「排隊搶購」所能解決的了！

這是就自然災害的影響一方面所看到的結果。

主因係菜農放棄種菜

根據人們的生活經驗來說，部份地區的輕微的自然災害，決不致於使蔬菜的供應發生如此嚴重的恐荒，其實際的人為原因和其它間接的影響又在那裏呢？

按自大陸城市經過「糧食定量供應」後，普遍的現象是因為定量不夠，遂將購買力轉移到其它副食品方面去。這一事實固不得不為共報所承認，但卻也因此反映出大陸民生的實況。

另一方面，共報也暴露了由於調運、儲存保管的力量薄弱，擴大了大城市蔬菜的供應困難。而更主要的問題，則是有些地區「把本地區封鎖起來，不准外調」以及「搶購貨源」等這些人為因素，遂造成了蔬菜的供求失調。產生這些人為因素的原因，則是因為菜農鑒於統購統銷後，無利可圖，放棄了種菜。因此，中共就號出以「增加菜農收入」來刺激擴大菜源。

從個人消費的角度來看，大陸蔬菜荒的問題，似乎是個小問題，但從整個的生產角度來看，因為這個問題是關涉到每個人的日常生活的，卻就成為一個大問題了。（子裕）

中共訓練教師 上課大搓麻將

中共為加強控制小學教師，進而製造激頭激尾的「共黨兒童」，於七月間由粵共「教育廳」通令各市縣自本學期起，舉辦小學教師「星期學校」，所有現任小學教師，均須參加。但實施以來，非僅成績毫無，而且怨聲載道。

粵共「教育廳」也承認：各地小學教師星期日集中學習的問題，由於領導上鬆勁，致使參加學習的教師情緒渙散，對星期天學習普遍表示不滿。舉出一個典型的例子：新會縣第三區全體教師都參加了「星期學校」的學習。每到學校時，講語文科的教師總是「照本宣讀」：很像小孩子背書；講算術的，就按本上的算式寫一遍了事，甚至有照抄都抄錯的。由於講課教師不認真，聽課的人，當然也就不起勁了，於是上課不帶課本，隨隨便便地混了一天就算了。老師們到星期學校去學習，常常三人一羣，五人一夥，打撲克，搓麻將，下棋。上課時課堂秩序很亂：有的學員講笑話；有的私下開「小組會」；有的在桌上睡覺；有的故意提出與教育無關的古古怪怪的問題，逗得大家哄堂大笑。這樣馬馬虎虎，教師和學員都怕到「星期學校」去，都暗中叫「星期學校」為「烏龍學校」。

煤油生產量低落 中共推行電石燈

在香港的報紙上，常常看到港府的緝私機關，破獲偷運火水出境的消息。從香港走私出去的火水運到大陸上去的事實，現在可以間接從大陸缺乏煤油一點加以證明。

據十二月四日天津大公報所載中共遼寧省化工原料公司副經理高景隆的「推銷電石節省煤油」的文章裏，反映出大陸上煤油恐荒程度的嚴重。

他以遼寧省為例說，「遼寧全省以每村每個夜校每天使用兩盞燈、耗油量二兩四計算，全省每天需要油十二噸左右」。因此，他要推行以電石燈來代替煤油。

大陸煤油產量和需要量之間不能平衡，是長期存在着的。據同日該報說，山東省去年就已發生煤油供應不足現象。

但用電石燈代替煤油燈，其安全性是可疑的。據該報說：由於電石含有乙炔氣，如空氣中含有純量乙炔百分之五至十，就能引起麻醉作用；如果含百分之三十至四十，室內空氣不夠流通，點的時間較長，人容易發生中毒！

電石燈既有這樣的危險性，而中共卻又宣傳出來代替煤油燈，則其草菅人民於此可見。

中共為加強恐怖統治 進一步實行民族隔離

中共為了便於奴役人民，加強其恐怖統治，已進一步實行民族隔離，於過去三個月間，將十四個省的縣以上單位加以兼併及撤銷。據共報披露，這些省份計有：河北省的宣化市撤銷，原有管轄區劃歸張家口市兼併。山西省相當於縣的運城鎮改為由安邑縣管轄。察哈爾右翼後旗偽人民委員會由平地泉鎮遷駐土牧爾台。吉林省的郭爾羅斯前旗和該旗所屬相當於區的查干花努圖克蒙古族偽自治區及四個偽自治村的原建制撤銷，成立了偽郭爾羅斯蒙古族自治縣。甘肅省相當於專區的甘南藏族自治區改為偽甘南藏族自治州。該「自治州」所屬相當於縣的卓尼偽自治區改設為「卓尼縣」。平涼、隴陽這兩個偽屬區合併為「平涼專區」，駐平涼市；酒泉、武威這兩個「專區」撤銷合併為張掖專區，駐偽張掖縣。青海省的偽海西蒙藏哈薩克族自治州，相當於縣的「都蘭蒙族自治區」撤銷，改為偽都蘭縣；大峻藏族偽自治區改設為偽大峻縣。果洛藏族「自治州」撤銷，成立偽達日縣，該縣轄區包括了莫巴、紅科、桑日麻、紅果麻，得合托、周吉夫化、多爾哇、岡巴、達哇等部落及查郎寺、毛利寺等；偽人民委員會駐日哇。新疆省撤銷，改維吾爾族偽自治區。浙江省的岱山縣偽人民委員會由東沙鎮遷南亭鎮；上虞偽人民委員會由豐惠遷百官鎮；慈谿偽人民委員會由慈城遷滸山鎮。湖北省撤銷了勝利、荊江、枝江、洪山等四縣，將「勝利」轄區分劃併麻城、羅田兩縣；荊江全部併入偽公安縣；枝江全部併入宜都；洪山分由棗陽、宜城、鍾祥、隨縣兼併。湖南省的江華縣撤銷，另設江華瑤族偽自治縣，包括原江華縣的第五、六、七、八、九、十等六個區，並劃入該縣第二區的烏鹿洞、雲梯山、龍造寫等鄉的瑤族村落及藍山縣第三區的新寨、沙落爾鄉；偽自治機關駐水口。原江華縣的第一、二、三、四，四個區劃歸偽永明縣管轄。廣東省的偽粵中行政公署由江門市遷駐佛山市；偽粵東行政公署由江門市遷駐汕頭市。花縣偽人民委員會由平山洛縣遷新街區新華鄉的新華墟。廣西省都安縣的七百弄、河池縣的下坳、宜山縣的三隻羊、東蘭縣的西山等四個相當於區的瑤族偽自治區撤銷，分別成立偽都安瑤族自治縣和巴馬瑤族偽自治縣。都安瑤族偽自治縣的轄區包括原都安縣的全境十三個區，並劃入河池縣的原下坳瑤族偽自治區及第四區的四個鄉，以及宜山縣的原三隻羊瑤族偽自治區及第四、第十兩個區和第五區的部分鄉，馬山縣第十區的六個鄉，忻城縣第六區的六個鄉，平果兩個區，東蘭第三區的十五個鄉。西康省撤銷，除了昌都，其餘劃歸四川偽省府管轄。雲南省的西雙版納傣族自治區改為偽自治州。（按即「自由泰國」所在地）。（郎）

自由談

何必舍本逐末？

馬五先生

報載，我國立法機關正擬頒訂一種「文官任期」的法制。內容如何固無所知，將來是否通過施行，也不一定，但既有此擬議，至少是值得研究的問題了。

所謂「文官任期」云云，當係比照現行武官任期制度而來的。近代中國的軍制，以袁世凱小站練兵爲濫觴，一直到抗戰結束，六十年來，國家武力皆形成私人所有物，軍閥因此產生，內亂縣延不絕，爲禍之烈，人所共喻。政府播遷台灣後，整軍經武，改革舊有惡習，參考外國的軍旅規範，實行高級軍職輪任制，救弊補偏，以期軍隊國家化，這是對的。可是，文官若要依樣畫葫蘆，問題就很多。

軍職人員之任用遞補、升遷，皆有一定的資歷限制，一個初由軍事學校出來的人，如其他從來就沒有帶過兵，絕對不可能一步登天，僭充中上級軍職的。文官卻不然，自民國以來，舊有的文官制度被革掉了命，新制度至今並無所見，阿猫阿狗，鄙夫庸才，只要有所謂人事關係，皆可以一躍而爲特任官，談到資歷問題，那是封建官僚主義，不值一哂也！文官之濫之糟，實絕古今中外。文官任期是「人事制度」的一環，人事制度不先建立起來，而光搞片面的任期制，寧非舍本逐末乎？現在一個高等文官考試及第，或者在國內外大學畢業的專門人才，就不如一個祇經過短期訓練的人，在政治上容易飛黃騰達哩！

因此之故，我希望立法機關能以庖丁游刃全牛的精神，擬訂一套完備的人事制度，舉凡任免、升遷、調補等項，皆予以合理的規定，將四十餘年來混亂龐雜的吏治現象，摧陷廓清，創造新生機能，詎不懿歟！

盧汝一夕

・奔流・

我們在八月中離開巴黎，向比利時進發，途中不時懷念着一星期內未能暢遊的這個「花都」。在歐洲旅行，從一個國家到另一個，比在中國從一省到另一省還快得多，初嘗這種經驗，不能不感新鮮。我們跳上北駛的火車，很快於不覺之間，便抵達了比京布魯捨爾。因了時間關係，而且亦知道以後還有機會回來，我們趕快就離此北行，到盧汝去。於往盧汝的途中，碰見一位曾經在中國傳教多年的天主教傳教士，他看見了我們九位東方人，又聽見我們說中國話，於是親切異常的談起來。他是於二年前被中共逮捕坐牢後被放逐的。他能說一口標準的北平話，很少有洋腔洋調。我心裏暗想，這倒很難得。他對於中共之慘無人道的殺害同胞，談起眞是義憤塡膺。但他非常的堅信，中共這種做法，是不會有好結果的，並且這亦就是他的致命傷，因爲它違反了自然律。

從比京到盧汝差不多半句多鐘就可以抵達。蒙已故「抗戰老人」雷鳴遠神父所創辦的一個「修會」殷勤招待，使我們在各方面得到很多的方便。

因爲適值暑假，留學此地之中國同學，很多都到旁的國家去了。但他們大都不是去「避暑」或「遊覽」的，而是到英國或德國去做工，以半工半讀的方式，來解決他們許多暑假中的問題。不過，亦尚有不少位留在校中，他們對我們遠地來訪，是那麼熱誠的照顧，在感謝之餘，我們得到了罕有的親切感。

旅居此地之中國同學據我們所知道的，人數亦有數十人，然而一般說起來，即使不能說百分之一百，最少百分之九十以上，都是擁護政府，徹底反共的青年。可是，他們的處境，說起來又話長了。他們極大多數都過着非常困苦的生活。他們的在這裏唸書，既不是我們政府供給費用，更不是比國政府給予獎學金的。除少數自費外，他們都是受教會——天主教——方面或社會上樂善好施的人士供給用費。在這樣的情形下，當然談不到舒適，就是要維持一個安定的心情亦甚困難。

據說，有些同學，完全是接受社會上人士之捐助，比如，早、午、晚三餐只在一處食飯，住宿又是在另外一個地方，加上白天上課，一天到晚便都在打圈子，跑個不停。我問他們，難道在比國政府方面，一點辦法都找不到嗎？一位同學聽到我這麼一問，又是牢騷滿腹地說：「若我國使館能把窮學生放在眼裏，稍爲活動，使學生得到援助是不成問題。並且，若我官方願意，獲得比國政府在比京之大學求學的獎學金並非難事。可是，事在人爲，人既不爲，又奈之何？有時我們和使館官員談起這件事，他們不是搖頭，便是推託替青年學子謀獎學金，不屬於外交的範圍。」我們聽了，不禁也想起我們自己在西班牙的遭遇，除陪他們嘆息外，還有什麼話好說呢！

盧汝大學的確不愧爲世界著名學府；據一位同學告訴我，在開課時間，這個城市的老百姓就是學生，說起來簡直是一個「學生世界」。雖然，來時已是暑假，但有些學院根本一年到頭就不關門的，我們參觀了該大學物理學院。在這個學院裏，有幾位日本的科學家，是被派來研究原子能的。我們參觀了一部份設備。聽說，在設備上世界還沒有幾個大學之物理學院如此完備。另外，這間大學有名於世的，是她的圖書館。其中藏書豐富，惜中文部尚未開放，因爲正在整理。據說：許多中國古書，連中國也找不到的，已流落到這個遙遠的角落。關於盧汝大學，非三言兩語所能說完，希望將來有機會另以專文補述。（寄自馬德里）

紗・帽

有明一代，宦寺擅專，權奪人主，其著者如汪直劉瑾魏忠賢輩，無恥之徒，奔走門下者，比比皆是。傳說汪直巡邊時，道經各地，地方官跪迎道左，汪威福自姿，輒以「哥兒你可知道你的紗帽那里來的」作開場白，如以今語釋，則爲「朋友，你的飯碗是誰給的」。機詐巧宦，大率以「謝公公栽培」。有某縣令性戇直，率然以對曰：「下官的紗帽，是三錢銀子在鐵匠胡同帽店買的」。（阿超）

最堅固的扶梯

・雪・

一個女工在法院提出控訴，要求女主人賠償損失。理由是主人家裏的扶梯太小，而且不堅固，她在扶梯上跌到地下，跌傷了身體。

被告的辯護律師是一個大胖子。他把扶梯搬到法院，是一個只有四級的小木梯，爲了想表演扶梯的堅固，他跑到第四級，在上面用力一跳。

他這一跳把整個梯子踏垮了。不慌不忙，在地上爬了起來，辯護律師對法官道，『我是一個大胖子，用盡了畢生的氣力才把那張扶梯踏垮了，那證明了扶梯是十分安全的。』

女主人獲得勝訴。

秀才・舉人・進士

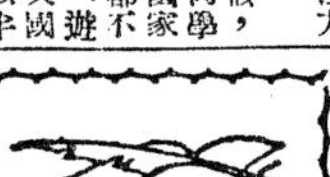

殿試的當日，新科貢士，衣冠齊整，攜場籃，內放文具食品，至東華門外下車，步行到保和殿外集合，點名進場，所費時間很長。保和殿原設有許多矮几，大半殘缺不全。各位貢士所帶的場籃，比下鄉考場的精緻美觀，爲北京琉璃廠所特製，用輕鬆木板釘成，外裱藍布，還附有尺餘高的小桌子，爲折叠式，可開可闔，也以藍布裱就。貢士進了保和殿，放開桌子，擺出筆墨，將場籃作爲座凳，等候出題。開始提筆作答總在上午十一點左右了，保和殿房屋高深，光綫甚暗，而又不准給燭。時值四月天氣雖長，五點鐘殿上已晦黯不明了。都要提早交卷，所以實際工作的時間，不超過六箇小時。

殿試寫卷的格式規矩，繁瑣異常，試卷係七層單宣紙製成，長近二尺，在小桌上只能斜放。除前面寫就的履歷及預備彌封各開外，其餘的正式卷子，計八開大，每開十行，工畫朱絲直格，每行二十五箇字。正文須低兩格書寫，開首第一行起首例寫，臣對，臣聞云云，此後文中每提及皇上聖躬等等有關皇帝的名詞，必另起一行抬高兩格或一格書寫，名爲「擡頭」，每行文字，必須寫滿，不留空格。所以做對策的時候，務必時時注意，每逢抬頭地方，須恰好排在次一行的開頭。試題大致爲四道策問題，垂詢政治兵農水利選舉等等事項，貢士按題作答。先照比格起草，然後再往大卷上謄寫。結尾照例寫「臣草第新進，罔識忌諱，干冒宸顏，不勝戰慄屛營之至，臣謹對，」字體須黑大圓光，寫來相當吃力。當年我下殿試場，特別花十二兩銀子買了一盒項好松煙墨，以求一逞。鄉前輩多人，都認定我會點翰林，誰知揭曉以後，竟是三甲進士。民國三年，在山東濟甯道任內，教育部次長梁伯祥先生將我的殿試大卷檢出來寄給我看，才想起殿試的當日，下了一場雨，我因爲一時疏忽，忘了在松烟墨內攙上些含有膠質墨汁。結果字體寫得太黑，在潮濕之下，將卷子許多處印的模糊不清。這種出乎意外的不幸，也只好歸咎於命運了。大卷照例要寫滿七開半，也就是六小時之內，要做一篇千七百字的文章，謄抄行楷字各一遍。而又有許多困難，不是訓練有素的人，是不容易成功的。所以當年中了舉的人，就要日日練習書寫大卷白摺了。陽城王介民先生，是先祖的受業師，係翰林轉官御史。他老先生在老太太開弔那天，尙在苦塊上寫了五百字的白摺小楷，鄉人頗以爲非，到如今想起來，實在是情有可原，就是王太夫人在天之靈，也應該引以爲慰的。（十四）

賈景德

組合語句的組織使用

——形而上學語文

語意學漫談

徐道鄰

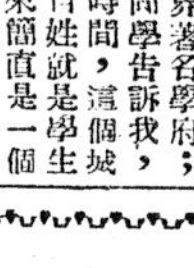

形而上學 METAPHYSICS 這個字，在現代學者的眼光中，是處於評判的兩個極端。在某一派的學者看來，它完全是一種胡說八道，欺騙他人和欺騙自己的「玄學」，在另一派學者看來，它正是一種最高無上的超科學超經驗的智慧。形而上學提出來的理論，都是自認爲眞理的，不過他們這個眞理，不是用科學或經驗可以證實或反駁的。所以形而上學的語句，不是一種實體語句（因爲它們不是對於某一種事物的指示，評判或規約），而只是一種組合語句。西洋有各派的形而上學說甚麼『沒有東西同時是存在的和不存在的』，或『一切變化的性質，本身都是壞的』；『只有實現的才是實在的』。而另外一派的形而上學，則所說的恰與此相反，它們說：『所有東西，同時是存在，又是不存在』，『變化本身並不能算是壞的』，『實在的不以實現的爲限』。中國的老形而上學，又有他另外那一套，有所謂『一生二，二生三，三而反歸於一』，有所謂『一陰一陽之謂道』，有甚麼『五行相生相尅』。這一大堆理論，都說得有聲有色，但是憑我們的科學知識和實際經驗，既不能一一予以證明，也不能一一加以反駁。所以它們外表好像是實體語句，而事實上只是一些組合語句。

形而上學語文 METAPHYSICAL DISCOURSE 的特質，是它們一方面代表一種整個人生觀念，一個人對事對物的基本態度，另一方面，它們措辭極其空洞，因而可以包括人生中極其廣泛的事物。所以形而上學語文的作用，是組織一個人對於宇宙對於人生的一個整個的心理反應系統。我們把形而上學語文當作組合語句的組織使用的事例，就是這個道理。當然，一個認爲一切變化都是壞的人，對於世界上一切事物的心理反應，自然和一個認爲一切變化並不一定壞的人，大不相同。一個人之相信某一種形而上學，而不相信另外一種形而上學的，其主要原因，不是其中某一形而上學，客觀的說，比另外一種爲高明，而是因爲這一個人之思想性格，和其生活經驗，使其較容易接受某一種形而上學，而不能接受另一種形而上學而已。而世界上既是永遠有許多不同思想性格，不同生活經驗的人，所以在任何時期，任何民族，任何文化中，各種形形色色的形而上學，總是存在的，而且少不了它們的信仰者。也正是這個道理，因爲它們的用語籠統，含義廣泛，所以任何時期的科學知識和科學經驗，它們都能巧妙地加以吸收和運用。但是也正因爲這個道理，沒有任何形而上學可以絕對的證明自己的眞理，而反駁其他形而上學之非眞。（七一）

愛子的袋鼠

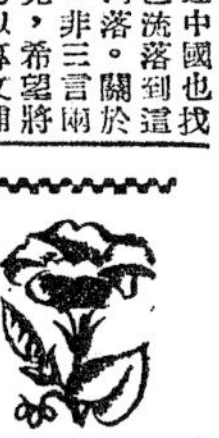

袋鼠是澳洲的土產，共有二十餘種。最小的只有兔子那麼一般大，有些袋鼠能夠爬樹，澳洲的土人叫他做『老人』。

長成了的袋鼠比人還要高，重量大約二百磅。就是坐在地上，高度也超過五尺。袋鼠的後腿十分强大，有驚人的力量。十尺的籬笆，能夠一躍而過。要是和獵犬爭鬥，十隻大犬還不是他的敵手　袋鼠尾巴的抽動能夠折斷任何人的頸部，好像折斷大柴一樣。可是袋鼠初生的時候是這樣小，三隻小袋鼠能夠容納在一個小茶匙上。

初生的袋鼠沒有一寸長，大小只堪比蜜蜂。身體半透明很像一條蚯蚓。只有兩隻手發育齊全。小袋鼠利用這兩隻手來握住母鼠的毛，爬上或者爬下囊袋。一個袋鼠每次只產生一隻小鼠，所以他獨霸了一個袋。小袋鼠進入了袋裏，即咬住乳腺。太小了，沒有力吸乳，母鼠的乳腺有一種機構能夠把乳射進小鼠的口裏。到了四個月小袋鼠長滿了毛，不吸乳了。當母鼠吃草的時候，他也跳下來咬幾口。遇到了危險，他馬上跳回母鼠囊裏。可是當母鼠被殺或者被擒時候，小鼠卻不在袋裏。母鼠的策略是這樣，被追逐時，總把小鼠安放樹林裏，到了獵人疲于奔命的時候，才回來取回。

小袋鼠長大了即加入鼠羣。袋鼠是聚族同居的，每一羣袋鼠約在二十至五十之數。袋鼠是蔬食者，只吃草。他們喜歡在天剛放亮，傍晚，或者月夜嚙草。袋鼠最喜歡比拳。

袋鼠的手有指五枚和人的相差不多。袋鼠比拳的時候，先把兩手擺在胸前，作警戒狀。然後開始拳擊，袋鼠跳躍的快捷實在是驚人。不一會他們退回原地。休息了一會，再來第二個回合。他們不是想比賽勝負，他們的目的爲的是消遣。袋鼠的脾氣很好，從來沒有因爲比賽發生爭執。

袋鼠的後脚有四指，其中的一個特別大，大指前端尖銳有類乎鋼刀。袋脚能夠擊斃一個人，或者一個大犬。袋鼠的性情是和善的，非至萬不得已，不用他的後腿。

澳洲人對于袋鼠的用場十分大，土人拿來做肉食。袋鼠的肉甚粗糙，且有怪味，可是袋鼠尾是名聞世界的珍品，滋味遠勝牛尾。澳洲有一樣菜，是用袋鼠肉和火腿一起燒的，味道相當濃厚。

袋鼠繁生在澳洲近海的部份。天旱的時候，對於牛羊實在是一種威嚇。袋鼠繁殖極快，獵打袋鼠在澳洲是不禁的，澳洲每年產袋鼠皮約一百萬件，是製造手套和皮鞋最好的原料。是出口貨的一個大宗。

牛布衣

自由人
THE FREEMAN
（第五〇三期）
中華民國僑務委員會
僑發登記證台教新字第一零二號
中華郵政台字第五〇〇號
執照登記為第一類新聞紙類
（半週刊每星期三 六出版）
每份港幣壹毫
台北市價格台幣壹元
督印人：陳文華
地址：香港高士威道二十號四樓
3 rd. fl. 20 CAUSEWAY RD HONG KONG
香港發行及業務接洽
高士打道66號　電話：七四〇五三三
承印者：東南印務出版社
地址：高士打道六十四號
海外總經銷
友聯書報發行公司
香港：德輔道中二十六號A二樓
台灣特派員辦事處
台北市館前街五十號
台灣總經銷處
台北市西寧南路壹叁號二樓
台郵撥儲金戶九二五二二

發展台灣經濟的可能性及其作法

張九如

近年來我曾不斷論述台灣的農業生產率趕不上人口生育率；生產全力趕不上消費總量，意在提高警惕，促進努力。茲乘社會已漸了解台灣經濟前途屯艱，經濟部又在改組之際，指出台灣經濟可以樂觀的遠景，作為共同奮鬥的方向。

工業基礎較農業廣大

台灣工業基礎，較農業基礎廣大，僅有拓展可能。只要能使舊廠必盡其用，新廠確符所需，則工業領域自然擴大，生產指數必能提高。原料不足，雖為台灣工業發展的阻力，但並非完全缺乏，而且可以無中生有。只因近數年來倚賴美援慣了，祗向外求，不向內尋，致行同乞食，貨棄於地。即使有些國產原料不足，或經過試種、試煉後成效不佳，亦未嘗不可從附近落後地區中輸入，總不應歸過於工業原料缺乏而自阻，或在慢性自殺狀態中造成美援停止後束手無策的悲局。

落後地區經濟開發的第一行程，是形成資本。形成資本的方式是教導人民犧牲目前的享受，爭取將來更大的幸福，共作企業的儲蓄。鼓勵儲蓄的有效方法，在造成有利於投資的環境，保障並提高其投資的利益。台灣人民的總所得，已年有增加，就四十三年言，每人平均稅負為一百四十四元，在所得中除去稅負與必須的生活費外，應仍有相當數量的餘款。此一盈餘數額，正是開發經濟最可信賴的資本。只內各種措施，不但未合形成資本的方式，並且造成資金逃避的各種情形，豈不可惜。

如何籌集資金

欲使人民不再逃避資金，爭取投資於產業，其道亦甚簡單，只須確立台幣保值的決心，從調整匯率入手。必要時實行單一匯率，使人民感覺將金鈔調換台幣並不吃虧，則民間金鈔可以逐漸轉入銀行，銀行即可據以增加工業建設的貸款額。一到工業發達，利潤優厚，人民感覺投資於工業，尤較存款於銀行為有利之時，則不待各方勸導，工業資金自將源源而來。

台灣尚可墾殖的土地，除過去曾一再指出之二萬餘公頃的原野外，正在逐年增長中的西部海灘，如能效法北歐各國所為，可改斥鹵之地為耕牧之區。西岸海埔新生土地，倘經有計劃的開發，至少可擴張耕地五萬公頃以上，增加就業人數五萬至六萬，直接受益者三十萬人左右，農魚生產收入提高至十四億元以上，吸收社會游資三億至六億元。至於所謂「不要存置林野」的總面積，全省計達一億三千二百廿四萬八千二百四十餘甲，業經山胞耕牧者極少。此兩種荒地，尤可分讓附近居民作業。如說地力已盡，實無是處，問題只在有無耐力決心及如何籌措資金。

單位產量尚須提高

歷年官文書中，雖言及單位面積的產量，均已提高，其實主要農產品除小麥大豆花生等極少數項目的產量已超過光復前的最高紀錄外，其餘大都較日據時期落後甚遠。如先將農村勞力作為資本之一看，再與各國若干產品的單位面積產量相比較，即可看出地力人力，並未充分利用，各物產量尚未能與他國相比。

台灣氣候溫暖潤濕，每年平均溫度約在攝氏二十一度左右，山地則較冷，高原且降雪。平地每年雨量平均二四〇〇公厘，山地平均三〇〇〇至六〇〇〇公厘不等，就自然條件論，土性幾兼寒溫熱三帶特質，自可量地所宜，分植各物。過去尚未有的農作物如小麥、洋蔥之類，既試種成功，則可以試種的決不止此數種。只須從研究試驗着手，並許農家補償其試種時的損失，則台灣今後的農產品或可呈應有盡有之觀。

尤可樂觀者，為增加漁林產量。由海島向大洋發展，是台灣人民遲早必然要走的路綫，並且是收獲必更豐碩的職業。倘能加強伐植工作的設計與管理，並試植各種新品種，不僅材木不可勝用，外銷亦可增加，即兵器用材、藥用資源、香料植物、漆膠桐油原料，亦將取之無盡，用之不竭。

拓展農林漁牧各業所需的資金，除循前述發展工業的財源途徑去從開源節流中取得外，尚可從人民熾烈的土地慾中引出巨款來。例如人民自動投資於西海岸新生土地上的人數，既年有增加，而其自勵投資的數額，每公頃且有高達六千元至一萬二千元者。如能因勢利導，明令保障其產權與利益，則民間資金的投入，將有爭先恐後之勢。除此以外，尚可從剔除林產各種積弊中整理出五億以上的台幣，以此用之於拓展林業及辦理農民小額貸款，似已所缺無多。

須培養新企業觀念

現代的社會經濟，建築在企業發展的基礎上，尤其現代企業界的新觀念是促使經濟發展社會繁榮的主要因素。此新觀念的內容，約可分為下列數種：（一）認識整個社會的繁榮，緣是企業本身繁榮的擴大。（二）認識廣大市場為建築遠大企業的唯一基地。（三）認識時時力求上進，才是處處競勝他人的主力。（四）認識員工不但為企業組織中的重要分子，並為其主體。（五）認識工會之於工廠，同於政治上在野黨之於在朝黨，對工廠具有批評促進之效，應與之合作，不應加以壓制。由於此五種觀念已成為企業前進的策動力。故能使一切產品的品質日趨優良，成本日趨減低，售價日趨降落，市場日趨擴大。企業界此種觀念，實已成為經濟發展的無形資本，而成為最重大最主要的資本。

必須打破舊的觀念

我國人缺乏現代企業觀念的原因，雖甚複雜，但亦可指出其中主要的數端。第一、數千年來我國人民的生活是農業社會生活，我國政治教育的信條，是重農輕工尤其輕商的信條。一般人民受此影響與約束，遂皆以耕讀傳家，勤儉可風，標榜為美德，士大夫更以安貧樂道知足不辱自勉。最近二三十年來，工業界雖已受到社會有限度的重視，但經營商業者被世鄙視如故，他國社會鼓勵商人向國外作戰，我國社會則樂聞人民向人攻擊，工商兩業本相輔相成，工豈能畸形發展。社會思想既如此落後，如何不使經濟落後。（下轉第二版）

海外通訊

本報五〇一期曾刊衛屬帝汶島僑情及僑教之危機特訊一篇。頃又接十二月十日帝汶通訊關于共黨份子之活動狀況敍述更詳，且涉及我駐帝領館之存廢問題。可見情勢嚴重，深望政府主管部會速謀對策，毋使旅帝僑胞徬徨失望。——編者——

共黨份子猖獗 帝汶僑界領館備受壓迫

領館存廢已發生問題 僑胞望政府速定辦法

【本報帝汶叻利特約航訊】衛屬帝汶島位於澳洲與印度尼西亞羣島之中途，旅帝僑胞為數約四千人，自民國三十七年二月開始設領館，僅二年零三個月，旋於三十九年五月奉令關閉。此後三年間，僑胞即再度陷於無領館照顧之困境。

名譽領事艱苦備嘗

自我領館關閉後，加以該島一半毗連印尼，共黨份子及左派仁兄之活動日趨囂張，政府鑑於僑團之疊次請求，始於四十年九月派謝康博士為駐帝名譽領事，領館則延至四十二年七月始正式恢復。所謂名譽領事，即不受薪而負領館之主要責任，因此領館本身既無經費，亦無人員，工作之難以開展概可想見。謝領事又內兼任中華中學校長，館務均於忙中抽暇處理。初時曾由謝領事請中華中學教員一人兼任祕書，職員一人兼任事務員及司機。但最近一年，館費益形艱窘，祕書、職員與工役之津貼，均已無法籌墊，至此，館內一應中西文件，內外事務，悉由謝領事一人操作。若非親見，何能令人置信一領事之工作竟能自秘書兼任至工役，領館之實際情況如此，雖謝領事盡其在我地做去，卻亦難能面面兼顧，因此不僅工作不易開展，且亦為外國人及僑胞輕視。計時迄今，謝領事已艱苦支持，二年有半矣。

共黨份子活動情況

今年四月亞非會議後，共特之活動愈加猖獗，其主要活動和拉攏之對象為僑校和僑領，於是部份僑校教師及僑領即開始動搖或變節。共特更進而分化僑胞，使僑界形成鼎足而三之形勢。其中因中立派每為左傾派利用，遂常成反共派孤軍奮鬥。左派以拉攏中立派，造成多數勢力，進而全面控制僑校董事會，並運用毒辣詭計以打擊兼任校長的謝領事，不僅迫使渠辭校長職務，並出言恐嚇威脅，企圖加以暗算！於是，駐帝領館之存廢問題，遂成為帝島僑界之迫切問題！

領館存廢問題由來

造成駐帝領館存廢問題的間接因素，乃在於共特份子之誣告陷害。蓋共特鑑於謝領事並不因領館之無經費、無人員而撤退，遂運用前領館投機灰色份子××等向我中央機關進讒，期用借刀殺人以去謝領事，並向外交部建議起用××，並加委以暫代館務。

共黨份子之目的，似不僅在於迫走謝領事，且將進而利用地方壓力使國民黨駐帝汶支部亦同時停止活動或退出帝汶。如此，則共特份子將可全面控制僑校、僑界，其用心之毒辣，於此可見。

僑胞對政府的希望

就筆者所知，此間僑胞情況及與共特鬥爭之艱苦事實，中央主管部會並非完全不知，但至今未能拿出有效的處理辦法，實令此間僑界深感困惑。並聞，謝康領事已向外交部提出辭職，預備先行回合，再定行止。

從中央主管部會之遲遲無實際有效之指示及謝領事之堅辭看來，駐帝領館之存廢問題，似仍將再拖延下去。但衡諸此間情況言，拖下去將更使共特份子囂張，更可能使問題發展到無可收拾之境地。當務之急，還是要希望中央盡速拿出辦法來。此間僑胞多數傾向國民政府，只要政府能充實領館，揭發共特之陰謀，團結僑領，加強領導僑校，形勢之轉變是可預期的。若仍再繼續拖下去，則四千僑胞將陷於徬徨失望之絕境！（康仁十二月十日）

時事評述

·司馬璐·

聖誕廣播

羅馬教皇庇護士第十二世在聖誕文告中，一連作了三種否定：

否定共產主義是一種社會制度；

否定試驗及使用核子武器；

否定西方國家的殖民政策。

這是一個真正的「和平大憲章」。換言之，和平的保證必須是首先否定共產主義。

艾森豪總統聖誕對東歐人民廣播說：美國人「和你們一樣相信正義終將伸張，使你們重歸自由世界。」

這聲音，是我們熟悉過的；

「解放政策」曾經是共和黨上台時的諾言；

這聲音，曾經獲得全世界人民的歡呼；

但是，他們朝夕期待，今天得到的，仍祗是一份「祝福」而已。

重估美援的價值

美參議會外交委員會委員曼殊斐爾說：「政府似太過重視援款的價值，重估計經濟與軍事援助的價值，現在是時候了。」

這話由美國人說出是再恰當沒有的。

當然一個美國的參議員說這話的動機，可能和我們的想法不盡相同，他們的目的或許只為的替自己的國家省錢。

但是，重估美援的價值，這一原則的提出，確是有意義的。美國人出錢幫朋友反共，誰能說這不是好事？但事實上今天受援的國家和人民多對美國有怨言，到底是什麼緣故呢？

問題在于：美國人的動機是好的，方法和效果都大值得重行檢討研究一番。

美國人對世界許多重大事件的反映與想法，往往是感情的、直覺的、天真的而又是愚蠢的。

他們總以為，「美援」是一劑萬應靈丹，什麼病都得用這副藥。

美國人有沒有比「美援」更有價值的東西呢？當然有的。

美國的自由理念，本來應該懂得對朋友的敬重，也應該會得到更多的朋友，但是，因為他們「太過重視援款的價值」，所以他們往往忘記了他們比「美援」更有價值的東西。

蘇俄的數字把戲

蘇俄的第四屆最高蘇維埃第四次會議開幕了。蘇俄財長斯伐洛夫在第一天大會上作了有關明年預算的報告，他指出：

一、一九五六年度預算，收入五千九百十九億盧布，支出五千六百八十八億盧布，剩餘二百三十一億盧布。他說，總收入與支出，都比一九五五年增加了。

二、一九五六年的國防預算是一千零二十五億盧布。他說，這數字比起一九五五年的一千一百二十億盧布，約減了十分之一。

蘇俄的數字把戲，它表示了什麼？前者的目的在于宣傳蘇俄的「繁榮」。後者的目的在于宣傳蘇俄的「和平」。實際的情形是如何呢？請注意以下一些事實：

第一、蘇俄最高蘇維埃會議的代表，不是代表「納稅人」，而是經過黨產生的，因此預算數字的真實性如何，在大會上是沒人過問的。

第二、蘇俄真正的國防預算一向隱藏在別的預算項目中，所以他公佈的數字，絕對是不可靠的。

第三、蘇俄財長在報告中又強調了重工業的發展。我們知道，在共產政權下，重工業建設與國防建設，往往是一件事的兩面。所以，蘇俄的數字，僅僅是把戲而已。

西班牙近貌

佛朗哥以國民外交改變了國際地位　提高了工人待遇使勞動者傾向政府

【本報特訊】「在西法邊境，甚或是在馬德里，你可以聽到來自比利牛斯山間播出的不利於佛朗哥的廣播；在離開了西班牙國境的歐洲任何地區，那就有更多的不利於佛朗哥的言論在傳播，甚至於說他是當代僅存的「法西斯堡壘」。但是，在西班牙境內，不論在任何角落裏，你卻看不到也聽不到反佛朗哥的文字或聲音。人們愉快、自由地生活在安謐的氣氛中。「也絕不是過份地形容。在西班牙，人們關心鬥牛，尤勝過關心佛朗哥。只有當人們坐在餐桌上拿起白麵包時，才會想到佛朗哥。人們覺得今天生活之能改善，佛朗哥功不可抹。人們會想，如果歷史不停留在一九三六年，如果當年勝利的是共產黨，今天的西班牙，再好也不過是一個蘇聯的附庸國，那麼二次大戰也不一定躲不了，則今天必然是一個貧窮、困乏和飢餓的西班牙！

「是不是所有的西班牙人都對佛朗哥滿意呢？除了那些一九三六年前的特權階級外，可以說是絕對的多數。即使是那些過氣的特權者，在現代的西班牙，也一樣享受自由的生活權，並且還能在高興時自由地罵罵佛朗哥，祇可惜無人欣賞他們對佛朗哥的咒語而已。但這樣的事例，在共產集權國家內，卻是不可想象的。」

以上的話，是記者從一位甫由西班牙學成歸國的張先生會見後綜合寫成的。以下筆者再根據張先生的談話，撮述大要如下：

佛朗哥的成功

事實上佛朗哥與西班牙已是不可分割的整體，西班牙人民絕不會再需要革命，這是因為人民把佛朗哥看成是西班牙國家利益整體的一部份了。

但是直到現在，西班牙還未能和所有的自由民主國家締交，這不能歸罪於佛朗哥，而是這些國家成見太深，也不去從新了解西班牙。所以在西班牙境外能聽到很多關於詆譭西班牙的失實的傳聞，而在西國境內則連影子也沒有，即使像墨西哥與西班牙之間，也還未因民族血緣關係的親密而締交呢，儘管兩國間人民的交往是如此的頻繁。

這就可足以證明，許多國家不願捐棄成見去了解西班牙乃是事實。

相反的，佛朗哥的政府，卻把它的大門敞開着讓人家來了解，只要你不是一個共產黨，西班牙是隨時在歡迎着你的。不僅此，西班牙與溝通中南美洲和阿剌伯集團的關係，由西班牙文化協會派遣了若干個文化、歌舞代表團，到美麗的中南美和荒涼的大漠去訪問。這種工作蘊含了極大的遠見，它的意義不止在於親善，而是有意於把屬於西班牙語系的民族團結起來。在佛朗哥的心目中，西班牙是中南美洲和阿剌伯集團中西班牙語的民族祖國，他要把西班牙的地位改變到像英國之與美國的關係。

這決不是一種幻想，只要看那絡繹於途遠涉重洋回到馬德里來憑弔的西班牙海外子孫之日漸增多，就是一個很好的說明。

誰不愛他的「祖國」呢？一場鬥牛表演和一齣西班牙的舞蹈，就足以勾引起這些海外民族子孫的懷鄉了。即使是寄居在墨西哥的反佛朗哥份子，也不能不為一曲高歌流淚呢！

因此，這不僅是政治上的成功，也可以說是西班牙國民外交的成功。

工人待遇獲得提高

佛朗哥是歐洲的反共專家，但是他的反共不是完全靠着武力的。他在戰勝了西班牙共黨之後，就積極於從事改善國民經濟生活，尤其是他的勞工政策的成功，使所有的「無產階級」都歸向於政府。工人們覺得佛朗哥政府所幫助他們的和他們的實際所得，遠超過了一九三六年以前，也遠好過共產國家。因此，工人不再不滿意政府了。

換句話說，佛朗哥的成功，是靠着他比共產黨做的更澈底，更公平，更合理。以馬德里的中央交通管理處為例，它不僅因為有了統一的管理、保養和調派使政府節省了大量的國幣，也因此使工人的福利大大地提高。在中央交通管理處內還沒有醫院、學校等。

佛朗哥的民族尊嚴

在馬德里的街頭，絕看不到有一個穿外國軍裝的軍人，（那些作友好訪問的異國海軍自然不包括在內）。強調這一點，是為了說明佛朗哥的民族意識的堅強。西班牙今天固也接受美援，美軍顧問團也在西國境內活動，但是美國軍人絕不能穿起美軍制服在西班牙任何城市的街頭出現，即使是在美軍顧問團內辦公，他們也祗能穿着西裝便服。

但是，在西班牙的陸軍大學裏，則可以看到來自各個民主國家穿着他本國軍服的留學生，可是他們也必須同時佩帶西班牙陸軍大學的徽幟。

因為軍工業不甚發達，西班牙除了不能製造重武器外，在歐洲他的輕武器生產地位已相當重要。

這是一個實行兵役制的國家，只要動員令頒發，兵員武器都是現成的，她可以在極短的時間內組成四五十萬訓練有素的部隊。但在平時，人們都從事生產工作，在西班牙的城市裏，你絕少會看到有軍人在街頭閒逛。

西班牙人民愛中國

西班牙在反共陣營裏的地位，已越來越重要了。這不僅說是她在歐洲軍事上的地位。由於她已獲准加入了聯合國，又由於她是中南美洲國家的母國，她在國際政治上的地位也益形重要。因此相信，面對現實，那些本不願去了解她的，和懷有成見而取敵對態度的國家，勢將不免要漸漸地有所改變。

據張先生說，西班牙人民對於自由中國有深摯的友誼，他們也極願意和我國作文化上的溝通，希望通過文化的大道，更進一步促進兩國之間的友好關係。但可惜的是雙方在這方面所作的都還不夠。這主要的原因是文學語言的障礙。但相信，只要彼此認為有此需要，也值得去努力，則可從交換留學生，交換教授和互派文化代表團訪問等方式來逐漸改進。

布爾加寧的行運

風行

和赫魯曉夫拍演雙簧戲的布爾加寧，已引起世界人們的注意。但迄今少見其平生紀歷。今特略述如下。

布爾加寧在一八九五年，誕生於俄國中部的下諾弗哥羅（NIZHNI NOVGOROD），即今之高爾基城。他現年六十歲了，也是史太林死後遺下少數老共產黨員之一。關於他的社會出身，我們幾乎一無所知。但據官方的履歷紀錄，我們知道他會進過等於英國公立的中等學校，因此很有理由推斷他出身自中等階級社會。在一九一七年布爾什維克黨獲得勝利之前，他已參加列寧的黨。他由一九一八年至一九二二年，在共產黨內聲名狼藉的祕密警察委員會服務。這個機構實施政治恐怖手段，也就是蘇聯內政部（MVD）的前身，其後他獻身於政府中經濟與工業之工作，到了一九二七年膺莫斯科電力廠長之要職。

其時正值史太林開始推行其工業化與集體農場的雙管齊下政策。共產黨中有數萬之老黨員，不願隨史太林之殘酷政策，因此在大整肅中被消滅。但布爾加寧卻是當時史太林賴以推行其政策的少數幹部中之一。布爾加寧由純經濟工作轉到政界的行政活動。到了一九三一年他榮任莫斯科蘇維埃主席，——偶然因此職位而在一九三六年訪問倫敦。他的政治舞台上機運，至此飛黃騰達起來。至一九三七年任俄羅斯蘇維埃聯邦社會主義共和國人民委員會主席。至一九三八年布爾加寧任全蘇維埃聯邦人民委員會副主席，兼國家銀行主席。

至第二次世界大戰之前夕，他已具備了警察、工業、財政、市政及中央政府的經驗。到了戰爭爆發他立即被調到陸軍部門工作。但不是屬軍事的，而是屬民政及政治的。蘇聯報紙的捧吹他如何的防守莫斯科很成功一類的話，是蘇聯替一個時期的政治領袖宣傳之普通手法。我們不必重視。以前對貝利亞元帥也有同樣的宣傳。當日布爾加寧的責任，是屬於前方各區軍事委員會的政治人員。他的工作係使軍隊不失政治上的效忠，灌輸政治思想，監督着軍事行動循依黨之路綫。

他奉行各項命令，都令到史太林感到滿意。至一九四四年為國防委員會委員，而成為該委員會之副委員長。到了戰事結束時，他既然儕列元帥羣中，軍事榮譽勳章紛紛落在他的制服衣襟上。到了一九四六年，雖然許多軍事上著名人物已被人淡忘了，但布爾加寧却榮膺政治局候補委員。至一九四七年史太林卸去武裝部隊長之職，布爾加寧補其缺。一九四九年後以部長會議副主席的身份，担任軍事的調整配合工作。

當史太林在一九五三年三月去世時，布爾加寧成為政治局的正式委員，由此而與馬林柯夫及貝利亞成為蘇聯三巨頭。但今則貝氏已被誅，而馬亦失意仕途，政治生命已瀕結束之境，獨布爾加寧尚稱雄政治舞台上，足見布爾加寧的政治手腕。

史太林的鐵腕統治既去，來日多難，必須要有陸軍的支持。然而陸軍諸領袖，似乎不大喜歡一個沒有軍事經驗，而純賴政治活動而獲得軍事最高榮譽的人。布爾加寧也了解到這一點，所以當時布爾加寧接任國防部長職時，便拉出朱可夫元帥做他的副部長。

史太林死後的兩年波動中，布爾加寧很狡猾的玩着政治撲克。——這是蘇聯獨裁政治不可少的——他會選擇佔上風的一方面倒過去。一九五三年六月貝利亞負叛國罪名而被誅，必然獲得布爾加寧的支持。如果沒有陸軍的支持，逮捕一個特務與警察頭目是可怕的冒險。布爾加寧到底是能控制着陸軍。

一九五五年二月舉行一個重要的最高蘇維埃會議，令世人感到震驚的，是馬林柯夫宣佈辭職了。說得正確一點，是有人替他宣佈辭職。於是共黨頭目赫魯曉夫提議以布爾加寧為部長會議主席。

我們可以說從上述的布氏經歷看，最能了解布氏之為人。他具有在蘇聯政治生活變成功的三要素。第一、是他有行政的大才。假使沒有這個本領，不論是任何國家的政治家，決不能像布爾加寧歷久担當一連串負實任務的職位。第二、是他不懷疑他服役的政權，反之他的表面行為不牽涉及政權。第三、是最重要的就是他有極多的技巧和最高的人物相處。布爾加寧正確的估計他要巴結的做正重要人物是赫魯曉夫。因赫是黨的機構之首領。他也有自知之明，他知道有一項重大的貢獻，非別人可做得到的，——這就是做和陸軍領袖們聯繫的橋樑。

總之，布爾加寧是一個裝齋和藹，而夠風度，和懷有外交技術的人。他嗜好飲酒，講笑話。也是談笑風生的健談者。這些是他的本錢。但這些品格無礙於其為成一個有用的布爾扎維克黨員。而且他有一良好的布爾什維克黨員的唯一性格，就是永不忘記他的重大的目的。（譯自「文摘的文摘」）

發展台灣經濟的可能性及其作法

（上接第一版）

第二、我國人向來沒有謀共同利益的產業組織，及尊重憑己權界的社會觀念，只有對人的友誼組織，或情感上的鄉社聯繫。此種性習，實已無益於企業組織的產生，有害於自由企業的發展。倘國人仍不改變過去的「均貧窮」「怨富人」的觀念，仍不想及發展工業即為提高一般人生活水準的捷徑，鼓勵工廠人員安心服務即發展社會經濟的基件，仍不能從根本上養成現代產業組織的意識，則台灣工業的環境，仍多葛藤。

第三、台灣人民在日治時期，毫無機會養成企業興趣與習慣。入台的大陸人士中，能真正了解台灣經濟係海島性質者及能真正了解台灣經濟建設不能脫離落後地區經濟建設的途徑者，並不多見。

由今之道變今之俗

台灣既未超出落後地區的範型，則其經濟建設的初步目標，自在輸出產品以取得購買機器及原料所必須的外匯，自在節約產品的內銷量，以增加外銷額，自在轉移國內浪費的資金，為建設工業的資本，除此即無他途可走。但一般人民既缺此覺悟，多數工商界又習於奢靡，流蕩忘返，而主持工商業行政者，更大半歸自歐美，耳濡目染於歐美人民生活情形的優越，及拘泥於「生產目的即在消費」的片面學說，兼以年來倚賴美援為生的情形，幾成為上下一致的風氣，而以自力更生的倡導為空文，積此數因，遂終無以養成人民節約消費，熱心儲蓄樂意投資於再生產的精神。

由今之道，無變今之俗，則甚難改變台灣經濟建設程途中蹣跚的步伐可以斷言。

台灣工農事業的本身，自有其美麗的遠景，但台灣各方面的觀念與作風如不改進，便不易實現美麗的遠景。負荷轉移風俗及發展企業的雙重責任者為經濟部，其必須而且應該充分運用其職權，力求經濟事業的發展與進步，這種努力須兼具奮鬥與犧牲兩種精神。

經濟部的責任

西德經濟能把十分殘破的各種工業在短期間一一復興，使西德的經濟力量凌駕歐洲，我何獨不能？首須不避勞怨，以邁往氣概，去打開經濟前途的重重難關。次須不偏私，凡公私營事業之應補助者應獎處者應歸併者應停辦者，一以公正之心行之，只問是否合標準，是否為客觀事實所需要，不問是否為親友或有什麼背景。抱負不可變，方針不自滿；如失敗不自遁。

三十八年五月成立至四十二年裁撤的台灣區生產事業管理委員會，其任務原只在謀求公私營各工業間的聯絡配合，協助解決困難問題，促進台灣工業的正常發展，本是一個並無實權的機構。然終以負實者勇於任事，不計勞怨，遂有異常輝煌成就。試一覆讀該會裁撤時與論對他的歌頌與追念，便可證明經濟部更可以有為。生管會能如此而經濟部却不能，恐非公論所許。

•張如九•

今後日本的政治動態

胡　賈

社會黨標榜的政綱，也不免偏於理論，忽於實際。曲調固高，但卻多與現實環境脫節。例如社會黨最重要的一項政策，便是反對整軍，主張削減自衛隊，以節省的軍事費，用於社會保障制度。對於現在的日美安全保障條約，主張修正或廢止，換句話說，日本無須國防，將日本國家的安全，寄託於理想的集體安全保障條約，這理想是好的，但是在目前國際關係，美蘇冷戰，尚未解消，而以無防禦的地位，將國家安全依賴於他國的善意，或寄託於聯合國的警察力量，究不是切於實際的辦法。

社會黨合併後在議會中擁有一百五十名以上的席位，以這樣的大黨，爭取政權已不是空想，距實現的時期已不很遠，不能只顧唱高調，博清譽，應為了全體國民的利益，進一步作掌握政權的準備。最近社會黨的態度已突趨溫和，不久前曾赴大阪遊說，和大阪的財閥舉行了一次懇談會。在談話中間，社會黨方面極力用溫婉的語調，說明社會黨的政策，和保守黨的政策，並無多大區別。提到基本工業的國營，社會黨表示在執政以後，也不反對基本工業的私有，像煤炭礦工業，也並無即收歸國營的意思。此次會見後，大阪的實業界對社會黨的發展，威脅感已比較減除，所以一般人批評，社會黨是比較成熟了。

二黨歸併後，議會中的現存勢力，已重行調整，按照憲政的常情，二黨既各有新的黨綱和政策，應該解散議會，從新取決於國民的選擇。但是自民黨已占絕對多數，自不願改弦更張，當以維持現狀為得策，而且每次大選舉，總是財閥解囊，故實業界也並不歡迎再選，因此此次國會，或將會終其任期。亦未可定。

自由民主兩黨本有一個共同目標，便是修改憲法。按現存的憲法，修改的手續第一步須先經國會中三分之二以上的通過。自民黨成立後，雖占三百席的絕對多數，但是還不到三分之二，在今後的國會中，自民黨或將提出設置憲法調查會的法案，由該會提出憲法修正案，然後解散國會，取決於國民的意旨。不過事實上今後的保守黨，在下次大選之後，很難有占取三分之二席位的希望，按照過去的傾向，社會黨的票數，可能逐步增加，接近到英國議會內保守黨和工黨的勢力分佈狀態，所以憲法的改正，實現之期是很遙遠的。

照目前的情勢推斷，保守黨的政權是相當穩定的。不過保守政權的久暫，還要看經濟政策的成功與否。如果照目前日本經濟安全的狀態，社會黨暫時還不能上台。不過日本的經濟受海外的影響很大，若是世界景氣，一旦逆轉，日本將首先受到打擊，國民對於現實生活的不滿，會變成促進社會黨勢力發展的原動力的。（完）

聖誕節在香港

對於大多數市民，聖誕節和平常的日子沒有什麼不同。一小部份人的歡樂雖對冷淡的市面點綴得有點生氣，但娛樂場所的生意還是大不如前。倒是來港過節的外國軍人，替香港市場帶來了數百萬美元。

從聖誕到新年，香港有一個星期的熱鬧日子，這雖然只是屬於一小部份人的歡樂，但無論如何，至少把冷淡一時的市面點綴得有點生氣。

大部份市民與聖誕無緣

固然，絕大部份人在假日和新年仍須終日勞碌，歡樂與他們無緣，然而，整個市面在表面上能夠因此而熱鬧和興好，總該是一個好現象。

能夠直接受到影響的，是娛樂場所，這包括了戲院、跳舞場、飲食館和夜總會，這些場合除了戲院外，在平常的生意，多數十分慘淡，因此均希望能在這一個星期中掙扎一番。在聖誕前後，記者曾巡視好幾個娛樂場所，雖然營業情形和他們的理想看來尚有一段距離，但較平時總算增加了百分之百分五十到二百。

首先以舞場來說，在聖誕前夕與聖誕晚，大除夕與新年這些日子，都有所謂狂歡和進長營業時間化粧表演及大贈送等節目，這些名目雖然好聽，事實所謂狂歡，所謂大贈送都祗是說已，他們以每晚五元的代價，邀請一兩個艷舞女郎表演一下，然後把作為佈置舞池的氣球解脫，算是大贈送。但舞廳方面卻利用一小袋玩具和化粧面具之屬，非但補償這一種微少的損失，反而藉此而刮粗龍。這一種玩具袋每份的價格因舞廳的大小而異，小型舞院每袋收費是二元，中型舞廳收費是三元，大舞廳收費是五元，而他們的本錢只是從貳角到一元不等。

舞女銷玩具　顧客算盤精

雖然他們在這一方面大打其如意算盤，可是並沒有達到目的，一個舞廳的主事人說：「顧客一年比一年來得算盤精了，當舞票每鐘只賣三元的時候，而玩具袋要收他們三元，他們是會表示反感，甚至擲步離去，因此，今年我們的玩具袋並不能硬性地要客人接受，只能利用舞女坐檯的機會，由舞女向顧客提出要求而已。雖管如此，第一晚，也就是聖誕的前夕，我們銷出的玩具袋約佔份之六十，次晚則僅及於百分之三十。」關於夜總會，則生意較好，尤其是一般有管樂件奏的消夜座上，大部份都呈現[illegible]滿現象，固然他們的收費並不便宜，昂貴的一家，一個聖誕大餐竟達七十五元，其次是二十五元，或十五元。如果計門票的話，一張門票由五元至十五元，而客人所得僅較平時多一袋廉價的玩具和幾個氣球，但付出的代價僅十倍與百倍於此。

[illegible]更具勢力而多為人所忽略的則為二十五艘來港度假的包括美、英、法、葡等艦的官兵，每一艘軍艦的官兵平均約有數百人，而平均每人於聖誕期間在香港用去美金六十元的話，則超過一百五十萬美元，而實際數字當然還不止此。據錢銀找換店中人的估計，由聖誕到新年，在香港增加的外幣（當然指由外地來港度假的官兵消費而言）如果以美金為單位，則至少會超過二百五十萬美元，這由本港消費場合進而影響到[illegible]，可說是一劑強有力的強心劑。

而最能夠在街頭點綴聖誕氣氛的也是他們這一羣，在灣仔一帶外國水兵的集中地，這種情形更為強烈，由中環一踏入灣仔的門戶大佛，即爆竹與聖誕快樂之聲隨處可聞，而手執酒瓶，醉臥街頭，或聯羣結隊高歌而過，或擁女閒遊的水兵，更是隨處可見。可慶幸的，就是聖誕因酒醉而違法的軍大事件還沒有發現。

聖誕咭銷數較去年略降

關於聖誕咭和賀年咭的銷路，綜合若干大文具商和書商的估計，當超過一百二十萬張，這個數字已較去年略降，但情形總算不大壞。不過一般說來，一元以下一張的聖誕咭銷路較廣。

關於戲院，因為所費不多，首輪戲院每場都告滿座，但若說隔日訂座立告不得，全院狂滿等，祇不過是一種宣傳文字，於聖誕日下午首場，花樓戲票至開映前半小時亦可購得，此種情形，則為數年前所無者。

一般人以為聖誕節尚較新年為熱鬧，則為千眞萬確的事，因為尚有餘資尋樂的人，在聖誕前後差不多已罄其所有，而在聖誕之後與新年之前，後有一個聖誕大賽馬，如果馬場「冷門」頻頻的話，新年的節目行將更見冷淡了。

上述是支持本港聖誕熱鬧最為有力的場合與人羣，但另一

五千名貧童　受教會招待

實際得到聖誕賜予的，又是另外一羣，這些都是貧苦的孩子，今年的聖誕，約有五千名貧童接受不同的宗教團體招待。最幸運的貧童是在聖誕前夕獲得美艦官兵招待的四百人，他們除了獲得享受一頓豐盛的聖誕大餐外，還得到了許多名貴和罕見的玩具，當這一則新聞在報章上披露時，還惹到不少富家兒童的羨慕呢。

對一般人來說，除了部份虔誠的教徒將這一個節日確實視為隆重大日子外，其他的人不過是藉這個假期去消費一點錢而已。在假日中，許多人只是在打算怎樣去消磨一些日子，怎樣去消耗一些錢，更有許多人趁這西天的假期往澳門一溜，把聖誕節就在賭桌旁邊度過了。而也有人的聖誕，是在床上度過的。

聖誕，在能夠沾到一點聖誕光的人，還不過如此，而絕大部份人則只見街頭花花綠綠。紙帽爆竹，聖誕對他們和平常的日子並沒有什麼兩樣。

共幹舉行揮霍比賽

十二月十二中共的「廣西日報」以「揮霍競賽的可怕」為題的社論中，舉出了三個幹部揮霍的實例：

「桂平縣第一區供銷合作社主任」胡威在梧州治病，不經過任何批准手續，就動用公款六百二十元買回沙發、長桌和精緻的熱水瓶。今年八月，他又擅自動用公款一千一百五十元購買收音機三架、麥克風、擴音器和留聲機各一台。他還借支了公款五百元，去狂嫖濫賭，九月間糧油銷售機構與該社合併時，社裏以會餐為名大吃大喝，結果花去公款六百多元。胡威每天要殺一只鴨下酒，鴨自然是社裏養的。

「中國土產公司廣西省柳州分公司經理」羅克明為了個人的排場和舒適，濫用公款，花八百多元錢去買了鑲金邊的文件櫃、轉椅、沙椅、九屜辦公桌等二十八件傢具。原來有一張單人棕床，但為了準備將來結婚（目前沒有對象）就新買了一張雙人大棕床。為了方便他將來結婚生子時請保姆，就擅自動用職工福利金二千元修了一棟保姆室。

「桂林市公安局副局長」陳發正出門非坐小吉普車不可，到局裏辦公固然要坐吉普，就是陪太太上街買東西，小孩上學，都要坐吉普。他去南寧開會，坐火車只花車費五元多，但他為了排場，卻偏要坐吉普車去，往返一千五百里，汽油錢就用去八十多元，司機旅費和吉普損耗，尚不在內。

中共續施毒辣手段　消滅少數民族文字

中共企圖毀滅我國五千年傳統文化的「文字改革」運動，雖然是係由以吳玉章為首的「文改委會」主持，實際均由俄人安排。他們第一步先行竄改了若干筆劃多的繁形字體。但是共黨對於六十多個弱小民族的手段現已證明了用強制執行方法，摧毀了二十多種文字。此一事實已由目前北平正在舉行的「中國少數民族文字展覽會」中暴露了。

共黨最近披露，展覽中的二十多種文字並不是各民族的傳統文字，而係以「拉丁文」及阿剌伯文演繹而成。這種共產文化旨在達成種族隔離，瓦解人民團結和自由意志的目標，以使各民族孤立，任由共黨奴役。此一陰險毒辣手段，係由俄人領導執行。該報另一由「新華社」所發十二月十二日的南甯消息便是一個例證。這一消息中指出，中共廢除廣西僮族沿用漢文係由一九五二年開始的。當時中共「科學院語言研究所」派人到桂西僮族「自由區」對僮語進行了初步的調查研究。然後在去年七月成立了一個「僮族文字研究指導會」和「僮文工作隊」，先後在桂省四十多個縣，蒐集了各種僮族有關的語言材料。最後在蘇聯「顧問」謝爾久澤柯經過詳盡研究後才決定了「僮文基礎方言，標準音和這個僮族文字方案。」

這個「方案」是規定用拉丁文字母加符號做基礎的。「新華日報」說，「僮文」的創立，政治和經濟與中共的俄式教育均有關聯。現在推行這一赤色文字的工作已經開始。着手動工建立一所桂西僮族「自治區」僮文學校，到明年三月完工以後，就有六百名小學教師和民校教師先行接受這「新僮文訓練」。他們將在六個月之後「學習」完畢，就成為第一批推行僮族奴化教育的骨幹。該報又稱，除此以外，廣西「民族學院」僮文班」和「人大僮語班」也正在訓練一批專門研究僮文，僮語學員，到了明年，他們便去負責訓練僮族教師的工作。另一方面，為了僮族六百六十萬人民永遠棄絕漢文，特別地編印了一批詞典、農民識字讀本、拼音課本、初級小學第一冊語文，詞兒連寫條例經先行分發給桂西各個「合作社」轉發農民。

此外，該報又指摘苗文、拉祜文、佧佤文、傈僳文、景頗文、等都是「帝國主義」傳教士製造的文字，因此它強調共黨把他們廢掉是應該的。至於蒙、藏文字除了不准他們沿用原有的文字及漢字外，並且由俄人設計一種由阿剌伯文蛻化演繹成另一種「新藏文」；及「新蒙文」，這種文字是斯拉夫民族的習式俄人，是一九四六年開始的。還有一種朝鮮文，這種文字是和漢文相似，而且直寫的，現在則改為斯拉夫式，由左至右橫寫。為了籠絡朝族表示「自治性」而現正設計一種新文字，圖以摧毀該族文化。（續）

西德前保安首長　投共復回西方內幕

平譯

在柏林東西區邊界的檢查站上，丹麥記者亨利克遜的藍色的汽車是見慣了的，並未引起共警特別注意。當他在十二月中一天晚上從共區駛出時，他旁邊坐着的一個人正猛抽烟斗，帽子覆到眉際。共警揮揮手，讓他們過去了。這一次，奧圖．約翰，西德前反間諜機構首腦，是重回西方去了。

在十七個月前正當歐洲軍計劃的辯論到達決定性階段的時候，約翰突然逃到東德投共，致使西方大為震驚。後來，他曾在東柏林舉行記者招待會，指責納粹分子已控制西德，又指責美國製造「歐斯的里的恐怖心理」。當時他並未顯露受共黨脅迫的跡象。一位新聞記者曾說：「參加這次會議的人，都覺得，毫無疑問，他的背叛是出於自願的。」

關於約翰的投共行為，最寬大的解釋是：他正遭受出於愛國或其他因素的某種心理變態所壓迫，力圖掙扎。他曾參加一九四四年的著名謀刺希特勒事件。當這陰謀被破獲時，他的哥哥遭槍決，他自己則逃到英國。許多德國人認為約翰是一個叛國者，因為他在德國正為其生存而苦鬥時投向英國。美國與西德情報機構也不信任他。大部份由於英國人的堅持，他才得到了西德反間諜機構首長之職。

在西柏林紀念謀刺希特勒事件十週年時，約翰也去參加，當時他遇見了一批舊日的「抵抗運動」老同伴，共同慶祝。就在那天晚上，他乘着一輛汽車到華爾吉莫斯醫生的寓所去。華爾吉莫斯是他的老朋友，也是一個受嫌的共產黨徒。後來有人看見他們一起驅車進了東柏林。

約翰這次再回到西柏林，即向西德警察自首，遭嚴密監禁。但丹麥記者亨利克遜却披露了一件驚動世界的內幕新聞。據他說，約翰曾向他敍述怎樣進入東柏林的經過，以及後來的遭遇：那天晚上，他去找華爾吉莫斯醫生，是想請他替一個被納粹處死的地方領袖的遺孀找一些資助，兩人相遇後，華爾吉莫斯又要他回到西柏林的華氏另一個寓所……可是他醒來時，已是兩天以後，他發現自己躺在卡爾索斯特的蘇俄陸軍總部中，床邊坐着一個女醫生。據約翰說：「當時他們替我打了一針，後來又打一針。我覺得頭暈眼花。……我在東柏林舉行了那次記者招待會後，便由飛機押送到莫斯科，在那裏被拘押了兩[illegible]，他們對我連續審問，我並沒有洩漏秘密，只是我當時必須不斷地答覆。我一向不曾記憶別人姓名，這次也正如此。」

西德自約翰逃亡後，即以[illegible]以通緝，這次他再度歸來，一般認為他所說被共黨迷蒙綁架及未向[illegible]洩漏機密的故事未免難於令人置信。西方當局自約翰逃亡後，在震驚之餘，發現西方情報機構方面的損失，實際上不如猜想之大，約翰所主管的[illegible]西德內的活動，因此也沒有多少秘密可向俄人洩露。共黨在他[illegible]傳價值之後，對他也愈來愈冷淡，顯然他們也不信賴叛國份子。

西德對這件事的反應，可以從艾德諾將這事向內閣宣佈時的態度看出，他說：「我這裏有一件小新聞，也許大家會覺得有趣。」反對黨社會黨領袖奧倫豪爾說：「約翰事件是個心理學案件，不是政治家的案件。」

造屋專求節約　屋架不翼而飛

共報披露的小故事

這是中共自己披露的一件小故事：「中南工程管理總局第六工程處六零九工段」接受了一項「任務」——承包「中南工程管理總局機械供應站」的機具倉庫。造價共九千多元。這是一項小工程。

在施工中，「工段」的領導共幹心想：「上面的『指示』，天天要找節約的『竅門』，雖然造價只有九千多元，但也是要『節約』的！」於是，他便儘量『節約』了。他看到使牆身和屋架相接連的魚尾螺絲，便想到：「現在國家正缺乏這種東西，那麼，為什麼不把它『節約』掉呢？」

當做屋架上面的混凝土時，他又感到「這一點小工程還用什麼鋼筋哩！改用木板就不得了啦」，當砌牆時，他又覺得：「灰漿也不妨用薄一點！」

這樣節來節去，結果，很快的就把工程做完了。完工後他頗感到沾沾自喜，他心想：「這可有功了，縱然得不到節約模範的稱號，至少也要受到上面大大的嘉獎一番的！」可是，事情並不如他的打算，一個星期以後的一個夜晚，屋架卻不翼而飛了，牆也全部倒塌了，他從睡夢中醒來，直到第二天清晨爬起一看時才發覺。

於是，他立功的夢也就跟着醒了。據中共的報導說：「鑑定的結果，修改這座倉庫，不僅要用六千餘元的修補費，而且工期要延長兩個月以上，還工費佔原造價百分之七十以上。」

農民消極反共　紛宰耕牛洩憤

在中共統治下的大陸，一般農民由於深恨共黨徵糧使其一年的辛勤收穫被掠一空，因此，每到冬季便紛紛宰殺耕牛表示消極的抗議；尤以廣東的情形更為嚴重，粵共且曾因此遭其中央的指責。為防止此種現象之再度發生，粵共特於最近召集「農業生產合作社主任」，農民，「飼養員」等舉行保護耕牛過冬會議，據十二月八日人民日報報導：現已有四十二縣，先後舉行了這種會議，會議中訂出了各種保護耕牛的辦法，勒令農民訂立護牛公約。有的縣村，且成立了獸畜小組，嚴格防止農民宰殺耕牛。

纏夾二的爭議

自由談　馬五先生

報載台灣輿論界由於揚子公司胡光麃案的審判問題，連帶發生了兩項疑問：一是司法行政部應否隸屬行政院？二是最高法院檢察長能否命令地方檢察官上訴？後者純粹是法理與法制的疑義，只有大法官纔可以解釋，我輩外行，不敢贊一詞也。

說到司法行政部的隸屬問題，這倒是中國政制史上的一大笑話，早在大陸時代就鬧開了。時而屬於司法院，時又改隸行政院，大家分啃着「司法行政」這四個字，各佔一半，各有理由：啃住上半節的，自然認為應屬司法院；擁護下半節的，則主張非列入行政院的系統不可。結果又只是因人而作決定，與道理不相干，試檢閱一下過去關於此項爭執的黨政會議紀錄，殆可知矣。

若說將司法行政部隸屬司法院，即可以維護司法獨立精神，實不免為書生之見。但從政務分配合理化的觀點設想，似應如銓敍部之屬於考試院，審計部之屬於監察院。以司法行政部有「行政」字樣即須改隸行政院，那就是胡扯，銓敍與審計各部就非行政事務嗎？何以又不將這些部門通通納入行政院管轄之下呢？再就廣義言，除行政院以外的四院，亦都是執行國家政務的，也就可以歸併行政院了！

規規矩矩地就事論事，中央政府在未移回大陸以前，司法行政部乾脆就可以撤消，（其他類此的部會亦然）關於處理台灣一隅的司法行政事宜，由司法院設一處或一科負責，已經綽有餘裕了。政府為着保持憲法規定的國家體制，不能不將龐大的政治機構照樣地擺在台灣，原非得已之事。凡不涉及法統關係的包袱，為甚末不根據實際需要，略予減輕耶？愚竊惑焉。

觀望

适恭

觀望有時可以使人們得到一點便宜，觀望也可以使人們喪失了做事的勇氣和成功的機會。

一個相命者最善於觀望人們的氣色，用模稜兩可的言辭，多能巧合，便人們相信他有預知之明，便憑着這種觀望的功夫成為一種職業。一個證券市場的投機者，善於觀望行情的漲落，用乘機伺隙的手腕，博取厚利，成為暴發戶，使人們認為觀望可以得到許多便宜，都想走他的捷徑。其實憑這種觀望而討取便宜，獲得成功者，究竟是少數，也只是僥倖的成功。

從另一方面看，許多女子在年輕貌美時，對許多追求她的人，抱着觀望的態度，既不拒絕，也不作肯定的表示。等到青春快要消逝時，從前追求她的人已改變了方向，再想找適當的對象，便已嫌遲了。這是在愛情上觀望的失敗。

許多青年在精力充沛時，什麼事都想幹，但什麼事都拿不定主意，不能好好地去幹。等到年紀大了，也許幹過的事很多，能夠成功的却沒有一樣。這是在事業上觀望的失敗。

還有一些人在政治上沒有定見，加入許多派系，到處想找便宜，結果信用掃地，得不償失。

又有一些人在思想上沒有定識，吸收了許多學說和主義，却找不出一個中心思想，弄得自己非常苦悶。這都是吃了觀望的虧。

我們在交通要道的十字街頭，不能盲目的任意衝過，必須抱着觀望的態度，看清交通燈的信號，當紅燈熄滅綠燈放亮的一剎那間，我們即須提起脚步勇往直前的過去，否則便將失去一次通過的機會。這是每個住在都市的人所熟悉的經驗。推而至於其他事物，我們也應該抱着同樣的態度。當許多事物陳列在我們的面前時，必須拿出眼光，抱定主意，作明智的選擇，一經選定，便應毅然決然去做，當可獲得成功。否則遲疑徘徊，意存觀望，成功的機會便從自己的身邊溜跑了。

孔子週遊列國，想找到一個實施仁政展開抱負的機會，誰知各國君主都不能採納他的主張，他便立即改變態度，回到家鄉，在杏壇設教，著書立說，傳授門徒，成為至聖先師。倘若孔子當時一再觀望，徬徨終日，便不會在學術思想上獲得如此偉大的成就，為後世所景仰。

因此，觀望的態度在有些情境中，可使我們得到點小便宜，但大多數人却因喜歡觀望而吃了虧。

阿司匹林

易與

最近南斯拉夫獨裁者狄托訪問阿比西尼亞，不禁使我想起近二十年前的一個故事。當義大利獨裁者墨索里尼進軍入侵非洲王國阿比西尼亞時，在某一次紀念周中，元老某被請作國際政治報告，他說及義大利正在進兵這一個非洲古老王國時，提到這個古老王國的國名，囁嚅了甚久，才阿阿阿的阿了好幾十個阿字在面紅耳赤中，勉勉強強的說出了日常慣用的發散成藥的藥名「阿司匹林」，頓時一堂大笑，才算了結這個報告。

秀才・舉人・進士

賈景德

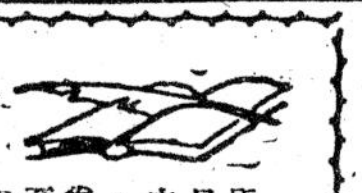

殿試既是皇帝臨軒親試，所有巡場收卷的官，都是王公貝勒，閱卷大臣十二位，也是由皇帝欽派，為表示隆重起見，名之為讀卷官。這十二位讀卷官的官階，都是中堂尚書，至小的也是個侍郎。他們將三百六十本大卷，為十二組，每人閱看三十本。評定甲乙後，先將頂好的前十本卷子進呈御覽，聽候欽定。在乾隆以前原呈的次第，常有更動，後來就少見了。這前十本卷子發下後，次晨即舉行「小傳臚」，將三百六十名貢士，集合至南海西苑或頤和園皇帝駐在所，這時候凡在京的王公大臣都要齊集祗候。皇帝升寶座後，由內侍開始叫籤，第一個被叫的就是一甲第一，傳統上稱「狀元」，依次是「榜眼」、「探花」，一直叫到第十名，然後引見皇帝。其餘不隨引見的，只好悻悻而散。引見已畢，當日即在皇城內，分一二三甲，高張黃緞子的榜示，名曰「黃榜」。一甲三名，榜下即行授職，第一名為「翰林院修撰」，第二三名均為「翰林院編修」。

這裏我又想到前清榜上列名次第的問題，表面上公允是科舉一大特徵，列名自然是不成問題的問題，可是其實不然。這並非是說主試的人舞弊，而是文章之為物，原來沒有一定的高下，加上主試人多，見仁見智，其間難免發生爭執。幾乎每一個主試人，都以為自己取的試卷好，爭列前茅，彼此面紅耳赤，相持不下，甚至說我這本卷子終究要考第一的，今科不必中了，等到下科再還他第一吧，這種負氣的結果，往往使應考者暗吃其虧，終於在沒有辦法之中，產生了箇不成文法。就是主試的幾個人中間，誰的官大，誰看的第一本卷子就取作全場第一，其下以次遞推。例如鄉試的正副主考，正主考看的卷子，照例列為第一三五七九名，副主考看的卷子，無條件的列為二四六八名。尤其是殿試朝考，讀卷官多至十二人，總是按上述的名次為先後，光緒甲午科的殿試，其時當國最有權力的是翁相國同龢，第一名讀卷大臣却是大學士張相國之萬。翁相國有意將一甲一名給予張謇，某受卷官是翁的得意門生，便希承意旨，在未彌封以前，將張卷送呈恩師閱看，翁很躊躇的說，此事非與南皮相國說明不可。這位受卷官就銜恩意向南皮說，南皮本是狀元出身，一看卷子寫作俱佳，就不言而喻的說，請你把這本卷子讓給我吧。結果張謇就果真得了一甲第一名。

（十五）

台灣雜詠選

・姚味辛・

鄭延祠

九世讐纔復，心旌日月懸。海山存正朔，天也泣遺編（機文猶存）；煙草秋猶茂，寒梅老更研。平生嚴漢賊，拜罷一忻然。

阿里山

陰陽隨處改，冷煖以峯分。人語初開霧，車聲遠入雲；孤猿欺大樹（謂神木），三秀幻奇文。倚杖望滄海，輕鷗自不羣。

赤嵌城

海國通舟楫，紅毛竟善欺。揚驃驚鹿耳，失地怨牛皮；非類心終異，無文理自疑（荷蘭文公牘尚有存者）。延平能一擊，喜見漢旌旗。

草山

肯負登臨約，林泉且小留。溪烟知水煖，海月覺山幽；未學鮮卑語，長懷杞國憂。相逢多碧眼（美軍顧問團，多住山中），欲訴苦無出。

男女之間

△瑪麗是一位賢淑妻子，結婚四十年，夫妻相對如賓，城裏人都稱她做模範太太。

一位少女請教她，做賢妻良母的秘訣，瑪麗答道：『夫妻爭吵是不可避免的。當我和丈夫發生口角的時候，我從不說『時常』二個字。例如，『你時常把烟灰弄在椅子上』，『你時常把外衣放在客廳裏』，『你時常輕視我』，『你時常罵我』等等。吵嘴雖然不能避免，若果不加上『時常』二字，爭吵總是小範圍的。』

摩納哥君主遊美覓后

・文星譯・

摩納哥的年青統治者似乎已擁有一位王子在世界上所希望獲得的一切了，他有美麗的國土，快樂的人民，一個私人動物園，一座二百個房間的王宮，一個世界著名的賭場，一艘豪華遊艇，還有財產無數。他的公國摩納哥雖然是世界上最小的獨立國，他却有其他東西可以補償這個缺點。他有十六個頭銜，還有戰時在法軍中服役而得到的法國英勇十字勳章。不過他還是有一個重要缺陷，這是他尚未結婚。在十二月中，這三十二歲的漂亮王子正像故事中的形式那樣，到了美國去物色過他的公主。

這位王子的訪問，當然是非官式的，他到達紐約時，也微笑着否認他是到美國來找尋一位新娘。表面上，他這次訪問的目的是到巴的摩爾的約翰・狄浦金斯醫院檢查身體，但因為他健康異常，這顯然這祇是一個藉口。在他離開巴黎之前，曾對記者們談到他想像中的妻子應該是怎樣的。他說：「理想的女人，我能看見她長長的秀髮在風裏飄盪，顏色如秋天的落葉，她的雙眸是對藍或紫色的，閃耀着金星。她應該各種運動都會玩，但又不能對某一種精通。我要她聰明，却又不是知識份子。我要她是一個普通的女人，却又能給我一種不凡的感覺。我要她使我感到她是我的，祗屬於我的。」

對摩納哥的五千人民，最快樂的事也莫過於他們的王子能找到他理想中的女郎，這不僅是為了王子的快樂，也為了他們本身的快樂。如果賴尼爾三世崩駕時沒有後裔，摩納哥根據一九一八年的對法條約便將自動成為法國的保護國。這種景象是每一個摩納哥人感到驚恐的，因為這將不可避免地迫使摩納哥人負担法國的稅，也替法國當兵，而目前摩納哥人不僅不須納稅，這個小國除了六十八名多采的御林軍外，根本沒有軍隊。每一個摩納哥人希望王子會快樂地結婚，且為這公國帶來一二個小王子。

同時在賴尼爾未找到他的新娘前，一個忠誠的摩納哥人也希望他不會這麼過份大胆。他是一個傑出的遊艇舵手，又精於騎術與釣魚，也愛好與王宮動物園的獅子搏鬥。他喜歡潛水，有一次曾在科西加海邊潛水一百呎之深。在一九五三年的法國賽車中，他的跑車失事撞到一顆樹上，幸而祗傷膝部。每當他縮進一輛他的鮮明奪目的跑車時，所有摩納哥人都會吸一口氣，祈禱他的安全。

這次和他同行的，是他的好朋友和王室神甫杜克爾。杜克爾是美國人，現年六十六歲，於五年前前往摩納哥。這幾年來，他不僅說服賴尼爾放棄了他情婦，法國女演員巴斯加爾，對於摩納哥的道德水準也提高了許多。他曾說：「摩納哥從馬歇爾計劃得到的實惠，祗有我這個神父。」（節譯「時代週刊」）

蚊子是益虫

・雪人・

根據昆虫學家的統計，蚊虫的種類最多，計達三千餘種。雄蚊只有九天壽命，交尾不久即死。雌蚊的平均壽命約三十天。如多天到了還沒有產卵，雌蚊便多眠，其時間可以延長到五個月之久。

在暖的氣候，卵在水裏十日即可孵化成蚊。以香港的天氣為例，春夏秋三季，蚊虫可能孵化十五代。蚊的生產力最強，評過六代，一隻蚊可能生產三百一十億萬隻蚊。

蚊的種類雖然多，傳染疾病的為數却少。三千種當中媒介疾病的僅及二十種。除了虐疾，蚊虫同時傳播睡眠病，那是一種相當危險的疾病。雄蚊沒有咬人的工具，不會咬人，只有雌蚊能咬人。跟據昆虫學家研究，人類的血液係雌蚊不能缺少的維他命。若果在連續二十五代當中，不能得到人類血液的營養，該項蚊虫即告滅亡。

蚊虫對於人類有益處嗎？經過多年的研究，昆虫學家認為蚊虫係一種重要而且易於捕獲的食物。不少鳥類，和魚類以蚊虫作為主要食品。蚊虫的生殖力最強，真是取之不盡，食之不竭。若果沒有蚊虫，好些鳥類和動物將了缺之糧食，將趨滅亡，而此項生物的消滅對於人類將發生極嚴重的影響。蚊虫利多害少，近代昆虫學家把他列為益虫。

語意學漫談

徐道鄰

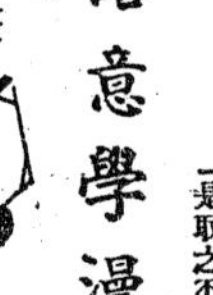

然而形而上學，也並不是全無意義的。它的作用，不是『報導』，所以它不是在建立另外一種科學。也不是『評判』或『規約』，所以它也不是為人類的行動定一種評價或行動的標準。它的作用，祇是對人類生活態度加以『組織』，以使其接受其他語言的報導、評判、和規約。所以我們可以說，否認一切形而上學的，本身也未嘗不就是一種形而上學也。

（這裏所說的話，和上面關於宇宙論所說的，頗多相近之處。事實上，這二者有時候也頗難分開。我們所據以分辨者，宇宙論引用的實體語句和科學語句較多，所以我們以之歸入指示語句一類，而不以之歸入組合語句一類也）。

× × ×

以上是摩立斯四種語句的四種使用而分別為十六種語文的大概情形。在語意學才萌芽的今日，這種分類法既不敢說是完備無缺，更不敢說是正確不移。但是對於沒有學習過語意學的人說，可以使之大致明瞭語言工具的功用和運用。對於正在學習語意學的人說，却指示出一個非常健全的繼續研究的途徑。（全文完）

編者按：本章（第二十章）因寄遞延誤，故予補登，第二十一章（即最後一章）已於本報第二八七期起刊畢。

自由人

THE FREEMAN

（第五〇四期）

中華民國僑務委員會
登記證[illegible]
中華郵政台字第[illegible]號
執照登記爲第一類新聞紙
（半週刊每星期三六出版）
每份港幣[illegible]
台北市[illegible]
督印人：[illegible]
地址：香港[illegible]號四樓
3 rd, fl [illegible] W AY RD
HONG KONG
香港發行人事務接洽
高士打道66號　電話：七四〇五三
承印者：東南印務出版社
地址：高士打道六十四號
海外總經銷
友聯書報發行公司
香港：德輔道中二十六號A二樓
台灣特派員辦事處
台北市館前街五十號
台灣總經銷處
台北市西寧南路壹壹號二樓
台郵撥儲金戶九二五二

恭賀新禧

本報同人鞠躬

迎民國四十五年

陳克文

今天是民國四十四年除夕，明天便是四十五年元旦，換舊迎新，少不免有幾句話要說說。我們這些多年在海外從事文化工作的人，還是說些有關文化工作的話罷。

（一）

中共竊據大陸後，我們初到香港。一位很有地位的政治學者曾向一個政府官員說：「我今後要作的是一種長期文化工作，決不是三兩個月或三兩年可以見效的。』當時他以明末清初，「反清復明」的學者自況，他說『這些學者的心血一直到了中山先生時代，才發生沛然莫禦的偉大力量，滿清異族政府也跟着就覆亡了。』他這番話看來十分迂遠不切實際，其實有至理存焉。

三百年前的學者知道恢復民族的獨立發蹤，必須憑藉長期的理論與文化工作。今日反共抗俄，如果沒有無數的智識份子決心追蹤前哲精神，又如何能有成功之可言？

（二）

五六年來，已經有許多文化工作者，默默的從事教育，著作，藝術，新聞，出版各項反共抗俄的理論與文化工作，而其所生的影響力量似乎並不在明末清初的學者之下，也不會少於當前軍事外交和政治的力量。即就香港而論，假使沒有數以萬計的流亡文化工作者，分頭努力。這個接近鐵幕邊緣的民主窗櫥，將會變成怎樣的景況？此外如東南亞的各國，乃至華僑密聚的世界其他各地區，假使沒有若干這樣埋頭苦幹的文化人士，那裏的僑校，僑生，和一般僑胞心理，又將發生如何的變化？不錯，散居海外一千三百多萬的華僑爲中華民族今日反共抗俄的一大支柱。但爲問假使沒有無數守死善道的文化工作者，又將如何向僑胞揭發共黨眞相，滌迴其情竇，以期團結一致，形成力量？

我相信，目前散處海內外的無數文化工作者，正以明末清初的學者沉潛心情與長遠志願，從事恢復民族獨立尊嚴的大業，這一股精神力量正在與時俱進，不可遏止之中。這是反共抗俄的眞正力量，也是讀聖賢書的智識份子無可諉卸的神聖責任。

（三）

然而從事文化工作的智識份子，要克盡其神聖責任，也並不是一件很容易的事。往者不說，這幾年來海內外的文化人士所遭遇精神和物質的艱迫摧殘，已經是一言難盡了。鐵幕之內，形同地獄，固不必說。自由世界，亦何嘗能夠眞正享受到理想的自由？自由世界的文化工作者，不僅要反對共黨的專制獨裁，同時也要反對自由世界裏反民主反自由的傾向。在這種情勢下，文化工作者，任重道遠，可想而知。如果沒有明末清初那班學者守死善道，但問耕耘不問收穫的長期苦鬥精神，試問又安能不變節叛擁，以衡求富貴享樂呢？

（四）

一個民族的文化決不是靜止的，今日反共抗俄，不能僅事揭穿鐵幕魑魅，也不能從事復古運動。明末清初的學者在滿清高壓政策之下，祇能從故紙堆中，以考據訓詁闡釋微言大義，故其培養民族精神，成功也就遲緩。今日自由中國，不僅還保存部份國土，而且更有廣大的海外華僑社會。故今日的文化工作者，應具歐洲文藝復興時代的新生精神，以中國固有文化爲基礎，吸收現代科學文化精華，以創造中華民族的新文化。必如此，然後才可以提早完成反共抗俄的民族復興大業。

我相信幾年來被中共逼害，流亡海外的幾十萬智識份子，雖是歷史上一大悲劇，也應該是中國文化新生的一大轉變時期，這一點，領導全國的國民政府固然要有此認識，流亡的智識份子，與文化工作者，更應要有此抱負。

我以爲今日的文化工作者，決不能僅以從事反共抗俄的宣傳爲已足，必須力求在學術上有所創造，在理論上有所發明。雖文化成就不能一蹴而成，個人能力更屬有限，但我們的精神努力，眼光貫注，不能不有此繼往開來的長期目標。

（五）

中華民國過去四十四年的時日，已從多災多難中過去了，以後能否否極泰來，撥亂反正，正有待全國上下的努力。日內瓦精神在過去一年之內，從發生而至夭折，故未來的一年恐將和過去的幾年一樣，國際局勢仍在大規模的冷戰及小規模的熱戰之中。未來一年，我們要面對的自然有許多嚴重問題，例如中共的軍事進攻，聯合國席位的保持等等，但這些都是屬於暫時性質的問題。立國的根本之道實在文化，希望大家不要忽略了這一點。

未來的一年，我們應更加着眼於長期的文化建設工作。

時事評述

司馬璐

和談

馬來亞的「和談」，匆忙地開始，又匆忙地結束了。

馬來亞「和談」決裂的關鍵，是所謂「共黨合法地位問題」。

中共「人民日報」的社論也說：「支持馬共要求，承認馬共合法地位」。可見，這一「合法」問題？是馬共必須堅持的，同時也是中共所堅持的。

馬來亞政府首席部長拉曼說：「談判的目的祇在提供大致的建議而已」。雙方距離太遠了，馬共甚至拒絕對方對他們的調査，這等於根本藐視馬來亞現政府的地位。

可見，共黨所關心的，不是馬來亞眞正的和平，而是共黨更大的活動自由與更多的發展機會。

總之，他們的要求是與人民的利益無關的。

宣傳

馬共總書記陳平到峇林鎭的時候，身邊帶了廚子；到峇林鎭以後，又忙於補充新裝，看來，他是不準備「和談」在匆忙中結束的。

共黨所關心的既不是馬來亞眞正的和平，又不顧「和平」在匆忙中結束，這是什麼緣故呢？

因爲「和談」的本身具有「宣傳價値」，足以提高馬共的身價。

據共黨報紙的報導，馬共的武裝部隊只有三五千人，但，今天整個自由世界竟忙于替這少數共黨份子作了義務宣傳。

共產黨人利用了自由世界的講壇，麥克風，無線電，報紙，通訊社……這不是他們的收穫嗎？

列寧早年指示過他的黨徒說：無產階級反對資產階級的議會，但是，無產階級絕對不該放棄參加資產階級議會的機會，爲什麼，因爲無產階級利用資產階級的議會宣傳自己的政治主張，有什麼不好呢？

清醒

一切對共黨的和平幻想都是多餘的，浪費的。

中國人對于共黨的所謂「和談」有痛苦的經驗。

馬來亞的「和談」，是不幸的；馬來亞「和談」的匆忙結束，又是大幸的。

「和談」對于自由世界有時也不見得全無好處。

「和談」使許多人更易認識共黨的眞面目；「和談」也使許多人從失敗中獲得教訓；「和談」又將使許多人從瘋痺中清醒；

經過「和談」的失敗，所謂和共黨人「和平共處」的理論，也要澈底粉碎了。

試探

但是，無論如何，馬來亞的「和談」一幕，對共黨來說，等于是一種鼓勵。

馬來亞「和談」的同時，中共在南韓海面的挑釁，你能說，這不是一個製造新事件的「試探」嗎？

馬來亞「和談」的同時，台灣海峽的砲戰又起，你能說，這不是一個製造新事件的「試探」嗎？

「談」對共黨既有那麼多的好處，根據「辯證哲學」，必須先有「事件」，才有「談」的機會。你既有興趣「談」，他就更敢于放手製造「事件」了。

當然，「試探」之下，如果沒有便宜可賺，只好暫時縮手，這也是「辯證」的。

除夕

一九五五年，在馬來亞「和談」決裂聲中結束了。

一九五五年，在赫魯曉夫抨擊艾森豪總統的聲明中結束了。

一九五五年，在金門、馬祖砲戰聲中結束了。

這些都預兆了，一九五六年將是世界局勢最混沌的一年；

在自由世界，「綏靖」主義的陰靈未散，敵人的威脅却步步加緊。

關於推崇中國文化

·燕廬·

最近金文泰中學和皇仁書院舉行畢業禮，兩位英國的香港官員，對畢業生演講，竟一致極力推崇中國的學術和文化，中間自然也提到了過去的金文泰總督。對于這一點，我並不覺得奇怪，可能是越在中國住得久一點的人，越容易于對中國學術文化發生好感，好像前燕京大學教務長司徒雷登先生就是最好的例子。但想深一點，就不免覺得是一種隱憂，因爲就在這幾天，正有一大批香港大學的教授到北平去，因爲他們是教授，同學術文化的關係很密邇，說不定他們也正在嚮往于中國的學術或文化，這情形頗使我想起了另外一樁可笑的事實，因爲我住在大坑道某別墅附近，經常會看到一批一批外國的遊客，專爲參觀該花園，坐着大卡車，集體到那裏去遊覽，他們照相，繪圖，彷彿興趣很高，但我却很耽心，以爲那些照片或圖樣，一經流到外國，就不難被人看作中國的學術或文化，我不能否認，中國文化中有迷信、小腳、鴉片之類，但我却不能承認像某花園那末，僅僅代表一個暴發戶，而且是藉以沽名釣譽，文飾其愚陋的，古怪惡俗的東西，可以代表中國文化，正如以中國故事作背景的美國電影「生死戀」一樣，銀幕上，那個中國四川的家庭，對女兒訂婚時的排場，就使我們看得十分吃力。我以爲，祇要是中國人，就不會同意那就是所謂中國的文化。

港大的教授們到北平去看看，也不難看到像某別墅一樣的風景，例如：許多臃腫的俄國頭子，住在碧瓦朱甍的宮殿裏，那味兒，就眞像泥塑的衛兵，肩着假槍，站在活人客廳的門口，或林則徐遺像旁邊，有個豬八戒咧了嘴發笑的情形一樣。

無論那一個國族的文化，都有其不可避免的弱點，而且也總有人迷戀着那些弱點，去年一位德國醫生，忽然到日本去研究中國醫學，香港的中醫界，就曾經起過一點騷動，其實，稍有常識的人都懂得，中國醫學，有其在經驗方面的價值，但嚴格地說，距離今天的科學水準仍舊很遠。湊巧那位醫生是向來以醫藥著名世界的德國人，於是一部份走方郎中，中國醫書也讀的不多，却忽然夜郎自大起來，要自居爲國手了。

中國文化是曾經被唾棄過的，就因爲被唾棄過，所以懂得的人便並不多，懂得的人不多，所以是學絕道喪了，因爲學絕道喪，所以共產黨才會得志，如今中國文化在什麼地方呢？是否如人們所說，就在那些經史子集裏呢？若問共產黨，自然該在北平，但你能相信麼？依照商業上的經驗，凡是銷流得普通的東西就越容易有僞造的贗品，記得國共和談的時候，共黨原便有了很強大的武裝，佔據了地盤。

（上）

光復大陸研委會

千八百人的盛大集會

〔台北特約通訊〕這幾天台北很熱鬧，滿街都是挺胸闊步氣宇軒昂，胸前掛了圓牌牌的人，他們經過的地方，路人一見了這一副氣概，就不禁肅然起敬，因爲我們能不能回返大陸，和回去後能不能把這破碎的國家從廢墟上重建起來？是和這些掛圓牌牌的先生們有關的。他們要替我們規劃一切。換句話說，國家的機運，民族的前途，和這些人的關係是非常重大的，這怎能不使人肅然起敬呢？？他們是誰？

是來自台灣各地的一千八百多位「光復大陸設計研究委員會」的委員，這些委員也差不多都是國大代表。他們從四面八方集中到台北來，是爲了要舉行委員會的第二次全體會議，這個會議的目的，是爲了研究並設計如何光復大陸，和如何建設大陸。

光復大陸設計研究委員會，是成立於去年的十一月一日，它的前身是行政院設計委員會，陳辭修當選副總統後，政府鑒於光復大陸問題茲事體大，必須要網羅全國第一流專家學者，第一流的政治人才，來集思廣益，全盤縝密地預先妥爲規劃，所以就把這個委員會從行政院的組織中提出來，擴大其機構，正名爲「光復大陸設計研究委員會」，由陳副總統兼任主任委員，除了原有的委員外，並把全體「國民大會」的國大代表，都網羅在這個「[illegible]」的立機構內做委員，於是乎它的聲勢就浩大起來，它的陣容也就大大的增加起來，全國人士對這個機構都寄予極大的希望，都相信它必有偉大的成就，因爲全體委員，都是飽學之士，國家的精華，都是一時的俊傑，人人都可媲美滿腹經綸的諸葛亮，集合一千八百多位諸葛亮，當然是會設計出一套最完美，最切合實際需要的光復大陸的方案的。這一千八百多人的龐大機構，散居在全省各地，集中「辦公」不方便，所以就採取分區分組研究的方式，計分台北、台中、台南三區。它們規定每年集會一次，除了成立的時候是第一次集會外，這次是第二次大會，二月二十三日開幕，二十四日閉幕，計開會兩天。因爲委員差不多都是國大代表，而「國代」們每年都要舉行一次「聯誼會」，所以就趁這個機會聯誼會於二十五日舉行，眞是一舉兩得，處處爲國家財政打算，委員代表們集中在一次開的兩個會，替政府省了不少公帑。

委員代表們爲國盡忠，絞盡了腦汁，做了很多福國利民承先啓後的重要工作，政府爲了報答他們辛勞的功勞，所以也略略地致了一點「薄酬」，在報到的時候，非國代身份的委員們，每位領新台幣一千八百元，具有國代身份的委員們，說領二千數百元，這區區一點酬勞，眞是微薄到不成敬意，很多納稅人聽了，都覺得過意不去，不過，在國難時候，財力維艱，委員代表們都不計較這些，所以一般人都敬佩他們的廉介，國家有了這一般清風亮節之士，眞是復興有望。這一次開會，才用了三四百萬元，而會議達兩天之久，可謂極節約之能事了。

會議過程，總統會有訓詞，陳兼主委致了開幕詞和閉幕詞，情意都極肯切，參謀總長彭孟緝，外長葉公超，作了軍事外交報告，各委員也踴躍發言，這些，報上都已登過了，勿庸多贅。不過，彭總長在報告時，曾經檢討大陸軍事失敗的原因，和現在軍事已步向實現，報告後陳兼主委以大陸時代參謀總長的身份，向委員們引咎自責，很値得委員們的敬佩與同情。

（十二月廿六日寄）

・孔仁・

耶·穌·聖·誕·正·名

·唐君毅·

（一）

這幾日是耶穌聖誕放假的日子。在我個人年來所寫之文章，頗反對只重科學的理智主義，極言宗教之重要，對耶穌推重之處至多。我不反對耶穌稱聖，亦不反對定耶穌誕辰爲耶穌聖誕。但是我亦反對逕用直譯之聖誕一名專指耶穌聖誕。此事表面看來，關係極小，而實則關係極大。我本文擬鄭重加以指出。

以聖誕專指耶穌聖誕，本是基督教徒的稱呼。在基督教徒如此稱呼，本來是可以的。但是今竟大家習用，不管是否基督教徒，報章、雜誌、賀年片，亦一律以聖誕指耶穌聖誕，以聖經指新舊約。卻並不合理。因爲很明顯的，佛教徒有佛教徒的聖誕，即釋迦誕辰。回教徒有回教徒的聖誕，即穆罕默德誕辰。儒家的信徒，亦有其聖誕，即孔子誕辰。聖誕是一一般名詞，即類名。耶穌聖誕孔子聖誕乃一特定名詞，即專名。以類名爲專名，是謂亂名。此與以人之一名專指西方人中某人，同爲亂名。如果我們不能說中國人或西方人才是人，則我們亦不能以耶穌聖誕才是聖誕，亦不能以基督教新舊約，才是聖經。

這個道理，本來十分簡單。一說便明白。而大家之所以習用聖誕指耶穌聖誕以聖經指新舊約者，除基督教徒是有意如此理當如此亦加以宣傳外，其餘的人只是習焉不察。我在今年自己校對我寫的人文精神之重建一書時，即發現我自己文章亦都是以聖經指新舊約。唯因想到上列所說，才一律校改過來。而只稱爲基督教聖經或新舊約。

（二）

名詞的意義，本是人定的。有許多類名與專名之互相混用，在大家習慣以後，亦未嘗不可。但是聖之一名，並不能如此隨便混用。

對于此一聖之一名之混用，亦視如無足重輕者，蓋多是對於人之聖不聖，根本無所寄心的人。在現代人很可以根本否認有聖人之存在，或專去找出人類中所謂聖人之缺點，以指出其並非聖人；或用什麼社會學家之觀點說，聖人不過是後人抬出之偶像，用以維持一民族的社會政治之向心力的，這些觀點，一律非我所取。但我不在此文中討論。我所要指出的一點，是不管你個人對聖人取何觀點，但是在客觀的社會人心上，人是尊崇聖人的，是各宗教的教徒，是敬其所信仰之聖人的。縱然你個人視聖人如不存在，認爲以聖人之名指任何東西皆可，如禪宗以佛之名指乾矢橛；但只就客觀的社會人心之尊崇聖人一點來說，即值得我們對於聖之一名之運用，有加以鄭重之必要。

在中國從前的社會，對於聖之一名，是萬分珍視的。故孔子以後，即只有賢而無聖。對皇帝的奏議稱聖上，乃如稱友人爲仁兄，稱學生爲賢弟，此乃勉勵與禮貌之稱，不能算事。中國人從前之不輕易以聖許人，表示對聖人之標準之嚴格，亦即代表一對「人之主」者的聖人之理想性之提高。這並不算錯。但是在基督教中則稱聖較不難。耶穌以後之彼得約翰，奧古斯丁，多瑪斯……都聖。故在香港之學校名字動輒就是聖什麼。眞是王陽明所謂滿街皆是聖了。基督教之歷史中之聖人如此多，聖誕聖經之名，又皆爲基督教徒所專有，而中國之孔子一聖，又早經打倒，我們乃更無一聖，實令人不勝感慨係之。

（三）

我個人並非任何宗教徒，亦不屬於此地之孔教會。要論各宗教之高下，千言萬語說不盡。更不須在此說。我現在的立場，只是一個人的立場、無論如何，人總應當尊重他人之所信。無論他信什麼，他只要是眞誠的信，我們便當尊重他之所信，並且肯定他的信仰，在人之自由信仰中有他的地位。他的宗教，他的聖人，與他的聖經，都是當存在的宗教之一，可能的聖人，可能的聖經之一。我們不當以一教之聖人獨佔聖人之名，一教之聖經獨佔聖經之名。至少在公共報紙一般的文章中，不當如此。

今天，我看了香港時報的一篇只稱耶誕的社論，可謂能正名矣。此文論到不少現在的西方人恒以自由世界即指西方世界基督教世界。我個人亦一向有此感想。如果但是自由世界只指西方世界基督教世界，我們這些東方非基督教的人，最後實除了倒向共產主義，即別無出路。尼赫魯及東南亞國家之倒向蘇俄是不奇怪的。如果只有基督教的聖人才算聖人，耶穌之聖誕才算聖誕，新舊約才算聖經，則今之世界至少有三分之二以上的人類，莫有一個聖誕，不能[illegible]一部聖經。這些人皆只合與惡魔爲侶。這不能不說是人類世間的一莫大的不平。在這個情形之下，要非基督教徒的東方人，能自命是立在與西方的基督教徒立在平等的地位，信人類爭自由，是很難的。

我們向共黨爭自由，是爭一個作人的自由。作人的自由之範圍內，包括很多，其中之一是宗教信仰的自由。而在爭宗教信仰的自由時，我們同時須尊重人之自聖其所聖的自由。這至少在人之精神生活上，是對人最重要的事。我們要尊重人之聖其所聖的自由，則聖之爲類名，與聖之爲專名，不能混淆。不管是基督教徒與非基督教徒，總是一個人。一個人總不當以一教之聖代替一切人之聖[illegible]爲耶穌聖誕，不必逕稱之爲聖誕。在一般性的文章中稱新舊約即是新舊約，如論語之稱論語。這對於非基督教徒的東方人的精神上，將是一莫大的安慰，這對團結自由世界的全部人心，亦將有無限的無形的補益。這亦是基督教文化與其它文化基督教的人與以外的人在平等的人類文化立場與人的立場，眞正互相尊重求人類文化之諸樂的合奏之一始點。這亦是我們年來寫文章一宗要標出人文精神人文世界人格世界之名說，以彙攝人類之文化之各方面，各種人們所崇仰之人格的一理由之所在。如果此短文還有不能說服懷疑者的地方，我想我們之其他文章還値得懷疑者加以參考。此文即止於此。

文官首長應有任期耶

立委汪少倫等主張任期三年

（本報台灣通訊）立法委員汪少倫等九十四人，於十月下旬所提出的「文職機關首長任期條例」案，本月二十日已由立院第二十六次會議加以討論，結果連同立委王夢雲所提的反對意見，交付法制委員會審查後再提院會討論。

汪少倫等的提案，認爲無論中央或地方的文職機關首長，過去沒有一定的任期，以致使有能力而沒有背景的人，存着五日京兆的心裏，在位「不敢」有所作爲；沒有能力而有後台支持的人，却終身尸位素餐。「不能」有所作爲，這是政治敗壞百業廢弛的主要原因。他們更進一步指出，國家機關多被有勢力而無能力的人看作私產，不但長期把持，而且終身把持，結果，不但阻滯了人才新陳代謝的作用，而且阻止了青年的進路，甚至於使強者鋌而走險，弱者自暴自棄，賢能的人被埋沒了，讓奴才來誤事誤國，這是大陸陷亡的關鍵。

爲了這個原因，所以他們以傷時憂國的心情，提出「文職機關首長任期條例草案」，要求限制文官首長的任期。該草案一共十條條文，主要的內容有三點：第一、文職機關首長一律以三年爲一任；第二、任期未滿之前，除了「重病」及「重大過失」外，不得免職；第三、任期屆滿考績優異的，可以連任一次。這就等於說對文職機關首長，一方面限制了他們的任期，一方面也保障了他們的任期，一幹就得三年，很少能有伸縮。

是否違憲與論反對

我們讀了這個提案，發生兩種印象，一是「削足適履」，一是違背憲法，當時就引起了輿論界的反對，雖然也有報紙著論支持，但立論牽強，經不起批駁。對這個提案，普遍發生幾個疑問：第一、它是不是與憲法精神相抵觸？憲法第五十五條規定：「行政院院長由總統提名，經立法院同意任命之。」因此行政院須向立法院負責，如果行政院的政策爲總統和立法院所支持，則行政院長隨總統任期許六年也不犯法；行政院所屬各部會首長，是內閣的組成份子，向行政院長負責，只要獲得行政院長的信任，自可與院長共進退，又何必有三年任期的限制？反之，假如內閣不被總統或立法院信任，隨時都有改組可能，如果有三年任期的保障，難道行政院長辭職了，部會首長還能戀棧嗎？行政院如此，其他各院亦大體如此，省以下行政機關亦莫不如此，中央如此，因爲政務官的進退，憲法上都有其規定的。

其次，任期有五年的保障，只有重病或重大過失才能免職，假如這位首長是一個庸才，在任期間一無作爲，難道還能讓他在沒有「重病」和「重大過失」的情形下「尸位」三年而不能更換嗎？

王夢雲反對理由

再就所謂新陳代謝這個問題來說，提案立委們以爲三年一任可以讓後進青年有登位機會，但是，中國的官吏差不多都是萬能博士，任何一部門工作都能幹，如果他們在行政首長任內幹滿三年就彼此換位繼續幹下去，還不是一樣可以阻止別人進路？這樣，還是與限制任期的意思相違背的。

立委王夢雲在反對意見書中，提出了十五條理由來反駁這提案，引經據典以證明此案的違憲，並指出其與當今民主潮流的政黨政治常軌不相符，所以王氏主張立法院對此案應予否決。

其實，問題的癥結並不在任期是否應有限制，而在是不是能夠選賢任能？只要賢能之士可以在位，又何必要限制任期？事實上過去也沒有什麼人可以「終身」把持一個機關不放手的。汪少倫等的提案，用詞未免過激，今天記者訪問幾位未列名提案的立法委員，他們認爲建立一個合理的文官制度來獎進人才，使賢者在位，保障一般公教人員，不要因機關首長的進退而發生一朝天子一朝臣的現象，這才是該做的事，又何必管機關首長任期的長短？又一位列名提案的立委胡秋原向記者聲明，他的簽名是一種疏忽，當其發覺後已要求把自己的名字從提案中撤銷了。

（十二月二十二日寄）

・小魯・

香港一年

一九五五年僅餘一日，回顧這過去一年，每天所發生的新聞何止萬千，而昔之所謂新聞，早已成爲舊聞，復因時間的沖淡，即明日黃花之屬亦不復憶，今際此歲杪，偶念及當日的被稱爲大新聞者，今日尚能爲人提及的，已寥寥無幾，但事發時的確曾經震動一時，流傳街頭巷尾，今日談來，當猶有餘味。

香港在地理環境上，尤其是處在這東西兩大集團之間，是具有高度的政治價值的，自一九四九年以後，雖然國際的政治風雲詭譎，但香港依然未有稍貶其重要性，不過棲居於香港此一縱橫不及三百九十一方哩（包括港九及新界在內）的二百五十萬居民，除了基本的國家觀念以外，對政治是並不發生濃厚興趣的，因此，香港居民所認爲重要的新聞，多數偏重於社會性的重大事件，一九五五年這一年並不例外。

國際貿易會議

然而，由於外圍環境對香港的重視，以及香港在這東西兩大集團所處的尖銳地位，許多國際性事件都發生於香港或都能有敏捷的反應。最具代表性的當然是本年元月在本港召開的亞遠委會貿易小組會議，這是有聯合國十週年以來，第一個在香港舉行的國際性組織會議，這個會議，不但如葛量洪爵士所指出足以影響亞洲及遠東十億人民的生活，同時予香港三點最重大的影響，其一是使到香港人對聯合國這一個組織有進一步認識的機會，其二，中國人可以直接看到蘇俄代表的無理與猙獰咀臉，而這些均經常於聯合國不同會議中所出現者，其三，中國代表團團長陳清文以其個人留英的歷史關係促進了中國，香港和英國代表團間的國民友誼，此外，我們當了解到香港地位的被重視又跨進了一步。

國際局勢的反應

雖然，我上文說過，香港大多數居民對政治的興趣是平淡的，但文化界，學術界，工商界和勞工界有代表性的階級，對國際政治的反應依舊是敏捷的，在過去一年，像國慶的幾個重大節日，並包括國際形勢的突變，如大陳的撤退，四國會議的舉行，中華民國對外蒙古事件否決權的運用等等，香港各界的代表，都有針對當前局勢的意見發表，而這些意見通常是代表了全球僑胞意見的一部份。

此外，這一年來，各國重要的軍政首長的訪問香港，如英國的殖民地大臣波德，東南亞最高專員麥唐納，英駐遠東海軍總司令蒙克里夫，空軍總司令山打遜，美國海、陸、空三軍的首長，太平洋艦隊的總司令，美參、眾議員，義外長馬仙諾，高棉前王施漢諾，菲律賓總統私人代表羅慕洛，以及各國的使節過港等等，他們訪問香港的目的，或在於視察，或在於訪問，或在於渡假，但顯而易見的，香港在東南亞已成爲一軍事、政治、經濟以及渡假的中心，當然，其中政治性是高於一切。

外僑揭穿竹幕眞相

然而最能夠使香港居民愛國意識的鼓舞和政治警覺的提高是無過於香港本身是處於東南亞「鐵幕消息第一手來源」的有利環境的影響，我們當不致於忽略了美國和中共在日內瓦經僑談判以後，本年八月開始，陸續經過深圳進入香港的美國士兵和美僑，雖然有少數經過洗腦後的美國人一時尚餘毒未清，但絕大多數的被釋外僑是絕對憎恨中共的，他們向全世界報道了中共的無理拘禁，屠殺囚犯，一切黑獄，以及外間的一般人民飢餓和奴役等罪行，這些外僑是包括了美、法、比、義、西、比、葡、及無國籍難民，即如爲全球數以億萬計的天主教徒所憤怒的迫害上海教區龔品梅主教事件，眞相就是八月間經由上海被逐來港的西班牙神父飽僕盧神父所透露的。

九月間，一千艘以上來自大陸的漁船因爲不堪中共的迫害而紛紛逃亡來香港及澳門兩地，這些重獲自由的漁民，不但得到香港政府的援助，同時也獲得了自由祖國的救濟，使他們感動，甚至以血書呈獻總統，願爲反攻先鋒。

從他們的口裏，香港居民較全世界其他各地更先於獲悉竹幕後的眞相，一切虛僞的宣傳由此而告破產，同時也更促成香港居民的愛護自由祖國。十月間，中共爲了挽救這一次嚴重的失敗，曾利用「蘇展」在廣州舉行的機會，誘使僑胞赴穗，但卻也得到了相反的效果，因爲儘管中共把表面工夫做得頂好，然而，返穗僑胞在親友的密告下，知道中共的表裏是全不一致的。

由此，即使對政治無濃厚興趣的香港居民，在國家的大前提上，他們是知所抉擇，因此，一九五五年外來的影響使香港居民愛國是一個最重大的因素，固然，祖國的一切表現，以及以觀光團爲橋樑的溫情，亦足以驅使香港僑胞更愛其祖國。

記者記此文的目的是重提起讀者早已遺忘的所謂大事，當然，我們必定不能忽略了那些所謂社會重大新聞的發生，而這些重大新聞能夠轟動於一時的，當然無過於吳鑫堅醫生案和架仔的開鏤案，吳鑫堅醫生以迷姦醫務所中一個女病人譚順已被判刑五年，這一件案且因爲被告不服而纏訟經年，因一九五四年而跨入一九五五年，一直至本年八月，經高院裁定上訴駁回，維持原判，至十二月，醫務委員會把吳鑫堅在醫生名單上除名，至此，吳案才告一段落。

色情案轟動一時

至於「開鏤」案的經過是「架仔」與「威利」等四個被告在跑馬地一間旅館輪姦一個叫紅眉的舞女而起，該案由六月開始審訊，迄於十月始告[illegible]亦因此而殉其生命。

此外，像本港的[illegible]

自由談

現代的官吏生活

馬五先生

原子世紀的人類生活，從思想到行爲，完全改觀了。譬如馬克斯那套十八世紀的經濟思想理論體系，若將原子能普遍地應用於和平生產事業，代替絕大部分的人力勞動後，他所謂人類創人的「剩餘價值」之說，便成了童話。即此可知人類其他一切的生活意識形態與作風，皆非革命不可！

中國士大夫數千年來皆以作官爲人生最榮譽的事，在封建的農業經濟社會中，士大夫除仕宦之途外，別無出路，作官是爲的解決生活，且可以增高社會地位，一躍而騎在百姓頭上，名利雙全，何樂不爲呢！官僚政治之生生不息，良有以也。可是，到了現在這產業發達，文化維新的原子時代，士大夫謀生之術多端，已不必爲貧而仕，仕亦未必可以療貧。同時，由於民主政治之風行，官在人民的心目中，不過是僱傭地位，沒有可以高視闊步睥睨一世的價值存在，官吏原是可爲而不可爲的末業了。

因此，現代的政治人物就要講政見，出處皆以能否實行自己的政治抱負爲依歸，尤其機關亦得先問你的政見如何？在位時，尤須具有强烈的責任感。如果政策不行，纔業未著，不待他人責難，毅然引退，絕不留戀，可行可止，知恥負責，夫是之謂政治家。假使事前吞吞其談，表示滿腹經綸，一旦官居正位，卻只知鐘鳴鼎食，塊然官僚生活，美[illegible]由人，好官自爲，把過去所標榜的政綱政策，置諸腦後了。這對國家是失職，在自己是無恥！

民主社會中，當然也有官僚政治存在的。但在稍有生活技能的士大夫，必不願以官僚生活自安，外慚清議，內疚神明，何必作官，然後營生呢？凡以官僚主義爲宗旨，不恤人言而泯然尸位者，皆爲原子時代的渣滓人物，不足以語多難興邦的艱鉅事業，覘國者可以知廢興矣！

衣錦還鄉

大冰

張世昌在香港一家洋行做了三十多年的下級職員；他六十歲了，年老多病，洋行給他三千多塊錢，要他退休。夫妻兩個膝下無兒，由洋行宿舍遷到一張二十多塊錢一月的床位。年老歸根，張世昌唯一願望是還鄉。他是粵省中山縣人，他叫堂弟在鄉裏替他申請回籍，半年多了，沒有得到結果。

剛好廣州舉行「蘇聯展覽」會，「歡迎僑胞回國觀光」。張世昌約了一十二位同伴，其中半數因爲年邁，想將骸骨送回故鄉；半數因爲失業，想回鄉找尋生計。十一月中旬他們離[illegible]到廣州轉回中山。下面是張世昌對筆者所談他「衣錦回鄉」的經過。

× × ×

我們十二個都是中山人，因爲歸心似箭，到了廣州，勉强看了一天「蘇展」，便請求共黨「同志」准許當晚乘渡船回石歧。「同志」要我們在廣州停留四天，詳細欣賞老大哥的產品。我們再三懇請，他們才准我們於翌晚乘渡離開廣州，我們心裏頓有說不出的高興。

[illegible]，歡迎！

[illegible]好容易，船抵了石歧。故鄉離開縣城只十里路，一位姓黃的是同村，我們一道走。

我們一邊走一邊閒談。同是「解放」後第一次回鄉，我們對於路上的每一樣東西都發生興趣。江山如故，雖然沒有增加新屋，樹木和耕種的土地似乎是增加了。

跑到村口，我們行入一家合作社。

看見我們，兩位「同志」齊聲道：「歡迎，歡迎，歡迎兩位衣錦還鄉。」

他們怎麼曉得我們是歸僑呢？我望望老黃，老黃也望望我。

「歸僑購物是不受配給限制的，」同志對我們說。

桌上擺了有大約五斤一塊的鮮肉。臘肉倒有好幾十斤。我和老黃各購了兩斤鮮肉和臘肉。我又另外買了兩斤生油。

「你們還得配一點米，」同志說，「歸僑每天可以配兩斤米。停留四天，你們可以配足八斤米。」

配了米，拿齊了東西，我們就離開合作社。

「合作社的同志怎會知道我們這樣淒楚呢？」我問老黃。

「大約廣州的長途電話打了，」老黃回答：

林肯的惡夢

林肯的老朋友黎門所著『林肯回憶錄』中有這樣一段故事。

林肯被刺前三天，做了一個惡夢。夢中他聽到白宮裏有悲哭的聲音。他跑到各處察看，發現東邊一個大廳放了一具棺材，還有好些軍隊在那[illegible]衛。

『那個死了？』林肯問。

『總統死了』，衛隊長答道：『是給人刺死的。』（加雪）

秀才·舉人·進士

賈景德

殿試之後，還有朝考一場，然後普遍授官。這場考試在太和殿舉行，狀元戴車磲石頂朝珠，榜眼探花金頂朝珠。主試者交題紙於狀元，由狀元楷寫在題牌上。考卷是單宣紙製的，改試經義後，才將這試卷畫上朱絲縱橫格子。讀卷大臣閱看後分爲一二三等出榜，然後由禮部堂官帶領引見。每牌十二名進士，長跪殿前，各報個別履歷，禮部司官則先每排的首尾，引導進退。引見已畢，舉行「大臚」，雅稱臚唱，由二甲第一名進士唱名，故名爲「傳臚」。先是由軍機處將貢士殿試朝考三場的名次，斟酌妥當，擬具官職。由皇帝依次欽點，他的擬議標準，如殿試二甲，覆試朝考俱一等，其數爲四，就擬請點翰林。殿試二甲，朝考一等，覆試二等；殿試三甲，朝考覆試俱一等，其數爲五，也可以點翰林。殿試三甲，朝考一等，覆試二等；殿試二甲，覆試朝考俱二等，其數均爲六點，就應該點主事中書。總之點數在七八之間，可以內外並用，數列九點者，即爲外官的知縣無疑。朝考列一等者，則不論點數多寡，大都點爲翰林。臚唱已畢，就舉行瓊林筵宴，由皇帝賞給寧綢袍褂衣料，並發給旗匾銀兩。其制與舉人大致相同，瓊林宴罷，由順天府尹送狀元歸第，府尹坐轎，狀元騎馬，披紅，旗鑼傘扇，出正陽門，招搖過市，備極榮耀，俗謂狀元遊街。府丞治中則分送榜眼出東華門，探花出西華門，儀從如狀元。此外各位進士點翰林的，送入庶常館，稱庶吉士，主事分部，中書到內閣，即用知縣在吏部抽籤，決定分發省份，給憑赴省，其名次最後的，則以知縣歸班候選就要回老家去了，科舉到此就算告一段落。（十六）

打出來的天才

雪人

發現地心吸力的牛頓是科學界的第一個怪傑。可是他剛生下來的時候，穩婆認爲他的壽命不能超過二十四小時。牛頓是一個怪嬰，頭長得特別大，頸和身體皆小，不能和頭配合。可是牛頓竟長到八十五歲，成爲自然科學的第一權威。

牛頓是一個天才。遺傳學家研究牛頓天才的來源，發現牛頓的父親係酗酒徒，一生不事家人生產，牛頓剛好生下來的時候，他便逝世了。牛頓的母親是一鄉村婦女，平平無奇，和其他農婦並無差別。牛頓父母三代先祖，亦無出色人物。牛頓的天才從何而來？遺傳學家感覺到莫名其妙。

牛頓幼時就讀鄉間學校，總是名列榜末，是一個十分平庸的孩子。一天他和班裏的一個同學發生爭執，打了起來。那個學生是班裏的高材生，年紀比較牛頓大，身體也比較牛頓壯健。出乎意外，牛頓竟把他打倒了。牛頓從此發憤，想在榜上壓倒他的敵人。果然，年終考試牛頓名列前茅。叔父覺得牛頓是一個天才，供給他到劍橋大學唸書。二十六歲的時候，牛頓當了劍橋大學的數學教授。好些人都說牛頓的天才是打出來的。

天堂裏的農民

我沒有弟兄，鄉裏和我最親的是堂弟。堂弟是個農民。夫婦兩個四十多歲了，膝下三個兒子，大的二十歲，第二個十七歲，小的只有十二歲。（上）

更正

上期所刊台灣雜詠詩「赤嵌城」一首，第三句「揚帆驚鹿耳」，「帆」（飄）誤植「驃」，特此更正。

自由人

THE FREEMAN

（第五〇五期）

中華民國僑務委員會
領發登記證台教新字第一零二號
中華郵政台字第五〇〇號
執照登記為第一類新聞紙類
（半週刊每星期三、六出版）

每份港幣壹毫
台北市售價台幣壹元
督印人：陳文華
地址：香港高士威道二十號四樓
3 rd. fl. 20 GAUSEWAY RD
HONG KONG
香港發行及事務接洽
高士打道66號　電話：七四〇五三
承印者：東南印務出版社
地址：高士打道六十四號
海外總經銷
友聯書報發行公司
香港：德輔道中二十六號A二樓
台灣特派員辦事處
台北市館前街五十號
台灣總經銷處
台北市西寧南路壹壹號二樓
台郵撥儲金戶九二五二

外交使命及外交家之涵養

・吳本中・

文質彬彬，束帶立於朝；或使便言唯謹爾，或侃侃如也。這是何種儀態！任重而道遠，使於四方，不辱君命；三軍可奪帥也，匹夫不可奪志也。這是何等堅毅！有若無，實若虛，溫而厲，威而不猛，恭而安。這是何種深沉！何等涵養！

今世外交使命，縱係繁重，然苟能法我古聖先賢遺範，身體而力行之，則決可折衝樽俎，勝任愉快，遠揚國威，為我民族爭光矣。

「外交」是科學，亦是藝術。它是科學，因為有一定的慣例應循，一定的法則當守。它是藝術，因為手法不同，巧妙各異，鈎心鬥角，變化萬千也。

外交使命有幾種

外交學中重要一部分為「外交使節」問題，而使節問題中之一，自然要研究其使命如何。外交使命之種類，簡要可列為四：一曰代表的職務：英法文均稱REPRESENTATION，即代表其祖國及元首與駐在國君主或政府最高領袖發生正式關係。按外交慣例，惟「大使」AMBASSADOR，在原則上，有資格可以直接與駐在國元首洽談，於重大盛會時柬請其參加，因大使本身係直接代表其祖國元首尊嚴，公使則無此資格。古人云：『使於四方，不辱君命』其亦現世外交『代表職務』之謂乎。二曰談判的職務　英法文所謂NEGOCIATION，即用和平商議的方式，權衡彼此利害，引據國際慣例，以解決兩國或國際間之糾紛；我國古語稱：『折衝樽俎』，『排難解紛』，意或相似。三曰保護的職務　英法文均稱PROTECTION，即經常密切注意，時加保護其祖國在駐在國之一切所有利益（無形的利益，如文化等亦在內），不使其稍有委屈或損害。四曰情報的職務　即英法文之INFORMATION。惟此『情報』，並非俗稱『特務』之意義。一位大使或任何外交官的情報責任，在外交學上，是公開的，是堂堂正正的，而且在外交禮節上，應當是交換的，是互惠的，是善意的，是客氣的。譬如，人之相與，莫若知己；國之相交，亦重互相瞭解。是故彼此交換情報之道尚矣。一個卓越外交家對本國政府固應經常按時呈送最準確之報告與觀察所得，眼光洞澈遠至數十年或百年以外；對駐在國政府亦有責任，其最聰明，最取信者莫過知或暗示，俾友邦深切明瞭本國之處境與政策及共同敵國之詭計與陰謀。

知人，知事，知勢

古人『半部論語』可『治天下』；今人亦『聖哲數語，辦好外交』。

西人於外交特別重視『代表國家威嚴』。對於DIGNITY，絕不含糊。數百年來泰西外交史，關於『保持尊嚴』而竟惹大禍鬧大事之記載指不勝屈。實在，我國古聖遺訓對於此點更不『馬虎』！常使後人讀之，巍然而起偉大之感。試觀：『三軍可奪帥也，匹夫不可奪志也』，『可以託六尺之孤，可以寄百里之命，臨大節而不可奪也』。『士不可以不弘毅；任重而道遠』。『歲寒然後知松柏之後彫也』。諸如此類，臨危授命，皓照天日之氣派；良可代表我五千年不斷文化，五萬萬勤敏同胞之威嚴矣。

知人，知事，知勢，為外交致勝之基。（法哲所謂（CONNAISSANCE DES HOMMES ET DES CHOSES）對於局勢，事理，人情，無敏捷而深厚之觀察，絕不足以語外交。故孔子之言：『視其所以，觀其所由，察其所安；人焉廋哉』。宜為我深沈有大略之外交家所拳拳服膺。又一國有一國之禁戒，一地有一地之風俗，外交家欲常『知人，知事，知勢』，當『不恥下問』。曾子曰：以能問於不能，以多問於寡，有若無，實若虛。』外交家似應有此涵養。須知，知禮如孔子，且入大廟，每事問。『或曰孰謂鄹人之子知禮乎？入大廟，每事問！子聞之曰：是禮也』而此『或』者，足見其淺薄。孔安國在論語注釋曰：『雖知之，當復問，慎之至也』。似得其眞諦。諸葛一生，惟謹慎，外交家[illegible]不能鬧出笑話。

情報非諜採

現世外交有情報之使命已如上述，然並無諜探之明許。因諜探之發現可被驅逐出境，遭辱國之恥。於此，我先聖懿行有資訓式焉：『子禽問於子貢曰，夫子至於是邦也，必聞其政，求之與抑與之與？子貢曰，夫子溫，良，恭，儉，讓以得之，夫子之求之也，其諸異乎人求之與！』孔夫子在遠古時亦能善得情報，然其得之之法殊不同也。我外交家曷興乎來？

外交家之風度

外交家既其代表性，其一顰一笑，一舉一動，在外人眼中均等於其所代表之民族億萬人之顰笑；故儀容與風度尚焉。孔子對其弟子公西華雖『不知其仁』，然因其有容儀，故稱之曰：『赤也，束帶立於朝，可使與賓客言也。』又讚齊大夫晏平仲『善與人交，久而敬之』。其目中之君子，必須『文質彬彬』。『其在宗廟朝廷，便便言唯謹爾；朝，與下大夫言侃侃如也，與上大夫言誾誾如也』。『立不中門，行不履閾』，『攝齊升堂，鞠躬如也』。古賢雍容大雅，儀態既肅重復舒和，誠係『溫而厲，威而不猛，恭而安』也。斯則非『巧言令色足恭』為『左丘明恥之』，便僻之貌，媚外之習，所可同日語矣。

人心同情為光復之基

值此赤禍滔天，腥羶遍地，炎黃子孫誤陷極權奴役深淵；外交上非多多爭取同情，不足以有為。祗若在內人心不死，在外同情未泯，即我族光復大業有望。而在外爭取同情，絕非波譎雲詭，翻手為雲覆手為雨之道可長勝；終須『言忠信，行篤敬，雖蠻貊之邦行矣』。願與國人共深長思之。（民四十四聖誕節期有感而草）

馬共藉和談謀奪統治權

・曾旭軍・

馬來亞和談宣告「失敗」了，但在共黨言所謂失敗，與平常的意義不同。即開價太高一時談不攏而已。而且談判在共黨言是一種鬥爭，還稱「議席鬥爭」，並是基於全球戰略的需要。反之在自由世界看談判則為局部苟安的哀求。所以談判成功未必是吉福；失敗亦未必是凶禍。

由於美、英、法對韓、越、馬來亞問題不以蘇聯中共為禍首，也不求根本解決，只求片面妥協。亞洲禍患遂永無寧日。今後馬共問題勢將愈趨複雜。要想比較清楚地認識這個問題，首須對於星加坡和馬來亞的政制要了解清楚。

星馬的行政組織

首先說馬來亞。馬來亞戰前的政治組織分為：（一）海峽殖民地，包括星加坡、檳榔嶼、及馬六甲。（二）馬來聯邦包括霹靂、雪蘭莪、彭亨、及森美蘭。這四邦在一八九五年與英政府締結條約合成「馬來聯邦」。（三）馬來屬邦包括柔佛、吉打、玻璃市、吉蘭州、及丁加奴五邦，為英國保護國。以上各邦設英人顧問。

戰後成立馬來亞聯合邦（FEDERATION OF MALAYA），包括原有之九邦，加上檳榔嶼與馬六甲兩海峽殖民地。

星加坡則改為一分立的殖民地，有其自己之政府。

馬來亞聯合邦係在一九四八年二月一日成立，設首府於吉隆坡。所有欽差大臣的官署，均在這裏。欽差大臣為舊稱。今則稱高級專員。由英皇委派。下設聯合邦輔政司署。這裏面包括各行政方面的輔政司，防務與保安司，經濟事務司，及財政司等部門。但最近大選後，已成立新政府。設有部長會議。內有首席部長（現即係馬來和談之代表拉曼）。及立法議院。

在九邦中除柔佛外，均設英國顧問官。在柔佛、檳榔嶼，及馬六甲則設參政司。各邦之統治者為蘇丹王。

星加坡政府的組織系統是以總督為首，下設部長會議，及立法議院。它的各部組織是：（一）部長會議。總督之下設首席部長。財政部長，勞工與福利部長，交通與工務部長，地方政府，地政部長，建設部長，律政部長。（二）立法議院，議長下有官委議員四名。民選議員二十五名。官任議員三名。

英與星馬政治關係

依照馬來亞及星洲新協定，英國仍維持有外交與國防的大權。並且對於各邦及聯邦的內政還有否決權和指導的控制。現馬來亞的高級專員是麥克基利佛雷。英軍總司令是鮑甯中將。

據一九五二年統計，星馬人口計：馬來籍共二，六三一，一五四人。華僑二，〇四三，九七一人。印度籍五八六，三七一人，歐籍及其他共七五，七二六人。

共黨為禍馬來經過

馬來亞的面積為五〇六〇〇平方哩，地多熱帶森林遮蔽的山嶺。有高至七千呎的。森林中藏有共產黨游擊隊約五千人。在第二次大戰時名為抗日，暗中企圖擴張勢力。大戰結束後即企圖建立「馬來亞人民共和國」。但英國搶先制止。至一九四八年六月，馬來亞共產黨通過一議決案：『工人與農人運用任何手段奪取馬來亞政權』。這就是利用森林區用恐怖與破壞手段，去使馬來亞癱瘓。拆鐵路軌，割電話綫，狙擊警察，謀殺橡膠錫礦主人，封閉學校。英國因承認中共，不願稱他們作共產黨，而僅稱之為「匪」。又怕保險率猛升，稱對共黨之戰爭為『緊張狀態』。而不敢稱『戰爭狀態』。動用軍力，計：英國及殖民地正規軍三萬五千人，受正式訓練的馬來亞警察二萬五千人，特別警察五萬人。

共黨方面由陳平作領導。但至一九五一年方證實。一九五二年夏馬來亞高級專員格尼被狙擊身亡，英政府調鄧甫勒將軍繼任，他用鐵腕，對共黨實行封鎖政策，及對居民不惜用連坐懲罰法除奸。頗奏效。但終因西方國家無積極的全球政略。中共勢力一天不除，東南亞之禍患不已。共黨利用民族意識以反抗當地的白種人殖民主義。八年來英國已動用過軍警保安隊二十七萬人，從事征剿，但共黨游擊隊出沒熱帶森林，雖死傷慘重，仍能參加補充。

馬共今後為禍策略

本年七月間，馬來亞華巫印聯盟在立法議會的選舉中獲得重大勝利。八月拉曼就任首席部長後，主張應該對馬共和平談判以結束戰爭。到九月九日政府宣佈大赦馬共。用飛機向森林地區散發傳單。但共黨投誠的不過數十人。然而共黨認為這也是一個可利用的機會，一則因在地理上不能與中共直接聯繫，勢窮力蹙。二則謀公開活動，以政黨擴大勢力方法謀傾覆政府。因此由馬共總書記陳平兩次通函，表示可以在泰馬邊境舉行會談。遂有今天的這一個馬來和談。

現在雖然和談一時破裂，但共黨必將採取軍事變管齊下的，「談談打打」策略去困擾馬來亞。其最終目的，則實在於和英國人爭奪星馬的統治權！

法國大選趨勢

戰後第三次的法國大選已經開始。

一九四六年，戰後第一次法國大選的結果，共產黨取得了最多的席位。

一九五一年，戰後第二次法國大選的結果，戴高樂的法蘭西人民聯盟取得了最多的席位。

一九五六年大選的結果雖未揭曉，但大致的動向是看得出的：

法國人民經過了對左派（共產黨）與右派（戴高樂派）的失望，他們在目前，基本上是在中間偏左（法朗斯派）或中間偏右（傅爾派）中選擇。

法朗斯或者傅爾，無論誰上台，對我們並沒有什麼直接相干，但有一點值得注意的，即，他們都是法國急進社會黨出身的份子，雖然，後來傅爾被急進社會黨開除了。

從法國看世界

在近代國際關係中，每逢綏靖主義者抬頭之日，法國的急進社會黨份子總是特別活躍的。

因為急進社會黨在法國是一個沒有理想沒有主義沒有標榜的集團。

代表法國在「慕尼黑協定」簽字的是前急進社會黨的領袖達拉第；同一個達拉第，不久以前又參加過共黨在華沙召開的「世界和平大會」。

代表法國在分割越南的協定上簽字的，又是今日急進社會黨的領袖法朗斯；同一個法朗斯，他又解決過法國最棘手的「歐洲軍問題」。

就以所謂中間偏右的傅爾來說，他也是不斷高唱「承認中共」的份子。

在某種意義上，法國機會主義者——急進社會黨（包括被開除不久的傅爾）的抬頭，是世界政治的寒暑表。

從法國大選看世界，你就可以想像到，今年世界政治中，綏靖主義者已經進一步下了賭注了。

時事評述

・司馬璐・

「北京」的歡呼

中共報紙的開年頭條大新聞是：「中蘇蒙鐵路聯運通車」。

任何人都知道，這一鐵路的建築，主要目的是為蘇俄遠東國防體系上的需要；另一方面，蘇俄今後控制中共，不必再繞道東北，而直接可以經外蒙的庫倫（烏蘭巴托）而內蒙的集甯而「北京」，了。

然而，「北京」却為此歡呼慶祝，他們的口號是：「莫斯科——烏蘭巴托——北京，烏拉！」

每一個有良心的中國人却要為此一哭，因為：

中國大陸的北方，將從此沒有國防了。

莫斯科和記者

莫斯科從字典上，用盡了一切美麗的詞彙向華盛頓、向倫敦、向全世界拜年。

但是，克里姆林宮的盛大除夕晚宴，主人却擋住了外國新聞記者的參加。

很顯然的，莫斯科很討厭這些記者先生們。

大家都知道，赫魯曉夫這一年來在南斯拉夫和印緬的訪問中，都和新聞記者吵了架，赫魯曉夫在答覆一個法國記者時，大罵自由世界的新聞記者都是「資本主義的奴僕。」

為什麼赫魯曉夫這樣討厭自由世界的新聞記者，甚至竟動了肝火呢？

因為，「民主」「自由」本來是要不得的，但是，這一年來，俄共為了推銷「和平共存」，赫魯曉夫，布爾加甯處處表演「輕鬆」，說笑話，拍肩膀，拉手，乾杯等等。

他們的做工並不算壞，但是却難過記者這一關。

做戲終究只是做戲呀！

因此，俄共竟不能和自由世界的新聞記者「和平共存」了。

外交人事制度的痼疾

· 諸葛凌 ·

否決外蒙加入聯合國，實爲我外交一重大勝利，惟今後外交上的困難尙多，必須多方警惕，力求上進，否則仍難應付反攻復國的艱苦局面，頃得海外讀者來稿詳論外交人事制度上之「痼疾」，文中雖不免有過於坦率之處，但亦非無的放矢，特爲發表如次，想亦足爲今日談外交者之鍼砭也。

偶在友人處得讀十一月九日自由人馬五先生的「外交上的痼疾」一文，頗有所感。近年來，奔走海外，與各地友人亦多通訊，[illegible]「外交痼疾」，認識日多，馬五先生所述某博士於一個非禮拜天的下午三時，至我國駐某地使館吃了一個閉門羹，只好「默然」而返。我不禁笑這位博士少見多怪。下午三時仍找不到辦事人員的，又何止這一館？（有些地方，下午三時本非辦公時間的，當然例外。）

百年來的痼疾根源

痼疾不足畏，所可畏者却是諱疾忌醫。上下隱蔽，簡言之，今日的外交痼疾，不外「人」與「錢」兩大病。由於這兩大病源而生的痼疾，原不限於外交，任何行政組織，莫不皆然。但在目前中國的各行政機構中，以在外交機構上所表現者爲最嚴重，雖尚未到「不治」的地步，但外交痼疾不去，則整個「外交有機體」終難望其有健康之一日。

中國外交上，「人」「錢」兩個病源的來歷已久。中國之有近代外交機構，當源自淸末的總理衙門。但自從總理衙門一成立，「人」「錢」兩個病源亦幾乎接踵而來。總理衙門成立於咸豐十一年，迄今幾及百年。歷數十年政制的變易與人事的興替，而外交痼疾，依然未除，我們面臨危症，實不能不平心靜氣，開一張脈案和藥方來。

先談談「人」的問題

薛福成保荐使才疏曰：「當夫安危得失，事機呼吸之秋，無使才則口舌化爲風波，有使才則干戈化爲玉帛。平時遇事措注，利弊所倚，亦復關全局。臣愚以爲使才之選，宜識形勢，揣事情，諳公法，究約章，其端甚多，其用甚殷。」我們且不談已往，即一看對日抗戰以來的駐外人員，有幾人是够此標準的？

抗戰第二年，政府西遷漢渝，各院部大舉裁員，其時外交部有職員幾四百人，裁去十分之九，所餘者不足四十人。政府對於所謂裁員，向不審慎，裁留之間無標準，固已弊端百出；對於無故被裁者亦無安置之法。當時便有若干人因迫於衣食，而遠走滇滬，加入「汪記」。但外交部在不久之後，又以「人員不敷」爲藉口，而另用新人。不少舊人便又「走門路」「拉關係」，重入外交部。一出一入之間，中國官場積弊畢顯。這一手法，於政府遷台時，又重演一次。但曾幾何時，以前一大批被裁人員，現在又堂皇入部，位居要津。其所以能出而復返者，其間經過與「手續」，自不簡單。

昔爲「充軍」今爲「調劑」

在抗日戰爭以前，國內經濟安定，生活舒適。外交部人員稱「外放」爲「充軍」，除掉英美日本等國的大都市外，其他各僻遠地區的使領館，簡直無人肯去。當時在外交部主管人事的要向各司科去拉人，情商，並答允各種條件，（如任期決不長過三年等），才有人勉强肯去。但抗戰一起，國內生活艱苦，許多人住不慣重慶的泥地房子，吃不慣平價米，加以其時政府又不欠外交經費，任何人一出國，不論到那一處去，便都有美金可拿，於是「外放」便成爲「調劑」。這一現象，到台灣以後更變本加厲。因爲由台灣出國的人，除掉拿美金而外，還有若干「安全感」。於是以前一大批被裁人員，在國外坐吃山空之後，便又重返台灣百計鑽營，儘量「投資」，以期再進外交部。進去的目的，便是「外放」，原在部內的人，當然振振有詞，「先進的先放」。於是一個主持外交政策的最高機構，竟成了輪流調劑的走馬燈。

外館人事的怪現象，有許多實是出人意料的。外交部部內亦有不少與其他機關一樣的總務事項，大自會計人事，小至管理工役，抄寫公文。辦理這一批事務的，實是一種「事務官」，並非外交部所專有，更非薛福成所謂「諳公法，究約章」的「政務官」。但幾十年來，中國外交人事行政上，對於這兩種人員，從不加以區別。凡是進入外交部的大小職員，不論在部內做何工作，均一律有外放的機會。殊不知駐外各館的組織與工作性質與部內全不相同。例如，每一館的經費與人員均極有限，用不着一位專學會計或專習人事的去管理；在部內以督率工役處理庶務見長的一位總務人材，到了一個沒有工役的館裏，便無法見其所長。（在歐美各國的使領館裏，工役極少，竟或沒有。）又舉一例，據聞某君精於書法，善工楷，以前在部內時，所有國書等，均由他繕寫。但後來輪到他外放至某地公使館任職。豈知這一使館絲毫無法利用他的長處，因爲當地對外文件均用外文，對於外交部的呈文，經月不過數件，也絕對用不着某君這一手寫國書的楷法，而某君本人却一句外國文也不懂，連日常衣食住行的處理，也須請人幫忙，痛苦異常。同時，外交部部裏却少了一位寫國書、呈文，與某條約的好手。因此，外交部，對於這一使館，對於其本人，可謂無一受利。而國家却多化幾千美金，把他全家大小用飛機送出去「調劑」而已。另有一位某君是會計專家，在外交部辦理會計多年，後來也輪到他外放，遂奉派爲駐某國使館的高級職員，而這一使館的全部經費一月不過數千美金，實在使這位專家英雄無用武之地，結果這位專家也只是每天吃洋酒，看報紙而已。

（下轉第三版）

關於推崇中國文化

· 燕廬 ·

而且有他們的政府，再加上蘇聯在背後牽綫，這即是說：當時的中共，明明是一個武裝作亂的敵黨，明明是蘇聯一手製造的傀儡，但，周恩來，王若飛之流，那時都打扮得十分謙愿，布鞋底，鴨舌帽子，很像個中國農夫，於是那位自以爲懂得中國文化的馬帥肅然了，一直說他們是一羣土地改革者，說他們沒有政治野心，一直迫國民政府對他們讓步，可惜如今馬帥退休了，否則到日內瓦看看那個土地改革者的嘴臉，也許可以鼓起他到上帝面前懺悔的勇氣哩。

我是中國人，中國學術文化的好處給別人發現了，我應該覺得興奮，但我却有一種偏見，以爲一民族的文化好或壞，我們自己固然無可奈何，因爲文化並不是短期內做成的東西，一時要改造也改造不來的，至於別人說好，當然更不能增損它實際的價值，若僅憑別人說好，自己才恍然覺悟到：原來我們早就有很好的文化，那則應該是一樁罪過，最低限度，它證明了我們曾經以爲它是不好的，因爲我們以爲自己的不好，便想撒別人的圓來代替一番，這就是五四諸公的往烈了。

說中國文化有其好處，這些話並不新鮮，辜鴻銘就是最好的代表，但人們只當作一種怪論看，輪到中山先生說時，我們也以爲他仍不免于迂調，原因也許因爲辜鴻銘孫中山雖也到過外國，到底還是個中國人，至于到過外國的中國人說中國文化不好，本來也甚爲曉曉，然而却似乎十分可信，這情形曾經使我們吃了大虧，今天有個外國人忽然說中國文化很好，于是我們覺得很中聽，終于是莞然，其實莞然也很危險，因爲我們所欽重的仍然不是中國文化而不過是外國人的意見而已。

對於別國學術文化有極深研究的中國人，其實也不少，像梁漱溟先生對印度，胡適之先生對杜威，張東蓀先生對黑格爾，以至辜鴻銘先生對莎士比亞，戴季陶先生對日本……等等。我很固陋，似乎並未聞別國的政府曾經用「安車蒲輪」來延聘他們做客卿，參與他們的機密，像鮑羅廷，拉鐵摩爾，或馬歇爾一樣，如果我們只憑外國人的意見來尊重中國文化，顯然是很可悲的。（下）

匈共的和平遊戲

各國都有些中國的「陞官圖」類似的室內遊戲，其中大都脫胎於印度古時一種叫「巴契西」的遊戲，一般都是以最先達到一個目的地爲勝利，沿途有許多障碍，有的是停玩一次，有的必須後退數級，還有的甚至取消資格。

最近，這樣的遊戲也在共黨統治下的匈牙利風行一時，但就在這兒童遊戲中，共黨也滲入了赤色宣傳。這遊戲稱爲「到和平之路」，每個參加者移動一隻由共黨所設計的骰子，誰先到達叫做「和平」的中心，便算贏了一盤。其進級方法也以擲骰子來決定，如走到一個紅城（如蘇俄集團的職爭，及突尼斯，危地馬拉市），便能多走一次。如碰到綠城（如倫敦、巴黎、加拉加斯等便行走一次。但如果走到黑城，即取消資格，不准再玩。全盤的唯一黑城，是美國的華盛頓。

薩爾親德政黨組聯合政府

重歸德國勢殆成定局

平明

在薩爾十二月十八日國會選舉中獲得重大勝利的三個親德政黨——基督民主黨、民主黨、及社會黨，已在一月二日達成協議，組織聯合政府，由基督民主黨主席六十三歲的赫布．納氏出任新政府總理。三黨在國會擁有多數（國會共有五十席）。同時，新國會選出民主黨主席施納德擔任新議長。施氏是個著名的民族主義者，且被認爲具有納粹傾向，三個親德政黨的立場，都主張及早重與德國合併，而其中尤以施氏的民主黨態度更爲激烈。

這個薩爾新政府的特徵，就是濃厚的親德色彩，因此，薩爾的最後重歸德國懷抱已成爲不可避免的結論，現在的問題祇在什麼時候能够實現。

遠在薩爾人民尚未參加國會選舉以前，法國報紙即以黯然地預料：「薩爾已告喪失了！」這個揣測，是根據十月中薩爾公民投票所表現的民意傾向所提出。當時在這以產煤著名的薩爾盆地，保留德語的礦工和農民們已以二對一的票數拒絕了法德兩國所協議的「歐洲化」計劃。這結果也就是表明了薩爾人民希望重投「祖國」（德國）的懷抱。

不過以國會選舉的結果而論，失望的倒不是法國人而是德國人。因爲三個親德政黨雖在國會的五十席中獲得三十三席的超半數多數，却仍未擁有三分之二多數，根據憲法，薩爾如欲與德國合併，便非有三分之二的議員贊成修改憲法中關於現行體制的條文不可。

薩爾的基督民主黨聯盟，是西德總理艾德諾的基督民主黨之支派，在赫布．納氏的率領下，該黨獲得百分之二十五．四的選票。社會黨則受了一次重大挫折，僅獲百分之十四．三的選票，尚遠較民族主義左翼的民主黨落後。民主黨在施納德的領導下，以百分之二十四．二的選票成爲薩爾的第二大黨。

這次選舉的驚人事實，是親法前總理霍夫曼所率領的基督人民黨竟獲得百分之二十一．八選票，在國會擁有十三席。霍夫曼主張繼續保持薩爾與法國的經濟合作。他的支持者曾在競選運動中警告薩爾的中產階級人民，如果薩爾重歸德國，他們將必須負担德國的稅額，這比目前的法國式賦稅制度沉重得多。

法德對薩爾的爭奪已歷數世紀，薩爾的煤鐵如告易手，法國在工業上便無法與西德抗衡，因此，法國人表示，薩爾之最後重歸德國，照目前形勢，已無法避免，不過他們希望獲得保證，薩爾能繼續以優待條件供給法國。德國的民族主義者都對法國這種要求極力反對，但西德總理艾德諾一向是「歐洲統一運動」的倡導者，認爲法德的諒解比什麼都重要，因此，他可能主張薩爾不應匆促與德國合併，以免不必要地激怒法國重新挑起昔日的法德仇恨。

推廣獎學辦法

教育部來函說明

本報頃接教育部秘書處函說明該部舉辦各項獎學金實際情形，亟將原函披露如左：

逕啓者：頃閱十二月十日貴報所載署名鋭人之「大專學校公費取消後獎金制待改善」一文，其所述情形間有與事實不符。本部對於清寒學生之獎助，歷年均甚注意，雖在經費困難之情形下，無不多方設置各項獎學金。除各級師範學校學生暨革命抗戰及戡亂功勳子女，均予公費待遇外，現行公立專科以上學校工讀獎助金，雖自本學期起停止；惟已領受之學生，仍維持至畢業爲止。並經規定，各校應視事實需要，自訂工讀辦法，推行工讀制度。

大專學校獎學金

本學年度起，另在國立各大專學校設置獎學金，名額約佔新生總數十分之一，每名月給台幣九十三元。又經商請大陸災胞總會在各大專學校設置大陸來台清寒學生獎助金。共計五百名，其待遇亦爲每月九十三元。本部爲發展中國文化及自然科學，培養基本人才，並使文理學院學生人數得與其他各學院漸趨平衡起見，經聯合經濟、交通二部及台灣省政府。設置「中國文化及自然科學獎學金」，共計一百名，在台大設六十名，年給二千元；在師大設四十名，年給一千元（因已照領公費）。

三民主義獎學金

又本部爲加强精神教育及提高各校院學生研究三民主義之興趣起見，自本年度起將原有辦理三民主義論文競賽之經費，改爲設置專上學校三民主義獎學金，其待遇與中國文化及自然科學獎學金相同，共計二十名，每名年給二千元，給予各校修習三民主義課程成績最優而學業、操行、體育成績均在乙等以上之學生。我國憲法第一條標明爲三民主義民主共和國；獎勵三民主義教學，獎學金亦其一端。

軍人子女獎學金

上述各種獎學金，不論是否軍人子女，凡合於規定條件者，皆可同樣領受。另有「軍人子女就學獎金」一種，係由軍人之友總社主辦，本年度第一學期得獎學金生業已核定；聞該社現正根據實際需要及其他情形，將其名額金額及申請辦法重加研擬調整於下學期實行。本部今後仍當在國家財力許可範圍以內，對各項獎學金繼續研究調整，以使救濟與鼓勵並重。尤望社會人士以及民衆團體，推廣獎學辦法，咸能紛起資助，造成獎學風氣。以期優秀清寒子弟皆能安心向學，教育前途，實利賴之。相應函請查照，惠予發表爲荷。此致

香港自由人報

教育部秘書處　十二月廿八日

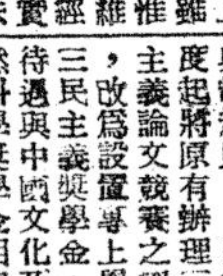

台灣的刊物

金城

台灣的雜誌，如雨後春筍，好的固然不少，但濫竽充數藉以牟利的，亦不在少數。表面上大喊反共抗俄文藝運動，骨子裏還不是想賺幾個錢，維持一下生活，於是乎所謂「培養」「發掘」出來的新作家，應運而生，一篇篇的大塊文章，都變成了鉛字。出版的銷路呢？有辦法的借點人事關係「硬性」推銷，沒有辦法的就用黃色或低級性的東西來號召！有的發起什麼「以文會友」的名堂，宣佈能徵得基本訂戶多少戶以上者爲取得文友資格，結果上當的是訂戶。有的一期兩期就再無消息了，有的週刊改爲月刊，半月刊改爲季刊，還美其詞爲「多數讀者的要求」，只有天曉得。

有編輯委員三十多位的「文藝論壇」尚且脫期，休刊，改版等大變花樣，那些一兩個人當作副業的就更可想而知了。因此，要在台灣找幾份可讀而值得住不脫期的刊物，竟是寥寥可數，這實在是個問題。

要使刊物辦得好，眞正配合我們當前的國策，在社會上發生效力。不要只向量的方面發展，這應該是負責文化方面先生們顧及到的。

【代郵】曾慶光先生：十二月廿七日惠書奉悉，承示赤色工棍活動及其他有關反共抗俄意見，語重心長，至爲佩仰，惜限於篇幅，未能刊出，當將大函要點摘要轉送有關方面參考。謹覆。

自由人編輯部啓四十五年元月二日

香港人要自治嗎？

香港是否需要自治？目前已成為兩派熱心於政治的人士的一個爭端。

英國議員更感興趣

在過去一年，重視香港自治問題的，居於英倫的議員其興趣尤甚於本港的居民。當然他們的興趣與香港的居民是並不相同的，他們關心香港是不是已經具備了自治的條件，香港的居民是不是正醞釀脫離英國的統治，步馬來亞的後塵而要求達到自治的目的。

無可否認，在一般民意的反映中，他們是安於目前的殖民地統治的，另一部份人士，則希望政府能夠增加若干民選的議席，最終的目的是在殖民地的政治制度下，有一個由市政局所擴大的民選市政府。然而，迄今尚無一人曾經明朗的表示，香港目前需要自治。

不願受共黨利用

固然，今天，香港距離具備自治的條件尚遠，但最主要的原因，是許多人都瞭解到一旦香港談論自治時，只是給共黨造成一個滲透的機會而已。由於共黨的狡詐如果自治的條件還未具備而談自治，則沒有看到自治的美景前，必先嚐到了可預期的苦果。

英國人也承認他們無時不在關懷香港人民對自治的反應，每一個略會有地位的香港人赴英，一定會受到英國人私底下或公開的訪問，問題的中心常是香港的自治與否，即如殖民地大臣波德當訪問香港返英後，亦屢遭到英國的議員質詢香港人對自治的情緒如何。

星馬情勢的影響

為什麼英國人對香港的自治會如此關懷，除了本身的利益因此受到重大的影響不說，在自治的初期，即如星馬，給予英國人的煩惱實在太大了，而星馬的自治，對香港人也有着重大的影響，這影響沒有鼓勵到香港人爭取自治，而相反的，使人感到當此國際尤其是亞洲的形勢，談自治並不是適宜的時機。造成香港人民對自治要求採取保留態度的原因有二：第一，香港人民多是比較安於現狀的，同時，香港本身又缺乏了「政治的搞手」，這一類人對發動某一種運動是通常會發生一點作用的，可是香港的環境並不容許這一類人的存在，當「亞洲集團」所謂民族運動搞得如火如荼的時候，香港人根本就不會發生絲毫反應。

議員選舉反應不熱烈

不但對這一個大問題的態度如此，即如市政局民選議員的選舉，這原是踏上自治的一個基石，可是市民對此一樣不發生興趣。從已歷三屆的民選議員的表現，證明了市民是不很關心自治的風向，因為這三陎民選議員的選舉，投票的總數非但沒有顯著增加，相反的，只有趨跌的迹象。同時，當選的，始終是自承為香港唯一政治團體的香港革新會所提名的候選人。其他雖然有若干名缺乏支持和背景的英國商人或中國商人與律師等會參加選舉，但所得到的票數是非常有限的。因此，三年來，連到對政治有興趣的人也開始對這議席感到冷淡，參加競爭的一年比一年少。

造成香港人民對自治要求採取保留態度的第二個原因是香港政府對殖民地的統治是比較民主與開明的，香港政府並沒有忽視中國人在香港的重要性和他們所代表的利益。在政治上，香港政府曾一再接納要求，放寬民選議員的議席；另一方面設法增加政府機構內的中國籍公務員，同時並抽出若干單位的主管由中國人担任，增加中國官學生，儘量使香港中國人獲得政府行政管理權的機會。

港府鼓勵民間集團

此外，復盡量協助居民發動民間團體組織，政府並不干預人民對政治的興趣。當然，對某一種不當的政治活動是不容許的。

由於政府年來的種種措施，加上現實大環境的影響大部份的人都暫時放棄了自治的要求。但是不是香港人就此對政治不發生興趣，就此而不需要自治呢？並不，即如英國方面傳來香港人並不需要自治的消息後，就引起此間部份人士的反對，這一部份人以聯合國港協會秘書長馬文輝為代表，他並且特別在報章撰文指出這一個觀察的錯誤，他還列舉了香港人民要求自治的理由。

此外，像香港革新會這一個自稱為香港唯一的政治團體也不斷為立法局中爭取選議員而努力，甚至該會的主席貝納祺大律師亦曾以此赴英進行遊說，而使香港更具備自治的條件。

公民協進會成政治團體

另一個更新鮮的消息，即成立由嘉啕修士為首的公民協會於去年十二月三十日正式在報章聲明為一政治團體，而且嘉啕修士並定於二月間訪問倫敦時即與殖民地部研究有關本港的政制改革問題，並決定推定選人參加今年三月的市政局議員競選工作，以求實地研究使市政局改革為一個充份發展的市政府。

公民協會秘書張有興曾對記者提及該會的政治主張；據稱，該會和其他社團不同之處，即該會在精神上及事實上均係一個政治團體，會員對於香港所需要的改革方式並無多大的歧見，他們所企求經濟，社會及政治的發展，係在法律與秩序範圍之內進行，他們贊助民主的生活方式，並反對任何方式的極權主義。他們承認本港之未來繁榮，係與英聯合王國及聯邦，有不可分離的關係，公民協會作為一個當地的政黨，必定以堅忍及勇氣，以應付此等工作。

因此，在我們在共見的被承認的政治團體，他們都還沒有提出自治的要求，他們顯然承認了今日的香港還沒有具備足夠的自治條件，固然他們所走的，是循着自治的路子，但自治並非可一舉而蹴，因此不容他們馬上提出自治的主張。

香港什麼時候可以自治，最終的目的是不是自治，是一個不可預見的問題，但目前的環境不適宜於自治，香港居民安於現狀和平，不主張立即行自治，則是沒有疑問的。

中共吞噬私人行業　小販竟亦難逃厄運

中共自今年十一月至十二月十二日為止，在上海、天津、北平、武漢、廣州、重慶等六大城市和蘇浙皖三省，併吞了三十多個行業，將近二千個私人資本的工廠；私營的零售商業也有十多個行業，將近三千個單位。據南京「新華日報」消息透露，在上海方面被迫由中共改組為公私合營的，有棉紡、毛紡、麻紡、捲菸、造紙、搪瓷、麵粉、碾米等八個行業。另外有造漆、染料兩業係由十二月初迫上「公私合營」末路。全市絨綫、棉布、橡膠製品、呢絨、百貨、熱水瓶等六個行業的私營零售商，自十一月中旬接到共黨通知，對本身業務全面結束，聽由共黨派員向逐戶進行清算和「合營」的準備工作。

天津全市廠商，雖然經常接受共黨訂貨、加工，製成品產量儘管增加，因為共幹百般挑剔，收入非但不敷支出，反而造成大量虧蝕，碩果僅存的橡膠、針織、毛麻絲紡織、車具、染料、捲菸、植物油、麵粉等這八個行業，和糕點、新藥、棉布三個零售商，他們被迫停頓至少已有半年多，這期間，也曾竭力掙扎於繼續加工和疏通報欵，兩者都沒有成功。到了今年十月初，他們纔絡繹向偽工商局自動申請改組為「公私合營」。因為不是這樣，其結果非但將生財吃光，更不易償付「稅款」。因此，他們為了苟延殘喘，就迫得於十二月初前後，接到共黨通知，進行合項「合營」手續。

其他各個城市，除了棉紡、火柴、造紙、搪瓷、鐘錶業一些殘存的私商被迫合改組之外，小商小販亦難倖免。如北平百貨、棉布等十多個行業的一千四百多個攤商，被併成了一百多個聯合供銷組。上海市的江甯區許多零售私商括有捲烟，雜貨等組成了所謂「合作商店」。西安市的飲食店，也同樣的因為稅重無市，吃「白食」的又多，因此，他們在共黨的安排下，併成了一個「合作食堂」。重慶，武漢兩市的菜販自十二月一日起不准自由販賣，被分別編成了「合作」或「經營」小組。為了進一步掠奪人民經營商業權利，據「新華日報」的消息中透，中共現已開始計劃在北平、上海、天津等地一如過去實施壟斷藥材一樣，設置各個專業公司。這些「專業公司」的目標，係將經已改為「公私合營」的各業的業務逐步侵奪，直到無業可營結束為止。這一個計劃是三年，在這三年之中，據稱可將「合營」及「聯營」的商業完全消滅。為了實現這一陰謀詭計，各地正推行一項「資本主義工商業的社會主義改造」宣傳。由中共各級黨的機構策劃進行。根據中共上海市委會報告，他們在過去一個月間所策動的這一宣傳，曾經組織了共幹、工人、手工業者、店員、資本家、學生和婦女有四萬多人。其他廣東、武漢、西安、浙江各地也在普遍推行。廣州現有一萬四千多個「資本家」，據稱正被強迫接受「改造教育」。（禮）

外交人事制度的痼疾

（上接第二版）

外館內的人事問題

駐外各館，大的有十餘人，小的只二三人。照理都應該能和衷共處，互相合作。但事實上卻適得其反。可以說是沒有一館沒有人事糾紛。「館長」與館員之間，館員與館員之間，相傾軋，互相排擠，鈎心鬥角，洋洋大觀。再加上太太與太太之間的嫉忌，各走路綫，各顯神通。背後纔言之不足，繼以當面口角，口角不足，繼以動手。駐外各館中大演「鐵公鷄」的，已司空見慣，不算新聞。這些醜聞傳到外交部裏，照例是置之不問；傳到當地華僑耳朵裏，不過引起一陣對政府的反感，但如一傳到駐在國外人或其他國家的外交人員耳朵裏，他們對於堂堂中國政府的印象如何，也就可想而知。有一次，駐某地一館內的「館長」和館員打架，「館長」被打得臉腫目青。次日去找醫生上藥，只推說是由樓梯上跌下來受傷所致。外國醫生也非傻瓜，豈有看不出跌傷打傷的道理？笑話傳出，一時在駐在國的外交部與外交團裏均作為談助。

居留海外的華僑，以廣東福建兩省的同胞最多，這些華僑，十九不諳國語，而我國的駐外人員偏偏又多不懂粵閩方言的。於是僑胞非萬不得已，不去找使領館；即使有事接洽，也得另請「翻譯」。開會宴客時，便互以外國語交談。以一位中國外交人員與中國僑民談話要用外國話，這已夠丟臉。還有許多外交人員根本不懂外國語言，遇到外國人或說方言的僑胞，同樣成為啞吧，還說什麼為僑胞服務？

再談「錢」的問題

有一次一位老華僑向我說：『政府財政困難，我們都十分諒解。每次我們有何建議，政府總說了一大套「外滙拮据」的大道理。但是政府在各地所派不稱職的外交人員，真是坐耗公帑，月以萬計。何以又毫不吝惜？』他又加以計算道：『政府派一人員駐外，每月薪水，平均至少三百美金。如果讓這位仁兄在外三年，便是一萬美金。再加上治裝費，本人，甚至妻子兒女的來回路費，少說些，也要平均在一萬五千美金左右。如果有十位這種不稱職的人員，便白耗了十五萬美金。如有二十位，便是白耗了三十萬美金。政府天天叫窮，何以在這些上面，又如此慷慨？』

其實，「錢」的積弊有二：（一）用錢不當。該用的不用，不該用的亂用；（二）稽核制度不良，與執行不嚴。

外交部的會計制度，名為實報實銷，其實仍是最腐敗的包辦制度。例如某館的經費規定為每月一千美元。如果那位「館長」用掉九百九十元，他必須把那剩餘的十元補還。如果他用了一千〇十元，那多用的十元，他要自己掏腰包。這一千元的經費，他只要能拿得出收條，便可報銷。至於事實上，他到底化了多少，及因何而化錢，照例是無人顧問的。因此「做報銷」，仍是今日外交人員（尤其是「館長」）所必須具備的「技術」。

據聞某地一館的經費，每月約有一千五百美元。那個館裏的人員很少，事務更簡。「館長」為「節約」起見，向一外人分租了三間小房，作為館址，每月租金只十美元。但他有本領把這每月一千五百美元的經費，統統報光。外交部只憑收條核銷，當然懶得多問。如此數年，華僑們實在看不過去，羣相指責，但是這位仁兄「好官我自為之」，依然如故。幾年下來，已很有做海外寓公的資格了。

又有一館，「館長」把公費盡量節省下來，在外面私放拆息，不料竟放到一位華僑手裏，內幕方始傳出。

會計稽核亟待整頓

因為會計稽核制度的不良，各館經費用途，漫無查考。因此，凡是僅把公費節省下來，自入私囊，而還不曾在外敲索貪污的「館長」，已算是上上的好官。至於是否眞為國家，為僑民辦事，那是天知道。

各館公費的勤用權，向屬「館長」的特權。館員中雖往往有一人負國庫的名義，查核公費，但一向是有名無實。館員眼看「館長」獨佔公費，自飽私囊，難免沒有眼紅而想分一杯羹的。利之所在，糾紛遂起。此亦為各館人事不和的一大原因。目前我國駐外各館的公費雖遠較其他各國為少，但如果眞正能把錢用在一個「公」字上，也絕無不夠之理。因為「館長」已把公費併入「私囊」，慾壑無底，則公費遂亦無足夠之一日，即使把目前各館公費增加十倍，這些「館長」仍然叫窮，所以如果制度不改善，則所謂增加經費也者，亦僅是使各館「館長」多飽幾個私囊而已。

私生活亦須檢點

此外若干外交人員私生活的不檢（置小公館，養私生子），言論乖張，行動失態，非法經商，因而「失風」丟臉的事，眞是筆難盡述。為外人所譏議，華僑所痛心。故就一般情形而說，目前我國駐外各館不貽笑外人，丟國家顏面的，已算難得，至於關門吃飯，和僑胞不相往來的，更比比皆是。外放目的，既在「調劑」，自然不希望僑胞來多事，大家樂得清閒。馬五先生文中那位博士所見的現象，大約已可列入上上了。

前些時，台灣監察院曾有派監察委員出國觀察駐外各機構之議，後來聽說以經費無着而作罷。如果監察大員眞能一秉大公，切實察看，則這幾種外交痼疾可能少邊治摒。說到經費無着，則不免又要回到前面所說的一段老話。當可少外放一位冗員，政府對於派監察委員出去視察這一筆錢卻不可少！

以上所說僅是我們耳聞目見的百份之一的極小部份。主持外交行政的大員並非對此一無所悉，只是狃於積弊，制於環境，對於這些沉痼的主因（也可以說是「好處」），誰也不肯大刀闊斧的有所改革。一方面固可說是無此壯士斷臂的勇氣與決心，另一方面，在下意識中，也惟恐作繭自縛，因為有朝一日，也許自己會外放，享受這些好處，又何必多此一舉？於是上下因循，粉飾太平，而中國的外交痼疾乃遂永無痊癒的一日。中華民國在國際上的威望與信譽固受盡損害，而政府在國內勵精圖治所獲得一些可貴的海外華僑的愛國心情，也竟因這走馬燈式輪流調劑的外交人事制度，而大打折扣。（四十四年十二月十日太平洋舟中）

周恩來與猪

周恩來是中共的「總理」，但年來由於大陸上發生了猪荒，這位「總理」也着慌了。

中共的御用報紙宣傳大陸各種生產數字增高，人民「夠吃飽了」，但是這些報紙的話顯然與他們的「總理」的話有出入。

根據周恩來與猪的密切關係來看，他的話比那些說謊家的報紙要可靠些。

他說：「一九五五年的生猪增產任務沒有完成，特別是上半年的生猪頭數比一九五四年同期減少很多」（見十二月二十二日天津「大公報」載周恩來的指示）。

生猪減產的主要原因是，因為「在統購糧食中對猪的飼料注意不夠，留量過少」。即就是說統購糧食時飼料也統購去了。農民既飢不得食，還有誰來養猪！

但今年情況如何呢？

周恩來說：「許多地方猪仔價格上漲」了。猪仔少了價格當然上漲，猪仔價貴，農民就更養不起。所以他要以「國務院」的名義來發表「關於增產生猪的指示」。

（裕）

自由談

尚可忍乎？

馬五先生

美國政府最近一再公佈關於雅爾達會議的秘密文件，內有若干涉及當年中華民國政府外交政策的地方，在一般中國人看來，實不免有些憾惑之處。譬如：讓外蒙古淪爲蘇俄殖民地一事，其中經過情形必不簡單，而且決非我政府當局所願意者。然這次我在聯合國對外蒙古入會問題行使否決權時，指摘攻訐我國最力的，又是美國人，紐約時報且指稱我國曾經承認外蒙獨立，沒有反對的理由了！究竟當年羅斯福是怎樣慷他人之慨，擅自代我作主，把外蒙古出賣的？事後他又藉何種理由和條件，強迫我們默認這種非法交易的？蘇俄既不履行「中蘇友好條約」的義務，且已另與中共簽訂所謂「中蘇友好同盟條約」了，我們根據這些事實和法理，否認外蒙有獨立資格，美國人爲甚末還要指摘我們的不是呢？人爲刀俎，我爲魚肉，任他爲鬼爲蜮，出主入奴，使我含垢忍辱，無理可喻，這決非稍有自尊心的民族所堪忍隱之事。我們似應將此一椿公案的有關文件，予以公佈，不特使本國人民知道政府當年委曲肆應的苦衷，也讓全世界的人士明瞭事實真象，看看我們否決外蒙古混入聯合國這回事，應不應該？

當一九四八——四九年我政府在大陸勦共戰役最緊急之際，美國當局不但停止對華援助，連我們自己出資採購的軍用品亦不許輸出，同時又發表所謂「對華外交白皮書」，把我政府描述爲有百非而無一是。現在對於否決外蒙古入會問題，同樣地亦指我政府有百非而無一是。中華民族的傳統文化精神，固然是尊重信義，講究禮讓的，但不能糟蹋民族的人格。所以，對於雅爾達會議中關係我國問題的歷史文獻，我們亦有公佈之必要哩！

衣錦還鄉

大冰

拿了許多東西跑到屋外。堂弟正在門前料理耕牛，一共六頭大牛。看見我手裏的東西，堂弟笑逐顏開；趕快跑來，把東西接了過去。

『你養了這許多牛？』我問。

『六頭牛，四頭猪，四十多隻雞，』他答道。

『你現在很好啦？』我問。

『謝謝毛主席，還有飯吃。猪，牛，雞都是替人民養的。』他說。

『替誰養的？』我問他。

『是替國家養的，』他向我解釋。

『養大了，你有份嗎？』

『沒有。』

『雞生的蛋不歸你嗎？』

『不！歸國家，』他說：『我拿了合作社的工錢。我們不能再要人民的東西。』

『合作社給你多少工錢？』

『每人每天一斤米，』

堂弟告訴我，從前他也分到了一點田。但稅太重了，收成不夠交稅。現在鄉裏組織了合作社，是集體農場的第一步。他把田地都交給社。家裏五個人，連同十二歲的兒子全數替社工作。每天得到工錢五斤米。菜呢？社裏分給他們兩塊菜地，可以種青菜。油呢？合作社有配給，可是沒有錢買，已經好幾個月沒有吃油了。柴呢？兒子輪流在天還沒有發亮的時候，跑到山上砍柴。

弟婦和三個姪兒都回來了。他們穿着十分破舊的衣裳。第二個姪兒的褲子右腳比較左腳長了一尺有多。原來他們自從「解放」後沒有做過新衣裳。合作社雖然有布配給，他們却沒有錢買。全鄉只有鄉長和同志有力量配布。

不一會早膳弄好了。除了一盤鮮肉，一盤臘肉，還有一盤蒸禾虫乾，和一盤青菜。

指着禾虫乾，堂弟道：『解放前，我們鄉裏的魚蝦是吃不盡的。解放後，人民竭澤而魚；水塘和溪澗都乾枯了。幸得中山縣得天獨厚，稻田產禾虫。他們弟兄三個半夜裏到田上捕捉。捕獲的成績很不錯。』

第二次食肉

指着肉，第二個姪兒道：『今年我們第二次吃豬肉。第一次是十個月前，是正月初二，那一天鄉長的大兒子結婚。我們的合作社送了兩頭大豬給他做禮物。別的合作社送的禮物也不少。結婚那一天，放了一天假，全鄉的人都到齊了，一共開了一百多席酒。席上有四大碗肉，那一頓我足足吃了七碗飯。哥哥吃了八碗，小弟也吃上六碗。』

『解放後最顯明的進步是每一個人的飯量都增大了，』大姪兒說：『隔壁四叔的小兒子只有四歲，每頓要吃四碗飯。吃過了，還嚷着要吃別的東西。』

『一天只有幾根沒有油的青菜下飯，吃什麼？』堂弟說。

因爲招待我，那一頓飯燒得特別多、三位姪兒各吃了六碗。

飯吃過了，來了許多面有菜色的同族兄弟。他們都說我是衣錦榮歸。身邊還有幾十塊錢，只好帶他們到合作社，替他們每人配了一斤油。

第二天又帶堂弟到合作社替他們家裏配了好幾丈布，剛好每人一套新衣的料子。

今天天氣好暖

第三天一部卡車開到堂弟家裏，把四隻大牛裝了走。裝到那裏去呢？只有天曉得！

第四天我把箱裏一套底衫褲送給堂弟。他着實感激我。

吃過中飯，他問我什麼時候衣錦還鄉。我說，香港還有一點手續沒有料理清楚。他點頭示意，沒有再問歸期。

第五天早上，限期[illegible]了，錢也用完了。拿了空皮箱正準備走。堂弟一邊對我說：『今天天氣好暖，』我靈機一動，我把穿在西裝裏頭的一件羊毛衫脫了，交給他。他雖然說不好要我身上穿着的東西，却伸手把羊毛衫接了過去、堂弟一直送我到車站。

十二人都到齊了。正要上公路車，兩位同志趕了來，對我們指示道：『故鄉的建設太好了，中山縣可以稱做地上的天堂。那都是毛主席和共產黨的功勞。你們回到香港得替祖國和黨多多宣傳。如果有人敢毀謗祖國，便是國民黨的特務，我們有辦法對付他們。』

指示完畢，我們才跑上車。

到了澳門，我問同伴們什麼時候「衣錦還鄉」，他們垂頭喪氣，一言不發。

過了一刻鐘，老黃別有會心，高聲叫道：『故鄉的建設太好了。到了香港我們得替祖國多多宣傳。』

『可不是嗎？』我答道：『光是我的堂弟便送了六頭大牛，四頭大豬，還有四十多隻雞。』

『那都是毛主席和共產黨的功勞！』另一位說。（下）

輸外不輸裏

芝加哥婦人請求和丈夫離婚，理由是丈夫欺負她。

怎樣欺負她呢？她對法官申訴道：『我的丈夫是一個富翁，最喜歡打牌。和朋友打牌，他是不限注的；和我玩牌他却規定三分錢一注。那分明是不平等待遇。他欺負我，不肯讓我贏他的錢。』（李）

天下之大

聖誕精神

聖誕節前一段時期，美國田納西州諾克斯市的刑事法庭法官畢布便拒絕審案，這倒不是爲了他自己想度假休息，他說：「在聖誕假期中，陪審官充滿聖誕精神，對被告都會特別寬容。」

知識份子

加拿大蒙特利爾的麥克諾頓犯案五十九次，最後終於落案，警察在關於他的罪案報告中說：「他是一個傑出的知識份子，但情感太豐富，常愛用剃刀割[illegible]邊[illegible]尋求發財的[illegible]」

少女訴苦

義大利米蘭市十九歲少女佐拉被控參加數宗汽車竊案，她在開庭時對法官哭訴道：「我丈夫晚上去偷車子，我跟着去，不過是爲了防他騙我，藉偷車爲名去找別的女人。」（明）

秀才・舉人・進士

賈景德

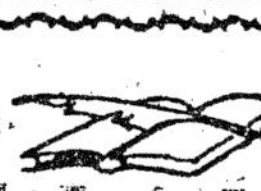

在中進士後，還有兩個特點，一是要到國子監衙門，拜見祭酒，這時候，祭酒在桌子上面加設的座椅上正襟危坐，受全體進士的跪拜，但是祭酒的頭及其兩膀，均不許亂動，頭動則禍及狀元，兩膀動則禍及榜眼探花，事近涉於迷信，然而卻是屢驗不爽的。二是要在國子監（即孔子廟）勒石題名，自明朝以至清末，無一科缺少，凡祖孫父子中過進士的，都要在本名下，刊刻某人之孫某人之子等字樣以示優異，這兩件事是不可以不補敘的。

更有一個定制是，每科總裁主考在復命時，要將所取中的頂好文章每題各選一篇，進呈皇帝閱看，其餘的卷子，一齊送由禮部奏請派員「磨勘」，查出毛病，輕則罰俸一科乃至三科，重則革去舉人進士，也可見當時考試制度之嚴了。

總之，中國的科舉制度，其糊名易書的辦法，第一爲拔取眞才，其次就是選練專才與通才。自引見授職以後，更要緊的是儲訓大才。可以分三段來說明。

所謂選練專才與通才。每科會試自引見授職，考列前茅的，欽點爲翰林院庶吉士，入庶常館教習，散館後，留充「編修」「檢討」，其次爲主事，按照當時各部門分部學習，如入刑部的則須埋頭熟讀律例刑案，因爲清季的各部，只有刑部是司官主稿，書辦（就是書吏）不能干預，其上司均以人命爲重的緣故。滿漢堂官六位，尚書二人，左右侍郎各二人，其中必須推出一位嫻熟法律例案的堂官主持部務，餘則隨同畫諾而已。記得清季在刑部主持最久的，爲陝西薛尚書允升，次爲浙人沈尚書家本。當陝人趙尚書舒翹授職主事籤分刑部後，謁見薛尚書，薛以鄉誼看資格，告以你的年歲很輕，以後不必上衙門，好好在寓所熟讀法律，精研例案，十年後，再到部中辦事，還不算遲。這位老先生內爲趙係同鄉後進之秀，要爲將來主政的堂官準備人才，故爾諄諄訓示。果然在十五年後，將趙外放知府，連升道員臬司藩撫，到庚子年即以刑部侍郎內用了。這不過舉其一例。此外各部以吏禮兩部用人最爲矜慎，從不准捐納班的司官進入部內，亦可見遴用專才之一項。

其次爲內閣中書，遜清在未設軍機以前，內閣中書是掌[illegible]擬詔令的要職，其體制是掛朝珠，與翰林院編檢相仿。其人選必須通曉政治，擅長公牘，但是到了後來，則祇批題本（例行公事）撰擬誥命（如現在之褒揚令）而已。

再其次是分省即用知縣。這種官因爲是親民之官，職位雖卑，其責任却非常重大，授職後，經吏部籤分到省，第一步須入發審局，充當局員。外省發審局分司府縣三種，司是按察使衙門，略如今之高等法院，府是首府衙門，向例小府州縣解送刑事人犯到司，均發交首府發審局覆審。縣是首縣，因爲首縣事務太繁，例設發審局代縣官審訊民刑訴訟案件。做州縣官的必須在這些局子內經過一番，然後到任審判案件，才有辦法（當時州縣官均兼理司法）。（十七）

更正：本文五〇〇期內第一段第十行「不足」誤植「不定」；五〇一期第一段第十九行「二十八」之「八」字應爲「人」字；第三段第七行「舉行」誤爲「家人」；第八行「覆試」誤爲「複試」，合應更正如上。

古巴華僑生活

文鑑

由於這次古巴同情我國反對外蒙古的混入聯合國，不禁使我們對於這個具有正義的友邦肅然起敬！

本來古巴是一個小國，位於中美的加勒比海，與蘇俄可說毫無關係，距離她的國境也還很遠。可是古巴對於共產主義的威脅却看得很清楚。所以反共立場的鮮明堅定，也勝過許多以反共自許的大國。古巴全國的面積只有四萬四千二百方哩，人口共計五百八十萬，但華僑人數甚多。同時那裏的華僑也跟其他各國的華僑社會一樣。雖然他們是自由地散處各地，却有一個集中的區域，夏灣拿的「省下」，便是古巴華僑的萃集之所。

由於華僑的祖國習染深，故無論到任何一個陌生的地方都是擺不開那古老的風俗，一向在華僑社會裏面混來混去的固不必說，就是那些經常與洋鬼子來往甚或跟當地的女人結了婚的，也還是一樣。也許，這就是我們中華民族的優秀傳統。

「以訛傳訛」，這是我們祖國裏一句古老的口頭禪，在古巴的華僑社會裏，道路傳聞，不脛而走，一犬吠日，百犬吠聲，如果在華僑中發生一件很平常的事，或者說了句不相干的話，祇要是有些誤會，或是倒亂了步驟，以及語氣的深淺，那麼，這些很平常不相干的話，很快地會流行起來，遍傳整個社會了。比如一個女人——不論她是來自祖國，或者是土生——跟一個不是親屬的男人逛了一次街，或同去看了一次電影，在有華僑的地方走過，這些極平凡的事實，經過一般好事者流加枝添葉之後，便立刻會成爲很流行的風流佳話，而且膾炙人口了。又假如有一個人跟另一個人，或者是一個團體跟另一個團體對一件事情的見解和處理的觀點不同，那，他的影響就更不可收拾了！夏灣拿的華僑社會範圍雖小，而流言至多，令你無法相信：誰要跳舞？誰喜歡與女人交遊？誰高興做「雞」？（華僑隱語之一，指呆頭呆腦任人吃的意思。）誰最孤寒？誰最踢索？誰最多咀？誰的「鬼婆」最會與？或整得最多的新帽子，但它可以隨時敲你的耳鼓，這些話你不樂意聽，變常常掛在人們的咀邊，是非的這些流言，甚至拿作探望朋友的禮物。（上）

「清季兩才人」補遺

劍朋

讀自由人四〇八九等期有「清季兩才人」一文，記樊樊山易實甫兩先生事，不揣簡陋，擬以舊聞補所未及，因此兩公均與余家有舊故也。惟余生也晚，關于易公少年事，乃髫齡隨侍日聞諸先資政者，童子無知，僅記其概略，當時亦未能請問其詳，恐仍有舛誤之處耳。

易實甫先生十餘歲時，侍其封翁在北京，偶思約集朋輩於陶然亭作修禊之會，乃以駢文小啓相邀，中有句云「天將啼鳥留春，人與斷雲爭路」，一時傳誦都下，而先生詩文之名亦自此日盛。其自號哭庵亦幼年時事，蓋在家塾時，即題此二字爲齋額，塾師見之訝曰，胡作此不祥語意何在耶？先生對曰：爲天下蒼生一哭耳，師大異之告其封翁曰公子非常人也。至先生在廣西右江道任被劾一事，係岑雲階（春煊）督兩粵時，岑夙知先生名，對之頗優禮，時廣西多股匪，先生喜談兵事，于剿匪方策尤多擘畫，故岑督深爲倚畀，又其時有新分發到桂之陝籍縣令二人，皆新舉人試錄職者，一爲南岳峻（石紱），一爲曾憲勛（欽堯），均少年科第、意氣飛揚，亦喜談軍事，謂癬疥之盜，咄嗟可平，因之深爲實甫先生器重，屢于岑督處力薦其有猷有爲，旋由岑督撥巡防兵數營負剿匪責，以先生兼統領，並派南曾兩君爲管帶，依其計劃進剿，不意以地形不熟，爲匪所乘，幾至全軍覆沒，經御史奏參，乃由岑督奏請將先生及南曾兩君一併革職，不數年，清祚已終。南曾兩君以受此劇烈刺激致神經失常，入民國後，始治癒，南君任陝西警察廳長安徽行政督察專員，曾君處宰大縣，而先生則久居北平，放懷詩酒，一時名士皆與之遊，與樊山先生尤多唱和，惜筆者方從事軍旅，僅于友筵中兩晤先生，無多親炙也。

樊山先生封翁名變，官至總兵，爲先文毅門下士，故先生題識吾家卷軸，皆自署小門生，由庶吉士散館選授陝西宜川縣，旋調任咸甯（首縣）先生壯年性恢達，喜詼諧，官咸甯時，長安令楊某有姿與某客偕奔之事，先生時新留鬚，一日謁撫軍，甫入官廳，楊某先在，望見先生至，遽調之曰樊須（鬚）也，先生隨口答曰，楊雄乎，時先公亦在座，事後先公責其所答近刻，先生曰彼謂我樊須也是詈我爲小人哉，吾故以報之。其敏捷如此。

自由人

THE FREEMAN

（第五〇六期）

中華民國僑務委員會
頒發登記證台救新字第一零二號
中華郵政台字第五〇〇號
執照登記爲第一類新聞紙類
（半週刊每星期三　六出版）
每份港幣壹毫
台北市零售價台幣壹元
督印人：陳文華
地址：香港高士威道二十號四樓
3 rd. fl. 20 CAUSEWAY RD
HONG KONG
香港發行及事務接洽
高士打道66號　電話：七四〇五三
承印者：東南印務出版社
地址：高士打道六十四號
海外總經銷
友聯書報發行公司
香港：德輔道中二十六號A二樓
台灣特派員辦事處
台北市館前街五十號
台灣總經銷處
台北市西寧南路叁叁號二樓
台郵撥儲金戶九二五二

中共眞會攻台嗎？

我始終斷定不是這末一回事

左舜生

邇日中共砲擊金馬，自由中國亦予以猛烈還擊；而中共集軍兵於閩浙海岸，蘇聯艦艇北迴海參崴，南達榆林港，也隨時出沒，顯有增加；於是中共於最近期內攻取台灣之說，又甚囂塵上。

台灣不是落地桃子

實際則問題並不如此簡單。兩年以來，我們在本刊屢有說明：中共不能攻台，不敢攻台，她爲自身打算根本無攻台必要，冒昧以求一逞，也於她有百害而無一利。現在其所以調動頻繁，『像煞有介事』，其目的在守而不在攻，而對美則不失爲一種神經戰，至於表示一種攻台的姿態使世人的目光集中於台灣海峽，蘇聯是不是準備藉使中共在其他方面展開另一種武力或非武力的活動，則尚難預測。現在我們綜合兩年來一些原有的看法，再加上一些新的觀點，再來一次簡單明了的敘述：

一、一九四五年以前，台灣這個島，原在日本的統治之下，其時間經過了五十年，假定不因日本軍閥的愚昧，發動一次對中國的空前侵略戰爭，而與英美爲敵，則台灣至今可能依然在日本人的手裏。更假定日本軍閥的侵略，僅限於中國大陸，而不同時開罪於美國，則即令日本在中國大陸的武力爲中國所驅逐，日本在太平洋上的所有島嶼，也至今還可能保存，而不僅一台灣而已。敘述這樣一個簡單的事實，在說明台灣其所以歸還了中國，其關鍵大半在美國，而不完全在中國自身，換言之，即令中國在大陸可以完全把日本的陸軍拖垮，如果不由美國把日本在太平洋的海空力量全部消滅，則中國即令在大陸戰勝，也不見得更有餘力可以去收復台灣，日本不因美國的壓力，陷於亡國的邊緣，也斷無把她經營了五十年的一個台灣，服服貼貼，雙手奉還於中華民國之理。中共今天其所以佔領了大陸，乃是憑藉蘇聯的力量從國民政府的手裏搶來的一個落地桃子，同時也因美國在一個時候，確曾把中華民國『一筆勾消』，而不肯繼續予以援助，然後才造成中共今天的這一幸運。如今天美國的第七艦隊，其所以協防台灣，同時以軍援培育了自由中國一個龐大的武力，乃是執行她在上次大戰中從日本軍閥手中奪取台灣交還中華民國的一個一貫的仗義行爲，當然同時也是爲了她自身的迫切利害，但斷不能栽誣說她是什麼『侵略』。毛周之流，在本質上本來是十分愚蠢，但還懂得一個明白的道理，這樣一個簡單的事實，他們豈不懂得？其所以要高呼『收復台灣』，高呼『統一』，乃是別有目的，別有苦衷，論到他們的本心，壓根兒便不致向台灣問『鼎之輕重！』

攻台即三次大戰開始

二、中共攻台，美國斷然還手；蘇聯不能讓中共丟臉，當然也不能坐視，同時也斷不肯讓自由中國藉着一個中共攻台的口實去實行反攻大陸。如此，則攻台的形勢一經展開，便算是美蘇戰爭的開始，亦即第三次世界大戰的開始。像這麼一件大事，豈是今日在名義上統治着中國大陸的『兒皇帝』所能自主？其必然要向莫斯科去請示，乃是理所當然。以蘇聯目前在世界各方面的種種動向，她還是抱着一個『不戰屈人』的理想，她對自由世界力量的估計，並不如自由世界自身所估計的那樣低，因此她還是要繼續她挑撥，分化，滲透的這樣一種工作，不到她有六七成的切實把握，決不會有爲了一個台灣問題而輕於發動世界大戰之理。這個道理中共也還是懂得，因此截至今天爲止，她也還不會以攻台這一問題正面向莫斯科提出請求考慮，她知道一經提出，其一定要碰釘子乃是絕對無可避免的。既然如此，中共爲什麼又要以大兵南移，（實際所移的也並不太多。）造成如目前的這一緊張形勢，好像攻台的行動便會在明天開始呢？從實際說來，還是因爲她們別有目的，別有苦衷，儘管攻台決不會成爲事實，但是兵還是要調，嘴裏喊還是要喊，而且越做得像，其妙用也是越來得大的。

毛周政權以自由中國的存在而存在

三、我們必須懂得：毛周政權其所以延續了這幾年，內部儘管小有波動，畢竟也還沒有發生根本動搖，一個最主要的原因，便是因爲還有一個自由中國儼然存在！而美國截至今天爲止，也還看不出終有一天要把自由中國再來一次『一筆勾消』的跡象，因此蘇聯儘管早已着手準備爲未來統治中國大陸另一批人物，但在目前却還不能不利用毛周以敷衍一時。因爲不如此則不能拖，不能拖則不能在一種和平的面具下面去從事她的挑撥，分化，滲透等這一套『不戰屈人』的工作。由此類推，今天大陸上其所以還有所謂『統一戰綫』的存在，其所以對一班口是心非的拉攏份子還沒有實行開刀，其理由也就在此。換言之，共產集團拿着整個的中國大陸爲時太短，不僅成爲一個共產衛星的資格還沒有成熟，甚至反共的暗流也還甚大，不把毛周政權根本撲滅，不對中國大陸一切可能反共的嫌疑份子再來一次天翻地覆的徹底清算，說蘇聯便打算一個中國大陸作爲一個發動世界大戰的主要資本，乃是我所不能想像的！

難道蘇聯會選擇台灣海峽作爲發動大戰的地帶

四、此外還有一個更爲重大的理由：即蘇聯的種種條件果然到了可以發動大戰的一天，究竟她選擇在某一地點開始發動，也還是蘇聯所掌握着的一個最高秘密。今天的美國一面疲於防歐，一面疲於防亞，一會兒覺得東南亞可慮，一會兒又覺得對中東也十分担心，蘇聯迄止正運用這種『多方以誤之』的策略以實行消耗美國的時候，如果我們一口斷定中共即將攻台，這無異說蘇聯已經選擇了台灣海峽作爲她一個發動大戰的理想地帶；更無異說蘇聯已經準備她現所具有的海空實力，在太平洋上和美國來一次你死我活的硬拚。我們試稍稍動一動腦筋，蘇聯果然會這樣幼稚嗎？如果說蘇聯的選擇並沒有確定，而我們却一定要說中共即將攻台，老實說，這只是一種可笑的宣傳而已，美國的軍事當局是決不會爲這種浮言所動的。

我們說中共不會攻台，並不是說中共也不會騷擾金馬，在美國協防金馬的態度沒有明朗化以前，中共爲了配合造成緊張局勢，以[illegible]，他們對金馬是隨時可以加以攻擊的，而蘇聯所能給予中共軍事上的自由行動，在目前也僅能以騷擾金馬爲度。

海外通訊

從側面看艾登訪美

●史仁●

（本報倫敦航訊）

在倫敦渡過了今年的聖誕，使人獲得了一個新的印象，那就是英國人的心情愈來愈深沉了。

人們的生活雖然大抵上還安定，但每個英國人心裏總像是缺少些什麼。沒有誰能簡捷地指出英國人到底少了什麼，但顯然的這是受了帝國活力日漸式微的影響。

英國人心裏的煩惱

英國人關心國外的事——尤其是海外屬地利益的發展，向比關心國內的事熱中。但這一年來海外屬領的情況仍是令人沮喪的。路透社在二十五日發出的電訊說，『聖誕節悄悄地過去了，只有英國軍隊還在塞普路斯和馬來亞警戒中，而新加坡多數家庭今天還當值，他們的家屬只能在軍門緊閉的室內慶祝聖誕』。英國人怎能不心酸呢？帝國利益綫上的火燄經久不滅。

對於國內的情況，英國人也不是沒有感慨的。瑪嘉麗公主不嫁唐生，會不會成爲老處女，同是皇室的事，可以暫時不管了。但是已經不斷起價了一年的零售商品，還是在慢慢地漲起來。物價漲了，生活費用增高，使歡樂的聖誕節爲之損色。因此，擁有三百多萬工人屬於造船和機器工人總同盟旗下的三十九個工會，就醞釀在來年向資方提出加薪的要求。而政府也面臨着各方加薪總計達一億五千萬鎊的要求，還沒有對付的善策。

對首相赴美的感慨

改組後的新內閣，更年青了，但也顯得更忙更緊張。倫敦的居民誰都明白，要改善英國的現狀，不在內閣的改組，來年經濟情況能否再進一步好轉，還要看艾登一月杪赴華府商談後的結果怎樣，才能決定。蓋英國人終不能忘情於開放禁運。

英國人在戰後對於首相每次橫渡大西洋，心裏總是酸溜溜地不是滋味。因爲這實在是表示了英國財政經濟和對外關係力量的不斷退化！

英美間雖有血緣之親，但英人對於美國插足中東和對遠東問題的『執拗』，則時時顯露不滿的態度。但英國人也未嘗不知，如果沒有美國的力量支持，則英海外利益能否保有現狀，實成問題。因此，有時也覺得讓美國去做莫斯科和北平的箭垛，對英國也不是完全無利的。

今天擺在艾登面前的疑難或是太多，但如果不能獲得美國援手，實非己力所能解決。要想美國有所協助，則必須先取得彼此在對外問題上的協調和諒解。

在倫敦來說，遠東問題是個暫時解不開的死結。此間觀察家幾一致認定，在華府的會議桌上，二巨頭不會爲遠東局勢主要關鍵的台灣海峽問題多費唇舌的。從倫敦的輿論界的反映來看，顯現出中東的紛擾才是二艾之間共同的難題。

中東帶給艾登困惑

做英國的首相，中東問題就像是他腿上最大最重的一把鑰匙，任何時間都會摸觸到它的。英國人對中東之有過敏症，是因爲它貫串了遠東屬領與本土間的關係；這和美國人之重視西南太平洋如出一轍。因此，儘管英國人可以在遠東對中共實行鴕鳥政策，但對中東之被蘇聯勢力侵蝕卻是不能坐視的。

有人說，艾登此行將在爭取處理中東問題的主動權，並不惜以在遠東問題上對美讓步。這是鑑於英國過份焦慮中東之局的結論。而且還有國家利益觀念夾雜其間。

在中東問題上，英國固要想出足以抑止蘇聯的對策，但更重要的還是在如何先與美國取得協同。駐中東油區外交代表紛紛應召返國，受諮詢的主要內容，恐還在此。其間似乎還孕育着若干矛盾呢。

從華府的美國通訊社的電訊來看，英國甚不滿於沙地阿拉伯的驕橫，並認爲這與美國讓她隨便濫用美元基金在鄰國作政治鼓動和宣傳活動有關。如再讓這些矛盾繼續發展下去，英國認爲勢將影響到巴格達公約的效能了。

艾登也要和平共存

至於艾登對來年世界局勢所取的態度如何呢？這將會在他蒞臨美國會演講時看出來。但是也將不會越出大英聯邦的一貫態度——硬中帶軟的懦怯態度。加拿大外長皮爾遜要美國修改其對外政策，（包括加拿大可能要承認中共的傳說），實已代表了艾登的意見，既「相信共黨並不打算發動全面戰爭」，而又主張維持軍力作提防侵略阻力」，則正是渥太華倫敦間的統一論調。

因此，艾登會晤艾森豪，千言萬語一句可以表達的，即是希望來年仍再屈辱於「和平共存」之下。艾登的苦悶是，不如此，將如何減輕大英帝國的內外病痛呢？（十二月廿九日）

時事評述

•司馬璐•

國共「和談」的傳說

國共「和談」的傳說，徹頭徹尾是荒謬的。然而，這消息被渲染得有聲有色，于是，又有人說，恐怕不會是空穴來風吧。

這一傳說，本質上是中共「政治瓦解台灣的攻勢」一部份。周恩來會說，中共願與台灣「地方政府」商談「和平解放台灣」；現在這一國共「和談」的傳說又由英國工黨的報紙透露，可見，這可能是中共假手國際綏靖主義者所進行的陰謀。

中共的陰謀目的何在？

第一、打擊自由中國在國際上的地位；

第二、動搖華僑對自由中國的信心；

第三、分化與孤立海外的反共力量。

「人民陣綫」

在這次法國大選前夕，「人民陣綫」的口號重新在巴黎的「共和陣綫」大會上出現，杜克洛所率的共產黨徒，他們原以「客人」的身份被法朗斯邀請參加這個大會，結果，這些客人卻不客氣的在大會上咆哮，以「人民陣綫」的口號代替「共和陣綫」的口號。

法國共產黨伸出手來和法朗斯的「共和陣綫」做「朋友」；然後用「人民陣綫」的口號，分化了法朗斯的「共和陣綫」。

如問「人民陣綫」是什麼！這眼前最新的事實，不就是一個最好的說明嗎？

騙不完的人們

「人民陣綫」是個政治上的騙局。

共產黨運用這一騙術早在一九三五年，這一口號最初由季米特洛夫在共產國際七次大會中提出。

「人民陣綫」曾使中國、法國、西班牙都直接受過他的災害。

這一口號又再被提出，而且又首先在法國翻版。

二十年前，法國共產黨騙過了社會黨的勃魯姆；二十年後，法國共產黨又騙過了法朗斯。

人類最普遍的弱點是健忘，所以，世間的騙徒總感到，有騙不完的人們。

法蘭西竟又是這一次的悲劇的主角！

法共勝利？

由此，我們可見，法國共產黨在這次大選中，勝利的因素，除了由于中間黨派的分裂外；共產黨所增加的一部分選票，是由于法共又一次運用了所謂「人民陣綫」。

如前所述，法共的選票是這樣增加的：他們參加了「共和陣綫」的大會，繼而就奪取了「共和陣綫」的選票。

因此，法共的勝利是一批自命爲「中間偏左」的政客所造成的罪惡。路透社形容這次法國大選表現法國「一般人對議會方式的憤怒」。

「圍堵」到「阻嚇」

從艾森豪總統的「國情咨文」中，我們感到，美國對蘇俄的認識已經有了一些進步，艾森豪要美國人民「小心蘇俄的微笑」。

艾森豪咨文的其他要點包括：

一、美國在日內瓦會議中的教訓，已使美國人認識蘇俄無意達成永久和平。

二、蘇俄「和平」宣傳，口是心非，旨在分化離間自由國家。

三、爲了應付蘇俄與中共的威脅，美國須加強「阻嚇力量」？要求國會授權實施長期援外政策。

但是「認識」雖有進步，政策在基本上並未改變，艾森豪繼續採取「圍堵」與「解放」之間的「阻嚇政策」。

立委周慕文對——

學術研究問題的質詢

【本報訊】立法委員周慕文去年十一月廿四日，在立法院教育委員會，對教育部提出「有關當前學術研究問題的幾點詢問」。其內容關係重要，外間知者尚少，茲探錄其要點如下：

關於中央研究院

周委員於說明爲甚麼要向教育部提出此項質詢之後，首先說：『中央研究院是國家最高學術研究機關，現在直屬於總統府。在大陸未曾陷匪以前，共成立十四個研究所，分佈在京滬兩地，遷台以後，因辦公處所無着，只餘「歷史語言」和「數學」兩個研究所，而且因爲經費困難，員額減少，不能正常的進行研究工作。今後反攻復國的成功以及科學，文化，經濟建設，在在不能忽略學術的研究，因而在立法院審查四十四年預算時候，曾由院會通過決議，要求在中央研究院增設「近代史」與「近代物理」兩研究所，並限於本年度完成。』

他又說：『本院所通過之政策性的決議，聞近來行政院置之不理，實屬很大的遺憾，不知教育部長在行政院方面，對於此種現象，能有所主張否？』

不經濟的研究工作

其次周委員提到原附屬於中國石油公司的新竹研究所問題，他指出上年十一月間由經濟部下令改組爲聯合研究所，除大量事業費以外，每年經費四百幾十萬元，員額衆多，規模甚大。他認爲國營事業機構附設實驗室，注重研究工作，以圖改進，係屬可喜的現象。但是關起門來，自己研究，不和外面聯繫，亦不與已有歷史及設備的學術機關，如大學研究所或研究院合作，是頗不經濟的。

因此他說：『此雖爲經濟部主管之業務，但既爲學術研究工作，即不應與教育部完全隔絕，不生聯繫。而且聯合研究所，自從其前身新竹研究所成立以來，歷時已不甚短，但該所之從事研究工作者，並未聞發表一篇有價值之論文或報告，更未聞有任何學者參加工作，未知教育部對於該所的工作成就，所知能較外間傳聞爲多否？而對於已有歷史且已有成績，但苦無適當經費以資發表之中央研究院，其發展計劃迭因財政困難，頻受限制，一方面却放任事業機構耗費巨款於不見成就之聯合研究所，論法衡理，似皆不妥。不知教育部對於此事，曾有所聞否？』

關於原子能的研究，周委員說：『本院前決議由中央研究院設置近代物理研究所，即係作原子能研究，奠立一個根本的基礎。且聞前中央研究院物理研究所，有若干很有成就的研究員，對原子能極有研究，且甚著成績，應聘在美國講學或研究，亦因該院現未有此項研究設備，迄仍滯留美國。行政院對於本院院會所通過之決議，迄仍置之不理，似甚忽視，而却在表面上，一再宣傳提倡，徇情度理，難免近於矛盾，甚至近乎敷衍門面，虛應故事。未知教育部長對於此種情形，作何感想？』

清華基金的動用

最後周委員對近日報載教育部利用清華大學美金數百萬基金，在台設立清華研究院的消息，也有利用清華基金，在台恢復清華大學的傳聞，提出詢問，他於敍述清華大學過去的成績及基金係出美國退還庚子賠款的歷史之後，繼續說：『大陸陷匪以後，清華大學未能遷到台灣，這一筆國家財產，論法論理，都應作爲國家的教育基金，由政府統籌，在台灣辦理教育文化事業，發展台灣大學，師範大學，及其他學院，乃至撥至中央研究院使用。』他又說：『近兩年來教育部曾經把清華基金每年的利息，使用在教育文化事業，可是對整個清華基金五百數十萬美元，却委託還在美國的中華文化基金委員會代管。我們有一批外滙的國家財產存在外國，而台灣文化，教育，學術研究工作，反因限於經費困難，無法積極推動，尤屬難解。現在又有利用清華基金，在台恢復清華研究院的消息，好像清華基金只能夠用在以「清華」爲名稱的教育文化機構，何况清華大學既未遷台何以先有大學研究院之籌設呢？』

最後周委員提出主張說：『本院同人皆深知當前國家教育文化經費之困難，更懍於學術研究工作之重要，不宜停滯不求進步，政府爲何不將此批外滙收歸統籌，撥充教育基金，作爲有計劃的發展文化，教育，學術研究工作？因此有關清華基金的動用，與清華研究院恢復的情形，要請教育部長把原來的計劃，及現在進行的程度，詳細說明！』

非洲新國：蘇丹

種族仇恨形成潛在危險
宣布獨立不足解決動亂

一八八二年英國佔領埃及時，埃及在過去八十年內曾不斷攻伐其南方的三個古老王國柯杜方、達佛，及紐比亞，這三個王國都屬撒哈拉沙漠以南一片稱爲比拉特・亞斯・蘇丹的廣大地區，這阿剌伯文的名稱，意即「黑人之國」。後來英國人曾力謀在這些土王國家重建秩序，但二十年內，當地的宗教領袖馬迪與數萬稱爲台維施的狂熱信徒，一直反抗英人。在一八九八年安杜曼一役中，六萬馬迪的慓悍戰士遭英軍擊潰。一年後，英國與埃及成立條件，共管蘇丹。英埃兩國雖在名義上共管蘇丹，但這個巨大地區（約等於美國三分之一）實際是英帝國中一個鞏固的殖民地。

這時正當英帝國的轉捩點，其疆域愈變愈小。曾參加安杜曼一役的邱吉爾，當時還是一個年青的國會議員，也參加了關於殖民主義的辯論。他們所爭辯的問題是：土著有權獲得一個「自治政府」，抑或一個「良好政府」。

蘇丹的政府可算是「良好」的。數世紀來，北部的阿剌伯奴隸販子不斷襲擊南部的黑人鄉村，將他們的俘虜在東部的奴隸市場出售。英國人取締了奴隸的販賣。台維施族在英國人的教育下，也成了高貴的蘇丹公民。

第二次大戰後，蘇丹的有教育人士決定要求將他們的「良好政府」轉變爲「自治政府」。蘇丹的獨立派預料這一鬥爭一定十分艱苦，曾爭取埃及方面的支持。但他們未免把英國對獨立的反對估計過高。在二年前，未經任何鬥爭，英國人即同意，一待一個獨立的臨時政府能將政府「蘇丹化」，並制訂獨立憲法，英國便退出蘇丹。去年十一月，即邱吉爾所參加的安杜曼戰役之後五十七年，英王家陸軍萊塞斯特夏郡部的樂隊，奏起「主佑女皇」之歌，最後一名英軍撤出了蘇丹。

但蘇丹是不是對獨立已有充份準備？在去年八月屬於回教徒的蘇丹人接管英國所訓練的黑人防軍時，阿剌伯人與黑人之間的仇恨再度引起戰亂。蘇丹南端厄瓜多利亞省的黑人部隊宣告反叛，殺害了他們的軍官，任何阿剌伯人被他們找到，也無不遭殃。一個蘇丹黑人曾說：「他們侈談獨立，但對於我們，獨立却祇是阿剌伯人之下的奴役。」

現已辭職的英總督赫爾姆爵士下令黑人士兵向當局投降。七百叛軍由於對英國人尚有信心，即向蘇丹當局自首，但蘇丹軍仍在北部地區發動「反恐怖」行動，迫得其餘的叛軍紛紛逃遁。有的黑人士兵卸下軍服，回到他們的部落生活。另一些却淪爲匪徒，騷擾鄉村。於是數以千計的部隊土著攜家逃入比屬剛果和烏干達。地方當局將被捕的叛軍交由簡陋的法庭審訊，一百六十八名立遭槍決。

這種動亂，對一九五五年的英埃協定形成一種諷刺。協定中規定蘇丹應舉行普選，以決定獨立的方式，當時的問題似乎祇是蘇丹人要併入埃及，抑或全面獨立。但二年後的局勢已告轉變，英國人既已撤退。過去蘇丹及獨立份子所歡迎的埃及在宣傳與金錢上的支持，却反而變成一種麻煩。去年底，蘇丹總理阿沙利未與英埃諮商即宣佈將於今年元旦正式獨立。雖然蘇丹陷於內部動亂之中，顯然尚缺之自主的準備，但英埃的處境，都已無法反對其獨立。

蘇丹的獨立雖然在盛大儀式中宣佈了，但其背後仍然存在着一個危機，這是證明了獨立即使被自由地提供，仍不是一件可以輕易接受的禮物。（汪奇譯）

文武首長任用
應經立法院同意

楊世梧

自立法委員汪少倫等九十四人，提出了「文職機關首長任期條例」案後，經過立法院一番舌劍唇槍，結果是交付法制委員會審查，再提院會討論，而暫行擱置，但却已引起了輿論界的熱烈討論。

誠如小魯先生在「自由人」第五〇四期所云：「問題的癥結，並不在任期是否應有限制，而在是不是能夠選賢任能？只要賢能之士可以在位，又何必要「限制任期」？可以說是抓着了問題的癢處。

不過筆者認爲關於文武首長的任用，還是美國的辦法最好，但要聲明一句，筆者並不是「崇美主義者」。只是人家有長處，值得我們效法而已。按美國的文武首長，文官在簡任以上，武官在准將以上的任用和晉升，都是由總統提名，經國會討論通過後，方才有效，如國會休會時，總統有權先行派用，俟國會復會後，再行提請追認；如未同意，仍須免職，以杜倖進。一位領袖人物，無論如何精明，高明，英明和開明，總還不免有耳目難週之處，只有「老百姓的眼睛是雪亮的」！立法委員來自民間，代表人民行使政權，耳目較週，也較平允，少數服從多數，可謂公道之至。

在這裏，筆者可以舉出一個實例，即前美軍第八軍軍長巴頓少將在第二次大戰期間，因摑打一個稱爲「神經有點毛病」的士兵，至未獲國會同意晉升爲中將。

再說：已被處極刑的前國防部軍法局中將局長包啓黃，實在是一個只會當污枉法的贓奴，但因其善於鑽營，長於逢迎，有鋼鐵般的背景，所以能在幾年之中，由少校升到中將。最後如果不是强有力者的向蔣總統直接檢舉的話，恐怕包啓黃至今還在軍法局長寶座上作威作福，或者又已晉升到什麼特任大員了。豈不寃哉枉也！

因此，筆者主張汪少倫等所提「文職機關首長任期條例」的案子，很可以修改爲「文武機關首長任用條例」，參照美國的辦法，予以修正，就是文官在簡任以上首長，武官在上校或少將以上首長，必須由總統或行政院長提名，經立法院同意後，方可生效。原則如此，敬請立委諸公採納是幸。

新任經濟部常次王撫洲

高宗魯

經濟部易長後，常務次長已明令由王撫洲教授出任。王氏爲人如何，筆者謹就所知，爲讀者介紹。

王氏號公館，河南正陽人，現年五十五歲。早年留學美國俄亥俄州立大學，專攻「工商管理」一科。現任國民大會代表。其夫人王化民女士，現任立法委員，也爲教育界老前輩。

王氏在大陸時，曾任鹽務總局局長，直接稅署署長。他個子高，鼻架眼鏡。步履甚健，衣着樸實，經常攜一皮包，平宜近人。

他來台後，一直執教於台灣大學及行政專修班。在台大經濟系主講「工商管理」，他研究「工商管理」有年。戰前，有專著「商業組織與管理」，由商務印書館出版。除却實用學科外，王氏感於學生對經濟理論訓練之不足，再開「比較經濟制度」一課。闡明經濟制度爲經濟理論之基礎，論及經濟制度與經濟問題之關係，尤其强調「價格機構」及「經濟計算」之重要。將自由經濟制度，與計劃經濟制度詳加比較。誠然，計劃經濟最大之弱點就是無「價格機構」，無法實行「經濟計算」。

本年暑期，王氏奉派赴日內瓦出席國際勞工會議爲資方顧問。他對德國納粹統制經濟失敗，及現代西德經濟復興至感興趣。出國回來，曾爲中央日報撰寫專論，强調除非採用自由經濟制度外，西德經濟主持者多爲大學經濟學教授，政治與學術緊密合作，也爲西德經濟復興主因之一。他堅信經濟學原理，不是空論，而是可以「經國濟民」之學。

他從歐洲回來甫抵國門，經濟部次長的任命就落在他的肩上。以他的學識和經驗，今後應能有施展抱負的機會。

阿根廷新聞報
復刊仍甚遙遠

當貝隆接收阿根廷最大獨立報紙「新聞報」時，其黨人曾將報社屋頂上的銅像拆下，搗成碎片。這個銅像，是個象徵眞理的女人，一手執火炬，一手執「新聞報」。銅像之被毀，也正象徵着眞理的被毀。

最近阿根廷新政府將新聞報交還流亡美國多年而返國不久的原主巴茨後，這銅像握火炬的一個斷臂被找了回來。十二月底，這斷臂在原來的房屋中舉行隆重揭幕典禮，同時新聞報的印刷廠也正式交還巴茨。他對二千左右以前的新聞報職工及友人說：「我們終於回到了我們的房子。」

不過正像銅像的另一隻手臂仍未找回一樣，新聞報也還未出版。在巴茨結束七年流亡生活後不久，新聞報即告停版，以待政府完成歸還手續後再行復刊。現在巴茨已每天到報社辦公，但許多人事及出版問題仍待解決。他準備第一版改變新聞，不再像以前那樣倣傚倫敦泰晤士報刊登分類廣告，同時字體也將擴大，稿件的撰寫則較爲緊湊。巴茨得需要先有足供三個月的白報紙的儲存，但由於白報紙的缺乏，及貝隆所遺留的官僚障礙，沒有人知道這麼多白報紙何時才能運到。（易）

更正

本報五〇三期第一版張九如先生著「發展台灣經濟的可能性及其作法」一文第二節內「不要存置林野」爲「山胞保留地」之誤。特此更正。

西德日益繁榮
義勞工獲優待
待遇與德工人相同
還有住所及安家費

西德正日益繁榮，雖然大戰結束以來已吸收了來自東方的十二萬逃亡者，目前也每年仍有二萬五千人從鐵幕後逃來，仍然感到人手不足。而在人口過剩的義大利，雖然在戰後已獲經濟復興，但目前失業者竟仍有二百萬人。

最近兩國共同討論這些問題，達成了一個協定。從今年三月起，西德將雇用義大利勞工最多十萬人，他們都是不熟練工人，工作合同的期限是一年。他們的待遇將與德國勞工相同，但對義大利勞工仍將供給住所。義大利勞工如將家眷留在國內，他們的德國雇主還需付給特別安家費。這一點是義大利與法國、比利時所訂協定中所沒有的。（白）

謠言販子興風作浪
和談之說漏洞百出

香港是一個奇異的新聞的發源地，世界上許多不可捉摸與距離事實太遠的「新聞」，往往都發生自香港，最近所傳「國共會談」的消息，則爲顯著的一例。

一則倫敦電訊

我們且先看合衆社二日自倫敦的電訊：「『英國報章本日報導：蔣總統與北平政權間之秘密談判，已於若干週前開始。工黨之「每日導報」作此種報導，認爲中共與自由中國可能言和。該報稱：「倫敦接獲之消息謂：蔣氏與北平之秘密談判已於若干週前開始」。英外交部對此一消息並無所聞。

官方人士對此頗感懷疑，惟靈通外交界人士稱：彼等並不認爲北平無直接與自由中國商談之可能。此等人士稱：中共總理周恩來本人曾暗示，渠準備與台灣方面解決中國問題。據稱：周恩來在去年之萬隆會議中向當時巴基斯坦總理阿里發表此種非正式建議。

由於「雙槍將」馬坤之到達北平，更加强本日之此一報章報導，馬氏前爲中國政府當局密友與僱員。馬氏爲英人，於最近離倫敦赴中共區。馬氏此一奇行引起揣測，馬氏於共黨在中國得勢前，在中國政壇中，相當知名，渠於離英前曾向友人暗示，渠有一套對兩個中國雙方之和平「方案」。馬氏此行極爲神秘，對於渠因何事前往北平，亦無可靠表示。據稱：馬坤曾謂「余可能使兩者獲得較佳諒解」。此間權威觀察家稱：彼等未見有任何足以表示蔣氏願與中共直接談判之跡象。蔣氏之元旦文告中，仍竭力反對共黨政權……』」

像煞有介事

緊接着同一天的本港一間中立性的晚報，把「國共會談」的消息更加渲染得煞有其事似的，這一則沒有說明來源的消息說，「國共會談」的鋪路工作包括初步的接觸、試探，以及「和談」的代表人選和地點等，於美國和中共在日內瓦進行談判時，已經在香港進行了。

這一段消息並沒有提出到任何一個人的姓名和消息的來源，顯然，這一則被稱做消息靈通人士的新聞是脫胎於上述合衆社的倫敦電訊而加以誇張的。美國出版的「新聞週刊」也報道了這一個消息，還說這個消息的來源是來自香港的。

作爲香港的一個新聞記者，對這一類消息的眞確性，無疑是會採取最保留的態度的，由於在香港任何的「有關方面」均無法透露如此足以對整個世界關係有重大影響的頭段新聞，同時，環顧居留香港的任何國籍的人士，誰夠份量負担這一份過重的責任呢，誰委出這一種責任呢。

無可置疑的，香港沒有一個有這樣足夠份量的政治人物。因此，我們分析二日合衆社的倫敦電訊，便會發覺英工黨「每日導報」的消息很可能是根據兩週前同是倫敦傳出所謂「雙槍將」馬坤失縱而加以渲染的。

在兩週前，倫敦的電訊首先傳出這一個曾作國父孫中山先生侍衛的馬坤在經常出現的場合中失縱的消息，隨又估計這一個人已經轉道巴黎赴瑞士與正在該地活動的宋慶齡會晤。

馬坤，這一個早已喪失其新聞性的人物，爲什麼會突然被人提出來呢，英美的新聞記者往往都是一貫地重視個人的動向與及傳統性的敏感，在中國的新聞記者看來，像馬坤之類的去留，早已消失了任何政治上的新聞的價值，但在英國，因爲馬坤曾經一度爲孫中山先生侍衛的關係，就把他的失縱作最大的誇張和渲染，甚至把他作爲是目前唯一能夠向自由中國和中共兩方進言的一個政治人物，但即使憑馬坤的歷史關係，他是不是有這樣重要性呢。

真確性完全推翻

當馬坤在倫敦樓居的時候，他與什麼人保持接觸呢，「國共會談」爲什麼選到這一個「和平使者」呢。

筆者於年前吳鐵城先生訪港時，曾一度遇此被稱爲「雙槍將」之馬坤，此時馬爲吳氏的侍從，但垂垂老去已乏當年之勇，更無論其雙槍的氣概矣。以至於馬坤的事蹟，和他營商失敗離開台灣赴倫敦後的經過，知道的人很多，實不必贅述，像這一個在中國從未發生政治關係，而且一生與政治絕緣的外國人，是不是會在這一種錯綜複雜的國際情勢中，去担任這樣的一個重要角色。

「國共會談」的消息起源於馬坤的離去倫敦，我們既不同意倫敦記者對馬坤的重視，我們更對英工黨的報紙何以作這樣的報導表示懷疑，並然對「國共會談」的眞實性可以馬上推翻。

中國官方的否認

果然，對這一項荒謬的消息，自由中國的官方立即予以申斥，據本月三日路透社台北的電訊即已報道「關於英報所稱自由中國與中共雙方已進行秘密談判數週，且謂此項談判與「雙槍將」馬坤之訪問北平有關，中國政府發言人吳南如本日已斥其「荒謬」。按此項消息，載於昨天的倫敦「每日導報」上。倫敦英方人士上週曾證實馬坤於一度訪問台灣後，已前往北平。吳南如對「路透社」記者說：關於秘密談判的消息，「絕對無稽」。他拒絕發表更多意見。據外交部發言人說：政府曾一再「向世人聲明」，決不同中共坐在同一會議席上，不管是聯合國或其他地方。據熟悉馬坤的中國官員說，他之訪問北平，與自由中國與中共秘密談判有關，這是「極不可能的。」他們說：馬坤久已和中國政府沒有關係。」

雖然，這一則聲明是足夠澄清混淆難分的一切，但可以預見的，歐美以及香港的新聞記者一時還不會放棄對所謂「國共會議」和馬坤個人的濃烈興趣。

英文報的新聞

本月四日，本港有一份中立性的英文日報更把馬坤作了一次最大的誇張，而且更肯定馬坤已經過香港進入北平，甚至說有人目睹馬坤的行藏的，該報說：「民國近代史上一個傳奇人物——孫中山先生英籍侍衛馬坤，頃又作傳奇性之出現。最近此間盛傳馬氏出任國共之斡旋人，雖經國府代言人否認，但此間却言之鑿鑿。

據悉此綽號雙槍將之馬坤，確曾來香港，逗留兩天後，即已赴北平。

馬氏係於十二月十四日由巴黎抵埗，十六日秘密北上。

馬氏此行顯係應孫夫人宋慶齡之邀，宋最近訪問印度，頃已在返國途中。

曾在港相晤之馬氏朋友說：此中國海岸之江湖客，確似負有任務，但守口如瓶。

據熟識中國政治內幕之人士說：外傳馬氏出任國共之和事老，此誠想入非非。彼等承認馬氏過去作過不少次魯仲連，但至謂其銜台灣某要人之命，向中共接洽，純粹幻想。

此魁梧奇偉之雙槍將，現仍滿咀士音，看來仍多少似一個職業拳擊家。據傳其在港曾告朋友謂：彼此行赴平，係得台灣某人之洞悉與默契，但其對與台發生關係之人，却嚴守秘密。彼由巴黎來港，逗留兩天，即乘九廣路車，深入竹幕。

馬氏生於英國，一九〇八年徙居加拿大，在加拿大遠西之中國街，以衣物與地產之掮客，乃與中國革命黨發生關係，其後來德，寅緣得充孫中山先生之侍衛。

馬氏生平好以臂力自詡，其得雙槍之名，傳乃孫中山先生所賜，彼曾以雙槍，擊中拋於空中之兩銀元，事爲遂見知於國父。

馬氏因此淵源，頗與孫科及宋子文有往還，但蔣總統似其對人，不甚重視，故國府在金陵奠立。馬氏不甚得意。

在中日戰事結束後，雖然重回中國，但多與孫科之子姪，混在一起，其後回倫敦，寄居於旅舍，但生活頗優遊。

此中國老「江湖客」之重來中國，風傳已久，但以六十七歲之高齡相信難以有所作爲。』

由上述和前面的兩則新聞作一比較，就可以發見一個最大的漏洞，前訊是倫敦方面人士證實馬坤是一度赴台然後轉北的，但上述香港的報道，則馬坤留港兩日即直接赴平，兩則消息均言之鑿鑿，究竟孰可信，孰不可信呢。

唯一可信的，正爲該英文報的結論，像六十七歲高齡與政治絕無淵源的馬坤，還能有什麼作爲呢。

破壞事件逾萬 共黨防不勝防

儘管中共隨時耽心反共份子活動，也儘管厲行各種殘酷的鎮壓手段，各地反共的破壞行動，非但未見減少，反而日益增多，主要原因殆無過於民生竭蹶，人民普遍積怨而成，據南京「新華日報」統計，一九五五年度各地發生的反共破壞事件，比較規模大的逾萬，小規模更難確計。這些事件發生的地點，差不多每一省份都有，城市鄉村，數見不鮮。不但造成了交通癱瘓，各個大型農場陷於停頓，這種情形不僅反映出「五年計劃」遭遇到致命打擊，若干原有基礎也被破壞殆盡，今年糧食缺乏與斷糧區的斷糧情況更形嚴重，「新華日報」說秋收豐裕報道，都是吹牛的。

現在反映出來的情況，是說明湖南、湖北、江西、安徽、浙江、江蘇諸省，諸多缺糧區域，因爲「合作社」調配運濟糧食失却均衡，卒爲潛伏地下的反共份子所乘，他們鼓勵羣衆搶糧，放火燃燒糧倉，屠殺鄉鎮共幹，他們不但搶糧焚倉，並且還將公路橋樑以及電話綫毀壞。從福建到濟南這一條軍用電話綫曾經在去年十月間一連被割斷十五次之多。蘇北各地的斷糧區域，曾經連續發生搗毀「鄉政府」，結合羣衆向「區政府」訴苦乞糧事件，幾乎喧擾整個蘇北，各地奴工營被人縱火事件，去年一年中發生了二百七十八次之多。除了蘇北，其他各省類似情況，如河南魯西同樣嚴重。

浙東各地山區，反共份子武裝活動更烈，沿海各縣更使共軍惴惴不安，「合作社」業務既無法推進，大小一百多個奴工營已陷入停頓狀態。這種情況，據「新華日報」說，過去非但從未發現，十足反映出山區民衆確是十分艱困與缺乏「領導」。浙西方面的情形，它說更爲嚴重，在蘇浙皖邊境，竟然尚有許多村落沒有「政治領導」。該報相信整個大陸從來就沒有「缺乏政治領導」的「不管地帶」。又說，這種「不管地帶」的存在確是「心腹大患」，但是這種「不管地帶」的形成，自有它的「優越條件」，據稱這種「優越條件」係由「復員軍人」構成的，這種「復員軍人」因爲缺乏照顧，他們便結合起來開闢他們新天地。

很多的地方由於「復員軍人」沒有適當照顧，和缺乏「政治領導」，使他們深入羣衆之中，鼓勵羣衆製造地方騷動事件。以致若干地方性的反共事件發生之後，共幹不敢直接向上舉報，恐怕激怒「復員軍人」。如豫東、皖北、蘇南各地農場，去年不斷發生反共份子毒死耕牛，毀壞農具，焚燒稻穗棉田事件，各個農場疑係「復員軍人」含恨報復，不敢徹底查究。據說在山西平順縣揭發了「川底村農業生產合作社」遭「反革命」份子潛伏內部破壞事件發生之後，使他們提高了「警覺性」，使他們認爲過去的猜疑有些不對，認爲向上面舉報受「反革命」份子在內部破壞，乃是一個很好的「理由」。但是，該報說，「對象却已無從挖掘了。」

（禮）

共報公開承認 山林火災嚴重

北平中共機關報「人民日報」最近披露：「廣東粵中地區火燒山林事件非常驚人，僅在去年冬天和今年春天，就燒燬了山林九七〇〇〇〇多畝，樹木損失數量，超過了近五年來的造林成活總數。」該報復稱：「如從九月算起，單在增城等十八個縣內，就發生大小火災一百八十三宗。受災面積二萬六百八十畝。燒燬松樹三十七萬一千八百八十株，杉樹十六萬零六百三十四株，竹子十二萬七千三百株，其他樹木十萬六千三百三十四株。在這些寶貴財產變成灰燼的同時，還燒死農民五人，燒傷農民二十一人。」上述統計，還沒有包括「高要縣爛柯山十一月上旬燒了五六夜的一場大火的損失，博羅縣茫家田地方，在十一月八日晚間燒了橫寬五里，長達十多里的損失」在內。

該報並指出：造成這災害「幾乎全是人爲的」而且還有些鄉村共幹，「積極青年份子」帶頭參加。十二月中旬中共中區黨委和粵中行署發出的「聯合指示」更揭發了「各級機關人員，革命幹部，見火不救」的事實：雲浮縣思約鄉，有一個復員軍人叫鍾榮森，他帶着他的老婆上山燒肥，點着火後就躲到一邊去睡覺，直到引起火災，林場工人吹哨呼救的時候，他還懶洋洋地睡着不動，林場人員跑到鄉人民委員會，叫鄉長動員羣衆去救火，鄉長竟置若罔聞。」中共粵中區的「通報」及「聯合指示」承認說：「結果烈火順風，四處燃燒，燒了三千多畝山林，對於這次燒山事件，鄉不報區，區不報縣，經林場報到粵中行署後，連催兩次，雲浮縣仍不調查處理。增城縣發生了燒山死人事件，明明沒有派人前去調查處理，竟說早已派人調查處理過了。」

這些事實，不僅說明了共黨所謂「造林成績」的眞相，也側面揭露了農民對中共政權的消極反抗。他們即使沒有燒林洩憤，至少對於林業已放棄保護之心。

中共下鄉運動 加强文化宣傳

中共爲減少暴政阻力及消弭人民怨恨起見，近已發動所謂「全面文化下鄉」通令其各級文化行政部門和各級「團委」與各級工會組織，乘春節期間大力開展宣傳活動。據去年十二月十七與十八兩日「人民日報」報導，其文化部與其「青年團中央」及「中華全國總工會」已先後聯合發出了「指示」。「指示」主要內容是：（一）通俗地和正確地宣傳毛澤東「關於農業合作化問題」的報告及其七屆六中全會的決議等文件；（二）宣傳社會主義農村及農業化的優越性；（三）宣傳農業合作化的方針政策和建社、整社辦法以及糧食三定政策與辦法；（四）宣傳多季生產和掃盲工作；（五）宣傳徵集新兵、鎮壓和貫徹婚姻法等等；（七）宣傳鞏固和發展工農聯盟；（八）宣傳「解放」台灣的決心等。

「指示」又向其各文化部門提出了許多具體「任務」：（一）文化部電影事業管理局和「中國電影發行公司」，應該保證供應每個農村電影放映隊兩部故事片，其中一部是反映農業合作社運動的，在春節前連同通俗易懂的宣傳解釋材料，發到各放映隊；（二）放映隊必須增加[illegible]（三）文化部[illegible]節期間深入農村或城市郊區巡迴演出，並且對業餘文藝活動進行輔導；（四）各市、縣文化（教）科（局）[illegible]組織民間職業劇團下鄉演出。「指示」中並指出，在[illegible]中，「必須加強農民[illegible]和工作的服務思想。」

共幹見死不救

最近北平發生一個學生搬運礦石，體力不支暈倒在地，中共青年團員竟不予施救與護送其入醫院因而不治身死，就是一個明顯的例子。據十二月廿日光明日報報導：這個死掉的學生名叫龍思義，是「北京地質學院礦探地質及勘探系」四年級的學生，十二月四日的上午那天，他從宿舍揹着礦石標本箱走到新五樓學生宿舍時，突然暈倒在馬路傍邊，當時馬路上來往行人雖然很多，却沒有人上前去搶救，直到該校教授薛琴經過，才替他叫了一輛三輪車，可是需要有個人護送，恰巧來了三個學生，薛教授懇要他們護送一下，但也不肯，幾個學生還若無[illegible]問答，薛教授又請他們去一聲「行政科」，也沒人去，遇到兩個騎摩托車的學生邱金玉和于慶菊（都是「青年團員」）；央請他們騎車到「行政科」去說個信，他們不僅不去，而且說：「我們練摩托車的時間到了，不能去！」就因爲這樣搶救得晚，龍思[illegible]醫院，不久就死掉了。

自由談

莫瞎學壞樣！

馬五先生

父兄教導子弟立身行己之道，總是希望他取法乎上，私淑古今來聖賢豪傑的所作所爲，以免自暴自棄，趨於下流。無論個人或團體，要想事業成功，必須學習別人眞正成功之法，匡我不逮，尤其需要先能瞭解自身的實質是何內容？才知道怎樣去學習別人，確爲對自已有益而無害的事。

譬如過去希特勒，墨索里尼搞法西斯政治，煊赫一時，一些產業貧乏之落後，尚在農業社會經濟生活中的政治人物，也東施效顰，踵事學習。他只知道希特勒那種法西斯獨裁權力癮過癮，却絲毫不了解法西斯主義的實現，是有其必然之內在條件的，否則瞎學別人的皮毛，便如小脚婦女要穿高跟鞋，豈有不折足傷身之理？究竟法西斯主義是怎樣構成的？在甚末環境中纔可以實現？一般愛好獨裁權力的政治人物固然莫名其妙，即一般開口閉口反法西斯主義者，又何嘗都能夠弄得清楚明白呢？像這樣不知己亦不知彼的瞎鬧胡來，除自造悲劇以外，還有甚麼益處嗎？

現在俄式共產主義又在世界上橫行一時，震驚全球，如是乎，不但一些以左傾思想自命的，都嚮往共黨那套作風，即站在反共立場的人，亦要向共黨學習，以爲這就是成功的秘訣了。這與過去摹仿法西斯主義的心情並無二致，同樣是不知己亦不知彼，閉着眼睛瞎鬧一陣，不怕害死天下人！

取人之長，補己之短，原則上是未可厚非的。但先得知道自己眞正短缺的是甚末？別人的長處又是否値「長」？對我究竟有何裨益呢？如其好樣不學學壞樣，結果不啻間接替敵人幫忙效力，戒之哉，可懼也！

倚靠

迺恭

人與人之間應當互助，但彼此決不可存着倚靠的心理。兒童雖然需要父母撫養，但父母應當激發子女具有獨立的精神，使其知所奮勉。到了老年，子女有扶養父母的義務，但父母應當在未老時作獨立生活的打算。因爲「在家靠父母」和「養兒防老」的觀念，已不能適應現代工業社會的生活環境了。父母子女尚且如此，其他的人更不可用倚靠來維持彼此的關係。

倚靠的開始，往往起於蔑視自己的能力，也是自信力的喪失，久而不能自拔。最後的結果可能喪失本身的自由，甚至貶損自己的人格，而所換來的不一定是有力的倚靠，更不是永久的倚靠。因爲任何人都不願意一個毫無能力的人，來增加自己的負担。所以存心倚靠的人，難免爲對方看不起，隨時可能遭受對方的拋棄。只有在互助的原則之下，各盡自己的力量求互相支持，纔可以增進人與人間的正常關係，過着合理的生活。

倚靠的反面，並不是孤立，更不是自傲。譬如一個人偶然失足墮水，自己不能爬起來，被一個會游水的人看見了，立刻跳下水去救他，他如果堅決的不肯接受援助，認爲這是一種倚靠，一定要憑自身的力量爬起來，終至溺死在水中。這是一種不近人情的孤立自傲，誤解倚靠的意義。

任何人都不免到顚危和困厄的時候，任何人便都需要人家幫助。但這種幫助只是偶然的而不是經常的，只是相互的而不是片面的。並且這種偶然的相互幫助，不限於固定的甲乙二人之間，而應當擴大至一切人與人之間，養成一種扶危濟困，互助博愛的社會風氣。

「朋比爲奸」「結黨營私」不是一種互助的行爲，乃是倚靠心理的畸形發展。抱着這種態度的人，都是想倚靠團體的力量，來爲非作歹，欺侮團體以外的人，以滿足許多不正當的慾望。這種心理無限制的發展，便產生了社會上各種不正當的幫會和國際間各色侵略的帝國主義。

每個人都有自奮心，能夠憑着自身智能，發展自己的事業，對團體有所貢獻，爭取自己在社會上所應有的地位，既不片面的倚靠任何人，更能全面的互相幫助。這是最合理的，也是最光榮的，爲每個民主國家的人民所應表現的態度。

暮遊大貝湖

許紹棣

緩轡臨名湖，波光引暮色。微風起漪漣，倒景搖靈窟。合歡若雲屯，相思凝玄碧。（合歡，想思，俱樹名。）隔岸燈火明，宿鳥歸飛急。紅紫漸迷離，松檜轉紆鬱。想像姑射姿，依稀西子匹。歸棲懷舊遊，聊爲慰飢渴。

感懷

終朝唯隱几，欲問意如何？歲月迎頭至，乾坤轉眼過。亂離爲客久，顚沛入愁多。老我風塵裏，空憐佩玉斷。

秀才·舉人·進士

賈景德

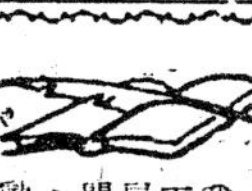

曾記得有一位同寅，他是我前一科的即用知縣，原係鄉下秀才，到省後從未到過發審局，到他署理縣缺，第一次升堂問案，書辦衙役照例喊堂助威，他却木然坐在堂上，毫無舉動，不料以新官到任，不懂牌氣，沒人敢建議如何開始動作，如此相持多時，沒辦法只好打鼓退堂。說起來又可算是一箇笑話。向例縣官坐堂後，第一步動作是要在點名單上用硃筆點在原被告或中證人姓名上，然後才能由房書高唱被告人的姓名，上堂[illegible]手續固然很簡單，但是如果不知道，就會無從着手了。是不可不補敘幾句的。

此外在行政方面的事，也可以說百政起於鄉，公事集於縣，從古迄今，無論什麼政事，都是由縣地方開始的，無論什麼公文，都是在縣衙門集中的。做縣官的人，你那樣不會與不用心，就要發生錯誤出亂子。國家如果不選練通才，地方還會安定嗎。

所謂儲[illegible]人才。這就輪到每科的翰林院修撰編修檢討諸公了。凡是翰林，在入翰林院後，掌院學士例須分派教習，教以治國平天下的學問。月有考課，不容荒疏。此外還有皇帝不定期的大考。先一日，皇帝頒發上諭。應試的人，次晨即須齊集試場，不准臨時請假。自內閣學士兼禮部侍郎以下的翰林（翰林院全體），（詹事府全體）科（都察院六科給事中）道（都察院各道御史），無論年歲大小，不准有一個能夠倖免的。俗話「秀才怕歲考，翰林怕大考」，就是這個緣故。不過大考雖然極其嚴格，但升賞却也極其優厚。考列一等的，可以超三級升用，考列二等的，亦可連升三級。曾文正公經過兩次大考，雖然考的還是二等，就升到侍郎階級。每屆鄉會試年頭，還有考差的「試差考試」，被取者由軍機處存記，按期簡放主考學政。學差三年一任，還可以連任，更可以遙放巡撫。張文達公之萬，就是直接簡放的。此外優待的地方還多，如前面說過的，點翰林後，拜老師特別舖紅毡，用白紙拜帖。見督撫可頂門相會。死後謚法上一字一定有一箇「文」字。都是主事中書知縣諸公所不能享受的。其定制的初意，都是爲國家儲備大用的人才而設的。

滇鄰先生原囑我寫一篇四五千字的文章，年深日久，記憶本不甚清，然而舊事重提，不覺技癢，遂拉拉雜雜，寫了這許多篇幅，在印刷方便時代，雖不致有災梨棗，然而用覆醬瓿，殊覺多此一舉，是要懇請息鼓，趕快收場，支離破碎，誠所不免，知我罪我，是在讀者。（十八·全文完）

好萊塢電影生意大減

電視對美國電影的威脅已愈來愈嚴重，同時風格新穎的外國片，也紛紛向美國市場發展，搶走了許多美國影片的生意。據美國電影協會主席詹遜最近宣佈，好萊塢雖有許多繁榮的徵象，但在國內的賣座方面，去年度却遭遇了另一次新的低潮。自去春以來，國內市場的收入降低了百分之二十左右，不過國外的收入却已提高，幾乎佔國內的總收入的百分之五十。

詹遜警告好萊塢電影業說：「我們必須正視事實，由於汽車的駕車習慣及電視，美國的電影業正面臨未來的大轉變。」他說電影在美國幾乎已成爲一種「夏天的生意」，目前露天的「停車」電影院（可以將車子停在場內，坐在車子裏看）已有七千所，而在十年前，則僅有三百五十一所，幾增加了二十倍之多。

電視固然是美國電影的激烈競爭者，但好萊塢產品本身水準的低落，無疑也是其生意大降的主要原因，好萊塢如果再不改善出品素質，前途實在不容樂觀。（泰）

古巴華僑生活

·文鑑·

古巴的女人較男人多，據非正式的統計，一個古巴男人要配七個女人才可以平均分配。但古巴的憲法和社會習慣却十分尊重女權，不容許多妻子制度存在，更沒有所謂「平妻」和「妾侍」的名稱。因此「過剩的女人便會流於衝動，桃色事件到處皆是，且多爲女人主動。受了騙和難於找對象的女人，爲爭取奢侈的生活而充當娼妓，並不是一件不體面的事。許這一行業的人數很難統計。一般人的眼光是笑貧不笑娼，那些半公開的妓寨，多數是在繁盛的商業區和住宅區，有眷的住宅可以跟娼妓同住一層樓內，靜眼看着她們在窗下向街外接攬生意，比鄰而居的更視若無睹。中國人的顧客也一樣受到歡迎，色情的程度可以想見。在街上吊膀子更是普遍不過的現象，無聊的男人們要想找尋開心，總可以悠閒地蕩蕩街頭，看到有稱心漂亮的小姐，可不經介紹而站在她的跟前，禮貌地向她打個招呼，並能夠說：「小姐，你眞美麗，我十分仰慕！」一類的話，如果她有意跟你做朋友，那就很快地會談到愛情方面去，否則，她聽到了你說恭維的話，也會很快當地給你一個迷媚的笑，並說：「謝謝你的好意！」極少會碰到[illegible]怒目的母夜叉。華僑的同樣舉動也會得到同樣的效果，祇要你的態度和靄與恭敬有禮，博得她的歡心。小姐們這般態度是孕育於家庭的教導。（中）

「清季兩才人」補遺

·劍朋·

有四川李雲生大令（嘉績）工詩賦，且長於隸書，亦官場中名士也，任陝北保安縣令，因事至省垣，先生方任臬司，中令于晉謁時面陳地方困難情形，先生謂大令曰貴縣有某一搶[illegible]案，何以迄今尚未獲盜？大令曰此案不惟現未獲盜，恐將來亦無法破案，因本縣衙役共只六名，而此案盜匪則有八名之多，將何以捕盜乎？先生[illegible]是不然，何不分八次捕之，每次以六役捕一盜，宜無不濟矣，其詼諧如此。先生平生厭惡俗吏，每每不假詞色，任陝藩時，有新到省之捐班知縣羅某者原爲某票號之經理人，忽棄商而官，以大花樣知縣指分陝省，稟到之初，晉謁先生，先生詢其住址，羅答以四府街，先生曾任首縣數次，于各街官宅，均甚熟悉，因復詢以四府街何所？羅遽答曰即席大老爺隔壁，蓋羅在陝經商日久，平日尊稱官吏，習成自然，不覺隨口而出，先生聞言變色而起曰「汝還是回家做生意爲妙」，言已即揮之出，是年大計，先生遂以「有田可耕無才可取」八字考語劾羅勒令休致。又藍田令孫某爲淵如（星衍）先生之來孫，先生以其名門之後，頗加青睞，而孫固無特長，且性極顢頇，奉委署理藍田，到任後即與前任因交代案而互相稟揭，實則孫爲無理取鬧，先生對之大失望，獨批其覆略曰「此案前後兩令性質略同，頗似新舊兩種燈台。有西洋白銅透花白磁罩之保險煤油燈某前令是也，有變料牛皮黑漆捫油燈則孫令是也」其品評之刻如此。是亦取怨一大原因。當先生任藩臬時，對佐雜人員極爲留意，謂佐雜班中，年多少壯，尚能具有朝氣，嘗指謝秋舫史靜谷藝海秋等五六人爲佐班中之賢者，皆派以優差，致失意人員由此而生謗議，稱呼史靜谷爲美人賢者，謝秋舫爲駙桐賢者，餘亦各有綽號，因史嘗以家藏改七薌大軸美人絹本中堂獻于先生，蓋心約七尺餘，工麗無比，確爲改七薌眞迹，足稱希有之珍，先生得之大喜，懸于院中，自立其側共攝一影，有觀之如與美人並肩而立者然，故時人呼史爲美人賢者。謝秋舫經先生派爲工藝場管理委員，廠中有漆硒部謝曾代先生內宅製榆漆案櫃及馬子磁器，故爲時人所譏，其餘各賢者皆類此。故官場中多不滿于先生，其後升吉甫（允）之奏劾，出其本意者十之二三耳而十之七八皆由各級官吏之挑唆，構成騎虎不下之勢。先生由此鍛羽者數年，關於此事，當另記之。（下）

天下之大

馬跟我走

一個偸馬賊被警察逮捕了，在他家裏起回被竊的馬。

法官問他認罪不認罪。

偸馬賊堅不認罪。

法官問他：『贓物在你家裏起了回來，你還能不服罪嗎？』

『我沒有偸馬，是馬跟我走的。』小偸答。

『馬爲什麼會跟你走呢？』法官問。

『因爲馬喜歡我，』小偸答。

『馬爲什麼要喜歡你呢？』法官問。

『我帶了方糖，沿途給他糖吃，所以馬喜歡我，跟我跑。』

害羞男子

有一位朋友十分害羞，遇見女性總是格格不能出口。一天他跑來告訴我他定了婚。

『你不害羞了？』我問他。

『不！』他答，『昨晚一位朋友請吃飯，飯後跳舞。我和一位美貌的少女一共舞了三次。第一次想不出話跟她說，第二次還是有話不能出口。到了第三次實在不好意思不說話了。我問她肯不肯嫁我，她答應了。』（雪）

赤都驚險鏡頭

雪人

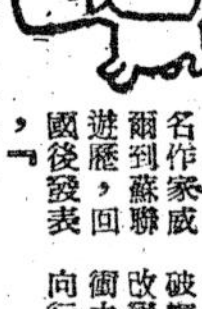

美國名作家威爾到蘇聯遊歷，回國後發表「同情的酬報」一文，裏面提到一件使人驚心動魄的事。他說：

『教育能夠造福人類，但是壞的教育可能改變人性，使人類成爲涼血動物。

「一年前我往蘇聯遊歷。到了莫斯科，我雇一輛汽車遊覽紅都景色。汽車前面行來一個衣裳襤褸的老婦人。莫斯科的老人總是襤褸的，這個老婦的特點是她戴了一頂破舊的帽子。帽子雖然是殘破不堪，老婦人却表現出一種驕傲不屈的氣概，昂然直行。

『我的汽車司機是一個年青的漢子。看見這個戴着破帽子的襤褸老婦，他突然改變方向，轉左向老婦迎頭衝去。幸得老婦機警，發脚向行人道逃奔，沒有給汽車撞倒。那時她臉上的驚惶和恐怖，到現在還在我的腦中，成爲一種不能磨滅的印象。

『你爲什麼這樣恐嚇那個老婦人呢？』我憤怒地質問他。

司機放聲大笑，答道，『蘇聯婦人現在都不戴帽子了，只有從前的小資產階級還舍不得帽子。他們是毒菌，我要消滅他們。』

『這個年輕的漢子表面上看來並不是一個壞人，可是共產黨的教育告訴他們說，殺戮異己不算殘忍，慢慢的把他們的本性改變了。』

自由人
THE FREEMAN
（第五〇七期）
中華民國僑務委員會
頒發登記證台教新字第一零二號
中華郵政台字第五〇〇號
執照登記爲第一類新聞紙類
（半週刊每星期三 六出版）
每份港幣壹毫
台北市售價台幣壹元
督印人：陳文華
地址：香港高士威道二十號四樓
3 rd. fl. 20 CAUSEWAY RD
HONG KONG
香港發行及事務接洽
高士打道66號 電話：七四〇五三
承印者：東南印務出版社
地址：高士打道六十四號
海外總經銷
友聯書報發行公司
香港：德輔道中二十六號A二樓
台灣特派員辦事處
台北市館前街五十號
台灣總經銷處
台北市西寧南路壹壹零號二樓
台郵撥儲金戶九二五二

論政治與經濟的雙重關係（上）

·張丕介·

張先生這篇文章，首先論述現代國家制度的發展，國家權力有無限擴張的趨勢。因此，經濟自由的範圍日見縮小。其次論述，政治權力與經濟自由，不易得到平衡。他認爲政治權力萬能的觀念是危險的。最後，他提出政治和經濟應該有一個界限，以杜絕政治權力對經濟範圍作無限制的擴張。全文長四千餘字，玆分兩期刊載。——編者——

國家權力無限擴張

在現代國家制度的發展過程上，有一個普遍而強烈的趨勢就是：國家的權力幾乎不知止境的，無限的擴張。

如果以十八世紀末期法蘭西大革命作爲現代民族國家的誕生之期，計算它的年齡，已經有一個半世紀以上的歷史。儘管它的變化很多，但是上面說的趨勢却是一貫不變的。國家的政治權力，一步步的伸張，一步步的深入於社會生活的每一方面，幾乎無孔不入，巨細不遺，使人直接的覺察得出任何方面的生活中都有政治的明顯作用。宗教、教育、家庭生活，個人行動，公衆輿論，社團組織等等，哪一樣能逃出政府干預範圍？十九世紀號稱自由主義經濟的黃金時代，經濟生活算是比較少受政治的干涉限制；但那是抽象的說法，充其量會實現於較小的範圍，例如英國；但同時期的大多數地方却盛行着更強烈的保護關稅，例如獨立後的美國；或計劃經濟，例如俾斯麥的德國；或根本就在封建式的專制炎威之下，如帝俄；或完全在外來勢力控制之下，如一切殖民地與準殖民地。如果拿那一黃金時代和二十世紀開始以後的情形相較，我們只能肯定前後之間的根本區別僅在於十九世紀各國的經濟政策至少原則上承認經濟自由，或不承認政治權力之應該多管經濟生活。而二十世紀的特點却相反，在政策、立法、行政各方面，公然有種種理論，有種種制度，爲干涉主義作護符，作工具。這類現象，經過兩次世界戰爭之後，日益明顯，日益普遍。在號稱自由民主的國家方面，把經濟政策當作應付世變，應付危機，解決社會問題的主要手段，把統制經濟與計劃經濟視爲有效的工具，至少也認爲渡過難關的必要措施。至於根本否定自由原則的所謂極權國家與社會主義國家，更爲積極，已經把「國有國營」當作唯一的經濟政策原則了。就這一點說，我們固然不能否認，兩者之間，有百步五十步的不同，也有本質上的差異，但我們也不能不肯定這一有力的普遍趨勢，尤其在經濟範圍中所表現的趨勢：國家對經濟生活的干涉，似乎有無限伸張深入的要求。

不能漠視的趨勢

這一趨勢之造成，當然有內外的客觀條件與原因；我們姑且不去討論。這一趨勢對整個世界前途，是福是禍，我們也暫時留在一旁。但這一歷史事實引起的問題，尤其在思想方面造成的紛亂，却十分嚴重，這是每一注意時代問題與切身問題的人所不應漠然置之的。

我在這篇短文中，無法評論這一趨勢的種種方面，也不能提出完備的個人主張；不過我以爲面對着這一有決定性的歷史趨勢，一定有很多有識之士，抱着同樣的疑慮；並有很多不同的認識；如果把問題提出來，讓大家公開討論，或者有助於思想苦悶的解除。假設因這番討論，而引生了有用的結論，多少影響於實際政策的改革，那當然再好沒有了；不過我知道，這是太過份的奢望，我們姑視之爲新春幻想曲之一罷。

國家與經濟界限何在

國家與經濟的界限在哪裏，或政治權力與經濟生活的疆界在哪裏呢？這一問題之難以解答，幾乎和許多理論中無法獲得最終結論的問題一樣，一人有一人的看法，一時有一時的主張，一國有一國的原則，一派有一派的學說。如果從政治哲學來說，其結論必不同於實際政治家；如果就經濟思想去討論，其結論又可不同於其他方面的思想。——我這裏只想質直的指出兩點來討論：一是國家與經濟的雙重關係，一是由此而生的權力萬能主義的謬誤。先論第一點。

國家是社會生活形態之一。和他種社會形態相較，國家的特點之一就在它目的不明確而富於彈性。例如家庭是由血緣關係組成的社會，以維持一家生存與繁衍爲其目的。一個股份公司是投資股東組織的社會，以營謀企業利潤爲目的。教會是共同信仰者組織的社會，以維繫其信仰而獲得心靈的安慰爲目的。大多數其他社會，即其組成份子都相似，目的單純，目的明確。但是國家不然。它的目的很不易劃清，而且事實上又有極大的伸縮性。它似乎無事不可過問，而有時又可一切不管。它的目標包羅萬象，而又有無限的權力，以干涉國民一切的公私生活。民主國家似乎有若干限度，然而原則上看，國家的地位仍是超乎任何個人權力之上。在它與經濟的關係上，上面所說情形，尤爲明顯。至少有着別種社會所缺的雙重關係：第一，國家爲了實現它的目的，必須用某種方法，獲取必要的物質手段：或取之民（如賦稅），或直接經營企業。第二，國家爲實現對全國的責任，必須用種種方式去干預國民的經濟行爲，管理這樣，限制那樣，提倡那樣，保護這樣，這就是無孔不入的經濟政策。我們每點起一枝香烟所用的一枝火柴，尊夫人手上撚着的一枚繡花針，幼稚園兒童心愛的一件玩具，都難逃經濟政策的干預，至其他更大更多更重要的經濟事物，還用說嗎？

美蘇冷戰的新高潮

李加雪

重提解放鐵幕國家

（本報專稿）去年聖誕艾森豪向鐵幕廣播道，『美國人民曉得鐵幕人民的淒苦……美國人民和鐵幕人民同具一種信念。我們相信公理將獲得勝利，鐵幕裏頭的國家將成爲世界的自由國家。』他這幾句很簡單的話引起了美蘇空前的冷戰。克魯曉夫指摘艾氏違背『日內瓦精神，』有意干涉別國內政。

艾氏爲何於聖誕重提公理勝利和解放鐵幕衛星國家的舊案呢？原來俄酋克魯曉夫和布爾加甯去年多報聘印度，緬甸，和阿富汗的時候，曾大肆攻擊西方殖民地主義。在印度，克酋暗示印度現今的貧窮應由殖民地主義者負責。到了緬甸，克魯曉夫說，英國人叫緬甸人民做野蠻民族，英國人騎上緬甸人民頭上壓搾他們。跑到阿富汗，克魯曉夫又說，『蘇聯和殖民地國家不同，蘇聯貸款一億美元給阿富汗是無條件的。』

他們回到莫斯科中央機場，克魯曉夫又向全國廣播誇張他們南行的成就。他說，『在印度，緬甸，和阿富汗，我們對於殖民地主義者暗無天日的暴行大肆攻擊：印度的三億七千萬人民，緬甸，和阿富汗的人民對於蘇聯無不表示同情……印度是蘇聯的一個偉大朋友……現在印度，中共，和蘇聯依據列甯教訓，構成了一種永不能摧敗的力量』。

其實克布二酋在印度，緬甸，和阿富汗攻擊殖民地主義可說是無的放矢，因上述三國都離開了殖民地地位而自主了；艾森豪威爾的聖誕播音却一語道破，拆穿了赤色帝國主義者的狼心狗肺。在一九五五年的聖誕，衛星國家，連同中共在內，被赤色帝國主義奴役的人民已超過六億人。蘇俄是有史以來世界上最大，最殘酷，最無人道的殖民地主義者。

所謂大美殖民主義

於去年年底，最高蘇維埃開會的時候，俄酋一方面大事誇張自己的力量，一方面對英美發動潑婦罵街的宣傳。東西冷戰於是達到了空前的高潮。布爾加甯說，『亞洲人民醒覺了，亞洲人民現在伸直了他們的腰身。蘇聯一九一七年的革命是警醒亞洲人民的第一個因素，第二個因素是殖民地主義的潰敗。列甯時常這樣說，時間到了，那時亞洲的億萬人民將成爲世界歷史的柱石……這個時代已經到臨了』。

布酋的演詞如此誇張，克酋更進一步，除了謾罵和恫嚇之外，重新申明共產主義統一世界，和奴役世界的決心。他說，『殖民地主義者這樣說，「印度是我們准許他獨立的」。但他們爲什麼會准許印度獨立呢？理由是他們若果不滾，印度人民會將他們滾走，好像中共把大陸的殖民地主義者逐出去一樣』。

美國援外是蘇俄功勞

演詞裏頭，克酋駡美國做土匪。提到美國，克酋痛駡杜爾斯幫助葡萄牙維持果亞。後來克酋提到大美殖民地主義，他說，『美國殖民地主義者使用美金來剝削別人。他們的辦法是，一個美元出去，十個美元回來。美國爲什麼要給歐洲國家以軍事援助呢？德國不是一個高度工業化的國家嗎？美國殖民地主義使用黃金，在世界各地釘上金鍊。』

最妙的是克酋把美國的援外劃歸功於蘇聯，他說，『事實上，美國的援外不能算是援助。美國把桌上吃剩的殘羹分給別人而附上種種奴役的條件……要是沒有蘇聯，美國是絕對不會援助外國的。一個國家毫無條件援助別國，歷史上沒有這個例子的。』

他又說『此次南遊，我們沒有叫亞洲人民不要接受英美專利主義者的援助，可是我們警告他們，叫他們加意提防，因爲專利主義者絕不會白白送東西給他們而不取償的道理』。

共產主義不能栽減

提起日內瓦精神，克酋發揮了一番大議論。他說，『艾克裁軍建議的空中偵察和攝影的用意在窺探外國的秘密，和煽動戰爭的狂潮。蘇聯不想和任何一國作戰，蘇聯不願誇張本身的軍事力量，可是我們不能不警告軍備競賽的支持者，蘇聯最近爆炸了一顆氫彈。這種武器的力量等於好幾百萬噸的炸藥，而此種武器的爆炸力量還可以大量加強。』

『好些人不明白日內瓦精神的意義，加以種種曲解。世人應該明瞭，日內瓦精神絕不能改變蘇聯的主張，立場，和蘇聯對於共產主義最後勝利的爭取。共產主義不是軍備，是絕對不能有所裁減的』。

美國冷定的答復

克酋咆哮如牛，極盡謾駡和恫嚇的能事。美國的態度又怎麼樣呢？過了新年不久，白宮發表了一件文告，說道，『在日內瓦的時候。本國曾向蘇聯聲明，使用和平方法解放世界被壓迫民族是和日內瓦精神沒有違背的……使用和平方法解放被奴役人民係美國的一貫政策，美國今後將加倍努力以求達到此項目的。』

從前東西冷戰多由外交方面主持，現在美蘇冷戰提升到最高階層了。布克兩酋在最高蘇維埃的演講表現出最高度的自負，和誇張。西方觀察家的意見是這樣，共酋過度自信了；一個人到了過度自信的境地很可能輕舉妄動。俄酋不能西進，很可能於本年在亞洲發生事端。

時事評述

·司馬璐·

「不好意思」

香港大學教授葛壁博士訪問大陸歸來，作了一次公開的演講。演詞長達十五大頁，他爲如此皇皇巨帙中竟沒有一句讚美中共的話，覺到「不好意思」。

本來，被招待的客人，往往總是「不好意思」不得不對主人方面說些恭維客氣的話，甚至心裏不大願意，嘴上也得「勉強」幾分。

訪問中共以後，葛壁博士連這點習慣上的「恭維客氣」，也難「勉強」了。

「不好意思」，是東方人的傳統；又是葛壁博士的英國式的幽默。

再談「不好意思」

「不好意思」的表現，本來是人之常情；但共黨在政治的運用上，却認爲這是自由世界的一個重大弱點。

比如說，赫魯歐夫，布爾加甯今年要訪問英國；英國的輿論早已明白表示，他們不歡迎這兩位不存好心的客人。但是，赫魯歐夫，布爾加甯看來並無意打消他們的訪問，因爲他們知道，英國政府總「不好意思」眞的饗以閉門羹。

西德政府的發言人說，布爾加甯可能訪問波恩。該發言人隨即又聲明說：這並不是出于西德政府的邀請。意思就是：他要來，我們也「不好意思」拒絕呀！

三談「不好意思」

布爾加甯在新年文告中說：「日內瓦精神將不致被埋葬，若干重要難題，可以打破，則再舉行一次元首級會議，未嘗無成功之希望。」

如所週知歷次的「巨頭會議」，蘇俄「撈」得不少，無怪乎「巨頭會議」對蘇俄來說，已經成「癮」了。

何以每次「巨頭會議」，總是民主國家吃虧，蘇俄佔便宜呢？

莫斯科訓練的政治演員，他們時而滿臉堆着笑容，時而兩手一攤，一副無賴相，會議的表演在他們已經變成一種技術性的工作，一直磨到你「不好意思」爲止。

四談「不好意思」

美國在日內瓦，還繼續着一件「不好意思」立刻停下來的醜事，那就是，美國與中共之間的談判。

這一「談判」，中共根本以無理取鬧的態度拖延時間。中共要美國將中國留美學生全部遞解回「國」，中共要美國提出全部華僑的名單，這不是「無理取鬧」是什麼？

美國與中共的談判明知沒有結果，早該停止了，但美國人却「不好意思」。

他們怕中共指責美國「不要和平」。

但，「談判」繼續下去，中共不一樣在指責，在宣傳，在製造新事件嗎？

五談「不好意思」

最近蘇俄對一些非共國家大談其「經濟援助」。

俄式的「經濟援助」本質上是：

它從附庸國的搾取中，拿出一部份作爲鈎餌，引誘另一個非共國家；

俄共以「經濟援助」去交換這些非共國家的資源，進而對這個國家加以經濟上的控制；

然後，完成對這個國家政治上的控制。

所以，對于蘇俄的鈎餌，如果因爲「不好意思」拒絕，一些非共國家就等于拿「獨立」作爲這一買賣的代價。

全是「不好意思」

敵人專打我們「不好意思」的弱點。

我們却偏偏「不好意思」。

傳說自由中國政府將要調整外交陣容。

這是一項令人興奮的消息。

事實上，早該如此了！

星馬前途黯淡

陳平已成絆脚石　星馬獨立難實現

修衡

（本報特訊）二次大戰以後，「殖民主義」已成爲令人咒詛的厭惡名詞，共產黨即藉以號召「民族鬥爭」，煽惑各殖民地人民燃起「反帝」怒火以奪取政權，馬來亞當然也不例外。

馬共死裏逃生

一九四七年陳平利用馬共總書記萊特叛變捐經費無着的機會，攫得領導權，進行恐怖的屠殺以威脅星洲馬來。聯邦欽差大臣（葛尼爵士）以下包括各橡樹園的主人，教師和學生，遭共黨毒手者甚多，當局於一九四八年六月二十日宣布「緊急狀態」，繼之展開全面進剿馬共恐怖匪徒。馬共在經過湯浦拉將軍的封鎖圍剿之後，終被壓縮到只能在馬來邊區森林地帶潛伏，但在城市地下活動的恐怖份子，却起而和同情共黨的左翼社團共同進行煽動地方上有力人士，提出以「大赦馬共」結束「緊急狀態」以便及早達成馬來亞實現獨立。特別是聯邦首席部長東姑鴨都拉曼。堅主對馬共招降以結束戰爭。

消息傳出之後，軍事進剿無形中即形緩和。馬共則乘機活動加劇。追顧意與馬共進行「和平談判」「停火」之議甚囂塵上時，馬共却反而毫無反應了。英軍事當局對此雖極力反對，但幾經爭執，英方不得不勉強表示同意，森林裏也適時地發出了「微笑攻勢」——「願意雙方和平協商」，「促進停火協議」。

中共與馬共的關係

經過雙方代表安排，談判於十二月廿八日開始。

參加會談的官方代表有星馬兩位首席部長（馬紹爾和東姑鴨都拉曼）及馬華公會主席陳禎祿；共方代表爲陳平、拉昔、邁丁及陳田。談判席上，馬共首先不承認所謂「大赦」，反而要求承認馬共的既成事實並准許共黨在星馬自由活動。會談持續兩天，毫無結果，陳平等亦返回森林，馬共將繼續展開恐怖活動，殆已成爲事實。

在談判之前，北平的「人民日報」發用了與馬共無關的聲明，中共「亞洲太平洋區域和平聯絡委員會」也於二十三日發布「擁護世界和平理事會常委會」的關於「馬來亞局勢的建議」」的聲明，用以支持馬共在談判中的聲勢。而馬共中央委員則早於十二月中旬即已舉行了一次緊急會議，並發表一項公報和宣言，提出結束戰爭的八點計劃：「一、要求結束戰爭；二、拒絕由一方強迫另一方接受大赦條件；三、儘早確立馬來亞的獨立；四、組織一個完全由選舉產生的立法議會由它擬定憲法；五、以馬來亞語爲國語；六、改善人民生活；七、擁護國際和平，同其他國家實行和平共處；八、要求各黨派合作爭取馬來亞的獨立，民主和平。」

星馬前途黯淡

從馬共的成長和活動的經過來說，它與越共的情況是一樣的，假抗日爲名，騙取英軍情報和武器彈藥起家，繼而擴張他私人的部隊。發展到現階段時，則又沿襲中共奪取政權的方法，圖從談判中來下手。故即使馬共同意了官方的條件，馬來亞的完成了獨立，只不過是予馬共一個「合法鬥爭」的機會。其最後結果，終將會造成一個馬來亞的赤色政權。

因此，馬來亞在現階段來說，無論客觀環境，主觀條件，目前急謀獨立實非所宜。

雖然拉曼已首途前赴英倫協商，謀於來年八月獲得獨立地位，但星馬的未來前途，却是黯淡的。陳平實已成爲星馬獨立的絆脚石！

便利外僑　促進手工業

台北的工藝之家

銓健

【台北通訊】台北市中山南路五號最近出現了一處外僑尤其是外來旅客常常光顧的所在。那便是工藝之家。一踏進「家」的門，便可以看見許多外籍太太正在選購東西。

手工藝品林立

室內陳列的都是來自全島各地的手工藝品。大略可以分爲竹器，籐器，瀛布織物，漆器，陶器，木器，刺繡，貝殼，紙撚織物等類，其中如做得可以亂眞的通草紙花，精巧的紙撚織件，直徑只有寸許的小竹籃以及抽紗等，售價廉而又新奇，是外國朋友們最常光顧的對象，帽蓆，林投草所編的各項小玩意兒，也令他們愛得不忍釋手。貝殼，珊瑚，漆器等，網扣，刺繡，是外來的遊客喜歡搜購的紀念品，或作爲送贈親友的禮物。以上這些都是輕便易帶的，任何人都會歡迎的東西。至於雕花木器，籐器則大半只有居住本市的外僑才會購買。可是在喜歡新奇的外國朋友眼光中看來，精緻的籐製沙發與雕花木器却比那種洋式的軟沙發等傢具更受歡迎。尤其是在這亞熱帶的台灣。

外籍婦女輪值管理

這一新奇的事業是美國經援機構外籍婦女聯誼會所主辦的。經費方面，由中國農村復興聯合委員會補助。參加這一工作的外籍婦女共有四十人。她們組織了一個七人管理委員會，由美國國外業務署駐華共同安全分署署長卜蘭德的夫人担任主任委員。這四十個婦女採取輪值的辦法，除星期天外，每天一人義務替「工藝之家」服務。台北市中國婦女，每天也有一人輪值，去協助那兩位外籍太太，因此無論是中國籍還是外國籍的顧客，都感到異常的便利。

採集貨品便利遊客

美援機構外籍婦女聯誼會主辦「工藝之家」的動機，是因爲平日曉得外僑和遊客喜歡細緻的土產手工藝品，這些東西在台北雖有好些商店出售，但是貨品不全，外國僑民尤其是遊客，[illegible]挨家去選購，時間上頗感不便，[illegible]不經濟，因此[illegible]將台灣的所有精巧工藝品集中在一處，以便利選購的必要。

現在「工藝之家」印有一種小傳單，在台北機場，基隆的港碼頭以及招待外賓的招待所，旅館等處散發，簡單介紹該「家」中出售的商品。外來旅客只要把這傳單給任何汽車司機看，他都可以把你送到中山南路五號的「家」裏去選購，實在便利之至。

有助促進農村經濟

同時，這一事業對於富裕農村經濟，改善農民生活以及救濟一部份軍眷將有極大功益，進一步還可以將這些手工藝品銷向國外市場。目前「工藝之家」售賣手工藝品所賺到的錢是用在兩方面：一部份是交給台灣省政府去推動手工藝的訓練計劃；另一部份則由外籍婦女聯誼會作爲慈善事業之用。

聯合國專家考察

台灣省建設廳爲了發展這一極有前途的手工業，已成立了一個台灣手工業推廣委員會來負責這一工作。它一方面在全省各地的手工藝中心區開辦各種短期補習班，以提高技術，使產品精益求精，更能受人歡迎。另一方面則是聘請專家，從事各項設計工作，如爲各種工藝品設計圖樣、花式等，使各種工藝品更富於藝術意味，[illegible]更見複雜的。主持這項設計工作的是[illegible]顏水龍先生。顏先生是本省[illegible]，在這方面極富經驗。據他說，推廣台省手工藝的工作，已得到聯合國的資助，[illegible]派遣專家來台，[illegible]夫人已[illegible]來台，除了考察手工業之外，並且深刻研究技術設計之改進。全島各地[illegible]的市場情形[illegible]會在考察完畢之後，擬邀集本省[illegible]專家[illegible]研討推廣[illegible]計劃[illegible]。[illegible]「工藝之家」[illegible]在[illegible]日[illegible]種[illegible]推銷[illegible]中國手工藝品[illegible]各種繡花[illegible]緞的[illegible]，經驗，是[illegible]最受[illegible]外國人[illegible]歡迎，[illegible]到中國來旅行的外國人[illegible]買一兩套[illegible]。[illegible]如果都要在設計上多加改良[illegible]，其銷路必然更廣。

加拿大的防諜工作

杜邦譯

加拿大和美國一樣，有嚴密計劃保護政府機密，防範陰謀破壞，無意中走漏情報以及和共黨有關係的人。

但加拿大政府和美國行政當局不同，他們對於稍可懷疑的公務人員的處理方式，很少受到輿論批評。

加拿大的方法，具有美國在國內安全上正在仔細考慮的整個程序，若干美國人認爲這是很理想的方法，很願意採用。加拿大於一九四六年負責調查高正科間諜案是「皇家委員會」，若干美國人會主張用這種機構來代替國會的調查。

加拿大用以調查間諜和消除安全危機的方法，和美國所用的極不一樣。

處理破壞活動的「皇家委員會」，本身就是一個力量；它具有充分獨立性，在權力上和法院、議會與內閣平等。它下令逮捕嫌疑分子，不准以現金取保；它下令搜查疑犯住宅，沒收其文件，而無須出示搜查狀；它強迫證人爲他們自己的行動作證。

在美國採取這種方法，勢須修改「人權法案」，該法案規定不得無理搜查，不得強迫人民……自證其罪，不得索取過多之保款。

在今天的加拿大，各部會首長對其所屬工作人員，可以藉口其不可靠而將其革職或另調工作。對免職人員，不給以口頭或書面的理由。他對判決無法上訴，他沒有權利要求公審。他的告密者和關於他的情報，都秘而不宣。

在加拿大，處理破壞活動的機構，並無成文條規，作爲鑑別政府工作人員是否忠貞可靠的標準。政府和標準，均由代表幾個機構的高級官員組成的一個小組委員會決定。[illegible]部（相當於美國的聯邦調查局）也有[illegible]出席。這個委員會裏的各委員姓名，未對外人公開，僅政府中的少數人知道他們爲誰。開會是秘密的；關於安全問題的主要決定爲何人所作，決定的內容爲何，政府均不透露。

這個秘密小組會，既不接受申訴，也不決定個別案件。關於僱用、解僱與調職的事，均由政府各機關首長決定。他是機關首長，他的決定，任何別人不能改變。

調查工作，由警局特工部擔任。被調查的人有多少，亦不宣佈。在應受調查的人員中，有將近十四萬政府機密工作人員，另有很多是承接國防訂貨契約的私營工廠的工作人員，還有武裝部隊人員。

特工部的人員，對每一僱員的過去和現在的行爲，幾乎在各方面都進行調查。

公務人員的人事紀錄文件，載有他在最近十年期間的原來工作與住址；這只是一個調查的開始。特警人員還要同他的原先僱主和同事談話，訪問他的鄰居、熟人與老同學。他們調查他的政治傾向，追溯到他的求學時代，看看他是否曾經參加過左翼組織；成年以後，他的左傾思想究竟減去了多少。（上）

他的負債情形和還債力量也在調查之列，藉以判斷他是否會被金錢收買。他能喝多少酒？在什麼時候喝？酒醉以後是否很多話？在他的性生活中有什麼奇特行爲？他參加的是什麼俱樂部或組織？他生活中的任何方面，凡可能使他受到壓力的，都加以調查。

關於他的調查，甚至要伸展到他的親戚和他太太的親戚身上。

特工部的調查報告，須送回請求該部調查的原來部會首長。這種報告可能涉及任何人——由正在申請[illegible]的人到可靠的政府老幹部；因爲被[illegible]的人，須要重作調查，在重要崗位[illegible]幹部，至少每五年期間須再[illegible]。

如果警方的報告中對他的[illegible]性或工作能力，有引[illegible]的任何項目，他就得滾蛋——或者革職，[illegible]一個永遠接觸不到機密的工作。

對於國防工作人員，也是同樣辦法。特工部在國防生產部的請求[illegible]，即可對他們進行調查。如果發現[illegible]之處，即能單明白地對僱主說：[illegible]人，根據政府訂貨合約，不能僱用」，沒有理由解釋——這是一個最後的決定。

讀者論壇

讓經濟抬起頭來！

・高言路・

現代國家的財經政策，主要在于經濟基礎的培養。要財政充裕，必先藏富於民。發展經濟，讓經濟抬起頭來，才是唯一導致國家富強之路。

有人說，自由經濟只在生產方面是成功的，在分配方面則是失敗的。實則，今日採取自由經濟政策的國家對分配問題，已有改進之道。反觀共產社會的那套命令經濟，對生產和分配兩方面却是一無所成。以中國的現實環境言，合理的管制政策固有需要，但却以愈少爲愈好。政府如能在經濟市場上，造成有利氣候，人民願意投資，國家經濟自然趨向繁榮。西德經濟之復興即爲一極權的例證。

西德經濟復甦原因

戰後的西德，採取自由經濟政策。一九四八年六月，宣佈廢除一切管制政策，恢復了價格機構，同年也實行了幣制改革。爲使資本累積迅速，更實行減稅政策。此外，三十七億的美援，更是西德經濟得以迅速復甦的功力。自此，西德經濟狀況扶搖直上。以一九三八的生產指數爲基準，一九五二年爲一七〇；一九五三年已升達一七七。西德經濟部長艾哈特本人即爲自由主義的經濟學教授。他揚棄所謂干涉主義，認爲唯有「把人民及利之所在放寬便可造成强國」。他堅決地提出了「讓經濟抬起頭來！」的口號因此西德的復興，可以說是自由經濟下的成果。

在西德除有關國家人民重大利益之事業，必須國營公營外，其他均開放民營。這是德國人吸收希特勒時代管制經濟所造成的官僚政治惡果的教訓。

台灣近年開放公營事業移轉爲民營的政策至屬適當。但既要側重經濟來解決財政問題，則需要實行功能財政，功能財政目標有四：（一）增加國民所得，（二）謀求充份就業，（三）提高消費和投資，（四）達到公平分配。例如政府興建公共工程，是符合功能財政的要求。台灣石門水庫的興建，是對經濟發展具有重大意義的。

政策、人才、崇法、務實

其次，談談政策執行的問題。筆者提供三點參考意見：（一）對經濟行政人員的人選，務必符合人盡其才的原則。學工的致力于工程事業，學經濟的担負經濟工作。我不敢否認世界上有「大才萬能政治家」，但以現在情形看來，最好還是以人盡其才學以致用爲原則，使各人均能發揮其特長，貢獻於國家。（二）崇尙法治精神：好的政策，需要奉公守法的執行人員。政府貸款予工商業是一極佳政策，假如主管官員借貸款予與其有私情的奸商，則無疑是爲害了國家經濟利益，若謂因此而多設管訓機構，則不僅破壞了行政組織，且因職權不清，系統混亂，行政效率反而日益低落。因此崇法務實至關重要。

學人政治值得借鑑

（三）政治當與學術密切配合：政府機關，應適當地重視學術機關提供的研究報告，作爲其施政決策的參考。像挪威的國家經濟政策，即與該國奧斯陸大學經濟研究所密切配合。舉一例而言，該研究所經常根據政府資料，將研究結果編成經濟流通及生產過程圖表，把經濟社會每一部門的收入與支出，部門間相互關係，清晰地表示出來。這不但對研究國民會計上是一偉大學術貢獻，而且這種研究結果，更指導着挪威的經濟政策的運用，使該國經濟經常保持繁榮。此外像前面所提到的西德經濟部長艾哈特更設有龐大的顧問團，由廿五位大學經濟學教授組織而成，因此，戰後西德經濟的復興，也可說是「學人政治」偉大的成果！

和談之謠續被渲染
無形中受共黨利用

這三日來，關於所謂「國共會談」的謠言，已經由倫敦轉移到香港和澳門來了。

澳門調查　毫無端倪

澳門，祇不過是倍襯罷了，最主要的「消息來源」，看來還是香港。有一個觀察家說，澳門有着衆多的情報販子，在最近的一個時期他們可能呆透了，這回「國共會談」又將給他們製造不少機會吧。儘管若干有關「國共會談」的「機密情報」被稱是來自美國所謂東方「里斯本」的澳門，但在澳門的記者，卻從沒有發現這樣一則消息，甚至一點一滴也沒有，這是澳門的記者低能嗎？

本月七日，有一個署名「李安奴」的駐澳門通訊員奉本港一間英文報紙採訪這一段國際矚目的消息，雖然他是非常熟悉澳門情況的一個外國人，可是窮了數日的人力物力，卻為這一則新聞而束手，從他所撰的一篇通訊中，看到他是何等的感到困難，他把採訪這一個新聞描寫成一件渺茫的事，看不到一點迹象，實在有無從着手之苦，結果，這一個以寫澳門通訊專長的「李安奴」卻無法為「國共會談」在被傳為新聞直接來源的澳門，獲得一點端倪。

祇求刺激　濫加渲染

然而香港方面有關「國共會談」的綫索又如何呢？這日來，若干在為生意眼着想和祇求引起讀者興趣的「中立」性報章，對「國共會談」依舊在作極大的渲染。

他們對所謂「國共會談」的重心，仍放在「雙槍將」馬坤的身上，有一張於月前曾經單獨報導過「國共會談」和美國與中共談判乃係同時開始的報紙，現在又轉移了它的筆鋒，重新對後來的馬坤重視起來，它同時登出了兩幅馬坤在台北時的照片，一幅是和蔣總統合攝的，一幅是和張羣、王寵惠、葉公超和已故的吳鐵城等合攝的，刊登這兩幅照片的目的，顯然是向讀者暗示馬坤與自由中國的關係和馬坤在中國政壇上的重要性了。

另外有一張晚報，更一連幾日誇張了馬坤之行的重要，這一張報的記者還報導了馬坤此行更攜帶了一本獲自「有關台灣方面」的密碼。又說，這一個消息是由一個瑞士的記者所證實的，瑞士記者獲悉馬坤係由巴黎取道印度進入大陸後，他本人也經港，進入大陸追踪，因此，有關馬坤攜有「密電碼」的消息也就是這一個瑞士記者經港入大陸時所透露出來的。

牽強附會　盲目揣測

這一張晚報還對「有關台灣方面」這句話作了進一步的分析，該報說：「馬坤所謂『有關台灣方面』，並不就是指『台灣方面』，是可能作『和台灣方面有關』的一種解釋，這樣一來，範圍可就廣大了，什麼人是和台灣有關係呢，包括一個集體或個人都有可能的」。

這實在是一個非常牽強的解釋，這是根據馬坤的一句話而來的，究竟誰見過馬坤呢？究竟馬坤有沒有說過這句話呢？因此，在一切都無法肯定之下，這一個解釋祇是沒有根附的浮萍而已。

馬坤行踪　四種說法

一切的問題，一切的謠言，乃係由馬坤而起，首先傳出馬坤和「國共會談」有關消息的香港，一大羣本地的新聞記者和來自各國不同國籍的新聞特派員就沒有一個人敢肯定，自承在香港見過馬坤的行藏。

馬坤負有「國共會談」使命的消息自倫敦傳出後的這一週，儘管大家都在「熱烈地不厭其詳」地報導這個消息的演變，但我們就發覺許多可笑的破綻，首先，由馬坤失蹤於倫敦公衆場合起，就沒有一個人能自承曾經在倫敦或倫敦以外的地方看見過馬坤，儘管大家都認為自己的消息來源可靠，但報導馬坤進入大陸的方式就有四個顯著的不同，一個說馬坤是由瑞士進入大陸的；一個說馬坤是又印度進入大陸的；另一個說馬坤在香港逗留兩日後進入大陸的，還有一個說在訪問台灣然後再入大陸的。

究竟誰可靠，誰不可靠呢。

目前，香港是最熱中於報導所謂「國共會談」的一個地方，但最奇異的是當倫敦方面的「每日導報」未有報導有關馬坤和「國共會談」的消息之前，此間從沒有一張報紙曾作過這一種報道或類似的報道，甚至不會透露過絲毫有關的跡象。可是當倫敦的消息公佈後，香港的報紙就大事渲染和追述馬坤在香港種種的經過，如果事前已獲得這一類資料的報紙，為什麼不在英倫「每日導報」之前加以作驚人的暴露，而一定放棄這一種優先的報導權利而拾英國報導的餘唾呢，照以往的事例看，香港報章這種情形是罕見的，何況香港原是第一手新聞的集散地，這一回卻一變由第一手新聞而成了第二手新聞了，這毋寧說是香港新聞記者的一種悲哀。

無稽謠言　不攻自破

筆者並無意叫讀者不去信任某一種報紙的報導和去懷疑他們的可靠性，因為聰明的讀者是會了解如何去讀這樣一段新聞的。

到目前為止，經過自由中國的發言人的聲明，對馬坤與所謂「國共會談」的謠言，早就應該澄清，不必再加以理會，而若干報章的附會可以說祇是一種投讀者所好的刺激性渲染，原本是不足予以重視的，但是否因此而不自覺地受了陰謀者的利用和中了陰謀者的圈套呢。

由謠言的開始以迄今，中共的宣傳機構和本港的尾巴報始終不會對此一事件加以報導和評論，像馬坤這一個人，要是進入了大陸之後，照中共的一貫宣傳手法，是不會忽略的，但這一次為什麼始終隻字不提？

許多有見地的中外人士早已一致地指出中共是這個謠言的播放者，中共放播這一個謠言的目的，是有極大的陰謀存在的，它不但打擊了自由中國本身，也打擊自由中國與僑胞的關係，而造成中共有利的地位，再進一步打擊自由國家的團結，因此，中共這一套陰謀何止是一石二鳥，可以說是「一石數鳥」。

對於那些無形中被中共利用了的新聞記者，可以說是非常痛心的。

港府修改保健計劃
影響學童引起關注
公民協會盼當局鄭重檢討

香港人口日增，市民醫藥問題隨之愈益嚴重，關於學童的健康，政府近年來實行的保健計劃，尚能提供相當程度的保障，但最近醫務處表示今後將不再接受私立及津貼學校申請參加，因此引起許多市民的震動和不安，最近改為政治組織的公民協會為此發表聲明，認為當局不僅不宜將保健計劃限於官立學校，且希望再予普遍擴大。

據該會說：「公民黨已研究政府之學校保健計劃及本港學生醫藥設備之一般問題。吾人發覺現有醫事人員不能適應參加保健計劃之學生之需求。十一名醫生及五名牙醫，以及同等數目之女護士及牙醫助手，分駐四間診療所工作，極難為五萬名學生服務。吾人認為：人員數目應予增加。保健計劃之醫生，有於正常工作時間外對教員及學生演講預防性醫藥問題。醫療設備顯然缺乏，保健計劃之四個診療所，只有兩個設有藥房。此外，地方亦嫌不足以供工作人員執行其職責，吾人請求醫務當局注意此問題。

由於欠缺適當，逐漸擴充計劃，保健計劃之效率遭受嚴重打擊。此或因經費不足所致，設使如此，吾人認為政府之整個財政政策關於醫務處之部份須予重新檢討。如醫務處能獲保證將有足量基金以進行在五年內逐漸擴充之計劃，則在執行上更有效及更經濟，此為不可否認之事實。若干月前，醫務處決定只將學生保健計劃伸張於官立及補助學校，而不再接受私立及津貼學校之新申請。鑑於醫事職員缺乏，此步驟無疑是需要的。然而，原則上吾人認為此計劃之擴充只限於官立及補助學校，實屬錯誤。吾人建議，一俟增聘醫事人員後，即接受私立及津貼學校之新申請。

政府及補助學校學生參加保健計劃者，每年僅收費五元，而私立及津貼學校學生則收費十五元。此或為過去四年內參加保健計劃之私立及津貼學校學生人數不超過一萬五千之一原因。鑑於保健計劃所遭遇之經費及其他困難，吾人認為私立及津貼學校學生之保健費可由十五元減至五元。醫務處目前不能擴充保健機構以適應本港之二十五萬學生，但醫務處似宜計劃使自行執業之醫生能參加保健工作，俾其他之二十萬學生亦蒙保健之利，而保健費可酌收五元至十元。」

大陸糧荒壓力大
中共强迫大疏散
僅上海即有五十餘萬人還鄉
城市居民多被强迫集體開荒

在大陸上，因農村生活無着而流入城市的農民，在這幾年來數量急驟增加，成為中共城市經濟問題的巨大壓力。為此中共自始即在不休進行城市居民疏散工作，但並無成效，最主要的原因乃是一經强迫還鄉後，就自動地再進入城市。中共自於去年秋冬在各地實行糧票制後，對人口的流動管制，已產生了消極的作用；而在此之時，則仍一貫地進行强迫還鄉。據上年十二月廿九日中共「光明日報」所暴露的數字有：

上海市自四月至十月為止，動員了五十五萬五千多人還鄉；天津市從九月份起，結合糧食定量供應工作，至十月十二日（即一個月內）動員了二萬八千多人回鄉；瀋陽市由十月至十一月中旬一個半月內，也動員了三萬多個城市勞動力還鄉；遼寧省自九月份開始到十一月中旬，共動員了十個城市的七萬八千多人回鄉。

被强迫驅回農村的城市居民，已為中共的新建「農業生產合作社」開闢了勞動力來源。換言之，他們都成新奴農。

據該報社論說，從遼寧省各城市驅出的城市居民，「有六千多人組成了三十四個高級農業生產合作社，進行集體開荒」；其餘的也多參加了「勞動生產」。

經過去年度的這次擴大的强迫疏散後，中共認為可以減輕城市糧食供應和戶口管理、治安工作的困難了。（珍）

「光榮之家」不光榮
中共進攻砲灰家族
蘇浙皖二百萬人淪為奴工
土地被奪終日勞作仍挨餓

中共於農業生產受到重大障礙的現在，原先被迫令人民尊敬、而可享受「清閒」的「光榮之家」，當此寒冬季節，蘇浙皖三省，數逾二百萬的「軍、烈」家族，也被强迫着投入了生產行列。據南京「新華日報」說：「軍烈屬從此將洗脫了寄生虫病，他們今後再也不會閒住在屋裏等着人們送上現存的口糧，要憑他們自己的勞動力去爭取生活的資料，替國家增加生產。」差不多已經有五年，長期以來，中共為了驅策無辜的青年去充當砲灰，鼓勵千百萬羣衆去「參軍」，那些為了無法謀生而挺身出去「參軍」的青年，滿以為從此可使他們的家屬不再感受飢餓凍餒的威脅。而家門口貼上一紙「光榮之家」紅紙，就可取得了免稅、免糧，以及免入田野從事勞動生產的權利。但結果不僅變成了幻想，反而遭受到比一般人更惡劣的痛苦。

幾年來的「光榮之家」，在人們心目中確是被看做了寄生於這個奴工社會中的蠹虫。他們常年呆在家裏坐吃，任何勞動生產都可以不加聞問。而這些「光榮之家」雖然每人被分配到三畝土地，這些土地可以由別人代種，而且不必繳納「公糧」的。在許多食指衆多的人家，看到這種情形，稍有溫情的子弟，自然不忍心看到家人受着飢餓煎熬，便自動的去「參軍」，但在「參軍」之後，他們的子弟生死存亡，他們的家屬雖然得不到消息，滿以為至少可以恃了「光榮之家」四字減少了許多麻煩。

現在「軍烈屬」的土地全部要併到「生產合作社」或是「集體農莊」，共幹們的解釋是「這是為了推行社會主義，為了擁護並完成五年計劃，為了農業集體化的加速完成。」因此，不能不剷除田界，不能再有私有土地存在，為了「照顧」這些軍烈屬的生活，「農業部」於是通令各級生產機構，要擴大宣傳和歡迎「軍烈屬」們入「社」及加入「集體農莊」。這些「軍烈屬」之中大多數是四十五歲以上的年老男女，他們承担的奴工生活，蘇浙皖三省依據「全國優撫、復員工作會議」中所製定「綱領」，決定了大致相同的辦法，如護林、切草、餵鷄、摘棉花、管理圖書、養猪、餵牛、拉鐘（作息號令）等十幾項被視為「輕便」的工作。

他們的膳食不像奴工營中那樣：一天上下午兩餐稀粥，而係發給「工資」讓他們自己處理，這種極低微的「工資」也得由「評分」來決定。本來江蘇的奴工「工分」每分額定五分錢，全日勞動的總分數以十分為最高標準，這是說每個奴工每天如果不被批評落後，就可得到五角新「人民幣」代價，否則就要減少。現在「優撫軍烈屬」的「工分」，每分只有二分錢，十分等於二角新「人民幣」。忙了一天，晚上評分時不被批評扣分，也僅祇二角代價，這二角新「人民幣」在蘇浙皖三省現時物價，僅能買到四根油條，或者四塊大餅。上海的油條、大餅雖然比較大一些，但是在數量上說來，卻已將「人民幣」打了一個對折。（禮）

中共語文教育的笑話
陶潛勸農生產節約
林冲屬小資產階級

中共早已將中學用的國文科改為語文科，做「老解放區」辦法編了一套充滿共黨八股的語文課本，還欽定語文科教學的目的，主要是「使學生接受革命思想教育」，要教師在教語文時處處注意聯系實際。一般「人民教師」為着保住腦袋和飯碗，祇好採取「反歷史的觀點和方法」，胡亂聯系，竭力把語文功課教成政治功課，弄得笑話百出。

據「人民教育」披露：有的教師把古典文分為幾類，什麼表現愛情的、表現鬥爭的、表現民族矛盾的等等。分析作品時只把公式往上一套就算了事。有的教師把現代作品的人物也總結為幾條：如一、這個英雄人物有哪些高貴品質？二、他的品質是怎樣形成的？三、我們應該怎樣向他學習？只要作品中有正面人物，就不管作品的時代背景怎樣，就照樣去分析一下。還有一位教「歷史散文選」的教師，在講唐詩張志和的「漁歌子」時，竟說這首詩的主題是「漁民熱愛捕魚生活，反映出勞動人民熱愛專業的高貴品質」。他在講陶潛的「勸農」一詩時，竟說它的主題是「增產節約」。一位教師在講「林冲風雪山神廟」時，說林冲的花槍，酒葫蘆是表示反抗的一面，是表示妥協的一面，因為有反抗和妥協的兩面性，所以林冲是一個小資產階級等等。

這樣教學的結果，連中共也不得不承認「遭了很大的失敗」。中共「教育部副部長」葉聖陶在「人民教育」中透露：「不但這些教法要不得，連課本也要改編。他坦承這些課本沒有把系統的有關語言的知識編進去，文學作品不夠豐富，古典作品更少，且缺乏文學理論和文學史的系統知識。他暗示要將「語文科」分為「漢文科」和「文學科」，由這學期起先在一些中學試教，逐漸推廣，預定到一九五九年全部實施。

自由談

官太太吃癟

英首相艾登夫人是邱吉爾的姪女兒，最近她對其鄉間別墅附近一個農婦每天晒內褲和小孩尿布情形，看不順眼，教秘書寫信去勸止，那農婦却說：「她算得什末？從前邱吉爾夫人住在這屋裏，也沒有干涉我過。她如果不喜歡，就請她忍耐些，否則可以提出下議院！」昂然給首相夫人碰一鼻子的灰，滿不在乎。

這就是民主社會生活寶鑑，你做你的首相夫人，我過我的農婦活路，人格與人權是平等的，沒有理由的干涉別人自由，哼，辦不到！這事假使這是在我們「中華官國」的社會中，並不須對農婦那末客氣，還要教秘書寫信去情商，只要派個當差的通知一聲，怕她不遵命？否則搖個電話教附近的警察去找人，加以違警罪名，看她還敢說二話不？然在大英聯合王國，一個鄉間農婦，即可以根據她的人權，不買宰相夫人的帳，能說不是民主生活的高度發展嗎？尊官賤民的思想若不消除，談民主政治便是廢話，儘管表面上做作得像煞有介事，嘴裏說得天花龍鳳，到頭來還是冒牌的假玩藝，經不住考驗的。社會上想做官的人，也要尊官媚官，無怪其然，不想作官的，幹嗎亦那末怕官呢？老百姓只要不犯法，在民主社會中，官吏又豈能擅作威福？至少輿論就不許可他胡行妄爲的！

其次，一般社會大衆亦須安份自愛，自己要自由，即應尊重別人的自由。譬如見着別人的生活還裕些，就指其違背節約宗旨，大事攻訐，那就不是談法治的話，法律上並沒有禁止人民消費其私有財產的規定。官吏提倡節約並非法律行爲，而爲一種移風易俗的心理運動，屬於傳統性的說教事項，老百姓沒有必遵的義務，否則便是十七世紀的專制現象，對民主法治是一大諷刺，嗚乎哀！

我們如果眞想實行民主生活，大家不必引經據典地高談學說，先把官與民的舊觀念和習慣消除掉，才是基本要務。殷鑑不遠，請看艾登夫人之事！

馬五先生

「復辟」別紀（上）

何居士

讀自由人第四五二、三期連載夢山樓之「民六政爭與復辟珍聞」，對當時因府院之爭而導致復辟一事之前因後果，敘述甚詳，惜於復辟經過實際情形獨付闕如，緣就本人得自某一參與其事者所口述，以及當時在京目覩之種種怪現象，摭爲別紀。

野心始於徐州會議

自袁世凱帝制撤銷，羞憤致疾而死，共和雖告再奠，然除西南一隅，各省軍政大權仍操諸袁氏舊部北洋武人實力派手中。當時「皖」「直」「奉」派系之分裂尚未形成，段芝泉起家小站，位高望重，無形成爲袁氏死後北洋武人心目中之唯一領導人物；黃陂入繼大位，所憑藉之有效武器，則爲約法與國會，而法統之爭辯，方興未已，其勢殊不足以制剛愎自用之段氏。又國體初復，民心趨向共和，北洋武人雖甚囂張跋扈，究對約法國會尚有所忌憚，不敢公然爲叛，段氏免職赴津，表面上雖雲凝風歛，似已萬木無聲，其實暗鬥方酣，隨時可見暴風雨之立至，由於雙方各有所忌而莫敢誰何，致演成僵持之局，一時陷入政治眞空。據說段氏赴津前曾密囑在京親信將領靜觀時變，切勿輕舉妄動，暗示其不久必將東山再起，收此殘局，由此可知徐州督軍團之出現，固早在段氏預料中，而張勳乘機復辟，却出乎意外。段氏免職令下，舉國騷然，倪嗣冲電邀各省督軍集議徐州，以移尊就教於張，各省亦紛紛響應，派遣代表參加，（時人稱之爲督軍團）會議中以倪氏叫囂爲最激烈，但迄提不出任何具體有效方案。時康有爲適亦來徐州，彼向即以保皇黨首領自居，張勳入民國後仍蓄辮髮以示忠於遜室，二人自易沆瀣一氣。黃陂方苦於無以善後，遂認政治重點已落在徐州，不惜引狼入室，電張晉京協商調解，張亦正中下懷，視爲千載難逢機會，挾其復辟陰謀欣然就道。至於是否如其所言，各省代表均已在勸進表上簽字，（張失敗後畏罪逃匿荷蘭使館，聞曾以宣佈此事爲要挾。）抑僅以此列爲入京調解方案之一，莫衷一是。以余推測，當時各省當軸皆一介武夫，素無國家觀念，亦乏政治常識，利祿薰心，一味貪權固位，患得患失，只要地盤能保，何事不可盲從附和，聯名勸進，了不爲奇，或即所派代表察言觀色依違兩可，唯唯否否虛與委蛇，而張勳竟視爲已獲得大多數同意，兩者有一於此，皆足使張康墮入陷阱。

先天即已註定失敗

觀此舉之輕率直同兒戲，其失敗固毋待於蓍筮，特張康愚妄無知執迷不悟耳。民國肇造未久，植基未固，先後即遭兩度摧殘，雖復辟危機遠不若袁氏稱帝之嚴重，然亦幾使此沖齡民主被扼於一二妄人之手。幸而當時張康入京行色匆忙，未及多帶扈衛，總數尚不及一團，所部盡留駐徐州以南，毫無動員準備，京中將領附和既少，此一兩千人，警衛九城尚虞不足，而欲以貫澈其偌大政治主張，倘非夢囈，亦等兒嬉。因此段氏馬廠起義，僅遣李長泰一師，即可於不旋踵間傳檄而定，功雖炳赫，事則易爲。故我認爲段氏所賴以成不世勳名者，不在戡平變亂，而在其具有領導作用能制於機先，使各省疆吏暫存觀望不敢盲從，未擴大達於不可收拾地步，設當時無段氏在，各省疆吏奉到張康所矯制之上諭拜表謝恩者，定不止張敬堯一人，段氏之可貴亦即在此。

古巴華僑生活

·文鑑·

古巴的男女戀愛是由雙方「有意」以後，男的於每天黃昏後到女家門首，邀女的會面，以門階爲界，一內一外，「捉掌」談心，到緊張的時候，也就擁抱接吻，但女的決不能走出門檻，遠離一點，爲的是她的母親或其他親屬一定是背他而坐，充任臨時「看更」。此種情形，隨時隨地可見，雨天並不例外。雖然門外下着大雨，男女也甘讓雨水淋灑而不退避，女的也不敢恭請內坐，因爲未經相當時間，女方父母對男子的一切沒有深切了解，是絕對不容內進的。這種忍耐、犧牲的精神，是古巴男女間特有的風趣。華僑在這些地方却佔了便宜，這是因爲不懂人家的戀愛韜略，不善於說情話的原故，同時，華僑的忠誠純樸的性格，很容易贏得了女子和她的父母的歡心。假如男女雙方有意，而她的父母對於中國人的印象好，那麼，立刻就可以升堂入室，直如他們的金龜快婿了。

年輕男女在結婚前，家長絕不讓他們倆自由地走出了「看更」人的視線以外，看影戲，遊地方，以至參加甚麼盛典集會，必須有一個人做他們的「跟班」，尾隨左右，形影不離。但是，監護雖然這樣嚴密，而古巴女人的貞操至不可靠，已成熟而未婚的古巴女郎多非處女，這是一個很幽默的諷刺。

古巴的色情社會是在生活，習慣，氣候，和過剩的女人所直接間接所釀成的，夏灣拿的神秘也就在此，孤單地生活在這兒的華僑，當然無法忍受寂寞。在嚶啡室，在酒巴間，在下級舞院，常常可以看見年老的僑胞拖滿塗濃脂粉，妖媚迷人的女郎在街上走。（下）

外婆變岳母

·白明·

美國上任副總統巴克萊六年前續娶漂亮寡婦珍·哈特萊爲繼室時，有一對十四歲的男女也在此場合相遇，他們避開婚禮的午宴，相互投以含情脈脈的眼光。最近，他們又在一次婚禮午宴席上相遇了，但這次盛宴却是爲了他們而設。新郎是二十歲的陸軍伍長湯麥士·特魯德，也就是巴克萊的外孫。新娘是二十一歲的伊芙萊·哈特萊，也就是巴克萊夫人和前夫所生的女兒。湯麥士還在那裏服役，到六月間才能他調。他們度蜜月二星期後，將同往西德，因此這個親上加親的事婚，使湯麥士的外婆變成了他的岳母。

中國的文學風格

任博悟

語言是表達內心的聲響，每個人情緒不同，故所發言論之不同，不但在詞句上的差別，即在表情動作上也有差別，這是說屬於情操的，至於每個人定型上更是天賦的大相逕庭，舉字眼描寫如凝重、緘默、活潑、溫厚、潑辣、輕佻、強悍，……等。故他的聲與形，（詞與色）也就自然而然的表現了內心的趨向。先賢子產曰：「人心之不同，如其面然」就是此義。雖然有時爲了適應環境而做作、模仿、矯飾。所以每個人說話表情都是相因配合而演序發揮他的固定性格的，尤其是在過度的激動時，表現得更爲眞切。如我國戰國時代俠士荊軻往刺秦王燕丹送別時，易水放歌：「風蕭蕭兮易水寒，壯士一去兮不復還」。怒髮衝冠，悲壯激越，這是說明了情操在語言與表情上的不可分割。

一個國家民族在種種傳統的語言、文字、風俗、習慣上推演，年代久遠，一切都自然的陶鑄了一個定型的風格，吾人縱目觀察，分晰在國際壇坫上之風雲人物，其代表他自己國家的風格，及傳統精神，稍一留心不難立判。這使吾人在宇宙的大戲台上看到了許多生旦淨丑所扮的忠奸角色的種種不同，冷靜一想忍俊不禁。以上這些所謂語言，（聲響）行動，（形象）上所表現的都是剎那間即逝，它並不能傳達到遠方，（空間）操縱於千古，（時間）那麼只有藉諸文字的發展與藻飾來陶鑄了。文字是習慣的符號，文章是發抒情感表現行動的渲染工具，關於後者，執筆人在技巧功夫上都可以發揮到淋漓盡致千古不朽的，故國家文化悠遠，其文字表現必特優異。

本來人爲萬物之靈，由感觸而發抒語言，由情緒而操縱行動，千變萬化人各異殊，間或如前云爲適應環境矯柔造作，那是一時或一地的事。一個國家民族既有風俗相循，傳統相沿，自然有其一種特立的文化風格，故世界各國文化風格，直接或間接給予人的印象，在客觀方面說，其感召是深刻偉大，因爲吾人們除了了解它的本質外，還能欣賞它的優異特點，能與融化在情緒上的同一表現不謀而合。

我國文化綿邈悠久，在世界上極有其超越地位，在文學上更是輝耀萬丈，異采廣被於寰宇，這因我國文字是單獨孤立語，（ISOLATING LANGUAGE），文法簡鍊[illegible]幽深，寄之於文章[illegible]輕而易學。正因此在形式組織上又分爲散文（PROSE）韻文（VSRSE）兩種，（在[illegible]上又分主觀客觀）正因爲容易[illegible]，故於其散文議論（主觀）敘述，（客觀）的發揮曲盡其致外，進而擅爲音調[illegible]之韻文，仍是游刃有餘無孔不入，[illegible]暢引人入勝。所以擅文之士由[illegible]鋒爭巧，如百勝將軍於筆陣，馳騁往來縱橫變化如入無人之境，而又睥睨百代。二千年以降才俊輩出，[illegible]象，蔚爲大觀，尚其所謂韻文了。〔一〕

南洋桃源沙撈越

—傳奇式的開國史—

南洋範圍很廣；一般人都知道婆羅洲是南洋的一塊廣大陸地，如果認爲它是島嶼的話，則它的面積，在世界大島中列居第三位，而北婆羅洲的山打根，更無人不知是出產木材的地方，香港居民所燒的柴炭，大半是從那裏運來的，加以艾妮·凱斯（AGNES NEWTOR KEITH）所著的『萬劫歸來』一書，改編成電影演出的時候，也是從山打根淪陷於殘暴底日軍開始的，因之一般人認爲山打根就是婆羅洲的首都，而婆羅洲也就是以山打根爲代表地了。

不知整個婆羅洲，現在分爲三邦，舊日蘇丹所統治的疆域，已縮爲汶萊一邦，山打根所在地，也是三邦之一，名稱既叫北婆羅洲，範圍只限於婆羅洲的北端全部，這邦的新首都是亞庇。山打根目前只是一商埠。另外一邦就是沙撈越，它位於婆羅洲的西北部，是一個沿海岸的狹長地帶，面積較北婆羅洲要大百分之四十。約有五萬平方哩。全邦分爲五個省，首都名叫古晉。筆者所要談的，也就是這個地方的許多有趣故事：

我們以前閱西班牙的名著小說；「唐·吉訶德先生傳」，讀到那瘋魔騎士，竭力慫恿他鄰舍的一個傭工名叫桑科·判紮的去跟他做侍從，那傻頭呆腦的東西，在聽了許多說辭之後，終於樂於跟他同去，其所說最使那傻瓜動心的，就是這樣幾句話：

『說不定有時會碰到意外的機會，也許一塊海島唾手就可得，那末我就可以留你在那裏做總督了。……』

那桑科·判紮，懷着諸如此類的希望，就撇下了自己的妻兒，跟他的鄰人——就是那瘋魔俠客——去當侍從了，一路上桑科攜着革袋，行囊，騎在驢背上對他主人言道：

『我請求你老人家，遊俠騎士，好先生：你別忘記允許我的那塊海島，我也得要學學怎樣個管法，要不太大才好哩。』

『你得知道，桑科·判紮，我的朋友；這是遊俠騎士當中自古以來的習慣，要是得了海島或是王國，總叫他們的侍從去管治的：……只要你我活着，我大約不消六天功夫，就可以得到一個王國，有許多小國隸屬於它，那時候我就派你做一個國的國王，你別以爲這是什麼奇事，因爲像我這樣子的騎士，碰到的事情，總是這麼意想不到的……』遊俠騎士很神氣的答復他的侍從。

我們當初讀了這樣的小說，直是笑不可仰。總以爲這是著者塞萬提斯的高度幽默，有意諷刺當時西班牙人對於遊俠騎士的羅曼史幾乎發狂的怪狀的，其情況儼然有點像我國民初若干小學生讀了江湖奇俠傳或看了火燒紅蓮寺電影，私自約伴逃走，往峨嵋山乃至崑崙山訪視修道去一樣，自然一概以幻想，神話師之了。（一）

機智

煤油大王的一位朋友對他說：朋友欠了他五萬塊錢，沒有辦法能夠向他取回。

『爲什麼不告他？』煤油大王問。

『我沒有向他取回字據，不能夠告他。』友人答。

『那麼寫一封信給他，說他欠了你十萬元。』

『他只欠我五萬元。』

『就因爲這樣，』他說，『朋友收到了你的信，會馬上給你一封回信，說他只欠你五萬元——那便是你的憑據。』

（雪）

編者讀者

△曼如，酒恭，許苑，陳雪英，朱滌秋，陳民耿，朱金正，諸先生：承惠稿，均已收到，至感謝。

△本期刊出朱淵明先生的「南洋桃源沙撈越」一文，可作遊記看，亦可作傳奇故事看。作者現旅居該地，親見親聞，資料特別可貴。讀者幸爲留意。

△讀者來函詢賈景德先生「秀才舉人進士」一稿，刊載完畢後，是否發行單行本，正函商賈先生，得覆再行奉告。

△高觀先生：前奉大函，未能早覆，歉甚。尊示已轉洽王紹幸先生。又承詢「何以突然停止刊載」詩詞，實則並非停止，是較前略少而已。謹覆。

更正

本報前載賈景德先生「秀才舉人進士」一文第五〇一期之第三段第七行「家人」應爲「舉人」。五〇二期內第二段第一行「工畫」應爲「上畫」；第十二行「草第」應爲「草茅」；第三段第十，十一兩行「要做一篇千七百字的文章」一語，爲「要做一篇約一千六百餘字的文章」之誤。又五〇三期內第一段第八行「爲十二組」一語之上，漏植一「分」字。特此更正。

自由人
THE FREEMAN
（第五〇八期）
海外總經銷　友聯書報發行公司　香港：德輔道中二十六號A二樓
台灣特派員辦事處　台北市館前街五十號
台灣總經銷處　台北市西寧南路壹號二樓
台郵撥儲金戶九二五二

日本民主化的前途

—亞洲國家民主化的殷鑑—

·陳克文·

日本明治維新後，一八八九年頒布憲法，設立議會與內閣。爲亞洲最先施行議會制度的國家。二次大戰後，在盟軍佔領下，日本頒布新憲法，一切制度大加改革。主要目的，期在防止軍國主義之復起，與實行民主化。

一九五二年四月和約生效，日本恢復獨立，至今又歷三年，到底日本的民主化成就如何？軍國主義和獨裁政制，有無復活之可能？此實爲談日本政治與亞洲民主化，所應關心之一大問題。

新興的國家主義

美國政治科學季刊去年九月號，載「日本民主的前途」一文，作者HUGH BORTON氏，爲哥林比亞大學東亞學院院長，兼日文教授，是研究日本問題的學術專家。他在這篇論文裏，詳述明治維新後其政治指導的原則。及對盟軍佔領後，新憲的中心精神，與及土地、教育、警察，種種改革，以至工人運動的興趣更有深切的剖析與詳述。

根據作者分析，和約生效後，日本民主化的種種改革，已逐漸崩潰，極權專制已有復活趨勢。他說：『一九五五年二月大選結果，各黨派勢力消長之形勢，已可看出日本保守政治氣氛十分濃厚，政治發展趨勢之改變已極明顯。』又說：『佔領期間所實行之許多改革，至和約生效，已多已改爲一種新起的國家主義所鼓勵刺激而加以改變。』

脫離民主的趨勢

他認爲麥克阿瑟所極力維護與新憲所明白規定之基本民權，現在已受到一種新發展所威脅。他認爲鎮壓叛亂法的頒布，與警察權力的恢復集中，使工人運動與反對黨個人自由，發生障碍。又教育制度已恢復戰前的中央集權政策。這些都是民主化的莫大威脅，亦即顯示日本已有脫離民主的趨勢。他更指出鳩山繼吉田爲首相，傾向獨裁之趨勢依然未改。且整軍運動使軍人勢力復活，舊軍人乘機抬頭。財閥復活使政府與財閥從新聯結起來。

失敗的兩大原因

日本的民主化爲甚麼會有如此挫折呢？作者舉出兩大原因：第一，新改革的主動出於佔領當局，形式上日本雖表示接納，其實並未能得到日本人民的衷誠擁護。故一旦佔領終止，改革亦自然終止。第二，從日本歷史看，統治日本之政治人物及彼等所具之理想遠較彼等所運用之制度爲重要。他認爲明治憲法僅爲適應當代領袖人物的信仰，雄心，與其願望之所需。故所謂憲法也者僅使政府官吏爲此等領袖忠誠服務，實質上並無絲毫接受民意約束之意義。

作者的論斷，非常中肯。日本前後兩次改革，都是因爲受了外力壓迫而生的。並非自發自動。故明治維新，僅有議會制度的形式。二次大戰後的改革亦僅能成爲表面敷衍。其次，日本民主化太過重視少數的政治領袖了。政治領袖所追求的爲權力與地位，所謂憲法，所謂制度，在政治領袖的眼光中都不過是爭取權力與地位的工具而已。在這兩種情形下，日本的民主化，自然是不會有成就的。

新興的民主勢力

然則，日本的民主化，是否已經絕望了呢？前述作者認爲並不如此。他以爲日本現在已有一種新勢力，使極權專制之趨勢將受遏止。第一，勞工運動已就成熟，工會對政治已有極大影響力。第二，土地改革，使大部份農民獲得利益，農民力量已不容許恢復戰前舊制。第三，憲法規定男女平等，婦女在法律，選舉，及其他方面均已具舉足輕重的力量。最後，日本人，尤其是青年因受了新政治哲學的指導，民主觀念大爲發達，已不容許專制獨裁之復興。換言之，日本民主化，已由被動的改革而漸次成爲主動的自發的要求。已由少數政治領袖的領導，漸次成爲各階層羣衆的共同努力。在此種形勢下，日本民主化的前途還是有希望的。

日本對亞洲的影響

歐美民主國家的發展歷史，從沒有僅受外力壓逼，被動改革，而能成爲眞正民主政治者。更沒有僅寄其希望於少數政治領袖，而能走上現代民主化的道路者。

惟今日之日本，其所面對的內外問題，既甚複雜又甚嚴重。吉田與鳩山之所以逐漸放棄佔領期間一切改革，亦屬時勢使然。如何利用目前之已有基礎，因應時勢，積極邁進於民主化的大道，使軍國主義，極權政制不至復興，眞是談何容易的艱鉅使命！

日本的民主化不惟日本一國國運所關，對亞洲各國影響尤大。於是，吾人唯有企望於日本國民與其領袖，能發揮最高之智慧與毅力，完成明治以來所未能完成之偉業。

論政治與經濟的雙重關係（下）

·張丕介·

代表國家行使政權的政府，一方面爲自身需要，另方面爲執行政策，都須和經濟發生密切關係，但這種雙重性質的關係卻極不容易安排，使其達到平衡的狀態，不是削弱了政府的地位，便是侵奪了經濟的自由。兩重關係的矛盾，反映爲兩個各走極端的政策原則和一個搖擺不定的實際狀態：力主削減政府的干涉權力者爲經濟自由主義，這可用亞丹斯密以來的古典派經濟學者爲代表。依他們看，經濟的自由是最高原則，政府的權力應限制到像我們僱用的守夜看更者的權力一樣，甚至要提防它像霹手一樣會刼掠主人的財產，所以他們主張：最小的政治權力，最低的政治干涉，最大的經濟自由，最自由的企業競爭。這是十九世紀普遍的信仰，事實上確曾助長了資本主義經濟的巨大進步。它之至今仍爲許多人所信仰，並非偶然的。

雙重關係不易平衡

然而自由經濟之不純粹，則是事實。而自由資本主義帶來的許多嚴重問題，也是事實。新重商主義者沒有一天放棄過干涉保護，也曾造成了英德兩國的驚人進步。國內的社會問題，大企業的獨佔問題，加上國際間的激烈競爭與經濟恐慌的威脅，在在喚起另一政策原則之極端的抬頭，即政府加重其對經濟的干涉。除去增加稅收名目，有時更看中了國營企業的方便。於是以國家之名，一步步的參加了生產，交通，金融各部門。最後便發展成完全的統制經濟，計劃經濟，其範圍之大，設計之週，影響之深遠，使俾斯麥當望之而有愧色。希特勒的德國，是一個典型；所謂社會主義集團，更是極端化的「經濟國權主義」者。事態演變至此，乃有新的學說理論，「從而爲之說，」它的原則是：最大的政治權力，最強的政治干涉，最少的經濟自由，乃至完全停止自由經濟；在社會主義之下，則名之爲「國有化」，「社會化」，連傳統的財產私有制都要連根拔掉，別的更不用說了。

政治權力萬能的觀念

二十世紀的中期，已看不見自由主義經濟的典型；所謂自由國家的政策，多半是介於極端之間左右搖擺不定，而實際上多少偏向於干涉主義的狀態。在英國，工黨時代的「國有化政策」曾爲保守黨所盡力攻擊，但邱吉爾上台後，還是繼續保留。在美國，羅斯福時代的「新政」原爲應付大恐慌而臨時拿出來的權宜之計，但至今仍爲共和黨政府所保留。其他各民主國家的情形，也很少例外。這不僅由於戰爭，或其他原因，而實是一種強烈的普遍形勢：好或壞，我們大半還須生活在這種狀態之中，而且從事實的考察，還可以看出下一步的發展，即干涉主義的勢力，日益强烈，自由國家不知不覺之間，甚至在其自厭惡之中，要向社會主義集團看齊！政治權力萬能觀念在支配着大多數民族的意識。

政治權力萬能的危險

我極端厭惡權力萬能觀；我相信，沒有一個愛自由的人樂意接受這一意識。政治萬能的意識是：政府無所不能，人民則一無所能。在經濟方面，萬能的政治權力施行下來，無孔不入，是剝奪自由的無上權威，失去了經濟自由，也將失去了一切自由；在經濟生活上失去自由自主的人，實際上將淪陷爲程度深淺不等的奴隸，不管他們喜不喜歡這樣稱呼。而一個龐大的國家，在其信奉權力萬能之時，其危險尤爲可憫。

處於兩極端之間的國家，由於民主政治（議會）還保有相當力量，可以多少影響政府，使它不致成爲脫韁之馬，但是誰看着這種力量已經日見削弱了。若是根本沒有良好的民主制度的國家，儘管它極力反對共產世界的奴役政治，可是更容易作干涉主義的皈依者。除去環境的要求，如今日流行的冷戰外，這是由於兩個原因造成的：一是權力本身的誘惑，一是一般思想中，國家與經濟的劃界不分明。

經濟國權主義的由來

「經濟國權主義」的養成，總是這樣的：先有某種特殊緊急狀態，使政府獲得經濟大權，像羅馬帝國共和時代授權一位執政官作六個月的狄克推多一樣。但緊急狀態過去後，這份權力卻會在種種藉口之下，繼續保留於政府手上，有時還會更進一步的加以鞏固和擴充。時間一久，便成爲固定的制度了。緊急狀態不斷發生，政府的經濟權便不斷伸張。

國家的權力握在政府手上，政府握在官吏手上。握有無上權力的官吏成爲國家的實際統治者。受着權與位的誘惑，他只要求更多更大的權力，決不肯自動削減或放棄已有的威勢。大權在握的人，在權力陶醉之下，就會創造出一套動聽的理論，即是權力萬能的後天根據。這時他必然忘記得乾乾淨淨，什麼是經濟政策的眞正目的，什麼是他取得這份大權的原始動機，什麼是經濟與政治的界限。

不，經濟與政治的界限根本就相當模糊，在迷信政治萬能的人看來，甚至根本就沒有界限，意即：經濟就是政治的一部份。希特勒如此，史大林如此，一切大小獨裁家，政治野心家，莫不如此。——但是信奉這一謬誤觀念的結果又如何呢？每一個這種國家的經濟生活都是毫無生氣的生活，都是令人難堪的窒息狀態，都是沒有進步希望的地方。政治權力向前一步，經濟自由便削弱一步；極權政治出現之處，就是大大的一座牢獄。經濟平等嗎？也許是的；但那是牢獄中囚徒的平等虐待，而不是文明人類所想望的境界。

政治與經濟的界限

當然，時至今日，沒有一個有理智的人會幻想恢復半世紀以前的自由經濟，或否定政治對經濟生活某種限制干涉之必要。然而這裏應該劃下一個界限，以杜絕政治權力向經濟範圍作無限的伸張。

誰都明白，這一劃界工作是如何困難的。不管實際政治守不守這樣一套紙上談兵的空話，單在理論上說，也幾乎是難獲多數人同意的事。（下轉第二版）

充實「東南亞公約」的開始

最近即將舉行的有關太平洋防衛的會議：本月十六日，東南亞公約國軍事領袖在澳洲舉行會議；三月六日，東南亞公約組織理事會在巴基斯坦舉行會議。

這是重新檢討東南亞防衛問題的時機了。首先，這一公約組織沒有自由中國和日本的參加，防衛區域限于北緯十六度以南，在防禦體系上是不完整的；其次，這一公約組織不像北大西洋公約組織，沒有軍事總部，沒有常備軍的組設；再次，東南亞公約規定，遇有侵略行動，八國須事先協商，不能單獨採取緊急行動。

因此，這一東南亞公約是先天不足，組織鬆懈的。非律賓外長已經表示歡迎自由中國參加。希望，這是充實「東南亞公約」的開始。「東南亞公約」的任務應該是更富于積極性的封鎖敵人，孤立敵人，有力的打擊敵人，這一「公約」不能僅限于消極象徵的意義而已，甚至綁住自己人的手脚啊。

時事評述

·司馬璐·

俄共大會的前奏

俄共的第二十次黨代表大會將在二月十四日舉行。這是史達林死後俄共最重要的一次黨的會議。

俄共的第十九次黨代表大會是一九五二年十月舉行的，在那次大會中，基本上爲馬倫柯夫的繼承史達林問題作了安排。但是，史達林死了，獨裁者雖到臨死也不肯放鬆他的權力的，他的一切安排也就跟着完了。

史達林死後，貝里亞的整肅，馬倫柯夫的下台，都說明這個俄共的政權是不穩定的。

現在，俄共中央的領導權力在赫魯歇夫身上比較集中，但也僅僅是「比較」而已，要見分曉，還待廝殺呢！

史達林當年擬得俄共的領導權，他怎樣鞏固他的統治呢？他要制服「列甯時代」的那批人，「不投降，就消滅他。」（這是共產黨人所常引用的高爾基的「名言」）。同樣，今天赫魯歇夫也承受了這一衣缽，他對付那些「史達林時代」的人，也是如此。不久以前，俄共的刊物批評過莫洛托夫，最近一期「共產黨人」又指摘馬倫柯夫。這就是迎接俄共第二十次黨代表大會的前奏！

向劊子手「謝恩」

中共的報導說，一月十日，「北京」有「盛大遊行」，什麼人參加「遊行」呢？據說是「資本家」；他們爲什麼「遊行」呢？據說是爲了「慶祝」；他們「慶祝」些什麼呢？據說是「慶祝」他們的工商業由「政府」實行「合營」了。

中共的報導又說到，這些「資本家」不僅「遊行」「慶祝」，而且「到處張燈結綵，鑼鼓喧天，爆竹聲整日不斷。」「北京」全城完全像過年過節一樣。

中共早已明白交代，「合營」的意義就是「過渡到社會主義」，今天資本家所有的一切到那時就變成共產黨一家佔有了。

中共的報導卻說，這些「資本家」竟爲此「高興」？假如中共報導的是事實，那麼，這些「資本家」一定是瘋了！

低能、愚蠢的宣傳，有時要使人笑出眼淚來的。有一種最殘酷的苦刑，受刑的人不准喊一聲「痛」，他要不斷向劊子手「謝恩」。

君不見，中共的報導還說，這些傾家蕩產了的「資本家」「向毛主席致敬」嗎？

台灣通訊

台峽會有大戰嗎？

小魯

「台北特約通訊」密集的金廈砲聲，給險惡的一九五六年奏出了戰鬥的序曲。金廈砲戰，開始於十二月二十九日而以元月四日最烈，共軍於該日上午，從海峽對岸向金門一口氣發射八百餘砲，國軍隨即於五日以同樣數目的砲聲還敬敵軍。這象徵着今年的世界，已從這一角揭開了戰爭的新頁。

雖然雷德福上將於六日離台時，向記者指出這種小規模的隔海砲戰，只是中共的冷戰行動，但是，這種說法並不能減低一般人對金馬地區日益嚴重局勢的關切。目前一致關懷的是：第一、金馬地區是否將發生地面爭奪戰？第二、是否會因此引起海峽的全面戰爭？第三、美國會不會在金馬大戰爆發前宣佈協防金馬？雷德福等四位美軍首長相繼訪華，是否與協防金馬有關？

要求得這些問題較正確的答案，首須根據對岸敵人的動態，才能下判斷。目前共軍，正繼續向浙閩前綫增兵。由金門到馬祖這一百五十哩長的大陸海岸綫，敵人所努力擴充的陸軍，估計在浙閩沿海，總數約達三十萬人，其中有剛於上月南調參加韓戰的兩個師；而南方各省的壯丁，亦正奉令入伍，限於本月十日前集訓，顯示中共對兵源的補充，已充分的準備。為適應海岸湖川戰爭的特性，中共陸軍，且着重擴充長射程大砲，單是金門對岸共軍所構築的砲兵陣地就達七百座，內配有長射程大砲約三百門。這使金門幾已全部暴露在共軍大砲射程內。

海軍方面，其主力迄仍伺伏在舟山一帶。目的則在牽制國軍艦隊的活動。其中包括有九十多艘蘇俄潛水艇，大量魚雷快艇和小型戰艦。除了登陸用的船隻不計外，共方艦艇總數約達四百艘，它們的活動半徑，從舟山以迄汕頭，而以海南島為其潛艇基地。上月，中共「海軍司令員」蕭勁光，曾親自南下從事部署，並在上海召開高級海軍將領會議，傳係決定把北洋海軍艦隊南移，企圖集中力量，從事冒險行動。

未來海峽爭奪戰的勝負，無異首先決定於制空權的誰屬。因此，中共對於這一地區的空軍部署，十分重視。它除了原有的福州機場外，以金門為中心的一百二十五哩半徑內，已建築了六個噴射機基地。分布情形為：龍田——距金門東北一百哩；惠安——距金門東北四十二哩；沙溪——距金門東北二十五哩；龍溪——距金門以西四十哩；連城——距金門西北一百五十哩；澄海——距金門西南一百十五哩。

這些機場，估計可容納俄製米格機約千架，祇要撥動戰鈕，大批噴射機即可分由華東各基地進駐上述各機場，以進行海峽制空權的爭奪戰。

另一值得注意的，是中共趕築鷹廈鐵路。福建為邱陵地帶，交通不便，軍需補給困難，鷹廈鐵路是浙贛路支綫，由浙江的鷹潭到廈門，現正以數以萬計的兵工和民工日夜趕修中，預定七月間即可築成通車。

由這種種跡象看來，金馬戰機可能一觸即發。就由中國來說，金馬為台澎的大門，共軍如攻金馬，即無異侵犯台澎，國軍勢將寸土必爭。但在美國來說，它不希望海峽此時發生戰爭，致使第七艦隊捲入糾紛。就吾人觀點言，要阻止海峽爆發全面大戰，有效的方法是美國宣布協防金馬。據關係方面人士稱：雷德福等美國四軍事首長此次訪華回美後，可能將建議華府協防金馬，而此事之宣佈當不會遲於今年的五月。（元月六日寄於台北。）

約但與巴格達公約

蘇插足中東謀奪英傳統利益
約但如離西方將成中東孤兒

曾旭軍

外約但地當中東石油地帶的中心。起自伊拉克油田的油管，其中一條即經此而到以色列的海法港。所以外約但一有動蕩就足以牽動整個中東，故外約但一定要參加在巴格達公約的體系內，中東才能得到安定。

大約在三週前，英帝國總參謀長鄧甫勒將軍，攜了二十來案，飛往約但的首都安曼。他的主要目的就是要約但參加巴格達公約，共同抵抗蘇聯的南侵。以鞏固中東的利益。可是約但內閣中有四個屬於反以色列的巴[illegible]坦人，對此竟以辭職來抵制搞垮內閣。同時約但各大城市即相繼發生暴動！兩個內閣先後辭職，一個看守政府成立才十餘天，又因最近一次的大暴動而垮台。里法衣而成立了現在的看守內閣。

英蘇互爭約但

鄧甫勒將軍無法打開談判空手回返倫敦。下院工黨議員紛紛責備艾登內閣，洛班斯，且率直指說英國對中東的政策經已破產。其實這是錯誤的。外約但的現狀主要原因是反蘇聯策動共黨搗亂造成。約但在十年來，已飽受共黨的滲透。倫敦泰晤士報週報社論指斥議員洛班斯的指責政府係屬無的放矢。

英國自一九一八年以來，對中東的政策，主要目的是維持和平與友好關係。尤其是對外約但政府，始終能維持良好之關係。其能在一九四六年成為一個獨立國，實亦全賴英國之支持。

約但政府十年來都是反共的。每個執政的總理均對共黨採取強硬的態度，共產黨有十個領袖先後被驅逐。但蘇聯操縱下的共黨特務，滲透得很厲害。他們着眼於約但國內四十餘萬巴力斯坦阿拉伯難民，反對英美支持以色列建國的矛盾。利用他們的怨恨情緒，和貧困的境遇，進行挑撥離間。所以歷次的暴亂和最近在約但巴力斯坦區發生的暴動，大多數是這種人。他們久已成為共特的工具。

約但必須傾向西方

約但在經濟上必須依賴西方，約但人也完全了解，必須獲得更多的西方援助才能立足中東。假如離開了西方陣營，在約但即使有米也無法煮成熟飯。因為他們是靠聯合國救濟着，每月數次派送貧民麵粉甘蘭油，和火油才能生活的。其次在政治上也不能脫離西方。

外約但與埃及、敘利亞、沙地阿拉伯、伊拉克、也門、黎巴嫩等同屬阿拉伯同盟，但外約但與這些阿拉伯國家的關係卻不見良好，尤其是對埃及，敘利亞、和沙地阿拉伯，有宿怨。沙地阿拉伯覬覦外約但的南部，即阿卡巴港一帶。所以兩國感情不睦。以前鳴都拉王則懷抱「大敘利亞計劃」欲併吞敘利亞，故曾與敘利亞發生衝突。因此假如脫離西方，勢將孤立，雖然置身在阿拉伯聯盟中，亦是任人操縱的孤兒。這也是約但人所洞悉。

英應放棄妥協

此次英國之勸約但參加巴格達公約。反對最力者，就是埃及，沙地阿拉伯，和敘利亞。這三國藉口說阿拉伯聯盟應團結。除斥責約但事先不和他們商議之外，並以民族主義大帽子壓在約但的頭上。其實他們畏約但加入了巴格達公約，對於他們不利。

目前英國對此已表示有切膚之痛。在今之計，英國必須從而大徹覺悟，修改對共政策，不應再存妥協姑息的態度，正本清源之道應和約但共同用大刀闊斧的手段肅清滲透的共黨勢力。另則在討論巴格達公約之先，必須顧及阿猶糾紛問題，先安排對以色列及對土耳其的關係，至低限度澄清誤會。如此則約但參加巴格達公約的問題，便可完滿解決的了。

星教育努力改革

總視學官遭暗殺未遂
教育部長來港聘新人

（本報特訊）因星馬共黨的肆意活動，已使整個馬來半島軍陷入恐怖動盪。星加坡歷次工潮所造成的損失是難以估計，社會秩序破壞後，人心惶惶，首先遭到重大打擊的是教育界。

共黨向星洲教育界的滲透是循利誘收買和恐嚇暗殺二途雙管齊下的。不甘利用不為收買的即始而恐嚇，繼之以暗殺。因此星洲的學校不僅多為左翼份子控制，即教育主管機關也是危機四伏。前任的總視學官×××，即因堅守立場為共黨暗殺未遂，迫使他放棄總視學官職務，而改任小學教員。

因此，星洲教育部總視學官以下出缺甚多，而無人敢於出任。

星洲教育部現任周部長鑑於共黨侵蝕教育界之嚴重，刻已決定加以徹底整頓。據星洲關係方面所示，周氏已於週前抵港經由某方在港物色聘請具有確切反共立場而富有教學經驗之人士前往星洲。一俟延聘妥當後，即將在星成立一所師資訓練學校，並成立一所官立中學，以期逐漸驅除共黨在教育界中的惡勢力。（曄）

論政治與經濟的雙重關係

（上接第一版）

我曾根據個人書生之見，試擬幾條劃界的原則，自知並不高明，但抄下來，作為讀者的參考（詳閱拙著「經濟學講座」第九、十、十一章）。

國家製定及執行經濟政策時，應謹記政策的意義，並不是有權自行創造一種經濟狀態，而只在用以調和現有的諸種不和諧的關係，所以：

它不應越俎代庖，包辦屬於人民的經濟行為；

它的政策不應違反人民自由生活的原則；

它不可成為既得利益的保鏢，更應成為社會弱者的保護人；

它最好不要直接經營經濟企業，亦不應採專賣公營的方式，去與民爭利；

它在緊急狀態中獲得的經濟權力，不應讓其超過必要的時期；

它的干涉限制，應以最必要的範圍為限，而且應以人民的同意為根據。

這些話都是經濟學者的老生常談，既非新奇，也不完備；然而試以此諸點，以衡度現行各國經濟政策，我們不難看出問題的嚴重意義了。（完）

張其昀答周慕文

——關於學術研究問題

本報五〇六期刊載立委周慕文在立法院教育委員會上對教部關於學術研究問題的質詢後，頃接教部來函說明該部張部長即席答覆情形，茲將原函披露如左：

逕啓者：頃閱一月七日貴報揭載「立委周慕文對學術研究問題的質詢」一節，經查立法委員周慕文先生去年十一月廿四日在教育委員會的質詢，本部張部長即席已作答復，茲貴刊重復刊登，特將答復要點誌之如左：

（一）國立中央研究院在系統上直屬於總統府，教育部負有全國學術及教育行政之責任，對於中央研究院當然要予以協助，但有關該院之事，非教育部所能完全負責，其理甚明。

（二）最近教育部由清華基金利息內撥助中央研究院兩個新的研究所即近代史研究所與民族學研究所，各五千美元，合計一萬美元。其數額僅次於國立台灣大學，而較國立政治大學與省立師範大學為多。外交部所藏民國以前珍貴檔案與史料，現歸中央研究院所有，此事是由本部張部長努力促成的。

（三）原子能的研究方面甚廣，需要各方面通力合作，為達成此項目的，行政院特設有「原子能委員會」。教育部並設有「學術研究合作委員會」，以聯繫各大學研究所與政府所設之研究所。國立清華大學研究院核子科學研究所乃一研究與訓練人才之中心機構，因所需經費頗鉅，故有動用清華基金利息之建議，此事現已成為事實。政府財政困難，現有經濟之資源應儘量予以運用，此當蒙各方所諒解。至經濟部聯合工業研究所，現正研究本省獨居石之採集及提煉問題，將來可充原子爐之燃料，此事甚為重要。

相應函請查照惠予刊載為荷！此致

香港自由人報

教育部秘書室啓

加拿大的防諜工作

杜邦譯

加拿大礦克河原子工廠及其他原子工廠的科學家，以及雷達與其他秘密研究工作的科學家，都用全面的調查來加以甄審。

擬定加拿大這一嚴格調查制度的，很多人都認為是勞倫特，他現在是總理，一九四六年皇家委員會進行調查工作時，他是司法部長。他曾解釋說：「上訴程序是有意不與受理的，因為這種關於個人是否可靠的信任問題，不是一種可以作為一次法庭審判的結果而決定的事情」；法庭審訊，必須根據特定的控告，經過審問，才有結果。

可靠性發生疑問時，官方意見為：「原諒個人的可疑之處，這是不可能的。」在他們看來，政府必須極力使其機密獲得保障，正如他們對下院的解釋所說的。他們相信這個秘密調查制度可以嚴格保障機密。

政府這一工作，保基於下列理論，即：偵查並消滅一切外國間諜是不可能的事。因此，政府認為必須將內部的外國情報來源，與以根除。

因為忠貞或不可靠而被解僱或調職的人員，究有多少，及政府的另一秘密。議員們曾不斷要求公佈數字而不公佈姓名。這種數字，英美政府都向社會公開的，但加拿大的政策是不公佈這種數字，尤其是提出一些含糊其詞的報告，例如：

已被解僱的公職人員，「並不太多」。

武裝部隊經過甄審後，已有「頗多人員」革職。

「大批」職員，因為有不謹慎的傾向而被調職。

加拿大的現行安全方法，根源於高正科之揭發共特。他是俄國駐加大使館的一位密碼專家，於一九四五年攜帶很多秘密文件脫離該大使館。他將他所參加的一個間諜組織，全部暴露。他並透露其他幾個間諜組織的存在，但因缺乏充足證據，未能破獲。這一案件，使加政府大感驚訝，乃首先成立一皇家委員會，其調查、逮捕、搜查、監禁與審訊疑犯的權力之大，史無前例。

這些權力，被運用到一個很大的範圍。該會成立後僅九天，即逮捕了十三名嫌疑份子。以後續有逮捕。疑犯均被拘禁於蒙蒂斯的兵營內。

對於這批疑犯，逮捕以後，並不提起控訴。他們的住宅被警察搜查，無須出示搜索狀。該委會的報告，稱此等逮捕純為預防性，旨在避免走漏秘密消息，不是懲罰其過去行為。

該會所持理由是：對外國透露秘密情報，會產生全國性的緊急狀態，因此必須採用較「官員守秘法案」所規定的更有力的處理程序。

疑犯被捕後，很久不能和外界通消息。他們要受長期而秘密的訊問。委員會有權強迫他們作證。

與審訊有關的一[illegible]員——包括證人在內，都必須宣誓守秘。

全部證明文件，從不公佈。部份包括在該委會的報告內。有人責難這審訊方式類似秘密警察的調查工作。勞倫特承認他對此點很是關心，但政府決定，在此「特殊情況」下，須要嚴厲措施。

在加拿大，安全制度是一種硬性的辦法。他們並不像美國那樣顧及涉嫌人員的個人權利。對於加拿大的官方來說，國家安全是首要。（譯自「美國新聞與世界報導」）（下）

急應改進的：香港中文會考制度（上）

●曼如●

中文高中會考，由一九五二年夏季起，至今年已舉行四屆了。有些人在頌揚，說這是提高香港中文中學程度的好辦法；也有些人在非議，說是徒害學生，甚至扼殺青年。其實這兩種意見，都只看到一面，還未窺其全豹。

程度低落原因

提高程度，是有心人不會忽視的問題。但單憑會考來解決，又是捨本逐末。因爲目前香港學生程度之低，其主要癥結，在於教育當局還未重視學籍問題。學生可以自由轉校，可以月月轉校。學行低劣的學生，不容于甲校，馬上可以轉到一些祇收學費，不重校譽的學校。不但可以保持原級，而且可以跳升一級。高中會考落第了，一樣可以拿到學校發給的畢業證書。在這現實的教育情況之下，會考制度又怎能作爲提高程度的萬靈丹？至於那些爲了一些偶然的事實，而非議會考的，也是因噎廢食，毫不足取的。總之，教育當局在未管制學生學籍，無法防止學校濫收學生之前，會考制度，也是無可奈何中的一個辦法。因爲好的學校自然會好；壞的學校，會考制度也不能使之變好；而那些可以向好可以變壞的學校，因會考制度的存在，至少可使他們多一顧慮，而不敢自暴自棄，日趨下流。所以，我們現在提出的問題，不是會考制度的存廢問題，而是怎樣把現行的會考制度健全起來的問題。

現制祇要國文及格

香港現行中文中學高中會考制度，其要點有如下述：

（一）最少須五科及格，

（二）必考科目：

一、國文；二、英文、歷史、地理、三科中，至少要選考一科，多選亦可；三、甲組數學、乙組數學、物理、化學、生物、五科中，至少要選考一科，多選亦可。

（三）自由選考科目：

一、聖經；二、圖畫；三、家政（祇限女生）。

（四）每科以四十分爲及格，六十分以上至八十分爲良好，八十分以上爲優異。

基上所述，我們可以知道，國文一科，是必須及格的。其餘，可以依照規定選考的辦法，選考四科及格，連同國文一種，就足夠五科了。能夠達到這個標準，就算是高中畢業了。

考試各科的範圍，教育司早就規定頒佈，各校也是依照規定範圍講授的。所以在現行會考制度之下，如果參加會考的學生不是「跳級」太厲害，而又稍爲勤力一點，必可安然渡過難關，取得及格的。因爲要求並不苛刻，隨閱又早經確定的原故。

說到分數，依照規定，是每科四十分爲合格，不算難也不算易。一般人習慣了以六十分爲及格，以爲區區四十分，眞是像探囊取物這般容易。而不知除了自然科學各科和測驗題的分數是有數得計之外，其餘各種，閱卷的人，恐怕還是拿四十分爲及格的標準來給分的。那麼，取得四十分，又不是爲一般人想像那麼容易了。所以分數的高低，是看會考學生的眞實功夫，和命題的難易而定。不過事實上這四屆會考的命題，是不會很艱深的。

這能算高中畢業？

作爲一個高中畢業生，尤其是二十世紀六十年代的高中畢業生，對於中英數三科，應該搞通。對於自然科學和社會科學——是指物理、化學、生物和歷史、地理等科，也該具有普通的知識。雖然各人性有所近，但中英數三科，是最基礎的功課，不容忽視，或有所側重和偏差的。因爲這三種的基礎不好，將來升學就會發生重大的困難，讀什麼科系，也不會有好的成績，而且能否踏入大學之門，也是一個嚴重的問題。爲的是投考大學，這三科也是必考的科目。就算是就業，這三科也是時常用得着的。

但是照現行的會考制度，一個及格的高中畢業生，不一定要中英數三科搞得好。只要中文一科搞得通，再選考其他輕而易舉的科目，像歷史、地理、生物、聖經、（女生選考家政，更是易如反掌）等科，已足夠五科，及格畢業了。可是循名核實，只這五科及格，算不算一個高中畢業生呢？就是說，只這五科及格，算不算已具備了一個高中畢業生應有的基本知識呢？

港大增補助費　實行改善待遇

立法局已予通過

「批准對香港大學增發所需補助費以使其能實施薪金工資委員會一九五五年六月廿四日報告書」一案，已在立法局會議獲多數贊成通過了。

爲協助[illegible]實施薪金委員會建議之調整薪額辦法，所需增加補助費是一百萬元。

輔政司戴維德在立法局提出增發港大補助費案時，曾稱：「本人似無須在此闡述修訂港大教職員薪俸的理由。成立有關委員會的經過，均已在報告書中詳載。該有關委員會係在一九五四年十一月成立，其後即提出報告書。一九五五年六月所提出之動議，即係依據該項報告書而提出者。港大校務委員會於一九五五年七月在原則上通過該項報告書，惟仍須視款項之充裕與否而決定取捨。大學行政當局，經已向政府申請，提高每年補助金之數額，使學校能以實施報告書中所載之建議，此項申請，已受政府之縝密考慮。結果，乃有此項議案之提出。

實施該委員會各項建議，據估計，共需一百萬元。

目前港大所得之政府補助每年爲四百二十萬元，如本議案獲得通過，則可增至五百二十萬元。本人認爲政府撥出此筆一百萬元之額外款項，其負担並不與大英聯邦中其他政府對其他大學之負担，有何不稱之處。

編者　讀者

審計長任期問題

△井松平先生來書

最近立法院爲了審計長任期問題，又發生大辯論，（見四十四年十二月卅與卅一日聯合日報）本人忝爲選民一份子，亦欲略紓鄙見。

這一問題，四十三年第二任總統就職前，中央日報已有所論列。現在大家以爲審計長已經從新提過名了。不料事隔年餘，文在立法院提出此問題，眞使人有莫明其妙之感。

憲法第一百零四條，雖未明白規定審計長的任期，似可明白其任期不是無限制的。總統任期滿了，從新改選。則審計長自亦應由下一屆的總統從新提名，這樣才合乎憲法規定之意。現在有人認爲法無明文規定，從新提名於法無據，斥爲節外生枝，似不是眞確之論。

再者現任審計長張承槱已超過任期的問題，四十三年五月中央日報已經指出，嗣間監察院亦會考慮及此。不知後來，何以並無若何決定。現在立委們又提及此問題，到底如何解決呢？

我覺得這是制度問題，並不是人的問題，我對於人毫無意見，制度是必須確立的。

讀者井松年一月七日台北

△本期刊出曼如先生「急待改革的香港中文會考制度」一文，是極有份量的，該文不僅對會考制度提出了批評和建議，且同時指出香港一些所謂「高水準」學校授課方式的不合理，以及始以廣招新生繼而採用淘汰制度以致形同變相學店的事實，可謂切中時痛，讀者幸爲留意。文長兩期刊完。

△上期「南洋桃源沙撈越」一文，漏植著者朱淵明先生大名，敬向讀者與作者致歉。

△上期「讀者論壇」第一段，第十七行「西德經濟之復興即爲一極權的例證」一句，「權」字係「佳」字之誤，特此更正。

浪費爲了貪污

垃圾箱招財進寶

（原載一月三日天津「大公報」）

發表觀感揭穿大陸真相　葛璧教授言震國際

正整理訪問日記準備出版　使自由世界認清中共面目

一篇客觀演講　引起中外震動

一月九日，香港大學教授葛璧博士在大學堂的一次客觀演講，可以說是足以震動中外的。

葛璧博士是被中共邀請進入大陸訪問的香港大學教授私人訪問團團員之一。他作了爲期三週的深入訪問後，第一個公開發表他們此行的觀感。

葛璧在數以百計的中外學者和中國問題研究專家之前，以十五大頁的演詞，對中共的政治、經濟、建設、文化、教育諸方面逐一加以有系統的批評。葛氏非但是一個香港而且是遠東的經濟學權威，他在香港大學的職務是政治經濟系主任。他以一個英國學者透澈的見解，正確的立論，來說明他在大陸三週的印象。憑他在香港的地位、學術界的造就，這長達十五頁的演詞發表後，使許多人——尤其是英國人——對中共的錯誤認識，須要重新估計，這一個影響不單是香港，而是世界性的。

運用傳統幽默　諷刺虛偽宣傳

葛璧教授的演詞中，沒有一句是讚美中共的，他用傳統的英國幽默，諷刺中共的虛僞宣傳。他首先指出中共的教育水平使人懷疑，因爲大學裏竟沒有筆試制度的。至於中共的所謂「新文化」，更是可憐復可笑，這種「文化」不特貧乏，而且由萊比錫一直到河內，全部是來自蘇俄的文化。葛璧揭破中共所極力宣傳的所謂「建設」，他說：共區內所謂的建設，是不值得特別渲染的，因爲中共所表現的祇是一般國家於戰後的復興工作而已，而它的進展程度並未有任何突出的地方。他更指出，大陸上的幼稚園兒童雖都學會高呼「和平」，但見到的却是無數的軍隊。

另一個由葛璧博士帶回來使學術界震動的消息，是中共會要求葛氏誘導本港的學者進入大陸，這事令人震動的原因是在什麼地方呢？那是由於中共對本港情況的無知與隔閡所引起的，香港是在竹幕以外，最能了解大陸情狀的一個哨站，香港和大陸祇是一橋之隔，有人如果願意進入大陸，似乎沒有什麼困難，但到今天爲什麼依舊有這樣衆多的學者，教授站在自由的一邊呢，如果欲以誘騙的手段使這一批深受教育的人進入大陸，那無疑是非常可笑的。

如要爭取人心　山珍海味無用

正如葛璧博士在他演詞中所說：「要使一個深諳世故的人相信共產主義，中共必須在一般社會與經濟方面作得更好一點，絕非在個人招待上能所生效，對於他(指葛氏自己)這樣的一種人，要爭取他的心，必須通過他的腦，而不是通過他的胃」。這一句話，固然適用於葛璧博士，同時也適用於所有良知有見地的學者，大陸的一切表現，並不是虛僞的宣傳，三幾句甘言蜜語，或一切不能兌現的諾言所能抹煞的。

因此，當葛璧博士這一篇爆炸性的演詞發表後，本港中西文報紙均以詳細篇幅在最顯著的地位予以登載。代表着香港官方言論的英文南華西報亦以兩版的篇幅全文刊出，第二天的中文晚報亦多有翻載當天日報者。由於這一篇演詞着實太重要了，不單受到了香港新聞界的重視，若干外國通訊社的駐港特派員都把這個消息向世界各地發出，美國紐約時報的記者更將全文漏夜寄返總社，作爲對中國問題的重要參考材料。代表自由中國的中央通訊社，更於十日全文拍返。同時，美國新聞處亦同樣把它作爲一篇有價值的參考資料，據說還草成了一個重要的報告。

自由人士讚揚　共黨爪牙恐嚇

葛璧的這一篇演詞發表後，迅速即有了兩個不同的反應，尊重葛璧博士人格與及他在學術界權威性地位的人士，均一致重視葛氏演詞的價值，香港時報和台北的英文中國日報都先後著論表示意見，香港時報指出了這是一篇代表眞理的客觀言論，是一種不帶政治色彩的經驗之談，則有如一面照妖鏡，而對中共大陸，亦是燃犀鑄鼎錄，而對自由世界則具有解惑去蔽的功用。台北的英文「中國日報」以爲葛璧博士的演詞實能代表數以百萬計被奴役的中國人民講眞話。

另一方面的反應是當葛璧博士的演詞發表後，中共在香港的宣傳人員即大起恐慌。他們做夢也想不到葛璧博士是這樣「不講情義」的人，他們甚至懷疑葛氏的「胃納不佳」，以致無法欣賞和接納大陸的山珍海饈呢。因此，葛氏的報告發表後，這一批人即欲想盡方法以求挽救這個不可收拾的局面，他們的狼狽是可知的。

何人固執成見　且看人格言行

三天以後，「大公報」上出現了一個叫陳君葆所發表的一篇談話，說。葛璧博士的對大陸各種分析是毫不科學和毫不切實的，這篇演詞的很大部份

這一個說葛璧博士「有成見」的陳君葆是什麼人呢，據說是香港大學的文學系一個講師，但他這幾年來的言行是更容易使人有理由懷疑他對大陸的印象比葛璧博士更有成見的，發表過許多讚北平的言論，當兩個月前，他一度上過廣州。

葛璧博士是一個遠東的經濟學權威，他二十年前曾經到過大陸，對中國政治有淵源，對中共沒有好惡之感，他憑什麼理由對中共事先有成見地和事後提出惡意的批判呢？是他嫌大陸的招待不週嗎？

因此，當陳君葆在報章批評葛璧博士「有成見」的時候，是很容易使人相信有成見的實際是陳君葆本人。

決定發表觀感　係受輿論刺激

眼睛雪亮的讀者，當然會了解這是左翼宣傳人員利用這一種手法來打擊葛璧博士的立論吧了，且這一種力量顯然太微小了。左翼報章大概還曾一連串的使出這一種手段，他們會找這一個說幾句，那一個說幾句。正如葛璧博士所說的「感受到中共優良招待的人在「感情難却」之下，會爲中共說幾句好話，但當人們知道祇不過是一種宣傳的時候，那又何補於事呢。」

據說，葛璧博士這一篇演詞的決定發表，是受到了輿論界的刺激，因爲他們一行自大陸歸來，在車站接見記者時，所發表那些感激中共熱情招待等客套話，不能使人滿意，雖然有人了解他們這一種說話是避重就輕，以免「主人」的難過。但翌日一張英文報紙的社論對他們展開了抨擊，因爲他們在車站所接見的記者，是一羣熟練的記者，他們對來自大陸看到痛苦的表情，是有着很豐富的經驗的，他們不會對幾句客氣的話感到滿足。

當這一篇社論發表後，觸迅了葛璧博士的正義感，他因此在一次演講會的機會，發表了這一篇一清耳目的演詞。據說，葛氏在大陸的三週訪問期中，都寫了日記，他正準備把這些日記寫成書本，來給自由世界更多的人知道中共大陸的眞相。

自由談

多言與多文

馬五先生

「爲政不在多言，顧力行何如耳」，「言多必失」，這都是古人的經驗之談。在政治上負有實際責任的人，只要事實上有所表現，社會大衆沒有不共見共聞的，何待自己嘵嘵譊咋呢？尤其是具有決策地位的軍政人物，更應以多言爲戒。否則不是說話不能兌現，喪失政府信用，即有「言多必失」，鬧出笑話之可能。

例如本月九日台北美聯社電訊說：「行政院長俞鴻鈞今日報告施政時稱：倘若中共進攻金門與馬祖兩島，則自由中國立即開始反攻大陸。」如果電訊沒有錯誤，這話出之於行政院長之口，即係「言多必失」之類了。中共如進攻金、馬，我們立即開始反攻大陸。然則共軍如不進攻金馬，我們是否就不必急於反攻了呢？中共若永遠不進攻，難道我們亦永遠呆在台灣不成！反攻與否，完全是基於自身的準備條件和國際形勢，是主動的抉擇，跟共軍進攻金馬與否，毫不相干，如此纏夾不二的說法，邏輯上固然不妥，抑且不是堂堂行政院長所宜如此云云的。

在政治上地位越高的人，關於政策性的言論越須愼重，因爲說話是要負責任的，不能開玩笑。還有些做官的更喜歡隨時在報紙上發表長篇大論的文章，也是我國政治人物特有的不良嗜好。屬書記寫些似通非通，人云亦云的八股式文字，胡亂刊載報紙上，有甚末用處呢？眞正想作事的，必不屑以文章來弋取時譽，只有專門好名貪權的官僚，才喜歡搞這套玩藝兒。宣傳必須有事實相適應，方能發生效用，光是談空話，發佈官樣文章，結果祇能博得社會大衆一個字的批判：醜！

做了再說——最上是做了亦不必說——人們自然知道——埋頭若幹，要說即須合理得體，不可信口開河。我希望今日以「臥薪嘗胆」爲號召的政治人物，都揚棄多言多文的不良嗜好，改變一些舊的政治風氣如何？

談・國畫

・許苑・

畫能發人性情，亦能涵養性情，而復能以之瞭解美術與人生的關係。畫的題材，可包括政治、宗教、戰爭、諷刺、人間生活……。是故國畫的價值，可與文學同其功造。

繪畫在漢朝已大有進展，尤以壁畫爲最，類皆教化爲主。考歷代名畫記：「漢明帝雅好國畫，別立畫宮，詔博治之士班固，賈逵輩，取諸經史事，命尚方畫工圖畫。」後漢蔡邕傳：「光和之年，畫鴻都門學，畫孔子及七十二弟子像，」及後來佛教傳入中國，畫又被用爲宣傳宗教。漢明帝畫釋迦立像於南宮的淸涼台和顯節陵上，又畫千乘萬騎繞塔三匝圖於白馬寺。佛教畫之提倡，當以此時爲嚆矢，人物畫亦因此大興，及魏晉南北朝以下名畫家輩出，開畫史的新紀元。唐張彥遠說：「畫者，成教化，助人倫，窮神變，測幽微，與六籍同功。」他又說：「存乎鑒誡者圖畫也。」畫之在政治上的作用，漢唐間實已登峯造極。

國畫在六朝以前，爲朝廷所重視，設專門官吏負責保管，同時一般能畫的人，都是當時士大夫之流，如漢時的張衡、蔡邕，三國時王廙、史道碩，晉時曹不興、顧愷之等，此皆比較有名的畫家。

六朝以後，畫漸漸脫離政教羈絆而成爲自由發展的藝術。考其原因，由於漢代佛教輸入中國以後，新藝術在我國逐漸滋長蔓延。到了三國與兩晉之間，雖兵戈烽火縱橫四海，然帝王士大夫，於運籌決勝之餘，往往假美術以自遣，而臣民雖亦疲於國事擾攘，心懷厭世煩囂，但人人皆有自求精神解脫之需要，於是畫便成爲文人學士陶冶心情之工具。復以此時受國外美術的影響，畫便有一種新的改革，同時也逐漸滲進了文學的成份。而終成爲一種畫與文學的綜合藝術，此時畫的宗教時期，遂成過去。

畫與文學發生了關係，畫便與作書一樣，它是作者的一種人格的反映，也是個性的表現，正如影之隨形，毫不勉強從事。

我國歷來的畫家，都很注意人格的修養：「畫雖遊藝，亦須志氣爲之，非閭閻鄙夫所能作也」，此唐張彥遠所說的。再如宋郭若虛也說：「自古奇蹟，多軒冕才賢，岩居上士，依仁遊藝，探賾鈎深，高雅之情，一寄於畫」。此所以心形於畫，而人之邪正可分；作者人品不高的，其用墨必漫而無法，象意下流，則吐筆自是庸俗。蓋澹潔雅尚之士，有超脫絕塵曠豁之思，其用墨吞吐自不必囿於畦畛，類皆超凡拔俗，所謂「德成而上，藝成而下」者在此。

滿人入主中國，共歷二百六十八年，凡十三朝，十二帝，國祚甚長，關內十帝都很崇尚文學，愛好書畫，康熙乾隆，嗜畫尤烈，當[illegible]承昇平之治，畫[illegible]是大熾，臣民[illegible]雅，康熙可算得上開畫紀之功了。及光緒，海禁開放，五口通商，西洋美術流入中國日廣，見異思遷者，趨習若鶩。壬寅學制公布，凡中學課程中即列有美術一科，而其所習既非國畫又非洋畫，實無成效可言。民國肇始，兵戈屢接，內亂不止，民生既不暇養息，顧而畫又非時宜之急，自此以後，國畫之風隨之大衰，近百年來，就美術界中若欲擇其能繼往開來者，殊無鳳毛麟角。

年來自由中國新起畫家甚多，但或爲生活而喪志，或因工作而失意，其未能專心致志於國畫者，實屬不少，爲保持國家文化藝術，今後對國畫實應作有計劃之提倡。我非能畫，然嗜畫有癖，因感於今日畫風之衰替，痛文化之損失，乃屬文以警今日之諸大畫家。

中國的文學風格

任溥悟

文制：

往古之文學大家，歷戰國諸子以至於史記文章皆然，由乎此在以前文制體裁尚不分歧雜出，及至唐宋八大家出文章大備，體制亦漸整齊，如清人劉開所云：「文莫盛於西漢，西漢人所謂文，但有奏對封事，書序雖有不多見；至昌黎（韓）始工爲贈送碑誌之文；柳州（柳）始創爲山水雜記之體；廬陵（歐）始專精於敍事；眉山（三蘇）始窮力於策論；序經以臨川（王）爲優；記學以南豐（曾）稱首。故文之義法，至史漢而已備，文之體制至八家而乃全。」於此例證始於韓文起八代之衰，他家繼之，但以祖述秦漢爲主。故有嚮秦漢爲堂奧，唐宋八家爲門戶者，雖欲登堂入室，舍門徑而無由了，後世學者都以八家入門始爲正統，馴至晚清均囿於成見積習難返，以治學立場來說，狹隘觀念未嘗無門戶之見了。改元後風氣漸開，至「五四」運動以來才把這類籓籬完全拆除，以至西風東漸各種學說邌起，加以語體盛行，在今人充分自由意志下使文制規模弛然大張，重新劃一時代，在我國文學上又放一大異采。

韻文：

詩經三百篇，是韻文之祖，是主脈也是精英，比興之意皆富於溫柔敦厚之旨，俳比整齊，音調不期而自諧暢，詞賦脫胎於字句上，又見活潑卷抒自如，但仍屬詩六義的賦體。而楚詞（屈原作）香草美人引申旁觸善喻巧譬，把忠義愛國之誠摯躍然現於紙上，確是一大傑構，宋玉以下迄漢賈誼，枚乘揚雄司馬之輩，修辭圖衍諷喻之義失；由古賦（兩漢）俳賦（六朝）進而律賦（唐）文賦（宋）時代遞嬗繁衍，古意湮漸，而目全非。同時漢樂府大興，與五、七言古體詩並詞賦競而輝耀，至唐近體詩完備，反駕乎詞賦以上，詩歌均須音律合節，但詩的體制更嚴整諧和必須具備：一、句數定限，二、句子整齊，三、平仄工穩，四、句尾押韻。本來詩之產生於這多範圍裏，再求其標格特出涵育無窮，是非中國之孤立語適用之單音不能至其極致。

本來詩與歌是不能分開，人聲相接感情交流在詞意裏曲盡描寫發揮了高度優美，再加上聲調和諧這就是詩；把高低疾徐隨譜入樂這就是歌。樂府不也是韻文嗎？因爲歌出於人情的自然，不期引吭高歌放浪形骸隨聲迎舞情趣達到最高峯，故樂記中說：「詩言其志，歌詠其聲，舞動其容。」詩經大序也說：「嗟歎之不足故詠歌之，永歌之不足不知手之舞之，足之蹈之」。這說明人生觸發感情牠把喜怒哀樂之情動於中，形於外的高度表現；不過詩主蘊藉，偏於諷詠，一班文士悉在立意造句上，專致其工，每個階級與時代裏都有不同的表現，而漸工穩嚴密典雅幽深。詞是詩之餘，晚唐以後詩人泥守思變凡塡一詞，把音律字數（長短句）格詞平仄，限制得更趨嚴峻，逞奇鬥巧，華艷適麗以鋪陳之；至宋尤盛，大家輩出（如姜（白石）辛（棄疾）秦（少游）柳（耆卿））不勝枚舉，嚴格說來不過詩風一變而已。（一）

哮喘的療法

哮喘病是頑固而難醫愈的病，它和癌病，高血壓，風濕及心臟病同爲五大難症，儘管許多第一流醫學家在絞盡腦汁，悉心的研究，可是至今尚沒有找到一個根絕的醫治方法。

這種古怪的病多在天氣寒冷的晚上發生，發時上氣接不着下氣地喘着，有的兼有咳嗽，呼吸困難，胸中苦悶，輾轉反側，甚至不能平臥而須長夜起坐，一到白天就漸漸減差，在間歇期內，和健康的人，並沒有多大差別。這種病西醫名「枝氣管喘息」，屬于過敏性疾病的一類。得此病大都由於遺傳，凡父母有此病即可傳之子女。另一部份係因肺弱，受寒暖失常之惡劣氣候影響感染得之。

哮喘二字雖連稱，而病症實有不同，哮是喉中有痰，作水鷄聲，喘則聳肩呼吸急促與哮各異。普通哮症多兼有喘，而喘有不兼哮者，故其種類頗多，有風寒喘，火喘，水喘，嚨喘，腎虛喘氣，大都是由氣管狹窄與時間性痙攣，或粘膜腫脹及分泌過盛障礙呼吸而成。

哮喘病不是短時期流行狀態，往往一發再發，雖少生命危險，但痛苦特甚。該病又因人而異，因地不同，故治愈這種頑固病症，除須自身調得失外，最重要的是預防和診治，得時服食碘化鉀，碘化鈉，頗有預防持久之效，不過碘劑用之過久，效力漸減，須時時間歇。最好能常食含有碘劑的食物，如紫菜，海帶等。此外有減輕病症的，則有鈣劑。用石灰硝紙浸着曼陀羅葉作其煙吸食，或亦能治愈于一時，然也不能根治于永久。自然療法中如到海邊或高山區療養，居住溫泉，可使病況轉佳。中醫治療哮喘的藥物很多，有功驗的根治方法，新編有治哮喘妙法云：「治哮喘病，有實效的：用鳳仙花（又名指甲花）連根帶葉，熬出濃汁，乘熱用力擦洗背心，擦至極熱，冷則換上，[illegible]再用白芥子、白芷各三錢，[illegible]共研勻，作餅，貼背心第三節骨上，[illegible]熱痛難忍，必須受耐，切勿輕易揭去，[illegible]則換一貼，或二、三、四、五、六日，永不再發。」

鄭士珪

中國人最先移殖南洋桃源沙撈越

—傳奇式的開國史—

誰知沙撈越的開國史，却居然與那瘋騎士唐・吉訶德所想像的有彷彿類似之處，絕對不是神話，而是活生生的事實。原來沙撈越的歷史很短，迄今不過一百一十四年，恰好與香港開埠的時間相同，在此以前，雖然這塊土地上，照樣有人類存在，也照例有他們的生活沿革，可是毫無紀錄，沒有文獻，究竟面象如何，可以說直接地從正面上難以稽考。儘管有人根據出土的古印度銅像，以及陸達雅人（乃土著人之一種）禁止吃雞鴨的肉，與印度的習慣風俗相同等等，乃推測這地方當初印度人曾移殖於此地，或曾經統治過一個時期。但推測終究祇是推測，證據並不十分有力，因爲印度的歷史上也很少有關的記載。又有若干歷史家，多方考證，認爲外人初至此地者，則爲我中華人；並傳在十三世紀時元朝忽必烈曾置此處爲行省，故居民之人情，風俗以及服式用具等，多類華人，而汶萊人及蘇祿人也傳那時在本洲北部，已建立一處中國人的居留地，又據西籍載稱：在沙撈越河口之一小山麓下，曾發現紀元前之中國古錢，及中國古代之陶器碎片，似均足爲華人來此甚早之證明，因之，政府出版的「沙撈越與其政府」，書上也正式承認此地古時曾爲中國人所佔領。

實際上中國歷史，早有紀載，雖係一鱗半爪，但却確鑿有據；後漢書上順帝本紀說：『永建六年十二月日南徼外葉調遣使貢獻。』葉調國就是現在的耶加達（爪哇），永建是東漢順帝的年號，永建六年，適當西曆一三一年，距今一千八百多年，而在朝貢之前，必然有許多往還，縱然是一個部落，也不無會緣無故的去向另外一個國家貢獻的，或基於商務，或基於慕化，更或基於兵威，總是臣服的表現。而中國與爪哇的交通，必然要經過婆羅洲，因之近來印尼考古學家在爪哇的西部，蘇島的南部，和婆羅洲的東部，發掘了許多漢朝的瓷器，可見那時婆羅洲已有華人的足跡了。

婆羅洲正式入貢中國，在宋明史上均有紀載。明史外國傳曾說：『闍婆國又名蒲家龍，宋元嘉十二年嘗通中國，後絕。淳化三年復修朝貢之物。』闍婆國，就是現在的婆羅洲。據宋史稱：『闍婆之中國賈人至者，待以賓禮。』宋史又稱婆羅洲爲「渤泥」，宋太宗太平興國二年，渤泥王遣使上表貢龍腦，玳瑁，檀香，象牙等物。史載：『表字細小，橫讀之。』譯成中文，是：『渤泥王稽首拜，皇帝萬歲萬歲萬萬歲。願皇帝萬萬歲。今遣使進貢，臣本國別無異物，乞皇勿怪。』等語。（二）

・朱淵明・

在京目覩怪現象

「復辟」別紀

民六夏，我在保定入伍期滿，正擬入京度假，聞北京政局將有變，因學生時代少與政壇接觸，得不到正確消息，又直隸督軍曹錕方率部駐保，城郊安堵如常，亦嗅不到任何政治氣味。當我七月一日動身，尚不知此事即已發生在前夕，車過西直門，見煤堆上多了不少而龍旗，乃與同伴相視作一度會心微笑。及在前門站下車，見有十多個辮兵袒臂懷槍席地而臥，心殊凜凜，幸未被檢查，亟出站雇車抵香餌胡同邑人吳長植（字培菴）旅長家。但見車馬喧闐，門庭若市，趨賀請謁者絡繹不絕。我避無謂寒暄，逕至後堂，乃妻笑容滿面，欣然相告謂培菴已荷恩寵實授提督，合老帥與統制（指吳武壯公長慶與統制長純）爲吳氏三軍門，意頗自得。惟其太夫人則頻頻問浙江楊督軍保定曹督軍是否皆已贊同？因楊善德爲吳之舊長官而我則來自保定也，我含糊答之，竊見堂上縱橫陳列得自大內錦緞及新購製滿清冠服，心殊不懌，匆匆辭赴北苑。綜余在東長安街及來時前門一帶之所見，除了街邊遍插一些大小不一綢布參半似蜩非蛇奇形怪狀之黃龍旗，間亦不斷有三三兩兩穿戴整齊而不經常見的滿清宗室遺老與舊宮監，彼此請安道賀，相顯老佛爺再出，其他了無異狀，市民熙熙攘攘如平時態度非常鎭定，若無其事者然。蓋自庚子以來北京飽歷政治滄桑，見狀不怪，自亦無動於衷。聞當時北京估衣店所藏已久無人問津之翎頂補服，却因此被搶購一空，至有以壽衣應市者，可稱奇蹟；同時更有一事足以大書特書者，即是日九城中獨南海總統府尚有一面五色國旗飄揚空際，萬目共瞻，黃陂之倔強實未可多得。（中）

・何居士・

自由人

THE FREEMAN

（第五九〇期）

中華民國僑務委員會
頒發登記證台教新字第一零二號
中華郵政台字第五〇〇號
執照登記爲第一類新聞紙類
（半週刊每星期三　六出版）
每份港幣壹毫
台北市售價台幣壹元
督印人：陳文華
地址：香港高士威道二十號四樓
3 rd. fl. 20 CAUSEWAY RD
HONG KONG
香港發行及事務接洽
高士打道66號　電話：七四〇五三
承印者：東南印務出版社
地　址：高士打道六十四號
海外總經銷
友聯書報發行公司
香港：德輔道中二十六號A二樓
台灣特派員辦事處
台北市館前街五十號
台灣總經銷處
台北市西寧南路壹壹零號二樓
台郵撥儲金戶九二五二

泛論外交問題

●雷嘯岑●

自由中國政府最近將召集駐外各個高級外交使節，商討今後的外交政策，隨之而來的，當然就是加强外交陣容，爭取國際間的友好邦交。關於外交政策應如何抉擇，這是政府當局的高度機密事項，非一介平民如區區者所敢妄參末議。可是，有了決策而執行如不得其法，不得其人，政策縱然正確適用，結果還是失望的。因此，我們不妨對於外交陣容問題——包括方法與人事——略述所見。

關於方法者

在平常與非常時期，强國與弱國的形勢之下，外交行動必須有所不同，原係常識論，毋待煩言的。自從政府撤出大陸以來，我國在國際間的聲譽，一直是處於低潮之中，過着艱苦奮鬥的日子，在外交戰上，到處遇到突襲或捱受冷箭的射擊，防禦維艱。然我們執行外交政策的方法，還是率由舊章，無多變化，最顯明的事證，就是若干華僑最多的地區。當地政府承認了中共政權的，我們固然未有特殊措施以爭取華僑的向心力，即原舊保持邦交的，亦遇事若即若離，未能發揮外交的效用。海外千餘萬華僑十九都是擁護中華民國的，而這些華僑在當地又多半具有影響社會安危的潛力，是祖國在海外的一大筆政治資本，我們却沒有能夠充分地利用它。這其間的原因雖然不一，但我們執行外交政策的方法頗有問題，却係最大的因素。駐在當地的使領人員，一貫保持着原有那套只教華僑替自己謀利益，而絕不屑顧念華僑利益的作風。幹僑務工作的，既得不到外交使領人員的助力，亦復事倍功半，結果只是得到一些藉「僑領」頭銜爲職業的人，每年赴台灣開會或祝賀國家大典，與一般華僑不相干。

其次，我們除了一般眼的正規外交行動之外，在此非常時期，亦很少見有「外交別動隊」的活動情形，即所謂國民外交工作是也。這問題在日本方面特別感覺關係重要。日本人士之中對我們懷抱好感，以及眞心反對共產主義者，我相信親美國人的比率尤高，然自中日和約締立，兩國正式復交迄今，日本政府當局對我們始終裝示着一種陰陽怪氣，最近且不斷地宣稱承認「兩個中國」之說，其故安在呢？日本民族性固然褊狹而富於投機手段，但我們在對日外交的方法上，諸多缺失，亦應自省自承的。當鳩山一郎登台時，有個素與鳩山交誼深切的朋友由東京來香港，他就說鳩山很誤會我政府當局，因爲當年他被整肅後，力謀解除這項政治束縛之際，政敵吉田茂不願替他幫忙，託言我政府不贊成撤消整肅令以相搪塞，鳩山即信以爲眞，曾對這位朋友大發牢騷！我們有外交官駐在日本，也有過國民外交人員前往日本活動，對於鳩山這類在政治上可能復起的人物，縱使消息不靈通，未能得悉上述他這項誤會之事，就不應該跟他周旋論交嗎？最近我們與中共都有文化訪問團到日本，共黨嘍囉郭沫若之流在日本到處游說，從事政治活動，我們的文化訪問團一行，則以爲講學而來的理由，拒談政治，即以講學而論，據說亦只有錢穆先生作過公開講演，他們在日本首相的正式宴會時，由於我使館之準備未週，且發生了「出無車」的笑話哩！此外，在西歐各國如法國、西班牙，以及中東、南美各國，我們除却照例的外交行動，更少見有其他的方法，乃爲無可否認的事實。

關於人事者

談到人事問題，很容易發生「此亦一是非，彼亦一是非」的爭論，假使不存個人的好惡恩怨的私見，我認爲有幾點原則應該注意的。

第一是適才適任。我並不以爲職業外交人才在今日就完全不適用了，問題是要有幹練適宜之才，尤其要沒有死氣沉沉的官僚暮氣。蔣廷黻此次在聯合國對外蒙入會案的肆應情形，大家都稱贊。如果教一個知識鄙陋，才具平庸的人去身歷其境，政府命令他投否決票，他何嘗不會舉手？可是，除舉手而外，你能希望他有如蔣氏那套不亢不卑，令人折服的言論行動表現出來嗎？外交工作是一種高度的政治藝術，而且需要相當的學識與品格，不是任何人都可勝任的，毫無選擇的只講私人關係，用非其材，即無異教裁縫師去作剃頭匠，那有不僨事之理？

第二是剷除派系惡習。任何一種行政部門，年代久遠了，就不免蠹生一種派系惡習，外交工作比較一般行政職務具有專門性，更容易滋生這類毛病，因而慢慢地形成鐵門檻的現象，官官相衛，終致暮氣深沉，依存生存。如前年東南亞某地的代表在大會上，或個別宴會上，當着政府主管人員面前，痛述某地總領事種種貪贓辱國的情狀，事證累累，令人髮指，而這一個外交人員的穢聲，早已喧騰海內外，無人不曉了。然政府當局似若罔聞，因循放縱，一年以後，才予以更調；又如前在海外某地的外交特派員，聲名狼藉，乘大陸撤守之際，在海隅胡行妄爲，貪汚瀆職，鬧得醜聲四播，然搖身一變，又到別方去担當更重要的使節了。像這類情形，如非有派系的關係，是不可想像的！若將這類不可思議的惡習，不予以大掃除，行嗎？

第三是經費問題。使領館的人員，除非不派遣，否則不但經費應有充足，而且不可拖欠；唯會計制度也必須嚴密，過去那種欠薪的風氣，是要嚴緊杜絕的。我們華僑最近五六年來在海外所見所聞本國使領人員的笑話不少，對於所謂職業外交家的信用，實在很悲觀，而以經費問題爲其主要癥結所在，故希望政府特別留意及此爲幸。

外交方法和人事能够改進，政府的外交政策之效用，才可盡量發揮。否則，決策雖好，其於無從推行何？

海外通訊

對法國大選的觀感

——人民希望政府能像個眞正的强國政府

王　湘

（本報巴黎航訊）一月二日，法國本土和海外屬地，同時舉行戰後第三屆國民議會的總選。

在本國本土，競選的熾烈是空前的，巴黎艾菲爾鐵塔頂樓上的電視纜索亦因不勝負荷而告焚燒，使競選熱潮更顯得火辣辣了。參加這次候選的共計約近六千人，他們代表了十八個黨派，而登記的選民亦達二千六百八十七萬多人，這是法國國會選舉上罕見的紀錄。選舉揭曉是法共和浦嘉德抗稅派的抬頭，這結果不僅是舉世震驚，連法國人自己也都覺得太過戲劇化了。

法共勝利了嗎？

但如果把這次法國大選完全視爲是戲劇化，也是不當的。骨子裏，它反映了法國人民對現實政治的憎惡。這次選舉與其說是選民傾向極左派的法共和極右派的浦嘉德；還不如說是法國人民藉此予中間各政黨以譴責和警告來得更確當些。

法共雖然獲得了一五〇席的首位多數，但實際上在國民議會裏還是無能爲力的。它距離五九五票的過半數的二九八票還遠得很呢！共產黨能有什麼力量再拉到一五〇票呢？惟其如此，法共才必須向社會黨、激進社會黨和其它的黨派招手呼籲組織「人民陣綫」的政府。但却並未得到反響。法朗士則更率直聲明拒不與法共合作，這無異是斷然地否定了「人民陣綫」。因此，若是担心法國的政局今後將爲共黨所左右，這不是什麼悲觀的看法，而是對法國政局太不了解。

以一九四六年的那次選舉言，法共的聲勢遠比今日爲高，黨魁多列士且爲一總理候選人，並且還獲得了社會黨的支持。但是正如現總理傅亥所說，這一事實却並未使法國脫離了自由陣營，而保持了在自由世界的地位。當時法共在議會裏也擁有一百個席位；戴高樂派更握有一百二十張投不信任票的力量。但在十年來法國的實際政治上，這兩極端派也時時興風作浪，其總不能爲患法國亦是事實。

法國人對政府的要求

從「比較政府」的角度來說。法國式多黨政治，實在是民主政治中最弱最不足取的一種。然由於法國人具有不喜走極端的習性，所以在任何國家都不能實行的多黨政治，在法國却行之有素，吵吵鬧鬧以爲常。法國人且常以此炫示其民主自由之所在，他們常說：「我們的波旁宮（註）和英國的巴力門同樣是不易爲人了解的。」

在英國的下議院，經常保持了一面倒的情勢，且是常常表現出「二黨政策」的基調。但在波旁宮裏，幾乎是每個人有其不同的意見。法國人甯願幾個月無政府，而不願波旁宮變成巴力門；身爲總理的也絕不輕易遷就，他們明知組織政府不易，然也甯可訴諸信任票來決定自己的去留，不作任何與府繼綫的打算。

因此，法共雖在這次獲勝成爲單一的最大政黨，但在法國人眼裏，政治行情是早晚不同的。他們並不覺共產黨有甚麼可怕，大多數的法國人且認爲，「惟有這樣才能讓我們的政府稍微變得像樣，像個完全獨立國家的政府。」這話意味着，由於戰後的法國政府一直沒有自己的主張，法國人的光采喪失殆盡。就筆者在巴黎所獲的印象是，法國人願意及早看到他們的政府眞正像個强國的政府；大多數法國人認爲我們當然不贊成共產黨，但若讓我們的政府總跟着美國路綫去走，那也是難以忍受的。

從另一面看法政局

關於這，似乎還是英國和日本的一部份輿論的看法比較切題得多。「每日快報」和「讀賣新聞」同樣地認爲法共能够獲得較多選票，是因爲法國人漸漸地對西德的强大由不滿而感到不安的結果。言外之意也正是說，未來的政府必須在對德政策上有自己的一套。

就目前的情況言，法國政情，必待至一月十九日新國會集會後，才能獲得澄清。法朗士既不以共黨爲合作的對手，則實際上除了與傅亥派言歸於好之外，別無它途。這猶如日本自由保守二黨必須由分裂合併是一樣的道理。

法朗士領導的共和陣綫，已經提出了「新政」計劃，儘管法共也隨聲附和，但他既聲言不與法共合作，則共黨想用它來作墊腳石的可能性也不存在了。

若將法朗士的共和陣綫所擁有的約一百六十票和傅亥、畢內的中間偏右聯盟所有的一百八十多個席位加在一齊，則未來波旁宮的天下，顯然不屬法共，也更不是屬於極右派的。同時，從傅亥之一再表示願成立聯合政府的意向來看，他是肯作適當讓步的。如他眞能這麼做，而法朗士也能順水推舟的話，則實無理由爲法國政局担憂，更何必把共黨的倖致看得過份嚴重呢？

政客們受到了教訓

如果，今天第三者眞能了解法國人內心的苦悶所在，這次法國大選的結果實在是對法國政壇有益的。至少是給那些政客們以當頭棒喝的教訓。

法國人有法國人自己的看法和想法。如莫斯科、華盛頓、倫敦，甚或是遠東人都從自己主觀利益出發來看法國大選，那多多少少是錯誤的。莫斯科的那種得意忘形和華盛頓的驚惶失措，實在都未免是表錯情了。

巴黎已經早就恢復了原來的平靜，法國人也早就把大選的事忘却了。在他們看來，共產黨當然不比希特勒好多少，他們又何愛於共黨呢？他們只是想藉此以表示，法國是永不受人支配和領導的國家。（一月七日寄）

註：波旁宮是法國波旁王朝時代的一個宮殿，現爲法國國民議會的所在地。

時事評述

・司馬璐・

「五年計劃」之國

蘇俄是一個專門出產「五年計劃」的國家。

蘇俄宣佈，第六個「五年計劃」，今年開始了。

蘇俄每一個「五年計劃」的特色是，堆滿了堂皇的數字。

可憐的老百姓，挨過了一個，又是一個。

這些「五年計劃」只有一個作用，它給那些飢餓的失望的憤怒的人民，不斷的注射興奮的針劑，延長他們的幻想。

站在戰爭邊緣

蘇俄第六個「五年計劃」，是不是完全不值得重視呢？

當然不是的。

蘇俄第六個「五年計劃」，特別着重備戰性的重工業的發展，這無異是一個戰爭的信號。

杜爾斯的「戰爭邊緣」之說，引起美國乃至全球的大風暴；蘇俄確確實實已經站在「戰爭邊緣」了。

但是蘇俄是不肯承認的。

一個以站在「戰爭邊緣」的樣子裝腔作勢；一個站在「戰爭邊緣」而不肯承認。這就是美國和蘇俄兩種不同的「政治藝術」。

赫魯歇夫路綫

蘇俄第六個「五年計劃」，內容屬於赫魯歇夫路綫。

這一「計劃」的又一意義表示，赫魯歇夫已經進一步打擊了他的敵手——馬倫柯夫。

這一「計劃」中有關重工業的「發展」，有關農業的「提高」，有關原子能的「使用」，全是馬倫柯夫時代，赫魯歇夫指責過的東西。

赫魯歇夫路綫與馬倫柯夫路綫並無本質的不同，但，赫魯歇夫要更富於冒險！

「集體領導」少說了

史達林死後，俄共黨內一句最流行的口號是「集體領導」。

當時的俄共情勢，除此以外，沒有別的辦法。

現在，「集體領導」就少說到了。

共產極權制度的本質是領導的一元化；如屬「集體領導」，這就是一時的變態了。

蘇俄第六個「五年計劃」的公佈說明，「赫魯歇夫的黨」，這形勢目前在基本上已經定了。

共產主義的規律

如前所述，在本質上共產極權是不能容許「集體領導」制的。

因此，先天的註定了，在共產黨內，如果有一個「集體領導」的局面，繼之也必然有一場「你死我活」的爭鬥局面。

這是一共產主義的規律性」。

我們懂得共產主義這個「規律」；每一個共黨頭目更懂得這個「規律」。

他們在這場賭博中，或者爭得權力，或者輸掉生命。

當然，不可能有「中間路綫」的。

馬倫柯夫的反攻

如前所述，每一個共黨頭目都會懂得，如果在這一場賭博中輸了，他們的命運如何。

因此，在俄共領導層這場賭博中，馬倫柯夫雖處於劣勢，一有機會，他是要反攻的。

赫魯歇夫訪問印緬期間，馬倫柯夫曾在國內重趨活躍，這是馬倫柯夫反攻的開始。

但是，這一掙扎已經太遲了。

緊接着的是，赫魯歇夫更要迅速的徹底的肅清他的敵人。

現在，馬倫柯夫三年前的舊案已被翻出。

在宣傳上，赫魯歇夫已在進行佈置。

莫斯科再一次「大公審」

這是一個[illegible]訓：

赫魯歇夫將親自出任總理，集黨政軍大權于一身，因爲時機快要成熟了。

莫斯科將再一次「大公審」，馬倫可夫將以被告身份受審，他的罪名是「叛國」。

張君勱先生風格與學術

爲本年一月十八日張先生七十壽辰作

邵鏡人

我在中學時，常聽人稱誦張君勱先生名字，說是當代青年政論家，基於好奇心理，總想見見這位偉人。後來在大學讀書時，適值德人杜里舒博士爲我們講授哲學，張先生任其譯事，於是數年景仰不得見者，居然親承謦欬了。同時，梁任公先生亦爲我們講授先秦政治思想史，那眞是文星薈萃，盛極一時。但，從此一別，便未有相見之緣了。

最近，江浩然兄寄到張先生七十壽辰徵文啓，和他的新著『中華民國獨立自主與亞洲前途』，敬讀一過，益見他考書立說，孜孜不已，數十年如一日。所謂「淡泊明志，寧靜致遠。」的精神，尤足矯正現代人士爭逐功利的惡習。不過，我的學識淺薄，不能夠闡揚他的微言大義，僅就見聞所及者，略述梗概，以供中外人士景仰先生的參考吧！

×××

先生江蘇寶山人，早年留學日本，學習經濟法律，後來到德國，才致力哲學。聽說他現住美國，學而不厭，一面到圖書館搜集資料，一面著作，食無兼味，刻苦自勵，以七十老翁，還有這樣精神，眞夠爲天下後世所取法的。

他一生受梁任公先生影響甚大，梁先生對他亦可說是言聽計從，他幾乎成爲梁先生政治路綫決策的人物。他始終不走中國人『學優則仕』的老路，但，他卻老早從事政黨活動，遠在民初，梁先生創設政治研究會，他是其中一個要角。迨至研究會分爲兩個巨流，一爲政學系，一爲國社黨，他便是國社黨領袖，後來改爲民社黨，即民主社會黨。

凡是從事政黨活動的人，最容易把黨的利益，看得高於一切，甚至爲黨的利益，不惜犧牲國家利益。然而，張先生卻不如此，黨不健全，隨時改組，有時爲適應國家需要，縱使毀黨，亦在所不惜。也許有人認爲張先生不適宜辦黨，但是，一個偉大愛國者，或是政治家，是應該爲國家利益和人民眞正幸福打算，不應該爲「己功名權利打算的。廓然大公，逆來順應，可行則行，可止則止，不爭一時一地的成功，而爲千秋後世樹立良好楷模，這正是聖賢用心呢！

我彷彿記得中華民國憲法，是他起草的，關於總統應否有權解散立法院一項，他極力主張無權解散。所以，第一屆行憲立法院成立後，雖與行政當局發生不少爭執，終是無可如何。直到現在，我被無故拒絕入台出席院會，但，還遙領議席。可知老成謀國遠見，眞足欽佩！

×××

他平時好著書，也好辦教育，先後創辦法政學校，自治學院，文化學院，……純是本着先哲講學的精神，來辦學校，雖然限於環境，未能普及全國，垂之久遠，『但開風氣不爲師』，他已在民族精神上播下了種子，說不定一到時候，就會繁榮滋長的。前年，他到印度講學，備受印人熱烈歡迎，譽爲『玄奘大師以後第一人。』以他學術造詣，自然當之無愧。所以有人說：張先生學術地位，比他搞政黨地位高得多了，他不應徘徊於學術與政治之間，應負起『匹夫而爲百世師』的責任，爲萬世樹規模呢！因爲中國過去有許多天才學人，參加實際政治活動，而荒蕪其學術者，指不勝數了。

張先生近年著作，關於政治上的，倡導民主自由，政黨政治，法治精神，想用近情合理溫和手段，以達到民主爲方法的社會主義。而對於中共所運用的巧黠欺騙手段，奪取政權，威嚇慘殺手段，維持政權，不顧中國文化傳統精神，一味鹵莽滅裂蠻幹，尤爲深惡痛絕，所以，張先生雖然推重西方物質文明，但，他對中國政治哲學，卻有深切了解。中國聖哲治術，要本諸互讓協助精神，發揮人人相互間的同情心，以建立自由平等倫理的政治，而這種政治又建立在良好民衆基礎之上，從精神物質兩方面不斷的發展，以臻實現。所以，張先生是貫通新舊，融會中西的中國儒者。吾鄉先輩徐鴻寶先生嘗言：『國家養兵百萬，不如尊一大儒。』確爲名論，可是，今日當局能有此了解與雅量者，有幾人呢？

×××

今年欣逢先生七十壽辰，亦正當世界大勢轉捩之際，我很希望張先生以在野之身，爲國本絕續大計，爲人類文化趨向，多啓宏論，以啓諭政府與人民，一德一心，勇往邁進，早日掃除人類自由幸福的鎖枷，尤其要解除中國大陸人民的苦難，使山河重光，人天同壽，奠定中國及全世界人類永遠眞正自由平等幸福。『大雲天下雨，勁節歲寒心。』敬獻俚詞，以爲君勱先生壽！

揭露共黨滲入美新聞界

美國會擴大保安調查

美國參院對報界、電台及電視界中共黨分子調查，在十一月中旬發生了一大批新的傳單。這次新調查，是今年七月哥倫比亞廣播公司記者波台特承認曾做共黨間諜所引起。該院國內安全小組委員會現密傳訊的三十五名證人中，有二十六名是紐約時報現任及過去的職員。最近該小組又公開傳訊了十八名證人，其中九名是該報現任職員，另外二名最近才去職。因此，紐約時報隨即指責該小組領袖的主要目的，不在偵查共黨，而在恐嚇該報不滿於這些領袖的言論。

該小組委員會，是由民主黨參議員伊斯特蘭主持，它在華盛頓的三日傳訊中，第一證人是一向支持杜魯門「公政」的紐約郵報校對，五十六歲的格拉賽。格拉賽承認，他在担任紐約時報校對時，曾參加共黨。一九三四年他脫離時報而担任共黨「每日勞工報」編輯，曾讓薪金被減少百分之三十。二年後，他才「獲得勇氣」，既脫離共黨，也脫離「每日勞工」。格拉賽雖十分合作，但卻抗議說，他被傳訊的唯一利益，祇是「爲了我在二十一年前所犯的可怕錯誤而使我公開表演一番。」

另一個頗肯合作的證人是四十六歲的諾爾斯，他在一九四五年任紐約時報記者駐華盛頓，頗受各方尊敬。他此次出席作證的國會會堂，正是他過去任記者時常到之所。他說，他因爲「過度的天眞」，才於一九三七年參加了共黨。當時他在長島的「日報」服務，二年後，便脫離了共黨。

他說：在一九五四年他的名字被該小組提到後，他便向聯邦調查局說明過去經歷。當時，時報將他從華府調回，担任資料工作，直到現在。他雖然向小組提供了一九三七年到一九三九年「日報」職員中共黨細胞組織份子的姓名（這名單並未公佈），但他說，據他所知，時報內現在沒無共黨份子。參議員伊斯特蘭打斷諾爾斯的證供，讚揚他担任華盛頓記者時期的工作。後來他又指責該小組顧問蘇溫事先並未將證人姓名告知小組各委員。他且認爲傳訊諾爾斯這樣的早已悔改的前共產黨員，是否使他們感到窘困，是否符合「有用的目的」，頗有疑問。

紐約時報的證人中，最著名的是五十歲的費恩，他在一九四一年起任該報教育編輯，曾獲得七個名譽學位。他承認在一九三五年到一九三六年還在哥倫比亞大學師範學院讀書期間，曾「犯了悲劇性的錯誤」，而參加了共黨約一年。他說，他今日對青年的忠告，是「不要接近在學校中向你談論共黨路綫的任何人。」

伊斯特蘭議員讚揚他的態度，且把他稱爲「一個優良公民」，但漢甯斯議員再度藉此指謫該小組的同僚，認爲費恩既已「在執行會議中作了充份的吐露」，便不應再來作公開表演。

其他證人則比較不肯合作。一九五二年起担任時報校對的懷特曼（四十二歲）承認在一九三五至四八年曾參加共黨，但拒絕吐露其他共產黨員的姓名。經顧問蘇溫的盤詰，他才承認，他在一九四三至五一年担任紐約先鋒論壇報校對時期，曾參加該報一個共黨細胞組織，其中約有六人。

紐約時報星期日雜誌的內勤職員貝克，雖承認一九三五至四九年曾參加共黨（他在一九五二年始入該報工作），但也不肯吐露當時的其他共黨份子。他和懷特曼一樣，都未援引憲法第五修正案爲護符。貝克過去曾任職於現已停刊的親共刊物「指南針」。調查小組一再警告，他拒絕答覆可能構成蔑視國會，但他還是堅不吐露。

另一個紐約時報的校對蕭潮頓（一九五一年起參加該報），拒絕答覆關於他過去曾否參加共黨的任何問題。他企圖援引憲法第一修正案關於言論自由及新聞自由的保障爲護符，但伊斯特蘭拒絕接受，認爲這種保障在這一案件中並無法律價值。

其後，紐約時報發表了一篇社論，措詞的激烈，爲好久以來所罕見。它說，伊斯特蘭等議員故意以紐約時報爲攻擊對象，這是「因爲我們曾抨擊伊斯特蘭及其同僚詹納議員的許多主張，因爲我們抨擊南部學校中的種族歧視，因爲我們曾向許多國會委會的濫用職權挑戰；因爲我們曾譴責麥卡賽主義及其一切工作；因爲我們曾抨擊麥加倫移民法案的偏狹限制；因爲我們曾批評向被告隱蔽原告的保安制度，因爲我們堅持美國民主的眞正精神，要求尊重最低個人權利及高度的公平。」（上）

台灣通訊

駐美日使節傳將易人

董顯光駐日無作爲傳調華府
老牌外交官顧維鈞回任中樞

小魯

【台北特約通訊】在駐日大使董顯光返國述職重回東京任所的幾天以後，本月十六日外交部又證實已電召派駐聯合國的常任代表蔣廷黻及駐美大使顧維鈞兩氏返國述職。聞顧大使將於本月十九日前後到達台北，蔣氏則將於二月初歸來。

這幾位重要使節的動態，引起此間各方的密切注意，一般認爲在此新年度開始的時候，爲了迎接一九五六年充滿了危機的國際局勢，外交當局對於當前的外交政策和外交陣容，都可能要重新檢討和重新部署。自從董大使於本月三日回抵台北後，有關外交的各種推測，即流行於台北外交界和新聞界，各項傳說到今天已達高潮，不脛而走。

事實上自從去年十一月間葉公超外長自美返國以後，外交陣容就已開始作適度的調整，去年十一月十六日本刊第四九一期上曾刊載記者「外交陣容將有變動」一文，其中所報道者，有胡慶育出使阿根廷，時昭瀛將使巴西，陳之邁接受駐菲大使任命，周書楷將繼時昭瀛任外交部常務次長，吳南如將任駐伊朗大使。兩個月來，上述諸人或已到任，或在赴任途中，吳南如雖曾致函本刊否認其新命，實際上伊朗同意吳氏出使之覆文已到達外交部，吳氏之任命將於本星期四（十九日）提交行政院會議通過後，即可公布。

此次董顯光奉召回國，傳說當局屬意他繼顧維鈞任駐美大使，或者由董氏任外交部長而由葉公超使美。聞董氏已表示可以接受駐美大使的新命。董氏在使日期間，也許由於環境關係，幾乎一無作爲，對中日關係的促進，很少表現，再在東京住下去，實在也無甚作用。最近鳩山甚至表示必要時不惜親訪大陸，重光也表示日本要考慮對所謂「兩個中國」所採的政策。這種情形，不能不使人關心到對日外交有積極加强的必要，董大使既不能爲力，更易新人使日，亦未始不是好的辦法。

假如董顯光另有新命，駐日大使人選，此間有兩種傳說：一說由何應欽將軍繼任，一說由鄒毓麟氏接充。何應欽因抗戰勝利，主持受降的關係，在日本朝野留下較佳印象，日本友人極多，十年來在對日國民外交上起了不少作用，如由其接任駐日大使，不失爲一理想人物。鄒毓麟在外交上有其豐富的經驗，且對日韓問題甚爲熟悉，故他的出使日本，亦甚有可能。

顧維鈞駐美多年，爲一老牌職業外交官，惟其英國紳士式的外交手法，圓滑玲瓏的風度，在承平時代代表國家綽綽有餘，但在一個非常的國際局勢之下，如非有蔣廷黻式的機動應變精神，就不足以担負如駐美大使這樣重要的職位。故當局數年來曾幾度意欲更換其職務，在莫德惠之前，曾擬召他回國就任考試院長，而由胡適博士使美，但以顧氏圓通老到，人緣甚好，加上某種原因，所以未成事實。此次當局調其回國述職，似已決心將他留在國內，另有借重。而駐美大使一職，無論是否爲董顯光繼任，均有更換的趨勢了。

（一月十六日寄）

周恩來口中的和平談判

·曄·

【本報特訊】香港大學部份教授遊罷大陸回港，帶回來了不少珍貴資料。葛蘭教授發表的印象記，曾引起世界各地普遍的注意，其中還有若干小新聞，爲外間所未知者。試述其一則如下：

據參加此次訪問的一位人士說，在一個由周恩來做主人的茶會上，除了邀請港大教授外，還到了許多陪客。正當賓主盡歡之時，一位客人問周恩來道：「總理先生，在閣下看來，你們眞的能和美國和平解決許多問題嗎」？

當時周恩來並未立即回答，他轉頭向離他約有十多碼以外的一個穿中山服的大漢招呼。

應聲過來的人，手裏端着一杯酒。樣子很恭謹。周恩來拍拍他的肩膊，向那位客人說：「這位是從前守北京有名的傅作義將軍，當時我們是勢不兩立的。但北京被我們包圍了，我們和傅將軍用和平談判得到解決。難道對美國還不一樣可以和平談判解決問題嗎」，說完了，哈哈大笑，又拍拍傅的肩膊。當時傅作義沒有開腔，只是苦笑了一下。先包圍了，再談判和平，這便是共產黨的和平解決。

編者　讀者

原子彈使日本投降嗎？

△眞誠先生函：『第二次世界大戰，整整打了八年，最後，美國用了兩顆原子炸彈，才使日本投降：……』這是台灣國民學校初級第五册國常課本第十七課「原子炸彈」上的一段。我們每每讀到這裏，就感到怪不舒服的，好像沒有那兩顆原子炸彈，日本就永遠也不會投降似的，我們應怎樣去感激那兩顆原子彈呢？我爲八年抗戰中犧牲的千萬同胞不平。

『仔細想想，沒有中國全國一致的堅苦抗戰，也許不等美國製造成原子彈就被日本像偷襲珍珠港一樣的把工廠炸光了。沒有中國的抗戰，消耗了日本幾十萬軍隊，拖住了日本幾十萬大軍，使日本陷於窒息狀態的話，休說炸毁了他兩個城市，就是炸沒了東京，也許他仍頑强的打下去。

『千萬不要抹殺了自身堅苦抗戰的成果，我們不能把日本的投降，全部歸功在兩顆原子炸彈。要養成自立自強的毅力，不依賴他人，這是應該使學生們徹底明瞭的。』讀者眞誠，台北。

△劉任士、劍朋、小魯、李加雪諸先生，承惠稿，已收到。至感幸。

△樓桐孫先生曾以筆名金伯華，在本刊發表「經濟社會思想講錄」長文，現已刊成單行本，易名爲「自由人類的出路」，台北各大書局均有代售，謹此介紹於讀者。

共黨加强滲透攻勢　港大成爲主要目標

自從新聞界揭發香港最高學府香港大學被成爲中共目爲宣傳及潛藏活動計劃之一部份後，已引起香港許多人極度關切，因爲這一個活動，足以影響本港的教育界和學術界，進而及於社會各階層。

校方提高警惕　演講會突取消

對於這一種可驚的活動，香港大學負責當局雖然仍表緘默，但事實上已有若干迹象可表示當局正採具體步驟，加以遏止。日前香港大學堂原有一個有關中共問題演講會，但事先已爲副校長賴德所及時制止。這一個演講會的被取消，不論其意義何在，已可表明，校方已注意學校間的一切活動。即如香港大學的最高實際負責人賴德博士（港督葛量洪爵士是名義上的校長，但校中行政，實際全由賴德所負責），當記者詢問他是否香港大學無形中已爲中共所利用，他也只能說：「這可能爲事實，但余絕不知情」。

中共以港大爲滲入對象，其所以被人不予置疑，是因爲暴露中共這一項活動的，是香港大學三位高級可靠人士，他們毫不猶豫地證實，最近以私人資格於最近訪問大陸的教授和講師，已在有意無意中被中共所利用，極易成爲將來滲入香港大學的「跳板」。

利用邀請訪問　謀建宣傳哨站

他們的意見認爲中共這次邀請港大教授「訪問」的目標，固然是其宣傳計劃的一部，但最主要的，顯然中共欲利用這次訪問，作爲今後大陸教授來港，甚至香港與大陸間交換學生的章本，最終目的則爲在港大建立一個中共宣傳哨站和潛伏基地。

透露這一消息的港大人士更表示，在香港大學的教授未被邀請赴大陸前，中共這一項活動已然在秘密進行了。這次進入大陸訪問的教授或講師，如果在中共未竊據前曾久居大陸的，當不致爲中共的宣傳所蒙蔽。可是在共黨宣傳的蠱惑下，甚至若干團員在未赴大陸之前，已有親共的傾向。這使中共更易完成他們的計謀。

正因爲中共的企圖與活動已逐漸由地下轉到地上，一個港大教授自大陸歸來後，所發表抨擊對中共的演詞，可能是他個人對中共這一種活動的一個側面答覆。

另外還有一個港大人士也證明了這次訪問對訪問者本身而言，是未見其利的。他說：這次被邀訪問大陸，顯然是中共有更大計劃的一部份，他們純欲利用我們作一種宣傳工具，如果我們都是屬於植物學家，當更爲中共所歡迎，因爲如此我們對中共的一切都會不甚了了，但可惜我們一行中，許多是研究其他學術者，這使我們在大陸時，他們不得不在周圍垂下帳幕，因此我們雖然受到優厚的招待，我們所欲看的事實，則完全落空，這實在是一種中共已爲我們垂下「看不見的鐵幕」。

積極加强統戰　誘騙法界人士

香港大學是香港最高學府，香港的納稅人爲了他們的子弟能夠有機會獲得更高深的教育，他們對香港大學的期望是很高的，因此他們亦願意爲香港大學的巨大經費，繳出更多的稅款。但當他們獲得上述消息時，他們的關切是可想而知的。

事實上，中共最近將統戰擴至自由職業界和教育界是非常積極的，在若干日後，又將有一個由法律界人士組成的私人訪問團被邀入大陸作短期觀光，據說，這一個「觀光團」之能夠組成和成行，純然是出於某一個法律界人士的「堅邀」，使人感到「盛情難却」。

中共就利用「港人重視面子」和「人情」的弱點，更利用一些「關係人士」的不斷游說，使到許多人在不自覺中墮入其彀，正如本港一張著名報紙針對中共企圖滲透港大的社論中指出：「雖然中共這樣邀請港地人士進入大陸觀光，可能得到相反的效果，但不管正宣傳或反宣傳，中共會一樣得到宣傳之效。因爲分歧的見解，同時亦可影響到自由世界各國政府的見解，這是中共分裂對方的一套古老手法，能使另一個集體的意見分裂，中共便『勝利』了。」

中共擺開的局勢是這樣的：「不怕你乖，不怕你呆，只怕你不來」。不管你驕，不管你捧，只要你來。你來了，你的意見去影響他人，你去感染他人，不自覺中即替中共做了宣傳。

御用工具失效　改變宣傳策略

這一中共手法，是比較高明的，因爲他們也深知御用宣傳工具在海外已無能爲力，不再發生作用，因此，他們便四出組織「訪問團」、「觀光團」之類，去完成他們的計劃，在過去一年中，中共亦承認爲這一類宣傳活動已耗去七十五萬英鎊，在中共外匯枯竭的今天，它之這樣做法，正可表明它們是何等重視這一類「觀光團」所能發生的效果。

中共是靠宣傳起家的一個政權，在不久以前，我們即聽說中共以銀彈政策收買本港若干報章或報章的編輯人，他們希望透過一種政治意識不濃和立場不穩的報章有意無意之間爲它們對香港僑胞作種種的宣傳。

中共這一種作法，我們可以看到一方面，它們是不惜一切人力物力來達到它們宣傳的目的，這一種攻勢是和中共甚至俄共集團每一個步驟所配合的，一方面我們已看到，中共本身亦了解到它們的御用宣傳工具已不再在廣大的僑胞中發生作用，已不得不採取其他突擊式的宣傳方法了。

孤島新校揭幕　漁民子弟受惠

香港的蒲台島是個海外孤島，自有人跡以來，即未曾有過學校，一月十七日島上第一間學校揭幕，居民爲慶祝其子弟獲得入學機會，到處張結花牌綵旗，及大放爆竹，其熱烈之情緒，有如昇平時代之農曆新年氣象。該島係位於港島東南之一小型漁港，由港島乘汽輪前往，須經過一小時四十五分之水程。

該處約有居民及經常停泊該處的船艇漁民一千七百人，一向並無學校建立。直至年來，由於適合學齡之兒童日多，該島居民乃在教育當局及有關人士協助下，成立一所小學，以教育子弟。此新建的學校，位於該島面臨海灘之一小山山腰，爲一金字瓦面之舊式建築，僅有課室一間，建築費一萬零二百元，另檯椅像具費約一千四百餘元。除由該島居民合捐一千元外，其餘由當局支持；復根據學校津貼條例，收爲津貼學校。分上下午班，共辦一年級兩班，一年級一班，共有學生約九十人，由唐仲閣、陳崇燮兩教師任教。現復在校址對下的空地，開建校園，該校開學已有一月。

揭幕禮由立法局議員郭律敦治主持，乘水師專輪抵達。到場觀禮者有政府高級職員，當地父老，暨有關人士數十人。

該島居民絕大部份以打漁爲業，民風淳樸，治安極佳，每星期僅有一次水警輪到來巡視，現任鄉長陳鳳，現年六十一歲，係三代居此，伊亦爲新界担任鄉長職之兩名女性之一，校監陳壽，即其胞弟。（平）

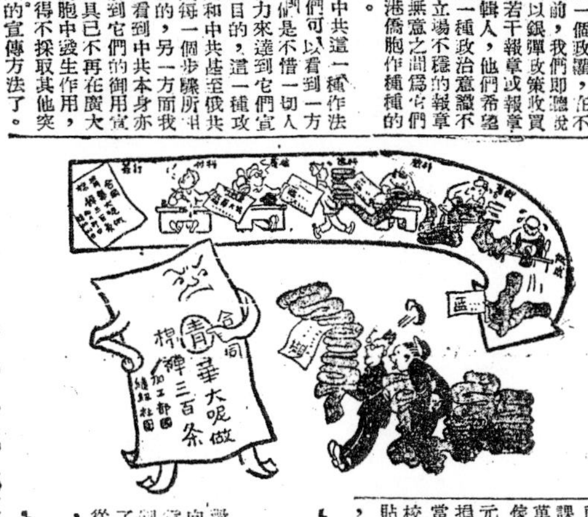

天冷無褲穿

「瀋陽的天氣已經冷得很了。最受歡迎的青棉褲這時却脫銷了。零售商店向市百貨公司服裝鞋帽呢絨批發商店要貨，可是批發商店也沒貨」！而加工訂制所交的貨又與合同不數。這充分暴露了中共「國營」商業機構的官僚作風。從脫銷到加工訂製三百條棉褲一點來看，也反映了市場物資的缺乏情況。

（原載一月三日天津「大公報」）

應急改進的：香港中文會考制度（下）

·曼如·

提高水準還是降低水準

會考制度實施以後，提高學生水準還是降低水準呢？這要看，現實的情形。現在有些學校取巧的方法，是這樣的：

避重就輕

上面說過，五科及格，就算畢業，所以有些學校爲了爭取成績，如果學生的英文，數學成績不好，就索性放棄。除了國文一科是必考科目，無可避免之外，就勸導學生選考那些輕而易舉的科目，像社會科的歷史、地理，自然科的生物、化學，和聖經、閱讀、家政等科。選定科目以後，（普通除國文一科外，還選定六種，以其中加選之兩科作爲預備）就集中全力來教、來學，以求獲取較好的成績。在教者和學生的用心來說，是情有可原的。因爲從任何角度來看，他們都是向上的。但在這樣的方法之下，學生連最基本的知識英文、數學都不學了。光是國文、歷史、生物、聖經、閱讀或家政五種及格，就算取得官方承認的高中畢業了。這樣，現行高中會考制度，是提高水準呢？還是降低水準呢？平心而論，上述五種及格，又怎能算得上是一個現時代所需要的高中畢業生呢？

一再淘汰

現在有些學校，以學生會考及格的百分比高，或全部合格，來自誇自大，而社會人士未明內情，亦另眼相看。其實，他們僅是用心良苦。他們的本意也是向上，未可厚非。可惜他們爲了爭取校譽，不惜犧牲青年。站在社會的觀點，嚴格的批判，實在是其心可誅。他們的方法，是採取金字塔式的，即高中一年級的時候，盡量取錄學生，高中二的時候，就淘汰了一部份，到高中三的時候，更毫不留情的淘汰。有些由高中一的四、五班，縮至高中三的一兩班，甚至連一班也不足額。（照規定每班不得超過四十五人，仍視其課室體積而定。但那些採取淘汰制的學校，都是規模較大的學校，無疑是每班可容四十五人。）從表面看，可說是管教嚴格，其實仍不免有些生意眼。如果是認眞嚴格的話，總可以在入學試的時候，儘量提高程度，又何必等到入學以後，逐漸淘汰呢？同時，他們在淘汰的時候，並不是看學生的程度，而定高中二和高中三的班額多少；而是先定了高中二和高中三的班額多少，才決定淘汰學生多少。像這樣，有些學生的程度是好的，但限于學額，也只好割愛了。（這自然是指完全以程度爲淘汰的標準）試問那些被淘汰的青年又何去何從呢？當然，在目前的香港，是不愁沒有學校可讀的，但被淘汰的青年又是否願意隨便轉校呢？這樣的措施，青年們是不會原諒的。更有些學校眼看自己的學生成績太差了，在會考之前，舉行一次甄別試，或是畢業試，把成績太差的學生不送考，以求把及格的百分比提高。成績差，當然是學生咎由自取，但叫他們怎麼辦呢？我想，他們也不會原諒學校吧！

提前結束

有些學校爲着要學生對功課熟習，便趕快把功課授完，以便複習。有些在三月便把功課授完，以便學生有長時間問題複習，好得將來會考成績高些。這在學校和教師，都可說替學生設想。但究其實，學生是否得到實益呢？這也是一個問題。試想，各科的進度是有一定的。換句話說，六個學期的功課，不能縮到五個學期授完。教師當可以有辦法把六個學期的功課，在五個學期授完，但學生能否吃得消呢？同時，也許各校也有同一的情形，就是每一個教師，不是由高中一到高中三從頭到尾是自己教導的。要是高中一和高中二的教師是按照原來進度講授，到高中三又要提前結束，那麼，不是高中三一年的功課，要在一個學期授完嗎？自然，學生是無法消化的。豈不是「雖曰愛之，其實害之」了嗎？就算學生會考幸而及格，也不過是强記應付，根本得不到實益的。

上述的情形，雖然是現存會考制度下，有些學校的取巧方法，但無論如何，他們還是不甘暴棄，力爭上游的。至於那些不恤人言，只顧生意，不理學生程度，照發畢業文憑的，眞是余欲無言了。

現實的情形如此，那麼，我們可以知道，現行的中文高中會考制度，是提高水準，還是降低水準了。

改進的建議

基上所述，我們知道在現實的教育環境裏，會考制度是有其存在價值的，不過現行的會考制度，還不能達到提高水準的目的，甚至還有降低水準之處。那麼，應該怎樣改進，使達到提高水準的目的，倒是我們當前的重要課題。爰述管見，以資商榷。

中英數並重

這就是說中英數三科，應併列爲主要科目，必須及格。因爲這三種是高中學生升學就業所必具的基本知識，也是修養處事的重要手段。三科並重，不只不是苛刻的要求，而且是最合理最需要的要求。現行的會考制度，只有中文（一種是主要科照規定是必須及格的）、英文、數學和歷史、地理、圖畫、家政等科，則毫無分別。反而在學生眼中，史、地、圖畫、家政等科還比英文數學重要，因爲前者比後者更易及格，更易準備的原故。所以爲了要提高學生程度，爲了適應國家社會的需要，爲了救救下一代，我們認爲併列中英數三科爲必需及格的主要科目，是有其必要的。

科目應重訂

現在已是二十世紀六十年代了，作爲一個高中畢業生應具備什麼知識呢？教育當局應該從這一角度重訂會考的科目。我們除了認爲應把英數兩科併列爲主要科之外，像社會科的歷史、地理，自然科的物理、化學、生物，是否選考一種就可以呢？其餘各科，還有沒有列爲會考科目的必要呢？這得重行考慮。因爲會考的科目，在一般人看來，好像無關痛癢，其實影響整個社會，整個時代是無比重要。像在現存的教育制度和現實環境下，初中畢業再努力補習國文一年，進入高中三下學期，便可高中會考畢業合格了。（在現在實際情形，不愁沒有學校准許插入高三的）舉一個例：國文及格了，史、地、生物、聖經、自然可以稍加努力溫習，便能及格。但這樣一個高中畢業生，能做些什麼呢？

准予補考

在歷屆會考中，恐怕有不少學生，因爲及格科目不够五科而致落第，而現行會考制度又沒有補考的規定，這樣便斷送了學生會考及格的前途。雖然可以留級再讀一年重行參加會考。但事實上有幾人願意留級再讀的呢？衡情酌理，似應採取有限制的補考辦法。我們的意見，以爲中英數三科及格了，其餘的科目不及格而在二十五分以上的，在翌年會考時，可以准其參加補考，以完成其會考及格的願望。因爲一個學生無論平時怎樣懶惰，到會考時沒有不努力溫習的，甚至不少通宵開夜車的，因過度疲勞，而致影響成績的，不在少數。有限制的准予補考，未始不是一個救濟的辦法。至于要達到二十五分才准補考的原故，因爲現行會考制度，如一科中分爲兩個試卷，那兩試卷的平均分數爲四十分，便算合格。但每一個試卷，不得少過二十五分，我們是參照這規定而擬出的。

總之，在目前，會考制度是有其需要的。但現行的會考制度未如理想，又是鐵般的事實。所以提出管見，以供大家商榷，使能確實達到提高學生程度，以適應現時代現社會的需要。至于課程的擬訂，命題的選擇，尤希望主持的人，不要忘記對象是高中學生，現在是二十世紀六十年代。以免走入牛角尖裏，而不能自拔。（完）

自由談

自己嚇自己

美國有個傳教士格拉漢，最近對羅米演說，謂人類的罪惡已瀰漫着全世界，因爲有了核子武器，即可毀滅文明云云。然而，一位核子研究院特別訓練所主任奧弗曼博士，却指摘那傳教士是利用人們對核子武器的恐怖心理，勸誘他們信教。奧博士認爲核子武器可以毀滅一個城市，但不同於毀滅文明，所以，科學家對於氫彈的威力不存幻想，並不討論毀滅文化問題。這也可稱爲科學與玄學的論戰，我個人是絕對相信科學家的說法，毫無疑問的。

不過，那位傳教士的話亦非他的創見，而是複述英美一般政客學者們的陳言濫詞。英美當局一面發展核子武器，誇稱其具有無比的毀滅性，同時又害怕俄共亦有這類武器，萬一捱受到，那可了不得！因此，過份誇張核子武器的毀滅力量之結果，並未嚇倒敵人，而先把自己嚇昏了。尤其是英國人士，學者如羅素，政客如工黨人物，以及一般新聞記者，只要聽到世界上某一角落有點激烈的反共言行，即一心以爲原子彈馬上會掉到倫敦來，發起實難，相驚伯有。兩年前，南韓總統李承晚在美國發表以武力對付中韓共黨的言論，英倫輿論界爲之大譁，說「這是要把原子彈掉到我們頭上！」四五年前，羅素曾經公開發表文字告訴美國人，大意說美國地處大西洋彼岸，可以少受原子彈襲擊的危險，多佛海峽却不然，英國如遭受原子彈攻擊，西方文明與文化就要宣告毀滅呀！美國那位牧師之言，即是拾取這些牙慧而來的。

我們並不歌頌核子戰爭，然如英美那種拼命製造核子武器，誇稱其威力，而又對牠發生歇斯特里的恐怖症等情狀，實在可笑已極。既然害怕鬼祟，又何必濫搞符咒呢？只想靠一道神符，而使天下之鬼魅盡到別人家裏去，唯我獨安，這就是自由世界實行重歐輕亞主義的基因。明乎此，對於英美的反共策略，思過半矣！

馬五先生

元·夜·浩·歌

·姿婆生·

何當一了邦家事，歸把清尊聽浩歌。——張岳軍

議首，台北陽光普照，氣候煦和，國防委會邀名票趙培鑫演出失空斬，此劇爲名伶孟小冬所親授趙演來，謹守余派規繩，不務花腔，態度雍容，頗肖乃師。趙君此次之成功，並不簡單。（一）得力於空濾允將大鵬劇團配搭，熊寶森馬榮利馬榮祥的趙雲馬岱王平已極整齊，而孫元坡的馬謖，張世春的司馬懿，更特別冒上。（二）用好了鼓手侯四，一切點眼鑼鼓，兩手齊動。琴師王克鬮，月琴劉浩業，拉彈適宜，其佳處爲以前聽過所無。克鬮的襯托，已有如前周長葉的味兒，」別好瀝。楽名票名鼓名琴花一堂，爲得不佳。所謂玉堂富貴，端在綠葉。再論培鑫之唱做，誠如燕京散人丁秉遂所云，一無花腔，簡練而有神韻。態度安詳，沉威而合尺寸，可知其工力之深，自明其修養之有素。

是晚最爲奇異者，即夫街亭開始，培鑫出場，四座肅靜。誠如得匿所云，「落針可聞」；鴻年所稱「寂無聲息」。實是近年晚會中，第一好秩序。故出場時已有空谷傳音之妙。台下除首長以外，伶票無不蒞止。再有名評劇家八九位，這合臉可算得浩歌，確是台灣以前所無，以慶元旦，倍有意義。

培鑫所演，在遺將一幕，初出的引子，快似風雲及兩代賢臣兩句，韻味甚厚。惟余認賢臣應改爲臣，武侯不致自尊至此。兩國交鋒一段原板，平穩已極。拔令時先加注意，以免臨時抓瞎，可見其動作謹細。誠馬謖時的口氣與眼神，均有很好的表現。四句散板之掃平賊寇與去把賊收兩句尾腔，簡潔不拖可讚。設計一場，開報後的三個再探，三種神情。兩聲天呀，一疑微一急促，描摹內心的交織，實够其細。我用兵一段，兩句心神不定與大顯威靈的腔，曲折而婉，克圓爲其襯托得好，因此滿場報彩。巡察城外時散板，以紛紛議論一句，音極俏練。寬心拿定一句，跌宕好聽。城樓慢板以散淡的人，下南陽，執掌帥印，周室大振，知音的人幾個腔，頗饒余味，有飄逸之致。餘句亦均平醇，如行雲流水，好在不火不瘟。一段二六，頓挫得法，而來來來三字，唱得輕鬆寫意，適與內心的焦慮成反例，妙無竭蹶之音。斬謖一場，見趙雲得勝回來，那副笑容，已够稱好，但前聞孫化成師談過，老譚在那時的笑容，與後來之威嚴，截然不同，妙無可比。培鑫現在港，似可就近與小多請教，下次可再深刻一點。聞馬王請罪，把臉兒一沉，尚够威肅。怒上心頭雖消恨一句，吃調稍低一點，那段快板，雖已斬釘截鐵，但四十棍與無用的人兩個腔，咬勁略鬆，惟全劇菁華，在此已够其沉渾。哭叫那幾句其味渾而腔厚可聽。通劇可說爐火純青，含蓄頗深。唱做念三點，均是有相當的功夫，而脫盡火氣，完全京朝路子。吃調雖有稍低，但澎湃奔騰，仍能如之。余則頗望其能多演，勿如鳳毛麟角之難見，小多既傳余氏衣缽，現已歸隱，培鑫既承小多所授，倘設爲余派而昌大之，庶幾譚余遺韻，猶得永在，幸培鑫其担荷此任，在平劇放一綫曙光，其感盼彌切矣。

中國的文學風格

任博悟

戲劇：是一種載歌載舞的綜合表演藝術，也是由原始歌舞蛻變而定型，因爲詩歌至漢以後劃分在樂府部分的，似專爲歌唱所用。舉凡地方童謠，錦詞，巷里俚歌推而廣之佐以歌譜，詞曲，宮商，均可表演（如樂府中之相和，清商，雜曲等類，即今地方劇等是）但它之爲用於郊祭，宮讌，與民間的俚謠等譜式均有戲格劃分，文心雕龍說：「詩爲樂心，聲爲樂體」。遠古之「鈞天九奏」，「葛天八闋」證而有徵。所以說歌，樂，舞，三者應該是不可分的。本來原始是人性由於衝動而自然發生了一種情操來支配着言語行動，這種表現方法與形式和動機，多是以美爲依歸的，戲劇是地方性的藝術產物，多少反映當地之生活狀況，與時代環境，所以人們主觀和客觀的需求，把人與人之間以許多恩仇，因果，離合悲歡的故事，就在各地成了伶人們攫取的脚本，它又是與整個文風，民族興衰有關的，如盛唐詩教大興，梟上（玄宗）提倡，天下景從，那些雅俗共賞的詞句，迎合着各階層人士的胃口，（今之平劇當亦如是）。故就也配合當世風教，開後世戲劇的先河了。降至元代詩詞式微，元曲却大盛行，大抵一班耿介之士不甘臣服於異族，獨藉喜笑怒駡發洩積鬱而自慰自勵，這個相反的表現十足說明了漢族立懦廉頑，威武不屈，貧賤不移的特立卓越精神。平劇是晚清產物，異曲同工，泛濫至今雖大陸變色仍盛行不衰。

小說：任何一個民族，在太古草昧之世，都有一種神話傳說，那不僅是我國這樣，即與我國文化同相輝映的古國如希臘，印度等國也是如此。

中國以農立國，地大物博，人民篤踐務實，厲行忠信，勤儉而守禮法，所以排斥空談，也無暇浸因於冥思沈想，加之孔聖不語怪力亂神，教人修齊治平之道，此乃儒家思想之中心。且內亦寓有平等自由之思想；因爲古時神道設教，爲專制君主統馭臣民之利器，實行愚民黔首政策，況且山川靈異時時見於人間，當時民智未開，凡不可思議之事均加諸於神力；如天有風雨寒暑，地生萬物者是，（現在人仍多供天地），凡此見於莊子，列子及天問（楚詞）山海經諸書中者不一而足；春秋史記等篇始重政治，風敎人物之紀。

嗣後文化日進，撰文之輩仍多逞文記載推演輾轉相因，自漢至六朝多尚玄談要仍偏於仙佛，迄唐則又有忠俠，艷俠之事，（別傳如迷樓記，劍俠如紅綫傳，艷情如章台柳等）要亦在懲惡揚善，敎風化俗，意固是也。至宋譚詞小說大興，（即說書）南渡以後，偏安無聊，上下所趨，蔚成風氣；降至元代孤貞之士多不肯再事制藝，一如毀曲者多撰述寓託以遣，故亦有輝煌成就；如水滸傳（施耐庵著），三國演義（羅貫中著），與明代相沿成爲的西遊記（無名氏一說丘眞人著），金瓶梅（傳爲王世貞著）爲四大奇書。（三）

「復辟」別紀

·何居士·

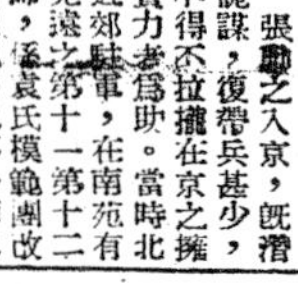

復辟演出第一幕

張勳之入京，既潛蓄詭謀，復帶兵甚少，自不得不拉攏在京之擁有實力者爲助。當時北平近郊駐軍，在南苑有陳光遠之第十一第十二兩師，係袁氏模範團改編，實力最厚；北苑有蔡成勳之第一師及吳長植之第二十混成旅；在西苑有李進才之第十三師，實力稍次，諸將領格遵段氏臨別之訓，都不願與張多所接近，獨吳長植與十三師第二十五旅旅長李金標粗魯無知，又熱中倖進，常奔走伺候於張勳之門，張遂引與共心腹。事發之夕（六月卅日）張召所有在京將領於其所居順承王府舉行會議，王士珍亦往參加（是否有徐世昌在內已記不淸），光是置康有爲與吳李於複室，會議即在廳前涼篷下舉行，張着一身黑香雲紗袴褂，腦後垂辮，據主位以一足翹置椅上揮手向衆曰：『今天約諸位來此，希望諸兄弟一個面子，現在已鬧得不成樣，我想請老佛爺出來。……』話說至此，大家皆面面相覷默不作聲，獨王士珍自恃爲北洋前輩起而發言，用商量的語氣說：『我們可不可以變通一下？改用另一種名義』，其意殆欲擁溥儀爲執政。張把臉一沉，『那不行』！『我一切已預備好了』。於是呼幷請康先生，婆着將一大堆文件攤置桌上，請大家過目。陳光遠最機警圓滑，見事已至此，乃搶先發言，『我們簽字』，附和之聲四起，遂告決定。張起入內更衣，餘皆以隨身戎裝一同入宮，佩刀曳地，短槍衝擊，合幷兵數十人之履聲響成一片，時已深夜，隆裕后出見，亦一再遜謝，略以『母子荷民國優遇，已安之若素，幸勿相強，致貽伊戚』，語極溫婉。但張堅請諸事已妥，立即擁溥儀登殿接受朝賀，行禮如儀。旋一夕之間共發出上諭三十三道，首先昭告天下臣民恢復大清帝統；繼以王位羈縻黃陂，餘皆爲加官進爵，如張勳之議政大臣，康有爲之內閣大學士等，並領紫禁城騎馬賞坐二人肩輿之種種榮寵；又依次授各省督軍以總督巡撫舊銜，切記最後一道即是諭授吳長植之松江提督也。此一幕上演後，陳光遠等立即各返駐地不再入城，並禁宮兵外出，僅吳徇張之請以一團入衛宮廷，餘皆不爲張用。張見各省迄無反應，近郊駐軍又不合作，亦閉九城不與外通，如此，知大事已去，眞可算『關起門來做皇帝』了。

當時段氏討逆佈署聲勢即已驚人，除自兼領東路外，以段芝貴率馮玉祥等部爲中路；曹錕爲西路；自師長以下皆委以縱隊司令名義分受各路節制。吳則於秘密接受第十一縱隊司令任命狀後，立率入衛一團由前門馳赴南苑，經陳光遠挾嫌予以繳械。迄段氏至京始命交還。此役除第八師一部在東華門及順承王府附近略發生短時巷戰外，可謂兵不血刃，自辰至巳未及崇朝，張康即逃匿荷蘭使館，大亂已告敉平。此余在家兄座上親聞於吳者，吳爲身歷其境之一人，所述當係事實。（下）

其後元世祖忽必烈曾派大兵征服爪哇，是中國以武力對南洋的最大一次豪舉，詳載元史，其間雖很少說到婆羅洲，但婆羅洲爲往來必經之地，兵威所臨，當日藩屬，豈能有異。迄於明朝三保太監七下南洋的壯舉，更是人人所熟知的了。據明史外國傳載：『那孤兒國，在蘇門答臘之西，永樂中鄭和使其國，其酋長常入貢方物。又有南洋渤利國，在蘇門答臘之西，順風三日夜可至，王及居民皆回回人，永樂十年遣使入貢。』

以上這些史料，均可強有力的證明婆羅洲老早已有了中國人，自然受有中國文化的影響，土著酋長或國王曾經陸續對中國朝貢，並且有一時期可能爲中國人佔領。這地方同中國的關係之深，自不待言。可惜的是當地沒有留下文獻，以致過去的事跡，模糊不淸，一直渾渾噩噩的到了近世紀，方讓一個英國的冒險家，也就是頗乎遊俠騎士似的人物，於無意中邂逅到此，被封爲沙撈越的「拉耶」（國王），於是開疆闢土，逐步建設，歷傳三世，至二次大戰後，始轉售與大英帝國，變成了英屬的正式殖民地之一。

南洋桃源沙撈越

─傳奇式的開國史─

布律克的冒險生涯

在十九世紀初期，有一個十六歲的少年，名叫詹姆士布律克，因爲他父親一向經商於印度，很發了一點財，那時要回英國去安享晚年餘福，如果照中國的習慣，自然是衣錦榮歸，誰知這老商人竟把他的獨生子——這少年送到東印度公司去任職，東印度公司看見他別無本事，只會騎馬射獵，就將他派到軍隊中服務，從此這少年就開始了他冒險的生涯。在一八二五年東印度公司有事於緬甸，同土人打起來了，這位布律克騎士，竟在火綫上受了重傷，遂不得不告假回國養息，一息息了四年多，到了一八三〇年他纔從英國動身回公司復職，誰知在中途遭遇巨颶，把船打破了，游水逃得性命，然行程就擱了不少時間，因爲按照當時東印度公司章程，凡請假的人，超過了五年，就喪失了職務，他隨後航行至瑪德拉斯岸口的時候，距他那時到賓哥報到的限期，只剩了十二天，那時交通尚不便利，眼看趕不上的了，就索性辭去公司職務，繼續東航，大事遊覽一番，計到過檳城、馬六甲、新加坡、中國等地，然後再折返英國。

也許在此次旅行遊覽中看到東方落後的地方太多，尤其是無數島嶼形同蠻荒，更觸動他起了唐吉訶德先生同樣的雄圖吧，遂打算了一個奇探幽，環遊世界的計劃。很湊巧；到了一八三五年，他的父親逝世，遺下大量財產，歸他繼承，於是這位布律克富翁就着手實行他的冒險計劃，他打造了一隻船，定名爲「勤王號」，上裝大砲六尊，擁步槍多支，又有船員十名，自地中海繞好望角往東方航來，半年之後，抵達新加坡。（三）

·朱淵明·

美癮君子大增

·波譯·

美國參議員丹尼爾最近發表了參院司法小組關於美國吸毒者及毒品非法買賣的報告，已引起全國的震動。參議會經七月的調查，傳訊證人三百四十五名，證詞竟達八千餘頁，結果發現了幾點驚人事實：

一、美國的癮君子，現有六萬名，超過其他西方國家吸毒者的總和。過去三年來，聯邦調查局彙集了三萬名吸毒者的姓名地址。這張名單目前且正每月增加一千名。

二、毒品非法買賣，戰後已增加三倍。大戰結束時，美國每一萬人中約有一人吸毒，目前這比率已減至一對三千。全國吸毒者中百分之十三是二十一歲以下的靑年。

三、美國的犯罪案，在城市有百分之五十是吸毒所引起，在鄉村則佔百分之二十五。

丹尼爾及若干同僚提出了一個詳細的控制計劃，準備擬成正式的立法議案，其中包括如下數點：

一、非法販毒、私運及出賣毒品者處有期徒刑五年至死刑。

二、聯邦調查局的毒品科必須增加調查員五十名。目前該科僅有調查員二百二十七名，比紐約市警局毒品課調查員尚少。

自由人

THE FREEMAN
（第五一〇期）
中華民國僑務委員會
登記證台教新字第一零二號
中華郵政台字第五〇〇號
執照登記為第一類新聞紙類
（半週刊每星期三 六出版）
每份港幣壹毫
台北市每份價台幣壹元
督印人：陳 文 華
地址：香港高士威道二十號四樓
3 rd. fl. 20 CAUSEWAY RD
HONG KONG
香港發行及事務接洽：
高士打道66號 電話：七四〇五三
承印者：東南印務出版社
地　址：高士打道六十四號
海外總經銷
友聯書報發行公司
香港：德輔道中二十六號A二樓
台灣特派員辦事處
台北市館前街五十號
台灣總經銷處
台北市西寧南路壹零號二樓
台郵儲金戶九二五二二

讀葛璧博士「人民中國印象」

•吳可非•

當香港大學一部份教授，將要到中國大陸旅行之前，本報曾發表過一篇署名燕慶的短文，那是針對請外國人推重中國文化的問題立論的，他的意思是：有關中國文化的問題，外國人的意見，並不十分值得重視。

是成見嗎？

現在，這些教授們回到香港來了，有好幾位並且發表過演講，其中尤以經濟學專家葛璧博士的講詞反應最大，最近兩週間，有好幾家報紙均曾加以評論，有一種意見很「幽默」，就是說葛璧博士的意見是無須到中國大陸去也可以寫出的，這意思，很容易使人感覺，因為葛璧博士在未去中國大陸之前，已經去過一次台灣，據我在大陸時的經驗，中國共產黨是最不高興別人提起台灣的，他們有一種過份的敏感症，很可能以為葛璧博士在台灣有過一些酬酢，說不定已經受了請託，因為以共產黨來說，如果是一個跟雙方沒有關係的人說大陸的情形不大好，那倒是可以原諒的。若果先曾到過台灣的人，竟也說大陸不好，這都是不能容忍的罪惡，所以必須有人還擊一下，乾脆說：那祇是一種成見，不必到大陸去也能寫出來，換句話說，葛璧博士在大陸根本就不會仔細看清楚，不過在那裏胡說而已，這說法我不能同意，但，照我們想像，葛璧博士雖然已經進入大陸，其實是不會看到太多真相的。

還未說出貧窮的原因

葛璧博士的演詞很長，綜合起來，他所看到的，大致如下：

一、經濟方面看到了貧窮的共享，看不到強權的掠奪。

二、文化方面看到了蘇式文化的移植，看不到中國文化的死亡。

三、工業的建設只看到螞蟻搬場的方法，忽略了這些螞蟻的來源。

四、政治方面看到了十分慷慨的和平口號，看不到無限止的武力擴張。

這些報告，也許是很確切的，但不一定是很新鮮的。我頗不明白，為甚麼會誘起一部份人在報紙上激烈的爭辯，我是一個中國人，最近並未到過大陸，但我以為，僅憑我們在香港所看到的拿來比較，就覺得葛璧博士所看到的其實並不太多。譬如就第一點說，大陸一般的人民，自然都過着很貧窮的生活，正如葛璧博士所說：「大陸人民及其生活、衣着與態度，一切的一切，都表現得單調而缺之光彩」。這說話無寧是說得十分客氣的，但單調而缺乏光彩，卻頗使人想像出那種絕望而又無可如何的情境，我們在香港所見，卻是異樣的，誰都知道，從去年起，香港突然增加了很多出賣大陸土產的南貨店、名酒、岩茶、鮮魚、火腿之外，還有山鷄、野鴨、豬牛的肝臟、舌頭、黃猄、野兔的腿子……我們很容易意會到，這些便是所謂革命的果實，是採用壓迫的方法所聚斂而來的東西：於此，我們很容易想起杜甫詩：「彤廷所分帛，本自寒女出，鞭撻其夫家，聚斂貢城闕。」又據我們所知，在廣州，過去是金銀找換業集中的地點十三行，現在共產黨叫它做香港街，專賣些不知用什麼方法運來的香港貨，由尼龍手袋，五一型自來水筆，瑞士手表之外，所有羊毛織品，美國香烟，真是應有盡有，售價卻又非常驚人，除了特權階級的官員及其家屬，這些香港貨，老百姓們是不敢正視的，中共當局用政治壓力把土產集中起來，以饑餓的方式輸出來，換取外滙，除了購買軍火之外，並不惜以高價運入奢侈品，用以滿足一部人的特殊享受，一方面又藉以顯示其豪富，但明眼人卻應覺得他是貧窮，葛璧博士僅只說出了他的貧窮，卻未說及其所以貧窮的原因。

如果知道了他所以貧窮的原因，則這個在香港所表現出來的豪富，卻正是共產黨在經濟上最嚴重的病根，我們對於葛璧博士的報導之所以覺得他不夠，其理由即在此點。

沒有對立的存在

還有第二點，也是共產黨人極力要中辯的一點，那就是所謂蘇式文化的問題，據葛璧博士說：「舊時的廟宇和宮殿，已大加修繕……這些新的漂亮粉飾，色調都不自然……新的油漆和裝飾，都是極端地千篇一律，」由于極端地千篇一律，所以「獨特的個性與氣派」沒有了，共產黨的哲學原是只有統一的存在而沒有對立的存在的，對于此點，我們在中共的出版物中，就可以看到相同的例子，我曾看過王力教授的語文學，郭紹虞教授的中國文學批評史，這些書在中共佔了大陸之後再版的，照例都加上了一段抱歉的聲明，說是在寫成這些著作之前，因為尚未接觸到斯太林偉大的語文學的理論，所以不免有許多缺點一類的話頭，我又看到過中共再版的辭源，因為「一邊倒」一詞的解釋不合蘇聯所欽定的原則而加上補釘，此外商務印書館過去出版的萬有文庫，封面上原印有「王雲五主編」的字樣，現在中共把這些存書運來香港發賣，卻巧妙地用一塊和封面紙張色澤相同的膠布，把王雲五的名字糊起來，由這些小節看來，我們也不難想像到那些曾經粉飾過的宮殿和廟宇，是如何地「喪失了獨特的個性與氣派」。至於說穿中國服裝表演蘇聯舞蹈，用中國語言唱蘇聯歌曲，在香港的幾家紅色學校中間，就經常可以看到，如果人們以為中共所引以為榮的梁山伯與祝英台或陳世美不認妻的電影，代表了中共新興的藝術或文化，那末，除非他是外國人，如果是中國人，即使是一個小孩，也會知道那不過是非常可笑的謊言而已。

中共的無可奈何

論到工業建設，據葛璧博士的報告，頗使我們想起了秦始皇築長城及隋煬帝鑿運河時代的畫面，「人民仍用螞蟻搬窩的原始方法，每人揹着兩筐泥土，沒有看見一輛拖車，很少看到機械」，這一點，在中共看來，恐怕並不覺得是怎樣了不起的缺陷，在共產黨眼中，人民就是機械，機械要消耗汽油，人民卻可以讓他們吃九二米，玉蜀黍，紅薯和棉子油度日，而且先前有地主、惡霸的家屬，後來有富農，再後來有失業的羣衆，再征屬……在取之不盡，用之不竭的條件下，再加上許多漂亮的口號，例如：「自動請求參加建設」，「回鄉生產」等等。等到事情辦到不能罷手的時候，來一個「基本完成」的報告，滿足了「民族驕傲」之後，一切便不是完了麼？這裏有一個原則，恐怕就是中國共產黨也要覺得是無可奈何的事情，問題在於先有蘇式文化，自然使沒了中共的機械，蘇聯要中共担任的角色只是一顆衛星，一且有了機械，豈非要「老大哥」繞着它兜圈子麼？因此中共儘管怎樣宣傳他們如何地移山倒海，只要它在蘇式文化控制下，他的建設就永遠只能做到基本完成的階段為止。

和平萬歲的現象

最後一點，我要說到葛璧博士所見「和平萬歲」的現象。記得一九四九年夏天，我還留在大陸，那時中共還未正式參加韓戰，但和平簽名運動卻早已大力地展開了。我親眼看見，天天有人逐家勸導簽名，你如說已經簽過了，那些熱心的共幹會說：再簽也行，結果是簽了若干次，自己絕對無法記憶。

（下轉第二版）

十年來國際共產黨的消長

•李加雪譯•

自從一九四六年起，西歐共產黨黨員大量減少了，共黨在中東方面一無振作，只南美洲和亞洲各地遠離紅軍的地方差能維持原額。美對俄問題專家羅林經周密調查，對於歐洲各地共黨的力量開列如下。

歐洲有多少共黨

英國　一九四六年英國共黨黨員為六萬人，一九五五年減到三萬四千人；可是共黨在英國的軍要工業，如船塢，和電器工業均有堅強的組織。

荷蘭和比利時　十年來比利時共產黨黨員由十萬人減至三萬，荷蘭由五萬減至三萬三千。

法國　法國共產黨由一九四六年的八十五萬減至一九五五年的三十五萬。工廠方面，法國共黨的組織削弱了，法國共黨同時感到招募青年黨員的困難。可是在智識份子，中等和專業階級裏頭，共黨的力量仍是不弱。（法國此次大選，共產黨雖然增加了五十三個席位，所得的總票數比較一九五一年卻減少了百分之一。譯者註）

義大利　一九四六年義大利共黨黨員的數目為二百三十萬人，現在減到一百七十萬人。義大利的共產黨是鐵幕外最龐大的。年來義國共黨工會方面的力量大大削弱了，根據義共黨部的報告，義國的黨務年來是一無進展。上次義大利大選，共黨獲得選票六百一十二萬（百分二十二點六），共產黨同道票數三百四十四萬（百分十二點七），該黨在義國的實力仍然是雄厚的。

西德　十年來，西德共黨數目經由三十萬減低到一十二萬五千人。

挪威　挪威共黨數目由四萬人減至五千五百人。

法義共黨勢盛的原因

歐洲共黨黨員的數目計達二百五千萬人，同流合污的數目約一千六百萬人。法國和義大利是共黨歐洲方面力量最雄厚的兩個國家，法義兩國共黨的力量為什麼比較別國龐大呢？那是有特殊道理的。在兩個政黨的民主國家，如英美，不滿政府的人士總跑到反對黨；在黨派繁多的國家，如法義，不滿政府的人士多給共黨拉去。除了經濟因素，那是一個重要關鍵。

此外，共產黨善於利用機會。在新獲得獨立的國家眼中，蘇聯利用這個機會，向他們宣傳國家主義，宣傳獨立和主權，宣傳打倒殖民地的「暴政」。共黨此項宣傳在亞非各地獲得相當的情感反應。可是除了中共大陸，共產主義在亞非各地仍然是毫無進展。

中東　中東共黨為數不多，敘利亞的一萬人要算是首屈一指了。中東共黨大部係屬智識份子。以色列共黨數目為三千七百人，佔選票百分三點二，可是同流合污的達到七點三的選票。

印度　尼赫魯政府攻擊共黨不遺餘力，一九五一年被囚的共黨黨員達到八千五百人；可是在印度的東南部，特別是安那省，去年選舉共黨獲得的票數達到百分三十一點六，該省共黨的力量冠全國。

緬甸　參加共黨在緬甸是非法的。到現在止，共黨發動的游擊隊仍在山谷地帶活躍。緬甸傾共的一家報紙銷數只有三千份。是全國銷數最少的報紙。

日本　一九五〇年日本共產黨達到最高峯，人數一十萬八千人，現在已減到三萬人了。

南美洲　在南美洲的二十個國家當中，只有五國准許共黨活動。在整個南美大陸，共黨黨員人數不及二十五萬人。巴西是共黨在南美的主要根據地，共黨人數六萬人。南美共黨大部為失意智識階級，中等階級，和學生。

十年來，國際共黨的力量削弱了。可是自由世界仍沒有一個國家能夠滅絕共黨的基礎。（譯自「新領袖」）

時事評述

•司馬璐•

印度的動亂

孟買的暴動中，印度人民死傷了三百多人。領導這次暴動的是俄共所以哺育的印度共產黨。鎮壓這次暴動的是俄共頭目赫魯曉夫拍過肩膀而又讚譽他是「與我們目標完全一致」的印度政府總理尼赫魯。那些死在暴動中的印度人民，可能就是不久前擠在路上看「俄國皇帝」的人們。而那個「俄國皇帝」，又是今天「鎮壓暴動」的尼赫魯引上門的。

吊死尼赫魯

這回印共在街頭上所喊的，已經不是「和平共存」的口號了。這回印共的口號是：「吊死尼赫魯！」當然，印共的「革命」勝利以前，莫斯科對于「吊死尼赫魯」這一口號是不肯負責的；克里姆林宮的口吻是：「這是印度的內政。」尼赫魯的「外交」，在「內政」上助長了印共的聲勢，今天他的要自食其果了。

中國的故事

十年以前，中國也有過一段故事：中蘇之間簽訂了一項條約，「和平共存」之外，還有「同盟」的義務。但是，就在這一條約的掩護下，莫斯科唆使中共在中國的進行了全面的叛變。國民政府從南京搬廣州，南京的各國使館都在猶豫，獨有當時蘇俄駐中國的武官羅申說：「蘇俄大使館當然和國民政府共進退，因為我們祇承認國民政府是中國唯一合法的政府。」這個羅申，在中共政權建立後，他做了蘇俄駐中共的第一任「大使」。

奴僕與代理人

蘇俄的糖衣外交，是以對方的實力為前提的。當印共一天還沒有力量「吊死尼赫魯」以前，蘇俄是要繼續和印度「和平共存」的。當印共一天真的攫得印度政權，在莫斯科的常用詞彙中，尼赫魯的罪名可就多了。一九五〇年蘇俄與中共的出版物中，不是還指責過尼赫魯是「帝國主義忠實的奴僕和代理人」嗎？自從尼赫魯做了蘇俄與中共的「奴僕和代理人」之後，這類的指責才暫時收進口袋去了。但是，「奴僕與代理人」，終究抵不過親生兒子，在尼赫魯與印共之間，蘇俄最後選擇那一個呢？

外交與內政

外交上「親共」，內政上「反共」，往往是尼赫魯輩的天真想法。這種如意算盤，不僅糊塗；而且根本不可能的。因為整個國際共產黨是個號令一致的部隊，在共黨整體的戰略配合下，外交上一套，內政上又是一套。所以尼赫魯輩的天真想法，恰正給共黨利用了。因此，「外交」上和共黨國家的關係「友好」到一定程度，必然要影響到「內政」的。緬甸的吳努政權最近也表示，要和國內的共黨開始「和談」了——這一「和談」的意義是，那些將被消滅瀕于死亡的緬共武裝份子，由于「外交」的影響，他們又暫時獲得喘息的機會了。

高爾基的「夜店」

俄共作家高爾基曾經寫過一部小說「夜店」，那是寫俄國一個污濁陰森的小旅店，旅店的主人笑臉迎客，然後強迫客人參加他們賭博，等你輸光了，然後又挾持你參加他們一同去幹偷竊、打劫、綁票的勾當。但其中也有人雖住進了黑店，但因為不肯入夥，而大打出手的。印度動亂的真相正是如此。

港大教授 葛璧博士的生平

吳本中

耗金鉅萬，山珍海錯，中共如此招待佳賓；自艾德禮以還大都目眩心迷，只有詩獎，鮮有評論；『那好意思！』有之自葛璧始。葛氏既成爲新聞人物，友儕及記者多以葛氏爲問。余因前後在港大及倫大執教與葛教授伉儷熟識，稍知一二，弗能卻，遂爲記焉。

葛氏之全名爲：愛德華・司徒德・葛璧（EDWARD STUART KIRBY）。一九〇九年十二月二十五日生於日本橫濱。祖世居英北部之湖山風景區（LAKE DISTRICT）。年雖僅稍過四十六歲，然以學歷與經驗而論，實足驚人。日本，瑞士，英，中，美，意等國均爲其受教或授教之所。倫敦大學經濟學碩士，及哲學博士，一九三三年復在美國 STANFORD UNIVERSITY，CALIFORNIA得哲學博士學位。旋在羅馬自一九三三年至一九三四年於國際農業研究院爲研究員。一九三五年至一九三九年前後在日本福島高等商業專門學校及東北帝國大學（IMPERIAL TOHOKU UNIVERSITY）爲教授。一九四〇年至一九四六年在第二次世界大戰期中，葛氏投筆從戎，先服役印度，後隨英國軍事代表團來華（一九四三—一九四四）。日本投降，氏調來香港充翻譯官，一九四五年，氏在軍中地位已躍升至中校。勝利後，復員回英，一九四六年至一九四七年，氏任倫敦大學東方研究院講師，亦曾爲英政府貿易部所藉重。香港大學聘爲經濟及政治系主任教授乃一九四八年事也。著作除在各刊物發表之論文外，有：『中國經濟史引論』（INTRODUCTION TO THE ECONOMIC HISTORY OF CHINA），『日本文化論』及在港出版之『請看我的中國街』（SEE MY CHINESE STREET）等等。

氏之活動力極強，在港大爲該校經濟學會及聯合國協會兩會會長，此外於一九五三——四年復爲英國曼撤斯特大學高級研究員，聯合國亞洲及遠東經濟委員會（E.C.A.F.E.）諮詢經濟學家（CONSULTANT ECONOMIST）亦曾代表香港政府出席該委員會大會。

葛璧夫人亦爲飽學之士，生有子女三位，相夫教子，頗有我國古賢妻良母之風，此次未隨夫旅行大陸，因子女故也。前歲休假在英，余約茶點，囑攜子姪輩來。然夫人愛子而不溺，終未偕來，使余肅然，亦使余憮然。辭行時，告余：『駕來新購車停外，將帶返香港；曷往一觀？』余以爲必一華麗轎車，見之，乃一輛旅貨兩用實而無華之車。其毫無浮氣，質樸有足多焉。又憶數載前在港大時，一日偶往訪，夫人適助一德國漢學家英譯公孫龍子，余不禁愕然，蓋『堅白異同』之辯，國人諳之者有幾？而夫人英籍對我國學術竟有此毅力有此熱度，愧煞吾儕也。

（有人說葛璧教授爲英國工黨，茲詢明，並非工黨，亦不屬於任何黨籍。）附注　一九五六年正月十九日草。

港大經濟學教授葛璧博士，最近隨同其他英籍港大教授，旅行赤色大陸，回港後，曾發表數千字的印象記，觀察深入，評論允當，引起各方人士的極大注意，茲承吳本中先生撰爲此稿，介紹博士之生平，特爲披露如上。——編者——

讀者論壇

論內幕新聞

鐵牛

內幕新聞由來已久，不詳其淵源始於何時。惟來台以後，得聞其盛時，今亦見其衰落。良以，政府遷台之初，內地客大批擁入，移居甫定，對時事特具敏銳感，人心亦欠沈着，附會揣測之言乃囂於市塵。內幕新聞假模稜兩可之詞，加以渲染，獲得部份之讀者。

自後，陳素卿情殺案發生，日報因篇幅有限，內幕新聞則詳予報導；李朋之匪諜案亦於斯時破獲，凡此二三年，實爲內幕新聞之全盛時代。苟能乘其頂峯時，注重品質，配合新聞事業之發展，則前途亦有可爲。無如，一再因循，致社會對之漸起反感：凡事誇張，眞實性消失，難期讀者信任；涉人隱私，則如數家珍，殊違人性常情，即此二者，使先前讀者之普遍厭惡心理，蛻化爲日後之文化清潔運動。

此運動初起時聲勢頗盛，嗣即中斷，台灣爲反共反俄之前哨，軍氣民心均極激昂，然赤黑兩色之存在，[illegible]途也；至言黃色，現今世界潮流，淺論之實屬泛泛者有，如不加以明確之限分，侈言清潔，口號而已。故內幕新聞適逢其會，事後受停刊處分，讀物腐而後蟲生，非全爲文化清潔運動之功。

現內幕新聞相繼復刊，售價雖低廉，而銷行卻不暢，內容與未停刊前無若何之分野，故不受社會歡迎似已成定論。窺其發展，恐仍將不免再循舊途，實堪注意也。

讀葛璧博士「人民中國印象」

・莫可非・

【上接第一版】關於這一類運動，共產黨照例會辦到超額勝利完成的，但簽名運動剛剛過去，抗美援朝卻立刻開始了，葛璧博士看到了從未看到過那麼多的士兵，又看到了幼稚園的小孩子一齊衝出來，拍手大叫「皮斯」（和平），而我們卻可以看到這些一齊衝出來的小孩，將來都不免全是些砲灰，共產黨對於和平的解釋並非一種幌子，而是一種武器，誰看得模糊一點誰便得上當，西方國家的政治家們，整日渴望和共產集團談和平，我以爲他們必須懂得，除了向他投降之外便更沒有談和的可能，中共每年願意花一千二百萬港幣的招待費去招待這些從外國進入訪問的嘉賓，正是這種和平輸出的一種廣告費用，他要賺回的代價卻是無限止的武力擴張。

我所希望於葛璧者

據報紙上的聲明，葛璧博士的訪問中共，是個別被邀請的，他的意見也只是個人的意見，但因爲葛璧博士是經濟學專家，很可能注意到所謂貿易的問題，我們很尊重由正當貿易而獲得的商業利益，但如果把這種利益放在國家利益之上，便不免因小失大。葛璧博士對於中共要求加入聯合國問題，主張不能以排除自由中國爲代價，這一見解，很足以說明葛璧博士對中國或對世界的遠見，我以一個中國人的資格，很希望他能夠本着這種見解去幫助決定其在經濟貿易方面的主張。

秦皇殷鑑不遠

寫到這裏，我倒想到了某報引用陳嘉庚的說話去駁詰葛璧博士所說：「過去的事並不就已是過去」，陳嘉庚說：「中國現在是絕不會有變朝換代的事情出現的了。這是世界上大多數人民已經認清的事實」，但他卻先說：「歷史的發展，是不會因某些人的意志而改變的」。言外之意，即是說，只有共產黨人才可以改變歷史。但我們記得，秦皇自命爲始皇，曾迎過由二世而至千萬世而爲君的念頭，結果卻是歷史改變了他的意志。像這樣的說法，共產黨人有些時候也是極不唯物的哩。

美國會擴大保安調查 揭露共黨滲入新聞界

・平譯・

紐約時報另有六個職員，在向參院國內安全小組作證時，卻都援引憲法第五修正案爲護符，拒絕答覆任何問題。這六個人是：

一、夏弗爾，四十四歲，在該報担任國際版校對已近七年。他供稱，在這次傳訊未開始以前，他即表示援引第五修正案，因此遭該報開除。

二、阿勒斯科夫斯基，四十三歲。時報星期日特刊書評版編輯助理，已任職五年。他否認現在是共產黨員，但拒絕說明過去曾否參加共黨。他說，時報當局要他辭職，他也已照辦。

三、嘉斯曼，四十六歲，紐約時報索引主編。他也只肯否認現在是共產黨員。

四、關炎曼，三十七歲，現任時報印刷技師。過去曾任該報新聞部及星期日特刊部速記員，及現已停刊的紐約星報編輯巴慰新的秘書。

五、柴爾夫，四十五歲，校對。

六、阿爾布遜，四十五歲，校對。

在另外出席作證的五人中祇有一個援引第五修正案。這五人是：

一、查克納斯，五十二歲，現任「民族導報」總經理，一九二一至三七年曾任職於時報。

二、阿隆遜，四十歲，「民族導報」執行編輯，一九四六至四八年亦曾任職於時報。

三、鮑育，三十二歲，「自由投稿作家」，常爲「紐約客」幽默雜誌寫人物素描，也曾爲共黨「每日勞工」報寫稿。

四、普拉艾斯，三十五歲，專跑警局的記者，自一九四〇年起迄今，除戰時有四年半入伍任海軍飛行員外，一直任職於紐約「每日新聞」報。他拒絕答覆關於共黨活動的問題，也不援引第五修正案爲保障。「每日新聞」的執行編輯立即以電報通知他已被開除，指責他在供證時的行動，已破壞了他對該報的「功用」。

五、馬洪尼，三十八歲，已在紐約「每日鏡報」任職將近二十二年。他否認現在是共產黨員，也否認曾作「任何顛覆行動」，但拒絕說明曾否參加共黨。第二日，他即遭鏡報開除。

紐約時報對該小組委會的抨擊（見前文），受到美國許多報紙的贊揚。丹佛市「郵報」說，這次調查是企圖暗中威嚇紐約時報。但該小組主席伊斯特蘭說，他仍將繼續調查美國報界的共黨，不過無意調查準備處理的各報記者。至於此次調查是否已揭露共黨謀影響任何大都市有組織報紙內容的企圖，伊斯特蘭則說沒有。但納議員說，這次調查已揭露共黨的「顯著努力」，企圖滲入美國的第一流報紙，不過我們深信美國報界必能證明，它們力足採取自己的美國方式應付這問題。」

（下）

台灣教育十年（上）

劉任士

（本報特稿）台灣光復，已逾十載於茲。此期間之進步，以教育表現較顯；但伴來之問題和有待今後努力者仍多。

大體說來，台灣教育一本過去大陸傳統，絕少制度上的改變。其上外人統台半個世紀以上，重建工作之艱鉅固不待言。十年之期間非短，今日成就尚不能引爲滿足。事實上不啻以全國之人力物力，來重建此僅有數百萬人口一島，以如此優越之條件，即十年普及教育亦非不可能。現學齡兒童就學率佔百分之九〇・八三，但城鄉之比例懸殊，山地與平地之情況迥異。

國民教育仍爲自由性質，義務教育法令迄未制定。

國校教室師資兩缺

國民學校於三十四年光復之初，爲一、〇五二所，現爲一、三五〇所，十年之增加不過三〇八所，以致無法容納入學兒童而取「二部制」。其在學兒童雖由三十四年之八五〇、〇九七人至四十四年六月底止增爲一、一三三、四三八人，但因增班之不足，教室擁擠不堪，六七十人一班爲通見現象。在一教師包辦一班級內事實原則下，生吞活剝這種情形，每造端於此。且國校設置的不均，學區大小的不一，交通困難之遠途學生，往往一暴十寒。以現有就學率，全省國校尚缺教室六千零五間，因陋就簡之事，於此可以想見一斑。

書費雖免雜費仍多

國校教科書雖取免費供給制，但「班費」、「代辦費」、「臨時費」等名目繁多，每學期家長之負担，仍屬可觀。各校每斤斤於無關教學實際之形式統一，影響貧窮者之就學率。

四十四年度省教育預算因相差四百萬元，一時有停止全部供給國校教科書之議。此議不免因小失大，曾遭輿論界之抨擊。

國校現通行將升學與不升學者分別編組，於升學者加強其課外補習並另行收費，於不升學者無形放寬尺度而絕少留級之事。現行台灣國校趨取大班制，各校學生人數咸在千人以上，此固交通形勢使然，亦示與學區之過廣。四十五年度起擬實施分科教學，衡諸事實則可能性不大。

中學生增多教師不夠

中等學校共有二三七所：其中普通中學一三七所，職業學校九一所，師範學校九所。普通中學在三十四年度與四十三年度同爲一三七所，校數未變，學生則由四一、〇七五人增爲一二五、二〇三人。四十四年度因增設分部關係，人數當有繼續之上升。市區中學，亦有設「夜間部」者。

中學師資上之一般趨向，不如公。據中國教育學會調查，四十年度中學教員三八一一人中，合規定者約估百分之十六。凡有三年經驗者可檢定爲合格師資，故中學教員者不少。[illegible]育廳舉辦中小學教師講習會，但調訓爲合格之優秀教師。

職校成效今不如昔

職業學校由三十四年之七八所增爲九一所，學生則由二四、四一四人增爲四十四年六月終之五二、八三〇人。就其性質分類：農校四一所，工校一六所，商校二〇所，水產三所，醫事三所，家事八所，其中私立者九所。職業學校自日據時代殖民地教育重點，其設備甚爲齊全，不收學費。十年來雖謂有所[illegible]，但成效已不如昔。

一般家長非不得已不使其子弟投考職業學校；心理有三：技術的價值不夠高，畢業後求職不易與升學困難。提高技術的師資，必須相當改善其現有待遇，否則專門技術者不肯入教育之途，而另謀其他優厚的出路。政府爲了解決職校畢業生就業問題，已試行「建教合作」辦法，其成效亦不如預期。在升學困難上，各職校今後似可增設其畢業生升學班，以資補救。[illegible]迅，已開始徵收學費，益失獎勵職業教育之旨。

應鼓勵投考師範學校

師範學校於三十四年十月二十五日自日人手中接收之中國學生僅二三五八人。三十五年增爲六所，有學生三、五六八人。三十七年增爲八所，有學生[illegible]人。四十年增爲九所，有學生[illegible]人。四十四年統計，九所共有學生[illegible]人。九所中有立之中，內有女子師範一所。十年間師範畢業生數二七、一〇人，四四六九人相較，尚不足半數。國校合格師資之缺乏，於此可以想見。師範畢業生採取一分發制，辦理相當澈底。

編者讀者

△本期「讀葛璧博士『人民中國印象』」一文，作者莫可非先生，是在新亞書院教書的。

△馬坤是近來國共和談謠傳中的新聞人物，他究竟是怎樣一個人物呢？牛布衣先生過去與馬坤曾有交往，故特邀撰成「馬坤是什麼人」一文，這是一篇很有趣味的文章。

△丁文江先生爲我國知名學者，且飲譽國際，茲承徐道鄰先生撰寄「記丁在君」（在君爲丁氏號）一篇，定下期刊出，特先預告，祈讀者留意。

代郵：諸葛凌先生函悉，前承惠「外交人事制度的檢討」一文，已在本報五〇五期刊出，尊需之報，已逕郵寄出。謹覆。

△靜觀、龔寶善、羅稻仙、劍朋、風行諸先生惠稿均一一收到至感。

新亞書院奠基典禮
港督演說語重心長
強調維護中國文化
香港九所專科學院地位日高
多與外國著名學府取得聯繫

港督葛量洪爵士於十七日主持新亞書院的奠基禮，發表重視中文教育的演詞，這是一件本港教育界所感到高興的事。

無可否認的，無論中文中學或英文中學的畢業生對此間專科以上的中文學院的信念，總不及對香港大學及國外的大學來得好。這一種現象，在一九五○年以前特別顯著。這六年來，由於專科以上學院的制度趨於嚴謹與健全，國內環境影響，以及中學畢業生人數的逐年增加，在這三個因素之下，學生對香港現有的九間專科以上學院有了進一步的認識，但一般說來，這還不是十分的普遍。

憑賴自身努力　爭取國際地位

這幾年來九間學院能夠有今日的地位與其本身的努力和奮鬥有着莫大的關係，即以新亞書院而言，當民國三十八年剛開始在本港設立時，僅租賃了兩幢民房作為校址，然而目前新亞書院的分校已是一間靜處於加林邊道的小洋房，而行將完成的「農圃道新校，也就是港督十七日所主持奠基的，將是一座更完備的學院。這一種艱著的經營，使到大香港的九間專科以上中文學院，不單在香港有了地位，且在國際間却有了地位。當然，他們的任務還是很艱巨的，正如港督葛量洪爵士所指出，香港在戰前高深的中文教育制度並不如今日的重要，因為當時香港的高中畢業生可以回到國內求取深造。同時，這一種做法亦足以▯香港學生能見到較廣闊的世界，而且跟在香港大學或英國聯邦任何一所大學的情形一樣，他們可以在一種學術自由的氣氛下求取學問。學術自由是極為重要的。但現在面對極權主義，情况却整個改變了。

港督指示目標　保存固有文化

每一個人都能了解港督這句話的意義所在，同時他也承認這幾年來九間中文專校所表現的成就。港督指出：在過去幾年來所發生的事情，已經將本港的教育狀況大為改變，使我們需要注意和就地供給教學和深造研究的便利，以適應我們這裏學生的需求。關於這方面，香港一些私人和志願團體所設立的專科學院已盡了他們的責任。同時香港大學設立了一個東方文化研究院，政府也開辦了一所官立文商專科學校，來負担一些責任。

港督還鄭重地說，香港的專科學院的設立，不但是為要供給學生對中文教育有深造的機會，而重大的目標乃為要培養和保存中國的固有思想和文化有關。

由此，可以想像到今日香港專科學院的責任是何等艱巨與重要。而這一種重要，並不是自我感覺的，而是來自外界對它們的認識，香港政府固然如此，各國的學術團體和大學也是如此。香港目前的九間中文專科學院中，有大部份是和美國耶魯、哥倫比亞等著名大學獲得聯繫，一部份學校更獲得若干宗教團體和學術團體經濟上的支持。新亞書院的獲得基督教雅禮會合作，就是一個最顯著的例子，他如崇基學院，亦有着同樣的情形。

專科學院程度　漸達國際水準

至於自由中國和本港專科以上學院的關係，也是非常緊密的，這是一個異常良好的現象，即如去年台大專校在港澳區招生，也是依照本港專科學院聯合招生的錄取新生水準。前此，台大專校在港澳區招生一向是獨立性的。這招生辦法的改變，說明了香港專科學院的教育已達到了國內大學，甚至是國際間大學的水平。

事實上，這些年來，本港專科以上學院學生的量與質兩方面都有顯著的增加，此一部份是因為外界環境逐漸有利於這些學院，使學生的家長與學生對它們開始有了認識和重視起來，另一部份也因為學院本身條件的加强。

除了各學院的院系逐漸增加外，許多來自大陸或國外的有名大學教授都被聘參加執教。這實在是提高學院地位的一個最重要力量，現在，除了設備較差和院系因格於環境無法增加外，大部份教授都已具備了大學的規模。

港府暫難容許　建立較多大學

大部份專科學院如說因環境關係而不能擴為完善的大學，那是並不十分公允的，目前，至少有兩間以上的專科學院都在與建宏偉的校舍，它們逐漸擴充成三個學院而為一所大學，並不是一件很困難的事。但使人遺憾的是，除了香港大學以外，香港一時尚不見得會容許有更多的大學存在，雖然，香港政府和其他各方面對此等學院的重視，或足以彌補這一遺憾的一部份。

據不完全的統計，香港九間中文專科以上學院的學生約有二千一百五十八人，其中百分之七十都獲得私人或學術團體，慈善團體以至教會的津貼，得到全免或半免的優待。這是造成今日專科以上院校有如此衆多學生的一個重要因素，使每一個學期開始時，雖然有一部份學生畢業，但新生仍能保持相當的人數，而不致減少。

九所專科學院　學生數字統計

根據去年度一間著名的學術和慈善團體孟氏圖書館對本港九間專科以上院校各院系學生人數的調查統計，大致分佈如下：

廣大書院：會計三十五人，銀行會計九人，工商管理三十五人，工程五十人，經濟九十一人，外文二十四人，教育哲學二十八人。

廣僑書院：銀行會計十八人，工商管理十三人，中國文史十三人，經濟三十八人，外文二十三人，教育四十人。

珠海書院：銀行會計三十一人，工商管理二十五人，中國史二十七人，工程一一九人，經濟九十人，外文七十七人，機械工程四十九人，海洋二十人，教育六十八人。

崇基學院：工商管理八十九人，中國文史三十一人，經濟二十一人，外文一二四人，史地三人，數理二十九人，教育一十五人。

香港學院：會計十九人，工商管理二十五人，經濟五十五人，外文四十一人，教育六十八人。

華僑學院：會計四十四人，工商管理二十八人，經濟五十三人，外文二十八人，教育五十人。

光夏書院：銀行會計二十四人，中國文史四十四人，經濟二十五人，外文三十人。

新亞書院：工商管理十人，中國文史六十六人，經濟二十三人，教育二十四人。

文化學校：中國文史四十一人，經濟三十七人，外文十一人，新聞二十六人。

統計各院系，攻讀會計共九十八人，銀行會計八十二人，工商管理二二五人，中國文史二二三人，工程一六九人，經濟四三二人，外文三五八人，史地三人，新聞二十六人，數理二十九人，機械工程四十九人，海洋二十人，教育三一三人。

其中以攻讀經濟的學生最多四三二人，外文次之三五八人，教育再次之為三一三人，最少為史地僅三人。

新書評介

我看：「黑牡丹」

四幕話劇　亞洲出版社出版　吳凡蒂著

四十四年是自由劇壇收穫豐饒的一年，在台北先有李曼瑰教授「女畫家」五幕劇的發表，接着在香港又有吳凡蒂創作的「黑牡丹」出版。前者是一齣純悲劇，雖由舊作改編而成，但由於作者深湛的文學修養，洗練的編劇技巧，在今日而重寫此劇，確仍具有它的意義與價值；後者是以香港的現實題材所寫的一個劇本，涉及範圍的廣泛，以及人物性格的勾畫，都有其獨特成功的一面。作者第一次的劇本習作，就有如是成就，可見其寫作才華的特出。同時此劇的出現，不僅繁衍了當前的自由文藝，並且使自由文藝更向前躍進了一步，這是值得大書特書的可喜現象，也是值得我們加以重視和加以推荐的。

「黑牡丹」是近年來少見的一齣大型戲，一共四幕四景，主要演員就有三二十人之多。全劇以交際花卜芝蘭為主幹，配以大陸在港偷運戰略物資的一批赤色官員們，從而暴露他們的荒淫無恥，以及驕奢淫侈的生活。一面則寫愛國志士，從事地下工作情形。光明與黑暗有着極强烈的對照，而此劇題旨的正大，場景的動人，以及幽默機智趣味橫生的對話，更是構成此劇成功的有力因素。

任何以現實為題材的戲劇寫作，多數都是冒險的，多數也都是失敗的。這是歷來編寫劇本的人，情願在歷史事件中去兜圈子的原因。不過「黑牡丹」作者的嘗試則是成功的。首先我們察看這劇故事的真實性，在此時此地的香港，這類故事可說俯拾即是，暴露赤色官員們借革命之名在海外盡情享受的醜態，可算淋漓盡致，絕對真實而沒有一絲一毫架空的地方。其次人物方面，交際花卜芝蘭，貿易委員莫德樸，記者毛勞白，舞女秦妮，收發員陳能保等，每一個人物典型，都經過一番有力的創造與刻劃。所以劇中人物雖多，頭緒雖繁，但在看完劇本之後，上述這些人物仍能予人很鮮活的印象。這誠是作者最大成功之處。然而全劇人物創造並不是一律都成功的，其間多少也有缺陷存在，譬如領導愛國工作的唐祥方，以衛士身份為掩護的愛國工作者唯物山人，這兩個都是正面人物，但作者事實上對這兩個人物的寫作却是貧乏的，浮面的。並沒有獲得應有的成功，這便是美中不足的地方。關於這劇本結構的優劣，在沒有經過排演、劇場試驗之前，現在就給它下一個定論，似乎為時尚早，但至少可以說，在最近創作的劇本之中，它是場面較大，人物衆多，運用技巧較熟練的一個。而全劇氣派的雄闊，和語言的豐富，更是其他同類性質戲劇中所望塵莫及的。

近幾年來由於大陸淪陷，中國知識份子遭到空前未有的刼難，幸而免於一死，逃避海外，日日生活在顛沛流離之中，而此時此地的香港，更是諸多禁忌，因此這是一個劇本寫作最貧乏的時期。即使偶爾有一兩個劇本出現，不是寫作不够水準，就是主題有欠明朗和積極，沒有一本可以使我們稍稍感到滿意的。今天「黑牡丹」的問世，無疑的它將是最近出版的戲劇中最特出的一個，它不僅豐富了荒蕪的文藝園地，就以「黑牡丹」的現有成就而論，足以使我們相信，自由文藝的前途，已經呈現了一片使光明景象。

蘇凡。

大陸天主教的浩劫

據各方消息，近來大陸天主教徒之遭受殘害，幾無日無之，無地無之。尤以上海為慘烈。

據上海「解放日報」載此次以「龔品梅反革命集團」名義拘捕的，僅神父級的神職人員即已有龔品梅、張希斌、金魯賢、李式玉、陳雲棠、朱洪聲、侯之正、倪聖德、賈智浩、李明述、李度、朱雪帆、王芳、吳應楓、丁汝仁、杜融融、陳荷靜、何愛謙、沈保義、傅鶴洲等二十餘人之多。其餘如「公教青年」與「聖母軍」的青年教友和一般教友被捕的，更是多得不可勝計。

又據該報在一篇訴說天主教徒的「罪惡」的文字中指出，已被捕的人「罪名」是：在「三反」「五反」時不積極參加「鬥爭」者；在韓戰時不積極參加「志願援朝」工作者；不願參加中共之青年團或少年先鋒隊者；不願參加中共之「愛國反帝運動」者；陷害教友者；認為第三次世界大戰遲早將爆發者；相信美國之原子彈為可怕者；認為共區生活太苦者；認為天父的精神力量總將戰勝暴力者；不願參加「土改」的「鬥爭」，以却奪他人財產者；不願參加「農業合作化運動」者；曾替被中共殺害的人做彌撒者；曾對死者家屬進行慰唁者；以及在中共清算胡風時未曾痛駡胡風者。而這些又是被誣為「間諜」的具體情由。

該報復透露：刻正大舉强迫神職人員及教徒「坦白反省」，「交代歷史」。所謂「坦白反省」，係由中共公安機關迫令教徒作書面檢討，說明與教會之關係，坦白與教友之來往，交代與國外宗教組織之聯繫情形，表明個人對該一宗教之態度，並檢舉教友和教會的反共情緒。所謂「交代歷史」，則迫令其自述身世，說明思想情況，交代一切社會關係。目前在上海教區所屬三十八個教堂中被迫作此種「反省」與「交代」的，僅神父級的神職人員即有八十餘人之多。其中有一人在被迫親自指控其兩個參加過「聖母軍」的兒子時，曾當場暈厥不起。

中共對天主教的迫害完全是一種有計劃的暴行。刻且將其青年團的組織滲入教會，以「愛國反帝」為名，從中威脅教友，互相誣陷。在教會集會舉行彌撒時間，則以謾駡、拋擲菓屑，乃至毆打等手段搗亂教堂。致使各地教會與教堂充滿了一片特務陰影與暴力恐怖！

由於中共對天主教施行此等暴行的結果，據悉目前大陸一般天主教徒已產生了兩種不同的態度：一部份胆怯的和消極的教徒已不敢再上教堂，閉門深居，惶惶終日。一部份比較勇敢堅强的，則反而激發了宗教情操，提高了抗暴的精神力量。據中共「人民日報」在其有關迫害天主教徒的社論所描寫：有的教徒在做禱告時請求天父賜能，俾戰勝邪惡；有的教徒在做彌撒時指稱共區是一個魔鬼統治的黑暗世界；又有的教徒在做彌撒時禱求天父賜給勇氣，不受魔鬼誘惑，渡過黑暗；更有些教徒在誦讀經文時插進了「今我中國，水深火熱」的詞句。此等情形，我們實不難想見中共暴行的背虐，與大部份教徒在此等暴行掙扎反抗的堅毅精神。這種精神，中共能够根本剷除嗎？

●沈著●

私立中文校聯會
將努力促進福利

香港私立中文校聯會為發展會務，協助教育事業推進，已發起本年度徵求會員，凡已在教育司署註冊之私立中文學校，由三所會員學校介紹者，並經該會理事通過，即得依章參加為會員，享受該會一切會員權利，該會現正歡迎港九各校參加。會員基金為廿元，年費卅元，分兩次交。年來對學生學業之推進，及校與校間之聯系團結工作，頗見成績。本年更力謀各部發展，以促成僑校行政管教之齊一步驟及提高水準，另復致力於新會員福利之爭取。

該會本屆福利部，由仿林、景新兩校負責，其首項計劃，為辦理教師職業登記以溝通教師與學校間之關係，並增加教師就業機會，據景新校長潘景新稱：香港僑校尤其是較小型之僑校處境，有待改善之處尚多；惟一向並無有系統之研討，以尋求整個之改革計劃。事實上，本港小型學校，發展因經濟環境所限，復因社會上種種條件之限制，以致造成不利之處境；然此種情况，並非不能予以改善，羣策羣力，未始不能為小型學校打開一條出路。而此種工作之應由校聯會領導進行，實責無旁卸。為便利各校校長交換意見及報告其本身學校處境之艱苦情形，將於日內由福利部召開一座談會，俾彼此能盡訴積悃，復聽取有關各校之報告，以尋求共同解決之方法。

自由談

應革的兩種命

馬五先生

中國社會上舊有的一般生活習慣中，有兩點到處皆然的情形，我卻始終不習慣，迄今垂垂老矣，尚未嘗試過。一是跟朋友拜把，結金蘭之誼，一是向名流學者遞門生帖，乞列門牆。

朋友相交要好，情同兄弟手足的，固然亦有。但，這種情誼是要自然而然的積累起來，沒有絲毫勉強做作的意念，而且經過若干事實考驗，彼此心性投洽，才夠稱生死患難之交，一着痕迹，便不足取。有了這種情誼，即不需要拜把那類俗套，亦是一樣的。劉關張桃園三結義，是史家所豔稱，後人所景仰的拜把典範人物，然諸葛亮與劉備二人之相知相信，推心置腹，何嘗又在關張之下呢？何況世俗之所謂拜把者，十九都是基於一時互相利用，有所為而然的，因有所為而拜把，根本就是張耳陳餘之類的勢利心情，遇着利害關頭，準會拔刀相向的。所以，我國人喜歡搞拜把玩藝者，總以軍政界為多，結果兄弟鬩牆相斫，也是他們的拿手好戲，理固然也。我不想以朋友為芻狗，作自己的榮梯利媒，平日與朋友交，明心見性，不偽不欺，發乎情，止乎禮義，何必幹那種無聊的拜把行為呢？

至於向名流學者遞門生帖子，更屬無謂。本來沒有受過他的教，而要事以弟子之禮，這是不近情理的。如果由衷地傾佩他的學問人格，不妨私淑學習，向他接近看齊，可也，這是為己的修養工夫，何必從事招搖，濫遞門生帖呢？尤其是向達官顯宦們幹出這類勞什子的勾當，鄙陋特甚。官位與學問人格每是成反比例的。你要求作他的門下士，則其品格蓋可知矣！今世的師道早已商品化，真正受業的學生，對於只知講學而未能升官發財的老師，相逢且不相識，遑論那種偽造的師生之誼？今人好談革命，像這樣應該革除的惡習卻敝帚自珍，襲而不舍，可怪也夫！

壬辰科場述舊

——記張謇中狀元

無頁

壬辰是光緒十八年（西元一八九二）距今甫過六十年實在不算太舊。名之曰舊，僅在說明這不是今日之事而已。

翁相國一心取張謇

原來光緒中葉，南通張謇早負盛名。北闈中舉，始出自翁常熟的識拔。觀翁文恭日記，光緒十一年九月十一日，記云「北元劉若曾南元張謇，皆余處之卷，皆名士也」。即此可見翁張二氏夙契之深，亦即可知張是光緒乙酉順天鄉試第二名舉人（因為直隸鄉試，在都中舉行，稱為順天鄉試）。並規定北闈第一名舉人，必須要直隸人，二名以下不拘。於是通稱第一名為北元，第二名為南元，此通例也。翁記北元南元其解如此。舉人中式下一階段，就是會試，而丑未辰戌是法定會試年。到光緒十八年

壬辰會試，翁常熟正在當國，又主文衡（壬辰科大主考），意中必欲羅致張謇為國求才。然前清制度，試卷是「糊名易書」的。所謂糊名即今之彌封，所謂易書，即鄉會試的卷子，考生自用墨筆書寫謂之墨卷，場中另雇謄錄若干人，按卷照抄，全用硃筆，謂之硃卷，考官祇見硃卷，不見墨卷，以防在筆跡上辨認作弊，此亦防弊之極則。

劉可毅揣摩中魁元

翁大主考雖一心要中張謇，也只能在文字上推敲，無法實在上找出張的卷子。後來尋到一卷，文中談及三韓。（彼時張在吳長慶幕中駐兵朝鮮。）翁氏認為此卷必是張的無疑，遂定為會元。及至寫榜之時已經有人看出文筆不像，然已不及更易了。迨拆了彌封查對姓名，果然不是張謇，而是劉可毅（當時城內謠言會元是劉可殺，後來此人果死於庚子之難）。這可把常熟相國氣得啞口無言。

新科會元照例要拜見座師，可是座師拒而不見，一再享以閉門羹。這又把新會元嚇壞了。幾經託人疏通，才得登堂一拜。座師別無他言，只說了一句，「你很會揣摩」。端茶送客，新會元祇得狼狽而歸。然則南通張謇的卷子，究竟上那兒去了呢？直等六十年後，我從齊如山先生的筆下才得到解答。

張謇試卷何處去？

齊如山隨筆中，漫談兒女英雄傳一篇有涉及此事的一段話：

「熙小舫先生是旗人，名熙麟。乃翰林編修，因張季直先生（名謇）科舉事，為彼時頗有名望的人物。這裏附帶着說幾句：彼時常熟翁相國，極推重張季直，自己認為，當主考若張不得中，便是自己無目。壬辰科翁為主考，張又未中。張揚言曰，他所以不能中進士，一定是他的卷子，分到旗人房官手中。因為他們不懂，所以不能薦，則當然不能中。此科熙麟亦入闈。聞此言，當然難過，及至榜後一查，他的卷子，果然分到熙麟之房中。但曾經高薦而翁未取中。於是熙常談及此事，於牢騷之中，頗含得意之色，因此熙遂得名。」

由此看來，前清科舉取士，專講八股大卷，為世詬病。然糊名易書之制，防弊甚嚴。主司考官，雖有意中欲取之人，亦只能以文為斷，暗中摸索。未拆彌封以前主司儘管有權，可以取舍進退。一旦彌封既拆，姓名揭曉，則雖以宰相之威，主考之權，也決不敢擅易一名一字。名額有定，尤不能隨意增減。這一種慎重其事的態度，表現得公正而嚴肅，頗是以為法於後世的。

甲午恩科順利中試

到了光緒廿年甲午恩科，常熟再長文衡，通場各房，搜索張氏的卷子，自然順利中試。及至殿試，常熟又充讀卷大臣，殿試卷全憑書法，不再謄錄，更易辨認。於是張氏此科，大魁天下了。翁氏日記載曰：

「光緒二十年四月廿二日，記云，殿試得一卷，文氣甚古，字甚雅，非常手也。定第一。捧入，上諦觀第一卷，問誰所取。拆封奏名。臣對張謇，江南名士且孝子也。上甚喜。」

新營道中見甘蔗花有作

·許紹棣·

炎邦爽氣入秋色，初多蔗花如蘆荻；搖曳風前白浪翻，悄然坐我西溪灘。西溪蘆花昔所愛，一別忽忽逾七載。羈棲感嘆發憂思，建然空谷聊展眉。客裏貪懽渾如夢，黍離麥秀增悽慟。

如夢令

丑沉

哀大陸叢擴分子，兼警自由區域內左傾人士。

醉醺過河垂淚。深懷一時會味。香夢入瓮瓮。直到醒來心碎。莫對。莫對。好教河魴注意。

鯉性靈善避，驚水躍，輒潛伏濘泥中，所以不易捕得。

（漁者每先以醉藥為餌，鯉吞食醉藥，更會沉如睡，任人捕取，今之共匪玩弄靠攏分子大類此。）

馬坤是什麼人？

·牛布衣·

真想不到筆者會替馬坤寫文章！更想不到馬坤會成為今日新聞界的風雲人物！最想不到赫魯曉夫一再聲明共產主義統一和奴役世界的決心後，馬坤竟以和平販子身份出現，奔走「國共和平」！

將軍頭銜何處來

民國十五年，筆者在廣州中央銀行總行任職。到差沒有幾天，馬坤跑來看我。

「你認識我嗎？」馬坤問我。

「你是馬坤先生，」我說。

「我曉得你認識我，我在中國是鼎鼎大名的。可是你弄錯了，我不是馬坤先生，而是馬坤將軍，此後請你改稱馬坤將軍。」馬坤坐在寫字檯傍邊椅上，神氣活現的對我說。

在三十年前的廣州市，馬坤的確是一個鼎鼎大名的外國人。歐美學生會裏誰都認識他，他們叫他「警察馬坤」。機關裏頭稱他「西人坤」。馬坤那時大約五十歲。身材不高，肥頭大耳，面肉橫生，一望而知其為粗人。馬坤原籍加拿大，是加拿大的猶太人。

「我只曉得你是『警察馬坤』」，我說，「你從那裏弄到你的將軍銜頭？」

拆穿了西洋鏡，馬坤倒有一點不好意思。喝了一口茶，馬坤道，「我的將軍是如假包換的。你認識總理嗎？」

「不！」我答。

馬坤哈哈大笑，道，「我曉得你不認識總理。將軍是總理封給我的。」

「有證據嗎？」我問他。

「這還要證據嗎？總理是一國元首，元首的侍衛長不應該加上將軍頭銜嗎？」馬坤說。

「有理。」我答。

總理給他起名馬坤

馬坤得意極了，又道：「你們念過大學的人是懂道理的。總理不止封我將軍，還替我取了名字。馬坤便是總理替我取的。他還教我簽字。」

拿了桌上一枝毛筆，問我要了一張便條紙，馬坤在桌上寫他的中文簽字。

寫好了，馬坤指着紙上的兩個草字，問道，「寫得好嗎？像總理寫的字嗎？」

我搖搖頭。

又飲了一口茶，馬坤道：「我有事情拜托你。我在中國住久了，曉得中國規矩。我要先請你吃飯，南園的菜色很好，離這裏又不遠。下班的時候，我們一道到南園去。我在樓下辦公。你只須叫一聲，『馬坤將軍』，我便和你一道到南園。我付賬。」

不要自由

·李鐸·

菲律賓群島的山上還有七百多個日本兵士不肯投降，理由是到現在為止，他們還不曉得日本已經戰敗投降了。

有日本一個水兵，藏匿於呂宋島山裏，以蜥蜴、田雞、水果、和猴子為活，每日總希望勝利的日本海軍前來解放他，把他救回日本。

這個水兵最近因為饑餓難受，深夜跑到靠山的鄉村盜取田裏的洋薯，給警察捉了去。

『你們準備什麼時候砍我的頭？』水兵問。

菲律賓警察告訴他說，大戰早已結束了，不久菲律賓政府便會把你送回日本，自在做一個自由人。」

這個日本水兵表現得十分抑鬱。前天晚上，他在獄裏三呼萬歲。明晨獄吏發現他已吊在牆上死了。

南洋桃源沙撈越

——傳奇式的開國史——

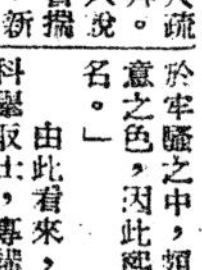

那時新加坡的總督，以及當地商會，正在為一件事躊躇。原來不久以前，有一隻英國籍貨船，在婆羅洲的西面沙撈越海上，遭遇風暴打破了船，船上的人都落了水，幸得古晉地方的酋長，予以救助，並多方優待，那些英籍的船員水手，後來回到新加坡，報告總督及商會，總督與商會就想派人致送禮物，以表酬謝，並乘機聯絡。但因沙撈越地方混亂，海盜又多，陸上獵人頭之風尤盛，一時很難覓得適宜人選，來担任這趟差使。適逢其會，冒險家布律克來了，且有自備的武裝，他原無一定目標，一經總督請託，他也就慨然允諾，負起這送禮的使命。

也許這正與他探奇尋幽的興趣相合罷。

那時的沙撈越，同北婆羅洲一樣，都是汶萊的附庸，受蘇丹的統治，當地酋長名叫哈森，是汶萊蘇丹的叔叔，就是蘇丹派他來管理沙撈越的，但為人優柔寡斷，大權落於部下馬可太之手，馬可太性殘酷而又貪污，對於土著馬來人，及陸地達雅人，搜括壓迫，無所不至，哈森明知其非而不能制，於是土人乘機到處叛變，混亂之極，此際布律克恰代表新加坡總督送禮品來古晉致謝了，到的時候是一八三九年八月十五日。

酋長哈森對於這一位使者，優禮備至，週旋盤桓之中，並曉得這使者還是一位冒險家，走過許多地方，過去又有戰功，因之異常欽佩，彼此很快就變成了好朋友，酋長並允布氏赴內地探險，不幸於沙廊河附近遇到叛亂的土人及海盜所襲，幸虧他[illegible]，但他明白了深入探險，絕無可能，除非是敉平了叛亂，恢復了秩序以後。他遂於十月三日回返新加坡[illegible]。至翌年（一八四〇年）布律克復應哈森[illegible]，協商平亂[illegible]，說是布氏若[illegible]，就請蘇丹封布氏[illegible]「拉耶」（國王）。

[illegible]很想找一海島[illegible]的滋味罷，[illegible]頭之理？加以[illegible]洲及爪哇等處[illegible]橫，極礙通[illegible]佔一塊根據地[illegible]雄心到是不小哩。（四）

·朱澗明·

中國的文學風格

·任博悟·

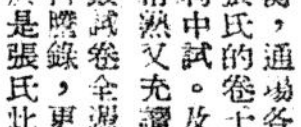

其他明代小說如今古奇觀，龍圖公案，東周列國志，西漢演義至清朝曹雪芹撰的紅樓夢，極為士林稱賞，（以上有些書經金聖嘆批點過的更是千古不朽）。以後風起雲湧，隨社會之複雜情景，代有才人撰述影射，煌煌大觀變成一支社會文學的主流了。（明清以迄近代冷雋作品如平山冷燕，拍案驚奇，儒林外史，老殘游記，官場現形記，血海花，九尾龜，二十年目睹怪現狀……等等均為上乘之選。）

小說戲劇本是不可分離的，因戲劇多是小說中取材為脚本，小說亦有取材戲曲中繹演的。（如戲曲中西廂記琵琶記，也有說部。）

總之，中國文學既是源遠流長，碩大聲宏，這是得天獨厚的，純粹立言之賞賜，吾人更要注意中國文學還有堅韌不拔之特性，只有同化別人，不會被外族同化。[illegible]

[illegible]之事實，所以有人把我國文學比喻海水，「取之不竭，用之不盡。」[illegible]其壯[illegible]儒，[illegible]年累月，孜孜不倦，仍不能包羅條理，遑論外人。反觀我人研究西文學[illegible]中國文學[illegible]。明乎此，則[illegible]豐碩寶貴，吾人決不能[illegible]任意[illegible]存亡絕續之秋，[illegible]幾發揚光大，[illegible]宙。此即吾[illegible]命了。（四·續完）

胡佛主張警察正名

鳥譯

美國人對於警務人員，不論是便衣警探或警察、警官，常統稱COP，這名詞約等於香港的「差人」，粵語中的『差人』[illegible]因此也常被稱為「全國第一號差人」。但他最近[illegible]文表示，「差人」這一稱呼太難聽，[illegible]較和善的別名。他說：「祇要民眾對『差人』名詞，警察便難望改善待遇，也[illegible]件，而一個效率優良的警務部門的必要條件也將難於達成。『差人』這名詞，正和將醫生稱為『走方郎中』（QUACK）同樣的令人難堪。」

自由人

THE FREEMAN

（第五一一期）

中華民國僑務委員會
頒發登記證台教新字第一〇二號
中華郵政台字第五〇〇號
執照登記爲第一類新聞紙類
（半週刊每星期三、六出版）
每份港幣壹毫
台北市價台幣壹元
督印人：陳文彝
地址：香港高士威道二十三號四樓
3 rd. fl. 23 CAUSEWAY RD HONG KONG
香港發行及事務接洽
高士打道66號　電話：七四〇五三
承印者：東南印務出版社
地址：高士打道六十四號
海外總經銷
友聯書報發行公司
香港：彌敦道中二十六號A二樓
台灣特派員辦事處
台北市館前街五十號
台灣總經銷處
台北市西寧南路壹壹零號二樓
台郵撥儲金戶九二五二

舊·恨·重·提

杜魯門尚自辯其對華政策耶？

丁文淵

在國際上，外人對我國嘗有「善忘」之譏。當民國四年一月十八日，日本向我提出二十一條件，內容充滿其侵略野心，圖以征服我國，國人爲之共憤，世界爲之震驚。五月九日，袁世凱被逼承認，因此定爲國恥日，以誌毋忘。二十年九月十八日，日軍突然攻擊我瀋陽兵工廠，及北大營營房，瀋陽遂告淪陷。二十六年七月七日，日本軍閥逞其橫暴，進攻蘆溝橋，佔領平津，於是八年抗戰事起。三十年十二月八日，日本突襲珍珠港，太平洋大戰於以掀起。三十四年八月十四日，日本因爲美國原子彈轟炸，全國瓦解，不得已宣佈無條件投降。四十一年二月二十日我國與日本締訂雙邊和約，四月廿八日在台北簽字，內容除收復我已失故土以外，本以德報怨之精神，放棄一切賠償要求。此非吾人之善忘，乃吾人推行大同，維護和平之至意也。吾人本此宗旨，不願對任何舊恨重提。

然而美國前總統杜魯門在其最近發表之回憶錄中，又復設法辯護其任內對華政策之錯誤，使得吾人又不得不再「舊恨重提」。爲彼刊登之生活雜誌，即自動加以批評，認爲：「馬歇爾一九四五至四六訪華事件，已奠定杜魯門全部外交政策大失敗之基礎。」本不必再待吾人饒舌。惟恐再蹈「善忘」覆轍，不妨僅就美國官方發表之材料，提出若干事實，加以討論，並以就正於杜魯門先生。

扶植中共的許多事實

一九五二年七月十四日美國時代雜誌曾發表一文，內容認爲戰時美國國務院內之親共或有共黨嫌疑分子，努意要第一步使中共成爲公認之一種力量，第二步使中國組織聯合政府，有中共參加，第三步使美國承認中共政權。

由遠東問題特別顧問居利向羅斯福總統推薦拉鐵摩爾任蔣主席之顧問，在他被委命公佈（一九四一年六月廿九日）前十一日，即六月十八日，拉鐵摩爾即由太平洋協會之秘書長卡德爾陪同與蘇俄駐美大使奧滿史基，在華盛頓共進午餐。卡氏認爲兩小時之會談後，「極有啓發性」。七月拉氏即與共黨冀朝鼎同機飛往重慶，以後且往來頻繁。一九四二年拉氏返美，即借用國務院居利之辦公室，是年十月居利主動，使副國務卿威爾斯和共黨白洛德及遠諾會議，會議後威爾斯即交白洛德一備忘錄，說明：美國願中國政府與中共聯合，並一向認爲中國內爭爲不幸；共黨軍隊亦正在對日作戰，亦不信共產主義威脅中國之說云云。備忘錄即於本月十六日登載於工人日報，乃爲共黨充分利用，以增漲中共聲勢。共黨且利用太平洋協會，一方面影響美國對華政策，另一方面對外作於中共有利之宣傳。十一月周恩來且對美國外交官文生及塞維史要求美國用壓力影響中國政府，改善當時情況，承認中共爲對法西斯作戰之夥伴，對華軍援應分配與中共。一九四四年六月塞維史對華府建議：（一）停止援助蔣主席，（二）美應宣揚「中國統一民主」，（三）應對中共保持友好關係，（四）應請宋慶齡訪白宮，（五）應對中共表示有興趣，（六）應對蔣主席使用壓力，同意派人視察華北，（七）應裝備各省（包括中共）軍隊，對日作戰，（八）應宣揚威爾斯白洛德備忘錄之諾言。以上建議，幾無一不吻合中共之要求。同年十一月，史迪威之回國，台維司亦有同樣內容之報告。

強迫組織聯合政府

同年六月美國副總統華萊士之使華團，有文生，拉鐵摩爾和海則得參加。後來美國共黨在國委員會委員布坦滋在國會作證時曾謂，華萊士使團確有助於中共，因共黨有拉鐵摩爾及文生同往，必能使共黨路綫，指導美國活動，華萊士亦承認，訪華時曾報告美總統：（一）蔣主席無力領導戰後中國，（二）蔣主席有反對共黨之偏見，（三）國，共應成立聯合陣綫，（四）促使蔣主席與蘇俄妥協。華萊士返美後，曾出版「訪問蘇維埃亞洲」一書，幾全爲共黨史德吉之手筆。

一九四五年七月三日拉鐵摩爾謁見杜魯門，上一備忘錄，強調謂，日本希望美蘇分裂，以便日本復興；中國應以聯合政府方式統一，中共且應有真正權力。同年十一月二十八日，國務院遠東司主任文生建議，在進行協助之綱領內，謂中國政府如能擴大，包括其他政黨，則和平，統一，和民主改革，均能達到，美國應本此採取步驟。並謂國民政府爲一黨政府，美不應以軍事來支持。此與本年十二月十五日杜魯門對華宣言之內容，完全吻合。於十二月九日文生以同樣內容起草一備忘錄致軍部，請其準備訓令予魏德邁。備忘錄內已提及馬歇爾將軍之使華，並引述國務卿貝爾納斯於十二月七日之陳述，謂：「關於中國，我們最終目標是一個『強大，統一，和民主中國的成長。』」

又謂：蔣主席政府應擴大，包括其他各黨派，並表示美國將運用其影響，「鼓勵中央政府和所謂共產黨派，以及其他黨派一齊讓步。」繼稱：「美總統派馬歇爾將軍去中國……的目的，是美國要影響中國的內政。……馬歇爾將軍將特別盡力影響中國政府，使之召開全國各黨派會議，使中國統一，同時使內爭息止，特別是在華北區。」

削弱國民政府的力量

勝利以後，直至一九四六年六月，我國政府軍力，極佔優勢，並將中共逐至北方，且有希望取得勝利。然自馬歇爾將軍來華以後，彼依照其所謂聯合政府訓令強迫我政府成立，不惜使用壓力，以求達到目的。一九四六年馬歇爾計劃我政府軍隊，應爲五十師，而另編入中共軍十師，全由美國裝備。後因聯合政府未能實現，故此計劃亦成廢紙。美政府當時有意准許五億美元爲對華借款，亦因聯合政府未成而罷。馬歇爾設立若干三人調處小組，每組由國民黨，共產黨，和一美人組成。其任務乃使優勢中之政府軍隊，和失敗之中共軍隊休戰。而中共更不遵守協定，一俟其重新集合休養，即預備從新發動攻勢。美人以後亦曾覺及，此種戰術與韓戰時中共戰術無異。

是年夏因聯合政府之成立無望，美國即停止對華之軍事援助；非特停止供應武器，即中國政府向美所訂購之軍用器材，亦遭禁運。且當時中國在沖繩及其他太平洋島嶼所購之剩餘物資，亦未能運出。據陳納德將軍在國會作證時稱，第一批貨於一九四八年十二月始抵上海。又稱，解禁後送達之武器，已不適用。柯克上將在作證時亦稱，中國所有爲美國裝備之軍隊，因美國之軍火禁運，缺乏火力，乃被擊敗。

（下轉第二版）

論瀕臨戰爭邊緣

——不要忽視蘇俄的大戰準備

·曾旭軍·

與共產黨對敵，無時不在戰爭狀態中。故美國國務卿杜爾斯的『瀕臨戰爭邊緣』之說法，認眞講來，是不通的。退一步來說，就算杜氏之語，指有形的軍事戰爭而言。亦無所謂「邊緣」。大家都知道蘇聯目前以小戰蠶食方法，乘虛而進，作爲自由世界領導者的美國，應該領導盟友，合力抵禦共產黨連成流動的戰線。並無所謂邊緣。如謂『能瀕臨邊緣而不進入戰爭』係光榮的「藝術」，毋寧說是逃避戰爭的怯懦。

假如說杜氏之語指核子戰爭而言，則亦無所謂邊緣。蘇聯目前積極準備核子武器，將來必然是先下手爲強。決非單方備意佈局所能造成「邊緣」的。又何說得上是「藝術」呢？

當日李承晚總統毅然釋放拒遣戰俘，是明知共軍被打得頹勢已成，必然無奈伊何。而杜爾斯聞報反感到「他自己和國家已站在一個新戰爭邊緣」。（生活雜誌原文）筆者感到奇怪的是：究竟李承晚未釋俘之前，美國又是站在那裏？

共黨的敲詐極限

李承晚這一舉並不是『武斷行動』，而是他看透了中共實不願打而俄共也默許了，所以縱然是有『成千成萬的戰俘，由營中浩浩蕩蕩奪門而去』，中共也無可奈何。李承晚這一着是暴露出中共的敲詐伎倆，已達到極限了。縱然杜爾斯不委托「和平掮客」尼赫魯警告中共，也大可以「光榮」結束韓戰的。

至於越戰根本上美國的嚇阻政策未予實施。反而英法兩國受共黨所嚇。在日內瓦簽訂屈服共黨的協定，斷送北越。共黨感到敲詐至此可暫告一段落，這又是共黨的一個敲詐極限。儘管杜爾斯如何的僥倖不捲入戰爭，但共黨已偷雞勝利。

再說到台灣海峽，中共之不敢再進犯，不是純由於杜爾斯迅草的一項議案，使艾總統於中共攻擊台灣時得使用美國軍事力量的警告。主要的還是在我一江山的決心作戰。

現在共黨的敲詐尚未達到極限，正在由王炳南向約翰遜刁難的大敲特敲。這是美國甘心受敲的。而美國的嚇阻策略亦未見成功。

因此我說杜爾斯的三次所謂『瀕臨戰爭邊緣』，都是共產黨的「敲詐極限」而已。

論邊緣的危險

「邊緣」觀念至爲危險，因爲這是盲目的不承認對共產黨作勢不兩立的鬥爭。在共產黨方面，是採取「無邊緣」政策，在時間上不斷的備戰，擇機出擊。在空間上不分前後方，廣泛的滲透，實行顛覆。

從上面看來，並沒有以實力警告的事實存在。都是隨共產黨的「敲詐極限」而進退。如此下去，未見戰爭邊緣，而自由世界已陸沉於赤潮中了。

這不是西方國家惰性的「嚇阻政策」所能招架的。

現在英美對付共黨的根本策略，是所謂分級阻嚇政策（GRADUATED DETERRENCE）。以核子武器嚇阻大戰，用平常武器加上戰術原子武器，以阻小戰爭。在歐洲不惜用大武器嚇阻。在亞洲用小武器嚇阻。甚至拿鐵幕邊緣的弱小國家作千萬試驗。

這基本的錯誤在不承認與俄共勢不兩立的事實存在，亦即受共黨的「和平共存」魔咒所欺騙。

最近更有一種邪說流行，即所謂「和平競賽」。他們抹殺蘇聯準備大戰的事實。有意或無意的替蘇聯爭取磨牙擦爪的時間。例如加拿大外長皮爾遜，最近遊蘇聯，就被赫魯曉夫所催眠。他以爲蘇聯極不願大戰，而只是深信共產主義在和平競賽中最後獲勝利。因此皮爾遜便演繹出他一番的安撫論調。說什麼應採取有轉圜餘地的圓通政策。說什麼應該坐下來和中共談判，甚至應該承認中共。目前加拿大的承認中共，眞是呼之欲出，似乎只是時間問題罷了。

欺人的和平競賽

蘇聯目前高唱「主義制度共存競賽」的迷魂曲，但却積極準備大戰。試看本月上旬蘇聯已宣佈第六次五年計劃，特別注重重工業，務求重工業生產百分之七十。務要超過西方「最前進的資本主義國家」，尤其是電力生產增加百分之九十，而且積極訓練技術人員。無疑地，馬連可夫的增加消耗品減少重工業的政策受斥，即明示蘇聯向準備大戰中邁進。試問何嘗有微少的和平競賽的氣味。

這樣非是自滿自驕的『核子優勢分級嚇阻策略』所應付得來的。假如杜爾斯認眞要實行瀕臨戰爭的邊緣政策，就應該瀕臨戰爭邊緣，切實的援助反共國家，去積極解除鐵幕邊緣。

時事評述

·司馬璐·

日內瓦與金門

十七日，印度的梅農與中共的王炳南晤面。

東京新聞社駐港記者報導說：英法印三國正秘密策劃，三月六日[illegible]國理事會舉行以後，安排一個杜爾斯與周恩來的「外長級的會談」。

十八日，中共方面公開了所謂「中美會談經過」。

十九日，中共猛烈砲擊金門。

二十日，王炳南又發表了一項強硬聲明，恫嚇美國，要對「中美會談」的秘密繼續揭露。

從沒趣到惆悵

其實，中共所揭露的「會談經過」，如果我們剔去那些色厲內在的恫嚇，惡罵，詭言，勸業的字眼以外，不僅沒有「秘密」可言，而且可以說，全篇「經過」，對于中共也並不光彩。

從中共所公佈的「經過」中，人們易于得到這樣一個印象：美國「愛好和平」，中共「一貫好戰」。因此，在中共「外交部」公佈這個「經過」以後，是十分沒趣的，繼之才有王炳南補充一個惆悵聲明的必要。

也談「經過」

美國與中共的「會談」，從去年八月一日在日內瓦開始以來，歷時近半年，「會談」共三十三次。去年九月十日，雙方達成「平民問題」的協議；十月八日，美國提出「雙方發表放棄使用武力的聲明」，此後即僵持迄今。

爲什麼僵持呢？第一、「平民問題」雖達協議，中共迄無誠意認眞執行，共陰謀在運用大陸的人質對美國進行勒索；第二、中共堅持，「放棄使用武力的聲明」不包括台灣在內，共陰謀在先將台灣「孤立」，以便于首先單獨對台灣作戰。

最大的秘密

「經過」既如上述，那麼，王炳南洩人的「秘密」是什麼呢？其實要是把一「最大的秘密」拆穿，王炳南所喧弄的就算不得是什麼「秘密」了。

「最大的秘密」是什麼呢？如所週知國際間有一般謠言，他們往往一廂情願的想，莫斯科和北平之間遲早要分裂的。因此，我們常常聽到來自倫敦的有關中共與蘇聯不睦的謠言。如果國際共產黨有計劃的散播這一謠言，對於他們確是很有利的。因爲，這一謠言最後的結論，在西方現實政策支配之下，一定是「承認中共」與「緩和中共」。同樣，美國一部份人士也受到這種細菌的感染。

中共正等鼓勵

這樣一種氣氛，中共自然能看出，民主國家對中共政策上普遍性的弱點。因而，也正受到鼓勵。

杜爾斯的「戰爭邊緣」之說所引起的風波；美軍事會議中英美意見的分歧；路透社電訊報導，在即將舉行的艾森豪、艾登會議中，英國將說服美國放棄對台灣保衞金馬的支持，這一切不都是對中共的鼓勵嗎？今年是美國的大選年，中共更認爲這是一個有隙可乘的時機。

鬼影幢幢

目前的局勢，對中共具有鼓勵的作用；對于梅農，當然更具有鼓勵的作用。

因之，鬼影幢幢，妖孽紛起。

梅農，不過是共中不足道的小人物而已。最近又有一個什麼「專使」，也在這時說了個笑話，他說中共祇要一個電話，就可取得香港。

這實是鬼話連篇，妖言惑衆。在英國，一向主張中共進聯合國採取「寬大態度」的艾德禮，也正在這時升了官，做了助長共黨的[illegible]危機。是，我們目前提[illegible]的人物呢？

蘇聯東歐集團的兵力

·君勵·

在第二次大戰接近勝利的前夕，聯軍主師部沒有採用邱吉爾提出的聯軍在希臘登陸以阻斷蘇聯西進的計劃，遂使斯大林的紅軍得以席捲東歐，建立起蘇維埃化的歐洲衛星集團。

這些衛星不只是蘇聯本身的外圍防衛，且已成爲它西進的前哨陣地。若果沒有及時促成的大西洋聯軍，及美國在原子武器的發展與優勢以爲對抗，則蘇聯可能早已配合運用這衛星的力量，控制了整個歐陸了。

在東歐衛星國家，軍事訓練從十一歲起，即在學校裏開始，學生們穿着制服，有如戰前的德國。因此在衛星國的九千萬人口中，已武裝的正規軍和邊區防衛軍，保安部隊及其他軍事性成員，達到一千四百萬人。

東西兵力比較

在這些衛星國家裏，現在計有七十一個第一線師（計百萬人）與立即可以行動的有四十五個後備師。依據去年十月大西洋聯軍統帥部發表的數字，大西洋聯軍卻只有四十五個師及五十個後備師。空軍方面，據估計至少有二千五百架飛機，其中一些爲最新的噴射機。這正是大西洋聯軍統帥部現有空軍實力的一半，從鋼鐵生產量方面言，一千四百萬噸一年的產量，也恰是蘇聯年耗鋼鐵數量的一半。

近年來，蘇聯對此衛星國家最主要的工作是要它們高度的發展重工業，而減少食糧及消費品的生產。

以退爲進僞言裁軍

最近這些衛星國宣言它們將在本年底減少軍隊的數量。這在它們實際的力量方面是沒有影響與區別的，我們單從匈牙利、波蘭、捷克、保加利亞、亞爾巴尼亞及羅馬尼亞六個國家的武裝部隊說，其全部數量爲一百卅萬零三千人，根據它們公佈減少後的數量，其總和仍爲一二一三萬五千人——或者接近大西洋聯軍全部武裝部隊力量的一半。

有許多人竟錯誤的相信，認爲這些衛星的軍隊不必計算，因爲它們在第一次機會來到便會逃散了，但是眞正的軍事專家則認爲這是不盡可靠的估計。因爲在蘇聯制度下不會使得軍隊有一種渙散的可能。

據北大西洋公約組織的秘書長伊斯梅聲稱，這些衛星部隊師數從一九四七年來已增加一倍，現爲八十個師了；加上東德高度軍隊化的警察部隊，使得蘇聯集團已有六百萬人正式武裝了。北大西洋公約聯軍統帥格倫瑟新將軍在去年十月的報告也說蘇聯現有的軍備建設爲一百七十五個師約爲二百五十萬人，二萬架飛機及具有三百五十潛水艇的強大海軍，加上它那些共產衛星國已組成的七十五個師計一百萬人……」

蘇聯在東歐的軍力

蘇聯現在駐在東歐的軍隊約卅個師五十萬人。分佈於東德的共二十二師，其餘的則分駐在波蘭，匈牙利及羅馬尼亞。另有五十二個師駐在毗近波蘭，捷克，匈牙利，羅馬尼亞的蘇俄西部邊境。

在這總數的一百六十二師中，可立即用以進攻西歐的有一百五十七師；更有立即可裝備的衛星國後備部隊四十五個師爲其後援。所有這些強力的軍力現已完全直接由所謂東歐北大西洋聯軍最高統帥柯尼依夫元帥指揮。該統帥部則設在莫斯科。此係依據去年五月十四日由蘇聯及它的七個衛星國簽訂的所謂華沙公約第五條產生的。

在東德方面，現已有兩個軍團成立。依照華沙公約的計劃，由柯尼依夫元帥及其僚屬所組成的。捷克和波蘭的軍官則負起了東德北方軍團的聯絡責任。

自華沙公約簽訂後，現已有很多的東德軍人在波蘭的軍隊裏服務學習。有些且是戰前德國最有經驗的德意志陸軍的訓練者。

東歐火藥庫——捷克

捷克斯大林兵工廠前身本爲沙克達製鋼廠，現已轉爲製造軍用車，八十生的高射砲，T三四型的坦克車，米格十五的戰鬥機，七五生的追擊砲及一百生的口徑的砲彈，並已成爲蘇聯米格十七型機的大量出產者了。埃及的米格機即是以棉花向它交換所得。現在捷克的重工業已進而集中生產力在研究生產戰術性的原子武器了。

捷克第一個原子砲還已在柯西斯北方建立；在捷克東邊泰艾山區的一個特別禁區現正用以試驗蘇聯最大的槍砲，這種槍砲已被認爲可能爲攻打原子之箭的。

海軍方面，波蘭是唯一算有海軍力量的衛星國。但完全由蘇聯控制。其總司令爲蘇聯海軍次長柴爾洛柯（前爲蘇聯的海軍大將）。

舊·恨·重·提

丁文淵

（上接第一版）

甚至美援大砲到達華北時，竟發現未附砲彈。據美國國防部之報告，第八十屆國會通過之一億二千五百萬元軍援，亦時遭延期。由一九四六年六月至一九四八年援華案生效期內，只有價值一千七百九十萬元之租借法案物資運抵中國。此外尚有價值四百三十萬元之美陸戰隊之軍火，由中國使用。若與韓戰費用，七十九億有餘美元相比，眞不知有若何天淵之別矣。柯克上將作證時，且稱：馬歇爾將軍曾有次談及：美國從前裝備中國軍隊，現在則等於解除彼等武器。在此時期，中國政府之軍火來源漸涸，而中共則利用蘇俄在東北擄獲日本之武器，武裝起來。

杜魯門尚不自省

以上所述各節，均取材於美國參議院司法委員會之調查報告。美國政府更於一九四九年發表白皮書，以打擊中國政府之威信。凡此種種，足以證明中國大陸之淪陷，決非能以中國政府腐敗一詞，足以解釋；而美國對華政策，受共黨暗中有計劃的操縱，使種種有利於中共，實應對大陸變色負有更大之責任。

要知馬歇爾來華以前，中國一般人對於中共，無不視爲共匪。及至馬歇爾來華以後，強調中共爲一土地改革之政黨，乃使知識份子及青年學生，對中共不能不拭目而視。實使中國政府在精神上，道德上受無法估計之損失。加以美援停止以後，全國人民，均能體會到，八年抗戰，已使吾人財竭力盡，今與吾人並肩作戰之友邦，美國，有如此決絕之表示，則吾人今後尚有何望？蓋新興之國，非得外援，實無法支持。況中華民國自成立以來，幾無日能脫離戰亂；而中共復又爲蘇俄所扶殖，已成爲國際敵人，則當年負責之杜魯門，又豈能再作違心之論，而不肯清夜自問，作一良心上之檢討，自數其誤國禍世之罪哉？

福特初賣股票

·風行·

福特汽車王國出售股票，除了有錢和有興趣想去購買這些股票的人以外，爲大家注意的卻是該汽車王國一向保守的一些祕密。而這次卻不得不揭露了。

一九一九年亨利福特購回了已出售的部份股票，把股東大權集中在自己家屬手裏。但現在他們感覺「王朝時代」已屬過去。福特汽車的銷數不斷增加主僱們必不喜歡他們再長久壟斷和守秘密。必須改變態度，採取開明政策。使人們有機會知道該公司的盈利情況，以免有時令到福特股票的價值低於「眞正價值」的水準。

福特資產總值多少

依照美國的規例，若將股票提出公開市場出售，便須提出公司過去的經營狀況報告。現在福特準備把一〇、二〇〇、〇〇〇股的普通股票出售，這是歷史上公平股票交易最大的一次。故不得不把他們的帳簿，給美國政府之證券交易委員會查看了。現全美國的掮客皆開始活躍進行經營這一筆生意。他們早已斷定美國證券交易委員會對福特的申請，必然是沒有問題地加以批准。

福特公司申請出售股票是由福特基金會來主持的。許多年以來，福特家庭和這個會擁有全部的股份。估計在美國區共可售獲七億美元。

福特公司在五十餘年前創立。始初的資本不過二萬八千美元。現在資產總值幾達二十五億美元之多。其主要的財產，包括：三十四間製造廠，二十一間聯合自動機生產工廠，二十八間儲備件倉庫，和十間設計工廠。

產值與援外額相等

換一句話來說，福特公司的資產價值，比在英鎊區所流通的美元與黃金的總共還較多。根據現在所獲透露的數字來看，幾乎和杜勒斯國務卿討論明年度整個援外計劃所需的相等。

這些股票每股的票面值五美元。據上月二十九日倫敦泰晤報記者說，當時雖然未言明將以何種價錢出售，但預料大約是七十五元一股。爲了鼓勵大家共享股權，相信七間主要的信託保險公司要求地方經紀商，限制每人至多購買五至十股。——但自福特宣佈出售股票後，欲購者動輒要求購買若干千股。

福特的主事人曾經宣佈他們欲在今年第一季每股派紅利六角。據說一九五五年每股紅利二元二角七分。但以後則照營業情形改爲分季派給紅利。

在一九三一年至四一年約十年間，該公司表示是虧本的，而在戰爭結束時即虧損更甚。但自一九四六年起，年獲純利超過十五億美元。在一九五五年爲首的九個月，則獲利超過三億元。售賣收入超過了四十億美元。

股票的種類

照該公司提出的長達四十頁的計劃書中，所載僅該公司爲出售股票給證券交易委員會的註冊費，按售賣股票總值的萬分之一計已簽付了一張七萬六千五百美元的支票，成爲空前最大的一筆註冊費。

該公司現有股票分甲乙兩類。大多數的甲種股票是屬福特基金會的（估計約佔百分之九十）。乙種股票則屬福特家屬所有。

此次出售的股票，計總共有五千三百萬股。分三類其中近一千一百萬股是普通股（包括出售的）。甲種股票三千六百萬股，這是屬基金會所有。所餘乙種股票六百五十萬股則屬福特家屬所有。

乙種股票（即福特家屬所有的）是享有表決權的股票，佔百分之四十。其餘百分之六十屬普通股票。甲種股票（即屬基金會的）就沒有表決權了。

于右任參觀中央研究院

繼立院內委會之後

【本報台北特訊】繼立院內政委員之後，監察院于院長亦偕蕭委一山、張維翰等蒞南港中央研究院新院址參觀。在該院遍觀書庫及工作室，對陳列之部份珍貴文物，如商代石器、銅器，唐人寫經，敦煌經卷，宋明善本及清代外交檔案多種作鄭重鑑賞，並聽取研究員之說明。

按中央研究院現址三面環山，層巒疊翠，爲研究工作之理想環境。現該院，除史語所，民族所及近代史所勉可集中工作外；數學、植物兩所尚須借附他處。

據稱，該院因經費所限，未能如理想之發展。如各所尚有部份文物迄未能開箱陳列供閱覽、研究；若干研究員亦尚須借住台大宿舍。惟就該院所珍藏之古物實際價值言，則遠勝過台中所存之古宮遺物也。

編者 讀者

△賈景德先生近作本報發表之「秀才，舉人，進士」一稿，讀者曾函詢是否刊行單行本，頃賈先生已表示同意，惟何時可以出版，尚難預定。

△曾和蔡孑民，與稚暉兩先生相友好，又同爲抱無政府主義理想之粵省學者黃尊生先生，去年曾赴倫敦牛津大學閒居讀書，旅英期間，成六言詩若干首，備極雋穎，承其友人轉寄本報，不日發表，想關心黃先生近況者，必以先睹爲快也。謹此預告。

△有關書評的稿子，希望作者對原書內容多作介紹，分析，對著者個人少加月旦，以免處理困難。

△有關戲劇研究之專論與評述稿件，往往因文字過長，篇幅有限未能盡量發表。嗣後此類稿件，請勿逾千字爲荷。

△夢山樓，王留生，辛植柏，張瘦碧，謝肯諸先生：惠稿均收到，至感幸。

海外通訊

尼克遜的困境

·江濤·

【本報華盛頓元月十八日特約航訊】最近國會的共和黨議員們爲尼克遜副總統舉行了一個盛大的祝壽宴會。參加的人，除了共和黨國會議員外艾克政府的所有閣員，幾乎全體到了。艾克因健康關係，未能親自參加，也送來兩份賀電，一份是給尼克遜本人的，另一份是在祝壽宴會中宣讀給大家聽的。

四十三歲的尼克遜，值得這樣大事鋪張的祝壽嗎？原來這是一次含有政治意味的宴會。宴會的目的，既不在決定總統候選人，也不在決定大事；而是在向尼克遜表示同情，對他表示安慰。

同情什麼？安慰什麼？這裏面大有文章。簡單一句話，這次的祝壽，等於宣佈了尼克遜放棄競選總統的決定。

當艾克負病期間，尼克遜以副總統資格，主持白宮日常政務，當時總統的職權雖未正式轉移給他，實際係由有關人員分別負責；然尼氏身爲副總統，依照憲法規定，隨時有繼艾克出任總統的可能。

在這一時期，尼克遜的表現確實是不壞的，他在財長亨佛萊、總檢察長布朗威爾與總統助理丹斯等人的合作下，形成了一個白宮的領導中心，使艾克完全不能處理政務的期間，美國的日常政務仍能順利照常推進，絲毫沒有發生意外，正因爲如此，在這一時期，人們正在紛紛推測兩黨未來總統候選人之際，尼克遜的聲望大大增加，多數觀察家都認爲艾克如果決定放棄再度競選，共和黨內最有希望的候選人，只有尼克遜。他們認爲大法官華倫聲望最高，但也無意重入政海；參院共和黨領袖諾蘭斯年老而且反對者多。因此，一致認爲尼氏爲最理想人物，而且他在艾克政府中，三年來實際已担任不少重要工作，對於白宮日常政務，耳濡目染，久已熟悉，他既有隨時代行總統職務的憲法授權，自然更有資格出任下屆總統。杜魯門不也是由副總統而總統的嗎？

另一方面，種種跡象表示，艾克非常屬意於尼克遜出任共和黨總統候選人，他用種種方式來增加尼氏的聲望，他把很多重要的事情，委託給尼氏代行，甚至因此而引起物議亦所不顧。他或是不要過早宣佈他本人的決心，恐造成黨內黨外的許多糾紛。

直到最近，雖然艾克健康日復，再度競選可能日增，然尼克遜的呼聲，迄未稍減。似乎只要艾克一旦宣佈其決心歸老格蒂斯堡農莊，共和黨的未來總統候選人，除尼克遜而外，無一可與民主黨的史蒂文生、哈里曼、凱福佛爾諸人抗衡者。

可是，在這次祝壽以前，共和黨諸領袖似乎有了一個新的認識，即尼克遜如果出來競選，很難有成功希望，原因是他所可能受到的反對將非常之多。

實在地，在近幾年的美國政治中，尼克遜的處境是非常困難的。遠在艾克患病以前很久，民主黨就把尼氏視爲一攻擊的主要目標，因爲他們覺得攻擊艾克是並不利於民主黨的。艾克病後，民主黨看出尼氏的聲望與才幹，認爲爭取本年大選的勝利，先必須將尼克遜打倒，因此集中力量向他攻擊。

民主黨的這種作法，就政治上講，並不一定能收多大效果；然尼克遜本人以艾克正在養病，雅不願爲自己多所辯護，而且也不好多說話。這樣，他只好逆來順受，聽其自然。可是，民主黨的不斷攻擊，却在共和黨內造成一種印象，以爲尼克遜既受到如許多的反對，出作黨的總統候選人，殊不適宜。

由於這一印象，轉而形成了一個非正式的決定，即如有其他選擇時，暫不把尼克遜列入可能候選人之內，以減少敵黨的攻擊。但許多共和黨領袖都非常同情尼克遜這一處境，因此決定爲他擴大祝壽，給他一點安慰。這雖說不是一個最後的政治宣判，預料尼克遜參加競選的可能是不多了。

香港的教育問題

高詩雅錢穆一致强調人格教育
針對香港現狀備受教育界重視

最近，有兩種同為教育界人士重視的意見，一是錢穆博士對教育學生的見解，另一是教育司高詩雅對教師與學生尊師的期望，雖然彼此的立場各有不同，但他們對「教育」的持論是不謀而合的。

錢穆談教育宗旨

錢穆博士所提到的教育宗旨，是包括了智識教育，人格教育，和文化教育，而且必須會通合一的朝理想上前進。錢氏特別指出人格教育，他認為這一個問題最為重要，他說：一般青年，跑進學校，在他們的意想中，似乎只注重在習得幾項智識，獲得一種資歷，將來好在社會上謀求一份職業，這是近年來學生進入學校的共同目標。但我們想，一個人不僅應在社會上好好謀求一職業，更應該在社會上好好做一個人。他必須懂得如何好好做一個人，他纔能懂得如何好好做一件事。事業更重於職業，而人格則是一切事業之基本。因此我們的教育理想，不僅在指導學生如何讀書，求智識，同時也應注重指導學生，如何做人，好讓他們懂得如何憑藉他們的智識，來為社會服務。因此，我們希望指導學生，做人更重於讀書，事業更重於職業。」

高詩雅勉勵教師

至於教育司高詩雅，他是在教育司署主辦的教師訓練班中，解釋了一個良好的教師並不只在學校中、課室中教育學生，而每一個教師是任重致遠的。他說：「每一個良好師表的教育工作者應該自己反省一下，當獲得一紙文憑以後，最大的成就是什麼呢，當然，教學上將因此更有效率，教學的目的將因此更堅確，對社會及人生哲學上的目標將因此更明切，但我更期望各位的成就能超乎課室以外，以造福社會。在社會上，適宜於教師服務者至多，因為傳統上教師向受他人尊崇，則其責任更重。」

錢穆博士和高詩雅的談話，表面上似乎並無關聯，但假如進一步體察，我們會很容易發覺他們的共通點，至少他們認為教育並不是單純的，無論由個人影響社會，以至由社會影響個人，一個從事教育工作者，他一方面要教育青年人如何做人，另一方面他必須服務社會，教育社會，他的工作已不是僅囿於學校中、課室中和書本中。

青年人的通病

錢穆博士本身是一個從事教育工作的學者，他的說話也就是他的經驗，高詩雅是香港的一個教育政策執行者，他們同時看到了教育不只是使學生受到學問即可算了。錢穆博士他所指出了人格教育的重要和一個青年人進入學校只求接受學問以謀取職業的思想是一種嚴重的錯誤，但無可否認的，這正是今日香港一般青年人和他們家長的一種通病。

由於香港是一個非常現實的社會，教育上也受其影響，我們可以看到有一些像英語，簿記及會計等科的速成班或特別班的普遍設立，這一種現象非常容易使人瞭解這不過是為了協助青年人求取職業需要而設，這也可以說並不是一種教育，和我們所談的教育互異，只是一種加速灌輸技能的機構而已，我們並不是否定這一種速成班或特別班存在的價值，我們之所以要舉出這一個例子，是用以說明今日的青年對職業是何等的需要，或許他們同樣會理會一個人的理想和事業的重要，但他們覺得能夠解決目前生活的就是一份職業。

人格教育不起作用？

青年人的家長多數是關心青年人的職業，尤甚於他們的事業，這和社會現象有着不可分的關連，中華總商會這一個全港華人最大的團體屬下有一個學術研究小組，根據他們的調查報告，認為一間公司或商品所最需要的人材是一個英文中學的第二班生（即第五年級），這一個調查的結果，會使許多人為之浩歎。

然而，這確是一個無可否定的最現實的問題，這一個商業社會，他們所需要的是一批簿記員，會計員和速記員，一個有事業雄心，對經濟有專長的青年，在他們是不需要的，人格教育在這裏似乎也就不發生作用。

但越是面臨這一種情況，人格教育便越是重要，錢穆博士當然不會不知道這一種社會現象，而他之極力提倡人格教育，就是針對這一種現象，因此，當錢氏提出了人格教育的主張後，本港許多教育家，教育工作者都有同感，他們認定，促使青年們本身瞭解了人格教育的重要後，就可以進一步教育這一個社會，這正和教育司高詩雅所說的一個教育工作者不能使成就僅在於課室之內，必須服務社會一點殊途同歸，並無二致。

教員的生活現實問題

至於教育工作者本身固然絕大部份是以教育作為一種神聖的事業，但我們不能不指出有少數教師依舊是以教學為一種混飯吃的工具，這一個問題，也不能責怪這少數教師本身，這實在是環境使然，在香港，要獲得一個合格教師的資格實在不是一件很容易的事，許多來自國內有充份教學經驗的大學教育系學士、碩士或師範生，他們只能以「暫准教員」的身份在若干私立學校裏謀一枝之棲，他們的生活既不安定，每月的收入僅堪維持最低生活，我們曾經聽到過一句「最可恥待遇」的話，那就是指「暫准教員」不合理待遇而言的，在這一種情況之下，要他們有良好的表現，那實在是一種苛求。可是，目前正有一種良好的現象因需要而生，香港政府為了使在學的青年有良好的師資和保障教師的生活，根據去年的教育七年計劃，當局已利用現有的師範學院大量容納師範生，此外，並訓練各校現在教職的未及格教師（即暫准教員），使他們有機會接受短期訓練後得合格教員的資格。最近市區講習班一百六十五人中，合格者一百三十八人，不及格者九人，一年後補考者十八人；新界方面一百十八人中合格者五十八人，不合格者六人，補考者四十一人，這一個合格的百分比，尤其是在市區，可以說是非常高的，這同時可以證明一般教師並具有高等的水平。

這一個良好的現象表現了政府當局的照顧一般教師的待遇，同時也安定了他們對本身職業的嚮往，這對於青年們的人格教育，正如錢穆博士所說的，和教育工作者對社會所貢獻的，也就是教育司高詩雅所說的，有着基本性的影響。

約但反巴格達公約動亂
威脅英國地位

・烏林譯・

英國傘兵一千二百名最近由空運馳調塞浦洛斯島。這次緊急調動的主要目的，並不是增援塞島的防軍，而是準備應付附近中東最新的動亂地區——約但的任何變亂。

約但實際上只是沙漠中一片荒涼土地，尚缺乏國家的規模，但在國際政治局勢的急劇轉變下，這個沙漠中的「眞空地帶」，已成為中東激烈風暴的中心。一面是伊拉克和英國要它站在西方一邊；在另一面，它卻遭受埃及、敍利亞、和沙地阿剌伯的壓迫，這三個國家由於對西方的不滿，以煽動性的廣播刺激民衆情緒，同時又收買煽動份子在約但製造騷動，而蘇俄又在旁喝采鼓勵。

約但是邱吉爾於第一次大戰後在殖民地大臣任內建立的。他劃出已崩潰的奧圖曼帝國中這塊臂彎形的土地，交與阿勒杜拉王統治，以報答阿勒杜拉在對土耳其沙漠戰中對英國所提供的助力。阿勒杜拉統治着這個小國，由他三個親信隨其愛憎而輪流担任總理，另由一個英國「顧問」保持了著名冒險家和間諜勞倫斯的傳統，指揮英國所裝備的「阿剌伯軍團」。這位葛羅伯中將，在第一次大戰中作戰受傷，至今傷痕猶存。他愛讀阿剌伯古典，常常引用其中名句。星期日則在安曼的英格蘭教教堂做禮拜。並以每年二千四百萬美元的英國補助金，將二萬人的阿剌伯軍團訓練成中東最佳的戰鬥軍力。

阿剌伯以色列戰事改變了這片古老土地。人口增加了二倍（現在已達一百五十萬）。約但及以西的阿剌伯巴勒斯坦一部份地區，劃入這王國。其首都安曼，也從一個人口三萬五千的小城變成一個人口二百萬的熱鬧都市。屬於約但河西岸的人控制了全國大部份的商業，在國會的四十席中取得半數席位。他們仇視以色列，因此也仇視美國，認為以色列之得以立國，全賴美國之助。

這批西岸的人反對參加西方倡導的巴格達公約。他們之間雖然共黨不多，但都感不滿。在洞穴和聯合國的難民營中，住着四十五萬無家可歸的巴勒斯坦難民，他們無所事事，隨時都易興風作浪。在埃及[illegible]份子的鼓勵和沙地阿剌伯的收買下，他們對歐亞非三洲交界處這片中東戰略性樞紐中的英國最後據點，形成了重大威脅。

約但國王胡笙，年甫二十，曾留學英國。他原準備使約但參加巴格達公約，但遭各方壓倒性的反對。因此宮廷政客們企圖取消國王在上月暴動中所宣佈的今春投票。這次投票的目的，原是由人民自行決定應否參加巴格達公約的問題。

民衆反巴格達公約示威，自耶路撒冷的教堂外開始，迅即蔓延全國。暴徒們湧過城內「大馬色門」，高呼口號，反對巴格達公約及選舉。巴勒斯坦難民再度成了暴徒的前鋒。

（上）

港大入學試
中文試卷將有改變

【本報訊】香港大學入學試，有關中文試卷，過去共分三卷：一、作文，二、中國文學（採問答式），三、翻譯，（中譯英與英譯中）。翻譯命題，並無一定範圍標準，例如過去曾以粵語命題，使譯成英文，又曾以英文經濟專論，使譯為中文，考生多以為苦，頃聞該校當局決定加以改進，今年入學考試，第一二兩卷仍舊，第三卷將改以「中國國學常識」為命題範圍，亦即就港大出版之「中國文選」一書，每篇文章所附題解為命題範圍，蓋該項題解，對於中國學術思想，文學源流，均有簡明扼要之敍述也。惟翻譯卷取消，仍屬未定或改由考生任意選擇亦未可知。

台灣教育十年（下）

劉任士

專科以上學校於三十四年，僅有國立台大一所，省立農、工、師範獨立學院三所及工專一所，合為五所。三十九年後陸續增設省立地方行政、護理、海事專科三所及私立淡江英專一所。

高教政策轉變成效

四十三年六月行政院與台灣省府同時改組，並由張其昀出長教育部後，高等教育政策有一顯著之改變，即由過去之嚴格限制政策轉換為相當開放政策。一時大學復校或創設之聲，甚囂塵上。四十三年秋，先後有國立政治大學之復校，私立東海大學之籌備，私立高雄醫學院之開辦，私立東吳補習學校之改設東吳法學院。四十四年暑，私立東海大學暨私立中原理工學院均正式招生，省主師範學院升格為師範大學，省立地方行專升格為法商學院。國立清華大學已成立復校籌備委員會，先成立原子能研究所，預定今暑招生。私立稚暉大學擬在台成立農學院，院址已初步確定，由李石曾先生主持其事。如其開放政策不再變，接踵繼起者當在意料之中。現有專科以上學校十五所，其中國立二所，省立八所，私立五所。私立中之東海大學及中原理工學院為教會性質，而以後者宗教氣味特別濃厚。國立政治大學設四研究所與本科四系，尚未分院。私立東海大學設文理兩院六系，[illegible]亦未確定。省立師範大學分文、理、教育三院，實質未變。單科大學原為「大學法」所禁，此次因師範學院之突然改制，故省立工學院、農學院均有援例改設單科大學之醞釀。四十三年度省立專科以上學校學生總數為七、五三五人，加上國立、私立及新立者，四十四年度當在一萬二千人左右。

台大應興革之事項

以言完全大學而有文、理、法、醫、工、農六學院暨研究所專修科者，仍以台大為首。台大由日據時代之「台北帝國大學」及其理、工、農、醫四學部擴充而來，原有設備基礎尚屬不惡。今日其在學術研究上是否超越過去日人水準，論者不一。省立農學院、工學院及師範學院皆由日據時代之農、工專門學校與高等學校改設而成，其設備自又不如台大。台大現有學生四千餘人，校舍足敷應用，且能供給部分學生寄宿。其所剩的問題只是圖書儀器機械等設備如何充實與翻新，以及教授水準如何提高與代謝。在人事凍結與門戶之見種種影響下，自難有蓬勃向上之生氣。我國學校向以行政人員為中心，此風不變，於學術教育之開展終為一大障礙。

教會學校之是是非非

過去十年，台灣無教會學校。大陸時代有關教會學校之是是非非，已不復為人所論及。惟自去年兩所教會院校成立以來，再度引起社會上之注意。其聘用教職員竟以宗教信仰之共同為重要條件，顯屬不當之開端。此固與學術自由不合，亦與信仰自由有背。既無神學院系之存在，而以種種方法變相強迫學生讀英文聖經，並給予正式學分，為我國教育行政當局所應防微杜漸者。

待擴展的社會教育

四十年二月台灣各縣市調查報告，全[illegible]凡一、四一三、五六九人，與人口[illegible]成一與六之比。此一龐大之文盲數字，[illegible]方訂有五年計劃，但收效極微。唯待國民教育普及，聽其自然淘汰。前年立法院有「社會教育法」之制定，而義務教育法仍缺，此立法之本末倒置。教育部於遷台後之三十九年五月，專設一「社會教育推行委員會」，每年十一月十二日國父誕辰紀念舉行一次社會教育擴大運動週，臨時開支經費可觀。四十四年度起，恢復國立中央圖書館，並籌設國立科學館，科學館館址已在籌建之中。教育部因社會教育法之公佈，於四十三年經費預算中新設四所省立社會教育館，[illegible]立歷史館、動物園各一所，市區公園之缺，為人所共感者。補習教育分普通、職業、失學三種性質，且有「補習學校」與「補習班」之嚴格區別，前者有專用校舍，[illegible]，一若正規學校，多為公立，現共三十六所，內私立九所。後者則無基本校舍，[illegible]少數基金，現共十四所。另有函授學校九所。以上二者均屬普通或職業補習性質。至於失學補習班，概由國民學校兼辦。據四十三年度教育統計有四、二一一班，學生數二〇三、一九六人，層層表報的統計，出入自所難免。

留學政策與僑教

留學教育與僑教為自由中國最感困擾的問題。鑒於過去留學政策的失敗，一度入於消極狀態。四十二年五月始[illegible]期間，行政院頒訂[illegible]留學考試，專科以上學校畢業者[illegible]。四十三年暑再度放寬尺度，[illegible]少數委員會本身固有意見之爭論，而社會對[illegible]考委會一般反應不佳，言論界更有主張公佈[illegible]名單者。此一[illegible]之現象，正表示[illegible]之不安定。

[illegible]；惟實際之困難如何解決，尚無適當有效之辦法。現已實行者為[illegible]，台灣某些學校保留名額，收容[illegible]其大學先修班。各大學收僑生一人，補助經費台幣一萬元[illegible]，尚不能由政府直接[illegible]。在領導方面，僑委會、教育部及外交部如何協調[illegible]際之配合，亦為問題所在。

教育經費似應提高

台灣省縣市教育經費均能按照憲法所規定之最低標準，惟中央教育經費尚不及總歲出百分之一，雖國立教育機關無多，但[illegible]海外教育需要，實有[illegible]之必要。[illegible]免為[illegible]人成就，實較過去[illegible]，此在教育史上應大書特書者。（完）

自由談

聽膩了的口哨

馬五先生

中共宣稱不放棄以武力進攻台灣地區的計劃，又而要求美第七艦隊撤出台灣海峽，並且說要宣佈日內瓦美・毛談判的秘密情形。美國國務院的官員們又着慌了，揚言共黨若進攻台灣，美軍就要使用原子武器！更像煞有介事地自言自語，說是日內瓦會議並未締結禁止使用原子武器的協定，自無違背國際公法的顧慮。（見廿一日華盛頓合衆社電訊）

自從韓戰期間杜魯門聲言要用原子彈以來，美國政治人物藉原子武器作口哨，嗚嗚然吹着不下五年之久了。結果不但未見原子武器是啥東西，而且魔鬼共黨更肆無忌憚，橫行不休，美國只有照樣地吹着原子口哨，跟中共到日內瓦去舉行談判，哀求共黨莫用武。道士們常自命有驅鬼降魔的法術，然黑夜走過荒墳野塚之前，依稀聽到一些聲響，或者彷彿見着一種樹影，即以為鬼怪出現，嚇得魂不附體，有如廣東人所說，「鈴鈴都丟埋了」！我看美國朋友經常大言炎炎的原子武器論，正是這類道士的心情，至少我們人是聽得膩味已極，大倒其胃口哩！

如果眞有不惜使用原子武器以打擊敵人的勇氣與決心，必要時實行好了，何必隨時掛在嘴上膽吹呢？當年把原子彈投到日本廣島長崎以前，不是閉緊不響，唯恐其洩漏機密而悄然為之者乎？若欲以虛聲恫嚇來坐收原子武器的效用，那是恇怯心理現象，共產黨有那末蠢，就會被嚇倒嗎？何況美國還有「偉大的盟邦」，聽到美國當局對東方的共黨說句強硬話，也認為有引起全面大戰的危險，向美國嘖有煩言，共產黨心裏早有數，豈肯受恐嚇的？英美政治家居然自誇「嚇阻政策」維護了世界和平，這實是天大的笑話！我希望西方政治家把那阿Q式的優越感少予發洩，以免妨害自由人類心理與生理的衛生作用，何幸如之。

記丁在君（上）

・徐道鄰・

我第一次看見丁在君（文江），是在民國三十一年的春天。我那時才留學回國。他弟弟月波（文淵）託我帶一封信給他，怕寫得不清楚，又把信的內容，對我詳細說了一遍。信一開頭，就是『二哥大人×鑒』，信中所有措詞，都十分恭敬。結尾又是『肅叩×安』的，道地的古色古香。這是我未看見他時，他弟弟先給我的一個印象。

讀甚麼書？

見了他，把月波要說的話，交代明白之後，他問我現在預備作些甚麼。我說，離開了中國五六年，現在預備讀一讀中國舊書，寫寫字等等。他似乎很感興趣，馬上問我預備讀甚麼書。我說預備讀晉書和唐書。他問為什麼？我說，讀晉書是愛它的詞藻，因為我一向喜歡讀世說新語的。讀唐書是因為我正在研究唐律。他就不再正面表示意見，卻是很明顯的說出他不以讀綫裝書為然。當時他客廳中靠牆擺着一部四部叢刊，他用手一揮，說，『你看，這一大堆裏，哪裏有多少有價值的東西在內！』我當時心中不覺有點詫異。後來我告辭出來，他說，『我們一道出去，我要到中央公園去散步。』他的小姐（後來知道是他太太的娘家姪女過繼的）就來給他穿大衣，遞手杖，悄悄地跟着他後面走。我回家時在路上想：此公之否認中國書價值者，大概是有意給我的一個指示，不可把話認眞。你看，他弟弟寫的信，他小姐給他穿大衣的神情，哪裏不表示他是一個道地禮教中人！（這是我二十年前的想法。現在的我，不作這樣解釋。）

做甚麼事？

後來我常常去看在君先生，有一次談到我預備找些什麼事作。他說，『我知道你應該作什麼，可是我也知道，你作不到。我覺得你應該去作兩年法官，或者作兩年記者。我並不是說你應當把法官或記者作職業，但是我覺得，從這方面認識社會，對你是有利的。不過，以你的家世，和你現在的社會環境，你是很難走這兩條路的。』在君先生這一段話，我深以為然。雖然我結果並沒有能照這樣去做，但是後來遇到了選擇職業來向我請教的法科學生，我總是把他這個建議，轉給他們。（現在略有修正）。

衆口交譽

三十一年的冬天，我離開北平到南京作事，和在君先生見面時候就少了。但是每逢他有事到南方來的時候，我總設法子找機會和他見面談談。後來我認識的人，也漸漸多了。其中不少都是一時知名之士。這時候我有了一個發現，就是任何人，不管認識他不認識他，不管交情深或淺，一談到在君先生，沒有一個人不稱贊他的，而從來沒有任何一個人對他加過『微詞』，而愈是和他認識久交情深的，愈是對他傾倒，對他敬愛。

目光敏銳

可是在君先生自己，對於他的朋友，卻不是如此。他對於他們，常常作很嚴峻的批評的（至少在我們評論時人的時候）。我有時候覺得他責人未免過甚，但是後來事實的證明，在君先生之認識人，是特別深刻而敏銳，而對於人物的品騭，清者清，濁者濁，絲毫不為任何情感所左右。而他和那些被他批評的人，仍然是深交好友。我於是知道，一個存心忠厚的人，就是批評人，也都是從善意出發的，結果一定會被人原諒和接納。一個存心不忠厚的人，就是不批評人，就是到處捧人家，結果也不過被人看成一個『鄉愿』而已。

陶・醉

迺恭

做人總不免感到許多痛苦，在陶醉中我們可以無視一切的現實。人生免不了空虛，在陶醉中可以獲得種種的滿足。所以陶醉便成為人們所喜歡採用的一種人生態度。

陶淵明幻想桃花源的仙境，寫了一篇遊記，意在逃避亂世的流離，把自己陶醉在一個充滿太平景象的境界裏面。秦始皇派人到海外去求長生不老之藥，意在逃避死亡的威脅，把自己陶醉在一個萬世不朽與天共存的希望裏面。李太白借酒豪飲放浪形骸，意在逃避專制皇帝的威嚴，把自己陶醉在一個自由自在的生活圈子裏面。這都是還藉陶醉來逃避現實彌補空虛的例證。

在我們一般人的日常生活中，也遇到不滿現實需要補償空虛的心境時，便很容易採取陶醉的態度。例如青年人需要異性愛，但又不容易得到理想的配偶，便只有陶醉在愛情小說中，大做其青春夢。收入微薄的人，不能滿足許多物質的慾望，便只有買愛國獎券，經常做着發財夢。推而至於人生社會的種種動態，都多少帶一點陶醉的意味。

假若我們能夠冷靜地一想，便會感到陶醉究竟不是一種正確的人生態度，也很難從陶醉中得到眞實的代價。像陶淵明雖然寫了桃花源記，終歸沒有離開亂世；秦始皇雖想長生不老，最後仍不免葬入黃泉；李太白醉時雖可表現盡生狂態，但酒醒後仍須跪在皇帝面前謝罪。推而至於追求絕美的佳人，中愛國獎券，都是千萬人中難得一遇的事情。可見現實無法逃避，空虛的補償也只是一時的幻覺。如果我們常用陶醉的態度來對付人生，難免使我們的理智變得麻木，人生走向頹廢，最後還得到痛苦的結局。

馬坤是甚麼人？

・牛布衣・

到了南園，茶房來請點菜。馬坤對我說道，『總理教我吃中國菜。中國菜的味道的確比西菜好。我吃過很多中國菜，我能點菜，可是我不會說中國話。請你替我翻譯。』

馬坤點了鮑翅，鮑片，大蝦，炸雞，清蒸海鮮，和伊麵，六樣大菜。我說，『菜色太多了，減去三樣罷。』馬坤道：『我有兼人之量。你年輕，食量也不會差。我曉得中國規矩，頭一次請客，得豐富些。』

茶房問吃什麼酒，馬坤徵求我的意思。我說，我只能夠對付啤酒。馬坤道，『你不喜歡吃威士忌嗎？』我堅持要啤酒。馬坤道，『你是客人，我尊重你的意思。』

馬坤叫了四瓶啤酒。自己要了三瓶，把一瓶交給我。菜沒有來，先吃酒。乾了一杯啤酒，馬坤道，『你剛才說，他們叫我警察馬坤。年輕的時候我當過警察，可是我是一個非凡的警察。在加拿大，他們稱我做『雙槍警察。』』

兩手開槍

『當警察的時候，我有一段光榮的歷史。那一年我只有二十歲。一天夜裏，我看見兩個嫌疑人犯。我喝他們停步。他們竟拔槍向我襲擊，我只好還擊。我只發了兩槍，便把他們打死在池上。驗尸的時候，醫生發現兩顆子彈正中匪徒的兩個心房，匪徒是當堂中槍斃命的。』

我搖搖頭。

馬坤道，『你不相信嗎？我的戰績，溫太華警署還存有案底呢。不相信，你可以寫信詢問溫太華警署。』

『那一次功勞證明了我是一個百發百中的神槍手。立了奇功，警署馬上把我升做隊長。我有一種特殊技術，左右手都能夠開槍，而且同樣準確。我請求警署多派給我一枝槍。警署答應了。此後我佩戴兩枝槍，因此他們稱我做『雙槍警察』。』

『總理到了加拿大，想找一個衛士，我去見總理。總理和我一見如故。』

『當警察不比當私人衛士好嗎？』我問他。

『當警察沒有出息。跟了總理，我升了將軍，是一個中外有名的人物。』

TV沒胆

馬坤告訴我，中央銀行成立的時候，總理派他担任銀行的警衛責任。他的薪水是一千元，TV做行長只有八百元，那證明了將軍的位置比較了長高。我忍不住失笑。我問馬坤，總理去世之後，他常跟隨TV出入，是不是負責TV的警衛。

第二次拆穿了馬坤的西洋鏡，他倒一點不在乎。他說，『那是因為TV沒有胆子，要我護衛。自從跟隨了TV，我只佩一枝槍了。』（二）

南洋桃源沙撈越

—傳奇式的開國史—

戡亂與平盜兩椿工作，前者較易，而後者實難，因為超過了他本身的力量，

那時的海盜，多為伊蘭奴族、巴拉尼尼族、巴招族、及蘇祿族人，彼等均居於婆羅洲島的北部，其所用舟艇極大，且有長九十英尺，載重達六十噸者，武器亦甚齊備，活動之範圍復甚廣，包括菲律賓群島、婆羅洲島、西里伯群島、蘇門答臘、爪哇、馬來半島、並遠至孟加拉灣，為居之地，以馬魯都灣為中心。此等海盜對於歐人及土人之船隻財貨損害皆極大。

布律克先着手替合森平亂，他知道這叛亂的因素，是馬哥可太的貪婪而起，他就建議哈森，把馬可太放逐海外，一面與叛亂各部落協商，勸他們取消敵意，恢復秩序；同時又脅之以武力，他原是久於軍事生活的人，自然具有組織能力，並復擁有大砲步槍等武器，況他又是英國人，那時的南洋人多知道英國海軍厲害，印度距離不太遠，新加坡更近，都是英國勢力範圍，這在無形中該是何等強有力的後盾啊！何之，布律克的話，大家都相信，而馬可太的放逐，更是解除了各部落土人的叛亂目標，於是亂事不久平定。並未耗費什麼武力，只是費了一番說服的工作罷了。

各叛亂土人，得到了特赦，毀去他們據以自保的營壘，重復歸順蘇丹，沙撈越仍舊回復到過去的安定生活。布律克還想旅行勸察，繼續冒險。可是他[illegible]

[illegible]乃正式受封沙撈越的「拉耶」。可想[illegible]是一八四一年九月廿四日這一天[illegible]

[illegible]不過三千平方哩。（五）

・朱明淵・

施惠澤壽辰

在法屬赤道非洲傳教已歷數十年的著名哲學家和人道主義者施惠澤博士，八十一歲壽辰將近，有一位記者請他發表一點壽辰的意見。他答了一封信，說：「我的周圍應該保持沉靜。我不應該再向世界談論我自己。讓我簡樸謙卑。我如果再三向世界發言，便是對自

已不忠實了」

山特堡藏書

美國伊利諾州大學最近以三萬元買了美國著名詩人山特堡的私人藏書。這批書中，[illegible]的原稿，還有許多著名詩人的書札。（平）

緬甸人有名無姓

小言

根據緬甸有名的民族傳統，緬甸人是只有名而沒有姓的。但在名字前面都冠以一個尊稱。年長的男人都冠以「宇」字或「吳」字，這兩個字在緬甸語裏的解釋是「伯叔」的稱謂。例如現任緬甸總理「宇牛」（亦有譯為「宇奴」的），「牛」是他的名，「宇」是尊稱。就中國人的習慣來看，他就變成姓宇名牛了。

在緬甸獨立以前，宇牛的「姓名」是「德欽牛」或「德欽奴」。「德欽」的意思「主人翁」，「德欽」另一個意義是表示此人為革命志士，名字前面冠以「德欽」，即表示終身獻身於「獨立運動」，成功後就改稱為「宇牛」了。

但是，今天的緬甸共產黨徒，則還是沿用「德欽」二字冠在名字前面，表示他們還要按照共產主義來「革」「宇牛」的命。換言之，他們根本就不承認現在的政府是個獨立的政府。故緬甸共黨主席即叫作「德欽丹東」，另一個屬於共產國際組織的「緬甸保衛世界和平委員會」主席名叫「德欽[illegible]」。

所以，只要遇到一個緬甸人，如果他的名字前面是「宇」或「吳」，表示他不是共產黨，如果是用「德欽」二字冠在名字前面的，就十有八九是個共產黨或是個反政府者了。

[illegible]

在緬甸遇到緬甸的人，往往會將「媽」和「都」混淆起來，因此，就笑話百出了。

自由人

THE FREEMAN

（第五一二期）

中華民國僑務委員會
僑登記證台教新字第一一二號
中華郵政台字第五〇〇號
執照登記爲第一類新聞紙類
（半週刊每星期三　六出版）
每份港幣壹毫
台北市價值台幣壹元
督印人：陳文華
地址：香港高士威道二十號四樓
3 rd. fl. 20 CAUSEWAY RD
HONG KONG
香港發行及事務接洽
高士打道66號　電話：七四〇五三
承印者：東南印務出版社
地址：高士打道六十四號
海外總經銷
友聯書報發行公司
香港：德輔道中二十六號A二樓
台灣特派員辦事處
台北市館前街五十號
台灣總經銷處
台北市西寧南路壹叁叁號二樓
台郵撥儲金戶九二五二

中國民主運動與儒家殉道精神

毛以亨

第二次世界大戰時，我親眼看見守香港英軍，欣然向日本人投降，我看見鄧苟克英軍敗逃回國時，英國政府人民歡迎他們的照片。因爲他們已盡了最大的責任，可以對上帝交代了，此時不僅要原諒他們，再鼓勵他們，而是眞正要佩服他們。而他們自己則謙稱不是他們的力量，而是「主賜與的助力。」

中西責任感之不同

大概西洋人的道德規律，爲上帝的絕對命令；中國人的道德規律，多爲良心的自律。因爲出發點各有不同，所以由之而起之責任感，亦互異了。西洋人的責任感較易于認眞實行，因爲上帝的命令，至少等于君主的法律，似有不得不行之勢。但既只對上帝負責，到了對上帝有可交代時，就可以放棄其責任，所以是有限度的。

像上述之實例，中國人當然看不慣，看不慣的原因，就是我們的道德，出于良心的自律。我們的責任，不是對上帝負責，而是對自己負，無從交代與罷說，故是無限的拿起責任，就永遠落在自己身上，偵如春蠶之吐絲作繭，愈縛愈緊，到死方休。失敗的文天祥，只求一死成仁始方無愧。成功的諸葛亮，亦常以「鞠躬盡瘁，死而後已」自勵。死不爲失敗主義的自由感與喪氣語，而爲負責到底不管成敗之有力表示。較今日「只許成功不許失敗」之狂妄語，切實得多。正惟失敗亦要準備，要下死的決心，所以幹起來始有超越的力量，這就是出死力拚命的幹之結果。惟其悲壯，所以哀兵必勝，故能氣吞河嶽，而所向披靡。

然自律道德的毛病，往往說起來容易，實行起來難，自己逼迫自己去死，殊爲人情所難能。所以要自己有修養，社會來提倡，引起良心的反應，社會的督促，始能使其覺得非去死不可，即不容于現社會纔成。而在舊社會正在崩潰，舊文化正在失調，已失去社會制裁力時，其良心自律，必陷于痲痺情狀，而督促不起來。不要說去死，連什麼責任都不肯去負了。這就是晚近一般人所見，西洋人比中國人負責的道理。

儒術薰陶下之革命派

革命意識，爲中國所固有，辛亥革命，易君主爲民主，多以湯武革命之順天順人相比擬。孫中山先生揭革命先革心，與心理建設，尊重中國文化之旨。當時軍隊，有敢死隊，決死隊諸名號，而革命志士，則以懷一顆炸彈，與敵人同歸于盡爲滿足。故辛亥革命，雖受西洋革命之外在刺激，然骨子裏則以中國文化爲其原動力。其不由西洋文明所發動，最明顯的證明，是外國革命軍只有鐵軍與人民解放軍，而決無敢死隊之稱的。

此種文化的淵源，蓋起于儒家，中國文化，只有儒家一脈相承，而道墨與佛，早已喪失其獨立，與儒學合流了。孔子常佩劍，做過有生殺之權的大司寇。子路以勇稱，無異爲孔門之護法韋陀，後死于衛國之亂。戰國時，儒分爲八，有漆雕氏之儒，至漢流爲游俠以孔門之忠字爲信條。游俠既誅，乃散于江湖，入于道教，流爲寇盜，至宋元間，乃有水滸傳，首揭其替天行道之旨，而提倡忠義與義氣。一直等到王陽明，重復把這些大衆，容納至儒學門牆之內。因儒學倡力行，不讀書識字又何妨，而知行合一，良知良能之說，這班人亦容易聽得進去。王龍谿一派，最能實行此旨，而山樵心隱，爲異軍蒼頭特起。讀書人雖看不慣，這種聖人滿街走的怪現象，然儒術已大衆化，此後就非少數讀書人所能包辦了。明亡以後，幸有這班人繼續做反清復大明的運動，流爲白蓮教青紅幫，抗暴之民衆基礎，日以擴大。要知辛亥革命，如沒有傳統的民衆基礎，單靠少數留學生之犧牲流血，是不濟事的。

儒術薰陶下之改良派

改良派爲儒家之正統，他們常與現政權妥協，然決不放棄其主張。以妥協態度故，常被誤認爲統治階級之幫凶，然以不肯放棄主張故，終與統治階級破裂。因其主張是站在人民立場，處處與專制君主爲難，而欲求其讓步，豈非與虎謀皮？所以其失敗是定命的，殺身成功之犧牲機會，亦不下于革命家，其從容就義之姿態，尤較革命派之慷慨赴死爲尤難。然而其唯一成功之處，就是常盜起抗暴的大旗，爲民請命，使君主有所警戒，而自限其專制淫威。中國暴君那麼多，絕沒有波斯羅馬那麼可怕殘暴，絕不講理，這就是改良派的功勞，而亦爲中國民主自由的根源。故以正統派儒家爲民主主義者，是最正確的認識。孔孟之周遊列國，固爲妥協精神之表現，但絕不放棄其王道之主張，可稱爲先[illegible]。東漢之樹起抗暴大旗的人，宋之東林，明之[illegible]，皆能創一種新風氣，提倡反對當道的抗暴運動，且能樹立社會制裁，以對付那班助紂爲虐的人。自然讀書人中，不乏是阿世之士，甚至秦檜出于游酢之門，李光地以朱熹之學自任。然既放棄其爲民請命之立場，又失去守死善道之態度，倖進功利之徒，經不起事實的考驗，終難在儒家中，魚目混珠的。

近代改良派的供獻

近代的儒家改良派，可以康梁諸人爲一代表。其中殺身成仁之士，則以譚嗣同爲殉道之傑出。他速康梁逃走後，自己關門來待捕，尚能做出「我自橫刀向天笑，去留肝胆兩崑崙」的好詩句，但是從容就義了。故改良派的立憲主義，至死亦不肯變的，只有袁世凱，纔拋棄其入強學會之本旨，而拿去換官做。梁任公傑出之處，即爲其妥協之忍耐性，與抗暴之堅決意志，較任何人爲強，故其成功亦較大于任何人。民國成立，康有爲不願與袁世凱再合作，梁任公則主張拋棄被出賣之宿怨，以待其多行不義之後，即可將其推翻。所以袁氏稱帝，梁卒以護國之役，踐其言。故改良派雖有所嫌，隨地隨時，均可與人妥協，然其基本主張亦絕不以爲讓，以人民幸福爲念者，決不爲私人謀放棄。以是梁任公能爲袁世凱時代之責任內閣，起草大政方針，而組織籌安會者，則爲梁士詒楊度諸人，決非任公之徒。他能與段祺瑞合作，討伐復辟，三造共和，然爲段氏組織安福俱樂部者，爲徐樹錚與王揖唐，爲其向日借款者，爲曹汝霖與陸宗輿，均非任公之徒。蓋七君子之所謂守道，即其原則與主張而已。

革命派改良派應聯合

革命派與改良派，在民主政治之多黨派下，本可並存，各自發揮其優點，以收相切磋之效，原則亦無不可互相之理。緩急輕重之不同，氣質之互異，分道揚鑣，亦各有其根源，同爲儒家所出，顧其文化，同出于中國。既具同一之基本精神，亦有未嘗不能聯合起來，以應付急難之理。同與之討袁，公敵之役，辛亥革命，都是兩派聯合，始能成功。以是知將來反共，亦非由各派聯合起來幹，不能收事半功倍之效。[illegible]死士[illegible]成大業，而後舉要須待尤良心自律成之制裁，力具陶鑄人[illegible]，培養督促社會良風氣[illegible]，才者近于是溺于功利，已麻痺的良心，而作危機之振奮與復興，非從其傳統之基礎，暴力使刺激起反抗作用，故兩派之深厚之儒學，新上儒學之道精神，則反共殊得以進到蘇復實行階段的了。

海外通訊

華府會議與金馬前途

艾克會說服艾登嗎？

秦禾

（本報華府航訊）國際政局顯已因艾森豪威爾的健康轉佳日趨活躍。華府的空氣，雖由於杜爾斯的「戰爭邊緣論」一度呈現緊張，並引起了大西洋兩岸的爭論，但經過艾森豪森威爾繼尼克遜出而支持，美國國內的爭論迅即平息，在獲得了艾登繼英駐聯大代表，發表贊同嚇阻政策的演說聲明以後，倫敦的攻擊也隨即緩和下來。還顯現出英美間在對所謂「戰爭邊緣」論上，已取得一致的步調。這一點，將對未來英美華府會議，起良好的作用。

在華府看來，美國政府官員最忙的是杜爾斯和雷德福。他們長年地飛行在「戰爭邊緣」上，注視着每一個可能爆發的火種。前者的任務是側重於如何在對外關係地運用上去阻擋危機立時爆發；後者則在供給前者以最準確的軍事情報，讓他心裏有底，[illegible]外交戰上應付裕如。

因此：五角大廈參謀室裏戰略地圖上的動態，反映到國務院，就成爲杜爾斯的實力外交的全部內容。

顧維鈞回台的意義

無疑的，「戰爭邊緣」已將自由世界與鐵幕集團隔開了。兩者間，從和平到戰爭，只有這「邊緣」一綫之隙，而戰爭危機的導火綫，却潛伏在中東和遠東的廣大地區內！特別是在西南太平洋地區，危機更嚴重。但比較嚴重的，則無疑的還是在台灣海峽。

當筆者執筆時，倫敦當局訪美行期已定。計時，距離華府會議僅及一週。旬日之後，國際情勢當又有新的轉變，在「戰爭邊緣」論的風暴之後，繼之以舉行華府會議，儘管艾登曉曉不休將提出很多問題，但在自由中國來說，海內外一致關心的，該還是台灣海峽問題在華府會議桌上所佔的比重。

就這裏外交方面言，一般地對我駐美大使顧維鈞氏在此時回台述職，至爲重視；敏銳的記者則更付測認爲顧氏返台，極可能帶有白宮當局給台北的某項保證或諾言。筆者個人也曾這樣想：中樞在此時此際召回駐外大員，雖有許多公開的理由，但絕非僅爲了中共入聯合國問題或者是單純的爲了顧氏未來的出處問題，乃是可以肯定的。

中樞欲知美容讓極限

按當前的情勢推斷，中樞最急切的恐怕還是在於亟須了解華府方面對台峽的眞正意向。換句話說，中樞急欲知者，是美國在對中共方面的容忍將到何處止步！必須要能眞實的了解到美國讓步的極限，台北才能確定對海峽彼岸攻防形勢作富有彈性的對策。說穿了，這正是「戰爭邊緣」論上的技巧關鍵。

在杜爾斯的「戰爭邊緣」論裏，既很明顯的表露了美國有隨時應付萬一的準備，那末在台北來說，最主要的就是判斷中共在未來一次行動上所能下注的籌碼究有多大？而國軍在這方面應該如何技巧地運用這一情勢，作適度的反擊，才能使美國認爲中共有越過「戰爭邊緣」的企圖。庶幾能使密雲的海峽響起雷聲，帶來暴雨！

對金馬艾克不會讓步

照曾經訪問過金門的外國記者的看法是，只要國軍有把握確保金馬上空的制空權（因爲在未來海峽戰火初起時，美國空軍決不致於立即迅而助戰），輔以金門外圍的海軍砲火，島上的守軍是足以憑現代化的工事發揮守勢的反擊，以確保該島。馬祖的情況大致與金門相同。不過若中共先將馬祖外圍島嶼逐一拔去，則情勢自不能與金門柘提並論。但到那時，美國是否仍依舊坐觀待變，就難說了！

這一看法，大抵上是正確的。故祗要金馬能在我掌握之中，它就成爲對中共軍事冒險的測候站。

因此，此間有資格的人士亦均認爲，在未來華府會議上，即使是艾登對金馬問題有所主張，艾森豪威爾亦將不致於輕易讓步的。

中共也在窺測美態度

再就日內瓦會談的情況作研究，中共一再堅要美國保證停火和希望獲得改爲外長級的會談，其主要目的也同樣是在爲欲取得試探美方對金馬眞正意向的機會。（下轉第二版）

艾·艾會談

艾登即將抵達華盛頓，于下週一開始與艾森豪進行會談。檢討的項目可能包括：

一、關于氫彈試驗裁軍諸問題；
二、關于支持愛登諾統一德國問題；
三、關于法國大選後對西歐防禦影響問題；
四、關于中東局勢，巴格達公約，以埃糾紛諸問題；
五、關于遠東局勢，對中共之禁運，金馬局勢，中共企圖進入聯合國諸問題。

就全球反共戰略的利益要求而言，無論如何，在基本上，我們歡迎艾·艾會談，並期待他產生一個積極的有建設性的協議，加強自由世界的力量。

蘇俄的密函

艾·艾會談前夕，一封發自布爾加甯的神秘的信，送到白宮，由蘇俄駐美大使親自交給艾森豪總統。

奇怪的不是這件密函的本身；奇怪的是，隨着這一事件而來的各種對這一密函內容的推測；蘇俄要求一個對中東的聯合行動，召開遠東會議，停止核子試驗等等。這些推測表示：目前蘇俄外交攻勢的三個重點：中東，遠東，核子！

華盛頓的外交專家指出：布爾加甯此次耍出新花樣，似乎是針對艾登訪美而發。

同時，赫魯歇夫也改變了近些時來攻訐艾森豪的口吻，說他是眞正謀求和平的人物。

同時，又一個傳說，布爾加甯也要訪美呢！

一切迹象表示，共黨現正全力分化英美，使這次艾·艾會談不能產生積極性的效果。

時事評述

·司馬璐·

敵人的期待

這意思就是，如果艾·艾會談的意義變成消極性的，這就是我們的敵人所期待的了。

進一步說，敵人所期待的，所要做的，結果却在我們手裏做了，這表示什麼呢？例如，在停止氫彈試驗及裁軍問題上，我們接受了敵人的催眠；但在另一方面，我們又[illegible]的恐嚇，說是蘇俄的氫彈如何「先進」，軍力如何強大，如此既要我們放下武器，又說敵人兇狠，豈非暗示，除了投降以外，我們別無出路？

又例如，中共要我們放棄金馬，有人附和他；中共要我們放棄禁運，有人附和他。中共要進入聯合國，居然也有人附和他。誠不知，紳士們，你們在代表誰參加「會談」呀！

樂觀的展望

目前局勢雖然陰霾四佈，但我們對于這次艾·艾會談應有信心，也應樂觀。

第一、就全局而言，英美對全球性的問題，基本上是一致的，特別是表現在歐洲問題上。

第二、在現實意義上，「中東」與「遠東」兩個爆炸地區，美國需要英國支持他的遠東政策與英國需要美國支持他的中東政策具有同樣價值。

第三、英國眞有心對共黨讓步嗎？不會的，中共問題爲英國對美國多一較量的資本而已。叫得愈多，有時只是借題發揮的姿態，故意與美國爲難。

第四、英國本身今天最大的問題是經濟問題，從而也直接影響艾登在保守黨的領導地位，艾登這次去美最大的任務是解決英國當前的經濟困難，這一點由于英國強調「外交」的巧妙宣傳，往往被遮蓋被人忽視了。

第五、聯合國大會中，中國否決外蒙一事，對于若干國家也應該是一個不小的教訓，今後對于遠東問題必須小心謹愼，否則，怕丟臉的不是我們恐。

奴役世界的工具
共黨文字拉丁化運動

・曾風行・

有許多人以為共產黨攪的『漢字拉丁化運動』，是純屬技術問題，和政治沒有關係。這是天眞的想法。共黨的『文字言語拉丁化』，是思想改造的武器，也是建築思想文化鐵幕的工具。因文字言語拉丁化在蘇聯境內不知死了幾多人，寫下了多少頁腥血淋淋的歷史。而今天中共也在搞這套滅絕歷史文化的勾當。

剷除阿拉伯文字

一九二三年中亞細亞的烏滋伯克，採取阿拉伯字母去表達土耳其語。大約在那個時候，卡薩克和吉爾吉斯、也採用改良的阿拉伯字母。但共產黨不久便認為阿拉伯字母太與回教國家及中東，猶其是土耳其，有直接連繫，必須加以剷除。

在本世紀二十年代初期，俄國內回教土耳其族中文化最進步伏爾加韃靼族，亦已採用阿拉伯字母。蘇俄欲推行拉丁化極為困難。但在共黨槍尖下，沒有什麼是容許阻撓的。韃靼共產黨在先亦反對拉丁化。也被整肅清算。當日列寧曾說：『我國的中亞細亞實行拉丁化語文，目的在建立社會主義的楷模，作為解放東方殖民地的基礎。』但事實上蘇聯的政策自始即志在隔斷中亞細亞和外面世界的接觸。致使在蘇聯統治下的中亞細亞，比在昔日帝俄或沙皇統治下時，更為難獲得與外界接觸的機會。

現在俄羅斯字母的來源，係出自奉希臘教之斯拉夫民族所用之字母「息里爾體」（CYSLLIC ALPHABETS。）

拉丁化的矛盾

本來語文拉丁化係在一九二八年土耳其實行成功。蘇聯由此而想到利用它於俄境內土耳其族人。根據與拉夫卡勞所著的『蘇維埃帝國』一書，三十年代的共黨領袖們所持最終目的，是想從拉丁化轉到俄文字母來源的息里爾字母化。

蘇聯實行拉丁化含有一種矛盾。她恐怕土耳其民族的拉丁化統一，便團結起來。因此蘇俄一定要撲滅『汎土耳其主義』。

蘇聯對土耳其族人的拉丁化，祗是在語音上給它們拉丁字母化，還是上特殊的字母，決不容由拉丁化而統一其文化思想，並且有意擴大土耳其族人各區的歧異。在二十年代，造成某某民族的共和國和自治區等。

又在一九二三年，貝雅特蒙古，欲想利用語文拉丁化，和瓜爾瓜蒙古統一起來。因此在一九三二年發生變亂的危機。蘇聯立即鎮壓，並強迫貝雅特用大量之俄文於政治及科學的名詞中，而不准用古典的蒙古文。但瓜爾瓜族卻仍准使用。蘇共對貝雅特和塔弗族行拉丁化所加的壓迫，比中亞細亞諸族更甚。

籍文字束縛思想

由此我們可見蘇聯的殖民地與西方的殖民地當中一個異點。英國准許殖民地自由使用語文。並走當地人民籍英文吸取新思想。但蘇聯以文字言語作束縛思想的政治工具。

在三十年代蘇俄實行大整肅時，史太林更強力控制非俄羅斯民族的文化，因為要鞏固蘇聯的外圍區域。在第一批被整肅的人，有非俄羅斯族的文化與政治領袖。烏滋伯克的總理柯乍夫，和烏滋伯克的共產黨書記艾卡摩夫，在一九三八年負叛國罪名，被處死刑。在中亞細亞諸共和國中實行大規模殺戮和逮捕。

當地的領袖人物被掃蕩後，便清除了共產黨實施紅色殖民地主義的障礙，澈底實施俄羅斯新化，完全斬斷原有的古代的文化根源。此種最顯著的例，便是強迫使用息里爾字母。

中共要廢除漢字

一九五五年九月十九日中共新華社電訊說：內蒙古推行新字母了。分兩階段，至一九五八年為止，是準備時期。至一九六一年為止，是實行新字母代替舊語文之工作推進時期。去年十月十五日，中共召集了全國代表二百人，開會討論改革漢字。吳玉章和郭沫若都表示將來廢除漢字。如此看來他們心目中終有一天要奉蘇俄的命令使用息里爾字母。

因此我們對文字拉丁化問題，便萬不能撇開政治思想而純用學術研究眼光去看的。蔣總統在今年元旦發表的告全國軍民同胞書，就特別指出中共的謀實施「漢字拉丁化」，便是莫斯科要把中國大陸，編入蘇聯侵略世界作戰體系的計劃中之一項。使中國人心目中消滅中國的歷史文化，接受其斯拉夫統治世界的奴化文字。

大陸討厭「大鼻子」
—港大教授貌似陽虎—

（本報特訊）港大教授赴大陸觀光，抵達武漢那一天，正值東德總理格羅渥渥也由北平抵漢口。惟因前者較後者先到，奉命在場歡迎的中國羣衆誤以為彼等定屬俄國顧問之流，彼等下機時，看見有人一邊吐口涎，一邊以厭惡的口氣說：「又是大鼻子」！

「又是大鼻子」，這句話港大教授中，是有人聽得懂的。後來彼輩到街上出現，又遇到同樣情形。他們在一家小店裏購買物品時，且遭遇到店員的冷淡。有人用中國話對他們說，彼輩是英國人，初尚不信。到確知是香港大學教授後，方始欣然。並說『看不見英國人已經許久了。』言下有不勝感喟之意。

於此，可見大陸人民厭惡俄人心理之一斑。（暉）

旅埃歸僑談：開羅近事
馬步芳經商獨步僑界
何鳳山在外交團活躍

【本報特訊】有客從埃及來，彼旅埃已近兩年，經詢以開羅近況，據謂：開羅雖屬中東的政治中心，且為世界之名城，但其市政建設街道環境衛生等，却距離近代化之都市標準甚遠。以自開羅迄香港此一段航程言，沿途所見城市，當以開羅為最骯髒，蚊蠅之多亦為罕見。

旅埃華僑，在開羅謀生者約近百人，皆以經營小買賣為生，一般生意情況却未見得好，僅堪糊口而已，惟前青海省主席馬步芳氏所經營之二小店，則較為堂皇，亦可稍有盈餘，此係馬氏多金，資本雄厚故也。

由於中東情勢之轉變，開羅地位益見重要，各國駐埃使節或以此為中東形勢之觀變所，而鐵幕國家使節之活動，則尤富敏感性。在自由陣營的外交團方面，我駐埃大使何鳳山氏頗見活躍，何氏駐埃八年，其在外交團方面之地位與活動能力，頗受重視，其與旅埃華僑間亦建立有深厚的情誼。

以目前埃及當局態度言，純係謀於東西兩大集團間，闊藉中立以自重，但實則埃政府仍以傾西方為其主要之對外關係，蓋就其國內之經濟狀況言，惟西方始能予以協助，設若脫離西方的經濟關係，則其中立姿態亦將不復存在。易言之，其所謂中立者，乃是在西方之經濟援助基礎上，向蘇聯示好，惟其終不能脫離西方陣營則為事實云。

約但反巴格達公約動亂
威脅英國地位

、明譯。

暴徒們襲擊美國領事館，撕下美國國旗，拋在街頭踐踏，這樣的事，已是一個月內的第二次，在領事館任警衛工作的美國海軍陸戰隊及副領事布拉基斯東，使用催淚彈和手槍，終將暴徒逐走。

在約但首都安曼，一千名羣衆投石襲擊及放火焚燒美國第四點計劃技術援助機構。他們又攻擊費勃台爾菲亞旅館，數家美國僑民這時已逃到裏面躲避。但暴徒們卒在走廊裏被逐退。

他們又放火燒一家英國銀行，顯然因為這所房又是用第四點計劃經費造的。約但政府的新造衛生部大廈，也同樣被焚。在安曼以北三十哩的艾倫，美國傳教師勒美格倫冒着危險，出面勸阻暴徒，前此，雖然暴徒們已將二所教會房屋焚燬，但終於聽了勒美格倫的話，沒有把他的醫師也焚燬。他所拯救的留醫病人中，有一個就是他的父親，曾遭中共囚禁四年，到去年秋天才獲釋。

經過一星期的動亂，阿剌伯軍團終於重新控制局勢，他們拘捕在公路上架起障礙物，及撒下石塊的暴徒，並監迫他們把道路肅清。一個英籍軍官說：「我們不僅要他們撿拾石頭，且叫他們搬運石頭，走了半哩路。這辦法很有效。」

「同時，政府對新聞的嚴密檢查，也予撤銷。國王胡辛親自發表廣播演說，感謝阿剌伯軍團恢復秩序。他說：「在這次危機中，我們已經認出，那些人和那些人的企圖，是不把國家的利益放在心上的。」

初步報告披露，暴動中死了十八人，傷者百名。阿剌伯軍團的六十名英籍軍官之一勞合中校也告斃命。

從過去的經驗來說，伊朗前總理穆薩德之流所渲染的中東羣衆力量，雖然不免誇大，但西方人士對約但最近的騷動卻極為重視，認為比去年十二月的事件更為嚴重。英國已暫時擱置了力促阿剌伯國家參加巴格達公約的戰略。倫敦也急調傘兵，馳往塞浦洛斯島戒備，這一行動，部份原因是因為約但西岸的叛徒可能已滲入阿剌伯軍團。這支部隊過去雖是英國政策的可靠工具，但此後卻可能失去這種作用。

英國已被逐出埃及，在約但又受挫折，而塞浦洛斯島也掀起反英浪潮，這一切都表明英國在中東的地位正迅速地變化。（下）

新聞言論自由

陳國璋

美國的傑弗遜總統曾說：『假如需要我來決定我們應該有政府而沒有報紙呢？還是應該有報紙而沒有政府？那我將毫不猶豫地選擇後者』。如果報紙是滿足人類求知慾望的主要工具，自然就必須具備充分滿足求知慾望的條件，才能達成這一項目的，這種條件就是新聞自由；因為假如沒有自由，報紙就無法盡量滿足讀者的求知慾望了。

新聞自由的起源

一般說來新聞自由運動在中國，是和歷史同時開始的，古代史家著述，像孔子作春秋，左丘明著左傳，司馬遷寫史記，以及歷朝的一切私人著作，沒有一個人不是出於充分發揮新聞自由的春秋筆法的，由於古代的專制政治，這些著作或者是因為政治壓力，未能及時以新聞報導方式公開發表，而不得不藏之名山傳之後世，或者是不顧一切刊佈於后，不幸造成株連流血的文字獄。這就證明新聞自由這一思想，是有史以來就為智識份子所不惜拋頭顱灑熱血而誓死爭取的。

晚清歷史教訓

晚清末年歐風東漸，智識份子紛紛辦報，對於清廷的腐敗公開批評，或者主張變法維新，或者主張澈底革命，針鋒相對彼此爭辯。假使當時清廷能夠尊重新聞自由，而接受康有為梁啟超的變法意見，及時改革，那末清廷的覆亡，或還不至於迅速成為定案，誰知清廷不但不虛心接受，反而查禁書報，捕殺革命黨人，引起了普遍泛濫的革命怒濤，促成了滿清政府的滅亡。這件事證明，政府如果不能夠尊重新聞自由，使積極善意的意見無從發表，那末惡意的攻訐，就會不脛而走了。最後的結果是沒有人願意挺身而出，為政府說二句公道話。

現在，則言論出版自由，已是有憲法明文規定，加以保護了。但究應如何運用此一自由呢？

應視報紙為社會公器

新聞自由，在觀念上導源於言論自由，在形式上歸諸於出版自由，就客觀的形勢看，新聞自由是基本人權之一，「自從防民之口，甚於防川。」（左傳）「古聖賢樂聞誹謗之言，聽與人之論。」（晉書），可知我們古聖先賢也早提出警告，新聞自由之不可防杜性。如果說：新聞自由而脫却了民之所好好之，民之所惡惡之的範疇。則報紙仍是個人「工具」，而不配為社會「公器」。

報紙既是一種「公器」，自然人人都該尊重他，但所謂尊重，絕不是將它作為個人的，暫時的工具加以利用，新聞事業只有作為發揚公道，眞理與文化之社會公器用的時候，才有力量，作為個人工具，不但作用甚微，而且不能持久。其唯一尊重之道就是給予自由，同樣作為一種社會公器，沒有一種公器能如新聞事業這樣與羣衆關係之密切不可分，同時任何新聞事業，也必須廣泛地建立它的羣衆關係，否則，縱有充分的新聞自由，也只是自我陶醉，沒有生存空間，換言之：濫用新聞自由，即令法律不予制裁，羣衆亦會唾棄的。

華府會議與金馬前途

（七接第一版）

從這一點來分析，可以得到這樣一個粗淺的概念，即如果中共在未能獲知美國對金馬的正確態度前，是決不敢輕易動手的。因為那將導使中共一起步就踏上了「戰爭邊緣」，致使後果不堪收拾！以中共屢次不惜破壞日內瓦協議，公佈會談經過的事實來論，也正是明知其蠢動的危險，故想藉此刺激英聯邦起而對美國施用側面壓力，以便易於間接達到其獲得美國態度的目的。

會談可能出現的結果

艾登會不會在有意無意間為中共利用呢？實不能謂無此可能！若非艾登已放棄其以大英帝國利益為中心的成見，從新檢討其對遠東問題的政策，則在會議桌上雙方必將因金馬問題引起辯論！

不過可以樂觀的是，艾登既也已對「戰爭邊緣」論有了認識，並且同意了「嚇阻政策」的效用，則艾森豪威爾是不難說服他的。

如果艾登在這方面真能接受美國的觀點而「讓步」的話，那麼艾森豪威爾為投桃報李起見，對於放寬禁運這一問題，也或許會作不公開的讓步的。但無論如何，美國自己在現階段則仍將堅持其一貫的禁運政策不變，是可以斷言的。（一月廿日）

僑生升學佳音—
台省立工學院將於今夏改為成功大學
該院獲美普渡大學合作 正事積極擴建增加設備

（本報台南通訊）台灣省立工學院，自經積極擴充以來，已漸趨大學規模。前經台省南部地方人士之贊助與倡議，經省議會向省當局建議改為大學後，教育當局亦認為該院現有之規模堪與大學相比，閩准予今夏將之改為台灣省成功大學。

該院現設有機械、電機、化工、土木、建築、礦冶、水利、交通、工商、會計、統計等十學系及一專科，現有教師百餘人，學生近一千八百人，內僑生二百七十餘人。現該院得美國安全總署之援助，與美普渡大學簽訂合約，互換教授，擴建校舍，增加設備。刻第一期擴建工程已落成者有僑生宿舍、建築館、成功堂等。改校後，該院將可擴大容納僑生。

工學院改校後，將可使更多台南學子就近升學而無須遠道負笈，其對南部學風之進一步提高亦定將有預期之供獻。（昌）

言論自由之爭

詩人教授責言論自由受到限制
輿論反駁指出教室不容作宣傳

香港大學的詩人教授布爾敦投書南華早報提出了「言論自由」的問題後，馬上成為新聞與教育界最新的一個論題。

這事須追溯到香港大學教授私人訪問團自大陸歸來以後，該校的政治經濟系教授葛壁博士首先以客觀、冷靜的態度和尋求事實的立場發表了一篇「人民中國印象記」，引起了廣泛的注意，成了一篇罕見的關於大陸的深入報導。接着港大的港師陳君葆即發表了抨擊葛氏的談話；陳丕士亦準備在港大的講堂上發表他的所謂「人民中國印象」，來支持陳君葆的論調。但港大的當局接受副校長賴德博士的意見，而取銷了陳丕士在港大的演講會。

不要做啼哭的嬰兒

這是大家都知道的：陳丕士大律師何以要在港大的講堂講出他的「人民中國印象」，而賴德上校何以要取銷這一個演講會。可是這一位詩人教授布爾敦就在這個期間提出了言論自由的問題，他說一個教授所享有言論自由的權利猶不及一個普通的市民。他在南華早報的讀者欄上提出呼籲，然而他的見解，立即受到了英文虎報著論的指摘。

英文虎報的社論是以「不要做啼哭的嬰兒」為題，其中首先指出：布爾敦教授在該信中所提的到一點，或許是需要加以澄清的，布氏說：『最近香港有人爭辯，港大或在報紙提出，港大教職員不應談與他們無關的事。如果一個大學教授不許獲有像普通公民的言論自由，那麼，言論自由的基本原則是什麼呢？』虎報針對這一點說：「據吾人所知，迄今沒有人爭辯或肯定港大教師不應談他們所願意公開發表的問題，以及他們的觀點受到輿論的批評和討論；可是我們卻肯定地不需要港大的課室變為政治宣傳的地方，不論這些宣傳是否為代表共產黨，國民黨，社會黨，新納粹黨或其他黨派。

但祇可視作語外的冒險，可是當他們發表愚蠢，不準確的聲明和批評時，他們不能阻止社會輿論的批判，他們不能在峨冠禮服之下，要求一種特權；我們要勸告那些要有言論自由的人，當他們受到責難時，不要做出像啼哭嬰兒的動作」。

家長不滿政治滲入學校

我們是反映大多數香港父母們的情緒，本港學校不應有政治主義。港大若干教授談政治的結果，已引起若干本港父母們的詢問，把兒女送入一間有穿上政治家與宣傳家外衣的教授的學校，而灌輸主義，這是否恰當懸之嫌呢？因此，港大的旅行家沒有抑制的發表政治言論，對於學校方面，是沒有多大貢獻的。

「關於港大教授應否比普通市民有較少言論自由的問題，我們堅決地相信教授們思想上與信仰上的是，應享有充份的自由，但言論自由都帶來一軍要論點，每個人的自由將使他本身在社會成為一個愚人。

「如果教授們，詩人們或任何人想談什麼，他們大可以日夜自由地這樣做，

校門之外不受限制

事實上，香港大學的教授們有沒有言論的自由呢？當香港大學當局的負責人共同發現學校的本身將成為共產黨所滲透作為宣傳的基地的時候，它是有權取銷他們他所認為不可在校內的任何演講會。報章的輿論亦希望政治排除於學校大門之外，這和港督葛量洪爵士的要求是一致的（見港督為新亞書院校舍奠基時的演詞）。可是在校門以外，一切的言論並沒有遭受到任何限制，陳丕士大律師依舊在「華革會」完成他不獲在香港大學講堂的大陸觀感，港大卻力奇講師在九龍扶輪會按照原來的計劃發表他的「一個善理學者訪問「大陸」的印象，而詩人布爾敦本人亦分別在倫敦的「觀察週報」和香港的「大公報」上大寫其文章。

正因為香港這塊地方有着充份的言論自由，布爾敦教授那篇刊載在倫敦「觀察週報」充滿「詩意」的文章並不能禁止新聞記者的批評，一張港本中立性的日報對詩人布爾敦的文章提出了檢討，該報說：「布先生是被譽為第一流的教授，也是個偉大的詩人，他應該知道寫詩和寫報導性文章是互有分別的。從布爾敦先生充滿了詩意的大作中，除了戲劇，文藝，給我們想像的例子以外，我們找不到數字，找不到實例，找不到理論的根據。

報道文章需要真實

「布先生使我們欣賞了一篇美好的文字，但我們了解到報導文學的特質，不是字彙的堆砌，詞藻的美麗，音韻的諧和，而是嚴重於實人，實時，實事和實地的真實報導。

「我們翻閱布先生的大作，上下縱橫，使人感覺到的只是幻想，意念，和虛渺的代表，缺乏了真實的感覺」。

這一份在香港擁有讀者的中立性報紙對詩人布爾敦的批評，可以說是深刻中肯的，我們試舉這位詩人的幾段詩意文字如次：

「來到香港以後，經過一次或二次漫步，街頭，我們不禁會說：『現在我們正看着中國了』，然而想到能夠在廣州河畔散步，描繪北京紫禁城降雪的畫闊，這似乎盡屬夢幻。去年，許多英國人訪問這神秘之國，但余生也晚，似乎沒有這些機會了。然而不可期的事實終於發生，正如詩人夏力克所說：好運道悄悄地比下雪的聲音還小就來臨了，中國人民文化外交協會請我們去大陸度聖誕。……」

「……三個星期轉瞬地過去了，坐在書桌上，聽着教堂的鐘聲鏗鏘，倒反而比認識說中國人民計劃新組織工作來得陌生。

「詩人」捧周恩來

「……奇，真驚奇，我們僅是一羣旅行教師，却可在周恩來的公館聽到他的談話，他亦聽到我們的談話，一看到他，我想，我已知道周恩來，他是一個天生的領袖……。

「……當周先生說這話時，我正追想歷代的情景，我沒法懷疑中國常產生這類心胸博大，行動恢宏的人物，在已往，他會作出決定修建一道跨踐幾千哩山嶺河谷的長城，或是修建一座喇嘛廟宇和修建一片陵寢，豪華如帝皇氣派……。」

這一篇如散文的文章，如果有更好的繙譯的筆觸，一定能夠更保存詩人布爾敦的靈感的完整，但我們在這一篇詞藻華美的文章中，能夠看到一點什麼呢，正如一張報紙所說的，這實在不像一篇報導的文字，同樣是訪問大陸歸來，葛壁博士的見解是真實得多？至少他的論調和觀點是純科學的，可是他的文字並沒有布爾敦的優美，至少，布爾敦的文字使人恍如看到一幅朦朧的圖畫或一篇散文。

商人不願受改造 中共迫妻兒鬥爭

「公私合營」的血淚故事

中共近日正為「完成公私合營」「進入社會主義社會」大吹大擂，但在這宣傳烟幕背後，不知還有多少血淚，這可從偽全國婦女聯合會所發動的「資本家家屬擁護社會主義改造運動」中看出。

據南京「新華日報」載，上海、天津、南京和旅大各地城市的資本家家屬，大部分被投入這一「學習社會主義」的激流中。這些資本家的家屬，經「婦聯」進行說服「教育」的，總數已超過了十萬人，南京有一萬多，上海比這個數目多了一倍，其他天津、旅大數字比較少一些，但是執行這個「任務」却並無不同。該報說，這幾年許多資本家固然接受了「社會主義改造教育」，但是抗拒的依然特別衆多，是該重視的。

該報又說，抗拒「社會主義改造」的資本家們，他們千方百計企圖保持他們的資金，有的用了許多方法向國外逃避，有的竟然掘了地窖埋藏黃金和值錢的物品。他們認為接受了「社會主義改造」，不但資金將被沒收，幾十年心血白白花掉，甯可坐在家裏死吃，任令工廠，商行停工停業。他們以為吃盡花光之後，總可獲得允許閉歇了。事實上今天的情形和過去截然不同，即使准許他們報歇，也要追查陳賬。為了發掘這些秘密，只有由「婦聯」結合他們的家屬來同資本家去鬥爭，這種鬥爭現時正在擴大和發展，據各方面所提供的資料反映，該報很滿意地說：「已有了重大的收穫。」

該報舉出了數個例說，像上海市「工商聯監察委員會」主委胡厥文的妻子沈方成，她不但極力鼓勵和說服了丈夫，而且現在發掘出了很多秘密（按：胡厥文係「民盟」的要員，在上海工商界很有地位，投共之後曾做共黨鷹犬，自以為可以保全他的生命財產，結果因受潘漢年案牽涉，而於三個月之前被捕，至今生死不明，他的妻子沈方成，不久亦被逮捕，現「新華日報」對沈妻「發掘出了很多秘密」大加宣揚，大抵胡厥文仍在羈押之中，而其妻則已由「婦聯」「監視，繼向她丈夫鬥爭。（第二個例子是指證天津元隆綢布店經理胡炳漢的老婆陳毓漢，她生有三個孩子，這些孩子現在都受赤色教育。

這個陳毓漢過去曾經背了個傳統的家庭舊包袱，她一再反對「社會主義改造」，結果終於給三個讀「大學」的兒子把她「說服」，合力去向丈夫、父親鬥爭。這個被指為「資本家」的胡炳漢就給鬥倒了。還有天津市「工商聯」副主委畢鳴岐，也給他的妻子戴翩英迫上了胡厥文的路子。天津大成行的資方代理人孫治國的妻子李如嫻，也受了「婦聯」慫恿，鬥掉了丈夫。另外還有上海大中華火柴公司經理劉念義，儘管他結合全廠工人抵抗「社會主義改造」，而他的結果，終於難逃他妻子夏天錦手腕，夏天錦受到「婦聯」的逼迫，為了營救被拘的丈夫，竟然摧毀了「勞資聯合陣綫」。但結果丈夫非但不獲自由，反而遭受繼續不斷的淸算和鬥爭。（識）

新書評介

評・・七首集

應未遲著　台北聯合報社出版

・彭楚珩・

當『七首集』落到筆者的手裏，一氣就讀完了全集九十篇的短文，這在筆者說，是年來讀書紀錄的一件奇蹟。

『七首集』能夠吸引人是由於它充滿了刺激，充滿了幽默，更充滿了譏諷。作者以其『嬉笑怒罵，皆成文章』的本領，在每篇的緊要關鍵處，信手拈來，輕描淡寫的點上幾筆，便像『畫龍點睛』一般，顯得格外的玲瓏，格外的精神，格外的輕鬆，煞是可愛。

× × ×

『七首集』的作者，似乎是依照着『關雎樂而不淫，哀而不傷，怨而不亂』的騷人情調，立意着筆的，這一本九十篇短文的小集子，從民國四十二年六月，一直寫到去年的五月，整整是兩年的時間，而著者竟能保持其冷冷靜靜的看，片片段段的寫的一貫立意，不唱高調，也不作低壓，精神貫注，首尾一致，作者的學養造詣，我們於此也就可窺見其大概了。

本書唯一的一篇序文，是梁實秋先生寫的。序中有一段話，可以補充對本書的評語，也就是它本身的評語，那段話說：『文筆必須相當潑辣，方能不[illegible]刻毒，用意就必須深遠，方能耐尋味。而且宅心必須忠厚，非徒逞一時之快，哀矜勿喜，談言微中，庶幾於世道人心。題材是當代的，而其道理是永遠的；譏彈是單獨的社會，而其所代表的却是普遍的人性』。梁氏的這一段說詞，以之序於『七首集』，實在是恰如其分的。不過，梁氏以此『賀之七首集的作者』，筆者以評書的立場，代替作者給予梁氏的答復是『肯定』的。

本書名曰『七首集』，說命名之義，已足窺本書的內容，而作『應未遲』先生，似應為作者的筆名。九十篇的短文裏面，篇篇都有諷刺，都有譏責；可是，篇篇都是善意的，而不是惡意的攻訐。只要被諷刺的對象人物，能夠抱着『人非聖人，孰能無過？過而能改，善莫大焉』的態度，遭受了作者『應未遲』的譏彈過後，馬上『改過遷善』，那也就是『君子之過也，如日月之蝕焉，過也，人皆見之，及其改也，人皆仰之』。這個被譏彈的人物，也就是『應』該『未』為『遲』了。此不僅[illegible]就社會，就國家，就世界，更莫不如此。因此，作者的『嬉笑怒罵』，不僅是沒有惡意的，而且也不是消極的，本書的最可取處，其在斯乎！

× × ×

本書所譏彈的範疇，是相當的廣泛，並不局限於某一方面，上自國家的政府的施政行為，下至鄰里街巷的瑣碎小事，莫不譏諷殆遍，似乎對於文化界的作者的批評，份量上比較要重一點，可是作者的看法和說法，却並沒有過火之處。

至於為時下所軍，而為作者所輕的『假洋鬼子』，在全書九十篇的短文裏，則曾受著者多次的譏彈，實也[illegible]

中共自稱已社會主義化
產品粗製濫造 官僚氣息嚴重

滑冰，在北方是冬天戶外運動的一種，每年這時，冰刀的銷售量必然增加。東北安東市中共地方「國營」的「工業局機械修配廠」針對此而製造了大批的冰刀，多以青年學生為銷售對象，由於粗製濫造，售價較廉，賣得很快，但是玩不到半小時就壞了。學生們大表不滿，紛紛去找經售的「四平市百貨公司」算帳，司方只說：「這還是『國營』工廠的產品哪，玩半小時皮耳子就斷了！」原來這種冰刀是用六分厚的木板和鋼絲皮耳子做的，不是鋼底板和牛皮扣，經再向那工廠交涉時，廠長竟說：「質量就是那樣了，不願要，就給我們退回來。」於此，可見其官僚作風與生產不負責任之一斑。（插圖原載一月十五日天津大公報）

自由談

誰不想做人？

馬五先生

共產黨用殘酷法，把中國大陸上一切民營的工商企業強行共產，托名為「公私合營」，實際是除了貢獻全部資產以外，還要將自己有生之日的勞力，供奉共黨長期奴役，到死方休。同時，又要你歡呼歷祝，說這就是天堂生活的社會主義社會出現了，表示感激涕零，三生有幸。光是男的如此這般地感戴共黨之恩還不算數，你的妻女亦得當衆表演其感謝共黨洪恩大德的言行，並且指述其丈夫或父親有某些私藏財物尚未獻出，當場勒令一概交給「人民」。如是乎，共酋毛澤東大呼：「社會主義和平革命成功了」！

你認為共黨這套惡作劇是稀奇古怪嗎？決不是！先請看看俄共奉為人生思想圭臬的朵斯妥也夫的著作罷，人在暴力威脅之下，一定要自認為猪狗不如的萬惡動物，非千刀萬剮不足以蔽其辜。所以，如布哈林，拉底克那類老布爾希維克人物，當年史達林要處決或永遠監禁奴役他們的時候，必須當衆自稱為「帝國主義間諜」，「社會主義的叛徒」，「罪該萬死的階級敵人」，然後深深地感謝史達林的恩德浩蕩！

何況天下的共產黨決沒有異樣的本質，中共一切都是遵奉「蘇聯先進經驗」的，非俄共之言不敢言，非俄共之法服不敢服哩！史達林當年為着實施「集體農場」制，據他自己告訴美國副總統華萊士，曾經吊死了農民一百五十萬人。依此比例類推，將來大陸上的農村同胞，起碼亦有千萬人的生命，化為「農業合社」的祭品，寧不寒心！

見了大陸同胞遭受這種人間地獄生活的慘狀後，我們僥倖生存於自由天地之間的中國人，尤其是一般工商企業者，應該何以自處自勉，知足知恥，大概心裏有數了吧！「無惻隱之心，非人也；無羞惡之心，非人也；無是非之心，非人也」。如要立志為人，可不反共抗俄乎？

記丁在君（下）

・徐道鄰・

刺激蔣先生

有一次我和他談到適之先生，他說：『適之這個人，太老實了。舉一個例來說，我上一次來南京時，見了蔣先生。蔣先生對於他的軍事教育的進步，十分得意。我就說，你們的軍事教育的進步，比我們學生教育的進步差得多了。他大為驚異。我就說，二十年前，我們軍事學校和普通大學都是請外國人教書，請翻譯員翻譯。現在我們大學生可以直接看外國參考書，直接聽外國教員講演。而你們還是得請顧問，請翻譯，那不是不如我們大學裏進步快嗎？蔣先生聽了，有點將信將疑的樣子，我後來回到北平，適之問我這一次見了蔣先生談些甚麼。我就把這一段話告訴他。接着他也到南京，何敬之在勵志社招待他，請了一大羣高級軍官陪客。他就把這一段話對大家重複一遍，結果弄得賓主非常不歡。你想，我和蔣先生說話的時候，祗是我們兩個人。而我這段話是有為而發的。其實我們大學裏的教育哪裏有軍事教育進步的那麼快？我不過是刺激刺激蔣先生，不要過份自滿。而適之拿來對着一羣少壯軍官去講，你想糟不糟糕？你說，適之是不是太老實、太天真？』

張漢卿讚嘆

在君先生給我印象最深的，是他學問的淵博，和他記憶力之過人。有一次我們同時在漢口，他住在德明飯店，我去看他，坐了一會，來了一位副官，說如若丁先生不出去的話，張主任（張學良當時是武漢行營辦公廳的主任）馬上過江來看丁先生。在君先生不讓我走，要我陪陪客。一小會張漢卿來了，大家就坐在他房間裏，談天。漢卿開口就說，今年的國家總預算是大的不得了。在君先生說，那哪能算大！還趕不上紐約一個市的預算呢。他接着背美國的預算，英國的預算，一大串的天文數字，使漢卿張口結舌。這時漢卿才從西北回來，談到隴州和天山地帶，在君先生全都到過，他指出西北的軍事地形，和經濟因素，無不深中肯綮。使漢卿一再點首讚歎。接着談到三峽，他不但到過，就是和三峽同樣地形的科羅拉多COLORADO，他也是去過和測量過。因此談到地球上魔和怪異的地方，我們聽見到過的比漢卿還多。漢卿接着又問西北油礦是怎麼來的？這更是他的看家學問。接着來又問植物學、物理學、軍事、政治，從三點談到五點半，漢卿問甚麼，他回答甚麼。漢卿問題的範圍愈來愈廣泛，他的回答却愈來愈深刻，愈扼要。我生平聽人家談話論學，再沒有過這麼精采動人的一次了。（完）

王湘綺軼事

劍朋

王壬秋先生闓運，平生皆不得志，晚年益狂放不羈，行動不守繩墨，流俗之誚謗，勢利之煊赫，視之皆蔑如也。光緒乙巳，樊樊山先生任陝西布政使，時新設師範學堂，將聘為師範學堂總教習，電延先生至長安，先生亦欣然由老河口經商雒至西安，與樊山文酒之會，殆無虛日。是時撫陝者為山東曹竹銘中丞（鴻勛）雖出身狀元，而經世之學，詞章之事，非所知也，先生與之談，格格不合，乃託詞東遊華嶽，謂其親友曰：數十年來見方面大員多矣，未見俗氣隨如曹竹銘者，吾不知樊山何以為之屬僚也。其自處之高，有如此者。辛亥後，譚組菴先生被舉為湖南都督，以繼焦達峯之任。甫數日，先生忽乘肩輿入省，晤譚公，拱手作賀曰，前聞長沙為亂民所踞，世兄以赤手恢復金湯，朝廷破例酬功，以在籍翰林，為本省巡撫，真皇恩浩蕩，昭代所無也。譚公愕然，亂以他語。迨袁世凱任總統，聘先生為清史館總裁，由湘赴北京。

過武漢，適段香巖芝貴為鄂督，張鎔歡迎，先生帶其僕婦周媽。逕往督府，既進門，忽稱忘攜名柬，乃下轎於文具店買紅色紙一大幅，大書姓名，每字方尺餘，交門首衛兵送進，時段氏聞其將至，已具衣冠待之久，見大柬急迎之入，先生與之握手大笑，曰：老僕周媽久仰萬福之名，必欲一睹丰采，故攜以俱來。段氏唯唯而已。

先生既至北京，任清史館事，不屑辦公文書，與他機關鮮少往來，惟每月例須行文財政部撥經費，且須經若干手續，先生面告袁氏，謂平生不辦公文，必欲我作官吏，即惟有歸去已耳。袁乃面囑財政總長，於王先生之用款，可隨時撥其私人函件付之，不待具備手續也。故先生在任年餘，每月支用經費時，或以名片書數語，或以求書者之大幅宣紙（時求書者甚多）書短文致財部，或以扇面書一詩以代柬，未嘗有一正式公文，財部皆照付之，迨先生返湘後，楊度以副館長（後改館長副館長）代理職務，始一一為之補換公文，而抽銷其原件。

又北京警察在民國初年已辦有基礎，先生每每於馬路上停駐馬車，半啓車門，立門內澥帶而溲，警見其馬車轔轔而來，輒預為引避，蓋袁氏密諭警察總監，預誡員警也。

先生自北京返湘，頗努力於清史之撰述，惜未久歸道山，竟未能卒其業。先生在咸同間，歷入當時有名將帥之幕，但均不得志，其玩世傲物，蓋有所激而然，究不足為後學法也。

馬坤是甚麼人？

・牛布衣・

老鴇做情婦

我問馬坤，為什麼不結婚。

馬坤說，他不歡喜歐美婦女，因為歐美婦女太勢利了。到了中國，他發現中國婦人比較西洋婦女好。

我問他，為什麼不娶中國女人。

馬坤却說，他有一個情婦，是陳塽利記的阿有。

『什麼，阿有是你的情婦！』我驚奇極了，大聲問他。

阿有是一個妓女出身的老鴇。當了二十多年妓女；步步高升，買了幾個女孩，兼任老鴇，後來阿有又把利記寨頂了過來，當了寨主。阿有四十多歲了，花捐局裏還有他的名字。她是身兼三職：妓女，老鴇，寨主。

『你奇怪嗎？』馬坤問我，『阿有是一個難得的人才，經驗豐富。一個月她有十晚到我那裏，她來看我，總帶一點東西給我吃，燒鵝，燒鷄和其他廣東菜。沒有一次是空手來的，她的心地頂好；每次我總給她五十元港幣。維多利亞酒店的侍者都稱呼她做馬坤將軍夫人。』

行長也是同道

我問他，為什麼不要姑娘而要老鴇。

馬坤笑了，說道，『××是行長，嫖的是利記姑娘，我就只好和老鴇鬼混。』

飯吃過，要分手了，馬坤告訴我，他住在沙面維多利亞酒店，請我時常到酒店看他。他說，『沙面的兩道橋都站有英兵。當你跑到橋上的時候，你得告訴英兵，說你是來沙面看馬坤將軍的。到了維多利亞酒店，你得和賬房間，聲明是來看馬坤將軍的。』

沙面雖然是租界，橋頭雖然有英軍，中國人是能夠自由出入的。我問馬坤，為什麼到沙面看他，得告訴橋頭英軍和酒店賬房，聲明來訪馬坤將軍。

馬坤道：『那是有道理的。你若果到旅館看我，我總歸有辦法報答你。吃酒，吃茶甚至吃晚飯，請你隨便吩咐。』

我明瞭他的用意，沒有再追問他，這顯然是要利用去看他的人為他宣傳。（三）

南洋桃源沙撈越

—傳奇式的開國史—

・朱淵明・

布律克做了國王

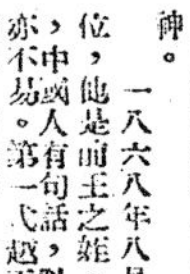

布律克做了越王後，一面頓理內政，開闢疆土，一面就要實行他的第二計劃——蕩平海盜，於是乃向英廷建議，以暢通貿易，維護交通為理由，請派艦隊協助，數年之間，歷次征勦北海岸上之海盜重要巢集。復不斷在海上予以重創，海盜猖獗之勢遂戢。及後英艦「凱斯特里爾」號，將婆羅洲東海岸上之船舶老巢完全毀滅，海盜遂以蕩平。

從此沙撈越國勢日強，疆土大增，一八四六年，遂脫離汶萊之宗主權而完全獨立，一八四八年獲英國維多利亞女皇之「爵士」（KNIGHT）封號。一八五〇年復獲得美國承認，一八六一年汶萊又割讓沙廊與吉都倫呷間之土地。布律克上一面勦滅海盜，一面禁戢取人頭之蠻風，在位廿七年，總算艱苦備嘗，做了不少事情，到他於一八六八年逝世時，已奠定繁榮之國基，執政者與人民間並已建立了互相信賴與友愛之精神。

一八六八年八月三日第二代越王查理布律克繼位，他是前王之姪，名叫查理。中國人有句話，叫作「創業難，守成更難」。第二代越王，則是守成者，可是他奮發有為，政績大者，那時達雅人獵人頭之事，雖尚不斷發生，而國內已開始繁榮，人口增加。一八七三年六月劃全境為三個行政港，各設駐紮官管理，一八八二年獲吉都倫呷與峇南沙間一帶土地，一八八五年獲特魯桑河一帶土地。一八八八年正式締約為英國之保護國，除了對外關係及關於王位繼承權問題，英政府有權過問外，一切內政均由國王處理，英籍人民則享受最惠國的待遇。

第二代越王，自一八六八年至一九一七年之際，可算是沙撈越正式建設時代。稅收自十二萬二千餘元增至一百七十餘萬元，人口貨值增至五百萬元，而出口貨值則增為六百三十萬元左右，於是修築公路、裝置電燈、建造船塢，及架設電話通訊，增至全世界之電台；並於一八九〇年兼併林夢河，一九〇五年購得拉瓦斯河一帶土地，行政區域由三個變為五個，改劃全邦為五省，政治組織，愈臻嚴密。

第二代越王查理布律克，在位四十九年，幾達半個世紀，他有治國的才略，對於人民，好像慈父之對赤子，一切基於愛護與信賴，國內宗教自由，學校設立，他也是一個勇人，曾任過第一代越王的副官，因之勇於進取，曾代汶萊蘇丹數度平亂，故蘇丹曾將汶萊割讓土地與他。其間，林夢河流域居民，饜於苛政壓迫中得到解救，他們乃自動上書沙撈越「拉耶」，要求保護，併於沙撈越版圖，這有點像中國式王道政治「教化大行，遠人來歸」了。（六）

「穴居」舞會

北辛譯

佛朗哥的西班牙對於服裝端正一向採取嚴格態度，馬德里高尚婦女的晚禮服，背後和胸前都不能暴露太多肉體，男子在海灘游泳，也須穿兩截的泳衣，未婚少女天黑後即不准單獨出街。因此西班牙對於柯斯達・台爾・蘇爾區愛好尋歡作樂的美國僑民生活，都感驚訝。

在去年十一月一個風雨之夜，兩名保安隊員在海濱巡邏，搜尋走私者，忽然在一所海濱別墅的窗口，看到裏面的婦女只以樹葉和小塊豹皮蔽體，男人也只圍獸皮，載歌載舞。原來這是美國僑民舉行的所謂「穴居人派對」。所請的一百名賓客，雖然多人因天氣惡劣而未到，但應邀而來的却玩得十分痛快。那二名保安隊員看到這種情形，即由司令官轉報馬拉加的軍事當局。但軍方認為沒有法律可以禁止這樣的舞會。因此並未採取行動。舞會的籌主完全不知道有人窺視，盡興而散。

可是當地却有一個攝影人員將舞會中所拍的照片加以公開，馬拉加的軍事總督沒收了這些照片，又由省長轉送馬德里，據說佛朗哥也曾親自查看。結果，默思因舉行「不道德性質」的宴會而被判罰款二百五十美元，四十名賓客也各被判罰款七十五元。

最近，美國大使館曾提出抗議，但無結果。於是默思和十餘名賓客只得聘請西班牙律師提出上訴。

一剪梅

・王沉裘・

做李易安體

節物相催暗自傷。纔過清明。又到重陽。西風吹皺綠波間。流演漣漪。恰似回腸。忽忽行迷坐若忘。鸞鏡驚衾。惹恨偏長。傷心明月倚闌干。往事沉思。無限淒涼。

金陵懷古

直到秣陵百事非。惟有殘霞。猶散餘暉。怒濤日夜打空城。燕子磯頭。雪浪千堆。王謝堂前乳燕歸。如說興亡。不見烏衣。南朝盛事付東流。依舊江南。草長鶯飛。

『一剪梅』調，前人均鄙之曰俗調，以南宋名家劉後邨，蔣竹山猶為之，腔調均俗不可耐也。因之此後詞家，均鄙視此調而不為，亦屬異聞。余謂調無所謂俗，詞則有油腔滑調者，後邨竹山好作油滑之詞，又不此調為然，所以他人讀之，覺得俗不可耐，欲作三日嘔吐；並非一剪梅為不可填之俗調也。倘其果為俗調，何以李易安為之，又千古推為絕唱耶？余此二闋，即做易安體者，雖則情韻不及；但如劉蔣輩之俗塵百斛，未知能幸免否？願與知音共參之。

自由人

THE FREEMAN

（第五一三期）

中華民國僑務委員會
執照登記證台教新字第一第二號
中華郵政台字第五〇〇號
執照登記爲第一期新聞紙類
（半週刊每星期三　六出版）
每份港幣壹毫
台北市售價台幣壹元
督印人：陳文華
地址：香港高士威道二十號四樓
3 rd. fl. 20 CAUSEWAY RD
HONG KONG
香港發行及事務接洽
高士打道66號　電話：七四〇五三
承印者：東南出版社
地址：高士打道六十四號
海外總經銷　友聯書報發行公司
台灣特派員辦事處
台北市館前街五十號
台灣總經銷處
台北市西寧南路壹零號二樓
台郵撥儲金戶九二五二

勗華僑新青年

為紀念華僑英雄林謀盛而作

李樸生

金時春先生自星加坡回國，送給我一張林謀盛同志紀念碑的照片，令我腦中浮起廿四年前和林謀盛同志相處沉重的回憶。

為抗日而流血的英雄

在抗戰前，我雖曾三到星馬，（星加坡，馬來亞）却沒有機會識到林謀盛同志。日本攻陷星馬，若干星馬各埠的反日僑胞，都回到抗戰的首都重慶。在這若干僑胞中，有一位年約三十歲，結實而比我稍高的身材；講話很少而極得要領；態度謙和，從不矜炫他在星馬對國家有什麼功績。但更不爭什麼名義。他他認爲一個國民應該做的事，應該盡的責任，無論是出力，出錢，他都不誇張，不辭讓，實事求是地比嘩啦嘩啦的人出力更多，出錢更多。這位就是林同志！我非常佩服他這種風格。每逢有關于華僑的重要問題，我們都歡喜向他請教。

我們一向是主張僑胞應該武裝起來，參加當地的抗戰的軍事序列，尤其是東南亞，已被日本佔領了。我們的祖先已爲開發這一個區域而流了很多的血汗，今日華僑青年就應該爲反攻日本軍閥而揮灑其熱血。況且英、荷的白種人，因皮膚，言語，生活習慣及土著民族的關係都極不易担任地下工作。惟我僑胞，因於（一）對抗日的同仇敵愾，（二）人數衆多，分布于各角落，各階層，（三）能操多種方言，有言語的便利，（四）知識與技能的水準，都適宜于担任這樣危險、秘密的工作。所以我們認爲應該組織華僑青年來担當這樣神聖的使命。但這樣有志的青年，不是用錢可以僱用得來的，唯有由於祖國偉大的愛國心的號召，纔可以鼓舞他們冒險犯難而無所躊躇。可是當時也有若干反對我們的意見。他們認爲——

（一）華僑只是爲賺錢，只懂「在商言商」。如果參加了政治性軍事性的事情，會引起華僑日後很多的麻煩；

（二）華僑就是華僑，不應替外國打仗流血；

——這兩個意見，當時也頗得支持，然而吳鐵城、林謀盛同志們在中國國民黨中央黨部，在華僑青年的羣衆中，都挺身而出，毅然與英政府合作，展開星馬的地下抗日工作。

林謀盛同志就因爲領導華僑青年，潛回馬來亞，貫徹抗日使命，在工作中犧牲！

現在我們紀念林同志，絕不會忘記他的重要助手忠勇奮發的莊惠泉先生。（現在星加坡）還有同他在印度努力工作的張彼德先生（現在台北），譚永昌先生（現在紐約），以及一班當日出生入死的青年朋友。所以這個林烈士的紀念碑，是中華民族的青年見義勇爲，愛人之愛，發揮中國存亡繼絕傳統的道德象徵。這是林烈士不朽的精神！也就是抗戰期中，所有仁人志士反侵略的精神結晶！

共產黨的陰謀策略

在這紀念碑前，我們希望僑胞從此明瞭世界當前的政治趨勢，把「在商言商」的自私算盤，騎牆觀望的中立主義一概拋棄，尤其俄帝是要實行「世界革命」，即是要征服世界，不爲奴隸，便爲仇敵，絕無中立可言。他們有種種的侵略組織，如：

（一）第三國際，是全世界的共黨總司令部，離操在莫斯科之手。

（二）某地區的情報局，是秉承莫斯科的命令，而分區指揮共黨的破壞活動。

（三）某地，某國的共黨組織，名稱可以不一樣，而以該地，該國的政黨姿態出現。

（四）民族統一戰線，即以共黨爲中心，聯合當地民族的各階層，及當地的各民族，以反殖民地主義爲號召的統一戰線。

（五）民主統一戰線，即以共黨爲中心，聯合在朝黨的反對派及反對在朝黨的各黨派及無黨派人士，以分贓式的「聯合政府」爲號召的統一戰線。

（六）民族與民主的統一戰線，即以共黨爲中心，以『民族獨立』，『聯合政府』爲號召的統一戰線。

僑胞決無中立可言

他們又採取（一）謀殺，（二）放火，（三）搶掠，（四）綁票，（五）敲打，等兇惡手段，作對個人的威脅；併煽動（一）罷工，（二）罷課等行動，造成社會的不安與恐怖，而以『和平共存』的笑臉來欺騙苟安旦夕、貪利忘義的政客，隨而于有利的時機，實行暴動，武裝叛亂，以顛覆當地的政權。尤其在東南亞的地區，華僑衆多，而由于當地政府的歧視華僑，虐待華僑，致有若干不滿現實的青年，發生不平的憎恨，就易成爲共黨的工具。而共黨利用僞造的大量鈔票及走私販毒的所得，加以俄國及中共使領館的掩護，派遣幹部，輸送槍械及宣傳品，都有種種利便。所以在東南亞的共黨聲勢與橫暴，很快就可以威脅着善良安分的人士，所謂『在商言商』，就是共黨要分化反共力量的團結，軟化商人，給他們穿了鼻子牽着走。這樣地給共黨牽着鼻子走，走到那裏？除了屠場之外，還有第二條路子嗎？中國大陸的商工業，不是在三反、五反之後，公私合營的羅套中，都進了屠場嗎？僑胞如不及時覺悟，及時勇敢地反抗，在未進入屠場以前，世界尚有正義可以援助，自由中國尚有力量可以支持。如果中立，就是解除自己的武裝，就是伸着頭頸進入屠場的聽候屠宰。中立是共黨滲透、分化、各個擊破以便奴役的戰略的陰謀，我們必要拆穿他，勇敢地起來反共！

英政策在舊圈子中走

我們還希望馬來亞的英國當局回想當我們對日抗戰最緊急的關頭，英國竟把滇緬公路封鎖了。爲的是日本在戰爭上已佔了優勢，現實的利害不能不計較，只有遷就強暴的要求，把中華民國的友誼犧牲。但強暴的要求沒有止境，還要突襲星馬，突襲香港。威爾士旗艦被炸沉，太平山被砲擊的時候，而這一個被封鎖了滇緬公路的國家，不記舊恨，劍及屨及，即挺身迅來鼓勵我們中華民國的青年，英勇地和英國並肩作戰，在香港，我們的青年流了血；在緬甸，我們的青年流了血；在星馬，我們的青年，流了血。

一直不顧成敗利鈍，共同奮鬥。及日本投降，我們從未提到任何利益的要求，我們從未有矜功伐能的意思，我們似乎是很傻，和美國的青年一樣，在各地犧牲流血而無領土的野心，無權利需索，只求反侵略成功，做了就算。現在，我們又看見這一個封鎖滇緬公路的國家，爲了「現實」而承認毛澤東政權了。但是現實的矛盾却顯現得更厲害，他們被迫着調動了數萬的軍隊，組訓了所有的居民在星馬剿殺毛澤東指揮下的徒衆！有若干愛護中華民國的僑胞，中國國民黨的黨員，又受着中華民國精神的鼓勵。（下轉第二版）

危機日重的中東

李加雪

艾登率領英國代表團和專家跑到美國和艾森豪威治商國際問題，議程的頭一件是中東。離國的時候，艾登對記者發表道，『中東問題是現在國際最嚴重的問題，中東戰事的觸發可能使整個世界發生爆炸』。以色列駐美大使艾寶對記者說道，『中東的戰事將於本年夏季前發動。』

十二萬人的勁旅

以色列這個國家到現在止只有八年的歷史。猶太民族想在中東復國，利用二次大戰的機會，在以色列故土大規模購買土地。以色列的民族領袖是果里安。德國擊敗了，果里安認爲復國的機會到了。一九四八年，果里安宣告以色列的獨立。那時以色列只有七十多萬人口，雖然秘密編練了些少軍隊，裝備奇劣，人數也不多。美國國務卿馬歇爾曾警告以色列說，他們的獨立是絕對沒有成功希望的。

果然埃及發動中東阿剌伯國家的五國聯軍，在五個不同的地方對着一個只有中國一縣大小的以色列攻擊。以色列的隊伍雖然是烏合，裏頭有幾百人是原日英軍第八師的戰士。以色列拿這幾百人做基幹，以編練隊伍和阿剌伯聯軍對抗。出人意外，以色列竟把十倍於己的五枝包圍敵軍擊敗了。後來聯合國主持以色列阿剌伯國家的停火協定，以色列遂於一九四八年冬正式成爲獨立國家。

戰事結束，以色列擴充了不少領土。果里安是一個有遠見的領袖，曉得只有武裝自衛才能夠保持以色列的生存。以色列只有一百萬的人口（現在增加到一百七十萬），阿剌伯國家僅是埃及便有二千二百萬人，連同其他敵對的四國在內人口總數達到四千萬，比較以色列多了好幾十倍。果里安積極編練防軍，五年以來編成一枝十二萬人的勁旅。人數雖然遠不及埃及和阿剌伯的盟軍，可是槍械銳利，訓練優良，能夠以少勝衆。

埃及志在復仇

阿剌伯盟軍被以色列擊敗了，埃及認爲那是國家的奇恥大辱。少壯軍人把戰敗歸罪王室和政客的作祟，於是納薩領導軍人放逐了王室，解散政黨，成立了一個由革命委員領導的政府。

納薩雖然好幾次聲明，『埃及不要戰爭。』可是年來埃及回教領袖却不斷宣傳發動神聖戰爭。他們認爲以色列搶奪了阿剌伯的土地，回教國家得發動宗教的神聖戰事把故土奪回。最近開羅大學的回教長老（回教最高的主持團體）發表宣言道，『信仰上天的宗教是反對搶劫的，規定被劫的東西應該歸還故主。謨罕默德說道，「保衛土地的人們是志士，因保衛國土而喪失生命的是烈士。」又上帝命令先知道，「把侵略者逐出。」驅逐侵略者是回教徒的神聖責任。』

蘇聯三管齊下

埃及的民氣激昂，要報復一九四八年戰敗的恥辱，設法在各地採購軍械。爲了保持中東的平衡，英美法訂定一種協定，限制軍火售出中東。埃及不能在西方購得軍械，憤恨無可伸洩。蘇聯利用這個機會對埃及三管齊下，在極短的兩月期間內改變了整個中東局勢。

埃及是回教國家。蘇聯的阿美尼亞民族也是回教信徒。蘇聯在國庫撥出款項，修復阿美尼亞的回教禮拜堂，主使亞美尼亞的教徒對中東廣播盛讚蘇聯對於回教的德政，說蘇聯是回教的樂園。其次，埃及唯一外銷物品的棉花滯銷，影響到人民生計。蘇聯主使中共，波蘭，和捷克大量採購埃棉。最後，蘇聯把足夠十萬軍隊的裝備售於埃及。

埃及因爲仇視以色列，友敵不分，接受蘇聯的援助。以色列自危，也向美國請求購械。中東這個火藥庫，火藥的堆積日有增加，眞有一觸即發的趨勢。

西方的對策如何

中東的局勢複雜達於極點，西方國家深感應付維艱，英國方面更是議論紛紜，莫衷一是。艾登這一次到華府的主題是中東，艾登認爲西方不能因爲納薩向蘇聯採購軍火，而放棄埃及。在將來六個月內，西方國家對於埃及應作大規模的軍事和經濟援助。艾登以爲西方的友誼可能誘使納薩加入巴格達公約，而同時使埃以兩國言歸於好。美國對於艾登的建議採取什麼態度呢？東西的冷戰會因爲中東而爆發成爲熱戰嗎？拭目而觀之可也。

漂亮的答覆

艾森豪答覆布爾加寧的信，是我們當代最漂亮的文件之一；答覆的迅速，尤爲明智。

艾森豪的答覆是漂亮的，同時又是誠實的。艾森豪表示出他對于和平眞正的關心，但指出「友誼合作不僅依賴條約承諾」，而必須有「事實表現」。至于布爾加寧「所建議的條約」，艾森豪說，「每一條款，在聯合國憲章裏，都很清晰的有所規定」。

不僅如此，艾森豪又表示出他對于和平的熱忱，但是，「不幸美國人民不得不痛苦地承認我們會晤後的情事，未能使他們的希望成爲事實。」而且，由于蘇俄「在世界若干地區」，「煽動歷史仇恨和敵意的行動」，「增加國際緊張」，因此，世界局勢才「進一步的惡化」了。

和平解放鐵幕

布爾加寧的信除了充滿宣傳與挑撥的字眼而外，其內容實際上是空無一物的。

反之，艾森豪的覆函却提出了四點具體意見：

一、迅速採取統一德國的步驟；

二、德東人民有選擇政制之自由；

三、美蘇互相視察軍備；

四、美蘇自由交換新聞，知識，訪問及見解。

這四點意見，不管他的現實意義如何，但在基本精神上，他比布爾加寧的分贓式的想法，其建設性與境界，不知要高到多少倍了。

這四點意見中的任何一項，都不是今天俄共所能接受的。因此，艾森豪的答覆，在莫斯科的報紙中，不敢隻字提及。

時事評述

司馬璐

請君入甕

布爾加寧說：我們「互不侵犯」，要「友好」，要做「朋友」。

艾森豪說：好，但是「空談」是不行的，必須要看「行動」，既要「友好」，就請你打開門做「朋友」吧。

我們知道，鐵幕國家最主要的武器就是，他的門是關不得的，否則的話，鐵幕內的人民就眞的要「和平解放」了。布爾加寧的「密函」，本來陰謀替艾．艾會談佈置好一個陷阱，現在經過艾森豪這一反擊，變成「請君入甕」。俄共宣傳之拙劣，這回要算是失敗最慘了。

游擊戰艾．艾

布爾加寧玩的是一套；華沙公約國的軍事會議玩的又是一套，那是一個充滿火藥氣味的會議。

在那個會議中，莫洛托夫發表了威脅性的演說，強調目前的「戰爭危機」。

在那個會議中，蘇俄又強調了以原子武器裝備他的東歐附庸國的軍隊。

在那個會議中，又「通過」了東德部隊的參加。

同時，周恩來又發表了一篇恫嚇性的演說。

在這篇演說中，周恩來提出：

一、必要時用武力「解放」台灣，但又強調「和平解放」。

二、要求簽訂一個包括美國在內的太平洋地區普遍性的互不侵犯公約。

三、要求重開日內瓦會議，解決越南問題。

周恩來這一演說的作用，其基調和布爾加寧的函件是一樣的。因此，他的作用是：布爾加寧，華沙會議，周恩來，三路配合擾亂艾．艾會議，游擊戰艾．艾。

這一回，英國方面的反應，一則說「担心」，二則說要「慎重考慮」。這些紳士們，眞是神經太衰弱了。

蕭軍健在！反共不屈！

以一死拉倒的決心寫三十萬字的控訴

李金璞

一九四七年，蕭軍在東北辦「文化報」，他雖是左翼的文化人，但他畢竟是中國人。他看不順眼俄國人在中國土地上的囂張，更瞧不起中共的卑顏無恥，因此在「文化報」來加以諷喝攻擊。爲期約一年，終爲中共加以清算，並受到了長期的勞動改造。

在當時，蕭軍事件和不久前的胡風事件同樣地震撼着中共的統治階層，其影響也是不小的。——作者——

（本報專稿）蕭軍又出現了！但這不是他的幽靈，而確是他自己。

他出現在這個時候——正當胡風事件過去不久；又恰值在中共大夾進入「社會主義」的現在，但却仍是以他那不屈的戰鬥姿態出現。而且還比以前來得更鋒利，更尖銳。更有意義的是，表現他還活着！表現他還艱苦地活着！是爲了「仍然是站在與（共）黨對立的方面」！

他這次再度出現，是在他經過了長期的「勞動改造」之後，他把幾年來從「勞動改造」中證驗到的辛酸、若辣，藉着他的「五月的鑛山」一書，在羣衆面前，再度控訴了中國共產黨！

他要讓人民拿他所寫的事實和「黨」的宣傳來作比較；他要讓人民知道，究竟是他錯了？還是「黨」「錯」了？應該改造是他呢？還是「黨」？

逃不過五把刀子

「五月的礦山」—，是不久以前在匪區出版的一本三十萬字的新小說。（照現在的情況來推斷，這本書是大爲在東北境內流行過，或許是由中共的東北出版系統印行的。海外未見發行——編者注。）背景是東北一個最大的露天煤礦，（按：所指釋該是撫順煤礦——同上。）故事則是取材於他幾年中的改造生活。

由於他是以悲憤的心情和抱定了「死了「拉倒」的決心下筆的。所以在「五月的礦山」裏，暴露了許多礦上黑暗的，令人讀來辛酸的實情。

他未嘗不知這樣寫，必然是違反「毛澤東文藝路綫」的，而且有被再度清算的可能。所以在該書的寫作技巧上是下了功夫的，能不容易地逃過審查出版，但却終於逃不掉北平的那班「馬列」和「老爺」們手裏的五把刀子！

於是，他再度被中共抽筋剝皮，拆骨碎屍地加以審判！

揭露錯誤和醜態

我們何幸，竟能在中共的一九五五年第十四號「文藝報」和一九五六年第一期的「文藝學習」上，看到蕭軍對中共一貫地反共黨和譏刺他控訴共黨的聲音。

照「文習」（即「文藝學習」，以下同。）上的批評，蕭軍寫這本書的目的，「是揭露我們工作中的錯誤和醜態」；更重要的一點是，「爲了告訴讀者：你們看吧，共產黨原來是如此呀！我們爲什麼要跟着他跑呢？」

照「文藝報」的說法，則是「借着工人的嘴，蕭軍苦心琢磨出來的惡罵」，是「對工人階級和它的政黨的歪曲和誣蔑」！

而上述兩個刊物却同聲地指出他，並沒有在煤礦中獲得了經長期勞動改造應有的預期效果。「文習」則更說他這本書乃是他蓄意把他一九四七年寫的一篇「新年獻詞」裏給共產黨套上的一百廿五個主義（包括：什麼不要臉主義，空想做夢主義、拍馬吹牛主義、吊兒郎當主義、仗勢欺人主義、貓哭老鼠主義，尾巴主義……等等），在現在用另一種藝術的形式，下了註腳。

這就反映出今日的蕭軍在經過勞改之後，反「黨」的戰鬥藝術更技巧了。

一貫地反蘇反共

「一九四七年，蕭軍在東北辦「文化報」，通過這個報紙，他惡毒地誣衊蘇聯並攻擊中國共產黨」，現在呢？他還是照舊「攻擊」，照舊「誣衊」！而且藝術形式更提高了一步。

蕭軍究竟如何透過「五月的礦場」來對中共嬉笑怒罵加以痛詆的呢？大抵可以分作三個部門看：

一是暴露撫順露天煤礦現場事實，從這裏反映出共黨幹部的無恥、低能、荒淫、好色、腐化而又官僚。因此，表現在對待工人上的就是欺騙、迫害。在這方面蕭軍形容他們是一批「白吃飽」；說他們對待工人是假慈悲，屬於「貓哭老鼠主義」。

一是透過了書中幾個主角人物，反映出他自己對中共的憎恨，和單求一死的厭世心情。他恨不能把礦場上的電鑽機變成一門大砲，對準敵人。他固是希望「一死拉倒」，但他更企求「——全毀滅了罷！連我自己，……！」

否定中共的領導

而更重要的一點，則該是全書的精華，他寫出了工人對中共的絕望；寫出了礦上不斷發生事故，因而造成死亡，乃是爲「共產黨幹部間接害死的」！在工人的眼裏，「共產黨幹部不過是天下烏鴉一般黑」！

他更毫不留情地揭穿了生活競賽的黑幕，和在被迫害中，工人家庭裏發生的幾幕悲劇，以及工人因參加生產競賽，以至歇斯底里。

在蕭軍實際的勞改生活中，他體驗到，並不是共產黨在領導什麼生產。因此，「文習」的批評裏特別指出，「在五月的礦山」中貫穿着一個極反動的觀點：「即工人階級是偉大的，共產黨領導生產却是不行的。」這是蕭軍用筆對中共領導作堅決否定的表現。

以上這些，可看作是「五月礦山」一書中縱的一面。再讀我們從橫的一面來看他所表露出來的另一些事實。（上）

台灣通訊

金馬的教育問題

王斌

（台北通訊）金門、馬祖是反共最前哨的兩個島嶼，軍事高於一切。固爲必然，但還有一項不下於軍事同等重要之所謂教育問題，却是值得政府教育主管當局注意的。

金馬教育概況

金馬昔日均爲貧之荒涼之地，居民多以捕魚爲生，既無建設，因也談不上教育與文化，居民大多數都是文盲。

自從三十八年秋國軍退守此島後，在戰士們不斷的開墾經營下，面目已完全改觀了。歷年的經營建設，其中表現在教育與文化上的該是一件值得大書而特書的事。

金門現有一座福建省立金門中學（包括有高初中及簡易師範），單這一所中學就有學生七百餘名。另外在金門全縣的五十三個行政村落中，並設有四十六所國民學校，全部學生約計爲六千六百八十人，入學兒童的比例數，約佔百分之八十強。

馬祖號稱列島，面積的總和遠比金門爲大，在目前的行政組織上，已設有連江、長樂、羅源三縣。但教育則不及金門發達。總計連江縣設有國民學校四所，分校十所，學生九百九十人；長樂縣設有國民學校兩所；學生有二百八十人；羅源縣祗有一所國民學校，全校學生僅七十人。此外在最近才成立了幾所成人婦女班，推行識字教育。

由於金馬孤懸前綫，交通不便，更兼居民都是在戰爭中生活，有許多地方，完全須賴台灣的源源補給，因此學校的設備就談不上完善。經費的困難，不但阻礙了教育之推展，而且更帶來了師資的缺乏。師資問題成爲當地熱心教育人士的一大苦惱，既不能自行到台灣去聘請。而最高教育機構也不能隨便派遣教師，其最後得以解決此難題者，賴國軍中許多智識學術水準甚高的官兵們自動樂于兼課，贊助展開掃除文盲工作。但仍有一個很嚴重的問題，使金、馬教育主管不勝困惱的，就是學生們畢業後的升學問題。

升學就業兩不易

金門有四十六所國民學校，每年畢業學生人數約在八百名左右，但只有一所中學，最多能招收六百名學生。金門中學每學期高中畢業生約在百名以上，即一年中有兩百名左右的畢業生。此批學生畢業後又將如何？升學嗎？遠隔台灣百餘海哩，同時大部份都是農家子弟，要自備川資遠赴台灣投考大專是不可能的，就業嗎？身無一技之長！雖然最高教育當局也曾有命令規定，每學期各大專院校留五至十名名額給金門中學的優秀生免試入學，但這究竟是祗能解決少數幾人的問題，而不能解決整個問題。

馬祖學生畢業，升學問題尤爲困難。因馬祖交通更爲不便，小學生畢業生前往金門中學，困難也多，尤其在這海峽風雲日趨緊張的局勢中，馬祖國校畢業生往金門投考中學，其困難有如金門高中畢業生到台灣投考大專是一樣的。

金、馬是前哨島嶼，軍事高於一切，但政府既決定確保金馬，則教育的改進，問題是實在值得注意的。

據說最高教育當局也曾派員專赴二地作過實地勘察，但尚未見有大的興革。就目前論，無論是兩地的教育主持人及學生，最關心而亦最感苦惱的就是升學問題。金、馬學生何處去？有待最高教育當局來答覆了。

阿剌伯之音

埃及的反西方宣傳工具

·馮新譯·

一個新的聲音，正以日益增長的力量與影響力召喚阿剌伯人。它號召他們爲自由而鬥爭，擺脫帝國主義與殖民主義的羈絆，並拒絕與阿剌伯世界之外任何國家締結聯盟。

這個新聲音稱爲「阿剌伯之音」，其效率已引起西方國家的注意與驚奇。它每天由開羅以中波及短波廣播五小時，所用語言，是現代化的文雅阿剌伯語，從非洲的阿爾及利亞到烏干達，從中東的伊拉克到阿拉比亞南端的遙遠土酋統治區，所有阿剌伯人都能聽到，且能了解。

阿剌伯之音，正迅速成爲這廣大地區內影響力最大的宣傳工具。這一地區本身，近來亦已成爲東西鬥爭中的新「戰場」。

阿剌伯之音的工作人員，是十四名埃及人，他們的工作地點，是附設於埃及國營廣播公司大廈。雖然它的新聞及政治評論從不越出納撒總理的政策，埃及政府官員與電台當局都極力表示，這機構並不受開羅官方所控制。

這電台的廣播，已引起美國務院、英法外交部向埃及政府提出抗議，最近甚至埃及的姊妹國伊拉克及約但也正式表示不滿。

阿剌伯之音最近數月來一直鼓勵埃及對巴格達公約的激烈反對。它的廣播特別要求約但人民誓死反抗英國促使該國參加巴格達聯盟的壓力。約但先後二任政府，就因爲準備接受英國的勸告而被暴動所推翻。直到利費政府成立，堅決保證不參加任何外國同盟之後，暴動才告平息。

約但和西方觀察家都在這次暴動中發現一項異乎尋常的事實，這是：暴動同時爆發於全國各地，就是在缺乏交通及通訊設備的遙遠城鎮，也同時與首都發生暴動。安曼舊派經驗的政治領袖都說，他們並未與遙遠地區人民取得聯絡，這些地區人民聽到了阿剌伯之音廣播了……約但新總理利費，立即加以譴責。並非埃及之敵，甚至還獲得開羅的熱烈讚揚，但他也不得不要求埃及限制阿剌伯之音的論調，可是埃及却反而要求約但政府停止干擾開羅廣播。

阿剌伯之音，且極力向突尼西亞、摩洛哥、及阿爾及利亞人民鼓吹「解放」及反抗殖民主義。這電台已成了這些地區中反抗法國統治的民族主義勢力傳聲筒。

阿剌伯之音十月前曾發表一次廣播，指責美國與英國合作，企圖壓迫阿剌伯國家與以色列達成某種協議，結果國務院向開羅政府提出抗議。雖然阿剌伯之音當局說，他們的新聞、政治評論、及特別節目，都祗以阿剌伯語廣播，並不採用阿剌伯世界中種類繁多的地方語言，但他們也承認，有些廣播，仍由埃及國家電台翻譯成地方語言，加以轉播。（上）

勗華僑新青年

新時代的啓示

（上接第一版）在部隊上，在情報上，在宣傳上和英國及馬來亞的軍民並肩作戰！我們又像是很覺！

但我們華僑青年覺得奇怪的是那自負聰明、不傻的英國人，他們科學的智識，已進到原子能的新時代，爲什麼他們的政治思想，外交思想，却仍在第二次世界大戰前的老圈子裏團團轉？更奇怪的是邱吉爾先生在他的大著第二次世界大戰回憶錄，他抨擊英國簽訂英德海軍協定，是成了「德國違約的同謀者！」他慨息國際聯合會對意國制裁的畏縮，是鼓勵了德國與日本向外擴張的決心！他又極惋惜德國向萊茵河進兵時，法國沒有克里蒙梭與布瓦因加勒一流的大政治家，以強硬的態度，遏止希德勒的『偷雞』政策。然而今日英國對國際事務的處理，却完全沒有邱吉爾不畏強暴的光彩，而只見向強暴低頭的張伯倫的幽靈全籠罩了唐寧街。他主張聯合國對俄帝及共匪的制裁，一如國際聯盟對德意日之姑息。甚且助紂爲虐，認爲中華民國的反共不屈，有不便于共產帝國主義的侵略日程，要做俄帝的幫兇，在歷史上，凡是政治的智慧，政治的道德，拋落在物質與武器進步之後的，常釀成人類極大的悲劇。但我們今日不是要和華僑青年研究這個大問題，我們是希望華僑青年對着林同志這個紀念碑，得到一個時代的啓示。

華僑青年的新模範

我常想一個華僑青年，或祖籍中國的青年，是要：

（一）左手取得一張選舉票，能夠對國家的立法，社會的福利有法律上正式的發言權；

（二）右手緊得起一根槍，能夠參加當地反侵略，反新殖民地主義的保衛戰；

（三）頭腦要接受科學的洗禮，對其農工商業的經營，有新的認識與技術；

（四）心理不忘記中國文化在人類前途的關係，以進大同世爲崇高的理想。

林謀盛同志應是我們華僑青年一個新的模範，新的英雄！

西德工會閃電行動

取締共黨份子

最近，西德哈丁根的工會學校一個教室裏舉行了一次秘密會議，一個青年人發施了幾道命令後，大家即跳入汽車，分向魯爾工業區的九個城市出發。第二天清晨八時，九個人分別率領一小批助手，闖入這九個城市的北萊茵及西馬利亞建築工會支會，將辦事處和檔案間加以控制。

等工會職員前來辦公時，這些人客氣地對他們說，支會已告解散，他們可以回家去等消息。職員們自然大感驚異，其中十五人立即接到開除通知，這些人都是共產黨徒。

建築業工會是西德最重要的工會之一，有會員四十萬另八千人。其全國總會早已獲得證據，可證明共黨份子滲入各支部，從事破壞活動。經過這次行動後，總會人員更在各支會檔案中找到進一步的證據，例如共黨職員如何脅迫曾參加過共黨的會員再入共黨，他們如何與蘇俄及東德保持非法聯絡；如何籌備在魯爾舉行一次由共黨主辦的建築工人會議；以及如何利用工會基金從事共黨活動。

這次建築工會整肅共黨份子的閃電行動，可以反映西德已明瞭共黨滲透活動的嚴重。共黨雖然在選舉中全軍盡墨（在上屆國會選舉中已喪失了僅剩的十四席）；但他們已深入滲透各工會。因此，建築工會的行動，備受各方讚揚，不論是政府、社會黨、工會及工業家都予喝采。認爲工會當局之斷然取締共黨必能引起全國性的影響，使其他方面也羣起倣效。

周瑞祺擬招聘香港教員人才

馬來亞掀起抗議浪潮

所提理由香港教育界認爲費解

最近曾經訪問香港的新加坡教育司周瑞祺返星後，因爲透露了準備在香港招聘教員和視學官的計劃，曾引起馬來亞聯邦公務員聯會和輿論的鼓噪。

一場風波方興未艾

最初提出反對的是擁有萬餘會員的聯邦公務員聯會，當周瑞祺尚未正式宣佈這一個計劃前，他們即開始反對，因爲他們從報章上獲悉周瑞祺在香港接見教師的消息，使他們懷疑周氏準備在香港大量聘請華校教員。接着星洲頗有勢力的「海峽時報」亦著論響應，抨擊周氏的不當，雖然周氏透露他的計劃不過是聘請若干視學官而已，但國亦被指摘認此舉亦有蔑視星洲人材之嫌。目前這一個風波尚在開始。於周氏對既定的計劃並未有改變的準備，同時，有八名外國籍的專家，已在赴星途中。

雖然，迄現在爲止，香港對此一事件所獲得的消息並不完全，但是此間教育界一部份人士已認爲星洲的反對。並不能使人同情。

反對目的令人懷疑

首先使人懷疑的，是星洲公務員聯會反對在香港聘用教師的目的。他們目前所持的理由，是不十分充足的，據一位香港教育工作者說，第一是星洲的公務員聯會，初已誤會了周瑞祺需要在港聘用的是視學官，而非一般性的華校教員，事理非常明顯，一直到周氏透露所欲聘用的祇是少數的視學官時，提出反對者仍一貫堅持其立場。其最終的目的，祇是不欲任何來自香港的教育工作者入口而已。

第二，我們不知道星洲是不是有適量的師範學校存在，但可以肯定的，星洲的中文水準以至一般教育水平，皆較香港爲低，負責星洲教育行政教育司的周瑞祺在香港聘用教育專材的目標，是在於提高師資的水準，間接提高一般學生的教育水準，用意是非常良佳的，實在沒有什麼可以反對的理由。

嚴重抗議小題大做

雖然聯邦公務員委員指出在香港聘用人材將使人誤會聯邦人材的缺乏已到了「可怖的程度」，同時，按照公務員敘用條例規定，倘若當地並無此種人材時，則政府向別處物色並無不合，但這次星洲聘用是學官不首先在星公開招聘，而在香港進行招聘，當屬於例不合。

固然，周瑞祺這一次可能忽略了這一點，而招致他人抨擊，但是以如此嚴重的態度來提出抗議，則亦難免小題大做。香港人士指出，香港和星洲在星洲未完成自治時，亦同屬英國的殖民地，彼此的教育制度和一切並無顯著的不同，如果香港的人材被公開認爲較星洲爲優秀，星洲是應該表示歡迎香港的人才的。香港政府每年以萬計的英鎊培植各方面專門人材，這是基於政府了解專門人材是推進社會的主要動力，專門人材的難得與應予造就，是每個人所熟知的事，如果香港的專門人材願意前往星洲，星洲當感歡迎之不暇，沒有理由拒絕，何況師資人材更不同於其他專門學問，它足以影響百數十萬下一代的幸福與前途。

香港人才不感興趣

在香港而言，一個獲得政府認准的合格師資或視學官，他們都能得到相當優良的待遇和安定的生活，如果不是「重金禮聘」，他們豈肯輕率離去。假如到達星洲而遭受到歧視，在他們看來，自屬相當遺憾。

一般瞭解目前星洲教育現象的人士都表示，如果不是抱着破釜沉舟態度，以教育爲己任的人，是不欲前往的，如衆所週知，星洲許多中等華校都操縱在中共之手，如中正中學，學生在其教師的煽動之下，多盲目地同情共黨，最近的幾次學潮，百分之五十以上華校學生均參預其間，雖然他們祇是受着一時的蒙蔽，但如果要從中共手裏把他們拖回來，那實在是一件相當費時而且需要極大勇氣與毅力的工作。

在星洲，不同情共黨和其同路人者，都會被目爲親自由中國的人，尤其是來自香港的中國人，更容易被一般左傾份子指爲是國民黨的忠貞者，固然絕大多數人不會相信這一種幼稚的說法，但從事教育工作者經常所接觸的人，往往就是這一類人。因此，要一個在香港已有優良待遇和安定生活的人在這種環境下工作，且獲得進展，已是一件困難的事，更何況一開始即遭受到歧視和反對。

牽涉政治因素？

這次星洲反對香港教育工作者入境的真正原因何在？這是每一個關心的人同感迷惘的，據本港教師會的人士表示，他們也不能瞭解這一問題的內情，事實上，香港現任教育工作者，對星洲方面的招聘，不會感到很大的興趣，在某種意義上言，香港正在擴展中的教育計劃，對師資還感到需求，一個本港合格師資，尤其是有視學官資格的教育工作者，他們不很可能放棄現有的職務。如果在香港尚未獲得合法資格的教育工作者，則他們赴星的條件又比較困難。因此，他們並不知道星洲教育司周瑞祺究竟在香港物色了那些教育工作者，要是周瑞祺此行能夠使在此間未能獲得適當安置的人在星洲獲致安插，這是一種兩全其美的政策，不單星洲政府要同情與支持周氏的計劃，而香港政府本身亦應加以協助。

本港的教育界人士也表示意見，以爲星洲甚至其他地區如果來香港物色教員或其他高級教育工作者，並不是一件値得驚訝的事，因爲年來香港的師資已達到了一個相當高的水平，一方面是基於香港政府方面對師範教育質素的提高，包括了師資訓練班，師範學院的擴大招生和重視私立學院的教育系學生等，另一方面是大陸流亡來港的教育人材和知識份子，這些都是値得香港以外地區人士所重視的。因此他們認爲星洲這次歧視香港教育人才入境是沒有充份理由的，而且，目前在星洲教育界服務的絕大部份爲華僑，而周瑞祺所計劃招聘的亦爲本港華僑，他們爲什麽要反對中國人呢？這實在是很非解的。難道又牽涉到某種政治因素嗎？

海外通訊

日兩大黨相互排斥 共黨乘機從容活動

文教新聞界瀰漫左傾風氣

固有社會基礎受嚴重威脅

（本報東京特稿）記者對于戰後日本的前途，從來不表示無限度的悲觀，但是始終認爲可慮。可慮的是，日本的傳統社會基礎因逐漸遭受共黨腐蝕，共能否避免爲共黨動搖，實難斷言。

第二次大戰後的日本，與第一次大戰後的德國，有很多地方相同，也有很多地方不同。相同的是：國勢凌夷，經濟衰頹，生活困難，失業增加。

相異的：則有以下諸端可資闡述：

第一是政黨基礎　當年德國的政黨，除保守各黨不計外（例如國性民黨，國民黨，中央黨，民主黨）就是左派各黨，如社會民主黨，獨立社會民主黨，不僅沒得一個願作共產黨的傀儡，並且仇視共產黨不下于猶太人。何以故，因爲德國各黨在社會上均有堅强的基礎，絕不是共產主義的邪說，可以動搖。

第二文化基礎　自俾士馬元以來，德國的文化思潮，就建築在反共產主義之上。所以德國當時革命後的二十三個大學，皆在反共的大將之手，縱然教授中也有少數左傾的人，最多只至助教爲止。決無一個大學教授甘爲共黨搖旗吶喊者。至于兩三千種出版物，也從來沒有替共產黨作應聲虫的。但今天的日本，則兩個具有歷史性的大學，（東大和西大）教授幾乎不戴紅帽子，也要介紹毛澤東的新民主主義，否則無法進去，即使進去了，也無法長久立足。此外像朝日新聞等三大報紙，和中央公論，文藝春秋，等四大雜誌，也幾乎對凡不叫「列甯上帝」，「史達林萬歲」，或者稱道「毛澤東天亶聰明」，「周恩來是耶蘇再世」等出賣人格的文字，也絕不會採用登載的你。

第三共黨活動　就今天日共的活動和其黨綜的情勢論，這也却比當年爲進步，尤其是在「中共」成功以後，日共幾已把從前一套戰略戰術，完全應用于日本，這在中國人見了，眞是不寒而慄，可是在日本人呢，多數人忙于自己生活，却無暇過問「反共」閑事。雖不乏明智之士在政治上社會上看得到這一點，可是他們總是覺得無法應付。舉例來說，現在幾十萬人的教員組合，和幾百萬人的勞動組合，通通把持在日共手裏，政府簡直是一籌莫展，坐視其作肆無忌憚的擾亂活動。

從日共處心積慮着力於社會活動，組織羣衆這點來看，顯然是想藉此以控制社會基層組織。

至於右翼政黨呢，似乎對社會活動不屑一顧，而儘可在政治紛擾中爲些許現實利益你爭我奪，搞到烏烟瘴氣！

然而再作進一步來觀察，屬於左翼的社會黨，如果能以日本國家利益爲重的話，日共的活動就不至於會像現在如此氣勢凌人，日共之所以能表現出其煞有介事之氣勢，完全是依仗了社會黨在日本社會上那部份號召力。眞正地來說，日本大多數的人民對當前政治不滿，經濟若無出路，怨恨難免，但若謂這些人都全信仰共產主義，則亦爲言過其實。無奈社會黨人自以爲是「前進」份子，處處表現與右翼保守黨勢不妥協，遂使日共在兩大黨的矛盾中得以從容地踏步前進。

因此，設非社會黨能適可而止，日本的社會基礎，必將因共黨利用經濟貧窮和政治紊亂，擴大腐蝕的結果而發生根本的動搖。（一月廿二日寄）

•安世•

新書介

辛魚及「擷星錄」

台北藍星詩社出版

辛魚是自由中國國內年青的幾位詩人中的一位。他寫詩的歷史，不過短短十年，正正式式應該是在卅五年才開始，他最初的筆名是「洪野」，大約卅七年間改名「太璧」，四〇年以後才改名「辛魚」。

廿世紀的五十年代，中國年輕一代的詩人都是飽經苦難的。辛魚亦是免不了苦難的煎熬，讀者可以從他的詩章裏體味到。

他生於一個式微的家庭，有一位受過高等教育的父親，然而却沒有讓他好好地讀完一個學校。他是靠自己進修才得有現在的成績。他曾響應神聖的號召參加抗日救亡的青年從軍，直至抗日勝利後才離開救亡的行列，卅五年來台，在某公司覓到一席極低的職位，而從事詩的寫作亦於此時開始。

× × ×

青年軍的一段戎馬生涯，充實了辛魚不少的生活經驗，亦滋潤了他的詩的內容，但是辛魚亦和一般成名的作家一樣，不是生來就是擅於寫詩，而是從不斷的捶煉中得來。

他投寄給報社發表的作品，時常遭到退稿，並接受了不少的教訓。記得在卅六年，他曾投寄一篇作品到某報副刊去，結果給副刊編者先生退回，並且附了一封長信給辛魚教訓了他一頓。信裏有一句話：「詩的語句最洗鍊，詩的技巧最難運用」，並暗示辛魚不必苦苦學習寫詩。可是，辛魚並沒改變他寫詩的愛好，反而更努力於詩的寫作，並盡力洗鍊詩的語句與運用詩的技巧。

擷星錄的刊行，是辛魚的處女作，亦即是他十年來對於詩的耕耘的第一個結果，可是擷星錄却找不到一篇卅九年以前的作品，統是卅九年以後和近期作品，或許他認爲前期作品不如後期作品的成熟吧。可是我却認爲前期作品許多都是很好的，後期作品——「擷星錄」——大都是抒情的詩作，不但領域狹小，而且缺乏戰鬥性。但這似乎又是自由中國文藝界現存的一種普遍頹風。

× × ×

我不想說擷星錄是本一無疵的詩集，但它却是可以一讀的詩作，因爲他的作品都是一點一滴的累積，都是通過了「冷酷」的編者的挑剔選擇而先後發表於報章副刊的。擷星錄也沒有請一些所謂「專家」「前輩」們作戟綵式的捧場，他是靜悄悄的創作，靜悄悄的與讀者見面，這是辛魚獨有所恃的個性，亦是他用以塑造他的詩篇的個性。

•于飛•

階級仇恨禍延後代

一個共產黨青年團的女團員——丁俊（供職於縣糧食局），嫁給了一個做供銷合作社的副主任——張利民，他們都是所謂中共的「革命幹部」，都有一套假冒僞善的本領。因此對待前妻所生的孩子用盡了獸性的虐待。她使用中共迫害老百姓的方式來對待他，拿他當牛馬樣使喚，並且背着人鞭打他，既不給他吃飽，還要讓他受凍。天氣雖然很冷，孩子穿的還是單衣。髒了，只能在有太陽的中午脫下來洗，必須裸身待乾後才有得穿。這是極少見到的後娘虐待前妻子女的方法。但在當着別人的面時，這後娘却裝作愛護備至。

她爲什麼如此對待他呢？這已經不能以一般後娘嫉視前妻的常情來解釋了，因爲她是以「階級仇恨」來對待這孩子的！唯一的理由是，這個孩子的母親是出自「資產階級地主」的家庭。雖然她已死了，但共產黨的制度和這個共青團員的後母，却還是不放過他！

（按：本文所述的事實發生在安徽省繁昌縣，插圖原載中共出版的一九五六年第二期「中國青年」雜誌。）

編者讀者

△黃瓊先生來函：此間許多人愛讀「自由人」，因貴刊能言人所想言，而又不能言者故也。……此間「自由人」銷路很不錯，這是你們和許多寫作的先生辛勞的收穫。我覺得人是易耽於安樂，而又愛聽好話的。這樣，久而久之，會變成麻木不仁，暮氣沉沉的。故必須要有輿論不斷的刺激督勸，雖然有些人會因此感覺刺痛，或厭煩。但必須如此，才能使大家提高警覺。……我覺得我們在此間的人，現在許多太安逸了，現在需要多些刺激批評，像暮鼓晨鐘一樣的繼續響着，才可以振奮人心，貴刊的任務便在於此……讀者黃瓊一月廿日台北市。

△楊力行，余偉韜，劍朋，彭遜民，劉靈如，覃清，刁抱石，陳雪英，諸先生：惠稿均收到，謝謝。

自由談

第四種戰術

所謂第四種戰術，是指一個國家的生存鬥爭，除政治、經濟、外交這三種必要的戰術外，還有宣傳戰亦同等重要，不可稍予忽視，掉以輕心！然而，我們對於政治、經濟、外交的戰略戰術，現時皆已較前進步了，唯有宣傳戰這一項，似乎依然是吳下阿蒙，很少改進。基本原因固然是大家對這問題不甚重視，有如一般過去軍人對於政工問題的心情然，認為政工的作用只是貼標語，喊口號，散傳單而已。宣傳戰關係之鉅大，技術之繁難，雖萬言書亦未可盡其說。但有幾點卑之無甚高論的常識原則，必須切實遵守，否則沒有不失敗的。

第一，宣傳對象是以外在的社會大衆為中心，要使一般含有敵意的，懷有疑問的，以及意志不堅定的羣衆們，都受着宣傳的影響，自然而然地產生向心力，直接間接，為我所用。如果以對內為主，結果未有不成為官文書，而僅可孤芳自賞的！

第二，宣傳工作需要高度的智慧和技能，不是任何人皆可以勝任的。把宣傳事業看成幹「等因奉此」的普通公務一樣，隨便甚末人都濫竽其間，不知宣傳為何事的官僚，初中學生程度的知識份子，亦教他從事宣傳戰役，那就無異驅市人於戰場之上，其不僨事敗績者，未之有也！

第三，宣傳事業一定是消耗戰，害怕消耗財力物力，一是皆以生意經為本，那就不是宣傳工作，乃係商業行為，是私人以營利為目的的刊物，而非為着政治作用的宣傳戰，大可不必多此一舉。

這三點毛病都是第四種戰術的致命傷，有一於此，即無戰功可言，兼而有之，必卜一敗塗地，可不懼哉！

馬五先生

記蜀中遺老趙堯生

夢山樓

趙氏姓名，並不陌上，而且，去今不遠，故其流風遺著，更易為人所習聞習見的。他名熙，字堯生，別署香宋，四川榮縣人，清庚寅進士，由翰林院編修轉江西道監察御史，晚年歸里，為蜀中五老七賢之一。他最惹當世注意的是奏劾郵傳部尚書盛宣懷借款賣路一案，因此直聲震動朝野。迨至清政府垮台，他先至杭州避居，後又回榮縣故里，從此閉門不與聞時事了。有時遊山尋勝，有時作詩寫字，不過借以消磨歲月而已。

以古人心　交當世士

清季詩人，據說詩才最捷者，當推樊樊山、易實甫，但對他還要退讓一籌呢！梁任公在日本亡命時，和他通信，向他學詩，贈他長謠一首，內有：『……我以古人心，納交當世士，夙慕蜀多才，捧手得數子。……趙侯蜀中鶴，軒軒抗高志。名節礪廉隅，藝林厚根柢。峨眉從西來，去天尺有咫。終古孕冰雪，元氣還象緯。詩摭少陵律，筆摩昌黎蠡。……』之句，任公譽人之作，如此懇摯者，恐不多見，也可見他對趙氏是十分推重的。

追數一生　仁者為難

堯生的詩，工力渾深，不分宗派，純任自然，做得快，做得好，各體都有，直有抉天心，探池府之奇，見之者，莫不以為從苦吟中得來，其實皆脫口而出，並不加以鍛鍊的。他嘗說：『三十以前學詩，三十後顓治小學古文，年近五十又學詩。文章高下之境，一一懸量胸中，求以自立，乃知世之論逐虛聲者，政匱若海也。有知以來，荷交海內通人，其性好大都不一，今老矣，追數一生聞見，仍以仁者為難。……』他晚年以滿清遺老身份，優遊蜀中，為婦孺皆知的有學問，有道德，有地位的人物。就是一般跋扈軍人，也還有尊賢敬老的表示。有一年川中內爭，他所居之地，各方軍人，均儘量避免打擾。漢末，大儒鄭康成的住處，黃巾賊都相戒不敢入，不圖又重見於今日呢！

老去流光　紅樹經霜

他平時所做的詩很多，但至今還未見有全集黛印，僅就日常留心所見到的錄出幾首：他有詠飛機云：『非關玉貌坐重闈，湘士尋戈孰是非？也羨山鄉開眼福，蜻蜓小影半空飛。』詠鄉宅云：『老去臨池不習書，水清石上果無魚，置身一畝揚雲宅，天遺青山奉起居。』他有寄贈友人的兩絕云：『一札因風省白娛，故人漂泊尚天涯。楓橋小泊瀟瀟雨，老去流光到夕陽。』『花舊年紅樹幾經霜？雲頭青雀無消息，腸斷斑騅系陸郎。』是樓詩話嘗記：『今傳香宋蜀人，有雜書絕句六十餘首，旁及沿途風物，山程水驛，各系以詩，直可作遊記讀，石遺極稱之。香宋雜詩之一云：『十載東方鬢已新，散原無闊築延頭。舟此日還為客，瀟眼江湖綠穢人。』其他如飲冰室詩話，石遺室詩話，對他的詩都有極好的述評。現在所摘錄者，自然不算他的代表作，不過鼎嘗一臠，可例其餘了。

編訂川劇　供獻不少

文章詩詞，他可算為當代的大手筆，可是，臨池工夫，卻也不差。書法晉唐，略加自己精神，嫵媚之中，饒有遒勁，並且帶點霸氣。蜀人多以得他墨蹟為榮，摹仿他的筆法，也還不少。晚年目力不健，酬應作品，多由公子提刀，細加玩味，就不免少蒼勁與霸氣了。此外，他對於川劇，也做過一番工夫，把舊劇本事，唱詞，重新編訂，故凡川劇唱詞雋雅者，可說經他整理過的。他天賦多才多藝的人，是無所不精的。

次和惕軒高閬感事三首

伸寒操

太學猶多味泮池。滔滔天下嘆亡師。予心刺痛黃魂違。佛涙銜悲白業辭。（佛典謂善業為白業）橫雨狂風嗟此世。光天化日企何時。外王內聖束高閣。何貴魔城萬廣知。

×

底事干吾皺一池。百年戰伐幾勞師。壞根雜淨人心亂。物力騰張聖道辭。剝復盈虛原有宰。貞元憂樂正斯時。芸芸視聽皆天意。惜少風雲顯貴知。

×

髫齡朝夕事臨池。督課殷勤父勝師。回首洄恩言尚報。驚心正道世全辭。收京破賊還須待。展墓攜兒識幾時。莫使人生醫失味。（引基督語）安能說遍少年知。

附惕軒高閬感事原作

少日鱣堂望鳳池。恂恂慈父亦良師。忽驚毫末[illegible]秋拱。誰遺楹書一笥辭。學禮學詩吾已晚。教忠教孝此何時。蓼莪莫待椎心悔。說與風簷士子知。

馬坤是甚麼人？

牛布衣

第二天早上，馬坤到我的辦公室。他告訴我說，每月入息只有一千元，剛是阿有便用去一半，實在是入不敷出，得想辦法找一點外快。

想做軍火經紀

他認識不少洋行，他在中國又認識許多偉人，他想請洋行派他做軍用物品和軍火的中國經理，請我替他寫幾封信。

『你會打字嗎？』馬坤問我。

我點頭。

『很好，』馬坤說：『我唸，你替我打。』

馬坤念了好幾句，我替他打了。我停了手，馬坤問我什麼緣故。

我告訴他說，他的英文村俗不雅，恐怕貽笑香港洋行。馬坤問我有什麼辦法。我說：「這一類的信，差不多有一定的格式，我可以負責替你寫」。

我把信打好，交給馬坤。

將軍原是文盲

『請你唸給我聽，』他說。

『你不會自己看嗎？』我問他。

『我的眼睛不好，』他說。

『眼睛不好，還能夠做雙槍將軍嗎？』我質問他。

沒有辦法了，馬坤承認小時沒有讀過書，不識字。他說：『我喜歡武，喜歡打槍，不喜歡讀書。那是我的聰明地方。如果我跑到學校唸書，把書唸成功了，我便不會跟總理，便不會成為馬坤將軍。』

我不禁點頭。

中共的玄虛

共產黨沒有佔領大陸以前，馬坤的生活過得很舒服，中央黨部和中央銀行都有錢給他。到了台灣，銀行的津貼才停止了。

去年，馬坤跑回加拿大，找了一個記者，替他寫了一本書——『雙槍將軍馬坤』。講了許多總理的軼事。他希望能夠一紙風行，靠此發財，那曉得銷路並不如意。

失意之餘，剛好共黨大事收購可供裝飾和宣傳的寶貝。馬坤跟隨總理多年，而且又是一個外國人，對於國際宣傳不無用處，共黨因此把他「收購」運回大陸。這便是共產黨弄的虛玄，也便是近來許多報紙上出現了許多可笑的謠言底原因。（四．續完）

南洋桃源沙撈越

—傳奇式的開國史—

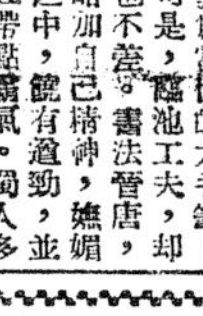

當十九世紀二十世紀之交，即一九〇〇年至一九〇一年兩年間，有一位中國志士鑒於彼時國政腐敗，乃遠走南洋，遍訪各地，忽發現沙撈越有若世外桃源，遂作有計劃的開發與墾殖，而將福州府屬十邑人民移居千餘人於詩巫一帶，因之，詩巫（即沙撈越第三省會）名叫「新福州」。後來墾地日增，民都魯、巴蘭夢，也都稱新福州。這一位志士就是閩清人黃乃裳先生，其可歌可頌之移殖事業，容當另敍。

第三代拉耶，係第二代越王之子名叫：查理．溫納．布律克，他的才幹雖遜於乃祖若父，但在位之日，一切庶政，均有進展，士人戕取人頭之風，幾乎絕跡，到了一九四一年沙撈越建國百週年紀念，他制頒了一部新憲法，取消本身的獨裁政權，使民衆步上初步的民主途徑。可是就在這一年的十二月，太平洋大戰爆發，日軍入寇，全境淪陷，第三代越王早已避到澳洲去了，並在倫敦成立了一個委員會，等於沙撈越的流亡政府。

二百萬鎊的交易

日寇佔領期間，一共是三年零八個月，破壞甚為厲害，人民痛苦不堪，到了一九四五年日軍投降。九月十一日澳軍即入古晉，沙撈越自那天起，受不列顛軍政統治了七個月，應用物品，都經支配，警務立經改善，醫務、教育，也經改組，至一九四六年四月十五日，越王布律克第三方從澳軍手中重收政權。

大概這第三代的拉耶有點疲倦了罷，或許又感覺到地方破壞過甚，經濟凋敝，而在淪陷期間復欠了幾十萬鎊的債務，種種善後為難，遂起了出賣領土主權的念頭，幾經磋商，英國政府允予收買這個邦國為殖民地，但必須經過沙撈越議會之承認，於是讓渡法案於一九四六年五月十五日提交沙撈越議會，十七日以十九票對十七票勉強通過，廿一日雙方簽字，英皇於六月廿六日敕令批准，自一九四六年七月一日起沙撈越就變成了大英帝國的殖民地。讓渡代價是二百二十萬鎊，想來布律克第三除了還債以外，自不失為一個富家翁，現在倫敦享福，安渡餘年，今年已達八十高齡，當他誕辰，沙撈越古晉還有許多人電祝，並廣播紀念他哩。（七）

．朱淵明．

從平劇的吐字談到趙培鑫

張瘦碧

凡是愛好平劇的人，大致把每一本戲分作唱工，道白，做工三部門。而唱和白的吐字問題，卻是研究國劇的先決要件。所以縱使具有天賦的歌喉，而不能傳出韻味，那仍是索然無味的。若是吃調稍低，而卻能注意到每一個字音，出口的時候，吐得適當清晰，高低陰陽，絲絲入扣，說句內行話，每一個字，都是斬釘截鐵，分明悅耳，則全靠平時揣摩，不是隨隨便便，喊出口來，字音念準，便能流露出好聽的音節，正如行雲流水，曲折蕩漾，這種滋味，才能稱得上繞梁三日，餘韻無窮呢？否則儘是鍛練嗓門，不去明辨字音，則徒覺過分刺耳，顯得平淡無奇，並無可取之處，所以凡能運用吐字妙處者，實比高嗓門更受人稱賞。

喜歡平劇的人，多半對于此點忽視，總是側重在對行腔使調上，翻陳出新腔，彼此效學，互相摸仿，甚至有許多出色的伶人，也不大注意到這吐字上面的重要，專在要弄新腔，向聽衆討好，這純粹是欺騙外行的玩意，實在是不應該的。

常聽人說，平劇是從徽班戲裏演化而來，同時還夾了些漢調的成份。在漢口時，也曾聽過漢戲與楚戲，非但吃調極高，而更極講究吐字，每一個字，都好像非常沉重，很仔細的道了出來，雖然因為純屬湖北音，不太聽得明白，但確咬得相當有勁，絕不肯在舌頭上打滾，隨便過去的。

講到平劇的聲韻，誰都知道有所謂十三道轍，可以按圖索驥，使人遵循，如轍所列舉之字，都可以跟着研究牠的字音來歷，但是一般人都作押韻的東西，譬如說某戲屬某轍，某段唱詞屬某轍，很好的一本循聲譜，被降為專作尋找韻腳之用，豈不大可惜哉！要知十三道轍的來源，據我研究的結果，完全脫胎于清書十二字頭，並且根據着等韻的十二攝章，祗不過把十二攝內的歌結鍋訣，分作歌鍋為一轍，結訣為一轍，所以便成了十三道轍。是一本對于國戲吐字上很有用處的一本書。此外清廷大內，尚有一部元音正考，專分陰陽尖圓，我沒有窺見全書，僅在三十年前上海出版的梨園公報上，有染香庵主選輯刊載，其中所列諸字，十分詳盡，但仍不免于尖圓之分上，稍有舛誤。當年筆者會與之數度論及，惟該書在平劇字音上講來，也還不失為是一部值得閱讀的書。

我認為，既有足資校閱的這些書本，何以至今一般愛好平劇的人，對于吐字一項，仍不免有欠缺之處？這也許是為了科班教徒，多屬于口傳心授，但知其然而不知其所以然，所以吐字準確的人，就益發覺得不多了。以言菊朋的調兒來論，聽來怪聲怪氣，可是他對吐字，卻在一般伶人之上，故縱然嗓門較低，而依能保持十足的韻味，實非朝夕之功，在字音上實有相當造詣。

本年元旦，我看了趙培鑫所演的全部空城計，使我過足戲癮，他在全劇中，對于字眼的鍛鍊，音節的高下，清明準確，不愧為余家嫡傳，使人心為折服！道白的疾徐有致，以及唱工的規矩準繩，毋怪要一鳴驚人了。

麻豆文旦

．許紹棣．

麻豆有文旦，敗絮形其外；剖食似瓊漿，始知玉其內。君子潛光輝，小人事側媚；以貌失子羽，此意何人會！于役過斯邦，煞饞饕饕意；父老為我言：『一事君須記——臨名易為槩，同名實或異。商人難重信，搜集自異地；俱充麻豆產，誰知非其類。貪者徒務名，不辨涇與渭』。聞之為太息，恍如聞讜讞。寄語當世人，即事可垂誡。

自由人

THE FREEMAN

（第五一四期）

中華民國僑務委員會
加發登記證台教新字第一〇二號
中華郵政台字第五〇〇號
執照登記為第一類新聞紙類
（半週刊每星期三　六出版）
每份港幣壹毫
台北市售價台幣壹元
督印人：陳文華
地址：香港高士威道二十號四樓
3 rd. fl. 20 CAUSEWAY RD
HONG KONG
香港發行及事務接洽
高士打道66號　電話：七四〇五三
承印者：東南印務出版社
地　址：高士打道六十四號
海外總經銷
友聯書報發行公司
香港：德輔道中二十六號A二樓
台灣特派員辦事處
台北市館前街五十號
台灣總經銷處
台北市西寧南路壹叁號二樓
台郵撥儲金戶九二五二

美英兩首長聯合宣言的讀後感

世界整個局勢還有得拖

左舜生

整個世界的混沌局勢，依然要長期的，不死不活的拖下去，這在我們讀了美英兩首長經過三天會談所發表的聯合宣言以後，更增加了我們這一判斷的信念。

在美英會談的期間，蔣總統曾於上月二十八日接見了美國『合衆社』和『星期六晚郵報』的兩位記者，他表示：『如果不受外力阻撓，他現在即能反攻，收復大陸。』同時，上月三十日，周恩來在他們的所謂『中國人民政治協商會議第二屆全國委員會第二次全體會議』上所作的『政治報告』，也表示：『除了積極準備在必要的時候用戰爭方式解放台灣以外，努力爭取用和平方式解放台灣。』美國也辦不到，更不必說自由中國。因此，蔣總統對美記者的一篇談話，其目的只在說明他目前所以不能採取反攻行動的一種苦衷，我們決不可誤會他的決心和他的行動馬上便可一致。有人責難蔣總統『過度慎重，』但我覺得這種『慎重』，毋寧說是不得已的。

毛周根本沒有以武力攻台的存想

在毛澤東周恩來的頭腦中，根本不能有以武力方式解決台灣問題的存想，此無他，因為中共的行動也必須與蘇聯的行動相配合，而且事實上必須根據蘇聯的命令，蘇聯在目前，決沒有因一個台灣問題輕於與美國開釁之理，如中共採取這種突出的行動，即無異拖老大哥下水，這在一個『兒皇帝』的身份乃決無可能。美國其所以樂於與自由中國訂立一個協防台灣的條約，而對金馬的態度則始終模稜，也正是因為已經把這一形勢看得十分清楚。再就中共的自身說，攻台不論在短期中能否達到他們的目的，但對大陸的政治經濟可能發生的惡劣影響，則頗難於估量，三年韓戰的苦頭，已經使他們受不了，更何敢冒昧以武力『解放台灣？』現在其所以在閩浙沿海一帶調兵遣將，其目的無非在造成緊張的形勢，一面在制止台灣反攻的嘗試，一面則在貫澈對美敲詐的狡謀，尤其主要的更在造成一個杜勒斯，與周恩來見面的機會，以抬高毛周政權的國際地位。周恩來明明知道『武力方式』絕對行不通，因此更幻想出一個『和平方式』；在實際上『和平方式』辦不到，周恩來也還是知道，不過為了要欺騙所謂『人民政協』的那班無知羣衆，不能不有這樣一種說法而已。

一個很自然的結論

依據我上面的看法，所得結論便是很自然的：即台灣得不到美國無限度的支持，絕對無所謂反攻；中共沒有奉到蘇聯的命令，也絕對談不上所謂台灣的『解放』；換言之，今天的台灣問題，不過是美蘇兩方繼續冷戰中的一環一節，可能再拖上三年五載也還得不到一個究竟的解決。

我們所願意動問自由中國當局的，便是在這個可能再拖上三年五載的時間，除掉繼續準備軍事高呼反攻以外，能不能就政治、經濟、文化、外交的各方面，多做一點較有價值的工作？

在拖的局勢中得再就自身問題加以考慮

假定自由中國自身，果然具備了一整套（包括軍事的，政治的，經濟的，文化的，外交的。）充分的反攻力量，則西方國家（不但英國，甚至就是美國。）的阻撓，便根本沒有顧慮的必要。現在既然還有顧慮，則自身的準備不充分可知。

說老實話：台灣這幾年來的軍事，確實有了了不起的進步；但這種進步的形成，却並不是純靠自身，無論新式武器的供給和人員的訓練，大部分乃仰賴美國的援助，如果美國的武器不來，幫助我們訓練的人員撤退，則所謂軍事進步云云，乃完全在不可知之數。美國之所以援助台灣，並不是特別有厚於台灣，乃是配合着她的整個反共政策，才把台灣作為她領導整個反共力量的內容之一。因此之故，中美間對於反共的看法，並不是完全沒有差別，換言之，美國的反共着眼於全世界，必須世界上所有反共國家都已具備了反共實力，而又能團結一致，然後才能有積極的行動可言，因而其勢甚緩；自由中國的反共，着眼於復國，如果還延復還延，徒然使中共坐大，因而其勢甚急。在這一緩一急之間，我們很難找出一個折衷調和之點。因此，在目前的形勢之下，台灣的反攻乃為不可能。至於說到由某一個國家單獨去反共，這在今天的

在倫敦、香港與星馬

（本報倫敦航訊）艾登赴美的前夕，遭遇了倫敦艦隊街輿論砲火的轟擊（艦隊街一如上海的棋盤街，是倫敦報業和通訊社的中心）。當時的情況除了僅有一張「約克郡郵報」在支持他之外，從一向贊助他的每日電訊、晨郵報、每日郵報、每日快報、泰晤士報起，一直到左翼的每日先驅報、每日鏡報止，一致傳出了對艾登政府的不滿。

這現象在英國是罕見的。那究竟為了什麼？綜合各報的不滿輿論分析，主要的不但在於攻擊他的對外政策，還是由於受國內經濟不景的刺激，才借題發揮的。

通貨膨脹存底減少

近幾年來，英國的經濟情況一直在走下坡路。據英國官方的統計，由去年初到十一月中為止，生活費上漲了百分之五點五，其中特別是食物費用漲得最多，漲勢也較猛烈。

物價上漲似與通貨膨脹是孿生兄弟。英倫銀行在去年初曾兩次宣佈提高放款利率，收緊銀根，但英鎊流通額在去年一年間，則由一月初的十七億一千萬鎊增加到十八億四千八百萬鎊。其間在八月裏曾一度達到十八億六千萬鎊。又根據英財政部的公告，截至去年底，整個英鎊區的黃金和美元儲備，已減少到廿一億二千萬美元，比公認的危機水平廿億美元只多了二千萬美元！

再就英國輸出品中佔有極大比重的紡織品言，英政府的統計也顯示出在衰退。以去年一月到十一月與一九五四年同期相比，單股紗產量減少百分之七；棉布產量減少百分之十；雙股紗減少百分之九，如以之與一九五一年相比，則已減少了百分之十五。

絕不要以為上述這些情況的出入數字微乎其微，如以我們中國人過去對付物價波動、通貨膨脹、生產萎縮的經驗來說，却是渺乎其少，但在一個經常過慣了穩定的經濟生活的英國人言，却是極具影響力的，也就難怪英國人要借題發揮大吵大鬧了。

政府少有作為的原因

左翼報紙和莫斯科的宣傳將這歸諸艾登內閣的軍備，那是無稽的。英國近代史上的繁榮，本就是以靠着她的海上艦隊和駐外部隊來維持的，軍費的支出在好景的年頭，本不算什麼，但是二次大戰後，英國從印度、緬甸退出，繼之而放棄了埃及，而今則又在担心着要退出馬來亞。失去了這些殖民地，再加上失去了中國大陸市場，英國的經濟狀況就每況愈下了。此外像香港這樣的一個消費地方，也在繼續躍為一個輕工業品出口的城市，分享着英國傳統市場的利益，且進而威脅着本土的紡織業及其市場。難怪蘭開夏紡織業鉅子奧加．里也要向政府呼籲限制港貨進口了。

由於這些經濟上的困難因素，影響了本土人民的安定的經濟生活，遂使英國人覺得現政府毫無作為可言。

永遠只打自己算盤

在憤恨政府之餘，又受了共黨宣傳的影響，英國人就認為這與美國的堅持禁運政策和自由中國固守沿海島嶼有關。這本是風馬牛不相干的事，但英國人總是把它掛在嘴上，說得頭頭是道，認為只要禁運問題解決，中國從沿海島嶼撤出，問題就可以解決，英國政府未嘗不知道這是天真的想法，但對於這種錯誤的認識，政府並無意於去下力糾正。英國人更沒有進一步想，即使禁運開放，中共盡佔沿海島嶼後，中共對英國貨在大陸傾銷的客觀可能性究有多少？事實上他們也沒有放眼看看今天的香港和馬來亞、星加坡的商業情況。此外英國人永遠只打自己算盤的錯誤認識，實在說，許多英國人對遠東的情況並不了解得很深的。像前面所指出的蘭開夏紡織業公司董事長奧加．里，即是很好的證明。他提議限制港貨進口，但他的政府却了解這是不可能的。本土的人大都不清楚今天香港、星洲、馬來亞的市場，受中共傾銷政策冲擊的影響是多大！也沒有想到中共正處心積慮用經濟的壓力迫使英國從其遠東利益綫上後退，也更沒有自己看一看究竟還有些什麼出口貨值得中共亟肯的。所以說，英國人拚命叫喊開放禁運實在是毫無意義的。

香港星馬的未來

還有一個問題，也使英國人看來眼花的，就是馬來亞的獨立問題。出身劍橋的拉曼親王與英政府談判馬來亞獨立，據說雙方很接近，但就實際情況言，英政府是極不願意的，因為，馬來亞名義上獨立之後，還必須要英國用兵來維持其安全。退出嗎？至少是在尚未找到適當可以代替星加坡軍港前，似乎談不到，但不能說英國對此沒有準備，這反映在香港啓德機場的擴建上，即可見其端倪。

美國雜誌曾把香港比喻為是「餓雄貓」肩上的金絲雀」，但倫敦官方的心裏，却想把這金絲雀變成一隻燦爛五彩的鳳凰呢！所以不惜盡力投資，使得「餓雄貓」中共，只能望而垂涎。

說實在的，英國在遠東也已經是退無可退了！（一月廿六日）　史仁

尼赫魯的失敗

平譯

尼赫魯之所以凡事都喜歡採取折衷途徑，是因為他不願意遭遇失敗。但最近印度各地所發生的暴動，却足以表明他的國大黨根據語系改變印度省界計劃，顯然已歸於失敗。

暴動自孟買爆發，迅即蔓延全國。暴徒們湧至鐵道，阻撓火車行駛；衝入機場，阻止飛機起飛；在公路上架起欄桿，阻撓交通；且攻入監獄，將囚犯開門釋放，更劫掠商店，摧毀電話綫。過去一直支持尼赫魯的報紙，也指責政府已陷於「精神上的崩潰」。國大黨的聲望也空前低落。

新德里雖正發生黃疸病的傳染病（已發生五萬宗），地方長官及國大黨領袖仍冒險前來共同對策。孟買的國大黨領袖巴蒂爾主張把整個劃省界計劃加以擱置。但尼赫魯雖然顯得緊張，竟提出了一個更大膽的計劃，這是將現有各省越過語系界綫而合併為巨大及人口更多的單位。（下轉第三版）

時事評述

·司馬璐·

華盛頓宣言

「華盛頓宣言」，是這次艾．艾會談中最大的成就。「華盛頓宣言」中表現了團結與決心，正如紐約時報指出的：「團結以阻止憑藉武力與顛覆活動的侵略打擊，決心使原子的征服成為和平進步之路，而不是死亡之路。」「華盛頓宣言」基本精神是積極的，是令人鼓舞的，最重要的是它鼓勵與支持各國人民自行選擇自己的政府。「華盛頓宣言」公開指斥共黨政權的罪惡，「共黨統治者們已在許多文件及宣言中表明了他們的意圖，這便是用各種可能的方法推廣共產主義，直到它圍繞住整個自由世界為止。」艾登在美國參院的致詞中說：這次艾．艾會談，已使英美兩國目標重趨一致。「華盛頓宣言」又表現，英美緊緊地靠在一起，不是共黨的分化所能得逞的。

一致與分歧

艾．艾會談的「公報」，我們又看出：對于支持和擴大北大西洋公約，以及協助一個以西德為中心的統一德國政策，英美雙方的目標是一致的。對于東南亞公約組織的支持，雙方表示「繼續予以全力支持」。

中東問題要留待到另一個有法國參加的會議慢慢再談。遠東問題「仍存着一些分歧」。但就我們觀察，在遠東問題上，英美雙方顯然已經互相作了一部份讓步，這筆買賣可能是，以「放寬禁運」換取「延緩中共入聯合國」的政策。為了證實這一點，我們可舉出英美會談「公報」公佈前夕，數月來一直嚷着「承認中共」的加拿大，皮爾遜突然宣佈「從緩」這一事實。

堂皇與空泛

「華盛頓宣言」是堂皇的，莊嚴的，有力的，而且充滿了理想主義精神的。「艾．艾會談公報」的內容則比較空泛，因為它為許多現實的利害糾纏着。

我們今天還缺乏這樣一種偉大的政治家，把理想主義的精神貫澈到我們一切具體問題上去，貫澈到我們的行動上去。英美在遠東問題「仍存着一些分歧」。有人偷偷摸摸地想出賣金馬，那些主張都是見不得人的，因為它們根本違背「華盛頓宣言」的精神。

蘭道夫．邱吉爾說得妙：這次英美會議得到一個「大加粉飾的宣言，毫無內容的公報」。

我們公道的為艾．艾會談作一個評價：「宣言」的精神值得讚揚，具體問題一大部份交了白卷。但，無論如何，自由世界的團結與合作，已經邁進了一大步了。

周恩來信口開河

我們這一個時代，出現偉大的「華盛頓宣言」的同時，蒼蠅和蚊子也時時跟着我們嗡嗡作聲。任何一個偉大的時代，沒有小丑的點綴，唱不出大軸戲來的，周恩來正是我們今天這樣一個角色。

周恩來在北平向一切國家招手說：和我們做「朋友」吧。但是他又說：今後還有更多的國家，將要擺脫他們現在的統治。這「朋友」的意義怎樣解釋，表示了什麼呢？

周恩來向台灣及海外所有反共人士招手說：「既往不究」，回大陸來吧。但是他又說：「澈底肅清反革命分子」正在「有步驟地展開」。

這意思豈不是，周恩來「歡迎」一切反共份子回大陸，以便他們根據「步驟」「肅清」。算了，共黨的語言是研究不得的，周恩來不過信口開河而已。

蕭軍健在！反共不屈！

他諷刺中共以人民作革命肥料 工人則是拉完了磨待宰的驢子

李金暉

蕭軍主辦文化報的那個階段，曾諷刺地說過「人民是肥料」，其意即指中共不過當人民是「革命的肥料」，揭穿了所謂「爲人民服務」的謊言。

現在他又把「集體主義」描寫成是「少數人孤軍奮鬥，稱王道霸；大多數人愚昧無知，冷眼旁觀」；但又進而指出這少數的王霸之間存在的「竟是拚命破壞，極力中傷，像有着不共戴天之仇」似的。（引號內用語見「文藝報」）無異又剝去了集體領導」制度的漂亮外衣，使毛獨裁穿起了「皇帝的新裝」！

在他筆下很清楚的反映出工人對此不滿，他借用工人發衆駡「勞動英雄」魯東山的話說，「……好像只有你魯東山小子是公家的孝子賢孫啦！眞像個主人啦！記住吧，『拉完磨就殺驢子』，你小子瞅跟斗的日子在後頭哪！……你把工友們全得罪了，萬一有『變天』的一天，你還能在這礦上吃嗎？』工人期待『變天』是一種强烈的反共政治意識的滋長，也都自知在共黨統治下，不過是拉磨子的驢子。

蕭軍筆下既還是如此無情，「文藝報」就指斥他還「仍舊堅持和發展他在解放戰爭時期被批判過的那些反動思想」。

牛角尖刀一顆腦袋

因蕭軍的倔强，在勞動改造期內必然受到了難堪的壓迫；於是他又藉着筆下的一個工人金大樑的嘴表示抗議。他說，「什麼叫驕傲不驕傲？這是他娘的老婆婆令，……驢就是驢，虎就是虎，烈馬總是脾氣大，只有癩皮狗才只會哽哽唧唧，向人搖尾巴，這就叫「謙虛」吧？……人就是彼此咬着的狗，大狗咬小狗，强狗咬弱狗，誰的牙齒厲害，咬得狠，誰就得勝，誰就是王！最後這王當然也要被咬倒下去。」他更堅決表示，「誰不服氣咱到外面去說，別在背陰裏咕咕嚷嚷，老子是被「改造」過了的，頂多……再弄去改造一回吧——腦袋掉下了才碗大疤！……」。

我們再以蕭軍早期作品裏的話來比照一下，就更清楚他對共黨所持的堅決態度了：他對付中共的辦法是，「武器——牛角尖刀一把，經常置於衣袋之中，資本——腦袋一顆」；（「春夜抄」）這是他一貫對中共寧斷不曲的寫照。

他既然連腦袋都捨得了，那末勞改對他又怎能起作用！因此，他時時表示「這個問題很簡單——死了拉倒」！

死不了只有活受罪

他固是想死，想死，已是他十年來對付中共給他的一切困難的唯一武器。但他愈是想死，中共就絕不讓他死，而要他活着受罪。

活受罪在蕭軍是比死都難過的。因此，他頗爲羨慕那死在礦上崩岩下的工人楊平山。他認爲能在知道當崩岩移動的時候而不畏難地「竟把電鑛機開向前面，以致被崩岩壓死」，是一種英雄氣魄，一種求死的好機會。而楊平山呢？遭遇雖各不同，但却同爲受共黨的迫害則一。這就是蕭軍必須如此殘酷地把眞人眞事寫在他小說裏的主要理由！他是把楊平山的死，當作是對中共的「屍諫」，是對中共的最後抗議！

中共爲什麼不讓他死

十多年來，蕭軍一直是求死而不可得，中共也不處決他，就是不讓他有成爲「英雄」的一天。中共希望用勞改的折磨來改變他對「黨」的態度，是爲了要維持勞改在政治犯心理上的「威嚴」。在筆者看來，中共若讓蕭軍輕易死去，而又死得壯烈的話，就像法國歷史上雅各賓黨人共和國時代處決丹頓一樣，那是對斷頭台的諷刺。（按：丹頓以反對多殺人而爲雅各賓黨恐怖份子無辜地送上斷頭台。丹頓臨上斷頭台時，仍神色自若，「即在斷頭台上依然威武，依然可爲人世楷模，並自高呼「丹頓毋示弱」！——見H. G. 威爾斯著「世界史綱」。）

如果蕭軍一貫屈強下去，而竟然得到痛快一死，在他是「求仁得仁」。但中共明白果眞這樣的話，豈非充分表示了勞改對反共份子毫無意義。勞改對一個反共份子失却了效用，無異顯出了是中共的失敗，相反的却讓蕭軍在最後成爲反暴的英雄？這大概就是中共絕不願置蕭軍於死地的主要原因之一。

從蕭軍想到胡風

因此，可以肯定相信，在現時蕭軍決不會爲中共處決，中共知道處決像蕭軍這樣一個有影響力的知識份子是不會有利的，（一如對付梁漱溟，儘管可以清算他，但決不處決他，以免引起不良反響）這裏作較肯定的推斷，是基於中共無意於再將蕭軍事件加以擴大，因此「文藝報」在發行時，遂將批評「五月的礦山」那篇文字最後的一句話——必須向這樣的「作家」進行討伐」一語，用白紙條貼上了。那也就註定了蕭軍還將再繼續他長期勞動改造的非人生活。

走筆至此，不禁又聯想到了胡風。這個也是以反對「毛澤東文藝路綫」的左翼作家，自被清算之後，爾今不知容身何處？大概也逃不脫像蕭軍一樣的命運吧！

「死了比活着的更有福」！在蕭軍和胡風大概有時終不免要這樣想的！（下）

海外通訊

印尼會加入英聯邦嗎？

唐璜

（本報椰加達通訊）「印尼會成爲大英聯邦的一員嗎？」這已成爲印尼人經常納罕討論的問題了。

印尼將成爲英自治的這一傳說，是來自倫敦。不管這是英國的主意也好，或是澳洲政府向倫敦建議的也好，但它一直到印尼政府正式否認目的前一刻止，這問題已經引起了國際的注意。

產生這一傳說的原因至爲複雜，基本上可以從三方面來分析。

澳洲欲加援助

自印尼獨立以來，一直和荷蘭爲了西里西亞的主權問題在談判，但也一直無結果，最近則盛傳英美將出面調停。

由於印尼與澳洲毗近，不僅是經濟關係密切，且澳洲早就有意於對印尼加以援助，這是因爲印尼既不願接受美援，才使澳洲想取而代之的。在澳洲方面來說，是視印尼爲其門戶的屏障，東南亞既因共黨的擾亂而益顯不安，在澳洲言就愈覺得杯弓蛇影了。澳洲方面或是認爲，雖然印尼也有共黨，但只要能促使其經濟趨於安定，共黨是無法有作爲的。如果印尼能安定了，對澳洲就更爲有利。當然，如果能促成她加入英聯邦，則更爲理想。

前內閣的錯誤

另一個原因，則是印尼人的苦悶，印尼的經濟情況始終未能好轉，是與其各屆政府的政策有關的，在現代的國際經濟關係上言，不是參加美國集團，就是參加英鎊集團，但前任的印尼政府，却錯誤地把印尼的經濟寄託在「人民幣」的關係上，希望中共政權來給予續命湯。

這種錯誤反映的後果當然是惡劣的，及至參加了哥倫布集團後，印尼更羨慕英聯邦國家間關係之密切，與其所產生的共同利害關係。因此，印尼代表在去年十月的哥倫布集團會議上由衷地對英聯邦組織大加稱讚。這一來，也就引起了倫敦當局的興趣了。

英想以之替代星馬

站在倫敦的立場上來說，鑑於星馬局勢之紊亂，倫敦敏感的人士已經在悲觀地說，英國將被迫離開星馬了。如果這一結果不幸到來，爲維持英聯邦在遠東的利益，必須另行找個基地，但在馬來半島與澳洲間除了印尼之外全是美國的勢力圈。因此，倫敦懷着促使印尼加盟英聯邦的想法，儘管不免言之過早或近乎幻想，但在殖民主義死去的今日，除了結好印尼拉他入帝國懷抱裏來之外，實無第二條可走的路。

因此，就不能把「印尼將成爲英自治領」的這一傳說，完全看作空穴來風了。

消息由倫敦的報紙上傳出來，雖不一定可靠，但却可以看作是英政府授意的非正式的試探。

不論這消息的結局如何，在現階段來看，却充分表現了椰加達與倫敦間對東南亞局勢的不安皆懷焦灼。

目前，這一傳說似已成過去，但相信還在繼續發展中，即使印尼不會成爲英聯邦的一員，但往後去他與英聯邦間的關係必然會愈趨密切的。（元月十九日）

柏林近貌（上）

棣坡譯

一架DC四型飛機，緩緩的降到六千公尺左右的高空，沿着雷達指示的方向，飛臨柏林田培浩夫飛機場的灰綠色地面，再繞了一個圈子，越過這個人烟稠密的城市，徐徐而下。著名的「無綫電鐵塔」隱約可見，它是東西兩區的一個分界標，向東一望，排列着一片陰暗而又破爛的房子，遠遠的看去，只見霧氣騰騰中，反射出微弱的光綫，這就是東柏林。

「那條是史達林路」，一個柏林本地人說：「在這裏，可以一眼看到兩個柏林。」乘車行出飛機場，這四百萬人口的大都市越望越近。這個缺少安全感的大都市，確已不如西德其他城市那樣喜氣洋洋，雖然自從柏林空運時期，以至一九五二年的騷動以後，從沒有發生什麼事故。一個的的司機說：「人民一心等待着城市的發展，可是柏林將不再是以前的柏林了。」

雖然外交關係近來趨於好轉，甚至有人說鐵幕或可能變爲鐵耙了，但柏林仍然是世界上幾個東西方正面衝突的地方之一。柏林在孤立狀態中，它所扮演的複雜角色，仍[illegible]有決定性作用。她必須維持來自西方的最好文化影響，表現德國以往的優越，而更重要的，它必須作爲一個前鋒，以進行連續不斷的鬥爭，反抗來自東方的對自由的壓迫。

最近結束的「文化節」正足生動地表現西柏林日趨蓬勃的活力。在文化堡壘內，每一個出口，都爲陰險的共黨「人民警察」所封鎖，但舊時的風光似已重臨。紐約交響樂團的演奏，場場滿座，開幕之前，觀衆擠在票房外，廿四小時不斷。赫畢洛劇院有一羣錫蘭舞女及音樂師表演，使許多柏林人歡喜若狂，同時夜總會和舞場亦無不客滿。

有些去柏林的旅客，是出於懷舊的心理，還有些則是爲了爭取自由，在「文化節」的數週中，每天約有一千多人從東區逃來。

著名印象派詩人高特費雷．班談到柏林的暫時衰落，說：「世界其他地方之所以很難找到一本值得翻譯的德國書，值得上演的德國劇本，值得展覽的德國新畫家，是因爲柏林久已脫離了世界文化界。德國人已不復將這城市作爲它思想的媒介物。過去它的市民們一直把全國人民的創造力構成一種挑戰，正像紐約對美國文化的影響力一樣。」

戰前，電影製片在柏林工業中是富有活力藝術事業之一，目前似乎已有恢復舊時榮譽的跡象，斯班杜影片公司現已成爲歐洲最大製片公司之一。它那三十九歲創辦人和老闆布勞納對柏林的將來，抱有無限的樂觀。最近他說：「當我一九四七年從羅馬尼亞到達這裏的時候，只是一個赤手空拳的國際難民。當時我只有一個野心，就是製片。我馬上看到這個城市中還有無窮的智識潛力。那些離開了柏林而到別處另求出路的製片公司，差不多都蝕了一半，而我們在這裏，拍片計劃却已堆積到十二月以後，才能應付。

以往柏林有五十個既熱鬧又雅致的高貴時裝店，但現在僅剩下了一家，它坐落在庫夫斯丹街，四周汚穢狼藉，不過這家舖子所表演的新式時裝，却足與巴黎時裝比美。

電影和時裝設計關於「普及文化」方面，在嚴肅藝術上，西柏林也保持一種更强有力的注視，努力以西方最好的成就，與東區抗衡。柏林有八家劇院，每晚要爲從東區來的觀衆，保留百分之十的坐位。他們的票價則受特別待遇，使用東區馬克可照二一的比率計算，而東西德馬克的兌換率則爲五比一。同時，從東區窒息管制下逃出的現代畫家，其作品將在兩個展覽會中展出。西德電台也常常播出越界而來的作曲家作品。劇院方面亦爲東區劇作家預備演出的場所。

西柏林負責一切文化事項的是狄波提斯，他是市政府的主要官員之一。他談起這城市的成就，面有得色，對各項問題的處理也極爲堅定。他說：「近來，我們受到共黨更多的壓力，他們要他們的用以宣傳的藝術家在這裏表演。如阿斯利克（蘇俄著名小提琴家）「要和柏林的交響樂團一起演奏，那還可以。但我所特別反對的，就是他來了以後，却越出範圍而在表演場所進行政治宣傳。」（上）

美浮琴尼亞州公民投票

贊成反抗種族混合

蕪辛譯

美國浮琴尼亞州於一月中舉行公民投票，以二對一的多數贊成召開州議會會議，修改該州憲法，使州政府能運用公款，補助家長將子弟送入私立學校受教育。這種稱爲「修學津貼」的辦法，實際就是容許州政府不復强迫該州學生參加白人與黑人混合的公立學校，因爲根據最高法庭裁決，全國一切公立學校都須撤除種族藩籬。

不過，這次公民投票已在全國其他地區引起一種錯誤印象，以爲浮州已正面反抗公立學校種族混合制度。事實上，該州許多城市鄉鎭都已準備充份遵守最高法院對種族隔離的禁令，有些地方則擬在一九五五至五七年學年開始實行。眞正企圖違抗此禁令的地方爲數不多，

這問題的中心是，浮州應付最高法院命令的計劃，目的僅在防止「强迫一實行種族混合，而並非絕對反對實行。在這方面，該州與其他南部各州的政策有基本上的不同。這些州則根本不接受該項命令。

浮州的計劃，有兩個特點：

一、修學津貼：這種經費，由州政府與地方共同負擔。它的補助對象有二：甲、因爲反對種族混合與寧可停閉公立學校的各城鎭學生家長；乙、在實行種族混合的城鎭中不願將子弟送入公立學校的家長。

二、學生分配：各地方的學校當局將獲得特殊權力，將學生分配到其他學校。這種轉學的理由，可以根據非種族性的因素，例如學生的健康、品行、學業成績、以及交通便利等。其目的是在緩和若干城鎭實行種族混合後所引起的影響。

修學津貼計劃能否順利實行，現已引起激烈爭辯，沒有人能預料其結果如何。但各方面都認爲現有私立學校設備必然無法應付從公立學校轉來的大量學生。有些地方甚至計劃將美國退伍軍人協會的房屋、私人住宅、及草房都改爲私校臨時課室。

多數人士對於「學生分配」計劃則認爲可行而切合實際的，如能善加處理，亦可避免法律上的挑戰。在這計劃下，該州大部份地方至少將有限度的實行種族混合制度。

在浮州的公民投票中，有十四萬卅千人表示反對。這一點極爲重要，勢將迫使該州領袖在實行「修學津貼」以前先行鄭重檢討。不過迄今並無這計劃將被擱置的跡象。

浮州民主黨組織的實際領袖勃特參議員則希望這計劃不會積極推行，他說：「浮州對於這計劃的進行，應該具有充份時間，且逐步觀察其影響與成效。」關於整個種族混合問題，他說：「我們正從事長期的鬥爭，也許必須不時改變戰略。」

香港七間私立專科以上學院

合併計劃未成熟

外傳獲福特基金會援助說不確　各校仍盼合併亦歡迎外界支持

最近外傳本港七間私立專科以上學院在美國福特基金會支持之下，醞釀合併成一聯合學府，此一消息已受到本港和自由中國的教育界人士普遍重視，但根據記者所獲資料，却和外間所傳的消息有相當的距離。

七校早有合併之議

據一個和此事有非常密切關係的教育界人士告記者，本港七間私立專科以上學院的醞釀合併，並不是自今日始，同時合併的計劃和福特基金是絕無關連的。這一位人士說：七間私立學院的負責人經常都有集會的機會，在較早的時期，大家都有一個共同的感覺，就是香港的現存環境和學生的需求，是不須要這許多文商學院的存在，因此，為了集中力量，為了健全組織，確有合併的必要。所以，在兩年前，這些學院的負責人已經一度計劃合併，但是由於這一個消息，在未成熟時即被發表，遂成為一種無形的障礙而告擱淺。工商日報在去月二十一日的報導，不過是舊事重提而已，雖然，七間學院的計劃合併，仍是它們的負責人一貫的和最終的目標。

在這一個聯合學院計劃之前，有兩個最大的難題：其一為經費問題，如果創辦一所較具規模學院，有理想的校舍，豐富的藏書，追時代的教育儀器，即非有一百萬港元以上的經費不可，但以目前七間學院的經濟條件而言，即欲籌措五十萬元，亦為一件屬不可能的事。或有人提出外界支持的說法，但我們必須明瞭，要求外間的援助，自己本身必須具有良好的條件，而目前七間學院欲求一座校舍足以容納所有學生上課亦不可得，聯合既談不上，要求外間支持更談不上。

二百萬元援助說無稽

至於工商日報所提的福特基金委員會援助，可能係有人偶然想起這一個組織，或且可以成為一個合作的對象而已。所謂二百萬元的撥款，是不可能的事，因為據我所知，並沒有人向福特基金委員會的代表接觸過，亦沒有人向任何一個這一類組織試探過。

另外的一個難題是人事問題：目前七間私立學院的醞釀合併是不能和抗戰期間西南聯大相提並論的，因為當時的西南聯大只是一個臨時性的組織，而現在的計劃是屬於永久性的。人事這方面之難以協調，是因為目前每一間學校都是一個獨立的組織，各有其不同的經濟和人事的背景，如果一旦合併起來，實在是最成問題的一件事。

最後，這一位教育人士對記者說：雖然經費和人事這兩個難題始終是兩大障礙，但七間學院的負責人並沒有放棄合併的計劃。到這目前仍舊是他們談論的話題。至於外間的支持問題，雖然迄今仍不曾和福特基金委員會或任何一個類似組織有過接觸，可是他們也希望得到對於教育事業有興趣的團體和個人的同情與支持。這當然包括福特基金委員會在內。

某文化團體感興趣

據筆者所知，七間學院的合併計劃傳出後，已獲得良好的反應，至少有一個已上的文化團體願意了解這一個計劃的內容。關於福特基金委員會，它並沒有代表駐在香港，而祇有一個辦事處設在西貢。因此要說七間學院已獲得該委員會二百萬元的撥款，則純屬虛構。不過由於這一消息而能引起有力量的文化團體對此發生興趣，也不失為是一大佳事。

本港現有的九家私立中文學院，無一不是在大陸陷共以後自內地搬遷而來，這些學院在先天上就有一個共同性，那就是保持自由，弘揚學術，為社會造就適當人才，因此無論對華僑教育及中國文化，都有很大的影響。由於這一事實的表現，其中兩學院（崇基、新亞）首先獲得了基督教會和美國耶魯大學的援助，積極的規劃自建校舍，擴充設備，以便認眞訓練更多的人才。至此，香港的私立學院的發展，可以說已踏進另一新的階段，而其他七間學院是沒有理由固步自封的。

各方注視未來發展

事實上，這七間學院的聯合計劃，許多有關人士都在注視其發展和願意督促其成功。工商日報就以此著論說：「我們知道，現有七間學院的個別發展，雖然都能保持一種獨立性格與自主精神，但却不能否認皆在困若中掙扎。在理論上說，中國傳統教育原本崇尚「困知勉行」，篳路藍縷的生涯，自不足限制一個具有崇高教育者的樂此不疲，忠於所事；惟是時代雖竟在日趨進化，如果專科教育的條件太差，其發展終歸有限，故如能有一個較佳的機會，可以集中力量，大事擴充，總比個別經營，更能配合時代的要求，因此合併之舉，在原則上，是無可非議的。

最後我們還想指出一點事實，那就是海外僑生的升學問題，在最近兩三年間，都一直沒有獲得完全合理的解決，雖然自由中國方面業已多方爭取，儘量收容，但由於地理與其他環境的限制，僑生感覺無法達成志願的，每年人數仍屬不少，而此間學院，則因容量有限，亦難盡行羅致，以此乃構成了給予中共誘煽的一大漏洞。如果各校能藉此機會，合併辦理，擴大規模，則在爭取僑生方面，必能發生極大的吸引力，而這一任務的達成，不僅為各校當局所希望，亦為海外僑胞所欣慰的。我們希望各有關方面，能從遠處着想，犧牲小我而成就大我，際此非常時期，在海外為國家竟立樹人大計，為將來復國建國之基礎。」

這一篇評論可以說是相當中肯的，事實上今日本港的中文學院所負担的責任是艱巨的，前此我們已有所報導和論列，如果這一個聯合學院能一旦實現，則他們對他們的責任當更能勝任。

埃及的反西方宣傳工具

阿剌伯之音

馮新譯

埃及官員對於「阿剌伯之音」與埃及政府本身宣傳機構間的關係，始終堅守秘密，當外國提出抗議，埃及政府至多只說：「我們將轉告『阿剌伯之音』，請他們把語氣改得溫和些。」

但一位美國記者最近訪問「阿剌伯之音」台長賽特．阿里時，他却表示就是關於該台工作的純技術性問題，也必須首先獲得埃及宣傳部長特許，才能披露。

據阿里說：該台的工作，目的不在煽動，而在「反映阿剌伯人的情緒。」

他說，他的組織能從許多不同的消息來源，獲得關於伊拉、阿丁，或沙地阿剌伯人情緒的情報。這些消息來源，大部份是秘密的。他特別強調，主要情報是依賴每天三十封的阿剌伯聽衆來書。

他說：這些來信，內容廣泛，有的藉此發表政治主張，有的則要求該台對種種問題提供意見。

對中東問題的有經驗觀察家和阿剌伯負責人士，都一致認為，由於「阿剌伯之音」的反西方宣傳，「美國之音」及英國廣播公司」的節目，以至其他任何非阿剌伯的外國電台廣播，已愈來愈不受阿剌伯人所歡迎。（下）

今日蘇聯的宗教

去年七月蘇聯派遣宗教代表團到英國，和英國宗教團體接洽。在此以前，六月裏，蘇聯復歡迎英國浸信會代表團到蘇聯和蘇聯的浸信會接觸。蘇聯對於外國宗教團體的拉攏不自今日始。戰後，蘇聯即開始利用宗教作為宣傳工具，收穫雖未盡如意，但共產黨領袖並不否認宗教的力量偉大，更認為是值得利用的一種工具。

利用宗教作宣傳

蘇聯仇視回教本勝過任何宗教，但最近為了爭取阿剌伯民族感情，並圖利用回教，邀來莫斯科電台極力宣傳亞美尼亞回教民族的宗教信仰自由，和回教大主教登位的種種新聞，把蘇聯宣傳成為回教徒的樂園。

在對內的宣傳上，却完全兩樣。由於戰後蘇聯人民尤以見重信仰宗教者日多，不少共產黨青年團團員為了參加禮拜，每每疏忽了團裏的職務，因此共產黨乃下令加緊反宗教的宣傳運動，說宗教反動，宗教是資本主義的遺毒，科學進展的障礙。蘇聯去年則復命令工會及各地的工廠和工場宣傳反宗教。照工會機關報說是，信仰宗教減低了生產。

宗教團體的現況

在蘇聯宗教團體中擁有廣大信徒的是天主教正統派——即正教，擁有神學院十所，大寺院七十間。根據蘇聯政府統計，天主教計有主教一百人，傳教士三萬二千人；神學院學生一千五百人。教堂的數目達到二萬間。教友數目尚無統計。可是每逢禮拜的時候，教堂總是滿的。教會的經費完全依靠教友的捐助維持。

最可憐的是猶太教。蘇聯全國猶太教徒不下三百萬人，可是祭師只有六人，全蘇聯沒有一所猶太教神學院。

浸信會教友共五十一萬二千人，教約堂為數二百所。

天主教正統派之和政府合作，是蘇聯政策的一種工具。正統派重形式，易和人民生活脫節，而正教教會行政權，則為蘇政府所掌握，實際上，擁有信徒最衆的天主教正教，早已失去獨立性而成為蘇聯的附庸了。（雪譯自「倫敦泰晤士報」）

中共為何搞「文字改革」？

劉竊如

漢字在中國悠久的文化歷史中，實在有過偉大的貢獻，它對於中國社會生活的各方有着深厚的影響，中華民族從有歷史的時期起，就用漢字作為紀錄文字的工具，它的功效，任何人無法加以非議，也不是任何人所可得而推翻。

廢漢字始於廿七年前

只有中國共產黨，它為了要實行一邊倒，秉承着蘇俄要赤化中國和全世界的陰謀，死心塌地的做蘇俄的奴隸，惟恐中國文化有悠久的傳統，不容易征服，不容易消滅其民族思想，所以必須從改革文字着手，先把數千年來世世相承的文字澈底廢除，才能把固有的文化，固有的民族思想根本剷除。

這種毒辣的陰謀，蓄謀已久，遠在一九二九年，已死的瞿秋白在莫斯科受訓時，受俄共的命令，草擬「拉丁化中國字方案」。一九三一年七月，瞿秋白就公開反對國民政府的注音字母，主張嚴格拉丁化。一九三二年，所謂，中國新文字第一次代表大會在海參威開會，對拉丁化提出實驗報告。

一九三四年，全部拉丁化的「擁護新文字六日報」在伯力創刊，此外在一九三五、三六、三七年拉丁化的「新文字」刊物，在上海及其他各地，陸續刊行。其幕後主持人均屬共黨，而由左傾文化人及共黨同路人出面主持。一九三八年一月，陝甘寧邊區「新文字促進會」在延安成立。一九三九年，吳玉章即已發表過所謂「文學革命與文字革命」，強調拉丁化。一九四一年陝甘寧邊區更成立了「新文字幹部學校」。一九四二年至一九四八年，中共對這項陰謀的推進，迄未稍懈。一九四九年，中共所御用的「文字改革協會」，就在淪陷不久的北平，舉行了成立大會。

毛澤東吳玉章的濫調

毛澤東在寫「新民主主義論」的時候，也談到：「文字必須在一定條件下加以改革。言語必須接近民衆。」又在一九五一年提到：「文字必須改革，要走世界文字共同的拼音方向。」他又說：「漢字的拼音化需要做許多準備工作；在實現拼音化以前，必須簡化漢字，以利目前的應用，同時積極進行各項準備。」我們從以上的經過，可以看出中國對於消滅中國文字的陰謀，二十年來從未間斷，其用心是何等的毒辣與深遠。

去年一月間，吳玉章所主持的「中國文字改革委員會」發佈了「漢字簡化草案」以後，交由中共各有關機關和所謂「各民主黨派」，「人民團體」，「文化團體」，紛紛組織座談會，加以討論。根據了各方的意見，該會初步修正了原草案，於本年九月，提請中共的偽國務院「漢字方案審訂委員會」加以審訂，後來再提到這一次十月間召開的會議加以通過。

吳玉章所持的最大理由，認為漢字是有嚴重缺點，漢字不是拼音文字，而是表意文字，一個字一個形體，看了形不能就讀出音，讀出音不能就寫出形，看了形和讀出音，還未必就懂得它的意義，因此，必須一個一個的死記住它，這就給學習和使用漢字造成了很大的困難。

俄顧問幕後主持

他也意識到一下子把大批漢字都改變了原來的面貌，許多已識漢字的人讀書看報，一定會感到不順眼，不習慣。而且事實上有許多漢字的簡化形式，也不是一下就能確定下來的。所以他提出來的方針，是「約定俗成，穩步前進」，用較多的時間，作逐步的簡化，同時更積極進行漢字拼音化的準備工作。他最後提出來的結論是：「全面規劃，加強領導，努力宣傳，動員羣衆」。

吳玉章這種荒謬的言論，他簡直把漢字的來源，一概抹殺，他更否定了「說文」，否定了中國文字幾千年來的價值。中共之必欲消滅漢字，除了想根本推翻中國文化而外，實毫無其他的理由。我們看到蘇俄的文教總顧問馬里米夫也在主持教導這一改革，其為蘇俄的嗾使更為顯而易見的事實。

中國過去也曾遭受過外族的宰割，但是中國的文化，只有紮根錯節，愈見光輝，愈加發揚，任何一個優良民族的文化，斷沒有被異族滅絕之理。蘇俄以及中共的企圖，只是心勞日拙，必然是歸於幻滅的。

尼赫魯的失敗

（上接第一版）

國大黨領袖們將唯命是聽地將這種建議擱了回去。他們斷然建議將孟加拉省與畢哈爾省合併成全部人口六千五百萬的巨大單位，並將孟買省與馬特雅．普拉台希及海德拉巴兩省的大部份地區合併成一個單位，全部人口達四千三百萬。而馬特拉斯省，亦與梅索爾及特拉凡柯爾．柯契兩省合併，人口五千五百萬。此些建議一經提出，反對黨無不大為震驚，認為尼赫魯企圖藉建立一組「超級省份」而保持其權力。

正當暴徒們暫時停止騷動，而對這新問題展開辯論之時，尼赫魯則檢閱慶祝印度共和國成立六週年紀念的官方遊行。其後他對一批新兵說：「重劃省界不過是為了行政上的便利，這並不是一個最後的決定，而是可以改變的。」據印度人士分析，尼赫魯這段話，無疑是暗示他將宣佈這龐大的合併計劃已無法實行，且將利用某種藉口而將全部計劃暫加擱置，其中也包括引起暴動的那些計劃在內。（節譯「時代」週刊）

編者讀者

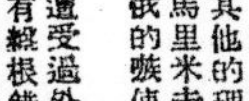

△下一期，本刊將發表伍憲子先生的「世界民主政治之前途」一稿，謹先預告。

△承夢山樵先生為本刊撰「同光風雲錄」一稿，已在本期連載刊出，夢著前在本報發表者頗多，皆雋穎風趣，甚受讀者歡迎，特為介紹，並向作者致謝。

△關寶善、孫旗二位先生，尊函已另郵奉覆，希洽。

△靜觀、郭啟行、鄭珪諧先生惠稿均收到，至感幸。

自由談

三句話不離本行

在我個人認爲懂得宣傳戰內容及其重要性的一位朋友，最近奉命主持政府新聞局業務了。因此，且談談新聞問題，聊表歡迎之情，兼示責善之義。

自中共叫囂「解放台灣」，賊軍在閩境集結以來，金門馬祖的防守問題，成了國際爭端，我們聲明寸土必爭，唯力是視，這就行了。至於美國協防與否，那是美國的事，我們大可不必表示猴急相，斤斤不已。然歷觀政府當局和官方宣傳機構的言談與文字，却隨時對於美國協防金馬問題，表現其念茲在茲的意態，好像美軍若不協防，我們就撐不住氣的樣兒，寧非失態乎？這是宣傳戰略，關係國格，影響人心，盼望新聞局今後請大家注意及此，自重自愛，先求盡其在我，何必俯仰由人呢！

記者招待會這玩藝，以美國最流行，他們也確實藉此可以發生宣傳效能，溝通朝野意見，並非表面做作。我們近來亦仿效其事，定期舉行記者招待會，但多半都屬官樣文章，記者們很少能在招待會中，對於國家大事得到一些比較實際的瞭解。我認爲沒有重大的問題發生，亦又必須藉記者們發揮宣傳作用者，即不必多此一舉，徒具形式，是無謂的。又如現在台北的外國記者採訪新聞消息，每比本國記者獨得風氣之先，便利特多。這種媚外思想，實在可鄙之至，新聞局應該予以糾正才是。

宣傳必須與事實的演進變化過程相聯繫，祇能權衡利害，斟酌損益，却不可背道而馳。這樣的宣傳戰術，有百害而無一利，然我們常有所不免，去年南麂島守軍撤防事項，即其例證。

以上所述，祇是拉雜的隨感錄，謹爲「可與言」的新聞局長沈先生抒陳之，殆亦三句話不離本行之意云爾。

馬五先生

薛府王爺高美進香

覃靖

大概是十天以前吧，元保宮的周圍貼了很多黃紙條，我家的大門上也有一張。

黃紙條的大小是一定的，四寸寬二尺長，上寫着「薛府王爺高美進香（十四起駕十六回鑾）十五元保宮佛會」，還蓋上一枚像省政府關防那麼大的官印；祇是我們一家人，沒有一個信佛教的，日期指的陰曆，弄不清楚也懶得過問；反正台灣人的拜拜是司空見慣的。

可是到了第二天中午，景象却與往日大不相同了，賣豬肉的在元保宮前擺了層桌，賣菜蔬佛祭品的也雲集起來。這個村莊平素極爲儉樸的農夫們，竟像城市裏的大商賈一樣，儘量揮霍起來。

我的房東本是最貧窮的一家，兩年前是個佃農，政府實施「耕者有其田」後，分得二分次水田。今年第一季雖已收割了，但也都還賬還完了；可是昨天，却見他除了宰掉自己養的一只鷄兩只鷄以外，還買了十斤豬肉，一大籃子蔬菜和敬神用的香燭錢紙和爆竹。看他一次付出百餘元，而不似平日買五角錢的包心菜葉那麼吝嗇，眞使我看愕了。

他的媳婦更是異常興奮，臉上掛着笑容，從中午到晚上，忙碌在廚房裏，就沒有休息過一分鐘。

我們晚餐的時候，她興高采烈地端了一盤米糕和一隻鷄腿給我們。

「你們先吃一點，要不是明天就沒有了。」

「你們做了很多菜嘛，」妻講台灣話，同她的情感不壞。

「明天請多少客？」

「沒有一定，隨便來拜拜的人吃。」

「爲什麼要給不認識的人吃？」我也聽得懂台灣話。

「是規矩，」她說：「每年都有一次。」

「是什麼原因呢？」妻接過去問。

「因爲，」她本想走了，祇是我們還沒有將盤子空給她。「薛府王爺是農家人的菩薩。這天拜他，就是拜這一年的收成。這一天那家做的食物被拜拜的人吃光了，那家就會特別走好運。」

「眞有這樣靈驗？」我假裝正經。

「有的，」她認眞地，「去年我阿姨做的當歸鴨麵被吃光了，田裏就沒有一棵『稗子』，還生一個胖兒子。」

「你今年生一雙胖兒子！」我開開玩笑。

「太太會打你的嘴巴！」她笑嘻嘻地跑了。

× × ×

早晨，我正甜睡着，被房東的媳婦叫痛的聲音鬧醒；妻正在奶着嬰兒丟不開身，我祇得起來開門。

然而一時竟使我啼笑不得。她的左手在滴着血，大概是太忙了給菜刀割了一口；可是她還是笑嘻嘻的。

台灣人沒有我們那麼講究男女授受不清，我祇好替她抹上紅藥水，敷上消炎粉，然後用紗布小心地包裹起來。傷口可不小！

「這是走好運的吉兆，見了紅一定要發財？」我半開玩笑半安慰她。

她又高高興興地跑了。

「死鬼！」妻在床上這樣駡我。（上）

傅青主與頭腦

山西省會太原，風淳俗儉，爲他省會所不及，街頭售零食者亦較他省爲少，每至冬令肆上售一種專門食品，名曰頭腦者，惟須於天明時就食，或盛以盎瓮，攜歸即食，如經再度火煮，其湯即渾稠，而味亦失。

其製法係切羊肉爲小塊，（並剔羊頭肉及羊腦雜肉中，故名頭腦，）於午夜前入鍋，以文武火煮之，伺肉熟，則加入薏米芡實糯米黃豆等，並加葱薑調料，最後以山藥去皮寸斷加入之，黎明時，山藥已熟透，而湯仍清亮，即開門出售，味極腴美。

據當地傳說，此品爲明末清初傅青主先生的遺法。緣太原氣候寒甚，故一般居民畏早起，常至辰巳時後，市闠始有行人，傅青主先生自明亡後，常抱恢復之志，深惡人民之惰性，思有以激勵之，因先生在當時有神醫之名，久爲人所信仰，乃製此食品使子弟設爐於市售之，謂冬令久食，可以却病延齡，但不宜入火再煮，再煮則失其效力，故規定天明即售，辰正（早八時）即閉門，過時決不售，所以促居民早起也。

青主先生爲清初特出之材，夙抱復國大志，而不得抒，乃隱於醫，隱於書畫，有當世華扁之譽，尤精婦科。清室屢徵不起，即此一細事，亦可見先生復國之苦心矣。先生爲人書，喜作狂草，有天際天龍挾風雨而飛騰之勢，其作畫喜寫墨荷，蓋亦以居汙泥而不染，以自況耳，書畫流傳於山陝兩省者較多，余家舊有數幅，今不知歸何所矣。

劍朋

同年同月同日同時生　富貴貧賤却相異

楊力行

清季雲南鑛務大臣鄭子尹，由四川巴縣（重慶）趁今日川滇公路路綫乘輿赴昆明到任，經過畢節時，在伙舖中吃過了晚飯，和隨行人役在院子裏納涼，偶然問起各人的生日，竟發現轎夫中有陳鴻仁其人，居然和鄭大人是同年同月同日同時生的，心中好不自在，於是便不叫他抬轎，而改充跟班了。到了昆明任所接事後，鄭氏特備酒席與陳鴻仁對酌，並親自把盞，詳細垂詢陳氏家世，獲知他世代窮苦，家無立錐之地，祖父雖曾作過鄉約，亦不過地保（等於今日的保甲長）而已，痛念同年的貧富貴賤相差懸殊，要想提拔他，可是陳鴻仁却不願做官，爲的是未曾念過書，不識一字。於是鄭子尹便饋予白銀五千兩，要他在川黔滇三省大道經營人力獸力運輸業務——驛運，因爲陳鴻仁滿面麻子，祖先也曾作過鄉約之藏官，於是鄭氏便給他命名爲「麻鄉約」。從此陳鴻仁便成了西南各省的驛運大王，同時兼辦滙兌和伙舖生意，信用卓著，婦孺皆知。後來他又在西北各省繼續擴展業務，其子孫世襲成鉅富，凡是到過西南西北的人，一定還見過「麻鄉約」的招牌，高高掛在「未晚先投宿，鷄鳴早看天」的沿途鷄毛店中。

其次是筆者的故鄉——湘東某縣前有鉅富彭笙舫其人，從小到老都是過的極爲奢侈的生活，平均每半年必到長沙去買福祿坤班（湘劇）小坤伶數人，回家享用。民國十九年多因避匪禍到長沙，年雖已逾八十，但鶴髮童顏，老當益壯，死前一天，還買了一個十八歲的小姑娘，伴宿一晚，次晨一覺醒來，已無疾而終了。

同時在鄰村中——李家排，也有一個和彭笙舫同年同月同日同時生的李姓老人，不但赤貧無後，而且一生始終是過檢狗糞的生活，至民國十七年病故時，享年八十歲。彭笙舫一生爲富不仁，對於同年的李翁從來沒有週濟過他。李翁雖貧賤，却也天生傲骨，從不和彭家打交道。筆者髫齡時，在家鄉常見二老，因而知之較詳，特爲寫出，質之當世之所謂星相家，什麼「五行八字」還有可算嗎？

同光風雲錄

太史公有言：『至其事，世多有之，是以不論，論其軼事』。爰本斯旨，綜合各家紀載，及稗史小說所流傳者，選擇晚清若干名人奇行，秘辛，足以發深省，長志氣，增趣味，勵世風者，分節敍述，名曰：「同光風雲錄」。聊供讀者茶餘飯後消遣而已。

左宗棠　縱教黃土埋予，應呼雄鬼

左宗棠，字季高，諡文襄公，初以舉人居駱文忠公幕，專斷擅行。文忠好享受，日與姬妾，飲酒作樂，文襄嘲之曰：『公猶傀儡，無物以牽之，何能動耶？』文忠深諒其忠，故報之乾笑而已。一日夜半，創一奏草，即叩文忠內室，大呼不已，文忠起而讀之，擊節叫絕，乃命酒對飲而去。故世無文襄之才華，不足以感文忠，無文忠之雅量，亦不足以容文襄，相得益彰，堪稱二難矣。

文襄在曾文正公幕，得奏賞郎中，文正給以手札，有「右仰」字樣，文襄冷笑曰：『他寫「右仰」，難道要我「左俯」不成？』後以報捷金陵，互爭小天王事曲直，竟至終身水火。迨，文襄遠征新疆，嘗與客言：『我與曾某不協，今彼總督兩江，恐將扼我餉源，然而文正爲西征籌餉，不遺餘力，故文襄立大功於西北者，文正公而忘私之精神有以成之也。

好戴高帽賢者不免

文襄督陝甘時，藩台林壽圖能詩善飲，性詼諧，常相倒樽暢談，某日正飲間，忽接捷報，林盛稱文襄妙算如神。文襄拍案自誇曰：『此諸葛之所以爲亮也。』因彼雅好自負，與友人書，輒署老亮，以孔明自況。但又嫌時人亦自比諸葛，林亦拍案曰：『此葛亮之所以爲諸也。』諸與豬諧音，文襄從此恨林，可見好戴高帽子，賢者不免耳。

一日盛暑，文襄解衣臥便榻上，自摩其腹，適值一材官侍側，顧謂之曰：『汝知此中所藏何物？』對曰：『皆燕窩魚翅。』文襄笑叱之。材官又曰：『鴨子火腿』。文襄大笑而起曰：『汝不知此中皆絕大經綸。』才官咋舌。後常語人曰：『何等金輪，能吞入腹中，況又絕大耶？』聞者皆掩口而笑！（一）

南洋桃源沙撈越

—傳奇式的開國史—

想起沙撈越開國之初，與北婆羅洲同樣均係屬於汶萊，領土面積不過三千平方英里，而後來竟擴充到五萬平方英里，而北婆羅洲自經渣打公司統治以至變爲英屬殖民地，領土也有三萬平方英里，但汶萊蘇丹目前所統治的領土面積，僅剩下二千二百二十平方英里，這眞是一個有趣的對照，可見天下事，端在人爲啊！好在汶萊汽油出產甚豐富，蘇丹安坐而享稅收。尚不失爲原始式的巨富哩。

最後有一點附帶說明的，就是沙撈越的居民，目前華僑約佔百份之三十，握有經濟大權，各種情形，容當另行報導，而其餘土人，頗多都是反對讓渡與英國做殖民地的，竟於第二任總督司徒華抵古晉村，許多馬來人手執反對旗幟，乘舢舨至總督所乘輪船四週示威，及其就任後於出巡至第三省詩巫（即小福州）時，登岸不久，正向歡迎者答禮之際，突有馬來青年二人以塗上毒藥之八寸短刀，刺入右腹，腸破血流，旋告不治。雖然照例懲兇究治，但土人們這一刺殺案之表現，寧受布律克拉耶統治，而不願做英國殖民地的一種微妙心理，總也可算是對於遊俠騎士傳奇式的王朝，一種悲劇性的紀念罷。（八·續完）

朱淵明

黃尊生先生旅英詩

和蔡孑民吳稚暉兩先生相友好又同爲抱無政府主義理想的黃尊生先生在過浙大和中山大學的朋友都不會不認識他。這幾年執教於檳榔嶼，前年他六十初度，其女婿送他一萬元爲壽。此公不治個人生計，去年赴英國牛津大學閒居讀書，一年花了這一筆壽敬之後，又回檳榔嶼教書。他的詩饒有清逸之致，新近寄他留英遊蘇格蘭六言體諸詩。茲送「自由人」發表以饗同好者。

陳伯莊註

莎士比亞故居

我來期脫拉佛，阿汾江水清清，此是莎翁故宅，瞻依一瓣心馨。

過Lancaster

中古薔薇之戰，蘭州約翠操戈，紅花白花相敵，今猶堡壘峨峨。

過湖郡懷湖郡詩人

自是湖山毓孕，風雲付與詩才。我欲追蹤一代，臨流無限低徊。

北部所見

處處白鵝旅舍，家家老屋牆垣，粉壁漆條低闌，潭潭舊味猶存。北地天寒屋矮，人家壘石爲廬。尚有幾家獵戶，舊時曾射狼狐。

入蘇格蘭境

夏日平添秋色，牧原閒放牛羊，氣勢蒼蒼莽莽，斯眞北國風光。

Meloose廢寺

歡於缺者得全，歡於全者得缺。似此頹壁莊嚴，吾寧捨全保缺。

抵Cornwall

地形已到靴尖，地勢行斜高峻，坡陀望海依山，隱落迴環成鎮。海濱一帶漁村，海氣接連雲氣。長空時有遺響，幾點白鷗飛唳。

自由人

THE FREEMAN
（第五一五期）
中華民國僑務委員會
頒發登記證台教新字第一零二號
中華郵政台字第五〇〇號
執照登記爲第一類新聞紙類
（半週刊每星期三 六出版）
每份港幣壹毫
台北市售價台幣壹元
督印人：陳文華
地址：香港高士威道二十號四樓
3 rd. fl. 20 CAUSEWAY RD
HONG KONG
香港發行及事務接洽
高士打道66號 電話：七四〇五三
承印者：東南印務出版社
地址：高士打道六十四號
海外總經銷
友聯書報發行公司
香港：德輔道中二十六號A二樓
台灣特派員辦事處
台北市館前街五十號
台灣總經銷處
台北市西寧南路壹壹零號二樓
台郵撥儲金戶九二五二

世界民主政治之前途

‧伍憲子‧

現在幾變成兩個世界，一個是二百年來西方國家之初步民主，一個是迷惑於共產主義之極權帝國，無論在文化、政治、經濟、軍事，雙方均在明爭暗鬥之中。今後是民主戰勝極權，抑是極權吞滅民主，此是整個人類問題，亦是有充足智慧者的抉擇問題。本篇所討論的範圍就在此。

民主是什麼？

民主不是一個空洞名詞，民主包涵有極豐富之內容。許多人不明白，以爲民主只是一條選票。誠然，選票是重要，不得選票，不能伸張人權；不能伸張人權，不能保障個人自由幸福。但我們須知，自由幸福之享受，不單在身體上求之，應兼在心靈上求之。西方民主國家之憲法，雖亦特書思想自由、言論自由。然其運用，仍寄託在人權方面，爲伸張人權，不許挾政府勢力，壓迫人民之言論自由，不許挾政府勢力，剝奪人民之思想自由，此只是消極，只是外形。自由必須從根本培植，必須求積極發展。故其目的，不在個人，其效用，注重大衆。若徒看見人權一方面，則人類之通病，往往自私。尤其是挾持權力之時，無論其爲政權，抑爲一票之權，其運用必皆從自私出發。

因此，我們要爲民主求一個定義，斷不能局限於人權，必當進一步，講到人性。我們要明白，人權之發生，雖然是天賦，但亦是歷史環境造成，由中世紀之種種黑暗，逼出個人之爭解放，無怪其目標集於爭個人權利。此乃現實功利主義之所由來。扶得東來西又倒，人權只能爲民主打出路，不能爲民主竟全功，故談民主，而不談到人性，只是淺嘗。能以人性運用人權，方是民主眞義。

人權與人性之別

人權之發動自外，人性之發動自內，能以人性運用人權，則內外之配合，可以適宜。否則馳騖於外，內失所守，則易爲一時之利害所搖動，每誤百年大計。試以大選論，數年之間一變易，利在此，弊亦在此。

而且權之弊，易於集，亦易於散，集、固不能運用民主，散、更不能運用民主。我們試細心一思，權爲什麼會集，就由於大家太重視權，太重視權，則輕忽了性。於是傑黠之徒，多爲巧說，搶奪人民之權，集於自己一人之身，而爲之粉飾，曰民主集權。愈集權，愈失去人性，愈失去人性，愈可以集權。蓋權與性離，不能相依爲用，權與性離，勢必背道而馳，其殘暴由失性造成，其權亦由其殘暴之故，而得鞏固。另一方面，其始，由羨慕權而爭權，其繼，因爭權失敗，而屈於權，而畏權。同時性爲權所壓，不能再憑藉人性，鼓起勇氣，抵抗強權，此是只見權，不見性，二百年來提倡人權所得之結果。

現在此種現狀，已陸續出現於共產集團之內，然大勢所趨，恐不止限於共產集團之內。因爲同是趨重於權，輕忽了性，其弊很容易失中和，而走極端。我在上文已言之，權之弊，易於集，亦易於散，集權而無人性，其禍患已擺在眼前。然假令不能發揚人性，以運用散渙之人權，其禍患亦未必留待後世，我們不妨一看最近之法國。

法國爲人權民主之警告

自一七八九年七月，法國大革命，發佈人權宣言，自是西方人權民主之局面打開，我們對法國人爲民主努力之功勞，當永不能忘，常留紀念。但法國之民主政治，爲講人權而忽略人性之故，致人權日趨於散渙。尤其是最近經過兩次大戰後，世界之變化日新，散渙無紀之人權，不能應付。最近二十餘年間，法國內閣之更迭，至二百次，有不出三日之短命內閣，以致政局常搖動不安。雖然此是法國人士之人權精神，此是法國人不受人支配和領導精神。但此不過是外形，是客氣，無人性之眞氣，以鞏固其基，拉自外，而非發自內。如講武術者之徒逞外工，缺乏內勁。似乎人人皆有獨立之見解，實則只是人人皆有不同之見解。於是既不能令，以爲民主，又不受命，以爲自由，永遠是旁皇的中立，而不能做成有主張的獨立。不必遠談歷史，只看眼前事實，法之對俄，對美，其窘狀已極顯然。因之對德，又非常局促，對越南，對北非，更連串失敗。此無他，就是只識人權民主，而未識人性民主，所造成之必然結果。

法國只是一個警告，凡人權民主之西方國家，無論其人物之人格如何純潔，無論其不成文之憲法如何久遠，民族性之如何穩健。然苟其不求進步，研究人性，惟墨守其初步之人權，則功利氣氛，必日趨沉重，民主前途之隱憂未已。我們若不涉幻想，試將眼前事實，細爲判斷，就覺得有不可想像之悲慘前途。

悲慘前途不可想像

爲什麼杜魯門在韓戰期間要禁止聯軍飛機越過鴨綠江。爲什麼杜爾斯要跑到印度，請尼赫魯轉達中共，結束韓戰。爲什麼艾森豪不能實踐諾言，解放鐵幕中之人民，而惟日幻想和平接近。爲什麼杜爾斯認爲越南停戰，越北分割予共黨，爲西方一種勝利。爲什麼艾登對於墨爾砵軍事會議，仍阻止美國對共黨之強硬主張。凡此種種，從一方面觀之，似乎是外交機智，政治深謀，軍事步驟。但從另一方面觀之，實在是暴露弱點，給予敵人機會，獎勵敵人驕氣。

現在此種趨勢，猶未有已。中共若只進攻金馬，不進攻台灣，我想反共之民主國家，必將袖手旁觀。假令不幸，自由中國對金馬之戰，稍有蹉跎，聯合國挫弱媚強之現實外交，勢必開會歡迎所謂「中華人民共和國」進入聯合國。共產黨對於西方民主國家之弱點，早已看清楚，故用軟硬兼施手段，多出其途，以顛簸之。共產主義本生長於資本主義之中，近三十年來，蘇俄利用之，播毒於世界，並非蘇俄眞有辦法，只是西方民主國家太無辦法，處處接觸皆失敗。若果長此不變，眞是一個不可想像之悲慘前途。

我們切勿自卑媚外

我們今後切勿自卑媚外，西方近二百年來，已建立之初步民主政制，我們相當尊重之，但我們斷不能向其照樣抄謄，在物質方面，西方科學進步，我們今日要反攻復國，須得其援助。然在精神方面，照現在情形，西方似無能自振，無術自救。他們拙於用仁，偏於用智，以買辦行爲，以做掮客，以證券交易所動作，主持聯合國。政府如是，學者亦如是。許多人不明白，以爲西方人道德雖往下沈，知識總往上升。其實不然，他們之所謂知識，有時亦固陋可笑。蓋利令，自然智昏，有所偏，當然就有所蔽。如最近一月十七日合衆社電，傳播遠東問題專家哥達德博士之言，謂中共可於五分鐘內，以電話攫取香港，謂香港之水源，來自大陸，中共隨時可下命令切斷之。其無知識而妄言至此，此是使西方人造成恐共病之一大原因。他們對於擺在面前之事實，尚考究未清，粗心亂說，何況彌綸宇宙之眞理。故我們不必震懾西方，不必自卑媚外，我們一面效法其所長，一面補救其所短。我們深信民主必戰勝極權，但資本主義之初步人權民主，必爲極權之共產主義所困惑。要求戰勝，必須改進。如此，則我們之人性文化，有助於人權民主之改進，當無疑義。

（下轉第二版）

兩艾會談後的中東

無政治理想的西方總是顯得支離破碎

曾旭軍

這次英首相艾登訪問美國與艾森豪威爾總統會談，原以中東問題爲最重要。但結果出乎意料之外，會議結果對此並無明確的決定政策。致令到中東失望，英美的歧見亦無法消除。

英國在阿拉伯國家有巨額的石油投資，在傳統上，是支持阿拉伯。而美國除了在不來梅與英國有利益衝突以外，美國根本的態度是對阿猶兩面均須討好，要息事甯人，不能偏袒。

英政策揚阿抑猶

一九五〇年的『英美法三國宣言』，規定三國以行動阻止阿猶邊界休戰綫的暴力衝突。但是沒有實效。因爲一旦發生衝突，在三國尚未有商定採何種行動前，恐怕戰爭已發展到不可收拾。這樣的宣言却沒有像一九四八年英國和約但的條約，保證一旦以色列侵略約但，英國即起而援助，尤其是英國有軍隊永遠駐在約但。可見英國重視自己利益，揚阿而抑猶。

在艾克——艾登會議後，華府方面說實際已獲三項對英國有利的協定。但實際上，亦未有結果。三項中有關中東的佔其二。

第一、是「美國已徇英國的呼籲，而同意對一九五〇年的三國宣言，必須露出利齒，威嚇阿拉伯及以色列，使不得進行互相侵略，」更宣稱：依照三國宣言，邀請法國討論中東問題。但英國如不放棄揚阿抑猶的態度，是沒有好結果的。試看近日英國以大量的武器運給阿拉伯國家，就不能不令人担憂了。

美國有難言的苦衷

至於第二點，所謂美國同意「強硬支持」巴格達公約。美國亦難有參加此公約之可能。原本美國早已說過一旦伊朗加入，她當考慮加盟，但伊朗參加了，杜爾斯又說在必要美國參加去穩定該區域時，再說。換而言之，在選舉總統之前，美國是不會參加的。她怕負起條約的責任約束。

在表面上，英、法、兩國大使正積極會商中東問題。以阿戰爭一旦復起，擬請聯合國出軍干涉，並實行海軍封鎖或經濟制裁。而且傳英美正考慮舉行地中海軍事演習，向阿猶雙方顯示武力，以求抑止戰爭，這都不是釜底抽薪的辦法。

試看英國供應軍火給阿拉伯一事，已成了一嚴重的問題。在最近的數月，英國的坦克以及其他的軍事裝備運給阿拉伯的，比較由捷克運去的較多。

譬如英國最近運給埃及的坦克共一百七十八輛，裝甲車五十二輛，吉普車一百六十四輛，以及許多軍用飛機。但同一時期，埃及接收共產黨的坦克不到一百架。

杜爾斯對此，早已接獲中東美國外交使節與情報部的有關報告，就更難使中東問題在會談上得到解決的可能了。

美剩餘軍火由英流出

白宮派赴中東調停的使者依力莊遜，亦被國會中領袖詢問：美國之剩餘軍火如何被私運入阿拉伯國家。

據他說，此種軍火與物資，不但入阿拉伯人之手，而且顯然的有許多轉入鐵幕後的共產國家。

據說，英國政府完全知道此種軍火的運輸目的地。出口護照是在倫敦發給私商。在安特威普設專廠加以裝配工作。由比利時再運往阿拉伯。

艾克艾登會議，對此問題有談過的，可是沒有下文。

沒有政治理想的西方，做起事來，總是支離破碎，事事顯出自己利益第一。譬如美國的外援出發點，不是謀共同實現政治理想，而是在權宜的一時利害關係的基礎。於是便被人冷視。中東的局勢攪不好，此乃最大的原因。

時事評述

‧司馬璐‧

又是「巨頭會議」

布爾加甯在今天的俄共戲目中，已經被固定的派充了這樣一個角色：

一、開「巨頭會議」；

二、作「友好訪問」；

三、寫恐嚇打單信。

莫洛托夫又提出，重開「巨頭會議。」蘇俄的胃口，「巨頭會議」最好天天開，時時開，一天二十四小時開個不停。

我們都知道，在共黨統治下，令人有「談虎色變」之感，累得每一個人無法能用心去思索一個眞正所需要考慮的問題。

這就是俄式的「精神轟炸」。

假如，今天美國和英國不可能產生一個專司開「巨頭會議」之職的總統和首相。艾森豪先生和艾登先生再一次「陪」布爾加甯鬼混，時間的浪費未免太可惜了。

二十年「友好」

布爾加甯好大的胃口，說要和美國簽訂一個二十年的「友好協定」，而且還要包括英國和法國在內。

蘇俄這個國家，一向視「訂約」爲兒戲，他愈是表演得「鄭重其事」，愈「逼眞」，愈令人有滑稽之感。

如果蘇俄眞有心「和平」「友好」，二次大戰結束前後，已經給了他最多的最大的機會了。「友好」、「互助」、「同盟」，這些詞彙蘇俄都用過。結果是，誰「友好」得澈底，誰變成了蘇俄的附庸，例如中共與東歐。誰向蘇俄想友好，乃至訂了「同盟條約」，但一事使蘇俄稍不如意，蘇俄臉色一變，隨時就得毀約。英蘇、英法間在戰後簽訂的二十年同盟條約，不是在去年蘇俄爲了巴黎協定一怒之下，單方面宣佈廢除了的嗎？

俄共白日見鬼

一切的迹象證明，共黨的本質決定，俄共在最近的一段時期間，必須加速「製造」一個「第一號的領袖」。

在這段時期內，俄共最害怕兩件事：第一怕自由世界的力量從外面打進來；第二怕俄共領導層從內部分裂。

因此俄共天天白日見鬼，叫喊「戰爭危機」。

共黨的「戰爭宣傳」實在是拚命製造「戰爭邊緣」國際氣氛的。希望造成自由世界的意見分歧，不能團結。

俄共的天天白日見鬼，叫喊「戰爭危機」，是對外，同時又是對內的，因爲祇有這種緊張的氣氛，才能使目前的俄共上層間勉強保持團結，並且便於「第一號領袖」的「製造」。

鐵幕，紙老虎！

聯共第二十次全代大會開幕在即，俄共「製造」「第一號領袖」的準備工作，也格外加緊了。

馬倫柯夫的餘黨蘇俄內政部部長克魯格洛夫去職了。在馬倫柯夫與貝里亞鬥爭期間，克魯格洛夫是馬倫柯夫的有力支持者。後來馬倫柯夫被迫辭總理職，赫魯歇夫對付克魯格洛夫的辦法，是分化安撫（使他不至堅決站在馬倫柯夫一邊，讓他名義上還担任內政部長），但實際上却將內政部最主要的實權支柱——秘密警察——與內政部分立，現在又更進一步要斬草除根了，克魯格洛夫不得不下台了。

一切的迹象又證明，今天的俄共是一個不穩定的政權。它對自由世界的「恐懼症」甚至嚴重到：爲了汽球從自由世界飛入鐵幕，竟向美國，向西德，向土耳其，向奧國抗議，派空軍在邊境襲擊汽球，這個國家對於汽球尚且如此恐懼，它不是紙老虎，是什麼？

陳毅北調削去軍權 劉伯承再度到華東

上海的領導權也在轉變中

思愷

去年底，東德傀儡總理格羅提渥于訪問北平後，再走訪南京，上海，與廣州。在南京迎接的是劉伯承，在上海迎接的是陳毅，在廣州迎接的是葉劍英。

獨眼龍坐守南京

南京原來是華東軍區與第三野戰軍領導機關的所在地，現在雖然大軍區與野戰軍都取消了，但南京仍爲華東的軍事領導中心是無疑問的。自一九五二年以來，劉伯承是南京軍事學院的負責人，但他代表南京的黨政軍機關出現于公衆場合，却還是第一次。因此這顯示出劉伯承有可能掌握華東軍的實際領導權。

但是上海市的實際權力又操在誰的手裏呢？可以循着下述各點線索來加研究。

這次陳毅在上海，逗留的時間是由去年十二月上旬到今年的一月上旬，名義上，陳毅雖然還遙遙兼領「上海市市長」，其實，市長的職務已早由副市長潘漢年（在一九五五年三月以前）與許建國（在一九五五年三月以後）長期的代理着，而他的主要工作是在國務院中設計軍事與外交相配合的行動。

陳毅南下的任務

這次，他突然南來，除了表面爲迎接格羅提渥外，顯然是有別的任務的：

從去年十二月到今年一月，中共發動全面性的大事是：農業，私營工商業和手工業等的「社會主義改造」的「加速」。據報載，有的是十天完成的，有的是一夜間完成的。上海是全國私營工商業的集中區，陳毅間關南來的，第一任務就在領導攻擊這個最大私營工商業的堡壘。

其第二項任務是改組上海市黨政機構。中共急須改組上海黨政機構，當是種因於在那裏會先後出現的兩大「反黨」「反革命」案件，其一是饒漱石所領導的，第二是潘漢年與楊帆所領導的。前者對于上海市的直接作用來得小，後者則對於上海市的黨政幹部具有不平凡的影響。因此，陳毅必須親自出馬，來對他作一次澈底的整理；也可說是他對中共中央的交代。在陳毅來說是無可奈何的！

上海羣奸誰最大？

一九五五年五月以前，中共上海市的黨政機構領導人如下：上海局書記兼上海市委第一書記柯慶施，第二書記陳丕顯，第三書記潘漢年，副書記馬天水。上海市長陳毅，副市長潘漢年，盛丕華，許建國，劉季平，金仲華，宋日昌——其次序代表着權力的大小。（盛丕華除外）。

這就是說，一九五五年五月以前，上海市的黨的方面是柯慶施負責，行政方面是潘漢年負責。同年五月前後，潘漢年與公安局副局長楊帆被指爲「反革命」份子遭逮捕後，在行政方面第三副市長許建國越過盛丕華而代理上海市長。盛丕華，是一個靠攏資本家，他自是一任擺佈，無什價值得引起注意之處。在黨的方面，增設一個副書記，即魏文伯，他原來是在上海主管司法與檢察的，這無非是提高了他的權力而已，也無特別可研究的意義。

及至十二月中，黨的方面又增設一個副書記曹荻秋，同時特別爲他舉行了一次「人民」代表會議，裝模作樣的經過一番什麼選舉，選出了曹荻秋與劉述周爲「上海市副市長」。

劉述周原是上海市黨委會的統戰部長，爲了加速「社會主義改造」，要加緊對上海市的工商業家統戰，其出任上海市副市長是當然的事。

曹荻秋最堪注意

所可注意者就是這個曹荻秋，他原是重慶市黨委書記，兼重慶市市長。從上述上海市的黨政領導幹部的配置來看，雖然還未指出其副書記與副市長的地位究竟比原來的幾個是大還是小。但因爲他又是黨委會副書記，權力上顯然較其他幾人爲強。

重慶市，原來是劉伯承所率領的第二野戰軍的根據地，曹荻秋以前能夠任重慶市長，顯然是獲得劉伯承的支持，從這可以了解曹荻秋與劉伯承之間的關係不尋常。現在劉坐鎮南京，而又置其嫡系親信於上海，雖然不能由此肯定的說劉伯承將代陳毅而取得華東的軍事領導權，但從曹荻秋的動態來看，劉伯承的勢力確已滲入華東。

此後，若陳毅不甘示弱，則爲上海領導權的問題，是可能出現緊張的鬥爭局面的。

一九四九年，三野進據上海，二野尾隨據於南京的鏡頭還在人們的記憶中；現在，陳劉再次在華東鬥其法，合一回，是陳毅敗走了！

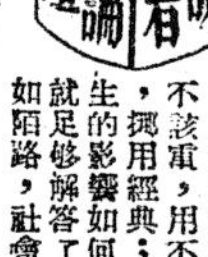

談尊師重道

師之趨不趨尊，道之該不該重，用不着去請教孔孟，援用經典；祇須從師對學生的影響如何，認識清楚，就足够解答了。然而，師生如陌路，社會輕師的現象，却仍時有所見。

法令降低師位

師道所以淪替，現行有些法令制度似亦應負一部份責任。

在台灣的就業考試制度之下，錄取的學生可以分發爲公務員；考不取的分發爲教員。這不是說公務員要比教員高一等麼？

學校之有校規，猶國家之有法律。法律是制裁不良份子，校規是規範壞的學生。用意一樣，道理相同。現在台灣的學校，如果開除學生，必須教育廳的核准。教育廳也曾經三令五申，禁止「體罰學生」，而各地報紙亦常有教師因體罰學生而吃官司，甚至被通令全省學校不得任用。此兩項規定固有其優點；但亦不能謂絕無相反的作用。茲舉一實例爲具體說明。

某立委的孩子，在某中學讀書。一天，惱怒了他的父親，老子正欲舉手教訓他時，他却大聲抗議：「你打，你敢打；老師都不敢打！」言下之意，老師打了，是可去教育廳告他的。

社會未尊師重道

做家長的總希望自己的子女能進有名的學校，接受好的師教。但是，好的教師是需要國家的培養，才能產生；需要社會的鼓勵，才能發揮效用。而現社會所給予教師的印象却是「輕視」和「不足道」。

一位教師，既無名可圖，又無利可圖，社會如能給予應有的尊敬與鼓勵，他們也可得到安慰，努力工作。可是，報紙上所登載的只是「教師被懲罰，吃官司」的消息，從無足資鼓舞情緒的報導。怎能不叫人洩氣、神喪？

敗類損毀師道

師之不尊，道之不重，教書先生也應「人先責己」自我檢討一番。如果「看了人家升官，有時眼紅；看了人家發財，有時心動。」甚或「做不到官，才罵會官，而自命爲高；發不到財，才罵奸商，而自以爲清。」一對於自己的職守，却不忠不實，那就的確有[illegible]師道了。

至於借小考向學生收試卷費用，以自過烟癮；上課叫一個學生念一遍，即宣告「通過」的敗類，那就無怪師道不淪替了。這當然是極端的例子，對於視富貴如浮雲，眞正爲下一代而克刻自勵的大批教師，難免言重，但有了這少數敗類，究是教育界的恥辱。

口號解決不了問題

要尊師重道，除應極力謀安定教師的生活以外，在精神上是需要經常予以鼓勵的。像上述打擊教師的威信，降低教師的地位的法令，不予廢止，即應修正。最要緊的還是培養尊師重道的社會風氣，尤其不能只責教師爲聖人，而社會大衆却甘爲小人。有了錯誤，固然應予以糾正，但眞正爲教育而努力的教師，社會應予以應有的尊崇。尊師務在行動上求表現，重道更須以事實作證明，不是口號能奏效的。

至此，我們亦要奉告教師先生：師道應尊重，我們不僅要據理力爭，但我們更應該有值得尊重的事實表現。處此「師道淪替」的今日，物質的享受是絕對有限的，只能從精神上求得滿足。第一，須用全力使自己的學生成才，求得良心的安慰；第二，自己也必須力求上進，在學問道德上求有成就。如果，上課時馬馬虎虎，下課後放放蕩蕩，那末，不僅誤了自己終身，還誤盡別人子女，於心不安，於理不當。如果因名利而心動，而不盡職責，那末，請你乾脆去從商做官，務名謀利，讓出這個作育後一輩的重要職位，給那些願爲下一代而努力的先生們吧！

·河西·

世界民主政治之前途

爲民主政治創一新局

伍憲子

（上接第一版）

我們不能事事摹做西方，除物質科學之外，我們要自己提起立國精神。我們要檢討過去，而後可以開創新局。我們從前高談民主，忘記自身，不知自身站在人民之中，要有好人民，先要有好自身，故必須培養成民主人格，此是第一義。

我們從前高談世界，輕視本國，不知本國之基礎毀壞，越級而談世界，終不能受其益，故學法美而僅襲皮毛，學蘇俄則傳染餘毒，今後必須痛加洗刷，此是第二義。

我們從前炫耀知識，自大欺人，此無異表示一種不合作態度，容易做成一人一義十人十義之散渙狀態，士大夫之團結精神全失，所以民主政治辦了四十餘年，絕無成效，我們今後不應再蹈此覆轍，此是第三義。明此三義，方可以開創民主新局。

在中國人性文化中，有一句話，「自誠明，謂之性。」此話許多人不明白，許多學者亦不明白，以爲誠只是眞。於是偏向物質方面，而失却精神。不知誠全屬精神方面，誠就是仁，明乃是智，自誠明者，從仁而達於智，其智方是人性中發出之智，可以應付萬變，而不至於走歪路。「自誠明謂之性」一語，出自中庸，中庸已自爲解釋，謂「誠者，非自成己而已也，所以成物也，成己，仁也，成物，知也，性之德也，合內外之道也，故時措之宜也」。雖是寥寥數語，已將人性文化之精義，繪畫出來。成己，非自爲己，成己，是爲了成物，此乃性之德，有此性德，而後內外可合，而後時措咸宜。

吾人肩負較西方爲重

故人性文化，不是閉門自修，不是遺棄大衆，不是孤立排外，不是泥古違時，以仁統知，不是以知藏仁。所以又說，「惟天下至誠，爲能盡其性，能盡其性，方能盡人之性，能盡人之性，則能盡物之性。」又說，「惟天下至誠，爲能經綸天下之大經，立天下之大本，知天地之化育」。假令此義能灌輸入西方民主人士之腦中，使之明白而實踐，則半世紀來之世界局勢，當不至如今日之凌亂，假令此義能灌輸入中國民主人士之腦中，使之明白而實踐，則四十餘年之中國政治，亦不至如今日之糊塗。

我們今後眞要迷途知返，自樹立起信心，今後世界政治，必趨向於民主，絕無疑義，極權殘暴之共產黨必失敗，亦絕無疑義。然資本主義之初步人權民主，不足以戰勝共產黨，更絕無疑義。故民主必須改進，人權民主必須向人性民主改進，亦絕無疑義。我們不必自餒，餒就失敗，我們所負責，比西方尤重。西方需要中國，比中國需要西方尤重。若否定此，則世界民主政治無前途，有智慧者幸聽吾言而占之。

中共利用傅抱石

·小丞·

在一月廿五日中共的「政協會議」開會的頭兩天，公布了補缺和新增的特邀委員，傅抱石就是其中之一。

傅抱石，無須中共宣傳，他是名畫家。他在國內的名氣雖趕不上徐悲鴻和張書旂，但在法國和比國，却頗負時譽，因此，在國內才慢慢的爲人所重視。

他是江西新喻人，食苦力學，少年時肄業江西省立第一師範，母親爲人洗衣。他自幼極富有藝術天才，對金石之學極爲嗜好。江西的古董商，向以精製假字畫有名，所有印章，即多出自傅抱石之手，刻來維妙維肖，傅氏亦頗此項收入，得以繼續學業。

傅神奇手法，是能在一顆小小的印章上，刻上一篇赤壁賦，而且所刻的趙字，頗有帖意，據說刻的時候，不假目力，一氣呵成。因此，見知於江西的教育當局，資送他赴日本留學，也因此使他與郭沫若建立了往還，但亦限於普通的友誼，政治上談不上有若何關係。

傅抱石歸國後，雖歷任中央大學教授，但因兒女成行，再加烟酒嗜好，生活極爲清苦。他的畫私淑石濤，參以西洋浪漫派的寫法，故極爲奔放磅礴。並以一年的功夫編訂「石濤上人年譜」，並請羅家倫爲之序，卒以一貧如洗，無法付印。後來還是得到陳伯莊的資助，予以印行。

抗戰時期的教授生活，均極爲艱苦，他在重慶就全靠賣畫爲活，得以渡過難關。勝利後，他曾回到江西南昌一行，也曾開過一次畫展，但因僻在內地，鑒賞者少，收入無多。後來仍到南京任教，一直到大陸淪陷，他一家老幼，自然無法成行，只可坐待時局的演變。

在大陸淪陷以後，畫家的生活，已更加艱困了，傅抱石曾經將他的畫，當作舊報紙包裹其他用品寄出來賣。終以事機不密，爲中共所偵悉。嗣後香港市場再不見有傅的作品。以傅懶淡的個性來說，他之出任「政協」委員顯爲中共所利用，中共的政協本爲統戰工作的一種，牢籠傅抱石亦無非是用他在國際藝壇上的地位，作爲宣傳工具是可想見的。

柏林近貌（下）

棣坡譯

東柏林共黨對西柏林的文化生活亦特別注意了，這可能就是爲什麼還這麼多的東柏林人要越過邊界去看西區的電影和音樂會的原因。現在東柏林用以作爲炫耀場所，是一個新的歌劇院，是花了一千萬美元重建的，內部富麗堂皇，牆面鑲着大理石和名貴的地毯，內部掛着波斯米亞的吊燈，還有鏤花的椅子。舞台設備亦是現代化的。劇院的共黨監督說：「我們要將這個歌劇院作爲歡迎從全世界來的藝術家的地方，就是美國人也歡迎。這是眞正自由的地方。」有些人看到新的劇院建築瑋麗，也許會大感驚奇，不過在音樂的背後，常有十分令人討厭的政治使命。許多劇本已照黨教共條加以改編。大多數觀衆似乎都是共黨新貴，看戲時很少鼓掌。觀衆中青年人也很少，共黨似乎覺得，他們的音樂生活儘可以不需要青年人的熱誠。

西德一家文學雜誌的美國籍發行人拉斯基說：「雖然共黨用了這樣大的力氣，表演他們的成績，但絕不能參與創造思想的主潮」。這所歌劇院，沒有一點東西是與柏林有關的。它只是一個表面的，不合時代的創造，共產政權的娛樂場，它的對象也祇限於少數特選的人，而就是他們，對它並不十分感到興趣。」

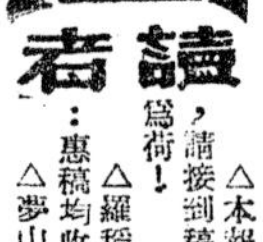

△本報四六四期以前稿費單，已分別發出，請接到稿費單的文友，惠臨本報領取稿酬，爲荷！

△羅稻仙，彭楚珩，鄭士珪，劉起儲先生：惠稿均收到，謝謝！

△夢山樓先生續稿已收到至感。

△雪梨諸葛凌先生：二月一日惠書悉，囑補各報已逕郵寄上，謹覆，餘另函詳。

妻女弟弟誘迫下 劉永銘陷進竹幕

留美學生劉永銘於七日經中共透過他的妻女和弟弟的誘迫關係，終於被騙入大陸了；劉永銘的進入大陸，並不是說明中共爭取人才的成功，祇不過爲了繼續他們的國際冷戰，而不惜犧牲和摧殘一個善良的靈魂甚至生命。

中共的宣傳詭計

當劉永銘自美國遣返大陸的途中，在遣返鐵幕邊緣的香港決定選擇了自由以及拒絕被遣返大陸之後，中共利用劉永銘作爲國際冷戰宣傳的詭計原已是澈底的失敗，可是中共並不肯承認現實；中共顯然欲在劉永銘未返自由祖國懷抱之前，極力爭取時間，繼續着冷戰的進行，如今得到了這樣的一個後果，果眞是中共勝利了嗎？

事實上劉永銘的拒絕進入大陸，對中共的國際宣傳戰上的打擊的沉重的，根據中共在北平的廣播和香港左翼報章所表現的，一方面硬說劉永銘在精神失常和受着外來壓力之下才被迫改變意志拒絕進入大陸，另一方面對爭取劉永銘還作最後的努力。

被香港若干報章所寫成「劉永銘爭奪戰」的原因是當劉永銘父母劉遜吾夫婦在台北讀到二月一日的港報報導他的兒子拒絕進入大陸的消息後，曾寫信給香港移民局請求協助劉永銘的回返台灣，接着二月四日的左翼報紙又刊登了劉永銘的妻子桂瓊華攜了女兒抵達深圳迎候劉永銘來歸的消息和圖片。

搬出妻子照片

中共對於這一套手法是玩弄得非常巧妙的，它的一個如意算盤打得響，當美國宣佈了劉永銘將於一月三十一日乘威爾遜輪抵達香港的消息之後，中共即動員了劉的妻子桂瓊華和女兒，安排他們夫婦在深圳團聚與父母重逢的一個熱烈鏡頭，準備向全世界作一次哄哄動動的宣傳，然而劉永銘的抉擇，使中共的宣傳人員宛如澆了一盆冷水，它這一個如意的安排可以說是白費的了，但當它們看到劉遜吾的信和談話時，它們靈機一動，已把桂瓊華在深圳的圖片搬了出來，希望打動了劉永銘的心。

如果劉永銘祇是想着兒女之私時，是很容易受到中共那種動人的文章所感動的，然而，劉永銘並不，他的反共的意念正如他的母親對記者所說的是一貫的，他何嘗不了解到當他進入鐵幕之後，他將會日夕記掛的愛妻，同時更會成爲中共一個時期的上賓，但他憎恨共產的一貫意旨，使他在六十多名中外記者之前宣佈他不願返入大陸。

早已表示拒入共區

劉永銘成了「爭奪戰」的標的，這是他做夢也想不到的，正如他不會想到中共竟利用他成爲國際冷戰的工具一樣，但無可置疑的，劉永銘並不致爲一張妻子的圖片和幾句經過中共新聞記者所「潤色」的談話而動了情感，因爲他從離美國開始，經過馬尼拉的接見記者一直到香港的公開談話，他都表示了不願意進入大陸的心意。

可是，當他寂寞與孤獨地留在一個陌生的難民營，經過三天之後，他突然會見了他的妻子桂瓊華和八歲的女兒劉美美以及弟弟劉永錫，這一連的親人，在他是感到異常溫馨的，他沒有理由不願隨着他的妻女離開難民營，但這並不能承認劉永銘已經願意離開香港，這時他還不知是他妻女之來已不是單純的而是負有中共所予以他們的任務。

桂瓊華和劉永錫經過十八小時的說服工作，動以至親之情，使到劉永銘在無法選擇下動搖了他的意志，他沒有會到在自由中國的雙親，他是不甘離港的，直到他到了羅湖邊境，他還是向移民局請求讓他和他的妻子留在香港，但得不到許可，他只有悽然的進入大陸。當港府新聞處公佈他在邊境這一項最後的請求時，每一個讀報的人都感到遺憾，沒有人承認劉永銘的進入大陸是出於自願的；也沒有人承認這是中共的勝利，然而，這是誰的失敗呢？劉永銘在無援助之下進入大陸，他在台北的雙親應作何感想呢。

中共轉移攻擊目標

劉永銘的最後進入大陸，是中共做夢也想不到的轉變，我們看到中共最初的狼狽是可知的，他一方面對爭取劉永銘作最後的努力另一方面它不作一些失敗的準備與佈置，因此，在北平的廣播就把劉永銘的不能進入大陸是受阻於美國特務的施用強大外來壓力以及香港新聞處長穆磊和移民局副局長麥克里頓的身上。

在中共一連串無理的指責中，對本港新聞處長穆磊的指責尤爲可笑的，中共認爲穆磊不應該爲劉永銘在威爾遜輪上安排一個記者招待會，這簡直是一個荒謬的指責，誰都知道穆磊這次是應記者的要求而作上述的安排的，而左翼的報章當劉未抵達時，亦曾對此項安排表示支持而先行披露，何況如果劉永銘是堅決要返大陸的話，他不會爲一個記者招待會而改變了什麼，否則，沒有這一個招待會，何異於羔羊而入虎口，且將永不爲世人所知的事。

中共的指責及於移民局副局長麥克里頓更屬無辜，指責的理由說麥克里頓不應在記者招待會後對記者表示他事前不知劉永銘將決定留於香港。

麥克里頓的實話被中共誣指爲作僞，事實上當日參與招待會的任何一個人，沒有一個會想像到劉永銘作這樣的一個決定。由此我們可以了解到劉永銘的決定使中共來一個措手不及，非但亂了步驟，而且言無倫次了。

軍刀機事件英人的看法

在上一週發生在香港的國際事件中，除了劉永銘事件外，另一件就是自由中國軍刀式戰鬥機迫降香港啟德機場的爭論，一架戰鬥機在訓練飛行時因機件發生故障而被迫落於一處沒有外交關係的土地，那是一件極其普通的事，按照國際公法當地的政府是無理由拒絕其着想或作其他種種留難的，可是中共却故意製造事件，誣指這架由李盛林少校駕駛的戰鬥機曾經侵入閩粵的上空而要求英國政府加以扣留，本港的左翼報章更揑造事實說被迫降的戰鬥機機師攜有武器，機尾復有彈痕，以求造成一個這架機曾參加戰鬥的錯誤印象，然而啟德機場的場長威美頓和港府新聞處處長穆磊先後駁斥這一種造謠的報道，固然像這一類報紙是永遠不會承認錯誤的，它勢將另借題目再來造謠，那是可以預見的。

英國政府接獲了中共的要求，而對被迫降的軍刀機的處理因而擱置下來，以等待自美返英的首相艾登親自決定，但一般人的預料，國際共同所遵守的法律和道義將迫使艾登首相拒絕中共的無理要求而使在啟德機場滯有青天白日徽的軍刀式戰鬥機和它的駕駛員李盛林少校從速離境。

即以一般在香港的英國人而論，他們亦不贊成香港政府阻止軍刀機的起飛的，英國人主辦的本港德臣西報三日那天亦曾就此事加以作公平的評述，該報的社論略說，香港政府實應早使迫降的軍刀機離港，倫敦方面之遲遲未予決定，實屬一種不幸，自由中國與中共顯然有內戰存在的，英國雖然承認北平政權，但絕不偏袒任何一方，一架缺油的飛機，在緊急降落以避免發生意外，在人道上亦應准其在啟德機場降落，香港實在沒有義務對北平的要求使之滿意的。

這是代表一般英國人對這事的看法，可以說是相當中肯的。

工人翻身以後

• 沈著 •

據最近北平「人民日報」連續透露的情況，充分顯示在中共的所謂「社會主義建設」瘋狂推進下，大陸工人的處境已愈形悲慘了。

勞動競賽

該報透露大陸工人因中共各地廠礦盲目奴役所造成的悲苦情形，實已到了不可想像的地步。由於中共各地廠礦的祗求本身「完成生產任務」或「超額完成生產任務」，不但已將「勞動競賽」當作經常的增產手段，不斷地提高工人的勞動強度，漫無限制地延長工人的工作時間；且嚴格地限制因工傷病的工人請假治病，迫令帶病操作，以致非僅嚴重地摧殘了工人的身體，且造成了甚多工人的不必要的死亡。

據說在「勞動競賽」的藉口之下，工人的工時通常都已被延長至十六小時左右，倘遇月尾，或季度終了時，則更被以「趕計劃」爲詞，延長至二十小時以上，乃至日以繼夜連續操作達數天之久。據說此種結果，乃普遍發生下列兩大惡劣現象：

精神恍惚造成意外傷亡

其一爲工人的精力不繼，神思恍惚，在工作時昏昏欲睡，以致造成了甚多的意外傷亡事件。據說最嚴重的傷亡事件，是工廠的爐鍋爆炸或礦穴的瓦斯爆炸，往往使數以百計的工人死傷。而最普遍的，則爲個人的傷亡事件，謂各單位凡工人被機器軋斷手足，被機器擊破頭顱，被輪帶捲入機器，在工地或車間暈厥，或從高空失足慘死等等的情事，幾乎無日無之。據舉例：黑龍江一小型機械廠在去年十一、十二兩月內即曾發生此等傷亡事故一百三十餘起。齊齊哈爾一小型機床廠在本年十至十二三個月內，即曾發生此等傷亡事件兩百五十餘起。而重工業部建築局所屬山西工地某次因迫令五人連續趕工五晝夜，即曾使在高空工作的十餘個工人在高空的跳板上暈睡過去，連續跌死了五人！

常人病倒　輕病轉重

其二爲工人體力耗損過度，普遍使健康者成病，輕病者轉成重病，重病者不治而死。據說目前大陸工人中普遍都有胃病、眼病、或頭病，一部份則患有肺病、癆損、或腫脹病。據說因患者過多，而工作「緊張」，故均缺乏醫療的機會。而更慘無人道的，則還在中共各地廠礦均訂定了過嚴的請假規則，規定工人非至不能動彈之時，均不准給假，而須繼續工作，甚至非給假不可之時，亦不得超過假期八天。該報承認因此之故，曾使甚多因工傷病的工人因不得必要的休息和治療而釀成殘廢或死亡。據舉例：「地方國營遼甯纖絲四廠」一個名叫祝寶山的工人，即因積勞而於前年春季形成肺病。至去年秋季時因病況加深，曾再三向廠方請假，但均遭拒絕，並迫令繼續工作。至去年十月間終於釀成大量咯血時，廠方亦祗允給假八天，八天以後，仍被迫帶病回廠「堅持工作」，以致延至今年一月間，終於不治而死。又如該廠一個名叫孫桂秀的懷孕女工，於去年多天突然下部流血不止，經醫生檢查，認定有流產危險，必須住院治療，但在請假時，亦遭廠方拒絕，迫令「堅持工作」，以致終於在車間暈倒，並因醫院拒收，以致被迫一面流血，一面步行回家，結果造成殘疾。

壓低成本　剝削勞力

該報又透露：由於中共各地廠礦奉令降低生產成本，竭力爲中共積累所謂「國家資本」，將工人的工資亦當作了「積累」的對象，以致使工人的工資遭受了多種方式的剋扣，從而使本已極度貧困的大陸工人更形貧困。

據說剋扣的方式，主要有下列三種：

其一，是盡量將工人的計件工資面縮小，改爲按日計酬，使工人按照計件工資的最高生產額生產，而祗給予按日計算的較低的工資。據說根據瀋陽市五十一個工廠的統計，被此種方式剋扣工資的工人，目前已共有百分之七十八之多。

其二，是將工人每日的生產定額（即生產標準量）不斷地提高，使工人始終無法達成定額，從而以此爲「理由」，按照規定扣減其每日應得的工資。據調查的結果，謂各地廠礦的生產定額平均每月都有提高，較多的竟每月提高達三次之多。據說因此之故，平均每一單位總有百分之八十以上的工人，無法達到定額，從而遭受扣薪。

其三，是長期不給工人提升工資級，而祗提升工人的職位，使工人做較多和較重要的工作，而支給較低的工資級。據說有些廠礦招收的工人有四年之久不予升級，有些廠礦招收了大量徒工，早已學成技術，担任技工職務，也不予升級。而有的工人按照規定考試及格，亦未能升級。據舉例：瀋陽某一工廠，竟有一工人連考十二次，次次及格，均次次未得升級。（上）

「社會主義」化後的 中共服裝店

中共在併吞了私營企業後，又繼之以吞食小手工業，以此爲實現城市的「社會主義化」，但「社會主義化」後的笑話却增出不窮。

在遂甯昌闔縣的金家鎮，有一家手工服裝社，全社共有社員廿八個，但生產能力仍趕不上需要，社員們經常要加班加點，生病的也不能請假，吃頭痛粉熬着幹，其中有李樹華和高玉芝累病了五個多月不能工作。

由於中共用高壓手段來强迫社員生產，於是做出來的衣服紕錯誤百出。類似這種現象已在大陸各地普遍發生。「社會主義化」後的生產狀況如此，實乃莫大之諷刺！（插圖原載一月廿七日天津大公報）

提高學童水準 新教學法奏效

年來本港教育的發展，已使教育水準逐漸提高。這不能不歸功於教育當局及有關教育事業的組織對教學方法不斷研究與改良。這種新教學法，初時並不成爲一門有系統的學問，但在羅師及葛師兩專校導師深入研究及講授後，新教學法，漸漸爲時尚，其優點也逐漸爲人發現及認可。新教學法是吸收英美最新教育原理，再參以對兒童心理揣摩後所得的結論，復適應本地學童的程度及需要後集合種種因素及經驗而成。其方法注重啓迪與引導，較往日的灌輸式教育，有自然與勉强的分別。此種新法，對學童而言，因饒趣味與教育並相推進，也比舊法更受歡迎。新教學法，在原則上固與舊者有別，在教材的選擇、整理、教授方面，亦有異問。大抵言之：目下教師對教材的搜集，於系統性及時代背景，均甚注重；而選擇與捨棄間，亦切合各校各級課程之需要，使授受雙方皆不致白花氣力，以至學而不得其用。誠如教育司署最近公佈之小學國語課程規定：「小學三四年級，最好能選授簡易書信，俾兒童能認識書信體裁，而認行應用」。又謂：「……小學五年級，更應側重應用文體之運用與研討」。新教學法的大體原則，因時施教，與此旨頗爲相似。（白）

帝汶僑胞極積反共 創刊「僑領周訊」

【帝汶特約通訊】葡屬帝汶島，共黨的滲透情形，記者前此曾在本刊作過報導，此間愛好自由之反共人士，因共黨之活動加劇，亦積極從事反擊工作，尤特別注重宣傳，現正義僑胞，已爲此產生一支反共的生力軍，即「領僑周訊」是也。該刊物，由反共領導人謝康博士及鍾瑞蓀先生等倡議。許多正義人士及愛國青年都因此集合在此一旗幟下，一致作英勇的鬥爭。該刊逢拜六出版。已成爲此間華僑的週末精神食糧，內容精悍。文字淺顯，有論評及時事分析，亦有祖國消息及國際新聞。此外，還有僑務、黨務報導，讀者論壇，及青年寫作等。現已出版至第三期，極爲僑界所歡迎。（康仁．一月二十日）

自由談

談政治領袖

馬五先生

近來每與日本和我國情形的朋友談天，談到最近去世的日本自由黨領袖緒方竹虎之爲人。我問：緒方以新聞記者起家，才不出衆，何以在戰後短淺的歲月中，竟能躍居自由黨總裁地位，而一般人士亦樂於景從呢？朋友說：就因爲緒方爲人渾厚有容，外圓內方，表面上庸庸碌碌，小事馬虎，然心裏有數，對於大事堅決不糊塗的。所以大家都喜歡他這種平庸易與的風格，這是做政治領袖的必備條件！

這說法很有道理。做領袖的人如果太過於能幹，隨時鋒芒畢露，表現其超羣過衆的智慧，而不能勁氣內斂，休休然涵攝萬彙，以使用天下人，結果乃爲天下人所使用，雖有上智，亦必事倍功半，勞苦特甚。及其弊也，衆皆自慚庸愚，遇事唯唯諾諾，不敢有所主張，一是皆以「等因奉此」的作風爲本，不求有功，但期無過，政海即成了死水，連蝦兒的跳動情形亦看不到，更沒有蛟龍生存發展之餘地了！政治領袖有如大海，必使百川滙歸，萬流奔赴，才可以構成浪濤洶湧，浩浩乎懷山襄陵的雄偉氣象。否則喪失了海的作用，與溝渠何殊乎？

近人曹錕，世皆認其爲庸愚無用之輩，但他能夠任使一個飛揚跋扈的吳佩孚，臨到大事發生，他又能對吳氏說出「親家之親，不如你我之親」的至誠感人語句，他亦就成爲北洋軍閥的一代領袖人物，功名居然凌駕乎段祺瑞之上哩！

做政治領袖的條件，一半是先天具備的，一半是靠後天修養鍛鍊而來。人人皆可望作領袖，但眞正的領袖人物卻不多見，原因就在後天的修養工夫。緒方竹虎如能再生存兩三年，首相之位一定坐上無疑。我悼惜這位同學校同行業出身的友邦政治領袖人物，因而引發了這些感想，不能已言如此！

年景

劍朋

吾鄉于夏曆年節，儀文最繁，但華華大端則亦爲佗省所有，故不記。茲就記憶所及，記少事數則，聊以抒歲暮懷鄉之感耳。

家鄉舊例，過臘月廿三日（是日祀灶）後，由戶長擇一吉日，書於紅箋，傳示親屬，定某日食團年飯，其菜餚均有規定，不須另擇日期。凡除海菜鮮魚雞鴨臘肉外，蔬菜則爲青菜、白菜、芋子、八寶菜，是爲每年必不可少之品，惟甜菜及其他葷菜，則可隨意增加。

在他鄉僑寓或遊宦者，亦必須具備上列各種，爲祀祖及團年飯之用，故每年臘八後，主婦即須着手儲備，因蔬菜常爲當地所無，須購之於數百里外也。惟客居他省者之團年飯，恆於除夕祀祖後全家共食。

主婦自入冬令，即忙於作臘魚臘肉，及製腐乳，製臘八豆，製豆豉，製皮蛋鹹蛋，以及醃白菜心，曬蘿蔔乾，做各式辣椒，碾糯米，炒花生，製各式糖果，皆所以備過年及新春正月款客之用。

如作主婦而不能執刀俎，製蔬菜，則不唯爲姑嫜所不喜，而親戚鄰居皆有異議矣。

家庭過年時，對於飲食之繁文縟節，各省大概相同，北方較南方稍簡，最簡者爲東北，東北各地新年食品，以煮餑餑（即水餃）爲主要，亦須於除夕前數日趕製，製成煮熟，（亦有不煮者）夜間置露天下使其凍結，然後以大缸貯之，可供上元以前之用，因天氣嚴寒，且經凍過，故可久貯而不變味，新年客至，必須以此品款待。此外，亦有作年糕及油炸甜食，或備大塊豬羊肉者，則視家有無，非有定例也。

東北過年食品雖較爲簡單，而赴親友家辭歲拜年，餽贈孩僮傭僕，則極豐，此尤見風俗之厚。惟日夜奔走作過年籌備者，率爲家主，而主婦則較爲悠閒。

瀋陽民俗於農曆除夕，亦舉行辭歲，接灶，封啓財出門，一天行等事，與他省大略相同。惟有一小事特異，且令人厭惡者，則天明，小兒童三五成羣，相攜緩步街心，隨口惡罵，遇行人則咒罵尤甚，行人亦笑受之，不與較也，迨天明始各返家。此種習俗，不知何所取義，聞之殊增人不快。

陝西鄜延各地，無守歲之說，除夕三更後，男女皆就枕，故亦無啓門等事，惟天明後於大門內設香燭向外拜祭，祭後開大門，即攜兒挈女至近親處拜年。此種風俗，簡而不勞，甚適宜於疏懶者。且各地流行守歲，因之賭博一事，竟成爲除夕必需之行爲，徹夜呼盧，甚至延一二日不輟，故每屆元旦，多舉家酣臥不起，即精力較好者，亦睡眼模糊，言動錯亂，因之春節後病患流行，此實爲一大原因，反不如陝北隨俗之爲愈也。

吾鄉團年飯例有八寶菜，歲後祭飯皆有此品至上元祀祖後乃止。八寶菜者以紅白蘿蔔、白菜心、芹菜、生薑，皆切細絲，加炒芝蔴青豆蝦米涼拌，俟菜豆皆醃透，再加醬油好醋蔴油，以大盆貯之供半月之用。此種蔬菜所費無多，而別饒風味，蓋年節時每日兩餐，多爲魚肉之類，故以此清涼之味調劑之，而價又極廉，貧家亦能備辦，即此小事，亦可以見鄉人之用心矣。余生長外省，而家庭仍守鄉規，非萬不得已決不變更，今則並祭祀亦有所不能，故每念往事，愴然不已。

浣溪紗（次璞翁韻）

王韶生

薄霧籠紗暖似春。過橋絃管吏披紛。紅裙行酒爲誰勤。
祇有多情天上月。清光還照亂離人。醒來同是夢中身。

三妹媚

道鄰

寒窗聞夜雨。喜朝來初霽，游絲如絮。詞客凄涼，怎碧紗簾幙，乍逝朱戶。按點霓裳，應自有故人歌舞。小苑深深濤苦。爲甚三更，一覺驚然，那人甚處。

念夢裏家山，枕邊歸路。酒後情懷，把舊眉心事，寫成新譜。怕上層樓，想滿眼羣山青綠。只恐文君留久，深閨獨語。

用·己

楚恭

我們利用自己，不僅是發現自己的長處，去做許多事業；同時也可以利用自己的短處，配合自己的長處，去別開生面的做一番事業。例如面貌醜陋行動蹣跚的卓別林，便是利用自己的短處，再配上滑稽的天才，成爲世界著名的明星。至於盲人成爲音樂家，殘廢者成爲學者或事業家，即爲最好的例證。

利用自己的短處，來堅定自己的意志，再集中自己的精力於某一方面，便成功了一番事業。上面只是一些特殊的例證。至於一般人也未嘗不可利用自己極普通的短處，來發揮自己所特具的長處。例如自己不善言詞，最好是不要把時間浪費在講話方面，而應把時間利用在思索和觀察方面。我們能夠精密的思索和觀察，對社會現象有一番深刻的認識，用文字表現出來，也許便可以成爲一位文學家或哲學家；對自然現象有一番深刻的認識，用事物加以證明，也許便可以成爲一位科學家。又如一個容貌欠佳的女子，她也可以減少被異性糾纏的麻煩，而努力於自己的學問和事業。足見我們利用短處，正可以幫助長處的發揮。

「好逸惡勞」固是衆所週知的一句成語，也是大家公認的一件事實。但假使進一步的分析，便可以發覺這句話並不十分正確。因爲一個人閒着無事，縱情逸樂，有時感到並不是一種眞正的享受，只會充滿了無聊和厭倦的情緒。反過來看，一個人從千辛萬苦中所得到的收獲，定會感到十分愉快，而且這種愉快，能夠給人生一種雋永的意味。可見逸樂不一定爲人所好，勤勞不一定爲人所惡，完全看我們如何感覺和如何善於利用自己。

我們有健康的身體和充沛的精力，便絕對不願意整天無事的閒逸，一定要找許多事來做，用以發揮自己的體力和精力；假使所做的事能夠有所成就，更一定會鼓勵我們樂此不疲的做下去。小孩子的體力和精力最健旺，一天到晚都想找各種活動，根本不知道「好逸惡勞」這回事，可見某個人有「好逸惡勞」的習性，一定是他的身心有缺陷；一個民族有「好逸惡勞」的風氣，一定是這個民族的體魄不大健康。所以我們要保持像小孩子一樣健旺的體力和精力，再加上善於利用自己，必定可以成功偉大的事業。

同光風雲錄

作勞人

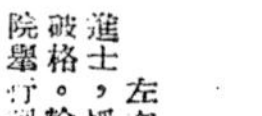

左宗棠

朝慈禧不諳陳對

左文襄僅舉孝廉，因平亂功高，賜同進士，授翰林，終拜命東閣大學士，係出破格。翰林中人，頗不謂然。迨其赴翰林院舉行到署典禮時，諸翰林迎之，皆有怏怏輕視之色。既而，文襄升座，四顧慨然曰：『適從何處來？[illegible]到此』。輕鬆兩語，衆皆竦然！典禮畢，衆乞書一匾額誌盛。文襄書畢，徐謂衆曰：『諸公俱精六法，顧乃囑左某書此，正似幼小學生，得先生加圈獎譽也。』衆翰林大笑而罷。一場大典，經此從容謙抑應付，竟化緊張爲愉快矣。

文襄久客封疆，不諳陳對，初陛見時，西太后慰勞之曰：『汝在外久，今在京須早起，想多不便。』彼即操湘音對曰：『臣在軍中，五更時，便須弄起來了。』同班諸大臣，皆掩口匿笑！未幾，兩江總督出缺，遂簡放外任矣。

功采補絕緣冷猪頭

晚年體質肥壯，未嘗以憔悴見於容色，但頗事采補，後房蓄姬妾，多至三十餘人，每幸一次，須白之髮，轉黑敷密，老年，鬢髮反如壯歲，此事理之不可解者。然雖好女色，原爲英雄之常事，惟欲吃孔廟兩廡冷猪頭，則終不可得也。

文襄並老病痰，自知不起，易簀前，撰自輓長聯。倔強自負，英姿磊落，亦可於文詞間見之矣。聯云：

『慨此日騎鯨西去，七尺軀委殘芳草，滿腔血灑向空林，問誰來歌嵩歌蓬，鼓響琵琶塚畔，掛寶劍枝頭，憑弔松楸魂魄，奮激千秋，縱教黃土埋予，應呼雄鬼。倘他年化鶴東歸，一瓣香祝成本性，十個月現出全身，願從茲爲樵爲漁，訪鹿友山中，訂鷗盟水上，消磨錦繡心腸，遣番半世，惟恐蒼天厄我，再作勞人』（二）

薛府王爺高美進香

覃靖

我的房東自然也在其中，說不定全村莊六七十戶農家都到齊了。誰說中國人沒有守時的習慣？太陽正照得人們看不見影子的時候，進香的行列進入了這村莊的小巷。場面眞是偉大極了，僅僅樂隊就是三批：第一批是穿對襟短裝的嗩吶大鑼隊；第二批是穿白制服的喇叭西樂；第三批是穿長掛白袖的簫笛國樂隊。這些人全是坐三輪車來的，三輪車編了號碼，連同進香的善男信女，總共三百三十三輛。最前面開道的是一乘轎子，內坐一人，手捧木頭的「薛府王爺」。「薛府王爺」一直進入元保宮的正殿，三輪車上的善男信女便一齊下車來，燒香焚拜。我想不通，敬善信的人，竟會穿畢挺的西服和露胸的衫裙，若不是每個人胸前都配着一小塊黃布條的標記，跟舞池裏的派對又有什麼區別？

大約是十一點鐘，元保宮前面的廣場上，很整齊地擺了兩排漂亮的食物盤子。

燒香焚拜的程序，進行約半小時，元保宮的住持擊了三下大鼓，那些進香的人們，便到兩排食物盤子的隊伍裏，任意取用自己所喜的午餐，而那塊配在胸前的小黃布條，竟成了絕對信用的飯票。

這時候我看見一件很不公平的事，兩排奉送午餐的隊伍中，顯現了強烈的比照。有的擁擠不堪；有的冷寥無人。我的房東是屬于後一種，他對任何一個進香的人，都親熱地笑着捧上一碗食物；但那些白食者的眼睛非常勢利，最多對他翻笑一下便走到擁擠的另一堆去了；有的甚至根本懶得回顧。

時間仍然控制得很好，當白食的人們都飽了，元保宮的大鼓又響三下。「薛府王爺」的轎子首先抬了出來，接着三百三十三輛三輪車又浩浩蕩蕩地起程了。村莊的農夫們再用爆竹歡送他們。

剩下來的又是農村的平靜景象。我下意識地走到房東跟前，他苦着臉收拾着。

「你來一碗！」他像對進香的人一樣親熱地笑着，只是笑中隱藏着痛苦的陰霾。

我接過來，是一碗雞肉米粉。味道很鮮美。（下）

殺托洛茨基兇手不悔改

一九四〇年暗殺托洛茨基的神秘人物莫納特向墨西哥當局請求假釋，最近已遭駁回。據墨國社會福利部說，他必須服滿二十年的徒刑，即再在獄中囚禁四年半。由於墨西哥已廢止死刑，二十年是最高的徒刑。這次墨國當局拒絕其假釋請求的主因，是他雖然在監牢中是個模範囚犯，且已成爲墨西哥市感化院的囚犯無線電廠主任，但仍然不肯公開表明他對殺害托洛茨基已感後悔。（明譯）

那有馬鈴薯？

李譯

匈牙利一個省長跑去問農民，馬鈴薯計劃的新發展如何。農民道，『在共產黨領導之下，馬鈴薯的生產眞是驚人。若果把最近收獲的馬鈴薯堆在一起，那一座馬鈴薯的大山可以達到上帝的腳下。』省長質問農民：『你不曉得上帝不存在嗎？』

魯斯夫人拒絕競選

美國駐義大使魯斯夫人最近返國與艾森豪會談後，辭出白宮，剛巧碰到俄大使柴魯平向艾森豪致送布爾加寧的信。她被記者所包圍，極力否認兩個關於她未來計劃的謠言，她說：「我不想爭取副總統候選人，也沒有人要我參加競選。」關於外傳她將辭職的謠言，她說：「我將留在羅馬，如果國務卿杜勒斯認爲我幹得不錯的話。」她在回羅馬途中，將往倫敦及巴黎。

秀才·舉人·進士補正

本報前刊載之「秀才舉人進士」一文，承作者賈景德先生來函囑添改者尚有以下各節，特予披露如下：

一、十二月廿四日五〇二期刊出之第十四節內中段第六行「寫」字下加「有關太上皇，皇太后的名詞則須抬高三格寫」；第十行「吃力」下加「不過也有例外，南皮張相國之洞的殿試卷子，就是不按尋常格式隨便抬頭，而被取爲一甲第三名的。」；「當年我下殿試場」下加「一則是恪守成規尋行數墨」，以與下文聯成一語。

二、十二月廿八日五〇三期刊出之第十五節內，上段第十二行「後來就少見了」下加「光緒乙未科四川人駱成驤殿試的卷子他開首就寫「臣對臣聞主憂則臣辱主辱則臣死」云云。當時清德宗正在勵精圖治變法維新，一看就把他提爲一甲第一名，此是一個例外，也可以看到德宗的不尋常了。」；下段第二行「例如」下加「會試場的四位大總裁，就是把他們所閱的卷子按照皇帝論官原派姓名次序分爲正大光明四字，作爲標幟；正字號列第一的就是會元，以下依次遞推，周而復始。」

三、十二月卅一日五〇四期刊出之十六節上段第十二行「每排首尾」下加「肅立着」三字。

四、本年一月七日第五〇六期刊出之第八節內上段第七行「不懂脾氣」改爲「不摸秉性」；中段第九行「兼禮部侍郎」下遺一「銜」字；「翰林」下加「簡稱曰翰」；（翰林院全體）下遺「詹」字。

自由人

THE FREEMAN
（第五一六期）
中華民國僑務委員會
登記證台報新字第一零二號
中華郵政台字第五○○號
執照登記爲第一類新聞紙類
（半週刊每星期三 六出版）
每份港幣壹毫
台北市售價台幣壹元
督印人：陳文華
址：香港高士威道二十號四樓
3 rd. fl. 20 CAUSEWAY RD. HONG KONG
香港發行及業務接洽
高士打道66號 電話：七四○五三
承印者：南東印務出版社
地址：高士打道六十四號
海外總經銷
友聯書報發行公司
香港：德輔道中二十六號A二樓
台灣特派員辦事處
台北市館前街五十號
台灣總經銷處
台北市西寧南路壹壹壹號二樓
台郵撥儲金戶九二五二

由中共的「愛國主義」說到「社會主義」

——中國知識分子應該面對中共有一個「正名」運動，以明是非，正觀聽，而免魚目混珠，造成歷史錯誤——

張六師

當茲蘇俄正向民主國家用笑臉賣弄風情，迷惑西方和亞洲政客們的時候，中共也不得不追隨着克里姆林宮裝出一副「和平」面孔，喊出「和平共存」的口號，尤其對台灣於望洋興嘆之餘，也高叫要「和平解放」了。

在中共這一連串「和平」宣傳攻勢中，雖然至今還看不出自由中國的反應，但卻暴露出共產黨矛盾，滑稽，和已技窮的醜態來！

他們最肉麻而不知自醜的名詞莫過於所謂「愛國主義」，和「中國自己領土」，「既往不究」，「社會主義」……等等八股式的陳腔濫調，使人聽了作嘔。他們把自己關在鐵幕裏，（早已不是什麼「竹幕」），不知外面海闊天空的自由世界已進步和變化到什麼樣子，還把一九四五到一九四九年的日曆在翻着自鳴得意。其實除了只能欺騙已接受他們騎在頭上的人民而外，只徒然暴露他們內心的惶急，故不得不用辯證法的宣傳，以圖遮飾自己的弱點而已。

到底「愛」的是那一「國」？

不僅世人皆知，就是連他們自己又何嘗不知：各國共產黨都是蘇俄帝國主義者所培養來滲透、顛覆各民主國家的第五縱隊。這是在共產黨的組織系統和一切教育訓練的教條文字，早已明白規定；而在表面化的行爲上，則奉蘇俄爲「無產階級祖國」，對自己的國家則強調「工人無祖國」。儘管他們說在「過渡時期中還需用『愛國主義』的號召」，但實際上蘇俄對於各國共黨支部在一九二八年的共產國際綱領第三部第五章第三節就已說得最清楚了。（註）它說：「鑑於蘇聯乃是國際無產階級唯一的祖國，國際無產階級必須站在它自己的立場，幫助蘇聯社會主義建設工作的成功，並盡其所有力量保衛蘇聯以抵抗資本主義列強對它的攻擊」。接着第六章的末段更規定得具體的這樣說：「……變帝國主義戰爭爲『內戰』，擊敗現存的政府，此時用各種可能的方法保衛蘇聯及其殖民地，這是共產國際一切部門應盡的義務，它的黨員每一份子所應盡的義務。……國際無產階級，（即共產黨），必須接受共產國際階級紀律的約束，那就是在革命運動中，必須把部份的，局部的利益列爲次要。（按即指各國共黨本國的利益。）並須由全體黨員嚴格地履行共產國際領導機關所通過的決策……」。

基此，中共之所以必向蘇俄「一邊倒」，必稱史達林爲「爺爺」，「太陽」，「先進」，「老大哥」……必須打破中俄國界，（在僞憲法中不敢明白規定國家領土疆界。毛澤東並告訴共產黨員「不分國界省界」——（見毛集一卷七九頁。）又必須爲蘇俄建設一切戰爭工業和戰略交通，必須追隨蘇俄之後，預備和英美打第三次大戰，甯可餓死凍死中國人民，也必須把「增產」、「豐收」的糧食物資運送到俄國供給「老大哥」開發西伯利亞，把剝削來的工農業生產品運銷海外換取外匯和戰略物資以擴軍備戰：而還肉麻地拿「愛國主義」作護符向人民敲骨吸髓，對海外欺騙宣傳，但實際上他們到底在愛那一個「國」？

中國在那裏？

作爲中共對世人喊得最響的名詞，莫過於它也自稱是「中國」了。它從一九二一年在蘇俄指揮下發動「內戰」起，它的「國」名，曾由「蘇維埃共和國」到「人民共和國」。它的「軍隊」，也由「工農紅軍」，「紅軍」，「國民革命軍第八路軍」，「十八集團軍」，「東北民主聯軍」到「人民解放軍」。他的「國」旗，也從黑色鐮刀紅旗而到五星紅旗。儘管名稱花樣變法不同，但總不脫離被蘇俄統治的表徵。今天蘇俄共黨所佔領的中國土地，到也實實在在是貨眞價實的中國人的土地。但它的國家主權，文化內容，經濟發展，生活方式，人權自由，政治形態，國防路綫，民族政策，宗教信仰，……一切立國精神和風俗文化，無一不走向俄化而受制於莫斯科與北平蘇俄大使館及其成千成萬的顧問與由蘇俄教育培養出來位置於各部門的「高等華共」之手。這是華俄混雜通精神與軀殼都已變質的混血組織，還算是「中國」嗎？汪精衛的組織，還含有一點中國人的精神和形態，今日毛澤東的組織連這一點都沒有，也居然厚顏自稱「中國」如此欺世盜名的向世界發展，眞是對國際知識份子一種莫大的侮辱！（如果以中共曾一版翻印一部份舊書，得標只印幾千）。册拿來港外宣傳和套外滙，便是保存文化，而反忘記了他們劫輒成百萬本的譯印俄國書籍強迫中國人閱讀，和銷毀中國千千萬萬本古籍的事實，這就不免幼稚天眞了。

「誰是罪人」？

年來在他們宣傳語調中，還有最荒謬肉麻的一個名詞，便是「既往不究」，又說，（「既往不咎」）。什麼東西叫「既往」？誰配來「究」誰呢？這種話如出諸上帝，來自宗教，還有可說，今竟出諸三十年來竊國賣國、殺人放火的共產黨，不特不倫不類，確未免滑稽可笑！它們居然自以爲是一種宗教，以世人生在它們之前，都是有生以來便先犯了它們的「罪」！所以人人都成了有「既往」可「究」而必須經它們的「寬大」——「既往不咎」。無怪他們奴顏婢膝的稱頌史達林爲「太陽」，「人類的救主」，把莫斯科奉爲「聖池」，而各附庸的共黨頭子居然也充起導師，變成神巫而「偉大」起來！

（下轉第二版）

放寬禁運有何好處？

——請以香港馬來亞事實証明

．魯男．

「逐步放寬」對中國大陸貿易限制，是艾登這次訪問華府的主要成就之一。會談公報雖對此輕描淡寫，惟騐於艾登在大英聯邦使節宴會中所稱：「美國同意對中共禁運加以檢討，英國甚感愉快」一語觀之，殆可證明：雙方對此問題已必有切實諒解。至於馬來亞橡膠之輸往中國大陸問題，華府宣言對此雖並無切實指明，艾森豪總統將該問題之決定責任推給巴黎小組，要抑不過在顧忌參議院遽然的反對，此固爲艾森豪之政治手法，而實非表示美政府反對馬來亞橡膠之售予中共。故西方政治與商業社會已對此泛起了衝動的樂觀，以爲可藉此獲得新商業繁榮的希望。

認識中共貿易政策

但吾人以爲，大英集團（或者尚有日本）欲以開放禁運，刺激市場，改變並繁榮遠東經濟之現狀，實屬一種不顧後果之短見。蓋放寬對中共禁運的要求，和禁運放寬後好景的期待，乃皆建立在假定的希望之上。此項假定之結果是基於以爲中共現時不向自由市場大量購買，是因爲自由市場自行對它禁運的結果；而否定了中共政治、經濟本質上脆弱的自限因素。同時更忽略了中共在蘇聯和東歐國家的貿易政策上，對「盧布集團」應負的經濟義務；此可以中共對蘇貿易之特殊擴張先於西方實施禁運，而獲得證明。

中共有意排斥與自由市場進行正常貿易，可以一九五三年後香港商業的紀錄爲證明。及一九五五年，則備嘗中共在貿易中不履行其正常義務之苦果者，又復不僅香港了。

本年二月二日緬甸政府商務部召集與會貿易的主要國家代表和仰光商會代表開會，檢討其與共黨國家進行「易貨貿易」的困難。緬商當時即曾陳訴：「中共交貨經常比合約遲誤；緬甸進口商獲得輸入證後，中共又時常比原約抬高貨價百分之十到十五；經常不肯提供標準樣品，或不照合約規定付貨」。

以一個不遵守國際貿易慣例者，爲買賣的對手方，試問還能有好的結果嗎？還能期望經由此類貿易以繁榮新商業嗎？

錫蘭備嘗苦果

茲再就中共的生產力來言，其本身的微弱，實已限制了它對外貿易的支付能力，此亦同時限制了它對外購買力的增長。以中共和錫蘭的膠米協訂之執行實況爲例。當這個協訂簽訂時，確曾震動過自由市場，中共並再繼而發動強烈宣傳。在初期的交易中，中共付出的膠價超過了售出的米價。但履行合約的實況又怎樣呢？迄一九五五年止，此項合約不過才履行了一半時間，但據本年一月十九日錫蘭財政部發言人稱：「在膠米協訂下，中共欠付錫蘭款額，已達三千六百萬盧比。且曾經和中共談判，要求它以英鎊先償還一部份，合三百萬鎊」；然中共的反建議則要求「以小麥、糖、及其它日用品來抵付。錫蘭且已接受了七千噸糖，值四百萬盧比。小麥、及其它日用品則實無法接受，因中共所定價格遠較世界自由市場爲高」，但，對此素無商業信義和缺乏外滙的貿易對手——中共，錫蘭殊亦無計可出！終不能不屈從於中共的勒索。據法新社哥倫坡電訊：「錫蘭政府已同意了依『競爭』價格承受中共麵粉三萬五千噸」了事。錫蘭爲一蕞爾小國，但所接受中共的確是一碩大的苦果！

替馬來亞算了賬

因此，吾人對馬來亞之想以每年出售橡膠三萬噸予中共，改善其經濟情況，實是難於理解的，要亦無非予中共毀「跳樓貨」之機會耳。同時，馬來亞似亦未對中共需要橡膠的納胃深加研究，在向錫蘭購膠後，中共實已不再需要向它更爲多買；此可以一九五三年拒絕緬甸「援例」建議而證明。更重要的是，馬來亞根本未考慮到在其依賴中共收購橡膠後，因受中共經濟控制所聯帶產生的政治後果。

以一九五五年中共與馬來亞的貿易言，在首期十個月內，輸出爲九千三百一十二萬餘叻元，輸入爲一千二百卅九萬餘叻元，即馬來亞入超了八千餘萬叻元。計其吸納馬來貨物，較正常每年一億餘叻元的數額，約僅十分之一。如連同叻幣戰後購買力變動統計，約相當於六十分之一而已。出售三萬噸橡膠的貨值約四千萬至六千萬叻元，尚不足抵注入超數字，而三萬噸橡膠的納胃，在中共言，除非要終止對別區的購買，否則無法實現。

開放禁運的後果

再以香港對中共的貿易言，一九五五年進口爲八億九千七百六十萬餘港元，出口爲一億八千一百五十五萬餘港元，即香港入超凡七億餘港元。其中中共自港購買貨物最少的是西藥、染料、肥田粉等，此類物資則多屬非管制物品。似此而謂放寬禁運將可改善馬來和香港的入超地位，「可以補救香港對中國大陸貿易的不平衡」，實不啻爲白晝夢囈。

依中共現行實施的傾銷價格，飢餓輸出，排斥政策，和壟斷佈署來看，香港、馬來、和東南亞各國之將長期對它處在入超地位，殆無可疑。而入超所予各國之影響，自必難逃經濟混亂和貧困的加深，而中共則可藉貧窮混亂，大踏步的滲透，並進行顛覆。禁運之是否宜於開放，於此已無待再下結論矣！

這是痛苦的！

美國總工會主席敵尼，最近在一篇文章中提到擊敗共產帝國主義的三個方法：第一是實力；第二是社會進步；第三是嚴防顛覆活動。

他說：「如果我們在一條或二條戰線戰勝，而敵人突破第三條戰線，我們自由世界的人可能在所有的戰線都告戰敗。」

他說到今天自由世界最嚴重的弱點是：「自由世界太多的人在共產黨徒的滲透之下，似乎對這些最殘忍的不人道行爲喪失了道德上激怒的能力。」

敵尼所指出的，兩個最簡單的字就是：由于這種「痲痺」，因此敵人對自由世界的「顛覆活動」，可以通過幾個不同的階段：「中立化；癱瘓；控制」逐步瓦解我們。

敵尼又說：「這是痛苦的，但我們必須正視生命潰殘酷的事實。」

讓我們正視生命潰殘酷的事實吧：共產主義本身是以推翻資本主義爲職志的，然而今天在自由世界內部最起勁的爲共黨幫閑的竟是一些短視的生意人。

有些商人一聽到鐵幕有生意好做即欣然色喜，眞的是「在商言商」嗎？且慢高興，老闆們，你們要白忙一頓的，你們多與共黨打一次交道，即等于多用一把力開掘你們的墳墓。

許多老闆們，自殺的方法很多，跳樓可以，跳海也可以，或者，到藥房也可以找到安眠藥，但是，這種養癰遺患，引狼入室的行徑，卻要禍延子孫的！

時事評述

·司馬璐·

商人與政客

短見、痲痺的，豈止少數商人而已。共黨國家對自由世界不斷展開「貿易攻勢」，在若干國家內，商人又勾結了政客。泰國和菲律賓，開始有少數商人要和大陸做生意，繼而少數政客也嚷了。

共黨策略中，「貿易」是「中立」軟化對方的第一個步驟。俄國人對巴基斯坦說，要「俄援」也有，要「貸款」也有，「原子合作」也好，祇要你答應一件事：「中立」！

當然，今天泰國、菲律賓、巴基斯坦的醞釀，原因也不完全如此簡單。由于今天英美政策過于柔弱，使這些國家時時感到缺少安全保障，一旦遇到風暴，他們要首當其衝，他們想，與其恐懼終日，不如苟安一時。

誰爲共張目？

由此可見，短見、痲痺的又不僅是少數商人和政客，自由世界主要國家有關遠東問題的重要政策，也往往滋生了爲共張目助長共黨氣焰的作用。

泰國本來是亞洲一個積極反共的國家，自披汶訪緬回國以後，特別是東南亞公約國軍事會議在澳召開後，泰國一方面受到緬甸的誘惑，一方面再看到英美之間對于遠東防禦問題意見的分歧，繼之才有經濟人黨的訪問大陸，曼谷也謠言紛起了。泰國的態度又同時影響到高棉，恰在這時，中共又向高棉發出「邀請」了。

巴基斯坦醞釀「中立」的另一個理由是，一般巴基斯坦官員埋怨美援既少又慢，他們反共所得的美援，結果卻不及中立的印度。

這次東南亞公約國軍事演習，連主要國家英法都沒有參加，又怎能單獨責備巴基斯坦呢？這是不公道的。

亞洲反共之路

我們根據敵尼所提出的擊破共產帝國主義的三個方法，如果適用於亞洲，必須再加上兩個：一是結束亞洲的殖民主義；二是亞洲人民的團結。

我們歡迎馬來亞政府首長拉曼與英國簽訂的獨立宣言，在政治意義上，這一宣言等於百萬大軍；等於對共黨毀滅性的政治攻勢；等於陳平的宣判死刑。

我們歡迎即將在巴基斯坦召開的東南亞公約理事會與在菲律賓召開的亞盟大會，讓這些會議帶給亞洲人民以新的希望，重振亞洲反共的人心與士氣吧。

北大精神與台灣農業

努力增產多利農　為國為民除害蟲

高宗魯

台灣通訊

（本報台北通訊）為了慶祝四十五年度農民節，台省農林當局，公私營廠家聯合舉辦台灣省農業展覽會。從農民節的前一天，二月四日起在台北省立博物館一連展出五天。展覽品包括實物、照片、圖表、模型，加工品，內容共分十四個部門。

水利建設成效大

第一會場設在博物館內，共有十個部門。走進會場是水利地政類：映在我們眼前的是阿公店蓄水庫模型，紅毛港海堤模型，以及前程光輝的石門水庫模型。使人們體驗到人類克服自然精神的偉大。沒有水利灌溉，「寶島」，即刻就會變成荒涼的沙漠。在綜合類：表示出農復會努力的方向，農復會對台灣農業發展厥功甚偉。無怪乎曾任北大校長的農復會主委蔣夢麟博士，曾在北大校友會上興奮地說道：「北大精神已深入到台灣廣大的農村。」

在糧食類：（包括農產加工品肥料飼料），四十四年度米增產了一、六三三、〇六八公噸，小麥一九、四五七公噸。在一架米穀水份電氣檢驗機前，一位農民提出了一連串問題，管理員都能和靄地一一作答。在養鷄飼料闊前，一位陸軍上校拿出筆抄錄下極有價值的參考資料。

有教育意味的一課

在特產類：一朵朵盛開的棉花，使人憶起北方的季節。新由美國運來的棉種，正積極實驗推廣中。茶葉，去年增產一四、〇〇〇公噸。台茶遠銷國外，茶葉在品質、包裝方面都有改進。台糖去年增產七四七、九九二公噸。進入甘蔗陳列室，眞如同置身甘蔗園中。一位家長指着甘蔗對孩子說：「你不是喜歡吃糖嗎？糖就是由它來的！」，這眞是富有教育意味的一課。蠶絲成品陳列室中，貼着「尼龍多涼夏暖，蠶絲多暖夏涼」，這些推行國貨的標語，發人猛省。

在菓蔬類：產品繁多，去年香蕉就增產了九〇、〇〇〇公噸。在水產類：陳列着各式漁船模型，引人入勝。這裏也介紹了吳郭魚和牛蛙。吳郭魚養在水田中，利於農作物，且味美可口。卅五年四月此魚由吳郭二氏由馬來亞帶返，故得此名。牛蛙是四十年九月農復會由美國運來，可供肉食，繁殖極速。二者均成農民副業，有助于農村經濟的改善。

此外，在畜產加工類：花卉類：農民示範住宅類：均具有特別意義。

禽獸增產率甚大

第二會場是設在新公園內，觀衆也最擁擠。在禽畜類：但聞鷄聲喔喔，此起彼落。肥胖小猪逗人可愛。猪在去年增產了二、九〇〇、〇〇〇頭。羊，牛也展出不少。尤其是印度種的「康古勒」牛，壯碩無比。還有許多牛身披彩帶，原來它們是畜牛比賽的優勝者。身旁的主人滿臉笑容，引以為榮。

在電影幻燈放映部裏：擠滿了觀衆，流連忘返。

森林是台灣的命脈，在林業類：我們看到林業經營程序電動模型，由採種一直到木材由山上火車運到木材防腐工廠，十九部程序，全部用電動模型表示出來。

在農具農藥類：一種本省製造的單人操縱動力耕耘機，可活動裝上十八種零件，用途很多。每架八千元，二萬五千架足夠全台引用。那時，耕牛可改為其他用途了。

最後一部是廠商出品類：陳列着各種商品，供觀衆參觀比較。在一家私營農化工廠的攤位前，寫着「努力增產多利農，為國為民除害蟲」的對聯，意味深長。

也是企業精神的重建

看了台省農業展覽會，使筆者回憶起抗戰時在陪都重慶舉辦的「工礦展覽」及「公路展覽」，當時物質條件極端困難，全部展出很少用統計圖表，多用實物及電動模型，予觀衆印象極深，可謂盛況空前，轟動一時。這次台省農業展覽能有許多廠家參加，是企業精神的提倡。惜參加單位偏屬太少。有幾家外商代理廠家，散發大批日文傳單，使許多觀衆拿到後，目瞪口呆，是為主辦者所忽略的。幸勤的農民是台灣今日繁榮的主要基石，台省農業展覽會使人們看到台灣農業輝煌的成就，同時也是一次很成功的社會教育運動。（完）

日大阪近畿大學　將在東南亞招生

【本報日本大阪航訊】具有廿年歷史的近畿大學（其前身即為「日本大學」）為謀發展與東南亞各國之文化交流並促進國際間之友好關係，本年將繼續在東南亞各地招收留學生，該校在一九五二年時，曾從自由中國、韓國、香港、越南、印尼、泰國、緬甸、印度、巴基斯坦等國考取留學生一批，現在校學習之情況頗佳。

該校現設有商業經濟學院、法學院、理工學院（包括：數學、化學、應用化學、機械工程、電氣及土木工程）等學院，醫預科（兩年制）及師範科。並設有商業經濟及化學二研究所。該校對留日學生不僅注意生活與社交習慣之改善，更注重學生間相互良好關係之增進。

因此，在招生資格之規定中，特別限制行為不檢或不負責任及專心於政治活動之學生投考，足證該校招收留學生，實在於提高東南亞地區各國間之文化、學術地位，與增進國際友誼關係。

該校為便於留日學生學習起見，對不諳日文者，一般在第一學年專習日語，又因日本各大學向不在國外招生，故凡志於留日的學子亦可先考進該校之預備學校，俟對日文具有基礎後，可由該校代為安排轉考日本其它大學。

因該校在東南亞地區招生之結果，已在日本教育文化界產生良好之反映。現該校設有「外國留學生執行委員會」備為有志東渡深造者解答有關入學報考等事宜云。（森）

讀者論壇

英國的姑息政策

・劉起・

艾登在華府的宴會席上曾說：「只要英美兩國站在一起，即不會有太多事情值得顧慮」。由於他這句話，使自由世界的人民一致看好華府會議，企望着他們能各以無私之心，坦誠相見，制定出對俄的積極政策。但就聯合公報的內容來說，却是令人失望的。雖然艾登已取道加拿大返回英國，然而站在自由中國人民的立場，對艾會談的結果，骨鯁在喉，實有不吐不快之感。

放開中東問題不談，單就聯合公報涉及遠東問題的部份言，公報本身就表示：「英美兩國未能消除防止中共憑武力顛覆活動從事侵略擴展的歧見」。在中共不斷作吞食亞洲自由國家的現階段，而英美間對此仍有歧見，即充分表示姑息政策仍將廻蕩鼓勵中共野心的活動。亦即表示艾登對中共尚存有希望它變狄托的幻想。因此在金馬問題上，禁運問題上，和中共入聯合國問題上，都表示了英國不能和美國站在統一的觀點上。在艾登以為能讓中共獲其所欲，就不會再在遠東鬧事，並可使其與蘇俄慢慢拆夥。但事實證明，中共壓根兒就是蘇俄唯命是聽的忠實鷹犬。如讓中共獲其所欲，則益發將增加共對世界和平的威脅。

再就台灣問題來說。台灣為中國領土，為自由中國政府所在地；自由中國不僅在內代表着全中國五億人民的願望，且對外尚負有捍衛着整個自由世界安全的部份責任，台灣的地位該是無可置疑的，何勞艾登首相一再提出來討論。艾登首相當然並非不知道，無台灣，即無遠東和平之可言，在此對共鬥爭非存即亡的重大關鍵之前，苟無遠東和平，則又何來全面和平？

英國人是專講現實的，代表英國的首相當然不能不站在英國利益上發言，但惟其太現實，事事遷就中共，遂更使中共囂張而一發不可收拾了，觀乎其對英國遠東利益中心的星洲和馬來亞的活動，即足以證明。

艾登是以反慕尼黑協議聞名於世的，但就其今日對中共的政策言，顯示他在師承張伯倫，能不令人失望！也就難怪艾森豪不能和他齊一步調了，那末華府會議之無結果，實比有結果更顯得有意義呢？

事實是只要英美表露願與俄共和平共存，俄共是樂意而求之不得的。因為俄共現在急需要時間去消化它已攫奪到手的半個世界的資源和勢力的運用以增強工業，擴充軍備。待到它有力量把從中國、經印度、中東、到巴黎之路打通後，它就不需要和平，更不需要共存了。

因此，這里不僅要指出與俄共和平共存之不可期，基本上英國人首先要放棄中共能成為狄托的幻想。如果不能放棄這一錯誤的認識，那末英美間對遠東問題的歧見不但不能消除，且足以導致人類更大的悲劇。艾登能夠有勇氣反對張伯倫，但對自己的錯誤認識却絲毫不能改變，實是吾人不能了解的。正因為英美間對遠東問題不能產生一致的見解，遂使布爾加甯乘機再度提出建議，想使用拖的手法，把世界和平長期埋葬在戰神的座下，而增加了中共在遠東繼續擴張的可能性！

所以，若謂遠東有戰爭危機存在，則除了中共是禍首之外，英國的姑息政策，也應負相當的責任！

由中共的「愛國主義」說到「社會主義」

（上接第一版）

其實三十年來在世界上製造戰爭，仇恨，屠殺，暴動，清算，鬥爭，刼掠，顛覆，綁架，剝削，奴役，欺騙，背信……等事實行為，和這類行為的運用技術，在列甯，史達林的所有著作中都寫得明明白白。這些衆目昭彰的罪惡，在歐亞兩洲遭受災難的人已不下七億五千萬。今天中共反厚顏的稱指鐵幕以外的人，好像個個都是有「既往」有「咎」的，而裝模作樣的「仁慈」起來說他們對自由人民要「既往不究」了。矛盾的是在說這類話的同時，周恩來、黃必武等却又一再強調要「有步驟的開展」，「澈底肅清反革命分子」。大家知道在共產黨勢力所及之處，是無論任何人均隨時可能戴上這類帽子的。

在它們的內部，地位權力高如李立三，一九二九年八月，當蘇俄進攻中國的中東路時，由他於首先喊出「擁護蘇聯」！「武裝保衛蘇聯」的口號而得從向忠發手中奪獲中共的領導權。但一九三〇年因他說錯了兩句話：「忠於國際是一回事，忠於中國革命又是另一件事」，「中國情形特殊，共產國際不了解中國革命發展的趨勢」。從此而被遞解到蘇俄，禁錮達十數年之久。（實際上在當時的所謂「立三路綫」，就是由蘇俄顧問羅明那支與米夫兩人先後親加指導實行的。）功大如高岡、饒漱石，左傾如瞿軍、胡風……今日黨擁分子有幾個又趕得上如他們？但到底仍不能免於「無咎」啊！

玷汚「社會主義」

可是他們藉以行其罪惡的宣傳還不止此。韓戰停止後，他們宣傳實行所謂五年計劃，要走向社會主義的道路，似乎所謂「新民主主義」的過渡時期已完了，要提前實現「社會主義」的幸福美境了，但事實如何呢？

凡中共暴力所及之處，由集中糧食物資，管制戶口開始而沒收土地，屠殺地主，清算知識份子，鬥爭資產階級，管制工商業，進而三反五反，「土地改革」，「農村合作社」，「定產」，「定購」，「定銷」，官辦工會，「工資差級」，集體農場，……一切人吃人的反社會主義行為，用極端獨裁的手法大力剝削。大陸上少數享受，多數受苦的現象，較之蘇俄過之無不及，才使過去為中國人對蘇俄半信半疑的血腥事實而在中國大陸獲得全部的證實，今天中國人到成了自由世界的「先進」，而有被共黨奴役剝削「經驗」的「老大哥」了。

社會主義者是反對思想統制。和特務警察控制制度的，但共黨政權則全靠這種勢力的保護而存在，把國家的司法部和人民的民權剝削蹂躪得無影無蹤。

農工人民是中國的基本力量，但中共對三四億農人工人，都是當作生產機器，盡量壓榨，使變為共產黨的農奴和工奴。工商業者則更由自己刻苦經營的私人事業轉變為共黨的夥計和工奴，還要滿肚裏淚流，強作笑臉對共黨感激叩謝。這類摧殘人性的現實是「社會主義」的作法嗎？

社會主義者是力爭言論自由，政治自由，宗教自由，集會自由，結社自由，出版自由，擇業自由，行動和遷徙自由的：中共今天有一樣自由給人民嗎？

世界上許許多多有志青年，目睹社會上的不平等，不公平，不人道的現象而憧憬着一個合理的社會，於是無意中被共產黨誘惑去了。在各個國家內又有成千成萬的為求民族獨立，國家自主的仁人志士，他們為求解救自己同胞脫離帝國主義的桎梏剝削而從事反抗和革命，也被共產黨滲入引誘而做共黨的同路人了。等到他們發現共黨的真面目以後，不是溺於共黨特務的監視恐怖而無法動彈，便是千方百計的才脫離虎口，可是為時已遲了。

大家應該還記得：一九二四年一月二十六日史達林在列甯逝世後的演說裏，他宣誓要履行列甯的遺志，曾這樣說：「……他離開了我們，列甯同志遺留給我們加強蘇聯和擴張蘇聯的責任。我們向你發誓，列甯同志，我們一定要執行你的遺志。」

毛澤東如果有志氣有骨頭應該向孫中山先生靈前發誓：復興中華民國，驅逐俄國韃子於西伯利亞之外，實踐中國崇高的仁義道德文化，以向中華民族自贖，那麼，中國人民或者可予「既往不究」。

註：請參閱「共產國際秘密文件的公佈」『BLUEPRINT FOR WORLD CONQUEST』正中譯本。

匈飛行員駕機逃亡　遭俄戰機追擊撞毀

在第二次大戰期間，蘇俄戰鬥機駕駛員曾自誇能使用一種叫做「達蘭」的戰術，這是在槍彈耗盡後與敵機相撞，即在千鈞一髮之間自行跳傘降落。由於缺乏可靠證人，西方空軍人員常懷疑俄人與敵機相撞之說，幾乎與擊中一條機同樣困難。但最近却有一批西方人士親見一個蘇俄駕駛員表演這種戰術，但他雖然得以跳傘活命，却又抵賴不予承認。

靠近匈牙利邊境的奧國小村班哈根村民剛吃過中飯，忽然發現四架米格噴射機從匈牙利越境向奧地利疾飛。前面兩架漆有匈牙利空軍標識，後面兩架則有蘇俄標幟，向前者啣尾直追，且不斷發槍射擊。突然間前面一架匈機轉了個彎，領頭的那架俄機即向它猛衝相撞。匈機立即墮毀發生爆炸，其駕駛員也與機俱亡。那架俄機雖也墮毀，駕駛員却跳傘安然降落。他被奧國警察拘獲，自稱柯諾克洛夫上校，是蘇俄空軍的老戰士，他鎮靜而自信地說出這次經過：他奉命阻截兩架飛行於匈牙利領空內不明國籍飛機，這次相撞不過是意外。

柯諾克洛夫的故事，無法與關於兩架飛機墮毀的目擊證據相符。數十目擊者親見俄機顯然故意向匈機撞去，而且在相撞以前數秒鐘，他本人已由他的座機彈出。在證人面前，柯諾克洛夫才承認他與同伴的任務是追擊兩個匈牙利逃亡駕駛員，將其中一架撞毀，其駕駛員也同歸於盡。但另一架匈牙利飛機顯然已逃脫，至於它已降落於西方抑或南斯拉夫，則被嚴守秘密。

對於奧國人來說，這次事件已使他們對總理所宣布的「中立」政策不免發生疑問。維也納一家報紙提出質問：為什麼一個俄人侵犯了奧國領空，又在奧國擊落了一個逃亡者，奧國政府頗可提出抗議，但並未迅速把他送還？（蘇林譯自當期「時代」週刊）

從市政局議員選舉看：

香港的政治活動

競選活動較往年蓬勃　市民興趣仍未見提高

市政局民選議員六個席次的競爭者，迄今天為止，已經有三個民衆團體所提名的十一位候選人，那就是香港公民黨所提出人胡伯富，葛倫瀾，李耀波，胡多·馬麥，張友興，張奧偉，港九居民聯合會推出的梁永燊，和參加政治活動已有了經驗的香港革新會所舉的區達年，李有璇，陳樹垣和珍艾理遜。

自治問題不受注意

今年爭取市政局議員席次的活動，似乎是比往年來得蓬勃，參加活動的人已由無組織而變成有組織，由個人的活動而變成了團體了，但如果我們仔細分析一下，我們看到市民對這一種活動的興趣並不較往年進展了許多，因為去年議員的席次祗有四個，但今年誕生在四月間的民選議員將達六位之多。如果候選人的提名不再增加的話，現已被提名的候選人的競選率是非常之高的，平均率竟超過了百分之五十，這正如我們一度所說過的，香港二百五十萬人對自治的興趣與要求至少在目前說來並不很濃厚，政治與自治祗是少數人所注意的事。

競爭仍難熱烈

到今年市政局候選人或許會有人估計將會發生一個熱烈的競爭場面，但照現象看來，將不是可能的事，儘管本地的報紙在不斷鼓吹和敦促市民的注意，可是反應還是相當地冷淡，在英國，凡屬年齡達到二十一歲，不論任何人，除了身體殘廢，或被褫奪公權的人，都有當選議員或選舉議員的資格，但香港一九五二年選民祗有九千人，而且限定要會講英語，做過陪審員或自由職業人士才有資格，其後範圍被要求下加以放寬，選民的資格包括教師，民安隊隊員，納稅人，後備警察，公務員等，因此選民的人數已增加至二萬五千人，但目前前往登記的，祗有一萬五千人，以一個擁有二百五十萬人口的都市，選民竟如此的少，正如「華僑日報」於論及這件事的時候說，這選民的登記數字，是足以說明市民對民主生活仍處於不熱心的程度。

民主政治的雛型

香港的市政局是一向被目為民主政治的雛型的，在政府當局與及一般對[illegible]主張者，把市政局[illegible]認或為市政議會作一個目標，同時也是培養民主政治的一個溫床，這幾年來，我們看到民選議員的席次逐漸增加，市政局的職權逐漸增強，這一切的表現都是不容忽視的，當然這也是被選出的民選議員努力所致。

政府既已賦予市民一個有限度的自治權力，而且在不斷地進展中，但市民忽視自己應享的權力，這是非常可惜的，香港的二百五十萬居民如果了解到今日成就是經過了一百另七年的奮鬥時，相信他們則會重視和珍惜它的。

歷史上的政制改革

我們且看香港歷史上的政制改革沿革吧！這一個問題應該回溯至一八四九年一月十日，本港居民舉行首次民衆大會，一致要求設立市政府，並議決向港督和英國下議院要求，有關一般性的地方行政權，應由市政府來管理，一八九四年，香港的納稅人也曾聯名上書殖民地部大臣，請求立法局議員，應該由民衆選舉，簽名的人士，包括歐籍，印度籍，和中國籍的紳商，一九一七年，有一個政制革新會的機構，亦會有同樣的請求，以迄一九四九年，英國政府當局才透過當時的港督楊慕琦爵士暗示賦予本港居民若干參政的權力，楊慕琦爵士說：政府經考慮香港居民應該多負起些責任，以處理關於他們自己的事，他並提議建立市政府，而它的全部議員應包括各階層的代表，一九四七年，殖民地部大臣同意這項政制的改革，可是到了一九五二年，市政局才有兩席民選議員，一九五三年增為四席，今年則增為八席，四年之間增加了八倍，這似乎是一件不可想像的事，但要使我們了解到這是一百多年奮鬥的結果，那麼想法又大不同了。

兩個團體的爭奪

我們再談到今天所提名的十一個候選人，如果進一步的了解，我們發覺祗是形成兩個團體的爭奪戰而已，這實在是一個非常有趣味性的分析，這兩個團體是香港革新會和公民黨，香港革新會曾話有三次競選市政局議員的經驗，公民黨，則是一個成立不久稱為本港唯一的政治團體，它的前身是一年前開始在本港社會活動的公民協會。

如果我們說這就是兩個團體爭奪戰的話，會認為我們故意忽略港九居民聯會所提名的梁永燊大律師，可是港九居民聯會在提名梁永燊為候選人之時，已經聲明是和香港革新會是一體的，同時，我們也可以了解到香港革新會這次提名四個候選人而不是六個，其中是有着非常高妙的一着，因為她把其它餘下來的兩個席次，讓及友會，競選的戰略的一種，她不但因此少了一個競選上的「敵人」，而且更可藉此多了支持的力量，選民增加了，當選的成份也提高了，換一句話說，香港革新會和港九居民聯會所共同提名的候選人是李有璇，區達年，陳樹垣，珍艾理遜和梁永燊，這一個形勢是更有利於革新會的提名李有璇等四人和居聯會的提名梁永燊一人的。

兩派的支持者

在上述的五個候選人中，區達年和李有璇的現任期滿的歷任市局民選議員，我們當不易於遺忘當年區、李兩氏的當選，大部份是得力於有選舉權的學校教師、勞工和小販商人，這番他們捲土重來，除了可望仍擁有這一股實力外，陳樹垣在學校和體育界中所能發生的影響，是不可以忽視的，至於梁永燊，我們祗有一看他由二十一人組成的助選團名單，即可以發現梁永燊的相當潛力，他包括了工商和教育界的人士，以及九龍區的坊衆。

另外一個和香港革新會站在不同方向的競選團體公民黨，她的力量也是非常雄厚的，他們的六位代表都是知名之士，包括了醫生，洋行經理，大律師，保險業等不同階層的人士，他們當然也能得到不同階層人士的支持，這一次競選，對公民黨說來是非常重要的，他們由公民協會改組為公民黨，為了便利參加這次競選活動，也是理由之一，我們固然不能說她有十分把握，但相當把握是有的，因此今天來說，那一個團體所提名的候選人將操勝券，都未免言之過早。

新書評介

世紀中文錄

胡秋原先生文集

陳克文

胡秋原先生近將他在一九五〇年前後——約十二年間——所寫的許多文章，刊成專集兩巨冊，共一百二十餘萬字，名為「世紀中文錄」。這在近幾年的出版界中，可說是少有的盛事。

×　×　×

這兩巨冊的文章，他自序說明，「大體以論及一般世局之發展，及思想學術問題之有關當世者為限，其他較專門者不在內。」其他專門性的文章，他打算另編八九本專書：如「哲學概論」，「歷史哲學論」，「中北亞論叢」，「中國之語言與文字」，「由歐洲社會主義到俄國共產主義」，「俄國之歷史與社會」等。他又說：「生平所為文字，僅二範圍，即歷史與哲學。所談世局即歷史範圍，所論學術思想即哲學範圍。」此集所錄，亦不出此二範圍，故此集雖非秋原先生前此著作的全部，亦可窺見其生平學術之根本與其思想之大概矣。

×　×　×

他編輯此集的態度，是嚴肅敬謹的，他說，「既言者，必於理確能信於心，而當事必能見於行者……不以拙陋羞與當時後昆相見者，蓋所言為一代興亡之故，所望為萬世自立之心，是非不敢必，唯一念之誠，則可無慚天日。」眞所謂「修辭立其誠」，深得立言之旨者也。

他刊行此集目的，也有一番心事，他說，「在個人為一紀念，於今日略鼓對共不畏之氣，於後人可知此十年間若干事變」。詞意謙遜，惟報國苦心，因已昭然若揭矣。

×　×　×

全集之末為「論大陸淪陷之教訓與反攻復國之志氣」與「論當前中國文化智識份子問題」兩文，亦即為胡秋原先生十二年之最近著作。於此他舉出神州沉淪赤禍，源於近幾十年中國文化的虛脫，與夫人才衰落。今後返攻復國，必須特加致力於人才士氣之培養，中西文化之溝通，與增強文化之自信力。探本窮源，精微入渺，可謂能見其遠者大者。故此兩文實為全集精華所在，亦即秋原先生學術思想之所在。

余既佩秋原先生用力之勤，更感其用心之苦，略抒所見，藉誌景仰。

本集上下兩冊，甲乙丙丁四輯，一千三百頁。定價港幣十五元，今日大陸社出版，香港時報社總經售。

工人翻身以後

•沈著•

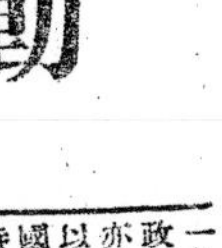

中共承認：由於所謂「支援國家經濟建設」的需要，大陸工人的工資原極低微，「普通工程師每月約「人民幣」五十元，約合港幣一百二十餘元。普通工人每月約「人民幣」二十元，約合港幣五十元」，大多僅堪維持個人生活，凡有家庭負担者，均必須夫婦同時勞動方能支持家用。但在工資遭受多種方式剝扣以後，則任何工人均不免陷入困境，有家庭負担者尤屬困苦悽涼。

「人民日報」復稱：由於廠礦組織的企業化、節約、及工會組織的未能誠心為工人服務，並使工人的生活費用遭受重重剝削。

據稱：各地廠礦在實行企業化，工人的伙食由廠方統一辦理以後，因廠方藉此謀利，故飯菜均較工人自理膳食時期為劣，而伙食費的負担則反較以前為高。根據瀋陽一地的統計，平均都提高百分之二十左右，最高的竟提高到百分之二十七之多。謂因此之故，瀋陽低壓開關廠工人在四個月內僅伙食一項，即被廠方剝削達一兩萬元之多。

再扣節約費

中共在飭令各地廠礦「厲行節約」以後，工人的工資亦被列為「節約」的主要項目，每月以「節約」為名，在工人的工資項下扣除若干「節約費」，據說因此之故，以撫順龍鳳礦為例，該礦工人在去年一年中，即有二十一萬餘元的工資為礦方所剝削。而該礦的「節約工作」，乃在「超額完成任務」的大好成績之下，獲得了中共中央的「獎勵」。

由於中共的一再批判「經濟主義」傾向，並在工會組織中給予工人以惡劣的影響。該報破例地坦然指出：中共所有的工會並非代表工人利益的組織，而是代表共黨進行工人羣衆工作的機構。但「經濟主義」的批判，益使工會幹部視「關心工人生活」為大逆不道之事。因此，工會一面以互助福利為名收繳工人的會費，而一面積累此種資金加以凍結，不為工人所用，從而無形中又使工人增多了一層剝削。

子女遭虐待

一方面由於大多工人家庭的夫婦同時勞動，不得不將子女交託給託兒機關撫養；而一方面由於一般託兒機關工作人員的缺乏人性，乃使工人的子女普遍都遭受了殘酷的虐待。

查中共的託兒機關，共有哺乳室、託兒站、託兒所三種。所謂「保育員」均為女性共幹。據說此等保育員大多均兇虐成性，平時既因不理孩子而致使孩子們碰破頭，碎斷腿，跌斷手，或墮床跌斃，落水溺死等等的情事經常發生。在打理孩子時，則更因視孩子如木偶而任意倒提、碰撞、丟擲、乃至毆打，從而使孩子們的身心都遭受了可怕的摧殘。據說以黑龍江海倫縣「國營花紗布公司」的「哺乳室」為例，該室共有十二個嬰兒，由四個保育員管養，平時均被放置搖籃中不加理會，待孩子啼哭時，即用足猛踢搖籃，使孩子跌出搖籃而後已，致在十二個嬰兒中，無一人不破頭，折手，斷腿。

孩子不洗澡

又以「地方國營遼寧繅絲四廠」的託兒所為例，謂有的保育員在夏天長期不給孩子們洗澡，而用石炭酸給孩子們「消毒」，前後共燒壞了五個孩子。有的保育員經常將孩子們捆綁在床上，自己到門外閒扯和打鬧。有的保育員在給孩子們換尿布時任意抓住孩子的手足亂拖亂提，以致使女工尤孟蘭的孩子折斷骨節，使女工孫寶蘭的孩子受驚成病。又謂有的保育員任意用掃把毆打嬰兒，並將嬰兒向床上亂拋亂擲，以致有許多孩子被碰傷了眼睛、鼻子和臉孔。「人民日報」說：「很多媽媽們都在車間裏傷心地啼哭！」

綜上所述，都是「人民日報」自己所透露的眞情實況，絕無半點誇張之處。而此等情形，大多均為中共的政策使然，蓋事實上，中共所迫切需要的生產「積累」，和所謂「國家資金」的「積累」，乃與工人的待遇，福利，和健康等等，所不能相容者。明乎此，當不難了解今日大陸工人處境之所以如此惡劣，乃勢所必然之事。至於工人子女遭虐待一節，「人民日報」雖諉稱係人為偏差所致，其實亦為中共多年提倡鬥爭，抹煞人性的必然結果也。（下）

編者　讀者

△三月七日為本報五週年紀念，年來承海內外讀者和作者，多方支持鼓勵，同仁等不勝感奮。屆期本刊將出增刊，敬請讀者，作者，多賜教益，惠寄紀念文字，乞於本月底前寄到為感。

△頃接胡適之先生自美來函，對本刊五一一期——一二期所載「記丁在君」一稿，有所辯正，該函將於下一期刊出。

美旅館業大王代表

對港前途表信心

擬建現代化旅館

將有房間三四百

美國旅館大王希爾頓旅館業聯合公司老闆希爾頓的代表副總經理侯莎，日前自馬尼剌抵港，表示凡曾來香港遊覽之美國遊客皆認為香港為一繁榮商埠，遠東大口岸之一，且情勢亦頗安定。故渠相信極度需要一間規模宏大而現代化之酒店，過去渠亦會託人調查，並從通信上得知有此需要，故乃親自來港視察。如果眞有此需要，渠擬計劃在港建築一間擁有三百至四百房間之旅館，使遊客有較舒適之居停。渠在港將作三天逗留，此建築新酒店計劃，三天後即可作初步決定。如認為有此需要，渠不擬購買一間舊酒店加以改建，必須重新建築，使符合現代化標準。

按該公司旗下之酒店，遍佈美國、墨西哥、古巴、加拿大、埃及、義大利、德國、西班牙，而計劃開設中者，有荷蘭、比利時、英國、奧國、日本、菲律賓、印尼、印度、澳洲、檀香山等處。侯莎此次經檀香山時，已簽妥合約，建築一價值二千萬美元之酒店；在日本時，亦已簽妥價值六百萬美元內有四百五十房間之酒店一間，馬尼剌亦在進行中。渠留港三天後，將轉赴曼谷，轉耶加達、澳洲悉尼、星加坡、喀剌嗤、伊斯坦堡等地，上述各地，亦計劃建築酒店。

自由談

莫趨下流！

邱吉爾說共產主義社會生活是「普遍的下流」（AN EQUAL SHARING OF SQUALOR）這個是詮釋共產政權本質的絕妙而且極其正確的一道定義，言簡意賅，首尾顯明。具有這種智慧的人，纔可與言心理作戰問題，纔夠得上對共產黨從事宣傳戰的資格，乃至於製出一句標語口號，纔能夠發生預期的效用哩！

試看：從共產主義的思想起，以至共產黨人的言行和生活情況，及其統治民衆，對付敵人暨內部反對派同志的一切方法，那一樣不是卑鄙下流，與野蠻部落民族的意識型態完全相同的呢？就文化思想說，任何一種極權專制的政治生活，都是向下發展的開倒車主義，除非人類進化的歷史行程也變成了向後轉的軌範，否則這種倒退的下流政權，即決無永遠存在之運。若說共產主義可以征服全世界，那末，希特勒之失敗，就是人類進化史上的一大冤獄了！

以反共求生存的自由人，對於共產黨那種普遍的下流作風，自應深惡痛絕，唾棄唯恐不及。如其眩惑於共黨偶爾在某一地區之暫時得勢，便認爲共黨那類驅人趨於下流的極權奴役手段，未嘗無用，不妨尤而效之，謂爲「以毒攻毒」，那首先自己在觀念上就是自甘下流，成了共產黨的精神俘虜，共毒尚來不及攻，自身已經充滿了毒素，有如楊梅大瘡，爛鼻徹頂，無可救藥了！

共產黨的所作所爲，沒有一樣不下流，也就沒有一樣值得學習模仿的。尤其是眞心反共的人，更不可妄與效法共黨之念，即使你學習共黨那套下流玩藝十分到家，維妙維肖，你也只是個小巫而已，能有勝過大巫的本領嗎？

馬五先生

讀鮚埼亭集書後

王世昭

何謂「鮚埼亭」

鮚埼亭屬浙江鄞縣，其地產鮚。鮚，古名胎蠃，別字月蛣，形如蠃而細小，閩中所謂蟛蜞者也，埼是曲岸，即生鮚的海傍。亭自是建於海傍的亭子。何以全祖望特別欣賞鮚埼亭？原來今日的鄞縣，古時以產鮚醬著名，鮚醬周禮謂之蠃醢，本是甯州特產。後來甯州不出鮚醬，甯波的鮚醬卻代之而興，這是地方的掌故。全祖望諒必酷嗜此物，因定其集曰鮚埼亭，志不忘鄉土，則於邦國又可知了。

全祖望其人

全祖望字紹衣，小字曰「補」，生於清康熙四十四年乙酉（一七○五）正月初五日，卒於乾隆二十年乙亥（一七五五）七月二日，得年五十一。少時穎慧，四歲就塾，十四歲補博士弟子。十八歲開始著述，二十歲與厲樊榭、杭堇浦等締交，討論經史無虛日。廿一歲在鄉授徒。廿四歲辭賢良[illegible]。廿七歲遊山左，三十二歲成進士，入庶常館，僅寫官抄傳世不經見之書，惜一年即罷官歸。是時明史館方開，先生主第一專論藝文，傳明一代之事故、曲則、風會，一目瞭然。第二專論表，着重於外番屬國變亂。第三集中於隱逸忠義兩列傳，用以培世教，塞人心，而扶宇宙之元氣，其精於史法如此。三十三歲左遷外補，三十七歲作絕句五首，其末章云：「生平坐笑陶彭澤，豈有牽絲百里才；秫米成醪身早去，先幾何待督郵來！」自是遂無出山之意矣。四十二歲修南雷黃氏宋儒學案，四十四歲主蕺山書院講席。四十五歲校水經注。四十八歲適粵任端溪書院山長。四十九歲歸自粵中，五十歲客揚州養痾。五十一歲卒。無子，以姪孫桐爲孫。臨終前以全部著述畀學生董秉純，謂之曰：「好藏之！」純爲理殯事，求助於馬嶰谷之弟半查百金，不繼則以萬餘卷書質盧姓，得二百白金，乃得正首丘云。

本書計分四部，總名曰「鮚埼亭集」。前集凡三十八卷，卷首爲世譜年譜各一篇——董秉純作，合共三百四十八篇。曰「書目問答」凡十卷，都二百八十一問，概括易、書、詩、三傳、三禮、四子書，諸史等。曰「外編」，凡五十卷，爲文八百二十一篇。曰「詩集」，凡十卷，亦不下五百首。洋洋巨著。計一千六百一十六頁，頁六百四十字，約百萬言。余於時斷時續中，閱一月方讀畢，謂爲平生快事，故不可以不記。

讀後感想

明末清初諸學人，其爲學多從功利主義着想，如顧炎武、黃宗羲、李元仲、萬斯同斯大兄弟，以至謝山先生無不如此。蓋亡國至痛也，亂世尤重魁傑之士；治世至平也。建國亦重有用之學。謝山雖生於康熙，卒於乾隆，既痛明之亡，亦睹清之興，是之謂興滅繼絕之交。於清既有所憚，於明亦有所譏，故其所作，既痛宗邦之覆亡，亦傷異族之繼統，發而爲文章，從矛盾中見到統一，又從統一中發現矛盾，亦可哀矣。

余讀先生書，知先生之爲學，以經史爲骨幹，以子集爲枝葉，以金石雜著爲經史之輔，而其文章則吸經史子集金石雜著之精華而發揚光大之，宜其爲一代大儒也。

鮚埼亭全書，所最重視者，爲明末死節忠義之士女，記之惟恐不周，表之惟恐不著，如錢忠介、張蒼水、黃漳浦、黃梨洲、顧亭林、倪文正、黃漳浦之夫人蔡氏、魯王以海之妃張氏、王孝子、張氏四忠、雙烈、桂國三忠、十九忠臣事蹟等，無一不與人心世道有關，蓋先生之志，亦顧炎武、黃梨洲、李元仲之志也。

先生之學博，先生之志專，先生之才越，先生之識高，先生之書將爲治經、治史者之津梁，亦將以俟百世而不惑者也。

玉笙寒

王沉裴

客舍秋高感物華。故園回首暗咨嗟。日暮凭欄無意緒。數歸鴉。
有限親朋來海角。無多骨肉況天涯。午夜夢回誰對語。一鐙斜。

鷓鴣天

雪夜書懷

寂寂長卿偶一官。分明早作等閒看。澄懷雪夜徵虛白。傲骨梅華鬥搜寒。
孤負了。寸心丹。高山流水爲誰彈。滔滔那有澄清日？到此方知吾道難。

同光風雲錄

胡林翼

『才者無求於天下，天下當自求之。』

胡文忠公，別號潤芝，政治，軍事，經濟，疑在曾文正左文襄之上，惜其雄才未盡展布而中年病歿。曾文正奏摺中嘗稱：『胡林翼之才，勝臣十倍。』王闓運湘軍志亦論：『中興之業，實基自胡。』信非虛語。

爲國事委曲求全

當彼巡撫湖北時，與總督官文恭初有隙，終釋。文恭有愛妾，值生辰，思有以寵之，乃僞告百僚，以某日爲夫人壽，待賀客盈門始以實告。某藩台已手本矣，悉眞情乃大怒曰：『某朝廷大僚，安能屈膝於賤妾？』亟索回手本。適文忠在旁自語曰：『好藩台！』語畢，仍昂然而入壽焉。時道府以下見巡撫已入壽，亦均相隨而入矣。官妾極感文忠。文忠歸署，以夫人意請官妾遊宴，而先稟太夫人認官妾爲義女，官妾兄事文忠。故左官兩巨頭能始終共濟以支撐東南半壁殘局者，繫於一妾耳。曾文正日記有云：『吾過湖北，晤官某，自審萬不能與此人共事，然後知潤芝之所處之難。』寥寥數語，已流露賢者爲國事委曲求全煞費苦衷矣。

亡中國者在外患也

當彼駐軍黃州時，念及兵餉無着，乃草書數行，刊印加關防，馳遞各有關財務局卡，文曰：『開口便要錢，未免討人嫌，官軍急收城，處處只說餓，性命換口糧，豈能一日騙，眼前又中秋，給賞吏難欠，惟冀各路釐局大財神，各辦釐金三萬串。』此文傳遞後，未出旬日，截餉船絡繹而至。可見爲政之道，固不在威嚇嚴令，而出以幽默游戲，亦可收絕大之成效也。

文忠督師圍攻安慶時，嘗策馬登龍山，周覽眺望，大喜曰：此處俯瞰城垣，敵雖頑強，宛在釜底，不足平也。既至江邊，忽見兩番輪，疾駛西上，乃變色不語，勒馬回營，中途嘔血，喟然嘆曰：『亡中國者不在內憂，將在外患也。』

兵囂者疲將貪者怯

文忠少時爲公子，負有才名，豪放不拘小節，又酷愛女色。迨軍興以後，始以名節勵世，然口體之奉，不似曾左之嗇苦，雖在軍中，亦往往三日一小宴。平時治事，極爲勤愼，凡遇四方使至，雖小吏末弁，亦引坐與談，若見稍有才志者，則必舉所見聞，詳詢深論，隨筆記之，以備參考。故所薦舉之人才，非夙昔之相知，由於周諮博采者，亦不在少焉。嘗曰：『兵之囂者無不疲，將之貪者無不怯，才者無求於天下，天下當自求之。』

（三）

[illegible]

談日記文學

・鄭珪・

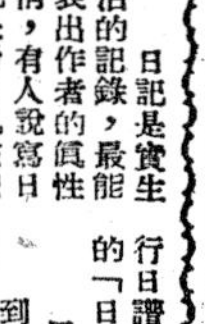

日記是實生活的記錄，最能表出作者的眞性情，有人說寫日記是對自已靈魂的密語，這是不錯的。它的寫作方式也最自由，以打破一切文字的陳套，不但富饒風趣，且有學術的價值。

中外最早的日記

日記開始有文學價值，在歐洲是文藝復興末期。十七世紀，英國人寫日記的風氣很盛，不過大多拒絕發表，如格戴爾爵士、如俄國的戈果里、屠格涅夫等也都寫過有名的日記。英國達爾文的「環遊世界」及德國大哲人尼采，還以日記方式寫出他的哲理思想。

我國最早的記者恐怕是黃山谷的「家乘」吧？據陸放翁「老學菴筆記」裏說：『黃魯直有日記，謂之家乘，至宜州猶不輟書』。其他如范大成的「吳船錄」，陸放翁的「入蜀記」，都用日記的體裁來記事，但正式用日記的名字，恐怕是元朝郭天錫的「客杭日記」。後來又有人改爲「日譜」如明代朱祖文的「北行日譜」。也有人稱「日錄」如顧亭林的「日知錄」。

日記之風盛於清末

到了清末，日記大盛而特盛，政治家、理學家、文學家等都有日記，有的數十年始終無間斷，最有名的當然是曾國藩的日記。他用楷書寫日記爲極有毅力的人，其所記多修己治人，刻若自勵，如：「今年忽忽已過兩月，自新之志，日以不振，愈昏愈頹，以至不如禽獸，昨夜痛自猛省，以爲自今日始，當斬然更新不終小人之歸，不謂雲階招與對奕，仍不克力却，日日如此奈何』。『余日衰老，而學無一成，應作之文正多，總未發奮爲之，希竊虛名，毫無實際，愧悔之至』。王壬秋「湘綺樓日記」，李蓴客「越縵堂日記」，葉昌熾「緣督廬日記鈔」，「翁同龢日記」，趙靜烈文有五十四冊「能靜居日記」，石達開亦有「達開日記」。趙石日記其中很多太平天國的史料，至於「徐霞客遊記」也是一般人所熟知的。

愛眉小札多風趣

新文學運動以後胡適的「留學日記」是有學術上的價值。郁達夫的「日記九種」是他的懺悔錄，是他頹廢生涯的實供，是他憤怒社會怨恨政治的宣洩，是他與王映霞戀愛時心理上悲哀怨恨和喜悅等各種變態的實錄，而其中尤以窮多、新生、閒情三種描寫他與王的戀愛史爲最佳。單邈「達夫九種」這部戀愛的「聖經」。王映霞不足千古了。他如徐志摩的「愛眉小札」不但亦富羅曼的風趣，且有情書藝術的才能。如其中一段云：「眉：我想你坐在我的床頭，給我開水喝，給我藥吃，撫摩我生病的地方，讓我好好地安眠，那多幸福啊！我願一輩子生病，叫你坐一凳子床頭……」。

最考究日記形式的，據說是法國人，中世紀極有價值的一本「一個巴黎布爾喬亞的日記」，從十五世紀初葉起，一直被人珍存着，日記之所以可貴在於沒有官樣文章，它是吾人一生之歷史，我們偶一翻閱，前塵夢影，恍如隔世，會引起多少說不出的憧憬與回憶。

詩境

刁抱石

不讀詩則已，讀詩就得講詩境；不做詩則已，做詩就得有詩境。此一前提，當無疑義。

初學或老手，要皆以唐詩爲不二法門，隨身法寶。茲就習誦之唐人詩句，舉例略加詮釋，以見詩境，藉供參考。

「野含時雨潤；山雜夏雲多」上句言野田得及時雨，恰合潤意，且以「含」字形容潤澤久留；下句言夏令山氣騰蒸，雲峯層出，用一「雜」字表現雲山錯綜。寫景詩之炳燭也。

夏日每晴雨同時，詩人所常詠，如「夕陽連雨足；空翠落庭陰」寫景如畫，造名甚工。下句與「樹搖餘滴亂斜陽」句相似，此詩實寫，孟詩虛寫耳。襄陽又有句云：「天開斜景偏；山出晚雲低」不啻一幅晚晴圖。

「山雨欲來風滿樓」，可謂絕妙好詞，「海雨隨風夏亦寒」，極肖海濱氣候。許渾又有題郊園詩曰：「雲遮海氣琴書潤；風帶潮聲枕簟涼」，亦善狀海南情景。柳子厚謫居以後之詩，多紀嶺南殊俗，其「林邑東迴山似戟；牂牁南下水如湯」，紀山水之異也，語意既新，對仗復工。非親歷者曷克臻此。

詩有不事藻飾，而寄慨遙深，如「澗水流年月；山雲變古今」，能於寥寥十字中，寫出逝者如斯之感，蒼茫獨立之思。下句與崔顥之「白雲千載空悠悠」，同其遐想，與杜甫之「玉壘浮雲變古今」，同其意境。

「得劍乍如添健僕；忘書久似憶良朋」此類詩句，雖於言情寫景，因須取譬工切，且有意味。近人有「欲賦山如新染黛，重游路比舊溫書」，與此詩近似。「自憐無舊業；不敢恥微官」爲貧而仕，聊勝於無，失意文人，同聲一嘆。至「家貧童僕慢；官罷朋友疎」，殆感世態炎涼而發，雖閱透人心，而語太說盡，不及戴叔倫「客久見人心」五字，語極蘊藉。戴有「如何百年內？不見一人閒」句，眞如空山老衲，深坐白雲，閱盡衆生擾擾也。他如：「謀身拙爲安蛇足；報國危曾捋虎鬚」，則合則留，不合則去，用行舍藏之義，兩得之矣。

李樸生新著出版

（本報訊）僑務委員會副委員長李樸生，近集其一年來所作文字，刊行專冊，名爲「我不識字的母親」，半爲自傳及回憶性質，亦有討論當前時事問題之作。自傳及回憶部份，頗足反映「五四」以來，青年智識份子提高文化運動及參加國民革命與反共抗日抗俄諸役之一般情況，討論問題部份，以李氏遍歷華僑叢聚之地，凡經數次，平時主意僑情，歷經辦理僑務；尤對於華僑青年問題，了解最深，集中有關此類文字，有事實有理論，不同凡響，全書凡十五六萬言，現已出版，注意僑務問題者，不可不一讀也。

自由人
THE FREEMAN
（第五一七期）
中華民國僑務委員會
發登記證台教新字第一第二號
中華郵政台字第五〇〇〇號
執照登記爲第一類新聞紙類
（半週刊每星期三、六出版）
每份港幣壹毫
台北市售價台幣壹元
督印人：陳文華
地址：香港高士威道二十號四樓
3.rd. fl. 20 GAUSEWAY RD
HONG KONG
香港發行及業務接洽
高士打道66號　電話：七四〇五三
承印者：東南印務出版社
地址：高士打道六十四號
海外總經銷
友聯書報發行公司
香港：德輔道中二十六號A二樓
台灣特派員辦事處
台北市館前街五十號
台灣總經銷處
台北市西寧南路壹壹號二樓
台郵儲金戶九二五二

財經的制度化與減政

政府應把握政策，造成私人投資的有利氣候，枝節應付，勢將愈管而愈亂。

新年以來，行政院在財經方面有了些新底措置，如在「經濟安定委員會」之下新設「第五組」，負責物價管理及物資調度；又在該會第一組之下成立「商業銀行業務督導小組」，研議如何調整各項準備金，並監督各行庫資金之合理運用；此外，經濟部根據「華僑回國投資條例」，現在着手籌組「華僑回國投資輔導委員會」，以利華僑回國投資。還有，所謂「四年經濟計劃」，本年爲最後一年，當局宣稱在着手草擬第二個「四年經濟計劃」。對於「小組」開會行政，利在彼此有聯繫，禍弊則爲推諉責任，而且權責不分，殊難言其功過了。況且，經濟在開發的當中，如果眞地開展了，事業增加，那末是否隨之不斷地增加新小組。我知道，當局是爲應付所發生的經濟問題而產生新組織；我却又要指出，醫院的內科可以醫治內科的諸種病症，但無需每一種病均設一科。

要作全盤的打算

一個國家的經濟行政，如果不作全盤而根本底打算，只事應付枝節，結果無不徒勞無功。當局在台灣幾年來的措施，則缺之此一打算；現在無須多加指責，只希望從速朝此上進。譬如去年冬的物價大波動，爲多種原因所湊成，亦爲財經處置不適當的結果；「政府今後安定物價，將着眼於長期治本的辦法；治本辦法有三：（一）嚴格控制預算，力求財政收支平衡；（二）切實推行工農礦各業增產，以克服生產不足的困難；（三）穩定金融，配合美援運用，及管制軍要物資，以調節供需關係」（二月四日台北新生報）。經濟發展有自然的軌範，今後財經行政如果眞能循此方針而有效推行，那末又何需「第五小組」？反之，如果違反了自然軌範或離開所標榜的方針，那設立「第五小組」又有何用？

台灣經濟的本質

經安會秘書長錢昌祚二月一日對記者稱：「物價問題也可以說是外滙問題，如一九五四年本省物價較爲穩定，也就是因爲該年度政府拋出較多外滙的結果。外滙供應量增加之後，不但進口物資增加，使市場物資充裕而民心安定；另一方面，政府也吸回大量新台幣，市場的游資減少，在物價上興波作浪的機會也就自然消失」（二月二日台北電訊新聞）。錢氏的話，指出在今日台灣的經濟問題上，金融外滙問題占了相當底地位。財政部長徐柏園一月二十日在記者招待會也提到：「政府爲求國際收支平衡，以減少美援依賴起見，除努力拓展對外貿易，及有效獎勵出口，以期減少國際逆差外，並致力於建設計劃，以求生產與消費平衡」（一月二十一日同上）。經濟部長江杓二月四日在該部所屬機構業務檢討會上並且說：「今後國營事業應本銷路重於生產之原則，調查國內外市場動態，以決定生產方針」（二月五日台北新生報。）由財經兩部長的話，可以證會其已觸到台灣經濟的本質；台灣固然要增產，但其生產有賴於出口。而有出口，才談得上進口，這又屬於外滙貿易問題；至此，又牽涉到金融（幣值）財政（平衡）問題了。我引用錢、徐、江三氏的話，似乎無異爲愈院長的三個治本辦法作註釋，我希望我沒有誤解；那末就期望行政院朝此方向訂定合乎實際底政策。

歐美投資的顧慮

我曾經看到美國人穆丹氏NORBERT A. BOGDAN的一篇文章，討論亞洲新興國家開發經濟何以獲得歐美投資迄仍數目甚小；他舉出三個原因：（一）恐懼外資帶回殖民主義，（二）懷疑自由企業制度尤其以營利有違社會福利，（三）強以外資還就自己條件而忽略它在國內外有充分有利底投資機會。這一情形，我以爲其他落後地區也有之，特以亞洲爲甚。因此之故，除贈予及借款之外，亞洲國家殊少獲得可觀底外國投資，也因此之故，所以亞洲（及中東）殆成爲蘇聯集團爭取之目標。私人的投資目的在營利，有別於政府對外的投資常未能免除政治底原因；私人投資與社會福利不但無違背，且以就業機會的增加，寓有相生相成底作用，美國今日的繁榮，世無與匹，而其社會福利，又那一國可及之？這一點，亞洲國家既渴望發展經濟，則不能不加以切實地體會。台灣現在企求工業化，對於外資及僑資均在希望其內流；那末，對穆丹氏之言似應三復思之！

台灣投資的困難

其次，穆丹氏又說：「政府見於國內私人資源之有限並爲急速實施其發展計劃起見，每易於越分而攬或控制發展工作，竟捨棄做些具體事項以創造有利於儲蓄的集積及本國與外國私人的投資」。按落後地區經濟的發展，除基本事業如交通水利電力等有賴於政府的舉辦外，其餘以私人經營爲原則。此一原則爲自由國家發展的趨勢；我看台灣也有此一傾向，觀乎政府不斷有公營事業開放民營的言論可以見之，只是還沒有斷然全面付之實施底決心與準備。我認爲台灣的基本事業尚待加強，藉以促進並配合工業化；公營事業如果出售，其資金可以轉移爲開發基本事業之用，既可爲新投資供給機會，又得供給部份底企業人才。且政府如果減除直接經營底工作，自有餘暇可以有效地致力於全盤經政策的制定與執行。台灣今日談投資講開發，最感困難者莫過於衙門之多及手續之繁（其由此引起之弊端又不待言），此皆導源於政府自己管理經濟事業。今後政府似應把握經濟政策，讓私人在政策範圍之內多能自由活動；這樣一來，私人投資的有利氣候一旦造成，經濟發展的「滾雪球」效用自可計時而見了。

第二個四年計劃

至於「四年經濟計劃」，過去擬訂的如何不切實際，此時多加指責也無用；觀乎政府所透露對於第二個計劃所採的程序：（一）準備工作，（二）編訂計劃，（三）計劃之設計執行及考核（詳見一月廿五日台北新生報），顯然底是比較足踏實地。且據稱：「編訂時並應充分採納各經濟學者及企業家可供獻之意見」；果如此，則尤有異於前此之閉門造車，且秘密至最後一年尚未公開公佈計劃。經濟開發之貴有計劃，而且屬於必要；美國經濟已高度發達，她也有經濟計劃，美國總統每年歲首的經濟咨文，則賦有經濟計劃的意義。所不同者，美國中央政府延攬經濟學家多至七……

（下轉第二版）

暹羅灣與南中國海

軍事演習的意義

李金曄

（本報專稿）從二月十五日起至十八日，在暹羅灣海上，東南亞公約國部隊，以美國的海陸空軍爲主，配合泰國防衛部隊，舉行爲期三天的大演習；在同一時間內，英聯邦海空軍則將在南中國海作防衛馬來亞、香港的防務演習。同時，二月十七日，美軍將在硫磺島的黑色火山海灘作遠東首次原子戰爭的演習；繼之在本月底前，中美兩國的海陸空軍亦將在台灣海峽作最大規模的聯合演習。

英美軍事合作的開始

在這一連串的演習裏，顯示出遠東局勢的緊張，已達到近年來的最高潮階段。從曼谷、星加坡、香港經台峽以迄日本九洲的門戶——硫磺島上，顯出了上述各地皆在中共武力侵襲圈內。若以泰國、越南、香港、金馬和朝鮮看作是第一綫，則星加坡、台灣、硫球羣島和日本是對共防衛的第二綫。

這次暹羅灣和南中國海的演習，雖分爲二個體系，由美國和英國來各別主持，但合而爲一看，這正是英美在遠東防共軍事上實力合作的開始。表示出在遠東地區，自由陣綫將不再作任何程度的讓步！

尤其是英國在這次演習上所表示的態度是特別值得注意的。

英國不再在遠東後退

自韓戰以來，遠東問題之所以一直陷於泥淖中，未能得到應有的解決，完全是由於英國對遠東問題的態度，不能和美國趨於一致所造成。英國不願與中共決裂，處處表示委曲求全者，亦無非爲欲保持其遠東最後利益的存在，但從經濟觀點來說，英國殘存的遠東利益，却正在逐漸爲中共的傾銷政策和政治滲透所腐蝕。英國對中共的讓步既未能得到預期的效果，而一向爲英國傳統利益的中東市場，也同樣受到中共飢餓生產輸出的威脅，英國人始開始認識，欲安定中東必先保有遠東，不能再將中東與遠東問題分別對待。

但由於英國對其遠東殖民地深厚的傳統領導力的影響，以及其對中共政策的歉弱無力，遂使南中國海的成爲無牙的缺口。因此，馬來亞英國勢力圈的共黨長期活動得以猖獗。在越南問題發生後，英國就不能不考慮到馬來半島的安危了。

英國人很清楚，如果退出馬來亞，香港失去了星加坡爲其犄角，香港必將成爲一孤點，那時，英國除了退出遠東之外，還將連帶失去中東。

於此，即可知英國願於東南亞公約國家作軍事演習的同時，而舉行馬來亞、香港防衛演習，實已是痛下決心，忍無可忍，退無可退的結果。

英國在軍事上對中共擺出了強硬的態度，是否即可謂將與中共決裂呢？在目前來說，這是沒有可能的。並且英國在對中共關係上，或許還需作更進一步的探測，除非中共不止步。

英與中共衝突難免

由於英國幾年來在台灣海峽問題上間接影響美國所起的作用有利於中共，中共當然明白，如正面開罪英國，英國放棄其對美的牽掣作用必將加重其沿海防務的負扭。値茲英國已決心保衛馬來亞、香港之際，台灣海峽若有軍事風暴，中美聯合力量足以阻退，且可以引起反攻的行動。爲保持現有的態度，中共對英政策，將有若干修改，倒是可能的，中共定然希望緩和對英國的關係，讓英國來繼續牽制美國，並影響自由中國、星加坡、香港的經濟策略則必然一貫地保持其傾銷政策，達到逐步從經濟上打退英國傳統勢力。因爲，這在中共來說，其對英的主要關係，即是一個貿易關係，中共如果不能在經濟上讓步，其與英國的最後衝突終將難免。屆時，遠東的情勢亦必將隨之改觀。

因此，英國在南中國海的演習，在某種意義上來說，較之暹羅灣的演習，更足以影響未來遠東局勢的轉變。目前，固不論英國態度如何，就其艦隊的東來這一事實言，已足以表示其有決心在必要時與共黨勢力相周旋。

戰爭，多係由經濟利益的衝突開始的，中共既不能在對東南亞的經濟侵略上止步，那末它與英國的衝突只是時間問題。一旦英國人不再繼續其錯誤的對中共政策，遠東局勢的明朗化，就是可預期的了。

時事評述

司馬璐

抵押品妙喻

最近，尼赫魯對印度的共產黨人說：「記住，共產黨永遠不會關心你們的利益，他們唯一的目標，是在煽動和在煽動中利用你們，作爲他們的抵押品。」

我們不該以人廢言，我們應該承認，尼赫魯這幾句話是清醒的，精闢的。過去，尼赫魯幫助了共產黨，和共產黨打交道，總算發掘這樣的智慧，尤其「抵押品」三個字，是想不出更恰切的形容詞，解共產黨，經過了親身的體驗，到好處，令人拍案叫絕。

讓我們再套用尼赫魯的話對所有與共黨打交道的朋友說：「記住，共產黨永遠不會關心你們的利益，他們唯一的目標，是在煽動和在煽動中利用你們，作爲他們的抵押品。」

賭徒集團

共產黨人以「朋友」、「同路人」、「羣衆」作爲他們的「抵押品」，克里姆林宮則以全世界的「抵押品」作爲他們的賭注。

二月十四日，俄共的第二十次大會開幕了，正如筆者在一個月前的「時事評述」中指出的，這次大會的重要性，「史達林時代」的人要逐漸過渡到「赫魯歇夫時代」的人。因此，俄共第二十次大會前夕，從俄共的人事變動中，俄共機關報的言論動向中，第六個「五年計劃」所表現的路線中，我們早已判斷，赫魯歇夫已贏得這場賭博了。

「史達林時代」是以喬治亞人爲他的組織核心的，赫魯歇夫是以烏克蘭人爲他的組織核心的，……共黨地方領袖最大規模的最徹底的更動中，「許多新秘書都是烏克蘭人，在烏克蘭的共黨出身。」

由此可見，共黨的鬥爭有時與他們所標榜的主義毫不相干，他們是一個極端封建的賭徒集團。

千術種種

共產黨不僅是一個賭徒集團，而且是一個老千集團。

老千最重要的技術是笑臉迎人，誘人上鈎，老千戰術換句政治術語就是「和平攻勢」。共黨「千」術中最常用的是「共存千法」。這次中共在除夕發動「無證還鄉」的宣傳，盡人皆知，「千」也。

共黨「千」術中另一突出的是「勒索千法」，專門對付那些神經衰弱症的人，例如布爾加寧函艾森豪，最近提出召開巨頭會議，中共大肆恫嚇要公佈中共與英國談判的經過，英國外交官員在莫斯科突然失蹤，好像英國人有什麼把柄握在他們手中。中共又常用「僵屍千法」，利用死人，「人民政協」再度召開，有些……「千」而已。

和平解放大陸

敵人「千」，我們「千」，有時是易於惑人一時的，但需要耐性才能彼人接受。本報「時事評述」二月一日曾經提出「和平解放大陸」的口號，最近本港若干報紙都反覆加以闡述，爲了使這一口號富於戰鬥的意義，對於大陸同胞更能具有吸引的力量，因此我們具體的提出「和平解放大陸」的六個行動口號：

一、俄國人滾出中國！
二、取消一切特務組織！
三、釋放政治犯，解散勞改營！
四、把共黨掠奪人民的財產歸還人民！
五、讓人民通過普選選舉產生民主政權！
六、中國人有權走遍中國，不受行動限制！

我們希望，每一個有良心的中國人，每一個愛國的同胞，一切熱心「和平」的朋友，都應該在「和平解放大陸」的口號下團結起來！

海外通訊

美大選運動中一個重大因素

兩黨的財力競賽

今年的大選將是歷史上耗資最巨的一次，共和黨現已擁有二百五十萬元，民主黨則僅有十五萬元。

·江濤·

【本報華盛頓特約通訊】美國的競選運動日趨激烈，在雙方的指責與反指責烟幕後面，經濟却居於重要地位，到目前爲止，共和黨在這次一九五六年總統與國會大選中，至少在財政上是遠勝民主黨的。

兩黨貧富殊懸

共和黨的財庫中，就全國範圍而論，已有二百萬至二百五十萬的儲款，使該黨處於歷史上「最高」的地位。

而在民主黨方面，它目前所擁有的現金，全部尚不足十五萬元，但其全國總部自信到九個月的選舉日時，必能籌到七百五十萬元。

共和黨財庫的最大收穫，是以艾森豪的名義籌劃，這打破了一夕之間任何政黨所籌得的捐款紀錄。

但到現在爲止，共和黨方面還未獲得艾森豪的確切表示，他願意接受此款，進行競選連任。

宴會籌得五百萬元

最近全國又舉行許多「向艾森豪致敬」的宴會，以紀念他就任總統三週年，每客一百元。據共和黨總部統計，這些宴會的純收入，即能達五百萬元之鉅。

這些宴會的收入，半數將歸入州支部的財庫，其餘半數則送到華盛頓，由全國委員會及其他共和黨的參議員及衆議員競選委員會分攤。

兩黨人士都估計，一九五六年的競選運動，對他們都將是歷史上耗費最大的，全部支出將遠勝一九五二年兩黨支持其議員及總統候選人所化的二千三百萬元。根據法律，一個政治委員會每年的支出不得超過三百萬元，但對於一個政黨支持其一個候選人的委員會或附屬機構的數字，法律却並無明文限制。

電視節目支出最巨

據政治領袖估計，一九五六年競選運動的最大支出，將是購買電視廣播的時間。由於新電視台的設立，與[illegible]格[illegible]民主黨全國總部主席布特拉最近首指責「肥貓們」飽了共和黨的財庫」，但他也知道，民主黨也不乏「肥貓」，可以充實他們本身的財庫。

根據上屆大選的數字，在一千元以上的捐款二千四百另九宗中，[illegible]共和黨[illegible]，民主黨最高的委員會得到了百分之五十五。「哈契」法案雖禁止任何人向任何一個政黨的全國性機構捐獻五千元以上，但此案仍容許個人以此款捐與一個不同的組織，不論這種組織有多少，而且一個家庭的人，也能分別向他們所贊成的政治團體捐獻五千元以下的款項。在一九五二年，即有許多人利用這一個濶洞而捐出五千元以上的鉅款，這種情形在今年勢將重演。

努力爭取婦女

民主黨和共和黨最近都有許多人認爲，關於競選運動的捐獻的基礎，應該加以擴充，使更多美國人能盡其力量，對他們所贊成的政黨提供經濟上的支持。兩黨都準備努力吸收婦女們的支持。民主黨已提出了「電視茶會」的口號，即勸主婦們人捐出一二元，使候選人能購買電視節目。共和黨則正組織所捐「喫啡會」運動，希望婦女們每人捐出一二元，購買所有「談談你，總統先生」字樣的徽章。（二月三日寄自華盛頓）

知識份子的改造

從共區大學校長變動看：

思愷

「要爭取自己爭取入黨」，不僅是一句政治性的口號，而是全世界共產黨愚弄人民，統治人民，壓搾人民的手段之一。中國共產黨當然也要使用這一種具有國際宣傳性的特殊手法。

幾年來，中共使用爭取入黨的手段，確曾騙得許多中國善良人民甘願爲其奴役。

一九五二年，中共各級黨組織，即曾大力的宣傳，要全國的高級知識份子爭取入黨，從某些事實來看，顯然是失敗了！

共產黨最憎人們說它不民主，於是他們盡量的要裝出民主的樣子，着些傀儡們沐猴而冠，自己在幕後牽綫。但這些傀儡們也要具有其一定的條件，不然，它在台上的動作與幕後牽綫者的要求不合時，就會演出叫合下喝倒采的戲。其條件中之最重要者，就是要這個傀儡有爭取入黨的願望，才會得聽命牽綫而落力表演。

若從這一角度來看中共的幾個主要大學校長的人事更動，挑選符合傀儡條件的，似乎不很太多，否則，中共是不會須意着共部份黨員親自出馬的。我們可從下面這幾個聞名的共區大學校長來研究：

馬寅初——北京大學校長，這是著名的思想崩潰的經濟學家。（自他依附共黨時起，即表現得極爲出色，因此中共對其過去反對共黨的言行已予寬恕，但其最後的命運則尚不能論定。）

吳恩——天津大學校長。原天津市黨委副書記。

楊石先——南開大學代校長。現任天津市黨委宣傳部長。

陳垣——北京師範大學校長。在一九五六年一月二十日人民日報著文要想入黨。

蔣南翔——清華大學校長。原新民主主義青年團中央副書記兼中央團校校長。

彭康——交通大學校長。原中共山東分局宣傳部長。

薛尚實——同濟大學校長。原青島市黨委會副書記。

潘菽——南京大學校長，潘梓年，潘漢年之弟，名義上是九三學社份子，實際是共產黨員。

沙文漢——浙江大學校長。原浙江省黨委會宣傳部長。

陳望道——復旦大學校長。曾任華東高等教育局長。

宮乃泉——上海醫學院長。原三野衛生部副部長。

華崗——山東大學校長。著名共產黨員，最近正在被清算中。

許崇清——中山大學校長。民主促進會份子。該校副校長馮乃超，就曾爲著名共產黨員。

李達——武漢大學校長。著名的脫黨而又想入黨的份子。

李昌——哈爾濱工業大學校長。原新民主主義青年團中央書記。

成仿吾——東北師範大學校長。著名共產黨員。

朱德海——延邊大學校長。吉林延邊區黨委書記。

林迪生——蘭州大學校長。原西北局宣傳部副部長。

侯外廬——西北大學校長。著名共產黨員。

鄭思群——重慶大學代校長，原西南人民革命大學副校長。

上述二十個大學校長中，共產黨員佔了十五個，而這十五個黨員校長全部是在一九五二年以後調任的。假如說原來的校長都像馬寅初、陳垣、許崇清之流，服服貼貼甘爲奴隸，那麼樂得把他們當傀儡，依舊可以連任下去了。用以來宣傳他們的民主。很顯然，原來的那些校長是並無意於爭取入黨的。因此，他們必須讓位。

從去年十一月起，中共中央又在鼓勵高級知識份子入黨，先後已推出歐陽予倩、劉仙洲、與朝俊等的入黨宣傳，以與其政策相結合，期達成其進一步奴役知識份子的詭計。

但照目前的情形來看，雖有再改造知識份子的號召，恐怕還是要遭再度失敗的。如果再改造知識份子的運動失敗，「爭取入黨」也相應地必然跟着失敗，確是無疑異的。

財經制度化與減政

（上接第一版）單就集搜資料一項言，則年費四千萬美元之多，它的軍調研究尤尊重學人的意見可知了。行政院的經濟安定委員會係一決策機構，其組織份子多爲政府之「忙碌」要員，其經驗有之，研究則無疑是不足；近聞有加設研究組織之議，其動機是進步了。此一組織原應爲行政院長之下的一獨立機構（有如美總統之經濟顧問會）；今附設於經安會亦無不可，要在有整體性，方能收整個而彼此配合之效。我看見報載該會新設第五組的組織，有「並得聘請專家二人列席」的規定；二個專家且僅有「列席」底地位，倘所謂「研究」的程度但止於此，則其效用又爲微弱了。

把握重心 簡化機構

總之，民主政治的哲學是政府爲人民而設立，人民並非爲政府而生存。私人企業爲民主政治的經濟制度，在這一制度之下，營利爲一切經濟活動的動機；我們承認這一動機爲正當從而扶植之；外資、僑資、乃至土著資本始能源源流入於新經濟事業。那末，政府循實際底需要及進度而制定經濟政策，政府必感事簡而易爲，人民亦將覺攸攸而樂於從事。至所謂實際及進度，則又有賴於調查、統計、與研究，似非三數忙碌官吏之所能獨力負担。基於此，我仍以爲政府應當把握財經行政之重心，簡化機構而減政，莫再枝節應付而繁複其組織；否則愈管愈亂，而人民亦終至越來越無以爲計了。

蘇俄的「援助」與貿易

·風行·

經濟侵略配合政治軍事

蘇俄的經濟侵略，非如資本主義的純求榨取利潤爲滿足。他是緊密的配合着政治的滲透傾覆，和軍事的進攻或蠶食。

日本政府高級顧問三木武夫最近在訪問亞洲與澳紐完畢後，在東京宣稱：蘇聯在緬印等地，應承給予的援助，是迎合當地的需求，故受歡迎。不似美國之以剩餘物資援助而不切實用。

這些說話，是知其一，而不知其二。美國的援助固然有些地方做得很笨拙。但你須要怕的，就在蘇聯的援助做得巧妙。

美國的援助是「交易式」，交易畢而退。蘇聯的辦法，是「下種籽式」。她要「落地生根」的。三木武夫所稱讚的是蘇聯替受援國建立一間工廠，一間學校，或協助改善工人生活。

但繼着來的是蘇聯的技術人員，工程師，以及文化顧問人員等等。

試看：蘇聯現在已改變公開的暴動或陣綫的進攻，尤其是對北非的滲透。共黨奉莫斯科的命令，進行組織工會，假藉提高工人生活水準，文化水準等工作，進行滲透。而且進行得相當成功。

貿易的「金蘋菓」

蘇聯又用增進貿易的「金蘋菓」引誘自由世界的商人。其實蘇聯的貿易是打開許多國家門戶的鑰匙。她用軍火售賣已打開埃及之門，埃及現已入彀。蘇聯今正利用埃及作進入非洲的大橋樑。

日本和巴基斯坦都想走中立路綫，主要目的是渴想和鐵幕裏貿易。這實在是不明蘇聯的底蘊。蘇聯的所謂「貿易」，不過是冷戰中宣傳利器。據最近的情報，知蘇聯投諸國際貿易的生產，只佔全國總量的百分之一。而此百分之一中，有五分之四是供其鐵幕內之附庸國。因此蘇聯的對外貿易，幾等於無。我所說的，是指純粹的貿易，自然，蘇聯附以政治及軍事條件輸出的也不少。

蘇聯最近大力宣傳增進國際貿易，都是配合着政治的滲透，特別是對中東。

以保加利亞爲例

如以三木武夫所說替受援國設工廠爲實惠之至，則試[illegible]，則這又渺小不足道了。[illegible]麼？據倫敦泰晤士報引[illegible]非亞之通訊稱；蘇聯[illegible]廠，其供應農具也，只有一萬輛。爲什麼蘇聯[illegible]爲保加利亞是蘇聯擴張[illegible]附庸國。

蘇聯的政府只派遣技術家到自由世界中最有[illegible]，而不管其經濟狀況如[illegible]失去宣傳價值，即可立[illegible]沒有下文。這是屢試不[illegible]。

英國之謀與鐵幕貿易[illegible]，實在未詳細考慮蘇聯[illegible]：縱然你想飲鴆止渴，[illegible]價值，亦無鴆可飲。

原子發電需鈾孔殷

世界主要「原子國家」的原子和平發展日趨蓬勃，尤其是英國，因爲煤礦儲量愈來愈少，正全力建設原子能發電站，希望能生產電力，以補將來其他來源電力之不足。同時英美兩國也正進行合作，製造原子發電機向外國輸出，因此，未來數年內，鈾的消耗量也必然將激烈增加。據美國通用電力公司原子能力部主任安特遜估計，到一九七五年，原子發電廠每年將消耗鈾二萬二千一百五十噸。而鈾苗的數量，將需要九百萬噸，約超過目前數倍之多。（文）

大帽頂壓垮梁思成

有一個時期，大陸上的新興建築，都向着「北京」的故宮看齊，一律的是大帽頂，琉璃瓦，連很多大建築旁邊的廁所也不例外。

大帽頂建築，是在中共鼓勵採取民族形式這一口號下推廣起來，而在北平主其事的，就是都市建築家梁思成。

等到北平的新建築造得差不多了，中共就發動了對梁思成的清算，說他的大帽子式的建築是浪費，要他承認對不起「黨」和人民！把一切責任都推在梁的頭上。

於是梁思成病了，也無心再在民族形式的建築學上去多浪費，不知道他「病」了多久，也不知道他究竟用了多少時間在坦白認錯上，而放棄了他的都市建築；梁思成這個名字漸漸地也被人遺忘了。

因爲他是「人民政協」的委員，沒有理由不參加中共主持的統戰最高會議，他也不能不講話。於是他說：「我帶着感激的心情，讀完了周恩來同志的報告」，接着下去，他自責地說，「我在建築學上曾經犯過嚴重的錯誤，更改稱大帽子建築爲「形式主義和復古主義」，並且當衆承認了「浪費掉大量的國家資財」，但還必須感激「黨」對他的「建康和工作」的關懷。

我們只曉得他是梁啓超的兒子，一個美國的留學生，在清華教書，但還不知道他什麼時候參加中共的，現在居然與周恩來「同志」起來。當然也會經看到過他對他父親的鞭屍式的批判，也讀到過他駡胡適的文章，但一個自命是「進步」的知識份子，最後終於走上了認賊作父的道路。

·小言·

本港中文高中課程問題
行將修改俾與港大銜接
有人提議高二期滿會考

（本報訊）香港這幾年來，中文高中畢業生每年總數在一千五百以上，這些畢業生，大部份到台灣，大陸，或歐美升學，餘下無法升學亦無法就業的數亦不少。這種學生今後愈來愈多。漸漸成為一個問題。現本港教育當局與香港大學已經注意及此，為使此等畢業生多一升學機會起見，去夏特別開設「英文特別班」，中文高中畢業生在該班補修英文一年，即可投考港大。惟事實上此等畢業生不僅英文程度與港大不相銜接，即國文及其他學科，亦因課程關係，投考仍有困難。現有關方面，正從事修改中文高中課程，俾期能與港大入學試程度相接。並有人提議，中文高中生的會考應提前在修完高二年級的時候，即可參加。因英文高中生既係讀完五年（即第五班）即行會考，中文高中生亦應於讀完五年（高二）即可參加。惟此事牽涉甚多，究竟如何決定，現尚未知。查本港中文學校課程標準，原係出於國內學制，現因政治情勢之轉變複雜，本港中文學校課程必須如何始能適應學生未來之需要，確已到了不能不變的地步？惟如何變？如何變得通？誠有賴於教育界之從長計議矣。

香港的婚配問題
新例舊例漫無標準
當局研究未獲結論

五年前當局曾經組織了一個「大清律例」研究委員會，對於「婚配」問題曾特別通函港九各大社團提出研討，問題的中心約可分為：一，妾侍的地位，二，婚姻的合法觀點，三，重婚的問題。經過此五年的時間，當局彙集了各大社團的意見和資料後，依然不曾公佈所得結論，可是這一個影響本港所有中國人生活風習的問題，仍需要作極慎重的處理，最近本港女太平紳士蔣曹麗姬在西區婦女福利會作福利演講，又重新把這個問題提了出來。

妾侍問題的理論與實際

因妾侍與重婚而起的訴訟，在香港是多數根據和參照「大清律例」而處理的，重婚在香港是屬於「告訴乃論」的罪，在理論上，我們知道立妾與重婚是不獲容許的，但事實上，有許多有地位的中國人卻有着一個以上的女人。

因此，當這個問題在各大團體提出了，許多人都不敢表示意見，因為本身有妾侍的人固然是不欲表示意見，而本身沒有妾侍的人，也由於不願意得罪於有妾侍的友好，於是也不表示意見，所以就成了當時的一個笑話，據記者從各方面所獲得的資料，一般的意見認為：「今天立妾[illegible]的制度是不應再容許存在了，但今天以前的立妾，既然已成了事實，法律固不溯既往，我們亦應承認他們合法的地位。」類如這一種意見，是相當適合香港中國人的風俗習慣的，但問題是確定[illegible]期的問題，那一天以前立妾才算是合法，那一天以後立妾才算是非法呢？

婚姻的合法觀點

關於第二個問題是婚姻的合法觀點，在香港，流行一句十三元結婚的俗語，這句話的產生是由於香港被認為合法的婚姻是經過高等法院婚姻註冊處的登記手續。而辦理一次婚姻登記的手續費是十三元。可是在香港的中國人習慣於這一種登記手續還不過是近年的事，以前，大部份中國人婚配時多採用舊例，或返回國內始舉行婚禮儀式，但此種所謂三書六禮的舊例和國內中華民國所認為合法的儀式，原則上並不合於香港的律例，香港執行法律的官吏婚姻問題發生了法律上的爭執時，多數根據中國人的風俗習慣裁定，因此往往亦承認了舊例與中國法律在香港婚配的地位。單單根據習慣，以及執行者個人的見解，往往會產生了不同的結果，是以香港當局不得不準備予以一個肯定的見解，而這一個見解則必須採納香港中國人本身的意見。

第三是重婚問題，這個問題是除着上述妾侍和婚姻合法觀點，這兩個問題而來的，這兩個問題解決了，重婚的問題自然可以迎刃而解。

四種新舊例

本港女太平紳士蔣曹麗姬對「婚姻問題」有着相當深刻的研究，她的演詞中提到了關於婚姻的儀式制度及法理問題。她說，每個國家民族，因為人情物理環境與習俗，都有不同之處，而各朝代亦因有不合時宜，而有所變更，逐漸改善，以適應社會現實需求。香港華洋雜處，又值新舊思潮交替之際，故居香港的中國人，對婚姻制度與儀式極為繁雜，約而言之，可分四點：計（一）採用前清舊例，（二）依照中華民國法律，（三）遵照香港婚姻註冊所條例，（四）採個別宗教儀式。

香港華人結婚制度，向用「大清律例」（簡稱舊法例），根據此舊法例之婚嫁，必先奉雙方父母之命，媒妁之言，經過三書六禮，即作為合法的證據，凡經過此種舊法例之聘禮及完娶及正式配合之妻室，稱為髮妻正室，或稱元配，照此時的法例，是屬於一夫一妻制的，但男子仍准立妾，妾侍則曰偏房或側室，凡納妾必須得髮妻的同意，然後該妾侍始有其家屬地位。在此男性中心的社會，即屬元配，當其丈夫提出納妾的要求時，亦罕有不准者，此種舊法例，是根據遠在一八四三年時期的中國法例和習慣，今雖時代迥異，而少數舊禮教之家庭，仍沿用於今日。

「平妻」的怪名稱

其次，住在香港的中國人，亦有不少採用中華民國民法結婚，此新法例與舊法例有不同之點是，新法例祇承認一夫一妻制，而且有年齡的限定，儀式雖然簡單，一去繁文縟節，但根據民法第一條有謂「民事法律所未規定者依習慣，無習慣者依法理」，其意義廣泛，所以在民法中，對於妾侍並不正式認為其妾侍，改稱其為「家屬之一員」，如丈夫獲得妻子的同意，得納一女子作為「家屬」，如未獲妻子的同意，一經提出告發，則作通姦論。此實為酌於新舊社會法理人情而成立者，但往往因此引起家庭的糾紛，例如根據中國的舊法例與新法例所載妻室的名稱，有髮妻，正室，元配之稱；繼室稱為填房；妾侍則有側室，偏房，或家屬一員的地位，但絕對未見有平妻之稱，平妻的名稱，不過是有等當事人自以為是，因此許多生前名義權益，及死後財產的紛爭，俱由此法律縫隙為之厲階。

第三，遵照本港婚姻註冊所條例，這是本港法律所承認為唯一的合法和有法理根據的，但中國人履行這一個婚配儀式，於近年來始告普遍。

第四，是採取個別宗教儀式，一般有宗教信仰的新婚者多採取其宗教儀式，但大部份同時仍遵照婚姻註冊所的條例辦理登記手續，作為法理上之根據。

各方注視當局決定

綜觀上述四種婚姻制度，雖然各有其衝突與矛盾之處，但仍同時容於今日的香港，發生種種無可避免的問題，因此，當有關當局正在採納各階層人士的意見而加以作法例上的決定的，一般人都承認為適當，且都極表重視。目前，香港的婚配者都趨向遵照婚姻註冊所條例，這一種趨向固然可以減少今後因引證律例而惹起的不必要麻煩，但以往的配偶當[illegible]生糾紛時，仍然成為麻煩的淵藪。

名畫家方君璧
過港耑赴巴黎

（本報訊）名畫家方君璧女士前年由港赴日，從事寫作，並分別於東京，京都，大阪三處舉行個人畫展。極得東瀛藝術界好評，本刊曾迭有記載，最近方女士已從東京返港。記者特往訪謁於旅邸，暢談甚久，承告旅日已歷時一年又一個月，並出示其新作，渾厚清新，較前益覺孟晉，詢以今後行止，據稱擬在港稍作勾留，即取道曼谷，星洲，耑赴巴黎，今夏將從歐洲赴美，如時間許可亦將在曼谷星洲舉行畫展，到美後計劃於金山及紐約等地，以近年作品，與彼邦人士相見，方女士年來努力藝術創作，為國爭光，雖風塵僕僕，而風采甚都，精神愉快，未來成就正未可限，為可喜也。

新書評介

評「當代中國自由文藝」
·馬丁·

李文著　亞洲出版社印行

這是一部廿三萬字的書，就書名看，該是一部不小的論著，然實則是編著，因它並沒有較完整的關於中國當代自由文藝的理論體系，卻是偏重於書評和報導，而這兩部份佔了全書的百分之七十，故即使有理論，也不是完整的體系，僅見之於書評。同時報導的資料有些還嫌過時，提出了問題，而未作詳盡的論述或探討，其流失亦在此。但該書對當代中國自由文藝作了概括的介紹，其功實不可沒。茲就該書關於批評部份提出來討論：

作者所列舉的香港作家與作品，寥寥無幾，菲僑作家及作品更少，台灣作家及作品最多。因此，我們認為：作者在蒐集閱讀上尚未能盡到最大的努力。其次對於菲僑作家台灣作家列出一張人名表，這也只是不完整的資料而已。在主要的批評方面只是做到了將原書摘要介紹出來，故也有失深刻。至流於宣傳廣告性質了。作者對東方既白（徐訏）的「在文藝思想與文化政策中」一書之評言，雖長達萬餘字，但卻不過是原書的濃縮簡介即可為證明了。

× × ×

至於有關台灣作家及作品的批評方面，所選作家均為「文獎會」得獎的作家及作品，是否捨此而外，便無作家了呢？老作家方面只提到了王平陵、謝冰瑩，卻將陳紀瀅這位老作家列入新作家的行列，這該是欠妥的。在作者所舉出的這些老作家中作者也未予以嚴正的批評。批評要能得到大多數人的悅服，惟有好就是好，壞就是壞，好在那裏，那裏值得新作家去學習；壞在那裏，應該如何補救？惟能不偏不倚，始能使批評有其價值之存在。

關於原書理論部份，在「自由文藝運動的發展過程」一章中，有近四頁是引證東方既白發表在「自由中國」（十二卷二期）上的「文化自由協會與文化自由運動」一文，及丁淼的「中共文藝總批評」一書。「台灣中國文藝協會改組完成」，是引證百分之八十「自由文藝創作集」及張道藩的一年來自由中國文藝的發展」一文；「作家參軍下鄉和到工廠去」一節，百分之八十引證張道藩的「三民主義文藝論」一書；「詩創作為什麼特別蓬勃」一節，則百分之八十引證張道藩之「一年來自由中國文藝的發展」一文及陳紀瀅的話；「反共歌曲的形式與內容」一節，也是引證「一年來自由中國文藝的發展」一文；「三民主義文藝論」及「民族形式問題」兩節，引證張道藩的「三民主義文藝論」一書佔百分之九十強。因此，使人有李文先生只是百分之百地盡到了編纂各書的職責，而失去了著書貴有創見的意義。

× × ×

但這部書也不是全無獨特可言的。他提出了「文藝不獨是一面鏡子，而且是一面旗子。」在這一點加以強調自由文藝的發展前途的見解，可謂是獨創，且亦甚動人。其次如對於當前自由文藝運動的弱點，提出了「反共八股者談美頌同」，「只喊口號沒有內容」，「散文與報告文學問題」，「雜文與回憶錄的評價」，及「內容決定形式」，「文藝批評論」，「文藝發展路向」，「作家大團結」諸問題，是極為引人注意的。但可惜亦未能詳加探討論述，不過以此書作為一部自由文藝的趨勢動向來看，實不失為是一本很好的書。

不管怎樣也得完成任務！
但工人說：「我們不能熬夜，熬夜工人們就鬧心！」

一個在中共「重工業部建築局第三工程公司安裝隊」的工人，寫了封信給中共青年團機關報「中國青年報」，揭露了所謂「超額完成」領取獎金的眞相。該信以去年十一月份的事實為例。說：「前二十天只完成了工程量百分之二十三點四，剩下的卻要叫工人在十天內完成，工人和技職人員，有時直幹到深夜二點多鐘才收工。到十二月下旬，加班加點現象更嚴重，更普遍了。桿工青年突擊隊從十二月二十到三十日，每天都加班加點，有一次一連工作了三十八個小時！其中有連續幹了四十五個半小時的；…領導上洋洋得意地在動員大會上說：『不管怎樣，也得給我完成任務』，於是工長也就下令強迫工人加班加點。」

一個工人連續被強迫工作達四十五個小時半，這該是任何民主國家所沒有的，但在「無產階級政權」統治下，中共卻居於工人的主人地位在盡情地奴役工人，由於工人超時工作過久，因此患病率增高了，死亡率也增加了。

所謂「完成任務」乃是以犧牲工人的健康與生命來換取！（插圖原載二月四日「中國青年報」）

廠長　大夫：「從本週加班加點以來……。」

編者讀者

△三月七日為本報五週年紀念，年來承海內外讀者和作者，多方支持鼓勵，同仁等不勝感奮。屆期本刊將出增刊，敬請讀者，作者，多賜教益。惠寄紀念文字及廣告，乞於本月底前寄到為感。

△本報五一六期刊出刁抱石先生的「詩境」一文，頃又承邵鏡人先生惠賜「詩學概說」一文，二氏為本報長期讀者，經常為本報撰稿，且皆能詩，邵著將在下期刊出，想為研究詩詞讀者所歡迎也。

自由談

談英國的共諜

英國兩個高級外交官員麥克里安，（外交部美洲司長）貝格斯，（駐美大使館一等秘書）失蹤幾年之後，最近在莫斯科露面了。他們自認在大學讀書時代即已加入了共產黨，謂其叛國行爲「並無錯誤」。共黨份子是以蘇俄爲祖國的，他們當然是如此想法，如此說法，毫不足怪。

這是二次大戰以來最大的一樁國際間諜案，其性質與盜竊原子彈秘密差不多。這兩個共諜間接貽禍於亞洲的情形尤其嚴重。假使他們不是英國的官吏，而是其他自由國家的公務人員，不知將要給英美當局怎樣的指斥批評，而認爲是腐敗低能，無可救藥的政府了！

這兩個共諜從學校畢業後，進入外交界工作，一直升到高級要幹部，都是在工黨執政時代。如此重要的國際間諜份子，工黨政府平日竟毫無所覺，直至保守黨當政，對這兩人開始懷疑，派遣保安人員嚴密偵查時，他們才畏罪潛逃的。這證明工黨那羣聽吹大氣的「民主社會主義者」，都是些不學無術，虛驕成性的人物，祇顧像煞有价事地高談社會主義，要與俄共親善結交，而不自知其已被俄共玩弄於股掌之上了。所以，我對於高談社會主義而又自命爲反共的前進之士，對他的票面價值，總是先打個對折再看哩！

報載：有兩個工黨議員，對於此案擬在下院提出質詢，說是要「轟」艾登首相。我不明白他們尚有何面目來談這椿事，這不是自己鴨屎臭嗎？飾非護短，過則歸人，似乎是搞政治者的通病，因而構成了一條定義：如要作官發達，乃可厚顏無恥！

馬五先生

關於「記丁在君」——胡適之先生的一封書

編輯先生：

承「自由人」贈寄，每期由空郵送到，距出版之期不過四日，頗使我十分感謝。

在第五一一期和五一三期上得讀徐道鄰先生的「記丁在君」。我正在寫「丁文江小傳」，紀念他逝世的廿周年，所以特別留心有關於在君的材料。道鄰先生此文中有一段牽涉到我，其中兩點，道鄰先生似有記憶上的錯誤。

（一）我在何敬之的宴會上，確曾放了一砲，牽涉到在君。但絕不是道鄰追記的那幾句話。我說的是：我的朋友丁在君常說：「我們的軍官學校教出來的軍官，連軍事地圖都不會讀。」這是在君曾對孫傳芳說的，也曾對蔣先生說過，也是他常對朋友們說的，並不是秘密的話。在君笑我太老實，只是因爲我當了何敬之唐生智等許多軍人之面說這話，以至於引起了一兩個人的抗議，這件事確是我替在君惹起了一場小風波。

（二）此文有幾句話是我要嚴重抗議的。此文說在君曾說，「我這段話是有爲而發的。其實我們大學裏的教育那裏有軍事教育進步的那麼快？……」下一句是丁在君從來沒有說過，也絕對不會說的。他誠心的相信，中國的軍事教育從沒有能比國內大學教育進步那麼快。民國二十年（一九三一）以後，他在北京大學做了三年多的專任教授，那幾年（一九三一——三四）正是國內幾個大學埋頭苦幹而進步最速的時期，所以他深知國內大學教育的進步之快遠非軍事教育所能趕上。這裏面的原因甚多，其中一個原因是幾個最好的國立大學入學試驗很嚴格而標準很高，遠非軍事教育機關所能比。另一個原因是幾個最好的國立大學選擇教授都比較嚴格。這都是在君和我們一班朋友深知的。在君絕對不會說「其實我們大學裏的教育那裏有軍事教育進步的那麼快？」

最後，我要指出在君死在民國二十五年（一九三六）一月五日，道鄰先生說他「第一次見丁在君是在民國三十一年的春天」，必是筆誤，或記憶的錯誤。敬祝自由人諸位朋友的健康。

胡適敬上　民國四五，二，一。

壽羅稻仙六旬

彭楚珩

乙未重陽翌日，稻仙羅氏六旬壽誕也，適爲台灣光復十周紀念。宴於台北近郊成子寮劉勳揚家，席間聞稻仙言『六十無聞，非戰之罪也』，甚有感觸。爲賦一律以壽。

華誕接重陽，蓬萊隱更光。
六旬初度壽，萬丈雄心長。
論戰原非罪，問天豈有常？
何如舒巨眼？世事閱滄桑！

世外桃源

劍朋

古今文人讀彭澤先生桃花源記者，多視爲寓言，或理想中之樂國，實則宇宙之內，確有其地其人，不待求之於海上三山，隨地有之，惜不爲世俗所知耳。

友人巴陵廖君善吾在清季宣統三年，客陝西同官縣周大令幕中，司刑名，因聞北鄉有周姓者，聚族居深山中，不與人往來，遂覓土人引導，往觀其異。

其地在同官縣城西北三十餘里，叢山中有小徑可通，入山口處，蓬蒿塞路，皆如人長，故過者不經意則不見其徑也。入山五里許，有平坦盆地，瓦屋鱗比，居民數百戶，皆周吳兩姓也。廖君訪其族長周某，對客頗恭，態度和雅，據談其先人爲明末京曹官，崇禎甲申之變，遂與吳姓之友，攜眷避地入秦，居此山中已將三百年矣！兩家子弟，無人不讀書識字，但相約不得出山應試，故入清代二百餘年，兩族中無一秀才也。兩姓自爲婚姻，不與外人通，每年惟派子弟赴城市購鹽糖針綫藥品等二三次，其他日用品若糧米、蔬果、棉布、油漆皆山中自產者，且家家均以粟麥粱黍蒸各種醇酒，有儲至百年或二百年以上者，而醃菜乾肉，亦每家皆有。

周某又導觀其宗祠，祠中布置均仿古禮，屋宇弘偉，整潔如新，祠中附設家塾，童子百餘，彬彬有禮，祠左右皆花果園，凡數百里內各地所有之花樹果木，園中無不具備，鷗鷺鶯燕，翺遊其中，睹人不驚，鳴聲相和，祠中藏有其先人衣冠禮服多件，祭祀時則陳列正堂，以示子孫。祠之對面，則吳氏宗祠在焉，兩祠形勢相同，其時日已過午，周吳兩族長遂共同煮酒留客，菜餚精潔，酒味醇厚，幾爲平生所未嘗，廖君留戀不忍去。瀕行，主人囑曰，山谷遺民，偷生濁世，幸不爲外人道也。

廖君亦能文章，爲余談此事時，謂欲爲一文，詳述所睹，以證古桃源之決非虛構，適民國十年後，廖君已歿於湘，不知有無遺著述此事也。

八大山人軼事

刁抱石

明末滄桑之際，王孫之遯跡佯狂，遊戲人間，以銷磨劫後生涯者，當推八大山人爲代表。

古怪署名　意在玩世

山人名闓，宗室寧都王之孫，世居南昌。父原工書畫，然生而瘖啞，口不能言。父歿，遭甲申之變，山人亦學父瘖啞，與左右接觸，皆以目語；和賓客寒暄，俱作手勢。如此者十餘年，遂棄家削髮爲僧，自號雪個，個山，人屋，驢屋，驢漢，書平，落闓不一而足，仍以八大山人名滿天下。署名古怪，隱約間含玩世意味。印章有奇異至莫能辨認者。

山人曾入奉新山中，稱宗師二十年，從學者常百餘人。臨川令慕其名，延之官舍。又年餘，忽忽不樂，突發狂疾，時而大笑，時而大哭。一夕，自裂僧衣，投之火，走還會城。自是常戴布帽，曳長袍，獨徉徜市肆，旁若無人。適有姪遇於途，留居其家者久之，病始愈。乃大書一「啞」字署於門，拒絕與人言語。

山人之詩殆不傳世

山人之畫，擅長山水與花鳥竹木，以簡勝。筆情縱恣，不泥成法，蒼勁圓晬，逸氣橫生。其松蓮石三品，世固有神品之稱，即蘆雁鳧汀，潛魚飛翼，亦極生動之致。山人之書，胎息魏晉，狂草尤怪偉。山人之文，大有可觀。山人之詩，殆不傳世。武進邵長蘅客南昌時，訪山人於北蘭寺，山人握手熱甚，忽又大笑，竟不交一語。是夜長蘅宿寺中，與寺僧澹公剪燭而談，澹公語長蘅曰：「山人有詩數卷，秘不示人，題跋尤古雅，間雜難語，不盡可解。」長蘅因得見山人與澹公數札，欵識不減晉人所作。今所見山人詩，惟「題畫山水」二十八字，誠吉光片羽也。詩云：「郭家皴法雲頭小，董老麻皮樹上多，想見時人解圖畫，一峯還寫宋山河。」

不善飲醉則欷歔流涕

山人面色微赬，豐下而少髭，不善飲而好飲。貧士山僧，市人屠沽，有具酒邀之者，輒縮頸撫掌，笑聲啞啞而往。往輒飲，飲輒醉。又好猜拳，勝則笑，負亦笑，愈負則迭而擊勝者背，笑益啞啞不可止。既而大醉，每欷歔流涕。或備紙筆，牽袂捉襟索畫，於是墨瀋淋漓，任意揮灑，忽作雲山，忽寫竹石。故求山人畫者，多索之醉中，且多就山僧屠沽邀致之。若顯貴以重金向山人易一木石，不可得也。

同光風雲錄

鮑超

[illegible]忠壯，超，曾文正公部下猛將也。幼貧而[illegible]，年十八無賴尤甚。

效淮陰侯酬報漂母

鮑[illegible]有從叔母，面麻而黑肥，鮑愛[illegible]，兩人情好甚篤，恐事覺，乃相偕而遁。流落爲乞丐，輾轉至湖南，行經某鐵匠鋪門前，值大風雨，因就鋪簷下宿。鋪之主婦，夜夢兩黑虎踞門首，醒而異之。晨起，見鮑夫婦尚擁臥未起，問所由來，留爲鋪夥，鮑感其德，操勞甚勤。會曾文正公在籍募練湘軍，鋪姥勸其應募，卒以戰功累官至軍門。鮑嘗親詣鐵匠鋪厚報姥，呼爲義母，殆有淮陰侯酬報漂母之風云。

鮑未貴顯時本有妻，以貧典於人，迨功業成就乃贖妻歸，其從叔母欲避之，鮑固止不聽，竟亡去不知所終，亦異人也。

鮑癩狗雅敬文士

鮑滿身有癬癩疾，敗膚屑粒飄墮地而不之顧。嘗侍曾文正側，文正引古人懶而污者以諷之。鮑曰：『今有鮑癩狗可與古人媲美耶？』文正爲之大笑！自此軍中皆呼『鮑癩狗』。鮑曰：『名我固當』。默受而不較焉。

鮑雖粗魯，亦雅敬文士。一日，提筆寫一門字，右欠一鈎，幕友啓之曰：『門字不可無鈎』，鮑羞而大怒，指聽事門而掌其頰曰：『汝試觀，門下可有鈎耶？』適壁上懸曾文正楹聯，有門字，幕友亦指而謂之曰：『曾大帥寫門字有鈎』，鮑顧視果然，即仆地三叩首謝曰：『先生恕我武人』。蓋鮑生平最信服文正，凡引文正言所以啓之者，無不敬謹承受也。

軍陷被圍畫圖求救

鮑遭敵軍圍攻甚急，囑幕友草報告求救於曾文正。幕友備述被圍情況，鮑俱不當意，曰：『何爲此文綯綯耶？』乃取筆寫一鮑字，於其外加圈數圈，付稗將急持去，文正得報，驚曰：『鮑癩狗被圍急矣！』即發兵赴援。此與軍閥悍將張宗昌行逕有相同者。當奉直大戰時，宗昌爲奉軍騎將，直軍統帥吳佩孚，以鄉誼勸其降，宗昌素敬慕佩孚，乃囑記室草電卻之。呈閱，罵曰：『媽裏ㄨ的！何需此酸溜溜耶？』遂自擬電文曰：『你如反曹，咱就反張，王八蛋大家做。』佩孚得電，啞口無言。故併述及，以見鮑張異代同趣也。（四）

甘地信徒的失望

五年前，甘地著名信徒巴夫，在印度海德拉巴附近的馬沙巴利村開始發動土地分配運動，希望藉此解決印度的問題。他和少數信徒在這五年中步行了一萬哩以下，勸地主將他們的土地分出一部份來給與印度五千萬沒有土地的農民。他希望最後能獲得五千萬土地，使無田的人都能有自己的土地。他的呼籲是精神上的，希望地主們把他當作第五個兒子看待，撥出他們的土地，由他再分配與貧農。

但最近巴夫卻失望。他這五年來雖然名義上獲得四百六十萬畝的土地，實際已分配的卻只有二十一萬三千畝，其中半數是畢哈省的地主們所撥出，而且都是貧瘠的荒地。同時，各方對他這土地分配運動的指責也愈來愈多，孟買省長馬泰布即說：「甘地希望消滅貧窮，巴夫的運動卻只是分配貧窮。」巴夫由於這次失敗的教訓，正係其他許多人一樣，已將其態度從模糊的理想主義變成激烈的急進主義。他說：「土地分配運動主張土地革命，消滅私有權。我要消滅個人的土地私有。」他一面指責尼赫魯大黨的腐敗，一面提出了解決印度的新辦法，他說：「現任的政府方式必須及早消滅，以村政府來代替。社會結構也應加以改變，由每一個滿二十一歲的人集體選舉「土地分配運動委員會」，根據每一家人口的多寡而將土地整個重新分配。」在甘地的理論，也雖有這種類似的觀念，但他這種辦法卻找到奇異的支持者。他說：「共黨已向我保證，願和我們合作。」過去，巴夫是激烈反共的，他曾說：「共產黨徒和我的分別，猶如一具死屍和一個活人的不同。」但現在，他的態度已激烈改變，而傾向於[illegible]了。他的主要支持者社會黨領袖納拉揚說：「我們必須趕快行動，否則那些相信武力的人將踏着我們的死屍而行動。」（鐵之譯）

台北菊壇歲暮大盛況

張瘦碧

台北自四十五年元旦，由趙培鑫演出了一台晚會之後，在一月份裏，就跟着演出了許多的晚會，其中以考試院之段承潤的玉堂春；台銀之熊松筠，王傳謀，沈守德，張心治夫人等龍鳳呈祥；以及保險業之金素琴，曹曾觀，李心佛之寶蓮燈；及反串之翠屏山，皆是好戲。

在春節前，更有人人幼稚園之郭蘭小姐的女起解；海總爲了勞軍基金，由金素琴胡少安合作之宇宙鋒；及全本玉堂春。其最哄動而值得欽佩的，要推大鵬劇團，爲春節在邇，救濟留台一般苦難同行，特由全班人馬，在三軍托兒所禮堂義演的窩頭戲。票價自六元至五十元，得資悉數發放同行。其劇目爲孫元彬，張世春，李素貞之青石山；程景祥，哈元章，馬元亮，孫元坡之胭脂虎；胡夫人，張世春之上天台；趙玉菁，徐露之能仁寺；第五齣則爲去年國軍康樂競賽，榮獲業餘組冠軍的鎮壇州，大軸係由全班合演之反串大蜡廟。復有劇聯協會，邀請伶票兩界，于六日至十日，義演五天，亦屬救濟苦哈哈的性質，被邀演出的，有金素琴，李金棠，劉玉琴，曹曾觀，北平李麗，司馬曾……等，戲目即爲新四郎探母；得勝回家；金山寺；法門寺等。舊曆的歲尾，台北的菊壇，連接着爲了晚會，勞軍，義演，活躍異常，愛好平劇的人兒，眞是足藉此大過戲癮了。

自由人
THE FREEMAN
（第五一八期）
每份港幣壹毫
台北市售價新台幣壹元
3 rd, fl. 20 GAUSEWAY RD HONG KONG
友聯書報發行公司
香港：德輔道中二十六號A二樓
台灣特派員辦事處
台北市館前街五十號
台灣總經銷處
台北市西寧南路壹零號二樓
台郵儲金戶九二五二

世界問題的樞紐還是在英國

英國現實外交的弱點，已爲共黨所乘，慘遭失敗。今後英國如不能速下決心，不惜一戰，便要落下共產黨的陷阱。世界問題的樞紐還是在英國。

黃華表

我從前曾經說過，日內瓦會議失敗了以後，心理上最感覺難堪的，應該是英國！因爲第一、四巨頭會議，原是英國多年來的主張；美國是最後才不得不順從英國的意思而召開的。所以無論四巨頭會議的結果是成功？或是失敗？都應該由英國負其責任。第二、是英國之所以要主張召開四巨頭會議，原想藉以緩和歐洲緊張的局面，好讓英國從容佈置，爲與日抵抗俄共席捲西歐的張本。卻不料俄共恰在這個的時候，搶先乘虛爭取了埃及中東印度緬甸阿富汗以至巴基斯坦等英國向所倚以爲生存的國家。這於英國已不止是道德責任的問題，實在是生死利害的問題！英國的外交，雖則是最講現實的，道德責任儘可以不管；但俄共這次蹈隙乘虛所給予英國的創傷，英國的外交家，並非麻木，斷無不痛心疾首之理？所以我便以最尋常人的心理，去推測英國，斷定其心理是非常難堪的！

英現實外交的後果

但後來細想，英國這一次遭受「俄共」的暗算，並非「俄共」外交手法的高明，實在是英國「現實外交」所招致的後果！試就極客觀的立場而分析論列之。英國人在外交上，原是最自負的。過去兩百年來英國在外交壇坫上縱橫捭闔，從未嘗逢敵手，因也從未嘗遭失敗過。歷史上的事實，着實助長了英國人這種自負的氣概。但若以中國戰國時代蘇張之徒的眼光，來衡量英國今日之所謂「現實外交」，則實在是最淺近，也最易爲敵人所乘的手法。英國人輒看作傳統的瑰寶，也可謂之咄咄怪事！

試以這幾年英國的「重歐輕亞」政策論之。英國在西歐雖則絕對不容許東德存在，但在東亞，卻十分同意「北韓」「北越」的存在。在西歐雖則彈丸似的塞浦魯斯也不惜以獅子搏兎的力量死守而不肯放，但在東亞，卻可以讓「中共」隨便「解放台灣」。這種顯然矛盾的態度，當然極容易爲「俄共」「中共」所觀破，也極容易爲「俄共」「中共」所利用。過去「俄共」之所以處處在西歐表示妥協，處處表示要和英國「和平共存」。而在亞洲卻爲「鯨吞蠶食」，無所不用其極，並且還處處利用英國，扯住美國，好讓共產集團在亞洲爲所欲爲，便是「俄共」「中共」觀破英國「現實外交」的弱點，而又充分利用英國「現實外交弱點」的事實。現在「北韓」「北越」居然穩定了！「中共」更日益鞏固，日益強大了，豈不是都由於英國這種「現實外交」之所賜！「俄共」「中共」當然十分明白。在亞洲儘可以裝成戰爭的模樣，喊出「解放台灣」的口號，卻萬萬不要對英國利害攸關的國家有所染指，倘使「俄共」「中共」單要「解放台灣」，而不涉及英國的利益範圍，英國是絕對不會加以干涉的。英國本身或者不憚正面和美國的立場作對，而尼赫魯皮爾遜一輩人物，一定會爲「中共」叫囂吶喊，以「中共」釀成第三次大戰的罪名」壓迫美國，使美國讓步，使「中共」不戰而達成解放台灣的願望！

上面一種推斷，並非冤誣英國，而是以英國年來對「中共」外交所見的事實作證的！因爲這正是英國「現實外交」的本質。然使有人要將英國「現實外交」在亞洲造成「中共」「俄共」坐大的事實，向英國猶泣而道之，英國的外交家，狃於過去二百年的成功，及一向在外交上優越自負的心理，是斷斷不會傾聽的！英國的外交家，只知「以隣爲壑」可以緩和一時的侵害，卻不知「藉寇兵而齎盜糧」「以地資敵」必至敵我形勢強弱懸殊，結果自己還是不能獨存，而終歸於滅亡的！從前蘇老泉論六國之所以滅亡，有云「齊未嘗賂秦，終繼五國遷滅，何哉？與嬴而不助五國也。五國既喪，齊亦不免矣！」正足以爲英國「現實外交」的殷鑒！

美有實力無外交

但爲什麼俄共中共既澈底明瞭英國「現實外交」的弱點，又充分利用了英國現實外交，而獲得不戰而奄有大半亞洲的「偉大勝利」，卻又不利用到底，而要中途踏虛抵隙，爭取了亞非兩洲，英國向所倚以爲生存的國家！而不惜和英國正面衝突？豈不是「俄共」「中共」的失策？不知這正是「俄共」「中共」的外交手段，狡猾而勝過英國的地方，因爲「俄共」「中共」認爲盟國的，號稱爲英美法三大國，其實法國早已不在他們的眼中。他們又認定英國只有外交，而無實力；美國雖有實力，而無外交。但把英美兩國分開，使都不足畏懼；所以「俄共」「中共」對西方的外交政策，一向是以「分歧英美」爲目的。更利用英國「會而怕戰」，牽住美國的實力；美國雖是龐然大物，英國的「電鞭」一指，便同黔驢無技！美國自謂軍力強大，隨處隨時可以擊毀敵人，但「俄共」「中共」在東亞卻橫衝直撞，如入無人之境！只見美國乞憐，「中共」絕不着急，這豈不是利用英國一國「電鞭」的結果？但英國的「電鞭」之所以有力，完全是由於英國具有亞非兩洲的所謂「自治領」「殖民地」。有了這許多「自治領」「殖民地」，然後才可以操縱聯合國的外交；然後可以「外交」左右美國；以使美國不得不事事聽命於「盟國」！「俄共」「中共」看破了這一點，所以這幾年來，一面利用英國外交的「電鞭」，控制住美國，一面卻用足工夫，去爭取英國這些「自治領」，鼓勵這些「中立」的「殖民地」「獨立」，威迫利誘，雙管齊下，這些「自治領」，這些「殖民地」，平日對英國既無好感，那會不上「俄共」的鈎餌的道理！「俄共」爭取了英國這些「自治領」「殖民地」，英國便根本失去了外交力量的憑藉！還有什麼外交可言？還有什麼可畏？埃及中東的問題，是恰在此時表面化了！若印緬之傾向「中共」，「俄共」的訪問，亦不過更加明朗化了！「俄共」「中共」爭取亞非兩洲「自治領」「殖民地」成功了。在「俄共」「中共」的眼中，英國亦不過如法國一樣，實在並無什麼可畏？可以利用的價值，也微乎其微了！因爲英國對於這些「自治領」「殖民地」已失卻「發蹤指示」的力量，而反之，「俄共」「中共」卻可以指揮裕如。如果需要這些國家，在外交上牽住美國，只俄共略示顏色可矣！不見這次「成堆」加入聯合國的故事？是由於英國的「發蹤指示」？還是由於「俄共」暗中的指揮？明眼人應該了然明白，恐怕只有英國尙在夢中罷了！

英國應該覺悟了

英國的「現實外交」，失算到了今日的地步，我們總料英國一定應有一番檢討，也應有一番悔悟，而後才可以挽救今日的頹風！我們敢貢獻愚見，對付「俄共」「中共」，只有一法，曰：「速下決心，不惜一戰」，而已！要「拖」，便是中了「俄共」「中共」的陷阱！英國過去的「拖」，已拖去了亞非兩洲的「自治領」「殖民地」；如果再拖，說不定連歐洲美洲也要被俄共中共拖去了！然要決定這一種關係全世界人類的大計，我們相信英國在創痛鉅深之餘，還是有這種智慧有這種魄力的！但舍英國，我們卻看不到有第二個國家，能有英國這一種智慧，有這種決心！若美國，只不過是英國政策的執行者罷了！我們已不敢對美國存有這麼大的希望！

僑民教育的新問題

——從香港專上學校教育說起

唐君毅

從大陸赤化以後，不少中國文化教育界人士，因義不帝秦，來到香港。在香港陸續辦了不少文化出版教育之事業。這多多少少提高了香港社會的文化，是人所公認的。這些事業在初辦時，皆異常艱難。但是歷六七年至今，已多漸取得在香港社會存在的權利，可以逐步謀圖發展。這是在此國破家亡的時期可聊以告慰的事。

香港教育的進步

關於出版界新聞界方面的事業，本文不說。在教育界方面，中小學的情形，我亦不甚清楚亦不說。在專科以上學校教育方面，除崇基學院，原由基督教教會聯合支持創辦，將在沙田建築新校舍，新亞書院亦得美雅禮大學之贊助，新校舍亦將落成外；聯珠海廣大香江華僑文化光夏等各學院，亦將共同募集基金，聯合辦理爲一規模最大的學校。在英國政府方面所辦的專科以上學校，除漢文文商專科夜校是數年前新辦，香港大學於數年前擴充了中文系外；羅富國師範學院對於師資訓練，在此數年中亦擴大了範圍，加強了工作。這些都是香港專科以上學校教育，看得見而爲人所共知的進步。

沒有國破家亡之感

但是中國人在香港所辦之專科以上學校教育，卻將逐漸面臨一新問題。這問題是我去年在新亞書院招生時，忽然想着的。原來以前五六年新亞書院招生時之投考者大都是面黃衣破的流亡青年。從口試中，可知他們之生活上的血淚史。而他們到學校中，亦比較對於國家民族人類文化的問題，能眞正關心。亦多有一些雖迷茫而較遠大的志氣。但在去年招生時，來考的卻大多是香港本地中學畢業的年輕而衣着較整齊的青年。以知識程度說，這些青年並不比流亡青年差，而且對功課或更認眞，但是對什麼國家民族人類文化之問題，至少在他們初來時卻似莫有什麼感觸。因爲他們都未經多少人生的艱難，亦莫有什麼國破家亡之感。我由此想到了今後的流亡青年之少以及流亡來的高級知識分子之少，將引出以後香港專科以上的學校教育之一新問題。

要保存中國文化種子

我之會想到此問題，不是說我永遠希望我們的學生，都是面黃衣破。年輕而衣着較整齊的男女青年，坐在教室裏，觀瞻亦要好一點。我之會想到此問題，是因我總覺到，中國人在此地所辦之專科以上之學校，是應當負某一使命的。我這幾年一方在英國人所辦之大學兼課，一方在中國人自己辦之書院中任教，並暫時承乏，負一點行政責任。將二者對比，我無時忘了我們中國人在此殖民地辦教育的可憐。同時我亦總時時想到，我們在此辦教育之宗旨，不能與英國人辦教育之宗旨全相同。我們對我們之處境，決不抱怨任何人。因一切都只因爲我們自己中國人不行，國家不行，才弄到此地步。本地的政府辦本地的教育，當然有其自己之宗旨，勢不能與我們之目標全相同，猶如從前中國的政府之教育宗旨之不能與外國傳教士在中國境內所辦的學校之目標相同。所以無論香港政府之教育宗旨如何，英國所辦之專科以上學校宗旨如何，我們都只有依恕道，而加以尊重。我們如在教育司或這些學校服務，亦只有遵守其法令規則。譬如香港大學所求於我者，只是傳授知識，此數年來，我亦只是去傳授知識。此中只有很簡單的權利義務關係。

（下轉第二版）

西方的「教條主義」

莫洛托夫說：俄國今天才是一個有社會主義基礎的國家。赫魯歇夫搶着說！不，社會主義今天已經在俄國勝利地成功了。

這段對白，應該是一個笑話，然而卻是事實。今天的俄國到底是個什麼「主義」的國家，連俄共的頭目都搞不清楚呢？

那麼，爲什麼許多西方的觀察家竟對赫魯歇夫的報告評論說，赫魯歇夫對馬克思主義作了重要的「修正」呢？

赫魯歇夫說：戰爭並非不可避免；奪取政權不一定要用暴力，可以經過議會方式；世界並非分成兩個敵對陣營，他狡猾的把親共國家劃入共產集團內列爲「和平地區」。

我們的西方觀察家竟也由此得出印象說：赫魯歇夫對馬克思主義作了重要的「修正」，我們的敵人變得「溫和」了，「乖巧」了，「和平」了。

赫魯歇夫的「修正」

敵人今天的目的，正是要我們獲得這樣一個印象。敵人天天在變，變得自己的面目連他們的頭目都看不清楚，我們對敵人的觀察，竟還守着共黨的「教條主義」。

馬克思主義的基本理念，本來是模糊不清的，他可以翻來覆去自成一個說法，列寧與考茨基，馬爾托夫的爭論；史達林與托洛茨基，布哈林的爭論，彼此都可以在馬克思的武庫中找到武器。在共黨黨爭史上有一特色，稍帶點書生氣的最後終被敗在流氓手上。赫魯歇夫的取得權力，祇能說明俄共本質更進一步的流氓化了。他們祇要求攫取他們所要得到的，至于「主義」和怎樣一個「說法」，都是次要的。

讓我們從這一角度看赫魯歇夫的「修正」吧：

赫魯歇夫胸膛一拍用威脅的口吻說：社會主義無可避免地要在全世界取得勝利。

然後，他嬉皮笑臉的對着我們說：識相點，交出你們的一切，實行「和平轉變」，我們就不用戰爭和暴力了。

時事評述

·司馬璐·

俄共等待我們睡覺

史達林時代的共產國際主要領導者之一曼努斯基說：「共產主義與資本主義間的大戰是不可避免的。當然，目前我們還未夠強大去出擊。我們的時間將是二十年或三十年之後，我們要宣布和平，麻醉資產階級入睡。我們要發動空前的，最奇觀的和平運動。資本主義國家既衰且愚蠢，將樂意與我們合作，使他們自毀滅。當他們成爲我們的朋友時，一旦他們疏于戒備，我們將揮拳將之擊敗。」

這個曼努斯基早期還直接領導過烏克蘭的共黨，做過赫魯歇夫的上司哩！

不吉的預兆！

但是，赫魯歇夫的陰謀雖然惡毒，他自身卻首先有了個不吉的預兆！

赫魯歇夫在報告中提到了馬耶柯夫斯基。赫魯歇夫引用馬耶柯夫斯基的詩句譏諷黨內的官僚主義者。記得馬耶柯夫斯基是怎樣慘死的嗎？在一九三五年俄共的大清黨中，這個詩人氣質的共產黨人，受不過刺激，舉槍自殺了。馬耶柯夫斯基的槍聲，代表俄共歷史上一個時代的終結，一革命的浪漫主義的終結；他又代表俄共歷史上一個凝合打劫的強盜彼此拔刀相向時代的開始！

當赫魯歇夫代表俄共中央向大會作報告的時候，當俄共開始出現「以赫魯歇夫同志爲首的黨中央」的時候，馬耶柯夫斯基的幽靈出現了。

這次俄共大會中，俄共有力的領導者米高揚，蘇斯洛夫，柴伏斯基發言，反對個人統治，赫魯歇夫且慢得意忘形，俄共黨爭一個新回合又要開始了。

英蘇交惡强化了實力政策
美無英國為其絆脚石後　自由陣營即可增强信心

李金曄

英國與蘇聯間的關係，目前正在逐漸惡化中，這趨勢的發展如何？很值得重視的。

戰販與僞君子之爭

自邱吉爾喻共產國家為「鐵幕」後，史大林即罵邱為「戰爭販子」，但這已是近十年前的事了。然從去年十一月間赫魯曉夫、布爾加寧訪問印、緬時指英國為騎在印度人頭上的殖民主義者後，英外交部發言人，即以「僞君子」回敬赫、布；自此，這兩個國家各自站在歐洲大陸的一端開始了長期的罵戰！

，蘇聯繼之以宣佈廢除英蘇友好條約來脅迫英國，英國的輿論也迅即參加了雙方政要間的罵戰，掀起了要求政府撤銷俄共領袖的訪英；但持重的艾登，却始終未敢對此遽下決斷。

照外電的傳說，艾登此次訪美時，即曾與艾森豪商談關於今春赫魯曉夫、布爾加寧訪英時應採取的態度和戰略，於此可見英國對俄共的態度在去年十二月間已日漸加强。

中東危機刺激英國

最近由於中東問題日趨嚴重，蘇聯亦乘以往鄙視中東之局的態度，而改採插手中東的干涉主義，於是英國朝野再度以輿論的力量來促請當局對蘇聯的政策迴作適當的修正。

英現任外交大臣布特勒且於十二月十三日在保守黨大會上發表駁斥蘇聯的演說，他明快地指出「蘇聯的目的在欲使西方疲勞，分化其團結並使之失去對亞、非兩洲的信用」，他進而更尖銳地質問蘇聯，「既是以解放者自任，可是究曾解放何人，能在何地找到被解放者？是在可倫坡？還是在外蒙古，或蘇聯的心臟！」

英控蘇插手中東

英國外交部對蘇聯要干涉中東問題的答覆，則更是堅決地表示了：蘇聯沒有這種資格！英外部發言人楊格爵士說：「如果蘇聯對中東有關係的話，這「關係」一語的正確解釋，應是「在該地區內蘇聯有勿令其緊張情勢再加重的責任」。這話顯然表示在中東問題上，蘇聯的責任只止於此，至於說有關安定中東情勢的責任，蘇聯是沒有份的！

從最近三個月來英國對蘇聯的態度的轉變來看，英國的對蘇政策，已因蘇聯的對外擴張勢力觸及到了她的中東利益和中共侵犯到了共遠東利益，而有所改變。

實力政策將獲進展

英國對共產國際不再採取虛縮態度，而轉以積極的以牙還牙，在未來國際局勢的演變上是有相當重大意義的，從表面上來看，英蘇交惡的趨勢的惡化，將會刺激國際關係的緊張，但其積極方面的意義是，在西方以實力政策對付蘇聯擴張攻勢的現階段，英國對蘇態度的轉變，無異是予實力政策以有力的支持！

在韓戰結束以後，美國執行了實力政策，蘇聯對此，曾恨得牙癢癢地。但由於英國一再討好蘇聯，遂使實力政策形同癱瘓。經過這次二艾會談後，在公報上尚未有明確昭示今後英美對共產國際將有積極的反擊，但從近一月來事實情況言，各種迹象皆顯示出不僅在軍事上有進一步的合作，且兩國間對共的政略也已漸趨統一。此證諸（今十五日合衆社倫敦電訊）二艾同意每年或半年舉行定期會議一點，即可以為明證。

堅守中東協防遠東

因此，吾人雖未能即對未來國際情勢之演變表示樂觀，但鑑於英美交惡之日深與夫英美關係之日漸改善，西方陣營實力之必然因之增强，乃是可斷言的。

就目前態勢言，只要英國能堅定其在中東的立場，守住中東，在遠東不再成為美國政策的絆脚石，並肩以協防之，那末即使對未來局勢不作過份的樂觀，但却無異也可以增强自由國家人民的信心的！

僑民教育的新問題

（上接第一版）莫有任何問題發生。但是我們中國人在香港所辦的專科以上學校，則除了遵守此地之教育法令外，至少在我們主觀的心中，還有一願望或目標，此目標，如謙虛一點說是保持中國文化之種子。

怎樣教育專上學生

如老實說，則是希望由此培養出的人才負担重建中國之責任。這目標亦是愛中國之一切國際友人所同願加以贊助的。但是如何使在這些專科以上學校讀書的青年，俱自覺其有此責任，我却由流亡學生流亡的知識分子之日益少，而日覺其艱難，因為即流亡到此的人，本來是流亡來的。他們的心願，本來是要回去，在此只是寄居，因而心底有一不安。此不安便自然要迫其求解決，而去縈迴於中國之國家民族及人類文化的許多問題，而生發出一種志氣，覺有某一種使命在身。但是在此地生長的青年，則可並無此不安。因而對這許多問題亦自然較少迫切之感而相類的志氣，亦即較不易生起。於是對這些純由香港出生，在香港受中學教育較缺之國破家亡之感，而升到專科以上的學校的青年，如何加以教育，會成了一問題。

身居海外心在大陸

此問題，我想最後會遇到：究竟我們是放棄我們原來的目標，而只希望這些專科以上的學校畢業的學生，能在香港社會謀求「正當的職業」，在香港或海外之其他國家或殖民地，當一健全的公民為止呢？或者我們還有一方法，在流亡的青年與高級知識分子來路斷絕之後，使本來在這些地方生長的青年人，參同有一國破家亡之感，而同覺到如流亡人士所感到的問題，而升起同一的志氣。在此二者間我們必須有一抉擇。

照我的意思，當然我不希望止於以上述之前者，為我們之教育的目標。因照我的看法，一切在此地與在海外的中國人，在若干代以前同是變相的流亡者。此地的爵士與大亨們之數代以前之祖宗，難道不亦是從大陸裹糧徙步來的？因而一切在海外的中國人的家，同在大陸，一切中國人的心，應當同用在為整個中國大陸與其人民之前途而思索。其工作同當求直接間接有助於中華民族之復國建國，這是一天經地義的絕對眞理，然而人在一殖民地住久了，便可把這些事漸忘記了。

從何處來　為何而來

人在一殖民地住久了，便會忘記其如何來，為什麼來，而心思日歸於麻木。這是一最可怕的事。而我們再回頭來看六七年來流亡在此的青年與高級知識分子，亦一天一天的在香港住久了。當然，有許多人依然在受苦。但亦有不少從前住調景嶺的，現在也許住洋房了。從前單人匹馬來的，現在也許成家立業了。從前不習慣的社會，漸漸習慣了。也許一切流亡的青年與高級知識分子，亦有些在向此間樂不思蜀的心境而趨，為我們所不自覺，這樣下去，我們亦將同樣忘了我們自何處來，為何而來。我在此一年中，一直看見此一陰影之存在。此陰影並不代表一東西，只是一種正在散漫的氣息。如果我們自己亦感染到此氣息，則我們還要志在改換海外人心，使一切海外的青年同感到我們原初感到的問題，升起我們初來時的志氣與抱負，便更難了。

提升青年的志氣

對於此一問題，在此短文中我不想再說什麼。此問題如何解決，亦莫有什麼可說。此純是一青年與高級知識分子之一內部的精神問題。精神問題的解決，只在一念之間。此一念即流亡來的人不要忘記他是流亡來的，而一切原住在香港的中國人，不要忘記他原是由大陸來的。我們之一切文化出版教育事業之求存在於香港其最後目標，是為了重建中國，如果此目標為一切從事文化教育工作的人所念念不忘，並為此外之中國人與國際友人之所了解贊助，共謀以文化教育之力提升起香港之中國青年之志氣，則我們之一切文化出版教育事業之發展，是眞有意義有價值的。否則總是無大意義無多價值的。這值我們大家的警惕。

何謂自由主義者？

H. Haglitt 作　銳人 節譯

今天，社會主義者和共產黨徒多自稱之為「自由主義者」，因此，「自由主義者」一辭之含義便蒙上了一層邪惡的色彩，易混淆人們之視聽，余請就該辭之本來意義，及其奇妙的用法略加申述。

原本的含義

本來，「自由主義者」（如其拉丁語根LIBER所示）乃專指篤信自由之人。而自由主義者的傳統則係奠基於英國，類歷史上一些偉大人物如密爾頓、洛克、休姆、柏克、亞當士密斯和彌爾等人之努力鼓吹乃得以建立起來。在政治方面，自由主義者的一貫立場是爭取自由和發展個人，在法律上主張限制政府權力的擴張；在經濟方面，自由主義者則主張保護財產所有權的私有，主張貿易自由、價格自由、市場公開和企業自由。此乃「自由主義者」一辭之原本含義。

思想混亂引起變質

但在歷史的進程中，由於某些偶然事故和思想上的混亂，「自由主義者」一辭之涵義已發生很大的變質，此尤其在美國為然，現在於人們一般談話中，「自由主義者」已意指其為主張擴展政府權力——犧牲地方治權而集權於中央，且非難議會對政府行政方面的種種約束，而崇尚官僚主義的自由作為。至於在經濟方面，今日所謂之「自由主義者」之意義，亦有改變，主張不信任公開市場和自由企業，其對所有權之私有和私人經營亦不表信任，相反的却贊成所有權的國有和國營實業，同時更希望政府作更多的「計劃管理」以限制私營事業的發展。

與社會主義者混為一談

在美國，這些自名為「自由主義者」的人物，明白點說，大多只不過是社會主義者，或是略帶中央集權性質的「邦政主義者」，再不然的話，就是「邦政父道主義者」。現在美國某些大報在新聞句語中所用的「自由主義者」這一字，使用時沒有加上引號，其所言之對象竟不折不扣的就是指上述那三類。至於正統派的自由主義者——即主張篤信個人自由與限制政府權力者——在這些報上却常被指為「極端保守主義者」，甚至「反動派」。這就無怪乎邦政父道主義者之流亦要自稱之為「自由主義者」了。大凡任何東西一被認為有價值時，它便會成為偷竊之對象。可是，不少有其哲學基礎之自由主義者，為什麼在反對那些社會主義者與邦政主義者之類之套用「自由主義者」之名的論戰中失敗，而且使自己在使用此名辭之時反蒙受恥辱呢？這就令人費解了。

新自由主義者

在西歐許多國家中，這個名辭之涵意不曾有過這樣歪曲的解說。如在法國，那些反對社會主義和國家「計劃管理」，而擁護私營企業與公開市場的經濟學家，即自稱之為「新自由主義者」，而他們的對手——社會主義者也承認此一稱號，且公開蔑視自由主義。再如在歐洲大陸，就算在英國吧，那裏信奉社會主義的人尚知且自認為社會主義者，但在美國則不然，那些支持社會主義原則的——如熱心於TVA計劃者對以社會主義者之名加諸其身的人即極表深痛惡絕。

至此吾人又得溫習與政治和經濟思潮有關之「自由主義者」之基本原則，但此又須先行認清政治和經濟方面的語彙用字，然後才可收正名之效。

台省教育當局　如何解決升學問題

台灣的教育事業，在全國來說，是最發達的一省，國民教育是義務教育，兒童滿六歲時，即由居住地之區或鄉鎮公所編入當地國民學校就讀，因此，適齡兒童就學率，已接近百分之一百。可以說文盲已是絕少的了。因此不管是種田的，做工的，經商的，從軍的，幾乎很難找到不識字的。

為了配合國民教育的發展，最重要的是提高小學教師質與量，因此台灣的師範教育也最發達，有八個中等師範學校，分佈在台北、新竹、台中、台南、屏東、台東、花蓮等地，畢業的學生，均分發到全省國民學校去執教。

國民教育普及的結果，升學問題就成為多數人所關心了。所以中等教育與高等教育，在數量上已增加了許多。以公私立中學言（包括職業學校在內），平均每一縣市均在十個左右，每校容納量，較小的在千人左右，範圍大的可容納兩三千人；設備方面已都相當具有規模。

中等教育既如此發達，師資的需要量也相應擴大了，省教育廳已將師範學院改為師範大學，專門培植中等師資。為有志於教育事業的青年拓展了出路。

台灣的最高學府是國立台灣大學，此外還有省立法商學院、台中農學院、台南工學院——現已決定改為成功大學——省立台北工業專科學校等獨立院校，國立政治大學也已復校，私立的尚有基督教東海大學和東吳法學院。在一個省區內有這樣多的高等學校，在過去除了四川及京滬平三市外，也是很少見到的。

台灣的教育雖然如此普及，但仍然發生很嚴重的供不應求現象，升學的人較多，致因容納不下而產生了兩種現象：一種是惡性補習，學生為了想升學，教師和學校為了名譽，在小學中學最後的兩年，便一個[illegible]打一個頭挨地實施課外補習制度，學生除了為一大班正課壓得喘不過氣來外，每天下了課還要繼續跟老師補習到深夜，接受填鴨式的教育，結果是家長的金錢倒霉還不算，最嚴重的是學生健康受了大影響，這不是教育反而是摧殘了！第二種現象是，儘管學生為了升學日夜補習，也儘管學生的功課補習得如何好，可是升學的名額是有一定的限度，中學不能容納所有的小學畢業生，大學也不能容納所有的中學畢業生，結果，每年必然造成大量的失學者，這些想升學又升不上學校的學生和家長們，可以說是苦惱萬分，怨聲載道。

針對這個問題，教育部有意把義務教育由六年延長到九年，延長的三年，就是到初中畢業。不過，這延長義務教育三年的事，茲事體大，不是說辦就能辦到的，恐怕還有一段相當遙遠的路程。為了切實克服大批兒童失學的困難，教育部又計劃小學畢業生不必經過考試直接升入中學，高中畢業生如願意升學的，會考及格後即由教育部免試分發各高等學校升學。

關於小學直升初中，很受家長們歡迎，因為這樣就可以減除惡性補習的弊害，不過各中學那兒來這樣多的教室和師資，這是很使人懷疑的，所以大家又担心發生粗製濫造的現象。

關於高中畢業直升大學的問題，除了同樣有的容納不了的問題之外，由於教育部分發就讀，據說將採取大家就讀，因此可能發生兩個問題：第一、分發就讀，可能違背學生的興趣與志願，第二、大專容納不了的學生，可能被分配到軍事學校去，因為陸、海、空軍三校畢業生，也是可以獲得理學士學位的。

現在省教育廳為了提高國民學校畢業生升學率，已擬定了一項「發展初級中等教育方案」計劃在五年內使小學畢業生升學率達到百分之九十，以接近義務教育延長到九年的目標。

小魯。

市政局議員四位候選人一致強調

促港府注視改善教育

解決升學困難，普遍津貼私立中學，增設低級小學，改善教師可恥待遇。

香港革新會所提名的四名市政局議員候選人陳樹垣、區達年、李有璇和鍾艾理遜最近分別訪晤本港各大報社負責人交換意見時，曾特別指出他們若獲選為議員，定當推動政府注意，及於當前文化教育界所亟待改善和解決的一般問題。

接納教育文化界的反映

記者於三日前晤及陳、區、李、鍾這四位候選人，他們對教育問題都發表了意見，區達年更特別要求記者紀錄革新會歷屆所選出的議員過去在市政局中為教育界所作的努力。候選人之一的陳樹垣，本身即是珠海書院的校董兼教授，同時亦為德明中學與壽山中學的負責人。他對教育問題更感關切的。此外，李有璇和鍾艾理遜都提出了有關教育的意見。

這四位議員候選人的意見，他們說這全是接納了教育文化界人士的普遍反映，大致可以分為五點：

高中畢業生升學問題

第一，是高中畢業生的升學問題，教育界人士都以為目前香港唯一的一座大學——香港大學是不足以容納香港每年歷屆中文中學和英文中學畢業學生升學的要求，雖然有若干私立的專科以上學院能夠代為解決了一部份困難，但這些學院所開設的學系多數偏重於文商，也為一部份學生所不發生興趣，是以每屆一季期間，均有若干數字的高中畢業生感到彷徨。

其次，或許有一種徵象使到某些教育界人士錯誤地認為，香港的高中畢業生對升入大學並未見得熱烈，但必須明瞭，這一個現象之產生，是基於香港大學的容量有限而收費過高，而其他私立的專科學校因為不獲有補助必須經濟獨立的關係，因此不得不將收費標準提高以資維持，但了學費的提高，使到好些學生不得不對大專學院望門興歎。是以如何使香港大學能夠盡量容納高中畢業生和使私立專科以上學院獲得經濟的補助，實為當務之急。

私立中學津貼問題

第二，政府應當對本港私立中學學校普遍加以津貼，目前本港公立學校和受政府補助學校的數量不足以容納所有學童已是不可否認的事實，因此其他學童只能就讀於私立學校，而更多的貧窮兒童更因失學。但我們並不為此而對私立學校校主過份苛責。因為我們必須瞭解私立學校的負担乃較一般公立學校為重，許多項稅款不但不能豁免，反而增加，為了學校的經濟平衡，私立學校只有依賴最大的收入（學費）以為挹注。為了使到所有學齡兒童都能入學，當局在短期間不能擴展多量學額的公立學校已不可置疑，因此，補助私立學校實為一個兩全其美的辦法。

增設低級小學問題

第三，普遍設立低級小學。雖然去年當局一度公佈過香港的失學兒童只有五萬，但事實上官方的統計本港每年增加的兒童則為六萬（包括本港出生和外來的），因此政府小學的增加是遠不能趕上人口增加的比率，尤其是在各新建的住宅區和徙置區人口率增加更劇，學校的需求更殷。這些兒童的家長大部份對兒童入學都會認為是一種過重的負担，因此，在民選議員的督促下，目前各個政府徙置區已經有了一座簡單的小學，一如台灣的各區國民小學。在興建中的北角、紅磡和蘇屋三區的廉價平民住宅區亦計劃有小學之設。但這種情形還不十分普遍，類如有些徙置區只有一座小學還是不夠的，因此，根據實際的需要，當局應該在人口稠密的地區廣設小學。

教師資格問題

第四，即為師資問題，所謂教師的可恥待遇，已成為非常流行的一句值得感慨的話，目前香港私立學校的教師正遭受着兩種威脅，一種是資格問題，另一種是待遇的非難。香港的教育當局為了保障在本港接受師範教育的畢業生的出路與安排，否定了非本港師範生所謂「合格教員」的資格，當局此舉是鼓勵本港高中畢業生接受師範教育的興趣，而造就更多的師範人才以適應今後廣大建立的學校的需要，此舉實無可厚非。但因此而使許多富有教育經驗者因非畢業於本港師範院校而否定他們教學的資格，只能獲得一名「暫准教員」的地位，隨時隨地有被取締的可能，每一人均有岌岌可危之感。雖然當局正針對此一需要而辦理師資訓練班，使這些「暫准教員」有進修的機會，可是被造就的教員和事實的需要卻有一段相當的距離，因此當局在這一方面應該再斟量加以擴寬範圍。

教師待遇問題

其次是待遇問題，固然這一個問題是牽涉及多方面的，因為若干學校在聘用了「合格教員」（「合格教員」是有一定的和相當高的薪俸）後，可能在學校當局的預算上減低了支付非「合格教員」的預算。同時非合格教員因為本身地位的不獲有保障，更影響及他們的收入不獲保障，這個問題既然多數是由當局的作了「合格教員」與「暫准教員」之分而引起，則當局對此是不應該忽視的，何況當局對教員待遇的菲薄早有了深切的了解，是以更應切實地尋求解決辦法。

學生保健問題

第五，是學生的保健問題，一般地說，香港的學校辦理保健都有了相當的歷史，但大致說來，還是不十分普遍，而且目前的保健程度，祇及於一般性的輕微病象，並不能十分深入，同時對學校的環境衛生也沒有作及時的調查與協助，這對於學童的健康影響可以說是非常嚴重的，這一方面固然是學校方面的責任，不過要是教育當局能時加協助或在藥物上免費作有限度的供應，則對學童的保健將有良好的幫助。

以上五個問題可以說是當前教育界最感迫切的問題，如果可以一一解決了，則受益的不單教育界本身，而是廣大的本港居民，今天這些問題已經成了陳樹垣，區達年，李有璇和鍾艾理遜這四位市政局議員候選人政綱之一了，如果在兩個月後，他們要是當選了，他們必須實現他們的諾言，督促政府去實行這五大主張將成為他們任內之主要工作。

蘇聯對中共援助何來十四億美元

西方記者不明眞相造成錯誤報導

思．愷．

赫魯曉夫在蘇共第二十次黨代表大會上說：蘇聯在中共第一個五年計劃期間，予中共的援助是五十六億盧布。照蘇聯官方匯率計算折合，為十四億美金；於是西方國家的記者，就發出消息說：蘇聯援助了中共十四億美金。

驟聞之下，有點駭人，但眞相究如何呢？這須要從各方面來研究：

按胡志明於去年七月間，走訪北平與莫斯科時，中共予越盟八億新共幣；蘇聯則給四億盧布。胡志明返抵河內後，於八月十三日對法新社記者發表談話，說中共援助越盟一二二四〇億越幣，蘇聯則為三〇六〇億越幣。此亦即說新共幣與越幣折合額為一五三〇比一，盧布與越幣折合率為七六五比一。那末，盧布與新共幣的折合率該是二比一，即兩個盧布合一元新共幣。

又中共官方規定美元與新共幣的兌率是一比三，蘇聯官方規定美元與盧布兌率是一比四。四分之一與三分之一相比，其並不等于二分之一，是非常明顯的。

由此可見，共產國家間的外滙兌換率，不能以自由國家間外滙兌換率同等看待的。因為他們之間並無自由貿易市場存在。而是隨其用途變更的。例如：中共與越盟間，曾于一九五五年十二月二十五日，在北平簽訂新共幣與越幣比價的協定，其中包括有四項議定書，即：一、關于邊境貨幣兌換。二、關于貿易結算。三、關于援助結算。四、關于非貿易滙兌。雖然我們並不清楚上列四項滙兌率之內容。與用意何在，但足以證明其是因用途的不同而相異是可肯定的。

因此，可以指出：蘇聯援助中共的五十六億盧布，並不就等于十四億美金，應該也是可以肯定的。

那末，究竟合到多少呢？這項要引用一則陳舊的消息來加以說明。

一九五五年七月四日人民日報刊載一篇批判各工廠的驚人浪費情形的文章，其中有一段說：「國棉二廠（指國營石家莊第二棉紡織廠）的一件傑作是一輛大交通車。車是由舊卡車在天津改裝的，……連買舊車胎及改裝費竟達四萬二千元，差不多相當于三輛全新的蘇聯卡車的價格。」從這一則消息裏，不但暴露了共區內的汽車零件貴得駭人，更可注意的是這裏告訴了我們，蘇聯新卡車的車價是一萬四千元人民幣，照上文引述的語氣來看，或許還不止此數！

就照一萬四千元人民幣計吧，折合港幣已是三萬二千八百元了！再看目前香港市面上的新卡車價格，二噸半的約港幣四千元，四噸半的約港幣六千元。

若照四噸半的計，蘇聯卡車要比香港市價貴五倍多；以二噸半計，則貴八倍。

相信讀者們未曾聽到過有這樣貴的卡車！

年前，廣州舉行過一次「蘇聯展覽會」，大力的邀請港澳僑胞前往參觀。我曾經為這事采訪一個去參觀過回來的汽車商人，據他所看到的蘇聯卡車，並沒有什麼特殊好的地方，相反的他指出比這裏所見的卡車粗糙得多。

就算這兩種卡車售價一樣吧！也不致貴過五倍至八倍。

若以此例來計算，則五十六億盧布，不過折合美金三億或二億元弱！焉能有十四億之多？

雖然上述推算只憑一種卡車價格，不能視為太正確。但由此可證明，蘇聯援助中共的，一定少於十四億美金，而且還要大大的打一折扣才對。

至上事實已很清楚了，蘇聯的慷慨只是宣傳而已，然西方記者却因不明眞相而替它作了義務宣傳。其可嘆惜者亦即在此！

不滿工作太繁開會太緊多

共幹要求休息

中共怕人民鬧情緒，故把工作、開會及其他活動，幾乎佔去了他們的全部時間，睡眠吃飯也沒充份時間。中共幹部，由於工作的緊張和會議繁多也得不到一點休息時間。最近大陸各地正紛紛發生向中共提出給予休息時間的要求，下面，就是幾個最顯著的例證：

一個名叫楊靜的在人民日報上投書說：「一月八日某機關一個女青年團員要求保證業餘時間的呼籲，所反映的情況，在不少機關中也是存在的」，「這些機關的有關領導方面，應該合理安排工作會議時間，研究改進工作方法，保證大家都有必要的休息時間。」

另一個在中共「北京市人民委員會辦公廳」工作名叫梁會道的共幹，也在人民日報上投書說：「最近我到北京市京西礦區大台小區去了解工作，很多同志向我反映他們星期天和例假日得不到休息的問題。這裏很多工作人員家在北京市區或門頭溝，但是他們星期日要回家必須請假，且全年不得超過十五天，超過了就要扣薪金。請假工作又十分繁瑣，要經過組內討論，領導同意，區負責人批准，就是在國家規定的年節假期，情況也是這樣。」由於已引起普遍的不滿和憤恨，因此，他也要求「應對這些問題重視。」

一個名叫田龍翔的亦在人民日報投書說：「青年團北京市宣武區委員會的工作人員們，就經常每天從早忙到晚，星期天也得不到休息。這個機關名義上是八小時工作制，但實際上工作人員的業餘時間常常被工作和會議所佔據。很多人每天晚上要忙到十一點甚至更晚，中午得不到休息。這種整天忙亂不堪的情況，增加了大家的疲勞。」他又舉例說：「拿楊若先在一九五五年十二月十八日到廿四日六天的情況看罷！六天中他有四個上午，兩個下午和四個晚上的時間，是在九個會議中度過的，有四個下午和一個晚上聽了五個報告，有一個上午用來向全區團的幹部作報告，有一個上午同團市委幹部科的同志談話，就這樣，她只除有一個晚上上夜大學學習以外，其餘白天黑夜，一直是為會議和報告忙碌着。」他又指出其他的人也是這樣經常忙着。又一個共幹這樣說：「我是四川省勞動局的工作人員，我的愛人在成都市東區幹部業餘學校工作。我家有五個孩子，只有我的一個姊妹看管。因為我們的業餘時間很少，我們很少有時間對孩子們進行教育保證。」他並指出他們好久就想提出這一個問題，但怕被加上「落後」的帽子，現在是忍無可忍了，因此，他呼籲：「給我們必要的業餘時間，使我們能很好地教育孩子！」（竹）

大吃大喝賄賂公行 擅宰耕牛以快朵頤

照中共說，大陸上目前正在鬧耕畜荒，但另一方面卻又有亂宰耕牛的現象。

為什麼亂宰耕牛呢？據共報說是因為有許多機關。認為「自己宰的肉便宜，好改善伙食」，「食品公司的牛肉批發價每斤四角五分，零售五角四分，自己宰只合一角六分，最低價才九分錢」，因此就造成為吃便宜肉而鼓勵了「自購自宰耕牛」了！

依寶雞市一地的情況，去年十月到十二月，市稅務局，專區稅務局，市人民委員會，畜產公司，油脂公司，專賣公司，文化用品公司都各宰了一條到三條，「共宰了二十六條牛」！

為了吃便宜牛肉，並且不惜賄賂檢驗員，通過牛販送禮送錢，檢驗員就在牛身上打個「廢」字，於是牛就變為待宰的羔羊了！

共幹們大吃大喝和賄賂公行，從擅宰耕牛一事實上也已暴露無遺了！

「牛的厄運」

（插圖原載二月十日天津大公報）

編者 讀者

△本報擬徵求下列諸稿：

一、三千五百字至七千字左右的短篇小說，不限體裁和故事內容。一經選用，優先奉送稿酬。

二、台灣及海外各地自由文壇的動態報導，作家生活素描及過去文壇珍聞。每篇以不超過五百字為佳。

三、介紹海內外自由科學家、教育家、實業家、醫護、工礦業工作者的人物專稿。對象以現在正從事於工作者為最佳。來稿不宜超過一千五百字。（關於軍政界人物稿件以散見各報者已多，請暫勿惠稿。）

△靜觀，王況裴、刁抱石、靜文，宋萬愚諸先生：承惠稿已收到，至感。

△稿費待領：習齋、辛父、胆寒生、趙家驥諸先生請領稿酬。

自由談

談求才之道

馬五先生

胡林翼說「人才無求於天下，而天下自求之」，這是盛世的情形，非所語於亂世，更非衰世所能想像的事。

盛世的政治家，胸襟比較恢閎，事業心也甚強旺，因而隨時留意人才，以期發爲輔助，既有不避親不避仇的舉賢之勇，亦有搜尋隱逸，賓禮師儒的求賢之志，孜孜汲汲，一是皆以宏展抱負，利國福民爲依歸。尤其注意儲才，凡見有一技之長者，莫不默而識之，藉備他日任使。具此天下爲公，求賢若渴的精神，即有開誠佈公，信賞必罰的氣度，而天下人才無不樂爲之用了。

亂世的政治家多爲名法家之流，是崇尚霸術的。這類人非不注重人才，但好用不賢於己者，以爲這樣纔便於駕馭，而不致有妄覬非分之虞，政治環境使之然也。所以，亂世的人才即有以上條陳而見賞者，然結果只能招徠一般功名利祿之士，上下相處以術，談不到誠意，也就不容易共患難。創業者每視人才爲工具，有若草鞋然，用不着的時候，隨便委棄道旁了。眞正的人才，決不自媒自炫，亦不妄自菲薄，張良范蠡之半途求去，就是這種道理。

到了衰世，那就連上條陳的人才也沒有用了。衰世之治，用人必以私人關係爲先決條件，處處害怕被用者不可靠，親信第一，才學乃其末務，但知內舉不避親而已，友且不致舉，何況乎仇呢？如是，上駟之才，望望然去，避之若浼；中駟之才，乘機竊發，莫全始終；凡所恃爲股肱之託，心腹之寄者，十九皆屬下駟，否則難以見信自効的。

無論何時何地，皆有人才，人才是無求於天下的，就看求才用才者是何目的，採何方法，而人才之得失，甚於是矣。古人謂：「王者與師處，霸者與友處，亡國者與役處」，明乎此，庶幾可與言求才之道。

談詩

·邵鏡人·

頤齋人有言：『詩言志，詩之本也。太師陳之以觀民氣，詩之用也。』荀子亦曰：『疾今之政，以思往者，其言有文焉，其聲有哀焉，此詩之情也。』然立詞貴誠，不誠無物，言之無物，強學他人語，終不足以竟其道也。

不使句弱不使句俗

詩以豪宕奇恣爲貴，然不廢溫柔婉約也；以瓌奇瑋麗爲美，然不廢冲淡高遠也。更須講求氣韻，氣者，氣味也。韻者風致也。如對美人，其可愛處必在形色之外。或曰：詩不假修飾，任其紕繆，風韻正，天眞全矣。其實不然，無鹽嫫母無容而有德，何如太姒有容兼有德耶？故詩必修飾，修飾而後，一字一句一篇俱美矣。苟不然者，一字之瑕，直害其句，一句之累，併害其篇矣。

詩之高者，平淡不流於淺俗，奇古不鄰於怪僻，比興深者通於物理，用事工者有如己出。格見於成篇，渾然不可鐫；氣出於言外，浩然不可屈。氣足而不怒張，力勁而不浮露。勿以虛誕爲高古，勿以緩慢爲冲淡。事多而寡用之，意多而約出之。得句不在遲速，以工爲主，造句愈遲則愈見其工力。詩不厭改，貴乎精也。作詩勿自滿，有未工者，經識者指責，則必更易。詩要割愛，有相妨者，離之，否則必兩傷矣。山谷有言：『甯律不諧，而不使句弱，甯用字不工，而不使句俗。』旨哉斯言！

言有盡而意無窮

學古人詩，須知古人之短處，子美有近質處，東坡有汗漫處，山谷有尖巧處，故必自家有眞知灼見，而後可以學古人。作詩之訣，人所易言者，我寡言之，人所難言者，我易言之，難說處，一語而盡，易說處，莫輕放過，僻事實用，熟事虛用。說理要簡明，說事要警切，寫景要活現，論人要隱約。小詩要精深，短章要蘊藉，大篇要有布置開合。正言直述，易於窮盡，難於感人，託物寓情，形容摹寫，反覆詠歎，以俟人之自得，所以貴比興也。實而虛之，虛而實之，當衰偏說盛，在此反說彼，指古以諷今，因今而弔古，因物以及人，因人而及物，凡此皆所以避正說實說之弊。在彼事而間以議論，方寫景而融會感情，意中有景，景中有意，語貴含蓄，所謂：『言有盡而意無窮』者也。

詩之三俗三高妙

學詩先除三俗，一曰[illegible]俗，二曰意俗，三曰句俗。詩有三高妙，即理高妙，意高妙，境高妙。

唐宋以還，杜李蘇黃，庶幾有焉。作詩如江海之波瀾，一波未平，一波又起，亦若兵陣焉，方以爲正，又復是奇，方以爲奇，忽焉是正，出入變化，不可紀極，而法不亂。對句好易得，結句好難得，發句好更難得。咏不宜過着題，發句要籠照全篇。律詩難於古詩，絕句難於八句，七律難於五律，五言絕句，難於七言絕句，此其大較也。

善作詩者，若不費力，信手拈來，句注渾成，即語涉險怪，而意旨亦必有渾成氣象。更須力求理勝，六經義理之深微，諸史成敗之炯戒，必窮其義理，則議論縱橫，滾滾不竭矣。倘胸無根柢，而徒事粉飾，縱使工緻，風骨不凝，氣味甚短，非大家也。故大家用事，不見餖飣之跡，借用而不覺用，暗用而不明用，翻用而不正用，拆用而不整用。腐者鮮之，板者活之，生者熟之，陳者新之，商者揉之，散者鍊之，以我用事，不爲事所用，苟能如斯，則近道矣。

詩與史畫山水人物

凡詩，寫事境宜近，寫意境宜遠，近則親切不泛，遠則餘味不盡。題目繁雜者，宜辨其主腦，輕重大小，通盤衡量而後着筆也。論史之作，不必專論一人，專詠一事，己有懷抱，借古人事以抒寫之，斯爲千秋絕唱。近人往往黏着一題，明白斷案，此史論，非詩也。題畫之作，唐以前甚少，開此體者杜子美也，其法不在畫上立論，題馬題鷹，必說到眞馬眞鷹。但又宜別開議論，不爲題所拘，題山水，有地名古蹟可考者，必寫出登臨憑弔之意。題人物者，宜發揮知人論事之旨。寫景之作，不宜相礙，如前說晴，後說雨，則相礙矣。亦不可犯複，如前說沅澧，後說衡湘，則犯複矣。贈送之作，必出所贈之人，所往之地，而後以眞性情流露其中，自然可詠可歌。聊舉一二，可概其餘。

七言詩，第五字必要響，五言詩，第三字，必要響，此雖一字之微，而關乎全首之精神甚大。詩中腳韻，猶大廈之有柱石，此處不牢，傾折立見。故前人佳作，腳韻未有不牢者也。律詩中兩聯，貴乎一濃一淡，有八句皆濃者，唐初四傑有之，有八句皆淡者，孟浩然有之，然不足爲訓也。

管窺蠡測

諸家詩

經騷及十九首，溫柔敦厚無論矣，漢魏大家，體氣高渾，措意立言，未乖風雅，而尚氣象。由晉以還，始論佳句。淵明平淡，出於自然，惟朱子嘗言：『人皆說淵明平淡，據某看來，他自豪放，但放得不覺耳。』至唐杜甫，憲章漢魏，取材六朝，自運工力，渾然元氣。太白同時，天才奔放，變化無端，幾如列子御風，有非常人所能摸測者也。降及趙宋，荊公奮氣挺拔，思深味永，東坡天縱豪情，乘雲馭風，若不經意而出之。山谷以驚創爲奇，其神兀傲，其氣崛奇。從茲以後，雖有作者，無以過此矣。詩道至大，余以管窺天，以蠡測海，疏漏之失，知所難免也。

姑蘇台近

望祭橋陵

即雙調江城子中調正格也

王況裴

天涯翹首向橋陵。爲蒼生。乞昇平。擧目河山。不禁淚縱橫。風景不殊人世換。東晉後。又新亭。

悲歌突起感不勝。雨初晴。氣還清。西望神州。東望自由鐙。光復未成吾豈老。天上月。自虧盈。

× × ×

浮沉宦海夢一場。任疏狂。懶思量。好月當頭。不肯照西廂。把酒臨風聊一快。塵世事。爲誰忙。

息影林園。只道是尋常。問君底事遽還鄉。利名韁。早相忘。野蝶游蜂翔不去。花老也。有餘香。

竹幕裏的小學教師

·牛布衣·

前幾天筆者偶見陳小姐和王小姐，她們是廣州的小學教員，同在一家小學教書，因爲工作過勞，生活惡劣，染上了肺病，一同請准來港就醫。她們和筆者的談話，充滿了血淚，而又富有幽默，茲摘記其大要，俾供讀者對大陸實況有所了解。

食在廣州？

『食在廣州，』廣東人常將這句話引以自豪。廣東人喜歡吃；「解放」前，廣州每家人家，連同工人在內，差不多每餐都有魚肉。「解放」後，大家以爲更好的日子在前頭，因爲共黨說：『我們來了，人民就抬頭了。』

但現在廣州實行了配給制，米糧的配給是漫無標準的。兒童和老人少些，壯年的人們較多些；老百姓少些，同志們又多些。米分五級，老百姓只有資格配到第四五級米。

配給制施行的時候，共黨大事宣傳：『依照規定配給的數量，每人每餐可以吃到兩碗半飯。』

自從「解放」後，廣州每一個人的飯量都進步了。從前吃兩碗的，現在得吃三四碗。理由是：廣州人民從前吃得好，菜多，吃兩碗飯就夠了，現在則食無餸，吃四碗還感覺到不飽。

在「解放」前，廣州的菜市每日有三市：早市，午市，和晚市。菜市裏堆滿了魚肉，眞是買之不盡。現在呢，每天只有一個早市，到九點鐘便結束了。買肉得在天還沒有亮就去排隊，買三四兩肉得排上兩小時，而且時常還買不到。廣州肉少得可憐，赤色的沙糖成了「希世珍品」。花生，芝麻，紅豆，綠豆，蓮子，和其他許多食品，自從「解放」後就沒有見過面。廣州的人常說：『好的東西，和好吃的東西都解放走了。』

四五級米是糙的，裏面雜了不少糠和沙泥。如以規定的份量燒飯，僅得兩碗飯。人民便不得不把實情向「政府」報告。

但人民報告「政府」，說配給的米糧燒不出兩碗半飯，「政府」便指人民造謠。於是人民當面試驗給「政府」看，結果證實了人民的報告是眞實的。

燒飯的秘訣

過了兩個月，「政府」發表一張公告，指示人民燒飯的秘訣。

公告說，廣東人民喜歡吃硬飯，即所謂「蝦米飯」。蝦米飯是一種半生熟的飯；浪費米糧，而且有礙衛生。這種習慣非「改造」不可。

米糠富有營養。廣東人燒飯，把米淘洗得十分乾淨，米糠掏去了，營養大部喪失了。米不可淘，祗需加上適當份量的水便可下火。這是增加營養和飯量的第一個要點。（一）

詩人的謝詞

久居美國的著名英國詩人奧登，最近以詩集「阿英里斯的盾」獲得「全國書籍獎」。在接受此獎時，他以幽默語調向全國的出版商和書商致謝道：

「親愛的愚蠢的出版商，親愛的不現實的書商，說到利潤，我究竟是在這裏爲什麼，你們從沒有從我身上得到足夠的收入，去支付一個不倖鐵打的薪金。對於你們的獎狀，我深爲感謝，而對於我沒有帶給你們的金錢，我要予道歉。」

艾森豪燒菜

艾森豪總統的膳食副官史納龐，現在已經營凍鷄生意，最近他在「我的朋友艾克」一書中透露了艾森豪怎會喜歡烹飪。他說，艾森豪在戰時曾對他談過：「從我結婚時起我就做了家中的『伙食官』。我太太不喜歡燒菜，於是一些工作祗好由我去做。我要使全家不會每餐都吃肉和洋薯，而能換換口味，使得烹飪作了一種癖好。」（文譯）

同光風雲錄

夢山樓

沈葆楨

歷任九省督撫·清廉

親炊爨餉士卒·妻賢

兩江總督沈文肅公，初，以御史典郡守廣陵，太平天國軍圍攻甚急，僚屬星散。夫人林文忠公則徐之女也，爲竭內署金帑犒軍，又親炊爨餉士卒，士卒感其德，終保廣陵，以此顯名朝野。後爲欽差大臣，其戚屬某，方任藩署胥吏，仗勢，以刻鑿起家。文肅立逮之，數其罪，將斬。各方營救俱不聽。方坐堂鞫訊，而其翁手諭適至，文肅置諭案頭，斬某而後啓封，果爲緩頰也。

文肅善治盜，輒手諭所屬曰：『老盜無供，就地正法。』自此大江南北，盜風頓息。然草菅人命，始作俑矣。自彼居顯位以至病故止，綜計所殺戮者，平均每月約有五十人，可謂衆矣。惟平生不苟取予，歷任九省督撫，身後宦囊，僅餘兩萬金，此千古大臣所難能者。

文肅甄別僚屬，亦別具作法，輒聽事中列案數十宗，令屬官南向坐，已則北向坐，各擬稿呈閱，見佳構，則隨時批評，溫語慰勉，不佳者指摘之，極劣者，嘲笑而擲之，不稍寬假，儼然塾師之課生徒。然事無鉅細，必究根尋源，澈底明瞭而後已，非似一般大吏，坐高堂，打官話，巍巍乎裝腔作勢也。（五）

哥倫比亞大學新聞系

怎樣訓練一個新聞記者

美國哥倫比亞大學的新聞系，對於培養一個新聞從業員是非常慎重的。該系的招生也與一般不同，它並不公開從學校裏吸取新生，一個想進哥倫比亞大學新聞系的學生，必須首先在大學讀完四年，經由一家報館或一個記者的介紹，才有投考的資格。因此，該系的修業期可以縮短到一年。

在一年所學的課程中，主要的課程是，研究報館業務，以及替無綫電台，電視廣播台報告新聞，其中另一項主要的課程，就是聽名記者的演講。從這些記者的演講中，學生可以收穫到寶貴的實際經驗。因爲在學校當局看來，一個讀完了大學四年的學生，應該是已具備了一般的社會科學和自然科學的常識的，所以這一年祇是在接受專業的學習。

哥倫比亞的新聞學系，有自己的印刷所，學生可在這裏學排字和印刷術，他們也可以出自己的報紙；此外，他們還要在一年內學會打字，攝影，運用磁性錄音機以及簡要正確的速記。

在經過每一個學程的階段後，學生被派到紐約的幾家小報館實習，他們會在那裏幫助出版幾天報，工作是從整理稿件起一直做到排印出版。但在報紙的第一版上卻一定聲明這份報紙是由學生們出版的。同時，這份報紙還要在大學新聞系裏經過嚴格的審查。

經過若干次的辦報實習後，遂使每個畢業的學生，一走上報館的任何工作崗位都能勝任愉快。（珍）

自由人

THE FREEMAN
（第五一九期）
中華民國僑務委員會
執照登記證台教新字第一〇二號
中華郵政台字第五〇〇號
執照登記認爲第一類新聞紙類
（半週刊每星期三　六出版）
每份港幣壹毫
台北市每份售價台幣壹元
督印人：陳啟華
地址：香港高士威道二十號四樓
3 rd. fl. 20 CAUSEWAY RD HONG KONG
香港發行及事務接洽
高士打道66號　電話：七四〇五三
承印者：東南印務出版社
地址：高士打道六十四號
海外總經銷
友聯書報發行公司
香港：德輔道中二十六號A二樓
台灣特派員辦事處
台北市館前街五十號
台灣總經銷處
台北市西寧南路壹登寄號二樓
台郵劃撥儲金戶九二五二

蘇共反史潮面面觀

對內旨在整肅　對外藉作緩兵

。。曾旭軍。

蘇聯共黨第二十屆大會掀起的反史太林浪潮，包含了三個主要的意義。第一，是清黨的前奏；第二，是表示史太林主義的失敗；第三，是藉此以欺騙西方惰性政治家及中立主義者。

蘇聯成功之道何在

由一九一七年以來，蘇聯並沒有實現眞正馬克斯主義，且亦無此意圖。自列甯和史太林以至今天克里姆林宮的羣魔，皆屬强烈的領袖慾者，以能實現奴役全世界人類爲其終極目的。

列甯扼殺了議會制度，假藉無產階級執政的招牌，實行獨裁。史太林比列甯更巧，以理想遷就現實。使蘇聯離去馬克斯主義更遠。當「社會主義」行不通後，就轉而推行剝削與榨取更甚的新經濟政策。在外交上因碰釘而訂立布列斯特－列托夫斯克條約，在受了協約國的白眼後，又轉回頭和德國訂立拉普羅協定。并停止高唱「世界革命」，而依循「帝國主義的勢力均衡」政策。同時，爲便於日後對外侵略，特組織共產國際。今天，赫魯曉夫之流，雖然口口聲聲說和平共存而仍堅持「推行社會主義制度於全球」者，亦即正表明其放棄征服全球的野心！

蘇聯之能由奴役地球六分之一地區，擴張至地球三分之一的領域。非在於其主義之成功，而是其對外滲透顚覆，和對內殘酷嚴厲管制的成果。

史太林主義行不通

但到今天，在政治上被壓迫的蘇聯人民和附庸國的人民，反抗情緒之日趨高漲，實因其經濟生活之日趨惡化所致。反之資本主義國家，則並不如共黨領袖所說的趨於衰落，而是更趨於繁榮。這是證明史太林主義行不通的强烈事實。

史太林死後，沒有人敢於承繼此獨夫衣鉢，於是在黨內唱出了「集體統治」之歌，發出打倒崇拜獨裁的口號，以欺騙被統治的人民。

由於一九五二年十月，史太林曾重申共黨的傳統理論，認定帝國主義終將於戰爭中自相毀滅，故蘇聯一面盡量鼓勵資本主義集團的分裂，同時更採取了强硬的外交政策的錯誤。其結果却反刺激了西方國家的團結。這也就是赫魯曉夫登台後微笑政策的事實背景。

米高揚反史的口實

史太林的經濟理論之成爲今日蘇聯共黨黨內的意見紛歧。是由於事實證明蘇聯走的路綫不僅愈走愈遠，離共產主義的理想，而且傷害了國民經濟生活的改善，反之資本主義經濟變化，却愈接近於新社會主義。蘇聯除了負担侵略軍備大包袱以外，人民和國家的經濟日趨窮困。米高揚雖高唱「增加國際貿易」，以圖挽回蘇聯經濟上的困難。但因實際出產不足，其對外貿易之數量只占蘇聯全產量百分之一。這就成爲米高揚攻擊史太林『資本主義的停滯衰落』說不合馬列主義的最佳口實。

史太林一九三六年著的「簡明聯共（布）黨史」，完全是爲着辯護他自己改寫馬列主義的罪行。他藉此剷除異己。一九〇六年他在喬治亞作地下活動時寫的一篇「無政府主義或共產主義」文章已具有着「簡明聯共黨史」的大綱。他是反黑格爾主義的。

從米高揚指責「簡明聯共黨史」一事來看是一定有文章。這意味看凡是追隨史太林的人將即將失勢或被整肅。

反史的主要作用

史太林在其「社會主義的諸經濟問題」一書內，指出資本主義國家當中緊張狀態之存在，暗示環繞蘇聯的世界，未必會聯合起來反對她。冷戰可能消散。他說一個良好的馬克斯信徒，不但要認識國際階段的衝突，而且要認識可能阻止此種高潮的反趨勢。史太林完全以「政治乃藝術」的權術態度看各種的問題。現在米高揚則要求以馬列主義觀點批判他了。

對於蘇聯的反史潮，能否看作是蘇聯對「世界革命」態度的緩和呢？從蘇聯共產黨中寓於「征服世界」的長久歷史言，是永遠不能消解的。現行的「集體統治」，只爲欺騙國內外的人，也是黨內集體整肅的前奏曲。蘇聯對西方嚇，拆，呃，騙諸般手段技窮之今日，而進行反史太林主義，實爲對西方作態的障眼法，圖以此爭取時間從容備戰俾增强其偷襲西方的實力。

赫魯曉夫還是——繼承史達林陰謀衣鉢

·黃同仇·

共產黨徒以陰謀奪取政權，又以陰謀鞏固政權，更以陰謀擴展政權，從列寧到史達林，現在再到赫魯曉夫，衣鉢相傳，始終不變。但以陰謀始者，必以陰謀終，多行不義必自斃，共產黨的失敗，是不會有例外的！

抄襲史達林舊調

本月十四日莫斯科美聯社電訊，赫魯曉夫以俄共總書記資格和獨裁者的姿態在聯共第二十屆全國代表大會主席台上，作了六小時，長達五萬字的綜合報告。這一報告除了內政問題無關宏旨外，其中一部份是關於革命戰略和外交政策的。他的目的很顯然是要分化西方和瓦解西方的反共陣綫。他說：「戰爭不是不可避免的」。又說：「共產革命可以透議會方法完成」。前者本是共產黨的陳腔濫調，不值一談的。後者到是鬥爭技術的重大改變，他敢大胆修改馬克斯的革命教條，似乎是值得驚異。但是我們追溯歷史，便可發覺，赫氏的言論並不値得驚奇。這是史達林執政時期已經實行過，並且是成功的。現在赫魯曉夫祇是抄襲舊路而已。

新經濟與和平外交

一九二四年列甯因蘇俄內外環境困難重重，無法打開，鬱鬱以死，當時繼承者分史（達林）托（洛斯基）兩派。托派主張執行徹底的世界革命，停止新經濟政策；而史達林則極力反對，堅決主張停止世界革命的叫喚，改取和平外交政策。並且提出建立一國社會主義的口號，埋頭於國防建設。果然，經過十多年努力，史達林的政策成功了，不但拯救了行將垮台的蘇聯政權，同時還奠立了今日共產帝國的基礎。故史達林對於建立共產帝國的功績，確實是不能抹煞的。

就外交說，從一九三〇年開始，史達林派遣外交委員長李維諾夫負担和平外交的使命。他跑到西方各國，展開他的縱橫捭闔手腕，很快便和土耳其、波斯、拉脫維亞等國訂立了互不侵犯條約，又和意大利訂立了優惠商約，和德國成立協定，還得到德國的借款和技術協助。一九三三年又與阿富汗、波斯、土耳其、波蘭、愛沙尼亞、立陶宛、拉脫維亞、羅馬尼亞、捷克、南斯拉夫等國簽訂了多邊不侵犯條約。同年且得到美國的承認，建立了美蘇邦交。一九三三年因爲希特勒登台，歐洲納粹之風甚熾，蘇聯又以第三國際名義決定建立反法西斯、反納粹的「人民戰綫」。一九三四年蘇聯便正式加入國聯。從此史達林的「和平政策」在歐洲已收到了效果。直到一九三九年李維諾夫才突然去職，史達林改派莫洛托夫爲外長，簽訂德蘇協定，將一把無名戰火直接燒向人民陣綫大本營的法國頭上，這才算把史達林「和平外交」的馬脚露了出來。雖然，爲時不久，史達林便嘗到希特勒的苦果，但是他「和平外交」的陰謀已足令人驚心動魄，沒齒難忘了。

馬倫可夫垮台原因

德國戰敗，繼以日本投降，史達林乘機佔據中歐，囊括中國大陸及北韓。眼見共產勢力席捲歐亞，勝利冲昏了他的頭腦，便想一舉吞併南韓，進迫日本，另方面指使越盟向東南亞進攻，吞併安南泰國及馬來、印尼，以橫斷東西兩洋的交通。這樣，共產帝國的霸業便可垂手而成了。不料南韓的一變，驚醒了美國的迷夢，再繼以北韓敗績，中共受了重創，共產勢力的弱點大爲暴露：史達林才追悔不及，想再唱「和平」，又恐沒人置信，而且在附庸國而前不肯自貶威風，因此，史達林就在此進退兩難的情境當中患腦充血而死，有了這一歷史事實的教訓，馬倫可夫繼承大寶以後，竟不知到珍惜。依然亂蹦亂叫，要繼承史達林臨死的錯誤。於是老奸巨猾的烏克蘭人赫魯曉夫眼見這種情勢，實非共產帝國之福，所以急速把這位少不經事的馬倫可夫趕下台來，捧出一位傀儡頭子布爾加甯，他自己却站在幕後人的地位，從中指揮，這和一九二四年後的史達林同出一轍，毫無二致。

赫魯曉夫走的路綫

布爾加甯上台後，一切言動都要看着赫魯曉夫顏色。國際劇場的排演，處處有赫氏參加，從柏林會議到日內瓦會議，從南國的訪問到印緬阿的訪問，莫不有赫氏的陪伴。我們可以說，布爾加甯的上台，及不斷地發出「和平」攻勢，都是赫魯曉夫的把戲，根據這一次赫氏的報告，我們更能認識清楚，赫氏不但繼承了史達林的領袖地位，他繼承了史氏的陰謀衣鉢。他知道蘇聯當前處境的危機，他知道共產國家內部的脆弱，他知道蘇聯的武器趕不上美國，他知道英美德法在反共綫上是統一的，他知道第三次世界大戰的爆發便是共產帝國的毀滅，他知道目前國際局勢的緊張，偶一不慎，共產政權便要隨着戰爭而完蛋。他看透了這些情勢都是對蘇聯的不利的。爲了鞏固蘇聯的政權，不能不走回列甯史達林舊時的老路。一面企圖消解西方國家仇俄反共的心理，一面挑撥離間西方國家的團結。希望以此轉移西方國家的視綫，縮小蘇聯本身的危險。同時加緊共產國家內部的建設及蘇聯核子武器的製造，提高武器水準，充實作戰能力。等到第六或第七個五年計劃完成後，才拿出優越的武器，雄厚的實力，向西方和全世界作最後的清算。赫氏這一陰謀站在共產國家的立場，站在共產黨世界革命的戰略、戰術上，都是必然如此的。

爲甚麼罵史達林

這一報告提出俄共代表大會後，已經過大會形式的認可，今後當爲共黨的新聖經。或者有人懷疑，赫魯曉夫既繼承史達林陰謀策略的衣鉢，爲甚麼米高揚之流又在此次大會中批判史達林的錯誤呢？這正是避虛就實，迷惑世人，使西方誤會以爲蘇俄的政策確實改變，不再加以防避的陰狠手段。聰明的政治家是不應輕易相信的。

共產黨的陰謀來去就是這麼幾套，拆穿西洋鏡，不值半文錢，毫無新奇之處。目前我們担憂的到不是共產黨的陰謀，而是西方國家一般缺乏遠見，缺乏主動的政治家，和一部份缺乏生存意志，缺乏戰鬥精神的自由人民。是否眞正相信赫魯曉夫將反史達林之道而行之。共產黨翻雲覆雨，百變不離其宗。自由世界切勿誤信共黨的花言巧語。

時事評述

·司馬璐·

一犬吠影

俄共清算史達林，一犬吠影，百犬吠聲。

赫魯歇夫在今天俄共黨內依然是具有最高的權威的。如果不是先有它的吠影，其他的百犬還不敢於吠聲的。

鬧劇是這樣演出的：赫魯歇夫爲要進一步鞏固他對黨的領導，鞏固自已的獨裁地位，所以他要澈底的否定一個「史達林時代」；而另一些跟赫魯歇夫鬥爭中處於下風的人們，他們却正好「指着和尚駡禿驢」，藉口攻擊史達林的獨裁，重新強調黨的「集體領導」延長自己的掙扎。

百犬吠聲

如果我們今天揭開這些咒駡史達林的人們的嘴臉，米高揚、馬倫柯夫、莫洛托夫，那一個不是過去最善於阿諛和孝敬史達林的奴才，史達林未死前，他們祇知一意討這個獨裁暴君的歡心，如今却又一個個跳出來駡史達林了。這些東西，連「無恥之尤」四個字，都不足以形容他們的污穢的。

但是，百犬雖然同時吠聲，它們却又是各懷鬼胎的。

蘇俄內部之影

現在我們要問，赫魯歇夫見到的，有些什麼影呢？

赫魯歇夫到過蘇俄的中亞細亞烏茲別克地區，這隻犬一定嗅出了：俄共內部的不安，在這些接近邊境的少數民族地區，已充份暴露了危機。一月十三日俄共眞理報也承認，在這些地區依然存在着反共的武裝鬥爭。赫魯歇夫知道俄國人民對現狀的不滿，今天已經不是殺一兩個共黨高級幹部，便能使他們洩憤，唯一的辦法祇有鞭史達林之屍了。

南斯拉夫之影

赫魯歇夫到過南斯拉夫，這隻犬一定又嗅出：狄托問題已給發展到不僅是一個南斯拉夫的問題，它牽涉到許多東歐國家的共黨領袖，例如匈牙利的拉加克，波蘭的戈穆卡，希臘的馬科斯，保加利亞的科斯托夫，捷克的史南斯基，克里門提斯，阿爾巴尼亞的哈查等等。所以這一問題，嚴重性已經可能發展爲整個東歐附庸國對俄共的反抗。赫魯歇夫把狄托問題的責任，初時推在貝里亞身上，現在索性推在史達林身上了。這次指責史達林一九三八年解散波共之意義無他，赫魯歇夫欲以賣史達林之屍，換取共黨集團領導之「榮」也。

印度之影

赫魯歇夫到過印度，這隻犬一定又嗅出：印度人民對于俄共罵甘地是帝國主義的奴僕，一定留有極惡劣的印象，也成爲印度進一步向俄共「一面倒」的障碍，因此他一個最乾脆的辦法，對過去概不認賬，將那些罵甘地的名詞劃在史達林名下。由此可見，這次俄共清算史達林，是由俄共整個統治發生危機之下產生的。

鬧劇背後

這次俄共大會，因爲是一件對於世界局勢具有相當深遠影響的大事，無論我們怎樣憎恨和討厭這批傢伙，我們都該冷靜的注視它的發展。

俄共內部存在着嚴重的矛盾，把握和運用敵人內部的矛盾，無疑在我們是十分必要的；但有一個前提，我們必須首先揭去敵人的僞裝。

共產黨人在必要時可以拿任何人犧牲；爲了目的，他們可以清算自己的祖宗；他們鼓勵兒子清算自己的老子，史達林的徒子徒孫們現在清算史達林，這又有什麼值得奇怪呢？

所以，史達林被清算這事的本身，並不值得太多的重視；我們要提防的是敵人隱藏在這幕鬧劇背後的陰謀。

立委張九如 國計民生一百問

·小魯·

台灣通訊

（本報台北特約通訊）『國計民生一百問，願聞明教望開誠。神州未復時艱甚，彼黍離離觸尾顯。」

這是立法委員張九如於二月十七日立法院第十七會期第一次會議中向行政院長兪鴻鈞所提書面質詢的四句開場白，表示他對國事蜩螗的一種哀感和對政府的一種殷望。全案所提的質問，整整一百條，文長一萬四千餘言，所提問題包括：政治風氣，社會病態，財經政策，美援運用，外匯管理，稅務積弊，國民生活，兵役，外交，僑務，教育，交通，地方自治，警政，土地政策，司法等等。綜觀所提每一問題，皆切中時弊，言人之所不能言，代表了多數人心中的欲言者，故張氏之言，實已打破立法院多年來對施政質詢的紀錄。

政風官僚選才不誠

關於政治風氣部份的質詢，張氏一開頭就問：「今日最腐蝕國家元氣的，不在公務員帶有鄉氣書生氣，而在其染有官僚氣市儈氣。如何維護敢於任事的狂者，以恢宏志士之氣？如何罷斥媚滑畏縮的庸吏，以蕩滌因循之風？實為最根本的施政方針，最重要的施政報告，並且是必須為政風擔當歷史責任的第一件大事，為何一字不提？」

「對人才任用不當，其不平之處在今日各方面所需各種人才，已成不足，將來收復大陸後更感缺乏。未成才者固有待於培植，然已成器者實有賴於延攬，尤有待於懸格以求。但多年來未曾認眞將事，反使自認為懷抱利器者時鳴不平。在昔曾國藩以忠誠為天下倡，以忠誠相應者乃遍中國，卒恃此以平大難。今日究需何種品質的各種人才，始終不曾明標主權，以育以求。倘長此悠忽，豈不使邦國殄瘁？漢高亡秦滅楚，以蕭何有進賢之功，賞第一，今後有無切實措施，宏開進賢之路，廣求中興之佐？」

會議繁複官吏避責

張氏對政府機構的繁複會議，表示不滿，他說：「重複的連續的會議，更屬卸責有餘，成事不足。」對於政府權責不分，機構重疊亦認為不當，他說：「政策的決定與執行，行政院有最高職權，並負最後責任。但總須使有責者必先有權，纔能使有權者可以負責。」又說：「機關首長忙於會議見客，核判公事之權，委諸不須負責或竟至弄權的幕僚之手，致權責分離，功過難明，賞罰失據，造成行政效率的極度低落，甚至發生流弊。有無辦法改善此種『陪臣執國命』的政象？」又說：「從中央到地方，機關重複，小組繁興，……致若干政事弄成個誰都管亦誰都不管的局面，致重要的措施弄成個構變為枳的每下愈況悲劇，致各部會法定職權弄成個五牛分屍的慘惡現象。」

納稅豈在豢養官員

談到社會風氣，張氏首先要求糾正一般人「生活靠美援，安全靠第七艦隊，反攻靠世界大戰」的依賴僥倖的錯誤心理，而主張培養國人獨立自強的精神。張氏對奢侈浪費的現象，尤感痛心，他說：「官員生活如不能示民以節約，人民終將認為出錢僅在豢養官員，平日既存成見，戰時必誤國課。」又說：「各種酒會宴會的鋪張浪費，至使歸國華僑詫異。豪商稅吏互紳貴婦的驕奢淫逸，更使社會怨詈憤怒，並使士氣沮喪，民習頹污。特種酒家尤成為官商關說公事之所，為行賄、居奇、走私、逃稅、及偷工減料等軌外行為的製造廠。提倡消費的美國風，紙醉金迷的香港風，已成為吹盡台灣戰時氣氛的颱風」。因此他問：「有無思患預防，移風易俗的對策？能否從官吏本身的衣食住行上即日做起，樹立風教？」

財經政策舉棋不定

關於財經政策，他指摘朝野盛行着的矛盾衝突的論戰，充分反映出財經政策不協調的實情。因此他主張財經兩部合併為一部，「使長部者能在統籌全局之下，作最適當的措施。」對於四年經建計劃，他呼籲維持既定的「從增加生產與輸出中，使輸出所得的外匯，足以支付總值一億六千萬美元輸入物資的代價，並使國家預算可以不靠美援而漸趨於平衡」的總目標，並主張應使基本工業及企業條件同時發展，以完成體系。對四大公司轉移民營後的情況表示不滿，要求政府負起監督輔導的責任。

教育外交必須糾正

除了上面這些質詢外，張氏並對當前外交教育等問題有所批評論列。例如外交問題，他主張駐外使領應以識國情，能進取，敢担當，具有本國歷史文化哲學修養並有自信力自尊心的人才為第一，對於一切非共小國應予爭取。對於教育問題，他認為由於留學政策放寬，至服兵役的義務失其公平。高等教育忽視理工人才的培育。各大中學校學生課外活動層出不窮，失去教育實效，是難免十羊九牧的疏失，中小學校多斤斤於無關教學實效的形式統一，張氏主張必須糾正。

諱疾忌醫是絕症！

此一「國計民生一百問」提出後，兪鴻鈞院長曾口頭提出簡要答覆，表示兩點：（一）對權責不分的指摘，政府在研究劃分權責辦法中。（二）政府人員已將全部精神盡力貢獻國家，成敗利鈍在所不計，至是否為中興人才，則應留待歷史作客觀的判斷。

在舉世滔滔的今天，張氏這篇質詢足以啓聵振聾，此間民族晚報著論說，問題不怕多，「有了問題而不解決，那才是大問題。」今天政風民風實有求變的必要，如再諱疾忌醫，那才是絕症呢！（二月十八日寄）

中美台峽大演習
軍方雖謂無所聞 跡象顯示有可能

〔本報特訊〕本月上旬外電所傳月杪前中美雙方將在台灣海峽舉行一大規模演習，惟邇日來台北軍方卻一再加以「無所聞」說，至已引起此間一般之注意。

據觀察家根據當前情分析，台北否認演習之主要作用，在避免引起刺激國際輿論，尤其是免為中共藉口數柴。按台灣海峽之防務，向係由中美雙方協同担任經常之巡邏，演習與否本屬可有可無之事，惟就下述諸跡象言，在此時舉行演習，對增強台峽防務言是有此需要的。

一、美贈艦返台者日漸增多，自由中國海軍實力也日見壯大，新加入防衛系統之艦隻有待演習熟練，配合協同作戰之需要，尤為殷切。

二、在曼谷演習和硫磺島演習後舉行中美台峽大演習，可減少美艦隊為單獨舉行台峽演習而再集結之調動。

三、美太平洋艦隊可藉此以考驗其在同一時間內應付突變之機動性，以及檢討各盟國間防衛實力上適應迅速配合之能力。

四、藉此以壓制大陸共軍之蠢動企圖。

該觀察家謂，基於上述四點，觀乎日來維多利亞港（按即香港英海軍船塢與九龍尖沙咀對開海面）之寂靜。美艦在暹羅灣演習結束後絕跡於港海而未來渡假，即可為美艦隊另有新任務之明證。

又據二十日台北消息，第七艦隊旗艦「海倫娜」號已於參加硫磺島演習後駛抵基隆，其司令官殷格蘇中將及美太平洋艦隊參謀長基維德少將，美海軍部作戰署長賴里少將，美七十二機動艦隊少將司令安德遜等均已相率抵台，則益見彼等此行訪台之不尋常也。（裕）

讀者論壇

希望艾森豪總統再競選

——他不相信蘇俄改變了它破壞自由世界的目標，而正以武力侵略和賄賂做內部策應以控制全世界。——

這是一個大時代的來臨，整個世界即將進入天下一家的時代！這個天下一家不是「共產專政」，而是「民主自由」。今日全世界忠於民主自由的人民，都在面對着共產極權作艱苦地戰鬥。這已不是如同過去那樣的一個國家對一個國家的鬥爭，而是全世界人類命運的決鬥。

我們若本着這個世界觀點去觀察美國下屆總統人選問題，便會知道那不僅是美國人民所重視的大事，而且也是全世界人民所關切的大事。

綜觀艾氏近四年來的政績，可說他的領導是成功的。他的成功首先表現在他對共產國家的眞面目有透徹的了解。

當他第一次在白宮發出廣播時，他便說他不相信蘇俄改變了它破壞自由世界的目標，他的認識是：「共產主義不但手段極端窮惡，而且正在運用俄國的傳統帝國主義方式，與目前亞洲和東歐的人力物力，來進行所謂世界革命，即企圖以莫斯科為中心而控制世界……，共產黨的手段，是一面運用武力直接侵略，一面利用賄賂和破壞，做內部策應」。（艾氏傳記）艾氏因有此觀念及認識，因此對共產國家，自始便提高警覺。並提出了積極對共產國家的「解放政策」。

在這三年多來，軍事上已嚴密的佈置了解放共產國家的戰線，使共產國家在軍事上居於無可反抗的劣勢。這種軍事佈署，發揮了最大的警戒作用，將共產國家嚇阻在戰爭邊緣，而不敢越雷池半步；在政治方面，他在四巨頭會議提出了空中視察計劃，在聯合國大會中，他阻止了中共加入聯合國，最近又揭穿了布爾加寧虛偽的和平建議；在經濟方面，始終堅持禁運原則，不稍寬假。同時對各個與共產國家處於戰鬥狀態中的民主國家，加強了經濟的及軍事的援助。

基於艾氏的以往政績，對艾氏下一屆的競選總統，是可以抱有信心的。但對艾森豪威爾總統我們也有更進一步的希望和鼓勵，即希望能盡速地，爭取主動徹底進行解放共黨鐵幕國家，領導美國從政治、軍事、外交、經濟多方面總動員起來，以備應付萬一。對戰爭不必多所恐懼與杞憂！（陳健夫）

英國表示讓步 塞島局勢好轉

·孫頤譯·

希臘人在塞浦路斯島局勢中佔有優勢，可是他們不甘心就此罷手。最近雅典官方電台和言論激烈的報紙，天天把塞浦路斯問題，加油添醬，大肆渲染，好似火上積薪。

「英國在塞浦路斯濫用酷刑，在那裏觀管他們的俘虜，強迫他們招供，且拔下他們牙齒和指甲。」雅典「祖國之聲」電台，對騷動的塞浦路斯人大聲疾呼的說。

有一份報紙上也說：「杜勒斯國務卿是我們時代中最可恥的國際罪行的幫兇」

有一個警察也為維持島上秩序而被殺，雅典電台又加以歪曲說：「外國政府（指英國）的間諜騷亂，且殺了警察，煽動使暴亂擴大」。

面對這種煽動性的宣傳，英政府宣佈已準備破例干擾希臘的廣播，同時，當局一面逮捕青年激烈份子，一面英國的軍人外交家哈定爵士則仍與塞島希臘人的精神領袖瑪卡洛斯大主教繼續協商。英國對於這位主教極力遷就，好像把他當作一國首長。

倫敦方面最近的建議，雖然措詞婉轉，但實際上是說，英國並非不願談判某種型式的塞島「自決」，只要土著肯與英國合作，以安排逐漸變為自治政府。瑪卡洛斯大主教答覆哈定爵士的信，說他願意將這建議作為「我們繼續共同合作走向解決途徑」之基礎。由於英國的提議實際和瑪卡洛斯四月前所提的要求相同，他已難以加以拒絕。

在這種基礎上，哈定爵士和瑪卡洛斯大主教開始談判細節，英國堅持無論在何種自治政府型式中，他們都必須繼續控制塞浦路斯的國防及外交政策，與內部的安全，如警察等等。並且還要保證島上九萬四千土耳其人能與四十一萬希臘人平等相處。瑪卡洛斯大主教起先反對英國仍掌握警察。但後來，對于此點似乎又願意讓步了。

雙方鄭重宣佈，他們已接近協議，但是問題在於瑪卡洛斯大主教是否會暫時拒絕簽字，直到能從英國方面得到更多讓步後再簽。不過這種技巧卻未必有利，因為哈定和大主教都逐漸明瞭，如果他們再不迅速達成協議，他們便將無法控制局勢，反而使主張暴動的極端份子氣燄更熾。（譯自「時代週刊」）

北非問題困惑莫萊

李加雪

莫萊以四二〇票對七一票出任總理，是法國十年來獲票最高的紀錄。支持他成功的是一百五十席的法共選票。法共支持他是勉強的，捨莫萊之外，法共已無較合適的對象。

莫萊是社會黨，在內政上左傾的政策，獲共黨支持。但對外政策則必須以維持法國傳統的殖民地政策，來爭取中間和右派的支持。

因莫萊內閣像是一個鐘擺一樣盪漾於左右派之間。

戰後法國內閣的壽命平均不到一年，但做總理，必須身懷有跳攔技術，第一道攔是北非。法蘭斯和福爾皆以跳不過而倒台。莫萊亦於內閣一成立就親到北非，解決阿爾利及亞僵局。

但當莫萊走出機場，第一眼所見是馬路上鴉雀無聲，商店都關了門，並懸出誌哀的黑布。

莫萊跑到歐戰紀念碑前獻花。卻有好幾千法僑聚集在那裏高呼，『把莫萊吊上燈柱！』

人羣瘋狂似地向莫萊湧去。他們以樹枝，柑子，番茄，和馬糞向莫萊打來。莫萊無奈，草草將事，跑回官邸。

並從法國空運了三千名警察增強護衛，在官邸裏分別接見法僑和阿爾及利亞代表，不敢稍越雷池半步。

臨走，莫萊對阿爾及利亞人民說：『我曉得你們的痛苦，明瞭你們的貧窮。你們遭受到不平等待遇，損失了莊嚴，變成二級公民。我向你們保證，法國政府將設法在法律方面使你們獲得同等待遇。』同樣地，對於法僑，他拿出法國傳統的殖民地主張，說道，『你們誤會法國政府拋棄了你們。我相當明瞭你們的情緒。我曉得你們這樣對付我是為了國家。我向你們保證，為了保持阿爾及利亞，法國將不惜一戰。』在這裏，莫萊又像鐘擺那樣擺動了一下。而對北非問題卻仍未能提出明快的辦法。

法蘭斯．福爾的困難依然是莫萊的困難，這困難或許是非用流血不能解決的了！

更正

本報五一七期陳式銳先生「財經的制度與減政」一文，排印稍有錯誤，茲更正如下：

一、第一版第一段「要作全盤的打算」內第十三行「適當的結果」一語下，漏植「所以二月三日行政院長兪鴻鈞在記者招待會說：」

二、第二版第十行及第十一行原文應為「加設研究組織之議，其動機是進步了。此一組織，原應為行政院之獨立機構。」

編者讀者

△姚應楠，丁懿安，冷少泉，張搜碧，兪毅敦，孫國華諸先生來惠稿均收到。甚感幸。

△代郵，日本觀遊先生函示及惠稿收到，謝謝，所需報紙已付郵矣，另函覆詳。

△本報擬徵求下列諸稿：

一、三千五百字至七千字左右的短篇小說，不限體裁和故事內容。一經選用，優先奉送稿酬。

二、台灣及海外各地自由文壇的動態報導，作家生活素描及過去文壇珍聞。每篇以不超過五百字為佳。

三、介紹海內外自由科學家，教育家，實業家，醫護，工礦業工作者的人物專稿。對象以現在從事於工作者為最佳。來稿不宜超過一千五百字。關於軍政界人物稿件以散見各報者已多，請暫勿惠稿。

港大莫凡德及當吾两教授談
集體教育與成人教育

香港大學教育系教授莫凡德博士和當吾博士最近曾分別發表兩項有關教育問題的研究，值得關心教育和從事教育工作者的參攷。

集體教育的重要與目的

莫凡德博士的研究中心是一般性的教學方法，他提出了集體教育的重要和其目的。他說：「在歷史上，人們對教育的觀念因時代進展而不同，試加以回顧，昔時有人以爲教育的定義係對兒童予以一定規律的教訓，又有以爲教育也者，係牢記過往前人遺留的重要教材，或有以爲教育係一種從事教育事業者的專門事務，以上諸等觀念都會於某個時代，或某一個地區所採納，但，顯然的，至今已不合時宜，新興的「集體教育」已起而代之。所謂「集體教育」的意義及目的，即認爲教育本身是一種多方面的進修過程，應該由師長，家長，學生自身，以及社會上所有的人們予以努力協助和合作，以使得受教育者知道如何得到知識，明白事理，再將學得的東西用之於改進人類文明上面。

莫凡德博士承認了「集體教育」對當前教育的重要性，要做到「集體教育」的地步殊非易舉，每一個有關方面都應認清責任，當仁不讓，由社會各方面告訴負責教育者有關社會的現狀和需要，由負責教育者從事如何去執行推進，才能符合「集體教育」的眞正精神。

成人教育足以影響社會

當吾博士是研究成人教育問題，他以爲成人所受的教育水平如何，足以影響這一個社會，因此他建議以英國目前所推行的W.E.A成人教育，來作爲本港成人教育的借鏡。

三方面應予負責

當吾博士說：成人教育對象，可分三方面，第一種學生以學習經濟，政治，社會問題爲志願，以認識這一個世界的趨向，第二種學生則欲藉學問而獲得謀生技能，增加收入，第三種學生則利用業餘時間，作社交娛樂。

培養成人教育，應該由三方面負責：（一）政府負責大部份經濟，但不能干涉教育方針，不聘用教師，不過目科目；（二）教育界則負責供應教材，學校借用校舍，在可能範圍內，津貼一部份教師的薪金；（三）民衆團體則負責組織招生籌款及其他一切行政責任。

研究社會學及人道課程，爲成人教育的最高要求。英國每年春、秋、冬三季有二萬至二萬五千男女學生補習歷史，經濟，政治，心理學，文學，以及國際問題，學校，鄉公所，圖書館及任何可能借用的屋宇均供應此等深感本身教育修養不足的成年人進修，每一種科目的修業期間由半年至三年。

成人教育與一般教育不同

成人教育與一般教育的不同是每一個接受教育的成年人他本身所受的教育程度，文化背景，生活方式，及思想等都各有其不同之處，因此成人教育的導師應該根據學生的進步率以及教材之是否適合，來作爲指導的參攷。導師應該提出每一個學生應參攷和閱讀的書籍，每晚每班大致上課兩小時，一半時間用作集體討論，先由導師分析每一項問題，由學生筆記，至某一段完畢時，才接受學生的詢問或和學生反覆檢討，其最終的目的，是使每一個學生都能澈底瞭解該項問題。

關於學生的水準問題，可於集體討論的過程中見之。作爲導師者，應該交換意見時，使每一個學生樂於接受批評而修正其主張，則討論會即能收到預期的效果，也即是達到討論會舉行的目的。

集體討論會的重要性

集體討論會在成年教育中係最重要的一環，集體討論並非辯論會，辯論者不獨維護自己的主張，同時要否定他人的見解，而不管他人的見解是否合理和自己的主張是否謬誤。但集體討論則不需辯材，而爲一個有組織的綜合，用合作的方法來尋求眞理。偶有發現事實上的錯誤，偏差的見解，膚淺的泛論，或某一個問題未獲精闢的分析時，導師亦即行參加意見，引導討論會走向正眞的途徑。

成人教育的採取導師制其最大的目的，是啓發個人的智慧，使之有高深的修養，而達到其求學進修的基本要求，這不是一種強迫教育，但如果社會上的每一個成人均有興趣於此，則這一個社會的風氣將爲之轉移。

擴大夜間教育機會

根據W.E.A統計資料所得的理解，成年人有三分之二是研究熱中於社會問題的研究，包括三分之一是對文學有興趣，此外，研究歷史的佔百分之十二強，經濟百分之六強，國際問題百分之十強，政治社會問題，心理學，和音樂欣賞等都有相當學生，其他自然科學亦有百分之六的人數。

英國新教育法令擴大夜間教育的機會，不獨增加新科目，並且擴大普及就學機會，由於導師制對成人教育的重要，因此亦一方面側重發掘訓練兼任導師的新血，此種導師必須足以維繫與吸引一般學生更爲散漫的青年。

今天香港的成年教育一般說來還是不够的，甚至可以說無有，有之，僅爲類似會計速成班此一類夜校而已，但與當吾博士所指是有一段極大的距離的。

轉移社會風尚

成年人教育不但使就業的成年人有進修的機會，同時亦有轉移社會風尚的良好因素，目前的香港社會風氣吾人可以看到的，是何等的低沉，無論成年人或就學的少年均迷途於各種不同的不正當娛樂之中，欲求轉移此等風氣，莫凡德博士所主張的集體教育和當吾博士所提出的成年教育都是極其重要的。我們隨時可以發現社會人士熱心地指責亞飛問題擾亂了社會秩序，成爲社會的罪惡淵藪，但沒有一個人能進一步地指出亞飛的成因，然而，當集體教育的推行能有其効果時，我們相信亞飛將不再成爲社會問題。

同樣的，許多社會的犯罪案件的不斷增加，尤其是一般道德問題的低落，如果成年教育能够在這個社會成功，人們的興趣着重於學問，社會風氣爲之轉移，而這一種現象亦將隨之消失。（可）

新書評介

評：右任詩存

出版者：上大出版社

●彭楚珩●

孔氏删『詩』爲三百零五篇，而評斷之曰：『詩三百，一言以蔽之，曰：詩無邪』。今天，筆者要評『右任詩存』，計其全部內容，爲詩五百卅六首，爲詞卅八首，爲曲卅六首，亦將以一語而斷之曰：『于髯翁之詩之詞，之曲，唯一「愛」字而已矣』。全部六百有十首的詩詞曲，幾乎全部流露着『愛』的精神和詞意，故任讀其一，都不禁爲之景仰低徊而不已。

×　×

本書表現『愛』的範疇，至爲廣泛，雖無知之植物，如藥草、山木、花卉之類，一經作者把玩撫摩，亦因物而興，若不勝其依依之情。至於一詩之中，三致其意，拳拳不已者，則民族國家之愛，歷史文物之愛，山川邱陵之愛，革命袍澤之愛，室家兒女之愛，莫不具備。

所以，作者于髯翁在他那首『第二次大戰回憶歌』裏面，開始便說：『世界烽火燃不息，生民禍患何時已？我生爲世平不平，有懷欲歌夜中起』！接着就說：『何人能建新時代？天地無私並覆載，無飢無寒無戰爭，天下之平本乎「愛」』。這是一首約兩千字的長歌，委婉敍述第二次世界大戰的經過，詞意渾然，氣勢雄健，如飛龍行空，渺不知其所止。篇末則於集杜句以後，以一絕句作其結曰：『羅米無聲似有聲，杜詩眞讀不勝情，太平老人磨鐵硯，並老還期致太平』！長歌雖已，而『愛』意不已。

在全部詩存裏面，固然多的是一些慷慨悲歌的好句，但也有抒情的詞。例如在本書卷三第四十四頁，于夫人高仲林女士送女婿入京成親，髯翁賦詩四首，以壯其行，其第一首曰：

『春風蘇百草，送爾出關門，適合從兒願，追隨念母恩，家庭新創造，文學舊思存，遙念空山老，詩箋印血痕。』

像這樣的詩，不言莊奮，不作兒女別離的小態，而寓着自由、孝親、齊家、勵學等等的大道理，實是愛的昇華。

×　×　×

在卷五第七十一頁裏面，我們還看到了作者『室家之愛』的詩一首，詩題爲『黃楊木頭十四夜憶內子高仲林』，眞是極綺麗、纏綿，風韻之至，詩曰：『女偕婿去遊天下，採作兒攜慰暮年，一事報君君可憫，人家十四月兒圓。』這一首詩，又充份的流露着髯翁伉儷情深，老而彌篤。本來，『男女居室』，原爲『人之大倫』。如果存着一派道學氣味，擯而不言，那末，便是矯情，便失其眞了。一部『右任詩存』，就首首不失其眞，也首首不離其愛，『眞』和『愛』到了極點，才可以發生那偉大而莊嚴的魄力來。正所謂『唯天下之至誠，爲能盡其性，能盡其性，則能盡人之性，能盡人之性，則能盡物之性，能盡物之性，則可以贊天地之化育，可以贊天地之化育，則可以與天地參矣。』所以，『正心、誠意、修身、齊家、治國、平天下』的道理，原來就是一貫的。因此，我們今天要研究『右任詩存』，還得要探討髯翁的秉賦、學養，以尋求他那豐富感情的來源，而體會他那『愛』的精神之所系，那末，才會眞有所得。

本書分爲上下兩卷，上卷爲王陸一氏箋註，下卷爲劉延濤氏箋註。以髯翁行誼，關係民國史實，王註特詳，劉註亦不少，而且都是可珍可觀之作，附錄各家之詩，也清越可誦。

筆者以不知謝陋，安評長者之作，謹於此向髯翁敬致歉意。

—完—

第二屆藝術節 下月盛大展開

本港藝術界人士舉辦的第二屆藝術節將於下月初盛大展開，其規模與節目均將打破上屆紀錄。展覽會三月三日開幕，一連三週。歌劇藝術演出，計有冀魯同鄉會的京劇，中英學會的音樂，國語影劇界之國語話劇，春秋話劇團的粵語話劇，中英歌劇團之歌劇等，並增展花卉類、石山盆景，亦將展出；若干字畫，木刻、攝影等等作品，將予展出，又中英學會文學組現辦四項比賽，作爲大會一部節目，廿三日截止。四項比賽爲：英文短篇小說、中文論文、英文譯中文、中文譯英文。

戲劇節目方面，極爲豐富。在英語戲劇方面，有兩項重要新發展，及一個新成立的劇團。香港戲劇會，將在利舞台演出，駐軍處演員團，則於首夕在九龍方面演出。新成立之劇團爲港大之「假面戲劇演員團」將於下月二十及廿一兩日，在港華仁上演約翰米爾頓后所編之假面戲劇「科馬斯」，由學生任演員。至特拉頓氏之通俗假面戲劇，亦將由港大之教職人員担任演出。

香港戲劇會之「奧賽羅」，爲大胆而重要的嘗試，因該會從未在一間大如利舞台之戲院演出。此外，本港人士除在電影上瞻覩莎士比亞戲劇外，未覩莎翁劇本上演已有多年。該會自一九四九年演出「第十二夜」一劇後，亦未再有莎翁戲劇演出。因利舞台地方闊大，「奧賽羅」一劇，祇於下月十六及十七兩晚上演。

利舞台已成爲「藝術節戲院」，因有四齣名劇在此上演，雖然英語者有「奧賽羅」一齣。香港演員團，下月十八日至廿二日演姚莘農編之「西施」名劇；及忠義會之「黃金萬兩」，則由下月廿三至廿五日。以上兩齣，均國語劇。至利榮華劇團主演熊式一教授所編之「王寶釧」粵語劇，定由下月三日至九日。港電台李陶氏，定下月十四用英語傳播，廣播時，復由熊式一教授評述，而熊所編另一名劇「西廂記」，將由中英學會中文戲劇組，定下月廿四及廿五在皇仁上演。防軍演員團定下月七日，在九龍童軍總部上演毛姆之「圓圈」，由伊力奧尼爾薦任演出人。在上演一晚後，下月九日及十日，轉在香港海員會館演出。該劇係戲劇團體在藝術節所上演之第一部戲劇；但藝術節戲劇部門活動開始之榮譽，則由拔萃女校及皇仁中學平分春色：女拔萃演「巴巴干尼」，皇仁則演曾在校際戲劇賽獲冠軍獎之粵語話劇「嬰孃」。兩劇於藝術節第一晚（三月三日）上演，但「巴巴干尼」一劇將於下月二日晚演出。

兩個軍人組織之連頓演員團及啓德演員團，則有另一種性質之貢獻：連頓團下月十二、十三及十四日在海員館演英國小說家普利斯特利之軍人劇「沙漠公路」；啓德團則於下月五日、六日在同地演伊安海及杜加特拔治之熱鬧喜劇「家庭裏之白羊」。

春秋業餘聯誼社下月十七、十八日，在英皇中學演粵語話劇「朱門怨」（英）

中共教學計劃一團糟 小學生搞得莫名其妙

穗共「廣州市教育局小學視導組」最近在南方日報發表的視察報告，坦承如下數項事實：

廣州市區各小學校都嚴重地存在着教學無計劃的現象。如吉祥路小學這學期有三個年級在半學期中就把一學期的算術講完了，因而學期考試的成績很壞，全部學生算術不及格。蓮塘路小學大部分教師調動了工作，新進的教師剛講完了一課還要問學生：「下次該講什麼了？」

講錯教材的現象，市區各小學裏幾乎都有，北區第二中心小學二十二名教師中，有十四位教師教課常弄錯，如講名數乘法時，乘數和被乘數的關係都鬧不清，教給學生「×元乘×尺」；不少教師在講課時不但胡亂聯系，而且不照顧學生的接受能力，任意發揮。如永漢北路小學低年級國語講到「毛主席和蘇聯小朋友」一課時，教師竟向學生大談蘇聯地理知識，弄得學生昏頭昏腦，莫名其妙。很多教師不能正確貫徹思想政治教育，如四年級國語「朋友和敵人」一課是常識教材，可是一德路小學的教師講到這課時，生拉硬扯拿蚜虫比美帝，瓢虫比志願軍，教學目的確定爲「培養兒童仇恨美帝的情感」。

上海商店合營後 陷於無政府狀態

「公私合營」是現在大陸上大小商店的統一標幟。也即是說，凡已經「公私合營」了的舖子，中共一定派有一個「公股代表」駐店「領導」。

因爲「公私合營」都在一夜之間實現，「社會主義化」是一翻手而成，所以許多舖子「合營」了而「公股代表」却遲遲未見來到。

「凡事要等公股代表下來再解決」，這是上海所有「合營」舖子私方人員所必須遵守的大原則。於時進貨要等「公股代表」，水桶漏了修不修要等公股代表，「公股代表」雖未來，而實已充分表現了他代表中共控制商人的權力之大了。

因此，在上海普遍情況，已經是「合營」了的商店，都陷入了無政府狀態。因爲：「公股代表還沒有派下來」！

現根據二月八日天津大公報所露佈的情況，可綜合得出下述各種怪現象：

「原來早上八時開門營業的，現在到八時三刻仍然睡在床上；原來晚上十點以後關門的，現在到晚上八點就上店門；泰新路新華洗染店的洗衣桶壞了，也要等到公方代表來了再說；康定路藝華洗衣店要添購雨衣膠水，也只能等公股代表來了再進貨；二十多個房間的旅館，只有十多個電燈泡，只能換來換去用」。

「公股代表爲什麼還不來呢」？人們都在懷疑中共又在故弄玄虛，但是共產黨却說「私方資本家不積極」！（珍）

自由談

丟醜的總統先生

馬五先生

杜魯門以退位的總統身份，在美國雜誌上發表回憶錄，連續遭受各方人士的抨擊，指其造謠說謊，隨便胡扯。魏德邁將軍麥克阿瑟元帥二人，對杜氏稱述他自己調處中國國共問題與應付韓戰經過情形，早已指斥爲絕非事實，最近艾森豪總統的幕僚亦認爲杜氏回憶錄中所談當年艾克競選問題，是有意歪曲眞象，而杜氏執政時期的副總統巴克萊，且駡他那回憶錄爲「賣友求榮」的謗書。這末多的文武顯要，異口同聲，一致攻擊杜氏瞎說八道，而且都是局中人物，有眞憑實據足資反證的。可見那所謂回憶錄的內容，即不如一篇小說的價值了！

以當時的人寫眼前的事，如果不實不盡，甚至顚倒是非，淆亂黑白，即爲當面造謠，厚誣今人，必然要引起當事人的詰責否認，而自己所寫的文字，也就變成無聊的玩藝，令人齒冷了。尤其是像杜氏這類做過總統先生的角色，寫政治史事而專替自己臉上擦粉，罔顧信譽，亂造謠言，那就連人格亦發生了問題，自身所受損失之大，是沒法補償的！

巴克萊和參議院秘書畢浮，說是杜魯門想要再作總統，才故意藉文字宣傳來自抬身價，我卻認爲這是知識問題的成分居多。一個賣領帶出身的政治暴發者，竟要著書立說，妄冀名山之業，她那有這種智慧呢？鬧笑話，惹是非，乃爲意料中事。越是學識譾陋，內心多慾的政治人物，越就喜歡搞宣傳，自吹自擂，販賣狗皮膏藥，欺天下人以無知。所以，我對於世界上一些政治大亨著述，不管是他自撰，或者雇用、記寫的，總是不敢濫恭維，現代人只有邱吉爾的回憶錄尙值得一看以外，其餘不足觀也矣。

社會上甚末名皆可以好，甚末銜頭也可以出，唯有著作這項事，卻不宜亂來，否則求榮反辱，徒然鴨屎臭而已。杜魯門的這回教訓，可使一般好弄文墨，瞎寫回憶錄的官僚政客們，知所警惕，少丟些醜，亦算是有益於世道人心哩！

健康

燕恭

誰都承認「健康」是人生的幸福，但那一種類型的健康才可以獲得眞正的幸福，對人生最有價值，卻值得我們加以研究。

一位聞名世界的拳王，他有雄壯的體格，結實的肌肉和過人的臂力，不可謂不健康。但他除了搏鬥以外，什麼也不關心，對於這個世界知道的不多，如何把自己的健康貢獻給這個世界，更沒有什麼遠大的懷抱。他只是憑着絕人的擺佈，到處表演，供人欣賞，幾乎成爲一種工具。仔細想起來，這種健康實在說不上可以獲致眞正的幸福，對人生更沒有什麼了不起的意義。

一位活到一百二十歲的長壽翁，他手足矯健，耳目聰明，生平沒有患過什麼大病，不可謂不健康。可是他長壽的秘訣，只是靜坐少動，每天定時的飲食，定時的睡眠，一點也不願意擔心，只是聽天由命的活下去，創造人類壽命的最高紀錄。像這種健康在人生的價值和意義上來加以衡量，恐怕不能眞是人生的理想，對己對人都說不能什麼好處。所以健康是否能夠獲致人生最大的幸福，還在我們自己的善於利用。

健康的基本條件，最好我們具有像拳王那樣結實的身體，像長壽翁那樣健旺的器官，除此以外，我們還要有活潑的心靈和崇高的思想，來求得身心的配合和平衡，才可以走向人生幸福的坦途。

我們養成結實的身體，須憑營養和鍛鍊；我們保持健旺的器官，須有規律的生活；我們表達活潑的心靈和崇高的思想，須靠自己不斷的進修。三者兼備，才可以使自己的體力充沛，智力開展和品格光輝；也才可以憑着健康的體魄去求學問、幹事業，和應付複雜的人生，使自己對各方面都會感到得心應手。不論碰到任何困難，都有一套合法的解決；不論發現任何問題，都可獲得一種合理的結論；不論遭遇任何糾紛，都能想出一番合情的處理。這樣自會從健康中產生人生最大的幸福和發揮人生最高的價值。

任何人都希望自己健康，任何人都願意自己幸福。但眞正能從健康中覓致最大幸福的人卻不多。主要的癥結，還是由於我們缺乏耐心、決心和信心。沒有耐心便不能鍛鍊強健的體格，沒有決心便不能養成規律的生活，沒有信心便不能達成崇高的理想。所以我們要使健康成爲人生的幸福，首應從自己心性的修養上做起。

徐元直修道

·劍朋·

世傳徐庶於三國時，隱于蜀中紫蓋山，得成仙果。前人說部亦有記其事者。昔聞長沙徐孟虎先生（懋立）談，曾于皖省宗人處見其家譜，載元直與魏將徐晃爲同祖兄弟，于漢獻帝禪位後，入山修道，不知所終，各語

余于民國初年在四川東鄉縣（今改宣漢縣）時，聞當地人士傳說元直先生靈蹟者尤衆。紫蓋山在東鄉境，山深箐密，人跡罕至，山中有石洞，相傳爲元直潛修之所，洞前有平坦地百餘畝，產貝母，是爲眞正川貝母。據傳每夏採貝母時，山客（入山採藥者俗呼山客。）裹糧入山者，絡繹于道，輒有人見一偉丈夫散髮蔽面，玄衣白裳，在洞前一現即隱。采藥者知爲元直，則遙呼羅拜。其地所產貝母，粒小而質堅，以鮮者搗碎，捻一粒米許，入痰中，則痰立化爲水。余曾試之，不誣也。今宣漢市上所售，皆冒稱紫蓋山所產，而眞正產品，歲僅十數斤，不易得，能購宣漢所產，即爲上品矣。

元直在三國中自是第一流人物，雖僅于依劉之日，小試其才，平生未能有偉大表現，而視其所友，可知其人，其得道之說，雖不見正史，然古今才人不爲人知者多矣。世間苟無仙人則已；如有之，則元直眞其人，千載以下精神長存，固其宜也。

乙未除夕

刁抱石

逝者如斯歎歲除。焚香竟夕覓空虛。勞勞蹤綫緣何著。補得東隅是讀書。

代人壽賈士老

讀聖賢書日幾回。俊遊山水亦優哉。聞名遠近爲參政。載譽歸來是理財。話舊時陪良友至。消閒每看好花開。蓬瀛歲歲春長在。慶祝嵩辰合舉杯。

竹幕裏的小學教師

·牛布衣·

第二個要點呢，每餐燒飯照預定需要多煮百分之五十。把剩下的飯加入第二餐的米裏再燒，那也能夠增加出飯率。

燒飯不淘米，眞是千古奇聞。人民報告「政府」說，米裏有許多泥沙，吃進肚裏恐怕有礙衛生。共黨竟答道，燒過的泥沙能夠助消化，有益無損。

我們兩個是小學教師，爲了工作，我們在學校搭食。我們在學校吃的是沒有淘過的米燒的飯。想起那種飯，我現在心裏還作嘔。飯的顏色是「七彩」的，狀形類乎麥糊。那是因爲每一餐都有一半剩飯雜在裏面；剩飯經過第二次再燒，便和糠化成爲糊。夏天到了，剩飯擺了一夜便發酵，酸臭氣味燻人，雖肚子餓極，看見這樣的飯，還是不能下咽。家裏吃的是淘過了的米燒的飯。因爲沒有其他營養，總得吃三四碗，因此，廣州家家缺糧。我們家裏每月缺十日糧，王小姐家裏則缺五日。

缺糧怎麼辦呢？麵、麵粉、和米粉都是配給的，只有麵包還買得到。廣州的麵包顏色是黑的，有點酸味，有時還發出臭味，而定價奇昂，一毛新幣一塊的方飽只有手板大小。此外，只有購薯類和芋頭充饑；薯類、芋頭的價錢也和四級米髣髴。

吃不飽，難免發怨言。因此廣州人民把配給制度稱做「饑餓制度」，把共產主義稱做「餓肚主義」，稱幹部爲馬騮（猴子）。

十八小時工作

當小學教員每天要做十八小時以上的工作。我們得於早上六時三十分鐘趕到學校，所以淸晨五時三十分便得起牀。六時半到八時一個半鐘頭是學習時間，我們學習共產主義的黨八股。八時十二時上課。下了課，吃飯，飯吃過了趕着改卷子。二時至五時是上課時間，下了課，晚膳。晚膳後，六時至八時再繼之教夜課。八時後開會上小課，小課經常開到十二時，甚至淸晨一時。

星期六下午放假，可是全市教職員得到中山紀念堂上「大課」。「大課」時間規定三個小時，由二時至五時，可是時常繼續到六時甚至七時。晚飯後又得參加小組討論「大課」規定的題目。

星期日雖名爲假日，教員們仍得於八時回學校。這一天莫名其妙的活動是連續不斷的，回家的時候又是深夜。每一個星期我們只有星期日早上能夠和家人見面。其他日子沒有機會見到家人，晚間回到家裏，家人睡了，起牀的時候過早，家人還在夢中。（二）

同光風雲錄

夢山樓

彭玉麐（上）

「生我者父母，死我者長江也！浩浩蕩蕩無涯水，淸潔還我淸潔身。」

彭剛直公雪琴，少無行，嗜賭博如命，每博輒負。其鄰女有梅姑者，美姿容，剛直私之，率竊其釵鉺質於店肆，作孤注博。

漢書下酒梅花知心

一日，私取梅姑二十金，又賭負，歸而以實告。梅姑曰：『此區區者，何足道哉？但得白首，於願足矣。』剛直欲納爲妾，而家人不允。既而，剛直病危，自撫其臂曰：『死於牀褥間，豈丈夫哉！』何若覓一好死所。』時太平軍興，乃杖策從軍，轉戰東南，身蔽鋒鏑，欲求死所，然往往建奇功，位高勢盛，聲動朝野。時梅姑猶健在，然而，寡矣。剛直常過其家，出金周濟，但不及私耳。

或曰，剛直幼時，就試衡陽，賃居姚姓，愛其女，私焉。後姚女適方氏，衡陽人呼爲方良人。良人愛梅花，故剛直畢生喜畫梅，自題其廬曰：『梅雪山房』。詩集中亦有：『一樹老梅添怪色』。又鐫小印，文曰：『漢書爲下酒物，梅花是知心人。』夫不得其情，則寓之於物，是人生之最傷心事，雖恐，『人從難得始爲佳。』不得者上焉，得則斯爲下矣。

畏寡媳懼師母

剛直位高望重，辟易千人，但其寡媳，時加面詈之，剛直畏而輒避去。生平又畏幼時一師母，凡有難解事，得師母言，立解。彼素痛惡鴉片烟，遇有犯者，立斬之，其親信婢，頗嗜此物，故將鴉片烟拌嵌於其所吸旱烟中，久而成癮，非此婢所拌烟不稱意。歷久發覺，欲斬婢，婢乞救於師母，母徐謂剛直曰：『此汝輕殺之報應，不如姑寬之，將免受此曹欺，』剛直韙其言，然自恨恨不已也。

兵敗藏身草糞堆

某年，與太平軍人戰於皖城，敗績，乃偕李九我，左季高，胡潤芝等，駕小舟逃走，敵軍追之急，而岸上一片荒涼，難覓藏身所。剛直仰天嘆曰：『生我者父母，死我者長江也！浩浩蕩蕩無涯水，淸潔還我淸潔身。』言已，欲躍入水。九我止之曰：『將帥得一綫必生，甯不以蒼生爲念乎？』俄而，遠見岸上有茅屋，遂舍舟奔屋中，見一老人鼾臥，故笑戲之曰：『吾固知袞袞諸公，滾到此間也。』剛直等各相覷，欲起急奔，老人笑止之，乃藏之於屋後糞草堆中，仍回屋中鼾臥如故。未幾，敵果至，詢問曾見彭玉麐否？老人故戰慄答曰：『方見一小舟急東下矣，』敵軍不疑，棹東追。剛直奔出草堆，叩問老人姓氏，謝姓，望江人，世以扒糞爲業。剛直深德之，即伏地叩頭稱義父。』（六）

橘

戈北指

「江南有丹橘，經冬猶綠林，豈伊地氣暖？自有歲寒心！可以薦嘉客，奈何阻重深。運命惟所遇，循環不可尋。徒言樹桃李，此木豈無陰？」—唐張九齡詩—

春節前，果中珍品的橘子柑，大量上市，街頭水菓攤上，堆積如山，金黃燦爛，耀人眼目。周元範的詩說：「離離朱實綠叢中，似火燒山處處紅。」其實堆在攤頭上的橘子，似乎比掛在枝頭時，更加殷紅鮮豔，映着嬌陽，閃閃萬錠黃金，着實惹人喜愛。對着這種佳果，縱然不必入口，已經是「淸泉漱漱先流齒，香霧霏霏欲噀人」了。

台省人管橘叫柑子，與內地人把柑統稱爲橘子，恰巧相反。其實橘與柑是不同的，只因二者形色相似，難以辨別。一般人的習慣分法，叫色丹紅者爲橘，赤黃者爲柑；柑比橘大，瓤多，皮硬而粗厚。大概凡形體較大色黃而皮硬厚者爲柑；小而皮脆薄者爲橘。至於味道方面，柑比橘甜；橘甜中略帶酸味。蘇東坡詩：「香霧噀人驚半破，淸泉流齒怯初嘗。」大概是指柑而言的（不過因類多種雜。有些變種則味極壞）。

此外還有一種金橘，形體僅如彈丸，川浙廣贛幾省，均有出產，因其色澤金黃，故名「金橘」。周美成的詞中有句：「露葉烟梢寒氣重，攢星低映小珠簾。」就是贊詠「金橘」。金橘又名「金彈」，宜盆栽，是室中最佳的點綴品，每值深秋，果實纍纍，陳列案頭，淸香四溢，可憑添無限幽趣。台省人在農曆新年時，多把「金橘」作爲神龕的供品，因其名稱含「金」，取其吉利也。

除了作爲水菓食用外，橘子還具有醫藥上的價值。中藥的陳皮，橘絡，橘紅，都是用橘的皮、膜製成的。本草上說：橘有平肝，理氣，化痰，止咳的功用。究竟是否有效，說法各有不同，患咳嗽吐痰症者，不妨一試。

橘爲常綠灌木，高僅丈餘，性堅勁，凌冬不枯，可與堅貞的松柏媲美。唐張九齡詩中「徒言樹桃李，此木豈無陰」一句，即意在以植樹喻世情而感懷身世也。

史魔死後才被清算

倘比許多共酋幸運

俄共最近在淸算史達林，下面是二十年來蘇俄的「宦海浮沉錄」。

一九三六年內閣十一個部長九個被槍決了。蘇聯成立到現在中央執行委員會共有七個主席，五個被槍斃了。黨部共有五十三個書記，四十二個被槍決了。

一九三六年二十七位草擬憲法委員，十五位被槍斃了。紅軍裏頭的大元帥共五人，三人被槍斃了。

列甯遺下的政治局委員和內閣閣員，除了史達林，全數被槍決。

答適之先生

·徐道鄰·

關於記載在君先生的短文（本刊五一一、五一二兩期），和適之先生的辯正（五一七期），我想有幾句話的說明。

一、『軍官不會讀軍事地圖』一節，我不記得曾聽見在君先生對我講過。而『請洋教官用翻譯』一節，則記得頗爲淸楚。因爲當時我們有很多德國顧問，又用了很多翻譯官，所以這句話對我印象特別深。

二、關於軍事教育和大學教育的比較，我所複述的那一句話，語氣和用字容或過於強調。因爲在我的記憶中，在君先生對於當時的軍事教育，似乎並不是太不滿意。而我這個印象，可能是不正確的。謝謝適之先生的指正。

三、『三十一年春天』一句，『三』字係『二』字之誤。

自由人

THE FREEMAN

（第五二〇期）

中華民國僑務委員會頒發登記證台新字第一零二號
中華郵政台字第五〇〇號執照登記爲第一類新聞紙類
（半週刊每星期三六出版）
每份港幣壹毫　台北市售價台幣壹元
督印人：陳文華
地址：香港高士威道二十二號四樓 3 rd. fl. 20 CAUSEWAY RD HONG KONG
香港發行及事務接洽　高士打道66號　電話：七四〇五三
承印者：東南印務出版社　地址：高士打道六十四號
海外總經銷　友聯書報發行公司
香港：德輔道中二十六號A二樓
台灣特派員辦事處　台北市館前街五十號
台灣總經銷處　台北市西寧南路壹〇壹號二樓
台郵撥儲金戶九二五二

從莫斯科吹來的一股颶風

我們且靜待毛周劉政權的反應

左舜生

最近在莫斯科所召開的聯共第二十屆大會，蘇聯這一大羣荒唐鬼，在他們第四代的魔術大師赫魯曉夫的導演之下，突然掀起了一幕震撼世人的軒然大波：這便正是由他們恭而敬之把一個威脅人類的空前惡魔高高抬起送入墳墓還不到三年之久的時間，現在乃以一幅猙獰冷酷的面孔，毫不留情的，再把這一惡魔所剩下已變成骷髏的一幅骨骼，毅然決定的從墳墓中拖出，加以肢解！

僞歷史的重寫

這一幕悲喜劇的演出，不祇是過去曾以歡呼，歌頌，而以史魔絕對的親信者自居的米高揚、馬倫可夫、莫洛托夫，使他們覺悟到爲自救起見不能不被迫而扭任主角；乃至連一個以歷史學者姿態出現的安·米·潘克拉托娃院士，也不能不被迫出而作證，說明這三十年來以史魔爲中心的一部聯共黨史，爲糾正事實的捏造與錯誤，而不能不加以重寫！

莫忙於輕下結論

這一幕可能的後果如何？全世界人因其所從而觀察的角度不同，所根據資料正確性的差別，不免有多色多樣的說法和揣測。但我個人所期待的，乃是不要輕於就下結論，而必須靜待事實的發展。現在我們所必須立即密切加以注視的，乃是在中國大陸所建立已經進入第七年的這一僞毛周劉的三頭政權，他們對這件事究竟會有如何的反應？

一部罪惡史的一章一節

中國共產黨的崛起，擴大，以迄政權的取得，一貫是由於對蘇聯的依存，這本來是舉世所週知的事實；尤其自一九三一年『九一八』事變以後，以迄一九四五年日本的無條件投降，這個一十四年之間，爲中共鋪平了一條攫奪政權的道路，則完完全全由於史達林凶狠惡毒的陰謀運用。

在這一時期，他至少兩度以上，欺騙了中國的蔣總統，玩弄了日本的軍閥以及外交人物如松岡洋右之流，曾對美國總統羅斯福實行了多度的敲詐，而雅爾達會議則尤其是他的傑作，甚至連一個老練明達的邱吉爾首相，他也居然能夠玩之於掌股之上，使得這位老先生一聲不響，對他的惡毒行爲加以縱容！我們僅僅只要展開史魔的這一大本罪惡史的一章一節，已經可以使人怒髮沖冠，更不必歷舉他這三十年以來所執行對他的同志同胞的屠殺，以及所加於世界人類的空前威脅！可是話得說回頭：就蘇聯論蘇聯，他能夠使得她危而復安，幾亡而復存，他究竟也還不失爲蘇聯的一條「功狗」；同時我們湖南的這位土人毛澤東，他總不能不說由於他的抱保堪擲，而造成了如今天這樣一個爲毛本人也意想不到的地位。

倒在爺爺的懷裏

毛澤東在登台伊始，便絲毫無愧於衷的高呼着『一面倒』，這個毛丫頭之所謂『一面倒』的真正含義，便是嬌滴滴，妞妞捏捏，一屁股坐在史達林的大腿上，正正當當，不偏不倚的倒在他這位大恩人的懷裏，而親親熱熱，下氣柔聲叫喚一聲『親愛的爺爺』！讀者不要以爲這是我對毛的一種誣蔑，他本人確曾親自跑到莫斯科去輸誠效忠，表示毫無保留的心甘情願去接受他這位『爺爺』的『指導原則』，然後才掉轉頭來，回到中國，騎在中國人民的頭上拉矢！讀者總還記得：當毛澤東以一種妾婦之道博得他『爺爺』龍顏大悅以後，居然被他的『爺爺』攜着他的小手，帶同他到莫斯科一家有名的國立劇院坐在包廂裏共看戲，表現在他和史魔合照的一張相片上的那副誠惶誠恐死罪死罪的尷尬面孔，會與他十五年前出席重慶張治中所召集的一次晚會，對着擴音器提高嗓子高呼『蔣委員長萬歲』的神情，有什麼半點差別！像這樣的一種無恥之徒，據說中國的知識分子居然會有百分之四十以上（據周恩來的報告）匍伏在他的膝前去嗅他那雙臭腳，這還可以說是中國有人嗎？

屠殺中國人民一千五百萬

毛澤東遵守史達林的『指導原則』，至少屠殺了中國一千萬至一千五百萬的無罪人民！毛澤東也曾接受了史達林的命令，把中國幾十萬的壯丁，活活的投入韓戰的火海！毛澤東目前也正在運用從蘇聯得來的砲彈，一次便是三千發五千發正對着金馬人民的頭上亂放！……如此種種，他還要說這就是爲中國的人民求『解放』，這就是『愛國』！結果史達林的世界政策誠如米高揚等之所說，已經犯下了無可寬恕的錯誤，則毛澤東七年來接受史達林的指導在中國所推行的種種，其爲無可寬恕的錯誤可知！史達林錯了，有『蘇聯的同志』把他從墳墓中拖出去鞭打他的屍骸，毛澤東現在還養得腦滿腸肥，坐在袁世凱所曾坐過的新華宮裏，大做其『風流』皇帝，你們究竟準備把他怎樣呢？難道你們還要把他輕輕放過，一定要等到他終其天年以後，你們才去向你們的『蘇聯老大哥看齊』嗎？

無恥之尤的文丐

說到這裏，我更聯想到中國一名曾經騙過『史達林獎金』的無恥文丐，他曾寫過一首所詩，高呼史達林『爺爺』，『永恆的太陽』，『親愛的鋼』，我奉勸海外一般喝了中共迷魂湯的青年們，假如你們不怕遍身發擾的話，你們不妨把這位無恥的文丐的這首新詩拿出來重複的朗誦一遍吧！

有人說：毛周劉政權對莫斯科吹來的這股颶風，其自動根本不會有什麼反應，橫豎『史爺爺』死了有『馬爺爺』，『馬爺爺』滾蛋又有『赫爺爺』，『一面倒』是『倒』定了，『爺爺』也就『爺爺』定了，一切唯命是聽可也，這便是這個醜惡政權的本質。

西德的政治危機

愛登諾的控制陷於鬆弛

·汪易·

（本報波恩通訊）最近，西德總理愛登諾在國內遭遇了一次重大失敗，這是魯爾區的北萊茵——威斯發利亞邦議會以一〇二票對九十六票通過不信任案，使基督（天主教）民主黨爲首的該邦邦政府宣告垮台，而另選社會民主黨領袖史坦霍夫繼任「邦長」。

總理國會勢力削弱

這一行動的直接影響是：由於聯邦議會上院的議員都是由各邦派出，在該邦由社會民主黨執政後，愛登諾在上院所掌握的三分之二多數，必將喪失；而國家的重要措施，按照憲法規定，須由上院三分之二多數通過，因此，愛登諾的許多政策行動，即使未必被上院所否決，也必然將受到種種阻撓。目前受影響最大的便是建立新軍五十萬的徵兵案。

這一次基督民主黨邦政府的垮台，主要是由於作爲聯邦聯合政府中盟黨之一的自由民主黨「反叛」基督民主黨，而與社會民主黨結成一條陣綫。當時自由民主黨對這一行動自稱是爲了「不滿愛登諾總理對內政、外交政策的獨斷獨行」。這一點即證明了愛登諾對國內政治的控制已受挑戰。更嚴重的是：這種反叛也可能蔓延至其他各邦，使西德政局整個改觀。

愛登諾自己亦承認這事的嚴重，他說：自由民主黨既在邦的階層上反叛基督民主黨，基督民主黨便無法再在聯邦階層上繼續與之合作。言下之意，即表示準備將自由民主黨逐出聯邦聯合政府。但在最近的內閣會議中，右派閣員雖表支持，溫和派卻力主慎重，以免反而造成局勢的惡化，致使西德也發生政治分裂，陷入與法義大同小異的情況。

基督民主黨發生內爭

基督民主黨內部對此事也意見不一，尤其是比較年輕的份子，他們認爲魯爾區自由民主黨的反叛，其基本原因還是愛登諾對政府各項政策控制過嚴，使其他政黨，即使是聯邦聯合政府中的盟黨，都沒有參加意見的機會。他們甚至主張，基督民主黨應該與社會民主黨及自由民主黨另組一個新的聯盟，以代替目前由愛登諾一手操縱的政治聯盟（社會黨目前未參加政府，是主要的反對黨），對內對外都採取比較「自由」的政策，不若愛登諾那麼嚴謹。

同時，自由民主黨內部也發生激烈爭執，五十名聯邦議員分成兩派，一派指責魯爾區的該黨領袖的反叛，他們以爲選民未必同情該邦政府的劇烈改組，因此，在以後二星期內在巴登——惠登堡邦的選舉中，自由民主黨非但不能增加勢力，且極可能宣告失勢。他們又顧慮愛登諾將他們逐出聯邦政府，並在國會提出新的選舉法，在明年的聯邦大選中打擊他們。

壓迫總理讓步

另一派則認爲，魯爾區的反叛是必要的，祗有這樣才能給愛登諾一次教訓，使他以後能較尊重其他政黨的意見，並放鬆他對政權的控制。這一派以爲愛登諾爲了本身利益計，還不致斷然將他們逐出內閣，以致引起黨內許多人士的反感，使他本身的地位陷於不穩。

基督民主黨的左翼人士，確也採取這種想法，他們覺得應該承認事實，接受失敗，而趕緊籌備二週後巴登——惠登堡邦的選舉和明年的聯邦大選，重振基督民主黨的威望。

一般報章輿論，幾乎一致認爲，愛登諾在西德人口最多及煤鐵產量佔全國百分之九十左右的北萊茵——威斯發利亞的失敗，是他執政以來最嚴重的挫折之一。漢堡的著名「世界報」還登出一幅漫畫，顯示該邦的首府杜塞爾杜夫爆發了一枚原子彈，且在其他各邦首府引起了同樣的爆炸。

親西方政策受影響

邦政府的易長，雖然屬於西德的內政事件，但盟國卻都注視着這一事件對愛登諾親西方政策的影響。這二年來，尤其是愛登諾赴俄談判復交以後，盟國對西德一般抱着這樣的看法，認爲愛登諾一日掌握政權，西德也必能一日堅定地站在西方陣營，但以愛登諾的八十高齡，他如一旦不幸逝世或退休，未來的總理是否會像他一樣採取堅強的親西方態度，却不免大有疑問。雖然不論何人執政，由於德國人處於鐵幕邊緣，對共產附庸國內部實況深切認識，都不會把西德送入蘇俄陣營；而由於德國人的現實態度，似乎也不致於中立，但西德採取較「獨立」的政策，不復處處受西方所「操縱」，却大有可能。

自由民主黨的反叛，實際也可能視爲對愛登諾受西方所「操縱」的不滿，同時，同樣的跡象，也正出現於德國負担盟軍軍費的問題上。西德政府一方面宣佈無力負担今後三年內每年二十億元的軍費，一面又拒絕對盟國駐德軍隊繼續分担其費用。這兩件事，尤其是後者，已引起美英法三國激烈抗議。最近西德雖表示對盟軍軍費分担問題願與三國舉行談判，但財長夏佛爾曾私下聲言西德決不讓步，仍將自五月五日起停付對盟軍的「支持」費用。

對德政策重新檢討

其實，西德這種立場，主要是夏佛爾的幕後籌劃。這一點也表明了愛登諾在內閣內部勢力的衰退。據政府人士表示，愛登諾於去多病後，已顯然疲憊衰老，對政府的控制也告鬆弛，許多閣員便紛紛活動，企圖成爲未來總理，夏佛爾不過是其中之一。

由於西方的對德政策主要是以愛登諾的執政爲基礎，最近基督民主黨的挫折與夏佛爾的崛起，都已成爲西方值得警惕的現象，如果魯爾區邦政府的易手蔓延至其他地區，西方的對德政策恐怕非重新檢討不可了。

時事評述

·司馬璐·

蘇俄一再恫嚇

蘇俄國防部長朱可夫說，蘇俄可以用飛彈襲擊美國。繼之米高揚又說：如果一旦戰爭爆發，「氫彈即將落在美國領土之上」，而且，蘇俄的原子彈和氫彈，「可以用飛機或者火箭運送到世界任何一個地區。」這是蘇俄和平催眠中的另一副面目。

朱可夫在蘇俄建軍節，下令武裝人員隨時準備戰鬥。赫魯歇夫說，戰爭並非不可避免；但是俄式的社會主義「必然」要成爲全世界的制度，如果「和平轉變」不可能，那就終須一戰了。

美國計算籌碼

蘇俄的恫嚇在美國內部引起爭吵，有些爲了競選宣傳，也多了一個指責政府的口實。前美國空軍研究處處長加納和著名作家阿爾索普兄弟都認爲，美國政府對於飛彈的研究和發展的工作不夠重視；在另一方面，執政的共和黨中的高級官員不肯承認這一說法。美空軍參謀長端甯說，不論在空軍實力方面及定向飛彈上，美國都是勝于蘇俄的。美國防部同時發表照片，證明美國已擁有洲際飛彈了。

民主國家的優越性在表面上看他們在爭吵；實際上，美國人正用心計算自己的籌碼呢！

英國開始反攻

美聯社十七日電訊說：「英國政府提出警告，謂蘇俄欲統治世界，西方必須準備作大規模之核子武器對侵略反攻。」英國人今天覺悟到：蘇俄的宣傳雖然有大部分的恐嚇作用，但一個事實，由於姑息主義者的鼓勵，西方國家的原子優勢至少已比過去減色，所以必須急起直追，進行「反攻」了。

英國宣佈重新施行嚴厲的戰時節約政策，減低麵包補助，提高牛奶價格，增加消費品稅，提高銀行利率，收縮通貨。英國保守黨政府從這些緊縮的措施中，增加了今年預算一千一百餘萬鎊，如此極端嚴重，英國人豈願作此犧牲？

何以又資敵

無論美國人計算籌碼也好，英國人開始反攻也好，但是這些是一面；在另一方面，我們借用一個美國參議員的話說，這些政府的立場却又是荒唐的。

華盛頓的消息報導說：

「美參院調查小組將震動美國全國，透露出英國已意將六萬瓩之發電機售予蘇聯。此種發動機乃製造氫彈所必需者。」

「調查小組除宣佈英國已將製造飛機坦克所必需之鑽孔機一架售予蘇聯外，且透露英國在過去十八個月內曾以二萬噸以上戰略用途極廣之銅絲以及製造彈殼之大量銅類運往蘇聯。」

「蘇聯且可將購自西方之戰略物資轉運中共。」

荒唐的政府

我們一面正和敵人在軍力上進行競賽，一面又在資敵，供給敵人製造氫彈及原子彈所必需的東西，這不是最荒唐的政府，最荒唐的邏輯嗎？

然而，美國國務院竟答覆上述的指責說，六萬瓩之發電機是沒有戰略價值的！

法新社二十日倫敦的報導說：英國陸軍部竟把一大批機密的國防文件，當作廢物出售了。

當然，這也是「沒有戰略價值的」！

我們不禁要問：

美國政府今天還會潛伏着像拉鐵摩爾，希斯這樣的份子嗎？

英國政府今天還會潛伏着像貝格斯，麥克連這樣的份子嗎？

日本九州地區 華僑教育亟待擴展

·觀遊·

這篇通訊是承一位華僑商人乘由東京到長崎之便爲本報寫的。所談問題是一個常被提起的僑教問題，但顯得僑教雖在政府的扶助下，仍感不足。作者說：要華僑能認識祖國，愛祖國，把一切供獻給祖國，首要的還在於從發展華僑教育做起。這句話是值得當局深思的。

海外通訊

（本報日本長崎航訊）日本九州華僑散處長崎、福岡、熊本、宮崎、佐賀、大分、鹿兒島等七縣，約數三千餘人，多數爲閩籍，其餘省籍者約合一千餘人，多係經營小買賣。老華僑旅居在日已三四代者頗不乏人，皆通本籍方言，通國語者則百不得一，但婚喪祭祀則皆沿舊習。因九州距我國最近，故吸收我國文化也最早，有關中國之傳說，故事，更是家喻戶曉；故對中國人多感親切，相處亦融洽。

七縣華僑 僅一僑校

在九州只有一所僑校，那就是長崎市的時中小學校；校舍已破舊不堪，雖曾由我政府撥款修建樓房二幢，已於去年四月完工，但因爲沒有宿舍，所以長崎以外各地的華僑子弟，就沒辦法到時中小學上學，只好各在當地入日本學校求學，以至於僑胞能通日語而反不諳國語了。這的確是一個嚴重的問題，政府有關部門假如能補助一筆款項，讓這九州唯一的僑校建立起學生宿舍，招收九州各地的僑生，相信數年後，華僑能通國語的就會增加，尤其對第二代的華僑，這問題似是迫切須要解決。

時中小學爲四二制，即初級小學四年，高級小學二年，共編成一、二、學年，三、四、學年，五、六、學年三個複式班，學生有八十一名，每年四月一日至八月卅一日爲第一學期，九月一日至十二月卅一日爲第二學期，次年一月一日至三月卅一日爲第三學期，合爲一學年。這是因爲日本的中學、大學都是這樣劃分學期的，爲了配合僑生升學問題不得不如此。

課程方面初高級共同課目爲公民、國語、作文、書法、算術、日語、體育、音樂、圖畫、珠算，女生加縫紉一科，其不同課程初級爲常識，高級則爲歷史、地理、自然、英語，教學以國語講解。該校有教員四人，校長一人？學校經費靠學生學費、僑委會補助、學生家長會補助、臨時勸募和我駐日大使館按月補助及駐長崎領事館隨時籌助。至於教學用書，每年由我僑委會按期發贈。日本自停戰以後，對僑校已不加干涉，且對有關學童之福利及公共衛生各項常加援助。

創校不易 現況待援

該校係創立於民國前七年（淸光緒卅一年），至今已有五十餘年歷史，其間幾經奮鬥始有今日規模。據前輩僑胞講：當時駐長崎領事卞綍昌氏提倡設僑校，僑胞一致贊同，遂於當年三月廿五日創立該校於長崎市之我國孔廟之內，及至民國八年，該校增築校舍，擴充班級，推行國語教學，革新校務，因之學生突增，籌款亦易，教學活動，應有盡有，與國內小學校幾無二致，學生達二百名左右，是爲該校前期全盛時期。迨民國廿年，九一八變起，旅日華僑受日本無理監視，商業情況日趨下游，校務自亦大受影響，迨蘆溝橋戰起，富僑巨賈者紛紛歸國，行商小賣只是茍延殘喘，對於該校雖維護有心，無奈捐款無力，大有不可終日之勢，不得已裁員減薪，校務得勉足維持。但日本當局對該校更加監視與壓迫日甚一日，諸如強迫增聘日籍人士充副校長，增聘日籍教員，該校在其內感經費無着，外受日方壓迫，可謂痛苦達于極點。換言之，亦實爲該校奮鬥中最光榮之一頁。及至民國卅四年日本投降，旅日僑胞重獲自由，商業情況亦見復甦，該校校務漸漸開朗，學童復增加至百廿名左右。年來由於我政府之補助，已可以維持，但師資缺之，待遇微薄，校舍不足等等仍爲該校之嚴重問題。

睹今思昔 今不如昔

在海外有五十年以上歷史的僑校，不只是當時興辦不易，且亦不多見。於此可見在海外辦教育的重要，也可見其事實上之困難。但在今天來說，如教育第二代的華僑維護海外的中國文化，教育已經不再是一個可以輕視的問題了，要華僑能認識祖國，愛祖國，把一切供獻給祖國，首要的還是在於從發展華僑教育上做起，以今比昔，在這方面，實在比前人做得不多，也不夠呢？（二月十八日寄）

一位愛國的護士——傷兵之友劉蕙華

•紹華•

她以『救人、救國、救世；醫病、醫身、醫心』的願心，步着南丁格爾的後塵，接續地在崗位上工作了廿五年，她願意爲工作供獻出整個生命！

她是一位愛國的女護士，從中山大學醫院服務計算起，以迄目前在律敦治防務醫院止，服務年限已超過廿五年以上。她把大半生的精力爲人羣服務，不計物質上的酬報，大有樂此不疲之概。她便是本文所述的劉蕙華女士。

新的生活始於中大

她出生在廣東東莞縣石龍鎭附近，那裏有一座精花塔，矗立在廣闊的平原上，南宋末年，熊飛將軍抵抗元兵南侵，便是在這裏戰死。因此鎭上的士人鄉慕熊將軍的忠義之風，大都有一股雄勁之氣，中立不倚，成爲南方之强。

當她在石龍中學唸書的時候，知道南丁格爾在克里米亞戰役救護傷兵那種大仁大勇的精神和事實，便悠然嚮往。不久她便到廣州肄業於中山大學醫院護士學校，一共學習了三年，民廿一年一月畢業，即在中大醫院充護士。到了廿二年六月，德籍的護士長歐麗孫辭職回國，院方即選拔她繼任護士長。原因是她在學習和服務期間不特得到教授陳翼平、余緒的賞識，而且獲到護士們的擁護，所以在短短的一年半內，便升到護士長的地位，担任了繁重的工作，這完全由於苦幹實幹得來。

出生入死中原戰區

七七蘆溝橋事變起，舉國動員作對日神聖抗戰，鄒海濱校長夫人梁定慧女士，組織戰地服務團，帶了華僑捐助的錢和藥到達前方，担任救護和慰問工作，她是首先報名參加的一員，出發到河南鄭州開封等地，出入槍林彈雨間，毫不畏懼，等到任務完成，才南歸。

日人南侵，廣州淪陷，中大遷校雲南澂江，她隨校遷徙，於廿九年到達昆明，仍在中大醫院担任看護工作。後來鄒校長臥病重慶，鄒夫人特向院方商量，調她到重慶担任鄒校長的私人看護。經過長期的療養，鄒校長的高血壓病果然好了許多。不久中大由澂江遷回粵北坪石，李雨生担任醫學院院長，到重慶極力請她回中大醫院服務，因院方極力需要一位熟練的護士人材主理一切，她便由重慶回到樂昌。

粵北救傷艱苦備嘗

民卅三年日軍企圖打通粵漢綫，粵北緊張，曲江、樂昌、坪石相繼淪陷，她率同中大醫學院一批學生和護士，走入湖南和廣西交界的一個荒僻縣份暫避敵鋒。恰好那裏有一所第九戰區直轄的九十三後方醫院乏人主持，主事者便派她充任該院的首席醫官，她以義不容辭，毅然担任下來。那時醫物缺之，她便利用消毒的鹽水來數治傷口，果然傷兵們的傷口，經數治後去腐生新，大收奇效。傷兵們爲子彈所傷，子彈藏在肌肉間的，她便利用簡單的器械爲他拔出，斷骨的亦費盡心機和他駁好。傷兵的心情是暴燥的，她便會合男女學生們唱歌慰勞他們，同時向他們佈道，使他們精神有所寄托，使傷兵的精神回復原來的平靜。後方醫院吃的是糙米飯和山肴野蔌。一些病好了的傷兵爲酬謝起見，便在小河裏捉些魚蝦供給這位傷兵之友和她的同伴。當她吃到這些魚蝦時，感激的眼淚，幾乎淌到碗上。抗戰勝利，她便回到廣州走上原來的崗位，但是留在那裏的傷兵，有些扶着拐杖，彳亍在山徑間，注視西沉的紅日，嘆道「劉醫官怎麼還不回來呢？」

慷慨輸血勇於救人

她是勇於救人的，她在樂昌醫院時，被服廠廠長蕭某的兒子患腸熱症，她自動輸血救了這位小孩。在中大醫院時一位職員胡某患胃潰瘍，病到奄奄一息，她亦自動輸血救了他。她嘗說她做學生時讀了戴傳賢校長寫給她們的格言：「救人、救國、救世。醫病、醫身、醫心。」她十分感動，因此願意把她整個生命貢獻出來。

她是虔誠的天主教徒，民三十八年九月，她便到了香港灣仔防務醫院，担任助理護士長直到現在。

編者 讀者

關於劉永銘及其他

編輯先生：我是貴報一個讀者，我近來聽到一些關於責備台灣的言論，我雖不願替政府辯護，但我也想借貴報篇幅說幾句公道話，想編者先生不至拒絕罷？

（一）香港現在是反共的最前線，所有反共人士在香港的堅持與奮鬥比我們在台灣的更爲艱難與危險，許多到過台灣的人，都聽到過政府當局這種讚許的話。有人說台灣輕視在香港的反共人士，是不合事實的。

（二）共產黨今天拍你的肩、膊，明天可能砍下你的腦袋。許多人怕他們的恐怖手段，偶見他們笑一笑，或拍拍你的肩膊，便覺得受寵若驚。台灣何嘗不曾邀請過海外人士來台灣看看，何嘗不禮待回來的人士。這是大家都知道的。但有些人說共產黨拍肩膊，便是夠氣魄，台灣拍肩膊，便是不夠氣魄。這似乎不是公平之論。

（三）有些人要到台灣，申請兩三個月或半年尚無結果，不免怨言。但我覺得，有人要到大陸，便不會有留難麼？共黨自己的報紙還不能進大陸，他們的氣魄又何在呢？

（四）劉永銘回大陸，有人責備台灣。但此事台灣事前並不知道，有關方面並通知台灣。劉到港後突然發表談話，不願回大陸去。他父子間的感情本來不好，他父親不願接他回台。台灣是自由主義的地方，不能勉強他父親，商量又商量，便就誤了時間了。我想此是總過份責備台灣當局的。

（五）有人說台灣未能維持粵劇人的生活，當然是一件事。但台灣只有一千萬人口，養了六十萬大軍，要政府拿錢維持他們的生活，確是難事。他們要到台表演，觀眾也不會多。台灣不能不度德量力，許多事不能辦，這也是原因之一。

我覺得，台灣在反攻大陸成功以前，有許多不公道的批評，都要忍受。一般看法，勝利了，甚麼都對了。失敗了，甚麼都不對了。我以爲將來反攻能打勝仗，才有話說。打不到勝仗，便很難用語言文字講道理，辯是非了。

讀者鳳靈敬上二月十八日台北

中共外圍組織 九三學社改組眞相

中共控制區內的附庸黨派，自一九五二年改組以來，均已在奄奄待斃的狀態中。進入一九五五年以後，這些黨派連像個樣的中央委員會（或中央理事會——民促）全體會議都未曾開過，一律改用座談會的方式，來執行中共中央統戰部的命令。

本月十六日新華社突傳出消息謂：九三學社第一屆全國社員代表大會於該日閉幕，並選出了：

一、中央委員會主席許德珩，副主席梁希，秘書長涂長望。

二、中央委員會委員共七十五人，內有王之相，王家楫，叶恭紹，孫雲鑄，孫蓀荃，勞君展，周培源，金克木，金善寶，陳鶴琴，茅以昇，俞平伯，袁翰青，陸侃如，單移今，游國恩，黃汲清，楊鍾健，葛庭燧，裴文中，潘菽，黎錦熙，盧于道，謝主惠，薛愚，戴修瓚，儲安平，魏建功，嚴濟慈等。

這是中共中央決定「加強團結改造」高級知識份子，統一戰線幹部針對這項方針所作出的第一項具體措施。

九三學社，原是由幾個有政治野心的僞貌學者如許德珩，梁希，涂長望等發起，和中共的特務如潘菽等在學術界中積極活動以後成立起來的。它是專以吸收學術界人士從事反政府的共黨外圍組織。國府退出大陸後，中共更是公開玩弄它，這對向不過問政治的一些學者，是一種引誘，認爲不失爲是進身替中共作幫閒幫兇的途徑而且熟人也多些，爲着要保持飯碗，於是紛紛的加入了九三學社。許德珩也藉此而獲出任了中共政務院政法委員會副主任；（現任政協教育組長）梁希且分到一個林墾部長（現改林業部長）；涂長望則任中央氣象局長迄今。

九三學社的組成份子大多爲學術界人，所以正當現在中共高倡「加緊團結改造」高級知識份子的時際，它就變成中共以「以夷制夷」，對付高級知識份子的工具了。

憶一九五二年九三學社改組時，只有中央常務委員十七人，中央委員二十七人，候補委員九人，共計五十三人。但這一次改選的結果，中央委員增至七十五人，其用意顯在將不屬共黨以外的高級知識份子全部納入九三學社，歸出此外圍工具統制改造，鬥爭之。

從中共的一些不完整的報導中，已可計出在這選出的，如叶恭紹，金克木，陳鶴琴，茅以昇，俞平伯，陸侃如，黃汲清，楊鍾健，戴修瓚等九人原非九三學社份子，是新加入的。但這九個新加入份子的唯一特徵是，他們一向是「人民日報」上經常出現的積極份子。至於他們是否已經秘密的加入了中共組織則無從查攷，但就彼等甘爲奴役來說，則已否加入中共是無關緊要的。

這次，中共對高級知識份子的加緊團斷，表面上是比較客氣的，從其必須假手一點來看，却意味着高級知識份子在過去對于中共的反抗是相當强烈的。

從理論上去研究高級知識份子之所以頑强反抗，是基于學術無自由，和其在學術界的影響力。但在這次經過擴大的「改造運動」後，其不低頭者，恐已難得，中共唯一的辦法是一切言論，出版機構皆爲其掌握，即使是反抗，也將無用武之地了。

•思愷•

徵稿啓事

△本報擬徵求下列諸稿：

一、三千五百字至七千字左右的短篇小說，不限體裁和故事內容。一經選用，優先奉送稿酬。

二、台灣及海外各地自由文壇的動態報導，作家生活素描及過去文壇珍聞。每篇以不超過五百字爲佳。

三、介紹海內外自由科學家、教育家、礦業工作者、實業家、醫護工作者的人物專稿。對象以現在從事於工作者爲最佳。來稿不宜超過一千五百字。關於軍政界人物稿件以散見各報者已多，請暫勿惠稿。

東德紅軍內部 發現反共組織

柏林盛傳，蘇俄特務二週前在東柏林破獲了一個紅軍內部的反共組織，紅軍官兵十一人已遭拘捕，據說他們與某西方國家情報機構取得聯絡，而協助他們建立這種關係的德人四名也已被捕。（白）

高級知識份子牢騷滿腹

馮友蘭等吐苦水

·小言·

某一天，北平「人民日報」先後到了幾位稀有的客人，他們是，石景山鋼鐵廠總工程師安朝俊，北大東方語文系主任季羨林，中國協和醫學院的外科主任吳英愷，和「哲學大師」馮友蘭。他們四位本不相識，先到的是安朝俊，他最守時，這是工程師的科學規律，繼之而來的是季羨林，吳英愷到的時候已經超過了預定時間五分鐘，他解釋理由是因為剛參加了一個「社會活動」，散會晚了，所以遲到。但是當他們正要坐下來談的時候，却發覺大師馮友蘭還沒有來，不等既不好，等又不好，結果決定是邊談邊等。

利用「吐苦水」摸底牌

這個座談會借的是「人民日報」的一角，沒有人敢在黨的面前講怪話，所以黨不必再派個代表來主持。當然，黨既召他們四位高級知識份子來，當然是有目的的，為了要達到完成改造高級知識份子的任務，必定先要向這些具有「高級頭腦」的人了解情況，要了解他們的情況，就要給予相當程度的自由發言的機會，也就是說，要讓他們有「吐苦水」的機會，黨是一慣以從別人的談話中若水中和牢騷中來作摸底工作的。因此，這次還是沿用慣技，來摸他們四個人的底。

黨交下來的談話主題是關於改造高級知識份子的問題，這是大師馮友蘭來了之後，大家才搞清楚的，所以大師一張嘴就得意地說：「我之所以遲到，是因為去見了周總理，他說：黨為要緩和一下高級知識份子對黨的緊張關係，特向我們四位了解關於這個問題的意見，以便作為示範，他並且說，希望大家暢開來談，無須有所顧慮。」

大師說完，其餘三位感到有些憤慨，彼此看來看去，誰也不想先開口。

知識份子「妄自尊大」

由於大師是剛剛看見了「周總理」的，顯然在四人中的比重增高了，他於是先開口：「知識份子是妄自尊大慣了的。我自己這個缺點就很大，既然黨要改造我們，我想乘這個機會把這毛病徹底改掉，不過，現在我還想乘此機會，作一次最後的妄自尊大，各位既都不願表示意見，還是我先說吧。」

但是安朝俊却搶先了一步，他說：「工業第一，是黨的原則，所以還是由我先發言」。

馮大師畢竟是唸書人，雖然一向妄自尊大慣了，但這會却以準主席的身份表示了謙讓。

共幹不信任技術人員

於是安朝俊衝動地說：我首先要提出來的是「有些作領導工作的黨員幹部不信任技術人員」。他這話剛說完，就觸動了吳大夫的心，他想起了幾年前在南京大學（即中央大學）醫院內發生的軍級幹部不信任留美醫師替他開刀診治的事件，但他沒有開腔，聽安朝俊繼續地說，「比如，一個計算，却找兩個技術人員同時作，看誰的對，結果后一位又去問前一位，要前一位感到黨對他不信任，工作情緒馬上低落下來。用錯誤的態度對待高級技術人員，傷了他們的感情。」

季主任一聽，心裏也難過了，他說：「就拿教授來說吧，在解放前，他們願意開什麼課，就開什麼課，願意怎樣講就怎樣講。在大學裏，他們是教授；在社會上，他們是名流。但在今天不同了，要有計劃，要有組織，要有大綱，又是批評，又是自我批評。辛辛苦苦地用了半天力，結果召來一大堆意見」。

比唐僧還多一難

吳大夫至此，也忍不住了，他說：一點也不錯，在我們醫學界，這問題也是嚴重的，「有些專家在思想上有顧慮，對新療法，新手術不敢開展，怕出問題。還有不少人怕被人戴上『單純技術觀點』或是『脫離政治』的帽子，因而不顧強調技術發展的重要。這些情況確實使高級技術人員在發揮技術領導作用、提高醫療教學和研究工作上遇到很大的困難。」

「因此」，吳主任激動地說：「對一個舊知識份子來說，恐怕有這樣多苦難，比唐僧的八十一難還要加上一難，知識份子應該垂頭喪氣，愁眉苦臉才對。」

吳主任語出驚人，不禁使馮大師也肅然起敬了，看了他一眼，但吳主任却會錯了意，以為大師看他是警告他，而他也覺得自己講溜了嘴，於是他轉了個彎說，「然而不幸……」正待接着說下去時，這位工業第一的安朝俊插了一嘴，他說，「季先生你不必再往下講了，總之，黨的幹部對於技術人員的幫助和教育還不夠，因此，使得一部份技術人員感到黨的溫暖不夠。」

在這個問題上，馮大師沒有講話的機會，因為人家一開頭說的都是技術，於是他想到了用大家都關心的題目——生活問題。

工資等級想不通

馮大師說：「需要適當地調整一部份人的待遇」問題，在我看來是也值得重視的。因為他心裏早就對馬寅初的一級待遇感到不滿了。在他認為做校長和做教授，兩者間的待遇不應差得太大。他說：「在過渡時期，各方面都應該節約，這是教師們都想得通的。但有一點他們還想不通：他們覺得，在待遇上學校的負責人，跟他們的分別似乎太大一點。工資表上的確規定，教師的工資只能到第四級。一、二、三級是專為主要負責人設的。雖然有特級之說，可是事實上還沒有人享受到這種待遇」！馮友蘭越說愈火了，他說：「教師們也不是要講平均主義」（他記起了列寧曾說共產主義不是平均主義的話），「可是他們覺得這樣似乎也不完全合理：他們覺得，他們跟主要負責人勞動種類不同，不見得一定要比主要負責人低三級」！馮大師又再次強調地提到「低三級」這個問題。並且又看了看季主任。

家裏和辦公室都嘈雜

對於這個問題，季主任不好表示什麼，因為他也是北大的教書匠，而且主任的待遇當然比教授要高，至於他拿的是幾級待遇，在座的吳大夫和安老總也不便研究。

但是在待遇問題，安老總也不是沒有意見的，他說：「在行政上就不能強調一律待遇」，或許還說得通，但「在住房等等問題上應該對技術人員的特殊困難加以照顧」，他以他的情況為例說「家里的地方小，加上孩子叫鬧，為了學習，必須跑到辦公室去。而辦公室也是地方小，人多，很亂」。

馮友蘭心想居然在生活上大家都有同樣的問題，於是接下去就說「買書是讀書人的一種快樂，可是很多教師不能有這種快樂」，原因是：「能買書的人的問題是買來放在什麼地方？十幾平方公尺或幾十個平方公尺的地方，除了人住之外，再找書住的地方，就困難了。」還有，他又說「現在大學教授的生活比解放前好多了。但是，如果沒有過去的儲蓄或者是稿費的貼補，而家裏的人又多一點，生活還是很緊張的。有些人還要作些家庭瑣事，很多人沒有餘錢買書。」

三大系統不通氣

馮大師不愧是哲學泰斗，他居然從住房子嫌小談到書，又從書談到錢！錢多錢少，歸結起來就又回到待遇的總問題上去了。

但盡是講錢，在清高的馮大師來說，是有傷他的尊嚴的，於是他又開了一砲，他說「現在使用高級知識份子的有三大系統——高等教育部、文化部和科學院。這三大系統好像很難通氣，有些人工作很難得到適當的調整和安排。」馮大師說這話其實是犯忌的，因為他忘記了站在毛澤東像面前發的：「人民須要我到那裏我就到那裏的」誓言了。

待遇問題、生活問題談完之後，他們四個人都像是輕鬆了許多，即使是發牢騷，也要有限度，好在最重要的待遇問題已經提到了，於是他們都沉默起來，吳大夫表示還要回去搞「社會活動」須要先走，馮友蘭也覺得須要趕回去做「家庭瑣事」，在二個人表示要走的要求下，他們的座談會結束了，而在一月十二，十三，十四和十五日的「人民日報」上，却分期登了他們四人署名的文章，一致表示擁護改造。

港大入學試——

中文增加第四試卷

【本報訊】香港大學入學試，中文試卷將有改變，本刊前此，已略有報導，頃悉，此項改變，港大當局，業於本月廿日正式通函各英文中學，辦法大致如下：

從一九五六年起，高級及普通級中文試卷，將增加第四試卷，合以前第一（中國文學）第二（作文）第三（翻譯）試卷、共成四種試卷，其意義，即第三試卷不再成為入學試之必需試卷，考生對第三第四兩試卷，可以任擇一項，（第一第二兩試卷仍為必需試卷）。

第四試卷之標準範圍如左——

高級中文部份

就試卷一所提出之中國文學問題、再提出若干有關問題，特別注重作者之時代背景，權威作品，著作時間，及與作者同時代之有關著作，以至此等作品在中國思想上文學上所佔之地位。此外還要加上有關文法，文字學，及修詞學等的問題。

普通級中文部份

就試卷一所提出之中國文學問題外，再提出若干有關問題，特別注重作者之時代背景，權威作品，著作時間，及與作者同時代之其他有關著作。

按以上所稱第一試卷，係就港大出版之「中國文選」上下兩冊命題，換言之，第一試卷係就該兩書所選之各篇文字本文提出若干有關中國文學之問題，試卷四，則就該兩書每一篇文字之後所附之題解及註釋以提出若干問題也。

港府否認廣九路通車說

反擊共黨宣傳

柯林

最近廣九鐵路恢復直通班車的消息又甚囂塵上，像煞有其事似的，本港一張中立的晚報也說，據該報「廣州方面靈通消息」，停頓了七年的直通班車將於四月中旬兌現。

翌日的南華早報曾引用該晚報的報道，但隨又表示了政府當局的態度，透露政府新聞處的聲明，證明這一則「靈通消息」的不確。

通車牽涉政治問題

有資格的人士都一再指出廣九直通班車的恢復，牽涉於政治和本港內政的兩個大因素，由於香港政府始終無意放棄人口入口的限制管理，足以證明其對直通班車自不會有濃厚興趣，而國際的外交和政治情況，也使香港政府對於這個問題必須作最後慎重的處理，因此在短期內，尤其是所謂四月中旬，恢復通車的可能性是極少的。

儘管在香港發刊的左翼報紙始終沒有提及直通車這個問題，但我們有理由相信，這一項恢復通車的消息是中共這六年來的所不曾或忘的一個幻想，一直到最近，他又藉客觀的形勢，提出了這一種試探。

誘騙僑胞進鐵幕

由去年所謂「蘇展」開始，中共即採用了懷柔的手段，誘騙海外的僑胞進入鐵幕，無可否認的，這一個攻勢獲得了若干成功，至少是宣傳上預期的目的，由於很多離鄉六年的僑胞，都想一返鄉下探望其親友，因此絕大部份返穗參觀「蘇展」的目的，祇是探望而已。然而，中共對這一點毫不予理會，他們祇注意返入鐵幕的人數。

緊接着的春節還鄉，以後又是一連串所謂「捷展」和「農展」歡迎港澳僑胞參觀的辦法，其藉口雖有不同，但目的則一。

企圖造成客觀要求

中共配合這一連串的攻勢，企圖造成一種客觀的要求。就是因為香港政府管制人口入境的手續與及火車的未有直通，使回鄉的人感到極大不便，而希望出入口手續的簡化和火車的恢復直通。

當這一種要求，得到若干反應後，中共又開始了他的第二個策略，就是無條件與無限制地准許僑胞入口，淺薄和不理解中共陰謀的人，就很容易將一切麻煩與不方便的責任，在中共的宣傳下，都歸咎於香港方面，而進一步對當局加以指責。這一項指責是中共的陰謀，不單在於火車的直通與否且及於其他方面。

中共陰謀昭然若揭

但如果不是一個極其衝動的僑胞，他便很容易明白這不過是中共的計謀，而中共對恢復直通車問題未有誠意的表現。首先，我們看到中共是技巧地所謂放寬入口的限制，但他為什麼不放寬鐵幕內人民出口的限制呢？很容易看穿：中共始終沒有對任何一個已受到七年特務和恐怖統治的人民加以信任，他知道放寬一個大陸的人民出口，對他的宣傳更加上一層不利，因此不啻中共的宣傳如何，他無論其對入口如何准許，對急欲離開大陸的人民，却始終不放鬆一個。

對共區失轉口港價值

如說中共有意恢復廣九兩地的正常交通，它的管制人口出境，便是一個明顯的反證。然則中共什麼時候才准許人口隨意離境呢，那是不可期待的。在香港方面，人口已達到飽和點的今天，同樣是不歡迎有過多的人自鐵幕後湧來，那是誰也知道的事實。至於貨運方面，在香港執行聯合國禁運下，固然對直通的貨運不會感到迫切的需要，即使禁運有放寬的一天，對香港說來，並沒有很大的轉變，因為一般說來，香港對中共已失去了轉口商埠和市場的價值。

對共談判毫無結果

而中共為什麼一再放出直通車這一類的聲氣呢，這不過是造成一種心理影響而已，事實上，這種心理影響的工具，中共已做了不少了，恢復這七年的中段通車還是渺渺無期。

廣九鐵路自宣統三年（即一九一一年）通車以來，在此四十年之間，發生幾次停車事件，顯著者，係省港大罷工，及日本佔領廣州時期，以及此次中共之統治廣州，而中斷時期最長者，則以此次為甚。

香港當局與中共當局，對於九廣鐵路利益分配問題，曾於一九五〇年初，雙方曾提出新意見，香港鐵路局長杜利華氏，並且因為「復通」談判，而幾次到廣州去談判，但結果因中共不肯放棄自己「立場」，談判未能達成協議，由此一直擱置至今。今天由於環境的轉移，彼此的要求亦復不同，但通車的不獲協議依然是不變的。因此一般人以為四月中旬恢復通車的說法，祇不過臆測之詞而已，因為這不是時間問題，而是基本的政策問題。

推行庸醫政策

視人命如草芥

·沈　著·

中共謂庸醫殺人是醫療事故。但事故之多，由於各地醫院的層層包庇隱瞞，已至無法具體統計的地步。以熱河省「第一人民醫院」為例，僅婦、喉兩科在去年七、八兩月間被揭發的即有五起之多。據「人民日報」載：一個懷雙胞胎的孕婦到該院診療時妄被診斷為「單胎橫位」，當即連續粗暴地施行了三次倒轉正位手術，結果造成流產，致胎兒被害，孕婦受傷。又一個懷胎兩月，突然發生腹痛，血壓作持續性下降的孕婦到該院急診時，該院的「醫療幹部」——正在忙着下棋，等待很久以後纔由一個婦科大夫隨便看了一下，估計為「子宮外姙破裂」，即命護士替病人注射了兩針青黴素，即命病人回家。病人回家後病況即轉重，待再送到該院時已告氣絕。又該院大夫為兩個孕婦刮子宮時，均未注射縮宮劑，施行手術時，一面與人閒談，漫不經心，致結果刮破了子宮，漏出了腸子！其中一人，且被剖開小腹，切去了一段腸子。對因食物梗塞食道的婦人則診斷為「食道癌」，並宣佈此為「絕症」。其荒謬竟至於此。

「人民日報」對各地醫院庸醫殺人事件也已坦率地認為是一種「一見病人，即準備發生事故」的惡劣風氣。而更惡劣的是在發生死亡後，病者的家人傷心啼哭時，還常常遭受醫療的幹部的嘲笑奚落，此實為無心肝之具體表徵。

自由談

大哉問！

馬五先生

上期本報台灣通信，報導近有立法委員向行政當局提出一百個問題的書面質詢，這可謂開創議會質詢案件的新紀錄了。

學稽百問的內容，都是關乎國計民生的事項，言之有物。幸而被問者尚未如張公之百忍，笑而不答，當場除表示交與各主管部門研究外，還說明了兩項答案公式：一是政府各部門權責不清的毛病，早就切實感到了，且已設置委員會從事研究，今後當然更懇切實研究。二是政府所有的官吏，都已經將精神才力貢獻給國家，至於他們是否人才，那要等待後世歷史家的客觀判斷。這三點口頭答復，等於沒有說，也就是廢話一堆，毫無意義。

最妙是那第二項答案公式的解說，官吏在職時之才與不才，當時目擊事實的人却不能判斷，而且决非客觀之論，一定要等後世歷史家來鑑定才行。這意思就是說：現在政府供職的大小官吏，個個都是人才，民意代表說他們非人才，那是主觀之見，非經過將來的歷史家審核不可。這叫甚末話？至於明知政務有權責不分的弊害，而要特設機關來長期研究，這亦是莫測高深的玩藝。如果弊在法制，即可送交立法機關改善，如其病在人事，則大家遵守紀綱，知恥自愛就得了，還值得長期研究嗎？

我認爲這百問案實是多餘的。按照那一百個問題的內容來看，整個行政機構，有如一部笨重且已生銹的舊機器，而管理不得其人，光是換換螺絲釘，擦些機油，那是不頂事的。所以，問的人覺得很嚴重，答的人當伊嘸价事，徒然枉費脣舌，災梨禍棗而已。民意機關對政府官吏的質詢權，如無不信任以相配合，結果就祇是孔老夫子所說的兩句話：「朋友數，斯疏矣！事君數，斯辱矣！」

新正劇事話台北

張瘦碧

踏進了農曆新正之後，台北的劇事，開始活躍起來。無論平劇、話劇、越劇、電影，以及本省著名的歌仔戲，在整個市區裏，展開了十分熱鬧的演出，每一家場子，總是擠滿了各色不同的觀衆。

已往台北市沒有固定的演話劇的場子，去歲新世界電影院，經改裝修飾之後，完全配合演話劇及平劇之用，在年前趕完了這項工程之後，於二月十五日戲劇節開始，由中央話劇運動委員會輔導下演出名劇家李曼瑰所編的「漢宮春秋」。該劇係五幕古裝歷史劇，取材於「王莽篡漢」和「光武中興」的史實，編成五景十場，經名導演家張英暨自由中國第一流演員，王珏、夷光、古軍、羅頻、藍天虹、王麗樹、李行、高明等二十餘人通力合作，演出之後，深得戲劇人士的讚許。

平劇方面，自顧正秋張正芬相繼輟演之後，平時已無固定的平劇場子，祇有偶而在義演或勞軍的晚會上，來一個節目，聊作點綴而已。新正之後即由環球聘請義記劇團先演四天，由徐燕俠、趙君麟、陳鑾良、李小棠，排演精彩節目，四天之中，當以金錢豹、蝴蝶夢、懷都關、大長坂坡、辛安驛、打槓子、狄青招親、薛仁貴征東，這些戲碼，都相當扎硬，平時一般名伶名票，很少露演，因此使戲迷朋友，大感興趣。自十六日起，又另聘刀馬旦金牡丹登演，以劉玉麟、朱殿卿、王壽奎、于金驊爲副，相信仍可維持一個時期，總之，平劇場所以不能持久的原因，係屬票價低，開支大，因每演必虧，致使誰都不敢輕于嘗試了。

電影的熱鬧，一直是露鋒芒的走勢，一過去排隊擠票，始終爲黃牛把持着，使眞正的觀衆，大傷腦筋，如今已整日購票上場，黃牛已無法再施其巧技，在電影院附近街頭，整天萬人攢動，擠得不堪，有些院子，原來每日演出五場，如今以生意太好，竟有演至七場者，看本電影，比較最爲經濟，尤以軍公教人員，多去照顧。

越劇方面，在目前台北市，祇有如意劇團一家，由越劇皇后吳燕麗領銜，陳淑華爲副，日夜兩場，號召力亦不太弱，經常在門口掛起客滿牌子，在萬華、延平等各地小型戲院，則由本省歌仔戲，分別演出，如能聽懂台語者，前往一聽，那末也很有意味。最近政府鼓勵地方劇比賽，此項歌仔戲，也出過了許多風頭，不能算壞。

冷飲的弊害

患高血壓者應注意

丁懿安

冷飲（指經冪藏之飲料）在暑天或熱帶亞熱帶區域，爲日需不可或缺者。其利弊，一般人雖能知其一二，但其成爲問題值得討論者，實因我國人絕大多數之體質與其他國家人民不同。其可能發生之弊端主要者在於其低溫對于人體所生之影響。此種影響，可分兩項言：

引起消化不良　胃壁係平滑肌肉組成，能自動而有節奏之收縮。因其收縮之速率甚緩，然恒久不倦。惟此項有規律之收縮，係以有適當之溫暖爲其要件。一旦胃壁遇冷飲中近于攝氏零度之低溫刺激，因極度之收縮遠逾平時之程度，刺激次數增多後，胃壁經勞於頻繁之反應逐漸呈疲態，縱於刺激消逝之後，亦難回復原狀。由是，胃之機械動作漸失正常，以致發生消化不良，所引起之後果，約有下列數端：

甲、不易使大塊食物粉碎，致難與消化液多接觸，因之消化遲緩；

乙、未能將胃內之食物不斷攪拌，致難與消化液徹底混和，因而消化工作無法順速進行；

丙、未能將胃內之物體繼續向前移動，而致積滯。

進而引起中痰　其因經常冷飲而致使消化液喪失其功能，令消化液中所含「酶」（俗稱酵素）之分解食物之活動力受到影響，甚至停止後，可使消化作用完全停頓。如是，不僅養分不能吸取；復因消化中途之生成物如糊精等停滯胃內，即形成痰濕病象。於體態肥胖或患高血壓或年老者，則可引起中痰現象（按中痰現象，西醫學列入腦溢血症，中醫學歸入類中風症。其來也驟，目前尚無根治有效藥劑）。中痰之原因固多，但若冷飲成習，就國人體質而言，實爲誘因之一。攝生者宜留意之。

奉贈邵陽尹公兼呈吳縣汪

續熙先生

郭敏行

我欲逢人說項斯，豈因私淑故諛詞？羣言狂激爲公病，幾輩昂藏作士師？抱義翻成千古恨，守身猶悔卅年癡。劇憐歲暮紛搖落，唯有寒梅戰雪支！

次和前韻

瞿荊洲

祇信天之未喪斯，縱蒙不白亦無詞。虬髯冠絕由誰主？月旦評高即我師。慧業從來多孽障，閒愁自是有情癡，還將呂氏遺書讀，大廈全憑一木支。

竹幕裏的小學教師

・牛布衣・

十年後還剩幾人？

共黨佔領大陸時曾宣傳說：『十年後，中國將變得康樂富裕。』那時我們心裏還懷抱着希望。

其後五年，中共發表關於人民健康的報告說：『教育人士染有肺病者佔全數百分之八。』那眞是教育界的一個大打擊。如共黨眞能於十年後把中國變得康樂，十年後能够不死於肺病，保存生命，來享受這種富裕生活的教育界人士又有幾人？

某小學數學教員不勝感慨，出了這樣一個算術題給學生計算：『小學教師一千人，每年死於肺者八十人，問十年後生存者幾人？』第二天，這教師便告失蹤。我們知道，他是給共黨送去「勞動改造」了。

這數學教員的習題正表現了每一個教師的心情。假使共黨在十年後眞使中國富裕了，花生和蓮子再在市面出現，教員中又有幾人能捱過十年飢餓勞作而享受花生呢？

肺病在小學教員心裏是一種不治之症。道理很簡單，染上肺病，馬上就失業。沒有錢治病，沒有營養，加上心情惡劣，結果只有一死。

午睡的藝術

我們最傾慕諸葛亮，他躬耕南陽時，劉玄德三顧草廬，第三次遇得他在家，可是正在午睡。好久才醒，口裏唸道：『大夢誰先覺』，才慢慢地爬起來。這多悠閒呀！

我們當小學教員的每天工作十八小時，能够有空閒的時間午睡嗎？

我是「解放」後第二年當教師的。教書不久，一次踏入教員休息室，聽到一位同事在那裏談『午睡的藝術』；看見我進去，話柄停了。我問他們什麼是午睡藝術；他們笑而不答。

教書沒有幾個月，精神支持不來。一天晚上學校裏開鬥爭會一直到天亮。第二天下午，眼睛有些張不開。午飯後第一課我囑學生溫習功課，想坐在椅上稍爲休息。那曉得身不由己睡着了。後來班長跑來搖醒我，說已經下了課了，我才曉得我在課室裏足足睡了四十五分鐘。（三）

同光風雲錄

彭玉麐（下）

嗣剛直奉旨，戴罪立功，一鼓收失池而敗强敵。當其初撫皖時，追念前恩，遂使請謁佬，命坐，問願爲官否？老人曰：『無知野人，安敢竊佔官位，以貽誤國事耶？但得草莽業，永爲望江人操舟足矣。』區區鄉民，守分安命，以視今日，因緣時會，安竊高位，病國殃民者，不可同日而語矣。

私巡關卡小改積弊

湘軍以餉糈不濟，抽釐助餉，故各關卡暴斂橫征，所在皆是，商民深苦之。一日，剛直布衣草履，乘小舟，過某卡，卡役向其索規費，剛直曰：『舟空無貨，安得有費？』役曰：『貨有稅，船亦有稅，爾既有船，不論貨不貨也。』剛直仍以無錢懇免，役大怒，扣其船欲撻之。未幾，剛直衛士兵，立令斬役，各處聞風，積弊爲少革。

李鴻章覆書謝除害

剛直以欽差大臣，巡至皖，合肥李相國，方勢盛，猶子某，仗勢，時奪民間財物妻女，官不敢問。有詣剛直密訴者，乃以刺請某至，謂之曰：『有人控爾奪其妻，有之乎？』某自恃勢無恐，直應曰，然！，剛直大怒，命笞之，而府縣官皆至求情，撫藩亦持手本請見，剛直一面延見，一面陰囑衛士速斬首，巡撫尚在客堂，而衛士已持某頭繳令矣。剛直乃移書李相國曰：『令姪實壞公譽，想亦公所恨也，吾已爲公處置訖。』相國惟覆書謝之耳。

岳二官殉情報相知

剛直有印章曰：『英雄肝胆，兒女心腸。』凡畫梅，必鈐之，蓋有所託也。剛直寓西湖時，偶緣岳姓小女，名二官，有：『但願來生再相見，二官未嫁我年輕』之句。未幾，剛直薨，二官亦尋卒，有好事者代二官答詩云：『侍郎自雪僊詩甕，小女梨渦暈渥丹，私祝來生眞相見，枝頭梅子莫青酸。』可謂恰到風趣矣。

湖山英雄亦善詩

剛直詩才甚健，不事點竄，而自然高妙。惜無詩集行世，而片羽吉光，流傳於世者，亦復不少。如收復小姑山詩云：『書生揮指戰船來，江上旌旗曙色開。十萬健兒齊奏凱，彭郎奪得小姑回。』何等風流蘊藉。相傳剛直撰莫愁湖聯，上聯既就云：『王者五百年，湖山亦有英雄氣，』一時思索不得下聯，適薛時雨過訪，代續云：『春光二三月，烟花合是美人魂。』豪情風韻，相得益彰矣。（七）

夢山樓

美前駐盧女大使替小拿破崙做媒

自從摩納哥的國王賴尼爾與好萊塢女明星嘉麗絲姬莉訂婚後，法國的拿破崙親王成了歐洲最出名的貴族獨身漢。他是拿破崙一世的第五代姪孫，現年三十歲，風流倜儻，最近他遊歷美國，應芝加哥社交名流前美國駐盧森堡女大使梅絲泰之邀，參加她的雞尾酒會。女主人突然問他：「你也喜歡討個美國女郎嗎？」拿破崙含羞地答道：「也許。」梅絲泰立刻表示，願意替他做媒，把可能參加此次總統大選的最高法院院長華倫的大女兒浮姬妮亞介紹給他。她說：「一切交給我來辦！」第二天她雖然說當時祇是講笑，却暗中安排了一個派對，把拿破崙和浮姬妮亞都請來。同時還請了一些青年男女做陪客。（林）

雜談作家的筆名

紅纓槍

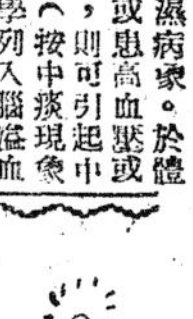

作家的筆名似乎與孩子的命名的道理相反，孩子通常的命名，多數是採用好字眼，作家們似乎有與衆不同的喜愛。

像趙滋蕃、任穎輝、黃思騁、王世昭、劉念眞等。屬于穩健派，以原名做筆名。至于女作家，像張愛玲、陳香梅、王潔心等筆名，眞正有點閨閣氣味；李素、沙千夢、許瑾等，却完全是一些作家的名字而已，潘人木、蕭歸來、格林等，則很少女性氣息了。

有些女作家的作品，喜歡在封面上印上一張自己的照片，或者印上「女作家××著」或「××女士著」的字樣，這情況似乎並不是爲她的作品，而是拍賣作品以外的其他，這眞是「文壇」裏的怪現象。

作家的原名，說起來難免帶有傳奇性，徐訏原名就不是這個，但是他近來却愛在名帖上印上「伯訏」兩字。齊桓的原名是「孫述憲」。馬五先生的「雷嘯岑」，讀起來氣魄甚够；徐速的「徐直平」，却有點與三國演義裏的人物徐元直相彷彿。男作家女性化的筆名甚多，像公孫嬿、葉霞鳳、穗珊等就是一例。

外國化的筆名著名的似乎也有幾個，專寫詩的貝娜苔，「洋」得厲害。路易士這個名字也有一男一女同時採用，台灣前些時鬧笑話那位「愛德樂佛」更無論矣，如果把王爾德、高爾基這些人的籍貫和上述的幾位掉換一下，看起來，也有許多人會相信呢！

某雜誌曾以作家名作燈謎謎底，像以「安步當車，請行快的」射徐速，「東方午夜無顏色」射李素，頗得製謎三味，至于以「太監」爲謎面射一位寫文章的朋友夏秋冬，和「分屍古刑」來射馬五先生，簡直謔而近虐了。

採用複姓來做筆名的爲數頗不少，常見的有上官牧、上官寶倫、司馬璐、司徒明、慕容羽軍、夏侯無忌、南宮搏、皇甫光、東方白等，不明眞相的看起來或許以爲這些人都是北方大漢呢。其實這些人是不是全都複姓？答案當然是絕不。

自由人
THE FREEMAN
（第五二一期）
中華民國僑務委員會
細登記證台敎新字第一零二號
中華郵政台字第五〇〇號
執照登記爲第一類新聞紙類
（半週刊每星期三 六出版）
每份港幣壹毫
台北市售價台幣壹元
督印人：陳文華
地址：香港高士威道二十四號四樓
3 rd. fl. 20 CAUSEWAY RD
HONG KONG
香港發行及業務接洽
高士打道66號 電話：七四〇五三
承印者：東南印務出版社
地址：高士打道六十四號
海外總經銷
友聯書報發行公司
香港：德輔道中二十六號A二樓
台灣特派員辦事處
台北市館前街五十號
台灣總經銷處
台北市西寧南路壹叁零號二樓
台郵撥儲金戶九二五二

個人主義和民主政治

·陳克文·

（一）

近讀李濮生先生著「我不識字的母親」，有一段記他去年遊美，看到美國許多老年男女晚年的生活。他發了一段感慨說：

『美國的倫理和中國不同。中國提倡父慈子孝，是連在一起的……美國人是個人主義，提倡的道德，都是一戳一戳的。他們只有父慈母慈這一戳，沒有子孝女孝的連帶關係。做子女的到了獨立的年齡，就離開父母……他們發了財，也可以捐大筆錢辦學校，辦醫院，辦教會慈善事業，但不會想到父母年紀大了，要人侍候，應該接到自己家裏同住，或僱人去照料他們。他有很好的收入也寧可讓老年的父母住在養老院。』又說：『他們會很高興去選舉模範母親，在母親節的一天，也會很關心地送母親禮物，請母親食一頓飯。他們和雞狗不同，就是他們會選舉，會送禮物。但選舉完了，母親節這一天過了，也就漠不相關……在中國人看來是很奇怪的。所以年紀大的父親或母親寡居以後，就非常孤獨，非常寂寞。……在中國「樹欲靜而風不息，子欲養而親不在」是人子多麼遺憾的心情，在美國全沒有這一回事。』

這一段話，自然是美國老年人的普通情形。在中國人看來，眞是平常慣說的一句話：「人情薄過紙」，很令人覺得寒心不過的了。

不過濮生先生也看出這是美國倫理和中國不同的結果。既是倫理觀念不同，則在中國看來，雖覺得奇怪，在美國看來，自然也有他們合情合理的地方，無足爲怪的了。

（二）

前幾天和一位留美多年的朋友閒談，說到他的兒子想到美國讀書，因爲個人經濟能力所限，很費躊躇。他說，想不到一個美國朋友知道這事，直接寫信給他兒子，鼓勵他兒子去，並說他可以盡力幫助，幫助的辦法，是他可以借錢給他（兒子），等他書讀完了，有能力賺錢的時候，分期歸還；利息很低，也可不要利息；萬一他夫婦早死，這一筆債務也就取銷，無須歸還。

我們研究爲甚麼這位慷慨的美國朋友要採取這樣一種曲折奇異的方式，來幫助一個異國青年朋友？結論是——

第一，這位美國朋友不願意對朋友市恩，損害朋友的自我尊嚴，所以不肯直接對朋友表示，借錢給他的兒子。

第二，也不願意對一個青年人市恩，使青年人損害他的自尊心，或因此使他產生一種依賴性，以至失去個人獨立和負責的精神。因此，他的幫助方式是借錢，是必須歸還的借款。至於到有能力賺錢的時候才分期歸還，無息或低息，和他夫婦死後，即無須歸還，也就表示這次債務不是一種無力償還的負担，或終身還不了的可怕債務。

（三）

這解釋大概是不會錯的，是可以十分符合美國道德觀念的。這便是濮生先生所說的「個人主義」了。個人主義的重要精神，是個人的獨立人格，自尊心，與個人的責任心——負責精神。個人主義不僅自己要獨立自尊，也要尊重他人的獨立自尊。一個人有意的去破壞或壓迫他人的獨立自尊，固爲道德和法律所不容許，即使是無意的，或出於善意的行爲，如果影響到他人，尤其是青年的獨立自尊，也爲道德良心之所不許。這便是形成個人主義在西方社會根深蒂固的廣泛偉大力量。這一位慷慨的美國朋友爲甚麼要採這樣轉彎抹角，在中國人看來很不痛快的方式，其原因便在於此。

中國觀念，朋友有通財之義，扶植青年求學，更屬義舉，祇要動機純正，社會便一致稱許。但因爲我們沒有「個人主義」的道德觀念，因此便不會有這些考慮了。

我們平常看見，西方人父子計算飯錢，朋友各自會賬，總覺得不順眼，但在他們的傳統道德觀念說，是很自然的，是天經地義，心安理得，無所用其愧歉的。在中國人看來，老年人的晚年生活，沒有家庭溫暖，往往於公開嘈雜室裏，覺得悲哀，在他們看來，老年人還是要保持他們獨立自尊的個人主義呢。

（四）

現代民主制度，基本的道德觀念，可以說是淵源於上述的個人主義的。有了個人主義——個性尊嚴，人格平等，獨立負責，才有所謂民權，才有所謂一人一票的自由選舉，然後才有所謂眞正的民主政治。梁漱溟先生在十年前曾說過，西方的選舉是要競爭的，和我們的社會傳統禮讓爲國的觀念不相符合，因此競爭選舉的民主政治在中國是行不通的。他的理論產生，也便是看出我們的道德觀念不是「個人主義」的觀念。我們的民主政治至今還沒有穩固基礎，不能不說與此大有關係。

我不是說，我們的傳統文化絕對不適宜於實行民主，更不是說祇有澈底採用西方的「個人主義」才可以實行民主。乃是說民主制度是有其道德觀念的基礎的，忽略了道德觀念的基礎的，必然要發生障礙的。故我們必須對個人主義的眞諦，及其產生的歷史和影響，能有深切的了解，必不宜採取鄙薄和排斥的態度，才能取其所長，補吾所短，才能形成我們民主政治的精神基礎。

西班牙的學潮

佛朗哥政府受公開反抗

西班牙內戰期間，馬德里的大學城曾發生過一場決定性戰爭。戰後，佛朗哥在這歷史性大學的廢墟上建立了一個新的學術中心。爲了防止古老自由傳統的復活，他成立了一個「西班牙大學協會」，作爲西班牙唯一政黨長槍會的一系，每一學生都必須參加。

在二月中，即大學城戰役後的十七年，這裏又爆發了對佛朗哥政權的嚴重公開反叛，且在三日之內蔓延馬德里全市，引起激烈暴動。

（下轉第三版）

美中東政策在蛻變中

·胡養之·

上月艾登與艾森豪的華府會談，主要的討論題目便是如何挽救中東的危機？結果美英政策雖然有若干歧見，但在大體上還是一致的。

本來美國對於中東的政策，差不多一向都採納英國的意見。第二次大戰結束以後，美國發現自己變成英國的夥伴，分担決定中東政策的責任，這一來，眞令美國感到手足無措，因爲美國與中東素昧生平。

對石油感覺興趣

當二次大戰開始的時候，美國恐怕石油缺乏，對阿拉伯所蘊藏的石油，感覺興趣。一九四二年德國名將隆美爾在非洲長驅直入，幾乎佔領了中東油田，把英美嚇了一大跳！結果美國遊說沙地阿拉伯國王，要求他准許美國租讓油權或是敷設油管，由阿拉伯直通地中海。這兩件事都沒有成功，可是美國爲表示好感起見，曾以一千八百萬元的物資租借與阿拉伯。

戰後美國對中東的興趣，仍舊是石油。歐洲石油大部由伊朗、伊拉克，及阿拉伯供應。蘇俄及其附庸國所保有的中東油田，不及全汽油地區的四分之一，因此時思染指。一九四五年和一九四六年初，用軍兵駐紮伊朗國境，要求讓與採油權，但伊朗有聯合國的支持，却拒絕讓步。

一九五〇年，美國軍事策略人物，相信中東是蘇俄所預備襲擊的地方，早經嚴爲戒備，把全區的英美機場，均逐一翻修過，以供美國重型炸機的升降。

英美的合夥，開始於一九四二年。當時兩國合辦一個中東供應中心，監督中東十八個國家的進出口貿易和生產，以求減少盟軍航運的負担和使該區八千萬人民不至缺乏供應品。一九四三年，美國因爲事務實在繁雜，派了一位經濟專員駐在開羅，又在伊朗設立一個波斯灣總部，主持對俄租借品的轉運，到了對日戰爭勝利的時候，美英兩國在中東便成了分庭抗禮的形勢。

大戰期間，美對中東的政策，一概唯英國的馬首是瞻，軍事第一。詎戰後英國元氣大傷，不得不暫行推卸政治和經濟上的義務，美國爲阻止蘇俄乘虛而入起見，也不得不承繼衣缽。

貧困的中東

至於英國對中東的政策，一向是維持對英友好者的地位。只要政策措施不妨害英國大不列顛的利益，蟻民們的生活是無暇過問的。以致全部中東的貧困情形，與中共現在統治下的中國大陸差不多相同。據說埃及下有農民，除了生育子女和[illegible]之外，沒有任何前途；上有官僚豪門，吸吮百姓膏血。伊拉克更苦，人民吃的是青草，住的是泥屋，政府從來不求進步。伊朗窮人在街頭臭水溝洗腳，洗衣服，舀水飲喝。

美國既缺乏現成的中東政策，更缺乏明瞭中東的人才，以致形成了草率和矛盾的狀態。最初所定的方針，第一是防範蘇俄的滲透，第二是保護中東安全和發展美國的利益。對敍利亞和黎巴嫩，美國與英國看齊；英國支持兩國脫離法國，美國也支持兩國脫離法國。

但對巴力斯坦，美英兩國政策却起了衝突。英國希望維持以前的狀態，美國却暗中幫助以色列。後來以色列建國，美國並以借款援助。但美國却並不是完全站在民主和改革的一方面，因爲美國也曾援助過專制的沙地阿拉伯，半民主的土耳其，和腐敗官僚政治的伊朗。

矛盾的美國政策

美國的矛盾政策，不僅沒有結交好任何友邦，反而樹立了不少敵人。阿拉伯痛恨美國的支持以色列，以色列提防美國[illegible]內政。對於伊朗，自從沙王來美洽借款之後，經過幾個月的往返磋商，希望由美國進出口銀行貸到二千五百萬元，而美國處處刁難。

迄至現在，美國還是站在被動地位。如果去年蘇俄不以軍火援助埃及，也許美國對中東還不致怎樣關心。雖然前年伊朗國內政變，摩沙德挾着風燭殘年的野心，導演那齣逐王篡位的悲劇，美國助了伊王一臂之力，可是事後又恢復觀望徘徊的政策。上月阿拉伯在美定購的一批坦克，美政府又從中刁難——不發運照。後來經不起國會議員的嘈噪，和阿拉伯國家的質詢，美政府深恐阿拉伯轉乞靈於蘇俄，因而又才取銷禁運。這種出爾反爾，患得患失的政策，很難得使人諒解。

美國政策唯一成功的地方是土耳其。土耳其政府比較得人民的信任，領袖們也願意與美國合作，不盡是剝削地皮。美國擬訂政策的人們，後來才明白：要政策收效必須獲得當地人民的擁護。不問當地政府腐敗與否，只要擁反共就予以維持。而現在中東除了土耳其之外，差不多沒有一個國家知道如何對付共產黨侵略的。美國對中東政策雖然還未失敗，可是中東却是共產主義最容易萌芽的地方！

時事評述

·司馬璐·

俄國人眼中的俄國

美新社莫斯科的電訊報導：俄共領袖在大會閉幕後，他們在輕鬆的情緒下，進入了[illegible]劇，欣賞著名丑角達拉蓬卡及普特賽爾的諸劇。其中一劇，當天演出的正是兩個丑角互相指責對方爲反革命份子。其中一個向對方說：「你兩歲時就參加烏克蘭的分裂派運動了。」一齣劇中又暗示俄國人民，如果做一個糊塗的俄國人民，不過被批評爲「缺乏積極」，或者挨上一頓罵。但倘使因「積極」而發生偏差，就要冒死亡的危險了。

這幕諸劇的演出，它的作用在與清算史達林的宣傳相配。否則，准許我們就不易得到這樣的機會，從俄國小丑的劇詞中，道出俄國人民眞正的幽默了。

美國人眼中的俄國

杜爾斯關於俄共大會的聲明說：「史達林的目標一向是要[illegible]世界。蘇俄三十年來的政策，一向是暴力和不容忍。然而莫斯科現在都已經覺悟了。」在另一篇談話中，杜爾斯說：「俄國人現在被迫學我們的一套了。」

杜爾斯的這些話，如果僅僅是爲了美國的選民，那是不足怪的；倘使這些意見是今天美國的政策，那就太危險了。美國民主黨的議員亨佛雷指責杜爾斯的政策，亨佛雷說，事實上「自從列寧時代以來，蘇俄即採取一種迂迴政策，包括欺騙，叛逆，詭計與奸詐。」換言之，達到共產主義的目的，蘇俄可採取任何方法，這就是共產主義的策略。

亨佛雷的這項見解比之杜爾斯的，顯然是高出一等的。

英國人眼中的俄國

不久前，香港放映過一部英國倫敦公司出品的影片「獨裁者秘史」，這部片相當代表英國人對俄國的一般看法。

故事是：一個美國醫生「俄斯尼亞」國的獨裁者以獎金和榮譽「邀請」他到該國去，美國醫生猶豫不能決，邀商諸他的英國老友，英國老友一方面慫恿他去，一方面又提醒他當心「俄斯尼亞」人。美國醫生到了「俄斯尼亞」以後，果然一再遇到危險，走過一個緊要的關頭，又全靠英國老友幫忙脫了險，最後是：「俄斯尼亞」國的人民起了革命，推翻了獨裁者。

這個故事的影射是現實的，對英國人心理的刻劃也是深刻的。英國人絕對不會輕信俄國人，但是他們却鼓勵「美國醫生」去上這個當，英國人再等待一個「俄斯尼亞」的革命。

因此英外相勞合說：蘇俄的「改變」，祇聽到說話，沒有看到事實，因此他不能作出任何評論。這就比杜爾斯慎重多了。

中國人眼中的俄國

俄共今天對外政策的「攻勢」，實際上早在民國三十九年，我國政論家胡秋原先生就已經有精闢的分析。他說：「俄帝侵略方法，是盡可能求不戰而勝的。尼古拉一世曾對木拉維夫說：『不要有火藥味』。他的方法是：利用他國的衝突，從中取利；勾結他國，合作分贓；以友好親善，使用賄賂威嚇；以恐怖手段，鎮外患，利用內憂反抗；以落井下石；以非武力；以「蠶區」實行蠶食；以「自治」實行鯨吞；以安全爲名，要求特殊利益；以第五縱隊必要時成立「友好政府」；以共同防敵爲名，實行軍事控制；以「以夷制夷之術」。」（見胡氏著「世紀中文錄」丙篇九十六頁）。

當史達林病死的消息傳出後，我國另一政論家陶希聖著論指出：史達林遭了暗算，是克里姆林宮內鬨的又一悲劇，現在事實證明，胡氏和陶氏的分析都遠勝過許多西方的觀察家。

重振「富爾頓精神」

邱吉爾的「富爾頓宣言」今年是十週年紀念了。一九四六年三月五日，這位眼光銳利有遠見的英國之鷹，就向全世界發出響亮的聲音：「從波羅的海的史德汀到亞得利亞海的的港，一幅鐵幕已降落下來。」邱吉爾的聲音曾經震撼全世界，今天我們面對俄共的新攻勢，必須重振「富爾頓精神」。

共產國際的新策略

赫魯曉夫新瓶裝舊酒 潛伏危機在亞洲戰場

李金蟬

從這次蘇共廿次代表大會列席的五十五個國家共黨代表的廣泛性來看，它實是一個共產國際公開的最高會議。它的意義不僅在攻擊史大林，也不只在於變更內部的領導制度；其最重要的是，在於確立共產國際今後對外的全盤策略，設若只注意前述二端，或過份重視了如朱可夫等軍人的戰爭叫囂，那必將對未來共產國際的動向感到模糊了。

如何修改史大林主義

赫魯曉夫、米高揚等的演詞，其所以鮮明地強調反史大林問題和領導問題，正是在於掩蔽其對新侵略路線的面目，而西方報導之所以重視此二者，亦只是一種習慣於用民主國家的慣例來觀察共黨的結果。

西方報導中突出地認爲修改「史大林主義」是件大事，並認爲從會議上反映出來的強硬態度，是故作以進爲退。對這樣的觀察，其不爲吾人所贊同者是，此項修改是以何種企圖爲其中心目的，如果不否認是以共產國際的利益爲中心的話，那麼此項修改正是對自由國家加深了危機潛伏着的暴炸性，而只是在短暫的時間內減少戰爭的可能。

爲此，實有需要作更明確的分析和比較。

新對外政策的詭詐

綜合赫魯曉夫和米高揚等演詞，可得其未來對外策略是：

一、找尋與自由國家建立更多的接觸點，拖住西方，「以爭取和平鬥爭的利益」。

二、開展非洲、中東、拉丁美洲和東南亞的「民族解放運動」，以擴大顛覆效果。

三、對上述地區民族運動，以「不附帶有任何政治或軍事義務」爲餌，予以經濟援助和現代化武器裝備。

四、挑撥自由國家在上述地區內，進行爲爭奪原料和市場的新衝突。

五、破壞一切反共的同盟組織。

六、爭取個別與英、美、法訂立互不侵犯條約，拆散大西洋公約組織。

七、以協商方式來進行實現以共黨利益爲主的「歐洲集體安全」、「亞洲集體安全」和裁減軍備」。

八、個別地爭取與伊朗、土耳其、巴基斯坦達成諒解。

在原則性的方面是，以誇耀武備，結合和平宣傳，爭取時間以達到對方對比力量的增長；通過會議，命令尚未經赤化的國家的共黨，暫行停止武裝鬥爭，代以議會革命和合法鬥爭，達到奪取政權的目的，避免引起與自由集團的新戰爭衝突。

與舊政策的比較

現在，再看看史大林在一九二五年十二月聯共十四次代表大會上所擬定的對外策略：

「第一個任務就是要努力進行鬥爭來反對新戰爭危險，維護和平而保證同資本主義國家建立所謂正常關係。

第二個任務就是要在對外貿易壟斷基礎上設法擴大同外界的貿易。

第三個任務就是要設法去和那些在帝國主義大戰中失敗的國家接近。要對付統治地位的強國聯盟持敵對態度的國家接近。

第四個任務是要設法去和各依賴國及殖民地國家密切聯絡。」

在此，史大林曾強調了所謂「兩個對立體系有共同存在的可能」的謊言。及一九二七年九月，在接見美國第一屆工人代表團時，並表示了「一向都準備和資產階級國家締結互不侵犯條約，準備達成裁軍……協定。」

就上述二節，析、引述所得來看，從一九二五年到現在三十多年來，蘇聯一貫採取的對外政策，基本上實是無絲毫改變可言。

危機還是在東方

如果不否定史大林和赫魯曉夫，同樣是忠服膺列甯主義的對外侵略路線，那末兩者間不僅無內容的不同，而經過了修改後的赫魯曉夫的戰略，似比史大林的來得更細緻而辣毒，怎能輕信赫魯曉夫的新瓶裝的不是列甯、史大林的舊酒呢！

在對亞洲問題方面，赫魯曉夫也提示要着重於「擴大和加強東方國家之間的友誼「和平」」。從這方面去着手，是爲了達到削弱西方勢力從亞洲退出。就這一點看，比諸於西方的空喊解放鐵幕後國家，而不見諸積極實行，事實上是不够的。

在推行新對外政策的階段，整個共產國際對自由國家，在戰略上必將作緩緩的退潮，以先「退一步」作緩衝以爭取時間，再繼之而作「進兩步」的冒險，是可以想見的。

如果在此階段西方國家沉醉於「戰爭不是不可避免」的幻想中，則後果將是不堪想像的。

三十年來，蘇聯一直就是以不輸出革命，「保衛和平」以欺騙世人，達到其擴張目的，鑑往知來，對於共產國際的新對外政策，自由國家是應該知所警惕了。

顧孟餘赴美前後

——離日前對友人一段談話

（本報東京通訊）顧孟餘教授，於去年秋天，離開日本，前往美國，先到舊金山，住了一個時期，現在聽說已到美西去了。他此次到美，目的在考察和研究。他在將離開東京的時候，曾和友人有一段短簡談話，可以看見他遊美目的，和心情。

他在談話中，對香港的印象很壞，這不僅在香港政府對他的態度，使他不快。似乎也在他這一段時間的一些懊悔。朋友問他，到日本後，會否寫過文章，他說有的，不過用的都是筆名。問他，可否拿出來看看？他說當然可以，不過希望不要再給別人看。也不要告訴別人，是他寫的。朋友覺得有點奇怪，筆名不告訴別人，也許有道理，爲什麼文章要不給別人看呢？他說不是不給別人看，是怕別人追問，會說出是誰寫的。

他又告訴這位朋友，今後，將專心做考察和研究工作，他的工作，並不希望能夠在目前或短時間內便發生甚麼影響。他要爲十年廿年或更遠些，布下些思想文化的種子。從這一點，可以看出，他爲什麼不願意別人知到他的筆名。也可以看出他對現實政治是如何灰心了。

話雖如此，他的精神並不是頹喪的，他到東京後還努力修習法文，很有進步。他自己開汽車，有一時期，女工也不用，夫妻兩人過着簡單儉素的生活，座上客也還不少，談的都是有關政治和學術思想的問題。我們希望他到美國後，經過考察研究，能夠多寫些文章，或者寫一兩本理論的書籍。我們相信這位飽經憂患的老政論家，不會對於世事國事從此置諸不聞不問的。

讀者論壇

單靠制度不足糾正積弊

論台南市政府的『施政管制室』

·曉風·

「台南市政府自今年元月也成立施政管制室以來，對公文管制方面，已收成效。例如十五日教育廳有一件公文給市政府，要市政府教育科上十六日查覆，十六日上午此件公文批交管制，教育科於下午便已發出，前後僅七小時，如以通常速度，起碼兩天以上」。

上面這則新聞，係摘自中華日報元月十八日的南部版。讀完了它，有二種感想：一是台南市府對公文旅行積弊已深知其害，欲以新的制度來革除它，值得稱道；另一方面是，表示出該市府並未對此項積弊的根源，能認識清楚。因此，寄望於「施政管制室」能產生新效果，對於這一點是值得提出來討論的。

筆者作這樣的看法，非意在否定台南市府所措施的苦心和努力，而是爲提供出公文之所以旅行的眞實背景，以供志在改革者參考。

公文爲什麼旅行

如所週知，行政效率之不能提高，公文旅行是一大原因，公文爲什麼會旅行？我的答復是因爲有人在「拖」！誰在拖呢？下自經辦人員（包括中間各級主管），上而至於幕僚長。甚或機關長官亦在所難免，他們爲什麼要拖呢？此非盡是無能，可怕的是在某些事件中，也許有人在動了貪污念頭。但筆者也必須聲明，這並非指台南市府而言，也非謂很多公文皆有此可能。但因爲某些文件的「拖」而使人發生這種懷疑，卻是難以避免的。舉例說，前兩天中部某一報紙上，載有某某縣政府地政科，辦理老百姓申請換發租約一案，拖了一百餘天之久始發出覆文。老百姓問問這位經辦人員爲什麼要拖得這麼久，却遭他大打一頓官腔。

就事論事，像這樣一件普通換發租約的公事，都要經過一百餘天後，才祇能辦出個覆文來，若非無能，何該有此！如不然，則「拖」的目的何在？不能不令人生疑。

新制度有什麼意義

台南市政府成立施政管制室，是否即在針對類似某某縣府地政科這類令人遺憾的現象而加以糾正，以整政風呢？又此項管制，是否萬靈，實不無令人無疑。施政管制室裏的一部份辦事人員，如果還是市政府那些過來人，實令人無法相信，那些過來人在各該科室裏會拖，一旦到了施政管制室就會不拖了。再從另一角度看，無疑的說明該市府各科室主管以往未能對主管業務切實負起責任，致有再須要加以管制的必要。此外，是否又意在防止貪污呢？這就非筆者所敢臆測了。

台南市府，不能責成各科室主管暨各級人員，[illegible]「新運[illegible]」的政風，以提高行政效率，而期待於管制制度來改變政風，這在該市府方面而言，該是一種諷刺！

制度與人的問題

事實是，要想防止行政上的弊陋，並不能全靠制度，而要看推行得是否澈底。有好的制度，而不能實行，或實行得不澈底，那要首先應該檢討的，不是制度問題，而是人的問題。就防止「公文旅行」一端言，各級主管如能切實掌握辦理一件公事的應需時間，而又能隨時檢查主辦人員的辦理情況，則對於超過應需時日甚或過久的案件，就應該提出糾正，並嚴格地，要經辦該案的各級主管，以至經辦人員詳細地說出個所以然來，在查明了拖的責任以後，就應該給予適當的議處，如後果涉及法律問題的，則法律更合予以應有的懲處。如是一來，即還有誰敢再凡事推、拖呢？再有誰能在一推一拖之間作混水摸魚之非法勾當呢！

筆者作上述之論，前已言明非意在否定台南市府的苦心，且無疑正足以表示台南市政府有決心想把市政搞好，則也是不容置疑的。惟能否永遠像成立之初對教育科主管的那件公文管辦得如期之快，將是施政管制室永遠的考驗。且其本身必須要把自己能先管好。否則，將是台南市政府行政上的莫大的失敗。

進一步的希望

最後，筆者對於台南市府推行「新政」，以革除「公文旅行」的積弊，並進而防止不肖份子之非法行爲一點的用心，不僅是贊成，也是願予鼓勵，更希望在行之有效之後，就應該把新作風貫澈到各級單位去，最後做到撤銷該管制室。否則，只要該管制室存在一天，就表示台南市府的行政效率還沒有充份進步。

編者讀者

△紅纓倉先生是香港文壇上的熟人，本刊上期發表他的「走讀作家的筆名」一稿，諒讀者經已看到。我們希望台灣的文友，也有同性質的稿子寄給我們。

△上期紹華先生的「傷兵之友劉寶鴻」一稿，刊出後，已引起了此間讀者的良好反應。我們希望多發掘一些不當爲人注意的一些平凡人做下的不平凡的事情。我們願意對社會上許多埋頭於工作，而不求聞達的人多作介紹。這一類稿子，我們特別歡迎。

△台北杜蘅之、王斌二位先生：惠函奉悉，另詳覆。

北歐某貨輪抵日 華籍船員選擇自由

領館僑界曾派員慰問

（本報十八日大阪航訊）本月中有北歐某大貨輪，經由南洋婆羅洲裝載廢鐵一批駛抵神戶港。甫於卸貨後，該輪突奉香港總公司特別命令着於裝貨後即駛往天津。正值該輪準備啓碇時，因事機不密，事爲輪上部份中國籍船員獲悉，遂邀集其他船員，向船主提出異議，以該輪原言明在神戶裝貨後駛往西貢，現竟不守諾言，改變航程，有違原約，表示不願前往共匪任何港口。最後竟有二十七人之衆，堅決拒絕隨輪前往天津，並要求船方即予遣送彼等返香港。（聞該輪中國籍船員共有三十七人）該輪船長以事態突轉嚴重，不得已即中止啓航，一面急電該總公司從速派員赴日接替，迨由×港派來接替之人員搭機飛抵此間後，該輪即按照原定航程駛往天津。至該廿七名拒絕前往共區之船員，亦由原公司負責以輪船遣返香港。

此事發生後，頗引起日本社會一般人士之注意，此間華僑及日方反共人士，對該批[illegible]中共嚴拒威脅利誘之義士所表現的果敢行動，均一致加以讚揚。

又據關係方面透露，事發當時，我駐大阪總領事館於獲悉是項消息後，當即派員馳赴神戶，向有關方面一再接洽，擬會晤該批反共船員，表示關懷慰問，惟終因日方有關當局之婉拒未果。

在中共積極陰謀爭取與日本展開貿易關係之現階段，自由海員之正義立場和果敢的行動，是值得受重視的，惟因限於客觀環境，自由海員終未能與我旅日僑界和領館方面人員晤面，就航運界人士觀察，類似事件日後恐將仍會有發生，蓋在遠東航綫上，我國海員中途選擇自由，當以在日本港口之可能與成功之希望爲最大也。（森）

台北速寫

尚未公佈的大事

金門謠言頻傳，似有山雨欲來之勢。但是台北的市面仍然很平靜，毫不受撥動。一般人對於金馬的防務，也很有信心。至於美國的態度如何，人們並不關心，因爲傳說美方已決定協防金馬，只是尚未公佈而已。

亞盟代表各方逐鹿

亞洲人民反共聯盟第二屆大會，原定去年在台北開會，臨時因韓國反對日本參加，致未開成。現已定三月初在馬尼拉開會。中國代表團五人，必須包括各黨各派，人選煞費苦心。尤以民社黨分爲二家，各不相讓，結果大家都不派代表。此外，顧問二名，也爲各方逐鹿之對象。

李積慶殺妻之謎

紡織業鉅商李積慶，在浴缸裏把妻子扼死，這是日來此間各報社會版的頭條消息。據說他曾開出一張四十萬元的支票給一位離婚的婦人，於是傳說這個謀殺案與桃色糾紛有關。究竟如何，因偵辦當局非常保密，一時尚難揭曉。

做官的愛上房地產

台灣省政府決定遷移中，所遺留在台北的房屋頗多，各有力方面正在爭取中。但是台北的房荒毫不因而稍減，因爲人口的增加比房屋的增加更快。年來地產生意極興旺，一些做官的都被捲入了房屋地皮的貪污案件。

「漢宮春秋」有黑市

新世界電影院改爲話劇場之後，首先上演「漢宮春秋」一劇，竟是意外的成功。演話劇而大賣黑市票，在台灣還是第一遭。不過，話劇運動是否從此在自由中國展開，還是個問題，因爲「漢宮春秋」這一劇是網羅了自由中國全體第一流演員，其他各劇未必都能有如此盛大的陣容。

·杜纓之·

俄共為什麼清算史達林

香港輿論對俄共大會的反應

蘇俄聯共二十次大會結束了，在這一個會議中，最使到全世界關心政治的人所注意的，是俄共頭子對史達林清算的真正原因，以及蘇俄新政策的動向。

這個會議的受到重視是可知的，本港的輿論也不例外，所有中外報章包括若干平時不注重政治新聞的報紙，對這事件都會予以論列。主要的報章像星島、時報、工商和華僑更一再發表重要評論。

中共尾巴報啞口無言

但是惟一例外的，是中共在港的報章，卻隻字不提，一直到會議的七日後，才把米高揚的演詞作一摘錄，而且對俄共政策的動向和清算史達林這兩點都沒有作鮮明的指出。當然更不敢進一步作論批評。由此我們得到另一個結論：即為作為尾巴的中共，對俄共這一次會議的結果是實在感到手足無措，而不知如何對統治下的人民報道。在海外猶如此，在大陸當更甚矣。

至於其他報章對此次會議的看法各有不同，連日各報社論逐一作論，實使人有眼花撩亂之感，茲將各大報紙的看法，撮要臚列如次：

內外政策的轉變

華僑日報的專論說：「清算史達林，將史達林數十年來統治的基礎，將史達林的思想體系一旦毀滅，這是什麼原因？無他，即所謂鞏固共產黨的集體領導是也。赫魯曉夫統治下的蘇聯，其對內外政策可能有重大轉變。

就對內而言，赫魯曉夫是堅持軍工業生產的。他在長凡三小時的報告中，再三強調稱：蘇聯的軍工業生產是必須加強的：此與鞏固國防有密切關係。」又謂：「資本主義的生產並非在停滯不變中，蘇聯只有加強軍工業生產，方能使蘇聯的生產力永遠保持優勢，而壓倒資本主義國家。」赫魯曉夫此種論調，與目前展開的清算史達林運動是一致的。

就對外言，赫魯曉夫會公開指出兩點：「共產主義國家與資本主義國家不必戰爭。」又謂：「可以利用議會制度，利用別種方法達到共產主義。」赫魯曉夫這些論調，與馬連可夫前此所說的「和平共存」微有不同，但其實「和平攻勢」則是一樣的。

我們再看米高揚與朱可夫的反美宣傳，但可以證明：赫魯曉夫所謂共產主義國家與資本主義國家不必戰爭之說馬上破產了。

可見蘇聯的政策是決不會有本質之轉變的，目前不過是擺出了轉變之姿態罷了。」

鎮懾蘇俄內部

星島日報以為清算史達林的最大理由是：「鎮懾俄國內部是也。共產黨搞俄國，搞了四十多年不成功，農業政策失敗，弄到人民吃不飽，穿不暖。這樣的失敗叫誰去負責？倘若說「集體領導」，「集體統治」，當然由整個俄國共產黨去負責。這樣，俄共豈不被拖垮？為了自救，為了挽回俄共全黨的面子；兩害相權取其輕，俄共祗有犧牲史太林；祗有把一切罪過推倒死人身上。

其次才是對外問題。這是附帶的。鞭史達林的屍，把一切罪惡推到史達林屍上，可以加強對西方國家的「和平攻勢」；可以迷惑西方國家，豈非上算？

上述的是近因，其遠因則為俄共頭子中，不滿史達林之獨裁久矣。他們不是反對獨裁；卻反對史達林太過獨斷一切，不為他們留點餘地。

共黨失敗主義的反映

香港時報社論說：

（一）俄共為什麼要這樣幹？當然是內外環境逼著它非這樣幹不可。他們罵史達林獨裁，但史達林的獨裁管制了他們，也管制了俄國人民，整個俄共的革命情緒，管制了黨內的權位鬥爭。史達林死後，他們每一個人非不想獨裁，而是都不可能，集體領導便是一種不穩的暫時妥協。在政權極不穩定和內部鬥爭日益尖銳化的情況下，他們為了爭取民心，建立勢力，不得不作全黨團結的號召。打倒史達林偶像，對內政治目的，是要重新拉攏布哈林和托洛茨基派，使兩派的份子不再仇視反抗他們。此看米高揚之自我批評史達林的高加索小組織，以及為托洛茨基昭雪足以證明。一言以蔽之，他們知道黨內太不團結，才要號召大團結，知道政權絕對不穩，才肯改變一下面貌，這是迫於不得已的苦肉計。

（二）在對外方面，此次聯共公開承認資本主義的生產力確在提高，也有方法避免危機，一時打不倒，也不會自潰。這是共黨失敗主義的具體反映。本來共黨內心裏早就知道要失敗的，只是不肯說出。

（三）俄共這種右傾機會主義的轉形，對內對外可能有些收穫：第一、「黨內思想」解放了。第二、為了建立全世界性的新的統一戰線，新的同路人羣，來擴大新的攻勢，它會要積極的，靈活的，心平氣和而不禁饑驚的到處找朋友，一種製造「清新的氣流」，這也可令人感動一時的。第三、它會部份地開放鐵幕竹幕，讓世人去看看它的新作風，呼吸一下新氣流，反正它的真正底牌決不讓人瞧見，這也是可以騙住一些人。但它也免不了受外來思想交流，與夫實際接觸和真情暴露的影響。

新和平攻勢

工商日報說：「俄共為什麼要「改變」它的面貌呢？正如我們所指出，這是共黨一貫的辯證策略活用，也正如一些西方觀察家所認為，這是俄共的一種「新和平攻勢」。這一動機的促成，當是它對於日內瓦會議後一連串行動所引起西方國家反感，而致所謂「日內瓦精神」活不起來之故，正因為這樣，所以他們想用更重大的刺激，鼓動世界視聽，俾進行他們更大的欺騙。他們之清算史達林，並非稀奇之事。反正，他們最高的神聖不是什麼人，不是史達林，不是馬克斯，恩格斯，列寧，而是侵略主義。

由這，我們可以推斷，俄共的「改變」是真的，是改變它的侵略方法，絕不是改變它的侵略本質。

經這一次改變後，可想而知的，它必然更技巧更廣泛地執行列寧「改良主義的道路」政策，企圖把自由世界重入催眠狀態之中。由這，我們可以清楚地見到俄共的目的在於「過渡到社會主義」，「各國進入共產主義」，即是說，在於達到最後的「赤化全世界」，故它之所謂「改變」，不過是「形式」「方式」，它要從「多種形式」，「不同方式」去達到它的目的。換言之，克姆林宮的新統治者們認為史達林的錯誤，在於不夠陰謀，不夠厲害，他們之清算史達林，正表示着他們「改變」為比史達林的陰謀更進一步。

赫魯又施催眠術

成報說：「或者可以說，赫魯曉夫所說的，不過是一種宣傳罷了，不過是一種催眠術罷了。在目前自由主義與社會主義劇烈的鬥爭之下，為了要分化自由世界的陣營，無疑地它是需要爭取更多的中立國家，以削弱自由世界的力量。

所以，赫魯曉夫雖然已修改了馬列的基本理論，而實際上也可以說是沒有修改的。因為馬列的革命是不擇手段的，當其認為情勢上容許其不用武力時，它便用武力以求達到目的；到情勢有所不許之時，它又會使用各種的狡詐方式而向其目標邁進。」

此外像新生晚報、真報、環球報、超然報、自然報等的論列也以為俄共並沒有改其侵略的一貫目標，只是以清算史達林，執行所謂集體領導的手法來欺騙自由世界和被統治的人民而已，這祗不過是換湯不換藥，從俄共頭子的演詞中已清楚的指出俄共集團仍不放棄武力來赤化世界。

·人物·評述·

平民教育大師晏陽初

孫頤

中國大多數的留學生，學成歸國，除了做官，就是教書，沒有一個人肯拋棄其所學，抱着自我犧牲的精神，深入社會，為人羣服務，舉世聞名的平民教育家晏陽初，雖亦是留學生之一，他另具遠大的眼光，有自己的崇高理想，終身不做官，以辦平民教育為己任，親歷農村、不辭勞苦，三十年如一日，至今馳譽國際，受到中外人士的崇敬。

晏陽初是四川巴縣人，出身書香世家，早年就讀香港大學，後又負笈美國，在耶魯大學研究教育。那時候，正趕上第一次世界大戰，他在美國參加戰時工作，被派到法國西線服務，當時歐洲戰場上，有華工二十多萬人，都是由中國臨時招募而來的，在前後方担任挖戰壕，修鐵路，及運輸糧秣彈藥等一類的事。那些人全生長農村，識字的寥寥無幾，而久在海外，飄動鄉思，人人不免要寫一封家信，報告平安。提到寫信，都感束手無策，只有晏陽初是中國人；而且又跟他們接近。於是其中就有人求他代筆寫信。由此一傳十，十傳百，你一封我一封的使他應接不暇，他在那一時期便變成「寫信佬」了。

華工遠在異國，無人不關心時事，可是中文報紙少，而且能閱讀的亦沒有幾個人，他每到夜間，就給他們講讀當天報紙上的新聞，並且他為那羣華工將來能自己閱報寫信，同時又教給他們識字，他把最普通應用的字，編成課本，就是後來在國內流通的平民千字課，每晚教他們學習一小時，在當時頗見效果，不久他又號召中國留法學生，大約有幾十個人，參加工作，到歐洲各地，凡是有華工之處，推行平民教育，由於這一開端，觸發了他日後辦理平民教育的念頭。

晏陽初返國後，就把推行平民教育那股氣力，由海外華工轉移到中國鄉村的農民身上。民國十四年，他先以河北定縣作為試驗區，並成立一個鄉村建設學院，他自任院長，民初之間，軍閥專橫，內戰連年，農村遭受蹂躪，瀕於破產，人民救死不暇，教育更談不到，青年幾乎多不識字。他看到人民生活困苦，針對着時弊，對鄉村建設，主張打倒「愚」「窮」「弱」「私」。他說：「平民教育運動，目的在改良社會經濟，提高人民知識，換句話說，是要使個個讀書明理、家家暖衣飽食，始於教育，而不止於教育」，他的具體理論，俱載在他所著「平民教育」一書中。

在南方，他又把長沙作為實驗區，經他大力的倡導、長沙的廟宇住宅都變成了民衆學校，參加的人非常踴躍。不到幾個月的功夫，畢業的人又變成小先生，再將他所學的傳給他人，讀書風氣，盛極一時。

由於他過去在中國辦理平民教育，成績斐然，前幾年，菲律賓政府於獨立之後，要發展平民教育，成立鄉村建設運動委員會，慕晏陽初之名，邀他參加指導工作。他經過一番考察之後，說出了一套理論，先選擇呂宋中部馬夏芒地區為示範區，再一步一步的推進，他認為菲律賓教育雖發達，但適當的讀物非常缺乏，給共黨宣傳滲透以可乘的一個大漏洞。

他現任國際平民教育委員會會長，和聯合國文教科學委員會顧問，美國朝野人士對他以往推行平民教育，都寄以熱烈的同情和幫助，他的最大志願，是要將在中國卅年之平民教育運動發展到東南亞，和亞洲各落後地區，以及全世界。

新書評介

充滿了愛的「冬青樹」

謝青

在台灣的女作家中，林海音的作品，是得到讀者所注意的，但並不因為她是台灣人，她的作品才引起了大家的注意。而是她文筆秀麗明暢，輕鬆中洋溢着真摯的熱情，使人愛不忍釋。她的近著「冬青樹」可為例證。她寫「冬青樹」對象是基於人性的真純和愛，用人性的真純和愛來討論家庭生活，兒童教育，異常的婚姻關係，和師生間的愛的問題。盡管她所寫的，都屬身邊瑣事，但卻因此，看不出有狹窄和「雞零狗碎」的通病。

她出生於日本的大阪，卻長於北平，（見她的外子夏承楹先生序）因而使她有一顆明達的心，她對丈夫和家庭子女的愛，即由此而來。她同時也是一個安份的人，她說：「我確是一個樂於平凡的女人，朋友們都奇怪我在這兩間小木房裏，如何能造成康樂的家呢？我卻以為古人能夠「一簞食，一瓢飲，在陋巷，」而不改其樂，我怎麼就不能在這十疊半蓆的小天地裏自得其樂呢？」對於子女則她說：「我對兒女繞膝的福分，還不認為滿足嗎？我們的平凡生活裏，孩子是主要的成份呢！」（以上見「平凡之家」一篇），有了這樣對家庭子女的生活觀念，難怪能自得其樂了。

海音女士以她的真愛灌溉她的家，同樣也換來了丈夫、子女的愛心。

在這本書裏對於兒童心理，男女婚姻，社會德性，雖然描寫的方式不同，真正的愛心則一；正如她在後記中所說：「我出版此書，目的在祝禱人間的愛永不凋謝，像冬夏的長青樹木一樣。」這是多麼富有感情的心語！

從這本書「繼母心」的一文裏，看出了她對做繼母的苦心，她希望世人能「把足以危害家庭幸福的那些後娘故事，從孩子們的心靈中驅逐出去，以這樣的態度來對待繼母與非親子女間的關係，是可敬的，這才是真正的愛的表現。

「冬青樹」是一本值得一讀的小說，由於他以真實的生活為題材，讀起來就分外有親切之感了。

西班牙的學潮

（上接第一版）

這一代的西班牙學生，不像他們的父兄，並未親自經歷過一九三六至三九年的慘痛內戰。他們在最近一次意見測驗中，已表現正瀰漫一種模糊而日益增長的不滿情緒，三千餘名學生聯名請願，要求舉行自由選舉，成了一個學生會。由於這樣的學生會必與「大學協會」對峙，長槍會立即加以攻擊。但校長安特拉哥卻認為應該讓學生有發洩不滿情緒的機會，於是同意法學院的每班學生舉行自由選舉；組織學生會。在二月上半月，法學院一年級學生選出了二十名學生會代表，但「大學協會」所提出的大批候選人卻只有一人當選。二天後，二年級生繼續投票，「大學協會」在二十名代表中也僅取得二席。

在三年級學生尚未投票以前，法學院的通告牌突然出現一張「大學協會」的通告，說選舉已告取消。為支持這個決定，長槍會召來了一批長槍會的藍衫大漢。學生大為憤怒，集隊在法學院院長洛貝茨辦公室前遊行，長槍會方面立即以棍棒迎頭打來。那批大漢終於逐出校門，學生們不僅撕毀了通告牌的通告，且搗毀了戰時死難學生紀念碑上的長槍會標誌。

第二天，法學院校舍中滿佈五百名左右藍衫大漢，手執木棍、鐵鏈、手槍，對前來上課的學生惡言辱罵。在一場混戰中，學生從樓上將教室桌椅向長槍會打手投擲，並以傢俱作武器。他們又攻擊「大學協會」的法學院支部，將其中案卷付之一炬，長槍會的標幟也告摧毀。

到午刻，騷動蔓延到馬德里中心。學生與長槍會份子在鬧市及長槍會總部與教育部附近發生衝突。警察出動水龍加以鎮壓。這時，醫學院學生一千名也共起響應，參加了二千名法學院學生的隊伍。在流血鬥門中，長槍會方面高喊「打倒資本主義」及「打倒君主制度」的口號，顯然以為學生是這兩個制度的支持者。他們且高唱反王小調：「我們不要一個不懂治國的白癡國王」。而反長槍會學生則高喊「不要大學長槍會」「不要大學協會」加以對抗。

在當部的密格爾安琪兒區，一批長槍會藍衫大漢竟衝進一女子國際學院。這是一所屬於美國人的房子，其中設有一所進步的西班牙學校。警察袖手旁觀，對女生們的呼叫也不聞不問。於是長槍會份子將美國籍女校長和職員們逼在一邊，而將門窗、電燈、桌椅、黑板悉予破壞。

雖然有許多人受傷，但馬德里報紙對這次暴動竟隻字不提。馬德里大學暫時停課，但長槍會和反長槍會分子第二天再度發生衝突。長槍會方面這次竟拔出手槍對付，但在混戰中只擊傷同情長槍會的一個學生。到這地步，佛朗哥只得下令長槍會分子全部回營，又派了一千四百名武裝便衣警察，奉命驅散遊行者，必要時可以開槍對付。

後來，政府控制的報紙和電台終於發表了關於這次暴動的消息。長槍會的「阿利巴」報社論說：「西班牙青年們已再度流血」；並說這是「出於共產主義陰謀的武裝自由主義」所致。（上）

（敎譯自時代週刊）

自由談

自說自話

英國小邱吉爾現在過的是記者生活，他最近對一位美國報紙專欄作家兼評論家說出這樣一段話：「我想報界有個錯處——而且是報紙各種毛病的根源——那就是報紙的批評。報紙每天廿四小時內都在批評批界的團體或個人，唯獨報紙本身不受批評。我想醫生律師和政客們若是不受批評，也會像不少的報紙與報業鉅子然，濫用其權勢與地位。」

我亦忝居新聞記者之列，對於小邱吉爾這意見十分同感，要無條件的擁護實行。所謂「無冕之王」，如其只是批評別人，而不接受別人的批評，那就是文化界的專制獨裁帝王，豈有此理！報紙可以批評別人，別人也可以批評報紙，批評得不對的，彼此往復辯論，筆戰一場，亦無所謂，只要各人出以追求眞理是非的理性態度，像二十年前，我國報紙上發生的「科學與玄學」論戰那種情形，即是極其有益的筆墨官司，打上幾場，何傷大雅呢？最壞是舍本逐末，意氣用事，立言失態，護短飾非，就容易引起題外之爭。去年本報曾受一個官兒的來函，盛氣凌人，出口傷人，我們一字不易地將原函刊出，並不屑反唇相稽，即為表示決不拒絕別人批評的用意，是是非非，讓社會大家去裁判好了。

中國有許多優良的報人，也有不少使人鄙為五毒之一的「新聞記」。後一種人，對報人的善良風格並未學習到，然對於一般不合報人水準的惡習，卻應有盡有了。為獨立報紙的信譽，爭主報人的社會地位，我認為小邱吉爾的主張，深中肯綮，應該提倡。我們固然反對官方的對報人濫用其權勢，非法逮捕記者，禁止報紙發行，但報紙本身亦應力求健全，具有民主法治精神及學識修養。報紙本身如不受批評，即永遠是拿着鏡子照別人，而不知道自己的面目如何，這是不合理的！

馬五先生

詞王李後主

·鄭士珪·

李後主以血淚寫下了數十首詞，使文學領域射出無限光芒，故可以說：他不是政治上的帝王，乃是詞中的帝王！

李煜字重光，南唐中主（元宗）李璟第六子，他生時，正值南唐興盛時期，建興二年，時廿五歲，被立為太子，是年秋，元宗去世，他嗣位為後主，在位十五年。

平民文學形式的詞

後主在詞壇上是有特殊的地位。周濟說：『李後主詞如生馬駒，不受控促』。王國維在所著人間詞話中說：『詞至後主，而眼界始大，感慨遂深，遂變伶工之詞，而為士大夫之詞』，又云：『尼采謂一切文學，余愛血書者，後主之詞，眞所謂以血書者也，宋道君皇帝燕山亭詞亦略似之，然道君不過自道身世之感，後主則儼有釋迦基督擔荷人類罪惡之意，其大小固不同矣』。胡適說得好：『後主與馮延巳出來之後，悲哀的境遇與深刻的感情自抬高了詞的意境，擴濃了詞的內容，但他們的詞，仍是要給歌者去唱的，所以他們的作品，始終不曾脫離平民文學的形式，後主用悲哀的詞，來寫他淒涼的身世，深厚的悲哀，遂擡高了詞的意味，他的詞不但集唐五代的大成，還替後代詞人開了一個新的意境』。

前期作品多寫情

後主的詞可分前後兩期去看。前期的作品是由繁華、歡樂生活中產生，如一斛珠、子夜歌等，所以多艷綺旖旎，他自己回顧當時之生活也說：『覺知蓬蒿平性，忘長夜之靡靡，安其甕，果大德于酒』（即登高文）。現在且看他的一斛珠詞：

『晚妝初過，沈檀輕注些兒個，向人微露丁香顆。一曲清歌，暫引櫻桃破，羅袖裛殘殷色可，杯深旋被香醪涴。繡牀斜凭嬌無那，爛嚼紅茸，笑向檀郎唾』。

這首詞雖是描寫大周后的風流，但也可以當作一般佳人才子新婚夫婦或久別重逢的情人的快樂情形看，其動人實已寫盡了男女間閨房之趣。

他娶了美麗多才的周后（大周后）日與詩詞，婦人醉酒作伴，雖沈溺於溫柔鄉裏，却同時也寄情於大周后的妹妹，一有機會，便偷偷地和她大耍戀愛的把戲，在春風沈醉的夜晚，小周后瞞着別人，不時在後花園裏和後主幽會。他菩薩蠻詞記：『花明月暗飛輕霧，今宵好向郎邊去。剗襪步香階，手提金縷鞋。畫堂南畔見，一向偎人顫。奴為出來難，教君恣意憐』。彷彿眼前栩栩地現着少女嬌羞的情態，眞是寫情的聖手。

為臣虜垂淚對宮娥

大周后體弱多病，婚后三年，即病死了，不久後主就以其妹妹繼房為后。這一段時期，後主是最幸福的，無論物質上或精神上，一切都是高度的滿足。

及他三十八歲那年，雄據江北的宋太祖要他北上，他不去；第二次迫他北上，又推說病了；於是太祖震怒，派遣曹彬、潘美伐之，繞道采石，直逼金陵，可憐這位皇帝自知不敵，只好肉袒跪拜降於軍門！

當他跟隨北軍往汴梁，臨行前，他悽然地寫下了破陣子：『四十年來家國，三千里地山河。鳳閣龍樓連霄漢，玉樹瓊枝作烟蘿，幾曾識干戈。一旦歸為臣虜，沈腰潘鬢銷磨。最是倉皇辭廟日，教坊猶奏別離歌，垂淚對宮娥』。行至途中大江下，在船上回頭南望，不禁潸潸淚下，旋又寫了一首慷慨悲涼的詩：「江南江北舊家鄉，三十年來夢一場。吳苑宮闈今冷落，廣陵台殿已荒涼，雲籠遠岫愁千片，雨打歸舟淚萬行。兄弟四人三百口，不堪閒坐共思量！」

無限江山見時難

這時實是後主生活上劃時的劇變，使他對於現實的人生，有着更深刻的體驗，從此取材的範圍加廣了，技巧也純熟自然了。此後所作的詞屬於第二期，是飽嘗亡國之痛，從血淚中迸出的，眞是「無一驪之可作，有萬緒以纏悲」。如浪淘沙，望江南，虞美人，相見歡等是。

開寶九年他到達京師，度其寄人籬下亡國奴生活。「日夕只以眼淚洗面」。在一個淒風冷雨的夜晚，他輾轉反側，難以成寐，遂寫了浪淘沙：『簾外雨潺潺，春意闌珊，羅衾不耐五更寒。夢裏不知身是客，一晌貪歡！獨自莫憑欄，無限江山，別時容易見時難，流水落花春去也，天上人間！』

高台縱酒圖跋

雷嘯岑

歲在丙申，時維人日，行吟海隅之自由人，與水心、徐亮之、易君左、曾履川、王世昭、陳荊鴻、嚴南方、劉百閔、盤羅等，聯翩蒞止清風台黃子天石寓廬，放言高論，對酒稱雄。主人以良辰雅集，多士蹌蹌，盍各抒懷見志，託之咏歌！愚曰：有是哉，甚盛事也，然時方喪亂，義恥帝秦，鼓吹中興，匪異人任，烟師草堂愛民之志，且桃源避世之思可乎？衆皆驩命，夏然有作，豪情萬斛，抗志雲霄，渾忘身在遼難中，殆莊生所謂與天為徒者矣。名畫家李研山先生聞而嘉之，農以繪事，名曰高台縱酒圖，從鄭下水心議也。愚以飯顆山前，醋甕在上不復，敢拈韻撚髭，謹述顛末，藉留鴻爪云爾。

竹幕裏的小學教師

·牛布衣·

我是伏在桌上睡的。這種睡的姿勢太危險了。假使幹部行過看見，實在有許多不便。那時我領會到三個月前同事們在休息室討論午睡藝術的意義了。後來我向他們請教，他們告訴了我許多可供掩護的姿勢。

當小學教員的唯一安慰，是午夜回到家裏睡在床上的時候，那時我們覺得我們已安全回到家裏，沒有進入牢獄。共黨統治下的大陸，坐牢的人們實在太多了。我教的一班學生當中，總有半數在牢裏。親戚朋友學生四十人，便有十八個家長在南石頭和別處的牢裏勞作。

反胡風運動

在大陸，我和王小姐算得是幸運兒。我們的家庭既不經商，又不務農，也沒有從事政治活動。所以三反五反都和我們不發生關係。婚姻法的鬥爭曾經轟動一時，我們是獨身，也沒有發生麻煩。

共產黨會放鬆我們嗎？不！鬥爭和清算每年總有好幾次。逃出一次，難逃第二次，逃出今年，逃不過明年。果然去年共黨發動胡風思想的清算，那是專為對付智識份子而發動的，共黨要替智識份子來一個總清算。為了清算胡風思想，廣州市的學生停了三個月的功課，共產黨對人民的洗腦能發生效力嗎？據我們兩人的觀察和經驗，共黨對於人們的洗腦不唯不生效果，反增加了人民對他們的憎惡。

什麼道理呢？共黨佔領大陸，剝奪政權，做了人民的主宰。新主人來了，人民心裏發生種種希望和疑懼。這個新主子把人民的財產強奪了，不許人民吃飽，反責令人民一天到晚工作不停。這樣的主子能夠得到人們信服嗎？

共黨對於教員的洗腦工作已經實行了五年。教育人士每天得上學習課，上小課，每禮拜又得上一次到兩次的大課。洗腦沒有一天停息。但智識分子對洗腦的反應怎樣呢？

一個禮拜六下午，飯吃過了，數個教員集在休息室準備到中山紀念堂上大課，剛要起程的時候，一位教師說：『共產黨對我們的宣傳有類乎對牛彈琴。』另一個教師道：『做共產黨人民，得有銅皮鐵骨，還得要不吃人間烟火食。』這兩句話現出智識分子對於洗腦的反感。（四）

同光風雲錄

夢山樓

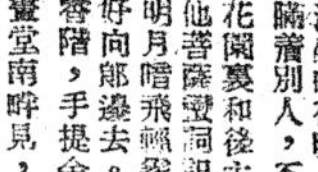

李鴻章（上）

李文忠公少荃，以咸豐四年練團勇，得曾文正識拔，因以騰達。其率淮軍赴援上海時，嘗親臨前敵督戰，偏將張遇春大敗，文忠衛左右取其首。遇春懼而復馳敵陣，奮勇直前，大敗之。是役太平軍十萬衆，淮軍僅數千人耳。可見哀兵必勝，死地後生。準斯以言，則今日號稱六七百萬驕兵，將為六十萬哀兵所擊敗者無疑也。

喜罵部下×娘的

文忠對於下屬，若喜之必罵曰：『×娘的，好好幹！』凡受罵者，莫不喜形於色，以為將走紅也。一日，某候補知縣來謁，文忠觀其貌，聽其言而悅之，亦嘗曰：『×娘的，好好幹！』某立而對曰：『卑職不敢×大人的娘！』文忠色沮，無詞以對，然亦不恨某。

文忠負中國數十年大任，兼管外交要衝，其政策與手段，固有可議者，然非有心媚外，且對外人詞色矜傲，有自大狂，數十年如一日。其總督直隸時，督署故例，凡外國使節來見，必以酒果招待，雖一日數至，而酒果不缺如故。場面雖甚闊綽，而態度卜見謙恭。某日，法使來見，方談天下事，文忠忽然問曰：『你今年，年幾何矣？』外人習慣，最忌人問年齡，然懾其威望，亦不敢不答。文忠撚鬚而笑曰：『然則，是與吾孫同年耳。吾嘗到巴黎，與爾祖父暢談甚歡，爾猶記及否？』法使局促而別。從此輕慢中國之態度，稍稍改變矣。

洋奴與外交家之別

某年歲暮，俄使專書約定期見，文忠即批明日延見，時張侍郎樵野在座，進曰：『明日除夕，公尚有暇接見使節耶？』文忠慨然曰：『君等皆屬在此，守歲迎年，團圞甚樂，老夫鰥然一身，枯坐無聊，不如招幾個洋人，與之嬉笑，亦消遣之一法。明日君等，皆不必來，老夫一人當之可耳。』其視外人，往往如此。猶記民初北京國會議員湖北田桐有言：『今日所謂外交家者，皆洋奴也。脅肩諂笑，以媚外人。惟李文忠公使義改言，不卑不屈，眞外交家也。』撫今追昔，不禁令人感慨系之。（八）

·文壇漫步·作家與作品

·紅纓槍·

香港目前的中國作家，也許是世界最可憐的作家了，過去在大陸上，作家因為有市場，尚不致于像今日那麼痛苦，今天，作家們由大陸擠到這彈丸小島，為衣食問題煎迫，使一些沒有「池鯰」的作家擠到挖泥打石的路上去，也許外國人會笑我們寒酸，我們却以為這是中國作家的可愛處。環視香港近幾年來低級書刊的市場日漸減少，此與內地作家來港有關。內地來的作家多寧願吃苦，却不向現實低頭，像已故的文戈先生，却在做泥工中仍舊產生作品，「牢下游擊隊」的作者胡遊蕃，在港也曾做過打石工人，其餘的默默地在工作着而不時有斷炊之處的更不可勝數。

目前香港作家的文章出路實在有限得很，容納最較多的幾張大報，以許多的篇幅去容納「通俗」小說，純正的文藝作家的出路，便走向了雜誌。

在香港，內容像樣的雜誌約在十家左右，其餘的畫報，則每期僅收容萬字小說一篇而已。所以，作品的出路還是困難重重，如要出書，不是被出版商剝削，便是根本無出版商收納。不過，出版商們也有他們的苦衷，實是一般書籍市場的狹窄。至於大部頭的書，向出版社找出路，必須具備一副能挨餓的資本錢，就算出版社接納了寫作大綱，十萬八萬字，也非朝夕可成，待寫好了去拿錢時，那雙手會因挨了一兩個月的餓，而拿不起那千幾百元的稿費！所以，出版社的稿費到目前止，還是讓業餘文人或者已經吃飽了的文人去拿，對于待贊的作家是無緣的。

至於一部成功的作品的出路又怎樣呢？在外國有三條出路，一是拍電影，一是改編舞台劇，一是上電視銀幕。假如「三管齊下」，那位作家當然「麥克麥克」，即是「一管」也已可觀，而香港作家具備「三管齊下」條件的作品不是沒有，祗是香港有的僅是電影這「一管」而已。原著改編舞台劇本無不可，但是，太多的劇本出版尚且沒有人上演，何待乎改編？幾年來文藝作品改拍電影的只有寥寥幾部。從這個角度去看，即使好的，暢銷的作品，它的出路也還是窄得很呢！

用筆

·劍朋·

記幼時閱某館人筆記，有以用筆之清粗，判書法之高下者，非確論也。據云湖州有製筆世家，自晉以來，即以此為世傳之業，至唐時，柳公權曾身詣其肆，欲購佳筆，肆主為七十老人，知柳為當世書家，漫由內室取二管示客，柳試之，不能用，則又於架上別取二管，柳仍不能用，如是者三，老人怒色大夠，呼告其子曰，我以柳誠懸為當代書家，初予以右軍所用者，繼又予以大令所用，三次以虞世南所用者予之，而彼皆不能用，則其工力可知矣，汝可以尋常品類，任其自擇，無事煩老人也。』於是其子出常筆數十支，柳試之大喜，盡購以去。其所記大概如此。

夫人之用筆，須各視其習慣，作字之方法、筆力、間架等均不相同，何能強其必用何種筆耶？即以右軍與誠懸論之，其兩家書法，迥然大異，誠懸固不能用右軍之筆，須知右軍亦必不能用誠懸之筆，以此而區別書法之等差，豈合理哉！此蓋筆墨業者，故為此說，為其筆墨作廣告耳。

自由人

THE FREEMAN

（第五二二期）

中華民國僑務委員會登記證台僑新字第一零二號
中華郵政台字第五〇〇號執照登記爲第一類新聞紙類
（半週刊每星期三六出版）
每份港幣壹毫
台北市售價台幣壹元
督印人：陳文穆
地址：香港高士威道二十號四樓
3 rd. fl. 20 CAUSEWAY RD HONG KONG
香港發行及業務接洽 高士打道66號 電話：七四〇五三
承印者：東南印務出版社
地址：高士打道六十四號
海外總經銷 友聯書報發行公司
香港：彌敦道中二十六號A二樓
台灣特派員辦事處 台北市館前街五十號
台灣總經銷處 台北市西寧南路壹壹零號二樓
台郵撥儲金戶九二五二

爲自由人進一解

·毛以亨·

一、自由人的定義

在百科辭典上，自由人之定義，爲加入市政團體，而有特權之市民。其性質類於公司之董事或股東，可以金錢來買賣，其權利類於今日香港之太平紳士或立法議員。固知現代之所謂自由人，決不如此解釋，然在辭典上，終找不到合於現代自由人之定義。

我們必須自己爲之製一定義，不外從辭典上自由與自由主義之定義，推出自由人之定義來。一般見解，皆以享有自由，或信奉自由主義者爲自由人，但細按之，殊多語病，且需細爲說明。現在自由主義與社會主義，已成對立名詞，既不能以社會主義者，爲非自由人，又不能以自由人盡爲自由主義者。故以自由主義者爲出發點，而推出自由人之定義，易起誤會，殊所不取。

以享有自由者爲自由人，自然是再合邏輯也沒有了。但自由一詞之解釋，其紛繁與矛盾，大有一部廿四史無從說起之概。一部哲學史，都是解釋自由與必然之理。神學家之說自由，更使人有愈說愈糊塗之感。較簡單直截的辦法，祇以法律上所賦與之自由爲限，而以法律上賦與自由的人，爲自由人。凡祇懂社會科學者，皆一致如此主張，而在常識上，亦祇有如此解釋。

但如此至少要把三個先決問題弄清楚，始可對自由人下定義。第一法律是那裏來的？第二自由是否爲他人的贈與？第三如果人家不給的話，是否可以自取？簡單的答覆，法律爲主權人即立法者所創立，必須給人民以自由，藉與國權相均衡，倘若不給，人民即有革命權，此皆沿襲拿破崙法典之傳統精神的一致說法。顧主權與自由的均勢，其主動之權操在主權人之手，所以拿破崙，希特勒，列寧之徒，得以有所藉口，逐漸剝奪人民自由，而使其名存實亡。拉斯基教授至謂蘇聯既有憲法，且規定人民之自由，故不能謂其絕無自由。其所以不惜違反事實，無法自拔者，皆誤於僅以合于法律規定始爲自由之故。

自由既爲自發自動的精神，即無自限於爲人所給與的意思。倘人不給，即可起而自取，還是所謂人民有革命權，而爲取消主權說一派公法學者之主張。其較穩健而不主張取消主權論的另一派，則認爲自由與否，可就事實來辨別，不至爲法律具文所蒙混。例如蘇聯，事實上已證明其無自由，雖其法律上有自由之規定，仍可乾脆認其絕無自由。阿克頓HORD ACT ON說，如房屋失火，而不准喊救火，凡言論自由，都沒有的人民，不論法律上有無自由之規定，仍可直截了當，認其毫無自由。大抵人身保障，信仰言論出版等等，均爲不可剝奪的基本自由。

拋棄法律規定之自由不談，專從事實上辨別其是否有自由，是人人具有此等本能來直覺到的。而所謂自由人者，亦可從其相反的事實方面，如鏡之與形來體驗到。凡非囚犯與奴隸，俱爲自由人，即爲囚犯與奴隸，而非出自願者，亦有做自由人之資格。但如欲爲自由下一定義，單靠法律既不可，僅賴事實亦不夠，必須仍以思想爲其出發點。惟思想則隨時代與地理環境爲轉移，故自由之定義必不止一個而爲無數個，凡隨時隨地而有變遷。今欲確定自由之意義，必須循其發展之迹，綜合而比較之，便可恍然大悟了。

二、歷史上之自由與自由人

自由一詞，初見于卑理克利Pericles之送殯演說，謂「凡吾人認爲應做之事，而不至激怒鄰國者，即可自由的做去。」故自由之原來意義，爲城國之民族自由，且爲希臘文化之理性主義之產物，必須把握此二點，始可邁萬變而不離其宗。十九世紀，拜倫以自由鼓勵希臘獨立之戰鬥精神，殊符合于民族自由之原義。

至城國崩潰，司多噶派主張大同，而重視個人，遂將民族自由變爲個人自由。基督教仍重個人主義，而以平等精神，充實自由之內容，偏重于人格之修養。中世紀後，將完整的自由，散爲各種特權，是爲人權說所由本，將抽象之自由精神，變爲具體可以享受的權利，有好處亦有其壞處。好處是使人民易起擁護，如財產之勢在必爭。壞處是失去平等之精神，蔑視社會之正義，而濫用其自由，引起鬥爭與不安，皆爲如此現象。直至十九世紀止。

二十世紀之福利國家，爲重新以平等充實自由之內容。仍保留具體權利，不使自由由返于抽象原則。綜合起來，使在民族自由之整體下，個人享受其自由。國家不特從消極方面，期在不妨礙個人之自由，且在積極方面，頒佈自由法令，以鼓勵人民之自由。福利國家之任務，曾較前爲繁，但其本意不爲干涉論之抬頭，而爲自由說之重光。其所以非使人民悉爲自由人不可者，殊有其重大之意義在，容于下節申論之。

三、自由人之任重道遠

自由人不是散漫頹廢，儘仰由人的可憐虫，亦非只能坐言不能起行的高調派。他是追求眞理，本浩然之氣，執之以趨，生死利害均所不計的人。故自由人多爲海闊天空，生機活潑，不受限制之人。舊社會的法律而欲拘束之，制裁之，則亦惟有擺脫此拘束，反抗此制裁，以再造新社會與新法律而後已。其惟一之例外，則爲只受理性之限制，然理性只爲各人本于良心之認識，將各人之主觀，轉化而爲客觀之輿論，以成公同意志，使自由不得與之相違背。則所謂理性之限制，即爲自由人之自限，蓋外界殆無一而可限制以和自由的。盧騷說，「自由不是和平而是刀兵，」是和平手段無法排除外界之限制，故以自由精神鍛成無堅不摧之刀兵不可。

但各國政府何以嘉獎此專與政府搗亂之頑民，而以忍受此一眼中釘之存在爲基本政策？古代與現代獨裁者，皆以不給人民自由，爲遂行其志之必要條件。現代自由世界，反認毀滅自由，即爲自壞長城，始終不肯如此做。我想政府常爲行政之便利，而犧牲原則，並非故其崇尚自由，欣賞正義與理性之價值，而爲其能發揮實際上之效用之故。

原來英國人所以統治世界四百年，美國人所以統治世界四十年，皆歸功于自由，用以媲美于古代之雅典。一九二五年意大利雷基羅教授Ruggiers，撰歐洲自由史二巨册，英國牛津大學教授柯連活Collingwood，立即爲之譯成英文。他認英國以海軍立國，出海作戰，不易控制，非人自爲戰不可。則平時若不養成其自由精神，戰時如何能使其自奮，以發揮其平時做不到之最大潛能？英國海軍之所以能戰勝西荷法者，以賴自由精神故。

西荷法之海軍，其強大較英國者猶過之，顧其所以失敗者，則以缺乏自由作戰之精神故。若美國之開發西部，建立兩洋海軍，與其今日統治世界之道，而仍尊重他國自由，皆爲盎格魯撤遜遺風所致。自由精神的發揚光大，而能收有良好結果者，殆無可疑。

若歐陸之法俄德諸國，強鄰逼處，素以陸軍立國，祇有嚴其控制而忽視自由。陸軍本是可以控制，非如海軍無法控制，兩者因地制宜，原無可軒輊之事。特兩次大戰之結果，最後勝利，終歸偏重自由之海軍國。海軍國之陸軍先雖敗挫，終能建立更爲強大的陸軍，與原來陸軍國作戰而勝之，人皆歸功于自由潛能之偉大發揮使然。

此在昔日以陸軍爲決戰主力之情形，尚且如此，今則以能否制空，爲勝利之先決條件，空軍且將代陸軍爲主力了。空軍之不易控制，而需要自由精神之培養，故以將來之勝利基礎，奠定於自由精神之上，亦不爲過。殆較海軍爲尤。若謂自由世界，而可爲共產獨裁所戰敗，徵諸昔日之經驗，是無法使人置信的。彼以控制之嚴自豪者，亦足證其自掘墳墓，愈來愈深而已。

我鞏固以自由人自命者，顧吾問之而內心泯愧焉。中華民族之自由，被剝奪已八年，我們何能醒覺，而自稱爲自由人歟？民族自由本也，個人自由末也，置民族自由之喪失于不顧，亦不亟圖所以恢復之道。而斤斤惟以爭個人自由爲務，姑不論其動機如何純正，行動如何合理，態度如何光明，皆不免貽捨本逐末之譏。然我爲此言，非爲忽視自由者張目，彼已自置于失敗之地，成爲無可挽救之命運，爲之張目，復奚益？今日要圖，在以民族自由爲號召，喚起弘毅之士，無視一切，作復國之共同奮鬥。大陸上仍不乏愛好自由之人，而若已陷于非自由人之奴隸境界。拯救這班人，而開下一代自由之曙光，不是我們這一代人的責任麼？不是我們所應當展開的鬥爭麼？苟能如是，始足自稱爲自由人而無愧。當茲自由人五週年紀念將屆之時，擴其眞義，願與同人們共勉之而已。

中共農民的末日

·風行譯·

本文作者KARL A. WITTFOGEL是哥倫比亞大學羅氏紀念圖書館中國歷史部門首腦人。他認爲中共的「農業合作組織」是現代最悲慘的發展。

中共統治下之中國農村，已陷入最大之危機。中共企圖掩飾其不人道的目的，宣稱發展「合作社」（生產合作），故意混淆農村政策。此項合作組織，並非眞正係合作社，實非自由人民爲自身利益而組成，是摹仿蘇聯之集體農場，僞言人民自願，其實係由共產黨官僚所壟斷。其最高層發言人亦公開承認：此種生產合作社，祇係原始式無機械化的合作社。其實際的定義「集體經濟組織」。依照毛澤東最近的宣言，其目的在達到使農村生產者完全受國家管理經濟所控制。

在四十年代，拉鐵摩爾曾認爲毛澤東是農民黨的首領，但從其一貫爭權的戰略上看，若他和農民一致，則必失去建立以城市爲中心工業基礎和獨裁政權的機會。因此，拉鐵摩爾的觀點是愚蠢的。誠然，在中國內戰期間，毛澤東曾以土地爲餌，鼓勵農民參加共黨部隊，欺騙農民，但在取得大陸政權後，共產黨開始以賦稅和物價向農村進攻，在重稅政策和高物價政策下迫使農民以極低廉的價格將「餘糧」——其實是農民賴以維持生命的糧食——售給政府，而一般的輕工業成品的售價與質地則是又高又次的。因此使農民微弱得可憐的購買力，也被剝奪了。

中國大陸農民，爲了反抗不合理的統治，也曾使用蘇聯新經濟政策末期不依照指派定量售穀給政府的辦法來對付，中共自一九五二年起，農民反抗力日有增加。至一九五三年十月繳納的穀類，比指派定額短少百分之二十五。

共產黨感覺此種潛在的反抗影響太嚴重了。由於嚴厲的新聞檢查與管制，鐵幕的自由世界並不知道一九五三年多天發生的慘事。但當時因農民拒絕繳納穀米，以致在中共境內造成多處的饑荒。

但共產黨對此並不讓步，在用騙呃手段不成之後便用嚇殺手段。中共以恐怖手段強迫農民將所有的糧食「售給」政府。在糧食不足地區實行糧食配給。在城市利用人口登記簿，在小鎮及鄉村則用「購糧證」。（新華社一九五四年二月二十八日消息），其後共黨頒設一律的配給證。

對農民下決定性的攻擊，係始於一九五三年十二月的中共中央委員會之議決案，要求加緊組織生產合作社。此項決定，使中共統治階級與農民階級間再度開始激烈的鬥爭。但到一九五五年上半年時，中共報紙深感也無法掩飾危機增加，因爲中共無法使糧食不足之區域獲得滿足。而農村瀰漫着憤怨之情緒。農民開始對耕耘土地的價值產生了懷疑。他們廣泛地運用破壞耕田的手段。共黨法庭則開始對不出售糧食縮小生產面積及地畝的「反革命份子」（農民）加以槍決（人民日報一九五五年七月七日消息）。春耕前農民生產情緒之低落，已使春耕不能如期開始而發生了困難。

（未完）

艾森豪宣佈競選

艾森豪的「秘密」終于宣佈了，他決定參加共和黨這一屆總統的競選。

平心而論，軍事上，在第二次大戰中，艾森豪是一個有喧赫戰功的軍人；政治上，在這三年多以來，艾森豪的總統生涯，僅是個勉強過得去的人物。

但是，這位「僅是勉強過得去的人物」，無可否認的，今天却受到舉世的尊敬，他的病，他的競選，乃至他的一顰一笑，都會震動世界，甚至我們的敵人，有時還不得不尊稱他爲「和平老人」哩。

這位「僅是勉強過得去的人物」，他依靠什麼魔力呢？答覆正是，他什麼魔力也沒有，他在平凡中表現容忍，在微笑中有股憨勁，因此，他的事業高峯的前期，剛好適合担任一個來自四方英雄的「聯軍統帥」；他的後期老運，又剛好適合担任這個不生不死的時代的「總統」。歷史家要說，這是「時勢造英雄」！

時事評述

·司馬璐·

共和黨需要艾森豪

然而，在未來的四年內，人類的歷史可能從一個時代，進入到一個有血有淚的時代，這一位年老多病的艾森豪先生，是否能足以担當這歷史的大任，就是一個問題了。

但是今天共和黨當局所最關心的是，他們必須在大選中獲勝，必須繼續執政，無可置疑的，艾森豪的聲望蓋過所有共和黨的領導者，這是共和黨一筆最大的資產，儘管有些共和黨人並不完全同意艾森豪的政策（如諾蘭等），但在關係共和黨成敗的前提下，他們都一致的擁艾了。

艾森豪需要好搭擋

然而，美國人民的選擇，是否會僅僅因爲艾森豪個人的聲望而投共和黨的票呢？他們對于艾森豪的健康問題是否不加考慮呢？他們是否不了解在未來四年內世界鬥爭的緊張性、嚴重性與決定性呢？

共和黨的領導當局當然也會考慮到這些問題的。

共和黨當局今天的安排是，一方面，他們需要艾森豪；另一方面，他們必須同時作萬一艾森豪不能執行職務的準備。因此，共和黨需要配合一個艾森豪的好搭擋，誠如路透社所說，艾森豪宣佈決定參加競選以後，在今年八月間的共和黨大會中，「主要的爭奪戰，將係副總統之提名。」

聲望並非決定的因素

民主國家的選擧，個人的聲望並非決定的因素。在英國，有過邱吉爾在二次大戰勝利後下台的例子；在美國，也有杜威競選失敗的例子，我們今天如果肯定艾森豪一定當選，也是過嫌太早的。

民主國家的選擧，政策是決定的因素。在這一方面，我們也不禁要爲共和黨的政府捏一把汗的。共和黨應當記得，當他們于一九五二年在大選中獲勝的時候，美國人民乃至全世界，是如何殷切的期待着他們，一反民主黨執政時代的綏靖主義，「解放鐵幕」這是一個多什宏響的口號，然而，這三年多以來，基本上，艾森豪所走的是杜魯門的老路。

美國人的選擇

就美國內政問題上，美國共和黨和民主黨之間，沒有太嚴重的分歧，美國人民對艾森豪政府主要的爭論是外交。在這問題，無疑的今天美國人民對艾森豪政府是不能感到滿意的。

美國共和黨政府應當注意一個事實，一九五二年他們指責民主黨政府對蘇俄外交過于柔弱，而今，民主黨的領袖們，如不久前哈里曼，基福華指責杜勒斯對俄「柔弱」之外，還担心共和黨政府繼續受蘇俄的愚弄。

美國民主黨一部分領導者已經以「對蘇俄強硬」的姿態出現了，這是一個諷刺。自然，假定民主黨今天執政，是否言行一致，和共和黨政府的那是另一問題。但是從這些相互指責中，我們不難看出，美國人民的情緒，美國人民的選擇，他們確實需要一個對蘇俄強硬的政府。

日本經濟情況轉佳
內閣現行政策穩定
對共產集團立場不變

許俊

海外通訊

（本報東京廿九日航訊）緒方死後，日本自由民主黨在對付左翼政黨的活動方面，曾暴露了一些弱點。在局外人來看，最可怕的當然是內部的團結問題，因黨的領導權而引起的不愉快，亦至今尚未完全消弭。

但從廿八日下議院能以二六一票對一四七票擊倒左翼政黨，通過日本歷史上最大的預算案（總預算達美金廿七億）一點來看，則以過份強調日本左翼政黨內部的一些恩恩怨怨，來對它作過慮的觀察，已是沒有必要了。

新預算與擴軍

根據新預算估計，本年度內，日本將可增加地面部隊約一萬人；海軍約三千五百人！新造艦艇在五千噸以上；飛機兩百架。衛着這方面發展，日本防衛廳的六年擴軍計劃，到一九六〇年陸軍將擴充到十八萬人；海軍兵力有艦艇約十二萬五千噸；空軍將擁有飛機約一千三百架。日本積極擴軍，當然是爲了鞏固國防，尤其是以現階段的日蘇關係言，未來發展既不可知，則擴軍的意義可想而知。

當然，往後去是否能一貫保持日本內政現況不變，則還有待於自由民主黨今後實際政治的表現。

但從回顧去年度日本經濟狀況來說，對未來自由民主黨看好還是有根據的。

日本戰後之經濟得以迅速復甦，本是與韓戰有關。但自一九五三年七月韓戰停止後，經濟狀況曾一度遭受嚴重打擊，到一九五四年的上半年止，這段時間可謂日本戰後最不景的階段；但這也只是指生產下降和貨物存底增加而言。物價下跌後，由於生產萎縮，失業增加，在人民言却是得不償失。因此，左翼各政黨的活動得到了鮮有的機會，在政壇上右翼黨派受到了阻力。

經濟好轉支持了內閣

但自一九五四年下半年起，日本出口增加，經濟狀況迅見好轉，表明日本的生產已從軍事性的訂貨，轉變到出口貿易的方面，及至去年度，輸出力已創造了戰後日本出口的最高紀錄。生產、出口增加，進口減少、貿易逆差銳減，使國際收支有了結存，遂造成戰後日本經濟上的全盛狀況。

根據日本大藏省推算，去年全年出口將達到十九億八千萬美元，進口數字雖亦達到廿四億八千萬美元，而產生了逆差數字四億八千萬美元，但比諸一九五四年度已減少了二億七千萬美元。而這一逆差數字若以美國的軍事訂貨和其它貿易以外的收入去相抵，則日本去年度國際收支方面尚能結餘四億三千萬美元。這樣突出的好景，使去年底的日本政府擁有外滙儲備超過了十四億美元，比諸一九五三年增加了約一倍。有了這樣雄厚的經濟實力爲執政黨的背景，也就難怪鳩山內閣有勇氣提出日本歷史上最大的預算案了。

現內閣雖在經濟上度過了難關，但在對外關係——尤其是對蘇、對中共關係上，以及對付左翼組織的活動，前途却佈滿着荊棘的！

對蘇政策不變

日本國內左翼的鼓噪，加上蘇聯中共的糾纏，在對蘇對中共關係上已使重光外相有不勝負荷之慨。

在倫敦舉行的日蘇談判，始於去年的六月三日，由於重光正確地堅持要先解決日蘇懸案（主要的是日俘遣返問題和領土歸還問題）爲恢復正常關係的先決條件，談判遂始終未得結論。去年九月廿一日且曾因此中斷，日本談判代表松本俊一，也奉召回國請示當局，一直到本年一月十七日松本起程赴英，十七日再開談判，但迄今仍未見有好轉跡象。

在這一問題上，鳩山是主張遷就的，但重光却堅持其既定立場不變。重光的態度，儘管遭受到了左翼政黨的譏諷，但由於先解決懸案是完全符合日本國家利益觀點的，所以很爲民間一般所擁護。當然鳩山的態度也只是爲了應付反對黨，所以現在的對蘇關係，內閣意見大抵上是一致的。

重光拒與中共談判

談到日本對中共的關係，內閣不能不顧到商人要求對大陸貿易的「正常化」的要求。因此，官方是儘量避免正面去觸及這問題。但是中共的糾纏，却使重光不能不明確表示態度了。

二月三日，重光在衆議院外交委員會上說：「日本政府從未會從共產中國接到任何要求恢復外交關係的正式建議」。他這話實際是在答覆了周恩來的建議。然而中共却因此大做文章了，利用新聞報導公佈了中共與日本接觸的全部經過，期圖通過日本議會和左翼黨派，再加壓力。至此，重光遂在二月十四日斷然聲明「調整邦交現在不是時候」！這話已肯定地表示，日本在現階段無意也絕無可能與中共建交。

重光的聲明，在吾人立場來看是還嫌不夠的，但是他能做到這一步，實已非易了。

讀者論壇

共黨放棄暴力革命了嗎？

思愷

美國官方對蘇共第二十次代表大會的反應，見諸於杜爾斯的談話，是認爲共黨已放棄了暴力革命，有了這樣的結論，就無異是說蘇共的政策在開始轉變了。筆者雖不敢說杜爾斯的結論和看法不對。但却是值得提出來討論研究的。

並非政策轉變

這次蘇共的代表大會，確實是一個最重要的會議。它將決定今後數年中的政策，人事，及活動方向等問題。但這並不是說從現在起開始轉變，而是數年以前已經開始了——就目前的蘇聯情形來說，應該說是從史太林死後已開始的。

赫魯曉夫在會上發表的演說，在共黨的文件上是稱之爲「總結報告」。是總結過去數年政策的實踐，以及人事的變更等等，這與自由世界當政者在上任時的施政演說是完全不同的。是爲要蘇共代表大會加以認可其政策是行之無誤的。此後，蘇共的政策當然是根據此一總結繼續發展。

由此可見，說蘇共大會以後的政策將驟然變更是不對的。至於說內部人事的傾軋與變動，也將止於基層幹部，而暫不會發展到黨中央，改選以後，黨中央的人事形勢，已是平靜了。

但這也並不是說蘇共的政策將不會再變更了，其內部將不再起鬥爭了，而是指在現階段中，已經告一段落。

並未放棄暴力革命

綜觀這次蘇共大會的決議中提出兩句口號，即：和平進入社會主義有可能；和戰爭不是註定不可避免的。前者是新創的，是指中共的「社會主義改造」；後者是列寧所說的，是指國際間的戰爭。

若把這兩句口號廝混在一起來看，就會錯誤地認爲共產黨將放棄暴力革命了。以這一錯覺，去了解共黨就會得到錯誤的結論。

米高揚說：「在當前的條件下，個別國家存在着通過和平的道路過渡到社會主義的可能性。」所要注意的是，他所說的是個別國家，而並不是一般的都是如此。換句話說除了個別國家以外的其他國家和平過渡到「社會主義」的可能性是很小的。

在另一方面，周恩來，于最近的「政協」會議上作政治報告時，也曾強調了這一點。

米高揚與周恩來所指的「特定條件」即要在共黨控制下的政權，要在實行「統戰」的條件下才能出現「和平地過渡到社會主義社會」，否則，當然還是要沿着暴力革命的道路去實現。

戰爭是不可避免的

米高揚在講到戰爭不是注定不可避免的一段是這樣說的：「在目前的條件下，帝國主義國家或在帝國主義國家集團間的戰爭是否可能發生呢？可能的。帝國主義國家向社會主義國家發動進攻的危險性是否存在？毫無疑問，是存在的。只要社會主義還沒有在世界範圍內對資本主義取得壓倒的優勢，這種危險性將繼續存在。……但是戰爭不是注定不可避免的。」

這段話，在某種程度上是否定了以前的不能避免戰爭的理論。但自由世界的人們並不應該欣然于色，因爲其所說的正要避免國際戰爭的條件是：要說「社會主義在世界範圍內對資本主義取得壓倒的優勢」。

這種優勢依靠什麼呢？用米高揚的話來說，是「依靠脫離了殖民地制度的印度等；以及法國，意大利的工人，農民，勞動人民，與很大一部份知識份子和一部份資產階級等」。在各該國家內部作亂。也就是說，他們要求與積極的鼓勵上述這些國家中的共產黨來奪取政權。

就「統一戰綫」言，中國人民對於這種手段，是有痛苦的經驗的，從一九三六年起，共黨就喊出了統一戰綫的口號，由割據，而再使用武力來進行對國家的叛亂。

因此，我們是決不會相信，共黨已經決定放棄其暴力革命的手段的。如若不信，請你翻翻還不至於銷燬了的杜爾斯先生的檔案吧！

共黨滲入非洲

式一譯

共黨進行排擠美國及其盟國的勢力，現在的目標正移向非洲，那裏有美國的主要軍事基地，和豐富的戰略性礦產，是西方國家用以供養工業，及維持原子威力所必需。

蘇俄對埃及商業交易和軍火供應，在中東擊倒了反共盟國。經共黨訓練的遊擊隊已掉過頭來反抗法國的統治，莫斯科派遣外交外人員到遙遠的非洲首都，並供給利比亞及其他國家以經濟援助。

這些行爲不過是滲入世界這一部份的開端。那裏西方國家統治着廣大的殖民地。

西方情報官員已接獲報告，布拉格和鐵幕其他地方的共黨學校，正灌輸其所挑選的非洲青年以共產理論，宣傳方法，怠工，和遊擊戰術。

蘇俄總理布爾加寧及其他共首，在長篇演說中，曾打破慣例提及非洲被壓迫的民族，甚至堪雅的恐怖活動，共黨廣播反譽爲「解放運動」，雖然過去曾指摘這是英國所揑造。

非洲當地共黨在二億阿剌伯人、黑人、印度人當中，正進行煽動，製造騷動。幾十個非洲人不出分文，分批到鐵幕後去「遊歷」，從布拉格到北平，參加青年、勞工，以及和平等等集會。

這一切活動是針對西方國家的廣大戰略資源而發的。在非洲那塊地方，你可以看到美國打擊蘇俄心臟地區的原子攻擊力量一大部份即佈置在那裏，（摩洛哥有噴射機活動的三大基地）。另一個在利比亞的美國基地，則控制着地中海的空防。

美國從比屬剛果和南非獲得的鈾，比全部輸入量一半還多。製造精密工具的工業，其所用金鋼鑽，要靠非洲的出產，並須由非洲礦藏中獲得大量的銅、鈷、鋁，和其他稀有金屬。

那些富源，莫斯科亦虎視眈眈。蘇俄在埃及已獲得一個外交立足點，這引起美國方面特別不安。國務院高級官員說：「開羅是回教中心，你們要記住，回教伸展遠至撒哈拉以南。那就是說，如果蘇俄能爭取埃及倒向他們一邊，他們獲得大部份非洲土著支持的門戶即告打開。」

捷克的軍火正源源運到埃及，西方官方憂慮着開羅或將成爲共黨供給非洲及中東以軍火的轉運站。貿易亦已繁盛起來，埃及賣給蘇俄集團大批棉花，約等於十八個月的二倍。

埃及總理納撒今年打算訪問蘇俄。開羅與莫斯科之間訪客往來不絕，有貿易代表團，也有回教領袖和學生。

蘇俄且在利比亞設立了大使館。這裏在開羅以西約一千三百里，是一個貧苦的阿剌伯王國。它與莫斯科簽訂了一項驚人的外交協定，雖然仍須依靠英國和美國以經濟援助，以穩定不可收拾的財政。

駐利比亞的俄大使金納拉洛夫，當時因係駐澳洲大使，爲他的屬員彼得洛夫投向西方，供出在他外交掩護下的間諜活動，不得不離開澳洲。現在他在這個新的外交前哨，守着惠洛斯美國空軍基地的門戶，距離法屬北非的暴亂區僅一綫之隔。

非洲這個角落，包括突尼西亞、阿爾及利亞，和摩洛哥。西方國家在這幾處地方正鬧得焦頭爛額，阿拉伯民族份子聲勢洶洶，阿爾及利亞更天天有戰事，共黨份子是其中的主要因素。

關於共黨參加遊擊戰，反抗法軍的第一個證據，是一個俘虜所透露。他說，有兩個共黨軍要人員以「政治指導員」名義參加游擊隊工作。其中之一，是一個阿爾及利亞律師。另一個則是一個法籍白人，曾參加西班牙反抗佛朗哥的內戰。

另外，也有證據可證明曾在越南作戰的阿爾及利亞老兵目前正協助游擊隊。那些人在越南被共黨俘獲，解到中共和東歐受訓，後來越過利比亞邊界，溜進了阿爾及利亞。（上）

台灣通訊

台灣的「工展」

昌增勳

（本報台南通訊）台灣工業產品聯合展覽會，於本月九日在台南市成功國民學校揭幕，已於十九日閉幕，這期間，在縣市鄉鎮里的車站、船埸，見到擁擠不堪的人潮，湧來台南看「工展」，這一民間舉辦規模宏大的展覽會，耗費之大，據有關方面估計，在新台幣二百萬元以上，參觀的人數約在五十萬，可謂已收到宣傳的效果。

大會爲增加會場的刺激，點綴「工展」的繁榮，決定選舉工展服務「模範小姐」十名，其得票最多者，爲「工展皇后」，並於閉幕時加冕。訂定十三日起開始投票三天，投票的方法，由觀衆進口處領取選票一張，參觀後，選定服務熱心，態度和善，宣揚國貨最力者的小姐一名，將其所配的號碼填妥，出場時投入櫃內。僅三小時的投票，即達一萬餘張，後因秩序紊亂，影響會場安全而停止，改由大會及參加的廠商選舉，復因廠商的角逐強烈，有不惜用新台幣百元爭取一張選票的現象，競選情況雖甚熾烈，但一般對此，各有見解，仁者見仁，智者見智。因而宣告取消「工展皇后」選舉。此舉草草結束，遂使獨具生意眼者稍興失望。實則此項選舉，對工展本身實屬毫無意義。

但台南市軍友之友社，爲挽救此一殘局，商請參加競選的六十餘名「工展」小姐，自願到軍友社所設的「義賣站」裏來，將廠商捐獻的勞軍產品，負責推銷義賣，取成績最好的五名，其中最佳者爲「愛國花」，閉幕時獎給銀杯一座，並配「愛國花」大梅花於胸前，餘四名亦賜送品。

從純生意眼廣告性的「工展皇后」選舉，一變而爲義賣勞軍的「愛國花」，這說明了單憑生意經的刺激，在今天的台灣已經不足取，這種舶來之風，已使人民感到厭倦。沒有意義的亂花錢式的商業競爭，根本上就不合乎今天台灣人民生活需要，且亦跡近於欺騙觀衆，若此次無軍友社出而主持，閉幕時也無軍友社代勞，則實不知究將何以收場呢？

編者讀者

△易興、文鑑、劉廸、姚兆和、張建生、旻搜碧、刁抱石、紅纓槍、彭楚珩諸先生：惠稿收到。夢山先生：續稿均收到。謝謝。

△何鐵巖先生第四二七期之十二號，第四二八期之十一號，及第四二九期之十號三號稿費函通知單，已告遺失，特此聲明作廢。

△楊海宴、鍾良、許、張健生、姚兆和、張搜碧、王敬義、胡叢之、王金城、孫國華、葉、黃哲夫、易興、刁抱石、劉廸諸先生，承惠稿均收到，至感謝。

△本報第五二一期第二版台北速寫作者爲杜蘅之先生，上期誤植爲「杜纓之」，特此更正。

香港私校教員的福利

私立中文校聯會作總檢討

私立中文校聯會在最近的一次會員學校聯歡會席上，對有關教員的福利工作，提出了一次總檢討。

五點提案

出席的三十五間私立學校的負責人對過去一年的福利進展認爲過於遲緩。經過討論後，提出了五項要案，包括：（一）向政府請求建廉價屋宇予教師居住；（二）籌募失業教師救濟金；（三）請教育當局將「暫准教員」名稱更改；（四）請求當局減低學校滯費；（五）籌設教師醫療處。

由於在這次聯歡會席上，曾邀出席的區達年和德明中學的陳樹垣同是這一屆市政局議員提名的候選人，因此當這五項意見提出後，這兩位候選人隨即表示如果當選議員時，他們定當把這五項提案設法向政府提出，請求解決。至於這五個議案是否成爲今年實現的福利目標，現尚難以估計，但此三十五名私校的負責人把五項籌劃進行的福利工作中，有四項是針對教師當前所急需而發的，作教師與校主的合作，以及教師本身的福利改進，未始不是一個良好現象的開端。

「暫准教員」有四千人

至於香港一般私校教師尤其是「暫准教師」的地位始終是不被人重視的，據不完全的統計，目前在各校執教的「暫准教師」尚有四千人。他們目前的待遇收入與生活既不佳，而職業又毫無保障，隨時有失業的可能。在這一種現象的影響下，非但有害於「暫准教員」的本身，而且更影響了教育的前途。今天校聯會的教師們提出福利的要求，事實上是一件急務，問題是這五項福利提案是不是能夠使教師們獲受其益，則有再作檢討的必要。

建造廉價房屋

即如第一項福利工作提案內容轉向政府請求建廉價屋宇予教師居住；同時區達年議員以爲如果須向政府請求撥地時，可先將校聯會組織改組爲有限公司，然後向政府申請，則不獨可減少地價之一半，且可分期付款。關於廉價屋問題，今天成爲香港廣大居民的問題，而不是祇局限於教師這一方面。如果我們經常注意廉價屋的發展，非但該會對普設廉價屋的日期未敢深具信心，即如廉價屋之所謂「廉價」也表懷疑。因爲根據政府已在興建尚未完成的搖搖街，蘇屋村和紅磡三處的廉價屋已訂定的月租約在八十元至一百元之間，而香港模範屋宇所建的模範屋則達一百四十元，而目前屋租最廉的僅爲徙置木屋區民而建的平民大廈，每月月租十四元。

屋租與建築費

即如以上三種所謂廉價屋，均爲政府所極力支持者，雖然月租各有不同，但却有特殊的條件始可獲准居住，此同時，如果有一個教師獲得申請入居月租一百四十元的模範屋時，他是否能勝負担，也是一個嚴重問題。

至於請求政府撥地建屋之舉，其經費以及屋租實爲多項不可估計的問題，即使一切問題獲得解決，但租屋一項將不致比政府屋宇爲低。

以今日一般「暫准教員」的收入而論，如果屋租一項須要付出一百四十元時，恐無問題爲全月收入最大負担之一，據新聞記者的個別統計，目前每一個「暫准教員」的收入約一百八十元至三百五十元，他們所付的租值約由六十元至一百元，佔全月收入的三分之一，雖然今日他們的所居是過於隘窄和無法顧及環境衛生，但如果是增加他們在屋租方面的負担，則他們寧願安於現狀。

提高教師收入

一般教師的意見以爲提高教師收入實爲最迫切的要求，固然以當前的私校經濟情形來論，這似乎是一種苛求，但如果私校能夠獲得政府的輔助，則提高教師待遇是不難實現的。這當使到建廉屋更爲實際。

第二項提案所稱籌募失業教師救濟金一項，其意義固屬良佳，但推進則似甚困難，由於香港的失業教師甚多，且對資格問題殊難加以確定，類如一個知識分子曾經在一私校任教短時期後即告失業，則此人是否則有接受救濟的資格，如此等亦入救濟之列，則本港之失業教師何止盈萬，同時消極之救濟並無補於實際，如何解決他們的職業，即如使們優先接受師資補習訓練，呼籲政府官校酌情加以錄用等，實屬良策。

正名與醫療所

第三個提案請求教育當局將「暫准教師」名稱更改問題，一般教師認爲名義與實際應該並進，因爲如使「暫准教師」的名稱經教育當局接納而加以更改，但實際的待遇與暫准教師仍無異致，則改與不改並無重大分別。

第五項提案爲籌設教師醫療處，這一個問題確是甚爲深入，而且是非常急切的，目前一般私校還沒有個別的醫療機構，這使到許多教師和他的家人於發生疾病之際，均無法獲得較爲廉價的醫療，而一般社團及工會等單位早已有爲會員醫療的福利工作，而教師獨付闕如，則是不合理的，因此，校聯會能夠及時地提出這個計劃，可以說是最能適應一般教師的要求。

當「暫准教師」的收入被認爲「可能的待遇」以後，教師們的生活早已爲他人所重視，而所謂福利則更無論矣。但校聯會的福利會都於此際提出，姑無論各項福利是否應有緩急之別，總是一大佳事。據悉校聯會福利組於聯歡會席上彙集了各校負責人的意見後，已加整理，並定於最近的一次理事會上提付表決，然後逐點實現。

如何投考倫敦大學

陳永昌

投考倫敦大學，首要的條件是必須在該大學認可的中學畢業經過學校的薦選，不是該大學認可的中學畢業生，只可以當自修生應試。

在英國，投考倫敦大學的年齡規定要在十六歲以上，若非有中學校長特殊的證明和保證其功課優越，則不滿十六足歲的人，是無法投考倫敦大學的。這種限制，對中國學生大概是不發生問題的，因爲我們高中畢業的年齡大抵都超過十六足歲了。

在香港來說，大約在每年夏季考試前的九月，學校便會得到倫敦大學寄出的申請表格，由各校將應試的人數及考試的科目等填好，於十月十五日前寄還該大學。

各校在接到上述表格後，約在每年的一月中旬，便會接到該大學寄來的正式報名表格，待填妥後並附上考試費（普通科目十先令，高級科目一鎊，獎學金科目一鎊十先令）於三月一日前寄回倫敦大學（若逾期則須另收十先令），以待該校通知參加入學試。

倫敦大學的考試日期是，夏季各級考試都有，秋季則只有初級考試。因病未能參加秋季考試的高級生，則可參加秋季考試的補考。

在攷試前，該大學要檢驗文憑，因此文憑上除了應記載考生的姓名，出生日期，學校，考試地點，及格科目外，如有優良的成績，也最好能特別加以記載，如高級科目不及格者，該校主持考試的考官，可能慎重考慮而給與普通科目合格。該校在檢過文憑後，即分別寄還各該中學轉給考生，自修生文憑，則由該大學直接寄還。

凡考試合格者，其名單亦由該大學寄給各該中學，合格名單上對於各科成績有極詳細的記錄，自修生的成績，亦由該大學直接寄給各該自修生。

以上是說參加夏季考試的情形，秋季考試則須在每年十月一日前填好報名草稿格式表在十月十五日寄回該大學。若遲過限期到十月廿五日前報名者，則援例另加十先令。

自修生報考，則須親自寫信給該大學的考試委員會申請報名表格，參加夏季考試的須在二月一日前寄還；參加秋季考試的，則需在九月廿日前寄還。惟自修生必須同時附繳宣誓紙及出生紙，以供該大學檢驗。」

該大學現定在一次考試中，報考科目不得超過八個普通科和五個高級科，凡是報考了的高級科，在以後不能該科的普通級，但不及格者，該可能認可爲普通級合格。

該大學的考試科目，屬於普通級高級及獎學金程度者，計有英國文學、地理、歷史、古代歷史、英國經濟學歷史、英國憲法、經濟、拉丁文、希臘文、古典希伯來文、法文、德文、西班牙文、意大利文、俄文、波蘭文、任何承認語文、純粹數學、應用數學、物理、化學、地質學、生物學、植物學、神學、美術、音樂；

屬於普通級及高級者有：家政及手工；

屬於普通級者有：英國語言、近代希伯來文希臘文學、物理與化學、普通科學、附加普通科學、幾何及機械繪圖、基本測量、邏輯、商科、田園生物學；

屬於高級者爲工程繪圖；動物學及數學（純粹及應用）；

普通級被承認的語文則有：阿富汗文，阿爾巴彌亞文，古典阿拉伯文，緬甸文，中文，捷克文，丹麥文，荷蘭文，芬蘭文，希臘文，匈牙利文，愛爾蘭文，日文，馬來文，馬爾他文，挪威文，波斯文，葡萄牙文，羅馬利亞文，蘇格蘭文，暹羅文，瑞典文，土耳其文，威爾斯文，白俄文等。

高級被承認的語文有：阿富汗文，阿爾巴彌亞文，保加利亞文，捷克文，丹麥文，現代希臘文，匈牙利文，愛爾蘭文，挪威文，葡萄牙文，羅馬利亞文，蘇格蘭文，瑞典文，威爾斯文，阿拉伯文，古典中文，古典日文，古典波斯文等。

中共的廣播

·亞蘇·

你偶或在收音機中聽過中共電台的廣播嗎？假如你聽過了，你就會瞭解共黨對廣播，並不是把它當作新聞、文教和娛樂的活動；而是以此作爲政治鬥爭的工具，作爲加強對人民赤化教育，及對自由世界從事心理戰，以遂其政治陰謀。

年來，中共對廣播事業，正積極開展。根據去年的統計，共區有廣播電台達六十座，收音機站達二萬餘個，每日廣播的語言，包括：英、日、韓、越、印、緬、暹以及粵、潮、廈門、客家，國語等，藉以欺騙世人和海外華僑。

其機器型式：除有一五瓩水冷式是俄製的，另七點五瓩是中共自製（用蘇俄空管、風吹式改裝）者的兩種外，最近且有匈、捷製機，分置於二二一號（南京）及一五號（南昌）兩地使用。

其電力分配的大致情形：如設於距北平十四公里之雙橋「中央電台」，所用電力爲日製一〇〇瓩機一具，另有一部七五瓩與干擾機數部；雙橋「中央電台」的新房並置有俄機兩具，電力爲一五瓩。再「良鄉發電台」，所用者係俄機，爲亞洲最大中波，電力達三〇〇瓩。又中共經常使用之「新聞廣播電台」，有四部七五瓩發射機。

自去年以來，中共對廣播事業極爲重視，不僅增置新機，加強電力，擴大其宣傳陰謀，並對一般技術人員亦正加緊訓練中，除必須語識俄文外，且先後抽調幹部赴俄、匈、捷及東德研究技能、裝置、設計等技術。其欲進行赤化世界的勃勃野心，如今正方興未艾哩！

再就中共廣播電台的系統分析：其最高機構爲「廣播事業局」，隸屬於「國務院」，「局長」梅益（蘇俄無線電學校畢業），「副局長」左漢野、溫濟澤，轄有行政、編輯、技術三個「部」，其組織情形：

（一）行政部：「部長」由副局長左漢野兼，分設兩處，第一人事處，處長陳競寰，掌理局內及各地電台人事，下設兩科，一爲幹部科，科長陳競寰兼，分掌人事、政教、職工會等業務；二爲福利科，科長韓安（女），分掌補助、撥貸和借款等事務。第二財務處（以下工作幹部姓名不詳），分掌收支、採購和聯絡工作，下設採購、聯絡、保衛、總務四組。

（二）編輯部：「部長」左熒，分設[illegible]「中央電台」，台長[illegible]兼，分掌編輯、播出等工作；文藝處，分設方言，歌詠、播劇、曲藝等四組，主要播音員有齊越、夏青、潘潔、前程等。該處並設有圖書、資料、唱片等三室。

（三）技術部：「部長」李伍，分掌「中央」及地方各台的修建、調配、發射、電力、週率等工作，分設三處，第一「器材處」，轄倉庫、傳管兩科；第二「基建處」，爲負責「五年大建設計劃」的主腦機構，轄土建、器材、探戰三科；第三「工務管理處」，包括保密組織，分設服務、維護（管理中央與地方電台的政機、修機、天綫及機務等）、週率三科。並附設有蘇俄「專家室」，經常駐有俄專家四名，並配有最新週率計及波長表。

至於日常廣播工作，不論「中央」或地方電台，皆有一定的目標，換言之，即是共黨對外宣傳的公式化，萬變不離其宗，其主要原則，不外：甜言蜜語的誘惑，以其作統制羣衆的枷鎖；傳播赤化毒素，以其建立羣衆基礎的橋樑；擴大和平宣傳，以其作心理戰影響的工具。

西班牙的學潮

佛朗哥政府受公開反抗

西班牙人民却並未受愚。政府宣佈法學院院長洛貝茨已遭撤職，同時外傳校長安特拉哥也已被黜。七名學生領袖則據說被放逐到距離馬德里二百哩的地區。這些青年的姓名，都加上了「先生」尊稱，其中包括一個長槍會創立人的兒子，長槍會第三號巨頭的姪子，還有一個佛朗哥密友的兒子。

佛朗哥又取消了西班牙人在國內自由移動的權利，並暫時取銷保障人民免受無辜被捕和囚禁的法律。這兩條法律在西班牙雖然祗在理論上存在，但它們的取消，却構成了佛朗哥的警告，表示他已決定改變他的「鬆弛」政策，而恢復鐵腕統治。西班牙全國瀰漫緊張氣氛，這是大學城陷落後的陰暗日子以來所未見的。

由於西班牙現在已是聯合國會員國，佛朗哥已不能像他上台初期那樣完全不顧民意，因此對於這次長槍會的學生暴動，他不得不尋找替罪羔羊來安撫西班牙兩個重要的民意集團。

他首先將教育部長吉梅納茨撤職，吉梅納茨現年四十六歲，是個骨幹的智識份子，信奉天主教，思想上比較開明，有溫和的自由主義傾向，去年十一月曾發表演說，公開要求政府「聽聽人民的心跳」。因爲這些因素，他成爲長槍會當然的攻擊目標。該會曾指摘馬德里大學中已「瀰漫危險的自由思想氣氛」。但佛朗哥也不再只聽長槍會的聲音。西班牙中層階級的不滿情緒，也第一次獲得佛朗哥的考慮（此次發生暴動，實際也是中層階級對佛朗哥的嚴緊控制表示不安的象徵）。爲滿足這一階層人士，佛朗哥也將長槍會領袖柯斯達撤職。

經過了數日的緊張，馬德里大學終於恢復外表的平靜。但在這幾天內，便衣警探巡邏於各大街道，警察手執湯姆槍，嚴密佈崗，以防動亂復起，外國人也常被攔住，查看身份證。這時，義大利曾獲獎的著名影片導演巴爾頓正與美國女明星布萊爾在馬德里拍片，他也遭拘禁。雖然長槍會的報紙指責「敵意的外國報紙」渲染此次暴動，佛朗哥却展延了他所愛好的一年一度狩獵，以研究他的「人民的心跳」。（下）（紋譯自時代週刊）

第二屆藝術節

今晨盛大開幕

第二屆香港藝術節已定於今晨開始，一連舉行三週。該日上午十一時，在中區新塡地之展覽會場，將由總督夫人主持開幕禮。其後，會場即馬上開放，任由市民前往欣賞。

本屆藝術節之秩序極爲豐富，除各項展覽品外，又有音樂演奏會及戲劇演出。

在中區新塡地展覽會場參加展覽之團體有香港藝術會，攝影學會，以及新成立之中國畫家團。此外，又展出一批中國古玩，均由若干私人借與中英學會之中國文化團，以供藝術節展覽者。教育部由本港各校收集之手工藝品，亦有展出。

藝術節展覽手册亦開始發售，內容有展覽會場全部陳列品目錄，及所有戲劇及音樂演奏會之節目。（胡）

自由談

熱不因人

艾森豪宣佈繼續競選總統，世界各國人士連俄共在內，一致表示欣慰。鄰國之賢，敵國之仇也，自由世界的人恭維艾總統，說漂亮理由，是因爲美國乃自由世界的領導者，講老實話，是美國富强甲於全球，有美援的財力物力可以運用。

俄共們何以也恭維艾克呢？據莫斯科方面發出的電訊，說艾克繼續在位，可以跟蘇俄國防部長老友記朱科夫元帥打交道，促進世界和平，這不是笑話嗎？共產黨居然以溫情主義爲世界革命的重要手段了，難道赫魯歇夫眞要走入考茨基的社會民主黨思路綫不成！嗚呼噫嘻，我知之矣！俄共們之歡迎艾克，是歡迎他那願意走到半途上與俄共握手的妥協精神，歡迎他贊成分割越南領土人民之一半送給越共，歡迎他能夠降身辱志與中共談判台灣問題，尤其歡迎他那種歐洲第一主義的對外政策。假如我是個「共產仁兄」，當然也對艾總統要表示擁戴之忱哩！

艾總統最偉大的本領，就是八面玲瓏，創造自身的榮譽。專就一個美國總統的作用來說，他確是刮刮叫的「總統先生」，不可多得的。所以，我料想他在十一月大選中，八成兒會贏得勝利，坐鎭白宮如故，他的榮譽亦繼續上昇，達到最高峯，人生至此，不亦快哉！

可是，他對自由世界前途究有多大的裨益？至少要暫時採取保留態度。除卻照樣也推行冰箱與抽水馬桶文化的美式經濟援外計劃外，恐怕沒有甚末新猷可覩。艾克原是一位太平盛世的標準總統人才，要他跟羅斯福、邱吉爾媲美，縱使沒有心臟病的顧慮，也不可能吧！

因爲俄共們對艾克的繼續競選總統表示喝采，我就祇好把鼓掌叫好的姿態因住來，以防他日有失望的悲哀！

馬五先生

曾后希及其畫

·王世昭·

在三湘七澤之間我認識了幾位朋友，一位是士多部長左舜生，以四任農林部長之尊，流亡到香港還要開小舖子才能維持生活。這雖是已成過去，但卻是民國宦海韻事，故不可以不記。又有一位是才子而兼詩人的易君左，初期也與士多部長作老搭擋，雖然大家寫了經營不得法斷了本。事後仍然以談笑出之，回過頭拚命寫文章維持生活，固亦不可以不記。此外又有一位青年作家趙滋蕃，當沒有登上文壇以前，他是調景嶺的難民。餓酸苦辣都嘗遍。幸好一部「半下流社會」救了他，從此脫離困窘，更加努力。「旋風交響曲」出版後，他又躍而爲詩人。這些都是湖南人，湖南人適應環境的本領實在可敬，有時更頑强得出奇。

曾后希初到香港也很夠慘。憑藉他從事空軍，陸軍，以及坦克車兵團的勇氣，重新拏起筆桿作藝術活動。山水、人物、花鳥、走獸，無不精工。終於震動了香港畫壇，原因在那裏？就爲了他的毫端有鬼！人見鬼怕，只有我見鬼不怕。何以故？我讚離騷，見到「山鬼」。山鬼美到不能再美，屈子曾爲之辭云：

「若有人兮，
山之阿；
被薜荔兮，
帶女蘿；
既含睇兮，
又宜笑；
子慕予兮，
善窈窕！」

曾后希筆下之鬼，就是這個鬼。

曾后希的畫，一面是入古出今，一面文除舊布新，所以他的創作，每幅都有他自己的面目。如果有人不相信，請看今日世界日曆中的「臥薪嘗胆」，以及四海畫報中的「屈原」。

曾后希內心中的灼熱，燃起了藝術生命；他的東西不同于古人，也不同於今人。好多人寫畫能入而不能出，曾后希則否，既能入，也能出，這就是曾后希的本領！

曾后希還畫有四個古典美人，即西施，昭君，貂蟬，太眞等。衣物即嘗隨時代演進而有變化，可是她的面目，絕對不是燉煌壁畫，或許是女史司箴，以及吳道子，仇十洲，唐伯虎諸人的風格。不然，曾后希不至以「馬鳴秋老動邊聲」一幀爲全國畫展第一，也不至以幾幀創造送到巴黎展覽爲人定購一空了。

一個藝術家偉大的成就，須要時間來培養。第一是人品，第二是學問，第三是工夫，第四是不斷的努力與創作。傳世的東西絕不是邪魔歪道。最高明的人是看，次高明的人[illegible]，不高明的人是[illegible]。曾后希的希望，還有無數腹稿，今天說出似太早，因爲他才跨入不惑之年之故也。

（左舜生今年六十三，易君左今年五十六，曾后希今年四十，趙滋蕃今年三十，一位是文學家，一位是史學家，一位是藝術家，一位是青年作家。在這個動盪時代裏，他們都是經得起考驗的，似乎也可以代表大多數不同年歲的湖南人了。——筆者附識）

竹幕裏的小學教師

·牛布衣·

照唸白話文

每一次宣傳運動和鬥爭，總有一個時期的宣傳和演講。爲了清算胡風思想，學校組織了許多隊伍對人民公開宣傳。

在大陸，講話和發表意見是十分危險的事情。說錯一句話，講錯一個字，都有坐牢的危險。清算胡風思想的講詞實在不容易草擬。小組會議時，我們決定採取報上和小冊子上的資料作講詞。

報上和小冊的文章都是白話文。要把他譯成廣東話嗎？決議是不。翻譯成廣東話，失了眞，而且也沒有人肯負責翻譯。

宣傳時，我們把學生分成兩隊，一隊駐在演講台唱共產歌曲；另一隊要求行人駐腳聽講。宣傳太多了，大部份人民都不感興趣。我們只能夠吸引到一部份街童，和幾個形跡可疑的青年男女（偽裝的幹部）。

有了十多個聽衆，我們便開始演講。在口袋裏拿出宣傳小冊或者報紙，我們放開喉嚨對街童念白話文。街童不懂白話文，不一會便要散去；所以我們每念五分鐘，便停了，叫學生唱歌。這樣輪流小息，半唱半念，繼續了兩個整月。

可怕的鬥爭大會

清算胡風思想的鬥爭大會是共產黨對於智識階級的一個總審判。經過了五年的洗腦，智識階級的反應什麼樣？得到什麼效果？

鬥爭大會沒有舉行前，共產黨發給我們一張備忘錄，備忘錄開列了幾個問題：一、你有對別人批評黨和政府嗎？二、你有對家人批評黨和政府嗎？你心裏對於黨和政府有所懷疑嗎？共產黨要我們依照上三點向鬥爭會坦白。

鬥爭的時候，我們每一個人心裏都懷着恐懼。鬥爭會沒有限期，以鬥爭完結爲止。我們學校裏教職員和工友一共三十多人，足足鬥了三天和三個通宵，由每天的下午一時起至翌晨六時止，才告完畢。

鬥爭開始，黨部派來四個幹部，兩個做記錄工作，兩個隨時發問和指斥在台上坦白的教職員。

頭一個上台坦白的是校長。校長出身幹部，說了些如何努力替黨工作的話，講完了，順利下了台。其他教職員的情形卻完全不同了。坦白完了，同志總指斥不夠坦白，要他們再坦白一次。非得到同志認爲滿意，點了頭，不能夠離開講台。（五）

感懷

許紹棣

曲肱簞瓢[illegible]，自知數本奇，箕山思祖訓，白屋念兒時。[illegible]雞與富途合，翻爲年少狀。平生能守拙，老去益愚癡。

贈王蓬累先生

俞敦詩

蓬累先生筆一枝。蟠龍舞鳳出新奇。詩能入畫追摩詰。文可起衰繼退之。作畫日常師趙宋。臨碑時更仿鐘繇。天生異稟多才藝。瞻望斗山念在茲。

奇風異俗話苗區

·秦思源·

湖南極西邊區有苗族數十萬，其奇風異俗，罕見罕聞。苗族本爲中國的主人，是世界最古民族之一。自鼎革以還，號中華民族爲五族共和，而苗族竟不得廁於漢滿蒙回藏五族的行列，實有悖民族平等的本旨。

最初，苗族居住在黃河沿岸，其勢甚盛，其人口蕃衍，且較多於滿族。自漢族由帕米爾高原東徙，逐之而據其地，他們遂漸漸地向南移動，開拓了洞庭彭蠡，復分竄而深入於湘、黔、滇、蜀的深山大澤，作爲其永久基地。史稱「黃帝誅蚩尤於涿鹿之野，舜竄三苗於三危」。虞書云「舞干羽於兩階，七旬有苗格」。史載「周宣王命方叔討平之。」吳起曰「三苗之國，左洞庭而右彭蠡。」這都是苗族被迫向南拓荒的歷史陳跡，確也流了不少的辛酸淚哩！

可是，自苗族避處中國西南林谷後，很少同外族往來，而中國政治，向以漢人私入苗疆懸爲厲禁，有明以前，苗族的內幕，罕有知者，遜清乾嘉以後，雖稍鬆弛此種禁令，但國人仍不免有歧視的心理，對苗族漠視的態度，不能改變，誠爲惋惜。

由於記載不詳，以致對於苗族，僅以其所尚衣帶首帕顏色，而區別爲紅苗、花苗、白苗、摔裙苗：等名稱；然其生理上是否有別，則未可知。惟其語言，啁哳鴂舌，亘古不變，以散處各地，阻滯於層巒疊嶂，發音各有不同，古來沒有的物件，如茶煙槍火柴煤油之類，仍採漢音，其捲舌重濁，與普通的基本語言，雖各地音調有異，然於動物則冠以大字，稱物則冠以阿字，稱呼則冠以果、阿、篙、被等字，則皆相同，其音其義，與漢語大同小異，類似者很多，究不知是苗學漢，抑或是漢學苗，那就要有待專家去研究了。

曾記得一首賀婆親的苗歌，茲將其原歌全部錄出，並用漢語予以逐譯對照，就可因苗歌而了解苗語一般的發音和意義了。

賀婆親苗歌

散胆恣紐部當出，
底舍底研囊後天！
二，嘡嘴多恣怕大穴，
層多關丟[illegible]了，不挑
奈胆作東出，囊穴多
丟九連寶，金花多恣
銀花紅，天成佳偶同
刊老。有緣沙多龍配
鳳，白虎青龍沙的搏
，囊碑總當缸買封，
補仙老豆發告老。

漢譯

良辰吉日結了婚，
歡天喜地樂融融！
二，賀嬌妻如龍美，好比
慶嘉賓滿座中，
旭日東方湧，龍獲至
寶喜無窮！金花銀花
交輝映，佳偶天成偕
老終。有緣才得龍配
鳳，白虎必須合青龍，
神仙下凡賜吉語，
坐看他年受朝封。

苗族的生活，至今尤未脫離原始人類的習慣，大半穴居山洞，一般皆稱他們爲峒苗；嗣後亦間有依山結草爲廬，以蔽風雨。今日的貧者仍如其舊，而富者卻大廈崇垣，聳以碉樓，巍巍然欲摹做漢人，爭與媲美，惟不喜開窗，所以室內黑暗，空氣阻滯，是與漢人有所區別，而素爲漢人所不歡迎的，倘入其房舍，常令人沉鬱難耐，他們乃安之若素。（一）

同光風雲錄

夢山樓

李鴻章（中）

甲午之役，先是清廷和戰不決，文忠主和，李鴻藻，翁同龢，主戰，形成雙方對抗之局勢，清廷乃以『一面備戰，一面和商』之糊塗政策應付。

怒摑袁世凱嘴巴

時袁世凱爲駐朝鮮商務總理，迭電告急，文忠以鎮靜忍耐應付答復之，世凱不得已，諉稱面陳大計，遂得回國。文忠仍飭其回任，世凱支吾以應，密謀走李翁之路綫。文忠偵知其情，召世凱，一怒之下，摑其嘴巴。世凱憤而入京，利用機會，一躍而參加維新派，又出賣維新派，以取悅於西后；再一躍而小站練兵，獨樹一幟。爲北洋軍閥『始作俑者。』殆一耳光所貽之禍耶？文忠地下有靈，應悔馭下無方，以致叛己，而種國家無窮之患也。

文忠巡閱海軍至烟台，德國駐東亞海軍提督乘巨艦來謁，文忠接待如儀。德將善詞令，極稱文忠名播五洲，夙所欽仰，擬明日於艦中備酌，請辱臨以示光寵，文忠允之。竊謂幕友杜靜軒觀察曰：『君知德將邀飲之意乎？吾察其人外謙恭而內陰險，彼知我之衛士，皆習陸軍，不諳風濤，若登海艦必暈而仆，彼用詭術，使各國觀操者引爲笑柄，如此，不惟隳吾威名，且損及吾國之光榮，不可不預防之。』於是，召衛十營官，授以密計。

文忠略似畢斯麥

次日，文忠率衛士登德艦，與德將對案坐，衛士分列於旁，並肩相擠，垂手至髀，又復相互握手，屹立若長牆。各國海軍武官皆至，酒數巡，忽聞砲聲隆然，如山嶽崩裂，艦身簸蕩，海水沸騰，席上盃盤俱翻動，而文忠之衛士則分列如故，無一驚仆者。文忠以手撚髭，目視德將微笑。德將赧然，强作飾詞曰：『辱公光臨，特鳴炮致敬耳』。文忠笑曰：『謹謝雅意，素聞貴國克虜伯廠大炮，有名於世，今殆如是已，能使某再聞其巨聲乎？』德將爲之慚沮。文忠宴畢歸來，輒爲幕友備述其事。先是，德將初來時，頗輕視文忠，聞人譽文忠，輒不慊於懷，自此以後，始甚嘆服！後常以語人曰：中國李鴻章，略似吾德宰相畢斯麥云。（九）

·文壇漫步·

常見的「專欄作家」

紅纓槍

香港的報紙，近幾年來多逐漸注重「時事說明」。外國的報刊很早就闢有「專欄」地位，戰後的約翰根室，就是此中表表者。

香港報紙上的「專欄作家」的動態，在這四五年來的變動卻也不小。比較早一點的要算陸海安（陸靈），他原在新生晚報執筆，韓戰期間曾以兩面的筆調討好讀者，因而吃香；當時星島日報的曹某卻以「引得」爲筆名，但「引得」字卻也因此風行一時，此後繼陸海安在新生晚報執筆的有宋飯希，據說現在，他就是劉捷的筆名，一般的意見，認爲他的分析清晰，用語乾淨。

前些時，在中南日報任總主筆的羅吟圃，亦以分析時事著稱。羅現任職中聲晚報，但並不寫「新聞說明」，中聲晚報的「專欄」，仍爲鐵馬（許子由）執筆。間中羅亦曾以穆駿之筆名在「祖國」提時事重點的評論，但他前在已停版的「新希望」週刊所寫的述評，卻予人以深刻的印象。

工商午晚兩報的時事分析，爲任畢明，李劍峯兩人手筆，任李均爲小品文好手，而筆路均極寬廣。任有「社會大學」一書馳名於抗戰期間，去年曾在港修訂重版；天文台報亦有他的專欄，以南中一爲筆名。此公口氣頗大，有「南中一人」的自負，所以，近來也用「南一人」或「南伸」筆名出現。原在工商寫專欄的黎晉偉，似已擱筆多時哩。

在本報寫時事評述的司馬璐，從最近的作品看，他是長于分析蘇俄及共黨的政策。

共黨報紙的時事分析專欄，五六年來都積極推動「偶像制」，用某一筆名寫時事分析，則必然更用他作號召編時事專刊，最近的一件國際大事——清算史達林，可就若了這一批被封爲「專家」的「偶像」，思索了三天之久纔敢下筆。當「永恆的太陽」也失去光輝的時候，這些奴才的奴才，就只能暗中摸索了。

自由人

THE FREEMAN
（第五二三期）
中華民國僑務委員會
經登記證台教新字第一零二號
中華郵政台字第五〇〇〇號
執照登記爲第一類新聞紙類
（半週刊每星期三　六出版）
每份港幣壹毫
台北市售價台幣壹元
督印人：陳文華
地址：香港高士威道二十二號四樓
3 rd. fl. 20 CAUSEWAY RD
HONG KONG
香港發行及事務接洽
高士打道66號　電話：七四〇五三
承印者：東南印務出版社
地址：高士打道六十四號
海外總經銷
友聯書報發行公司
香港：德輔道中二十六號A二樓
台灣特派員辦事處
台北市館前街五十號
台灣總經銷處
台北市西寧南路壹壹號二樓
台郵撥儲金戶九二五二

本報啟事

今日為本報創刊五週年紀念，特增出特刊一張，藉資慶祝，連正刊共出紙二張，售價照舊。

從自我批判談到文化運動

為本刊五週年紀念而作

·左舜生·

集合若干人，出一張這樣的小報，當這個物力非常艱難的時候，居然出到了五百二十多次，而且從來沒有誤過一次期；儘管在內容上我們自己很不滿意，可是我們從來沒有寫過一篇完全違反我們宗旨的文字，也似乎沒有發表過一篇完全歪曲事實的記載；我們自然是反共，而且今後也依然是反共，可是，就是關於共黨罪惡的宣布，我們也還是力求客觀，但凡他們能有一絲一毫的好處，我們也不願一筆抹煞；對於自由中國，我們自然抱着莫大的希望，但我們却也不是一味捧場，而始終要支持我們一種批評的態度，有時候說話，確實也並不客氣。上面這幾點，我們打算今後還要堅持下去，現在藉這個紀念五週年的機會，首先向讀者鄭重聲明。

以現在一般的刊物內容來說，（包括台灣港九）大抵是廣泛的文化意義較多，偏重談現實政治的較少，除掉[illegible]刊物，學生刊物（中學生的）和日報以外，在發行上似乎絕少能夠上一萬份的，因此大家一提到辦刊物，便不免有些頭痛，因為即以每月賠累三五千元（港幣）計算，也確實很難於應付。不過這一點我還是不怎樣悲觀：誠然，以現在一種側重談文化而兼談一點現實政治的刊物，其銷場確實是不太廣大，但假定在內容上和發行的技術上多下一點工夫，我相信要做到不賠本，却並不是沒有可能。

兩年前談過一件可能出現的事實

前年春天，我曾對台灣一部分的朋友談過：看中共最近可能的趨向，他們除掉政治的，軍事的，外交的，經濟的攻勢以外，以及一般的和平攻勢以外，他們還另有一個武器，便是文化的攻勢。以最近兩年的情形來說，我覺得我這個看法並沒有錯。以這兩年大陸所印行的書刊而論，我大概的可以把它分成幾類：

一、刊行書籍。（除經部以外，凡歷史、考古、文學、藝術、科學、技術、以迄中國的醫學等等，幾乎無所不包。）

二、搜羅史料。（以中國近代史為主，但古代的也有一部分。）

三、翻譯外國文學。（美、英、德、法、俄、日、及其他國家的都有，似乎沒有何等限制，古典的似乎有，近代和現代的似乎也兼收並蓄。）

四、重印近二三十年出版的新書。（在中共眼中，似乎根本無所謂版權問題，橫豎一切都是『人民的財產』，因此近半世紀以來若干書店印行過的書籍，他們也在選擇整理重印。）

上舉的種種，百分之七十或八十都是老祖宗遺留下來的，百分之十五或二十，也是已死人物的作品，屬於現存人物中的東西，只居極少數。得祖宗還可以出賣，不能不說是他們的一種進步。關於新文藝的一方面，原也有不少的老作家，留在大陸，但他們這六七年以來，幾乎沒有任何新的創作，頂多不過把十年二十年前的舊作再度拿來出版，或出一些『選集』一類的東西，另一部分則已變成新貴，對寫作一道，早已洗手不幹了。凡此，都可看出大陸絕對沒有自由，只有玩玩古董，或翻譯一點外國的東西，才可逃避批判或清算。凡此種種，本來也是從前專制時代的文人應付環境的老辦法，算不得什麼新發明。不過話雖如此，今天在大陸上的出版界，却是不算冷落。

一個不希望實行的建議

本來，像這類的事，在自由中國也是可以做，而且是應該做的，可是今天的台灣當局，却始終不明白文化也應該有一套政策，才够得上和別人迄對抗或競爭的作用。我也曾向台灣的朋友們提過一次建議：希望籌撥一千幾百萬元，（港幣）分作三期支付，（第一期六百萬，二三期各三百萬，保證五年內無息償還。）在海外建立一個出版文化的中心，表面是純商業性質，實際則在執行一種文化政策。其所以這個中心要建立在海外，其理由甚多，最主要的乃在紙張好，印刷好，定價低廉，發行方便。好比在台灣印行的一部黃大受教授的『中國近代史』，（三大本）我曾指定作學生的參考書，但定價高至四十三元（港幣）。我一班的八十一個學生，便沒有一個人買得起，如果在香港出版，則定價最多不會超過二十元。只舉這樣一個例，便可看出[illegible]

不過，反共不能單靠軍事，[illegible]也是主要的，[illegible]個希望既不能寄托於台灣，也不能寄托於美國朋友，我們總得無中生有的想辦法才對。

想到梁任公先生

中國近代一位有名的報人，——梁任公先生，他曾以二十年的精力，辦過七八種定期刊物，好像除掉『清議報』，『新民叢報』，『國風報』支持得較長久以外，却從來沒有過一種能繼續到三年以上。可是論到愛護國家的熱情，個人繼續不斷的努力，以及在廣大讀者羣中所發生的影響，我們在那一點上能趕得上我們的這位前輩?!說到這裏，我們確實感到非常的慚愧。以客觀的情況來說，除掉一大塊中國大陸我們的言論受着限制無法與同情我們的人接觸以外，其餘的條件，可以說無一不比任公的時代較優：第一，個人的治學，遠較任公的時代方便；第二，一切必要的參考資料，只要我們勤於搜集，確實也很容易；第三，今日人心的厭惡共黨，遠在清末一般人的厭惡滿清之上；第四，我們要找到合作的朋友，也遠不及任公時代的困難。話雖如此，可是我們的言論所發生的影響，却始終趕不上任公，不僅我們如此，乃至今天全國所有的刊物，幾乎沒有一種可以趕得上任公，這個原因究竟在那裏？我只能說：我們的熱心不及任公，多方面的興趣不及任公，不斷的努力不及任公，至於文學的天才，學力的修養，反在其次。這種地方，不只我們值得反省，我覺得今日全國的報人，也都值得反省。

時事評述

·司馬璐·

亞洲的武器

這個月內，是亞洲盛事最多的一個月，在喀拉蚩，有東南亞公約國理事會的舉行，在馬尼剌，有亞洲人民反共會議的召開；在越南，完成了民主的選舉。

這個月內，亞洲另一重要的事件是：美國務卿杜爾斯將在出席過東南亞公約國會議以後，分別訪問[illegible]、越、錫、菲、中、日、韓等[illegible]國家。杜爾斯從[illegible]時曾[illegible]個談話說：「自[illegible]大的國。」我們[illegible]來自遠方的客人說：如果美國要做「自由亞洲的眞正朋友」，今天必須清醒的面對一個事實：民族主義是整個亞洲政治的主流。

我們還要告訴我們這位遠方的客人說：自由中國今天爲什麼能夠獲得海外的僑胞一致的支持呢，因爲他是一個代表中國民族主義者的政權；南韓的軍隊靠什麼在韓戰中愈戰愈堅強，因爲有一股民族主義的衝勁；爲什麼在胡志明的威脅下，南越的民主力量能夠蓬勃發展，因爲南越有民族主義的鮮明的旗幟！

這不是最鮮明不過的事嗎？民族主義的武器在我們手上，我們一定勝利；讓我們的敵人以民族主義的僞裝來打擊我們，我們就會增加困難。

亞洲的展望

在這個意義上，我們必須指出，我們對於亞洲人民反共會議的召開，比之東南亞公約國理事會的舉行，更要關懷與重視。

東南亞公約參加的是以國家爲單位的，這些國家是以利害和實力作爲結合的基礎的。亞洲人民反共會議的性質是民間的，它的決議對於各國政府並無約束力，却具有廣大的道義的政治號召作用。甚至對於今後亞洲局勢的前途，都具有深遠的影響。

亞洲問題在基本上應該是靠亞洲人本身解決的，亞洲人民反共會議是自由亞洲團結的開端，我們對他正殷殷期待！

像這樣一個會議，參加的國家與單位愈加廣泛，就等於多一分打擊敵人的力量；爲我們不多邀請一些國家、團體乃至個人參加呢？

我們的陣容愈盛，力量就發揮得愈大，敵人就更加孤立，這有什麼不好呢？在大敵當前的今天，如果我們還斤斤計較於過去的恩怨，徒逞意氣，這是十分愚蠢的。

我們認爲，不僅一個反共的國家應該邀請他；即使是一個中立的國家，我們也該爭取他；甚至在敵人內部爆出一個反共堡壘，我們也鼓掌歡迎。

亞洲的教訓

中東的動亂，愈演愈烈，約旦的阿拉伯軍團葛魯伯被免職回到英國去了。這意義的嚴重性在于：英國在中東勢力進一步的削弱，甚至可能要根本站不住腳了。[illegible]埃及，沙地阿拉伯，約旦諸[illegible]，他們受到蘇俄的煽動與鼓[illegible]，但是我們能夠忘記，還有別[illegible]嗎？

例如這次約旦的亂子，英[illegible]譚普拉將軍在約旦王前面拍桌[illegible]留下火種了。

例如英美在中東的石油競爭，爲了換取阿拉伯國家對于它的[illegible]取中立態度，因此他們都各自[illegible]神離的政策，自從法外長比內[illegible]美外交政策的聲明後，連這點「貌合」都逐漸很難維持了。

敵人並非可怕，我們有力[illegible]可怕的是我們自身的不團結，[illegible]南亞公約國會議的澳洲外長比[illegible]果我們能保持警覺及團結，則[illegible]爭」半個亞洲沉淪，對亞洲[illegible]西方國家，所得的教訓都是如[illegible]團結之道，首在西方國家眞正[illegible]民族主義。

史達林對人類的偉大啓示

·徐復觀·

俄共第二十屆大會對史達林的唾棄，就現時俄共的政權來說，是基于其世界政策的更大野心。但就史達林的本身來說，此一舉動，不出乎他畢生所咬牙切齒的政治敵人，而出于畢生殫精竭力所選拔培養的幹部；死後不到三年，眞所謂「一坏之黃土未乾，歌頌之餘音尙在。假使史達林地下有知，當不知如何感慨萬千，與貝利亞抱頭痛哭。

不要存共黨思想轉變錯覺

首先我們應該了解，俄共在第二十屆大會中，由史達林返回到列寧的宣佈，並不含有思想轉向的意義。正如共產黨人平時千萬次所得意宣揚的一樣，列寧主義是馬恩主義的發展；而史達林主義，也是列寧主義的發展。所謂發展，包含兩種意義。一種意義是後者與前者有某一程度的不同；而另一種意義是後者與前者其內在的必然的關係；順着前者的一條路走，自然會達到後者。列寧之不同于馬恩，據共產黨人自己得意的陳述，是列寧澈底否定了馬恩思想中，尤其是恩格思晚年思想中所含的一部分和平而合法的議會主義；因此，他展開了殘酷的對孟塞維克及以考茨基爲首的社會民主主義的鬥爭。但這是順着馬恩階級理論一直走下來的結果，與馬恩的階級理論有其必然的關係。同樣的，史達林與列寧之間，也有了多少的區別；最重要的是列寧心目中所嚮往的爲階級專政，到史達林便完全成爲個人專政。但我們只要想到共產黨人經常以「最高的憤怒」形容列寧沒有絲毫寬容的心情，便想到列寧經常所說的「對敵人寬大，即是對同志殘酷」的血腥訓誡，則史達林一貫下來的清洗政策，正是列寧的善繼其志，善述其事的孝子賢孫，由此不難了解俄共之由史達林返回列寧，決不應有「共黨思想正在轉變」的錯覺。

歌頌與唾棄乃運用工具的方法

其次，我們應當注意的，史達林的存在，雖對世界構成了鉅大的威脅，但對俄共本身卻有其無比的功績。他以冷靜的頭腦運用深遠的智慧，以捕捉得一個機會，以完成他預定的目標；他在列寧時代波蘭進軍失敗之後，堅持一國社會主義建設的主張，創造了五年計劃的經濟建設。更因爲他的頑強而機警，玩弄羅斯福與邱吉爾們於股掌之上，不僅使俄共渡過了二次世界大戰的危機，並且乘機併吞了東歐九個國家，還以其餘力幫助中共奪取了中國的大陸，他之不同于希特勒與莫索里尼，在于他能控制住自己感情的衝擊，他可以使他人發瘋而自己並不像希、莫之自己陷入于瘋魔狀態。現時克姆林宮一羣妖魔小丑，所以能以一種威力的姿態出現于國際舞台之上，那一樣不是史達林事先爲其準備齊全。照普通的道理講，一個人的罪過常因其死亡而與以寬恕，此即中國俗語之所謂「除死除走」。何況是建立了這無比功績的自己的「領袖」。

但是我們仔細的想想，獨裁者特徵之一，是認爲一切人們都是爲他一個人而存在；因此，一切人都化成爲他一個人的工具，只有他一個人才是目的。目的始有其自存的價值，而工具則不過是隨時可以拋棄更換的東西。此一趨向，在史達林的平生發揮到了極致。俄共革命的元勳，在同樣的「人民敵人」的罪名之下，斬殺得一乾二淨，此外更何待說。他之所以能在一念之間，把自己的同志當作最兇狠的敵人，不惜用最殘酷的方法殺掉；主要是因爲這些人的存在，在他的眼睛看來，並不是有自足價值的「人」，而只是他達到目的物的工具。「同志」與「敵人」，在他心目中，不過是一個工具的兩面。「提拔」與「殺戮」，在他心目中，不過是運用工具時的兩種方式。一切人都工具化了，一切人的生和死，只繫乎作爲唯一「目的者」的需要；而作爲「目的者」的具體內容，便是現實的政治權威；目的者之所以能運用其工具，也正是靠着現實的政治權威。今天史達林已埋入到墳墓中去了，他的政治權威已經變爲非現實的存在；則俄共的「目的者」，已由史達林轉移到赫魯雪夫之徒；于是赫魯雪夫們，發現爲了達到自己的目的而須要以唾棄史達林作爲工具時，便毫不遲疑的加以唾棄，這正是史達林平生之所教，正是唯物主義者的本行；而歌頌與唾棄，正是他們在運用其工具時辯證法的對立的統一。

唾棄史魔也是俄共心靈控訴

再深一層的去想：史達林在蘇俄的成就，是政治上，物質上的成就。人類之所以須要有政治、物質上的成就，歸根到底的說，只是爲了滿足其作爲人類特性的心靈生活。心靈生活有深淺與各方面的不同，但人類各種活動之最終目的，乃在于各滿足其「視而不見」，但具有鉅大潛力的心靈要求，則總歸一致。史達林的成就，不僅不能滿足蘇俄人民心靈的要求，並且他用以達到成就的特務、恐怖、饑餓、誣衊、奴工、殺戮等等，無一不是侮辱蘇俄人民的心靈，摧折蘇俄人民的心靈，蘇俄人民心目中的史達林的輝煌成就，就正如古埃及的奴隸們，挾着滿身的血痕淚痕來看自己所建立的金字塔一樣，史達林正號的成就，恰與蘇俄人民負號的創傷成一正比例。在此一情勢之下，俄共的新統治者們，爲了有理由向其人民要求更大的忍耐力，只好用朝三暮四的手法，使人民心靈的深處，吐出一口怨氣。人民精神暫時的輕鬆，即是統治者處境上暫時的穩定。不僅如此，現時俄共的小丑們一方面是共產黨，一方面也是「人」。史達林揑造罪名，殘殺無辜的種種，他們自己的心靈固然完全消沒于利害的衝突，情緒，猜疑之中；但當他們以一個旁觀者的地位，眼看見史達林殘殺昨日還是被稱爲同志的時候，他們的惻隱之心，是非之心，畢竟還不能不發生多少作用，因而每一個人的心靈深處也同其人民一樣，不能不感覺多少創傷，尤其是在他們被逼迫而要歌頌自己的創傷時，其創傷更爲眞切。這種創傷的心靈縱然還不能促使他們對其信奉的主義，作澈底的反省；但心靈的潛力要求對其直接與以創傷者加以報復，乃必然之事。因此，若認爲俄共之唾棄史達林，完全不含有俄共自己心靈的控訴在內，那未免太低估了人類自己。

人類心靈的偉大力量

史達林爲了鞏固自身的地位，提高自己的價值，不僅誣衊盡他的政敵，殺盡他的政敵，並在積極方面，選拔最柔順的人作他的隨從；再把自己的隨從，超升爲權力的小組；更進而以威脅與利誘的方法，嗾馴許多文犬，代其咀嚼他人，歌頌自己，並爲造歷史，把自己安放在歷史的巔峯。這種用心之深之苦之密，可謂空前絕後。但不到三年，昭雪他的政敵，改寫他的歷史，斥責那一批文犬爲「死魂靈」，因而對他加以完全唾棄的，正是由他一手所超升的幹部，于以見人心之不昧，作僞之徒勞；每一人，不管他挾帶着多大的權力，運用了多少的機謀，但站在人類良心的面前，即是上帝最後的審判。這種從負面所給于人類的啓示，所給與人類的信心，眞是太豐富而太偉大了。記得老史達林之死而立刻影響到小史達林空軍中將的空中表演時，我是感嘆的寫了一篇「史達林的笑話」，在自由人發表：恰當其時，遇到端木鑄秋先生，他很認眞的問我，「你確實認爲史達林是笑話」？我堅決的回答說—不管他有多大的成就，但從他內心流出來的確實是笑話」。鑄秋先生當時聽後，惘然如有所失。但當時我還沒有想到在這短短的時間內，笑話就進一步直接發出在史達林自己的身上。可見由「人心之靈」所發生的偉力，連我這樣一個「人性主義者」也估計不到。假定時間再久，共黨內部眞正發生了思想上的反省，或者世界上反極權勢力，一旦獲得完全的勝利，則史達林和他這些伙伴兇殘而卑賤的臉譜將更怎樣「現醜」于光天化日之前，而唱着「我們的鑼，我們的太陽」，如郭沫若這批死魂靈，底下的死魂靈，更只有攢進便壺中去淹死。「殺人之父者，人亦殺其父，殺人之兄者，人亦殺其兄」。這是人類心靈活動的自然結果。共產黨人應首先有勇氣接受史達林的啓示。（完）

△「中共農民的末日」下篇，因稿擠，下期續刊。

讀者論壇

談坐辦公室

·金城·

自政府遷來台灣以後，由於人口增多，各機關公務人員，也隨之增加到不能再增加，以一個鄉鎮公所來說，竟有達到一百多人者。既是人多事少，一部份公務員除了簽到、看報、聊天，實在無公可辦，坐辦公室好像只是爲了換滿一個月好領薪水！

同樣的情形，在學校方面竟也出現了，尤以國民學校爲甚。沒有課的教員現在也要坐辦公室，這對施行二部制的學校的教員，實無異是一種刑罰。沒有學生，也要坐辦公室，要離開也行，得先塡請假單找代課的（在無課時請假找代課的，又是從何說起）幾經轉呈批准，始可離開，對不假外出的，則記上一個曠職，不然飯碗就成問題。因此，即使你心裏急得要死，也得安靜悠閒的坐在辦公室，你的奶再多，孩子也只能在家裏吃牛奶。

眞是苦了吃粉筆灰的了。有人說：在二部制的學校，只要學生在校，教員自不應隨便離開，但學生離校了，教員是應該可以處理一點私事的。只要本身不誤工作，那又何必一定要枯坐上八小時的辦公桌。不知道這話值不值得學校的行政當局考慮。

溥心畬在東京

【本報東京短簡】我國名畫家，南張北溥，都在去年秋到了東京，張大千是環遊了世界一周，才到東京舉行個人畫展的，溥心畬則到東京後，雖也開過畫展，但似有久居之勢，他現仍寄居逆旅，每月租値頗爲高昂，東瀛藝術界，因久耳北溥之名，推崇備至，拜門習藝的，紛至沓來，其中一青年小姐，執禮尤恭，幾於長日追隨，不離左右，溥老亦殊以此而自得，認爲生平最得意弟子，慕名爲徒者旣衆，東脩所入，自亦不薄，此溥老所以能長期寄居於高貴逆旅中也。

溥老與彼邦人士之晉接，不限於畫，亦時以文，常有以銘誌一類文字請托者，惟彼有一怪癖，所爲文字，旣不署世界公曆，亦不署中華民國國歷，概以干支爲記，自言雖諳德文，也到過德國，惟生平絕不肯以德語與人交談，由此二小事觀之，溥蓋一純粹中國氣質的藝術家也。

台灣通訊

冷窺幾椿大事

輿論表示了罕有的沉默　老百姓也對此不感興趣

小魯

【本報台北三月一日通訊】最近台灣的法院，一連宣判了幾件爲衆所觸目的重大案件，其中兩案是涉嫌貪污舞弊詐欺瀆職的，兩案是盜刼案。

胡案無罪不是新聞

揚子木材公司董事長兼總經理胡光麃，前中央信託局局長尹仲容，副局長周賢頌，被檢察官控告欺詐瀆職，共同獲取國家財物上千萬元，此案轟動整個台灣，亦爲海外人士所注意。但經過長期的偵查審訊，於去年十月三十一日因經台北地方法院宣判無罪。使整個輿情激動，且傳出了很多謠言，其中最主要的傳說是政府干涉了司法，認爲由於某鉅公寵愛尹仲容，所以才有此判決云云。當時台北各報及廣播電台，也紛紛發表評論，加以評述，充分反映了社會上對這件案子的心理狀態。在議論紛紜期中，終於檢察官提出了不服的上訴，該案進入第二審後，輿論才逐漸平服下來。

幾個月來，雖然大衆都還關心這件事，但卻不再看到或聽到公開的討論了。

二月二十九日下午五時，台灣高等法院二審判決，宣布對檢察官的上訴駁回，維持初審無罪的原判。社會上對這一判決，好像沒有感到有驚奇的必要了，它在各報所佔的也是不重要的地位，人們相見也懶得再談論此事了，輿論界好像洩了氣的皮球，沒有絲毫反應，沉默，沉默，沉默，全台灣沒有人再對這件案子表示什麼了。判決理由是說，胡光麃向國家行局貸款圖利，是商人的行徑，並沒有犯法，尹仲容周賢頌縱有行政責任，也不應負瀆職罪責。如此這般一來，所以要判處無罪了。

「司法是獨立的」，相信稍有常識的人都懂得這話的意義。現在法官根據法律說是本案的被告既是無罪的，那麼如果再要對此表示驚奇或不甘緘默，才眞是多餘的呢！人們或許會在懊惱，爲什麼對初審宣判那麼激動，而讓情緒激盪到常識範疇以外去呢？

「沉默就是黃金」，筆者也覺得再談這乏味的問題是多餘的了！

配紗舞弊案減了刑

在二月二十九日同一天宣判的，還有轟動一時的工礦公司轉移民營前夕所發生的配紗舞弊案，第二審判決結果與尹胡案「稍有」不同。前案是維持原判；後案是撤銷原判；將八個被告全部予以減刑，原判處刑七年的鄒起鱗，被減爲徒刑五年，褫奪公權三年，所受賄款五萬餘元追繳沒收；原判六年的齊寶，減爲三年半，褫奪公權五年，所受賄款兩萬五千元追繳沒收；原判五年六個月的鄒振華，減判三年六個月，褫奪公權三年，所受賄款一萬三千餘元追繳沒收；原判五年的陳智惠，改爲二年六月，褫奪公權二年；曾昭永（原任工礦公司總經理），原判三年八月，減判一年六月，褫奪公權一年，所受賄款二萬元追繳沒收；李湘原，原判一年四月，減判六月；蕭焰煌，原判二年，減處一年；袁銘鼎無罪。人們對於胡光麃案，都已經不再感興趣了，對於這個案子，當然更沒有興頭了。

亂世重典標準何在

其餘兩個案子，屬於搶刼案，發生地點在台北貴陽街和漳州街，時間是去年下半年。前一案共犯有五人，經初審結果，不論首從，一律判處死刑，各被告不服，已提出上訴，呈請高等法院覆審中。後一案有共犯六人，內一人由軍法審判中，餘三人判處死刑，兩人判處無期徒刑，此案係於二月廿八日宣判，被告是否上訴，現在還不知道。因爲這兩個案子量刑特重，且均仍在法律程序中，社會上一般人雖在私下議論，但沒有人敢於公開討論。不過，立法委員徐中齊，卻已於二月廿八日的院會中，對前案向司法行政部長谷鳳翔提出了質詢。詢問的重點是：「聞有軍法機關及若干法院，對刑事案件的偵查，審判，常因被告人的身份關係，人事關係或犯罪地點關係，在量刑輕重方面大有出入。」於是他對竊刼案的判決，提出一連串疑問，詢問「有無失誤」？「有無失察」？他認爲「政府應本愛民如子，矜刑恤獄的至意，無枉無縱，罰當其罪，殺一即可以儆百，今若不分首從，一律處決，此種治亂世用重典的辦法，是否因此即可遏止亂行，是否矯枉過正，頗有研究餘地。」

最後，他要行政當局注意，以免釀成冤獄。

徐中齊委員的質詢是值得重視的，但是對他的顧慮，根據本文前述的胡案和配紗舞弊案言，那也許是「多餘」的。因爲這又將引起我們對法官的判案有無獨立精神，這一問題白爭辯了。如果法律神聖到可以使輿論也沉默了，那麼是非的標準也已經超越了普通人常識所能理解的範疇以外去了，與論既已經不再表示什麼而默認了「司法獨立」下的一切，所以這裏要說徐委員的顧慮也許是多餘的了，但是我們對於徐委員及其所作的質詢，還是表示無限的敬意的。

最後需要提一提一件偵查了幾年的轟動大山盜林案，時間拖得這樣久，也足以證明我們的法官在審案方面的縝密與周詳；前幾天又發生了一個豆商李積慶殺妻案，它就像一塊石子掉在海裏，不起絲毫漣漪。我們不妨靜觀這些轟動一時的大案一件一件慢慢的審理，既不必着急，也無須不平。相信法官吧！因爲我們做老百姓的法律常識和是非觀念都太淺薄了！

中共統治下的青年厄運

西德記者、印度教育工作者、及逃出大陸的僑生揭穿了青年們在中共魔掌中的慘痛遭遇。

在過去一週間，曾有一個自大陸「訪問」歸來的西德記者、一個印度的教育工作者和十三個由大陸抵港的僑生分別提到了中共統治下的教育問題。這使香港僑胞深深爲處在共區的下一代的教育前途表示憂慮。

毛澤東與希特勒

在大陸作旅行訪問達兩個半月的西德「快速雜誌」記者貝保說：處於中共統治下的人民，正如當年希特勒統治下的人民；毛澤東管理大陸的青年人，亦有如希特勒的少年先鋒隊。根據學校的課本，以及所接受的教育，它的目的是要訓練兒童作監視父母的行爲。這一種教育完全破壞了父母子女間的感情與關係，然而在中共的統治下，人民那有任何要求及選擇的權利？

貝保同時也指出他對大陸的一般觀感，他說毛澤東和希特勒兩個獨裁者相似之處甚多，因爲這兩個政權都用同樣的手段來謟媚人民，他們叫人民工作，然而祇用一些空虛的榮譽來鼓勵人民繼續對他的政權賣命，可是從未予以任何實物或金錢作爲酬報以及提高他們的生活。

貝保也指出了毛澤東也和希特勒同樣極力避免接觸陌生者，以減少被暗算的機會。他說，在標語上，照片上可以看到毛澤東的樣貌，但是一般人從未能一見毛澤東。他有一次請求給毛澤東拍照，固然遭到了拒絕，即使他降格要求看一看毛澤東的居處，竟無一人知道毛的住處。

學生難逃思想訓練

至於代表全印教育委員會應邀赴中共訪問的印度教育工作者星士，自大陸歸來後，也指出他這次訪問大陸的初意是想研究一下大陸上的教育制度及了解一下大陸教育工作者的生活。他說他祇覺得每一個學生都穿上了黃褐色的制服，和必須從事馬克斯及列寧的思想學習，沒有一個學生能逃避這一種思想上的嚴密訓練。

另外十三個華僑學生由大陸回抵本港的消息是由一張中立性的晚報首先透露。該報說有十三個青年華僑學生，最近從大陸設法到達本港，他們是幾年來自南洋各屬華僑學生回大陸就學的一份子。

千餘僑生被管制

和他們接觸的記者表示，據這些學生所知，至少有一千餘名自海外歸去的僑生正接受中共當局管制，被視爲破壞僑生歸國就讀的計劃，已被羈留的僑生數字正不斷增長中。

一個姓潘的僑生說：「未到大陸前，我們所聽見有關大陸一切都是好的，但回大陸以後，很多地方都與我們的想像背道而馳。幾年來由南洋各屬回大陸就學的青年學生，現仍留在大陸的有二萬多人，這些青年僑生都是爲了盼望『好』的心情而回大陸的，結果我們失望了」。

這一位僑生繼續說：「我們想學醫科，結果被分發到農科；我們想留在北平唸書，結果我們被分派到武昌；我們所遇到的困難，學校當局從不爲我們解決。」

要求離去被拒

另一個姓楊的僑生表示：「我們一批一批的要求離開大陸，但不獲准，中共每月平均可在每個僑生的身上獲得僑滙三百元港幣，以二萬個僑生的數字計算，每月中共政府便可從僑生接濟方面獲得六百萬港元以上的外滙，所以僑生離境，是絕不會被許可的。」

他們在南洋帶回去的衣服，如果稍爲穿得好一點，便會被同學開會檢討、批評。如果言語稍爲不檢點，便會被公開審判，學校裏經常發動一些公審式的檢討會，一個僑生曾經反駁過一句話：「我們是僑生，你不能如此對待我們。」所得的結果是坐了六個月的監牢。

學生的監獄生活

這個坐過監的僑生表示：「監獄的待遇很差，我被扣上手鐐，而這些手鐐是經過特別製造的，雙手愈動，扣得愈緊。吃是有的，但壞得很，我從監獄裏住了六個月，整個人的形狀都變成蒼老了。」

在這十三個青年僑生中，據說還有許多有關進入大陸的二萬多僑生所遭遇的實際資料和證據，他們很願意把這些血淚的慘痛教訓寫出來，給想回大陸的僑青年參考。

南洋僑生幡然醒悟

這一個教訓實在太大了，尤其是對南洋各屬的華僑青年，在過去多年，南洋一帶的華僑青年，盲目地信任中共的虛僞宣傳，結果當他們進入大陸以後，都失望，但已無法回頭。星馬聯邦的首席部長馬歇爾在四個月前曾公開指出，最近返回大陸的華僑青年是絕無僅有。相反的，他不斷地接到華僑的來信，請求協助他們的弟子重返星洲，因爲他們也接到在大陸的子弟的來信，希望早日離開當日滿懷熱望而去的大陸。

由此足以證明非但華僑的子弟已經覺悟了，同是更影響到華僑本身對中共的看法。

中共宣傳伎倆破產

這一點在香港有不同，因爲香港和大陸相隔甚近，大陸的一切，對香港來說，知道得實在太淸楚了，因此每一年香港畢業的高中學生返回大陸升學的不會及百分之五，同時，全港三十多間僑校中，百分之九十八以上是支持自由中國的，所以這一次十三個華僑學生的遭遇，除了對香港的學生有所警惕以外，而受到最大打擊的，當爲中共最近一連串的統戰宣傳。

在中共舉行所謂「政協」後的這一個月，此間的中共分子亦爲配合這個宣傳而活動，這一種活動是多方面的，可能有少數人會受此環境混淆，但是這十三個僑生的遭遇對中共的統戰作用有着無法補償的損失。

新書評介

讀「壯柔集」

·廖英鳴·

黃純仁著　環球出版社出版

我年青的時期喜讀英詩，每讀拜倫和雪萊的作品及吉卜林和丁尼生的作品，心理上和情緒上就感覺波動激發。這大概是人之常情，爲人類心理上必然的現象。因爲詩人以其敏感的頭腦，活躍的性靈，運思于茫茫宇宙之間，騁視於芸芸衆生之上，其所想所見，自與衆不同。大詩人濟慈的幼年時代，常常看見小天使飛翔於太空之上；故其詩飄逸灑脫，最能啓人遐想。密爾頓嘗於睡夢之中，見神仙提示詩篇；故其詩明麗壯闊，不同凡響；讀其詩，足以使人感興奮發，不由自已。由此，足見詩人必須先有天才，後有陶養，他的作品才能震爍今古，激發共鳴。

× × ×

近讀黃純仁先生的新作「壯柔集」，深深的感覺到，其中動心悅目的句子，往往與英詩的佳構相吻合；因此，當知作者必有獨厚的天才和過人的努力，始有這樣的成就。譬如「相思子」一首曰：「朝倚相思樹，夕弄相思子；無奈別離情，夢越西江水」。「野梅」一首曰：「月色稜稜夜有霜，野梅如雪映迴塘；簫聲欲向花前事，一段香溫夢已荒」。「山[illegible]」一首曰：「接手闔閭大唱歌，春雷隱隱轉旋渦；咿呀直訴心中事，那得郎情較妹多」。「歌舞罷」一首曰：「倚窗凝態無窮意，舞罷腰肢按罷歌；眇眇明眸成剪水，盈盈笑臉見梨渦」。——這幾首詩，拿來和拜倫的「唐裘安」（GONGUAN）和曼夫烈（MENFRED），或者拿雪萊的「雲」和「雲雀歌」來並讀，可以使人心境怡安，幽懷激盪，甚有情意纏綿，欲罷不能的感覺。

× × ×

黃詩於抒寫情愛之外，益多慷慨激昂，悲壯熱烈的作品。譬如「九龍山登高」一首曰：「登高望大陸，居夷二載過；江山淪寇盡，豺狼搏人多；弟妹無消息，田園今若何？茱萸空作佩，憂念似滄波」。「九龍宋王城舊址」一首曰：「移山塡海恨難平，此是當年宋帝城；羈客有愁思故國，曜靈振節起重瀛。沼吳勾踐僅雄略，矢屬文山空令名；擊鼓願言從范蠡，摩挲寶劍意縱橫」。「由港來台出鯉魚門感賦」一首曰：「鯉魚門外遠舟航，鬱鬱共東顧覺償；拍岸鯨濤堆白雪，壓天寒水盪斜陽。此行大似飢鷹遠，在念端爲國計長；孽子孤臣三載淚，乘時歸順贊興王」。——這幾首詩，拿來和吉卜林的「七海」，或者丁尼生的「女皇瑪麗」來比照誦讀，那種氣魄的雄渾，聲調的鏗鏘，又有叱咤風雲，不可一世的氣概。

作者不僅自我吟詠，且有家室唱和之樂。黃夫人張纖雲女士，擅塡詞作曲，書末附張詞十首，亦都委婉動人，朗朗可誦。前省立中山大學文學院長吳康博士，推許「張女士所作長短句，低徊婉宛，有朱淑眞、李易安之風」，確非溢美之論。

共黨滲入非洲

式一譯

阿爾及利亞名義上是法國本土一部分，共產黨在那裏直到去年九月被取締以前向被認爲合法。現在他們的地下黨員估計有十二萬人，一半是法國人，一半是阿爾及利亞人。摩洛哥和突尼西亞的共黨，分佈在各地方，估計有二千人。法國官員相信在阿爾及利亞游擊隊中的共黨，不過一百人，他們負責滲入叛徒領導階層的工作，並與民族派結成同盟。

共黨對勞工的滲入，不僅在北非，並在法屬薩哈拉的南部，共黨是勞工聯盟的大支柱。許多共黨宣傳品，是從它所控制的歐洲總部運入非洲的，「世界工聯」的副主席就是法屬西非的土著。

在阿爾及利亞和法屬「熱帶非洲」，以至南部——法屬赤道非洲，多哥和喀麥隆——工人百分之五十多由共黨控制着，而共黨又訓練非洲人，使成聯盟領袖的人才。在當地以及在巴黎附近的一個特殊學校，非洲聯盟會員分班到那裏受訓八至十二星期之久，在政治上，這種活動已得到若干收穫。共黨已第一次在「熱帶非洲」——采德地區——提名登記。

法屬喀麥隆所發生的事故，是共黨的特殊成功。那個地區是聯合國委託法國管治，由共黨組織起來的「陣綫」，要求完全獨立，當地人拿着棍棒大刀，舉行示威運動，結果死了廿七個人。警察搜查共黨首領，發現他們有許多人在尼吉利亞附近，距離遙遠而又安全的地方，發施號令，指揮騷動。

在非洲其他地方，共黨亦正企圖利用種族的騷擾。堪雅毛毛恐怖份子雖相信巫術，而不是馬克斯主義，但是動亂剛爆發以及以後幾年中，與共黨聯繫的土著于雅泰，就曾在倫敦讀過書，後來又在莫斯科住了一年。

除此以外，在堪雅九萬印度人和巴基斯坦人當中，也發現有共黨。奈洛比一個低級印度外交官被逐出堪雅，因爲發現他在當地宣傳共產主義。

在南非，共黨之滲入印度人中，已構成了一個更尖銳的問題。共黨在那裏正發動包括所有種族的一個「聯合陣綫」，以求推翻白人的統治。在這動盪不安的國家中，共黨是非法的，不能參加政治活動，可是不管怎麼禁止，迄今他們中還有一個人担任南非印度人協會的主席。在這協會的辦事處內，貼着共黨陣綫的標語，指摘美國，稱讚蘇俄。而「非洲民族協會」中，亦有同樣的情形，共秘書長在鐵幕內住了一個時期，並且與印度共黨會過面。有少數白種人共黨也跟印度人和當地左翼土著保持接觸。

最近，這一羣人會在約翰尼斯堡發起一個多種族的集會，演說開始時，即公然稱呼「同志」，要求將礦產、銀行，及其他巨大物產，都轉變爲「人民所有」。

在非洲其他地方，亦可看到共黨的活動。比屬剛果亦被滲入，而這裏過去對共黨的滲入，是一向認爲不足爲害的。秘密警察承認，有些土著已溜到鐵幕內去學習。

蘇丹是今年一月才獨立的，那裏有一個強有力的勞工運動，由左翼掌握着主要職務。蘇俄已在喀土穆建立了一個媒介性的外交機構。

阿比西尼亞這幾年不僅有了蘇俄公使館，而且有共黨的宣傳中心。共黨所主辦的圖書館和電影院，都擁有廣大觀衆。官方對於另一個蘇俄立腳點已表示憂慮，這是共黨所成立的醫院。它對阿比西尼亞鄉民給予醫藥的照顧，和育嬰指導。

黃金海岸和尼棨利亞已差不多自主了，政府重要職務嚴禁共黨人員担任，可是學生和勞工間的共黨「中堅份子」，偸偸的運入宣傳品，在外圍組織中散發。

利比亞是非洲獨立民主國家，一世紀前由美國被解放的黑奴所創建，現在仍然與美國有密切聯繫。它是蘇俄外交另一目標，莫斯科已宣佈兩國將交換大使。

西方官員憂慮的是，共黨在學生中收穫最大。有七千多非洲人在法國學校讀書。在本國時，那些學生很少能遇到共黨，可是到了巴黎或其他城市，他們却踏進了另一種環境，在那裏有四分之一的法國人投共黨的票。他們看見法共對非洲人比其他許多白種人較爲友善。結果，殖民部官員估計，差不多在法國的非洲學生，有百分之五十同情共黨。百分之十至十五已經參加共黨，他們回國之後，未必都仍傾向共黨，有些人不過是佯作脫離了共黨，同時則又參加民族派組織作共黨間諜。一般認爲，共黨這種滲入，對將來有莫大危險。

在英屬非洲地區，學生問題亦同樣嚴重，有四千多非洲人在國外讀書——大多是英國。他們經常會發現英國人對有色人種的歧視。因此，對於一個在倫敦求學的年青非洲人，墮入共黨的手，並不是難事，他們能因此得到共黨的經濟援助，參加社交集會，享受白種女郎的友誼。

這一切的發展，對非洲廣大地區，形成了日益增長的不安。那裏的白種人雖仍保持其控制權，但正如南非的國防部長所說：「我們僅能揣測共黨對南非究有什麼計劃。由最近中東和北非發生的事故看來，對西方國家來說，非洲的鬥爭，不過是剛開始而已。」（下）（譯自美國新聞與世界報道）

台北速寫

官方與學者之見

俄共二十屆大會把史達林淸算了。這事在台北官方甚受重視。當史達林死時，曾有官方人士預測俄共必垮。現在又有人說俄共內部必有大變。至於非官方人士，因爲得不着資料，也無從分析。不過，有些學者認爲俄共此舉，決不簡單，盼有關方面勿早下不成熟的結論。

「報復」內閣

俞閣揆及葉外長一再聲稱，如果中共攻襲金馬，將採取報復行動。俞內閣向有「反攻」內閣之稱，是不是應該改稱「報復」內閣呢？由反攻到報復這却不是進步，因爲反攻是主動的，報復則是被動的。又如果中共不攻襲金馬？則「反攻」的內閣豈不連報復的機會也失去了？

研究院的現實好處

此間各大學紛紛成立研究部，授碩士學位（因博士法尚未制定）。台南的工學院，在改制大學之前，已在籌設幾個研究所。清華復校也是先成立一個研究院，大學部則尚未計議。這些措施是否能提高學術水準，不敢置喙。不過，近年大學畢業生的出路非常困難，有了這許多研究院，當可解決一部分失業問題到是眞的。

文壇新捧風

中國文協開會慶祝兩位理事寫作三十週年紀念，各方祝詞紛陳。也有人說文章重質不重量，一個五十餘歲的人，寫了三十年的文章，並不希罕。此間文壇「捧」風本已甚盛，從此花樣更要多了。

難得的成就

中央日報發行滿一萬號，舉行酒會慶祝，極一時之盛。在台灣，以中央日報發行量最大，版面也最漂亮。黨報所受限制最多，而能有此成就，實爲難得。

杜蘅之

自由談

我們是第一勢力！

本報創刊已滿五週年了。五年來的言論態度，我們始終是這樣，並不因人們一時的好惡毀譽而有所改變。

我們是中國人，現階段的中國人如不願作共產政府的奴役，就祇有跟着中華民國政府走，免爲無國籍的流浪者。我們是愛好自由生活的人，爲爭取自由就不能不反對共產極權暴政，同時對於自由中國的庶政得失，即不能不有所批評建議。這原是極淺近的常識，婦孺皆能知之，能言之的。

有人說我們是擁護台灣的，一點也不錯。台灣現在是中華民國政府所在地，自己的政府不該擁護嗎？有人亦覺得我們對政府一切措施，以及一般政治人物，每有激切的評騭，似非擁護政府之道。這是不知民主自由眞諦的極權觀念，根本就不配做中華民國的國民，應該到大陸上去作「人民」才對。假使將「擁護」二字詮釋爲祇是歌頌功德，盲目服從的定義，必然的邏輯，「反對」亦就是「反動」了！我認爲自由中國許許多多的無謂是非，都是從這種不自知其所以然的極權觀念而發生的。我們基於愛之切而責之也殷的心情，批評庶政得失，適如先民所謂朋友責善與事父母幾諫之義。否則好歹不關痛癢，聽其自然可也，誰願多嘴呢？一個政府的言行，如果弄成好壞沒人置喙的情況，其前途殆可知矣！

或許有人懷疑我們是否想造成「第三勢力」？這是不通的笑話。我們都是些書生，談不上有甚末「勢力」，但心雄萬夫，要搞勢力，就得取法乎上，非造成「第一勢力」不可！可是，自由中國政府才是第一勢力，我們既是自由人，即已享有第一勢力一份子的資格了。尙復何求耶？

過去五年來的本報態度如此，在未來若干歲月中還是如此。我們是澈頭澈尾的自由主義者，天下人皆嚮往極權生活，我們照樣地要爲自由主義作孤臣孽子；天下人皆恭維共產主義，我們始終要堅決反共。這是自由人的信條，我們當以殉道精神來保護它！

馬五先生

平劇腳本改訂問題

張瘦碧

當平劇發源北平鼎盛的時候，有許多科班，先後開科授徒，培育出不少人才。

據說那時教師們授課的方式，大半是口傳心授，不用課本，不識字，但念音，有些科班出身的，甚至連戲詞，都不能完全明瞭，只是隨口念唱而已。但亦有少數名角，倩人編訂腳本，自己排演，視作唯一的私房東西，從來不肯示人，連得私淑弟子，有時也不肯和盤托出，復傳其祕本。至於一般多數老腳本，因普遍流行，漸漸爲人嫻熟，隨時抄錄下來，輾轉發展開來，便爲愛好平劇的人，默記背誦，成爲正式印行的腳本，直到民初才有戲考出現，供人研讀。

平劇盛行的主要原因，由于淺易懂，同時劇情除了歷史故事以外，便是稗官野史，珍聞秘史，而且唯一的原則，總免不了除奸褒忠，倡義宣孝，處處以發揚中國固有道德爲立場，曲折穿插，警惕人心；因爲具備如此優越的條件，遂逐漸爲人感動，而發起愛好，迷住了很多人。中國人心，一向是和順仁善的，所謂好心好報，惡貫滿盈，天道是不爽的，決不會辜負好人，平劇的情節，正把握住了這個重心，迎合了一般人的心理，成爲牠本身所以能延續勿衰的因素。

正因爲平劇流傳日久，在今天來看，也有些地方是值得提出來討論改良的了。首先值得考慮的，是在腳本方面，實有加以研究的必要，有些欠通、失調的地方，是隨時應該訂正的。由於平劇一向陳陳相因，比起北弋南曲的詞句，表面上畢竟粗俗得多，實不能相提並論。平劇的淺正是它獲得一般人的普遍歡迎的原因之一，但上文所說有關文字欠通，和事理前後不相照顧的地方，是因爲過去一再因循，無人肯拿出勇氣來訂正所致，而這又與受惑于某宗某派，某的私房，某的秘本，這一種編人的戲法的影響有關。實則一般名伶中，也各有所長，各有所短，不論那一門藝術，世界上誰又能稱得起全材？只要肯下功夫，精益求精地改良下去，方能有嶄新的面貌，和優美的進步。我們不能因爲牠是屬于雕虫小技，任憑牠自生自滅，不加理會。

在今天言，平劇既有其廣大的觀衆，其對啓發民智，實具有重要的責任。自由中國自經改編了一本新四郎探母後，雖然毀譽參半，但是整理的勇氣，總是值得欽佩的！不過我們仍希望能繼續把一般適合國情，發揚民族精神的平劇腳本，逐步地予以修訂改正，一掃過去刻板文章和老氣橫秋之弊，使平劇前途，從此踏上了振興的大路。

奇風異俗話苗區

秦思源

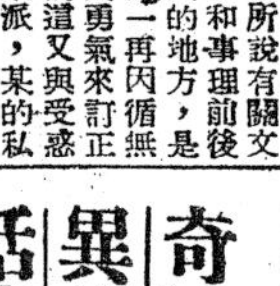

不論是大廈或茅廬，其房間左右，皆設大床，高二三尺，長寬不一，宛如大榻，中設火爐，炊爨坐臥於其上；正堂並不設神龕，相傳火床上的中柱下，就是他們祖先的所在地，最忌客坐於其間。貧窮人家，室內多無間壁，翁姑、子婦、兄弟、妯娌，雜處不避。苟登其堂，則一目了然，往往牛馬豬羊，叢棲一室，固欠清潔，而久居鮑魚之肆的苗人，也因習以爲常，見怪不怪了。

苗族的男女婚姻，傳統是極其自由的，古無同姓不婚的嫌忌，如今此風漸息。不過，他們的嫁娶，大半胥由父母主持，媒妁相通，酒肉以爲聘禮，與漢人實無二致。一般相傳所謂苗歌定情，亦不過是牽引的一種媒介而已，却很少有不顧羞恥的男女，作苟合淫奔而結襯超乎常軌外的婚姻。

嫁女的那天，轎馬鼓樂，喧鬧異常，儼然如漢人的禮節和風俗。貧家小戶，新娘自擎雨傘步行，其兄弟或親屬負衾枕相送，迄抵夫家，既不舉行合巹花燭的儀式，也無祭祖謁親的禮節。賀客臨門，各攜酒肉饋對或土產作賀禮，酒酣耳熱的時候，羣參予婚典的親故，以示賀起，互唱苗歌，在新郎方面的親族，必各招待酒食一餐，輪流讌集，謂之吃排家飯。初婚的三天，夫婦不能同衾共枕，須待送婚者將所贈的衣物照價索值，名曰取娘錢，以去後，乃得成爲配偶。這種風俗——吃排飯和取娘錢，是苗族婚典中所迥異於漢人的，也是他們婚典中的難關，常因此而引起互相刁難，和許多節外生枝，弄得雙方不愉快。

倘若夫妻不睦，隨時都可離異，如係男方主動，須給女方贍養費用，如係女方主動，則也必須給與男方另娶之資，憑中證，立字毀婚，不必經法庭正式手續。如今世界文明都市中所謂婚姻自由，在苗區行之已久了。

假使你是初入苗區的人，一睇見他們的服飾，定會少所見而多所怪，引爲詫異。男的皆滿襟青藍布衣，頭纏青、白花帕，手帶銀釧，腰束以帶，頸環項圈，狀頗雄武；至其婦人，耳垂銀環，較現代都市中的時髦婦女所戴者尤大，辮髮盤頭，外裹大帕，項圈手釧，重疊佩戴，有重至數十兩的，銀光萬道，琳瑯叮噹，雖是些小家碧玉，却也楚楚可人啊！惟衣着較男子稍長，斜領直上，富厚的苗女，扣紐均爲銀製，衣袴裙鞋的週邊，刺繡花卉，深合圖案，紅綠輝映，鮮艷可觀。不過，尙待字閨中的女兒家，須髮一定中分，表示與已出嫁的女兒有別。

以前，苗族喪葬的習俗，既沒有衣衾棺槨的入殮，也無固定衰麻經帶的禮服，人死之後，不分老少男女，必以筊而卜，隨其所卜的地點，掘窟三四尺，鋪以木板，置尸其中，然後用土封蓋，經過三天後，宰割牲畜，覆蓋在墓上，邀親戚羣集而食飲；初喪的，全家人哭泣，親友們各以土物，咸集弔唁，喪家椎牛設飲，稱其爲送哭，時至今日，因與漢人接近，大半採行漢制，逐漸沒有區別了。

苗族的獷悍成性，著自古昔，不僅男的能跨怒馬，奔馳峻阪，且能負百斤以上，越山履險，疾如飛矢；而女的赤足天成，身體堅強，力敵數人，其負重任勞的能耐，也不亞於男子啊！其祖先被迫南遷，進入湘滇邊區的山嶺巒之間，代相傳，於技擊和拳術，都各有其特長。[illegible]

高台縱酒圖題記

劉百閔

予既南來之八年，歲維丙申，正月元七，其名曰人，黃君天石邀其友人同登清風之台，置酒讌飲，舉杯歡欣，衆皆熙熙，如登春台焉。人有誦杜子美人日之詩，念子美[illegible]離亂之後，四方雲擾幅裂，人物[illegible]俱災；感今思昔，爲之黯然者久之。人又有誦薛道衡人日思歸之詩，念道衡詩思之苦，離家二年之痛；而今日者，諸君子瑣尾流離，肝腸寸裂，遭逢千古未嘗有之變，其痛殆非道衡之所能想像其萬一；則又衆皆慈然欲絕，爲之嗚咽而流涕。蓋自謝皋羽西台慟哭以來，空山無哭聲，且八百年矣；況今日者，豈僅爲一家一姓哭哉！諸君子不幸親見陸沉之禍，凡地上有血肉有氣息之人，殺害不可勝算；其未罹于殺害而死者，亦復奄奄一息，不可終日；飛鳥墮于地上，牲畜斃于圈中，昆蟲殭于田畝；天地其果不仁乎？吾嘗聞之：當洪水暴發之前，上帝賜挪亞以方舟，挪亞之若婦、若子、若子婦、若飛鳥、若牲畜、若昆蟲，各從其類，一牝一牡，皆同上于方舟，以脫于洪水之禍。今日爲二月十八日，亦即爲洪水既發之翌日；當斯時也，挪亞之家人飛鳥牲畜昆蟲之同上於方舟者，可悲而又可喜也歟？上帝又何獨厚于挪亞之家人之飛鳥之牲畜之昆蟲乎？洪水汎濫凡一百五十日，和風吹地，水勢漸消，其明年之二月十七日，挪亞率其家人飛鳥牲畜昆蟲以重登于大地，自是生人、飛鳥、牲畜、昆蟲又重復安居繁殖于大地。今日者，諸君子既同居于海濱之孤島，則斯島者，不其挪亞之方舟乎？斯島之生人、飛鳥、牲畜、昆蟲，不其挪亞方舟之生人、飛鳥、牲畜、昆蟲乎？斯其可深長思也矣！挪亞既重登大地，闢其葡萄之園，釀爲旨酒，酩酊而醉；其樂也何如？諸君子且盡此杯中物，明年今日，以其時則可矣；當更酌挪亞葡萄之酒，諸君子將不勝其同舟之誼之可念也歟！是日也，黃天石易君左先有詩，鄭水心縱酒，徐旨乾論古，繼而鄭水心陳荊鴻曾履川徐亮之嚴南方王世昭有詩，雷嘯岑有文，李研山作圖，劉百閔題記。

俞鯉庭先生以拗體詩見贈，謹以原體原韻奉和却寄

王沅裴

南枝底事先北枝。大氣遷流理亦奇。物性原來具先覺。人間何故常昧之。而今世事多顚倒。瓦釜恒將當鼎彝。却笑先生昧時義。心焉向往翻在茲。

同光風雲錄

夢山樓　（十）

李鴻章（下）

文忠督直隸，其胞兄瀚章，總制兩粵，權位煊赫無倫。子姪輩居合肥原籍，有仗勢作惡者。某年與鄰人偶爭佔基地，捕鄰人，訴諸官，官畏其勢，置於獄，鄉里公憤，控訴於巡撫，撫亦曾文正所選薦者，自不畏其勢，擬秉公執法。子姪恐事敗，乃乞援於文忠。文忠復誡，並貽詩一首云：『千里家山爲堵牆，讓他三尺有何妨？長城萬里今猶在，不見當年秦始皇。』此事遂寢。

一生成敗委諸命運

先是，文忠督兩江，奉旨內調，繼任者，爲胞兄瀚章，文忠故密其名。太夫人尙在督署，詔之曰：『汝即北上，何不將乃母先期遷出署耶？』文忠曰唯。既而，交接有期矣，太夫人益急，促其速遷家，文忠曰：『無妨也！』越日，門者報曰：『新督至矣！』旋見戴大紅頂，穿花蟒袍之新督，直入後堂，奔至太夫人面前，伏地叩頭曰：『兒來接二弟事！』太夫人恍然悟，驟然笑，老懷愉快，可想而知。文忠故弄玄虛，以取悅老母，其用心亦孝矣。

文忠以大學士歷聘各國，攜其子經方同行，長途無聊，父子閒話，文忠顧謂經方曰：『汝父負國家大任者，位極人臣，富貴足矣，果何故而致此？』經方躊躇未對，文忠拈髭而笑曰：『命運佳耳。』世之庸妄豎子，一登高位，予智自雄，以爲天下莫我若，[illegible]於不可知之命運，其度下何如耶？

易簀不忘國事

文忠居相位，七十大慶，太夫人[illegible]自撰壽聯云：『[illegible]』[illegible]尙有慈母喚小名。』人爭誦之。[illegible]危時，[illegible]問及國事，未嘗不[illegible]淚涔涔下。[illegible]哭曰：『我何以對，[illegible]』[illegible]中國事』[illegible]目乃瞑，易簀不忘國事，所謂大臣者也。

竹幕裏的小學教師

牛布衣

一位姓張的同事，是一個十分耿直的人。「坦白」完了，「同志」說他不夠坦白，要他再坦白一次，他只好從頭再講一遍，要他講第三次，他換湯不換藥，「同志」說他的坦白：[illegible]說道：「坦白了兩次，還說不夠坦白，」他大踏步跑下講台。

在座個個從職，忍不住拍起手來。第二天他們一個都沒有回校，給共產黨派去「勞動改造」去了。另一位女同事膽子小，跑到台上，臉都青了！坦白過後，同志說她沒有坦白，把她嚇得登時暈倒台上。

大監獄和小監獄

清算胡風思想運動的結果，三位同事進了小監獄。監獄也分大小嗎？在共黨統治下，人民失自由，整個大陸便是一個大監獄。大監獄裏的人隨時有進入小監獄的可能。大陸裏的人，對於小監獄倒不十分害怕。小監獄一樣是吃五級米，工作却輕鬆得多。智識階級進了監牢多數幫助勞動工作，每日工作時間比平時少，每晚八小時睡眠是有保障的。

清算胡風思想運動沒有完畢，[illegible]醫院的診斷是肺病，我們請求到港醫治，黨部准了我們。

離開廣州的早上，弟弟叫我回來吃花生和枕頭麵包給他們吃，我答應了。花生在廣州由廣州絕跡六年，難道還能夠在香港買到嗎？到了香港，跑出車站，喜出望外的，走到小店子都擺滿了花生，有碎花生，有乾花生，又有花生米。我一樣買了一點。店裏又擺很大的枕頭麵包，我又買了一個。跑到親戚家裏，親戚問我花生是否由廣州帶來的？我搖搖頭。看見麵包，親戚問我爲什麼買麵包，我說我：「共黨佔領大陸，沒有嘗過花生和麵包六年了。」親戚只有搖頭。（續完）

自由人創刊五週年紀念特刊

五年間世界大勢之回顧

・伍憲子・

英國人有一句話：「利害是最現實不過的」，誠然，此話我不反對，而且承認有相當理由。但此話不容易了解，非經過高度文化之薰陶，就往往認識錯誤，為小利害而墮入陷阱。我們不必稽長遠歷史，只將最近五年中之經過，細為觀察，我們可以獲得許多教訓。

從麥克阿瑟免職說起

當一九五一年，中共在韓戰場中，正遭慘敗時候，美政府突將聯軍統帥麥克阿瑟免職。其原因，是美政府不想將韓戰擴大，恐怕麥帥越境轟炸鴨綠江北岸，逼成蘇聯出兵之世界大戰。就不然，亦恐怕將美國泥足拖入中國大陸，與中共全面作長期戰。為愛惜美國人命起見，只可在韓境作有限度之戰爭。此種計算，是美國當前之利害，亦是韓戰中短期之現實，韓戰能早日結束，世界亦早日獲得和平，固是人人所想望的。無如此願望等於幻想，換言之，就是太違背現實。幻想是不能作為現實的，眞是懂得現實的人，斷不炫惑於目前之小利小害，有時且不避目前之害，為博將來之利。可惜美政府見不及此，遂演成一連串之錯誤，數年之間，遠東局勢，成了一盤刼棋，我們再細心一看，從韓戰停頓，板門店談和，至奠邊府失陷，越南分割，數年間之事實

美在遠東失主動地位

美國忘記聯合國大會已通過譴責中共案，美國忘記聯合國對韓戰之所以出兵，是聯合國要懲戒侵略，要統一韓國。若果美國要作有限度之戰爭，最低限度，亦須驅逐中共軍隊出韓國境外。今此目的未能達到，遽停戰談和，自板門店談和之日起，美國在遠東之主動地位失卻。所以對中共北韓之禁運案，在一九五一年五月經聯大通過者，不能澈底執行。板門店會議一開，共產黨眞是談和，是隨便談談，不是希望和有成就。美國失卻主動地位，則變為求和。所以和談漸成僵局，聯合國秘書長賴伊，曾擬將和談移到聯大；史蒂文生又說，韓戰獲得解決，中共政府可能獲得事實上承認，其急切求和之情如此。

僵局相持兩年，至一九五三年七月，停戰協定始勉強在板門店簽字，可說聯合國對韓戰一無所得。當然，共黨在韓戰亦無所得，然共黨取償於越南。

一九五四年奠邊府失陷，繼之越南分割，雷德福當越戰危急時，會提議出兵救越，遭英國否決，美國就束手無策，呆若木雞。雖然分割越南是美國所反對，但日內瓦會議時，法闌斯與周恩來直接談判，法國既甘心不戰而撤守紅河三角洲，出賣越南，美國實無可如何。故美國在遠東之失卻主動地位，在此數年間，實可痛惜。

俄勢力是西方造成

在我們眼光觀察，看不到蘇俄怎樣高明。但西方之拙劣，我們可以一眼看清楚。

西方以資本主義國家人民之所享受驕傲蘇俄，引誘蘇俄。而對於鐵幕內人民所遭遇非人生活之痛苦，似不大關心。所謂解放鐵幕內人民，只是一句口頭禪，不肯切實負起責任。所謂援助落後地區，使不處匱乏，更是俟河之清。在此種情形之下，其解放鐵幕人民之心，不如希望蘇俄對西方停止冷戰之心之迫切。

蘇俄對西方國家之心理，看得深透，所以「和平共存」之攻勢，無論史太林，馬倫可夫，布加甯，一樣使用，而西方國家亦一樣沈醉。每當一個巨頭更易之際，西方就起一種幻想。誠然，當史太林時代，蘇俄共黨召開第十九次代表大會時，與今次召開第二十次代表大會時，其歌頌史太林，與痛罵史太林，其思想行動之逕庭萬里，不只黨外人驚異，黨內人更驚異，幻想似乎應起。其實看透蘇俄內情，此實題中應有之義，他們離合之變幻，都是失常性者之偶然把戲。然而西方國家不會出現如來佛掌，頑皮之孫行者，就容易將其播弄，乘其畏懼熱戰，希望停止冷戰之破碎心靈，傳曰，「雖以無道行之，亦可畏也」。蘇俄愈無道，愈得勢，西方則失道而漸成寡助，西方人猶不自覺，猶以大戰不會發生自慰，猶以冷戰可結束自喜，猶以東西已建立協商基礎自安。其實都是浮游無根。

試看歐洲局勢

自從一九五二年三月，北大西洋聯盟十四國，在里斯本會議結束，決定建立歐洲軍，其數預定為五十師，一百四十餘萬人，並允許西德加入。然而此事在緊急需要之狀況下，蹉跎延緩了多年。對德和約只管簽定，歐洲軍之議，卒被法國國會否決。又另起爐竈，成一巴黎協定為之補救，一九五五年三月，法國國會始批准巴黎協定，距里斯本之議案，足拖了三年。夫以德國之獨立，與重整軍備，其關係全歐之安危，盡人皆知。蘇俄之處心積慮，多方設計以破壞之亦盡人皆知。西方國家應屨及，劍及，火速急行之事，乃緩情至此。比之蘇俄之突然簽與奧約，撤駐軍，跟着訪問南斯拉夫謝罪，邀請阿登諾訪莫斯科，乃至布爾加甯赫魯曉夫之到印度、緬甸、阿富汗，雖然是為勢所逼，不得不然，然其行動之迅速，確令人驚駭。西方國家幸無以團結得勝利而自解，幸無以蘇俄失敗屈服而自驕。須知蘇俄西守東攻之策已定，暫不逞於歐洲，然所伏之危機仍在，近東與中東情勢之複雜，西方國家若仍以苟安之心理漠然視之，歐洲即使苟安，遠東之禍患隨起。

西方尚無策安定遠東

西方國家向來輕視遠東，所以造成中國大陸之淪陷，雖然罪過不在西方，然袖手旁觀，到現在尚不思補救，此是絕大錯誤。

迴憶數年來，曷為主張撤守大陳，曷為不明白宣言保衛金馬，曷為東南亞公約只限於英、美、法、澳、紐、菲、泰、巴、而自由中國、日、韓除外，曷為聯合國要高呼台峽停火，甚至有人贊成兩個中國，此皆由輕視遠東之心理作祟。

美國聯合參謀長會議主席布萊德雷說過一句話：「亞洲沒有一國能有強大的力量，足與我們締約，故我們沒有充分力量支持亞洲，如北大西洋公約在歐洲之防禦。」此話我不謂然。此話就是輕視亞洲之反共國家，從反面看，就是畏懼中共。在歐洲既畏懼蘇俄，歐洲軍建議三年，遲遲不能成立。在亞洲又畏懼中共，東南亞聯防竟排斥中日韓。此種行為，正如粵諺所云，「長他人志氣，滅自己威風」。其結果，只有使反共陣營中之意志不堅定者，覺得西方民主國家之不可恃，漸起疑心，而靠向共黨以圖存。

雖其間亦有懷抱野心，別具作用，以中間勢力自居，一足踏兩船以取巧者。然造成彼輩搖惑之最大原因，仍是西方對遠東之太無辦法。即如英國所持的態度，與美國繼板門店之後，又在日內瓦，與中共開大級會議，都是自拆民主陣營，替中共醫起招游魂之際。然我們亦不能專咎人，我們亦當返省。

曷為中日韓不能起而聯合

中華民國政府既不幸而退保台灣，應當懲前毖後，顧名思義，刷新從前耳目，無使民主人士，海外僑胞，與國際間，仍視中華民國政府為國民黨政府。因為「名不正則言不順，言不順則事不成」，要團結全民，反攻大陸，必先泯除從前黨見，斷不能再用黨的名義控制國家。然而三年前國人希望速開之反共救國大會，仍扼於黨。至四十二年五月，國民黨第七屆二中全會，勉強通過召開反共救國大會一案，然至今已三年，仍擱置未開。自身且不能團結起來，更何能望獲得國際尊重。

日本亦如是，日本與德國同為戰敗之國，然德國藉阿登諾之領導，意志堅定，復興可期，日本似尚缺乏此種人才，仍徘徊歧路之中，中日協定雖已簽訂，然不肯承認中華民國兼統大陸，而時發與中共修好之迷夢。

韓國之李承晚，自韓戰以來，其行動相當令人欽敬。尤其是釋俘之舉。但拒絕日本加入亞洲反共同盟，氣量未免狹窄。韓人視日本雖為滅國之仇，但國已復，又大敵當前，則舊仇似應忘却。假令中日韓之當局，與分負責任之人，皆能自省，團結合作，則布萊德雷之話，或可以收回。

應得的一個結論

馬克思之共產主義，是西方近代產物，是資本主義所逼成，資本主義又藉人權民主得以擴張，故人權民主不是對付共產黨之利器，此點我們先要記取。與人權民主相互長成之個人自由，對於物資之享受，當不能遺忘，因此而功利觀念必重，趨重功利觀念之人權民主，共產黨絕不會畏懼，此點我們更要記取。

共產黨一面剝奪人權，一面又假借人權，造出所謂集體民主不倫不類之名詞，以為對付人權民主之擋箭牌，但共產黨可以粉飾人權，共產黨不可以粉飾人性，共產黨之殘暴行為，可以嚇退功利主義者，不可以嚇退至大至剛之天地正氣者，此點我們更應記取。

西方國家以苟安畏戰之心理求安協，結果必犧牲弱小，以維持本身利益，此種安協。雖非投降，亦是分贓，愈長共黨侵略之勢，和平永不可得，此點我們更應記取。

對付侵略，只有實力，此作用西方國家曉得，但實力不單靠原子武器與廣大兵源，必靠群眾擁護之正義，與天下歸仁之人性，若捨此而僅恃新武器為實力，則只是虛憍，不是眞氣，此點我們更應記取。

能記取此數點，則今後世界要求和平，人類要求幸福，不能徒寄希望於現在西方國家之作風，必須進一步，加強其「不侮鰥寡，不畏強禦」之正氣，培植人性，發揚人性，以運用人權。如此，則儒家哲學尚有一日之長，尚為今後世界所需要。證以五年來經過之事實，我們應急回頭，從大利害着想，找尋現實，我們不可再貽誤下去，我們應有自信，此是我們從事實考驗出之結論。今日是自由人報五周年之紀念日，謹寫此以貢獻於讀者。

自由人五周年　刁抱石

五百餘期著盛名。天涯海角正風行。諸公未惜嘔心血。力挽滔滔振漢聲。

贈馬五先生

久仰先生筆墨酣。自由人作自由談。責無旁貸言難盡。活得靈魂死亦甘。

「治世之能臣」憶丁在君先生

·陳伯莊·

（一）

第一位走到台前，肅穆而沈靜地仰視遺像之後，深深一鞠躬致祭的即爲當今總統蔣先生。遺像栩栩如生，臉形尖削，橫蓄一匹濃厚的「仁丹」鬍子，雙目炯炯，向人諦視，彷彿還要斷然無疑地向人發揮他的偉論似的，令人感覺他手上還捻着一枝吸了一半的大雪茄烟呢。這就是張君勱先生常說「在君總是那麼武斷 DOGMATIC的」丁文江在君先生的遺像。當年蔣先生自任行政院長，約定了在君當鐵道部長。未發表而他已在粵漢鐵路株韶段工程局衡陽官舍一夜間中了煤爐炭氣的窒息，醫救無效，一別千古了。他死的一年前曾對我說：「伯莊，我們學科學，該重視統計平均 STATISTICAL AVERAGE，我丁家男子，許多難過五十的，而我快到五十了。」有一次談到生活需要，他說：「凡要一個機器充份發揮它最高可能的效率，便該給以充份而適當的保養。人爲社會服務，應該於最長可能的期內，發揮他最大可能的效能。起居飲食，雖不可奢侈，尤不可過於自菲，損削了體力，便對不起社會，沒有好好盡了保養這一個機器的責任。」又一次論到中醫，我堅持中藥具有實驗的效用，在君極不耐聽。我說：「假如你到了窮鄉僻壤，豬採地質，忽然[illegible]，當地既無西藥，更無西醫，你會讓中醫診治你嗎？」「不！」他毅然回答：「不！不！科學家不能自毀其信仰的節操，寧死不吃中藥，看中醫。」當我坐在台上參加這一追悼會之時，對着遺像，懷念故人，這一些平時閒話，都紛回憶而湧到心頭了。

胡適之和翁文灝都先後到了台上致詞追悼。翁說不到三幾句話便嘴扁了眼紅了發泣起來。他倆是地質調查所的老搭擋，所以翁便繼述了在君運用古生物學解決了中國幾個地質問題的貢獻。適之先生的致詞，引了在君先生平時自許的話兒：「我們是治世之能臣，亂世之飯桶。」當時坐在我旁的另一今已亡故的勞少勉。少勉是鐵路界一位幹材而行規蹈矩的朋友，他聽了這兩句話很感慨，做了一首詩給我。當時我認爲一個民國公民，不應再存這樣觀念，於是做了一首君道篇答少勉，詩如次：

守道貧且賤　固窮誠所宜　居山雖大聖　終身猶栖栖
如何曹孟德　亂世奮雄姿　謂世苟無孤　亂益不可支
奸聖各殊極　千古無異詞　其然豈其然　愚之每挂頤
吾聞西方哲　格物始懷疑　不抉舊藩籬　何以創新知
寧作叛徒戮　勿居鄉愿卑　請君小安坐　聽我鼓其[illegible]
君道與臣道　位別理則殊　尺土皆王有　侯伯如布棋
求君不遑息　臣道固如斯　不得爲東周　豈非命與時
獲麟傷道窮　無復指征車　在昔少壯日　心動公山旗
既老不踰矩　首尾其餘幾　君道則不然　馬上逆取之
苟存飢溺懷　止殺且殺施　我必行我志　吐氣成虹霓
孰當我前進　海翻而山移　曹瞞無心肝　所濕[illegible]已私
有力無其德　不足稱騏驎　巍巍中山聖　自任君與師
法螺吹萬類　遙遙效驅除　謂不擇手段　區區眞腐儒
君臣道殊異　此僅一端倪　儒教立臣道　不自任艱危
興亡雖有責　運去成遺黎　即逢處明世　未必能伸眉
明主棄不材　江潭垂釣絲　用行舍則藏　命也將焉如
國既民所有　求君毋乃癡　人人盡君也　不違箭咎誰
自任[illegible]乃君　莽彼諸勞依　生材必有用　所罪在自遺
勗君爲君難　袪君素餐悲

（二）

四分之一個世紀以前，做詩儘管敢作此豪語，而今「潦水盡而寒潭清」，臨流自照，看見的還不是個大飯桶嗎。當年台上致詞的胡適之和翁文灝，一個蟄居東美，贏得中共「清算胡適思想」的光榮。中共以適之爲思想上最大的敵人，客觀地便顯出適之先生的偉大。眞的，歷史是最公道的。而另一個卻色沮神傷，自投鐵幕，令人發生「欲弔薛濤憐夢斷，墓門深更阻侯門」之感了。

我初識在君先生，由於張君勱先生的介紹。由君勱介紹而相識的朋友，在君而外，還有徐新六，張東蓀，蔣百里，林長民幾位。丁徐蔣林先後物故，東蓀陷在鐵幕，無殊路隔人天。今年君勱七十[illegible]，蔣勻田要我參加做篇壽文。而今年又是在君的七十冥壽，丁月波先生說我是他令兄的舊友，也該參加寫一篇紀念文字。我說平時我每想到在君，連帶地總會聯想到新六，可否在紀念文中，兼敘我所認識的徐新六。月波答：「這再好不過。」

（三）

新六溫其如玉，在君嗚者秋陽，而兩人見事的洞闢，都有「百丈清潭數魴鯉」的魅力。新六在上海長浙江興業銀行，我住上海常常找他閒談，先後凡十餘年。政治人事而外，常以實際經濟問題爲談論中心。俗話說，「聽君一夕話，勝讀十年書。」對於國際的和中國的資金市場，新六所給我的知識，眞是讀十年書都讀不到的。一九三八年新六乘民航機自香港飛漢口，甫離香港領空，即爲日本敵機追擊墮海遇難。遇難前一日下午四時左右，我還和新六通電話，那時他住告羅士打酒店，他在電話中他還說：「你送給我的油印詩稿，極有意思，明天搭機，正好作途中消遣讀物。」他那種溫藹的音色，此後[illegible]不可復聞了。

（四）

一九三四年蔣先生在廬山召開國防設計委員全體會議。我和在君都是委員，在南京下關一同搭長江船赴九江。途中悠閒，談話最多。有一下午泛論到人性問題。記不得是怎樣的，兩次給他抓住小辮子。一次在君說：「伯莊，我們都是過了四十多歲的人，難道還不知道人們做事沒有百分之百爲公的嗎！還不知道把君子小人截然分爲兩型，只是兩個理想型而已嗎！」又一次他說：「你天生的是個富於情感的詩人型，你不能夠理智而客觀的。」眞的，「我常常追求理想，而昧於實際，而又不夠眞感，做個詩人，端的是一個亂世之飯桶而已。

在事務上的接觸，我和在君只有一次。那是一九二八年孫哲生先生長鐵道部的時候。那時孫先生派我當建設司長，負新路計劃與建設的責任。我覺得計劃新綫，除工程上的測量設計而外，首先還要研究各計劃綫在政治上軍事上和經濟上的功用與價值。對於沿綫各區的地下資源，是要請地質專家研究的。我早就領教過在君對西南地形和地質，甚於他實際踏勘所得的偉論。於是我向孫先生建議，請在君來担任西南川湘滇黔桂和東南浙贛閩沿計劃綫作地質調查。哲生厲色向我說：「爲甚麼要找一個反革命份子！」（註：在君曾替孫傳芳做過上海市總辦）我說：「到了統一建設之時，我曾經做過陳炯明的代表的「[illegible]」，諒饒你錄用，何況建設一定要請教領袖專家呢。」於是我勝利了，在君從北平到南京了。他一到，哲生便請他吃飯。在君的才辯議論，即席光焰萬丈，一時賓主如魚水之歡。這是在君先生的偉大，也是哲生先生的偉大，「白頭宮女談天寶」，這類話也不願說下去了。

只有一句話還沒交代，君勱說在君總是那樣武斷的。這話又令我回憶到當年他們諸位老友的科玄激戰，各抒鴻文的盛事。（完）

從自由人五週年紀念談到報刊對國家的貢獻

胡養之

有人這樣說：「香港人多而沒有靈魂，報紙多而沒有文化。」這話對與不對，我們姑且勿論。但是香港的人多和報紙多卻是事實。

要統計香港報刊連同雜誌在內一共將近百家，同時最近據說又將有幾家新出版和復刊的報紙面世，究竟香港這許多報刊對國家民族和社會人類有些什麼供獻，這値得一談的。

我們大家都知道，報業包括日報和期刊兩種。報紙主要的功用在紀事，而紀言次之；雜誌主要的功用在紀言，而紀事次之。二者共同的目的都不外提高人民的知識水準，與社會文化逐漸向上發展。

現在由於教育普及，文盲銳減，所以新聞事業日益發達。而報章雜誌種類之多，與及銷路之大，全世界又當以美國佔第一。記得一九〇一年老羅斯福總統曾經說過：「據我看來，在美國各種職業之中，最重要的算是新聞記者，包括通訊社雜誌的記者在內。通俗雜誌像週刊一類的編輯人，尤其重要。」據說美國有定期刊物六千種，其中著名者有二百餘種，生活雜誌是週刊，每週銷行四百萬份以上。讀者文摘是月刊，每月銷行一千萬份以上。這兩家刊物，在美國可說是家喻戶曉，深入人心了。

但是我國報業歷史較淺，權威性的報刊尚屬少見。好在先進國家已有成績作我們努力的目標。而我們所希望於報刊的，便是能夠洗鍊國民的感情，陶冶國民的器識，發揚報業的正氣，絕對不向任何惡勢力低頭。於是使社會心理漸臻成熟，則建國大業方有水到渠成之效。

自由人三日刊，便是本着這個宗旨。在工作的五年來的慘淡經營，一直沒有改變其莊嚴風格。

照說，報刊責任不僅在於輔助社會教育，也是極有力量的政治指標。本來刊物的第一種任務，在於給國內外時事一種歷史的透視，古人所謂「疏通知遠，彰往察來」，便是這個意思。凡是有關於國家的大方針，大政策，以及國計民生的公益公害之所在，都應該痛癢相關，喚起注意和研究。因爲報刊是公開的論壇，供大家熱烈討論，以反映社會上種種不同的意見。人民可以利用報刊監督政府，政府也可以利用報刊把政務實際情況充分報告於國民。

可是香港地方，情慾世界，由於報刊又多半屬於私人的財產，有些爲了打銷開路，招徠讀者，不惜犧牲報刊固有正氣和莊嚴，而有些報刊，則竟純以淫誨的小說，和[illegible]的照片爲號召，這是千眞萬確的事實。而有些報刊的副版，則門戶緊閉，往往由內定的少數人包辦，不許外人置喙，亦不接納外界的寶貴意見。由是失去了報刊的立場，對國民的教育，社會的風氣都已脫節，互不相關。

今日中國，刻正處於風雨飄搖之際，海外報刊的立場不僅應該堅定，且必須配合國策。「學以競而日新，理以辯而愈明」。民主的理想，又必須寄託於健全的輿論。一國家若無健全的言論自由，則民主政治是無法生存的。不過言論自由的危機，卻又往往在於出版界的本身。因爲任何自由都是有條件的，而並非自私之意。極權國家禁止發表反對政府的言論，固不足道。但自由如果被濫用，便足以妨碍了別人的自由，和容易影響社會的安寧，甚或迎合世俗，甘居[illegible]，就成爲如世俗的所謂「黃色刊物」了。

提起黃色刊物，共產黨感到非常興趣。因爲它往往藉黃色刊物來作爲消極殺人的武器，所以它們在海外大肆提倡黃色刊物，無非企圖麻醉社會，使人們的注意力轉向另一個方向去，它們便可爲所欲爲。這一點，我們虔誠希望海外負責報刊的人士，以及整個文化界的同人加以警惕！

「自由人」五週年紀念獻詞

毋忘被奴役的人們

——要作自由人，就必須拋棄中立！

曾旭軍

「自由人」五年來用於自由世界應付共產集團的一貫主張，是要實行「解放政策」。

但不幸這個政策在今天已爲人所忽視。

你我今後是否終將不免身淪爲鐵幕內的奴隸，你我的子孫是否能免除喪失自由的恐懼，就要看自由世界是否實行這個政策了。解放鐵幕乃是顛撲不破的眞理。

筆者不想再對不可知的未來多加推測，但卻有理由指出由於自由世界對共產黨認識模糊，和企圖苟安所帶來的危機卻日在增強中。

西方謬見造成危機

首先是因蘇聯共黨第二十屆大會表示了「脫離」史太林主義，已使西方政治家相信共產集團共存的可能性增加，法國總理摩勒即已正式發表此種信念。第二是，各國社會黨亦因蘇聯高唱和平進入社會主義而謀與之聯合；第三是，苟安者服膺蘇聯共黨的「經濟和平競賽」；第四是中立主義者的日趨擴大。這些實是當今推行解放政策的逆潮，而這股逆潮卻無異已是共產集團全力壓抑「解放政策」的策略相合流了。

從二次世界大戰以來，只見鐵幕日漸擴張，而不見它縮回半寸，十餘億人口相繼被關入鐵幕，數千萬人慘被屠殺，未死者則永被奴役。我們不知西方的「政治家」何以自解，目前既不否定此事實，卻又甘心讓世界一半永被奴役而求與之「和平共存」，如非喪心病狂何致若此！

溯當本報之始創，正是史太林侵韓失敗而求和之時，若美國不以有限度戰爭替代逐共黨出韓境，北韓人民的枷鎖早已脫落。倘當時如能協助國軍反攻，蘇聯既不敢與美國正面衝突，中共亦早已垮台。至越南戰爭達到決定性階段時，假如艾森豪威爾默認定士兵的包袱並不重於枷鎖，立即協助南韓，合擊，與南越三面進軍，亦足促使中共垮台。然弊在杜爾斯走到「戰爭邊緣」而又作退縮，蓋其實不敢進一步作解放鐵幕之嘗試。

史太林死後，蘇聯羣龍無首，政權至不穩定，東德人民發難抗暴，這是解放政策在東歐實施的良機。但艾克猶豫閃縮如故。及貝利亞被誅，蘇聯內亂危機益重，惜自由世界只作隔岸觀火，而未能加以利用。從馬倫科夫到赫魯曉夫，由回復增產日用品，到倡言加緊進行軍工業，侈言製造核子武器，實係從安內而過渡到以恫嚇來阻遏解放鐵幕的進行。即連次批判史太林主義，亦即是共產黨機會主義的辯證發展，目的亦爲消毀自由世界實踐解放政策。

蘇未放棄征服世界

但在蘇聯轉變政策之後，我們要問：（一）蘇聯共產黨目前的集體領導，是否已放棄其征服世界的目的？（二）他們是否放鬆了對俄國和鐵幕內人民的壓迫？

現在先看第一個問題就今天事實，集體領導而遭槍決和困在集中營的，比列寧死後史太林時代初期更甚。據可靠的估計，祇是貝利亞一案，死人已達二千餘。其不容反對者存在可自赫魯曉夫在記者招待會中所說：「蘇聯既不許又不必有不同政治見解的存在」一語，即可見其不容許人對集權統治持反對態度，一如史太林執政時期相同。

至於第二個問題，以米高揚所力斥「社會改變可由階段逐漸進化之說，爲「欺騙羣衆」一點，即可知其絕對排斥無鬥爭的社會改良主義。他力言『革命即是革命』和『改良主義即是改良主義。』不容混爲一談。

蘇聯既未放棄其鐵幕人民的暴力政治，自不能謂其已放棄征服世界企圖。此就其不肯廢棄共產國際情報局，並揭露赫魯曉夫無知可爲佐證。蘇聯當局對木乃伊的史太林加以鞭屍，而絕不放棄這個工具，即在爲繼續作顛覆他國之地下工作。

今日自由世界可慮，可哀，而又可恥的，是在「與賊共存」的人民，目前蘇聯在中東的專心實好是要中共人民忘記他們是賊。又筆者曾見二月二十九日出版的倫敦泰晤士報所載一篇論「蘇聯脫離史太林主義」的論文，有一段最謬誤的論斷，是說：蘇聯既已打破美國獨佔原子彈與氫彈的優勢，東西雙方正身處在原子僵局中，故蘇聯亟謀經濟上戰勝西方，欲提高生活水準以打勝西方。這是正中了赫魯曉夫所唱的「和平競賽」的迷人詭計。該作者還以蘇聯的新五年計劃爲打破西方經濟優勢的里程碑。其實蘇聯的五年計劃，完全是加緊軍備競賽作戰準備。鐵幕人民永遠爲軍備而過着牛馬生活。他這種的論調，簡直是閉上眼睛胡扯。

故不論是在實際的策略上，或是在思想戰線上和政治理論上，西方處處表現出其軟弱，錯誤和不可靠。爲此，乘着在今天本報五週年紀念，筆者願向讀者共同策勵，就是在心理戰上要不斷的指出：敵人的血手是永遠洗不乾淨的。敵人的枷鎖是永遠備着，企圖向我們鐵幕外的人使用的，作一個自由人永不能守中立的。

把自由獻給人類

自由人創刊五週年紀念獻詞

劉起

自由人以一種獨立性的刊物創始於五年前的今日，自生而長，到今天已屆五個整歲了。也就因爲它能經常保持其獨立立場，屹然不阿地以民主的實現、自由的爭取爲己任，故能言人之所不能言與所不敢言以盡其言責，是以知者莫不對它刮目相看，此其所以能以一種小型刊物，自近而遠，不脛而走地普及於自由世界的每一角落，而享譽輿論。這在自由人同仁是應該告慰的。

茲值自由人步入第六年之始，念自由的敵人——共黨方恣其囂張，全體自由之獲得尚有待於爭取，特藉自由人篇幅，略佈數言，爲自由人同仁勗，並爲自由人類勸。

共黨專意剝奪自由

「不自由，毋寧死」，自由當然爲人人所愛好，人人亦天賦有追求自由的本能。按說世界進化到今日的原子世紀，人類之所渴求的自由，也該普現於大地了。但是人類則並不那麼幸運。由於時代發展的偏差，馬、恩、列、斯魔類相繼而生，發爲唯物史觀的謬誤哲學，指導黨徒，以暴力爲手段，從鬥爭中求發展，力求變生機活潑，靈性粹然的人類爲共產教條覊策下的行尸走肉，簡言之，他們是在專意剝奪自由這個天賦人權。而在此一悲劇的導演下，世界上已將有十億人民陷入鐵幕，痛苦呻吟於暗無天日的生活中了。

共黨非人性奴役人類的罪惡行爲，既是那麼彰明昭著，所有幸能生活於自由世界的人羣，就應該對共黨企圖進一步奴役整個人類的野心，時刻提高警惕而戒備之了。

自由人羣應覺醒

但事實不然，環顧自由人羣中，直到今日似乎還有很多人未能認清共黨倒行逆施的眞實性，甚且對它存着不必要的和平共存幻想，實非怪事，筆者對此嘗深思之，這是有其原因的，因爲共黨的顚倒是非的理論及其殘忍屠殺無辜的眞實惡行，既非筆墨所能形容，而言者亦不足道其萬一，那些居住在自由世界，未曾受過共黨統治的人士，如其要以通常的眼光看共產黨人，在其想像中就可能認爲共產黨人不也是人嗎？就是殘忍些，豈至竟即毫無人性？這在他們本是以恕道看待共黨，實際即等於替共黨人脫罪，並墮入共黨的欺騙圈套了。

中國大陸人民，原本亦係這樣看待共黨，而疏於自身安全的防備，乃予共黨以滲入潛伏之隙，才直接地或間接地助成淪陷大陸的悲劇，今日自由人類之未即普遍覺醒，難道須待經過共黨統治後嘗過了奴役味道才要知道自由之可貴嗎？「一失足成千古恨」，那無論如何是不應該的。我們是從鐵幕逃出的虎口餘生，比較終生居住自由世界的人，應是對共黨認識的先覺者，如何促使自由人羣對共黨改變其認識，應該是我們的責任。

揭破共黨和平面具

今日出現在自由人類面前的危機，不在共黨的武力擴張，而在共黨假和平之名，以滲透分化的戰術，乘隙巧取。事實上，現在共黨即正運用和平催眠術，軟化着自由人類的警惕心理，並以貿易通商的釣餌，誘動某些自由國家的好利之心，使禁運鐵圍逐漸放寬。按此一情勢的發展，決不是因爲共黨對分化戰略有什麼特別妙用，而是因自由人類太自我懈惰，各自爲謀，乃使自由體系，形勢日非了。人類是最敏感的，也是最健忘的，自從民主國家於韓越戰爭在屈服式的和議下休止之後，一般自由人士似即認爲可以無慮共黨的武力擴張，而高枕無憂，即或對共黨在二次戰後急劇擴展之事實記憶猶新，亦因時日的延長而見怪不怪了。殊不知這才最足演致斷送自由前途的後果。因此，罹在文化宣傳機構面前的課題，應該是如何揭破共黨假和平之名以繞過戰爭進行陰秘侵略，企圖終能奴役全人類的眞實性，而使自由人類對共黨經常提高警覺。

打開鐵幕共享自由

一切愛好自由的國家和人民，要知道在今日而對共黨顛覆世界的政策前，除非不願自由則已，要自由，就得爭取；而爭取自由之工作，實際上就是一種對共的鬥爭工作；而對共鬥爭乃是一種非存即亡的鬥爭。故共黨不滅，世界就絕不會有眞正和平的出現，人類自由絕無保障。尤其自由人類的責任，也不應僅是消極地能以捍衛自由陣營現狀，能以享有眼前的現實自由爲滿足；甚於人類的同情心和正義感，更應該積極地協力去擴開鐵幕，拯援所有被共黨奴役下的全部人民出於水深火熱，共登自由之域。

我與「自由人」

張健生

筆者與自由人報相識，是四十年服務台中擬建日報時，同事孫君購了一份，首先借閱。數年來，因爲個人的環境和生活的不安定，更沒有足夠的經濟及時間，所以，時續時斷，在書報攤上零購。自從去年春間，正式組織了家庭後，始經常零買一份。但是，有時錢不方便，亦時告中輟。久欲長期訂閱的決心，在去年十月間方如願以償。

每逢綠衣郵人將——它——送來後旋即拆開閱讀。

其影響最深者是四版「自由談」馬五先生的文章，不僅文筆暢流，且極富于幽默，諷諫，使人省悟。不是消極的批評，而是積極的善意的建議。寓宣傳于文字間，對自由人類酷愛和平的民族有着極大的貢獻。如「不平之鳴」「政治立場」「外交上的癥疾」「哀聯合國」「獨裁之談」「做人與爲政」「要自殺，就請便！」「別廢話」「不健全的輿論」「尚可忍乎？」「多言與多文」等文章。均屬自由中國當今絕無僅有的痛快文章。

第一版的國內外的通訊，都有獨特殊的見解正確的分析，許多在台灣看不到的言論，自由人報都能滿足讀者。民主政治的特點是培養自由的言論，爲政者能夠虛心接受「諍言」，作爲改進及糾正政治上的缺點的藍本，這是民主政治的一大特色。有健全的自由言論，方有民主的自由的政治規範。今自由人報在這方面已經負起人家所不肯負不敢負的責任，不愧爲「自由人」。

香港位居鐵幕邊緣，自由人報在鐵幕邊緣的香港——第一戰綫和共產匪黨集團御用的文化統戰份子作戰，所負的責任是如何的重大，對重建中華還我失土的成就，是有貢獻的。國家民族存亡絕續與個人榮辱禍福息息相關，國家民族有前途，個人才有前途，國家民族毀滅，個人豈能例外乎！我們既是自由主義的信徒，無法逃避救國家救民族的責任，不管人家如何！我們無法推卸責任。

一個有人性，有國家民族觀念的自由人，必須具有「我不入地獄，誰入地獄」的宗教觀念。救國家民族的工作，是艱苦的，一定要有至大至剛的勇氣，計劃，信心來貫徹。要有盡其在我的革命精神，預先克服時間上，空間上，物質上，技術上的敵人，才可以消滅出賣國家民族的漢奸——朱毛匪幫。信心，計劃，勇氣是達成艱鉅任務的要素，自由人必須有負起人家不肯負或不敢負的責任，與發揮中華民族固有之精神。才能對完成救國救民中興的大業有所貢獻。

筆者本爲新聞界的小兵，僅以此獻給自由人報，以資紀念。

本刊特別啓事

此次本刊五周年紀念，敬承各方彥碩，惠賜珠璣，獎勉有加，彌增感奮！惟其中以郵遞稍遲，未及一一刊佈，至用歉仄！嗣當隨後發表，藉酬雅意。併此致謝，並希亮察爲荷！

本刊編輯部敬啓

慶祝自由人報創刊五週年暨台灣南部辦事處成立四週年紀念

台南市政府

台南市衛生醫院

台南市布商業同業公會

欲完成地方建設
請踴躍繳納稅捐
台南市稅捐處

台南縣
楊　輝
東耐吾

踴躍納稅是愛國的表現
高雄縣稅捐處

欲完成地方建設
請踴躍繳納稅捐
嘉義縣稅捐稽征處

嘉義縣自來水廠

嘉義縣自來水用戶注意
（一）自來水鋁管及水龍頭如有損壞請即通知本廠派工修理
（電話號碼三一八一，三二三八）
（二）水費請按期繳納以維公用事業

自由人報五週年紀念
文化之光
許靜[illegible]賀

幸運製衣公司

一流技師　精製洋服
價格廉宜　式樣最新
門沽批發　一律歡迎

地址：香港筲箕灣大街三十二號

自由人報五週年紀念
宣揚國策
王國華題

欲知　史達林被清算之眞相
俄共歷次黨爭的祕密
請讀：

史達林罪行秘史

前俄共秘密警察高級幹部亞歷山大・奧洛夫著　翟棣譯

自聯出版社出版

兒童遊戲是健康之道

運動能使身體健康、夫人皆知矣、而小孩遊戲、亦屬運動之一、不過普通遊玩、既無標準、又無秩序、或至毀物傷人、故家長每加禁止、然終日靜坐、則體質孱弱、實非善法、爲補救起見、應時服鷓鴣菜、使身體強壯、助長發育、

鷓鴣菜能助兒童強壯

宏興鷓鴣菜
士敦道一九一號　行

自由人

THE FREEMAN

（第五二四期）

中華民國僑務委員會
頒發登記證台僑新字第一零二號
中華郵政台字第五〇〇號
執照登記爲第一類新聞紙類
（半週刊每星期三 六出版）
每份港幣壹毫
台北市售價台幣壹元
督印人：陳文華
地址：香港高士威道二十號四樓
3 rd. fl. 20 GAUSEWAY RD
HONG KONG
香港發行及事務接洽
高士打道66號 電話：七四〇五三
承印者：東南印務出版社
地址：高士打道六十四號
海外總經銷
友聯書報發行公司
香港：德輔道中二十六號A二樓
台灣特派員辦事處
台北市館前街五十號
台灣總經銷處
台北市西寧南路壹壹壹號二樓
台郵撥儲金戶九二五二

台灣教育制度的一大進步

由民主觀點看教育

王聿修

前些天報上的消息說，從今夏起，台灣的小學畢業生無須經入學考試，便可升初級中學，高中畢業生無須經入學考試，便可依學生志願，入大學讀書。今天報上又載着台灣的各大學要擴大招生。這都是值得大書特書的好消息，表示出自由中國的教育走上民主國家的教育應走的方向，並表示出在教育方面的設備擴大，經費加多。

大學不應少數人享受

恰在一年以前的時候，報載台灣的高級學府有的擴充，有的新設立。那時筆者欣聞這種好消息，曾爲文指出：「大學教育的主要任務，應該是普遍供給人民所需要的知識與生產技術，這是在今天生存的必要條件。大學不是少數人享受的權利。……受教育的機會不自由，便根本造成人與人之間的不平等。限制入大學的人數，根本違反民主原則。」（見本刊第四二〇期）

在這篇文章裏，筆者又曾舉例說明「美國大學的入學制度最方便合理。一般的說，只要中學畢業，便可入大學，無須經過入學考試。轉學生只要有轉學證件，便可入學。至於中途告假退學，可以隨意離開學校若干年。以後隨時可再回校繼續攻讀。常見有四五十歲的大學生，都是做了一二十年事，又回去讀完大學。這絕不是制度鬆散，它的道理是，只要讀大學，總是有益處的。無論你讀幾年也好，讀一學期也好，反正你開卷有益。」我現在再補充說明，美國的人口不到中國的三分之一，在一九三二年美國共有大學生九八九、七五七人，到一九五四年，增爲二、四一四、〇〇〇人，加多二倍以上。

限制受教育造成不平等

現在筆者很高興聽到自由中國的教育制度，也向這方面走了「一大步」。從民主政治哲學的觀點看，這是極重要的。有人看到政治上的不平等，出而力爭，有人看到經濟上的不平等，亦出而力爭；但是，教育上的不平等，是一切不平等的根源，卻反而比較少有人注意。其實，一個民主政治的好壞，全在它的人民的知識水準的高低。要政治平等經濟平等，必須先有相當平等的教育機會。如果限制人民受教育的機會，才是在根本上製造不平等。而且，一個民主國家，需要選民能判斷，能決擇，那麼選民如無相當的教育程度，他如何能負起他的公民任務？哲佛生（Thomas Jefferson）曾說過，「假如一個國家希望……能夠無知識而又能有自由，那它是在希望以前從未有過的和將來永不會有的事。」（Gordon Lee著「現代美國的教育」一九五四版第四一頁。）

應實現三個目標

在這個大原則之下，我們更希望自由中國的教育再實現三個目標：一是公家的學校不收費；二是盡量許可私人開辦學校，由公家監督；三是盡量取消對於到國外留學的限制。

公家辦學校是爲人民服務，所以必須不使任何人因付不起費用而失去受教育的機會。教育經費由一般內稅收担負，學生免納學費，盡量使受教育的機會平等。因爲如果一個教育制度是只限於能出錢的人能受教育，那麼民主政治制度的責任便不可能實現。民主制度需要人民有智慧，有發表意見的能力，和尊重每個人的尊嚴與福利。這一切都需要人民普遍受相當高的教育。

一個民主的政府，除自己辦學校以外，自當許可人民辦學校，因爲在民主自由的哲學之下，教育不應是政府的獨佔事業。如個人，如團體，如教會，都可以辦學校。尤其是今天在台灣，政府用於教育方面的財力是有限度的，所以應鼓勵私人辦學校。當然私人辦學校也可以辦得很壞，政府須規定下若干條件，夠不上這些條件的，便不准開辦，並在平時加以監督。

取消留學的限制

到國外留學，多半爲求較深的知識。這絕對是一件好事。筆者看不出到外國留學，會有什麼毛病。如果留學生不是花費公家的外滙，或得有外國的獎學金，在這種情形之下，只要出國的學生持有外國學校許可入學的證件，便應准其出國留學，絕對不應加以任何限制，更無須再經過政府的一次考試。外國的學校既已許可不考入學，爲什麼我們本國要考試一次，因之剝奪了一部分人去國外讀書的機會？而且這也是與民主原則而不合的。美國的學生要去外國讀書是無須經過政府的考試的。

教育與職業問題

我們已看到許多跡象，表示自由中國的教育是向進步的方向走，我們很爲鐵幕外的中國青年慶幸！

如果有人說，造成了這麼多青年，將來的職業出路呢？我們的回答是，人民的職業問題是整個社會的事，不是教育當局的事。而且受教育人數與職業的機會是互相輔助的。受教育的人多，事業就加多，需要的人材亦更加多。這就是社會進步發展的程序。

我們不是信奉民主政治麼？在民主政治的原則之下，有多少人民，我們就有責任教育多少人民。不能以任何理由限制人民受教育的機會。從這個觀點看，台灣的教育措施，近年來確有很大的進步。

四十五年三月四日

海外通訊

中日關係的隱憂與我駐日使館的工作

·許俊·

（本報東京航訊）在港未來日前，曾在「自由人」上看到幾篇關於對外交人事的評述，讀後雖有感觸，但總以爲不過是小焉者也。來日後，卻不能不對自己的看法加以修正了。或許是因爲僑居在外，好像對問題的看法要敏銳點，常常覺得一些所謂「官方」的看法，尚未必有旁觀者那麼清楚呢！

也曾幾次想簡單地談談旅日的觀感，但又不能自已的把筆放下了。身受感觸，耳聞目濡的太多之後，筆就反而沉重了。所以只能拉雜地寫來。

一大二公三參四秘

先就我駐日大使館之陣容言，上層計有一大二公三參四秘，此包括大使「一」，公使二，參事三和祕書四位；至基層人員迄雇員爲止，總計不下數十員。其陣容之大，殊不遜色於駐美大使館，亦足見我中樞在對日關係上之重視。

本來，就我與亞洲國家之關係言，對日外交確是相當吃重，不僅在於謀邦交之增進，而如何多方面保持和繼續開展與日本社會之關係，亦爲增進兩國間相互了解之重要環節，而旅日華僑衆多，其應如何領導華僑作積極的反共，自亦爲常理中之重要工作之一。

以目前之情況論，我對日關係似是平靜無事，亦似乎無須要再作積極的努力。但這種現有關係之得以保持，主要的原因實在於日本現內閣在右翼政黨手裏，此僅爲一有利之既存條件，尤其在重光身任外相時，固暫可不必杞憂到邦交之有變化，不妨持較樂觀心情，然一旦重光走出了霞關外務省的大門，或者是根本自民黨失了政治上的優勢（在緒方死後，在共黨陰謀所謂「議會革命」和社會黨的積極活動下），實不能不時加慎重，注視其可能之發展，則中日關係能否始終不變，是值得令人深思的。

然而，就目前的中日關係言，能不能算是令人滿意呢？筆者雖以從純政治外交角度來作回答，但如果就一個華僑商人的立場和常識來看，我早在前文已說明了，我們不能惰性地把目前中日間的關係，視爲是永遠靜止不變的，更何況這現狀，只是有賴於重光對鳩山，執政黨對反對黨抗衡的結果。因此，中日的關係在將來必因日本內部政潮的起伏而生變，蓋可斷言。

由於少見我駐日大使館方面有何作爲，筆者也曾想到，是否中日關係的重心樞紐在台北，而不在東京？故令使館方面無法表現，但再作深一步觀察，則不免自我否定了此說。因勿論其重心在何地，這與能不能有表現是無關的。同時，更可就下述各項事例，從側面證明中日關係之實在情況了。

沈副領與洪進山事件

[illegible]平，我駐日某地副領事沈某，曾作潛赴大陸之實際行動，並已上了某英籍船，當時向日方交涉協助阻止該沈某之叛逆行爲，不得要領，事態僵化，而其新聞卻絕不稍遜於蘇聯特務互特普羅夫之投誠美軍，同樣地轟動了日本社會，但我館卻一籌莫展！一直待到台北方面向船公司交涉，取銷其船位後，沈某始無奈下船，押返台灣。在這件事上反映出二個問題：即一、官方何以能婉拒不加協助；二、爲什麼不即吊銷其外交護照。使館方面對此是否已盡了最大的努力，沈某的行爲是叛國逃亡，其不能視爲一般政治上的請求庇護，蓋可斷言。從日方之不予協助，可見問題隱伏之嚴重。

再就最近的洪進山事件言。洪某是我政府現職警官，我駐日使館自有當然的管制權，何能又在日方的不加協助下，聽其逃亡！此事發生在沈某潛逃未遂之後，既有前事爲鑑，難道使館方面對「不加協助」的事實，尚未能向日政府交涉而有所修正改善嗎？退而言其次，即使不能將之拘送台灣，我們也至少應該堅決地要日本當局做到扣保扣留洪某不讓離境。何以竟弱至於一無結果！又若謂，當時因日本推宕不知其藏匿所在，無法協助，則何以報紙有新聞照片刊載，而使館方面不能提出實證線索要日本當局堅決執行。這就難怪要使愛國的僑胞們搖頭了！

宣傳上的失敗

在東京，中共公然設有僞僑會；不僅此，中共的宣傳刊物中、英、日文應有盡有。站在大使館的立場言，豈能熟視無睹！若謂這是日本政府公開讓日共活動協助中共搞的，則難道就由得它去嗎？就一般情況言，似根本未見使館方面有何種積極之對策，連「防堵」都談不上！

若以最簡單的放映電影一事言，日片能在自由中國放映，何以國產影片不能在日上映，爲什麼自由中國的新聞片無法在日本露面！放映權應是互惠權利，爲何不爭取？既有些客觀事實之存在？則僑胞不看中共影片，那才可怪？如是，則何以中共影片又能在日本放映？

難道說，就讓共黨永遠在日本的華僑社會裏搞宣傳搞下去嗎？

當然，提到宣傳，似乎又是與錢的問題有關。但一切不能往「經費不足」四個字上一推就拉倒的。錢，在像我們這樣的生意佬來看，也懂得該往那個門道上去化；該做的，也就該化。但今天的事實是一切都似乎懶得做，實不敢臆測究是使館有了計劃而中央不批准呢？還是根本就是交白卷！如果像這樣的大事也交了白卷的話，就更難怪代表政府到日本去講學的史學家也需要安步當車了！

將他人比自己

反過來將他人比自己，我們再粗淺地看看日本駐華大使館的情形吧：

在日本報上，常常看到大使、公使拜會我外交部長、次長的新聞，頻繁的接觸，

（下轉第三版）

時事述評

司馬璐

霧裏倫敦

馬倫柯夫要在三月中旬訪問倫敦。赫魯歇夫，布爾加甯要在四月十八日訪問倫敦。英國外交界又表示，英國已經接受了尼赫魯的建議，邀莫洛托夫抵英會商越南局勢。

霧的倫敦，將要妖氣下降，毒霧瀰漫。然而，這又是人造的霧！

赫魯歇夫，布爾加甯過去在訪問印緬時說些什麼，英國人不應該忘記的；當時英國輿論的震怒，俄國人也應該獲得深刻的印象，在英國人民前面，他們將是不受歡迎的客人。倫敦的波蘭流亡人士說，他們將抬着棺材，「歡迎」赫魯歇夫，布爾加甯哩！

危險代價

但是，擋「駕」是擋不住的，主要的問題在于：少數有力的英國人對于這種迷霧政策感到興趣，在艾、艾會議對許多重要的國際問題交了白卷以後，一方面英國人之間發現了對于台灣海峽的分歧一時無法調和；而在另一方面，中東危機日亟，美國又不肯直接參加巴格達公約替英國解圍的情形之下，因此，英國當局不但沒有取消對赫魯歇夫，布爾加甯的邀請，而且接着還另加上馬倫柯夫、莫洛托夫！

我們可以一萬個放心，英國人「歡迎」來自俄國的「嘉賓」，絕不至于出現「狂熱」的鏡頭；但是少數英國人的算盤是，他們必須利用這一迷霧政策，給點顏色「美國朋友」看看。

英國人所付的代價是危險的，因爲將要籠罩在倫敦上空的迷霧，不是倫敦通常的霧，而是毒霧！

酒徒之國

倫敦以多霧聞名于世，產生英國外交上的迷霧政策；法國人以嗜酒聞名于世，產生法國外交上的酒徒政策。

這一酒徒之國當今的領袖們，把他們國家的命運當作兒戲。

這一酒徒之國的外長，北越的共黨政權稱他爲：「皮納同志」。

「皮納同志」說，他的國家今後要和共產國家保持進一步的接觸。「皮納同志」在東南亞公約國會上議論：軍事鬥爭已不重要，今後西方對蘇的鬥爭，只應該集中在思想與經濟方面。「皮納同志」對于英國邀請莫洛托夫討論越局一事也點頭稱是。

異曲同工

法國外長這些表示，是不是法國外交將有急劇的轉變呢？事實上又不會如此簡單，皮納的話是特別說給杜爾斯聽的，他的「危言聳聽」，藉酒發瘋，與英國的迷霧政策，有異曲同工之妙，妙在他們都是做顏色給「美國朋友」看的。

法國當局急於貫徹他的北非政策；英國當局最焦慮的是中東局勢；美國目前最担心的是遠東，彼此都有各自的弱點，彼此又需要相互扶持。

但是，美國在遠東所執行的政策，由於他沒有背上殖民主義的包袱，所以他在必要時可以在亞洲反共國家的支持下，獨來獨往，英國和法國在中東和北非的做法就不同了。

混沌局勢

英國人和法國人都知道沒有美國的支持，他們很難穩住中東和北非的局勢。

美國人也知道，在全球戰略上，今天需要穩定中東和北非；但在政略上，他們又知道，積極支持殖民主義的統治是不智的。

俄國今天一方面用反對西方殖民主義的面目討好民族情緒澎湃的地區；另一方面，由于他本身今天是世界上最大的殖民主義者，轉過身來，他又和西方殖民國家稱「同志」了。

今天美國所面對的正是這樣一個混沌局勢。

富有教學意義的展覽會

—台灣全省中學生作文成績展覽會參觀記—

劉榮渙

【台北通訊】很多人都說自由中國學生的國文程度不够水準，於是以台灣師範大學許多國文教授爲主的中國語文學會，會同台灣省教育廳，於二月廿四日起至二月廿八日止，假台北師大的教育資料館二樓，舉行了一次全省中等學校學生作文成績展覽會。同時，對於全省中等學校國文教師，也作了一次普遍的調查和統計。其目的，在希望能够普遍瞭解台省中等學校（包括師範和職業學校等）學生國文程度和國文教學的實況，作爲研討「改進國文教學方案」的參考。社會人士以事屬創擧，都寄以深切的期望。因此在展出五天期間，前往參觀的人士，眞是人山人海。

展出作文五七二四件

廳、會在兩個月以前，便開始籌備，教育部的「教育與文化」週刊，於展覽開始之日並發行「國文教育專號」。據其說明：所有展出作品，係以全省各中等學校的班爲單位，每班由國文老師選出作文成績優秀之學生一人爲代表參加，經選定的學生，概不另外作文，即用該會寄發之統一定稿謄寫其上學期代表作品一篇，連同作文簿原本，由學校彙送該會。計分爲三部份：一是各班級選出的代表作品，計四一〇三件；二是抽調各師範學校畢業班的作文簿，計三十二班，約一六〇〇件；三是特約參加的作品，那是金門方面的，計二十一件；合共五七二四件。

給奬辦法

該會於收到各校彙送的代表作後，即由台大和師大的國文教授四十餘人組成的評審委員會，分類評閱。凡是同性質同年級的作品，均併爲一類，每一委員以評審一百篇作文，初審約一類爲原則。平均每選出十至十五篇，依次比例，計選出五百八十一篇。再予覆審，計選出三百七十八篇，就中又特別提出分數最高的七十八篇，再行評定其名次，給予奬金；其餘三百篇則不分名次，一律給予奬品。

這次受奬金的學生共七十八名，奬金總額爲：（一）特等奬六名，各給奬金二百元，計一千二百元；（二）一等奬十二名，各給奬金一百元，亦爲一千二百元；（三）二等奬二十四名，各給奬金七十五元，計一千八百元；（四）三等奬三十六名，各給奬金五十元，亦爲一千八百元；共計奬金台幣六千元。又該會鑒於已往各種展覽競賽，類多贈送錦旗，銀盾或其他不急需之物，耗費多而收益少，爰經該會決定此次一律贈送中學生課外讀物，並推定專人成立研究小組，擬定書目，分函各機關團體購贈，若因購買不便，則請其滙寄代金，委託該會代辦。該會計已收到各方贈送書籍一千五百餘册，代金二千二百七十餘元。另由文藝創作社贈送該社出版之文藝創作月刊二百四十套，每校可以贈送一套。這些書籍也都陳列展覽會場中央的玻璃櫥內，任

人。

教師出身國文系者少

筆者是一個公務員，平時對子女的國文程度頗爲重視，同時小女的作文此次也被選參加了展覽會，她很高興地在二月廿四日開幕那一天上午，便要求領她一同去參觀，只因事忙，未能如她的願。於是她便獨自去看了五個整天，最後一天，筆者也抽空隨小女去看了半天，會場佈置，簡單樸素，四壁懸掛着巨幅標語，和統計圖表。「國文教員人數統計表」，顯示全國文教人員有二一三四人，其中的江蘇省最多，有二八四人；有著作者三六八人。「國文教師學歷比較表」中，計列國文系畢業者，占百分之二二・九，普通大學畢業者，占百分之三七・九，留學者，占百分之三・三，其他占百分之三五・九，可見全省中等學校國文教師由國文系出身者僅占極少數。「國文教師每週上課時數表」，「批改時數表」及「其他工作時數表」，每人每週上課時間平均十四小時。統計圖表共有十一份，最値得重視的是「中學生作文簿中常見的錯別字示例」，筆者仔細池看過後，並囑小女完全抄下來，牢牢地記在心裏，俾益將不少。

高初中的優秀作品

展出作品作「可」字形，中間是優秀作品三百七十八篇，外圍是未入選的和特約參加的，共爲五七二四件，計議論文八二三篇，占百分之二〇・〇五，記敍文一八〇二篇，占百分之四三・九二，說明文七一六篇，占百分之一三・四五，抒情文七六二篇，占百分之一八・五三。筆者先從優秀作品中逐一翻閱，首先映入眼簾中的是省立台北女師一年級女生周愛蘭（十七歲）的本子，共有九篇作文，入選的是第七篇「孔子的力行哲學」，捧讀一遍，她對於孔子的力行思想，頗多發揮，確是水準以上的作品，只是別字和簡體字太多，九篇之中，幾乎每篇都有別字和簡體字，最多的是第一篇，計有二十二個之多，其次是第五篇，計有十九個，第九篇十八個，第三篇十五個，其他各篇則爲五個八個九個各一篇，最少的也有四個，計兩篇；並且每一篇都由她的老師唐卓羣先生批示「不可寫簡筆字」，甚至有一篇之中，批示幾次者，周生始終沒有若何改進，筆者懷疑唐老師平時沒有注意這個問題，直至被選參加展覽時，才重行細批的，否則，決不致如此。

又看到新竹縣縣立新竹中學初三乙班（四五）號學生陳長鵬，男，十七歲，江蘇鹽城人，以前是新竹蓉軍子弟小學校畢業的，他的入選作品是「橋」，老師沒有改動一個字，誠如他的老師王兆徵先生的批示：「意境清新，筆法簡勁」。自是一篇佳作，但仔細的評審委員卻在上面另加批系云：「此文如非抄襲，可以入選」，筆者披閱至再，與評審委員有同感；否則，那眞是大才了。

國文老師的示範者

最後還看到台北縣立新莊中學初中一年戊班（二十六）號十四歲女生林惠美（桃園龜山鄉人）的卷子：「一年容易又新春」，係作文簿中的第六篇，不但字體挺勁，而且內容充實，一氣呵成，文字也很簡潔有力，氣魄超凡，首先是幾句惜時的開場白，其次便是梯型的四項新希望：第一、要有改過自新的決心，第二、我們要敦品力學，第三、由行動的紀律化，而導致社會的安定，第四、希望世界早日獲得和平；文長三頁，千字有零，修齊治平的大道理，言簡意賅，責在其中，的是一篇力作。另外，她的老師楊力行先生，還給她選了一篇副作品：「我的家」，是作文簿中的第五篇，既簡潔，又細膩，從家世敘到家中的一草一木，娓娓道來，有條不紊，也是一篇佳作。再將她的作文簿中八篇作文讀完，眞是篇篇可誦。同時，楊老師的批改非常精細，不但每篇之末有總批，而且每段都有眉批。此外每一篇批改後，都由學生謄清一次，即一個標點符號之微，批改時亦不放過。捧讀之餘，令人擊節。據小女說：一該班係新中上期第三次續招之新生，上課時間僅三月，在原作文簿中最後一篇「這一學期的回顧」裏可以看出來。這位楊老師教學很認眞，爲人和靄可親，同學們既怕他，又喜歡親近他。在寒假期中還天天在校給同學們補課。他曾於二月廿六日星期日上午，率領全班學生六十六人前來參觀半天。下午又率領全班到一女中大禮堂看美國教育電影。他很年輕，英俊，在新中教課已多年，他的認眞教學和批改，不但該班如此，而且每一班都如此。去年上期以前，他教畢業班時，一個學期中作文達二十次之多，除教完標準教科書第六册外，還教了許多古文和應用文作補充讀物。他並且兼任導師，每日早到遲退，每一學生的「生活週記」每學期必須寫滿二十週，按週仔細批閱，假期作業也是如此，他自己絕不敷衍塞責，同時也絕對不許新同學們有偸懶情事。成績特別優秀者，楊老師每次均自備奬品，當場分發，學生無不奮勉！眞是一位好老師」。

「嚴師出好徒」，「强將無弱兵」！旨哉斯言也。

護理家周美玉少將

劉清華

在抗戰初年，大家都知道服務軍中的護理名家蔣鑑女士，是中外聞名的「傷兵之母」！可惜她因爲在淞、滬前綫和武、漢外圍工作太辛勤，而於民國廿八年夏軍撤武、漢時，爲了奮勇救護傷兵，而光榮殉職了。

隨之而起的，就是中外醫學界和慈善團體都一致稱譽的護理名家周美玉。

走出協和踏入農村

聽她的口音，看她的動作，十足是位燕趙女兒；實際她是生在北平，原籍是浙江慈谿。她於民國十九年，畢業于北平協和醫學院的護士學校。當畢業之前，因聽了著名的農村工作者平民教育大師晏陽初先生，給她們講的關於農村工作的情形，從此使她決定了投身從事社會服務工作。畢業後，即想去找晏先生，可是校長說她年紀太輕，經驗不够，要她留校實習一年再說。直到民國二十年，她得到了許可，立即去到河北定縣翟城村參加了農村教育工作。爲了解决農村疾病及農村婦女工作問題，她首先動了護士學校，就這樣在這個河北省平、漢鐵路上的荒涼小縣，一口氣幹了七年。

在這七年中，因爲她的熱情，她的學識及工作成績與熱望，在民國廿二年到二十三年間，獲得到美國實地考察這個新進國家的農村工作的機會，使她增進了新的知識與信心。

淚別定縣獻身抗戰

「七、七」戰火很快地由蘆溝橋燒到了定縣，她淚別了七年苦心撫育的和平鄉村，把一股爲農民服務的熱情，更勇敢地投擲到抗戰的使命上去。她加入了紅十字會，在林可勝博士領導下的救護總隊裏，一直工作到勝利爲止，旋又轉入國防醫學院。

她在這漫長的八年期間中，曾以女性特有的愛，與對工作更高的熱，克服了一切難得解決的問題，而獲得了所有認識她的中外人們的同情與贊佩。民國三十四年，英國前外相克里浦斯夫人到了中國，約請四位中國職業婦女赴英參觀，她是當選的一位。在英國學習了三個月後，又轉道再去美國，前後六個月的考察，使他吸收了更多的經驗。

由美返國前，她向愛國的僑胞們捐募了一批運輸車輛，醫療器械及藥品等，可說是滿載而歸，這是她身在國外，而心，却在工作上的表徵。

這時，她在國內及英、美的聲譽，已一天高似一天，羅士基金社，又於三十七年送她至美國哥倫比亞大學研究院，研究護理教育，至三十八年八月返國，返國以前，她因看到美軍中婦女的制服，又想起了國內工作的女同志們的清苦，還着她自己的聲望，和美方對中國的尊敬，在他們的軍中服務社裏買到了她需要的女制服，並獲美軍免費由華盛頓等四、五個大庫房裏，把貨提出來，從紐約，再免費上船，由她親自押運回國，同時她也買到了大批美軍服務社裏的藥品，給救護總隊解决了最大的一個「缺藥」難題。除衣藥之外，她還帶回來一部大救護車，直到今天，這部車子也跟她到了台灣。

美國婦女社積極支持

勝利之後，她轉入國防醫學院，（任護理科上校科長，現在則是護理部少將主任），用她的經驗與毅力，又在一貫地主辦護理訓練工作。美國職業婦女社，自三十二年開始認識了這位中國熱心的護理小姐後，每年經常同她保持接觸，幫助她解決工作困難。卅九年爲了國防醫學院的護理工作，前後捐助了五千美金，那時該會又來信問她：台灣是不是保守得住，如無問題，願意繼續資助她。她毫不遲疑地回信說：「我是中國人，爲了中國的自由獨立，我們在任何狀況下，都要繼續努力的幹。台灣今天不但是物價穩定，政治上軌道，軍事有把握，而且一切都在改進，積極準備反攻，我們一定要打回大陸的。其餘問題請你們考慮，自己作結論吧！………」結果，該會一致通過，並給她來信說：「我們一定繼續援助你們」。

由於她的工作精神所感召，在這幾年教育出來的小白衣天使們，直到今天，沒有一個人因爲軍隊裏待遇少而離開軍隊。今後婦女參加軍隊的護理工作，也必在她的倡導之下，更能有輝煌的成就。

她的年齡才逾不惑，然公而忘私，迄尚未婚，老父於卅六年死於北平，在台者僅一老母，晨夕侍奉，以盡孝道。

她現在除主持國防醫學院護理部外，還兼了聯勤第一總醫院護理部的主任，著名的台北市廣州街的中心診所護理部也由她節制，並且還兼了不少關於護理方面的課程，和夏德貞（省立台北高級護理學校校長），陳翠玉（台大醫院護理部主任兼台大護校校長），和徐藹諸（省立台南高級護校校長）四人，被譽爲自由中國五千餘白衣天使的領導人物，而她更是台北婦女界忙人中之一，沉默寡言，所有精力都用在工作上，我希望那些崇尚虛榮，傲視闊步的婦女，都應該向她看齊才好。

（四十五年三月四日寫寄於台北市台泥診療所。）

台北速寫

「歷史判斷」俞內閣

這幾日大家都在注意立法院對行政首長的質詢。中國有些大官幾不知民主爲何物，所以一聞質詢，往往老羞成怒，出言不雅。俞院長及閣小長以善詞令著稱，聽說這次也都使大家不大痛快。「自由中國」半月刊特著社論駁斥俞院長的「歷史判斷」論。不過，這一切與內閣的壽命無關，改組之說，早已成過去。

讀者的苦悶

貪汚達新台幣八千萬元的督大山盜林案，偵查案情費去四年之久，月前一度在報紙披露；現在又閃縮不見了。是不是四年的偵查，還嫌時間短促呢？譁傳舞弊達美金一百萬元以上的尹胡勾結一案，已經高等法院判決無罪，看樣子檢察當局不致再不服上訴。紡織業鉅子李積慶殺妻後，尚在醫院檢查其是否有神經病，據醫生說此種鑑定恐須費時一年半載。這對於喜歡讀犯罪小說的人，在今台北是頗感苦悶的。（編者按：此豈讀者的苦悶，連寫犯罪小說的著者，也將要嘆題材之難得了！）

歌星的薪水

台北的一種新興事業是音樂茶座，茶資八元，遲到者找不到座位，一位歌星，每晚唱歌二三首，月薪八千元，超過一位部長的收入。

酒的黑市

烟酒公賣局的啤酒與紹興酒供不應求，一般市民以兩倍至四倍的高價求購，造成可怕的黑市。台灣省政府的開支大部靠烟酒公賣收入，爲什麼不增加酒的生產，以裕省庫呢？而且，有黑市，就容易影響若干人的道德觀念，豈欲引人作不道德行爲乎？

上海話與台灣話

各大百貨公司裏，珠光寶氣的顧客十之八九是台灣省人，所以從前是台灣女職員學說上海話，現在是上海店員學說台灣話了。

編者　讀者

編輯先生：

頃閱貴報第五百二十期（二月廿五日出版）刋登丁懿安先生「冷飲的弊害」一文，敘述因冷飲而引起的消化不良症，所言至爲正確，敝人即親受其害，迄今尚未復原也。事緣前年夏天，天氣過熱，飲冰水後，後飲熱水止喝。不意竟因此而患消化不良症，食慾大減，屢經醫治，亦未見效。二年來，每餐僅吃一小碗飯，稍多即飽脹不適。强壯體格，自此一落千丈，失去健康，才知健康可貴。悔恨之餘，時閱一些養生之道的書籍，以謀補救。貴報近來所發表的幾篇有關健康之文章，實爲攝生者所不可多得的寶貴資料。茲再冒昧，煩請貴報，代詢高明醫士，對於敝人上述症狀，是否有藥物可以治療？如承撥暇賜教，則終生感激矣。

台北讀者　陳季勳上　六月廿六日

△劉清華、鄭士瑛、李居正、何中一、黃鏡錄諸先生惠稿均收到，至感幸。

△杜蘅之先生前後二函均奉悉，覆函因稍有稽延且以平郵寄出，故尚未到達，甚歉。尊稿請續寄。

香港工業人才的培植

今天，香港的官民對工業教育的重要有了此前所無的認識，這一種重視工業教育的重要是隨着香港發展成爲一個輕工業而來的，同時，政府當局的扶植工業教育也使人有一個不可磨滅的印象，直到今天，香港的工業學校，不單能夠訓練一批批有着實用知識的技術青年，而且更進一步予以有上進和對工業有興趣的青年有一個深造的機會。

百萬元建校

無可否認，香港的新興工業家是首先發覺到工業教育的重要的，這一批工業家他們本身並沒有很高深的工業基本知識，他們今日的地位完全靠數十年辛苦，節儉與掙扎所得，但他們有一個共感，就是他們以往的一套已開始不適用於這一個世紀，因此，在七年前，香港的工業家受到了世界市場的刺激，而紛紛把他們的子弟送到歐美的工業先進國家深造。可是這一種深造的辦法，並不能大量的培植，日益感到缺乏的工業人材，因此在共同的需要下，日前由港督葛量洪爵士奠基的高級工業專門學校終於長成，但這座學校是經過香港工業家五年來努力所得的成果，一切的計劃和準備與所遭遇的挫折不必談，中華廠商會這幾年的努力，把一百萬港元捐獻政府，再由政府撥出一百萬元來完成這一個龐大的計劃，約在二年以後，這一座能夠容納三千五百名學生的高級工業學府即告落成，本港的工業教育又因此而跨進一步。

第一間工校

我們將藉這一個機會來檢討一下過去本港的工業教育的發展。

本港教育發展，比商業發展還早，在開埠後的第二年，一八四三年，本港已有第一間學校成立，那就是英華書院，但政府當局注意興辦工業教育，至今祗有廿六年的歷史，廿三年前，第一間初級工業學校成立，接着，三年後高級工業學校亦告開辦，然而，這二十年來，並沒有更多一間新的工業學校成立。

一九三〇年，當時香港還是一個以轉口貿易而繁榮的商埠，但是香港當局已決定成立一個工業教育委員會，當時委出的委員，完全是辦理工業有豐富學識和經驗的專家，或是對發展工業教育有濃厚興趣的學者，顯然這個工業教育委員會是今日工業教育的搖籃，而一九三三年開辦初級工業學校也是該委員會的成立最大目標之一。

第一間初級工業學校在一九三三年成立，校內設有英文，數學，力學，機械，繪圖等科，並設有技藝實習所和半夜講習班，這是非常顯明的，當時的工業教育祇重於實習而已，若有理論而無實習，實在不能算爲專門，而初級工業學校的學生，入學年齡以十二歲爲限，高級工業學校就是爲了適應這種需求而創辦的。

高級工校

一九三三年高級工業學校即爲了使工業教育有聯貫，有系統，和有計劃的積極推進而由當局開始着手興建，並以南洋羣島方面的工業教育作爲參攷，一九三八年四月即正式啓用和招生。

高級工業學校開辦時，所授的課程主要有工程，建造，無綫電等科，招收對工業有興趣的青年學生加以訓練，工程科分重工程和輕工程兩組，所謂重工程，即廣九路和船塢的工程，該組分設兩班，行三年畢業制，注重機械學，力學，繪圖學等；所謂輕工業就是汽車，輕便電學工程，小型機器等。當年高級工業學校設無綫電科，目的在訓練無綫電生，派往遠東各大洋船及各有關機構工作。

首創建築科

這一所高級工業學校最能值得驕傲和寫在香港工業史上的即爲建築科的開辦，係遠東方面的首創，該科由一九三七年開課，側重聯絡本港建築界，固然它的目的是在於爲建造商會訓練所需要的人材，但事實上，已開了遠東各工學院建築系的先河。

由此，我們了解到香港的工業教育踏入今天已經過一個與今日不同的階段，由一九三〇年開始已迄今日在紅磡的香港高級工業專門學校落成以後，香港所訓練的人才，祇是着重於訓練一般普遍的技術人員，而適應各行業的需要而已，迄一九四九年，由於國際形勢的轉變，香港本身亦有着一個顯著的變化，新興的工業已把商業起而代之，大量的工業專門人材需要源源供應各工廠運用，

但原有的兩座工業學校在質與量方面却無法負担，而大量向歐洲工業國家深造亦爲事實所不容許，因此，香港政府和本港的工業界人士都共同有一個感覺，那就是本港必須有一座工業專門學校的設立，經過這幾年的共同努力，一座足以予青年有志於工業者深造的學校終於在紅磡興建。

後起工業城

這一座工業學校的完成，使到本港二十六年工業教育起了本質上的變化，因爲這一座專門學校的目的，已不是在訓練一般性的普遍技術人員，而是有着協助改良和發展本港工業的重大意義存在的。

今天的香港工業已成爲東南亞一個後起和優秀的工業城，這一座工業專門學校的發展，將有助於香港工業在東南亞以致世界各地建立一不渝的地位，因此，香港的工業家對工業學校的發展是非常關注的，而香港政府本身亦抱有同樣的重視態度。

教育司高詩雅於一九五五年末季行政報告中也指出了本港顧主向工業專門學校聘請人材現象，已有顯著增加，由此更可顯示本港人士注重工業教育續有增加。

美國的家庭

——對李樸生先生所見不敢苟同

黃志清

讀「自由人」五二一期，「人個主義和民主政治」一文，引李樸生先生新著一段文字。說美國老年人沒有家庭樂趣，生活可哀，說是美國倫理和中國不同的結果。筆者還沒有機會讀到李著的全書，惟對此一段，却有些話要說一說。

我覺得李先生這一段話，僅是皮相之談。我雖不否認美國社會有此事實，但筆者以旅美多年的所見，覺得一般高尚人家，（或者說美國正常的基本家庭），大體上對家庭觀念還是很重的。我國所看重的敬老懷幼的美德，還是隨處可見的。美國人因爲崇尚個人自由與實行小家庭制度，因此離婚，與父母分居，甚至單方遺棄，或不肯贍養父母的事，自然很不少見。然而，美國家庭中齊眉白首，三代同堂的，也還不少。蓋社會重心仍在家庭，一個良好家庭，絕不至輕易離婚與棄養。試觀美國總統選舉，候選人如係曾經離婚者，即鮮有成功之希望。此並非有成文法規定，實由於社會風氣，普通思想力量所造成。再看杜魯門之孝母敬姊，更成爲美國人流傳佳話。於此可見美國倫理，並不是一般人在表面所看見的那樣涼薄寡恩的。

我敢說，美國人之積極進取精神，得力於家庭傳統力量的地方實在不少。筆者以爲個人主義之發展，雖各國不同，仰事俯畜之方式縱各有別，惟人類道德倫理之最高標準，實質上是相同的。吾國人曾旅居巴黎者不少，巴黎固世人目爲世界上最荒淫的地方，但巴黎正當家庭之女子，亦非得父母之允許，絕對不肯輕易接受男友之約會。吾人非親歷其境者，幾於不敢相信。

因此一個外國人，對於一國的社會風習，要加評論，實非易事。拉雜寫此，敬以就正於貴刊編者和讀者。

讀者黃志濤三月三日

千錘百鍊梁漱溟

思愷

從一九五三年底起，中共從三方面着手展開了批判梁漱溟思想的運動。

在文字方面參加此一思想攻擊的，中共中央出動了最高級的理論權威如艾思奇，鄒魯風等；次一級的有李志遠，鍾宇人，楊正典，任繼愈，沙英，王若水，翟菊農等；屬于尾巴黨派的有千家駒，蔡尚思，吳景超，徐宗勉等；陣容之浩大，並不稍減于對胡風的批判運動。

在科學院，於郭沫若領導之下召開了若干次座談會，亦針對梁漱溟的思想展開批判。

在行政方面，於去年年底，追着他遠去甘肅，參加所謂農業合作化改造運動，從生活方面來磨折他。

我們以爲梁漱溟在這種威武的環境下，大概是要屈服的了。可是，他，畢竟還是巍然屹立着；還不能不起肅然的敬意，要算得是當代中國文人中不爲威武所屈的第一人了！他在這一次「政協會議」中，發展其對于來自多方面的壓迫的反應，理直氣壯地道出他心底的怒火。

他說自一九五〇年後的三年內，毛澤東曾先後四次耳提面命的要他深入學習，但他居然加以拒絕了，他跡近挖苦似的說：「太辜負主席愛厚之意了！」——這是他對毛澤東的答覆。

他說科學院舉行座談會的時候，郭沫若曾問他所說的話是否由衷之言。他坦白的承認道：「對的，我內心裏並不像口裏那樣簡單直捷，」他說了一段所以言不由衷的道理後，又以刻薄口吻說：「不向自己錯處去追根究源，自己對自己負責任；却抗拒批評，眞是不堪造就！」——「不堪造就」，這是他對一批自以爲是的批評他的人無言的答覆。

他說：「說你過去那樣做法都錯了，都是反動，都是罪惡，你承認不承認？說起來亦承認。」他之所以亦承認的道理，舉了兩個例。

一個是從「高爾基論美國」一書上意會到的。他說：「在革命要求眞正的人看我，多麼討厭，多麼可恨！」這就是說批評他的人都是從主觀的，頑固于自己的立場的來看他的。這樣的人們討厭他，恨他，是必然的。如此，他又何必抗拒呢？對自己來說又何必克服呢？這是他亦承認過去的錯誤的第一理由。

另一個例是他看了「激流之歌」的電影所發生的。他說：「就在看的時候，它那種反剝削，要革命的感情氣氛好像傳染到自己身上來，與它相應和。這時亦就領悟到自己以前那種阻碍着革命，多麼招人憤恨。到此時那裏還有抗拒批判的心？」他惟恐這段話不夠坦白，繼之又說，自從共產黨據國以來，一切的「鼓舞」力量太大了，它「使你忘記個人的私事，它「鼓舞」你「投身于此行列之中向前走」。最後他又用諷刺的口吻說：「就在這種偉大的感召鼓舞之下，我不可能有別的心情，只有甘心情願盡力擁護政府所倡導的一切運動——包含批判我的思想運動在內，讓一切事業進行得更順遂。」

這段話，很明白的告訴我們，他是被强迫着而不抗拒的，强迫着擁護這一批判運動的，而中共已經是視他爲一切事業順遂進行潛在的阻力，他不能不表示「低頭」了！

縱觀他的全篇演說，極盡嘻笑怒罵，尖酸刻薄的能事的。其文筆之婉轉，辯證的巧妙，更非筆者拙劣的文詞所能表達，可算得近年來中國文壇上的異彩。

我駐日使館的工作

·許俊·

（上接第一版）足以反映人家對於較有份量的事情，是經常由大使、公使親自出馬的，這顯得人家外交事務的重視，往還既多，感情融洽了，諒解和友誼便增加了。也自然能增加解決問題的圓滑性，「行客拜坐客」，在禮貌上，人家對我們的外交部和外交首長是尊敬的。相反的，據一個日本外務省的朋友說，我們的大使館有事經常是秘書去走一轉，或送上個節略之類就算了的。於此可知，根本的差別是在於人我之間對事的態度就有距離呢！

若是談到宣傳，不僅日本影片在台公映，即駐華使館也還常以影片放映招我中樞官員呢！這些都不也是事實嗎？

最後，覺得須要再提一提的，就是對日外交不能再長此以往地依賴那表面的邦交關係了。要了解到人家的政制是多黨政治，是議會政治，內閣的政策不是一成不能變的。如果今天不能把握這大好的機會，多在日本社會上和愛國的僑胞身上多下點種子，一旦內閣修改了政策，後果不將是失去日本朝野那一些些同情，連華僑的命運也將成爲待決的羔羊了！也更應該想到，今天能和日本保持這樣的關係是付出了多少年代價和國人的身家性命換來的，不知道使館的最高當局會否想到這一點，珍惜這一點！

附帶地謝謝，「自由人」的朋友，僑居這裏多年的友人，都以能看到貴報而興奮呢？五二二期也收到了。

（三月四日寄）

·祝自由人五週年·

唯民主政治可反共

·丘峻·

這時代是民主的時代。這年頭是自由的年頭。民主固人性的本質。自由乃人心所趨向。這一股時代的巨潮，誰也莫之能抗的。惟有能順隨這股巨潮，接受它的洗禮的才能生存。不然，則只有毀滅而已。

共產政權不論是以個人獨裁或僞裝集體領導，同屬一種極權的專制政體。這種專制政權也就是反時代潮流的。換言之：這種制度是個人專政或少數人專政，所以是『反民主』的；甚且視人民爲奴役，爲機器，也所以是『反自由』的。因此，我們可以說，在這種政治制度之下，沒有『民權』，只有『黨權』，所謂『黨權』，也只是個人或少數人的『特權』而已。

現在是民主的時代，是自由的年頭，故此，民主與自由二者，便是這個時代巨潮中的兩大支流，兩股大力量。要證明這兩股力量之大，不必他求，即可於實行獨裁，專制，極權者之必須作民主自由僞裝的舉動中見之。換句話說，共產政權是民主的死對頭，也是自由的死對頭。共產政治是時代巨潮中兩大支流的障碍，兩大力量的敵人。我們要以『民主』打倒『獨裁』，『專政』與『極權』。我們也唯有用『民主』才能打倒『獨裁』，『專政』與『極權』。我們要以『自由』摧毀『壓迫』，『奴役』和『殘害』。我們亦惟有用『自由』才能摧毀『壓迫』，『奴役』和『殘害』。似此，『民主』與『自由』，是打倒共產黨的兩種最有力的武器，也是摧毀共產政權的兩個無上的法寶。

共產主義是『反人性』的，是反時代潮流的。共產政治是『反民主』的，是『反自由』的。我們既然要以『民主』『自由』來打倒共產政權，來摧毀共產政治，那我們還得更進一步，要憑藉『人性』來根絕共產思想，消滅共產主義。

『民主反共』四個字的意義，不是說『民主』與『反共』，也不是說『反共』與『民主』，而是說『拿民主來反共』，也就是說唯有民主政治才可以達到反共成功之路，才可反得澈底，才反得成功。

『自由人』創刊於中華民國四十年三月七日，到現在已經過了整整的五個年頭了。『自由人』的宗旨，照左舜生先生的意思，概括的說來，祗有四個大字：『反共』，『民主』。就中國的立場說，我們反共；就整個世界的立場說，我們還是反共。我們是反共的死硬派，沒有商量的餘地。就中國的立場說，我們要求實現民主；就整個的世界說，我們更要求普遍的實現民主。我們是主張民主的死硬派，也沒有商量的餘地。『自由人』的任務，照雷嘯岑先生的說法，創辦『自由人』的是一羣崇尚自由主義的書生，要憑書生本能從事一點文化工作，盡其應有的職責，以闡揚自由主義思想爲主。要創造自己和全民族的自由新生命。共同的綱領即反共抗俄，尊崇民主自由思想。

從上面所述『自由人』的宗旨和任務看來，書生有他們的本色，也有他們的本能。他們是反共的死硬派，也是民主的死硬派，都沒有商量的餘地。『三年一小成，五年一大成』，『自由人』已經五個年頭，正值大成的時候。『自由人』創刊以來，能言人之所欲言，能言人之所不敢言，以是而獲得讀者廣大的同情與愛護。因之，銷路日增，影響日大，這自然是一羣書生努力奮鬥的結果，奠定了『自由人』應有的成就。而他方面則反映出人心之趨向『民主』，趨向『自由』，其厭惡共產，厭惡獨裁，厭惡極權，厭惡奴役，厭惡殘暴，亦於此可見。『自由人』今後之能得更多讀者的同情與愛護，當亦可預卜。

自由談

話到知音覺味甘

馬五先生

在本報五週年紀念特刊上，讀到刁抱石先生的贈詩，張健生先生的大文，對區區慰勉有加，鼓勵備至。我與刁張兩先生緣慳一面，辱荷謬愛氣求，殷殷賜教，這種純潔高貴的友情，可稱文壇佳話，也是我個人以文會友的最大收穫。

「自由談」之作，原是創始於另一報紙上，曾因譏評美國總統杜魯門的韓戰周年演說，幾乎闖下了「妨礙邦交」的亂子，（美國人卻不在乎）趕忙自動擱筆，不復多事。當時本刊主編人認爲自由談義應出諸「自由人」之口，何不轉移陣地，變易旗幟，繼續努力奮鬥乎？愚曰：敬聞命矣，敢不拜嘉！以國破家亡之身，懷鼓吹中興之志，行吟海澨，義不帝秦，思往事，念來茲，觸景傷情，莫名孤憤。自慚長衫大褂，無荷戈殺賊之能，值此憂患餘生，若仍俛俛俱偏，隨俗浮沉，自己不得其死所，固無所謂，然捫心自問，究將何以報答國家數十年養士之恩呢？如是乎，不揣譾陋，不顧利害，在反共救國，促進民主自由生活的「自由人」信條之下，本着良心血性，每見事有所不平，義有所未洽，即秉筆暢談，罔知忌諱，以求心之所安。抱石先生詩言「活得貧魂死亦甘」，此物此志也。

刁、張兩先生的寄意，與我們不謀而合，今後自當本此義理，說我們應說的話，俾不負一般讀者的雅望。愚不知詩，謹步刁先生元韻率成廿八字，兼答張先生：

不忍隨緣醉夢酣，拼將孤憤付淸談，文章報國原多事，話到知音覺味甘。

這就是我寫自由談的心情，聊供讀者一粲云爾。

記台北二畫展

・田華・

自由中國文化運動，最近向着民族意義方面發展，近月來教育部所刊行之國畫寶輯，及中央文化機構所主持公演之「漢宮春秋」均富有民族文化之意義；不僅此，即民間自動主辦之民族文化運動也極有可觀的，如最近在台北舉辦之「春季歷代名畫展」及「五朝畫展」等均極有偉大之意義及價值。茲以客觀的態度分述如左：

（一）

「春季歷代名畫展」乃於二月十四至十九日展出，地點在公路禮堂，內容極爲豐富，出品人均爲現任之公務人員，其中出品最多者爲何氏萬香書屋主人，彼爲國內著名收藏家，及中國美術史教授，展品約百件，其中有南唐時代之徐熙「荷塘野鳧圖」巨製，神妙之至，內有宋徽宗之御題，閱爲粵名儒吳榮光之舊藏物，於日侵粵期間爲日某大將所購得，抗戰勝利後始重返國人之手，該畫有古代名人題詩，張鳳翼鄒堪態等均有佳作，張詩云「畫裏瀟湘自要秋，詩家野鴨漫多愁，試看翠減紅銷處，好趁江淸月冷舟」。鄒詩有「翠香深處樂淸幽」之好句，閒乃馬遠山水巨製，汪精衛之舊藏物，筆法蒼勁，空靈極致。蘇漢臣之人物，古雅奇趣，一望而知爲眞跡，元代顏暉人物巨製「道人像」，寫生逼眞，其表現力，不弱於西畫，而其所繪之綫條則爲西畫所不及，足見我古代文化之優秀了。趙子昂之「馬」，氣韻書卷，表現了松雪之個性，自爲眞蹟，惜紙本虫口太多，減少了其美的表現。方方壺的山水，烟雨氣雲，氣韻千萬，可變之極了。明代作品很多，計有沈周、徐霖、唐寅、林良、徐渭、陳淳、藍瑛、八大、石濤、程雲等名作家，各有千秋，沈周二件均有缺點，「行吟圖」所作人物雖佳，但上半幅乃殘缺而乃補裱者，款字亦缺去半數以上，雖是眞蹟，已打了一個大折扣，其他的一張山水，畫雖佳，但字蹟仍嫌不够條件，唐寅的人物妙極，青藤數件均佳，白陽二件尤爲傑作，齊翁人物二件，石濤兩件均妙不可言，八大三件以枇杷孤鳥爲最精，蓋有高劍父之鑒定章，仙鶴芭蕉次之，游魚雖佳或非眞蹟，藍瑛之山水乃眞精妙品，惜乃生絲絹本，裂痕太多。清代以王石谷仿古山水，新羅山人花鳥，惲南田花卉等爲最佳，現代計有師曾、白石、奇峯、劍父、悲鴻、風眠等作品數件，以白石之蝦，奇峯之花卉等最得到觀衆之欣賞。另外在會場突出而觀衆有永遠深刻傾佩印象者爲明代程雲之丈長巨製之老子騎牛圖，以破鋒橫掃千軍，如風雷電馳，蔚爲奇觀，可說是藝奇之作了。

（二）

「五朝畫展」乃在救國青年團鄒容堂舉行，由愛好藝術者十餘人出品，內容頗有可觀，如宋米芾之詩卷，明唐寅之驚鶩像，尤爲突出之精品，八大山人之松鹿圖，金農之人物，任伯年之花卉，陸包山之花卉，高鳳翰之花卉，均爲妙品，其中有大張藍瑛山水四屏，筆墨精到，其一題詩云「七尺懸輸千古情，長安在我瑞雲凝，閒闊註得南華就，秋水篇中語更淸。」定價僅萬元而無人問津。說者謂所作雖佳，惟設色太鮮艷，絹色及款字略有破綻耳。新羅二件，畫頗佳，惟款字墨色浮於紙上，似有問題，李鱓花卉中堂，乃精結構，惜不够野，缺乏其個性呢！

新春雜詩

刁抱石

七見新春換故年。此身猶在淡江邊。收京復國知何日。卜易之餘欲問天。

大好年光逐客來。與誰扶醉上高台。東風省識逢迎意。却遣梅花特地開。

一年之計竟何如。不以艱虞廢讀書。清酒縱澆胸壘塊。中藏十萬甲兵無。

春盤草草似平時。浮世歡哀只自知。底事能供開口笑。還開笑口伴兒嬉。

短篇小說

老人與牛

三十一年春天，戰火逼近了鳳仔村。

鳳仔村是靜躺在閩海濱岸的一個小村落，雖然地瘠民貧，却一向過着和平安樂的日子。開春以來，情形一天天的惡劣了，縣城裏迭次傳來日本兵進展和居民奔避逃難的消息。現在，鳳仔村的住民也漸次的走光了，就剩下幾個老一輩的沒走。

余老彥也是不願意走的一個；在鳳仔村裏，要數他最年老，也最孤單。如果老天爺有眼，他那個獨生子沒死，也到了可以娶親的年齡；誰知道天老爺還不足意，前年的夏天，一場瘟疫，又把他的老伴兒帶走。現在，伴着他的，只是一隻養了十幾年的老牛，老人看它不啻自己的兒子。它幫他耕田；每當它牽着它吃草的時候，往往撫摸着它，喃喃地說一些話，來解除他的寂寞。

三月某日的上午，河岸忽然停泊了一隻小漁船，船裏走出來一個年輕人。他才上岸，便朝着余老彥的茅屋跑。

「余老伯，今天特意由三明澳派船來接你們。」年輕人一進屋便說：「敵兵都進城了，這裏一定會來騷擾的，你要再不走，就沒有機會了。我們軍隊已經把通蓮江的橋炸斷，敵兵短期內是沒法子進展的。今天王大哥派我來，一半也爲了要把鳳仔村放一把火，房屋、存糧，全燒光——既然全村的人都走了，就一根草也不能留給敵人！」

余老彥沒搭腔兒，禁不住兩眼只流淚。

「收拾收拾吧，帶不走的全堆在屋裏，回頭一起燒掉。我還去通知別人。老伯！你可記住：下午六點鐘開船，遲了怕趕不上潮水。」

年輕人戴上了竹笠。

老人點點頭，又憂愁地：「我還有一條牛哩……」

「牛不好帶，宰了吧。」

年輕人一走，余老彥便跑進牛棚，痛愛地撫摸着牛的下頷和頭頂，老牛舒服地闔下了眼皮，半天才微睜開來，朝它的老主人望一眼。

「小東西啊！」老人總是這樣稱它，「你知道你的死期就要到了？」

「唔哞——」牛像有些解意，長叫了一聲。

老人更抱緊它了；心一酸，晶瑩的淚珠滾落了下來。半晌，他才擦擦眼睛，拉它出了牛棚，好好的飼它吃一桶麥絲。整上午，他不忙去收拾東西，就這麼帶着牛到處走：田埂、山邊、草坪、水沼：……幾乎兜遍了鳳仔村。在路上走着時，他不停地撫摸着它的光滑潔潤的短毛，彎長堅硬的角，和沾着黏黏的唾液的嘴，還時刻跟着它停住了腳步，看它撒下一泡尿，或一堆糞……（一）

・鍾靈。

同光風雲錄

夢山樓

張佩綸（上）

書生談兵一敗塗地

豐潤張幼樵，以左庶子，署左副都御史，旋遷翰林院侍讀學士。慷慨好論天下事，與張之洞最契，時人以爲淸流。惟翁同龢甚惡之。適値中法戰將起，同龢奏派幼樵督師福建，即藉端以逐之也。幼樵書生，雖好言兵，而無實略，一與法戰，即敗績，論罪革職，李鴻章愛其才，延之入幕，司文書。舉凡新政擘畫，悉經幼樵手，因得出入簽押房無忌。

文字因緣終成佳耦

一日，合肥偶感冒，臥內室，召幼樵入面事，瞥見案頭有詩稿，字頗娟秀，係詠馬江戰役，於幼樵多恕詞，詩云：『基隆南望淚潸潸，聞道元戎匹馬還。一戰豈宜輕大計，四邊從此失天關。焚車我自寬房琯，乘障誰教使狄山？……』（末二句已遺忘○）其二云：『痛哭陳詞動聖明，長髯長揖傲公卿。論才宰相籠中物，殺敵書生紙上兵。宣室不妨虛賈席，玉階何事請終纓？豸冠寂寞丹霄靜，功罪千秋付史評。』乃大感泣！合肥睹狀詰其故？幼樵持詩稿，問何人所作？合肥笑曰：『小女初學讀，君其謂何？』對曰：『不獨句佳，識解亦高，門生知己也。』曰：『小女年逾二十，尚未議婚，君其爲我留意擇婿。』曰：『才學地位何如？』曰：『似君足矣。』幼樵即前跪曰：『門生方喪偶，而女公子文字知己，敢以婿請。』合肥偶發戲言，不圖幼樵竟出此，乃大窘，計無所出，惟允之耳。幼樵叩頭謝，出語相府人員曰：『相公婿我矣！』

夫人聞之大驚駭！責合肥曰：『相府擇婿，何求不得，乃下嫁此革職人耶？』夫婦遂爭嚷不休。女公子遽出勸母曰：『父擇婿，才學第一，革職何傷。且今之居高位，擁萬金者，類多行尸走肉也，女願從父命。』事乃定。（十一）

奇風異俗話苗區

・・・秦思源・・・

刀棍、梭標、擋鈀、鏢叉、鐵鐧等武藝，貧者則鬻金以進行延師練習，故凡是苗族中男女，皆不可輕侮，他們一到農暇的時候，輒以鳥銃獵取禽獸，每射必獲，如遇有與外人爭鬥時，捨命相搏，必欲……盡上風而後止。

至於苗族如有病人，常請巫師祈禱，畫符水以祛鬼怪，這緣由知識太過譾陋，確屬可憐；間亦有以藥醫療，其藥皆採自附近山谷，名色詭異，謂之草藥，雖不是方書所載，或吞或敷，却奏效甚捷，往往有槍傷刀斫，痛不可支，一經過巫師化水，血痛立止，腫脹漸消，不數日而痊癒了，不能不說是咄咄怪事。

苗族本是信奉多神教的民族，凡天地日月風雲雷雨山川怪異，都尊稱之爲神，而畏鬼信巫，雖數千年而無稍稍改變，誠爲他族人所罕見的。人有病，一定指爲鬼作祟，延請巫師占卜，或祀祖先，或椎牛，或接龍，或贖魂，或儺，咸以巫師一言爲決定，虔誠的叩許，擇期舉行。

其祀祖先時，須用自餵的花面花尾大豬一隻，又稍小的一隻，碗燒蠻蠟（代香）杯盛以酒，請來的巫師則裝模作樣，手搖銅鈴，口唸苗語，鬼混一場；另置長約三尺的大竹筒（巫師素備爲做鬼不可少之物）於一旁，擊之鼕然有聲。未幾，宰大豬的左肘，放於簸箕，筐的左右，各立男女一人，這時候衣長衫有衣領及蓄髮的人（暗指漢人）不能接近，且不能看，犯則謂之驚鬼，必勒償所費；復祭如前。筐內的肉，一定遺送於舅父輩，家裏的人和族人不都不能吃，否則，必爲猛獸所傷，倘若認爲是迷信，却屢試屢驗，因此，沒有人敢於違背他們這種規定。

如遇發生的是暴病，則祭天王（即三王，當地土神），宰大黑水牛一隻，取腑臟雜煮，把來祭神，肉則分給親友。祭太后（三王之母）不用牛而用豬，用草紮芻人，張傘覆之，服飾背如苗婦一樣，旨在像其形而作祭祀。每年到小暑以前，由辰日起，巳日止，謂爲三王忌日，禁屠宰，忌鈞鑼，不穿紅衣，不作鼓樂，據說，稍有不愼，即降臨災異，他們的虔誠，眞是鞠躬盡瘁誠惶誠恐的了。（三）

・文壇漫步・

橙色文學的誘惑

紅纓槍

三月一日那天，許多報紙都在改版，尤以左派報紙改得凶。好在是以鴉片烟換來的錢辦報，不說日出三大張，售價一毫，就是日出十大張售價五分也毫不在乎的。但細細研究，不過是倒拉了幾個舊日的偶像。其中有兩個是我曾相識的。一是張競生（第三種水的發明者），一是李壽民（還珠樓主）。

我認識張競生，是在廣州，他那時因競選梅縣（？）的國大代表，到了廣州，免不了大捧記者，他在新陶芳（著名東江菜館）單獨請了我和另外一位同業吃飯，新陶芳的女工特別多，當我入座時，他正在和那些女工胡混，見了我們，立即正了正領味，在說了一堆官腔之後，就又大談他的嫖經了。當女工們也知道了他就是「張競生」時也莫不吐了吐舌頭，臉紅紅的走開了。我那時年紀尚輕，不大歡喜這人，加上不恥他大談嫖經，所以除替他寫了一段花邊新聞之外，其餘一點也不題，那次算是他白請了一頓鹽焗鷄。如今，他又在報上大寫嫖經了，可見前進人物醋嗜第三種水作品之一班。

碰見李壽民，比張競生更早，那時，我由桂林到衡陽，有一個瘦瘦的人和我同車，我却一直未注意他，但我深深記得他坐車沒有票，和查票的吵嘴，後來在衡陽經一位朋友介紹認識了他，起初聽了李壽民二字，也沒有什麼印象，後來聽說他就是還珠樓主，似乎覺得有點「失敬」了，也忽然間覺得這位「作家」眞有點仙風道骨似的像個「道友」，及至想到他坐車無票吵架的事，不禁使我暗笑他爲什麼當時不祭起寶劍取那查票的首級呢。現在，他又在左派報紙上來教孩子們「入山修道」了。

自由人

THE FREEMAN

（第五二五期）

中華民國僑務委員會
僑發登記證台教新字第一零二號
中華郵政台字第五〇〇號
執照登記爲第一類新聞紙類
（半週刊每星期三　六出版）
每份港幣壹毫
台北市售價台幣壹元
督印人：陳文華
地址：香港高士威道二十號四樓
3 rd. fl. 20 CAUSEWAY RD
HONG KONG
[illegible]
海外總經銷
友聯書報發行公司
香港：德輔道中二十六號A二樓
台灣特派員辦事處
台北市館前街五十號
台灣總經銷處
台北市西寧南路[illegible]號二樓
台郵撥儲金戶二九二五二

論蘇共的集體領導制

・王厚生・

蘇聯自史大林死後，政治上的領導問題便生麻煩，這原來是一切獨裁政治至最後必然發生的後果。獨裁政治的維持，決不是像尼采所說有所謂「超人」存在，基本上，獨裁者的地位和權威主要還是奠立在權術和狠辣的手段上；所以，在獨裁者之下，必定是一羣會功獻媚之徒，他們各自結成一個小集團，互相明爭暗鬥，對於獨裁者的奉承則未恐不周，在許多小集團的共同擁戴之下，獨裁者的權力始得保持不墜。假使在獨裁者以外有另一個強有力的人物出現，或此人物之才幹有勝過獨裁者的可能時，則獨裁者不將此人消滅便不甘心。

由是觀之，獨裁政治是以扼殺人才的爲頭，獨裁者所喜愛所培植的是派系，是多方面的擁護者。獨裁者固然有選擇繼承人的事，準備他自己的生命一旦發生變化時，免得後繼無人，可是，獨裁者所選的人，必定是追隨他很久的人，這類人只配做下屬，不配擔任政治上的主角；同時，獨裁者不死，他決不肯自動讓位給他自選的繼承人，等到死了之後，他就無法再施權威和控制一切了，他心目中的繼承人能否順利接任便成問題，因爲羣龍無首，各派的勢力一定會進行公開的大鬥爭的。

將繼起成爲史大林第二的傳說，但從蘇聯共產黨第二十次代表大會中強調「集體領導」一事看來，赫魯雪夫的地位和權力還不見鞏固，他還不能成爲史大林第二，做一個獨裁者，他的政治敵對勢力還很強大，不容他大權獨攬，爲所欲爲。「集體領導」的強調，適足說明蘇聯共產黨內部的矛盾還很尖銳，統一的形勢尚未成熟，現階段是停滯在各派力量保持均勢的狀態上面。因此，我們不妨說，並不是「集體領導」要比「個人領導」強，也不是蘇聯這班野心家不喜歡權力，根本上是形勢不容許有一個人獨佔黨政軍一切的權力，而這種形勢的出現，是史大林獨裁時期培植各派勢力的結果，現在，各派勢力相持不下，經過三年餘的勾心鬥角，造成暫時性的妥協情勢。

蘇聯政局會穩定嗎？

西方有些人士認爲蘇聯的政局已趨穩固，作者不以爲然，作者認爲蘇聯的政局自「集體領導」的原則提出後，不但沒有趨於穩固，反有莫大的危機潛藏在裏面。因爲像蘇聯這樣權力高度集中的國家中，其制度注定要有一個獨裁者，卻不能有幾個獨裁者並存在一起，否則，集中了的權力就很難運用自如，甚至權力會變成禍根，使少數幾個分攬大權的領袖互相牽制和互相爭權。其次，蘇聯是個極權國家，它不像英美民主國家對於權力的爭奪自有適當的解決辦法，在蘇聯，遇到有權力之爭，除掉動武之外，沒有別的和平的途徑可走，蘇共現今所採的「集體領導」制，實際上是蘇共爭權的產品，是蘇共領袖們暫時避免動武的辦法，故在作者看來，蘇聯的「集體領導」已經接近大流血的邊緣，是不祥之兆，而不是政局的鞏固，因爲蘇聯的制度注定不能採用「集體領導」的方法，尤其不能長久維持這種各派力量妥協的方法。這樣說來，蘇聯豈不是馬上要自垮嗎？作者卻不作這樣天眞的想法，且覺得這種想法可以被某些人利用，當做世界可以不經熱戰，蘇聯將自變的理由。作者相信蘇聯不會馬上自垮，但自由世界如果採取積極的攻勢和解放政策，則外界的壓力，必加深蘇聯內部的矛盾，使各派力量在內政外交上發生嚴重的歧見，最後迫使其內部火拼，假使自由世界不這樣做，而僅以消極的態度出之，或以採還手的方法，不還地痛擊對方幾下，蘇聯共產黨內部的矛盾可能變得和緩，甚至經過一相當的長時期後，在不顧玉碎的心情之下，蘇共各派勢力進行和平的調整，幾年之後，說不定眞會有史大林式的獨裁者出現，屆時，蘇聯的政局可能眞的趨於鞏固，而無法加以搖撼了！

或許有人覺得外界的壓力適足促成蘇共內部的團結一致，這看法不見得有什麼眞理，因爲從史大林死後的三年歲月中，自由世界對共產集團所施的壓力不僅不會促成克里姆林宮的團結，反之，三年之中，克里姆林宮卻連續發生了幾次人事上的大變動和政策上的大翻覆，而每個變動都與自由世界的政策有關。這些歷史事實證明克里姆林宮內的要人中間，未必個個都是死硬派，要爲共產黨自一九一七年以來所建立的罪惡制度拚命到底。

當然，使「集體領導」制的得勢還有其國際的原因。

集體領導與國際因素

史大林死後不久，「集體領導」制的提出，是蘇共內部的原因，對此，上面已經說明了。但是共產黨這一組織是國際性的，世界各國共產黨有着一個最高的指揮部，就是共產國際情報局。在從前，史大林稱霸一時，不但蘇共由他一手把持，即共產國際情報局亦受他的支配。現在，蘇共已因史大林之死改用集體領導，則共產國際情報局之不能再由蘇共操縱，也是必然的形勢，這不僅是因爲蘇共提不出第二個史大林型的人物，可以支配共產國際，而且與自由世界的解放政策有關。到目前爲止，自由世界的解放政策雖然還止於言論，未見有實際行動，但這個政策的提出和宣傳，在鐵幕裏面不能不生影響，我國大陸上的民衆和東歐諸「人民民主國家」中的人民對此多抱深切的期待，即使是共產黨內部的高級幹部，也不免有失去信心、開始動搖的人。蘇共爲對抗自由世界的解放政策，似乎有自制克己的必要，暫時收斂起「老大哥」的嘴臉，與世界各國共產黨站在平等的地位上，承認各國共產黨可根據本國的環境進行不同方式的鬥爭，藉此達到安撫各國共產黨和各共產國家人民的目的。這是共產國際情報局必須改採集體領導的形勢。在對西方和亞非國家的外交政策方面，蘇聯正在推行所謂「和平共存」運動，這種和平共存在精神上原本和共產主義相違反，但蘇共爲何又要大力鼓吹呢？我們對此可從二方面來說。第一、蘇聯內部有着極大的弱點，此即各派勢力尚相互鬥爭，政治上自史大林死後缺少一個重心。（下轉第三版）

政治史上的大轉變

蘇聯在史大林統治時代，所實行的是獨裁政治，我們說這種話，已經不算是誣衊捏造的故意詆謗，這次蘇聯共產黨召開第二十次代表大會，許多有重要地位的蘇共代表在會上都公開的指責了史大林。正因爲蘇聯在過去所實行的是獨裁政治，所以史大林死後，政治上的領導權問題就發生了，以致得出集體領導的結果。故史大林的死，將蘇聯的政治史劃分成爲二個時期，在史大林未死之前，蘇聯在政治上是「個人崇拜」時期，史大林死後則進入「集體領導」時期。爲什麼會有這樣的變化呢？

就蘇聯的內部情形而論，集體領導是蘇聯共產黨各派勢力消長的結果。史大林活着的時候，似乎很想扶植馬倫可夫做他的繼承人，但史大林並不曾在未死之前將職權轉移給馬倫可夫，雖然，馬倫可夫於史大林死後，一度繼任總理，然爲時甚暫，於一九五五年二月被迫自動認錯，將總理一職讓與現任的布爾加寧，此事發生之前，馬倫可夫嘗與貝利亞經過鬥爭，復將黨的書記長一職移交赫魯雪夫。從一九五五年以來，赫魯雪夫在蘇聯的聲威日見膨脹，各方面且有赫氏

困擾英國的中東糾紛
約逐英將塞逐主教　皆表明西方無政策

・曾旭軍・

英約爲什麼失和

最近英國在中東方面，遭遇兩大不愉快事件：（一）殖民地部長波德在塞浦魯斯島談判失敗；（二）約但國王驅逐其阿拉伯軍團總司令葛魯布將軍。工黨在下院就此兩問題，向保守黨政府加以抨擊。

據倫敦泰晤士報載，艾登在答覆議員質問時說：『英約協定中，約但政府無必須聘請英國軍官之規定。但規定在必要時英國須供給軍官之責任。同時條約顯出雙方協定精神，基於互相諮詢，保證互助防衛。今葛魯布將軍之被黜，乃完全違反條約精神。』但是約但王却說：此舉對英約協定無抵觸，而英約仍維持友好關係。

問題的關鍵實不在此，而是約但將因此更無參加巴格達公約的可能，且已被埃及、敍利亞與阿拉伯三國，拉回阿拉伯集團，與以色列對抗，對西方國家的疏遠，是意味着脫離西方。

土耳其方面的報紙，批評很冷淡，他們說：『此事爲埃、敍、沙三阿拉伯國家仇視巴格達公約的結果。而此仇恨之火，係由蘇聯煽動而起。』筆者前曾在本報指出，蘇聯操縱下的共黨特務已滲透到約但，他們着眼於約但國內的四十餘萬巴力斯坦阿拉伯難民，歷次的暴亂都是由此種共特工具所爲。根據外電消息，土耳其的情報說：『共產黨造謠煽動約但人民說，約但國王胡辛如不把葛魯布將軍免職將喪失王位』，是正確的。故英國報紙已把此次事件歸咎於蘇俄間諜，及二十歲的國王胡辛之母后徐茵。「每日素描報」稱：蘇俄間諜最近在中東的活動已增加，並煽動阿拉伯人的民族主義，迫使胡辛爲保持他的王位而罷黜葛魯布將軍。

主教與總督間的爭執

至於塞浦魯斯島的談判歸於失敗，據英國殖民地大臣波德說：是以大赦問題爲癥結。

塞島總督哈定，在三月五日廣播稱：必須消滅恐怖行爲，恢復法律秩序，方能談判自治憲法。他願意將違反安全法之人大赦，但向人身侵犯，與非法懷有軍器爆炸品之人，不得赦免。可是希臘正教大主教馬卡里奧斯在談判時，却持相反意見，因此，哈定指責他說：以宗教立場來說，實不應有此認見。此即英國最後不得不逐走馬卡里奧斯主教的原因。但希臘對此已表示提向聯合國提出申訴，而英國則又認爲聯合國無權干涉此事，是則塞島之糾紛正方興未艾呢！

在塞島的政治勢力有：（一）希臘正教教會，以極左的塞浦魯斯民族黨爲主幹，該教會首領就是馬卡里奧斯。（二）另一即『塞浦魯斯共產黨』。

共黨在這幾年來，雖不以鮮明的旗號活動，但却暗中以搗亂爲第一義。例如共黨也贊成塞島歸併希臘，雖則此舉對蘇聯並不利。但他們願藉此與希臘正教教會聯合，以助長矛盾，擴大分化，在反對建設塞島軍事基地的主張方面，更是暴動慘劇的操縱者。

西方集團無政策

在應付中東問題上，英國本是比較開明，固知可棄即棄之道。但却又固於現實觀念太重，不能認清與共黨妥協之害，因此，在經過長期姑息之後完全失去政治戰、心理戰的立足點。杜勒斯的軍事聯防，固屬需要，但如果沒有健全的政略決定，不能斷然堅持不與共黨集團妥協，則任何軍事聯防也不能使西方在中東站得穩，而中東的紛亂則更足以喪失西方的威信。從中東的變化來說，只是證明了西方集團是一個眞正沒有政策的集團！

時事評述

司馬璐

大行其道的「中立主義」

巴基斯坦外長在東南亞公約理事會中說，中立國現在佔盡便宜，他們沒有捲入戰爭的危險。但有漁人之利可以坐收，東西兩方他們都可以伸手要錢。

巴基斯坦在不久以前還鬧過另一次牢騷，他們說，「中立」的印度比之反共的巴基斯坦所得的美援既快又多，因此他們不禁發生一個疑問，「中立」要比反共好？

巴基斯坦這些看法當然是淺薄的，但也是十分坦率的。共黨爲了要把一個反共的國家扶成中立，這[illegible]句話，不就是易於打動他們嗎？奇怪的是，共黨在自由世界內部製造「中立主義」，扶植「中立主義」分化我們，而美國的政策又確實是在鼓勵「中立主義」！

於是，「中立主義」今天就大行其道了。

被鼓勵的「中立主義」

美國人當然不肯承認，他們是在鼓勵「中立主義」。但是，美國人又不能否認，「中立國」伸手要錢，他們給得又快又多的事實。

我們若責問美國人，這不是鼓勵「中立主義」的證據嗎？美國人答辯說：不，這是「爭取」「中立主義」者呀！但是，「中立主義」者明白你這個弱點，他愈不反共，你的口袋愈鬆！

製造中的「中立主義」

二次大戰以來，美援給「中立」的印度達十億美元，有什麼結果嗎？反之，這次杜勒斯到達新德里，印度在「中立主義」的潮聲中，尼赫魯傲慢無禮！

今天「中立主義」的活躍，我們把太多的責任全歸在美國人賬上，當然也是不公道的。「中立主義」的形成有以下三個重要原因：

共黨國家有計劃的製造；
自由世界的不團結；
美援的作祟。

共黨有計劃的製造，上策希望做到把敵人扶成「中立」，由「中立」扶成「同志」；中策希望做到，自由世界一部份變「中立」，就可以達到削弱和分化敵人的目的；下策最低希望做到使敵人暫時癱瘓，內部陷於混亂。

如果民主國家眞正團結一致，有一堅定的共同政策，敵人的陰謀是無從得逞的，不幸的，我們並未如此！

形形色色的「中立主義」

「中立主義」的形成，一部份原因既然來自自由世界本身，因此我們也可以見到形形色色的「中立主義」！

第一類型的「中立主義」，藉「中立」要脅自由國家，並藉此提高國際身價，爭取援外要求，如印度、埃及是。

第二類型的「中立主義」，是時刻處在共黨的威脅之下，自由世界的主力在必要時可能遠水救不了近火，他們的「中立」主要出自苟安心理。如緬甸、高棉、阿富汗、及尼泊爾是。

第三類型的「中立主義」，是基於內政上的理由，一般人民對西方國家普懷疑懼，因而出此，如印尼是。

第四類型的「中立主義」，是屬于特務性，偽裝性的，或者只是藉「中立」的旗幟暫避風雨而已，如南斯拉夫的狄托是。

撒嬌的「中立主義」

除以上各類「中立主義」外，另有一些國家，他們並非眞的立刻要採取「中立主義」的政策，截至目前爲止，他們還祇限于作態而已，這種國家，我們姑名之爲撒嬌的「中立主義」。例如最近法國所表現的態度，一時使人非常担心，但經過艾登、麥米蘭拍了兩下肩頭，在英法會談的公報中強調支持北大西洋公約，法外長比納又表示法國無意退出東南亞公約，比納又說，他對西方政策雖然感到不滿，但法國外交的基本政策並未改變。但拍肩頭只是一時的治標而已，如何治本呢？

植樹節獻辭
民國以來的林業建設

·冷少泉·

民初定清明為植樹節，倡導造林，十七年四月國府令：改於每年三月十二日舉行。茲屆民國四十五年植樹節；略述民元以來之林業建設，用申紀念，以策未來！

林業政策之演變

民國初年（民元至十六年）：元年五月農林部頒林政方針：「凡國內山林，除已屬民有者，由民間自營，並責成地方官廳監督保護外；其餘均定為國有，由部直接管理……。」三年十一月公佈森林法。

北伐之後（十七至廿五年）：十九年十一月國府令：責成各省造林，限期籌設苗圃，劃定林區，廣勸種樹，並切實保護，限制採伐等。廿一年九月公佈森林法。

抗戰時期（廿六至卅四年）：卅年植樹節農林部訂：「相其氣候土質之宜，勸其耕種培護之道，嚴其斧斤不時之禁，增廣森林面積。」為政策中心，廿六年九月卅四年一月兩次修正森林法，施行迄今。

制憲復員（卅五至卅八年）：卅五年制憲，定農林基本國策為：「國家應運用科學技術，興修農田水利，增進地力，改善農業環境，規劃土地利用，開發農業資源，促成農業工業化。」翌年農林部依以釐定林業政策及卅年建設計劃。

戡亂期間（卅九年迄今）：以「保林重於造林，造林重於伐木。」為方針。四十三年經濟部擬林業政策未定稿。

綜覽四十五年來之林業政策；森林民享與重視保林造林兩點，始終一貫為政策主幹，適應世界潮流，切合我國國情。復員後法律政策計劃銜聯貫通，尤為得體。

林業經營與管理

抗戰前：民元農林部公佈東三省國有林發放規則；設吉林哈爾濱兩林務局掌其事，十八年農礦部改為東三省國有林整理委員會，民四公佈造林獎勵條例；廿年公佈國有公私有林暫行規則，所以實行國有民享，並推勵民間造林。、民五農商部設林務處，十七年農礦部設林政司，十九年實業部設林墾署，各省除東北外；分設林務局林區或林場，縣多苗設圃，至是林業管理體系粗備。

抗戰時：廿九年農林部設林業司，先後依法設區管理秦嶺洮河岷江大渡河青衣江雅礱江祁連山及小隴山等處國有林，國有林經營制度因以建立，天然林賴以保育。另營經濟林四處，並設洪江民林督導實驗區，對於經濟林營造示範，民間合作造林，有所建樹。各省以寧青川滇造林成績較佳，川黔更推廣油桐。中國木業公司亦設於峨邊。

復員後：農林部組東北森林局，籌備開發湖北神農架天然林，均以實施憲法中之開發農業資源。台灣區國有林卅四年統一接收，現台灣省農林廳林產管理局分設林場及山林管理所經營之。卅八年以後之數年經加整理，四十三年起舉行航測，近年民間造林踴躍。四十二年十二月立法院決議請行政院整飭台灣林業，四十四年五月決議台灣區國有林應依法直接經營或委省經營，其收入編入中央總預算。

森林保護及保安

森林保護：民元部令各省保林禁私伐，十九年府令各省保林限伐等已見前節，抗戰之後，除各林區管理處負有專責外，更置林警，復與地方協力保林。雖尚嫌未週，惟官民知法，從無大規模之盜伐濫墾，更無所謂官商勾結毀林。惟抗戰期內陷區損失綦重，合廿六年之幣值計四，○九○，九○九，八六○元。卅八年台省府制定加強保林方案，林管局設保林警察，繼成立各地護林協會，四十四年依法成立森林警察大隊。

森林保安：十九年實業部督導堤防造林；限制傾斜地墾植，並劃定保安林範圍。抗戰時；農林部先後設區管理涇洛漢水紅水及贛韓江等水源林，在天水及東西兩江實施水土保持，我國森林保安基礎賴以奠定。復員後；農林部建百方市畝之黃汎區（豫皖蘇）防砂林；經在鳳台開始營造，又建長近萬里寬達十里之西北（寧甘青陝晉綏察熱遼）防砂林，經分於榆林景泰磴口東勝及都蘭設場造林，規模空大世罕比倫，乃以實行憲法中之改善農業環境。更擬訂長江水電工程（Y．V．A．）之森林計劃，以便多目標利用林土水資源，而為保安林工業化之先導，以實行憲法中之農業工業化。台灣現有保安林三七二，三六八公頃，田園水利電源均利賴之！耕防林次第復舊，若干關係電源者則加強管理中。

林業試驗研究

民元二年分創天壇及長清林業試驗場，民五民九增設林務研究所及洪山林業試驗場，著手研究。二十六年經濟部中央農業實驗所加強森林系，三十年設農林部中央林業試驗所，三十五年附設華北華中西南各試驗場，各省農業改進所均設林場，規模乃具漸著成效。卅四年台灣省林業試驗所成立，十年來研究不懈成績斐然，研究報告凡一三二項，進行中者四九項，克躋我國林業研究於先進國家之列。

回首四十五年以來；治亂不定，林業建設自難悉如人意，如民初至抗戰期間立林業管理體系，劃定保安林範圍，抗戰後；依法設區管理國有林及水源林，勵行水土保持，復員後；建設防砂林以改善農業環境，籌建長江上游森林而謀保安林工業化，戡亂期之林業試驗研究，與一度整理，以及森林法之迭加修正等，則均足稱道。

林業建設展望

我國經濟建設之計，中心在求工業化，工業化之基礎，建於農業，農業之根基，端賴水土，涵水保土則恃乎森林，是以森林建設實經濟建設之本！顧我國地大而人多物不博，森林資源尤然，依農林部之統計；我國森林面積一，二六一，八二九千市畝，宜林荒山四，三九三，九一一千市畝，縱使悉能成林，則每人平均森林面積，尚不及美國（一．八公頃）之半，去加拿大（二七．二公頃）更遠矣！不幸大陸陷匪之後，旱潦頻傳，即森林毀壞之徵，農業古國之根基被壞，將來收復之後，由建林以達工業化之途，程途艱，摧殘精神之本——文化，與摧殘物質之本——森林，均足以威脅國家民族之生存，前者國人早經注意，後者似不無忽視，茲於略述以往之餘，謹提請國人特予重視，迎佳節瞻望，林業建設任重道遠艱，異常！願以崇法務實之精神，猛省勇進，珍視現有資源，妥為保育善予利用，承前啓後，樹立楷模，進而規劃收復大陸後建林之計，以維經建之本，則幸甚矣！

台灣通訊

堀內大使談：日本當前外交政策

高宗魯

（本報台北通訊）本月六日，聯合國中國同志會舉行第一三六次座談會，特別邀請日本駐華大使堀內謙介演講，講題是「日本當前外交政策」。這位七十高齡的日本外交家自去年十二月來台履新後，此為首次公開演說，對日本外交一般問題闡述甚詳。

堀內大使首以輕鬆幽默的笑話開始其演說，他說英國人看到美好的事物，讚賞之餘，總喜歡惋惜地說：「可惜這不是英國的！」英國人喜自誇，但聲明今天的講演並不是來為日本「誇口」的。

修憲不影響和平方針

大使言日本外交的終極目標，是在維護日本獨立、安全，進而促進國際間的合作。日本戰後憲法規定，日本是「民主、獨立、和平」的日本，雖然日本正醞釀修憲運動，但堀內大使堅信民主、和平的方針是不會改變的。要和平必先獲得獨立與安全，日本如何求取獨立與安全，需充份考慮到國際形勢。大使說，今日共產世界與自由世界壁壘分明，共產集團已控制十億人口，擁得世界三分之一的土地，雖高唱「和平共存」，但無法掩飾其「世界革命」、赤化世界的陰謀。因此，在自由與不自由間無中立可言，不自由便為奴隸！這是日本願意站在自由世界的陣營中，金山和約以來一貫的立場。

獨立必須要先自立

論及日本安全問題時，大使說，獨立必先有自衛力量。「日美共同安全條約」，在日本自身力量未建成前是有一定意義的。但日本人民深感自身安全不能完全依賴此一條約，故在本國經濟條件下，正努力從事國防建設。預定在今後三年中，擴建空軍陸軍至十八萬人。但大使說，今日自由中國有兵力六十萬，韓國有五十萬，然而在大陸方面兵力數以百萬計，故認為這還是有限的兵力。日本建軍問題在國內引起爭議，但國家自衛武力是必需的，是防禦性的，故日本參院已決議不派兵至海外服役。

論及經濟方面，大使言戰後日本的復興得力于美國資本與技術之援助。為維護日本獨立安全，進行國際合作，日本決採「和平外交」。日本願與世界所有國家締結和約，恢復正常外交關係。但四年半前金山和會，共產國家均未參加金山和會，故由法律技術觀點言，共產國家與日本尚處于戰爭狀態中，此種狀態如不能予以改善，則日本無國際安全可言。為使日俄關係正常化，日俄談判已在去年開始，重要問題有日人遣返、漁業及領土等。蘇俄卻欲使日本採行中立政策，蘇俄代表馬立克業已歸國，以後會議如何，尚難斷言。但大使強調，恢復正常關係與日本外交政策的決定是兩件事，並言日本將永遠採行反共政策。

大使又論及日本與中共關係，日本為謀求在中國大陸上一萬六千日人得以遣返，在去年七月起在日內瓦與中共已有談判，因為這是亟待解決的一項人道問題。中共趁機提出建立外交關係事，已遭日本拒絕，故談判未獲結果。

對經濟外交的展望

論及日本經濟外交方面，堀內大使說，戰後九千萬日人居住在四個小島上。日人更深知國內經濟安定是防止共黨滲透有效武器。故在國內經濟，國際貿易兩方面力謀整頓，日本經濟五年計劃重點也在此。此種努力已獲成效。日本去年國際貿易盈餘獲五億美元。大使又說日本推展國際貿易當與東南亞各國合作。日本與緬甸邦交已恢復。日本與菲賓律和約談判也可能在本月底有所決定。日本賠償菲律賓五億五千萬美元，並貸款予菲二億二千萬美元。其他，日本與印度、巴基斯坦、泰國、越南已恢復正常外交及貿易關係。日本又參加了「可侖坡計劃」，日本雖無資本，但願提供技術以協助東南亞各國的經濟開發計劃。

堀內大使認為進行廣泛的國際合作，日本願參加聯合國，也說在金山和約後，日本已開始盡力協助忠實履行聯合國各項政策。為入會事，日本政府曾不斷努力，但至今未能達成願望。但大使說日本入會的資格已獲得世界各國的讚美。因為在聯合國十個委員會中，日本已參加了七個，並積極協助推展工作。堀內大使強調以一個未入會而協助聯合國工作而言，世界上沒有一個國家比日本做得更佳的了。

最後大使結論是，為維護日本獨立安全，日本願意進行國際合作。並希望在日本自衛武力建成後，能與美國以同等地位簽定一項「日美共同防衛條約」。日本願意與蘇俄恢復正常關係，但對共黨滲透陰謀必嚴加防止。日本願與東南亞各國進行經濟合作。為求更大國際合作，日本希望早日得入聯合國。最後大使強調日本外交政策將永遠不離開自由與和平主義的原則。

堀內大使演說畢，聽衆多人起立設問。有一聽衆以日本報紙甚少報導自由中國方面消息，而反時常刊登中共方面消息事提出詢問，這位七十歲的堀內謙介大使即席答道：「中共是個什麼東西，至今仍是一個問號，中共是一個怪物，令我在大街上走，不會引人注目，一旦有一個怪物在街上走，必定是轟動一時的。」大使回答措詞巧妙。兩小時的演說終在熱烈掌聲中結束。

西貢近貌

靜

一年前，西貢的加蒂納道是著名的鬧市，夜間燈光燦爛，汽車川流不息，兩旁尋歡作樂的各國僑民遊客往來如梭。但目前這條大街一到晚上便幾乎闃無人跡。店鋪一家家夜總會，從前擠滿紅帽傘兵或白帽外國洋國士兵的舞廳，今日也已靜寂無聲。數以萬計的外國人，在這新的獨立國裏找不到他的地位，祇得黯然離開這個「東方的巴黎」。最近，法國的官方「法國亞洲電台」已告停閉，巴黎方面也表示最後留在城南的一萬三千遠征軍，也將在短期內撤走。法軍由西貢碼頭，開往非州，行過市中，也不復唱嘹亮的軍歌，有一個法國酒吧老闆慨然說：「唯一的聲音，祗有我們的老同伴的鬼叫。」

同時，法軍紛紛將他們的剩餘物資拍賣，越南商人則在等待着法國商人的破產，不願現在便把他們的全部貨物買進。他們說：「我們儘管以等下去，他們的貨可還要跌價呢！」

本報台北通訊

吳南如赴任前後

我國新任駐伊朗大使吳南如，已於二月廿九日離台飛往伊朗履新，吳氏此次匆匆赴任，原不是按照他的日程表行事，因為照他的預定是把在台的私產清理一下，在三月中旬再慢慢搭輪前往伊朗。但吳氏畢竟提前了他的行期，而且改變了「搭輪」為「乘機」。

吳氏提前起程的原因，說來也是夠慘的，因為在他辭卸新聞局長，發表大使之後，正值立法院第十七會期開會，有幾名立法委員，在吳氏行前，還不想放過他，要給他來個馬後炮，二月廿四日立法院開會的那一天，在北投與吳氏隔鄰而居之立委林競忠，向俞院長質詢，指責吳氏在北投之私宅，用公家所購之水泥修理，殊屬有違官箴，不知俞院長對此事知道不知道？當時，俞氏回答一切有待查明。林委員卻說：他已調查明白，而且證據確實。

當天夜裏吳南如，便也自己抄擬了一篇書面談話，經中央社發表，第二天在台北各報刊登，吳氏的聲明原文為：「前年新聞局成立時，並無宿舍，僅有新台幣十萬元設備費，他當時決定以該款在士林建築職員宿舍九幢，分配職員居住，他仍繼續居住他「太太」所有的北投私宅，當時曾有諒解，即吳局長在新聞局長任內，並不收任何租費，但如有修理事項，應由局方負担，去年秋天，霪雨為災，他的住宅樓上牆，被水衝塌，確曾予修復，其用去新台幣九千餘元，係由他自己支付，惟所需水泥，曾由新聞局備文，向物資局申請價購六十包，說明為修理局長宿舍之用，約用去五十包，當時配價約值一千五百元，作為補助修理之用」。

從吳氏這個聲明看，顯然是愈描愈黑，處處有漏洞，所謂太太的房子，顯然是遁詞，這是官場中的老戲法，因為第一在中國人情上講，第二當時會有諒解，即吳局長與他太太間的諒解，太太向吳氏收房租，吳氏代表局方補助修理費，還是左手交到右手的諒解，第三吳氏既然居官清廉，何若佔一千五百元左右的小便宜。何況以公款修私人住宅看來就說不通，因為那房子修好後，仍是屬於私人的，正因為吳的聲明拙劣，給人抓着小辮子，立法委員便以他自己的談話作基礎，要繼續質詢。

吳氏後來聽到風聲，如果再拖，可能出大亂子，所以三十六策，走為上策，乃匆匆就道，赴伊朗做外交官去也。

現在吳氏走了，委員們似乎也洩了氣，大約不致再繼續問下去了，但願吳南如在國外好自為之，為國家為僑民多做點事。勿以「利」小而貪之，「惡」小而為之，則可逸險化夷矣！

走筆至此，記者忽然想起，吳氏雖出身於北洋時代之外交界（過係隨顏惠慶在駐蘇大使館任職），但處事尚稱謹慎，有時也肯說點良心話，例如他卸任新聞局長大宴新聞界，致詞時便說：他前任為沈昌煥先生，後任為沈錡先生，因為兩者都比他做的好，所以他被夾在兩沈中間，顯得黯然無光。他並說：這些都不是客氣話，因此吳氏雖笨拙一些，倒也有些愚厚之氣，遇事肯實講話，在這年頭，也是難能可貴的事了！

·胡魯·

香港的師資教育
高詩雅提出二個問題

香港的工業教育和師資教育同時成爲本港教育政策中的主要目標，還是一九四九年以後的事，尤其是師資教育是配合了本港整個教育發展的，在本港政府的七年計劃中，師資教育佔了首頁的地位。

教育司高詩雅在最近的一次集會中，曾提及了一個教師對他本身事業前途的看法，那是可以作爲一般以教育爲終身事業者一個良好的參考。

未來世界與兒童的轉變

高詩雅以爲每一個教師必然經常想到兩個問題，第一是在二三十年後，自己所教育的兒童已經長成，而且服務於社會，那時這個世界將變成什麼樣子，第二是這個兒童長成以後，將變成什麼樣子？他在社會上担任些什麼工作。

這兩個很像有趣而又不可捉摸的問題，但我們欲若果作進一步的探討，我們會發覺得我們作爲師表的人，今日的工作不但將會影響到兒童的將來，更進而影響到這個世界。高詩雅稱：就這一點說，一個教師的工作表現不是在一朝一夕，他的工作的整個目標，却是在於建設將來，他是訓練和發展下一代的思想與精神。學生的考試結果，雖可以表示教師教授書本知識和思想能力的成績；但他的工作的眞正結果，却在許多年以後才能看得出來，換一句話說，要在他的學業成就以後，在社會上服務的成功或失敗之中，才能看得出來。

影響兒童的責任

這就是對三十、四十、五十年以後，這個世界將會變成什麼樣子一個問題的部份答覆，這也就是今天尚在受教育的兒童將要集體形成的世界，世界的將來，都是由下一代形成的。因此今日負起教育下一代的教師們，對未來的世界，是負着影響的責任，這是一個極特殊也極嚴重的責任。在讀書時候，一個兒童是易於感受和可以發展適應的，他的生活受到限制，也受到保障，他的基本性格，他的觀點，他的倫理和道德的感應性，都在這個時期陶冶成的。此後，隨着他的眼界和關係的擴充，他受到各種影響和壓力，有些是好的，有些是壞的。他能否依仗他的品格，運用獨立的判斷，來抵抗那些該抵抗的壓力，大都要靠他在學校裏成長時期所奠定的基礎。

思想自由最重要

關於獨立的判斷——獨立的思想，教育司高詩雅說：我們如果把我們的人生達成任何目的，我們必須使我們的人生遵循某種基本信仰，而信仰的要點，就是自由——個人的思想和行動自由，尤其是思想的自由，我們列爲基本權利的多數自由中也包括言論自由，出版自由，集會自由，信仰宗教自由等，這些自由歸根結底，豈不都是思想自由嗎。

我們的言論，我們的行動，我們所做的一切事情都是有思想而且被思想支配，所以思想自由顯然是我們生活信念中最基本的因素，也是我們所珍貴而願意遺留給我們的子孫的，爲了保存這種珍貴的遺產，教育有着十分重要的特殊的責任。其實，這不是一種輕易的工作，教師應當教學生怎樣思想，但不要教學生想些什麼，也應當教學生所應當知道的東西，但不是教學生應當變想什麼，因此，一個教師的最重要工作，就是教學生自己思想，而且教他怎樣自己思想。

防制盲從輿論

高詩雅同時認爲這個時代，在多方面表示思想上的惰性，一般人民太過易於接受他人的思想，他們閱讀報章，聆聽播音，太過易於接受所看到和所聽到的結論，而並不對於這些結論所根據的事實加以考慮，和作進一步的探討，如果各種不同的意思都有自由發表的機會，那麼這種情形還不至發生極大的流弊，但是某些事實一旦被曲解或誤傳，或一切通訊工具，被一個機構控制的情形之下，那就會發生危險。要是一般民意完全信賴閱讀所得或所得的消息而不加疑問和探索，那麼掌握輿論的人們，可以依照自己的意思來製造輿論了。

對於這種危險的最佳保障，便是教育兒童，使他們不僅知道自己，不僅有權利而且有義務對於一切事情加以思索，同時，培養他具有分析的批評能力，只有這種辦法，才可發展他的創造的本能，啓導他潛藏着的思考力，然後可以保證這個世界繼續享有獨立思維的實益。一個富有記憶力的兒童，能夠背誦書本，牢記測問，他參加考試雖可合格，但他的一切知識如果沒有消化，他的見解如果是人云亦云，那麼他不能算是受到完全的教育，這只是把方法認爲目的罷了。教育的目的，是要發展兒童的思想和品格，使他畢業後不再在父母師長的指導監督下，而能夠把他的思想品格適用到人生的現實問題上，使他成爲一個優良的公民，對於自己的行爲，担負完全的責任，教育便是達到這種目的的方法。

獨立思想與人格

高詩雅對師範教育的看法是非常深刻的，他要每一個師範學生以及每一個教師了解到自己對影響下一代的重要性，同時，最重要的，是如何使一個兒童於長成後，有他獨立的思想與人格，當國際共產集團對他們的下一代正努力進行奴化教育、控制思想的時候，自由世界中，如何使下一代珍惜自己思想上的自由，這一點是非常重要的。同時，也是值得本港教育界人士所檢討的，每一個爲人師表者，是否會忽略了發展兒童思想品格的教育，這一教育的影響，將是造成若干年後世界的遠因。

在僑胞歡呼聲中
海光號油輪在日下水
爲我航業史上罕見的光輝

【本報神戶通訊】二月廿九日晨，在神戶川崎造船所船塢，出現了一個盛大而動人的集會，那就是我國二萬八千噸的巨型油輪「海光」號的下水典禮。典禮由駐日董大使主持，綜計全部觀禮者約在二萬數千人之衆，除極少數的中日雙方名流及各國領事官員應邀參加外，我關西地區僑胞參加者，約有萬餘人。這在戰後的日本，尤其是在神戶，堪稱是空前的盛會。「海光」號油輪的下水，不僅是標幟着我國航業史上的光輝，抑爲自由中國經濟建設上的一大里程碑。

按海光號油輪係屬我國招商局託由日本第一流的川崎造船所承造，工程於上年十月八日開始，由建造的第一天起，我國招商局及中國驗船協會等有關機構，即派有專家及監工人員前往監督。其全部工程預計將於本年六月以內完工，該油輪的建造費達三百九十萬美元，這在我國航業上，也屬創舉。該輪未來將負担航行亞洲與自由中國的任務，其對我國經濟建設，當有一定之貢獻。

日本戰後造船業至爲發達，一流造船所有「川崎」、「三菱」等，此皆因日本造船工資較他國低廉，故甚至像美國、巴拿馬等亦均向日本訂造大型遠洋輪船，使日本造船業大有接應不暇之勢。

據日本航業界人士稱，鑑於訂造船隻之訂單紛至沓來，像川崎等一流的造船所，已拒絕在三年內接受任何訂單。因此，「海光」號不僅是我國最大的油輪，在今後數年內，它且將保持其在遠東國家中巨型油輪的地位。（森三月一日寄）

困擾英國的中東糾紛

（上接第一版）心，以致政局動盪不寧，隨時有發生變故的可能。在這種情形之下，蘇共自知無力應付世界大變局，唯有自緩一下現時的緊張局勢再說，至少也不希望局勢的緊張程度加深，而在共黨集團方面，依舊可以對自由世界進行顛覆的活動，故和平共存雖與共產主義的精神不合，也只得因時制宜，作策略上的變通。

西方觀點引起的錯覺

第二、西方國家多爲推行民主政治的國家，人民對於獨裁政治素來厭惡。在一九四五年之前，西方人民痛恨墨索里尼、希特勒的獨裁政治，歐戰勝利之後，對於史大林的獨裁政治隨着蘇聯勢力的擴張而日益仇視，特別從韓國戰爭爆發後，對蘇聯尤見敵對，國際局勢之所以緊張，實由於蘇聯的行爲刺激了西方人民，使他們樂於負担沉重的軍費，擁護政府的實力政策。蘇共的和平共存運動是配合着國內的集體領導而發動的。的平共存運動是蘇共和避戰舉動，在西方人民之間散佈共產主義已不再要打倒資本主義的錯覺；集體領導則是蘇共內部妥協的結果，在西方人民之間也同樣可以產生一種幻覺，誤以爲蘇聯已經放棄個人獨裁的政治，如今改採集體領導，蘇聯的政策和行動或許會比較有理性一點。雖然，西方人民的世界知識自二次大戰後已大有進步，他們還不至到幼稚完全信任蘇聯的宣傳，但是，西方民主國家的人民都有言論和思想等自由，他們對於蘇聯的宣傳雖不全信，却也有自由發表意見的機會，這樣的自由可以表示意見的社會環境正是蘇聯所要利用的，即利用西方人民厭戰的心理，只要西方社會上有一小部分的人士附和共存的宣傳，並誤信蘇聯在集體領導之下不致再作盲目的冒險，局勢從此可以徐圖鬆弛。這樣就能形成一種對自由世界非常有害的輿論，即使不起決定性的作用，至少也能使西方的幾個大國趑趄不前，況且在自由世界的陣營裏面，多的是中立分子和綏靖主義者，現在，蘇聯又玩起和平共存和集體領導這二個魔術來了，對於中立分子和綏靖主義者無異是很大的鼓勵。總之，只要局勢沒有突變和不朝惡化的方向走去，克里姆林宮的統治或能苟延殘喘一時，還可乘今後一段不戰不和的時期放心地安排自己內部的事情，調整自己內部的陣容，先求本身站穩（能否如願是另一回事），然後再來對付西方資本主義國家。

對毛澤東的影響

蘇共採用集體領導制度，自然也有它的不利影響，這種影響主要將從共產集團中表現出來。以中共論之，它勢須追隨蘇聯之後，改採集體領導制度，則毛澤東的權力便得分出一部分來，交予劉少奇周恩來等運用，故對毛澤東個人來說，他一定不高興赫魯曉夫等的做法，也許會敏感地想到集體領導是用來對付他的，怕他權力大了，赫魯曉夫等無法控制。在目前，中共的政治制度表面上已採「集體的元首制」，惟在黨的組織上，毛澤東是中共中央委員會的主席，依據黨章第三十四條規定，中央委員會主席即爲中央政治局主席與中央書記處主席，所以還是「個人領導」制。拿東歐「人民民主國家」來說，情形也是一樣，即須以「集體領導」取代「個人領導」，但可注意的是：除蘇聯以外，所有共產國家現任的國內獨裁者都沒有發生死亡的情事，這些獨裁者不但對人民有血債，即對黨內的「同志」，也有深仇，他們之取得領導地位，由鬥爭得來，今天一旦叫這些獨裁者自動地讓出一部分權力給他的政敵們，確是不可想像的事！縱使獨裁者肯將權力交出來，同意「集體領導」，但交出多少權力是一個會引起內爭的問題，同時，在權力至上的國家中，「同志」之間的妥協狀態究能維持多久呢？也是一個大問題。

花衫的故事

穿花衣服在大陸上是表示不「進步」，「不正派」，「生活腐化」，但這却影響了蘇聯花布的傾銷出路。於是中共想出了妙法，鼓勵婦女穿花衣服，但上班是不准穿。

外國記者曾說，大陸是個藍色和灰色的社會，也即是指大陸上無穿衣服的自由，如若不信，這漫畫就是最好的說明。

（插圖原載二月廿八日天津大公報）

馳譽美國的我國藝術家
曾景文，程及，胡秋意爲國爭光

章碧霞

（本報紐約通訊）我國藝術家年來來美者日多，對於美國各藝術組織，或尚多未明瞭。查美國各藝術組織均以油彩，水彩，及雕刻爲主。此等藝術組織每年必舉行大規模之年展一次，多在春秋兩季舉行。參加的除所屬會員外，並公開歡迎其他藝術家參加。凡參加展覽的，要先繳納手續費，辦理登記手續。參加展覽的作品只限一件，但須經各該組織評判員，評選合格之後，始能正式陳列展出。

凡獲選參加展出之作品，如再得獎時，即可希望被選爲該組織之會員。惟入會之前，尚須另有兩件以上的作品，經過該組織大會之委員會嚴格審查。獲通過後，始能成爲正式會員。入會後，每年除照規定繳納會費及其他應盡義務外，每年年展必須有新作品參加。

美國最有聲望之藝術團體爲 National Academy of Design（國家美術學院），會員中不少名之藝術家。我國僑生曾景文君爲美國當代著名水彩畫家，現任教于哥林比亞大學，他即于一九五一年被選入該學院正式會員，（編者按，曾氏係本港嶺南中學畢業生，曾于美洲舉行個人畫展，備受藝術界稱道）。又新進水彩畫家程及君，于一九五四年被選爲該學院候補會員。此外還有一位女雕刻家胡秋意女士展覽品，極得該學院好評。現已爲美國筆刷藝術會（The Pen and Brush club）選爲正式永久會員。此三人者，皆爲我國藝術界在美爭光不少。

於此，尚有一事可資報告者，即在美國舉行個人畫展，比較容易，蓋此間私人畫廊（Galleries）不少，專經售藝術品，並舉辦私人藝術展覽會。畫廊負担展覽期間之房租及目錄印刷費與開幕時之茶會或酒會等費用，一經洽同意，即可於兩三個月內實行展出，並無其他困難。（三月二日紐約）

編者讀者

△徵求共區生活實況照片文：春節中，中共極力誘逼港澳胞回鄉訪親，回鄉人士目擊耳聞，共區生活慘苦，遠較讀者和各文友，請將個人親見親聞，或親友所講述之大陸見聞實況，詳細敍述，惠寄本報發表。本報當代爲保守身世秘密。

△本刊五二四期「台北通訊」漏植作者杜衡之大名，特此致歉。

△西貢文甦先生，手書奉悉，貴處所需本報已遵囑逕寄上，請繳惠佳作，餘另函詳。

△王家文、王蓬果、俞敎詩先生，神戶森先生，惠稿均收到，至感。

△本報五二三期徐復觀先生「史達林對人類的偉大啓示」一文，內「史達林捏造罪名殘殺無辜的種種」一語之下，漏植『他們知道得最清楚。當他們自己變成貝利亞派和人民的時候』一語，特此補正。

讀：我不識字的母親

·懷冰·

去歲農曆除夕，收到克文兄寄給我一本小册子，這便是樸生兄的大著「我不識字的母親」，一口氣讀完上篇十五篇自傳體文章，覺得有一股深厚的人情味；其親切好像聽着他面對面談話一樣。往後再把下篇十二篇論文讀完，同樣佩服他的見解和文章的條理清晰。

樸生兄是我們高師的老大哥，當我唸中學的時候，便知道他的大名了。我有一位同鄉李滄萍兄在高師和樸生兄同班。滄萍兄常常寄我許多新刊物，因此我有機會讀到樸生兄的文章。印象最深的是在高師文史月刊發表的一篇白話文——胠篋篇。這篇文章是把許多事物都打破了後壁來說的，和莊子一樣的幽默。民十一年我考入高師文史部又和樸生兄的太太龔祈眞（琪珍）同班，他們結婚時，我還參加過桃李園舉行的婚宴呢！

我很知道樸生兄的愛國思想，和反共決心，當他在附中教書的時候，正是國民黨容共的階段，他在課堂上常常批評共產黨，一些左傾學生接受了CY（共產主義青年團）的指示，不斷向他攻擊，當時他的處境異常險惡。他也曾和徐名鴻兄私下辯論過政治主張明快地說出他的立場，總之他是澈底反共的。

後來樸生兄受了沙基慘案的刺激，同時接受朋友們的勸告，加入了國民黨，勇敢地衝過許多政治漩渦，屹然如山嶽不動。這是他有守有爲的地方。

他的太太祈眞，在高師唸了半年書，便自動退學了。婚後一年，他們的小寶寶阿薇便出世，在襁褓中我曾看過這位她，現在阿薇又已做了母親。眞感到歲月之易逝。

抗戰前期，我在澳門青洲知用中學教書，一天走到海濱，看見祈眞同學和她的小兒女在海邊赤着足捉小螃蟹和撈蜆殼，她點頭微笑地和我招呼。並介紹她的兒女，以後便沒有機會見到她了。她是「良妻賢母」型人物。永遠是那麼慈和。

樸生兄筆下提到滄萍兄（宋詩在廣東那節）在當樸生兄由南洋回到澳門時，滄萍兄曾有一首詩贈他，題爲馬角晤李樸生詩如下：「十年不見心如水，萬里歸來鬢欲霜；豪氣元龍非久困，霸才同甫詎終藏。節移宿酒深深酌，冬至寒花澹澹香，國亂相逢更何日，丈夫猛志早飛揚。」這首詩，我特別在這裏錄出，以免「區區文字曖流亡。」

這本書，用自傳體描述他的生平是成功的；其他的論文，「論事持達」，有方案，有結論，眞不愧是政論家的手筆。

自由談　看南韓的大選

馬五先生

南韓總統李承晚最近表示不願再行連任，拒絕自由黨提名爲下屆總統候選人，理由是年紀太大了。繼而說是總統應由全國人民來選擇，這意思就是要做全國的領袖。如是乎，旬日來許多人民成羣結隊向他請願，要求他非繼續競選不可。既然天與人歸，李老總一定俯從民意，再拚老命，不成問題。

李氏過去爲着要繼當大任而臨時教議員們修改憲法，否則拿辦不曾的那套硬派作風，我總覺得他未免缺乏些政治藝術，太不高雅了。這次的表演卻十分技巧而文致，大有前後判若兩人之感，可見我國諺語所謂「做到老，學到老」之說，蓋有至理存焉。八十高齡的碩漢李承晚先生，也不能不循着這項道理來立身行己，表現民主風格哩！

韓國在目前的情況下，隨時有與俄共集團的侵略勢力短兵相接之可能，假使李老總倦勤高蹈，不在其位，大局隨實危險，因爲南韓尚未聞有能繼承李氏衣鉢，而爲衆望所歸的領導人物。政治上一旦發生青黃不接的狀態，即將陷大局於混亂之境，予共黨以乘弱攻昧的有利時機。李老先生祇好爲國家鞠躬盡瘁，死而後已了！

這是一項嚴重問題：八十歲的老鬥士，時時刻刻可能發生不測的變故，必須未雨綢繆，早爲之所。李氏這次拒絕本黨推戴，而讓全民公舉，這對未來的政治前途，給國人鋪下了一層良好的心理基礎，最要緊還得培養一位適當的後繼人才，有備無患。李老總已由「舍我其誰」的政治風度，進入了「天下爲公」的意境，實爲政治藝術的一大進步，如再及時選賢與能，作育一個堪任艱鉅的「儲貳」，那就是千秋盛業了。

政治家的成敗因素，太上是無私，其次爲政治藝術，最下則爲專尚權謀機詐。明乎此，庶不愧爲偉大的領袖人物矣！

短篇小說　老人與牛

·鍾靈·

他們漸漸轉過山坳了。對面山頭的一棵孤松，又映入老人眼中，使得他止不住全身震慄一下。老牛像摸着主人的心意，一步一步望前邁。這條路是它所熟識的；可不是嗎？，主人常帶它越過這座山頭，走下那條狹窄的山徑，再穿過一處僻靜的濃密的森林，在林蔭中間一塊小小的「盆地」裏玩。

余老爹非常喜愛這「盆地」。這裏環境幽靜，長年生着豐茂的青草，四圍都是樹木，只中間是塊空地，望上去一片藍天，毫無遮蔽。因爲它位在山間，不會灘水；由外面看去，又不暴露，余老爹早把它看作理想的墳地。沒有人知道他有這個心願，除了常隨他來此的老牛：

……

沒多久，他們便都站立在「盆地」裏了。老牛會饞地嗅着芳香的草，咀嚼得怪有味的，一絲一絲白色的唾沫，順嘴角流下來。老人發一會呆，滿眼含淚，痛苦地拍拍它的臉頰說：「小東西，現在讓你吃個痛快吧！」

……

大概是中午了，整個「盆地」灑飽了陽光，把青草兒曬成金黃色，一閃一閃的，和牛身上那柔潤發亮的黃毛，一樣的發光。老人看花了眼，陡的，心中一動，久不見的笑影在他臉上湧現了。

他高興地走過去，緊緊摟住牛頸子，激動地說：「小東西，我不殺你了。好好的就住在這兒吧，青草兒够你吃的了。」接着，又鄭重地：「可千萬別走回村子，當心敵兵宰了你！我很快就會回鳳仔村的，就當我們爺兒倆暫時別過了……」他又和它親熱了一陣，就含着眼淚，穿林子出去。途中，他扳斷了幾竿竹子，在一個路口，把竹竿打橫綁在兩株樹木中間，這樣子，牛就是想回村子，也不容易通過了。……

下午六點鐘，鳳仔村快燒成平地了，泊在河岸的那隻船，已掛上風帆，等候出發。

但是，人還沒有到齊——誰都來了，就差個余老爹！

年輕人焦急地跳上岸，一會兒，又匆匆由村子裏回來，嘴裏埋怨：「眞是怪，全村都跑遍了，連影子也不見！」

船上人都就着心，一會兒看看河水，一會兒看看村那邊。

天一陣黑一陣，船身一前一後地微漾着，伴着那汩汩水聲，瞧樣子是無法再等了；如果再等下去，船開不成，明天敵兵來了怎麼辦？

年輕人朝村裏投下最後的一瞥，才嘆聲氣，解了纜，船鼓着帆開走了（二）

梅香

刁抱石

徹夜身心不得閒。夢魂跨海到家山。梅花暗報春消息。香在潮聲月影間。

元宵

元宵簫鼓抑沉哀。孤抱居然得好開。一片童心燈裏現。太平天下夢中來。

奇風異俗話苗區

·秦思源·

每當遇有冤抑爭執的事，一定要去告廟誓神，一經喫血，遂即了事。按三王廟僅於湘西及貴州有之，尤以乾城（湘西境內，即今中共設苗區自治政府所在地）的雅溪三王廟爲最大；但三王事蹟，傳說紛紜，莫衷一是，有謂爲漢朝竹王三郎神；有說是漢朝馬伏波將軍昔乘白馬征苗，土人敬而祀之；有謂係靖州七人平苗有功；又說是南宋時雅溪楊姓女浣於溪，因感懷孕，生三子，依母爲姓，長大後，英勇而且有神力，以三十六人殺苗九千，後爲天子所知，召賜鴆酒毒死，苗人敬畏祭祀之；以上諸說，都不足憑信，要之是與苗民有深切關係，可以斷言。

另有一種蹇龍的祀典，即客民謝土之意，用白母猪花犢猪各一頭，小犢猪二頭，白鷄二隻，堂中遍懸綵紙，巫師延請五方神祇，鼓鑼齊鳴，炮聲震天，親友來賀，必盛服從事，日在午，主婦戴銀質我冠（重數十兩，專爲接龍而戴），衣錦繡及百摺花裙，偕巫師赴井接龍，衆客隨其後，主人恭候門外，待其歸，以吉語與主婦互相問答，事畢，以硃砂與酒盛器中，另以銀鐶之，掛於堂中，以安龍神。

上述祭祖先、祭三王、蹇龍神等祀典，均不足爲奇；惟其古時極爲盛行的椎牛祭神，誠爲苗族中一每十一度的大祀典。每當十月農畢，先以小犢猪二頭祭財神。十三日後，復以花尾黃牯一頭祭大財神，然後以白黑水牯各一，黃牯一，自餵大母豬一，小豬二，擇日宰殺，約會親友鄉鄰。屆期男女畢至，少長咸集，結棚於寨外，主客皆盛服冶容，鄭重將事，賓主互相燃放炮仗，表示賀意。祭時，緊牯牛於花柱上，主人揖其舅而授以矛，舅還拜受矛，揖拜四方，舉矛刺牛，餘則按序刺牛，旁一人持水隨所刺而潑，不使血淋於地，牛被刺仆倒，視其首之所向以卜休咎，如首向其室，則大家談笑相慶，以爲眞有其鬼來格來歆了。否則，衆皆悵然不樂，似乎遭遇了一件不痛快的禍事。此時的苗巫，鳴鑼誦咒，各敲鼓、鳴金、吹角、掌號、燒柴以祭。

祭畢，以一腿遺先祭的舅，稱之爲背腿，餘皆懸諸室內。另烹他牛，置酒款客，使苗族中美而善歌的男女，衣華服，戴折角巾，擊鼓爲戲，名曰跳猴兒鼓。其法一人執木棒擊鼓腰，男女各執短杵，左右旋繞，跳擊而歌；其名有美女梳頭，霸王舉鼎，古樹盤根及挖耳等。舉手頓足，疾徐應節。歌罷，男女雜坐，歡呼暢飮，戲謔談笑，無所不至！甚有相悅而爲桑間濮上的事，亦百無禁忌。這大概是：樂極而流於無禮，是無法避免吧！

涵濡以還，民國初肇，執政當局，對苗族一視同仁，不僅打破了已往苗漢民族間的畛域觀念，且爲苗胞帶來了無限溫暖。乃不幸大陸陷於中共之手，而無辜苗民，幽禁於中共「民族政策」的欺騙下，又重遭浩刼啊！（續完）

同光風雲錄

張佩綸（下）

鶼鶼鰈鰈優遊鷗園

婚後，莊台畫眉，綺閣門韻，情好日篤。蓋文字知己，復經困阻而後成婚，故非尋常伉儷所能比擬者。惟合肥兩子，俱與幼樵不睦，動欲設法逐幼樵出相府。時樊增祥過津門，嘗上張之洞書云：『受業過津，與樊潤傾談兩日，渠雖居甥館，迹近幽囚，且郎舅又不相和，不婚，猶可望合肥援手，今在避親之列，……絕可憐也！』未幾，合肥兩子，密託天津海關道，轉請御史端良劾幼樵，以其居北洋幕中，妄干公事爲詞。幼樵不得已，攜眷移南京，買故靖逆侯張勇之邸爲宅，易其名曰：『訓鷗園』。即今國民政府立法院所在地，南京市人所謂侯府者也。

[illegible]不任之洞悼舊友

甲午戰後，合肥奉旨爲全權大臣，清廷追憶幼樵才幹，乃詔以翰林院編修佐辦和談，幼樵立刻具呈兩江總督劉坤一代奏委婉陳詞，請收回成命。迨，中日和議既成，合肥念及其婿，懷才未展，於保案中加其姓名，朝旨以四品京堂起用，亦婉辭不就。張之洞繼督兩江，深知西太后憎惡幼樵，爲避免嫌疑計，曾派人向幼樵示意，須爲修理蘇州拙政園，請移家焉。幼樵怒曰：『我固彼議之人，奈何南京亦不容我住？他不來看我，隨他！』之洞乃微服過訪，談往事，大哭而別。

越年，幼樵物化，之洞又過其園，即園中六朝松賦詩云：『邇誰江國伴潛夫，對舞蟠龍入畫圖。憐汝支離經六代，此心應爲主人枯。』悼舊情深，溢於言表，『一生一死，交情乃見。』非今日功利之徒，所能瞭解也。

奏摺書札傳後世

幼樵命途多舛、坎坷以歿，而其學問淵博，實足與之洞並駕。其奏議中，有劾王文韶一摺，凡三上，西后不爲所動，最後以示文韶，文韶自請罷免。迨其繼督直隸，見文卷中有幼樵手稿，自嘆愧對不已。

幼樵本有書癖，避地南京後，得夫人奩金，購買更富，舉凡宋元善本，幾無不備。畢生致力晉書，擅奏議，文詞卓犖，怪峭盡致，最長痛揭官吏情弊，使其生今日，對於十官九貪之怪現象，不知作何語？彼不惟工奏議，即小簡短文，亦復不苟，字宗山谷，饒有風致。武進惲文簡公得其手帖，輒翻印以訓子孫，其見重於時人有如此。（十三）

夢山樓

台灣文壇　周均亮　文如其人

在自由中國有幾個頗夠文藝味的雜誌，如「暢流」半月刊，「晨光」和「自由談」月刊，經常見有署名「均亮」其人的文章，他那「小人物雜記」，凡是喜愛瀏覽雜誌刊物，對它特具欣賞，他那充滿「人情味」的諷世筆調，眞個喜笑怒駡都成絕妙的下酒佳品。

均亮湖北人，早年在武漢民報編過副刊，他的眞實姓名是周君亮，不太高長的個兒，配上一顆大腦袋，加上一副五嶽朝天式的面貌，再添上那幾句「你家」「麼事」的湖北佬腔調，在他那靈牙利齒的配合下，天上地下，飛走跳礮，尤其關于娘兒們的事，才夠聽的人飄然欲仙。對于穿着，他不甚講求，那套比「理髮匠」不如的單吊西，一雙色澤黯暗而且泥濘斑斑的皮鞋，看來像名士也似「差利卓伯靈」。他的文章，一如其人，夠稱得上一個「俗不傷雅」「樂而不淫」的評語，任你有「如喪考妣」的哀感，讀了他的文章，包管你要「忍俊不禁」的肚裏「暗」笑，縱然你恰巧和他筆下寫的那些個不免賭合，你也只能賭駡「缺德」之後笑他一笑了事。

他在漢口辦報時，因見知于張岳軍，由湖北省政府的科秘，一直榮升至四川行營的秘書長，張在昆明那場風險中，均亮是他唯一的同難伙伴，來台灣後，也始終不離張氏左右，不過張任總統府秘書長後，他卻未進總統府任職，有人說他「另有高就」，似乎是在某一個財經機構獨當「牛」面幹一個二流首長，油水好像比在總統府好些。也有人說，他的文筆，不適宜于宮庭館閣之用，所以張氏就沒有帶他進總統府。其實這是「皮相」之談；就我所知，他對于典謨訓誥之類，也頗精而且工，寫一點兒「伏維聖鑒」「敬乞鈞裁」，決不致小有「罣誤」的。

。易與。

自由人

THE FREEMAN

（第五二六期）

中華民國僑務委員會
登記證台教新字第一一二號
中華郵政台字第五○○號
執照登記爲第一類新聞紙類
（半週刊每星期三六出版）
每份港幣壹毫
台北市價台幣壹元
督印人：陳文華
地址：香港高士威道二十號四樓
3 rd. fl. 20 CAUSEWAY RD HONG KONG
香港發行及事務接洽
高士打道66號　電話：七四○五三
承印者：東南印務出版社
地址：高士打道六十四號
海外總經銷
友聯書報發行公司
香港：德輔道中二十六號A二樓
台灣特派員辦事處
台北市館前街五十號
台灣總經銷處
台北市西寧南路壹壹零號二樓
台郵儲金戶九二五二

論教育部兩項新辦法 切勿廢壞自由考試之制！

·胡秋原·

台灣教育，有相當基礎與規模。現主持教育者，亦一時碩彥，方銳意興革。縱一時有所未周，必有特別之困難。月來常聞教育部將有小學生免試分區入中學之說。我想此或少數人之要求，必爲執事者所不取。乃日前報載兩實施方案，不覺嘆息：此古今中外所無之事！

廢考試非救濟之道

查國校畢業生免試升學初中實施方案，唯一理由，即「中學數量不足，升學困難，發生劇烈競爭，相率從事惡性補習，戕賊兒童健康」云。鄙意所謂「惡性補習」現象之發生，一由於中學太少，一由於小學未盡善（學問之道，由小至大，無非日積月累之功，教學有方，無須惡性補習，自能應試）。救濟之道，不外增設中學，改善小學；非可訴諸免試分區。

考試者，吾國數千年取士用士之道。考試未必能定優劣，然除此之外，亦無他途。在昔窮鄉僻壤子弟，賴此自見。此實機會均等之競爭，故數千年帝王之國，賴此而有開明民主之風。各國亦倣行之。至各級學校考試，尤今日任何國家皆然。以考試定進退，平時所以勵士，失者亦可無怨。且不經考試甄別程度，根本無從施教。雖流弊不免，問題在考試之內容與方法，未可因噎廢食。教部所舉志願升中學者之數字與可能容受之數字是否精確且不論，然免試升學之結果，只足以使小學生一入校門即爲中學畢業生。欲中學生水準之不降低，不可得也。又報載尚有高中畢業會考辦法，此種會考，同時是一切文武職業高等學校之入學考試。世界有無此種辦法且不論，然畢竟是受高等教育者須經考試。而由初中入高中，未聞可以免試，當亦經考試。然則獨不畏免試入中學之學生，將來爲投考高中從事更可怕之「惡性補習」，「戕害『青年』健康」？今日小學生不能考入中學，誠多煩言。然將來之中學生不能入高中時，又將來高等學校學生水準不足時，恐大家要悔當初不愼之於始了。

應使普及提高並行

今姑承認此一辦法係出於延長義務教育之至意。政府有此決心，有此財力，自是極好之事。但中學既云將增設矣，何必限制學生只能就地升學？所謂現代統一國家，即其一國之內自由來往居住考試於國境之內之意。在今日法治國家，如有人竟禁止甲地學生投考乙地學校，其人必受控告無疑。所謂免試分區升學辦法，就今日言，無非將現在國民學校再延長三年，稱爲中學。同時，無非禁止外縣之學生入台南台中台北考試升學。更具體言，即欲使台北市中學爲台北市居民子弟之勢力範圍，且可免試升學。不然此一辦法，何所取義？然家長因生活不能不有遷移，此辦法必使其父子分離而後可。又父母之爲子女擇學校，亦猶持錢買物，量其子女之程度，考得較好之學校。此天下父母之心。同時，學生擇學校，學校固亦擇學生。今日辦得較好之學校，固有其他條件，亦其入學試驗較嚴格。兩相選擇，學校始有進步；即辦得較差之學校，程度較差之學生，亦因得有取法，自謀進步。照教部辦法，今後各縣市之兒童，只能進當地延長三年之中學，好也是這個學校，壞也是這個學校。而就各學校而言，好也是那些學生，壞也是那些學生。結果所至，無非使各縣市之中學，降至小學水準；而今日辦得較好之中學，不會認眞亦難於認眞而已。教育之道，必使普及提高二者並行，而普及與提高一事，是相輔相成的。我實在想不出延長義務教育，必須採取免試分區手段之理由。

新制有違憲法精神

今日台灣彈丸之地，還要分區。推此辦法於大陸，豈不要變成萬國之局？這是與憲法以及現代統一國家基本原理衝突的。我還要極老實的說一句話：在美國這種國家，工業高度發達，國民生活亦非常標準化，民主政治已有健全基礎，也許考試是可廢的。在中國，如果將教育上自由競爭之考試制度取消，那是閉塞民主源泉。所以教育當局不可剝奪國民子弟自由考試之權，開學校廢除考試之例（今共奸廢除筆試，廢除入學試驗，僅有口試，僅有分發，各國訪問者詫爲怪事），行分區入學之法。這不合我國傳統，也不合現代國家大義。事如必要，不拘常道。但第一，教育之事，只有照常道，無新奇辦法可言的。第二，我們要問：何以爲了延長義務教育，即須行免試分區升學的方法？除非教部能證明考試和不分區即妨害義務教育延長，我們便有權請求教部再考慮這兩項辦法。

新制仿美不合國情

細看兩項辦法，是完全不顧過去「大學法」，「中學法」，「國民學校法」。將換其用意，可說是將國家教育制度變爲兩級制。教育部對此却不說明。也許有人以爲，教部的辦法，很像美國。最可自豪的公立學校（PUBLIC SCHOOL）制，而美國公立學校制度，即一種二級制。但我們的情形固不同於美國，而美國制度亦非兩級。安諾德以後，沒有人主張兩級制的。美國根本無教育部，教育由各州辦理，情形各不相同。他們的公立學校，大多包括幼稚園，有的還包括大學預科，一律免費。但教育程序總歸三級。基本教育（即國民教育）總在六年左右。此後課程不同。而在第五或第六年，必經一初步考試。各國學制多因國家需要，逐漸演變而來。我國學制，先抄日本，後抄美國。不問別人何以如此之條件，又誤解「迎頭趕上」之說，照別人最新的辦法模做。今天的學制，是有問題，應該改革，這是許多人業已提出的。又以今日國家當前需要而言，我們應該擴充職業教育，和軍事教育，這也是毫無問題的。但有三個問題亦必須注意。一是法律問題。舊法之廢，新法之立，似均應有一定程序。不遽以部令公布，此端不可開。二是準備問題。一切改制，必先準備其條件。各國學制之變更，大抵在謀教育之普及與提高，而事前除經費問題外，必先訓練新的師資。

（下轉第二版）

海外通訊

吳廷琰徒步投票—— 自由越南大選完成

我代表團在越有成就 僑胞對該團亦有期望

文甦

（本報西貢航訊）舉世矚目，宣傳已久，具有歷史性的越南制憲國會，於三月四日經全民投票產生，新國會議員並定於本月十四日在西貢市政廳召開第一次會議，據越新社八日公佈經全民投票選出的議員共爲一二三人，以地域分列計：南越六十三名，中越三十九人，中越高山區九名，南撤難僑十二名。如按黨派分列，則：

國家革命運動黨	五十八名
無黨派（傾向革命運動黨者）	八人
公民集團	十八名
勤勞人爲黨	四名
無黨派（傾向勤勞人爲黨者）	六人
爭取及維護自由運動的	七人
民社黨	二人
大越黨	一人
無黨派（獨立）人士	十九人

越共破壞計不得逞

在這次選舉中最值得注意的，就是共產黨陰謀活動的完全失敗。它是失敗在眞正的民主自由的選舉下。這證明打擊共產黨最有效的方法也就是民主自由。如衆所週知，自從越南國會普選之諭令公佈後，越共對此甚表憂慮，曾千方百計設法製造謠言，促使市民徬徨；企圖從中破壞，三月三日越共曾唆使一名十歲孩童和一位青年在馬路散發傳單，當即被捕移交警局，另有據知棋棋縣丐過學校阮志壽校長主持棋棋投票時，曾遭暗算。但就全面情況言，越共並沒有力量能達到阻止人民投票的目的。這不僅是南越政府防範領導的成功，主要的在於人民對共黨已有了明顯的認識，因此越共部份的騷擾選舉運動，徒然增加人民對它的痛恨。

吳廷琰在三月四日的選舉日爲盡其公民的責任，於十一時五十分，摒棄一切侍衛，徒步前往設於總統府傍邊之植物公園內投票處投下神聖的一票。

記者團在越的成就

自由越南爲增強世界各國對選舉的認識，新聞部特邀請各國記者來越採訪觀察。因此，在三月二日新聞部兼青年部部長陳正誠部長的茶會上出現了世界各國的記者達一百數十人之多。陳氏並即席將各國代表單位一一在麥克風前加以介紹，使各國記者得到相互認識，此舉確有相當意義。其中在介紹我中央社社長曾虛白團長及團員，聯合報董事范鶴言，中央日報秘書黎世芬及顧問（行政院新聞局編審）丁懸時先生等時，最受人注意。經此介紹後，這幾位先生卻首先成爲被訪問的對象，尤其是東南亞各國代表，對自由中國的政治經濟……等最爲關心。這實在爲國民外交宣傳的一個最好機會。

這次我記者團除應越方邀請參觀三月四日國會議員大選外，並藉此機會答謝越南報界去年訪台之行。但該團更重要的任務，則在奠定中越新聞工作合作的基礎，如越新社及中央社電訊稿之互譯爲英文拍發，再轉譯成本國文字送給當地報社刊用，即爲一實例。其次僑胞熱烈地歡迎他們，是因爲他們不僅是我國文化界鬥士，也是政府的代表，希望自由中國記者代表團將僑胞一片誠意帶回去傳達給自由中國朝野，並將他們在越十天所見所聞以及僑社人士請求政府改革僑務等事項，一一向有關當局報告。

此間僑界特別對該團感到親切的，是因爲他們不純粹代表官方，希望他們不要像過去有些代表團來越之後除了盡作應酬和出了自己的風頭外，而不知其工作任務之重要，所以僑社人士，希望能經由他們，代達眞正的民意。

在同一時期抵達越南的，除記者代表團外，還有一個代表團値得一述的：一是方從印度與俄帝打經濟戰凱旋歸來，專程訪問此一亞洲新興共和國的我國出席聯合國亞洲及遠東經濟委員會第十二屆大會的代表團陳濟文，李國鼎等先生。他們是在二月廿八日飛抵西貢的，靜靜地作了一星期的考察和訪問，並與有關方面交換了意見，爲中越經濟合作舖好了一條大路。另一個插曲就是應越南青商會之邀訪越的李麗華與嚴俊亦於三月一日抵達西貢，參加爲中越二國遭受共黨迫害南下之難民所博愛醫院籌款的博覽會，在籌募賑款時，李麗華主持拍賣籃球，由李良臣夫人以十一萬五千元越幣的最高價買得，一時僑社傳爲美談！（三月八日寄）

時事述評

司馬璐

焦頭爛額

約且事件，塞島事件，北非的動亂等等，凡是一切屬于自由世界內部的不愉快的事件，敵人都在注視，有所期待。倫敦的泰晤士報說，美國在中東的政策和英國作對；前英國工黨領袖艾德禮在上院說，美國眼看英國在中東獨自掙扎，坐視不救，未免太不夠朋友了。阿爾及利亞總算與美國的關係最少的了，但是法國人在北非的失敗，也要把一股怨氣出在美國頭上，前不久有一美國新聞記者訪問北非，法國人一怒之下，竟要把他驅逐。不去正視北非土著領袖問題的本質，斬斷外來的禍根，弄到焦頭爛額的時候，盡尋自己人出氣，這是好漢嗎？這些發展又正是自由世界的敵人感到興趣的。

自由世界「內戰」

敵人的期待是，由這些事件，動亂，演變成一場大戰。因爲假定如此，這就是一場自由世界的「內戰」了。

敵人用什麼方法製造自由世界的「內戰」呢？一個是民族挑撥，一個是人民陣綫。最近的希臘大選中，人民陣綫的口號，戰後首次出現在希臘，反共的執政黨，僅以極微的多數獲得勝利。法國今天執政的社會黨，他們雖然拒絕了與共黨共同組織人民陣綫，但摩萊在執行政策上，顯然是相當考慮到在國會中取得共黨的支持，因此法國社會黨和共黨之間，也隱然有個影子的「人民陣綫」！

共黨兩套政策

共黨以民族挑撥和人民陣綫兩套政策，製造自由世界的「內戰」，法國是一個最典型的例子。他們對阿爾及利亞人說，共產黨是反對殖民政策和民族壓迫的，但同時法國國會又支持這個主張對北非「叛徒」強硬的社會黨政府。這就是說，法國共產黨一方面鼓動北非的民族主義者反對法國；一方面他們又支持法國的殖民主義者掃蕩北非。因此，法國的共產黨，既忠實的執行着世界革命的政策；又是法國的「愛國者」。蘇俄說，他們願和所有的國家「和平共存」；但是，自由世界的「內戰」，共黨從內部顚覆自由世界，他們就不能負責了。但是，埃及的軍火又是從捷克運去的。

對策有幾套

敵人每樣事都有兩套政策，我們的對策有多少套呢？

我們也有兩套：一套是冰箱，一套是算盤。我們的冰箱專門用來收藏在自由世界中被認爲有理念有正義性的東西。共和黨初上台提出的「解放政策」，曾經鼓舞了整個世界，這一寶，我們卻放在冰箱裏。艾宣言，也曾帶給人們以新的希望，這一寶，又放進冰箱裏去了。我們今天耳邊聽到的是一片算盤聲，算盤在支配和指導自由世界的政策。算盤本來沒有什麼不好，壞在打算盤的人，整天埋在算盤珠中間，計算蠅頭小利，結果却在全盤上失算。

我們的算盤

我們的算盤政策，試以中東爲例：中東問題，不僅英美之間不易產生完全一致的政策，甚至在美國內部也很難一致的；原因是一部分美國與中東有利害關係的石油商人是一個算法；一部分與以色列關係密切的猶太大亨又是一個算法，因而也就產生了美國對中東舉棋不定的政策。也可以說沒有政策。今天自由世界的防禦綫，像大西洋公約，已經被挖開牆角，算盤實在盡了它的功，敵人把我們的弱點看得很清楚，他們以蠅頭小利分化我們，通商呀，貿易呀，小算盤本來是不足道的，竟把我們一些人扯得團團轉，（大政策）竟跟在小算盤（蠅頭小利）後面走。

唯攻與科學

——爲自由人五週年紀念而作——

（補登）

·陳孝威·

（一）

自由中國，退處台島，六載以還，雖臥薪嘗膽，不讓前賢，而因時格勢禁，猶停滯於待機待時之階段。今後復國建國之道，雖頭緒萬端，余敢貫一言：惟唯攻與科學而已。蓋唯攻爲復國之不二法門，而科學爲建國一切之始基，只有唯攻才能促進科學之進步，亦只有科學才能加強唯攻之實現，唯攻與科學之不可分，有如此者。

當自由中國退處台澎之初，亟亟焉惟求自保，迄於今日，陸海空軍戰力，雖維持國軍自抵台澎以還空前之強大，甚至訓練裝備，亦與日俱強。惟因中共之所憑藉之土地人口資源兵力，大過於自由中國若干十倍，而背後之俄國對於中共之驅使爲四出侵掠者也，相形之下，衆寡判然！然寡固可以勝衆者。顧非挾唯攻主義以臨政治外交軍事經濟文化諸部門，則不足以臻此矣。

世只知攻擊爲防禦最大之利器。兵法有云：攻其無備，出其不意。又曰：善用兵者，致人而不致於人。又曰：形人而我無形，則我專而敵分，我專爲一，敵分爲十，是以十攻其一也，則我衆敵寡，能以衆擊寡，則吾之所與戰者約矣。凡茲所云，皆指軍事唯攻而言。當韓戰達於最高潮之際，是爲我中華民國國軍乘弱搗虛登陸反攻惟一最有利之時機。自板門店簽定休戰協定，軍以原子僵局出現，地方性戰爭，雖仍不得免。但因地方性戰爭如不受控制，可能導致核子戰爭，而此核子戰爭，可使美蘇二國同歸於毀滅。于是各有顧忌，而軍事相持，或有一段較長時間。非以唯攻主義，萃其鋒，蓄其銳，可能因安全感之錯覺，而使前線後方一夕之間化爲丘墟者也，可不戒者哉！

（二）

況古往今來，以寡勝衆，以弱擊強，政有在於軍事之先者也。勾踐沼吳，雖憑越甲。顧十年生聚，十年教訓。以今之術語釋之，乃經濟攻勢與文教攻勢爲其礎基者焉。蜀漢劉備用諸葛公之謀略，東連吳國，以抗曹操，故南有赤壁之捷，非勝於勝之日，乃已勝於定計聯吳之時。以今之術語釋之，乃外交攻勢之戰果耳。東晉謝安以疲敝之衆，當秦苻堅投鞭可以斷流之師，而有淝水之捷者何也？乃因晉雖偏安江左，然正朔相承，君臣和睦，上下一體。秦之謀士王猛臨終遺言，早知其不可以圖，而苻堅不聽其遺言而喪師，固其宜也。以今之術語釋之，謝安實得政治攻勢之三昧，而淝水之捷，乃其自然勝果耳。

綜合越、蜀、晉三者中興史乘，無一而非以少許勝多許，軍事不過一幌而已。越之經濟攻勢文教攻勢，蜀漢之外交攻勢，東晉之政治攻勢，實爲致勝之眞因，不幸爲軍事所遮掩而已。

今者中華民國，因中美共同防禦條約限制之下，而陷於守勢，甚至求攻勢防禦而不可得，不能謂非軍事上之缺點。然共黨獨裁者日惟侵略是尚，所犯不可饒恕之錯誤，隨處可拾而得。只要中華民國上下不以台澎安全感自滿，外則聯合與國，內則動員全民，挾唯攻主義以臨政治外交軍事經濟文化諸部門，復國中興，可立而待。

（三）

強權必將消滅，正義終將發揚，能唯攻始免坐斃。復國中興，亦無人可以懷疑定有此一日。但挾唯攻主義以臨政治外交軍事經濟文化等部門，非仗科學之力，在今日不易收事半而功百倍之效。而復國中興之後，不藉科學之力，更將無以爲繼，安能與世爭衡？邱吉爾爵士退休以後，優遊林下，幾與政治絕緣，猶以自由世界科學之未能充分發展，深致其憂慮。邱翁以爲蘇聯之所以不敢孤注一擲，僅憚于美國原子彈存儲之豐，一旦戰作，莫斯科將於俄頃間化爲灰燼耳。當第二次大戰之後，蘇聯進入德境，首先搶運者爲科學家與試驗所。迨英美法繼之而起，德國最優秀之科學人才，早已杳如黃鶴。蘇俄今日乃以核子武器、飛彈、噴射機等，藉德國科學家之不斷改進與發明，始敢與自由世界分庭抗禮，始敢大言征服世界，前例具在，可以覆按。

以英美科學之進步，美國以人才寥落爲慮。而英國亦已有今後十年間培養大量科學人才之計劃。如我國者，猶停滯於農業與手工業時代，爲復國計，爲建國計，亦爲下一代青年着想，嗣後教育方針，應以「致知格物」爲中心思想，如何趕得上現代科學，更進而研究征服大自然，向太空發展，使人人有「殺一不辜而有天下不爲也」之氣概，共黨嗜殺成性，將無所容於天地之間，清肅可操左券。抗戰與戡亂慘痛之教訓，自將永不再見。然非唯攻與科學並重，無以致之，世之有志復國建國者，其可忽乎哉！

論教育部兩項新辦法

（上接第一版）

教部不先準備師資，即準備擴充中學，非實事求是之道。三是方法之效果問題。無論爲了延長義務教育，擴充職業教育，軍事教育，或者爲了鼓勵青年多入職業學校，軍事學校，少入普通學校，應針對原因，採取合理途徑，而今日兩個辦法，是都不能達到目的的。而由於今日就國民學校延長的方法只足以降低中學生水準，將來職校軍校學生水準亦必是不滿人意的。

或謂輿論固甚表贊成矣，家長且表感激矣。人情莫不樂簡易。如簡字之說是。子弟可以不考而入中學，初聞之，似乎甚好。然不願自誤其子弟者，必甯有攷試督責，而不願有直升而不考試之易事。而教育者，多少是一專門性之事。所謂輿論，亦當多聽聽優良教師，辦教育尤其是中等教育有經驗者，以及各方家長乃至優良學生之意見，而不是報紙上道一見風同之輿論。

徒務虛名不求實際

還有這些情形，也值得注意。今日小學中學皆有人滿之患。小學稱爲義務，學生額外負擔並不很輕。其中有甚本設備不足者。至於公立中學，好多師資設備，都有問題。又今日大專學生負擔已經不輕，而學生過去每年必有制服費，及如此之類之費。一方面是對現有小學中學尚未能普遍整頓充實，一方面又談延長義務教育。一面是希望減少國民負擔，一面是增加學生不必要負擔。這都是很矛盾的。又今日許多學院專科紛紛改爲大學或請求改爲大學。將來所謂中學者又大概是將小學延長三年即是。我想，教育是不好如此只求虛名和形式的。

國家至於今日，原因固多，探原追本，還是人才問題。國家至於今日，失策之處固多，而失事之最大者，莫過於常徒務虛名，不求實際，或因急急忙忙應付一時需要，而不注意循正常道路，解決所以然根本問題。故今日政府播遷台灣，一切尚可不好，唯教育不容不好。一切尚可不認眞，唯百年大計不容不認眞。作育後民，蔚爲大器，是國命一綫生機之所在。今日大事，除了研究和準備學制之改革外，是將現有各級學校——由小學至大學——在設備，師資，待遇，課程各方面，力求提高水準與合理化。尤其要使今日各級爲人師者，都能不僅勝任，尤能專心致意於所業，有以道自任之精神。如中學數量不足，政府量力增辦少數名符其實之中學，此外獎勵有成績之私立中學，助其擴充。如果要擴充職業學校或擴張軍事學校學生名額，亦當保持現在普通中學水準使其提高而不下降，同時充實及整理現在職業學校軍事學校教學方法，並改善其出校以後待遇之道。這才是正當合理途徑。而照現在教育部所宣佈兩項辦法，結果所至，小則必生各種糾紛，大則且使現在還算不錯的一點基礎和水準不能保持，且逐漸趨於敗壞。這決非當局之本意。現在主持教育行政，以及參加這兩個方案討論的諸位研究委員先生，都是辦教育多年的人，我希望而且相信，大家一定能以最大的責任心，對國家和教育的前途，多加考慮。國家命脈和生機實在下一代。而中學是教育的基礎。一綫國脈在諸位先生之手。大家是不會操切、草率、含糊的。

義務教育的糾正

今天教育部兩項方案各有贊成反對之人。不過有人以爲教育部小學免試入初中即爲延長義務教育，且與美國相比，則事實不可不辯。所謂義務教育年限，不是國家盡義務免費供給教育多少年，而是家長對於子女，在一定年齡之內，有使受教育之義務，不能使其作工。否則，便是犯法。其次，成人教育不足者，國家應補充其教育，主要目的在消滅文盲。沒有錢怎麼辦呢？在美國，先按各人財力將錢出夠，然後設立教育基金，學校一律免費（即公立學校制）。在其他國家，有錢出錢，無錢免費。在我國，有錢無錢，一律免費，由國家負担。然所謂國家，又是誰負担呢？

不一定是眞正公平的。我想今日政府未必有此充裕財力多担負三年之免費教育，即有此財力，無論爲了教育或其他，還有更急切用途。例如軍人及公教人員之生活改善，成人補習教育推行，擴大增加清寒而成績優良子弟升入中學乃至大學助學金獎學金之數額與範圍，較對一切有錢無錢者子弟一律多負担三年免費教育，更爲重要。

美國公立學校，大體上爲八年。其高中爲四年。但本世紀來，由八——四制變爲六——三——三制。並非小學初中不分之意。世界上無小學中學不分之辦法的。此六——三——三制與我國今日相同，也可說我們是學的美國的。今日改制之另一意義，只是將六——三——三變爲九——三。還未免太不顧各國已有的經驗了。

貌似美制不足爲訓

各國所謂學校考試，可說有三種：通過性的，競爭性的，測驗性的。主持考試者，有考試團體與學校兩種。各國考試團體之考試是減少了。在美國，由於國富，由於學校之多，豈僅大學有免試的，而且有免費的。但這不是一般的情形。由於中學之多，競爭性的考試不像歐洲；但由小學到初中，學校測驗性之考試不僅是舉行的，而且是很專門的。

我們學美國。此在學其精神、經驗、長處，不是貌似。我們不但國富不同，有很難學者；官吏與人民的民主習慣不同，有不便學者，尤其是他的短處，更是不可學者。照去年美國『ALMANAC』的教育統計，各州小學。

（下轉第四版）

愈陳愈香的吳鐵老

·李樸生·

鐵城逝世已三年，三月九日是他的六九壽誕，有不少朋友不期然而然的到吳幼林先生（鐵老長子）家裏致祭。

鐵老生前也許不會使人家這樣地懷思，並且有人提倡過『打鐵運動』。他逝世後，我們在人與人間減少了一陣春風的吹拂，使感恩念德的人，以及和他共過事甚或反對過他的人，注意衡量國中，像鐵老那種恢宏打天下的氣概，樂意提拔人才的熱情，確認爲是了不起的！

四十三年的春天，甘乃光先生從澳洲回國參加國民代表大會，我們同在仁愛路三八巷五號鐵老的故居致祭。甘先生見到他的遺容，摩撫遺物，不禁泫然流涕。甘先生是我們朋友中，一位著名頭腦冷靜的人，我跟他做事很多年，從沒有見過他流眼淚。

同年的夏天，我到紐約，梁聲泰兄和我談到鐵老拔介他到美洲日報，談到鐵老追悼會的動人場面。（梁兄是現任中華會館的主席，美洲日報的主筆。爲僑胞服務不少，是當時期，中央派出的一位特出的人物。）我到華盛頓，周爾熾兄（駐美大使館秘書，西貢已相識的老友，開車帶我游林肯紀念堂，又談及鐵老。他說紐約僑胞舉行追悼會時，他專誠去參加。我問他受過鐵老什麼恩惠？他說沒有。只因抗戰期間尹鳳藻兄在西貢領事任內，指導抗日運動甚努力，日軍佔越南，便拘尹在集中營，爾熾兄在重慶，爲營救尹兄，再三簽請，而毛管司不予理會。他沒有辦法，便寫信給鐵老，並親謁鐵老。鐵老一口便答應他辦，馬上打電話給傅次長秉常。結果救出尹兄。再支持尹兄復任西貢總領事。他佩服鐵老對于一位在危難中的同志，能够迅速使義相助。對于一位科員級，年青青的同志意見，能够加以重視。他說，有這樣精神，纔是眞正黨的領導者！

前兩個月，有印尼，緬甸回台的僑胞郭美丞，吳管書先生等特到鐵老的墓上致祭。更前一些時候，蔣賜福先生自古巴回，也特到鐵老的墓上獻花。大抵從海外回國的僑胞，凡是識得鐵老的，免不了要到他的墓上低徊想念。在我政府裏，功業比鐵老大的，有人；權力比鐵老大的更有人；然而他特別繫人的思念，是他對人的寬厚有熱情，親切堪回味，所以不會『當時則榮，沒則已焉』。他在朋友及僚屬的情感上，像花雕酒一樣，愈陳愈香，愈久愈醇！

共產匪徒現正用全力去清算史太林，撤掉他們『親愛的鋼』，我們却對曾經『打鐵運動』的鐵老！時時有無限的低徊想念。一個政治人物的價值不在他的地位，不在他的權力，而在其政策的本身對人類及對國家是否有眞實的利益？至其對人，對同志的態度是否眞心誠懇，是否把人，把同志看作奪取權力，鞏固權力的工具，而抹煞其人格的尊嚴——只有使用工具的意思，完全沒有心靈的接觸，更是判斷這個暴君或惡霸在國民的心中，在同志的心中，有沒有長久的地位。共產黨徒把人不當作人，把人當作工具，正如廣東諺語所謂『酸薑竹』，用了就丟。人人成爲『酸薑竹』，此共產黨徒所以天天清算，人人鬥爭，極而至今日他們『親愛的鋼』，『永恆的太陽』的史太林也被貶當日一手提拔做清算鬥爭工具的赫魯歇夫，米高揚翻清算鬥爭了。毛澤東，周恩來等一面倒的工具，自然隨時都可以被清算、被鬥爭了！我不相信人類的智慧到原子時代，人類的心靈却會認爲這樣不把人當作人，當作工具，天天清算，人人鬥爭是一種合于人類幸福要求的制度。我們懷念鐵老對人的愈陳愈香，當然要打倒共黨對人的『酸薑竹』主義！三月九日

海外通訊

中埃貿易前途

蘇丹與我邦交可望建立　我商業代表團應早赴埃

·方釗·

【本報開羅特約通訊】阿剌伯國家，現在正從事團結，希望在中東成爲一個領導的力量。埃及近鄰蘇丹的地位因此逐日加重要。蘇丹獨立後，今後的政治動向仍然在中東發生影響，共黨已對該國極盡拉攏滲透之能事，中共之活動，亦極頻繁。所用方法可謂無微不至。惟該國朝野反共亦甚堅決。似不至陷於共黨圈套中。據該國總理對人表示，承認中共，及與中共建立邦交，目前絕對談不到。共黨陰謀，已無形失敗。

至該國與我中華民國政府建立邦交問題，在原則上已無若何困難。惟尚須經過該國國會通過，法律程序，仍須稍稽時日，始可完成。

中共對埃活動，自去年埃國商務代表團前赴大陸以後，即已不惜工本，着力求開展，蘇俄復從旁助威誘迫。截至最近止，據傳中共與埃及貿易總額，已達兩千萬鎊。今年度似尚有可能增加之勢。此種貿易，在中共方面，並無利益可圖，實際上是蝕本生意。中共之所以如此熱心，賠本亦所不惜。目的當然在政治利益。

中共爲加緊對埃活動，充分實現其滲透分化陰謀，繼商業展覽之後，又有所謂「文化訪問團」與「歌劇團」一類組織到埃。形形色色大事宣傳，埃國當局，雖亦注意彼等行動，但爲對西方要脅示威起見，仍聽任彼等橫衝直撞，熟視無睹，對於將來之後果如何，遂亦不暇計及。其實此種引狼入室，徒逞一時快意之作風，終有一天，自食惡果，埃國有識之士，固無不引爲隱憂也。

傳聞自由中國亦將有商業代表團前來埃及訪問，此間僑胞無不色然以喜，埃政府亦大表歡迎，於此，筆者希望該團能早日成行，尤希望愼選團員，必須以熟識世界商情及明瞭埃及經濟狀況者，充當人選。代表團到埃後，必須能切實開闢中埃貿易途徑，使兩國貿易大量增加，始能加強兩國關係，增進友誼，故未成行之前，必須多方準備，切實研究。否則徒事遊覽，形式應酬，恐於實際無補也。（三月二日，開羅）

旅日僑胞指控：中共迫害歸僑

詹讓明虎口餘生述不幸　葉枝模不堪虐待已瘋狂

嚴森

（本報神戶特約通訊）二月廿五日，筆者經此間僑團介紹，得與一位去年十二月十一日全家由天津搭乘遣送日僑日輪「興安丸」，逃出虎口的詹讓明先生暢談。談話是以座談會的形式舉行的，當時在座者，尚有關西地區愛國僑領，僑胞多位。因詹君係於一九五二年受中共欺騙誘惑，偕同全家去天津的，在三年的奴役生活中，他的一家嘗盡了種種迫害，幸他能以睿智和果斷選擇了自由。但其不幸之遭遇，則足爲海外各地盲信中共宣傳的僑胞作殷鑑。故特爲文記述，希望旅日僑胞知所警惕。

生活無保障無自由

詹君是台灣省人，旅日已十多年，太太是日本籍，並已有子女多位。據詹君說，自中共開始在海外進行虛僞的宣傳，不知不覺，信以爲眞，以爲大陸生活安定，優待歸僑，保障勞工生活等皆屬事實，在一九五二年八月遂攜同全家搭輪前赴天津。迨抵津後，始發覺實際情形與共黨的宣傳完全不同。不但我等歸僑生活沒有保障，且根本喪失自由。詹君初被派到天津郊外一家皮革廠做工，月入僅人民幣六十元，在通貨膨脹的大陸，這一家最低的生活也極其難以維持，最初幸靠有限之積蓄補貼，繼則變賣衣物渡日。詹君說：最後因不堪生活所迫，妻亦同去工廠做工，惟由於內人係日本人，到處遭人輕視汚辱，精神上非常痛苦，此不僅是歧視僑眷，且亦揭破了中共所喊之「中日親善」口號。因此，全家大小，皆在身心痛苦中生活，渡日如年似的挨着二年餘的恐怖牢獄生活，也不幸因此精神上受了嚴重打擊，遂得了神經衰弱病症，患病後，曾一再向廠方請假，亦被拒絕，其奴役勞工，殘害同胞，實已全無人性。

奴役勞工絕無人權

詹君說：當待中共正實行「努力增產」的口號，每天均須超時工作逾十小時以上，晚間則還被迫參加洗腦學習的各種小組會，我本已體弱，然迫於淫威下，實無可抗拒，而在工廠中的行動也完全受到監視。例如有友人來訪，不但須事先得經廠方審查批准，且事後還得經過一番盤查；有時則根本不許會面任何人，毫無人權可言。但詹又說：共黨這種對待華僑的待遇，表面上看起來，較其對待一般人民已是寬大而優待了。

重獲自由的經過

由於遭受非人道的迫害，詹君說：酷愛自由，[illegible]意識在不斷的增强，[illegible]之意，迫不及待，經再三攷慮，遂由內人出名藉懷孕必須回日醫治爲理由，申請暫回日本，本人則亦佯稱尚有財產亟需赴日清理，俾移回國內，暫時請假出國，同時亦可沿途照顧妻兒等，請求准予同行。自經申請回日後，初則毫無下文，實則暗中經年餘之種種嚴格審查，終蒙蒼天見憐，僥倖獲得「暫時出國」之許可，而於去年十二月十一日攜同妻兒等踏上日本興安丸返回日本。

詹君說：當他們一家踏上了自由土地，再度呼吸到自由空氣的時候，不只愉快，是筆墨難以形容的，心情上眞是恍如隔世，再投娘胎。他說：現在回憶起來，三年前的一念之差幾成千古之恨！

詹君敘述至此，在座的一位僑胞，極關心的詢及當時其餘一同返回大陸僑胞的遭遇及彼等之近況。據詹君說，華僑返回大陸後，共黨視之如敵人投降的軍隊一樣，都被分散隔離居住，個人行動亦時被監視，彼此間實無法取得聯絡，在恐怖的環境中，一般皆自顧自，故大家的情況非常隔閡。惟祇知道有一京都華僑名葉枝模者，（以前職業爲律師）因不堪受種種刺激，以至瘋狂，現正被收容在瘋人院中，境遇甚慘。

寄語僑胞提高警惕

鑑於上述詹君身歷的遭遇，不僅使當日在座的諸君無不動容，且無異是旅日僑胞對共黨的控訴也證實了共黨暴政，欺騙人民，既迫陷在大陸的僑眷，勒索海外華僑等，皆屬眞情實事。詹君的遭遇在政治情形非常複雜的關西地區，是值得重視的。對於少數受傾共分子誘騙的華僑實不啻爲當頭棒喝！筆者除在此爲詹先生一家能逃脫魔掌重獲自由慶幸外，寄語海外各地僑胞們，希望大家提高警覺，勿輕信中共的宣傳。大家應該加强團結，粉碎揭露共黨誘騙僑胞的謊言，並謹防其陰謀活動。（三月五日寄）

共區生活實況見聞

翠微鄉的兩天

生離比死別更痛苦！

雷厲

友人此次乘鐵幕放寬，便乘機返鄉省親雙親。最近返港。他是在香港一洋行任小職員，對於政治素不關懷，自然無色彩可言。中共竊據大陸後，他沒有回鄉已六年了。他的故鄉是中山翠微鄉。

在行前，他聽說今日大陸生活貧困，最缺乏之衣服，所以他未起程前估計下家人所需的衣服，然後到故衣店購買了許多舊衣，而且還買一些新布。縫成袋子，盛着舊衣。以便回到家中把袋子拆去便可縫製新衣了。他還帶了幾斤生油。所帶的東西，足有六十餘斤。

他和妹妹二人是由港經澳門回去的，在關閘受共黨檢查和查問極嚴。但到了翠微鄉，便沒有共幹來詢查。他們獲得了與家人抱頭痛哭的機會。

親友們看見他帶回的衣布和生油，莫不稱他聰明，這些東西正是他們渴求的。鄉人們把香港帶回去的生油，互相傳遞，就像見了稀奇寶物一般。拿出他們廚房又濁又腥的油來比較，眞是天壤之別了。

我的友人說，他的弟弟早已不讀書了，因爲家境困難，拿不出學費，而且學額少，學校程度低落，讀書也沒有用。弟弟想打工也沒有商店了。一切商店都被共黨政府併呑，都由合作社經營。弟弟還被派去「掃除文盲」，這種工作是義務的，沒有絲毫報酬。所以家人生活全靠他的匯款維持。

在白天幾乎不見有人在街上行走，大家都到「農業生產合作」去了。鄉下所有的祠堂都變了鄉公所一類的公共場所。家裏人說，開檢舉會是在半夜，地痞和共幹相勾結，清算瓜分財產，或規定罰款若干。他說我的父親就會因被罰，無法支付，而果他在香港籌了一份七百元的會。滙回去繳付。他在港每月薪水不過二百餘元，所以供了三年的會，才還清這筆冤枉債。

友人兄妹兩人和父母隔別了六年，照常理起碼要住十個星期才回香港。但兩天以後他的父母便催他返港了。因爲怕日久生變，一旦橫禍飛來被扣押了，不但他倆被困鐵幕內受苦，而且必因無法回港工作，而令到一家餓死。所以他的父母雖然不忍短聚即分離，但又不能不催他們返香港了。臨別時，不勝悲哀。不知何日重逢，眞是生離比死別更痛苦！

中共農民的末日

風行譯

（續五二二期）大多數農民寧願盡量消耗，而不願再生產。蘇聯强迫實行集體農場時，農人會胡亂宰殺牲畜。這時的中國農民也普遍的將其耕牛劫殺，以低價出售（天津大公報一九五五年一月十四日）。他們並砍伐所有的樹木，不讓合作社估有，在五月十三日出版的「政治學習」雜誌上也說：『去年冬季以來，有一種極反常的現象出現在許多地方。那就是農民大批屠殺牲口，砍伐樹木，及懶於作生產的投資』。

中共爲對付此種局勢，不再吹「和平的向着社會主義經濟建設前進」的牛皮。而再强調在轉變時期加强階級鬥爭之不可避免性。

中共的「中國青年」（一九五五年二月三日出版第三卷），也說到『列寧謂：「過渡時期階級鬥爭，需要向舊社會作殊死戰，——不論是否流血，不論用暴力手段或和平方法。」這是目前我們階級鬥爭的寫照。』

於是社會革命必需經過無產階級獨裁階段的理論，又重現了。這是自一九四〇年以來毛澤東高唱的「新民主主義」後久已不彈的老調。於是在鄉村裏更加緊厲行公安組織，加强階級鬥爭，無異加緊屠殺與用暴力。在一九五五年五月三十一日，毛澤東又發表其指導黨加速進行所謂有計劃（其實是「强迫」）的建立合作組織的演說時，便即決定擴大此種屠殺。

就政治意義言，毛澤東的這篇宣言，相等於一九二八年史太林發表的蘇聯集體農場宣言。

更值得注意的是毛澤東這宣言並不是在「全國人民代表大會」（七月廿一至三十日在北平舉行）發表，也不和所謂聯合政府商榷，也不和農業部長及主持農村事務的中央委員鄧子恢討論，而他竟在人代大會休會後一日對省、市、黨委們演說而宣佈。這顯然是毛澤東不同意農業部與鄧子恢等人之對集體農場進行之溫和態度。他爲什麼會對農民問題驟取快刀斬亂麻的態度？是不是因爲萬隆會議及日內瓦會議表示沒有迫切的和嚴重的國際困難，而鼓勵了他實行極端的全面集體農場制度呢？

不管毛澤東的想法是什麼，雖然他的演說，一直到十月十七日中共中央委員會全體大會開過後才發表，但實際在八月此種集體農場主張，已在推行中，（看八月二十一新華社消息）次月此項運動一如無情的颶風向前掃蕩了。

中共企圖避免蘇聯遭遇的困難，故應允參加合作社的農民，爲其獻出的土地，而給予一種暫時的紅利。用「半社會主義」的方法，使耕者和他們以前的土地，維持着一種虛僞的關係。但他們嚴密的拘守着蘇聯的路綫。毛澤東在一九五五年七月三十一日說：『蘇聯的經驗是我們的模範。』我們也應回想到在某個時代，蘇聯的農民參加集體農場，會比預期的還更快。一九三〇年史太林的演說稱：由一九二九年五月至一九三〇年二月的十個月中參加集體農莊的農民估全農民的百分之九十。此種措施影響到一千萬農戶，超過四千五百萬人。在中共方面，依照毛澤東在一九五五年十二月二十七日所說，在大約四個月中，有五千萬戶（二億餘人）被强迫驅入合作社。連同一九五五年八月以前被集體化的，此種中共的大變化，牽及七千萬戶，即大約三億二千萬人。就比例的百分數言，中共農民被集體化是超過蘇聯在一九三〇年二三月間所達到的成就。中共此種措施及一億一千萬農戶中的百分之八十。毛澤東以此種顯者之事實作估計，便預料只要到一九五六半，必然達到半社會主義農民合作階段。他更預期：到了三四年後，即係：至一九五九年或一九六〇年，——將由半社會主義轉變到社會主義的農業合作。

假定毛澤東的預言實現，則中共之集體化農業，將意味什麼呢？意味着中共統治下的農民末日來臨。在以往草創的規程，准許私人有小塊農圃耕植，尙令人回憶以往家鄉生活。但到了「完全社會主義化的合作組織」，農民勞工毫無保障，作爲統治官僚的工具而勞役。

在另一方面研究，中共之農業集體化，並不是如其所宣傳的樂觀，農業集體化雖可增加組織的力量，亦能削弱中共的社會。所謂組織之力量不外是增加對農村之政治與經濟的控制力。但因農村人民生活大受打擊，就好像蘇聯的集體農場一般會出現悲慘與無效率。縱然用機械工具，生產仍然貧乏。政府封奪大部份的生產。生產者爲支付農產給政府，必降低其生活程度以至可憐的水準。中共也必因負担過度。軍備在大規模殘酷戰爭中，它是不堪一擊的。一如蘇聯在一九四一年的軍隊，一經接觸，即會集體投降。不過她的內部緊張未足以消除其對非共產世界的滲透與危害。一個在一九三二年訪問莫斯科的歐洲共產黨員，看見共產國際情報局雜誌的編輯們，鑑於蘇聯農村强迫實行集體農場的失敗而感到尷尬。但他們深信共產國際情報局的政策，目的使希特拉當權。在國際上是有利於蘇聯的。他們的觀點是確實的。蘇聯統治者雖然知道內部軟弱，但是如能使德國的希特勒崛起成一政權，就可以達到分裂西歐的目的。

蘇聯與中共的統治者，現正受着內部嚴重的困擾，一如史太林於三十年代，使非共產黨國家增加內部與國際上的衝突，達到擴張甚至可能自行毀滅一樣。（完）

台北速寫

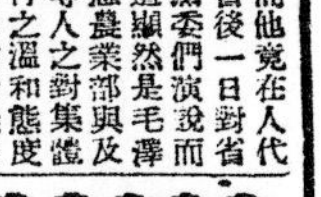

杜衡之

美援與國應並重

大家都在歡迎蔣廷黻博士，但更關心的是聯合國代表權的問題。蔣博士的答復是：我們絕對有把握，但須努力爭取友邦。這一但書下得太好了，是不是意味着過去的外交政策在這方面努力，還是不够呢？同時也顯示出我們聯大代表的觀點是：爭取美援與國應是並重的。

混亂的股市

財經當局對於證券交易，介乎於有無辦法之間，以致證券市場在地下，和經濟警察展開了捉迷藏。曾盛傳某鉅公一夕淨賺千萬，另一方面却有許多太太小姐把私房錢都賠光了。這種混亂情形還容許再演下去嗎？

台北新增的特產

台北的市政始終搞不好，所以有人主張改爲中央直轄市。但這事牽涉太大，一時難望實現。現在北市有二大特產，一是灰塵，一是嘈雜。被譽爲中國三大工程之一的羅斯福路（其他是長城與運河），塵頭滾滾，綿延數里。至於嘈雜，以汽車喇叭爲第一，最近雖有製訂專法加以取締之議，看來不會有效。

留學政策何在

日前自費留學考試發榜，錄取標準既降低，當然皆大歡喜。但本年公費留學考試，教育部長却說不舉行了，這使窮書生們不勝悵惘，又聽說今後自費留學考試，也將從嚴辦理。有錢的子弟對此也有感想：爲什麼不從這次就從嚴開始呢？總之，大家盼望當局有一個留學政策，到是眞的。

兩色郵筒

郵局的一個新發明：街上的郵筒，隔成兩格，一爲本市信件，一爲外埠信件，郵筒塗成黃綠兩色，以資辨別。近年大家批評公營事業辦得不好，郵政應不在此例。

編者讀者

△下一期本報將刊出燕廬先生一篇討論香港人格教育的文章，這一篇文章是作者根據多年在香港從事教學的實際經驗之談，剖析入微，心情沈痛，留心海外僑教的人士不可不讀。謹先預告。

△徵求共區生活實況見聞文稿：春節中，中共極力誘惑港澳僑胞回鄉訪親，茲就各方零星報導，回鄉人士目擊耳聞，共區生活凄苦，遠較傳聞爲甚。本報特籲請讀者和各文友，請將個人親見親聞或親友所講述之大陸見聞實況，詳細述惠寄本報發表。本報當爲代守身世秘密，無虞中共之橫加壓迫也。

△王金城，裴遜生，劍朋，張健生，鄭珪，張搜碧，楊力行，刁抱石，彭楚珩，林崇華，牛布衣，丁懿安，余織庚，黃鍾療，鄧介藩，紅纓槍，諸先生：惠稿均收到，無任感幸。

更正

本報五二五期第一版「論蘇共的集體領導制」一文轉第三版時，文題誤植「困擾英國的中東糾紛」，特此更正。

自由談

可以休矣！

馬五先生

華盛頓十四日美聯社電訊：我國駐美大使顧維鈞博士告老倦勤，申請退休，據說已向政府提出辭呈，唯尚未予以接受。顧博士原是外交耆宿，以年老告休，值此國步維艱，萬方多難之秋，外交大員的精力如不充沛，[illegible]致仕節勞，亦係愛人以德之義，政府似應允如所請，以示體恤。

我們如其否定「弱國無外交」的說法，則在此國難嚴重階段中，外交上非有新的作風不可，新作風必須有新的人才，這是常識。因此，顧大使自動乞退，政府固應嘉納，然其他徒擁使節，毫無績業可覩，而其作官興趣又頗濃郁的若干外交大吏，以及一般久於仕途，祇知穿洋服說洋話的老油子式外交官員，此時此事，亦非所宜了，似應一律除人事關係，切實調整，以適應時代要求，才可以談「弱國有外交」的話。一部機器的齒輪如其已經過時生銹，失去了作用，光是擦些機油，換幾顆螺絲釘，怎能發揮新的生產能力呢？譬如東南亞某一友邦的我國使節，近四五年來，我們迭次讀到當地華僑的譁譟輿論，有許多事實證明其爲不堪勝任。又如最近派赴中東某地的外交大員，他過去久居外交界，並無所表現，乃蛻變爲新聞之官，尤其糟到不可言狀，忽又再化爲任務艱劇的中東使者了！這些生了銹的齒輪，爲甚末還要教他負担原子能的任務呢？

當朝者隨時慨嘆人才缺之，在野的，又每多懷才不遇之士，儲才之制久荒，用才之道未立，所謂「人事關係」的貪祿奔競之風邪盛行於時，而真正的才人，却行己有恥，不屑奔逐。如是乎，政治上的新陳代謝作用靜止矣。時勢非常，人才平常，欲期中興，談何容易？唯一要着，祇有請一般在政治界佔據茅房又不解手的老油子人物退休下去，讓別人來試試，「公亦勞只，汔可小休」，固不僅外交官員已耳。

春天易發 腦溢血症

此病不限男女年齡

在初春的季節裏，腦溢血死亡的比率較其它季節爲高。

患腦溢血症，固不限於體胖者，瘦子實際上害這病的反而比胖子更多些。

根據日本醫學界的統計數字，女子患此症者，其數與男子恰恰相等。祇是年輕人比較不易得此症。

害這種症的病人多數是在社會上已有相當的地位的中年人，他們經常操心過度。通常年齡是四十歲至五十五歲，但其中有一半大約是由于遺傳來。

患罹這種病除了操心過度，睡眠不足，和精神上負担過重外，其次則飲食過量，過飽，多食米飯也是重要的誘因，這可以用生活在產米區域的病人比起住在海岸地方的病人數量更多來證明，此外還有突然的變動血壓的也可能轉成本症。例如在感覺寒冷時，猛然浸到一池熱水裏頭或是一會興奮，一會悲傷，或是過于緊張的生活，都會變動原有的血壓。再說一個患腎臟病的人也很容易轉入腦溢血。

症象與預防

症象大概是頭痛，肩冷，耳聾，視力衰減，和嘔吐之類，有時則眼臉充血或鼻出血。當這時，應當立刻請醫生檢查血壓的度數。

患高血壓的人並忌神經質地增加煩惱或悲觀，這於病是最不利的。凡滿四十歲以上的中年人應當時時留意檢查血壓度數，是否超過一百四十度以上。患了血壓高的人最好要熟睡，午餐後的一小時應該安靜地休息，經常保持此習慣，血壓可能降低廿度至卅度，但適當的散步和作輕微的運動以加強血液循環也是必要的，至於圍棋，賭博，競賽一類的娛樂，是不治的有力誘因，能避免最好避免。

在飲食方面要多吃蔬菜，水菓，海藻等；脂肪類、糖、米飯等，能愈少吃愈佳。含有刺激性的調味品，像辣椒、芥末、咖喱最好是絕對避免。至于烟和酒自然更加是有害的。

發作時應注意者

有些病人往往在大便時因爲用力過度而致暈倒于廁所裏面，所以上了年紀的人最好預備便器在夜間應用，以免危險。

本症死亡的時間大約在發作後三天內的佔大多數，很少在發作一星期才死的。危險的徵象是病人陷于長時間的昏睡中，昏睡不斷地增高，廿四小時以上的昏睡，就是不治之症，最輕的則神智很清楚，只是口眼歪斜，或手足偏直，轉動困難等等，幾天以後，便可以恢復。假若遇有病症發作而醫生未到時，絕對不可輕易移動其原有位置，應當把病人的頭部墊高，冰塊敷上，而足部則須用熱水袋之類來保暖，這是臨時急救的辦法。

——林崇漢譯自讀賣新聞——

短篇小說

老人與牛

這時候，余老彥正急匆匆由「盆地」趕回村。他又去了趟「盆地」，他是臨時改變了主意的——

大約下午四點鐘的光景，余老彥肩上馱着包袱，淚涔涔的站在他家門前的土崗子上，望着正起火的屋子——這個他住居多年的破陋的茅屋。鳳仔村雖是個貧瘠地區，但在余老彥眼裏，却多麼溫暖、可親！今天，纔親眼看着這個親切熟識的村子，一下子化成灰燼！……

由土崗子走下來，他眼睛已接觸到河岸那邊的船了，但是他的脚步却不由自主的邁向山坳那邊。家，已經毀了；他心裏還繫着一件事：他的牛！是的，再過一刻兒，這裏便什麼都沒有了，就剩下他的牛，還孤孤單單地留在「盆地」裏。它會感到寂寞嗎？它會不會回村子尋他呢？他曉得它是有一股蠻勁的，如果它一心要尋回村子，或者會衝壞那攔路的竹木的！

「唉！我爲什麼單單留下它？」老人不禁埋怨自己。家都不要了，還單獨留下一隻牛做什麼？年輕人的話又在他耳邊響了：是的，既然走了，就一根草也不能留給敵人！他很明白：如果他的牛被敵兵看見了，會有什麼樣的結果？一隻牛，雖不至發生多大作用，但他可不能讓他的牛落在敵人手裏，讓他的牛幫敵人做事！

老人緊閉着嘴脣，兩邊的頰肉若痛抽搐着，抽搐着……忽然，他心中有了個決定，於是邁大步望山頭那邊跑去。

他又摸着他的牛了，他兩眶湧滿了淚水，盡情撫摸着它的光滑潔潤的短毛，彎長堅硬的角，和沾着黏黏的唾液的嘴。牛舒服地闔了眼皮。

日影沿山邊那叢樹木逐漸上移，他不能再遲疑了。於是他退後幾步，由包袱裏抽出一把尖刀，背着手，偷偷走近牛身邊，痛苦地在心中默禱幾句，然後他咬緊牙根，對準它那堅厚的肩胛，猛力刺進去。接着，他疾忙掩住雙目，車轉身，提着幾乎完全癱瘓的脚步踉蹌地離開。

老牛發出兩聲哀絕的叫鳴，倒下去了……

余老彥失魂般的跑到了河岸，瞧不見船了，也瞧不見帆！（三）

廣陵秋

王蓬累

錦繡河山。問今日是誰作主。四十年北伐南征。是處戈矛旗鼓。神州一霎成今古。數赤帛白帝幾推移。紅羊怒。

棄麟鳳。縱狼虎。李牛洛蜀爭門戶。悵黃鐘毀棄依然。朝野爭鳴瓦釜。何人更作中流柱。拔龍泉斫地以呼天。天無語。

廣陵秋

臧啓芳

遙念中原。正父老長懷故主。對春城夜雨瀟瀟。聽徹譙樓更鼓。璧沉恨事傷今古。歎竟無一個是男兒。人神怒。

心似鐵。氣如虎。伫看沉舟破釜。亡秦能楚傳三戶。問反攻尚待何年。如君堪作擎天柱。信春風詞筆感人深。非虛語。

古巴華僑中的文人生活

·文鑑·

前在本欄介紹過古巴華僑的生活，這裏再談談古巴華僑中的文人生活吧！

本來生不逢時的文人，即使在國內要求吃飯已非容易，在國外希望獲得足夠的生活尤其困難。而一般華僑却能夠在海外生存的，多半都是胼手胝足，以自己的勞力所換來的血汗之資。而在華僑社會裏的文化工作者，則日夜所得也比不上一個普通的工人。即以華僑人數最多的美國來說，一位報館編輯的收入，絕比不上一名廚師，在古巴則更苦，還不如在報館裏排字的工人呢！因此，假使要專靠賣文吃飯，那準會餓死。

據我所知道的，那裏的報館，在開支上，從未列有所謂「稿費」這一項目的，而且一家報館的組織，也簡單得令人不敢相信！大多是編輯就是校對，校對也就是編輯，其他就概可想見了！

說也奇怪，那裏的報館，不時也有許多海外文藝的作品要給讀者閱讀，但多無法引起閱讀者的興趣，編輯也不大歡迎採登來稿。

在古巴，能夠容納較多吃「斯文」飯的人，是各社團中的秘書、書記之類。顧名思義，書記當然是負責文牘工作的，但實則這些工作根本就少得可憐。所以必須兼任各社團內的打掃清潔，遞送函件，倒茶奉烟，替人跑腿的雜差，因此，他們實已成了社團的幫閒。

亂世文人不值錢，亂世的文章更不值錢。「百無一用是書生」，那裏會分國內海外呢？

同光風雲錄

夢山樓

張曜

張勤果公，爲中興名將之一，有奇力，好勇鬥狠。初不識之無，學於夫人，執弟子禮，遂習通文史。以武功起家，而以文吏顯時，亦異事也。

「孔明仁兄弟關羽」

當其撫魯時，酷好古人書畫，有持獻者，重金酬之。或持楹聯至，紙色斑黯，筆法渾樸，古物也，上款書孔明仁兄大人，下款署雲長弟關羽，公大悅，立酬兩千金。懸諸廳事，沾沾自喜，見之者皆莫名其妙也。

居恒好客，客之來者，不分賢愚悉納之，於是濫竽其間者亦衆。公卒後，家道蕭然，而魯之人追思不已，曾建專祠於大明湖畔，歲時祭祀如儀。相傳公生時，太夫人夢張飛入室。故時人輓以聯曰：『橫海東西，無處不聞齊仲父，大江南北，有人曾夢漢桓侯。』蓋紀實也。

守城獲妻享艷福

先是，公貧甚，爲人賃舂，負米數石過市間，偶見羣衆聚觀一少婦，啼泣求死，問之，則夫死不肯嫁，而姑迫之。公慨然曰：『天下豈有此事理？』乃以所負米壓其姑，斃之，畏罪亡命河南。以悍勇爲豫人所服，衆推爲領袖，呼曰：『張大哥』。時捻匪圍攻固始縣城，縣令儒者也，有女美甚，懼城陷俱死，乃榜於市曰：『有能守此城者，以女妻之。』衆曰：『非張大哥不能享此艷福』！公笑而應之。謁縣令，籌守禦，揮奇兵出城，與匪肉搏戰，匪大驚潰。時清將亦率大軍來援，未至數里，火光下，一將往來軍中，如入無人之境，驚曰：『此神兵也。』及至勞問，因奏署固始事。覆命果以女妻公，即夫人也。

學於夫人執弟子禮

夫人美而嫻靜，又擅詞翰，情愛益篤。後，公以功擢河南布政使，御史劉毓楠劾其目不識丁，乃改任總兵。公大恥之，遂學於夫人，執弟子禮，夫人輒訶詈，或以夏楚擊之，公色益恭，而禮益謹。迨左文襄公督師關回，奏調公領兵，公恥爲武官，不應，夫人詔之曰：『汝抗命，將謂朝廷不能殺汝耶？』公聞言，立往從左軍。後文襄聞其事，又奏改文職，巡撫山東。公輒對僚屬稱夫人之能，刺刺不休。並問衆曰：『汝等畏妻否？』或答以不畏者，公正色曰：『汝膽好大，妻乃敢不畏耶？』又嘗語其私昵曰：『以夫人爲師，白日執弟子禮，此中樂趣，有不可思議者也！』（十三）

論教育部兩項新辦法

（上接第二版）

由最少之一二〇所至最多六千所；中學由最少三七所至二千所。對此兩級學校，每年用於每一學生之錢，由最少之八二元至三二一元。教師薪水多者四五二〇元，全國合格大學九一五所。即看此一統計，說明我們做不到；而即在美國，也不是每州都能免試升學的。他們講『MERIT』，不大講『FAVOR』，在這一點，我們更不可免試升學。此外，美國大量主義及其種種教學方法，也不是盡可爲訓的。美國大學畢業生平均程度只等於歐洲大學生二年級。他的中學，美國人自己憤慨說只能等於歐洲幼稚園。言雖過甚，亦可見不是一切可學的。但美國能延攬歐洲學者教授，而且可使歐洲學者變爲美國人。我們如不量力在水準上力求提高，那是太不知己知彼了。

管見二點請參考

要之，今日此一問題意見之不同，可歸於二點：一、教育部主張無論貧富，無論成績好壞，一律免費免試升學。我們以爲，自量國力，現時只能讓清寒而成績好者優先免費。因此，考試不可免。二、我們主張，應將現有各級學校辦好，特別要在各縣市設立模範中學，聽學生選擇。教育部主張將現有國校延長三年，即爲初中；並實行限學法，不許移動。究竟何者更公平合理而行得通，請大家判斷。

在台受歡迎的：作家與作品

紅纓槍

台灣最近曾舉辦一次文藝作品測驗，由青年學生投票決定選出最受歡迎的作家和最受歡迎的作品。據悉，最受歡迎的第一個作家是張漱涵，這位女作家是久居台灣的，筆者所知有限。第二個是林適存，這位先生是由香港去台的，是香港文壇的熟人。其次就是最受歡迎的作品了，從選票的統計，趙滋蕃的「半下流社會」居魁，趙君現在是亞洲出版社的編輯，是肯下功夫的人，那兩巨冊的「旋風交響曲」（劇詩），也是目下中國文壇上罕有的作品。

林適存先生筆路甚寬，他本來是軍人，如今也「從文」了，前些時，他曾在香港某報寫過軍事論文，並有編寫劇本的興趣，可是，至目前止，他除了在本港出版了「駝鳥」、「第一戀曲」、「無字天書」等作品外，並未見過他的劇本；在台灣，他寫的「神木」、「無情海」，都能在反共八股中間另尋道路，這是頗爲難得的。

趙滋蕃的寫作不多，最近據說正致力寫兒童讀物，大部頭的作品自「半下流社會」搬上銀幕後，只有一冊長篇創作在台出版。

香港文壇除了出版社在各自爲政之外，似乎太缺乏生氣了，我倒頗願意有人來搞一次選舉最受歡迎的作家及最受歡迎的作品。可不知出版界的巨公們意下如何？

自由人
THE FREEMAN
（第五二七期）

中華民國僑務委員會
頒發登記證台教新字第一零二號
中華郵政台字第五〇〇號
執照登記為第一類新聞紙類
（半週刊每星期三、六出版）
每份港幣壹毫
台北市售價臺幣壹元
督印人：陸文蕃
地址：香港高士咸道二十號四樓
3 rd. fl. 20 GAUSEWAY RD
HONG KONG
香港發行及事務接洽
高士打道66號　電話：七四〇五三
承印者：東南印務出版社
地址：高士打道六十四號
海外總經銷
友聯書報發行公司
香港：德輔道中二十六號A二樓
台灣特派辦事處
台北市館前街五十號
台灣總經銷處
台北市西寧南路壹叁壹號二樓
台郵撥儲金戶九二五二

論史大林的罪狀

王亭生

蘇共在俄國建立政權以來，已三十九年矣。在這段不算短暫的歲月裏，自由人與共產黨人進行了極熾烈的思想鬥爭，雙方都以真理的代表者自居。直至七月中旬蘇共舉行第二十次代表大會，這一場思想上的大混戰，實際已作了最後的評斷，已由蘇共大會自己承認真理是在自由人士的一邊。

欺騙工人階級廿多年

這句話何所根據呢？作者係根據史大林的犯錯來說的。因為第一、在過去二十多年之中，史大林既已犯了錯誤，則共產國家工人階級的利益顯然已受了極大的損害，這筆賬雖然因為史大林已死，無法再算，但是共產黨之不能確確實實代表工人階級，為工人階級謀利益，已經成了一個鐵一般定案。由史大林所領導的共產黨欺騙了工人階級二十餘年，在工人階級方面也盲目地擁護了共產黨二十餘年，這個樣子的領導和革命，對於全世界「無產階級」的利益之增進和共產社會之實現有何相干呢？

第二、史大林分明是個沒有道德的人，他是個主觀成見很深、感情用事和不現實的人，他不顧歷史事實，竄改黨史，解散波蘭共產黨，濫加「人民公敵」的罪名於同志之身，將許多共產黨領袖們判處死刑（如內戰英雄杜克契可夫斯基元帥、列寧時代軍事領袖安托諾夫．奧夫雷揚可、前政治局委員兼烏克蘭共黨領袖柯西奧爾等）。可是，在已往的二十餘年間，蘇聯在史大林的「英明領導」之下，大力提倡着所謂「共產主義的道德品質」。現在，全世界人民都看清楚了，所謂「共產主義的道德品質」，就是史大林所習用的奸詐和陰險。如果這就是共產[illegible]，則發展下去，待「共產社會」成立之日，人人出街，務須備帶手鎗以自衛了，這樣「共產社會」誰願取之？同時，在馬列主義的教育之下和在蘇聯那樣的「社會主義」生產關係的客觀環境中，尚且不能感召史大林，阻制他不做不道德的事，足見政治、道德，並非生產關係的上層結構，換句話說，存在決定不了意識。所以史大林的濫殺「同志」行為和要不得的「個人獨裁」政治，即是一個最有力的證據，說明馬克思主義中的經濟決定論（ECONOMIC DETERMINISM）是錯誤的是與事實不符的。當然，中共政權今日在大陸上進行對知識分子的思想改造也是必然要失敗的。

招認了共黨沒有民主

第三、史大林的「個人崇拜」既是錯的，由此可見共產黨的組織至少在過去二十餘年之中是不民主的，但是共產黨黨章上所規定的文字及其機關報刊的宣傳却說它的組織是民主的，今由「個人崇拜」的不是而證實了共產黨的公開文字和宣傳是與實際不相符合的，即是說，公開文字和宣傳將共產黨的組織描述得非常民主，而實際上却是「個人崇拜」；史大林活着的時候，共產黨常宣傳蘇聯工人階級生活水準有了很快的提高，但等到史氏一死，馬倫可夫立刻主張增加日用消費品的生產了；到了最近，赫魯歇夫等更有承認蘇聯工人的工資等級相差懸殊和要減少工時的事實，可見共產黨已往的宣傳盡是謊話，是不可信的。已往的宣傳不可信，今日的還可信嗎？

第四、「個人崇拜」的獨裁政治推行了二十餘年，到今天才指出它是不對的，那末共產黨所謂「批評和自我批評」一事顯然也是虛偽的，因為史大林在時，沒有人膽敢批評他，他更不肯作自我的批評，唯有等他死了，赫魯歇夫、米高揚等才敢放馬後砲，批評一番。於此，又見在共產國家之中，所謂「批評和自我批評」只適用於下級的普通的幹部，而不適用於「領袖」，故知「批評和自我批評」的運用，本質上就是不民主的，更談不到對共產社會的進步能夠發生甚麼促進的作用。

赫米諸人應罪加一等

第五、赫魯歇夫、米高揚等指責史大林的罪惡，但他們本人何嘗沒有罪惡呢？因為他們都是過去史大林的寵信和重要助手，是他們拍馬和奉承鼓勵了或支持了史大林的「個人崇拜」和獨裁統治，史大林不過是處於被崇拜的地位，如果沒有他們這些人去崇拜他，他決不能還自我的崇拜以建立蘇聯的專制統治。所以，要追究罪孽，赫、米等人應罪加一等，更是應該清算掉的，他們那有資格配再談「集體領導」和民主呢？所以赫、米等人自以為以否定史大林為得計，實際上也等於否定了他們自己，這一點，相信蘇聯人民是看得很明白的。

赫米毛劉還配領導嗎

第六、依照共產黨的理論，黨是工人階級的先鋒隊、先進的部隊和覺悟的部隊，工人階級必須接受共產黨的領導。如此說來，從事革命，領導共產黨的領袖們都是先知先覺，唯他們才是「通曉社會生活規律、通曉階級鬥爭規律」的，總而言之，唯他們才知道工人階級的利益在那裏，現在史大林錯了，甚至無知無識到連資本主義國家有無危機都沒有了解（史著「蘇聯社會主義經濟問題」據說是錯誤百出的論文），足見史大林不是先知先覺，也是不配領導工人階級的。赫、米等人在過去二十餘年中追隨和擁護史大林，是接受史大林領導的人，他們的知識當然要比史大林差得多，這可從他們會視史大林為先知先覺一點上見之，即拿中共的毛澤東、劉少奇等人來說，都會接受過史大林的領導，是在史的卵翼之下成長起來的，史死後，毛澤東「最偉大的友誼」一文，第一句就讚頌史大林為「當代最偉大的天才」，毛、劉之流，更明錯矣！非先知先覺，由於史大林非先知先覺，將列寧組織共產黨的理論（見列寧著「進一步，退兩步」一書）推倒了，至少因史大林的錯而使列寧的組黨理論成為空想，是不科學的。儘管赫、米等人在蘇共二十次代表大會閉幕時高呼「列寧主義萬歲！」而在事實上，他們已經做了列寧主義的拆台工作。

聞蘇共大會的文件已由捷克共黨進行學習，我們希望那些文件能夠公諸全世界，不僅大陸上中共的幹部應該學習，全世界人士都有來學習討論的必要。

美聲明對裁軍立場　原子研究決不中止

美英法加與蘇俄已於前日在倫敦復商裁軍問題。英法提出了莫萊最近訪英時與艾登達成協議內所謂新計劃，其內容尚未發表，但據莫萊表示，這計劃包括了以前東西雙方各項裁軍建議的要點。在對俄談判前的西方會議中，美代表史塔森仍認為這計劃過度廣泛，對裁減原子軍備並無確切保證，因此未予充份支持。美方據說也準備提出若干具體的新建議，但仍以「凍結」原子軍備為止。據華盛頓傳出的消息，美政府當局似感到這些建議，也不會在這次會議中被蘇俄所接受，因此對蘇俄接受的情況，還沒有確切把握。如果予以接受，國務院官員表示，即使蘇俄同意凍結原子軍備，美國的原子設備及原子發展研究也決不會因此中止。（半）

俄鞭屍運動是苦肉計
——中共為甚麼啞口無言——

曾旭軍

自蘇共頭目赫魯曉夫指斥史太林各種罪惡之演詞被發表後，蘇俄附庸國，如東德等國，表示遵循赫魯曉夫路綫，亦大鬧史太林。然而至記者驟筆行文時，尚未見中共進行鞭屍運動，或有任何的鮮明表示。

此次蘇聯鞭屍運動，使中共大感尷尬，其內心的痛苦，是可斷言的。但中共不是最近才知道蘇俄的反史潮，恐亦不是因為今後不知如何依違而感苦惱，而是因為主子的困難已經暴露，故連帶感到痛苦。

赫米諸人的苦肉計

首先我要指出俄酋的反史潮甚至鞭屍，都是含有絕大陰謀的。自由世界千萬不可誤中蘇俄的苦肉計，竟不可幻想蘇俄將因此而內訌崩潰。

赫魯曉夫布爾加寧、米高揚之流，都是史太林一手提拔的人。史太林是他們的大恩人。固然恩怨不能左右他們的政權，但他們也決不是真心因不滿史太林的措施而清算史太林。我以為是為了蘇聯目前的困難情勢，不能不從權採取苦肉計。

只在去年九月，赫魯曉夫還在莫斯科對西方記者正式聲明道：『任何人預期蘇聯領袖忘記史太林，列寧，馬克斯與恩格斯的遺教，便等候小蝦學吹口哨。』

中共內心痛苦一斑

反史政策既然是蘇聯共酋的一套詭計，作為蘇聯首席附庸的中共，必已先獲通知。毛澤東致蘇共第二十屆祝電的吐詞即堪注意之一事。當時大會尚未舉行會議，毛酋的電文一部份特別談到蘇俄的集體統治，史太林死後，其承繼人雖通常提及「集體領導」，但毛澤東却加上「列寧主義者」的字樣。「列寧主義者集體領導」便是赫魯曉夫在大會前早已選定為此次大會之主要口號。似早已告知中共矣。

但中共是在史太林羽翼提攜，而成長起來的，內心當然仍擁護「史爺爺」的。毛澤東的賀電，因係給赫魯曉夫領導下的蘇聯共產黨的。故該電又明白指出列寧首創的蘇聯共產黨是『被史太林及其親密同志所培養起來的』。小媳婦左右做人難，中共內心的痛苦可想而知。

又在赫魯曉夫批評史太林「聯共簡史」後八天，及米高揚攻擊史太林之後五天，北平即廣播一篇小心準備的論馬列主義的演詞。此演詞係基於史太林的「聯共簡史」的，而且還勸聽眾要讀該簡史。

反史即反毛澤東

這樣，為什麼蘇聯方面對中共還不加以斥責呢？大概蘇俄認為中共不宜有反史運動發生。大陸人民對中共的政權憤恨已至極點，潛伏了極大的危機。而且自由中國隨時可以乘機反攻，協助中國人民起來再革命。假如在中共發生反史運動，及反崇拜個人，則對於毛澤東個人及中共政權是不利的。因為史太林之於蘇聯，猶如毛澤東之於中共。故本年一月間中共中央委員會在北平開會時，毛澤東即被稱為「我們的偉大人民領袖及導師。」這豈不是「崇拜個人主義」的表現麼？蘇聯是不願意中共因反史太林而引起反毛潮，至使中共垮台的。朱德在俄還自認「我們還是史太林的門徒」。這是含有深長的意味！

反史潮的作用

蘇俄諸酋絕無真意要實行集體統治的，在他們的理論體系及實際情形，必然要個人獨裁。只因史太林生前是一個忌才的梟雄，選擇的承繼人都是些奴才，並不是真正有本領的人才。所以一旦死後，沒有一個真正具有權威的人。一時互相猜忌，不得不以「集體領導」來互相防範而已。其次是蘇聯的經濟危機深重，係由於三十年來史太林施行備戰重工業，不顧人民死活的集體農場政策，及施行恐怖主義的結果。故今日提出反史太林口號及反崇拜個人，只是緩和國內人心，與催眠國外的苟安中立者。再進而籠絡社會主義者進行聯合陣綫而已。

我們從中共的緘默，和蘇聯克姆林宮對中共之不忘史太林，表示開一眼閉一眼的態度，便知蘇聯的鞭屍係一種爭取備戰時間之陰謀而已。但亦可見蘇聯和中共本身有極大之政治危機，和貧苦之經濟危機。

時事述評

• 司馬璐 •

新「聯共黨史」一頁

赫魯歇夫在俄共大會中作清算史達林的報告時，一千六百個代表中，當場有三十個昏倒了。當赫魯歇夫說到他自己當年被史達林羞辱的情形時，有一代表問：「你怎能忍受？為什麼不打死他？」赫魯歇夫說：「有什麼辦法？那是種恐怖統治呀。只要你望着他的樣子，他看得不順眼，第二天你便會腦袋搬家了。」

赫魯歇夫這一節話很精彩，他寫出的神態，不僅使我們看到一副史達林殘暴面目，更精彩的是，他也寫出在這個獨裁暴君前面，赫魯歇夫的一副奴才相。

「聯共黨史」正在重編，這一節應該寫進去，少不得的。

奴才與主子之間

史達林沒有死的時候，赫魯歇夫是個最恭順的奴才，這是沒有疑問的。因為愈是恭順，才愈有向上爬的機會。這是獨裁政治下的規律。

赫魯歇夫指責史達林的獨裁，然而赫魯歇夫得有今日，也是得史達林的獨裁之賜。

獨裁者賞識奴才，奴才一旦翻身作了主子，一定要做得狠過主子，一定要表示得比主子更有本領，古今中外的史例幾乎是如出一轍的。

東德共黨第一書記烏布列治說：「史達林的專制殘暴一如希特勒。」當然不錯，問題是烏布列治也是史達林的獨裁政治下製造的奴才。

史達林的包袱

史達林死後，摔下一個爛包袱，留給他的一羣奴才們。

這包袱上面寫着：「獨裁者」三個字，每個奴才都有興趣佔有這個包袱。

但是，奴才們擠得多，雖有先後，但一時誰也不敢獨吞，于是，只好實行「集體」拆包了。

豈知，不拆猶可，一拆之下，整個包袱裝的全是黨內同志的屍骨。

奴才們心驚膽顫，有的掩鼻，有的譁然，其中一個較靈敏的叫赫魯歇夫的叫道：「咱們丟掉這包袱吧。」

其他的奴才們在沈重的沮喪的情緒之下，他們有什麼好說呢？

俄共是否真變了？

史達林的爛包袱，造成兩種情況：黨內籠罩恐怖空氣；黨外對于共黨的一切和平宣傳不敢加以信任。

那麼，是不是說，丟掉史達林的爛包袱，蘇俄今後會改變這兩種情況呢？不是。

對黨內來說，在製造新的權威新的獨裁者沒有完工以前，黨內需要一個過渡時期的緩和狀態，優勢與劣勢兩方都要重新佈置自己的實力，以便再戰。此之謂「集體領導」。

對黨外來說，黨內的領導沒有鞏固以前，蘇俄目前對外不敢挑戰的，共黨頭目必須以「和平」姿態懈怠世人的警惕，以便在時機成熟時，冒險一擊，如果共黨僥倖成功，那是有助於一個新獨裁者的政權的鞏固的。

狼狽的中共奴才們

可見，俄共的政策並非真有所轉變，祇不過為的丟掉史達林的爛包袱，適應新的情況；藉犧牲史達林的屍骨（正如史達林過去犧牲黨內許多別的同志，執行一個任務一樣），去渡過俄共當前黨內外的難關。

俄共今天的新面目是為的「過關」，「過關」為的是繼續展開世界革命運動，本質上依然是史達林路線。

正如俄共歷史上許多次的「變」，史達林反了托洛斯基，執行的依然是托洛斯基路線，史達林反了布哈林，執行的依然是布哈林路綫，誰反了誰都是一樣的。只是俄共一「反」之間，使中共這一班奴才們狼狽萬分，連屁都放不出了。

僑報的動態證實：泰國僑胞反共者多

·紉芷·

曼谷有六家華文報紙，內有兩家是親自由祖國的，其餘的除了一家是左翼的之外，另三家是時而中間偏右，時而又偏左，其搖擺不定正說明了他們的苦悶和處境的尷尬，但其發展的趨勢，卻實堪注意，今後應該如何阻遏一股「左傾就是前進」，「中立最是時髦」的危險洪潮，實還有賴我國外交及僑務當局的多多努力！

海外通訊

（本報曼谷特約航信）二月二十七日出版的美國「新聞週刊」上，來曼谷採訪東南亞公約聯合軍事演習的記者，順便報導了一下曼谷華文報紙的情形。大意說：兩年以前，他初來泰國旅行的時候，華文報只有四家，其中三家是擁護自由中國的。這次重返舊地，華文報已增至六家，但只有一家支持中華民國，其餘五家不是中立，就是左傾。這本雜誌運到曼谷後，僑社非常注意，左傾的光×報記者更乘機推波助瀾。

乃砲口不擇言

在二十九日的泰政府記者招待會上，光華記者又拿這個難題去詢問內政部次長警察總監乃砲上將，要他對此發表意見。乃砲在鬨哄哄的包圍中，無暇思索，於是順口說：華文報只有一家擁護自由中國，確係事實。但他接着又說：一般華文報的言論方針，都是以牟利為目的，並無任何政治上的企圖。跟着他解釋華文報所以中立或左傾的原因，是因為「凡是擁護自由中國的報紙，都不易銷售」，於是不得不放棄右傾路線。

乃砲上將這篇未經考慮的談話發表後，便成了左傾報紙最好的宣傳題目。平心而論，乃砲這則批評新聞週刊所載確係事實的談話，前半段固然不錯，後半段倒非事實。他說華文報紙全以賺錢為目的，這是實情，但所謂只有一家擁護自由中國的說法，便頗有商榷的餘地。因為除了立場鮮明的中國日報之外，已有六七年歷史的新×，也是親近自由祖國的。至於擁護自由中國的右傾報紙不易大量推銷之說，更不是如此簡單，這個問題很重大，值得詳細地說一說。

美毛談判帶來的影響

自從去年八月，美國與中共在日內瓦展開僑俘談判以後，曼谷僑報開始有了重大的變動，除了原來左傾的光×報外，中×報、星×報都有中立的傾向，當時中國日報（世×未創刊）、×日報與新報堅守反共的崗位。到了十一月二日，世×日報試走左傾路線，因為銷數突減，再加上乃砲上將與董事長陳弼臣的壓力，終於回到中間偏右，現則在中間路線上徘徊。不過有一點應該提出的是，它們原來的中間偏左，已有轉成中間偏右的趨勢，這可從世×日報總編輯的對內談話裏看出來，他說「本報雖然號稱中立，但事實上已經很左，雖然有人不滿，但也沒有辦法。」這個總編輯既然敢於公開向同人這樣表示，他所主持的編輯部的方針究竟如何，自然不問可知了。至新聞週刊所稱只有一家僑報擁護自由中國的報導，不僅欠正確，而且太簡統。嚴格地說，今日曼谷六家僑報中，有兩家是擁護自由祖國站在民主陣營方面的，一家是一邊倒的左傾，另有三家採取中立路線，時而中間偏左，時而偏右，就上還有限度，左右夾縫中徘徊，大概這就是他們所謂的中立。

事實反證僑胞反共

我國旅泰僑胞大約有三百萬人，根據比較保守的估計，能閱讀華文報紙的定戶，在四萬五千份以上。這四萬餘戶中思想各不相同，有的愛受左派報紙的宣傳，有的願看右派忠實的報導，有的怕惹事生非，就選讀中間路線的報紙。各有各的讀者，其數量的分配大體上相同，即各佔一萬五千份。即退一步說，中立報紙佔最多，也只佔兩萬五千，右傾與左傾報紙則各佔一萬份。因此，右傾報沒有銷路的說法，事實上是不能成立的。

關於這一點，還可以舉出三點反證：第一、去年十一月底以前，右傾的世×日報日銷四千六百五十五份，十一月二日改走左傾路線以後，不但大銷路直綫下跌，降為四千零五十份，這是泰國僑胞厭棄左傾的一個有力證明。

第二、香港的右傾報紙，在曼谷均擁有廣大的銷路，星島、香港時報和工商日報等，共擁有近萬的定戶，自由人、天文台、和新聞大地等反共報刊銷量也很驚人，這些報紙利用港曼間的空運，均能當晚到達。但也正因為航運費不貲，售價相當昂貴，然而這對於它們的銷數，並無多大影響，由此可見擁護自由中國的反共報紙，確有廣大的讀者。同時，這件事也可從兩個角度上去看：一方面本地反共報紙的銷數較少，是因為被香港報紙搶去了一部份讀者；另一方面如果把香港銷泰的與本地的反共報紙的讀者加起來，可能比中立報紙的讀者還要多，比起左傾報紙來，自更不必說了。

第三、左傾的光×報對外號稱日銷一萬份以上，其實大半是宣傳作用。在今年二月十二日以前，光×報僅有兩架平版機（一架印副刊），以每小時印報一千份計（要逼時不發生零星的故障），晚上一點截稿，兩點付印，至天明六七點鐘，充其量祗能印好四五千份。同時，以光×報那樣簡陋的設備和節省的開支，如果日銷一萬份以上，經濟應該十分充裕。但事實上，光×報日出報兩大張，晚刊一張，只用一名正式編輯，英文翻譯也祗有一人，而薪水卻經常拖欠。從它的經濟狀況與平版機的印報量來看，可以證實他們編輯部某職員偶然透露的，日印四千七百份的數字，是相當確實的。由左傾報紙的銷量，也可以反映右傾報紙實在擁有眾多的讀者。

趨勢值得我政府注意

乃炮上將一向是自由中國忠實的朋友，他反共立場的堅定，也為大家所共知，如果因為上面匆促間的一席話，就以為他改變了態度，那也是過敏的想法。事實上，乃炮講話，常常是有口無心的，特別是在這種令他無暇思索的場合。記得兩個月前，乃砲到泰國的「海德公園」——皇家田——向民眾講話的時候，倉忙之間，曾說過以後立法議案都要送到皇家田去辯論的話，事後很受到若干方面的批評，指出蔑視人民議會的尊嚴（乃砲本人也是議員）。可見他快人快語，匆忙之中，有時不免欠缺考慮。雖然如此，大家對乃炮這次徒供共黨宣傳有損本身立場的談話，仍然感到惋惜。

不過，由新聞週刊的報導和乃炮將軍的談話裏，我們已知道曼谷僑報最近演變的趨勢，今後應該如何阻遏這一股「左傾就是前進」，「中立最是時髦」的危險洪潮，實還有賴我國外交及僑務當局的多多努力。（三月二日）

讀者論壇

人治的台北縣

·張健生·

在政黨政治之下，人事往往為政黨所支配，而成為「政黨責位制」。「多黨分贓制」或「功績制」。專家政治每不易實現，故往往每一機關之人事為「集合」的，而非「配合」的。俗語：「一人登天，雞犬皆仙。」我國政治家往往氣量太小，不明大體，自私自用，非自己一派一系不用，非親戚同鄉故舊不用，此種惡例，在自由中國，至今似尚有部份殘餘存在，實足使吾人惕然。

台北縣第二屆民選縣長戴德發，以絕對的優勢及佔着地利，和國民黨全力的支持，由鎮民代表而縣參議員，而連任二屆縣議會議長，和國民黨台北縣改造委員會主任委員，並膺選七全大會代表，其聲譽之隆，為全省台籍民選縣市長之冠。從其能以絕對的優勢，獲得在黨內縣長提名，擊敗政敵，毫不吃力地奪取縣長的錦標，足見其聰明和智慧之過人處。照理說，戴氏出身平民，既是一個由政黨的支持而又曾為民意代表者，其對民主政治之真諦，自應熟知，但就其年餘來的政績言，其未如一般之期望，則又為事實，而最為人所詬病者，則有下述二點：

（一）第三屆縣議員選舉，中和鄉發生選舉投票舞弊案，為台省地方自治史留下污頁，而該案至今尚未結束。中和鄉鄉長蕭銅昌雖經法院宣判無罪，卻作了政客們的犧牲品；

（二）戴氏為國民黨的從政黨員，但卻又未能貫澈黨的政策。第三屆議長選舉風波，起於自利主義，黨提名的議長候選人，因在普選時，未能順利產生，影響所及，使三分之一縣市議長糾紛因此發生。

就以上兩者言，前已公開而盡人皆知的事件，影響及於國際友人對台灣實施地方自治的認識產生錯覺。後者則成為黨內的糾紛。

及戴氏就任，初則雄心勃勃，抱負至大。為健全縣自治組織，即着手改組和整理內部，將民政局長，地政科長，兵役科長，建設局長，人事室主任，在二十一個月中陸續更調，則已三易主管。因此人事之頻繁更易，而欲其有建樹，孰可信之。而民間對縣府人事之不斷調動，議論紛紜，以至不得不闢謠之再。

根據上述事實，吾人有極表不解者！即戴氏盡否定其前任縣長所任用之人員，是否彼等均為無能之膺夫？而現任人員是否全為君子或賢人，似亦不能無疑。

如果以法而論，省府曾三申五令，民選縣市長不准藉故更調人事，而公務員之任職亦有法律保障其工作。是則戴氏所調動之單位主管，是皆有法律依據嗎？再進一步論之，若前任之各單位主管皆屬無能之徒，則該縣以往之縣政成果，莫非盡屬謊言？以一反三，即知現階段台省之自治，尚未符民主法治之精神。人事之更動，旨在使行政得以推陳出新，若非因事而調動，非以是非而調動，則其調動皆為純因人而調動，殆可無疑，則其相距民主法治又何至千里呢！

八人候選七區長　台南競選有文章

·呂增勳·

（本報台南通訊）台灣省第二屆民選鄉鎮區，及縣轄市長任期，自本年一月起，已陸續屆滿，第三屆選舉已先後開始舉行。

台南市總計人口超過廿七萬，選民達一三萬人。分東，南，西，北，中，及安平，安南七個區。第三屆區長選舉，已定本月十八日投票，參加競選的區長，七個區僅有競選人八名，內五名係現任區長。

西區候選人張耀焜，現年三十八歲，商業學校畢業，曾充台南市府民政科股長，及西區民眾服務站理事等職。其政見：「以新精神新作風，側重區民利益……。」另一人為吳森傳，現年三十六歲，政見：「願以有生熱血，遵奉政府決策，竭力為區民服務，以達成現階段的民主政治……。」這是七個區中的僅有的選戰。

中華日報台南版，三月十一日載：「吳森傳被控，涉嫌違反總動員法，高等法院台南分院定本月十四日審理。西藥房老板吳森傳，這次竟帶着「違反國家總動員法」及「囤積居奇」的嫌疑罪惡姿態，登記為西區區長候選人。一般市民對他的違法行為，記憶猶新，如今竟爾出馬登記區長候選人，均紛加非議……。」

據悉：七個區長八名候選人中，除吳森傳外，其餘均係國民黨員，凡為黨所提名。倘第三屆區長選舉，吳森傳若不插足其間，選舉與投票實屬多餘，而候選人也可不必簽訂什麼公約；不得使用汽車競選，只可用三輪車，費用以不超出二千元為限。這些規定及候選人發表政見演說，與寥寥無幾的聽眾去聽他們的高論，競者既是無所競，選者也是無可選。由提名取而代之的選舉，既「新」，又「速」，更「簡」，但「實」呢？就很難說了。

高等法院台南分院，已下達傳票，定十四日開庭審訊吳森傳。台南市近來街談巷議，為吳氏因選舉請假來應訊而躭心，即或得選，恐將步第二屆該區區長之覆轍，宣佈「當選」無效，法律是神聖的，毋庸市民關心，然民主政治的選舉，像小至一個區長，竟有如此的錯綜複雜，這又是小市民們所難以理解的了。（三月十五日於台南。）

台北速寫

內閣動靜

顧維鈞大使辭職消息發表後，一般認為俞內閣可能因而改組，大家揣測葉公超將使美，外交則由駐日大使董顯光接長，何應欽將軍或將繼董出使日本。至於閣揆一席，大概仍屬文人，屢傳之周至柔將軍組閣一說，似尚無可能。

清華基金被私分

因清華大學在美存有的外匯基金未能善於運用，此間人士一再提出質問，嗣由教育部提出一部分辦清華研究院，才略平民憤。最近又有立法委員質詢清華獎學金美金三萬元被人私分之情形。總之，經濟不公開是一切物議之源。

老兵成舍我

成舍我自在立法院一鳴驚人後，久無動作。最近則在建屋興辦新聞專科學校，並有同時辦報之說。「老兵不凋」正是成先生的寫照。不過，此時此際辦新聞事業是不能計成敗的，成氏銳氣不減當年值得欽佩。

據說，曾一度直綫上升之某聯營報，最近銷路已跌落了。

出洋熱

美援計劃項下，將有二三百官員在本年赴美考察，聯合國方案中也在甄選五六十人赴國外實習。此外三軍派美學員也有一大數字，所以，近來各機關都有許多人在積極活動，爭取出國機會。此間英語補習之風，始終不衰，這也是一大原因。

大號的文抄公

文壇上文抄公迭有發現，小嘍囉固然犯了此病，有的卻是赫赫的名作家，竟也居然大抄特抄。最近發現某文藝刊物把另一個文藝刊物的文章全部「轉載」，可說是大號的文抄公了。

分久必合

青年黨分為二家已久，經多時之協商，最近將告合流。民社黨則仍是兩個壁壘，各不相讓。一時還看不出妥協的形勢。

·杜衡之·

蘇無意撤駐日軍代團　指揮日共作顛覆活動

·許俊·

（本報東京航訊）舊金山和約簽訂後，日本恢復了獨立，各國軍事代表團先後相繼結束撤走了，惟有蘇俄軍事代表團既不結束亦無意撤退，到今天仍然在東京，表面上雖無公開活動，但大門深閉的代表團，卻依然暗中從事指使日共作顛覆日本政府的活動，及攫取情報的工作，則已是盡人皆知的了。

在吉田內閣時代，曾一再照會蘇俄軍事代表團撤離日本，據關係方面稱，此項照會不下五六次之多，但蘇俄則一貫施展拖的慣技，每接一次照會則走一二人，該代表團本來人員眾多，為各國駐日代表團之冠，故總是走不完，所不同的是把大門關上而已。

當鳩山組閣，附和「和平共存」，於是蘇俄軍事代表團第二次派員去看鳩山，此即日蘇談判之開端。此後即發展到在倫敦大談特談起來。現在日本的有識之士皆認為，重光外相堅持向蘇索還日俘和索還被佔島嶼的要求，固符合日本利益，但由於日共在俄共指示下，正加緊做顛覆其政府的工作，用宣傳冲淡日本人民國家利益觀念，故倫敦會談，在蘇俄之狡詐運用下恐永遠談不妥，但該撤退而未撤退的軍事代表團，卻因此有了繼續在東京駐扎下去的口實了。

試看日本一部份議員之與中共打交道，日本國內發動反對美國在日的軍事基地，及其軍事演習等等，可以知道日本實在已危機四伏了。

香港一年來的經濟

布力嘉對滙豐銀行年會提出報告

滙豐銀行董事長布力嘉在年會上所作的檢討報告，是被一般人認爲繼港督葛量洪爵士在立法局所作的施政報告後，一個最受到重視和有價值的文獻，所不同的，布力嘉的報告是以一個經濟專家的立場除檢討本港的過去一年外，並泛論東南亞各地的經濟政治。

中共對英商人施壓力

就香港過去一年的商業而言，布力嘉以一個本身利益作出發點的經濟專家的立場，他是主張放寬對共區的禁運的，但他隨即指出了去年的事實，禁運雖未放寬，但一般貿易亦有繼續擴展之勢，即以滙豐銀行本身來說，該行在上海的分行經理姚路沙，因營業不前的關係，最後被獲准離開大陸，在香港的業務却不斷加强，最近還在北角設立一新的辦事處。布力嘉隨亦指出他對艾登最近訪美談及禁運的看法，他說這不過是就對控制與中共貿易作一重新檢討而已，並未有提及禁運的任何事實，他同時透露中共貿易委員會最近獲得中共的通知，認爲中共不願在禁運未開放時，英人入大陸再談生意。這一個用意是對英國生意人一種暗示，要他們對政府加强這一方面的壓力，來達到放寬禁運的目的。

香港貿易額增加

布力嘉隨即提及他對本港過去的施政工作，如徙置計劃的成就，現代化啓德機場的興建，工業發展的迅速，貿易額的增加，乃至港府財政已臻健康境地，毋須增加納稅人的負担等，都表示了相當的滿意。

接着，布力嘉即開始簡單地檢討國際的政治形勢和東南亞與本港有關國家的情況，他說，去年夏季，四國元首會議所產生的日內瓦精神，並未獲得久長，秋間的外長會議，因對德國問題的僵局，逐使到氣候低降，並加以最近中東的事態，更使這種氣氛蕩然無存。

遠東情況尚穩定

布氏同意英外相麥美倫的說法，即由程度不同的分裂，遠東乃能獲致已成事實的穩定。對於聯合國引進十六個新會員國的問題，布氏所引爲特別遺憾者，即因蘇俄否決而不獲致進入聯合國的日本，他希望下屆大會中，能解決此重要國家的入籍。

布氏的報告書中，提及了印尼，菲律賓，泰國，越南，高棉，馬來亞，北婆羅洲，印度，緬甸，錫蘭，舊金山締方面的情況。

印尼政局複雜

布氏認爲印尼的政治形勢，異常複雜，使外國的商人與銀行家時常感到困難，由於他們每日的生活及及一切，必須順政治事件的潮流，而該國軍政領袖的競爭，已成爲最近歷次政府組織及政策的決定因素，而大選亦因此一再延遲。最近橡膠在國際市場的漲價，將有助於該國的經濟穩固。至於印尼與荷蘭的關係惡化，布氏認爲係一種不幸，該兩國在日內瓦舉行會議而告失敗，頗令人婉惜。

布氏對菲律賓的看法，他以爲馬獅獅總統去年在參院及地方選舉中之獲得壓倒勝利，已相當地加强其地位，而他亦不斷努力地提高一般人民的生活水平，但經濟與行政上的困難，仍然妨碍了該國的進步，由於進口貨的增加，影響到該國儲備金的減少，該國最近批准的比爾洪案，加强對美出口貿易和加緊輸入管制，都足堪研究者。

泰國政經獲顯著進步

布氏以爲去年泰國政治經濟的獲致顯著進步的理由，是基於泰國總理鑾披汶出國考察歸來後，採取了防止政府官員的貪污和准許言論自由所致。由於泰國目前仍爲人治的國家，若目前而談論此一事實的結果，乃未免過早，因該國對公開討論，仍有若干限制，但目前情形已足令人興奮。

談及越南問題，布氏稱南北越的分割，使南越政府增加了許多政治及經濟問題，而且必須迅速地解決，其中顯著的，若如何安定由北越逃來的難民及如何應付各敎派的軍隊，但在迭次勝利中越南政府的地位已大告加强，而難民問題在美國的協助下，亦漸告解決。

至於星馬問題，布氏以爲去年乃爲最重要的一年，因爲過去一年，星、馬在謀取獨立已獲得顯著的成功，而經濟亦見好景，一切表現令人欣慰，但恐怖分子的不接受大赦令，足以表示了恐怖分子傾覆聯邦選舉政府的企圖，固然政府是有足够的力量予以解決，然而，這一種野心，頗令人不安。

印度的社會主義藍圖

布氏認爲印度已公開地去實行其「社會主義圖案」，而且在該國的第一個五年計劃中已介入了這一個社會主義的藍圖。

再論及緬甸，布氏說：緬甸對於他鄰近的國家，常常是十分周閉的，但去年緬甸的首相宇努曾經訪問過多個鐵幕國家。緬甸的政府嘗試提高該國的生活水準，但基於其欲嘗試的工作太多與過於求速，並不能獲致預期的效果。

布力嘉並未遺忘論及蘇俄，他特別提出了對蘇俄布爾加甯訪問各國的觀感，他說布爾加甯在印緬方訪問時，曾攻擊西方國家，特別是英國。無疑的，布氏的訪問或可說是蘇俄的成功，但他對英國的評說，顯使他們的主人不安，在經濟方面，這次訪問將增加蘇印貿易，間接對英國增加競爭，但是，這可能是屬於一種偏見的評說，在我看來，將是蘇俄過分的玩弄他的過高的估計，可能是一手法。

「純粹的商人立場」

在布力嘉萬餘言的報告中，頗多是中肯的，尤其是他關於東南亞各國的觀感，當他的報告發表之後，本港若干報章會加論列。但無可諱言的，布力嘉的整個論調與主張，是絕對站在一個英國有地位的商人立場而言的，他對禁運的看法即爲顯著的一例，而末尾他提及蘇俄訪印損害到英國人的利益而加以評論時，更足支持吾人對他立論根據的說法。

請問陸志韋：張東蓀何處去了？

·小言·

新華社在二月廿三及廿八日，先後發出了前燕京大學校長陸志韋向美國要他兒子陸卓如的消息。（見香港××報）。

陸志韋的索子信原是載在「人民日報」的，看完了全文，我們了解陸志韋之所以向美國索子，是因爲陸卓如是學核子物理學的，事實是中共需要陸卓如，比陸志韋需要他兒子更殷切！

但由於此使我們想到了另外一個人。他就是張東蓀。

張東蓀是前燕京大學的老敎授，曾做過民盟的秘書長，是被中共稱爲「民主鬥士」型的人物。而陸志韋不僅是前燕大的敎務長（司徒雷登出任大使後，即任校長），而且還與張有姻戚關係。

張在中共入駐北平後，曾「貴」爲「中央人民政府委員」，但到一九五三年十二月時，即未曾見他出席「中央人民政府」的第廿九次會議；在一九五四年三月十二日的「中央文敎委員會」第五次會議上，也不見其人，此後一直不見他有任何活動。他的名字除了在一九五五年八月十日的「人民日報」上的千家駒批判梁漱溟的文章裏曾同梁啓超、張君勱、羅素等名並列被提出咒咀外，也未再有出現過。

因此，值此陸志韋奉命向美國要兒子的時候，也不僅使我們想到了要請問陸志韋先生，張東蓀何處去了？是在長期的思想改造嗎？還是在「休養」？如果他已不在人世！那末他是在何時死的？是怎麼個死法！因爲我們知道，他的思想還未必有梁漱溟那麼「進步」呢？如果中共有膽量的話，能否作一個公開的答覆。

否則的話，就會令人發生這世界上還有沒有張東蓀其人的問題了！

大陸怪事　學習禁書

在三月十日的天津大公報上，登着「好些地方買不到『聯共（布）黨史簡明敎程』」的二封讀者來信。一是來自河南信陽，一是來自山西陽高。信上一再說，在信陽、鄭州、開封和陽高、大同等地的新華書店，都買不到這本書，營業員的回答是「賣光了」。實際上，在蘇共廿次代表大會，已經決定了俄共的黨史必須加以修改，所謂「賣光了」，不過是奉命收起來不准賣的遁詞。但是被迫學習的老百姓，却根本不知道這回事。

從這樁事情反映出來，中共強制人民普遍學習俄共歷史，甚而連俄共內部在清算史大林，淸算黨的歷史的消息，也加以封鎖蒙蔽，基層的共幹，却又一直在忠實地執行中共中央的舊命令，要人民學習它。這眞是集矛盾、欺騙，來愚弄老百姓的怪事。（裕）

女青年、你看我夠条件了嗎？
团支書：如果你愛我，当然夠条件了！

入「團」的條件

這幅漫畫原登在今年第四期的中共「中國青年」什誌上。該什誌並說：「據讀者反映，有些地方的團幹部不關心青年入團，……個別幹部甚至於以發展團組織任務來作他找愛人的庸俗手段」，實則這樣的手段豈只是「庸俗」而已，它還內含着很多荒淫無恥和詐欺的事實，把純潔的女青年視作俎上魚肉，任意宰割呢！

竹·幕·中：一幅醜惡圖畫

亞蘇

中共竊據中國大陸六年，至今還有人會說它是「天堂」嗎？只要掀起鐵幕一角一瞧，就可發現許多光怪陸離的事跡，活生生現出一幅醜惡的圖畫。玆根據「大公報」和「中國青年報」透露出有關共區醜惡事實摘錄如下：

據天津「大公報」說：「……根據全國二十五個省市商業廳局及中央商業部的統計，自一九五四年六月到五五年底止，一揭發處理貪污的案件一千二百六十八起（當然未揭發的尚不知多少），貪污人數達一千八百廿六名，貪污款項達二億六千餘萬元（新僞幣）……。」

「僅上海市商業局一九五五年統計，該局及所屬二十一個專業公司和採購站都發生了貪污案件，總計發現貪污盜竊份子二百五十一名，比五四年增加了百分之五十七……據不完全統計，單是二百五十一名貪污犯所貪污的金額即達九千餘萬元，其他的損失更（不）可估計。」

貪污案件的層出迭出，在中共區域裏已經不算是新聞了。共報常把這些責任一推，推到一些「老黨員」身上，「老黨員」認爲「天下是老子打來的」，應該享受「革命」的「果實」；但許多黨齡淺的「青年團員」，被指爲「新陳代謝繼起「革命」事業的「優秀幹部」，」卻也不甘後人，競相效尤，於是中共黨團員生活圈子裏，醜態畢露，怪現百出了。

「中國青年報」說：「在關州第一鐵路工程局機械修配廠的青年當中……起床後不是打撲克，就是家庭、老婆等念頭在腦子裏打轉」。其中「氧氣組製造組有十三個青年工人，五個團員，他們每天工作時，常偷偷矇頭大睡，可是一下班却「你東我西，各不相關」。

「廣西南甯磚瓦廠，有不少團員經常遲到，生產不起勁，完不成計劃，『團支部』書記和小組曾找他們談過好幾次話，也嚴厲批評他們。有一次，前任『團支部』書記，甚至向經常遲到的團員黃素光說，『你要這樣，就開除你的團籍』。可是這樣也不起作用，爲着這件事，『支部』委員們很苦惱。後來經深入了解，才發覺這些經常遲到，生產不起勁的團員，是因家庭問題處理得不好，像黃素光有了孩子後，每月發薪不到十五號就完了，他愛人埋怨說『嫁錯了黃素光』。因此就指其是『家屬拖了幹部的後腿』。且不久，黃素光工作積極了。原來『支部』書記自了解黃素光家庭環境差，投其所需，兩人偷偷地盜賣了大批磚瓦，彼此經濟情形都變裕了。一直到現在，這件貪污案才被揭發出來」。

介紹：中華民族史話

真誠

陳致平敎授自四十年十一月開始在台灣師範大學作有系統的講演中華民族歷史故事。每星期講演一次，每次約爲一題，每隔幾題，歸納爲一小冊。隨講演的進度陸續刊行，並定名爲：中華民族史話。從四十一年四月出版第一冊起，到現在已是十冊了，這十冊的劃分是：第一冊秦代、第二冊楚漢之爭、第三冊漢高祖與呂后、第四冊是文景之治、第五冊是漢武帝、第六冊是昭宣之世、第七冊是元成哀平（元成中衰、哀平之亂）、第八冊王莽、第九冊是光武中興、第十冊是明章和安。

陳敎授以通俗靈活的筆調寫出，使人如讀一本小說。這實在是創舉。在濃厚的趣味中，人們的感情隨着故事的發展而發展，最後會淸楚是非曲直歷代盛衰的因果所在。

三國演義比三國志擁有了更廣大的讀者羣，就因爲他是故事化，興味化了的。陳致平敎授大概也是着眼於此，以故事的筆法寫出此書，加强了人們對它的認識與記憶，所以在講演時也是座無虛席。

此書在刊印時，又增加了歷代年表地圖和辭義地名的註解，這更便利了讀者不少。

遺憾的是陳敎授把上古史略去不講，尤其周朝，在我國政治學術各方面的影響都很大，誠屬可惜。據陳敎授說：我國有五千年的歷史，所以截自秦漢者，是由於秦漢是中古史開端，政治的統一自秦始，秦以後的史料都是確鑿有據的。雖然如此，一般人都感覺到這是美中不足的。

編者　讀者

整飭駐外官員積習

△西貢文魁先生來函

編輯先生大鑒：自我政府與自由越南建交以來，我駐越外交官的官僚惡習始終沒有改變，弄得整個僑社烏烟瘴氣，遂予中共海外統戰份子以大肆活動之機會。像這裏的洪領事，幾年前旅越僑民即已籲請當局撤換，但主管機關似乎總不變諸僑社的反應。最近事發，外交部竟調返臺服務，洪某竟抗命拖調，現在還在僑社利用一職權，大做有害僑家聲譽的活動。似此情形，又不見我外部再作進一步的追究，實使此間僑胞感覺失望。我駐越人選應該選出肯做事，有魄力，和老練的人才，假如像現在的情形，再容許繼續發展下去，則萬萬不可。同時在任三年以上的官員，亦應調回訓練一時期再外放。現在有些在外十多年沒有回過祖國，因此更促使官僚氣的增長和散佈，僑社認爲是至堪痛心的，應請有關當局特加注意才好。

讀者文魁謹上三月九日

△前期預告燕廬先生的一篇討論香港人格敎育的文章，因稿擠，改於下期刊出。

△陸徵祺，孫瑋，楊力行，葉子修，張搜碧，秦思源，徐萍諸先生，惠稿已收到，至感幸。

自由談

不敢承教

·馬五先生·

美國那位卸任的「總統先生」杜魯門，最近演說抨擊艾森豪政府對共產世界不應抱着樂觀態度，說俄共集團勢力已趨退縮了，實則俄帝侵略勢力在遠東、中東、北非皆有進展。因此，他指謫艾森豪政府是在「欺騙」美國人民，又提出如何反共的一項主張。說來頭頭是道，像煞有介事。

杜氏這些政論，原是爲民主黨競選總統而發的。關於美國兩大黨爭取政權之孰得孰失？我們不屑置喙，那是別人的私事，我們管不着。可是，杜魯門要以指摘共和黨政府未能遏制俄共勢力擴張爲競選材料，我却替他有些難爲情哩！

今天共禍最烈，俄帝勢力最猖獗的地區，就是亞洲，而以中共爲禍首罪魁。這是舉世周知的事實，也就是美國總統先生杜魯門執政時代，認定中共是「土地改良主義者」，是「與蘇俄無關」的中國社會革命勢力，因而培植縱容起來的結果。中共之奄有中國大陸，北向以侵略三韓，南向以擾亂東南亞國家，這都是杜魯門執政時的現實態勢，迄今未有特殊的變化，杜老總好意思攻訐別人反共不力嗎？杜魯門總統任內的最大政績，就是千方百計地把中國大陸送入鐵幕，貽患至今爲烈。我覺得民主黨人士對美國的外交政策，甚末問題皆可以講大話，吹法螺，唯有對亞洲方面的反共問題，却沒有資格來插嘴，眞是所可道也，言之醜也。共和黨政府對於俄共集團在東方的發展，固然未見有切實的辦法，但比較民主黨政府在東方所造成的共禍，亦不過小巫而已。所以，我每逢聽到美國民主黨人批判亞洲反共事宜的是非得失時，心裏即浮起一種鄙薄憎惡的感想。同樣的道理，對於俄共頭目赫魯歇夫之譽罵史達林，亦認爲不足取也。

英國王寶川

·紅纓槍·

本港藝術節期中，頗多賞心悅目的花樣，值得在這兒一提的却是熊式一博士的粵語話劇「王寶川」。

據說這齣粵語話劇演來頗像三十年前的「文明戲」，舞台佈置是象徵式的，演員的動作也是象徵式的，既像平劇，又像粵劇，但也既非平劇，則更非粵劇，看起來是非驢非馬。因此，無法說這是演技問題呢？還是導演上出了毛病。

對戲劇，我算是個「外行」，更或許我的欣賞力還不夠「倫敦水準」，所以暫且不談也罷，但因此而引伸出的另一個問題，却不能不簡單談一談。那就是中國文學「外銷」的問題。

中國文學的「外銷」，始於誰這是「考古」，不在論列之內，但却以林語堂的聲名最大。林所販賣的中國文學從「浮生六記」到「[illegible]」的思想，風靡了新大陸的文壇，國人對林的批評各是其是，各非其非，似乎對於中外的文化交流好處佔多數，而熊式一的「外寶」王寶川，此間文壇，却頗多非議，尤以王寶川在港上演之後爲甚。

一般的指責，有下述數點：

一、命名的問題，熊氏把王寶川介紹到英倫社會，命名爲LADY PRECIOUS STEAM，直譯應爲寶川夫人或寶溪夫人，對於原名「王寶釧」的，似有失眞之處，有些人主張應爲「蜜絲王寶釧」。這些仍在其次，更甚的是：二、劇情的改動以迎合外國人的胃口爲主。像王寶川所行的吻手禮是中國古代禮法所無者；三、情節上有薛仁貴在西涼被招親時也推宕了十八年，而那位外國公主也一樣等候了十八年，最後在無法安排之下把公主配給了一個「外國」的使節——這些，在中國人看來都是極陌生的。出口的貨色，既已經失去了本來的面目，我們只能不承認她是中國文學上的王寶釧，而只能說那是英國的LADY PRECIOUS STEAM了。

老舍・田漢的「將軍」

·小言·

「左翼作家」，在中共竊據大陸後，皆已成了臭水潭裏的死魚，肚子朝天，聽由中共擺佈。

這幾年來，大陸的「作家」生活上的共同特點是寧肯跑腿，打雜做幫閒，而絕大多數是不肯動筆寫東西。

許多作家曾被迫下廠礦學習，也曾被驅赴韓戰場和參加「土改」，但還是一樣不見有作品面世，連兒童讀物也一樣缺乏。

在這期間，老舍曾以突擊的姿態寫了一本「龍鬚溝」，獲毛澤東的邀寵，地位顯有提高；曹禺則被迫修改他的舊作，而一些所謂「老作家」，則幾全部洗手收山；冰心在去年初冬曾奉命號召要所有的「作家」每人爲兒童寫一篇，但爲時將近半年了，似乎是無人響應。

最近，老舍在（三月三日）光明日報上，以御用代理人姿態對一些無產的「老作家」將了一軍（老舍的文章題名「將軍」），他的對象現時是尚只限於專寫劇本的一羣，計有：「田漢、湯翰笙、馬彥祥、熊佛西、張駿祥、陳白塵、吳祖光……」

老舍說，他「不能不將他們一軍」的原因是：「劇本缺乏，劇團緊催」，「導演着急，演員着慌」。而實際的情況是，隸屬於「中央」的劇院竟然無劇本上演，而演員們也常常半年以上無新劇本排演。因此，像曹禺的劇本就被一再地修改翻抄。

如果照魯迅的說法，作家的作品，是牛肉奶，那是須要吃了草才擠得出來的。則可見今天大陸上的作家羣，連「草」也沒得吃了，那裏還擠得出奶呢！

贈自由人

·史次耘·

兼呈適之師暨舜生嘯岑文淵復觀騫才以亨諸先生

亙古大聲鐘自由，爭言獨特管城侯；巾書雖禿舌猶健，蹈海梅妻志益遒，骨鯁孤忠思快吐，匈奴樹掃啓殷憂；五年夢落生花筆，正氣蟠留射斗牛。

台銀三傑

·漱秋·

台灣銀行員工福利社的康樂活動，原先有平劇研究，但因故中途停頓。四二年秋，經過張麗門、王文蔚兩位先生的提倡，由潘萬新、于博生、張心治、祝源海、劉昶人、沈守德、熊松筠、王傳謀諸君的主持與努力，兩年多來，經已有六次彩排，其成績與貢獻，實在可佩，似爲其他票社所少有。因爲練習不息，所造就出來的人才，就旦角而論，即有三傑，爲張丁桐夫人，胡呂菊如夫人，潘明仁小姐。

丁桐夫人是心治先生的太座，早歲客居昆明，曾從許多名票研習，因此身上白口均已有功夫，台步邊式尤其動看。該社成立時，張夫人首先表演宇宙鋒，飾趙女，其扮相之姣麗，並不在顧正秋之下，凡或過之。一段原板之流利，一段反二黃之宛轉，皆極見劉亮之緒，其時嘉賓蒞止，座爲之充塞。此次游美甫歸三月，鼓勇唱龍鳳呈祥之孫尚香，夠得上稱雍容華貴，洞房的一段慢板，確是腔調曲折有味，而回荊州的三叉花，走邊姿式，異常好看，可算一位有名的坤票，台銀今年十周紀念，將有更精彩的表演，以供賓客之觀賞。

呂菊如夫人，爲季和兄的德配，季和研究法律，原在經濟部工礦公司兩單位任職，張麗門先生主管台銀，始被派爲研究員，深資倚畀，近以經濟部特准赴美考察。菊如學劇年代甚久，在滬由沙紹春予以指點，來台後與秦慧芬研究，故戲路甚工正，也可說是學梅。三年前，以與季和及其子在中山堂串演教子，傳爲佳話。能戲不少，如祭塔，武家坡，宇宙鋒等，不下十餘齣。台銀第二次彩串，余力懇汪子年饒振常兩公敦促，菊如始允唱春秋配，由朱冠英、張喜海、王傳謀三君配搭，是日嗓音特亮，二黃西皮南梆子均唱得游刃有餘，爲是晚最精采的一幕。嗣以遭母喪，菊如乃謝絕粉墨，俟服闋後再行參演。

潘明仁小姐，爲萬新先生掌珠，猶在第二女中肄業，平素酷愛戲劇音樂，萬新先生因習就嗜，課後常延吊嗓，從朱琴心研討。台銀第四次彩串，明仁小姐以鐵鏡公主出演，竟一鳴驚人，雖僅坐宮一場，但從容不迫，成績美滿。第五次即演拾玉鐲，也由冠英傳謀兩兄配搭，做作細膩，除嗓音略低外，眞是應有盡有，尤其扮相的姣麗，眼眉的傳神，可說聲華並茂，已大有進境。最近串演戲鳳，則淡掃蛾眉，布裙綴兒，頗見大方。其動作愈臻精細，能將含羞姿態，演得尚眞，可知其努力不懈，藝事日精。明仁小姐不唱青衣，而改就花衫，爲一聰明之舉，因青衣必須有好嗓子，花衫而能下功夫，則成就也可卓越也。

讀「談詩」有感

·丁懿安·

近於本報得讀邵鏡人先生「談詩」一文，覺其言簡意賅，洵佳作也。

嘗聞詩所以觀民風、[illegible]、續、明志趣、見性情。故須言必由衷，旨不失節，始能行遠而流長。蓋如是，方利吟詠而生低徊也。

文學之基，當自小學（文字學）入手。近世學校中對於小學音韻等科，向少注意講求。故作詩者，除另有師承或刻苦攻讀外，多若不能遣詞自如，縱橫達意。因而感於音律拘束之過嚴，思另闢新徑以避其梏。蓋未自知胎息未厚學力不足也。不觀夫昔賢之馳騁於規律之中，未嘗覺有梏桎之苦乎！

今者世變之鉅，生民之苦，曠古未有。詩料之豐，亦非古所能比。有待於植根深厚之詩家隨地俯拾。正所謂「國家不幸詩人幸」也。就體製而論，今日世事之繁，人情之異，或非舊時有者所能概括足用，而須創造若干新體製以濟其窮。但新者必須承繼舊者之優點，蛻變而來，不宜憑空創製。故此項工作，須仰賴於深通舊詩之著學爲之。若惟恐於畏懼規律而輕言創製，是未學步而先習跳，欲求能歷久而行遠，恐戛戛乎其難矣。

邵作主張詩必修飾，此說極是。蓋用字必求其切，求其所欲表現之意境，恰如其分，恰當其際，難以另易他字。恍如天衣，已無修飾之跡，而與樸質混同矣。

作詩須先養氣養性，以求筆勢空靈、意境渾融。進而吸取山川之奇，天人之妙，始能融剛健於婀娜，含溫柔於豪邁。至情至性之作，令人讀千百遍而不倦。

筆者愧未致學於詩，偶喜讀之，不無感焉。今讀邵作，覺其旨正而意賅，因抒管見，擬申其說，並以請益。

同光風雲錄

·夢山樓·

吳棠

吳勤惠公，字仲宣，安徽盱眙人也。幼貧，父爲小商，母知書，教之讀，寒暑無間，並嘗引王禹偁句以勉之曰：『但憑心裏正，何愁眼下遲？』仲宣聞而感泣！秋闈報捷，得力於母教也。

江蘇桃源，即今之泗陽，位居淮上，盜風素著，即吏役亦陰與盜通聲氣，仲宣初宰是邑，窮追逕搜，躬親督隊，絕不假手於人，越年，四境安謐，父老咸相慶曰：『吳大老爺，眞民之父母也。』旋奉旨擢淮安知府，於禦捻亂，保閭閻，尤著奇功。

慷慨樂善惠及慈禧

仲宣微時，貧而好施與，見乞丐衣不蔽體者，輒衣之，嘆曰：『丐亦人耳，貧而不知恥，非其本意也。』通籍後，益慷慨樂善，凡里黨戚友有貧乏者，無不隨時周濟其急。

某年，其故友旅櫬，道經清河，仲宣時以三百金，命吏齎往，吏見舟載官柩，未詳詢，即以金付之，舟中人疑死者與吳有故，安然受之。及吏持回帖還命，仲宣知誤，不之責，復具金如數，躬自攜往故友舟，並將錯就錯，詣鄰舟弔焉。舟中景況蕭條，應對無五尺之童，正感嘆間，一旗婦攜二女出，拜謝曰：『先夫舊時寅友，無復惠及寡婦孤兒者，惟公古道熱腸，不以炎涼異度，我母女將有得覩天日之時，誓不能忘也。』仲宣不知所對，唯唯謙遜而已。庸詎知此煢煢弱息中，其一，即後來垂簾聽政名滿中外而負清末一時大權之慈禧太后也。

太后圖報屢擢升

同治末葉，仲宣[illegible]，以守正不阿，致遭[illegible]奏劾，慈禧[illegible]部查明吳棠其人，是否昔年[illegible]？部覆奏果然，慈禧嘆曰：『此良吏也，何可妄劾！』遂擢仲宣[illegible]，召見，命坐，賜[illegible]，[illegible]感激之私，溢於言表。[illegible]仲宣又[illegible]，乃特旨爲欽差大臣，總督四川，[illegible]。事有不可以常理解釋者，佛家輪迴六道，因緣渺茫，然而，自然界之現象，[illegible]有因有果，[illegible]若有一定之法則也。（十四）

徵稿啟事

△本報擬徵求下列諸稿：

一、三千五百字至七千字左右的短篇小說，不限體裁和故事內容。一經選用，優先奉送稿酬。

二、台灣及海外各地自由文壇的動態報導，作家生活素描及過去文壇珍聞。每篇以不超過五百字爲佳。

三、介紹海內外自由科學家、教育家、實業家、醫務、工礦業工作者的人物事稿。對象以現在從事於工作者爲最佳。來稿不宜超過一千五百字。關於軍政界人物稿件以散見報章雜誌者已多，請勿惠稿。

老人與牛

短篇小說

·鍾靈·

雖然是腳已經觸濕泥襤，但河水還是滿滿的！現在，他無法離開鳳仔村了，除非等明早潮水退，涉水過河，走旱路轉三明溪去。

他對着河岸，無力地坐下來。忽然，他覺得自己做了一件錯事！走旱路到三明溪，是要歷盡許多艱難的，但現在他是非走旱路不可了；可是，他先前怎麼竟沒有想到幫他的牛走旱路呢？

一想到這，他便無法忍耐，急急又跑到「荔地」去。他多麼希望他那一刀並沒有刺中要害啊！要是他的牛還活着，他會怎樣的快樂和安慰啊！……但是，他很快便又看到它了：它一動不動地倒在草地上！天，這完全是真的啊！他衝了過去，撲在牛身上，雙手圍緊了它，彷彿覺得那膨大的肚子還是一起一伏的，但是，他的手觸到一攤濕漉漉的東西——血！

[illegible]

月光淒淒地照進了「荔地」，[illegible]

不曉得過了多少時候，余老爹[illegible]

[illegible]是什麼使老人親手殺死他的牛（四·完）

自由人

THE FREEMAN
（第五二八期）
中華民國僑務委員會
頒發登記證台教新字第一二〇二號
中華郵政台字第五〇〇號
執照登記爲第一類新聞紙類
（半週刊每星期三　六出版）
每份港幣壹毫
台北市價台幣壹元
督印人：陳文華
地址：香港高士威道二十號四樓
3rd. fl. 20 CAUSEWAY RD
HONG KONG
香港發行及業務接洽
高士打道66號　電話：七四〇五三
承印者：東南印務出版社
地址：高士打道六十四號
海外總經銷
友聯書報發行公司
香港：德輔道中二十六號A二樓
台灣特派員辦事處
台北市館前街五十號
台灣總經銷
台北市西寧南路壹叁號二樓
台郵撥儲金戶九二五二

毛澤東還不拿話來說！

——眼前還有兩條道路供您選擇——

·左舜生·

自從惡魔赫魯曉夫以猙獰的面目，決絕的言辭開始背叛他們的『導師』斯大林以來，爲時已經是一個月，坐在北平新華宮裏做風流皇帝的毛澤東，以及他所領導的中國共產黨，至今還不曾有過一個字的反應，其足以引起世人種種的揣測，以及新近若干投機黨擺分子的動搖與不安，這是無怪其然的。

一個蠻有趣味的『道統』

可是，這件事的發展與後果，根本推翻了共產黨從來的『道統』，——馬，恩，列，斯，毛；也必然會要召致全世界共產黨的大分裂；這已經是一個很顯然的事實。

毛澤東及其黨徒，對這件事決不能永遠裝聾裝啞的默爾而息；也決不容許他只是撤着『一肚皮的悶氣』而一聲不響；無論如何，毛澤東在最短期間，必須交出一篇措辭相當巧妙的文章，否則他對他的黨徒無法繼續指揮，對七年以來關在大陸鐵幕以內四億以上的人民無所交代，對海內外無數的反共人士也無以遮羞，尤其不得了的，便是他們的新主子——這位殘酷無比的『赫爺爺』，也斷然不能答應！不過，除掉借重世界上一位最有名的牙醫，把他現有滿口的牙齒全部拔去，並且還要借重一位未來派的優秀外科醫生，施行一種從來沒有經人施行過的手術，把他現有的這根舌條，一刀割下來換掉，他到底無法自圓其說！

現在，在老毛這本卷子未交出以前，讓我們來對共產黨的過去，提出一些簡單的回憶。我相信，我的腦筋很冷靜，我的態度很客觀，我決沒有意思要顛倒任何一件事實。

替已死的斯大林呼冤

中國共產黨的萌芽，遠在民國九年十年之交（一九二〇——一九二一）；中國共產黨開始篡奪國民黨，乃在民國十三十四年之際（一九二四——一九二五）；列寧在一九二四年一月二十一日死去，在他生前可以說和中國共產黨的關係異常輕微，而中國共產黨的發展，——不管它是光榮還是醜惡，確確鑿鑿可以說是與斯大林的一生相終始。

在中國共產黨生長的過程中，不是沒有遭遇過許多次致命的挫折，也不是沒有碰過許多不容易解決的難題，但不問在任何時候，斯大林總是經常給予他們種種有效的指導，其親切的態度，眞可以說是抱保提攜，豈只是耳提面命！尤其是自一九三一年『九一八』日本軍閥開始正面侵略中國以來，斯大林乃認爲是一個千載難逢的機會，他曾運用種種的狡計，把中國逼上一條不能不抗日的道路，一直到一九四五年日本無條件投降爲止，爲時凡十四年，斯大林確曾絞盡了他的腦汁，要盡了種種的陰謀，爲中國共產黨奠定一個搶奪中國大陸的基礎。斯大林爲應付中國的『西安事變』，採取了一種出人意表的態度；爲應付雅爾達會議，使得羅斯福和邱吉爾不能不墮入他的圈套；尤其是他生平的傑作。

開創與締造

斯大林並不是列寧的什麼學生，就打倒帝俄的這一點來說，他們確實是比肩人物。即以年齡而論，列寧的生卒爲1866到1924，斯大林則爲1879到1953，列寧也僅僅長他一十三歲。站在共產黨的立場來說，論開創之功，自以列寧爲首，論締造之勞，則以斯大林第一。在一九〇五年，斯大林和列寧第一次見面的時候，斯大林已經是三十九歲，他已經爲革命工作有了二十年以上的業績，並不是什麼初出茅廬的小伙子；在他一生革命的過程中，他確曾坐過無數次的牢，也經過無數次的放逐，也有過無數次的逃亡；即在革命實現的創期，蘇俄曾遭遇過從國內國外而來的無數次艱難，斯大林確實無一不站在第一綫，而逐一的加以排除。平心而論，假如俄國沒有列寧，俄國的革命也依然會要實現；假如沒有斯大林，俄國的革命卻不見得會這樣的順利成功。在列寧逝世以前的一九二二年，斯大林已被選爲蘇聯共產黨中央委員會的總書記，而且是出自列寧的提議，這可看出在列寧去世以後，斯大林起而成爲列寧的一個繼承者，確實是順理成章，而決不是由於他的巧取豪奪。凡此等等，都是早爲舉世所週知的事實，斷不容赫魯曉夫米高揚這羣小丑一筆抹煞。

共產主義就是殺人主義

至於赫魯曉夫痛詆斯大林屠殺大批同志，大批軍人爲過於殘酷，這簡直不像是一個共產黨人的口吻！須知所謂共產主義本來就是殺人主義，所謂共產黨人，本來就以殘酷爲他們的第二天性，像毛澤東這樣一個只懂得填一兩首歪詞的師範學生，他也居然在五六年之間，屠殺了中國兩三千萬的老百姓，斯大林的本領大於毛澤東何啻百倍，就再多屠殺幾個又算得什麼稀奇！

自然，我們也是三十年來一貫的反對斯大林的，但我們的反對，乃是反對他以他的那一套魔術威脅了整個的自由世界；乃是反對他以他的那一套陰謀顚覆了我們的國家；乃是反對他以暴虐平民的手段，屠殺、奴役了蘇俄那近兩億的老百姓！赫魯曉夫，明明是一個共產黨人，明明是斯大林一手教育出來的門徒弟子，爲了要手段欺騙自由世界，爲了見好軍人以鞏固自己的政權，乃不惜首樹反旗，背叛了他們的領袖，背叛了他們的導師，這究竟算是什麼東西？

毛乃斯的嫡傳弟子

毛澤東，在今天算是遇着一個三十年來所不曾遇過的難關，我們絕對承認毛澤東是斯大林的嫡傳弟子，也絕對承認毛澤東是繼承馬恩列斯『道統』的標準人物，要我爲他借箸一籌，他今天只剩下兩條大道：一條是十分光明，即是毅然向梯弗里斯示威羣衆看齊，高舉義旗向斯大林的叛徒聲罪致討，以博得全世界眞正共產黨人的信賴，然後以其力量，共與『美英帝國主義者』相週旋，成敗利鈍，在所不計，能這樣，我一定首先高舉兩手，獻呼您是千古風流人物！假如你覺得不配，也不敢，那便只有另走最黑暗的一條，換言之，便還是奴顏婢膝，低首下心，像鸚鵡學舌般的也來臭駡斯大林一頓，然後規規矩矩，繼續倒在你們赫爺爺的懷裏，像這樣，究竟成爲一個什麼東西，你也便只好靜待世人的裁判。不過，我還得提醒你一句：假是赫魯曉夫的政權，決不能像斯大林這樣長久，萬一在最短期間，他又遭了另外一批人的清算，到那時候，你又打算是如何一個『倒』法？

泛論香港的人格教育問題

·燕廬·

自從錢穆先生在新亞書院奠基禮的演講中，提出了人格教育的主張之後，心裏雖很有些話想說，但又覺得頭緒紛紜，不知道從何說起，我到香港六年了，一直都在學校中教書，也接觸過不少教育界的朋友，大家對於目前的學校風氣，都抱着一種憮然於中的心情，認爲無論如何，總和自己的願望有很遠的距離，又彷彿無形中有一種沉重的壓力，把我們的主張同現實隔開，這基本上自然因爲香港是英國的殖民地，我們不能要求英國人對於殖民地的教育，也和我們採同樣的看法，其次是教育界本身爲了生存的要求，不得不採取一種同現實妥協的態度，這麼一來，即使有些人要有所主張，結果可能發生的作用也是微乎其微的。

我國傳統教育思想

所謂人格教育，其實並非新鮮的問題，我們中國的教育傳統中一直就存在着這樣的主張，中國文「教育」一詞，原有指導溉煦二義，「教」指知識傳授，「育」指品格感召，合而言之，品格更重于知識，所謂「言教不如身教」「經師易得，人師難求」，都是很好的說明，孔子的學生要做到孔步亦步，孔趨亦趨，歐陽修爲北宋大儒胡安定先生撰墓表，述說瑗對學生的影響說：『先生爲人師，言行而身化之，使誠明者達，昏愚者勵，而頑傲者革，故其言談舉止，不問可知爲先生弟子，學者相語稱先生，不問可知爲胡公也。』這則是人格教育最大的成功處。中國歷史上政府取士，也一直配合着人格教育的主張，由漢代的「賢良方正」，「孝廉」，唐的「有道」，宋的「經術」，一直都離不開以人格爲中心的軌轍。過去中國的知識份子，未仕則「孝悌力田」，既仕則「幹國棟家」，中間只有一個曹操，敢公言：「士有惡穢行而能將兵治民者，一切不問而與之官」，但奸雄的措施，到底不足爲法，曹操本身雖是一個成功的人物，卻至今蒙被惡名。

人格教育的衰落

清朝末年，海禁開了，中國人對着洋鬼子的堅船利砲發抖，曾國藩他們，才奏請選派民間聰穎子弟出洋學習技藝，大抵從這時候起，中國的知識份子有了新的大池，逐漸離去人格的修養，專講富强之道，但一方面仍然有人覺得人格教育的重要，沒有人格，到底担當不起動亂時代的使命，這幾十年來，就記憶所及，自從梁啓超先生在日本寫新小說時起，他寫了一個新中國青年的造型蔡松坡——這是小說中的蔡松坡，並非後來的蔡鍔先生，把譚嗣同陳千秋一輩人的精神糅在一起，中心的思想是仁俠，想藉以鼓勵出一種磅礴創造的風氣，這要算是啓蒙時期的一種人格教育的理想。辛亥以後，蔡元培先生任北大校長，提倡過青年須有獅子體力，駱駝精神，猴子靈敏的主張；一方面陶知行先生，卻又以爲青年人須有「科學的頭腦」和「農工的身手」，着眼在實踐與效率方面。到對日抗戰時期，政府極力對青年提倡忠孝仁愛信義和平的固有道德，對做官的則要他們參加所謂禮義廉恥的新生活運動，這時候馮友蘭寫成了他的貞元三書（新世訓，新事論和新理學），指出認眞和超脫的兩種中國人的精神，叫青年人走入儒道合流的道路上去。

這些主張的對不對，目前我們不想論列，也不必論列了，但可以說都不曾發生過提倡者所預期的影響，則是無可否認的事實，不過，他們仍不失爲一種「格」，提倡的人，也確實具有相當的信心，並非一種空論。我們在教育界工作的朋友，均極知人格教育的重要，不幸是今天的情勢大變了。擺在當前任務是存亡繼絕，而我們所有的憑藉卻又如此單薄可憐，因此，我常常耽心所謂人格教育會變成一句口號，做不出什麼效果來。

香港青年的人生觀

此刻我們在香港談人格教育，該先知道香港原有的幾種「格」。就我們所知，從商的是買辦或經紀，從政的卻只有幫辦，（這裏指一切替殖民地政府工作的職務，望文生義，因爲無論地位如何高，其性質仍不外是一種幫傭），如不屬于這兩種，就只能作店員或帶街。以中國人的立場看，在積極方面，我們除了上面所說的之外，需要怎樣的一種「格」，我不敢有所主張，但我卻先看到了面前的一些荊棘。憑我在學校中的經驗，我覺得香港的中國青年。（下轉第二版）

時事述評

·司馬璐·

敵人正「過關」

在極權制度之下，有時會爲一棋之錯，，要全盤輸盡的。所以，如果我們癱瘓，敵人是可怕的；如果我們警惕，敵人是不可怕的。

有力的打擊敵人的時機，在我們身邊時時出現，問題在于我們能否及時把握。

筆者在上期「時事述評」中曾說到，俄共清算史達林主要是爲了「過關」，這一「關」是，俄共的統治今天已經造成，黨內黨外，國內國外，對俄共普遍的不信任，這一不信任，可能產生黨內分裂的危機，「中立政策」失敗的危機。

陰謀與不得已

黨內分裂和「中立政策」的失敗，對于敵人都是一個可怕的陰影，前者是俄共乃至全世界共黨崩潰的信號，後者乃意味着俄共乃至全世界共黨的孤立，凡此都提供了一個條件：從俄共內部解決共黨問題。

爲了挽救俄共統治的危機，他們付出了一筆冒險的可怕的代價：共黨組織在本質上是需要一個神化的偶像的，過去史達林的神化也並非全是史達林個人的責任，但是現在他們要打爛了這個另外重新塑過了。

所以，敵人的「變」，爲了展開新的陰謀；敵人的「變」，又是不得已的。

形勢正比人强

由此可見，在基本上，目前的形勢對我們是有利的。

但是，我們應該如何配合運用敵人內部的潰爛，對敵人進行有力的一擊呢？

截至目前爲止，敵人的致命傷主要的是從他的內部而起，這是他們的政權本質所決定的。

我們的配合不夠有力。

史達林送命前後，貝里亞事件期間，東柏林暴動期間，乃至這次史達林的被清算，我們有沒有對敵人內部的矛盾，充份運用在行動上加以配合呢？沒有！

對敵人太客氣

我們對敵人的「客氣」，是不是因爲不願「乘人之危」，表示自己的君子風度呢？

但是，我們每一個極小的空隙，敵人也都加以運用的。

我們對敵人的「客氣」，是不是因爲我們還沒有到達最後和敵人攤牌的時候？

美國人可以這樣說，英國人也可以這樣說，但是我們自由中國，應該怎樣說呢？

或者有人回答，我們無法扭轉整個大局，無能爲力！

但是，我們站在第一綫，我們能忘記整個自由世界在期待着我們嗎？

台灣宣傳攻勢

最少我們在宣傳上應該做些事情。

蔣廷黻先生說，我們政府的宣傳都守陳規，每使外國人士不感興趣，「一篇演說稿，我們認爲是合理的大文章，他們卻認爲是空洞的，有如中學生的練習作文」。蔣先生的話顯然還保留若干「詞令」，實際上，我們今天每一個愛護自由中國的人，都爲自由中國的宣傳落後而感到焦慮，太不夠現代化也太不像戰時了。

最近在東京舉行的「國際新聞會議」，台灣因爲未被邀請而提出抗議。誠然這是使人感到遺憾的，但是，應該檢討一下我們自身的宣傳政策和效果嗎？我們以爲是必要的。

杜爾斯訪華會談
重視我國建設成就
力促泰菲向我學習

小魯

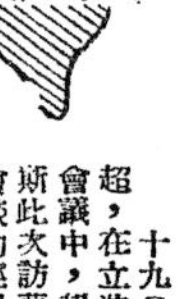

十九日上午外交部長葉公超，在立法院外交委員會秘密會議中，報告美國國務卿杜爾斯此次訪華期間與我政府首長會談的經過。據自權威方面獲悉，杜爾斯這次訪華，明確地表示美國保證承認，中華民國政府，是現在也是將來中國唯一合法的政府。

未談金馬問題

杜爾斯對國軍的強大，印象甚深，他認爲自由中國國軍的實力，爲東南亞各國之冠。以泰國來說，泰國的軍隊訓練，再有十年也趕不上中國，而中國的軍事力量，至少超過泰國五倍以上。因爲杜爾斯對中國軍隊有深刻印象，同時中美對於軍事問題早已達成協議，所以他此次訪台，與我政府並未談及有關金門馬祖防禦等軍事問題。但蔣總統會使杜爾斯相信，假如國軍能够獲得機會反攻大陸，必可阻止中共對亞洲的冒險，而台灣海峽的局部戰爭，不致於造成第三次世界大戰。

蔣總統在與杜爾斯談話時，曾表示對美國與中共在日內瓦的所謂「大使級」會談，極爲關懷，要求杜爾斯澄清美國政府的立場。杜爾斯當表示，美國對中共的政策極爲堅定，目前在日內瓦的談判，僅是一種拖延的局面，維持不破裂而已。至於所謂高階層的「外長級」的談判，是絕對沒有可能實現的。

壓力雖大禁運不變

在這次台北會談中，蔣總統表示另一關懷的事，是關於禁運問題。因爲英國一直沒有放棄對美國施行壓力，迫使美國放寬對中共的禁運政策。杜爾斯當即表示，英國對此事的壓力太大，美國處境極感困難，但是美國的基本政策，是不會變更的，所以對中共放寬禁運的事，不管英國如何，至少美國的立場暫時是不會有所改變的。

會談中，經濟問題亦爲一重心，而杜爾斯此行，也即在了解各國經濟情況，以便應付新的國際情勢。中國在美援運用上，極爲成功，杜爾斯極表滿意。在會談時，蔣總統除了主張加強對中共的禁運外，並且主張展開經濟冷戰，建議美國普遍援助東南亞國家，在經濟上聯合各[illegible]家進行總體戰。杜爾斯對這一建議極爲重視，允於回美後與其政府詳爲研究。

交換東南亞問題意見

此次杜爾斯訪台的主要目的，是將他參加東南亞公約國理事會議的結果通知中國政府，並將他此次訪問東南亞各國的觀察所得，與我政府作全盤的檢討。據葉外長告立法院外委會稱，杜爾斯與鑾披汶會面時，會促請泰國政府提高警覺，防止共產黨的滲透顛覆。泰國在東南亞是共產黨的溫床，稍不注意，即會遭遇麻煩，例如馬共總部即設於曼谷，而乃屏乃砲等的相互傾軋，即受共黨利用。日前東南亞軍事演習選擇在泰國舉行，即所以堅定該國的反共意志，這次杜爾斯訪問曼谷，已使鑾披汶認清中立的不可能，泰國的眞正朋友在台灣。聞鑾披汶總理已決定派遣一個親善訪問團及三軍參謀長訪問團，到台灣來作友好訪問，以增強中泰兩國的友誼。

促菲向我學習

又聞杜爾斯在馬尼拉時，會促請馬獅獅總統正視一項事實，即菲律賓的繁榮與安全，三分之一靠美國，三分之一靠菲律賓，三分之一靠自己。所以，中菲兩國關係的改善，極爲重要，而台灣的農業改革，可資參考的地方甚多，馬獅獅也有此同感，故已決定派遣一個「新聞農業考察團」前來台灣。聽說我政府已經表示歡迎，除準備派四架飛機接送外，並負責一切食宿費用。

杜爾斯訪問各國，在基本上是要澄清東南亞人民對美國猶疑政策的恐懼，他向各國表明，美國的反共是堅決的，對各國的支持也是堅決的。中國政府對此甚表欣慰。蔣總統主要告訴杜爾斯的有兩點：第一、中國問題是世界問題的關鍵，假如中國大陸沒有變色，亞洲就不會如此動亂不安，亞洲安定，也就不會使中東演變成目前如此不穩的局勢。所以，[illegible]，應首先從解決中共問題着手。第二、解決中共問題，唯一的途徑，是國軍必須反攻大陸，而反攻大陸，不但不須美國地面部隊參加，而且也決不會引起第二次世界大戰。說明後，聞杜爾斯對遠東問題的看法，已產生了一項新的觀念，而這項新的觀念，將影響着整個世界前途。三月十九日寄於台北。

從國際法觀點看——
滯港軍刀機的歸宿

李金曄

李處林少校和他的軍刀機，在香港停留了四十多天，期間會使北平與倫敦間發生了一些無用的交涉。但當中共的壓力達到最高程度時，英政府却以尊重國際法的精神，着港府於三月十日護送李少校登輪返回自由中國。

英照會反駁中共指責

在李少校離港前，中共會集中宣傳力量對英國展開了指責，三月十九日的「人民日報」上，並載着指稱英國「違反國際法」的文章，闖從法理上來加強其宣傳效果。

分析該文，可見其有以下幾項目的：

一、指稱香港被用作「敵對活動基地」；

二、指英方此項措施爲「挑釁行動」，以圖增強仇英情緒；

三、威脅香港今後不得再成爲我軍機因故迫降的庇護所；

四、強調中共對英的「合法」地位，要英國負一切後果責任，作成今後對香港威脅的口實之一。

但英方致中共的照會中却聲稱：按照正常的國際慣例是：「如果軍用飛機侵犯別國領空，並且在對後者不懷有敵對意圖的國家承認有交戰狀態存在的情況下，或者在不承認存在交戰狀態的情況下降落時，該飛機和乘務員應予返回」。照會也明確表示了「無意讓香港被利用爲對任何人進行敵對活動的基地。」

大抵言，英國照會的內容尚是公正的，是頗能符合國際法精神的。它第一表明李少校駕駛的軍機並非懷有敵意的侵犯香港領空；第二，它不承認有所謂「交戰狀態的存在」（蓋若英國承認有交戰狀態存在，則根據國際法即將使其航行我領海之船隻作爲自縛矣）；第三，在堅守國際法的原則範圍內，香港啓德機場今後尚有可能對非敵意的而是因故障迫降的軍機加以收容，並保護人機之安全和遣返。

正由於英國致中共的照會內含有上述各節公正的觀點，故前述中共依據奧本海國際法理上的責難就不能成立了。

國際法上無扣留根據

根據奧本海國際法，一個中立國要行使其扣留權，首先要確認有戰爭狀態之存在。據奧本海國際法第三編內第三七二節謂，「如有交戰國之飛機，飛入中立國之領空，被迫降落，不問是否出於故意，習慣法或協定法上，尚無定說。世界大戰之中，中立國之慣例，似均將飛機及飛行人員一併扣留。」於此可見，行使扣留權之要素首在承認要有交戰之事實存在，該飛機必須是屬於交戰國者。現英國既不承認有戰爭狀態，則中共迫使其行使扣留權，自無法理根據。另該法的三八二節的甲項內指明，「如果遇難之軍用材料，係由其物主攜來，以避敵軍追捕者，中立國必須將其扣留，至戰後發還」。按李少校之座機確可視爲是遇難之軍用材料，但並非爲「避敵軍追捕」，而係在海洋訓練飛行中因機件發生故障迫降啓德機場，故英政府自不能指示香港當局扣留，事理至爲明顯；英政府既不承認有交戰狀態存在，則非至戰後不予發還一點，自亦無法理和慣例爲之依據，其必然之結果自是繼護送李少校而歸還軍機，此亦皆爲國際法上有根據之行爲。

英承認問題的研究

但今天中共之所以能發揮其對英國之指責者，是基於英國承認中共政權的結果。

據奧本海國際法第三二七節謂，「中立既爲戰時之態度，然則他國之對於內戰，果應採取何種必要之態度？內戰之得爲正式戰爭，蓋因外國政府承認叛徒爲交戰團體之故，……。」自由中國政府之爲合法政府及中共之爲叛徒，爲世所公認，自由中國之合法政府地位並不因英國之承認中共政權而動搖；再溯自一九五〇年一月六日英工黨政府承認中共後，六年來自由中國與英國間雖無正式邦交，但不能謂無國際間之普通關係存在。根據趙永大律師在「國際上的承認問題」一文（載於本年三月廿一至廿三日香港星島日報）引述摩爾（MOORE）教授所著「國際公法彙集」一卷七十三頁上所說「承認是無須一定明白宣告之必要，大可以暗示方式出之，……如甲國許可乙國派領事到甲國，或甲國與乙國構成國與國間之普通關係是也」，據此，則英國固在工黨執政時代承認了中共政權，但在台灣淡水的領事館却亦依然存在。（下轉第三版）

泛論
香港的人格教育問題

燕廬

香港人的小門洞

當我初到香港的時候，曾經四出去找尋過朋友，無論到那一家，都看到一隻像魔鬼眼睛一樣的小門洞，這門洞的設計很巧妙，只讓門內的人看得到這個叩門的來客，使裏面的人可以從容準備拒絕或延接。當時我就想：香港人給關在這個小天地中的日子太長久了，也彷彿預感到，這樣的日子恐怕不會太多了。從此以後，我加入了這樣的社會，在這裏教書，找生活，我對香港逐漸了解。一方面，香港這幾年裏因爲受禁運的影響，從商業所得的利潤大大的減少，許多人便主張香港要從商業的港口改變成工業的城市。可以說，確會有不少人爲此而努力。是否可能呢？我不敢決斷，但我們可以說，香港在歷史上，確實已經走完了應走的路程，要改變，實在毫不希奇了。因此我以爲，香港的教育界，也再不該躲在小門洞裏覷清楚一個藏身的角落，平心而論，這小門洞正是香港人虛怯脆弱的代表，如果外面來的是一名強盜，一腳把門踢開，那小門洞就立刻成了可笑的資料了。

「十三行」式的香港文化

錢穆先生以爲新亞書院的建立，由中國人出力，美國教會捐錢，香港政府與以道義上的支持，這是中、美、英、三種文化互相尊重的結果。我們也可以說是香港在改變的一種現象，但香港原有的中國文化，和錢先生所見的可能有不同。有人說，美國華僑社會中的文化是「四邑文化」，我却以爲香港原日的中國文化是「十三行」的文化。近年再渲染上了「十三行」加「外灘」的文化。一點荷里活的情調，如此而已。實在受不起別人的尊重。英美人支持新亞，其心目中所尊重當然不指這些，但這些十三行式的文化，在香港社會中事實上最有力量。我們如何掃除這些文化上的渣滓？使別人了解所謂中國文化的眞正面目，也使一直在束縛粉飾之下教養長大的香港中國青年，生出一種自覺，改變其一向保守着的生存意念，使他們知道世界並不如此狹小，但這却是在殖民地當局對中國文化眞正同情了解之後才能達到的情形。

教育界的責任

我們教育界的朋友，如眞要負起這一責任，也須改變已往的作風，自己挺身而起，給學生做個榜樣，因爲人格教育，其中心就是人，就是教育界自己。並非說只要懸空撰出一套理論，叫別人照着做，而自己却可以置身事外那末簡單的事體，我知道香港有些學校，當大陸剛剛易手時，趕着把五星旗樹起，過一些時候，看着情勢不對，馬上又收起來，改樹青天白日旗，像這樣沒有立場的學校，它所給予學生的印象將怎樣呢？我自己是一名教師，對於在香港教書，其生活的不安定，物質享受的微薄，以至於不大受人禮遇的情形，自問均相當了解。但我總覺得如果因爲要達成自己的一種理想，就算工作困難一點，其所得的安慰，實在可以抵償掉物質生活的痛苦。那末，香港今天也並不缺乏什麼，所需要的祇是人，若有人肯拿出梁啓超先生或蔡元培先生那樣的氣魄與度量，香港的學風，並不見得是絕不能改變的。「攬萬物者莫疾乎風，風俗之於人心，始乎微而終乎不可禦者也」。論語：「孔子曰，君子之德風，小人之德草，草上之風必偃」，故曰「風行草偃，從化無違」。於此，我却只能抱着期待的心情，寄望於香港教育界的賢達了。（完）

（上接第一版）在文化生活上，有一種很嚴重的自卑感，他們在中國文化中找不到安身立命的據點，因而情緒相當低落。他們只嚮往着進港大或到英美去留學。無此條件的就只能無限止的彷徨，其中懂得英語的又好一點。在學校中，教授英語的先生或英語較佳的學生，他們都不自覺地有一種優越感，而且可以獲得更多的禮遇，相形之下，青年人的信心動搖了。現實迫使他們決定求學的意向，在於先求解決職業問題，這麼一來，香港青年的生命抱負變得非常簡單。國民族，離開他們很遠，跳樓、服毒、奸殺、拐騙，他們知道得太多。他們的人生，只是一份職業，依時上班；結婚後，住公價房屋，買分期付款的汽車，再好便買房子，星期日上教堂裝點一下，或者帶兒女到新界樂一天，如此老死，算最標準了。這種事實，使香港青年的思想沒有立場，他們的情緒是敏感脆怯而凡脆弱的。既不敢反共，又不願公言說甘心做殖民地的臣民，因此，他們便根本不要思想，有思想，反而要變成一隻包袱。他們只要能賺錢，有了大把的港紙，便可以做紳士議員，把子女送到倫敦就讀，讓他們將來有最好的職業，——做大律師或醫生。記得儒林外史上說五河縣風俗勢利，曾經有過這樣的話：「五河的風俗：說那人有品行，他就歪着嘴笑，說那人會做詩賦古文，他就眉毛都會笑，還有一件事，人也還眼熱，就是犬捧的銀子拿出來買田」。像這些說話，移來說香港，其實也恰當不過哩。

台北速寫

少年犯的好消息

自從少年犯罪者加「保安處分」之後，太保太妹型人物的行爲已經大爲檢點。照保安處分之規定，應送感化機關，前此因無此項設置，都一律送少年監獄，自是不妥。現已在新竹專設少年感化院一所，這是少年犯之福音。

娼妓問題解決了？

台北萬華區，是娼妓聚居之所，近日遭警察搜查，拘捕收容未滿十六歲少女爲娼的鴇母多人，分別處罰。據說那些鴇母已經具結不再幹這一行，那些少女也已經回家另謀生計了。如果娼妓問題如此容易解決，豈不愧煞那些社會問題專家。

外交辭令

杜爾斯國務卿訪台二十四小時，臨別發表書面聲明，字裏行間表現着愉快、的心情，可知他與我國當局之談話相當圓滿。不過對於當前的幾個具體問題（如金馬，禁運等），全避免談及，可知這位老練的外交家在施展避重就輕的手法哩。（可與本報台北通訊參閱）

不理睬政策

自周恩來發表願與台灣談和之後，此間官方未加理睬。惟最近日本鳩山首相忽稱願赴北平作台灣與中共之間的調人，這話頗使此間政府當局駭異，只好一樣不加理睬。

獎券的苦與樂

行路時，以及在酒樓茶館，最給人困擾的，是那些川流不息的兜銷愛國獎券的老人（七八十歲）及小孩（四五歲）。他們對於軍人尤其糾纏不放。軍人喜歡買獎券，大概是因爲有幾個士兵曾中特獎二十萬元，於是退伍，買屋，娶妻，過舒服的日子。

杜衡之

港督談反極權鬥爭

知識分子無法生存於不自由世界　自由人士終必衝破極權主義牢籠

港督葛量洪爵士最近又發表了一篇他對極權共產主義國家看法的演說，他堅決而肯定地指出了自由的人類最終的目標是投奔自由陣營，尤其是知識分子是無法在不自由的範域裏生存的。

思想上一貫反共

我們不論英國在政治上對共產主義國家所採的動向如何，作爲英國殖民地的香港，其政策追隨於其母體乃是必然的，然而葛量洪爵士正同於許多具有遠見的英國人士一樣，他甚本上與思想上都是反共的，而且他的思想是一貫的與成熟的，無論一九四九年以後，西方國家與極權國家更趨於對立，一九五零年英國以承認中共作爲某種政治上的交換條件，國際的關懷如浮雲的變幻，但歷年來我們所見到港督葛量洪每一次發表的思想與學術性演講的時候，總是澈底與不可分的，這一種卓見和認識，實使許多經不起考驗的所謂政治家和知識份子感到不如。

極權國家思想管制

這次葛量洪爵士在中國基督教大學留港同學會聯合聚餐會六百名與會者之前，所作極權國家內的思想及言論管制的一項演講，翌日受到了所有中西文報紙的重視，每一份日報以最顯著的篇幅記載這項演詞，當日的晚報亦同樣加以轉載，一般人以爲葛量洪爵士在這一個時期和這個場合而作這樣的演講是非常具有深意的。

葛量洪爵士說：「凡是受過高等教育的人，總是比較好的。我們並不是指他們可以獲得較高待遇的職業，而是說他們心境廣闊和思考力增加，這不祇是對受教育的個人有益，而是對整個社會有益。

共產教育製造不幸

然而大學教育有時也會帶來不幸，這種情形是在什麼時候發生呢？如果生存在一個獨裁的國家，如以近代術語來表示，即是說處在法西斯或共產制度的國家裏，大學教育就會帶來不幸。

造成不幸的原因實不難找出，因爲獨裁國家是不允許思想和言論自由的，爲何如此？因爲他們不敢允許思想或言論自由。一個獨裁國家不能允許人民對國體所維繫的哲學，或是強迫人民遵從的苛嚴法令有所批評，[illegible]恐懼的，就是批評，所以要加以壓迫。

在一個獨裁的國度裏，是沒有思想或言論自由的，受過教育的知識分子，是社會上的當然領袖，更沒有這種自由的權致。在獨裁的國家裏所可以聽到的就是「危險思想」這個名詞。

我們可以想到，一個人甚至不准隨時思想，更不用說進而表達此種思想來批評當局了。基於同樣的理由，共黨國家是不輕易准許人民自由到國外去旅行，或讓自由世界人士到他們國家自由旅行以及跟他們人民隨意討論問題，他們對思想及言論的限制極爲嚴格。

唯自由可促成進步

在自由世界裏，對於思想自由及言論自由，並沒有加以限制，但是當然以不違反關於誹謗的法令作爲根據。任何人士可以自由批評國家的根基，更不必說文學上的批評，歷史上的批評，及其他性質的批評，因爲祇有在這樣情形之下，人類才能達到它所能達到精神上最高的境界。一個國家故意妨礙人民在精神上的長成，最終將招致腐化及解體。這一個國家在一般期間內可能生存，因爲人類在極權國家裏面比較在民主國家，能夠及時獲有較高度的行政效能之故。

進一步來說，如果工程師，或醫師，或科學家追求其最後目標（嚴格上確是這樣），那末，他並不是受了限制，這不過是功勞上的效能罷了。但是這種效能並沒有接觸到靈魂，一個國家沒有靈魂是不能生存的。

思想受限制即如籠中鳥

一個人由於受了高深教育，已經知道應用他的思想，正像一隻鳥已經知道展開它的翼飛翔一樣。這一隻鳥能夠飛入天空裏，要是把它關在鳥籠裏，那是一件多麼可怕的事情。

那是一位受過教育者在獨裁國家的遭遇，可是生長在獎籠——獨裁國家的人，對於這種情形，可能沒有太大的影響，因爲他們對於獨裁國家以外的情形，沒有很多的認識，他們對於外邊的自由和光輝總是愚昧的，但無論如何，他們都必定有點感歎，因爲人和鳥，自有生以來，係有自由的。

那些知道有自由世界和自由天堂的，而尚處於一精神監獄或者獎籠裏，那就是地球上的地獄了。所以，戰前和戰後，有那麼多的有思想的人，在有可能的話，都跑向自由世界。一個人須要放棄他的家園，那是任何人都會認爲是一個殘酷的犧牲，寧願作這樣的犧牲，而脫離長期的受苦，這是秉承上帝造人的美意，各位男女諸君，所以在本港許多難民中，有不少係知識難民之故」。

葛量洪爵士對共產主義的有深刻認識，這不能不歸功於他長時期在東方以及這多年出來任本港總督的原故，葛氏伉儷曾於去歲以私人性質赴中共訪問，歸來以後，他從未發表任何關於此行的觀感，然而在他對共產主義不變的認識中，可以想像[illegible]的中共是有一個怎[illegible]他對同樣信奉馬列教一樣的看法。

周恩來等招認　大陸知識分子的噩運！

沈秉文

在中共「政協」「第二屆全國委員會第二次全體會議」上，周恩來作了「關於知識分子問題的報告」；同時，茅以昇、馮友蘭等，亦均曾對此著文發表感想，均承認目前大陸知識分子中，存在着極嚴重的問題，反共意識的滋長和科學技術的落後。

分析周恩來的報告，大陸知識分子可分爲三類，即：擁共的、消極反共的（又稱爲中間偏右的），及積極反共的，謂根據全共區各機關團體單位統計的結果：擁共的約有百分之四十，消極反共的亦約有百分之四十，積極反共的約有百分之二十。於此可見大陸知識分子中反共的至少佔有百分之六十之多。

照周恩來的說法，是一般知識分子不僅反共，根本反對「社會主義」；而且「敵我不分」，並嚮往以往（指國民政府時代）的社會，反對蘇俄，拒絕學習馬列主義，敵視共幹，不願見中共政權的成長與鞏固云。但周等也承認了知識分子所以反共者有下列四大原因：

反共有四大原因

其一，是因中共黨員幹部嚴重的宗派主義作風，使知識分子遭受到排斥與凌辱。在動輒呵斥和「改造」的威脅下，傷害了自尊心；引起知識分子的仇恨。至於少數地位較高的知識分子，如茅以昇、馮友蘭等也因爲不是黨員，下級黨員動輒以「黨的政策」爲藉口，對無黨籍的上級反抗。

其二，是因中共對知識分子的「改造」過分苛厲，而其本身之態度和學識且都不能服人，使知識分子對此大起反感。復由於被「改造」者，每天須忍受三分之二時間的學習和聽取冗長枯燥的報告，在忍受疲勞轟炸後，共幹往往又以粗暴的態度加以欺迫，反感益深。

其三，由於共幹普遍以敵對的成見看待知識分子，及由於中共中央視知識分子大多都有歷史性的政治問題，至大多數知識分子皆被視爲是「反動」，遂使科學技術專家等不能担任專門技術和研究工作，教書的則不能上課；担任行政工作的人祇限於處理機關內部的雜務；作家無法放手寫作，而更多的知識分子非被排斥不用，即被驅往農村或工廠担任事務工作，而且永無升遷的機會和權利。另一面當然是「閒得發荒」，無事可做了。因此皆自認祇是一種雇佣關係極爲卑微，而共黨則更限制了他們見本單位黨委書記，認爲沒有資格。

周恩來因此說黨外的知識分子們普遍有人說共黨祇有三件事才找他們，即：（一）調動工作；（二）交代歷史（即「坦白」）；（三）犯了錯誤（予以「檢討」、「鬥爭」）。而這也正是造成中共與知識分子間產生隔膜的主因。

其四，無中共黨籍的知識分子與中共黨員之間生活待遇有不公平，也普遍增強了知識分子的不滿。在同樣的職務上兩者間不能受同樣的待遇。這也是周恩來承認的，當然更談不到其他所謂生活福利了。於是周恩來承認：待遇的不平，亦爲大陸絕大多數知識分子反共的重要因素。

主觀上覺悟要反共

綜上各點，可說無不顯示大陸知識分子的反共，乃中共一貫的歧視和欺壓知識分子的必然結果。惟此種情形，還只是中共所承認的客觀因素；若根據中共清算胡適思想，鬥爭胡風，及清算梁漱溟思想等等的事例加以考證，則大陸知識分子的普遍反共，顯然尚有其主觀上的因素。此種因素，簡明言之：即大陸知識分子由於對中共政權本質上的日漸深入了解，業已從心底裏產生了政治覺悟，復活了自由意念，滋長了抗拒教條、推翻暴政，以求重覩天日的堅定意志。換言之：即大陸知識分子的反共，一方面是受中共歧視，欺壓的反應，一方面實爲本身思想覺悟的必然結果。

科技落後原因有六

關於大陸知識分子之因受歧視至使科學技術落後之間的因果關係，周恩來的報告中，曾透露下列幾種情形：

其一，因不信任黨外知識分子，所有機關、工廠等部門實施一嚴格的保密制度，非黨內的工作人員無法參與工作計劃，無權調閱文卷，致使無黨籍的工作人員和科學研究人員無法從事科學技術的研究工作，造成荒廢狀態。

其二，中共爲統制思想，嚴格禁書，凡屬非蘇俄（及其附庸各國）的外來書籍，均在銷毀或封閉之列，即使是純科學性的著作亦不例外。據說僅以原來北大圖書館而言，凡英美等國所有的一切著作，均已封存，非中共中央特許，無法借閱。此種情形，乃實無形中凍結了科學家們的研究工作。所謂不進則退，結果自然戕賊了科學研究工作的機能。

其三，由於中共「一面倒」，蘇俄的理論皆爲「經典」，蘇俄的「專家」們具有無上的權威，往往使大陸一般科學家的準確的意見因不爲蘇俄「專家」所同意而被全部否定，即或偶而有所發明，亦因身份立場關係，無由發揮，必然埋沒。

其四，大陸的科學家們，因原有的英美觀點必須全部推翻，從頭學習蘇俄的理論，致原有的成就等於作廢，而新的（指蘇俄的）理論則扞格不入，茫無頭緒，根本無法從事科學工作。此種情形，在從事教學工作的科學家們，更爲突出，據陷身大陸的甚多名教授即係因此而無法担任課務。

其五，因中共盲目偏重「實踐」，忽視理論，便同樣使科學理論亦成爲諷嘲或批判的對象，從而窒息了科學理論研究的風氣，阻礙了科學技術的進步。（上）

「捷展」與「農展」觀後感

·徐萍·

共產國家無科學

一張港澳同胞回穗參觀券的四角上，各印上了「農展」和「捷展」字樣。在取得這張參觀券後，就束裝去廣州。在途中一經觀察，知道回去的人都志不在於參觀展覽會，大多是回去看看家人的。但到了廣州就不能不去應景，我自亦不能例外。

在捷展工業館的入口處上，張掛着巨幅的標語，上寫「在蘇聯大公無私的幫助下，捷克斯洛伐克方有今日社會主義建設的成就」，從這一眼就知道了開「捷展」的目的，爲的又是替蘇聯宣傳。不論是車床，刨床，鑽床等工作母機，發電機，汽車等，以及其他輕工業，在每套圖片說明裏，千遍一律地是「老大哥的新發明」，「先進經驗」等的亂扯，不使人深深覺得淪爲俄帝附庸的中共，不但要對主子俄帝盡量恭順，連對老二哥——像捷克等國家也要禮數周到，喪盡了民族國格，使我們這些回穗參觀的港澳僑胞，都蒙上了一層羞辱。

參觀完了「捷展」之後，心中感到老大的不舒服，捷克的機器工業佔世界第四位，是個工業頗發達的國家，但自淪入鐵幕後，對自由世界最大的損失，是科學精神代表「眞理」這一信念的淪喪。在共產國家裏，馬列教條，主宰一切，已無科學可言。技術人員的貢獻，不能爲了造福人羣，而是爲了助長共黨，作爲他們殺人的工具。在我參觀過以前的「蘇展」，和這次的「捷展」後，結論是在共產國家裏，根本沒有科學，有的也只是技術而已。

標本化的農展

在粵農展會裏，鐵的事實證明中共的濃厚「官僚主義」和「形式主義」的氣息。偌大的椰子，十多斤重的蘿蔔、蔬菜、生果等，誰都知道這些僅是爲供參觀者欣賞的標本。還有一些不切實際的模型，比如像新洲漁業基地的模型，陳列在農展會的水產館裏，實際上祇是在新洲建設了一座小型的冰廠，供給漁民而已。根據模型的說明，每天可產冰五十噸，從廠裏架起一座八公尺高，四十公尺長的自動化輸冰橋，伸出堤岸，漁船只要靠近碼頭，就可以用升冰機把冰塊從冰池裏起卸到輸冰橋上，然後由電動碎冰機把冰塊打碎後，輸進船倉，這不要說與英美現代工業化的國家相比，早已不算甚麼，就是到過自由中國的人，都該知道高雄冰廠的規模，不知要大過中共今日所大吹大擂的新洲冰廠要多少倍了，我不願贅述農展會的各種陳列品，因爲那些都是中共掩耳盜鈴的手法。

農展爲了宣傳合作化

中共舉辦農展會的另一目的，以我身歷其境在農展會裏所得印象，似是要想配合農業合作化的宣傳，所以在農展會裏除了看到一些標本之外，最多的也就是那些農業合作化的宣傳資料。從各種宣傳農業合作化資料中，使我了解到農民們所得到的不是自主的利益，而是經過剝削形式後的殘餘。在農村中具有獨佔性的供銷合作社，是專爲收購和推銷社員的農副業和手工業產品，採購和供給社員所需要的生產資料和生活資料，根據可能和供銷業務的需要，兼營運輸，信用，加工生產等業務，接受上級社和國營貿易機關的委託，辦理代購，代銷，農貸等業務，及辦理社員文化，衛生等福利事業，但中共的眞正目的顯然不在此，它主要的作用還在於配合國營貿易機構，控制農村經濟。譬如，中共廉價土產傾銷港澳，就是通過這種組織力量，向社員作宣傳動員，有時經由社員大會決定收購的則往往是無償的。這種苛待農民的事實，則更是史無前例的。

開放鐵幕欺人之談

其實，中共舉辦這次「粵農展」眞正的陰謀，除了配合「捷展」，加強對海外宣傳外，還在趁機刮取外滙。雖形式上規定進去免證，實則經深圳，前山，中共邊境檢查站時，檢查身份證，盤問，和發給回鄉介紹書等，已是不勝麻煩，抵達目的地後，申報臨時戶口規定之嚴格，實已根本無自由可言，處處予人以特務恐怖統治的恐懼。故若謂此係對國際宣傳開放鐵幕的先聲，簡直又是欺人自欺了。

滯港軍刀機的歸宿

【上接第二版】而兩國之「國際間之普通係關」，自始未嘗一日之中斷。根據「承認是無須一定明白宣告之必要」衡斷，英國之視自由中國爲合法政府，不僅在聯合國內見之，即在一般的國際關係上亦然，概可斷言。

軍刀機終將歸還

如是觀之，則若英國扣留李少校及其軍機，豈非荒謬。因此，我們可以指出，中共叫囂是無用的。英國既已明確地送回了李少校，就更不必爲尚停留在啓德機場上的軍刀機担憂其主權誰屬的問題。同時也可以斷言，中共絕不敢因此而對港府或英廷再作任何實際行動的。叫叫囂囂無非是自找下場而已。

根據英政府的決定，應該相信只要英國能堅持貫澈國際法的公正精神，現尚未歸還之軍刀機是終可獲得應有的處置的——那即是它必須是屬於自由中國的。

自由談

看俄共的醜劇

馬五先生

俄共頭目赫魯歇夫、米高揚等布爾希維克老幹部所掀起的反史達林運動，如果是爲着麻醉英美那些「和平共存」幻想家之政治當局的神經，使其惰性勃發，一心以爲和平安全生活無虞，而讓俄帝從容實施世界革命計劃的一種苦肉計，那就可說是奇策，並且這也是共產黨人慣爲之的事，他們是爲目的不擇手段的。

假如赫、米之徒眞是由於過去飽受了史達林的壓迫凌虐，沒齒難忘，乃出以死後鞭屍的報復行動，兼欲博得黨員與軍民人等的同情，藉此造成自己的權力地位，爬上政權的最高峯，君臨天下，那就是卑鄙可恥的行爲，不足道也。

對於史達林在生時的一切暴政惡行，既然極端不滿，則以一個布爾希維克老幹部，而且久共患難的同志身份，無論在黨部或在政治局的會議之中，或在私人談話時，未必就不能作善意的建議進言？赫魯歇夫答復別人質問「你們爲甚末不用墨水瓶打死他」（指史達林）的理由，說是「那有甚末辦法？你稍爲表示不滿，生命就沒有了！」這固然是事實。然而，一個具有良心血性的革命黨人，由於貪生怕死之故，竟逢惡長惡至二三十年之久，連潔身自愛的消極引退，不問黨國大事的意念亦沒有，等到暴君死了，又來咬牙切齒的咒駡清算，這不是該死的懦種嗎？

中國歷史上的知識份子，有些人處在暴君淫威之下，不惜預留遺囑，或預置棺材，實行屍諫，亦不願助桀爲虐，這才算是夠種的大丈夫。凡屬有正義感，不肯以奴才自居的人，對着專制權威之前，亦應該本諸良心血性而陳述所見，當面唯唯諾諾，背後閒論是非，已經是小人了。在生時扶同作惡，好官自爲，呼萬歲，頌聖明，權威者一死，乃首先反臉攻訐，希圖諉卸自身同惡相濟的罪責，這更是小人之尤者矣。

我對於俄共們這場鬧劇，只不過有如在上海大世界看滑稽雙簧表演的心情而已。

忠恕爲人　幹練處事

·葉子修·

——這是作者因評述李樸生先生近著「我不識字的母親」而引起的一個做人做事的問題。

前些時候，我收到李樸生先生近著——「我不識字的母親」一册，那是李先生紀念他自己行年六十而刊行的回憶錄。看完之後，曾就個人的感想，寫了一篇題爲「李樸生刊行回憶錄——的人物書評」，在星島週報第二二七期發表。我在這篇文章裏，主張做人應該服膺儒家的忠恕和倫理精神，做事却應該學習法家的拿出辦法，向李先生和讀者提出商榷。

此文發表之後，不少朋友見面時都提到這問題，大都同意我的說法。但有一位住在調景嶺的老友，來信反對我這個意見，認爲做人和做事不能分開。他說：一個天主教徒自然是本着耶穌的精神來立身行事；同樣的，一個服膺儒家學說的人，當然也是本着儒家精神來立身行事的。因此，他向我提出質問：「做人與做事怎能分家？」

這位老友的意見很有價值，對的，我們立身（做人）處世（包括做事在內），不容有雙重人格：一頭說的是一套，做起來又是另外的一套。不過，我認爲古今中外的每一種學說，都各有其所長，也各有其所短。而這裏之所謂長短，也不是絕對的，就看人們站在什麼角度而定。往往還是甲所稱它的長處，正是乙所指它的短處，反之，丙所指它的缺點，也許正是丁所稱它的優點。在我個人眼中的儒家學說，好的是處常有餘，壞的是應變不足。因此，我才主張在做人上該用儒家的長處，但在處事上則應面對現實，拿出辦法，這才可以迅赴事功，而不致成爲一個只會說不會做的獃子！

我敢堅確的認定：做人和做事有時是可以分開的。就以我這位老友所舉的例來說：誰也不敢担保一個天主教徒，就絕對不會幹出奸淫邪盜的勾當。自然，我們堅決反對一個人在立身行事上有分裂，有矛盾；相反地，我主張儒家和法家之相互爲用，無非是希望能夠採其所長，棄其所短，這是針對現實的補偏救敝之道，並不是鼓勵人們要有雙重的人格。

儒家的政治哲學是精深博大的，但它在實際的政治鬥爭上，却欠缺一套有效的辦法；甚至在個人生存的掙扎上，也充份暴露了這個弱點。孔子爲魯司寇，攝行相事，但他既不能設法阻止「齊人饋女樂」於前，又不能阻止「季桓子受之」於後、而竟以魯定公「三日不朝」，就自行凍結了本人的政治生命，孟子游說列國，也只能空談仁義，正犯了筆下雖有千言，胸中實無一策」，而被他譏爲「異端」的墨翟，在應付現實方面，就比他有能耐得多了。再從個人的生活來說，像顏淵原憲那樣的窮愁潦倒，從儒家傳統的精神來看是「安貧樂道」，但從另一角度來看實在要不得。說句笑話：一個人連自己的生活也弄到這樣狼狽，我眞不敢相信他有什麼治國平天下的本領，即使別人駡我非經背聖，我也堅持我這一觀點。

歷史上有一個最標準的以儒家精神爲體，法家精神爲用的偉大成功者，他就是婦孺皆知的諸葛孔明。孔明躬耕南陽，不求聞達，這是個正的安貧樂道，及隆中對策，與劉備相逢恨晚，其後果佐劉氏攻取荊益，政治上把西蜀弄到足食足兵，軍事上以攻爲守，外交上聯吳拒魏，不論對內對外，他都很有辦法。大家都知道他爲政與軍都用嚴刑峻法，而百姓和部屬都懷其德，這就是他參用儒法兩家的長處所獲的結果。更有一點，他集軍政大權於一身，而能鞠躬盡瘁，以純臣終，不做曹孟德和司馬仲達，這就是他做人上服膺儒家精神的最高表現。

要之，一個人若能以儒家精神來做人，他一定存心忠厚，可以做朋友，也可以相處共事；同時又能以法家精神來做事，他一定能把握每一個時勢與機會，在自己責任範圍之內，拿出辦法，把問題解決，把事情弄好。說得更明白一點，一個以儒家精神存心的人，做小丈夫（有錢）時，他懂得分多潤寡，時溫卹老弱，做大丈夫（有權）時，他懂得體念上天好生之德，使老百姓安居樂業，若是今天來一個「清算」，明天來一次「鬥爭」，後天又來一下「三反五反」，大後天再又迫你「勞改」，弄到人人自危，不知死所，就算你有最好的「辦法」，「提高了祖國的地位」，老百姓也要「予及汝偕亡」的！實之高明，以爲如何？

海天萬里一封書

老朋友S先生因爲不甘受中共奴役，一九四九年舉家從內地逃難來港，三年前又從香港遷移到南美的A國。去年耶穌聖誕他從A國寄來一封平安信，報告三年來在A國的寄居生活清形。我讀完了他的信，對於一個海天萬里的老朋友，身心健康，並且立下了事業基礎，感到無限的欣慰，像S先生一樣的智識份子流亡海外，還能赤手空拳，創立事業，實在難能可貴，雖楚材晉用，十分可惜。然亦足爲讀書人揚眉吐氣矣。特節錄S先生來函，發表如左，亦聊誌其感奮與敬佩之忱云爾：（文輿附誌）

× × ×

『一九五五年快要過去了，我全家居留在這一足資眷戀的國度裏亦既滿三年了。所幸一切平安，無災無難，差堪告慰。

『家慈于今年八月渡過七十八歲的誕辰，她老人家雖夜間有時偶患咳嗽，惟健康如恒，殊足欣喜。她老人家常常喜讀她那一本古老的大聖經，日夕不釋于手。老人家從聖經裏所得到的安慰，亦惟上帝與她自己才能完全了解。

『我自己呢，好像是一匹馬——爲全家服役的一匹馬，今年剛剛開始四十歲，我曾經親眼看見全世界的無數變動，然而我現在覺得生活比以前更饒意味。我在工廠裏充當工程師，每星期很認眞的工作五天，餘暇的時間，我寫些有關一般文化問題和這一國度裏特殊情勢的短文章。自然，遇到四個中國人在一起，撈撈麻將，也是常事。

『我太太是家庭裏的實際工作者，雖然忙碌，却十分快活。全家九口，都要靠她照顧，靠她準備食物，一星期七天，全無休息。我的家恰好位于兩個大城市之間，傍邊又是一個世界港口，是我服務這家工廠的碼頭所在，這其間只有我的家是唯一的中國家庭，因此客人來往非常頻繁，我的太太也就更加忙碌了。雖然如此，她自從三年前離開香港，到今已增加體重廿二磅。

『我的大孩子，十三歲了。今年年底便要在初中畢業，他讀書成績很不壞，在同班中列名第一。在家裏他也是一個採買手。星期日，他多喜歡釣魚、網球，桌球，游泳，野餐，也偶一爲之。

『大女兒十一歲，是她母親最得力的助手，也是弟妹們最喜愛的同伴。今年聖誕，她讀完了小學三年級，班裏也是第一名的學生。遇到女工請假她便要做許多家庭雜務。

『第二女，已經九歲。也在小學三年級讀書，有時在班裏考第二名，家裏她是一個最善哭的小孩子。她的中國話，已經很難說得正確了。

『第二個男孩子，七歲了，是一個小侏儒。在學校裏，雖說是個很聰明的小傢伙，可是他不喜歡讀書，他的小朋友也多是些齷齪小東西。他需要的是一雙聰明智慧的父母，可惜沒有。

『第三個男孩子，才兩歲半，是到南美後才生的，甚麼事都還不懂。他說兩種話，一種跟老祖母和媽媽說中國話，另一種跟姊姊和小朋友說西班牙話。要是他哭起來，又或者逗人歡笑，或者打人，或者威嚇人，問長問短，整個家庭景況似乎便都歸他統制了。

『最小的是個女孩子，今年九月才滿周歲，十個月便開始學步。她是唯一沒有工作的。

『居住在西班牙語系的地方，小孩子們一片天眞快活。我們成年人的心中却充滿了東方的苦難情味，他們是半點都不了解的。其實他們爲甚麼要了解呢？這些事並沒有使他們感到不快活呵！

『我們打算在N城建築一間房子，却是在一條小河傍邊的地方，離我們現在的家大約七里。我們已經在那裏買了一萬四千平方尺的地皮。N城是工業還在發展的小城，現有居民七萬。有鐵路，公路，和一條大河和A國首都相接，交通很爲方便。

『奉上一張最近攝映的「合家歡」照片，雖覺過於擠擁，却是一張快活的照片。』——一九五五年耶穌聖誕日。

·S先生·

夜歸有作寄衣雲

郭敏行

躡躡楓林路，黃昏到月明。舊窗浮玉影，榕院漾新聲。
羨汝能同趣，嗟余獨異行。哀吟徒自苦，狂捐誤平生！
曲終人未散，漏鼓報三更。幾欲隨門去，猶還繞戶行。
一天藍似海，萬樹碧無情。獨有詩懷急，奔騰作怒鳴！
休說平生事，躊躇猶過之。感君三致意，贈我兩當詩。
異代誰同調？方今孰可師，放聲酬一哭，千古幾相知。

同光風雲錄

夢山樓

曾國荃

『學於老莊，依於孔孟，學有根柢，吾弗如遠甚。』——翁同龢語

曾忠襄公，字沅甫，曾國藩之九弟也。少懷大志，負奇氣，從國藩學，舉優貢，益致力經世之學。

出茅廬建功揚聲名

咸豐二年，太平軍大將石達開犯江西，國藩戰不利，沅甫急兄難，馳晤吉安知府黃冕，請於巡撫駱秉章，募鄉勇三千人，合周鳳山一軍，破敵於大汾河，以功擢知府，並統吉安諸軍，初出茅廬第一功，聲名已揚矣。

未幾，丁父憂旋里，旋復起，增募湘勇萬人，與胡林翼合兵攻安慶，大敗敵於太湖，朝旨授浙江按察使，又調江蘇布政使。蕪湖一帶，敵勢更猖，沅甫選精銳兵，冒死焚敵艦數處，負病揮軍，苦戰四十餘日，殺敵數萬人，卒保東南危局，累功授浙江巡撫，仍綜前綫各軍事。

攻江寧九門齊破

南京爲太平天國首都，拱衛甚固，沅甫屯兵四郊，日夜籌攻取大計，朝議退保蕪湖，徐圖進取，沅甫以敵爲烏合之衆，力足以蕩平，奏請緩退。國藩嘗親至陣前巡閱，見軍壘堅強，始罷退兵之議。

四月攻雨花台，與彭玉麐巡視江面，水陸並進，肅清江面敵，重賞募死士，掘地道攻城，屢失利，會當夏秋，士卒多犯病，沅甫仍奮勇，親督將士攻江寧，九門皆破之，天朝大恐慌，自焚，時天王洪秀全已死，子福瑱繼位，餘黨擁之逃廣德，城遂破，沅甫整軍入城，救火，安民，搜捕敵黨，獲秀全兄仁達及李秀成，伏誅僞王將領等三千人，朝廷嘉喜，加太子少保，封一等伯。授陝甘總督，命赴山海關治防。未久，乞病歸。

恕以處世簡以臨事

逾時，起用兩廣總督，旋內調禮部尚書，又外調督兩江，加太子太保。居兩江任，凡六年，總攬宏綱，不苛細故，政通人和，軍民相安。嘗與太傅翁同龢論曰：『聽言宜擇不宜輕發。兵事以不設險著形爲宜，多一險即多一敗象。馭吏，以柔，以忍辱爲主。用人以下人爲先，虛則善言日至。……爲政曰順民心，處世曰恕，臨事曰簡。』

同龢稱其『學於老莊，依於孔孟，學有根柢，吾弗如遠甚。』大抵堯舜之道，亦有術焉，術而利人，庶幾爲政治家；術而利己，則易流於獨裁，若夫違民意，尚強權，甚至殘民以逞者，更不足道也。（十五）

談談「中副」

·金城·

台灣報紙多，是過去國內同樣大小的任何地方比不了的，在日報裏面，銷路最廣的是中央日報。

就各報的副刊來說，中副的版面編排新穎，內容也充實，該是好的副刊之一。它很少找大牌的作家，寫上一篇連載逾月的東西，把門戶向新丁開放，該算是它的特色，但那些生疏的名字的作品却並無遜色。它沒有連載過黃色的東西，以吸引、刺激讀者，而以不少輕鬆的作品和外面不常見的科學小品和文學掌故來取勝；更有討厭譯文的人也愛讀的譯文；它的內容是多方面的，幾乎包括了台灣所有正宗刊物的各種特色。

中副對處理稿件也有它一貫的方針，它處理得快，是一般所不及的。好多刊物要投稿人附郵票，附寫好地址的信封，結果還是一去如石沉大海，中副則是，當刊者刊，當退者退。不會使你望眼欲穿。

中副是好的，但不能說夠理想，它當然也無法適合每個讀者的理想。但最可惜的是篇幅太小了，小到再沒有一份比中副版面更小的。副刊的好處是不像新聞受時間的限制，它對讀者的影響也是深長久遠的。因此，我們不時希望它能夠再增大一些。

自由人
THE FREEMAN
（第五二九期）
中華民國僑務委員會
登記證台數新字第一零二號
中華郵政台字第五〇〇號
執照登記爲第一類新聞紙類
（半週刊每星期三　六出版）
每份港幣壹毫
台北市售價台幣壹元
督印人：陳文藻
地址：香港高士威道二十號四樓
3 rd. fl. 20 GAUSEWAY RD HONG KONG
香港發行及事務接洽
高士打道66號　電話：七四〇五三
承印者：東南印務出版社
地　址：高士打道六十四號
海外總經銷
友聯書報發行公司
香港：德輔道中二十六號A二樓
台灣特派員辦事處
台北市館前街五十號
台灣總經銷處
台北市西寧南路壹壹叁號二樓
台郵撥儲金戶九二五二

經濟政策的實效性

——評經濟部長的報告——

·陳式銳·

經濟部長江杓三月八日列席立法院經濟委員會，報告四十五年度經濟部推行五項工作重點：（一）改進國營事業，（二）公營事業積極移轉民營，（三）開發煤礦增加生產，（四）準備第二個四年經濟計劃，首重發展產品出口之工業，（五）檢討並修訂經濟法令，以增進競爭，造成有利企業之環境。其對於第二個四年經濟計劃部份並且說：「今後爲適應人口增加所引起之消費增加的要求，必須向國外開拓市場，發展國際貿易，第二個四年計劃將以此爲目標，着重投資於製造出口貨品之工業」（台北三月九日新生報）。

空言無補於事實

江部長近在立法院會以未提出經濟政策而受到質詢，更因質詢而發生「受窘」；卒以道歉了事，不在話下。聽說經濟部長向未有完整政策的宣佈，則時有片段提及，亦多言之了事；將來實現與否，則非其所能顧及了。經濟行政，非普通政客之要所可比，非可以空洞之言所能了事，蓋國計民生在在受到影響；是爲最現實底事故。以對公營事業的整頓及移轉民營，過去在輿論一致督促之下，曾經前部長尹仲容大呼以「大刀闊斧」從事，時至今日，尚須移由下任來執行；而今本任除提出四項改進之事（詳上引報紙）外，並以「除依法必需政府經營之事業外，其他公營事業繼續推行陸續移轉民營，移轉方式擬兼用整廠或分廠一次出售、出租、及發售股票等方式」爲其執行的方針。這些話，我們很久以前就爲文加以論斷：亦不斷地聽過政府一再地作政策的宣佈；今日的事是實踐，我們要求當局立刻分別宣佈「保留」、公營事業及「移轉」、民營事業，前者屬地切實加以整頓，隨時把成績公開，後者亦以「行動」來出售、出租、或發售股票。

江部長鄭重地提到第二個「四年經濟計劃」的目標，「着重投資於製造出口貨品之工業」，向國外開拓市場，以發展國際貿易，藉以適應國人口增加而引起之消費增加，視爲第一個「四年經濟計劃」所着重發展之工業以滿足國內市場，已將次完成。國內年來有不少新工業產品應市，而且也有呈現過剩者，但這與第一個「四年經濟計劃」（從未公佈）有無關係，頗多爭辯。而問題的重心，毋寧說是今後「計劃」的實效性。就江氏的着重於製造出口貨品工業的投資一點加以觀察，不能不謂正確；其將修訂經濟法令，以增加競爭，造成有利企業之環境，亦屬必要之舉。問題的所在，是能夠分別那些法律及命令，有礙於經濟的發展，何時開始把它們整理出來，何時着手修改，何時可以公佈施行？這樣一來，內資、外資、尤其僑資，到時就不難循有利底環境引入工業界了。否則，發說而已，立法院多一次紀錄，報紙多一次刊載，與自由中國的經濟發展仍發生不了實際底好處。

必須造成投資的環境

阿根廷在貿易上居於拉丁美洲國家的首位，在本世紀三十年代，她的國際貿易占世界第九位，第二次大戰以後，就升到第六位（巴西居第八位）。阿根廷經濟後期的迅速發展，蓋得力於早期的基礎；當其脫離西班牙而獨立時，李末答米亞就公佈經濟自由主義底國策，由是誘致資本、企業人才、及勞力，從事充分開發阿根廷的資源。一業的發展，可以刺激或推動他業的長成；阿根廷自此獲得百業加速擴展的力量，以奠定其生產與貿易的基礎。政府近先後公佈「外國人投資條例」、「華僑回國投資條例」及新修正「所得稅法」，旨在鼓勵外人及華僑的投資。但外資在其本國有較優底企業環境，除外國政府基於政治上之理由向外援助或貸款外，殊少有決定性之內流；當華僑在僑居地遭受不平等之待遇，其資本正在尋求出路，如逃入香港（包括大陸）者當在二十億美元以上，此一資本來源，才是自由中國眞正爭取的對象。香港得此資金，於是貿易受禁運影響之後，正賴以工業化而維持興盛，惟其資金的過賸却也使其陷於苦悶；間有少數企業家試往新嘉坡投資，感覺其工業環境不如香港，亦已先後撤退。凡此種種，可以表明一地之投資環境，足以招致資金內流之決定性影響。

華僑投資的中心問題

「華僑回國投資條例」，雖有本息結匯之規定，及十年內不予征用或收購之保障；惟其癥結之所在，仍是資本進入之困難。當該條例在立法院討論之時，輸入「其他物資」一項，辯論之烈，開立法院以來所未曾有，通過之時，立法院且決議請行政院注意辦理事項六點，其中五點屬於處理之技術，最後一點「關於僑匯保値辦法，關係重要，應請注意改善」，才是問題的中心。「其他物資」的輸入，限用於投資建廠，包括建築用地、擴充廠房、購買必需裝置之設備。而一個工廠建立之後，尚需流動資金；政府雖在考慮適用優惠匯率，惟未知將考慮至於何時，則於此時決定，其一美元換取新台幣三十五元，與黑市比較，亦差五元——即損失八分之一。

其次，工廠建立出品之後，其出路爲市場，尤其是國外市場；新產品如何方能投入國際市場與人競爭，才是實際底問題。近來政府與民間已注意國外市場的擴展，是一個好底現象，如果華僑眞能來台投資，他們的外銷市場，其爭取的優勢遠非任何一國（包括日本）所能及。香港工業化之後，其產品所以能夠立足南洋一帶市場，一方面是其成本低（甚且有些在英國已威脅其本地生產），其商業結構上彼此是華人與華人之關係是一維持的力量。由是觀之，華僑在台灣的產品，由華僑向南洋一帶推銷，不是順理成章嗎？但是，現行進出口制度之下，華僑的工廠或華僑貿易商能夠自行輸出其產品嗎？其次，倘能自行輸出其產品，在現行外匯制度之下，其由外匯所取償的台幣不受損失嗎？

東南亞開發經濟實例

東南亞新興國家，以缺乏國內私人資本及企業家之故，政府開發經濟之投資，常居於啓鑰底地位，但對於公營與私營，卻得有一個界限與進度。印度意在建立一個「社會福利國」，公營事業占重要位置，然亦劃出私營的範圍；緬甸係初建，其發展計劃，政府占六〇%；巴基斯坦與菲律賓，則私營居較重要地位，在菲占六〇%；錫蘭的經濟發展，其趨勢在擴大私營企業。有些國家對於需要大資本及新技術之工業，政府先行創辦，待其可以獲利時出售民營，錫蘭、菲律賓等即採此途徑，台灣的經濟，比東南亞各地進步，應以私營爲主，其公營事業總大多數係日據時代之私營事業，此時分別交回民營，是爲制度上的還原，整個經濟始能納入正常軌範。

經濟財政兩部的關係

總之，江部長在立法院經委會所提出的報告，提出第二個「四年經濟計劃」的重心，一方面「着重於投資於製造出口貨品之工業」，而以修訂經濟法令來造成有利之企業環境；另一方面，改進公營事業且積極移轉民營，不失爲當前的適當途徑。台灣經濟，既需整理，又要開展，它需要勇敢與辦法，才能解決實際問題；而這一雙重底工作，尤須以引導華僑投資於工業及貿易爲重心。那末，排在當前底外匯貿易辦法，既妨礙僑資的輸入，復阻滯產品的輸出，政府有無面對現實的意向而準備加以改變？我知道這一權力在目前握於財政部之手；而江氏所云種種，如無財政部之衷誠合作，其能實現者又幾希？

三月十八日

海外通訊

西班牙學潮眞相

·奔流·

（本報馬德里航訊）讀「自由人」五二一、二期連續刊載譯自時代周刊的「西班牙的學潮」後，本人頗有一點感想。在未有說話以前，我要聲明，這不是爲西班牙政府辯護，而是認爲那位時代周刊的記者之報導，不够實在，讀者們讀了當會更加模糊。

反佛朗哥運動頻起

首先，有九個名詞，必須先把它們弄清楚，因爲從其中可以幫助讀者了解許多事情。

西班牙現有的政治團體，若以其地位言，「法蘭黑政治運動」是唯一合法的。這個運動的譯名，許多人把它譯成「長槍會」，這是不正確的。推其作此譯名之由來，約是因了該運動用五支箭頭與牛軛束在一起，作爲標幟所引起的；另外也有人譯作「藍衫黨」，這譯法，或者比較確實，因爲他們的制服是藍色的襯衣，但這也不盡符合，因爲他們向來就反對以「黨」字來運用到他們裏面去；自稱是一個「運動」，其含義是謂，爲重建新的西班牙，所有的西班牙人及團體，都應當是在這個運動的共同領導下，共負責任；所以，名符其實的稱呼他們爲「法蘭黑政治運動」是最確實的。至於「西班牙大學協會」，這是法蘭黑政治運動中的「青年陣綫」裏的一支，專爲管理大學生，組織他們的一個組織。直譯他，是「西班牙大學生工會」，因爲上述運動之政治路綫是「民族工團主義」，若要叫他「協會」，不如稱之爲「西班牙大學工聯會」更爲恰當。

二月九日前後，中央大學學生之暴動，並不是佛朗哥統治西班牙十七年來首次之暴動，一九四五年聯合國通過經濟封鎖西班牙後，西班牙人對佛氏之不滿，不時都有表演過，一九五二年那次的全國交通工人大罷工之醞釀，那才眞使佛氏的政府感到頭痛，雖然沒有成功，那時候，全西班牙各地，眞的有如風聲鶴淚，岌岌不可終日。一九五四年，中央大學的學生之反英運動，對象雖是英國，但卻也是對佛氏之政府一個公開的諷刺，攻擊他無能爲收回直布羅陀，結果學生與警察衝突，死一人，當時參加遊行人數，何止兩三千，幾乎三四倍於這次。所以比起來，這次之學潮，不外是許多次中一次而已。

學潮幕後支持者

這次學潮發生之原因，時代周刊祇提到「長槍會」之藍衫大漢對學生之毆打及法學院的學生要成立一個「自由學生會」以與「大學工聯會」對抗，並且「學聯會」提出之候選人之落選等，這些事都是事實，但我認爲，這是結果，並非原因，因爲該報導並未提到遊行的學生羣中所呼出的其他口號，那些口號，在離開中國大陸六七年後的今天其記憶猶新，往日在大陸上叫過的許多口號，這次差不多都在這裏重新聽到，諸如民主啊，自由啊！打倒這，打倒那……民主，自由本來是好的，是人們所追求和嚮往的，但所忌的是恐怕穿着羊皮的狼藉此再度出現。

現在事情雖是過去了，教育部長，中央黨部秘書長，都被撤了職；法學院院長的辭職尚未照准，但綜合起各方面之綫索，我們還可知道事情之不簡單。

在學潮還沒有完全表面化以前，二月七日，西班牙共產黨在法國之機關報「工人世界」上，刊載了一篇告訴西班牙青年如何反對佛朗哥政府的文章，同時，在比利牛斯山上的「獨立西班牙電台」，幾天也日以繼夜的廣播。

【下轉第三版】

時事述評

·司馬璐·

馬倫柯夫的龍套

赫魯歇夫、布爾加寧訪英之前，先有馬倫柯夫之行。馬倫柯夫在英國，一路對孩子們撒着鮮花和糖果，見到任何一個人都露齒而笑。

馬倫柯夫在英國所演出的角色，就像一個馬戲團的小丑，在一個正式節目前的跑龍套。

這一個角色，和赫魯歇夫所說的，當年史達林喝住赫魯歇夫：「烏克蘭人，站起來給我跳隻舞」，有什麼不同呢？

塞洛夫的殺氣

赫魯歇夫，布爾加寧訪英之前，又有俄共特務頭子塞洛夫之行。

塞洛夫在倫敦，英國人罵他是狼，是劊子手，是殺人犯，他並不介意，因爲他要演出的正是這樣一個閻王角色。

當馬倫柯夫在英國到處笑臉迎人的時候，塞洛夫到達英國，連他所乘的飛機，都是滿身殺氣，據蘇俄的報導說，這架噴射客機到達倫敦時，英國人大感驚訝。

米高揚的生意經

米高揚在喀拉蚩說，他高興見到這個獨立的巴基斯坦，他同時又說，蘇俄與巴基斯坦已經增進了解。

米高揚在新德里說，他高興見到這個和平友好的國家，他同時又大說其蘇俄經濟援助的問題。

米高揚又說，蘇俄決不好把「援助」硬塞給人家，必須先等別人開口。

這意思就是，「俄援」並非無條件的，先要對方開價，然後講價，方可成交。

好利害的生意經。

赫魯歇夫的吆喝

有一外國記者關於這次俄共大會的報導說，當赫魯歇夫在大會出現時，出席代表照例報以「歷久不息的掌聲」，赫魯歇夫一聲吆喝，會場才鴉雀無聲。

這是一個很有趣也很富於諷刺的特寫鏡頭，它寫出了一個事實的眞相，俄共過去的「個人崇拜」，固然是少數人的「權威」製造的，今天的「反對」，又是少數人的「權威」製造的。

朱德在俄「上課」

俄共這次舉行大會的時候，中共派去了一個代表團，由朱德、鄧小平等率領，在這個「偉大的鬥爭場面」中間，他們自然是沒有資格也不配發言的——祇是「上大課」而已。

俄共大會結束以後，當那些俄共頭目們正在張牙舞爪時，喬治亞發生了抗議史達林被清算的示威，事有湊巧，這朱德又在喬治亞，這次示威的人要拖出朱德說話，然而他卻又不敢露面了。事後，朱德溜回了莫斯科。

毛澤東的煩惱

毛澤東對這一點是看得出的，俄共領導今天呈現空前的混亂；毛澤東對馬列主義的起碼常識，他一定又懂得，俄共所標榜的「集體領導」與「反對個人崇拜」，是極其不自然的；每個俄共頭子們今天都正在企圖從對外的表演中，一方面保持蘇俄內部的一致，一方面加強個人對俄共的控制地位。

各國共產黨都是追隨俄共的清算史達林運動，毛澤東何以沉默？是因爲他偏愛史達林嗎？當然沒有這回事的。

毛澤東告訴俄共說：奴才跟主子是跟定了的。但是，現在究誰是新主子呢？清算史達林會不會再來一次翻案呢？毛澤東煩[illegible]他與其他各國的共黨有一個重要的區別，毛澤東的黨今天[illegible]身的「包袱」已經不輕了。

我國郵政六十周年
台省郵政發達有盈餘繳庫
郵局密度較前增高十餘倍

高宗魯

（本報台北通訊）中國現代化郵政肇始于清光緒四年（民前卅四年），是年二月廿日海關附設之天津郵務辦事處開始收寄公衆信件。至光緒廿二年二月初七日（民前十六年三月二十日），總理各國事務衙門奏准，將海關兼辦之郵政改為獨立之國營事業。到今年三月二十日，適屆六十周年，亦為第九屆郵政節。交通部郵政總局，除于是日褒獎服務資深員工，發行紀念郵票及紀念信封外，特舉行郵政六十周年紀念展覽會，來慶祝此一節日。

郵政六十周年紀念展覽會，已于三月二十日至卅一日在台北交通部郵政總局開幕。展出郵票包括中國自光緒四年以來歷年發行郵票二千二百零九張，及自一九五○年以來聯郵七十四個國家及地區所發行的各類郵票一百十三框架，約數千張。

檔存古票已成國寶

展覽會場共分四室。走進會場看見是「一封信的旅行」的活動模型，由紙短情長寫信起，到收信人展讀來書止，逐步用燈片表示出來，觀衆立刻明瞭，綠衣使者是在為我們辛苦為我們忙碌。壁上掛有盛宣懷、李經芳，及英人赫德和帛黎之油畫像，見之令人肅然起敬，因為他們均為中國現代郵政工作的先驅者。在第一室是郵政總局展出之本國郵票。普通郵票中，有自前清光緒四年發行之海關一次雲龍郵票起，至最近發行之香港版平信單位票改印面值郵票止，合計一百四十五套，分裝四十三框。尚有紀念郵票、航空郵票、慈善郵票、軍郵郵票、欠資郵票等共百餘套。這些中國郵票，全部為郵政檔存古票，原存上海，歷經艱辛始經福州、廣州、香港，運來台灣，碩果僅存，已成國寶。

郵總擬成立博物館

這裏還陳列一個民國前八年（光緒卅年）九月四日，由日本寄出的一封信，它是經過了四十七天始寄達我國四川。五十多年前的一封信，彌足珍貴。郵政總局深望國人合作，俾能成立一座郵政博物館，使郵政事業發揚光大。在第一室中，除掛郵票外尚有郵票樣張，郵票母模及分母版，集郵書刊和集郵用具的展出。

第二室為集郵家珍藏參加展出之郵票，均為我國集郵家畢生蒐集所得。有早期我國國內各地書信館的郵票，郵局初創時期各版郵票及郵戳，還存各國古票，其中有一八四○年英國發行之黑辦士郵票一枚，亦為全世界發行最早的一枚郵票。

郵票展出富歷史性

第三室是中國集郵協會參加展出之郵票，中國郵票部共分三十八類，琳瑯滿目，美不勝收。在看到亞洲第一個共和國！台灣民主共和國的郵票時，使人不禁憶起「宰相有權能割地，書生無力可回天」的詩，當時孤臣孽子的心情是何等悲憤。還有台灣光復前霧社事變的實寄信封，當時台灣高山族同胞為反抗日寇壓迫，毅然起義，不惜以弓矢對鎗砲和日軍拚，那種大無畏的抗暴精神，足堪效法。看到二次世界大戰我國遠征軍在外寄郵實寄信封，憶起遠征軍威震緬甸，和我國戰後雄踞四強的輝煌時代。看到在抗戰復員時期發行的郵票，因為當時國內物價不定，局勢不靖，郵票上面值也不定，蓋滿了暫改，改作及限某某省貼用的字樣，昔日局勢，與今日台灣局勢相比實有天壤之別。

在外國郵票部，共分九類。當我們看到日本發行的日清戰爭勝利紀念郵票時，觸目驚心。倘如甲午之戰中國不敗，歷史一定要改寫了。此外有外國郵票專題選集，至為精彩。如題為自由世界者，全為世界各國有自由女神像的郵票集成；永恒的旋律者，全為世界大音樂家人頭像郵票；更有百駿馳騁，百鳥朝陽，百美圖等，使人嘆為觀止。對於集郵家們對每張郵票的考據工作，深感佩服。台灣集郵數量占世界第八位，此次為慶祝郵政節並編著了一本有系統的中國郵票目錄，為我國郵政史上一大創舉。集郵是一種高雅嗜好，從郵票上可看出一國社會、文化、經濟的進步，和歷史的變遷，這話是有道理的。無怪乎英王喬治五世說：「集郵是王之嗜好，也是嗜好之王。」

過去郵票圖案單調

第四室為郵政總局展出之外國郵票，自民國三十九年以來聯合國及萬國郵政聯盟各會員國（鐵幕國家除外），計七十四個單位，陸續發行的郵票，有十類之多。萬國郵政聯盟七十五周年紀念郵票十八框。看過中外郵票展覽，深感我國過去發行之郵票在顏色圖案均有單調刻板之感。外國郵票上雖然也印有許多人頭像，但也有許多花卉，禽獸和風景畫像，觀之有生氣，有清新之感。深望以後我國發行郵票能多印些各地高山大川名勝古蹟的風景郵票，不也是可以喚起國人對祖國錦繡河山之戀嗎？

在會場外臨時郵局窗口前，擠滿了競購紀念郵票，首日封和加蓋紀念戳的人羣。五元一套四張的郵票，許多人買了數十套分寄友人，足證國人對集郵和郵政事業的興趣和熱忱。

自由中國郵政概況

今日台灣郵政機構有二千五百二十三處，平均每十四平方公里有郵局一所。較之大陸時期每一百六十九平公里始有郵局一所，密度增加了十倍以上。台灣掛號信每二十萬件中始有一件遺失。平信兩千件中，有一件無法投遞。這種寄信安全率比法國，義大利，和比利時均高。三十九年收寄各類函件四千萬件。到四十四年已達一億兩千萬件。每年增加百分之廿。大陸時期，每人每年交寄郵件兩件，今日台灣通信率，每人每年交寄十三件。

抗戰以後，郵局一直是營業虧損，近年郵局已有盈餘解交國庫。今日美國郵局尚年虧三億美元。美國國內平信是三分美金，合台幣七角。而我國平信郵資祇有台幣四角。卅九年業務量六千一百六十萬單位，當時員工有二千二百九十三人。四十四年業務增至一億八千單位，而員工只增加三百九十一人，已見工作效率之進步。

看了上述統計資料，足見我國六十年來的郵政確有進步。郵政事業與一般公營國營事業比較起來，是有着卓越的成就。但時代是進步的，尤其回到大陸後，郵政事業面臨的問題要比今日台灣複雜的多。對今日成就，不可引為滿足，不可固步自封。記得郵政展覽會場裏，掛着一幅對聯，「萬里郵傳會縮地，百年事業正中天。」意味深長。今後我國郵政事業的進步，尚賴郵政界工作人員繼續努力爭取之。（三月廿三日于碧潭）

·人物·

悼念潘詩憲醫師

·紹華·

國醫界一顆慧星的隕落

省港名中醫師潘詩憲於本月十五號凌晨二時病歿於九龍塘療養院，十七日安葬荃灣華人永遠墳場。在他說來，一朝撒手，四大皆空，揆之生寄死歸之義，亦

·評述·

如白沙子之所謂觀化。但我們究不能像太上之忘情，對這一顆國醫界慧星的殞落，自然表示十二分的哀悼。

醫道學貫中西

詩憲，南海河清人，誕生於一個「世代書香」的家庭。少年時求學廣州，肄業於中醫專科學校，為名中醫陳任枚之高足，於醫學已三折其肱；但他仍不敢自滿，復入中大醫學院肄業數年，研究病理學和解剖學，以期能夠貫通中西醫理。年纔弱冠，即在西關兩儀軒懸壺濟世。抗戰期間他在港任職於華人某大醫院。在港時，醫好了第七戰區參議黃節一的病，適香港淪陷，即赴曲江，繼續執業。剛好李主席伯豪，余司令長官幄奇先後抱病，由節一介紹，經詩憲診斷後用幾味中藥醫好，一時名聲大振，諸公要人爭欲與之交。後來戴院長季陶在重慶抱病，由廣東軍民兩長官推薦，詩憲由粵北取道桂林搭機赴重慶為戴院長治病，果然藥到春回，霍然而愈。抗戰勝利後，他仍回廣州行醫，並出任中醫專門學校校長，這是他的聲望最高峯時代。

畢生致力中醫教育

在中共佔據廣州前數天，他便乘航機赴港，我另搭車離開；行前他在西關一間酒家請我吃晚飯，表示要在香港恢復中醫學校，後因故雖未能實現，但由於個人奮鬥的結果，卒能創辦了一所中醫研究所。並在港九兩地懸壺執業。年前政府在台灣召開全球僑務會議，他是香港區出席代表之一。會後且在陽明山革命實踐研究院受訓，結業後，才回港。

他回港後的工作範圍顯然較前繁重，休息時間不多，因此積勞致疾。去年春他因病入養和醫院住了一個時期，李樹培醫生診斷他是腎臟萎縮症，如果澈底休養，還有希望。但他因事業心重，出院後仍帶病繼續工作，公私業務的負担，實已非其體力所可支持，卒之鞠躬盡瘁而死；故詩憲之死，實與戰死沙場同一壯烈，深知詩憲為人者，當不以斯言為河漢也。

生平行誼守正嫉惡

詩憲生平行誼，其值得一提者頗多。他曾對我說：「當在某華人醫院大醫院服務時，曾檢舉一宗違法舞弊的事件。事情是這樣，該院是施贈棺木的，沒有親屬的病人死了時，照例由院方棺殮，埋葬於義山。殊知院裏有一位庶務某甲，竟膽敢串同有關員工，剝削死人，把幾個死屍赤條條的放在棺木裏埋葬了，便隱瞞上頭，浮報棺木衣衾的件數，從中漁利。經他多方偵查屬實。乃在一次清明拜掃時際，連同該院總理多人帶了這一位某甲同去拜義山，當面加以控訴，在獲得當事人同意後在一個新墳裏掘出棺木，開棺檢驗，證實了這件事，於是把某甲革職。而某甲亦終以半身不遂之症加上子媳女兒行為不端把他活活的氣死」。又說：『他有一次在廣州醫治某法官兒子的腸熱病，病況異常嚴重，他首先虔誠地持誦密宗的藥王咒，然後開方下藥，病果然緩緩的好了，事後他對那位法官說：公門裏好修行。希望以後審理案件要公正些仁慈些，這便是替子孫積福』。說完了。態度凜然，這可見他嫉惡如仇，守正不阿的性格。

詩憲，善飲，詩詞造詣亦佳。廣東大詞人黎季裴是他的舅公。我曾介紹他和馮雷青兄入堅社，那知他們未覩中興大業，便賚志而沒，這是令人十分惋惜的。詩憲元配馮女，遺二子、四女。

·讀者論壇·

對立法院的期望

·千勾·

立法院是最高的民意機關，立法委員也就是當代高級的民意代表，每年兩次會期，一共八個月的開會期間，檢討施政，解決法案，以及接受民間請願，解除疾苦，調紛解難，委員們的辛勞可以想見，這個機構確實足夠表現民主作風為自由中國民主政治最顯明的成功。此雖足證明自由中國政治逐漸步入清明康莊大道，然而對其中少數弊端仍似有不能已於言者，既有所見，猶如骨梗在喉，不禁欲吐為快，誠所謂「期之過切，責之則深」。

會議進展遲緩

現任立委是早在民國卅五年選出的，在台者共五百餘位，這數字不能算少，如果每一位都能實事求是，克盡己責，對政治之改良，老百姓各項福利事業，自然有極為可觀的進步與成就。但是，中國一句俗話：「良莠不齊」，即立委諸公似亦不能免，此可從平日開會時的情形中看出來，每次院會發言者總是少數的那些委員，多數則是一旁冷眼觀看，這還算是好的，因為這些旁觀旁聽者都還能每次必到，其有更甚於此者，則率性十會九不到，或是簽個名就向後轉了；至於遲到早退者更比比皆是。如此一來，對於會議的進展自不免懈怠，而對於議案之審理也就不無草率牽強之弊了。

出席小組會的太少

再說到院內的委員會會議，每件議案多先經有關各委員會審查通過後才提交到大會上去討論，所以說委員會會議是尤其重要性的，因之委員會的小組審查會議更見忙碌的。像內政、國防、外交、預算等委員會，差不多每一屆會期都是會議不停，有時一天之內集會達二次三次以上，這種緊張的會議，照理委員們應該慎重其事加緊討論，以求案子得到最合理的解決，其實不然，仍然是少數委員在認真和不辭勞苦的研討商榷，因為是極少數的委員到會，所以縱是如何的認真都感到討論不夠廣泛深入，議案原須大家討論，少數服從多數才能精益求精，得到盡善盡美的結果，既無幾個人討論，甚至一個審查會議僅一兩位委員到會就開起會來，結果一件議案的通過到彷彿是多數服從少數。

表決困難病在欠協調

尤有更妙者，這次會議出席的委員與第一次或上幾次會議出席者不同，皆屬兩不接頭，各持相反意見，使政府有關部門列席代表感到無所適從，遇到大的難題，或各持不同之意見時即欲付表決亦覺十分困難，因之，一件議案往往經過幾次會議都得不到表決機會者常有發生，這種情形使政府有關部門列席的代表，也不能不感到備詢之難了。

立委既是最高民意代表，更執掌督促政府勵精求治的權力，而他們大部份的作風所留給人們的印象又是如何呢？例如以開會遲到言，政府列席代表常能準時而到，但委員們卻都必須過一小時甚至過二小時方珊珊而來，這予人家的觀感該是如何？

應為院譽端正作風

再就有一小部份委員平日行徑言，其貽人以口實者亦復不少。如有某一委員因竊盜案件而被法辦，某委員黃色新聞之被披露，這固是私人行為，應由其個人負法律責任，但其對整個立法院之聲譽，實不能謂無損，目前的自由中國正在實行「生」「聚」「教」「訓」臥薪嘗膽的時候，無論那一機構，無論那一部門都應該加緊工作，認真服務，不說以一當十，至少能以一算一才行，豈能再有尸位素餐的現象存在？立法院似應以己正正人的姿態出現，才能發揮其更崇高的職能呢！

周恩來等招認
大陸知識分子的厄運！

其六，一般具有科學知識技能的人因非中共黨員的關係，故意被投置在瑣碎的事務工作，使原來大可造就的科學人才，平白浪費。而一般高級的科學人才，因待遇太差，生活無法維持，必須自理家庭瑣事，或張羅生活費用，以致即使有研究科學的機會，亦沒有研究科學的條件。此種情形，據馮友蘭說：在目前的大學教授中均極普遍。

改造為了加強利用

綜上各點，說明大陸知識分子遭受中共歧視和壓制的損害，係中共自己從純科學技術方面着眼所承認的事實，若以此推想：則同樣可見中共在實行思想禁錮壓制民族文化方面所造成的窒息情形，是何等嚴重。

關於大陸人才的貧乏方面，周恩來承認無論在地質，測量、礦務、工廠、鐵路、水利、郵電、農業、醫學、文教、藝術、機械運用等方面，都有才難之嘆。

【下轉第三版】

三個軍事大演習——考驗香港防務

由本月二十日起一直到四月六日演半個月內，香港都被牽入三個盛大的軍事演習範圍內，除了一個是香港本土的英軍演習外，其餘兩個命名「海龍」與「安心」的海空演習，都是二月十六日東南亞聯防一連串大演習中的兩個環節。

香港史上空前大演習

有一點可以特別指出的，「海龍」演習是一個以香港爲中心的，而爲香港史上空前的大演習，接着的「安心」演習，雖然是包括了星洲、馬來亞、澳洲以及紐芬蘭等四個地方，但毫無疑問的，由香港出動的海空艦隻機羣，將成爲這次演習中的主力，而在這次演習中，香港將受到兩次空襲。

這三次演習中，雖然沒有說明其演習的意義何在，但有一點是非常明顯的，正如指揮「海龍」演習的司令官畢打少將所說，毫無疑問，這些演習的假想敵，都是來自新界以外的陸上地區，換一句話說，假想敵就是中共。

中共爲什麼成了東南亞國家的假想敵呢，爲什麼承認中共的英國亦承認中共可能自新界侵入，並且一旦有事時，而加以奮戰保衛？爲什麼一般人都以爲這次演習就是香港保衛戰實力的檢討？

輿論界認爲不尋常

香港的主要報章對這一連串的演習都加以非常的重視，並且有記者被邀出海參加爲期十日的出海作業，此外，並紛紛著論指出這次演習的不平常。

大部份報章對這次演習均有其共同的看法，他們首先分析了這是英國近年來初次在香港集中海權，陸續來港的海軍包括作爲旗艦的「紐芬」號巡洋艦一艘，最新型的「干城」級航空母艦兩艘，分別隸屬於第八、第十驅逐艦隊的驅逐艦八艘，以及其他補給艦等，另有法國航空母艦一艘亦參加演習，遙同本港海軍，兵力集中頗大。本港在韓戰緊張期間，雖然亦有多艘艦艇集中，但性質不同，過去的集中是休假換防性質，與香港問題無關，此次則專爲香港問題而來，是要直接測驗香港的實力問題，可說是英國第一次調集海權配合香港的陸防，意義自有不同。香港爲一孤島，守島能否固守，端賴海空支援，昔年日軍攻港，英軍以無海空支援而敗，影響市民心理頗鉅，對於英軍的威望大有損失，此次演習首先集中海權，即在免蹈覆轍。

新式噴射機掃蕩敵人

同時，這一個爲期將歷二旬的大演習，第一個動作即是一舉出動航空母艦的噴射機數十架，對香港外圍作環島掃蕩飛行，繼之即將配合主要艦艇及地面部隊，多方演習兩棲攻防，其詳細情況，雖然外人不得而知，從大處看，這一個演習是戰術性的，它沒有指出香港的戰略輪廓來，也看不出執攻執守，看不出香港是被攻解圍，抑是主動出擊，但有一點是清楚的，即假令香港一旦被攻，則從海面起飛的新式噴射機一定有力予進攻者以重大的打擊，使其不能突破新界的防線，而在此戰術攻防的過程中，盟軍就可以採取大規模的主動攻勢了。這是唯一可能指出的形勢，即所謂「先爲不可勝，再求可勝」，這也就是香港在昔年日軍來攻時所沒有的形勢。

而且，英軍此次演習，與平時不同，國際局勢外弛內張，英美的冷戰步調漸趨一致，此次東南亞聯防演習，英美海空軍密切配合，數千架協同行動，演到最後，還要逼近大陸邊緣，鐵翼縱橫，威懾竹幕，此足以證明英國正在不聲不響的充實防務。

含有冷戰意義

因此，可見這次香港大演習，不是沒有冷戰上的意義，英國要守香港，首次確保由新加坡到香港間的海路的平靜，同時向香港集中航空母艦的短促打擊力量，以保障新界方面的安全，跟着發動雷霆萬鈞的三棲反攻。目前這些都已在演習中做到了。此後局勢，當可保持此種態勢，把香港鞏固起來，作爲冷戰的橋頭和熱戰的跳板。

在現階段的情況看來，中共雖無進攻香港的可能，從經濟或政治上看，從國際形勢和蘇俄策略看，中共皆沒有武力奪取香港的跡象，但國際局勢變化莫測，第一、第二兩次大戰都是突然發生的，香港在軍事上可能無備，更不能讓中共輕視這海島上反抗它的力量，經過此番演習後，這項基礎已經奠定了。雖然軍事當局並沒有明確地闡明這次演習的意義，但一般人以爲這一種分析是非常正確的，在香港的守軍以及輔助單位的經常性的小規模演習幾無日無之，但是很難從這些小規模的演習戰中，了解到本港的戰鬥力量，但是這一連串的大規模演習中，非但使香港的二百五十萬居民認識了演習的意義，更認識了龐大保衞本港的海、陸、空、三軍的實力。

探女歸來

筠鈺

我有一個兒子，兩個女兒還在大陸內，以前音信稀少，即使有信大都說到「祖國」是如何的好，雖然彼此不能暢談心事，但至少還可以知道他們平安。但近一年半以來，他們總沒有覆信給我。做母親的我，不免時常掛念。最近中共放寬入境限制，而且從回過廣州的友人處，得知我的大女兒還在中共機關任職員。萬一她不能招呼我居住，還可以寄住戚友家裏。所以便決定上去看個究竟。

入境情形不必多說，港報已多登載。却說我遇到了女兒後，便知道她和弟妹們現在是經常通信的。我却問她爲什麼沒有信給我，她只遲疑的答道，沒有重要的事便不寫了。讀者們，你們的眼睛是雪亮的，這樣不近人情的話，原因何在，你們是很明白的了。我說我要到曲江看她的弟弟，她又勸我不去了。總之她一切都冷淡，眞是做到沒有「溫情主義」。

街上許多商店門楣，掛着紅布金字的「公私合營」和「雙喜臨門」等字樣。這是中共併吞私人資產的把戲。不是合營的商店，雖還有。但貨物稀少到不成其爲商店的樣子了。

據說合營後，店主們只得一份少得可憐的薪俸，却沒有紅利分的，還要被攤派公債。

現在大陸缺油，是人人皆知的事了。我到茶樓吃的臘腸包，也是枯乾極沒有半點油潤的樣子。包子是黑烏烏的，因爲沒有白麵粉，而只有黑污的麵粉。

共軍、共幹和機關裏人員多數是北方人。據說本省人大多數調到北方去了。失業的都被迫回鄉或遣送往遙遠的他鄉去「生產」了。被差調的，明知去做勞奴，苦不堪言，但絕不能違命。因爲你的肚皮已被中共管制了。他不配給你一份糧食，你只好餓死，你敢說一個「不」字麼？

現在中共策動人民去捉老鼠殺麻雀。因爲這些動物會消耗五穀糧食。我的女兒雖然是在機關辦事，但每星期還要撥出一天去捉老鼠。每人至少要捉回一個老鼠。所以有許多人去田間挖坭掘土捉田鼠。她沒有辦法捉到，便以捕鼠機捉一個作報銷了。

西班牙學潮眞相

【上接第一版】

西班牙官方機關報「前進日報」特將上述的那篇文章轉載給西班牙人民，告知敵人的陰謀。並作評論：二月九日是「學生殉難節」紀念日，暴動於是在同日於舉行追悼會之地方發生，當場有人開槍，重傷一人，現仍在醫院中，其他尚有數人輕傷。事情這樣的嚴重化以後，大學停了十一天課，保安局加強防範暴動之再發生，部長會議通過在最近三個月內取消法律上（十四，十八兩條），人民居住遷徙之自由及人民不得無故被捕，及被捕後不得監禁七十二小時之自由，這些都是事實，但至謂警察隨時在馬路上找人要證件，倒是無的放矢，中國人這麼多在馬德里，不時東跑西走，都沒有碰過一次。

在另外一方面：這次學潮之幕後人物，這裏也順便提一提：被捕而經斷定暴動主要首腦人物共六位，西班牙高等法院及保安部已獲得具體證據。這六人不但勇敢的承認是共產黨，並且繳出他們與蘇聯駐法國巴黎大使館聯絡的信件，他們也接受最近在「貝爾格萊德」舉行大會的「國際青年寫作協會」及設在該處之「國防青年學生聯盟」的支援，以莫斯科電台爲首的鐵幕國家之電台，各西歐國家共產黨之電台，莫不大加擴大此次事件之宣傳。就是北平電台，也同樣發表過支援的文字。

報導失實記者須負責

最奇怪的是有一個通訊社記者，在馬德里發出一張一九三九年以前攝下的照片，其寄往義大利的，則謂是馬德里大學的學生與西政府衝突的某個鏡頭；寄到法國的則謂是亞爾吉利亞與法軍衝突的鏡頭；另外，這張同樣的照片寄到阿根廷去所報導的與前面二者，完全是風馬牛不相及。這種不負責任的新聞記者，當然是不屑一談。走筆至此，當然又使我想到馬五先生在自由談擁護小邱吉爾的那段話，我認爲，不但新聞報紙應如同他批評別人一樣的被批評，做無冕之王的新聞記者，也應顧到眞理的重要性，尤其是各駐外國的記者，報導更應詳實，增進報人之社會地位。兩個民族間情感的接近、融和或是遠離與分歧以至仇視，做聯絡疏通工作之人的責任是無所旁貸的，不要忘記，新聞記者也是其中的一員。（三月十二日）

台北速寫

新聞自由之爭

國際新聞協會在東京開會，因「自由中國無新聞自由」，所以未被邀請。此間有關團體紛紛電該會表示抗議。其實，事實勝於雄辯，與其文字上抗爭，何不如拿出事實給他們看，如果過去的事實還不夠有力，不妨期待未來。

非爲部長辯

爲了高中及小學畢業會考問題，頗引起各方對教育部張部長之不滿。其實，這事如有錯誤，不應由張一人負責，但張是一個學者，用人重情，問題也就在這個「情」字上。不過張部長對編纂中華叢書，發行許多期刊，却是熱心而有毅力的，若不苛求，這樣的部長不也過得去嗎？

體育將軍

周至柔自參謀總長任滿之後，大有無官一身輕之感。國防會議秘書長一職，對他等於閒散差使。他的興趣就自然轉移於體育上。他的高爾夫，不下於圍棋。最近中華全國體育協進會也選他爲理事長。不過，他的政治生涯並未停頓，譬如：最近將率領一批高級將領赴美考察。

張道藩爲何辭職

立法院院長張道藩久患胃病，神色憔悴，聞最近已提出辭呈稱病辭職，一般皆不視爲新聞，政治人物之去留，自不會如此單純，所以大家說他是另有苦衷。或說他在院中與一部分立委意見不和，所以灰心。但這種爭吵，已非一日，不足爲患。如有政治原因，恐怕是來自上峯的。

野花野草除不盡

省市當局最近對娼妓之取締，頗爲積極。聽說對於進出於各大茶樓之交際花交際草，也將視同娼妓來辦。可是，有些交際花草，裝束儀態，都可媲美大家閨秀，除非是福爾摩斯，否則難以辨認的。

·杜衡之·

編者 讀者

△雷嘯岑先生著「卅年動亂的中國」一書，係香港亞洲出版社出版，並非本報經售，近承讀者，紛紛向本報台灣經銷處洽購，無以應命，至以爲歉！嗣後務請逕向原出版處洽購。如承托購，亦請直接來函爲荷。

△鍾靈先生尊稿刊畢，稿費單即發出。

△陸徵祺先生尊稿已拜讀，續稿請稍待寄下。

△王蓬吳、臧啓芳、王家文、張健生、王韶生、辛植柏、紅纓槍、趙國棟諸先生，承惠稿至感。

大陸知識份子的噩運！

【上接第二版】

據說科學技術人才不足，或知識分子稀少的具體現象，是地質勘探大多勞而無功，工業管理雜亂無章，生產經營缺乏規律和效率，機械使用率很低，農業集體化缺乏優良領導幹部，工廠、礦山、或工地均缺乏够水準的工程師。

周恩來也承認所謂「社會主義」的工業「建設」，乃係爲了未來的戰爭，但達成此一目的關鍵，除了經濟即在人才，因此表示必須改變過去對待知識份子的政策，則要一面「利用」一面「改造」，並非在於改善知識分子的政治待遇。是以所謂「知識分子的問題」，祇不過是如何加强「利用」和加緊「改造」而已。（下）

·沈文秉·

圖片說明

這幅漫畫原載三月十八日中共「人民日報」，該報說「目前一些廠礦會議太多，例如國營天津第四棉紡織廠大會小會天天不斷，有個工人從一月一日到十八日開了十一次會，佔去時間共二十六個小時，有的工人因爲忙於開會，飯也吃不好，一天只能睡五六小時的覺。」

會開得多是一種病態，它表示了中共各部門領導機構的不敢負責，這種現象相信也不僅僅是存在於「一些廠礦」，其表現在政治上的就是官僚主義和形式主義；但是中共政權下的各種會議，也是推行其獨裁政治的手段，它想通過會議來製造民意，僞裝民主。

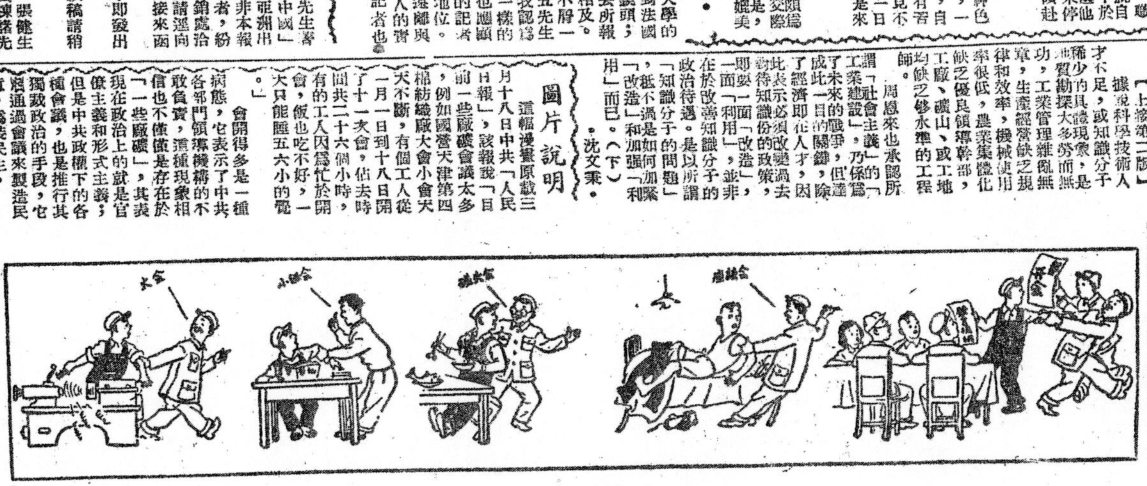

官僚形式化的會議

自由談

實爲德便！

馬五先生

在政治上負有重要職責的人，關於國計民生的言論，不像我們當新聞記者的，可以隨便談說，說滑了嘴也無關宏旨。若涉及軍要事項，來一個「更正」亦就得了。官居高位要津的大人先生們那不同，應該是「大人不言，言必有中」。甚麼叫作「中」呢？就是說話要負責，要兌現，更不要丟人！

最近在報上讀到一位與軍事職責毫不相干的特任官——某部長——發表的言論，說是共匪如果進攻金馬，國軍立即報復，實行無限制的反攻大陸。這就是無異人之談！請問如果共匪永不進攻金馬，國軍是否即永遠不實行反攻復國的軍事行動呢？所謂「報復」云者，是含有不使犯意識的對等鬥爭行爲，是被動性的，如美國當局說蘇俄若是偷襲美國的城市或基地，美軍立即予以大規模的報復是也。我們既視中共爲「匪」，然又自認勵行動爲「報復」，寧非荒唐胡扯，自毀立場乎？沒有一點語意學的常識，何必越位亂談國家大事，一心做官好了！

又如：「政治登陸」或「政治反攻」這類說詞，我們早已聽得爛熟，而且認爲是極有意義的號召，乃反攻復國的正確戰略，深堪贊許的。可是，所謂「政治反攻」的內容，決非僅以不時派飛機到大陸去散下一些傳單就算能事已畢吧！最上乘要把自由中國優良進步的政治實況，直接間接透過海內外和大陸同胞仔細瞭解辨識，心嚮往之。至少亦須使海外華僑確認自由祖國的政治生活甚大家愛戴的，因而影響到大陸上的人心，人人皆抱有「后來其蘇」的信念與熱忱。譬如：中共目前對海外華僑——尤其文化界——猛烈進行統戰攻勢，採用種種方法和手段，只要求大家採取中立態度，莫再擁護台灣，也不必表示擁共。它這種攻勢相當惡毒，請問我們的「政治反攻」工作如何？這才是需要政治反攻的重要關頭，否則美麗的說詞，勢將成爲自我諷刺！

說丟人的話固然不可，說漂亮話而不付實行，亦於無益有損。因此，今後切盼鐘鳴鼎食的人物，少說話，多負實責，實爲德便！

胃病患者的：飲食攝養

——兼答陳季勳先生——

・丁懿安・

擬詢問題，甚關重要。若有未當，不僅足使未病者致疾，亦足令已經愈者再罹。在治療期間，亦將因攝養之當否而影響治療之效果。

胃病患者體質既殊，病情之經過亦異，故治療應就擅治此病之中西醫師對症爲之方妥。至于攝養，牽涉亦廣，殊非短文所能概述。茲僅就飲食方面言之。

患者飲食之基本原則，爲「少食多餐」。不僅須「定時定量」，亦須「定質」。所謂定質，非以同類食物之營養價値着眼，而係以其對于消化力有同等影響者作選擇標準。例如每餐之蛋白性食物，向係以嫩豆腐二塊或豆腐花一碗爲適合其消化力者，若改食豆腐干或黃豆漿，則取量應大減。求能用同等之消化力以完成消化工作。前後數者雖以同一原料作成，但成品不同，消化之難易迥殊。未可執一而等量齊觀之也。

蛋白以在胃凝固之狀態如豆腐花者最佳，生蛋白與堅凝之蛋白均不適宜。蛋黃則熟透者始易消化。故煮蛋類時宜分別先後煮之。

澱粉質食物以烤麵包（香港俗稱多士）最易消化。凡經發酵之澱粉質（如饅頭麵包）較未經發酵者（如飯麵）爲佳。粥及泡飯均不適宜。因澱粉之消化，係賴口中唾液，故必須能細嚼者。若必須食粥，可先將米或麵粉乾炒，至呈深黃色，再用水煲之。脂肪油類消化較緩。牛油雖好，病者不宜多食。瘦肉類營養價値誠高，但消化費力，可以文火煲湯，飲其汁。蔬菜雖以近生食爲佳，但非語于胃病患者。故仍以混合多種熟煮之爲妥。食物種類與分量之選擇，固須注意營養價値與身體所需，尤應以其消化之難易程度是否爲本身消化力所能負担爲考慮之先決條件。否則無益而反傷胃。油煎物（油條等）油質物（花生等）及糯米食品（湯糰年糕等）宜忌食。甜飲食品及過分刺激性物宜少食。魚肝油宜少量或緩用。飲食品之溫度，以在攝氏卅五至四十五度間爲最佳，因消化液中酶之活動，以此時爲最強。每餐後宜常服酵母片一二，每日二至四片。又飲湯時可服雞內精粉（即雞腱壳，須研至極細）一小茶匙，每日一至二次，可連服二或三星期。當有助於營養與吸收。右述偏于基本原則，病者可斟酌選擇而試加增減，不難求得一適于個人情形之飲食攝養法。

短篇小說

勞軍的故事

老師說他是好學生，同學們都羨慕他。他心裏也感到高興。人家都只出五毛，兩塊，頂多也只是八塊，他一個人出二十五塊，全校勞軍他得過三個第一。「哼！第一永遠是我的！」孩子這樣想。

他爸爸當局長，他問爸爸要錢，爸爸準給。他不問媽要。「她不是我的媽，我媽媽早死啦。」孩子總是這樣氣憤憤地說。

這幾天爸爸要到台北去辦幾天公事，特別叫他到房子裏去，叫他不要淘氣，不要跟弟弟妹妹吵架，不要給媽媽難過。爸爸說這些話時，是拖着他坐在膝頭上說的，他都點頭答應了，他愛爸爸，因爲爸爸好。爸爸又給他五塊錢買糖吃，叫他乖寶寶。

快過陽曆年了，老師對學生們說，要展開春節勞軍，戰士們在前方守衛，學生纔能安定的在後方讀書。老師的話是有道理的，他除了佩服他爸爸外，就只佩服級任老師。當然，這個春節勞軍，他又必是第一。

同學們都在級任老師那裏捐錢，大家也都用崇敬羨慕的眼光望他，望着這個老是得第一的同學。

他把那買糖吃的五塊錢捐了出來，又說：「老師，我還要捐，這是我先拿的，」老師笑着嘉許地望着他，他沒等老師說話，就跑開了。

因爲他很急，爸爸到台北去了，再問誰去要錢呢？那個後媽媽，他是決不向她要的，她也不會給的，他知道。

……他孤獨的在操場上走來走去，不跟任何人玩，許多小朋友在那裏搶籃球，你追我，我追你，玩得很高興。以前，只要他走過去，大家都會擧他做領導者，但是現在他一點玩的興趣都沒有，那一片大聲響亮的笑鬧聲，他也一點都沒有聽見，陽光明艷的照着，他都沒有覺得，他紛亂得很，眼前只是黯淡的，像他臉色一樣，一點光彩也沒有。

「王兆濤，王兆濤呀，何明光捐了十八塊呀。」遠遠一個小朋友，一邊向他跑來，一邊喊着他。這簡直比石子擲到他身上，還要令他吃驚，令他憤怒。

他遠遠抬起頭來，強硬的說：「十八塊有甚麼了不起，我要捐二十五塊！」

「胡六藝捐了十五塊呀，王兆濤：……」那邊又跑來一個小朋友報信，他就像一個戰敗的英雄一樣，羞得連頭抬不起來了。但停一會，他就猛的挺起胸部來，像誰突然激怒了他似的，「我要捐三十塊，三十塊，」他喊道。

許多在旁的小朋友，聽到這一喊聲，都向他歡呼鼓掌，大家都知道他，說多少就是多少的。（上）

・楊海宴・

雍丘王與宓妃

——觀洛片後記

・張瘦碧・

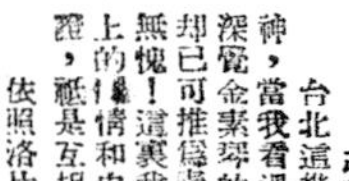

台北這幾天正在開演洛神，當我看過了此片之後，深覺金素琴的歌喉和舞藝，却已可推爲青衣祭酒，當之無愧！這裏我且說一說腳本上的劇情和史實，不敢說考證，祇是互相檢討一下！

依照洛片的劇情節，自然純粹是平劇腳本，大一，朝京師後，歸次洛川，天色已晚，由該處驛丞招待就宿；入夜，神情恍惚，有感難眠，乃取出所賜之玲瓏玉枕，把玩一番之後，倚枕假眠，暫入夢境。時有洛川神女，以與曹植前緣未了，尚有一面之親，乃率領侍兒，駕雲下降，至驛館託夢，囑其次日會於洛川之上。曹醒後，神迷不釋，依約如期而往，策馬揚鞭，徘徊於洛川，準備迎候佳人。轉瞬間，祥雲冉冉而至，洛神已率衆仙姑侍兒出現眼前，繾綣之情，互道相思，惟言不及亂，行不越禮，並邀曹植至洞外觀舞一番，臨別互贈禮物，以緊相思，祇此一面，後會無期，乃含淚飲恨而別，至此幕終。

曹子建的洛神賦，在文人的眼光中，是值得一提的好作品，收入在他的集子裏，根據他的年譜上所載，他作洛神賦的時候，是黃初三年，歲次壬寅，時年三十一歲，那時他被立爲鄄城王，朝京都，濟洛川，而作洛神賦。彼從封爲雍丘王時，已是次年黃初四年，癸卯，先年賦，後封雍丘，在他的年譜裏，記載得非常清楚，那末已經兩度濟洛川，首次遇洛神，後作賦，繼即封雍丘。洛劇雖未提及作賦之事，而却把遇洛神安排在從封雍丘以後了。

洛劇中有一個鏡頭，曹子建在洛川驛中萬般無奈的時候，也曾取出所賜之玉枕，在燈下把撫，前人註譯，多斥其妄。何義門云：「……賜枕薦枕，里巷之人所不爲，況帝又猜忌諸弟，留宴從容，已不可得。……」張溥本云：「甄按植在黃初時，猜嫌方盛，安敢於帝前思甄，至於泣下，帝又何至於以甄枕賜植。」蓋惑於李善引記，以洛神之賦，指爲感甄之作。按甄后三歲失父，袁紹納爲中子熙妻，曹操平冀州，丕納之於鄴。惟在洛劇中，僅有取枕把玩，徒增感喟，接着深宵由洛神前來託夢，並無涉及感甄之跡象可循，史未述及作賦，而洛神也祇以前緣未了，相覲一面而已，也沒有述出個所以然來。

按洛神，原名宓妃，相傳爲伏羲氏之女，溺於洛川，後爲神，故人呼之爲洛神，丁晏云：「此篇爲擬宋玉神女爲賦，寄心君王，託之宓妃洛神，猶屈宋之志也，而俗說乃謬爲感甄之作，豈不謬哉！」

洛神之賦，也許可說是文人無中生有的一篇東西，因情文並茂，令人感動，才編成洛劇。在劇中洛神有一段舞姿，且同時加入大段唱詞，編劇的人，復引用賦中字句，堪稱雅而不俗。

從洛劇和曹集彼此對照，却有這樣的差異，總之，雍丘王與宓妃的故事，似乎仍是極富於傳奇性的。

蝶戀花

以紙花供養戲成短句　饒宗頤

人間無復眞花處。爲怕花殘，莫覓眞花去。漫插瓊枝相爾汝。膽瓶對成賓主，詞客生生花裏住。戲剪冰綃留寫傷春句。紫蝶黃蜂渾不與。任他日日關風雨。

蝶戀花

和固庵兄韻　王韶生

玉蘂瓊枝花語處，不怕飄零底事花田去。坐對銀瓶呼爾汝。渾然忘我忘賓主。詞客天涯容小住。翦翠裁紅，忍寫悲涼句。莫負濃春輕付與。任他戶外風和雨。

同光風雲錄

曾紀澤

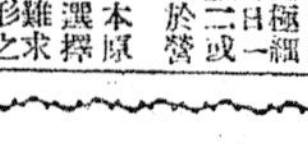

曾惠敏公，字劼剛，曾國藩之子也。少負雋才，以蔭補戶部員外郎，父憂服除，襲侯爵。清光緒四年，充出使英法大臣，補太常寺少卿，轉大理寺。使俄大臣崇厚，以擅簽條約，獲罪撤，即以紀澤兼任。

先是，俄乘我國內亂，據伊犂，迨我平回亂，乃擧以還我，議定界通商。前使俄大臣崇厚未奉朝旨，擅自與俄簽條約，而所定之約，又多損及國家權利，因詔紀澤改前約。俄以崇厚罹大辟罪，怫然！紀澤遂以此礙交涉，奏請貸崇厚罪，詔旨許之，論監禁。

使俄爭回伊犂南境

紀澤疏陳伊犂辦法有三，即戰、守、和，力言戰守皆不足恃，仍應言和，並條陳和議辦法云：『……交涉貴有一定之計，勿致後日迫於事勢，復有後允之條。今臣至俄都，但言兩國和好，自應遣使通誠。至於辦法公事，傳達語言，原係使臣職分，俟奉文牘，再行商議，如此立言，庶不致見拒於鄰邦。臣惟有禀遵聖訓，不激不隨，冀收得尺得寸之功。……』終與俄使辯論，凡數十萬言，而議始定。崇厚原約僅得伊犂之半，紀澤爭回南境各要隘，足以自守。其他通商各條，亦得公平之釐定。

殫精竭銳積勞而歿

未幾，法戰釁開，紀澤又奉命當交涉之衝，與法人抗辯，不稍屈撓，疏陳備禦六策，俱能針對實事，言中肯綮。旋授兵部侍郎。又奉命與英國議定洋藥稅釐，歲增六百餘萬。明年，擢總理各國事，並兼戶部，刑部，吏部侍郎。紀澤以一身膺重寄，益殫精竭銳，期圖報稱。詎積勞而歿，朝廷震悼，加太子太保，謚惠敏。翁同龢日記有云：『訪劼剛問疾，則鼓在門哭，入哭，爲改遺摺，嗟嗟！此人通敏，亦嘗宣勞，而止於此，可傷也！』

（十六）

夢山樓

徵稿啓事

△本報擬徵求下列諸稿：

一、三千五百字至七千字左右的短篇小說，不限體裁和故事內容。一經選用，優先奉送稿酬。

二、台灣及海外各地自由文壇的動態報導，作家生活描素及過去文壇珍聞。每篇以不超過五百字爲佳。

三、介紹海內外自由科學家、教育家、實業家、醫護、工礦業工作者的人物專稿。對象以現在從事於工作者爲最佳。來稿不宜超過一千五百字。關於軍政界人物稿件以散見各報者已多，請暫勿惠稿。

文壇漫步・

不受歡迎的話

讀了本報紀念號左舜生先生的文章後，不禁想到文化工作這一面來。是的，我們在海外的心情是那麼着急，眼見紅色的文化攻勢向香港馬來亞等地傾瀉而來，而自由中國仍然蝸步如故。想不通的是：台灣文壇一樣在不斷創作，爲什麼不把創作的成果向海外推銷？同樣的，海外的良好書刊，如無特殊人事關係，也很難交流到台灣去，即如我們在這兒寫「文壇漫步」，也很難找到台灣方面更多的資料一樣。但是，我曾聽說有過一包包「××皮書」「×點」之類的黑色黃色什雜，用某一種准許內銷的什雜做掩護而偸運入台，這些，在台灣的書報攤上已不再是秘聞了，這又從何說起呢？

前幾天去×成書局買一本克羅齊的「美學原理」，這本書原是朱光潛譯的，但是，出版這本書的正中書局却把朱的名字改掉，換上了一個什麼委員會譯，還把一篇譯序也删了，對於這一種小家氣作風，有無必要，是值得檢討的，何況「美學原理」這本書，正是一種具有強烈的反共意識的書，而朱光潛也正因爲這本書才被指爲「販賣西方帝國主義的美學思想」至遭清算。朱光潛譯這本書是事實，儘可以留下他的名在書的扉頁裏加上點說明，豈不來得更有力。可惜得很，負有文化任務的人却善於在這些小地方打算。

再者，像本港的一些自由出版界經營的書店，在營業競爭上時存打倒別人的心思，却沒有互利互助的意向，書店的內容與形式都極保守，甚至有以門市部作貨倉的。前兩個月，還有一家書店廉價推銷現在左派報紙寫文章的「還珠樓主」的武俠小說呢，這個「共」又從那兒「反」起？

・紅纓槍・

自由人

THE FREEMAN

（第五三〇期）

[illegible]

3 rd. fl. 20 CAUSEWAY RD HONG KONG

[illegible]

辦中醫學校與中醫藥研究機構問題

・丁文淵・

最近幾十年來，關於所謂「中」、「西」醫的問題，我們常常可以看到很激烈的辯論，這未嘗不是我們中國文化演變的一種過程，我現在並沒有意思要來討論誰是誰非。因爲這個問題，本來是個知識問題，而現在幾乎成爲一種信仰問題，有時且更認爲是「國粹」問題了。

根據台北廿七日中央社的電報，據說：「立法院於廿七日上午舉行的第十一會議中，表決通過一項議案，就是由政府創辦中醫學校，同時並創辦中醫藥研究機構。……立委有認爲中醫中藥爲中華民族國粹，五千年來對於中華民族的發展，有不可磨滅的貢獻。他們並指出：現在日本與韓國還在盛行「漢醫」，亞洲甚多國家與民族，還在以中醫醫術及中藥醫治疾病。而且現在西醫醫術與醫藥，雖然發展進步甚速，但對若干疾病尚不如使用中醫藥爲有效，故他們主張設立中醫學校，傳授醫術，並設立中醫藥的研究化驗機構，以改進中藥。」

這當然不過僅僅是中央社的報道；所引用立委諸公（當然是贊成的諸公）的高論，是否確實是他們當時所用的詞句，我現在還無法證實。不過中央社決不可能捕風捉影，而沒有所本的！我們不妨就根據這個報道，來加以討論。

「盛行」在何種條件下

我們對贊成此案的立委諸公，總不應當不相信他們，對於所謂「不可磨滅的貢獻」，必定有眞確和充分的瞭解，否則他們決不可能毅然、決然的來表決這個法案，因爲這是關繫我國人民健康的問題。我希望贊成此案的立委諸公，將這些「不可磨滅的貢獻」一一分析出來；非但如此，還這些「不可磨滅的貢獻」以外，是不是也還有——像現代醫學上常常正式指出的——「錯誤的傷害」？至於所謂「現在日本與韓國還在盛行漢醫」一層，是否確實是「盛行」，還是在經濟落後的狀況之下，不可避免的一種「剩餘」？我們也應當有一個眞確的答案。可是最重要的，還是贊成此案的立委諸公所認爲的：「現在西醫醫術與醫藥，雖然發展最進步甚速；但對若干疾病尚不如使用中醫藥爲有效」的一個理由。我們希望立委諸公，最低限度，他們所信任的「中」醫，將這些若干疾病一一明白指出，現代醫學無能爲力之處，中醫藥如何有效，也還得詳細說明，爲何有效，其故何在，纔能使我們下愚之人，憬然而悟，知所適從。對於一個現代藥性功能的說明，都有他試驗或報告的程序，而他所報告的，又是任何同道，都能依據試驗，而必需得到同一而一致的結果，否則無法成立，也無法取信於人。

無分中西古今有別

在我個人並不致苟同承認有所謂「中」、「西」醫學。尤其是，如果我們還希望我們中國不久在國際上，能夠成爲一個現代國家，並且也誠心誠意，奉行孫中山先生「天下爲公」的理想，就不會想到有什麼「中」、「西」之分。在任何學術上來講，我們只能承認有古、今之分，也可以作爲新、舊之別，也只有如此，我們才能瞭解，在學術上不可能有什麼國界！也只有如此，我們才能將我們所研究的學術，走上國際公認的道路。否則，我們就是在執行前清時代的閉關政策，或是，仿行蘇聯鐵幕內的，宣傳的「遺傳學」精神，決不能增加我們「國粹」的絲毫價值。

須經科學研究考慮

我現在並沒有意思，要求講什麼反對中醫的理論，我認爲現在並無此需要。因爲，如果我們認爲中國古代醫學，在古代確有它的價值，那就是一個歷史問題；如果我們認爲：就在現代，也還有它的實用價值，那就必需將每一個極小的問題，一一經過現代科學，嚴謹的研究方法，去考驗一番，才能確定它的眞實價值。這並不是什麼反對，不反對的問題。

古醫書僅可供參考

我現在要討論的，是「辦中醫學校」的問題。這個案子是經立法院內政及教育兩委員會審查，經多次的討論……：決定於本次會議提付表決。可見立法院對這件事的審慎，他們有所報告，所以我還沒有拜讀審查的報告，無法討論。可是贊成諸公既經表決通過此案，當然已一定認爲有此必要了。既然是「辦中醫學校」，是一個教育問題，當然也承認這就是我們的大勇無畏的下一代負責的問題，對於教育問題，也就是對我們下一代負責了！既然是教育，諸公也必定承認應用的教材，學校所用的教材，也就是所謂的教課書，課書的內容，凡經教課書所採用的內容，也一定是一般學者所公認的正確的理論。凡是尚有問題的，尚在研究試驗中的材料，決不會採用，以免有誤我們下一代，有誤我們的社會。這個「中醫學校」的教材，是否仍然根據我們古代的醫書？這些在現代醫學上，都是醫學歷史上的材料，或者也最可以作爲現代醫學研究工作上的一種參考，而決不是現代醫學上的教材。贊成此案的立委諸公，對於教材問題，是否有了眞確的認識？非但如此，既然稱爲「中醫學校」，當然對於所謂「西醫」，不可能加以「西醫」[illegible]！然而，也就是現代所謂「西醫」，也就是現代醫師必需的知識！[illegible]準備「中醫學校」來[illegible]諸公將來的是「中醫」，他們的業務上，大胆放棄些要的知識？如此做法，是否能對下一代負責，對社會負責任？諸公，這些個「中醫學校」，果真要「中」「西」並蓄，則勢必要在「中醫學校」內附設一個現代化的醫學院，這當然是一個不可能的事實。

【下轉第二版】

拖了十一年的裁軍會議

關鍵在蘇聯要「把自己的軍備，保持在應有的水平上」。——米高揚

從三月十九日起，聯合國裁軍小組委員會根據本年一月廿三日裁軍委員會的決定，在倫敦恢復工作。一週來外電不斷報導情況樂觀，但及至廿六日美國新建議提出，「在世界各處設立交通站，以查明裁軍公約國家的軍隊在境外的移動情況，以協助防止突襲」的建議後，蘇代表葛羅米柯卻以沉默來等候莫斯科的指示，而該小組委員會也即陷入了沉悶氣氛中。總之，廿八日的外電，傳出蘇聯突又覆調重彈提出要求削減普通武器和裁減兵員，反置禁止核子武器問題於不顧，使西方代表對蘇聯意圖，莫知所指。

因此，吾人必須於此分析，蘇聯何以要將禁止核子武器和普遍裁軍問題，不斷交互提出以刁難西方，杯葛裁軍小組會議的眞相了。

蘇決心保持強大武力

米高揚說，「只要裁軍還沒有能夠實現，我們就不得不把自己的軍備，包括以科學和技術最新成就爲基礎的威力強大的，現代化的武器，保持在應有的水平上」。按此語加以演繹，說明蘇聯在「裁軍還沒有能夠實現」前一天，也決不放棄核子武器之研究製造和軍備的擴建，但要裁軍不能實現的唯一方法，就在於杯葛裁軍會議，使其一無成就，只要一日無協議達成，蘇聯就可以一貫地有藉口從事擴軍和製造核子武器。

但赫魯曉夫的話又指出什麼呢？他說，「在就裁軍問題的最重要的方面達成協議以前，我們願意採取某些局部的步驟，例如停止核子武器的試驗，確保駐紮在德國境內的軍隊沒有原子武器裝備以及削減軍事預算」。他的話像有顯先「自我爲之」的意思，但吾人何能相信他與米高揚之間有未經協議之處；而再經進一步分析，即不難發現其所言是宣傳，而目的在針對西方的試爆核子武器和武裝西德，並在指責駐德美軍之有原子大砲的配備。所以若將二人的演詞綜合起來研究，便可得到如下的概念：即用不斷攻擊西方的手段，來掩飾其擴軍和在核子武器上的發展。

華沙軍約影響裁軍

至於蘇聯重提裁減武裝部隊一點，在共產國際華沙公約訂定之後再舊話重提，更是無絲毫價值可言了。蘇聯要西方和他同時一致裁減武裝部隊，而另一面則在加速拚湊擴充附庸國的兵力，連中共都已在華沙會議上舉手宣誓，願支持東歐八國軍事同盟，試問僅僅蘇聯本身爲裝顯裁減兵員，豈非欺人之談。

然而，對於這一點仍有加以詳細分析之必要：

在去年二月二十五日裁軍小組委員會復會前，蘇聯於十八日以廣播方式提出了裁軍意見，即各國同時銷毀現有的原子武器，各國武裝部隊軍備和軍事撥款不得增加到超過一九五五年一月一日的水平。會議開始後，美國對此項建議首表贊同。但卻進一步提出如何監督銷毀原子武器的技術問題。蘇聯鑑於一開始即失去了宣傳和攻擊的機會，並見美國有打蛇隨棍上的趨勢，於是乃將該項實際問題拖下去，直至五月十日，突又重新提出建議，即所謂「普遍裁軍」。

蘇新建議舊內容

按該建議係基於一九五四年六月十一日英法的共同建議，加以補充者。其主要內容爲：

「各國同意不再擴軍到超過該年（指一九五四年）十二月三十一日的水平，而軍費也不得超過該年一年內的水平。至於兵員的數額則裁減到：美、蘇、中（中共）各一百五十萬人，英法各爲六十五萬人；裁減軍備和禁止原子武器分兩個時期實施；在第一個時期，即一九五六年，各國先依照上述比率把常規軍備和軍事撥款裁減應該裁減的百分之五十；在此時期只規定擁有原子武器和氫武器的國家停止試驗；並保證除非因受侵略進行防禦並經聯合國安理會同意外，不使用核子武器；在第二個時期，即一九五七年，再按照經已裁減後的數額再裁減百分之五十，同時立即停止製造原子武器和氫武器；當武裝部隊和常規軍備依照規定裁減到了百分之七十五以後，便完全禁止使用核子武器，並加以銷毀之」。此亦即蘇聯將「普遍裁軍」和禁止核子武器兩問題糾纏在一齊的可告人的內容。

永難獲協議的癥結

這提議在表面上是無瑕疵的，但關鍵依然在實行的技術問題上。這本是在一九五四年經蘇聯杯葛了的英法建議，竟在相隔一年後又爲蘇聯修改提出，其無結果實已預定。而今天，蘇聯卻又再把它提出來。但今天，吾人卻已能據此得到蘇聯破壞裁軍會議的手段底邏輯了，就是當西方順應其主張禁止核子武器時，他就以「普遍裁軍」來作梗；反之則又以必須先談核子武器問題來刁難。在交互運用這二個問題杯葛裁軍會議時，蘇聯的態度是一貫地咬定了非先解決它的提議則不談其它。這也即裁軍會議之所以拖了十一年而毫無結果的眞實原因。

同樣的，這一問題在去年七月的巨頭會議上，雖曾談到，但一經艾森豪提出主張以空中攝影來監督時，蘇聯雖始而佯爲贊同，但繼則又反悔並作無恥的詆毀，認爲美國想藉此以刺探蘇聯軍備實況和「助長好戰慾望和戰爭的狂熱」。根據這些事實，已在在表明了蘇聯對裁軍的居心，這比之歷史上的軍縮會議，蘇聯誠然是比當年的日本更「高明」了！

・李金曄・

時事述評

・司馬璐・

亞洲的尊嚴

杜勒斯訪問亞洲返美以後，在廣播中說：亞洲人有一個普遍的願望，要西方國家承認亞洲的尊嚴。杜勒斯總算是不虛此行了。

美國執行亞洲政策的先生們，如果都肯以一種虛心的態度到亞洲走走，我們相信，對於他們，這是「勝讀十年書」的。

據說艾森豪也有意要到亞洲走走，如果這不是競選的「廣告」，亞洲人一向好客，當然歡迎如儀。

美國華僑事件

今天領導自由世界的美國，豈止不懂得亞洲而已，甚至連在美住上幾代的華僑，他們也是茫然的。

美國國務院方面說，在香港有一個買賣美國護照的龐大機構，據說有很多中國人藉此獲得非法進入美國的機會。

這樣的案件如果「查有實據」，美國自可按一般的司法程序處理，然而美國自今年二月以來，卻大張旗鼓，成立所謂「大陪審團」；興師動衆，傳訊所有華僑社團；甚至沒收了華僑宗親會的名冊，查到華僑的祖宗十八代上去。

華僑的勝訴

美國傳訊華僑事件，由於華僑據理力爭，獲得勝訴，這事本身已成過去，但它留給我們一個教訓！本來是一個極普通的司法事件，弄得在美國的全部華僑惶惶不可終日，我們能否認這些興風作浪的人，在他們平日的觀念上，對亞洲人太缺少尊重嗎？

這件事最後終於由華僑的勝訴而結束了，華僑能夠獲得申訴的機會使一件不合理的事能夠得糾正，這同時也是民主制度之賜。

反美與排華

杜勒斯說，亞洲人需要承認亞洲的尊嚴。

我們指出，少數美國人不懂得尊重亞洲人。

我們又不得不慚愧地指出，少數亞洲人也不懂得自己尊重自己。

像尼赫魯的「中立主義」和那些挾共自重的人，都是一個例子。

有一些沒出息的亞洲人，對外存依賴之心，專在美援上用心機；對內藉僥倖之念，專在華僑身上打主意。例如菲律賓就是一個最典型的例子，菲律賓一面指責美援分配不均，說他們比起日本來，數目微不足道；另一方面，菲外長公開表示反對華僑赴菲，在菲律賓境內，一再發生藉端勒索華僑的事件。

華僑與東南亞

凡是不尊重自己的亞洲人，對亞洲以外必特別妒忌美國；對亞洲以內必特別妒忌華僑。

所以反美與排華，在今天的亞洲，往往是連在一起的。

在亞洲的國家中，凡能與華僑相處友善，這個國家必生氣蓬勃，興旺發達，南越吳廷琰的成功，得力于華僑的合作至多，就是這類的好例子。

泰國過去是排華的，這個國家自從停止了排華政策後，社會的活力就令人耳目一新了，四月間，泰國國會議員將訪問自由中國。

寄語新成立的印尼政府，好好善自愛護這個新生的國家，華僑對印尼太重要了。

亞洲的新生！

亞洲正在新生！

亞洲的新生，必賴亞洲人民的覺醒，自尊心的提高！

亞洲的新生，必賴亞洲國家的團結，亞洲與整個自由世界的團結！

亞洲的新生，必賴亞洲國家與我們的華僑衷心的合作。

向美國朋友進一言

易敏子

讀者論壇

此時此地，我們身為自由中國國民的人，對于我們的友邦，不拘是精神上的同情支援或物質上的惠益支援，我們都是中心藏之的莫之或忘的，尤其近幾年來，美國朋友所給與我們的一切，眞個從個人的衣食住行到國命所繫的軍事設備和國本攸關的經濟建設，實在的我們對於這樣的好朋友，除道謝外還有什麼話好說？不過，在我們古語裏，有兩句話說得好，「君子愛人以德，小人愛人以姑息」。又有兩句諺語，「當局者迷，旁觀者清。」因此，我們對于美國朋友所給與的隨情盛意，唯一的酬答，該是從他們所不自覺的一些小關節也許是攸關大計的癥結所在，說幾句不亢不卑的老實話。

道義應重於利害

我們對于美國朋友在中東區域所感受的尷尬，實不勝其惋惜之無已的。反過來由我們看他人，所謂授受與取之間，無疑的義利之辨是各有其各自的民族自尊心，我們東方人，有一套「嗟來羹食」的觀念，今日的美國，對于接受他們援助的國家，該是「道義的同情」先于「利害的衡量」，同時對于他人的國家體面和個人人格的「榮譽」問題，也該認清那是非氫彈類強大武器所可「摧毀」的，也絕不是若干巨大數量的金錢所可「交易」的。我曾□經在我自己國度裏的所謂「落後地區」居留過些時日，我意識到越是「百不如人」的人，（當然這「百不如人」的說法，是我們就我們自己的「文明」尺度比較來的說法），由於他們那種倔強的民族觀念，卻也他們永遠保持了那一套「安貧樂道」的自尊精神。因此，凡是一個在那些地區工作的外來人，如果僅形而上的去幹些類乎救濟的佈施，那還一分慈善的恩惠，不僅是徒勞白費，甚而還會招致「沒趣」的白眼！

與不傷惠取不傷廉

每一個國家，有他那國家的國情，每一個民族，有他自己的民俗，東半球上的國家，不比西半球上的國家，尤其在所謂古老國家，他們那些古已有之的典章文物，絕不只是博物館裏的陳列品，切不應把它當做客廳裏的古董看待。在那些古老陳舊的背景裏，是蘊藏着血和淚交織而成的不容磨滅的文化，也更不容輕藐它的存在，從他們特有的文化精義，產生了他們的生活方式，同時也有他們的宗教啓示，他們寧願在艱苦中抱殘守缺，他們甚少肯看輕自己的骨頭去求取他人所給與的（在他自己意識裏認為是不光榮）。

與不傷惠，取不傷廉，雖是古人的陳語，在物質文明潮湧裏，固然是有甚多人已糞土視之而不把它當做立身行藏的箴言，不過，它的影響力，卻不能說在現代社會裏已被摧毀無遺。

這裏我所奉勸美國朋友的，是身在某一國家，即應「隨和」各該國家的國民，尤其在生活起居上的表見，萬不應「高高在上」的利用物質上的享受，越是在貧乏的國度裏，越得撤廢這一「物質享受」的阻障。

何不學學傳教士

許多來自西方的，也有來自美國的傳教士，他們和她們那種刻苦精神，和所在地土著人民生活在一起，既不顯示其富有也不炫耀其「文明」以加重「不同」的刺激因素，這是今日美國來到各個受援助國家，主持援助工作的人，至堪值得取法的一點。

在我們自由中國，因為美援機構雇用土著人員的待遇，較之他們在他們自己政府供職的大有差殊，一而影響到他們民族意識和人格價值，一方面也影響到他們社會經濟不平衡的歧視，更有甚者，許多有關國計民生的大問題，處處予人以「祇有美援才可解決」的暗示，固然在現實發見，是百分之百的事實昭然，但在應用上，似乎多方面認到「與不傷惠」避免加深對方的「哀憐」若難。

電力公司當局的話

最近台灣電力公司總經理黃煇在省議會報告關於電價將加的說話，竟明白的說出這是美國朋友的主張，如果不加價，美援（關於電力公司部分）就將無望，這在我們稍有民族意識的人聽來，老實說比在黑暗中享受不到電光的苦痛，還要難受多多。類似這樣的情況，實在是不勝枚舉，我們甚願這並非美國朋友的存心如此，而是由於國情民俗的隔膜，或者甚而是我們自己人的假外勢以張己威，那我眞要太息痛恨垂涕流淚的擲筆一嘆了。

電力應否加價，這是一個很複雜，而且值得討論的問題。如果拿「美國朋友的主張」做理由，實在不是電力公司的總經理所應該說的。易先生奉勸美國朋友的話，當然也是許多人所同有的感想。不過我們也不能全怪朋友，最重要的還是我們自己，必須先能振作，必須盡其在我。—編者—

·人物·評述·

曹梁河發明插秧機

·小丞·

現在正是插秧的時節，看到自由人的徵稿，使我想起發明自動插秧機的曹梁河。

當我們春日栽遊的時候，巡行阡陌，每一個秧田新插的禾苗，行列整齊，疏密有則，幾如一幅天然的圖畫，這應該是農民的藝術，我們可以想見關於插秧所費的時間和勞力，決不是草率可以從事。

「要知盤中餐，粒粒皆辛苦」。使我們更想到農民的辛勤，雖然在插秧氣候，春風和暢，但農民的胼手胝足，折腰曲膝，汗下如雨，亦屬辛苦備至。

農民用手插秧，幾千年來就相沿成習，迄未改進。現在台灣彰化秀水農校教員曹梁河，發明了自動插秧機，這確是農民的福音，為我國農具史上開一新紀元。

收入泰半用於研究

曹梁河先生是彰化人，年紀才卅六歲，自任縣立秀水農校教員以後，即具有實驗製造插秧機的念頭，但是靠薪水為生的人，無法購買高價機械書本，從事研究。他祇靠該校圖書室中二本「機械原理」為導師，開始製圖設計製造。

由於財力維艱，全家六口，曾有兩月不知肉味，過着極艱苦的日子。他每月薪津所入，大半均用着為研究材料費，甚至所有積蓄亦為此化光。但他始終沒有灰心，仍然全力以赴，以底於成。

在前年九月他完了初步的模型，十月親送中央標準局申請專利。為了一面任教，一面又須為此機勞心焦思，雖然幸告成功，但已帶給他不幸的心臟病。

插秧機的構造

自動插秧機設兩輪，以薄鐵輪及較小徑之木輪套合輪，外部突起防其沉粘，可調節其深淺，使木輪常浮在泥土上，該機寬約二尺，長約四尺。使用方法亦極簡單，將秧苗放進容秧箱內，手推機柄後退，全機即靈活迴轉，自動地從橫正條插秧，深淺自如，轉彎稍予暫停即可。插秧機下設耙平筒，得耙平使用人之足跡。

至於本機之特色，約有下列數點：

（一）插秧正確，不必使用格劃器（密植器）；

（二）以後可免除人工屈胸折腰之古老方式；

（三）深淺插秧自如；

（四）轉彎如意，得暫停插秧；

（五）使用簡單；

（六）經久耐用；

（七）價格低廉，小農均可購用，易於普及；

（八）提高工作效率，改善農民生活。

至此，機械插秧已非空想，即可進入實現階段，曹君並將設計大型機，以動力畜力駕駛。如有關當局，能予以重視協助輔導，則將來可望成為極重要之農具，可以斷言。

共匪學生兼做奴工　特務橫行濫加罪名

中共以學校製造新農奴、新工奴，這裏又有很好的例證：天津「大公報」自承：「隨着翻天覆地的第一個五年計劃的進展，培養各種高級建設人材的大學和專科學校，在西北高原上建築着，發展着……。」這是中共自一九五四年到現在，先後在西北地區共設立了十六所各種類型的高等學校，包括接收和新設立的在內，現在學校內容確已搞得天翻地覆。

中共的一間學校，恰等於一間牢獄，學校設立在有礦藏的地區，學生學習的也就是實地開礦工作，每天所聽到的，只有呻吟，所看到的，只有成羣結隊的青年，辛苦地在那裏做工，學習些什麼，青年男女心理明白。

如西北工學院，原為政府在陝南古路壩設立的新興工業學校。中共接收後，改為學生實習的農場，移遷咸陽，整日使學生在渭水河岸，幹着一般農民所幹的開荒、挖泥、耙田、布糞等工作，學生無課本，除了白天做農夫外，夜晚回到幾間已經破碎茅房裏，偶爾做點筆記。中共稱之為「腳踏實地的學習精神。」去年鬧虫荒，學生派出去捉虫，今春學校內又鬧糧荒，教育當局不負責，學校員工只好舉借債，現已積欠了三萬多斤小麥外債，無法償還。

西北大學和蘭州大學，是中共自己誇耀的「培養理論或基礎科學方面的研究工作和教學工作的專門人材的綜合性大學」。其實，設備簡陋，課程馬虎，僅較上述西北工學院稍健全，惟不幸校內共特充斥，時有「坦白」、「鬥爭」會在校內灑起風波，如今春鬥爭學生陳光遠為「國特」，檢討學生蘇名中破壞教育行政……，強者橫行，弱者遭殃，還有什麼書可讀。

另如西北師範學校、西安師範學院、陝西師範專校、西北農學院，新疆八一農學院，西北畜牧獸醫學院，西北民族學院，西北藝術專科學校，西北俄文專校，新疆俄文專校，新疆民族學院等，性質雖各不同，內容則千篇一律，尤其是所有學生，必先攻讀俄文，實行俄化，苟有不慎，一頂「紅帽子」飛來，那就有冤無處伸了。（亞蘇）

辦中醫學校與中醫藥研究機構問題

（上接第一版）

再論「設立中醫藥研究機構」的問題。這個「中醫藥研究機構」當然是由所謂「中醫大師」主持。可是我們都曉得，中醫藥草中之有價值者，有許多已得現代醫學採用，而加以精製了。現在所謂「中醫藥研究」，是否想步他們的後塵？果然如是，則主持這個研究機構的人，必需對現代科學，如：物理、化學、生物、生理、細菌學等等有深切的認識，這是否現在的中醫大師所能具有的？或是所謂這類研究並不需要上述的各種現代科學知識的？敢請贊成此案的立委諸公！

我們幸運地生於今日的廿世紀的下半紀，能夠親身經歷科學發揚光大的事實。我們還在認識，現代的科學，還在追求眞理，可能還是追求眞理的唯一途徑。而現代醫學又是科學的產物。

如果我們研究「中醫藥」，是在追求眞理，則又何能離開了科學的研究方法？

現代醫學對於醫藥的改進，眞是無時或忽。每日每時，世界上也不知有若干萬人，在那裏埋頭苦幹，才使今日的醫學，一日千里。他們對於每一個新的發現，不管是一種新藥的發明，或是一個新的理論，都有他們極端豐富的知識為基礎，時時改正的科學的銳敏的觀察，再加他們不懈的勤勞，才能有所收穫。然而他們的收穫往往還是千百次失敗中的一得。沒有固定和豐厚的經濟支持，也不是可能的。而他們的每一個研究，都有極詳盡的報告，使得對於這個問題有興趣的同道，可以根據他們的報告如法泡製；經過同樣的一一做去，而得到同樣的結果。這樣多方面的證實，才能使這個新的發現，得以成立。任何錯誤，一經發現，亦必大鑼大鼓的，公之於世，以便從速糾正。只有如此，才能使我們對科學發生了信心。

如果中醫大師，不甘後人，欲使他們的經驗和知識，有所貢獻於現代醫學：則應當首先本他們每個人的良知良能，將他們所有的材料，從新估計，何者為是，何者為非。無論為是、為非，必需以事實和經驗為根據，並予以發表，以評判。同時政府更應對於現有的醫學院，大量充實其設備、人才、研究費用，使他們確實有研究現代醫學的能力。整理古醫有成就的中醫，在醫學院自由講學，不妨授以機會，使研究現代醫學的人，得隨時聽到他們的理論，任從他們自由加以檢討，則庶幾不致離開科學原則，而於現代醫學可能有所補益焉。（完）

「價值」「剝削」與「合作」

·樓桐蓀·

本文係樓桐蓀先生於三月四日在台灣省第七屆合作年會暨第九屆合作節大會上所作的演講全文，尚未在其它報刊發表。樓先生為國內知名的經濟學者，著作甚多，本文旨趣在根據西方各家經濟學說分析並批駁馬克思資本論上關於「價值」、「剝削」的謬見，徵引贍博明晰，實為極值得一讀的佳作。

本文所說的「剝削」，既不是政治的意義，也不是法律的意義，而是經濟的意義。

剝削為鬥爭清算厲階

經濟意義的「剝削」，在中國可說是一向沒有這個用法的。經濟的剝削，顯然係從西文傳譯而來；一提到「剝削」，則凡唸過經濟學的人都立即會想到卡爾·馬克思，馬克思生於一八一八年，他離開這個世界還不過七十多年，而今天全世界人類却是直接間接正在受他的大害，幾至岌岌不可終日……直接的，不消說所有鐵幕內將近八億的人口，而其中我們中國同胞就佔一半以上！都在所謂「清算」、「鬥爭」等等慘絕人寰的眞正「剝削」之下，而間接的則所有自由人類，不問是自由中國、南韓、西德，以及法國、英國、美國都一方既須嚴密戒備以防共匪的滲入和顛覆的活動，而同時，他方又須負荷反共倒俄，殲滅匪黨極權的艱鉅使命。而追源溯本，實均以馬克思的「剝削」理論為其厲階。所以我們今天談到「剝削」，就不能不連帶提到馬克思，更不能不連帶想到一種似是而非的悖理論，其為害之烈，眞有甚於洪水猛獸！

但「剝削」一詞決不是馬克思的發明，更不是共產黨的專利；不過前賢所說的「剝削」，大體上都合到一部份的眞理，尚不失為人情之常，唯有馬克思的所謂「剝削」簡捷是生吞活剝，自外生成，假若分析到底，實屬一竅不通。

雖然如此，但為要使下文所將陳述的關於歷史上各種不同意義的「剝削」易於辨別和瞭解，則對於「勞動價值」，即以「勞動」為一切「價值」的源泉的學說，仍不能不就其來龍去脈，先作一個簡單的說明：

馬克思價值論的錯誤

按「價值」在我國古籍，亦稱「價直」，即我們凡得一物，成一事，所必須支付的那種「代價」，這就是北史所載：「食鷄羹，何不還他價直也？」的意思（見辭源「價值」條）。在這個意義下的價直的數量表示，在交換上，用他物（貨幣或其他實物）的數量來表示時，即為一般市場上的「價格」或「價錢」。但「勞動價值」的價值，是指本質構成的內涵，而不是指交換構成的外延。馬克思的價值論之所以是「自外生成」，把外在的成因，充作內在的本質，其基本的錯誤殆在於此。

其實這個價值的「本質」，遠在二千二百多年前，希臘大哲亞里士多德（公元前三八四——三二二）便曾經十分憂灼的在苦心探求而並無所獲。他說人們常用五張床換一間屋，「我實在不明白這（一間）屋與（五張）床之間，到底有什麼相等的共同本質？」他對於這個疑問毅然予以否定，說是：「這樣的東西，是不能眞確存在的」。而馬克思於此，却居然反詰亞里士多德說：「為什麼？屋（一間）在床（五張）的面前，是代表着某些相等的東西的：而這是些什麼呢？是人類的勞動」。由此看來，——固然，馬克思的書是讀得很好的，國父孫中山先生亦曾說：我們……雖然很崇拜馬克思的學問……」馬克思至少在哲學的造詣上自以為比亞里士多德還要高明？（一）

美國假護照之爭

最近美國因爲華僑的護照問題，除了在美國組織大陪審團要調查各個華人僑團的宗譜文件，惹起全體華僑的普遍反感，並且也以法律周旋外，而香港，並沒有例外的，也牽涉在這一個漩渦裏。

共諜利用假護照滲入

美國人指出由香港去美國的華僑是佔了所有各地赴美華僑的最大比數，而中共的間諜也利用了這一個機會滲入美國，這也是造成美國當局調查華僑入境的一個主要因素。

美國當局還指責香港警局的不合作，容許僞造護照者在香港存在，因此，香港至少有一百二十四間此種「綵紀商店」爲欲偷渡入美國者辦理手續，大約得一個有付出三千美元，即可獲得美國國籍的證明文件而得以赴美，據美國的估計，赴美的華僑中，大約有百分之三十是冒名頂替的。

美國的這一次指責使到香港的輿論與不方當局都同樣感到警安。警方認爲如果香港容易這一種所爲僞造護照者在香港存在，則香港將不是一個有法律秩序的地方，同時，香港人以美國對這種所謂「綵紀商人」的了解程度也感到奇怪，事實上，香港人就無法摸索淸一頸門徑，是少並不是公開或半公開的。

與論支持美國華僑

香港方面的與論是支持在美國的華僑的，兩張比較注重僑情的日報包括華僑日報和星島日報以及若干晚報都曾分別著論指摘美政府此次措施的不當，並且以巨大的篇幅連載三藩市廿四僞僑團反抗偵訊案，獲得勝訴的始末。

由於香港與論方面對此一事件的反響，美國領事館的負責人會兩度延見記者對移民問題加以解釋，企圖澄淸若干誤會，然而，在華府會面對這一個問題，却似乎還要有一個下文。

香港的與論用具體的事實來答覆美國這次檢查二十四個唐人街各宗親會之紀錄冊的不當，星島日報就曾指出由香港赴美的手續繁瑣與嚴密實爲人所皆知的事實，然而在美國駐港領事館護照部這樣嚴密的檢查下，依舊有百分之三十的華僑是非法所得入境文件，這一項事實的證明是辦理護照的手續上有漏洞和調查方面有問題而已，而且美國務院也爲了這一個問題須得到解決，祗是要求國會撥出增加十六名調查員的經費，換一句話說，如果要避免華僑獲得僞造護照入境甚至防止中共間諜混入，最簡易的辦法是給香港美領事館增加十六個調查員即可迎刃而解，可是美國却避輕就重，竟然要調查唐人街的宗譜名冊，而引起當地華僑的反感。

僑報認爲小題大做

因此，香港的僑報都認爲這是小題大做的做法，如此一來，祗有搞到三藩市的華僑人人自危，搞到全美國的華僑人心怕怕，弄到徒爲親者所痛，仇者所快。

至於本港警方對美國的一連串指責，雖然沒有正式加以駁明，但從警方的高級人員對記者的談話中表示，也認爲這一種指責是比較過份的。

過前，三藩市的地方檢察官美籍華人周植榮過港，和記者談及這一個問題時，他也承認了美政對此案的處理有若干點是對華僑不太尊重的，爲了此一事件的經過，周植榮已決定返自由中國向當局報告。

顯然美國這一次的行動是不智的，而香港的被指責更是沒有充份的理由，好得這一個案已告一段落了，根據華僑日報三藩市的航訊報導，代表二十四個僑團辯護的律師福拿的辯詞立論是非常中肯的，他說：如一人一生從未犯法，此人即應能在社會上安居樂業，其日常起居生活中，必有安全感。此爲美國憲法修正案第四條所担保者，如一人觸犯法律，則他的安全保障即被剝奪，他即有受傳訊，受搜查以及逮捕的可能，此爲我們每一個人今日在美國的情形，此亦爲法律所允許的正常現狀。

二十四個僑團勝訴

聯邦檢察官事先既已聲明政府對於僑團毫無任何偏見，各僑團亦毫無犯罪嫌疑，則根據憲法，僑團與無辜華僑，自應受同等待遇，受同等的法律保障，而吏他們亦同有我們所重視的「安全感」，使其有權拒絕任何搜查，否則搜查者即有「侵犯他人」之嫌。

福拿律師更指出政府如欲發出傳票，必須針對一定的項目尋求有關事物以解決問題，決不能作無目標，無範圍的傳訊。而聯邦檢察官既已事先宣佈，所向僑團索閱的文件，可能毫無價值，如此作風，即等於將所有文件搬來，這裏找找，那裏找找，扯不出證件來，然後交還原主，在法律上，此非爲傳訊，而爲搜查，此完全爲侵犯個人權利之一種作法。

福拿律師的辯詞，終於獲得了聯邦法官的同情，而作二十四個僑團勝訴的裁定。從這裏我們還可以看出在美國的華僑都一樣受到美國憲法所保障的。

至於香港僑報與輿論對這一事件的重視和遙爲呼應，更可以看得全球的華僑都是一體的。

新書介紹

介紹：愛之石

陸珍年著　台·綠蔭書屋出版

·王家文·

「愛之石」是一本六萬字的四個短篇小說集；包括：幻空和尚；秋鴻；十二年水流花謝和愛之石四篇。風格雖不儘同，但雋永的筆調則一；爲台灣近年文壇上不多見的作品。

幻空和尚——要說它是對佛教的反動，不如說爲一篇「禪理」的發揮，更爲切實。故事是描繪一個酒肉和尚；然而，讀完之後，在精神思維上，得到的却有淨化之感，這該是作者手筆的超然處。

「出家人而勸葷酒總不太適宜。」和尚笑了，他望着我說：「若能修心，又何必修口呢？」一個六根未淨的僧侶，能爲吃葷酒說出一篇道理，叛逆傳統，這不是佛教的反動嗎？然而，不能忽略過的是：「……所謂『如來』也就是如其本來，換而言之成佛之路，也就是回到自我的赤子之心。」這也就成爲發揮「禪理」的地方了。

×　×　×

秋鴻——書信體的文章，往往是不易討好的；它在三十九年發表於「寶島文藝」月刊，至今尚爲讀者稱道，不能不說是例外。它對盲信革命的青年含着無比的啓發力量。

它似是在對那些迷戀於來自西北利亞風暴的青年警告他們錯用了「熱情」，而認爲「終有一日會有見到由這般精神變態者的「救世」所闖下的大禍」。而這正是一些今天世事變幻的寓言呢！

×　×　×

「眉眼依依，恨軍逢又誤，作認還疑。誰傳紅葉信？誰倩綠隱隨？憔悴滋，更誰知？空自惹漣漪。十二年水流花謝，意亂情迷。歸輪伴奏輕蹄。向驚歌尋夢，叩遍羅扉。翠堤春曉曲，帆影海棠溪。人不見，醉偏宜，醉在月臺西。看幾家，擁鬟笑語，總是雙棲。」

這是「十二年水流花謝」裏誠紹瞻寫的一首「意難忘」的詞。一篇六千字的文章，則是這首詞的演繹。如若沒有文章的烘托，這首詞只是霧裏的花，給人以朦朧的影像；要是省掉這首詞，無異會減低文章的比重。所以二者之間互爲體用，缺一便不夠完整。

其中尤以「……看幾家、擁鬟笑語，總是變棲。」如果把這一句由皮而肉由肉而核的剝到作者的靈魂深處，就不難發現天涯不勝落寂之感了。

×　×　×

「……我是一個東方人，終有一天我畢竟要回到東方去；不能把夢留在遙遠的西方。」

這是從無足輕重的一個水手洸光在「愛之石」裏流露出來的心聲，是值得發人深省和警惕的。試問現在有多少大人先生們不正在做着遙遠的美夢呢！

我讀「愛之石」這篇將近三萬字的小說，還在四十四年十月連載新生報副刊上。那時就有文筆流暢、對話俏皮、人物的刻劃尤見工力的感受。現在有機會重讀一遍，倒感得它更像是一個電影故事了。

如若有人問我：「你歡喜『愛之石』四篇中的那一篇？」要是不嚴於選擇的話，我會脫口說出：同時把「歡喜」改做「愛」：我愛幻空和尚的思想超脫，愛秋鴻的情感眞摯，愛十二年水流花謝的結構完滿；和愛之石的文筆清新。

當然，白璧尙且有瑕，文章裏的小疵是難免的；只要不影響文章的完整，是不能吹毛求之了

共匪生活實況見聞

從·唐·家·灣·回·來

·唐惠×·

我是一個手擴廠的女工，當我離開家鄉中山縣唐家灣時，正是廣州陷落的前夕，那年我是十八歲。

中共佔據家鄉後，幾年來我都未曾回去過，家鄉的情形只有從妹妹的信已知道一些。她比我小三歲，但是我這次回去看到她時，顯然她比我要老三歲也不止，六年多的生活折磨，已使她像個中年多外的婦人了。

家裏除了她之外，還有年老的母親，自從土改分田後一直到「參加農業合作社」，這幾年來，她老人家也是風雨無阻地要下田，雖然她也已是近六十的人了。

在未實行糧票制前，妹妹說，寄回去的錢，還可以買點吃的，自從實行定量配給後，一個人一餐只能吃到四兩米，一天兩餐八兩米是無論如何不夠的，一個月四兩油，吃肉在鄉下已成爲是一種想望了。有錢也買不到吃的。

鄉下並非不養猪，但那些猪是上面「派養」的任務，家裏也有二三只鷄，但自己不能私宰來吃；派養的猪和鷄都歸由合作社收購。

鄉下確是蓋了些新房子，（那是公家的）但更多的人家在拆屋賣磚，賣下的錢一部分是爲了買點什粮，而大部分則是繳到合作社去增股。

土改的時候，我家的田被分掉了，留下的不到二畝，母親的勞動力連半個都算不上，因此妹妹負担了全部的勞作，在實行農業合作化後，合作社一成立，連這二畝不到的田也不能算是自己的了。

夜裏我們母女三人擠在一床，母親已是泣不成聲，她的淚是從白天一直忍到這時了，白天不敢爲母女相見痛快的笑，晚間也不敢爲將離別而痛苦地哭！這眞是既沒有笑也沒有哭的日子，大家祗能淒淒泣泣地數訴六年的災難。

妹妹一張嘴，我看到他的牙齒已經掉了一半，微弱的燈光下，則也能見到稀疏的根根白髮，她今年才過廿歲，但看樣子她實在是我母親的妹妹而不是我的妹妹了。我眞不知道她幾年來是怎麼挨的。

天一亮，她們就又下田了，村子裏看到的只有小孩，孩子讀書的年齡被提高到九歲開始，但大多數的學齡兒童也都在田裏工作，爲了增加工分，爲了生產競賽，也是爲了想吃得飽點，孩子們已成爲每家必要的生產勞動力了。

在推行農業合作社以前，田裏的收成名義上是自己的，但現在是完全歸合作社了，每個人的收入，要看他平日的「勞動成績」來記分，工分多的收入就好些，但每一工分只合到約一分錢「人民幣」。而記分的幹部則是上面派到作合社裏來的會計員。

中午的時候我憑了歸僑的身份，買了點肉和菜，母親也說我是「浪費」了。平素家裏經常是每餐二三塊腐乳，也因爲吃肉，驚動了左右鄰居，這些鄰居有的是生面孔，連口音也是陌生的，妹妹悄悄地告訴我，這些都是土改的時候從別的縣裏分田分到這裏來的，她還說，他們都是別縣的貧農。

這次回鄉的時候，我只穿了一套布衫和一件冷衫，但在鄉里，這套衣服已是到處引人注意了，家鄉的人都說幾年沒有做新衣服了，沒有錢，配給布也買不起，大家穿得都很舊很破。我記得臨去的時候，有人勸我買點故衣帶回去，但我沒有認爲鄉里窮得要穿故衣。唐家灣，這在中山縣是個富庶之鄉，從小到大就沒有聽說有誰家買過故衣穿，也實在想不到舊衣服對她們的重要，所以我不能不決定在臨走的時候把我的衣服全換下來給妹妹了。

第二天的晚上，母親就催着我明天回港，她的腦筋認爲摸不準共產黨到底幹什麼放人回來，爲防萬一，他要我早點走。我回去是憑證買了七天的米，和一斤油，我也想到如果再多留一天米與油也要多消耗一點，我懊悔爲什麼不在當時說要住十天而多買三天的米和油。

第三天的上午，我只能去買了廿斤的紅薯，除了夠坐車到澳門的錢之外，都留下給了妹妹。下午我就啓程回來，妹妹一直送我走到前山，一路上我們也談不出什麼來，上了汽車我到是流下眼淚了，但妹妹却在安慰我。生活已經使她學會了忍耐，無止盡的忍耐。

台省啤酒增產

每年達一百五十萬打　紹酒產量亦在增加中

本報三月十日第五二四期「台北速寫」欄內，曾刊有「酒的黑市」短文一則，頃接台灣省菸酒公賣局三月廿四日來函，有所說明。原函如下：

敬啓者：頃閱貴報三月十日第二版刊載台北速寫內有酒的黑市一段略以：「公賣局的啤酒與紹興酒供不應求，市民高價求購，造成黑市，爲什麼不增加酒的生產以裕省庫云云」一則，恐各界不完全明瞭眞相，謹將本局近年來增產啤酒及紹興酒之情形，作一概括之說明。

查省產啤酒爲本局第二酒廠所製，該廠於接收初期，因部份機器及廠房遭受戰時之破壞，卅五年度僅年產啤酒十二萬七千餘打，後因市場需要增加，除整修原有設備儘量增產外，歷年均補充新設備，產量亦逐年增加，四十四年度已將出產量提高至一百零七萬五千五百餘打，較卅五年增加七倍有餘。上年本局鑒於啤酒之銷售趨勢仍有增無已，爲免供求失調計，一面着手擴建第二酒廠之貯酒室發酵槽；一面呈准在本省中部新設啤酒廠一所，本年度第二酒廠可生產啤酒約一百十五萬打，勉敷供應，將來新啤酒廠成立後，啤酒更可源源供應，不虞匱之。

紹興酒爲本局第十一酒廠所產，於四十年冬開始試釀，當時因缺乏冷凍設備，每年僅能於冬季釀造。故自四十一年至四十三年間，年產量最高爲八百公石，經儲藏兩年包裝試銷後，頗受社會各界歡迎，漸呈供不應求現象。本局爲適應市場需要，乃於四十三年十月間擴建廠房，增築酒窖，添建冷凍設備，俾一年四季之中均可生產，從此年可生產二千六百餘公石。惟因紹酒各界求購者過多，又因酒齡必需藏至兩年以上始能應市，本局故不得不暫停普遍供應，一面仍積極籌備年產三萬公石（四十萬打）之計劃，一兩年後，紹酒即可源源增加供應。

本局對於啤酒紹酒之增產隨時均在注意之中，惟因釀造工業有一定釀造過程，既非咄嗟可辦，亦無法因陋就簡，目下在本局對啤酒紹酒之供銷在增產與調節兼籌並顧之下着手，黑市價格已逐漸消弭，今後增產計劃逐步實施後，此種供不應求之臨時黑市現象，當可不再發生。素仰貴報立論公正，爲民喉舌，特將事實說明如上，尚請惠予披露爲荷。此致

自由人報社

台灣省菸酒公賣局啓

三月廿四日

徵稿啓事

△本報擬徵求下列諸稿：

一、三千五百字至七千字左右的短篇小說，不限體裁和故事內容。一經選用優先奉送稿酬。

二、台灣及海外各地自由文壇的動態報導，作家生活素描及過去文壇珍聞。每篇以不超過五百字爲佳。

三、介紹海內外自由科學家、教育家、實業家、醫護、工礦業工作者的人物稿。對象以現在從事於工作者爲最佳。來稿不宜超過一千五百字。關於軍政界人物稿件以散見各報者已多，請暫勿惠稿。

神經質與神經病

自由談

馬五先生

世界上眞正的英雄豪傑之士，以及一般能夠得上稱爲政治家的人物，其爲人也，多半都是富於神經質的，智慧非凡，遇事敏感機警，洞明利害，善制機先，使若干妨礙事業發展的因素和力量，消弭於無形。德國鐵血宰相俾斯麥執政時，預見社會勞動大衆的潛力甚鉅，將來問題也很多，他就厲行社會政策，作曲突徙薪之計。在今日看來，他那套政策固然是落伍的了，但在百年前，能辨認理解這種問題的政治家，全世界還有那個呢？他在臨死之前，尚諄諄告誡世人，說勞動階級的力量將來是不可侮的！

普通所謂時代英雄和政治家却不然，他們的智慧很平凡，只是神經病特別發達，但則儘量發揮支配慾，滿足個人的權力要求，如醉如狂，罔知所屆，如希特勒、史達林之流，即其最著者。他們際會風雲，大操威柄，予智自雄，不可一世，以爲自己一切的作爲都是了不起的傳世績業，永垂史册的，殊不知完全是神經病的心理現象。希特勒的英雄事業與夫「我的奮鬥」思想，已隨其尸骨化爲灰燼，連痕迹亦沒有了，史達林正由其一手培植起來的親信幹部，猛烈清算，從思想到行爲，皆被認爲違背馬列主義的個人獨裁罪惡。實際上，這些人都是神經病的關係，如果他們是富於神經質的聰明人，就不致有此結局了。

目前世界上還有不少的神經病政治家，像鳩山一郎與尼赫魯皆屬之。尤其是鳩山的神經病更爲嚴重，日本再要教他繼續執政下去，終將闖出大禍，甚至再度亡國也說不定哩！

要避免神經病的政治人物來禍國殃民，唯有實行民主政治之一法，人民有了選擇公僕的權能，神經病者最多只可騙取權位一次而已。所以，凡是民主社會中的政治家，富有神經質的比較多，而神經病者自然很少！

東遊拾瑣

——日本的衣食住行

·樂觀·

（本報東京通訊）

最近我因一個偶然的機會來到日本，在東京，在大阪，都逗留了幾天；我覺得日本並沒有受到戰敗的影響，却反而因戰敗得到了再生的機運；尤其當共產黨在虎視眈眈的想一口把日本吞掉的時候，美國加緊援助，自由國家極力拉攏，因此，日本又在洋洋自得以爲她畢竟是了不起的國家，在這裏，我只能說一點觀感，或者能使國人了解戰後日本的一點實況吧。

衣：日本的紡織工業本來就有基礎，當然恢復亦易，不論，紗布、呢絨、毛料、尼龍都能製造，只要美國有的，日本也能有。大多數的日人都能穿着整潔美觀的衣服，絕沒有一絲寒酸氣，即令是下女出街買菜時，也得於出門前換裝打扮一番。儘管日本的出品美麗漂亮，但唯一的缺點就是不能經久，衣料下水就變質了，正象徵着日本的民族性小氣，短視。

食：日本一向米糧不足，非輸入外國米不足維持，所以食米是由政府定量配給的；麵粉是由美援麥製成的，其餘如大米、山芋，則到處可買；另外還有一種由澱粉質混合維他命製成的人造米，顆粒色澤與由田裏長成的米完全一樣，日本稱之曰營養米，價極廉，因爲配給有限，每家却得買黑市米，所以日本農民却變富有了。

住：公寓房屋在日本極普遍，各縣市政府都在繼續建造，都是西式建築，水電，瓦斯衛生，設備俱全，租價最廉。東京還有私人經營的花園洋房公寓，完全現代化設備，據說是專門租給外國人的，租價亦不昂，只是先須付日幣二三十萬元，然後按月付一萬元左右之租金，退租時預付款仍可退還的，生意亦頗不惡。

行：行在日本最爲稱便，市內市外皆通汽車、電車；東京、大阪更有地下鐵路，每隔兩三分鐘即有班車一次。出租汽車滿街飛，招手即至，車內有暖氣設備，無綫電的玩意，價亦公道。

玩：看電影爲日本人最普遍的娛樂，各縣市電影院林立，日本片外國片全有，惟獨台灣出產的國片則付缺如，至於日本的歌舞劇，音樂佈景，場面，服裝等等均極動人。還有眞正立體電影，是圓形大銀幕，用三部放映機放映，諸如飛機、火車、溜冰、彷彿自己置身銀幕中一樣。另外還有脫衣舞，凡是到日本的人，都要去參觀一下，上身完全赤裸，下體僅私處遮蓋，上等戲院則座位有限，客滿即停售門票，次等戲院則來者不拒，於是擠得滿坑滿谷，秩序空氣均壞，而演員亦遠不如上等戲院演員之年輕美貌。

總之，日本人的衣食住行都能有辦法解決；尤其日本政府更歡迎到日本觀光的外國人，只要有日本外務省簽證無不立准的，因爲這是可以賺外滙的。還有日本到處風行分期付款的辦法，只要你申請加人這個組織，月繳日幣三五十元即可領到一張選購證，憑證購買衣物用品，即身邊不帶一文亦可滿載而歸，諸如收音機、牙膏、蛋糕等均可分期付款，因爲日本外滙管制嚴，物價甚少波動，所以可以舉辦分期付款的玩意，建造房子也有分期付款的公司，少則一年多則八年十年付清都可，只要你先付半年的款項，即房屋地皮的總值的二分之一，公司就可爲你建屋，以後所付款項則按月逐漸減少，直至限滿爲止，還有日本絕對買不到黃金，至於美鈔也不多見，人民不敢持有，所以牌價穩定。（三月十五日）

山胞舞曲 並引

許紹棣

卑南族山胞，因土地銀行實施農貸，今歲豐收，且免高利貸剝削之苦；於歲事長齋奇萼君視察時，特舉行歌舞會，並以「抬椅子」殊禮致其敬意，余叨逢盛會，感其歌舞熱情洋溢，抬椅之禮殊有佳緻，歸而賦此。

滿身瓔珞響丁璫，山花插鬢絹點黃，錦紋纏腿玄布裳，連臂蹋足舞低昂。嘔啞嘲哳歌聲揚，堂上流塵落屋梁；左旋右轉凝容光，儸儸徐動若雲行。丈夫擊鼓參翱翔，橫波流盼呼阿郎；鼓急舞酣影縱橫，滿堂讚迅掌聲長。男女一笑兩家張，雙雙羅列如鴛鴦；若推若引意洋洋，將流欲停立四方。忽如急雨落秋塘，鴻飛還靠馬驪；胡旋三匝勢莫當，舞罷歌停樂未央。中有少女來一鶴，謂祝藺子壽而康；山姬環繞立其傍，謠擁抬之坐中堂。高抬其椅一丈強，三起三落興何狂，我聞農貸及此鄉，今歲豐收有餘糧。飲水思源示不忘。殊禮僕質非披猖，但願善政長流芳，自此家家穀滿倉。

短篇小說

勞軍的故事

他從同學羣中走出來，低着頭的，他感覺到痛苦，感覺到沒有人瞭解他，他怎麼辦呢，他從不知道着急是怎樣一回事，「爸爸，快回來吧，菩薩保佑爸爸快回來……」他咬着嘴唇皮，在心裏呼喚着，幾乎流下眼淚來。

大家都以爲王兆濤到級任老師那裏捐錢去了，便各自玩去了。他低着頭走他的，他不理任何人，他只有焦急和憤怒，「我要第一，我要第一，……」他咬着牙齒喊着。已經降過旗了，他不跟同伴們一道，他到座位上拿起書包，窗縫裏一縷夕陽丐灑在他的桌上，他不知怎麼，發起呆了，看到空蕩蕩的教室，突然淒涼的流下眼淚，一陣孤獨襲擊了小心靈，他一下子感到害怕起來，他忙背着書包跑出教室，彷彿有人追着他似的。

第二天，這孩子臉色出奇的蒼白，眼光含着一種怕人窺透秘密的恐懼，一向是堂堂正正的孩子，竟變得這樣畏縮了。

過來，但同學們都把眼光集中在級任老師身上，大家都等待着宣佈誰是這次勞軍第一，那種緊張專注的情形，簡直比成人聽開獎的愛國獎券號碼還要嚴重。因此很少人注意到他。

級任老師首先宣佈了五毫一塊兩塊的名字，也有三塊四塊的，繼着唸着「王兆濤，五塊。何明光，十八塊。胡六藝，二十五塊。這次第一是胡六藝——」底下便是熱烈的鼓掌聲，這時候，王兆濤嘴唇都發抖了，只見他站起來，好像費很大力氣地說道：「老師，我捐五十塊……」說着，就拿着錢跑向講台，大家聽到這聲音都回過頭來，所有眼光都集中在他身上，同時，一片更熱烈的掌聲浮動起來。王兆濤卻是低着頭回到自己的位子上。

這次王兆濤畢竟還是得了第一，可是他却不知爲甚麼，不如以往得第一時，那麼快樂那麼高興，他有點失魂落魄似的。但老師說他是好學生，同學們照常羨慕他。

第三天，在降旗後級任老師要同學們留在教室裏，他要講幾句話，大家便到教室裏去坐着。

老師好像要處罰甚麼人似的，臉孔特別可怕，以致同學們都規規矩矩的坐着，不敢有一點響動，老師站到講台上時，並沒有立即說話，這時候，王兆濤低着頭在玩弄書包角，也沒有人注意他。一會，老師說話了，那說話的聲音像平常一樣是非常溫和的：「做一個好學生，第一就是要誠實」，老師望着底下許多小面孔，然後裝作不在意的說：「胡六藝同學丟了一枝派克筆，那筆是他生日時他爸爸給他的，你們誰檢到了就說出來——」。

底下沒有一個人做聲，彷彿誰呼吸重了，就會被認作是拿了筆的人似的。王兆濤的頭埋得更低了……。

「讓人查出來，就不好了」，老師接着說：「作錯事，只要誠實就可以得原諒的。——」

特別的靜。突然，一個聲音爆發了，剛說出一聲「是我」，就哇的一聲哭了出來，大家都震驚的回過頭，王兆濤哭得更傷心了……。（下）

·楊海宴·

說蝶

·劍朋·

前清文人在北京者，多有詠太常仙蝶之作，其事雖微，饒多雅趣，蓋其地其物，均富有詩意也。太常寺有仙蝶，大如掌，色純白，左翼微缺，往翩翔於寺內花木之頂，亦不知其究栖止於何所，每飛入人家，輒止於正室門楣，驚之不去，都人士皆識爲太常仙蝶，立設香案，供佳釀一大碗，蝶即飛立碗緣，吸酒至盡，復飛上門楣，每數日不去。相傳爲前明太常寺卿某公之化身，所至之家，輒有吉慶之事，故都人以蝶至爲幸，偵內之宴會頌友。光緒丁酉，長沙徐壽蘅先生樹銘住北京宣外之鐵門，仙蝶至，先生爲之張筵數日，主客皆有詩文紀其事。蝶止於客廳中大幅名畫上，日飲花雕酒二三斤，七日乃去。未幾，壽蘅先生晉戶部尚書，亦一奇也。民國成立以前，清室改官制，太常寺已裁併，民國更無此機構，其衙署已經多次改設爲他項公用處所，不知此白袍太常，歸於何所，近年曾詢諸北平人，竟多不知其事矣。民國十六年四月，陝西境內發現大批蝴蝶，自西而東，由長武縣起（不明其來蹤）經過長安，至華陰縣則飛入南山，遂不知其何往矣。

同光風雲錄

夢山樓

郭嵩燾

郭嵩燾，字筠仙，湖南湘陰人。道光二十年進士，選庶吉士，丁憂歸。時，太平軍犯長沙，曾國藩以侍郎居里，奉詔練湘軍，筠仙力贊之。

練軍主政均著奇效

江忠源軍章門，筠仙往見，爲獻編練水師計劃，先造筏，列礮其上，配合陸軍夾擊敵，果著奇效，湘軍之名，自此大顯。論功授翰林院編修，入直上書房。同治改元，外放蘇松糧儲道，遷兩淮鹽運使，筠仙躬自掣驗配價，不稍寬假，凡有擅自處理者，悉捕治之，軍則奏請緩辦，故積弊之鹽政，因以大革矣。

辦外交獨具灼見

逾年，授廣東巡撫，旋擢兵部侍郎，出使英法大臣。英人馬加理過雲南邊境遇害，筠仙疏劾岑毓英，意在懲一儆英，以箝外人之口實。而一時輿論大譁，指爲存心媚外，頑固派尤爲切齒。中英邦交，因此幾絕。筠仙憤計不見納，乃再上疏陳曰：『交涉之方，不外理勢，勢者人與我共，可者與，不可者拒，理者所以自處，勢足而理直，固不可違，勢不足而別無可恃，尤恃理以折之。……』因條陳四事以進。郎中劉錫鴻恐疏上觸忌，故遏之。迨筠仙電再補上，而事已無及矣。

未幾，中俄事起，羣臣多主戰，徵調騷然，筠仙憂之，又上疏條陳六事，上嘉其意，詔曾紀澤使俄，卒改約，事乃解。筠仙雖罷退家居，未嘗不關心君國大事，對於朝鮮亂作，法越肆開，亦多有所論列。

慨論士大夫好名誤國

迨馬江敗後，筠仙慨然而論曰：『宋以來，士大夫好名，致與人家國事，託攘外之名，闔不次峻擢，洎夫事變，故與遷就，倉皇周章失措，喪心害理，莫斯爲甚』。又嘗言：『欲遍四海皆開煤鐵，中國皆要鐵路，外人富強，中國所不及……』稿傳於外，時議益多詞責，謂爲中洋毒。有人撰聯以譏之曰：『出乎其類，拔乎其萃，不容於堯舜之世。未能事人，焉能事鬼，何必去父母之邦』。迨至庚子禍作，其言大驗，朝廷雖欲起而重用之，而筠仙已故矣。嗟嗟！國家將亡，固步自封，不能取人之長，以補己之短，而反忌人之長，以揚己之短，雖有一二賢者，亦無所用，吾觀郭筠仙之遭遇，重有所感焉。（十七）

·文壇漫步·

「一九八四年」的譯者

偶感於體胖的累贅，屈指計算，肥胖的作家倒不在少數，而兩三個月前，楊仲碩即以患高血壓聞於國內，而他也是一個爲胖所累的人。他在港曾介紹了奧威爾著的諷刺、預言小說——「一九八四年」。

「一九八四年」寫的是假設數十年後全世界爲共黨所統治的故事，記得其中的一節大意謂：當共產黨人統治了世界之後，便有一個專改舊書刊舊報紙的機構出現，比如說，現在的某種工業最高生產率每月一千噸，一千噸便是最高額產量的，過去的報紙什雜如果刊登有一千二百噸或更多的數量，便得全部把它燒毀，重新改印一種報紙刊物，存起來，對於人物的處理也是如此，現在的人如果變成了叛徒，舊有的歷史書籍與及報紙刊物，也得全部更改。

不久前莫斯科的電訊報導了一則蘇聯的百科全書中有關貝利亞的生平一頁，全部抽了出來，改印了一頁「白象的生活」補上去，並按百科全書讀者的訂閱地址補發了這一頁，限令把貝利亞那頁撕下寄回給出版機構。這段消息和奧尼爾的「一九八四年」所寫的完全吻合，可見一個具有遠見的作家的筆鋒是如此的深刻。「一九八四年」這本書市面似已絕跡，我想，這本書實在應該再版，不妨把「貝利亞」這件事實一併紀錄出來印證一下。

聞楊仲碩，現任亞洲出版社副總編輯，是一位長於迻譯的人，同時又是一位健談的人。

·紅纓槍·

自由人

THE FREEMAN

（第五三一期）

中華民國僑務委員會
登記證僑台新字第一零二號
中華郵政台字第五〇〇號
執照登記爲第一類新聞紙類
（半週刊每星期三　六出版）
每份港幣壹毫
台北市價台幣壹元
督印人：陳文華
地址：香港高士威道二十號四樓
3 rd. fl. 20 GAUSEWAY RD
HONG KONG
香港發行及事務接洽
高士打道66號　電話：七四〇五三
承印者：東南印務出版社
地　址：高士打道六十四號
海外總經銷
友聯書報發行公司
香港：德輔道中二十六號A二樓
台灣特派員辦事處
台北市館前街五十號
台灣總經銷處
台北市西寧南路登瀛旅社二號二樓
台郵撥儲金戶九二五二

論華僑教育的宗旨

賢能並重雙管齊下　理想實用不能偏廢

·張雲·

最近在同一期的自由人（五二八期）讀到兩篇文章：其一，燕廬先生的「泛論香港的人格教育問題」，其二，葉守德先生的「忠恕爲人，幹練處事」。都是有關人格修養的教育問題，很佩服高見。讀後撩起了本人一些感想，正如燕先生所云「很有些話想說」。

華僑教育的重點

我們知道，教育是應該配合國家的政治走的，但因今日交通發達，把地面的距離縮小了，故同時也須和相處的實際世界相配合，否則不適於生存，終被淘汰，還有甚麼可說！尤其在國外的華僑教育，上述兩個原則，輕重分量，更顯得不同。

人格教育是重要的，但在當前的環境下，還把「孔步亦步，孔趨亦趨」，「賢良方正」，「孝悌力田」幾個老規範，擺在現教育目的的最高層，似乎大可不必。過份重利而忘卻一切做人的原則，這樣沒有靈魂的社會，我們是不同意的。但授以必需的知識技能，在合理的原則下，謀其所生存，則應當鼓勵。我國中等教育的目的，曾明示爲：「發展青年身心，培養健全國民，並爲研究高深學術及從事各種職業之預備」。則說，國家一方面培養健全身心的國民，一方面要顧到未來職業所需知識技能的傳授。我想在華僑社會中，後者很佔重要性。在目前的環境下，一個抱負顏回安貧樂道的人，雖可一簞一瓢的不改其樂。但顯然的，當他簞瓢中沒有內容的時候，則非受到社會的救濟不可，等到社會的救濟來不及，就只有自己跑上大成殿聖賢牌位的地方去安身了。星加坡的陳六使先生，我還未邂逅過，但能以渾身的力量，在一個不許建立第二個大學的地區，居然奮鬥出一個南洋大學出來，實有足多的。

富與仁，賢與能

時人還有許多抱着「爲富不仁，爲仁不富」的殘舊觀念，認爲生產財富，也爲孔聖所不容，這種觀念，我覺得應予修正。其實在現代社會來說，由工商業求得合理的利潤，同時還可救濟了許多失業，又何可厚非？至於那爲富而用不仁的手段，上帝是要責罰的；但富了並非不仁，爲例甚多，尤其在今日西方的社會，許多慈善事業，都由富豪捐助出來的。

我們傳統上，常以爲賢與能兩不相容，賢者多不能，能者，不會被人認爲賢的、這和仁富不能並行、有同一錯誤。過去南京的考試院，曾見戴季陶先生大書「選賢任能」一個大牌坊，這樣一個好成語，標在考試院的牌扁上，是最適當不過的，但我總覺得這充分表現了賢與能是兩件事。彷彿說：賢者選聘之在位（官），爲廟堂之器；能者任用於百工之中，而獻其技能。其實在我們的歷史中，賢而且能的人甚多，孟子譽出商湯的伊尹，桓公的管仲，都是舉世稱賢，學焉而後臣的，卒以在相之位，大顯其能，九合諸侯，一匡天下，使吾人不致披髮左衽，眞是了不起。又如葉先生所舉自比管樂的諸葛孔明，大纛在握，而能鞠躬盡瘁，以純臣終。近代湘鄉的曾氏，儒而能將，力了悲怨之道，能足以撥亂反正。我們目前正大量需要那賢而且能如諸葛武侯、曾文正其人。一方面忠厚存心，一方面在自己責任範圍內，拿出辦法，把問題解決，把事情弄好（葉先生的話），我們的教育，也就應這樣雙管齊下的呀。否則儘管賢若顏淵，連自己的生活，都弄到窮愁潦倒，雖云清高，實不足爲訓。

切實打算與更高理想

我們寄居此地，不覺，數年了。回想初到時，那種沿門托缽的難民同胞，挺而走險的匪徒行爲，投海跳樓的懦弱生命，和嗷嗷待哺的饑餓等現象，還歷歷在目，現在怎樣呢？似乎已漸漸消沉，發奮努力，發民智能，和各種行業的位置代替了。我們自然不能以這樣的形相爲滿足，我們應有更高的理想，但時機未到以前，不妨作最切實的打算，陸續把我們的環境改善。我們不敢也不能希望在短暫時間內，能人人都會變成富人，但也不願在外人的眼睛下，長此表現奄奄一息，待人救濟的生活狀態。然而還是要靠個人向生活奮鬥的。於是乎，除品格教育而外，知識技能的訓練，顯然是十分重要的。

三月廿九日香港

亞洲的文化自由

——亞洲人談亞洲——

·陳克文·

（一）仰光會議的經過

「文化自由會議」（Cangress For Cultural Freedom）和「民主理想促進協會」（The Society For The Extension of Demacratie ideals）（註），去年二月十七至廿日在仰光召集了一次會議。出席的代表：印度，緬甸，日本各六人；香港，泰國各三人；印尼，錫蘭，菲律賓，巴基斯坦各兩人，寮國一人共卅三人。還有被邀列席的客人緬甸五人，加拿大一人，共六人。都是亞洲各國的文化教育工作者，其中有大學校長，學院院長，教授，律師，記者，編輯，作家，和少數曾任或會議員或政府官職的人員。香港的代表爲亞洲出版社的總經理張國興，前東北大學教授黃顯理（譯音），和詩人兼小說家的顧瑪利亞（譯音）女士。

會議開幕的時候，收到亞洲各國和倫敦，巴黎許多文化人士的祝詞，其中包括英國哲學家羅素和南洋大學校長林語堂的電報。

四天會議，除開會詞，歡迎詞，閉幕詞之外還宣讀了廿多篇的專題論文，並分組討論有關問題。

會議閉幕後，由一個十二人組成的小組，把會議的有關文件整理，作成報告書。這一本報告書，現在已經用英文出版，題爲「亞洲的文化自由」（Cultural Freedom in Asia），全書近三百面，附照片六面，印刷精美，係日本東京 Charles E. Tuttle 公司出版。

（二）仰光會議的報告書

這報告書的內容：

（甲）大會開會——開幕詞及歡迎詞共四篇。

（乙）亞洲文化自由概況（專文）

A 亞洲的新覺醒

（一）「綜論復甦的亞洲」——G. D. Parikh（孟買經濟學教授）（二）「我們的文化傳統及其現代價值」——Takdir Alisjahbana（印尼大學副校長）（三）「菲律賓的覺醒」——Alfredo T. Morales（菲律賓大學文學教授）（四）「亞洲的宗教活力」——Hajime Nakamura（東京大學東方哲學教授）。

B 知識份子

（一）「智識份子的處境」——Prabhakar Padhye（印度，孟買）（二）「日本共產主義與智識份子」——Michio Takeyama（東京大學德國文學講師）（三）「目前的中國智識份子」黃顯理（前東北大學教授）。

C 東方所感受的西方壓迫

（一）「印度對西方思想的反應」——V. K. Gokak（印度，孟買加那德學院院長）（二）「日本文學與東方及西方」——Jun Takami（詩人，評論家，小說家）（三）「菲律賓音樂和它的現代影響」——Josa Maceda（菲律賓女子大學）（四）C題的討論紀錄。

（丙）亞洲文化自由的諸問題（專文）

A 過去的遺產

（一）「不變的亞洲社會」——Narmadeshwar Prarad（印度巴特拿大學社會學主任）（二）「殖民地主義與種族的衝突」——P. Kodanda Pao（印度外交協會主席）（三）殖民地主義與國際合作」——Zengo ohira（日本，國際法教授）（四）「過去遺產問題的討論紀錄。

B 國家與個人

（一）「自由與經濟計劃」——U. Ayo Hiaing及R. M. Sundrnm（仰光大學經濟部）（二）自由與計劃有矛盾乎」——Philip M. Hauser（芝加哥大學社會學教授）（三）「東南亞的經濟開發」——Eric P. W. da Casta（印度「東方經濟」報編輯）（四）「國家，權力，與個人自由」——Laxman Shastri Jashi（印度宗教百科全書編輯），（五）「個人與國家」——Mayher-ud-din Siddigi（巴基斯坦，回教文學編輯）（六）「國家與個人」問題的討論紀錄。

C 國家與少數民族

（一）「緬甸的少數文化」——U. Kyaw Thet（仰光大學講師）（二）本題的討論紀錄。

D 極權專制對文化自由的威脅

（一）「亞洲極權專制對文化自由的威脅」——Philip Spratt（印度 Myeindia 報編輯）（二）「日本的極權專制經驗」——Tefsnji Kata（日本大學）及Herdert Passin（美國奧海奧大學），（三）「中國的文化自由」——張國興（香港，亞洲出版社總經理），（四）D題討論紀錄。

（丁）大會閉會——閉會詞共六篇，（戊）大會祝詞，（己）參加會議名單及簡歷。

（三）會議精神及討論內容

本書編者對本書曾作簡單介紹說：「本書二十多篇文字，都是亞洲各國的智識分子，作家，學者在仰光會議所作的言論，還有數近四十人的亞洲優秀分子在會議中討論問題的紀錄，可說是「亞洲人談亞洲」的象徵。

他又說：『二次大戰後，亞洲在世界上尋求出路，同時亞洲人必須重建其經濟，與恢復其政治平衡。若干新國家已建立起來，獨國家有因而分裂者——例如印度與巴基斯坦』。

『經濟重建與政治穩定已發生新問題——不僅來自外面環境的壓力，亦來自內部漸增的壓力，因傳統社會與文化已趨崩潰之故。過去陷於奴役慘運的亞洲羣衆，現已要求更好的生活，和要求更多過問國事的權力。智識分子對於傳統文化，因受現代教育不能無條件予以接受；至與西方文化發生衝突，而感到痛苦，然兩種文化均對彼等有其吸引和驅迫的能力。

『亞洲在此種壓迫之下，羣衆與智識分子均感惶惑。因而產生新問題和新壓力。此等問題決非訴諸感情或空言所能解決。仰光會議所討論的即此等問題』。

【下轉第二版】

時事述評

·司馬璐·

施哈諾自尋煩惱

年青的高棉總理施哈諾辭職了。他說他的國家正受到鄰國的威脅；他又說美國要停止對他的援助。施哈諾說，這情況如果繼續下去，他祗好投共去了！

施哈諾所說的事實是片面的，今天高棉最主要的是內部問題，施哈諾本來被高棉人民視爲最有作爲的年青領袖，但自從他到過北平，標榜「中立」以後，聲望便一落千丈，國內糾紛迭起，不久以前施哈諾還與高棉國家銀行的總裁衝突過，團結的高棉有走向分裂的可能。這一切都是施哈諾自己找來的煩惱。

誰害了高棉

這個年青的高棉總理施哈諾又說，過去人們都說他是一個民主的領袖，但自從他到過一趟北平之後，人們就說他是一個獨裁者了。

可見施哈諾的「北平之行」，是非常不智和不得人心的，施哈諾先生，爲什麼你不從這些事實中多加體會呢？

誰害了高棉？誰害了施哈諾？

周恩來將於六月訪問高棉，也是個魔星與災難的化身，施哈諾眞有自殺的決心和「投共」的勇氣嗎？

以泰國爲例

施哈諾很聰明，高棉是個新興的獨立國家，他是絕不會自殺的。

施哈諾年青，如果他有認錯的勇氣，立刻宣佈「婉謝」周恩來的訪問，施哈諾依然可以獲得高棉舉國一致的擁戴的。

施哈諾看看泰國的一面鏡子！

不久以前，泰國在外交上也曾搖動過，隨着就使整個泰國政治上一度陷入紛歧混亂，最後泰國在外交上表示了堅定的明朗的立場，也就同時澄清了內部的各種謠言。

再提醒寮國

雖然如此，中共對泰國的誘惑還是沒有放鬆，最近周恩來不是寫信給他「萬隆會議的朋友」泰國外長萬親王「致意」嗎？

「中立主義」的毒菌，現在正隨時隨地掩護在各種保護色之下，向東南亞各地蔓延，問題只在這些國家本身精神上是否健康而已。

寮國的新政府，最近也開始標榜「中立主義」，不過還只在閃閃爍爍的階段，我們不妨再提醒寮國的執政當局，看看高棉的鏡子，再看看泰國的鏡子。

東南亞的樂觀

整個東南亞地區，民主力量正在上升，像高棉這類事件，誠然是不幸的，但就全局而言，只是微波而已。

什麼理由使我們這樣樂觀呢？

第一是南越的進步，他給東南亞各國樹立了一個獨立、民主、繁榮的榜樣。

第二是馬來亞反共立場的堅定，拉曼說，除了馬共無條件投降以外，他不準備和陳平談判。

第三是印尼非共內閣的建立和印尼總統蘇加諾即將訪美。

這些說明，在最主要的陣地上，自由世界是穩定的。

鳩山自作孽

四月一日愚人節這一天，來自東京的報導說：日本可能正在安排鳩山與周恩來的會談。但願這僅僅是一則「愚人節的新聞」而已。

否則，如果施哈諾的「中立」是出于他的年青和他的國家也太年青，那麼鳩山的行徑就是「自作孽，不可活」了。

實質問題解決無望
日蘇談判再度停頓
會談已屆鍋焦水乾關頭
鳩山重光河野意見一致

許俊

【本報東京航訊】在倫敦舉行的日蘇談判，何以歷久難能達成協議，已成爲日本議會中左派份子責難政府的焦點。日蘇關係不能改觀，間接就影響了日本與中共的關係。

鳩山重光唱雙簧

據日本的觀察家說，左派所焦急的即在此，而商人所關心的也在此。因此，認爲鳩山所說與周恩來會晤，實爲對國內反對派的安撫不得不如此，蓋在日本政府言，首相與外相政見既公開表現不合，今天除非鳩山痛快改組內閣，另換外相，否則鳩山的話兌現的可能性很小。但問題是外有周恩來的招手；內有左派的緊力，這齣雙簧再能唱多久，是值得令人關心的。

日蘇談判之所以爲國際重視，蓋實際爲日本對共產國家關係之觸發。日本人則更認爲這是打開莫斯科和北平關係之門的鑰匙，但重光在這方面卻緊緊握住了它，因此，代表日本的松本俊一既不能輕率從事，而馬立克也一樣無權專擅，從談判無結果一點來說，這也正表示了日本外交在重光的手內表現出了高度的藝術。換句話說，至少表示重光在道義上尚堅持不出賣自由國家，否則，受其影響最大者，自是自由中國。所以也有人評論重光的外交是眞正發揮了東方的道義精神。

會談無結果之關鍵

這次日蘇談判的中斷，是在三月二十日第二十三次會議後。從去年六月三日開始首次談判，到九月二十一日，宣佈了第一次短期中斷，迄一月十七日談判恢復，其間相隔三個多月；在首次談判期內的四個月中，舉行了十五次會議，但無任何結果；這次舉行八次會議，據說雙方就和約草案十項條款達成了協議。從表面上看，這是成功的，但實際上它對整個和談，可以說是毫無裨益。在日本來說，她須要解決的是領土歸還問題，日俘釋放問題和要蘇聯撤回其對遠東海面限制捕魚的宣言等。站在日本的立場上來說，只要這些實質的懸案獲得解決，和約只是形式問題；否則即使是和約簽訂了，對日本也無絲毫利益可言。

但相反的，蘇聯的目的是根本無意於解決實質問題，希望先簽訂和約，恢復「正常關係」，然後以和約對日本作原則性的束縛，這可以說是雙方之所以不能作再進一步澈底解決問題的關鍵。

因此，雖然在松本俊一返日後，重光即訓令駐英大使西春彥繼續與馬立克就釋俘和撤回限制捕魚宣言進行商談，但蘇聯和中共的宣傳，仍強調談判已又再中斷。視此，即足以證明蘇聯之居心何在矣。

中共挑撥　擴大矛盾

中共對於日蘇談判之再「中斷」，不惜大肆宣傳，並極力挑撥鳩山與重光間的矛盾加深，一再以廣播和新聞向日本朝野指出：鳩山曾表示主張迅速達成協議，和將領土問題放在以後來決定，但重光卻堅持領土問題不解決不作其它考慮。中共對此評論說：「鳩山說鳩山的，重光做重光的，結果是鳩山對日本人民說了不少好聽的話，重光卻做了很多對日本不利的事」。而這最後的一句話，顯然是想藉此以煽起日本人民對重光的仇恨，其用心較諸挑撥鳩山重光間的關係，尤爲毒辣！

會談無定期停頓

松本俊一則以談判當事人的地位，慨然地說，談判實已到了「鍋焦水乾」的時候，言下之意，對蘇聯之態度已經表示絕望，對談判前途也不再抱樂觀。

由於中共和蘇聯強調在松本俊一離英後，是表示日本有意讓會談中斷，而對於西春彥與馬立克繼續談實質問題不得要領，重光在三月十八日出席參院外交委員會就該項問題發表演說謂：「日本無意採取主動，以恢復和談，從三月二十日後，會談將無定期的停頓」！

重光所表示的態度是相當強硬的，他所以正式作此肯定的表示，固一方面是實際情況所迫使；而另一方面據說在釋俘和捕魚這二個問題上，曾獲得了鳩山和河野一郎（農相）的支持。換言之，重光這次的聲明，也就是反映現政府的一致態度，無形中已經否定了共黨的所謂內閣有矛盾的宣傳。

吾人應注意其發展

對於日蘇談判的未來發展，站在自由中國的立場言，是必須予以嚴密注視的，蓋如日蘇兩國關係一旦急轉直下獲得改觀，那末，中共的引誘和日本國內的壓力亦將隨之加增。就目前趨勢觀察，日蘇關係情明朗化的最後一程尚遠，但卻不能說完全無此可能。此一可能性固一方面出於鳩山的口不擇言，意圖對左派加以安撫的錯誤；然而另一方面中共正急待於促使日本轉向，從其對日宣傳活動之不斷加強，已可知其與蘇聯正亦不同的姿態，從外交和政治、經濟等各方面登陸日本。因此，也就不能把日蘇談判孤立起來，看作是與中共無關。

日蘇談判的發展既與中共攸關，其間接發生於對自由中國的影響即可知。值此盛傳董顯光氏將調美聲中，希望政府對未來駐日大使的遴選，以能對日本文壇有深切關係，深符眾望之人氏出任，中日關係的重心，外交的接觸亦應留意於東京，如未來的大使能多在這方面着力，相信可影響日本對中共關係之變化。

因此，日蘇談判未來之發展值得吾人重視者，其義即在此也。（三月卅日）

讀者論壇

教育良窳，國脈所繫，置教育於等閒而欲建國，立國，無異緣木求魚。今日台灣，軍事已有進步，政治漸趨修明，唯教育則亟待改進之處猶多。謹依管見所及，就自由中國教育界之畸形現象及其癥結所在，舉例說明。

學校豈是作官階梯

大陸變色，隨政府撤退來台及不堪酷政而遁逃海隅者，其間人品龐雜，種類繁多，武自將軍以迄走卒，文自大夫下至縣吏，固不乏忠貞之士，亦甚多政治渣滓。台灣蕞爾小島，人浮于食，一旦道絕途窮，唯一出路，祇有教書。其中雖有飽學之士，厭棄政海生涯，決心乘此機會脫卻蟒袍，專事學術研究，獻身教育以遂平生之願者。但以學校爲登階之梯，念念不忘作官者，亦大有人在。此輩大陸時代，乘離亂而貪緣作吏，既無學歷，僅識之無，且從政既久，習染已深，今者冒籍大專畢業，儕身黌宇之間，假充斯文，儼然人師。藉此等人色而欲提高學術水準，培養人格教育，雖三尺之童，亦知其不可也。

脅持校長凌迫同事

教書與作官，一則以誠，一則以術，實南轅而北轍，截然兩途。此類吏而匿於學者，豈肯安分守己，在學校中儼然以特殊階級自居，藐視以教育爲終身事業之同事，視無出息。換其所長，始則脅肩諂笑以事校長，繼而挺胸突腹以傲同僚，終則威迫利誘以媚學生。及至排除異己，羽翼已成，詐謀得售，遂得脅持校長，凌迫同事，奴役學生矣。竟使堂堂學府，頓成逐鹿之場，勾心鬥角，爭端不絕，遑論進修研究！讀書風氣，蕩然無存，上行下做，而欲建立良好學風，其可得乎？

泛論台灣教育

·蕭平·

慾壑難填藉端斂財

舞弊貪污，由是滋長。蓋若輩慾壑難填，豈肯安貧，利之所在，趨之若鶩，無孔而不入者也。茲以省立××中學爲例，去年三月二十八日××日報揭發該校教員集資興建克難房舍，強迫學生寄宿，且不惜借不准註冊爲要脅，斂財自肥。事之離奇，勇於牟利，出人意表。孰料同年七月，竟又以招生舞弊轟動社會，旋經舉發，由教廳派員調查屬實，乃於上月間指令該校長申誡，招生委員十餘人亦受申斥，並訓令該校將非法錄取學生數十名，甄別學期成績，予以剔除，事迄不了，餘波未息。上舉二事，辱及學校清白，是可忍孰不可忍，若在往昔，必致羣情譁然，起而聲辯，雖至玉碎，在所不惜，此正吾國書生之傳統精神，難能可貴者也。豈意該校數十教員，莫不噤若寒蟬，遽爾默認。全校近百老師，豈無一清白者耶？抑清白者固有人在，不敢已於言乎？舉一反三，可慨也哉！

公民教本內容荒謬

作者亦有子女肄業中學，所用「公民訓練」課本，翻閱之下，不禁駭異。書中引用故事，泰半抄自時下出版之兒童讀物，用字未妥，猶其餘事。著者常識鄙陋，思想卑劣，且違反國是，可謂荒謬絕倫。茲就記憶所及，列舉一二。該書初中第二冊道德訓練和平章中，竟鼓勵學生以上海白相人的「喫講茶」爲和平解決之手段，要知「喫講茶」並非眞求和平，是「白刀子進紅刀子出」的流氓法寶，著者竟堂而皇之搬上教科書，公然以之爲「公民訓練」之一環，可爲絕倒。同書道德訓練學問章，則以「馬前潑水」的活劇整本上場，標榜「學以爲禽犢」的利祿熏心之腐化思想，令人不寒而慄。此外，如捧洪秀全爲叛徒，太平軍爲流寇，顚倒觀點，視民族革命爲暴舉，未知置國父暨締造民國諸先烈於何地？凡此種種，不一而足。不學無術之徒，坐井觀天，夜郎自大，視學術爲兒戲，以出版爲利藪，固無足怪。所詫異者，台灣書店承印統一課本，與教育廳必有相當聯繫，竟不加詳審於出版之前，而教育當局又疏忽於事後，一任其流毒青年，滋蔽孰甚！

改革請從根本做起

現台灣教育，正在醞釀改制之中，得失如何，姑置勿論，然政府關心教育之至意，令人感奮。第物有本末，事有終始，無論制度如何完美，倘本質鄙陋，師資低落，欲其臻於至善，無異驅駱駝以穿針眼，決無成就。且改制之後，高級中學勢將成大專之津渡，而爲培育全國人才之溫床，所居地位更見重要，所負使命亦更艱鉅。深望教育當局，乘此改制之際，澈清師資，甄別良莠，倘學富望重之政府往日吏員而肯降尊紆貴惠然而來，吾人固歡欣鼓舞，歡迎之不暇，但政治渣滓，不學無術之徒，方以學宮爲角逐之地，視教育爲牟利之源，則萬不可污瀆聖地，而任使堂堂黌舍，淪爲大陸縮影也。

·人物·評述·

水利專家　沈怡博士

現任聯合國遠東防洪局局長沈怡博士，字君怡，浙江嘉興人，現年五十六歲，是我國卓越的水利專家。

學成歸國　飲譽國際

沈氏於民國九年，畢業上海同濟大學土木科，時年二十。民十赴德留學，專研水利，追隨旅華多年，專治黃河水利的權威學者艾因格斯教授研究四年，爲德勒斯頓大學高材生。德國博士學位，授予極嚴，而沈氏竟於民十四獲得該校水利工程學博士，其論文，即以「中國之河工」爲題，分析過去治理黃河的得失，檢討黃河本身的利害，提出今後治理黃河的積極見解，條分縷析，字字珠璣，極爲當時國內外科學界所重視。

民十五歸國時，年僅二十六歲，出任爲上海特別市工務局局長達十年，對於上海市區之改造，及新市區之興建，甚著績效。其間曾一度奉派出席艾因格斯教授召集之黃河模型試驗，和我國出席第七屆國際道路會議之代表。至

對西北水利的貢獻

民廿六年八月十三日滬戰爆發後，內調爲資源委員會主任委員，並先後兼任工業處長和技術處主任，及行政院水利委員會技監；同時膺選爲中央設計委員，仍兼上海市政府最高顧問，以指導上海工業界的內遷。

抗戰中期（民國三十年夏），應甘肅省建設廳長張心一之邀，出任甘肅省水利林牧公司首任總經理，沈氏施展所學，銳意經營西北水利，三年半之中，以當時法幣五億元，建設巨型渠道工程十三處，可溉田二十六萬餘畝；嗣又從事整理小渠，灌溉田畝益多，頓使甘境黃土層上，青綠處處，西瓜水果，麥苗苜蓿，頓形茁壯。其時筆者奉命視察西北軍事工程，瞰視原野，綠色一片，心曠神怡，西北人士無不譽爲左文襄公再世，筆者亦不禁脫口而出念起了「贏得春風度玉關」的楊昌濬之「左公柳」詩，和吟起車如流水捲輕塵，千里迢迢綠色新；何必甘棠思召伯，左公原是眼前人」之句了。

沈氏除興辦大規模水利外，尤注意於基本之水文測候工作，以蒐集治河的基本材料。小型水利亦不斷計劃創辦，惟沈氏正在試驗水車之時，突膺交通部次長之任命，不得不離職以去，但甘肅水利林牧事業，從此奠定良好基礎矣。

工作不忘著述

抗戰勝利後，沈氏被任爲大連市長，因俄寇強佔，無法到任，於是改任南京市長，致力於戰後首都建設。來台後，出任聯合國遠東防洪局局長迄今，精密計劃所有遠東各國防洪事宜，極獲聯合國信託，同時對自由祖國水利工程，亦異常關切，每隔一、二年必回國述職，並視察各項水利工程建設。去年長江大水爲災，沈氏亦曾至台、港訪問，並搜集有關大陸水災資料，只是鐵幕深垂，防救無由爲憾耳。沈氏治事之餘，著作亦多，如「社會進化史」、「市政工程概要」、「水利學」及「防洪學」等，均其重要者，且對已故我國水利名家李儀祉及鄭肇經二氏對近代中國水利之貢獻，亦推崇備至，其風度尤令人心嚮往之。

·楊力行·

亞州的文化自由

【上接第一版】上述一段話，不僅看出本書內容性質，也看出仰光會議的性質。再看閉幕時，主席 Daw Mya Sein（仰光大學史學講師）的一段話，更足爲了解本書及仰光會議精神之助。她說：

『本會議不僅爲「自由」而討論，亦爲自由的會議。本會議與任何行政或政府無關。祇是來自世界上亞洲一地區的若干思想家，學者，作家，聚集一起，自由發表其個人對於文化及自由諸問題的意見之講壇而已。』

『來到此間的人均係以其個人資格，並非某團體的代表。我覺得大家說的都是個人的話，並非代表他的團體，或其國家。大家只對自己的思想，著作，或意見負其責任。目的在提出問題，討論問題。我覺得我們對此目標已有成就。本會議中的問題均經過切實自由的討論』。

『此種意見交換，使吾人認識准許人民自由思想，自由發展心意，不受當權者之人爲的干涉，是極關重要之事』。

（註）「文化自由會議」係世界性組織，設於巴黎；「民主理想促進協會」係前者的緬甸分支組織，設於仰光。（四月二日）【完】

編者　讀者

△本期「論華僑教育的宗旨」一文，作者張子春（雲）先生，過去曾任中山大學校長，避難到港後，仍殫瘁心力於教育事業。對僑教問題了解特深，故所言亦最爲切要。張先生已久未爲本刊撰文，於此應向張先生致謝，並爲讀者介紹。——編者——

△賈景德先生前爲本刊撰「秀才舉人進士」一文，發刊完畢後，讀者曾要求刊行單行本。現已由重光出版社整理付印，並得賈先生親撰敘文。該社不日將發售預約，愛讀諸君，請留意爲荷。

△孫國華，李淑馨，何日平，孫瑋，彭楚珩，夢山樓諸先生惠稿均已收到，至感幸。

中共「和平攻勢」不足懼 僑胞返國入境可獲便利

——李樸生經港答覆兩個問題

自由中國僑務委員會副委員長李樸生和僑委會第三處處長何宜武於赴菲律賓作爲期一月的宣慰僑胞工作途中經港，雖然他們在香港祇有短短的四十八小時的勾留，但至少他們已深刻了解到當前香港僑胞對自由祖國最關懷的兩個問題：第一，關於中共對海外僑胞的「和平攻勢」與及拉攏僑胞進入大陸的情況下，自由中國當局有何對策？

第二，自由中國是否歡迎僑胞來歸，對於入境手續是否能予以最大的便利？

李氏的答覆

對於這兩個問題，李樸生氏曾經透過記者向僑胞作一個概括的答覆，第一，李氏認爲中共的誘騙僑胞進入大陸是不足懼的，因爲此舉相反足以使僑胞了解共黨統治下的大陸一片血腥；至於第二個問題，李氏認爲台灣入境手續已一再簡化，僑胞入台盡可能予以方便，他並舉調景嶺難胞爲例，政府不單予以入境，同時更照顧他們的工作。

僑胞的看法不同

關於這兩個問題，李氏的看法與答覆，是有其事實根據的，但在香港正面與中共和平攻勢鬥爭的僑胞，也許他們的處境與李氏有異，因此他們的感受是須要李氏進一步加以理解的。

首先論及共黨的和平攻勢，自中共在廣州舉行所謂「蘇展」以後，在這短短的三個月內，他即利用着種種機會，製造種種的藉口，放寬甚至無限制准許僑胞進入大陸，這一個攻勢姑且不論其終效如何，其要求僑胞進入大陸觀光的目的，已經得到了一個相當的效果，它了解到這七年來無法歸鄉的僑胞對於其返家的欲望是何等迫切，於是她即利用這一種心理，一再放寬入口，一方面討好僑胞，另一方面更利用這個機會，套取外滙，他的算盤是打得十分響的。

統戰分子大事遊說

同時，它又唆使其在海外的統戰工作者與對中共的同情者，對本港有地位的僑胞進行遊說，要求他們組織團體進入大陸觀光，雖然許多有地位的僑領未爲所動，但他們組織各種職業團體進入大陸的數字總算湊足，這在一般心理說來，是頗受打擊的，正如僑領陳靜濤的看法，他亦承認中共的笑面攻勢已獲這相當成功。而中共這一種笑面攻勢是非常廣泛的，他更不惜用盡種種方法拉攏非共甚至反共的人士，在所謂「政協會議」在北平舉行後，統戰的工作在香港進行得越來越積極，其眞正的面貌卻越來越模糊，忠貞的僑胞和自由中國當局如果不及時予以反擊和揭穿他醜惡的面貌，可以這樣說，至少有一部份僑胞在短時期內會受他朦蔽的。

「靜觀」態度須糾正

當然曾經被騙進入大陸後，看到大陸眞正情況的僑胞已開始領悟了其眞實性，可是我們不努力加以揭發，則對中共處僑宣傳與笑臉攻勢的摧毀還是不够徹底，要是我們「靜觀其變」則我們事後的努力更須加倍。

至於台灣放寬入境的問題，如果……的條件和三年前相較，那實在差得太遠！可是在香港一部份明瞭較簡單的僑胞會把這祖國和返大陸作一個比較，他們有時是非常直覺的，他們不會顧慮到政府當前的環境，不過爲了爭取僑胞的信心，對於放寬入境是應該再盡量簡化的，有些僑胞甚至以爲祖國就是我們自己的地方，爲什麼我們到自己的地方還要辦手續呢。

爭取僑胞信心

提到了祖國是爭取僑胞的信心，我們以爲不只是雙管齊下，而應該是「萬」管齊下，無微不至的，比如說，香港與自由祖國之間文化藝術交流的情況較少，祇有香港的藝人團體不斷赴台，而絕少祖國的團體來港，這也是使香港僑胞相當失望的，香港人對於任何來自祖國的人與物都極端珍視，證諸這次長風象棋隊來港，長風隊不過是一個民間的組織而已，可是來港以後，即受到此間各界人士的熱烈歡迎，有四間以上的本港重要報紙爲他們的棋賽出特刊，當他們在九龍賽事完畢後，還接受香港的棋迷，移師至香港，這一種熱情是可貴的，更可貴的是長風隊這次已成了香港僑胞對祖國情誼交流的橋樑的一段。

關於香港與祖國間的友誼，這是需要經常維繫的，這裏我們準備提出一件事，作爲有關當局的檢討，就是最近有一個本港很有地位而且和祖國關係非常密切的僑領，因爲獲得美國國務院的邀請赴美作三個月的旅行訪問，他想到自己是一個中國人，而邀請他去觀光的又是一個自由祖國最友好的盟邦，他想到如果就地申請一張「無國籍中國人」的護照赴美，不但是他個人所不願，同時似乎也是有失祖國的體面，一張護照，然而這個機關推下那個機關，辦了這種手續又辦那種手續，使他行期一誤再誤，可是當他的朋友問及他何以遲遲不行時，也祇能聲說是內業務關係。這件事說來是非常微小，但如果我們重視他的時候，其實也不是一件太小的事。因此，我們以爲自由祖國重視僑胞，而香港的僑胞更是值得受重視的，因爲香港和大陸太接近了，他們對中共太清楚以後，他們更需要一個關懷他們的祖國。

回大陸僑胞不堪迫害 重返日本者已百餘人

報界特邀開座談會 社會輿論極爲重視

·嚴森

（本報大阪特約通訊）由於中共在大陸上施行恐怖暴政變本加厲的結果，年來因不堪壓迫從魔掌中逃返日本的酷愛自由僑胞，與日俱增。據有關方面最近的統計，從上年起到目前爲止，先後重回日本的華僑數達百餘人，這些鐵的事實，已完全證實了在中共暴政的變本加厲下，人民不甘壓迫，力求擺脫。

此間各界對大批華僑逃回日本的情況，咸極表重視，大阪某報爲了更進一步明瞭這些華僑重回日本的眞相，以及大陸的

華僑在座談會上傾訴

實況，曾於最近舉行了一個頗具重大意義令人注視且爲大阪報界從來未曾有過的「重回日本華僑座談會」。出席這次座談會的人數非常踴躍，在會中發言的華僑計有徐彩高君（原籍上海）、王永錄（河南）、吳明恭、林聽時等；該座談會的題目是問「你們爲什麼捨棄自己的祖國再回到日本來」？眞是再也恰當不過的問題。首由主持座談會人員簡略說明了舉行是項座談會的動機後，遂即由華僑徐彩高君對題發言。

在滬做工苟延殘喘

徐君說：「我是於三年前像其他受騙的華僑一樣返回大陸，到大陸後目睹一切，深感失望，我是住在上海，因爲在日本居住了三十餘年，慚愧得很，中國話都不會說，加上大陸上失業的人又多，找工作當然不易了，我在日本原是做生意的，原想重操舊業，但中共法令限制，不克如願，僅暫靠積蓄及妻子在人民織布廠第十七工廠做工所獲的極少工資，以苟延殘喘，生活當較日本清苦，因此妻與我商量脫離大陸的方法，遂編造種種假的理由騙過他們纔獲得回來」。當問及將來仍否再回大陸時，徐君表示：他已深深覺悟，在現況下他是無意回去了。徐君並說，在日本生活雖亦不富裕，然心情上則痛快多了，我現在纔體會到自由的可貴，眞是「不自由，毋寧死」。

「建設第一」民不聊生

繼由鍾運君敘述，其在漢口××管理局做工，待遇極微，生活清苦，加上妻子生病，小孩又無法唸書，早就想回到日本來了，共黨在大陸上成天高唱什麼「建設第一」完全不顧老百姓的死活，弄得民不聊生，就連一般婦女們家裏的事也不容照管，每天早上六點起來就要參加什麼學習會，洗腦會，眞是五花八門，內人體質素弱，加上這種種無謂消耗筋力的負担，當然受不了，同時小孩子教育很嚴重，學校設備不僅很差，而且都受灌輸些共產主義，

善良百姓不容存在

王永錄君接着說：我是於四十二年返回大陸的，在故鄉河南鄭州一家印刷廠工作，初時待遇還算不壞，每月還有補助費，可是後來我生了一個小孩子後，廠方竟將補助費減半發給，照常理說生育小孩負担增加，補助費應該增加，而無理由減少，這一理論到今我還沒有得到結論，大陸上人民的生活，不但是苦，而且要得官僚主義的自由，更是崇尚自由，我對共產主義的一套，精神上實在難以忍受；現在的大陸，善良百姓亦是不容存在的，你如在日本守法，是一個公民，無疑地是會受到政府合法的保障和愛護的，可是目前的大陸情形，則倒行逆施，換言之，好人做不得。王君繼謂：大陸上隨時隨地都在武力下過日子，當我們在天津上「振安丸」輪船的時候，岸邊送行的人是手持長鎗沈默無言怒目而視的中共幹部，令人提心吊膽，可是當我們到達日本登陸時，卻見到日本朋友的熱情可親的熱烈歡迎的，以兩者加以對照的話，如以眞是天壤之別。（筆者：按王君這種比喻無疑是給中共一個莫大的諷刺）。

除了吃飯不停工作

吳明恭君報告說：我回到大陸後是住在天津，我的職業是公共汽車的司機，我太太則在天津新日本醫院担任按摩婦，兩人收入僅能維持最低的生活，可是工作卻非常忙，除了在吃飯的時候，可以喘一下氣休息幾分鐘外，簡直是整天都在工作，眞是辛苦，在目前的大陸，同時還有一種現象是很不合理的，那就是年紀比較大一點的人，根本很難找到工作，我想這種事情，在日本或者其他地方是很少有的。

配給不足祇有挨餓

最後由林聽時君報告說：大陸上監視人民行動的怪現象，林君敘述：大陸上是「我監視你」，「你監視我」，人民毫無自由可言，這簡直是在過間諜生活；林君並說他在天津×家公私合營的鐵工廠工作，因爲他是機械設計的技術人員，待遇比一般人好些，但他說在大陸上就是有錢也難買到必需食品，像猪肉等的食物，普通人是無福享受的，食米的配給量都不足，如要買黑市米，倘被查出，有被判處三年到四年的徒刑，內有挨餓危險。大陸老百姓還有一種現象，本人的太太是日本人，到處受人的輕視，常被人喊「東洋鬼子」，此時中共向日本展開「和平攻勢」，高唱中日友好的時候，在大陸上所表現的對日本人的行爲，無疑的是對共匪宣傳的一個反證。

「價值」「剝削」與「合作」

·樓桐蓀·

重農主義者的見解

其後，第十八世紀下半紀時——這中間已與亞里士多德相距足足二千年——歐洲一般重農主義者，即以農民爲一切價值的創造人，農業爲一切價值的源泉，而把農作上每年超過於地力、人工、種籽、肥料及灌溉等等成本總額所獲的盈餘稱之爲「純產品」。這個「純產品」，如果把它從農業移用到工業上來，也可說就是馬克思所創「剩餘價值」說的濫觴。

但是應即聲明，重農主義者雖也居於經濟學的原始建立人之列，但對於價值問題，他們實很少注意。

價值建基於效用說

不過其時也有一個法國哲學家鄧地亞（一七一四——一七八〇）他於一七七六年——恰與亞丹、史密士的「國富論」同年而比馬克思的「資本論」（第一冊）早一百年——曾發表一部「從彼此相關中來審察貿易及政府」，就把「價值」建基於「效用」之上而慨然說道：「價值存在於事物之本身者少，存在於我們之依我們的需要對該事物所爲的估量者多：價值之或大或小，一視我們的需要之或增或減以爲衡」。他並且進一步地把「量」與「質」二者連貫起來而有所欲說，說是「量」對於價值的影響，祇是因爲「量」實足以直接影響「效用」。換言之，就是需要的指針，係隨量的多寡而變易，倘遇人們對於某種財物不知應作何時用，則該財物直無絲毫價值之可言。

亞丹史密士論價值

到了亞丹、史密士有了「供求適應的理論」與，而價值與需要的關係，乃有更精到的分析。史密士確曾指出，生產者（供）之適應消費者（求），並不是無條件的滿足（適應）他們的「任何需求」——這就分明已經把消費者的要求有如今天我們所說的區分爲「絕對的要求」與「有效的要求」兩種。生產者當然只能把他們的產品與能夠提出其他產品或勞務以作交換的人而斷斷不能自送與任何一個需要他們的產品的人——至於捐或贈那全然是另一回事，不與經濟學相關。（要求是需要的具體表現：有「欲望」就有「需要」，但我雖有需要而若兩袖清風，不名一文，自不能向市場上提出任何「有效的」要求以謀足。關於「欲」「需」「求」三者的關係和分析，請參閱拙著「自由人類的出路」第十、十一兩節）。因爲捐贈是不須支付代價的。

史密士也確曾說過：「每一件東西的眞正價格，就是在想獲得這件東西的人實際上所值的價格；申言之，這就是這人爲要想獲得這件東西所應有的勞苦和困擾；是以勞動乃一切財物的交換價值之眞實的盡度」。試看，這就是我們的「政治經濟學之父」把人類勞動作爲價值成因的確據，而後來馬克思以謀殺資本主義的「武士刀」授與，並使他成爲聰驟一般必欲把生養他的母親——「政治經濟學」一口吞噬而另創其所謂「科學的社會主義」以爲榮的。其實亞丹、史密士是很含蓄小心而有分寸的。因爲他後文又說：「這實際上唯有在原始社會方面通常用勞動量來獲致或生產一件財物，這怕是唯一無二的情形」。（二）

台北速寫

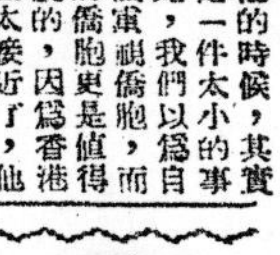

嚴主席的聲譽

台灣省地方行政會議，舉行了三天，提案有五百六十件之多。事實所示，省政府嚴主席的聲譽似乎已日落，即國民黨權要之中，亦多批評其爲顢頇了。嚴家淦夙以圓滑著稱，故頗得上峯之青睞，現在竟弄得四面楚歌，此或爲其始料所不及吧！

上帝偉大

市內的新建築，以美軍房舍及美國教會爲最多，最高，最偉壯。而教會建築，比美軍房舍更多，更高，更偉壯，誰說美國人祇重物質，不重精神？

在大陸上連電影片也都是宣傳主義的，根本享不到娛樂的趣味。此我很堅決的選擇了重回自由土地第二故鄉的日本。

古書回生

自從「二十五史」大登廣告以來，出版界已掀起翻印古書的熱潮。不過，出版商尚未與國學家取得連繫，所以一切翻印工作並無學者參與其事，誠然是美中之不足。

社交界新星

市上充斥着交際花交際草，但高等交際場合尚少名門閨秀出入。最近則有×院長之女公子，自美國學成歸國，英語流利，儀態大方，伴隨其爸爸參加一些國際性的集會，頗能引起新聞界的注意，大概不久可成爲台北社交界的一顆新星了。

浦嘉德不會產生

此間一般商人對於政府的重稅政策，並無怨言，祇是少數不良稅吏之騷擾，卻已引起普遍的畏懼。所幸我們老百姓尚都知忍讓，像法國浦嘉德那樣的人物當亦不會產生。

·杜衡之·

談駐日大使

自由談

據說，我國駐日本大使要換人了。關於繼任人選，報紙上紛紛揣測，多所擬議，這當然是不足爲憑的傳聞之詞。但我對於這問題，也想略抒所見。

所謂人才的標準，本來很難評定的。甲說某人是了不起的國之楨幹，乙却認爲那是蒲柳之資，誰也不能說誰的認識一定就是錯誤。國人皆曰要不得的庸夫俗士，然用人者別具慧眼，覺得他乃是出將入相的英雄豪傑，你也不能說甚末了。所以，用人唯才之說，儘管是古今來從事政治生活者的口頭禪，然弄臺御史與伏櫪郎中，所在多有，而佞倖便辟之徒，尤其容易彈冠相慶哩！

如果大家專就爲事擇人的觀點立論，不摻入任何私人愛憎恩怨之見，則無論是論人或用人，皆比較可以得到平允而適當的共同見解。譬如日本這個新興國家，自從跟我們復交以來，始終對我表示着瞧不起的勢利面目，現時的鳩山一郎政府，更極盡陰陽怪氣趨炎附勢之能事。我們派遣的駐日使節，至少至少需要幾項必備的條件：在政治上有相當的聲譽與知識，一也；對日本情形有常識性的瞭解，二也；懂得甚末叫作外交，外交官的職責是怎末回事？三也。在目前的中日外交情況上，關於駐日大使人選問題，若教我作民意測驗的自由投票選舉，第一名我願投何應欽，第二名投胡適。前者是他自抗戰結束以來，跟日本方面直接間接經常保持着聯繫，日本人都知道他是甚等樣人，不致視爲無足輕重之輩；後者是國際知名之士，在日本社會各方面的觀感上，自有相當的份量，最少亦不比現任日本駐華大使堀內謙介這位老外交家的份量爲差。

總之：我們今後如想改進中日外交關係，就應該遴選够材料的人物繼任駐日大使之職，否則不如暫時虛懸，且待日本政府的態度明朗化後再說。最壞是爲人擇事，隨便甚末人都可以一躍而爲大使，又說是要等後世歷史家纔能够裁定他是否中興人才，那我就非多嘴而使袞袞諸公討厭不可啦！

馬五先生

今日畫壇辛酸錄

·阿淑·

紛亂之源

這幾年來自由中國各方面均有長足之進展，而獨文化方面似嫌不够，尤以畫壇在文化圈中，最爲紛亂，分立派別，爭名奪利，排除異己，有稍關心文化問題者，無不爲之嘆惜。

據知情者談，自由中國畫壇之紛亂狀態，廣東作家似應負其責，因爲初時自由中國藝壇的權威是落在一般慣稱的一黃（黃君璧）二何（何勇仁、何鐵華）三梁（梁鼎銘三兄弟）的身上。君璧挾師院藝術系的實力，以令各路諸侯；二何之大本營乃「中國藝術學會」，曾主辦二次「自由中國美展」，擁有作家一百餘人；而三梁之「中國美術協會」聲勢自亦不弱，可惜皆以「天無二日」之見，作火拚之鬥，以致兩敗俱傷，「藝學」固已不生不死；「美協」亦僅名存實亡，現今局勢大變，其重點如左：

鼎足而三

一、師院派已擴大。凡前加入「藝學」「美協」之教職員，均已回槽，自成重心，另加入一部有友誼關係之外圍作家，故刻下之實力益見龐大。

二、台灣派團結對外 合省籍畫家爲數頗衆，原由楊三郎，郭雪湖等所領導，嗣內有「藝學」及「美協」等組織，其實力被吸收者不少，陣容大爲減弱。前年某報曾借題抨擊日本畫風，彼輩所受刺激至大，乃重新合作，羣約抵抗內地勢力，以絕對不改變日本作風，而自標榜爲「現代國畫」。

三、江浙派興起 此爲年來，從「藝學」、「美協」紛爭中新興起之力量，爲江浙籍畫界積極活動之結果，參與者已日多，其實力自亦不弱，如陳小蝶、張谷年、陶壽伯等均爲該派中堅，而彼等復因有外圍報刊爲之宣傳，如華報及「暢流」「晨光」等半月刊均力爲支持，故凡參與該派者，即可享刊登該刊封面之機會，故樂與往還者大不乏人。

個別現象

以上三種實況，乃較顯著者，至於以個人爲立場，而其得失成敗足以影響畫壇前途者，亦復不少！如數月前嚷霹走私案中之主犯，曾有二人爲畫界中人士，其有辱文藝界令譽實不小，但未聞報刊有所評論；而國畫大師溥儒忠貞爲國，冒險來台，不料於反共美展時爲人登台演講辱罵，聲稱驅逐其出境，刻已赴日，久不返台，未知是否心懷此恨。

前年我國國際名畫家何勇仁於總加拿大國家藝術院展覽其作品後，曾捐畫款數萬元建築馬路，亦未聞輿論有所獎勵，反而遭受某晚報漫畫之刺諷譏罵，其忌妒尋仇不足爲訓。

畫竹名手馬壽華，道德文章久爲人景仰，本年全省美展，因審查出品偶一不愼，被人向各級機關控訴，而各機關不僅都受理，且行文上亦極不客氣，馬氏刻任行政法院院長，受此閒氣，可謂無妄之災！（據傳有人藉此故意打擊他，若是則爲門爭手段之別開生面）

畫家劉獅教授，是個多才多藝的人，他曾任「美協」總幹事和「政工幹校」藝術系主任，最近因總統像出了事，因而被撤了職。以前多少人捧他，現在却人人打擊他，罵他。

名國畫家黃君璧教授，一般人只知道他很得意，而不知道他的痛者，他的事業是成功了。但家庭却失敗了。而自美歸國的某畫家却又宣揚其事，而某某刊物又乘機大肆攻擊，其何以堪。

痛心之論

綜觀上述，可見自由中國畫壇是在紛亂私門中，同室操戈，言來痛心！

去年香港某大報會刊特寫稿「自由中國文藝界的寂寥」，分析其內幕而作慘痛之言，其結論有謂「像這一類的作風，無疑都足以戕折文藝的脆弱生機，使作家與讀者交織成的文藝園地，呈現一片枯萎死寂的現象，受害者不僅是無辜的讀者羣，就是具有扶植文藝界之初衷的政府，也反受其害。」此語用之於評論今日之畫壇亦然。

壽曾省齋六十

彭楚珩

劉陽曾省齋氏，工於畫梅，人亦如梅也。以六旬而有自述，同邑曾立剛氏爲之跋，得讀全篇，識湘學之究竟；爰題其後，以多雙士。衆壽曾氏焉。

一枝獨表歲寒心，萬卉低頭自古今。不着塵鷺門嘴意，漫添九舞召春深。爲篇讀罷稱雙士，和靖數來第幾林？最是丹青勝筆底，幅梅寫就百官儀！

燕塵識小

·無負生·

僕以辛亥初春，侍母北遊，由滬乘輪，循海而上。抵津登陸，住佛照樓，遊李公祠。小休二日，再乘火車。懷莫名之景慕，趨向日之皇都。平生坐火輪乘火車，均係首次。在一春雪未融之中午，得遂觀光上國之初心。下火車，上騾車，又是此生初次。仰瞻崇墉之壯麗，氣象萬千，俯察王道之泥濘，疑信參半。由此卜居日下，卒業大庠。通籍入官，娶妻生子。燕十有七年，未嘗暫去。是以勝朝殘跡，略見一斑。開國新光，躬逢其盛。昔爲未冠之書生，今逾耳順之衰朽。四十年中舊夢，歷歷注上心頭。端居多暇，想像前塵，輒就耳目所經，記憶所及，拉雜追述，略存鴻爪雪泥，隨想隨寫，不成統系，或文或白，無關義法。名曰識小，正見其渺不足觀。聊供博雅君子，抵掌圍爐之談助云爾。

乙未殘臘又值立春灕江無負生於海寬斗室。

正陽門之今昔

前門樓子九丈

凡到過故都的人，沒有不知道前門大街的。按法應該稱正陽門。任何人一出車站，第一眼就必然看見這座高凌霄漢的城門樓子。我第一眼所得的印象之偉大是至今不忘的。但這一偉大的建築，過了三四年，就大部改觀了。所以今天四十歲以下，或甲寅乙卯以後才去觀光的朋友是未曾看見過它的本來面目的。

「前門樓子九丈九」，這是老北平得意之詞，亦足以表現其宏壯。原來當年這一城門南北東西有四個門洞，用圍牆聯成一個弧形。正南一門是天子乘輿所經，常年關閉，遇有多至郊天之類的大典，鑾駕由此出入。平時只開北東西三門。凡出城車馬，全由北門洞靠左而行，出門向東轉出東門，繞荷包巷至前門橋。（荷包巷者，是圍牆外的一些商店，自然形成的一個市場。）此出城之路也。凡由外城入城者，下了前門橋一律往西，繞西荷包巷入西門洞，再折入北門洞亦靠左行而進內城，此進城之路也。據說，未辦警察以前，車馬出入不分左右轍，任意擁擠，所以才有前門洞插車之事。正月逢廠甸車馬阻塞門洞，常常半天出不了城。

宣統三年已有警察，他就站在門洞中一塊大方石（即門限）上指揮，分左右出入，這才有了秩序。然而壬子正月我坐高輪轎皮洋車出城，還得擠上十分鐘。以上是舊日情形。

袁項城改建前門

等到甲寅乙卯之間，袁項城帝制自爲，時朱啓鈐任內務總長，於是大興土木。而前門亦於此時開始改建。將原來的四個門洞，留下了南北兩個，拆去了東西之門，圍牆及荷包巷一律剷除。另在北門洞之左右牆上各開二門，分爲一出一入。於是今之前門成爲五門並列。中間甕門仍閉而不行車馬。正南門樓仍舊保存，而亦仍舊關閉，孤孤零零，成了一座裝飾品，毫無作用了。行篋中偶存前門全景照片一張，是民國改建後的新面目，自由人如能製版，我願捐贈，以供同好之參觀。（可請寄下試製電版。——編者）（一）

驩兜古墓

·秦思源·

中國歷史上最著名的惡人，被稱爲四凶之一的驩兜，距今已有四千二百二十一年，傳統的墓，仍留存崇山間，雖然說「黃塵足今古，白骨亂蓬蒿」，却也值得一談！

老驩兜，又名渾沌，是在紀元前二二五五年被舜帝放逐的。史冊上，只曉得它是堯帝的臣子，舜即位，以其黨於共工氏，好行凶慝，放逐於崇山之陽。以後對它的下落再也找不出足以徵信的紀載了。

崇山何在，其說不一，書舜典上，僅紀「放驩兜於崇山」。疏上指出：「禹貢無崇山，不知其處，蓋在衡嶺之南。」可見當時的崇山，根本是荒夷的化外區域，僅僅指其是衡嶽之南的那一方向而已。後通典州郡典上紀載較詳，謂舜放驩兜於崇山，在澧陽縣南十一，即今之湖南澧縣；而清統一志非之，指其在交廣間，惟交廣是以交趾和兩廣地區，包括太廣泛了，語焉不詳，不足選信；後湖南省志則明白指出，崇山在澧水源頭，大庸縣南三十里處，卿接天門山，爲橫亙川、湘、鄂間之武陵山脈的支脈。

遜清末葉，內閣中書邑人侯昌銓，纂輯大庸縣志時，才把這個惡人驩兜的墓，從榛莽荒廢的深山裏，找尋出來；並將歷朝有關驩兜墓的紀載和吟詠，作系統的整理，輯之成册。惜不在手頭，無法詳細錄出。（上）

同光風雲錄

夢山樓

劉坤一

「居官廉靜寬厚，不求赫赫之名，而身際艱危，維持大局，能斷大事，從不推諉，有古名臣風度」。——張之洞語

劉忠誠公，字峴莊，湖南新寧廩生。咸豐年，太平軍興，領鄉勇克復茶陵，敘功授教諭，總督駱秉章遣將劉長佑援江西，坤一爲長佑族叔，自領一營從之，輒立奇功，擢知州，克臨江，晉知府，長佑以病歸，坤一代將其軍，克建昌，擢道員。石達開犯湖南，坤一揮兵回援，解永州新寧之圍，擢布政使。達開既不得志於湘，乃趨川楚，坤一扼之不得逞，又大敗之於登龍橋，累功授兩江總督。

慧眼獨燭俄陰謀

時俄羅斯以交還伊犂，藉端要挾，坤一上疏曰：『東三省無久經戰陣之勁旅，急宜綢繆西北，既戒嚴東南不可復生波折。日本琉球之事，亦宜早爲結束，勿使與俄人合以謀我，英德諸國與俄猜忌日深，應如何結爲聲援，以伺俄之後，凡此皆賴廟謨廣運，神而明之。』坤一固早燭俄之奸，知必謀我，不圖當局始終不悟，因循苟且，以至今日，竟縱使爪牙殺我人民兩千萬，坤一地下有知，其痛心如何耶？

上疏鎮南惜未施行

法越構釁，又上疏請由兩廣遴派大員統率勁旅，鎮守邊境，以剿土匪爲名，密謀國防布署，並於雲南據險設守，以取犄角之勢，法人知我有備，其謀自沮。若不早爲扶持，覆亡立待，滇粵藩籬盡失，逼處堪虞，與其補救於後，曷若愼防於前。疏上蒙嘉，但未施行。

坤一督兩江甚久，素多病，臥治江南，事持大體。或以左右用事聞於朝，詔之曰：『凡事不可偏信，振刷精神，以任艱巨。』坤一屢疏陳情乞退，不許。

拳匪之亂贊東南自保

迨拳匪亂作，清廷措施乖常，坤一採納江蘇張季直之計劃，與張之洞，李鴻章等創議東南自保，與各國領事訂互保之約，故八國聯軍陷平津，而東南各省安然無恙。光緒二十七年與張之洞會商聯疏請變法，以興學育才爲首務。逾年卒於位，優詔嘉其秉性公忠，才猷宏遠，保障東南，厥功尤著，贈太傅，謚忠誠，建專祠以祀。張之洞疏陳：『坤一居官廉靜寬厚，不求赫赫之名，而身際艱危，維持大局，從不推諉，能斷大事，有古名臣風度』。翁同龢亦稱其『樸訥有道氣，深識遠見，適非時流所能及，每談時事，至於揮涕，不愧大臣之言』。蓋坤一謀國，獨見其大，而宏籌遠略，終未施行，此清室之所以亡也。（十八）

·文壇漫步·

許孝炎勤於譯書

·紅纓槍·

談起介紹外國作品，不妨也一談最近譯成中文的好書。

在書市場上，有一本突出的譯作，這是「蘇俄及其殖民地」，原著者瓦爾特·柯立茲。此書所論及的問題，倒與今日中共所幹出來的新疆的「民族自治」，有着銜接的地方，是我們今日研究國際問題，甚至中共俄共間問題的最好參考書。

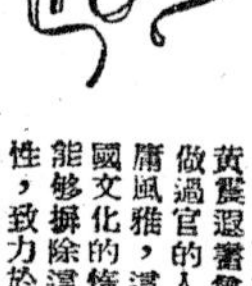

這本書的譯者許孝炎先生，是一個頗具書生氣息的人。這些日子，在海外埋頭做文化門爭工作的人安於沉默的實在不多，像許氏那麼恒久地，從最惡劣的環境直到今日的優勢環境都抱持着同樣樂觀的態度，更屬少數。

許氏曾是官場中人，所做的官仍是與文化有關的，一般曾經做過官的人似乎多數懶於寫作，即使有，也都止於吟吟詩而已，胡秋原致黃震遐書曾道及做過官的人好附庸風雅，這是我國文化的惰性。能够擯除這個惰性，致力於學術研究，已是不可多得的了，尤其是介紹外國的著作，多數人都覺得這是乾枯乏味的工作，許氏用力於翻譯這本與中國問題有直接關係的書，正是香港文壇所值得稱道的事哩！

自由人

THE FREEMAN

（第五三二期）

中華民國僑務委員會登記證台教新字第一一二號
中華郵政台字第五〇〇號執照登記爲第一類新聞紙類
（半週刊每星期三、六出版）

每份港幣壹毫
台北市售價台幣壹元
督印人：陳文華
地址：香港高士威道二十四號四樓
3 rd. fl. 20 CAUSEWAY RD HONG KONG
香港發行及業務接洽
高士打道66號　電話：七四〇五三
承印者：東南印務出版社
地址：高士打道六十四號
海外總經銷
友聯書報發行公司
香港：彌敦道中二十六號A二樓
臺灣特派員辦事處
台北市館前街五十號
台灣總經銷處
台北市西寧南路壹叁壹號二樓
台郵撥儲金戶九二五二

且聽中共尷尬無恥之聲！

曾旭軍

中共的「永恆太陽」史太林自被克姆林宮一班反骨無恥共酋批判斥責後，月餘以來裝聾作啞，屁也不敢放一個，等到朱德從歐洲返抵北平，將他獲自俄酋的訓示，提交中共中央討論後，始製成一篇滿紙荒唐夢囈的所謂「無產階級獨裁的歷史經驗」，作爲對鞭屍史大林的交代。綜觀該文，一方面是小心翼翼地爲未死的毛澤東保留繼承史大林思想的體系，嬌嬌滴滴闡揚己意。另一方面又惟恐得罪現任主子，不得不厚顏附和。其用心可哂可憐，復亦可鄙，而又可誅！

緊守列寧政策乎？

首先應該指出中共附和蘇聯頭目的論調，「緊守列寧政策」，固是克姆林宮借着中共的口，圖挽救其已破產的信譽，但另一方面，正足以顯列寧主義仍將是今後共產國際侵略張本。

列寧是澈頭澈尾反民主而行極端獨裁的政治大野心家。史太林是他最忠實的執行者。在俄國十月革命以前，列寧在「做什麼？」中，發揮了其「職業革命家」的在黨內爭取領導，對反政府奪取政權的理論。他說工人階級必須要由社會「精英」去領導，當時列寧的同伴却反對這種與馬克斯的無產階級獨裁原則相違背的「職業革命家」的主張。但列寧又進而主張革命黨的組織應基於軍事基礎。也正由於黨內對此論點的爭執，俄共的列寧一派以一票之多取得了領導權，黨便分裂爲布爾什維克和孟什維克。托洛斯基即在此時指出列寧的無產階級獨裁之觀念，最後終必成爲統治無產階級的獨裁者。但這一觀念，本係來自恩格斯，他早已說過：「陰謀的辦法，如果要成功，必須要獨裁」。列寧不過是將該理論實踐而已。其後列寧將克勞維茲的軍事策略與馬克斯主義配合形成了他的理論體系。於是他的政權表現在對內爲造成個人獨裁，對外即爲擴張征服世界。而斯大林也正是接受此正統衣砵，服膺列寧主義至死不移的。

羣衆路綫自欺欺人

在斯大林生前死後，赫魯曉夫親自說過：『史太林是一切進步的人類之領袖，指標，和旗幟。』蘇聯共產黨在他死時說：『列寧的同志，深受列寧啓示的列寧遺志承繼人，已逝世』。莫洛托夫在葬禮演說中說：『他和他的同伴，在史太林三十年領導之下生活與工作，深感榮耀自詡』，這正足以說明，即使史大林在後期階段有所錯誤的話，也不足以否定列寧主義。在中共的批判文章中對於歷史上的血債，却隻字不提。三十多年來整個共產國際的罪惡和在黨內黨外所留下的血債，其罪魁固是史大林，但其從犯無疑該是今天尚在執政的共酋們，豈容以『勇敢自我批判』六個字輕輕抹殺了滔天的罪惡呢！作惡而以認錯了事，且尊之爲主義的崇高精神，這只有共產黨徒才能厚顏無恥地表現。現在中共亦委婉地替史大林辯護說「製造如此新的世界歷史的人，怎樣能避免錯誤呢？」這實在是朱德吞下了赫魯曉夫唾涎的結果。至於說共產黨徒做下的蠢事，比民主政治制度還要好，則米高揚和赫魯曉夫所數出史大林的罪狀，奴才的中共爲何又一字不提？

最可鄙的是中共說的所謂走「羣衆路綫」，是實行「集體領導」的正確道路。這幾年來，中共藉口三反五反，誅鋤異己、殺人千萬，罪惡滔天，尚能說這是羣衆意志集體領導。實則又有誰不知中共政權依附共產國際，聽命克里姆林宮，而一切措施唯蘇聯馬首是瞻。中共今尚侈言「羣衆路綫」，膽大欺人，莫此爲甚。

掩耳盜鈴的悔罪

文中共自認在一九二七年至一九三六年，予「中間路綫力量」以大打擊是犯了錯誤？說當時不應打擊「民族資產階級，各民主黨派和無黨派人士」，以及爲「共產黨領導的和可能影響的工人農民和革命知識份子」，而認爲此項錯誤是由於對斯大林的「在各種不同的革命時期，基本打擊方向是使那個時候的中間社會政治力量孤立」這一公式，加以教條式的運用的結果。這些說話，一則在向克姆林宮現主人敷衍，二則將非共黨人士分化，三則藉此指出李立三、陳紹禹等政敵之錯誤。眞是一石三鳥。

若謂對中間路綫勢力應採取聯絡或與之鬥爭政策。這是對於靠攏份子降虜貳臣的恩威並施。其實中共有什麼聯絡中間勢力，祇有順我者生，逆我者亡。五反中對工商業者的殘害，被殺的盈千累萬「不正是明證！」

中共此次發表冗長之聲明，在對內方面替主子辯護，在對外方面，則爲自掩其醜，自以爲如此這般即可對人民有所交代了。其目的則在掩耳盜鈴。

內部矛盾百出

至於中共在發表了這項聲明後是否便可以安心了呢？內部的矛盾與派系鬥爭便可以不受清算史太林的影響呢？看來絕不可能。中共發言還須小心翼翼等待米高揚到北平作最後訓示。

自陳紹禹所領導的國際派在延安被打擊後，十餘年來，即銷聲匿影。史太林當時不能不讓容毛澤東，而由劉少奇來作經綸，因劉少奇同時爲毛派內嫡系。自中共竊據大陸後，史太林爲防止毛澤東走狄托路綫，加強其直接御用控制力，不能不再度扶植中共內部國際派與反毛派勢力。於是有所謂新國際派之興起，以李立三爲首，以陳紹禹、張聞天、王稼祥、凱豐、楊尚昆等國際派人物爲基礎，團結一部份第四野戰軍的殘餘，和一部份反毛元老，加上俄共在中國吸收中共內部與外國特殊份子，構成一直接通往莫斯科的潛在力量。今中共向提出李立三走錯路綫，可見中共內部矛盾未清，而成勢均力敵之態勢。其必有一方失寵而遭清算殆可無疑。中共數十年來，向克姆林宮中人獻媚求寵，事事唯俄之命令是從，所以這次中共的聲明說『個人崇拜從來不是中國共產黨的制度。』是說得不錯的。因爲彼此同是奴寵的奴婢，何有主人給他們黨徒崇拜？不過是誰人能奉承主子之意較久，他便是名義上領袖而已。

歷史罪責何容逃遁

中共之聲明誇張共產黨的無產階級獨裁，是被剝削的人獨裁，是多數人的獨裁，管理少數人。這更完全是神志昏亂的囈語了。

就全篇批判言，其另一突出點是強調凡是遵守「羣衆路綫」的，即是犯了錯誤，也易於改正，工作總是好的或較好的，而確定此爲正確的馬列主義的工作方法，提出這一點，則可謂完全是爲替毛澤東辯護，但自知他們說的「錯誤」，其實是以文字技巧騙人。在語意學上，是洗脫罪行的飾詞。在毛澤東取得領導權後，這種「錯誤」究含有多少中國人民的血和淚，這豈能是一紙「錯誤」的追認可以了事！說這以歷史上的罪行，必須受眞正的人民法庭的審訊。因此，赫魯曉夫米高揚之流，本屬史太林的黨兒，中共會則爲黨兒的黨兒，何容遁跡！而中共現在既已承認他們的錯誤，今後難免還會有錯誤，好像說共產黨的錯誤是天經地義，無啥希奇？其實共產黨一次錯，死人成千上萬，一次錯，死人累萬。今後鐵幕內，民無噍類矣！

瞿秋白的懺悔

我今以瞿秋白的話來作爲中共正確的悔罪言狀，他說：『我沒有想到我們這一羣知識份子（即列寧所謂的職業革命家），所理想憧憬的革命社會，竟是殘虐與暴政，造成了無數的悲劇與罪惡！這成果最後得由自己來領受，在我們所追求的社會中，沒有眞正的愛，只有冷酷與無情。今天使我深深的覺悟和懺悔！』

毛澤東的苦悶與徬徨

——對中共反史事件反應的觀察——

鄭竹章

蘇俄共黨大會清算史達林事件，業經揭曉匝月，東歐各附庸國及西歐各國共產黨，已有程度不同的反應，中共政權直至最近（四月四日），才敢出聲。綜合西方觀察家所窺測的，不外三項：一是毛澤東的領導地位會不會受影響？二是中共對清算史達林將採取何種立場？三是中共與蘇聯會不會引起摩擦？茲根據管見，試加推論。

鞭屍對毛澤東的影響

清算史達林對毛澤東而言，自有相當影響。但由於中共與俄共目前處境各殊，情勢互異，或者不至影響老毛在中共黨內的領導地位。因中共黨內，目前反毛勢力尚屬薄弱，過去與老毛對抗的領袖人物，或已逃亡海外，或已一蹶不振。暫時不足構成推翻老毛的力量。目前環繞老毛左右的人物，如劉少奇，周恩來，朱德，陳雲之流，雖不致說對毛絕對忠誠，但目前尚無取毛而代的力量。且中共當前局勢，仍需要老毛的偶像地位，以維繫其團結。俄共清算史達林乃在其死後，以死人担承過失，老毛尚生，中共如清算老毛，無異自毀「長城」。然中共中央對鞭屍運動所以維持長期緘默的原因，一是由於事情來得太兀突，無法對幹部及人民交代；一是中共仍在觀望蘇俄內部及衞星國的反應，靜待局勢的趨向。

鞭屍前中共無所知

此次鞭屍運動，對中共最嚴重的影響，莫過於所謂革命理論的修正問題。根據各項迹象觀察，中共對俄共清算史達林，事前竟一無所知。二月二日「人民日報」尚報導其本年度全國幹部理論學習計劃中，「俄共黨史」仍列爲主要課程。尤其值得注意的是，二月十五日朱德代表中共中央對俄共大會的祝詞中，仍有「列寧所締造，史達林及其親密戰友所共同培育的蘇聯共產黨是堅強而無堅不摧」的辭句，可見中共對反史決定，事前似無所悉。而中共迄今所有經典著作，由「毛澤東選集」，以至劉少奇的「黨的建設」，幾無一不以史達林的言論爲圭臬。一九五三年三月史達林死後，毛澤東在「最偉大友誼」的追悼文中，亦強調「史達林同志全面地劃時代地發展了馬克思列寧主義的理論，把馬克思主義的發展推進到新的階段」。並指出：『史達林同志一切著作，都是馬克思主義不朽的文獻，他所著的「列寧主義基礎」、「蘇聯共產黨歷史」，以及他最後的偉大著作「蘇聯社會主義經濟問題」，都是馬克思列寧主義的百科全書，是百年來世界共產主義運動經驗的綜合』。但是在這次俄共大會上這些「不朽的文獻」，現已被評爲「不正確」，「未必有益」（見米高揚發言），則毛澤東劉少奇等根據史達林著作所演繹的「革命理論」，自亦無異被全部否定了。如果中共亦追隨俄共路綫，公開抨擊史達林，則毛澤東思想首先即須修正。

固勿論毛澤東有無勇氣承認其思想領導上的錯誤，但他對俄共巨頭的鞭屍行動，終不能無所表示。在朱德返抵紅都後，也對此迅速地作了決定，這就是中共機關報「人民日報」在四月四日的社論中的結論：表示俄共這次的自我批評，「乃顯示出黨內生活高度有紀律的性質和馬克思主義和列寧主義的高度活力」（路透社倫敦四日電）。

中共反應的發展趨向

「人民日報」及中共要員的言論全文，至筆者屬稿之時尚無法獲睹，但綜合中共當前的種種迹象觀察，其對清算史達林事件的反應，將不出下列三個方向：

第一、是對史達林在理論上的錯誤，如對資本主義經濟發展的錯誤觀察。

（下轉第三版）

時事述評

司馬璐

中共聲明「預留餘地」

中共中央終于發表了關于俄共清算史達林的「聲明」，我們對于這篇「聲明」一粗略的批評，只有十六個字：「奉命唯謹，誠惶誠恐，預留餘地」。以中共對俄共的附庸地位，中共不得不「奉命唯謹」，誠惶誠恐。以俄共黨內清算，反覆無常，毫無原則，毛澤東處境之難，所以中共中央措詞上又不得不「小心謹慎」。所以中共中央發表這篇「聲明」時說：「這篇文章是人民日報編輯部根據中國共產黨中央政治局擴大會議的討論寫成的。」此「預留餘地」之一例，將來萬一再有風浪，「人民日報編輯部」之「偏差」也。

人民日報「性命交關」

誠然，「人民日報編輯部」這篇文章是很難交卷的，雖然這篇文章要中共中央政治局看過，要毛澤東看過，但「責任」必須由「人民日報編輯部」負。這篇文章要寫成，既要忠實執行俄共清算史達林的任務，又要不傷害中共的小史達林毛澤東的「尊嚴」。所以，「人民日報編輯部」執筆者化了不少「苦心」的，這位執筆者罵「資產階級」，再談到「社會進化史」，又談到「無產階級專政」，又談到「唯物論」。把他所懂得的一切馬列主義知識全都搬了出來，寫成長文章，百分之九十五全是廢話。何必如此呢，文章不易寫，性命交關也。

忠實執行俄共政策

中共如何忠實執行俄共清算史達林的政策，我們先看這篇「聲明」說：「史大林在他一生的後期，愈陷愈深地欣賞個人崇拜，違反了黨的民主集中制，違反了集體領導和個人負責相結合的制度，因而發生了例如以下的一些重大的錯誤：在肅反問題上擴大化，在反法西斯戰爭前夜缺乏必要的警惕；對於農業的進一步發展和農民的物質福利缺乏應有的注意；在國際共產主義運動中出了一些錯誤的主意，特別是在南斯拉夫問題上作了錯誤的決定。」中共「聲明」中這一節文字，是赫魯曉夫、米高揚的神態，人們不難看出，中共「聲明」中這一節文字，是俄共清算史達林一部份的翻版。

文字混亂不得已也

但在另一方面，這「聲明」中指出，「史達林是一個偉大的馬克思列寧主義者」，「史達林的著作仍然和過去一樣，受到認眞的研究」，「是一項重要的歷史遺產」。這項「聲明」中指出了「個人崇拜」，但是又說：「無產階級要戰勝強大的敵人，……馬克思列寧主義者認爲領導人物有很大的作用，否認先進人物和領導人物的作用，這是完全錯誤的。」何以又如此混亂？如前所述，至少目前，俄共和中共都不便傷害中國的小史達林，這一「聲明」中共的，中共的「苦衷」，已獲得俄共的「開恩」了。

中共黨爭的新伏筆

中共的「聲明」，又可以從他用了大量篇幅指出「若心」，把中共獲得的經驗「證明」，把中共的錯誤的經驗」，把主子的錯誤，一定要拉到主子自己身上，這說明了主子們都錯，中共不是表示自己是最馴服的奴才嗎？

（下轉第三版）

美外交官的東京會議

檢討改善政策　挽救亞洲頹勢

嚴森

（本報東京通訊）美國在東京舉行的東南亞區外交官會議，在經過兩日會談後，已於本年三月廿一日結束，參加此次會議的，除美國駐在亞洲各國的十一位大使，一位代辦和三位總領事外，美國務院特派副國務卿羅勃森前來主持該會議；國務卿杜勒斯亦藉訪問日本的機會曾參與會商，面授新的機宜。是以該會議爲時雖短，但其重要性，卻於此可以窺見。

挽回聲望爭取合作

美國駐日大使館於會後發出簡短的公報，大意爲：這次會議是例行的，兩次的會談的結果，一致認爲共黨在亞洲的侵略威脅仍在蔓延無止，爲了遏阻共黨赤禍，自由亞洲國家人民應提高警覺，加強團結，共同合作，以抵抗侵略。

就這項公報中表面論，似甚平淡；但若深入觀察，不難可以看出在這次會議中，除了商討如何防阻共黨在亞洲的侵略之外，美國實已對其現行亞洲政策的得失與亞洲各國的一般情勢，會有深刻的檢討。吾人雖無法詳悉會議的討論主題，及其結論何在，但環顧自前亞洲區域的情勢，美國現行外交所面臨極端棘手的難題，即在如何迅速挽回其在亞洲的領導聲望與如何爭取亞洲各國的合作，以擊敗共黨蘇俄在亞洲的分化政策與和平攻勢所形成的優勢。

政策錯誤使亞洲分裂

就一般觀察家的評論分析，認爲美國近幾年來在亞洲的領導地位與聲望之一再低落，究其原因，乃在於美國錯誤地採用了一種事實上所不允許的「超然」政策所致。惟其如此，故亞洲若干國家即自始不肯與美國攜手合作，彼此既不相信賴，美國的圍堵政策即失其效用，而北韓、北越之陷共，從積極的觀點言即爲具體的失敗事證。在去年四月亞非會議後，美國又未能時及充分運用亞洲民族仇恨赤色殖民主義的有利機會，反使共產國際繼「和平共存」之後推出了「中立」政策，這些國家既溺於共產帝國的威脅，而不得不中立（如印、緬等），則實已徒具反共之名而無反共之實，亞洲遂終不能不演變爲一些小集團組織的對立；換言之即形成了今日之「分裂」局面，使現在的亞洲已無一完整的政治、文化及經濟規模，足以抵抗共產國際的侵蝕，抗共軍事力量的集結更自不用說了。這種結果，固是亞洲人民的不幸，然美國卻也未能因其政策之「超然」而擺脫此一後果之惡劣，各方的抨擊，遂使美國不能再坐觀下去。

經援政策應加改進

這次美國在東京舉行的外交官會議，旨正顯示美國外交當局欲從檢討其失敗之後，確定一項令整個亞洲國家滿意而樂於接受的政策。其事雖難，其意可感，相信美國經過這次舉行的東南亞區高級外交階層會議後，對她將來研擬新的亞洲外交政策，有莫大裨益。並確信美國如能擺脫某些國家的糾纏和阻撓，堅定反共立場，積極領導亞洲自由人民消滅共同敵人，或可挽回其在亞洲原有聲勢。

但在此尚有一點希望美國當局應該加以注意和考慮的，即是軍經援助亞洲國家問題。據消息靈通界透露援亞問題，亦爲此次會議的主要題識，故不能不有所申論。在亞洲的某些國家，除非眞能確定它是站在反共的這一邊的；而且確信它在必要時願意從事反共戰鬥，否則予所援助是危險的。美國現在是世界上身居首位予人援助的國家，其資源儘管龐大，但不能說是無限度的，因此美國的援助方案，必須針對那些戰略地位及內部情況最足以有效利用所獲援助的區域及國家爲對象。

今日亞洲赤禍洪流，危機四伏，處處受到共黨侵略威脅，除了自由亞洲人民，集中意志，團結力量，拋棄所謂「中立」或「共存」的姑息幻想外，顯然，並無第二條自救之道。因此，不能不於此提請美國注意，應愼擇其經援助的對象了。（四月一日東京）

教育部的新政碰壁了

立委首先放砲抨擊　終以實驗試辦完場

·小魯·

（本報台北通訊）一個月來台灣因教育改革問題引起一場激辯。自從教育部公布「國校畢業生免試升學初中實施等案」及「四十五年度高中畢業會考升學聯合考試實施免考」後，此間輿論初時雖紛紛捧場，視爲教育史上「劃時代」的改革。這種同聲喝采的調調兒，在此間是習以爲常的。可是這次却意外地殺出一個唱反調的程咬金，偏喊「不好」，對這兩個專案照頭一斧，砍得教育部長招架不住。此人就是立委胡秋原。

省當局表示難實行

胡秋原於三月十三日，在立法院向張其昀提出八點質疑，反對這兩個教育方法。其後立委鍾雲階、錢納水等，也紛紛提出相同質詢，支持胡氏論點。自胡秋原的「論教育部兩項新辦法」在本報刊出後，接着「自由中國」半月刊，「民主潮」等刊物及全省民營報紙配合，均一致表示論評，逐點批駁此兩方案。而台灣省主席嚴家淦，以該兩方案實際牽涉台省行政太大，窒礙難行，所以也公開表示不易執行，各縣市教育行政當局，紛紛開會研討，提出一大堆困難。在各方反對之下，此兩方案雖然沒能澈底打銷，但到現在，至少已經變質，不敢冒然強制執行了。

綜台教育部所擬兩項方案，主要用意不外兩點：第一、避免小學生惡性補習；第二、統一分區高中並高中畢業生升入大學，俾避免專科學校吸收學員。關於第二點，問某某專負責人表示，不願接受非志願的學生入學，故這一良好用意已失其價值。關於第一點，因爲要免除小學惡性補習，所以就決定延長義務教育三年，小學畢業生免試分區升入初中，設立或指定國民小學代辦初中，中學分區實行分段，中央辦大學，省辦高中，縣市辦初中。

各方之所以反對這兩個方案，是因爲它變更學制，違反「大學法」「中學法」「小學法」，既未經過立法院通過，又未經過行政院核准，教育部即逕以行政命令變更法律，規定於今年秋季普遍實施，這違憲的行爲，與程序不合。

師資校舍經費有困難

至於在實質方面而，糾正惡性補習，延長義務教育，當然不會有人反對。不過，惡性補習的發生，係由於初中數量不夠，好的又少，學生集中投考少數好學校，所以才有此現象；要避免惡性補習，必須增設中學，並把現有中學全部辦好，才是基本辦法。但教育部不此之圖，而要延長義務教育三年，並因而設計出一套免試升學，設立中學區等辦法，未免過於玄想。

例如延長義務教育，所有小學畢業生都要升初中，按照目前初中數量，要增加一千班才能容納小學畢業生的百分之五十，而這新增的一千班，師資，校舍，經費，將從何而來？張其昀認爲公務員和家庭主婦都可以兼任教員，可是他忘記了公務員法禁止兼差，教員有一定資格限制，並須檢定合格，縱使這限制法規修改了，公務員和主婦們總不能放下公事及家務不管，而去專心執教的。所以師資在短期內根本無法解決。

又如校舍，現有國民學校教室因爲不敷，所以才規定有部份兒童祗讀半天，將來一部份校舍撥歸初中，勢必破壞了國校原有的基礎，而中學校舍仍然不敷甚鉅，在財政困窘的情形下，不可能大量興建，此問題也難解決。

再說經費，現在各縣市教育經費預算佔整個縣市費百分之三十五，超過了憲法規定，根本無法再增，而且此事牽涉省的總預算，增加人民負擔，又必須省議會批准，絕對不是教育部一紙命令可以行得通的。

此外像劃分中學區，等於剝奪學生選擇學校的自由和其家長居住遷徙的自由，也是憲法所不許的。何況學額成了配給制，學校不愁無學生，於是好學校不再求進步，壞學校永久壞下去，更非辦學之道。還有廢止升學考試制度，影響教學心理甚鉅，學業沒有了競爭，教師不必認眞教，學生不必認眞學，智與愚不分，失去教育的意義，天才埋沒，更何況因此斷絕了同等學力升學的機會，這都違背了教育平等的原則。

新辦法有待試驗

以上是綜合各方反對的意見。雖然也有一部份人支持張其昀，例如曾有立委九十五人聯名提案向胡秋原抗辯，但終無結果。國民黨中央也曾召集黨員立委開會疏導，於三月三十一日辯論三小時亦無結論。張其昀也一再發表談話，爲自己辯護，但因在理論上站不住脚，除了反覆說明並未變更學制及並非延長義務教育外，並無新義，而其言論與所頒兩項方案相互矛盾，不能自圓其說。

事情發展到四月二日台灣省教育行政會議開幕，蔣總統的訓詞，認爲這兩個方案用意甚善……須要充分準備，並可選擇一二條件具備之縣市，作爲實驗區，先行「試辦」。才算替張其昀解了圍，這兩個方案雖未打銷，但已變質，更不可能在今年秋季普遍實施，而有待省教育當局如何「試驗」了。不過，教育爲百年大計，不可兒戲，則眞理愈辯愈明，相信這件事的辯論，不會就此終止的。

新辦法新現象

免試升學辦法公佈以後：

教師不要補習，學生不必趕各種習作業，家長不要繳納補習費，皆大歡喜。

功課好的學生，覺得缺少了一個表現的機會，功課糟的則慶幸自己也居然能讀中學。

能畢業就能升學，六年級老師的權力加大了，學生家長拜托之聲，使部份小學教員心裏怪舒服的。

有人擔心學生程度會低落。有人稱讚解除了將來升學的困厄。

有人說讀書就比不讀強，祇要多數人得到讀書，程度差一點兒也是好的。

台北速寫

才難與用才

台灣省行政會議席上，俞鴻鈞曾大談培養人才之道。事實上，政府在這方面仍須努力。據所知有許多人才被冷落在一旁（如任卓宣），有一些人才雖被政府延攬，却是排名差使（如徐道鄰），而一些身居重要職務的人才，却又同樣不能有所施展（如周德偉）。

敢言的報刊

本市公認比較敢說話的報刊，是一個日報（聯合報），一個晚報（自立晚報），一個雜誌（自由中國）。前二者最近已轉趨審愼，惟「自由中國」的社論仍具爆烈性，上期該刊竟攻訐台灣出入境辦法，一般讀者爲之揑汗不已。

國際宣傳無人

蔣廷黻返台後曾指出自由中國國際宣傳之缺陷，所以此間機關特開會研求改進。此中最大的癥結，應該是在人事方面。因爲目前許多辦國際宣傳的人，連一點基本常識都沒有，更無論國際情勢了。

領導漲價者誰

曾引起立法院軒然大波的電力加價案，最近由於美國人之建議，當局決定加價先從工業用電開始。台北市公共汽車也自四月一日起增爲七角；這事在市議會鬧了一年多，終算有了結果，市政府勝利了。

提高生活水準

美軍眷屬來台者日衆，本市房價及女傭工資都相繼增高一倍以上。在美僑言，一幢漂亮洋房，月租不及一百美元，一位年青伶俐的女傭，每月工資也僅十餘美元，却是便宜之至，但影響所及却苦了一般薪水階級了。

國粹抬頭

中醫在台灣愈趨興盛了。中醫公會理事長賴某月入數十萬元，已不算希奇。金針醫術也經黨國名流競相推崇。最近立法院更通過請政府設立中醫學校的輝煌議席。總之，對於科學，既然趕不上人家，還是把咱們的老古董擺出來炫耀吧。

宗教競賽

台灣的宗教活動，以基督教最盛。在耶穌受難節，各報都以第一版一半以上的篇幅，刊載有關的消息。不過，其他各種宗教也都有急起直追的模樣，如佛教最近成立了一座佛教文化館，道教也在大興道場，追悼大陸死難同胞。

·社衡之·

·人物·

憶李笠儂

·潔流·

潮安李笠儂於三十年前即洞燭中共奸險，倡導反共，至死不渝。易云：「知機其神」，此作者於李氏之所以景慕不置，而亟欲以其行誼告世者也。

·評述·

李笠儂先生，廣東潮安人，畢業廣東高等師範，爲學子時，已許身黨國，參加革命，興成之日，即返原籍工作；以任敎金山中學，組織青年，宣傳主義，迨粵東底定，共黨首要周恩來任東江行政委員，其黨羽彭湃、楊石魂等潛入農工羣衆，大肆活動，日形猖獗；李氏洞燭奸謀，竭力反共；並組織孫文主義學會，與之搏鬥，粵東反共基礎之建立，李氏之力獨多！

北伐時，李奉派爲國民革命軍第十師政治部主任，嗣擢任第十一軍政治部主任；汀泗橋諸役，均躬與焉。民國十六年汪精衞與鮑羅廷在武漢另組政權，反對國民政府；李化裝逃出，間關抵甯，報告武漢情形；李奉派爲浙江省省防軍政治部主任。旋轉任黨政工作，主持廣東省黨務多年；並曾出長其原籍潮安縣政，時當清黨之後，土共潛伏深山，擄人勒贖，民不寧處；李下車伊始，即以剿共爲安民之本，親率警衞民兵直搗匪穴，境賴以安；然後興學育材，建樹孔多，召伯甘棠，鄉人德之。

後陳銘樞在閩組織「人民政府」，李以諫阻無效，拂袖而行；遠走馬來亞，受聘爲新加坡端蒙學校校長，以振發民族精神爲己任。洎抗戰軍興，始遄程回國，在其原籍策動民衆抗日組織。而於潮汕淪陷後，更留駐敵後之意溪，從事游擊工作，與防軍合作殺敵；日寇憚之。勝利復員，李亦歸農，耕讀自娛。中共竊國；李一本其反共初衷，毅然挺身赴港，而其子某附匪，亦潛港從事滲透工作，租屋備膳迎養李氏，李以大義相責，斥其附匪之謬，令其悔過自新，不聽；乃絕裾去，父子之情遂絕，雖貧困無以爲食，不悔也。其同學李某生知李多歷坎坷，遲而不遇，招之來台，任台南農職訓導主任。仍時以國事爲念，數上書當軸，申請早日反攻，並著「對收復大陸善後建議之管見」，「孔子與中國文化」「禍亂之源」等鉅作，忠貞自矢，久而彌堅，以刺激過深，精神日損，於四十三年暮春病逝。李年五十有八歲。彌留時泣告其友朋曰：「死不足恨，恨未見反攻大陸，光復國土耳！」雖然，死而有知，亦必反共到底。」殁後，台南市府與同鄉會執事爲之葬於台南公墓，並邀其鄉人書刻石云：「澈底反共者廣東潮安人李笠儂先生之墓。」（完）

香港發展高等教育問題難解決
籌創新大學前途多艱

儘管生長在東南亞的僑生目前對大學教育的要求，還不十分積極，但有遠見的教育界人士已預見到僑生們將有一天會感到大學教育的重要性，因此除了鼓勵自由中國能建辦更多的大學外（如最近暨南大學要求在台復校，而復旦校友亦曾就此交換意見），香港的僑教人士都已分別計劃和成立若干間高等學校，但在進行中的遭遇頗多荊棘，當然要辦理一所完善的大學，關係着國人文化影響僑生知識的最高學府當然不是指日可待，一蹴可達的。

幾所籌劃中的大學

先談香港的幾所籌劃中的大學：基督教浸信聯會為培養高等教育人材，使高中畢業生得升學深造，前倡議開辦一大學制度之學院。該會主席林子豐博士，於去年五月，赴美出席世界基督教浸信會大會時，且曾於席間提請在港開設浸信會大學，惟迄今尚未聞有關開校之繼續消息。查浸信會香港聯會去年年會時，曾決議辦理，並舉出十五人為學院籌備委員。經一年之籌備後，已擬定學院董事會組織大綱草案及第一屆院董名單，此外尚未有具體之計劃實現。據關係方面稱：辦理學院為一最艱鉅之工作，苟基金籌募未充足，組織準備未充份，而貿然開辦，則難以期望該學院有優異成績，與其馬虎從事，不如慎重出之。

籌設新聞學院

除此之外，本港有一間辦理新聞系獲甚佳成績之學校，正計劃開設新聞學院，作畢業生有機會對新聞學作受高深之研究。

在上述的幾所大學中，特別為教育界人士所注視的，則為港九七間專上學院的合併問題，這不但影響到這七間學校的本身，影響到本港準備在大學深造的僑生，甚至影響到自由中國的教育計劃。

這句說話是必須解釋清楚的，由就過去幾年來的事實表現，台灣的國立大專各校，為了爭取僑生，為了協助政府推行關懷僑生教育，每一年度的招生學額中，港澳僑生所佔的比例，竟達到十分之三，但這個數額的分配就各該地高中畢業生需求與人數的比例，事實上是不十分公允的，這固然也難怪教育當局作這樣的決定，因此影響到學生之間有這樣的一個感覺，在港考台大易，在台考台大難，如果要解決這個問題，七間專上學院能夠合併而成為一所更完善的大學，則雖然問題不能全部解決，至少亦可解決一部，因為誰都知道七間專上學院和自由中國的關係是不可分的。

專上學校的動態

關於本港專上學校之動態，除浸信會擴辦大學外，崇基書院現正在沙田馬料水闢建新校舍，而新亞書院在農圃道之校舍已接近完成。此均為已付諸實施之擴展本港專上教育計劃之一。至於港九七間專上學院，前更傳出合併之消息，據僑教人士透露，蓋此計劃關係本港教育極甚大，有待解決之難題甚多，非一蹴可即。如經濟來源；合併後之人事組織、制度、課程、以至有關方面之反響等，均須顧及。而各大專學校負責人之是否能衷誠合作摒除一己利益，以發展同一之教育目標，亦為主要問題之一。環諸香港目下之教育狀況，及市民文化水準，越高層之教育機構，開辦越難。雖然香港大學及數間高中以上程度之專門技術學校其學位遠未足供應目下中學畢業生之需要；惟一項可稱之為畸形之現象，即由此發生甚多專上學校於每年高中畢業以後之招生期間，其學位仍不形成「搶手」；換言之：甚多專上學校之各系學額，於開學後仍有虛懸。此種現象，不單見於今日，即大陸易手後已然。該僑教人士對此種現象之發生，未作充份之解釋，僅稱：香港中僑教人士開辦之學院，部份雖因經濟關係，設備容有未週；惟對於教學人選，課程及管教，則多甚為嚴謹，且力求與大陸未易手前之內地大學同一水準。該僑教人士對專上學院之招生理想，承認學院之有其因陋就簡之毛病，惟渠認為帶有濃厚中國文化氣息之本港學院，未能適應本港側重歐西氣息之文化需要，為一主要因素。

大陸中學生水準大降
作文笑話百出
別字連篇莫名其妙　標點濫用全篇問號

中共「廣州市教育局」在今年一月初會舉行全市初、高中語文和數學兩科的統一考試，結果，不僅暴露了廣州市中學學生在語文、數學兩科上的水平太低，同時還證明了赤校和人民教師的工作糟到透頂。「廣州市教育局」也不得不坦承：「這次重點統考的結果，充分說明了我們中學的教育質量不是『差不多』，而是確確實實的差得多而且遠！」茲就南方日報所發表的情形摘錄如後：

甲、學生語文知識極度貧乏。從這次統一考試的結果來看，不論初中或高中學生，在語文知識方面，程度都低得驚人，普遍存有下列缺陷：

（一）錯別字很多，書寫十分草率。二中初三班的學生考卷中，平均每個學生有七十三個錯別字。女二中高二的作文考卷中，沒有一篇超過五百個字，錯字最少的也是五十多個。大多數的學生的字寫得非常花，花到全篇難於辨認；還有很多學生的字，根本不成字體。

（二）不瞭解詞彙的含義，用詞不當，語彙貧乏。在這次統考的卷子中，絕大多數學生對「釋詞」一題答得似是而非，模棱兩可，甚至完全弄錯的。如有很大一部分學生把「諾言」解釋成「誓言」：六中全校的高初中學生竟沒有一人能把「諾言」解釋得正確。四中大部分學生把「藍褸」解釋為「監獄」，女一中有的解釋為「衣服」，七中有的學生把「任勞任怨」解釋成為「有錢不做正事」等。用詞不當的情況也很普遍，莫說初中，就是高中的作文試卷中，都隨處可以找到「繼續對革命進行到底」、「她的優點如流水」、「他們的勝利一定是屬於朝鮮人民的」等類的句子。語彙貧乏的現象也是很嚴重的。五中初二的一班學生中，全部作文都不過四行，字數不到一百，女一中初三的一個學生全篇作文一百三十五個字中，用了三十八個「應當」。

（三）文理不通。在高中的作文卷中，竟有「說明革命是有希望的，殺不完的」、「抱着把一塊磚放到共產主義的熱情上去」等等數不盡的辭不達意的句子。

（四）不會使用標點符號。一般的錯誤是逗號到底，或頓號到底，比較嚴重的問號到底，甚至有文不加點，使閱卷的不知所云的。

（五）寫作內容機械化、公式化。一般都是不觀實際，不具體，甚至存在着完全脫離了生活實際，而只是機械地搬用「身體好、學習好、工作好」等語句的現象。在寫作方法上，公式化的傾向也很嚴重。很多學生都千篇一律的用「我也一定要好好學『期』，鍛鍊身體，將來好為祖國服務」來作結語。

乙、學生在數學知識上的缺陷亦相當嚴重，事例如下：

（一）基本概念模糊不清，邏輯思維缺乏訓練。從試卷中證明了高中二的學生對「對數」定義還不瞭解，證三角恒等式時，也都弄錯了。初中二大部學生對於分解因式和乘法求積兩個概念混淆不清，更不曉得彼此的關聯；大部分學生對幾何題的證題要根據已知條件的邏輯關係還都沒掌握好，卻還臆斷去求值。

（二）運算不熟練。最突出的例子是高二代數和三角的最後一題，一般學生運算不僅遲緩，而且沒有一人算對的。有些高三學生連√2≒1.4都不記得。很多學生運算很簡單的數字都得用筆算，沒有口算的技能和習慣。

（三）知識不鞏固。有些學生覺對高小學生都會做的1/4與1/6通分都發生錯誤。

丙、學生語文和數學程度低落的原因

（一）教師業務水平太低。大部分語文教師本身語文或數學的基礎知識很差。相當部分的語文教師這次親自寫的統一考試總結裏，也有不少錯別字、不習見的簡體字和錯誤的標點符號，甚至竟有文理不通的。平日在講解字、詞上錯誤尤多。如某女中一位高二語文教師對「而待楚寇矣」的「楚寇」，不作「楚國侵略」解，而錯誤成「楚國賊寇」。數學教師中很多數代數教師自己運分解因式都不懂。

（二）教學中忽視對學生獨立思考的培養，教學脫離實際。不少教師在講課時滿足於空洞的說教或隨意借題發揮，而不是引導學生對課文或習題作細緻、深入的分析。

（三）對學生討好，給分過寬。女二中學生平時作文成績都在七十分以上，但這次考試在與考的五百四十六人中，沒有一個達到五十分的。這種給分過寬的情況，以致造成學生普遍輕視功課，學習鬆懈的現象。

此外，教師和學生課外活動過多，學生課堂紀律太壞，學校領導上忽視學生學業等等，都是學生成績低落的主要原因。

「價值」「剝削」與「合作」

· 樓桐蓀 ·

價值非純由勞動構成

固的，除了勞動以外，構成價值的因素實在多得很！土地、資本、技能固不用說，即如供求雙方在市場上的無限波動，以及隨時隨地的無窮變化，都直接間接無一不可以影響價值……。舉凡這些意外的，甚至往往是不可捉摸的因素，即在真正創造「勞動價值」概念的黎嘉道（1772—1823）本人，亦曾知道一張古畫，一幅古像，一本古書或一瓶陳酒的價值，往往會大得驚人，決無法以原始的勞動量來加以計量，這並且為後來一般卓越的經濟學家敞開了「邊際效用說」的大門。但馬克思卻緊緊抓住黎嘉道「一切價值來自勞動」的這一點以建立他無產階級革命的框機，而「剝削」理論的基石於焉奠定。

好吧，關於馬克思價值論的淵源即此停止，已盡可幫助對於「剝削」問題的瞭解。

剝削有三義

近人所常引的「人被人剝削」，或較簡單的，但亦較不明確的說法「人剝削人」這個公式，是一般聖西蒙主義者所創立的。其實先說「剝削」，則西士蒙地亦已同樣的提到過了。加上馬克思再談剝削，所以在經濟思想史中，至少有三種不同意義的剝削。

先說西士蒙地（1773—1842）。

非經濟制度上的缺陷

他承認財產所有權的剝得是正當的，但卻同意一個工人可能被剝削。在什麼時候工人會是被剝削的呢？這是當一個工人所得的工資，僅僅足以糊口，而在他面前卻站着腦滿腸肥，生活得十分闊綽的老板，這中間就有了剝削事實的存在。為什麼？因為工人得不到應得的公道工資。是以依西士蒙地的說法，這「剝削」分明是老板對於工人的一種「謬見」一種欺侮，而不是我們的經濟制度本體上的一種有機的缺陷。這是一時「謬有之」而不是「理有固然」。這種「謬見」是不必摧毀整個經濟制度而可加以糾正的。這不獨在老板與工人的關係間偶或發生；在經濟界中，有許許多多的情形都會發生這種現象。每凡有人利用另一人的特殊情況，例如無知、怯懦、弱點或孤獨無告等，而以幾價買入他的勞務或商品，或以高價賣給他以勞務或商品而從中得了一筆大大小小的不義之財，這就是剝削。（恕我冒昧，台灣的「養女」就似有這種情形。）這其實與其說是經濟的專門意義，毋寧是說社會的一般意義，我們知道西士蒙地是把政治經濟學稱為「人類的護理科學」的，而實開「社會經濟學」或如德國人所說「社會政策」的先河。（三）

毛澤東的苦悶與彷徨

（上接第一版）對兩個陣營戰爭不可避免的錯誤判斷，及偽造聯共黨史等等，一律略而不談。總是減少由於思想問題所造成的影響，以便救出毛澤東過去全力捧史的錯誤。

第二、是將重點集中在討論集體領導上。自一九五三年下半年以來，「集體領導」已成為中共的口號。一九五三年底中共決定消滅高饒後，於十一月二十六日「人民日報」即首先發表社論，號召黨內領導幹部，終須以各級黨委，「要擴大貫徹集體領導原則」。一九五四年二月六日中共召開七屆四中全會時，劉少奇在「政治報告」中，亦特別提出集體領導問題。由於集體領導已成為中共黨內的主要形式，因此這次中共必然會順理成章，大加宣揚，以便對外表示追隨俄共反個人獨裁的新路綫；對內可向其幹部表示黨中央領導的「一貫正確」。

第三，是逐步停止發行史達林著作，逐漸將史達林的影響在大陸人民的腦海中消除。三月十日天津「大公報」刊載兩封「讀者來書」，透露在河南信陽、鄭州、開封、陽高及山西大同等地的新華書店，已買不到「聯共黨史」，可見中共已在暗中做這一工作。（該消息可參見三月二十一日本報五二七期第三版——編者）

以上三項反應，將是中共對反史事件最可能的反應，但雖然如此，這一避重就輕的做法，仍無法消除毛澤東內心的彷徨？

時事述評

【上接第一版】中共把錯誤又全部推在那些已被清算的個人身上。此亦最近蘇聯之「先進經驗」也。但是中共又說：「毫無疑義，脫離群眾的個人英雄主義，這一類現象還是會長期存在的。一次克服了，下次還會再出現。有時由這一些人表現出來，有時又由另一些人表現出來。」此中共將藉口清算史達林，進行黨內新整肅之伏筆也。

爭取「中立」挽回危機

俄共清算史達林和中共這項「聲明」，我們有一個肯定的結論，共黨有面臨整個組織崩潰的危機，所以他們才冒險出此一着。當一個組織內部發生危機的時候，最普通的解救的辦法，是轉移整個組織的視綫對外。對外一個是戰，一個是和，戰的條件既未成熟，唯一的辦法是以「和」的姿態「中立」和分化自由世界。

中共的「聲明」中說：

「按照我們的經驗，革命的主要打擊方向應該放在最主要的敵人身上，使它孤立，而對於中間勢力，則應該採用又聯合又鬥爭的政策，至少使它中立，並且應該力求在可能的條件下，爭取它從中立的地位轉變過來，使它和我們成立同盟，以便有利於革命的發展。」

製造和擴大「中立」，這就是俄共和中共今天「救黨」的主要政策。

製造「中立」，又把「中立」「轉變」成「聯盟」，這就是俄共和中共今天推行世界革命的政策。

編者　讀者

△中共對於蘇俄的反史達林運動，到底不能不開口了。關於這個問題的看法，本刊這一期，發表了曾旭東鄭竹章和司馬璐三先生的文章。還有王厚生先生一篇「個人崇拜的始作俑者是列寧」和蕭鳳先生一篇「論共黨的高度融和與不斷革命」，都是和這問題有關，而且是具有學術理論的文字。以後也將在本刊繼續刊出，謹此預告，讀者幸留意。

△劉鑑如，徐萍，野梅，費希平，胡韓雲，關儁辛，張碧，刁抱石，張超凡諸先生惠稿均收到至感。

△代郵：杜衡之先生請於來稿上註明付郵日期。

毛澤東往何處去？

毛澤東當前最棘手問題有二：一是如何修正自己的觀點，以適應俄共的觀點？一是如何決定對俄共的關係，免致捲入俄共的黨爭。

對於前一問題，如果毛澤東接受修正，無異例低了他在思想領導上的影響力；如果拒絕修正，則中俄共間在思想上領導上將分裂為擁史與反史兩大營壘。

關於後一問題，鑑於三年來俄共中央勢力的消長，今後的中共，勢將不敢以某一人物為捧場對象，更不敢固定依附於某一派系，以便居於「超然」地位。

也正因此，在歸順俄共，與保持其自己的思想體系之間，毛澤東是必須有所抉擇了。

「西施」觀後感

達凱

香港劇藝社演出的國語話劇「西施」，我曾看了兩次。第一次去晚了，只看到最後一場，所以當再度在和舞台公演時，我又去看了一次。入場前，承本劇編導姚莘農先生出示劇本原稿，並說明他編導用心的所在，使我對本劇的思想性有深一層的瞭解，及至看完了全劇四幕七場的情節後，更感到本劇在藝術創造上有高度的成功。

首先，我們可以肯定的，是西施本身的完整的戲劇性。在中國之名女人爲題材的歷史劇中，如「出塞的王嬙，「長生殿」的楊玉環，以至「桃花扇」中的李香君等，都有一段哀艷纏綿的故事；但時代最早，民間傳說最普遍而戲劇性最濃的還是西施。因爲通過西施的生活歷程，一方面爲凸現了古代的英雄美人的畫面，另方面爲又貫穿着二千四百餘年前吳越兩國的成敗與衰的史蹟，給現實以一嚴正的啓示。這是選擇和上演「西施」的最有意義的第一點。

第二，値得推許的是本劇的編導技巧。在結構上，放棄了「浣紗記」和「臥薪嘗膽」的情節，而以西施與夫差的關係爲中心，從表面上看，似乎主題不明顯，正反面人物不鮮明。但正因爲這樣，才可提高西施在劇中的比重，使全劇有平衡的發展。同時透過這樣的編排，我們可以看到：一個強大的吳國，由於缺乏警惕，疏於戒備，迷惑於虛僞的和平口號，終招致悲慘的結局。另方面，由一個脆弱的政權，由於不擇手段，對內改變婚姻制度，發動人民廣泛參軍，對外實行滲透分化，鬆懈對方戰鬥意志，因而贏得軍事上的勝利。這一歷史教訓，是「西施」的第二個重要意義。

第三，「西施」另一個成功的地方，是演員陣容的堅強。其中以飾夫差的羅維與飾西施的尤敏最爲突出。羅維是自由影人中的性格演員，他在「天國春秋」裏扮演楊秀清一角，頗獲好評，這一次飾夫差，無論造型上，扮相上，以及動作和台詞的運用方面，都能表現出吳王的性格，尤敏雖一向演玉女型的角色，而這次也極爲成功，她倘驕弱嗔態與深刻表情，更顯現了西施的特質。他如王萊的鄭旦、賀賓的伍員、唐迪的伯嚭、吳家驤的范蠡、尤光照的太醫等，都很稱職，使全劇獲得優異的成績。

不過有一點擬提出商討的，即最後一場文種的出場及其拘捕西施鄭旦，似乎有點突然，與前幾幕不大調和，甚至有些沖淡了前幾幕的緊湊的氣氛。這一節似可稍加壓縮。其次，在烽火報警之後，似可加多一點效果，例如：一片金鼓聲，由遠而近，由緩而急，幕後再現出一片熊熊火光，夾着隱約的軍士的吶喊與人民的驚叫聲，以烘托越軍破城、姑蘇陷落的情景。這樣，更可加强西施的內心矛盾的表情，與劇情的發展。但這不過是門外之見而已。總之，「西施」的演出是成功的，是海外自由劇人繼「清宮怨」與「天國春秋」之後一次更有意義的貢獻。因之對姚莘農氏的卓越才華，與幕前幕後人員的辛勤努力，表示十二分的欽佩。同時更希望姚先生孕育多時的「秦始皇」劇本，早日完成，以便在下一屆藝術節作盛大的演出。

自由談

談統戰問題

馬五先生

共產黨近來在全世界各地方施展統戰策略，陪笑臉，發媚聲。對於它平時視爲不共戴天之仇的「階級敵人」如知識份子等人物，特別表示好感。這情形，在緊鄰中共區域的海隅，尤其表演得淋漓盡緻。

一位電影界的自由演員，資格甚老，因其「不共」的死硬思想，久被一些「前進」老友所仇視，見着面彼此裝成陌生人的模樣，點頭的表情也沒有。從今年舊曆元旦起，情形大不相同了！那般爲「人民」服務的共記夥計們，忽然要向這位「不共」的老大哥拜年，進門即行大禮，而且還帶來衣料與糖果，說是給大嫂跟小孩兒的，完全又恢復了患難弟兄般的面目，你不回拜他，他照樣的隨時叩訪如儀，決不談政治的話，專門跟你敍舊復交，你不管喜歡與否，總不好攆他出去！

光看這項統戰魔術，就比我們這些搞「不共」工作的人來得厲害——他總是主動的進攻，使你感覺驚惶失措，並且多少可以消解你對他的仇恨心情，你稍爲應付不慎，就容易不知不覺地墮入魔障中去。思想堅定，懂得他們那套玩藝的人，自然不會上當的。但一般素來不敢回大陸，也去不了台灣，在海外踽踽涼涼，生計維艱，思想煩悶，對現實感到不滿的眞正自由人士，一旦遭受這種統戰的攻勢，意志多半都要發生一些動搖的。

香港是「不共」氣氛極濃厚的華人寄居之地，它對南洋乃至於西洋各地區的華僑，無形中的影響力甚大。香港的「不共」氣氛如果慢慢消散了，自由中國前途的損害程度即難以估計。請問我們應否拿出對策來？有不有對策呢？日前有位僑務官在香港發表談話，認爲中國人若要回到大陸去，讓他看看大陸人民的痛苦狀況，也很好！這叫作「坐地衝鋒」主義，又可謂變料阿Q精神，我聽着祇有「週身唔聚財」，無話可說了。

燕塵識小

·無負生·

偶數不利稱帝增一門

袁項城本是守舊人物，帝制自爲，爲之可也，何須改造前門？此中蓋大有文章。武昌劉成禺先生寫洪憲紀事詩第二首，即詠此事。詩云：

洹德神人命至尊。洪天營造闢都洹。
故開雙闕增奇數，便壓皇明十一門。

先生自爲之注，曰：「袁在彰德府城北洹水上築洹上村，建築不甚宏偉而頗大雅。袁被議歸彰德居之，署名洹上老人。迨用入京膺大總統選，眷屬多留洹上，曰發祥地也。北京議改帝制，先壯都城。內務總長朱啓鈐實任營造。曰清代入關，內以盛京爲陪都，命名承天府。北京則名順天府。今上登極，都城不宜襲北京名，且年號洪憲，宜尊升曰洪天府。如仍名北京，則南北有未統一之嫌。當北京開始營建，日者鄒某說袁克定宜先改造前門。清承明制，建十二門。前門不開。開則有凶。偶數不利。宜增奇數。乃改造外圈前門樓，使雄立高聳。張兩龍眼以窺南方。樓下前門洞啓閉雙扉。永不開啓。避免凶兆。折去外圍城牆，爲大路，邊繞圓弧，直趨內圈，前門原爲一今拆爲二。一出一入，增爲十三門，合天數，壯皇極也。前門下墩，又於雙門內東西兩旁，各方造洋樓一座，兩兩對峙。爲克定儲公安坐位也。日者曰天長地久，不僅壓倒內城九門。並壓倒皇明滿清內外十二門矣」。

八三天皇帝夢一場空

由上述一詩與注合而參之，則項城之改造前門，既非爲刷新耳目，也不是便利交通。而實是迷信風水，化國爲家。〇八十三天皇帝夢（洪憲稱帝，始於民國五年丙辰歲正月元日，取消於五年三月二十二日，凡稱帝八十三日而已）單就「正陽門之今昔」而言，破壞了六百年舊規模，也創造了廿世紀新面貌。爲功爲罪，不必深論矣。

九門提督與三頭六臂

爲要解釋前引劉詩「便壓皇明十二門」一句，容我先談一談故都的內城九門。按清通志都邑略「京城」一條載云：「京城周四十里爲門九。南爲正陽門，南之東爲崇文門，南之西爲宣武門；東之南爲朝陽門，東之北爲東直門；西之南爲阜城門，西之北爲西直門；北之東爲安定門，北之西爲德勝門。」

照文字看未免囉嗦。讀者到過北平的自然心裏有數。如未到過，不妨找一張北平地圖對照一看，也就瞭如指掌了。原文接着又寫：（二）

黨國前輩遺詩

·狷士·

章太炎氏雖爲國學大師，但生平對近體詩極少作，五言律絕，偶一見之，七言則絕無僅有，晚年居蘇州時，會以七律贈章孤桐云：「十年齋幕不登朝，爲愛湖湘氣類饒。改淺漸知陳紀老，最才終覺陸雲招。長沙松菊無消息，樊口鯿魚乍寂寥。料是瀛洲春色早，羈人樓上更迢迢。」蔡元培先生詩不多見，筆者當年得其手書條幅錄其所作詩云：「文人自昔善相輕，國手圍棋抵死爭。大地知難逃浩劫，靈魂無計索値評，即留萬古名何用，甯似刹那心太平。鄧析惠施世多有，孰齊物論託莊生。」譚祖安先生曾書一條幅，錄其過鄭州一律並解嘲云：鄭州爲其父（鍾麟）總督陝甘時，與左文襄會之地，其時祖安年三歲，詩云：「當年二老相逢處，長記吾猶襁褓中，文武衣冠朝市改，川原形勝古今同。班荊道故情何異，歃血加盟計已窮。四十七年如俯仰，黃流應笑太忽忽。」祖安又爲我書扇詩云：「書生殺賊尋常事，脫腿功名始足豪。志節豈因官職重，涇陽當日亦郎曹」，按涇陽爲明東林黨顧憲成云。（上）

驪兒古墓

·秦思源·

驪兒墓高約八公尺，直徑七八尺左右，一坏黃土，形如覆鍋，赫然屹立於楓林間；惟墓上不生寸草，似象徵墓內的人猶頑劣如故。令人怪異的，是：從山麓到葬墓處，雖山路崎嶇，迢迢約十華里，而古柏蒼松，夾道皆是，一種幽雅情調，使入山的人頓感超塵脫俗；比達墓穴，風景則大變了，有百餘株楓木，皆千年古物，團團圍繞，若遇秋陽與楓葉輝映，顯成了一片血海，不由人不悚然生畏，以爲惡人淫威猶在，風景也大煞了。

相傳墓穴曾數遭盜掘，掘開墓內空無一有，惟於掘墓的翌日，一陣暴風雨，又翕合如舊，累掘累合，雖不降臨什麼災異，但也使人怖慄，以後好奇的人再也不敢向墓內有所覬覦了。這都是有古蹟的地方所必有的一段神話。

由於墓穴在楓林中，名其地爲楓林，有村落，約有二十戶人家居住，男女老幼不過五十人，最多，他們把墓前後的荒山，開闢成梯形的田畝，自耕而食。山民每月僅入城一兩次，以土產（洋芋、葛粉、柴、炭、野味等）販賣，市衣布油鹽等，平日很少出山，且有畢生未入城市的，他們固是些未經開化的人民，是十足保持其山野風味，不欺不詐，其古樸純良，在現代這個污濁社會中，是不可多得的，至於是不是驪兒的後裔，問他們自己也不知道。（下）

同光風雲錄

夢山樓

劉銘傳

劉壯肅公，字省三，安徽合肥人。咸豐四年太平軍陷廬州，鄉人築堡自衛，其父爲匪堡豪富所辱，銘傳時年才十八，憤甚，追豪富數里外手刃之，自是勇威丕著。而畏罪從官軍，克六安，援壽州，以功敘千總。

襄曾李剿平東西捻

同治元年，李鴻章募淮勇援江蘇，銘傳率鄉勇從至上海，號銘字營。招撫南匯降敵四千人，編爲勁旅。李秀成糾衆十萬，分水陸兩路來攻，銘傳力戰大敗之，乘勝攻毀敵壘三十餘處，論功以提督記名。迨曾國藩督師剿捻，主用淮軍，以銘傳勇冠諸將，令統軍北上，解沭陽圍，追北至諸城，日照，蹙之海濱，殲其衆，河流盡赤，東捻平。論功最，授三等輕車都尉，以病乞假歸。

西捻首張總愚，自陝竄河朔，畿輔大震，銘傳臥病在家，鴻章假朝命強起之，又大敗西捻，總愚赴水死，西捻平，晉一等男爵，命督辦陝西軍務，旋引疾歸。論者謂鴻章平捻之功，銘傳爲最也。

固邊防倡議建鐵路

中俄伊犁事起，朝議備邊防，急召銘傳至京，乃疏陳兵事，以築鐵路爲當務之急，鐵路一開，南北東西呼吸相通，無徵調倉皇之慮，無轉運艱阻之虞。故倡築鐵路者，銘傳啓其端也。迨法蘭西擾海疆，再起銘傳，以巡撫銜，督辦台灣軍務，銘傳以無兵艦，不利海戰，乃退守基隆，誘敵登陸，痛擊潰法軍官二，兵百餘，敵來益衆，冒風雨，跣足督戰，堅守八閱月。明年和議成，授台灣巡撫。

建軍清丈主政台灣

銘傳蒞任後，以兵制久敝，不饒給財用，無能革新，於是清丈田畝，賦收倍經額，進而築礮台，購火器，設軍械局，水電局，水雷學堂，興造鐵路，設電綫，郵政，欲以一島基國富強，用心亦良苦矣。嘗登滬尾礮台，東望日本，喟然嘆曰：『即今不圖，我爲彼虜矣』。已而，戶部奏請緩置艦礮，復嘆曰：『人方謀我，我顧以撙絀折之乎！』遂三疏求去，以後屢召不起。

銘傳以軍功起家，粗識之無，而幕府多文士，雅敬禮之。後改文職，益自謙抑，初學作小詩，後竟通詞翰，有大潛山房詩鈔，嘗銅琵鐵板之音，非一般文士所可及者。李鴻章序其詩鈔有曰：『省三有好勇過我之氣，無臨事而懼之心。……』蓋寓規於頌也。（十九）

·文壇今古·

林語堂論郭沫若

·戈北指·

自古以來，文人多患有「自己至上」的毛病，由自己看別人，個個不順眼，誰都不如自己；所以曹丕在他的「典論」中開頭就說：「文人相輕，自古皆然。」

抗戰時期，林語堂歸國在後方某大學講易經，曾遭受赤色文丑的攻擊，郭沫若指責林氏錯解孔子所說「假我數年，五十以學易，可以無大過矣」這段語意，說「易」是「亦」之誤傳，前人已有此論斷，因而諷笑林氏仍循舊說之非。且以林氏謙稱對易經僅「略窺涯際」，識爲不懂易學，根本不配講解（見本刊四四〇期馬五先生自由談）。以後甚至污辱林氏的人格，一時此唱彼和，把林氏罵得狗血淋頭，一個臭錢不值！

但林氏倒是雍容大度，對於郭等的攻擊，仍以幽默態度出之，僅寫了兩首詩，作爲答覆。這兩首詩是：（一）「故國河山尚未還，無暇清理舊新究，閒街何補國家事，飲醋合該肚皮酸。胸有成竹總宜讓，手無寸鐵且放寬，且看來日平寇後，河人出還舊家園。」（二）「文人自古好相輕，井蛙蝌蚪互品評！斷墻破瓦稱割據，跳梁投水譽奇能。規規若失語東海，適適然驚闊北冥。有識悠然付一笑，蚊雷終究是蟲聲。」

從這兩首詩裏，充分表現林氏那種與人無爭的謙謙君子風度。現在時隔十數年，林氏當時的話，果不幸而言中了。至於人格的高下，今日已成不爭之論了。

耶穌說：「凡自高的，必降爲卑；凡自卑的，必升爲高。」阿門。（路加福音第十八章第十四節）

自由人

THE FREEMAN

（第五三三期）

中華民國僑務委員會頒發登記證台教新字第一零二號
中華郵政台字第五〇〇號執照登記爲第一類新聞紙類
（半週刊每星期三、六出版）
每份港幣壹毫
台北市售價台幣壹元
督印人：陳文華
地址：香港高士威道二十號四樓
3 rd. fl. 20 CAUSEWAY RD HONG KONG
香港發行及事務接洽
高士打道66號 電話：七四〇五三
承印者：東南印務出版社
地址：高士打道六十四號
海外總經銷
友聯書報發行公司
香港：德輔道中二十六號A二樓
台灣特派員辦事處
台北市館前街五十號
台灣總經銷處
台北市西寧南路壹壹號二樓
台郵撥儲金戶九二五二

個・人・崇・拜・的——

始作俑者是列寧

・王厚生・

一九四七年四月九日，史大林對美國史塔生（Harold Stassen）說：「列寧是我們的老師，我們蘇聯人民都是列寧的學生。」史大林把蘇聯人民都說成是列寧的學生，自然是過分了，但史大林本人確確實實是列寧的學生，却是一點不假的。

列寧想撤老史的眞因

列寧晚年，曾經對黨指示，主張撤除史大林的總書記職務，但並沒有提議何人可以繼任總書記工作。列寧發這一指示時，是一九二三年一月四日，從那年三月起。他因健康不佳（血管硬化症）而停止了實際政治活動。當時，共產黨已在史大林控制之下，列寧的主張已經無法實現。不但如此，列寧這個指示曾被史大林及其黨羽扣壓，不准向全黨公開宣讀，這是一九二四年五月間的事。那時，共產黨正在召開第十三屆黨員代表大會，列寧的妻子克露泊絲卡耶將這指示向全黨公開，遭到大多數的反對。直到一九二六年十月十八日，紐約時報首先刊出列寧的指示全文，一九二七年十一月十七日，史大林才不得不在共產國際的刊物「國際新聞通訊」上承認確有其事。列寧爲什麼要發出這樣的指示呢？是他不滿意史大林的性格和爲人嗎？不是的，托洛斯基在史大林傳中曾有如下的話：「我不久就看出，列寧是在提拔史大林。他欣賞史大林的沉毅、堅强和不妥協的個性；並且對史大林的機詐也有幾分賞識，認爲這些都是在鬥爭中所必不可少的性能。」我們決不要上共產黨的當，以爲列寧對於史大林後來的專制已有先見之明，撤換史大林總書記職務，係由列寧預防專制的思想所引起。

列寧播下專制種子

按之歷史，蘇聯專制制度的種子全是由列寧播下的，當他死的時候，蘇聯的專制制度已經具備相當規模了。列寧所以有意撤換史大林，並不能解釋作他無意於專政，其主要的原因，還是由於黨內人事上發生紛糾，不能沒有調整之計。因爲史大林和托洛斯基之爭，列寧看得十分清楚，他認爲史大林大權獨攬，却不知審愼運用；托洛斯基才幹出衆，却剛愎自用。這兩人的個性很可能促成共產黨的分裂，所以，列寧的指示旨在減輕黨內的權力衝突，並不是想把史大林除去之後，在蘇聯樹立民主制度，剛剛相反，列寧的本意是想維持和鞏固由他手創的共產黨及其專制制度的。假使共產黨因史大林和托洛斯基之爭而告分裂，列寧在蘇聯所建立的專制制度就會立刻崩潰。後來，史大林和托洛斯基的鬥爭果不出列寧所料，終于爆發了，鬥爭的結果，是前者擊倒了後者，托洛斯基流亡到外國去，雖然，共產黨因史托之爭而受到很大的損害，但共產黨的組織和專制制度却因史大林的勝利而加强了，這一點自然是出乎列寧的意料，如列寧地下有知，他會對史大林表示心滿意足的。

史大林繼承列寧衣鉢

今年二月，蘇聯共產黨在俄京召開第二十次黨員代表大會，赫魯歇夫在秘密會議中對史大林大施攻擊，以後米高揚、馬倫可夫等紛紛發言響應。他們指出史大林的錯處很多，其中以「個人崇拜」的錯誤爲最嚴重，認爲史大林將他自己的地位放在黨之上，獨斷獨行，違反列寧的「集體領導」原則，更因史大林的獨裁，使秘密警察橫行不法，濫捕濫殺，弄得高級共幹個個心驚膽顫，慄慄危懼。總之一句話，都是史大林的所作所爲，都是違背列寧主義的。

事實是這樣的嗎？我們無心替史大林的獨裁和殘暴辯護，不過，我們必須指出一項事實，就是史大林的暴虐統治並沒有違反列寧主義，相反的，史大林的一切作爲完全是繼承列寧的衣鉢，列寧爲「個人崇拜」和獨裁統治創下了先例，奠立了基礎，史大林不過是在列寧所已建立的基礎上，將「個人崇拜」和獨裁統治加以强化而已。故錯誤不從史大林開始，列寧早在前，要算舊帳，以後才輪到清算列寧，至少列寧應先和史大林同時受責，斷不該將一切責任全歸史大林承擔，更不該說史大林違反了列寧主義的話。

列寧的思想和性格

作者當然是有根據才這樣說的。一九三九年夏天，法國共產黨發起人之一，曾任共產國際執行委員，以著「史大林傳」而聞名於世的邵瓦倫（Boris Souvarine）在「現代季刊」上發表一文，題目是「列寧的崇拜」，邵瓦倫在這篇論文裏面，將列寧的個性和思想說得非常清楚，他說列寧不是思想家、政論家、著作家或理論家，而是一個出色的內戰家、策略家、組織家和訓練家。列寧的主張時常翻覆且前後矛盾，所作時局預測也多半不中，例如他相信「克倫斯基主持的公司」將把彼得格勒奉送給德國，他害怕英國會跟德國單獨媾和，他預料國際社會主義革命就要來臨，事實證明這三個論斷都是錯的。但列寧是一個有强烈領袖慾的人，他不聽同志的勸告，一意孤行，即使因此而造成黨的分裂，也在所不惜。一九〇三年他在社會民主工黨第二次黨員代表大會中的表現就是一例。

一九二四年一月廿一日下午六時五十分，列寧在莫斯科附近的高基爾村突然逝世，莫斯科居民奉命，全城公私房屋懸掛綴有黑邊的紅旗，以誌哀悼，他的屍體放置在工會大廈中，讓民衆瞻仰，由史大林、布哈林、加里寧、莫洛托夫、康米涅夫、等輪流守靈。六天之後，即一月廿七日是列寧的安葬日，送葬行列長到看不見盡頭，下午四時正，全國人民停止工作，靜默致哀，火車、船舶鳴哀笛三分鐘，陸海軍鳴炮致哀，列寧的信徒們齊聲套用哀悼的老調高呼：「列寧已經死了，列寧主義萬歲！」隨後的幾年當中，「列寧全集」和「列寧文集」陸續出版，這些東西並沒有學術上的價值，故儲備出版册數大得驚人（根據眞理報的報告，十月革命以後，列寧的著作一共出版了一億一千五百餘萬册，其中有一億零八百萬册是死後出版的），却不能增加列寧的光榮，雖然那些文章在研究列寧的生平時仍有若干價值。

列寧鄙視制憲會議

要認識列寧，我們尤應讀一讀許勃（David Shub）的「列寧傳」。許勃在俄國出世和受教育。

（下接第二版）

從外交上談反攻

・傅正・

調整應以人才第一

據四月六日中央社訊：「行政院於五日舉行院會，通過派葉顯光出任駐美國特命全權大使，及劉師舜出任駐墨西哥特命全權大使案。」這顯然是外交人事上的又一重要措施。近年來，政府上外交陣容上，一再的調整，其用意當然是值得稱道的。

一個現代國家，無法遺世獨立，而自求發展；必需在國際政治舞台上，扮演一個角色。但現代的國際政治，不幸是國家彼此之間，各自爭取權力的政治。任何國家，要想求得生存或發展，便只有參加這種爭奪的戲劇。

在國際政治上，爭取權力的方法，通常有兩種：一是外交，一是戰爭。很顯然，外交是上策，戰爭是下策，只有在外交失去效力的情形，才不得已而訴之於戰爭。此所以現代國家，都十分注重外交工作。

當前政府注意到外交陣容的調整，假使做得極其適當，也許爲時不晚。所以這種調整，絕不能再是普通的「流通」或「外放」，必須使調整後的陣容，比調整前的陣容，更爲理想和健全。否則，倒還是不調整的好。所以人事的調整，並非必然有利於外交，這要看究竟如何調整。

在調整的過程中，理該採取人才主義。因爲辦外交，究竟不同於普通的做官，僅僅能講幾句英文或外國語，或只知道抽雪茄、跳華爾滋，而並沒具備國際政治上所應有的豐富常識的人，是不適宜的。至於說大話寫假報告的官僚，那就更不消說了。所以在調整過程中，固然要內舉不避親，尤其要外舉不避仇。國家到了這種地步，一切宗派地域等小圈子觀念，至少不能再出現於外交上了！

雖然，我們要爭取國際政治地位，便不能不注重外交，但外交究竟只是方法，本身並非力量，而是依賴國家的權力爲後盾。以維也納會議後加富爾之終能統一意大利而言，也是先努力於內部力量的培養，然後從事於外交的運用。要是意大利的壓隊，不能先後在克里米亞戰爭，對教皇國戰爭，都獲得勝利，對奧地利戰爭，縱然加富爾在外交的運用上如何巧妙，意大利也還是不可能統一的。

如何增進國際地位

我們自從大陸撤退到台灣以來，在國際政治上固尚有一定地位，但這種地位之必須待於不斷加强，殆無異疑。以去年外蒙入聯合國一案，被我們所否決的一事而言。中國身爲堂堂的安理會常任理事國之一，爲甚麼事先有那麼多的壓力，幾乎使我們透不過氣來？又爲甚麼在依法行使權力後，幾乎舉國若狂？我們可以想想：那種狂歡事實的後面，隱藏了多少的眼淚！我們的國際地位，已經到了一種甚麼程度？蓋已可知。

今天，我們在聯合國安理會，雖還保持了常任理事國的地位，但已經到了極艱難困苦的境地了。近幾年來，大家都担心到隨時可能發生的地位問題。但只要想到所以造成這一危機的原因，便可明白外交戰在國際關係上的重要了，單從外交技術言，則人才第一是外交上成敗的主要因子之一。

在加强國際地位方面來說，今天的形勢既不容即時反攻，則站在外交戰綫上的人員，其責任就更大了。要保持並加强現有的國際地位，不能只靠聯合國的代表團孤軍奮戰，而是須與我國所有駐外使節暨各駐在國共同努力的。與我國有邦交的加强，都將有助於我國國際地位的改善，因此，駐外使節的調整，實關係着未來我國對外關係的前途。

今天我們如能夠繼續在對外關係上有好的轉變，國際地位能從現狀中改進，則反攻還是有希望的。否則何堪設想！

應爲反攻創造條件

說到反攻，近年來，似乎有一種逐漸流行的說法，就是認爲只要美國政策改變，我們便可以反攻。言下之意，大有我們之所以不能反攻，便是由於美國從中作梗。美國在某些方面，固然也現實得可惡，但要說這也該怪美國，似乎不是頂公平的說法。說句良心話，要是不因韓戰爆發，在三十九年，海南舟山撤退後，第七艦隊協防台灣海峽，我們的局面，眞不知道要艱危到何種程度。如果說，今天不能反攻，是由於美國政策的牽制。那就是說，我們還沒有足夠的反攻力量。

但根據美國目前的政策言，對協防金馬，始終不作明確表示，而國際形勢又極其險惡，除非國際局勢有重大突變，反攻將不會是眼前的事。

我們的國際地位既不能用軍事行動來伸張，則今日尚站在外交戰綫上的人員，就應該眞正知道肩頭負荷之重了。因此，在今天的情勢言，反攻之準備固有待於軍事的强化，但今天的外交實亦應爲反攻創造有利條件。保持國際地位的現狀固是重要，而創造新的條件，才是今日外交運用的最高目標呢！

時事述評

・司馬璐・

訪日代表團

自由中國訪問日本的代表團即將出發。這一訪問團的團員俱屬我朝野知名之士，具有廣泛的代表性，我們相信，這一代表團將在與日本人士廣泛的接觸中，對于增進中日兩國的瞭解，有很大的貢獻。

很久以來，我們就聽說政府要爭取主動外交；直至最近一部份外交人事又有了些變動。如果僅僅變動了一些人事，而在我們的外交上沒有一種新的氣象，依然是不足的。什麼是新的氣象？這次訪日代表團的組織就是外交新氣象的一部分，值得稱道的。

政府當局應檢討

但是僅僅有了訪問團，而沒有我們駐在所在國家使領館外交活動的配合，也依然是不足的。我們記得，不久以前自由中國也有過一個學人組織的訪問團到過日本，當時日本當局和學術界非常重視。但是結果那一次的訪問並沒有獲得預期的效果和影響，原因是我們駐在所在國家的大使館不能充份配合。我們的政府當局對于這一類的事情應該切實提出檢討。我們的學人到達一個國家訪問，沒有受到駐在該國外交人員的得力協助，這在現代外交鬥爭上，是一件難以寬恕的大事件！

懶人應「另謀高就」

今年是我們外交上最猛烈戰鬥的一年。外交活動是在一個大政策指導之下，各方面分頭配合作戰的，所以外交人員應該有一個最起碼的條件，即是不適合於懶人擔任的職位。

我們的外交人員，有些是懶得離奇的，我們勉强用「懶」字形容這批外交人員，總算是很客氣的，實際上這些外交人員，一不用心，昧於國內外大勢，二不負責，多一事不如少一事；甚至有些藉外交之名，經營「副業」爲實的，我們的外交如要振作，就應該請這些先生「另謀高就」。

內政應與外交配合

我們的外交具有傑出的人材，例如蔣廷黻先生。

但是，好的外交人員要能充份發揮他的才華，又需要一個國家的內政進步能相配合。我們也知道，在目前一些好的外交人員，他們也可能有自己的辛酸。蔣廷黻先生回國時說：美國還有一部分人不同情我們，但是他們並非不同情我們反共，而是因爲有人「認爲我們不夠民主」，我們今後如能在民主方面有所進步，則取得更多美國人的同情，比較容易」。這就是說，我們的內政愈進步，外交的困難就愈少了。

台灣政壇的「笑話」

不久前，香港星島日報有一則以「台灣政壇笑話」爲題的專訊說：最近某民政廳長竟向桃園已死去年餘的民政局長陳篤光發獎狀。這豈止是一則「笑話」而已，這是一個官僚政治的剪影，生在今天的台灣令人感到痛心。

不久前，國際新聞會議在東京舉行會議，他們不僅沒有邀請我們自由中國參加，而且還說到我們欠缺新聞自由，這事誠然使人感到難堪而遺憾。後來我們的新聞界去電駁斥，又抗議過了，筆者認爲也是多此一舉的，因爲我們要改變國際視聽和多爭取朋友最好的辦法是「事實」。

外交戰士上前綫去！

如前所述，我們要加强我們的外交活動，但外交和內政是分不開的。今年可能是自由中國最艱難的一年，在目前的情勢下，奇蹟一時不會出現的；在一個相當時期內，外交可能是我們主要的戰綫，直接短兵相接的戰場。所以我們要提出，在外交戰綫上，讓富有戰鬥力的外交戰士，調上最前綫去！

對南越的宣傳和外交

·文魁·

海外通訊

（本報西貢航訊）從三月廿九日的青年節開始，西貢和堤岸的華僑活躍起來了，人們愉快興奮的情緒一直延續到四月四日的兒童節；但第二天四月五日，正是農曆清明，這天，兩地的僑胞却是懷着沉痛的心情度過的。

僑界追悼殉難同胞

爲了追悼超懸大陸反共殉難同胞，西貢堤岸二地的僑界發動了追悼大會。

大會假堤岸二府廟廣場舉行，由中華總理事會十幫長吳國宣氏與反共救國會主席曹延祺二氏分任正副主席。是日赴會者除我華僑各單位代表數千人外，另有外賓到會參加，最令人注意者爲越南國家革命運動委員會主席陳正誠和南越退伍軍人協會主席阮玉禮將軍……等多人，他們不只在觀禮，而是專來向中越反共殉難民致哀的。他們的到會更足以表現中越兩大民族在共同反共抗俄戰線上的團結和一致的重要。

自追悼會開始時起，全日落壇進香禮拜者，絡繹不絕，他（她）們大都是殉難烈士志士的家屬，但更多的是爲追念他們而來的僑胞。當排人列隊壇前看到千餘殉難者的名單時，眞是怵目驚心，滿懷悲憤，緬懷在大陸被迫害的父母，兄弟姐妹，死不知日，葬不知所，家散人亡，此情此景，悲憤交集，哀痛欲絕！

最奇怪的是，這時的越南季節，正是旱季，極少有在這時突然下雨的，但正當米高揚在前二天飛抵河內越共強制人民列隊歡迎「米高揚叔叔」時，人民因敢怒而不敢言，但天公却以雷電暴雨來懲罰他，據北圻內傳說，那天在大雨滂沱之下，列隊歡迎的人民，眞是以淚洗面，天愁地慘，此景此情，不曾是天地鬼神，對共黨的殘暴表示了憤怒，也是對於大陸無辜被害同胞，同表哀悼。

青年節見聞有感

這裏須要回溯來談，青年節的情況：

三月廿九日青年節西堤各界及學生代表共有千餘人參加了紀念會，主席團由我公使館蔣代辦及十位僑領代表及各單位組成。其中最少有十個人是四五十歲以上的代表，其次在坐千餘人又多數是兒童，因爲是日游藝節目由各學校四十餘單位參加。因此滿眼望去，幾全爲小學生，這顯然是主持人忘記邀請僑界的青年。事情雖已經過去了，但不能不說，這是很大的疏忽。我願意衷誠地向政府代表們作建設性的建議，希望在來年的青年節更擴大而有組織地慶祝一下，團讓華僑青年們自動來發揮他們的技能和愛國心，否則常常等於遣散和放棄組織領導華僑青年，這點希望當局不可不注意。

對使館黨部的建議

五日中午，我駐越蔣代辦恩鎧，乘機飛寮國永珍作對寮當局禮貌上之訪問，同時並對僑胞作宣慰。此次爲蔣氏首次赴寮觀察僑務，不論在邦交和僑務上言，均有意義。但我們希望蔣氏在返回西貢後，也能深入到越南屬內各省去視察僑務和爲華僑解決些困難，不要總是待在西貢，應該多看看各地僑胞生活，多和僑胞接近聯繫，如果能多接近僑胞一寸，祖信僑胞更會走多一尺來和政府接近的。不然所謂觀察和宣慰都是空洞的。

至於就對華僑社會和越南的宣傳言，今天我們的使館方面也是做得不夠的，只舉一點爲例：目前公使館內會客室裏只是還放着二年前法殖民時期新聞處主編的期刊數册，此外就再難看到自由中國之其他刊物了，館內本身既已如此貧乏，還談什麼對外宣傳呢！試種情況實在必須即時加以改正的，也希望主管僑政及外交的主管當局注意及此。自由越南目前正在積極勵精圖治中，目前環境正是有利於自由中國的，大家利害相同，應該多從加強宣傳來着手建立友好關係。

國民黨在西堤直屬支部也到了應該改造的時候了，那些借着參加黨作軌外活動的不良份子是必須加以清除的，正本清源之道，在於多吸收青年有爲的新血，以新人耳目。這雖是不是我們華僑的事，但爲着國家利益及國民黨本身着想，我還是附帶提出來說，想當局不會怪我多嘴吧！（四月五日午）

個人崇拜的始作俑者是列寧

（上接第一版）一九〇三年加入俄國社會民主工黨，一九〇四至一九〇五年間，他在西歐幾個俄國革命分子活動的城市居留，如倫敦、巴黎和日內瓦。一九〇五年九月回俄國，參與一九〇五至〇六年的革命，一九〇六年被捕，放逐至西伯利亞，翌年逃出，於一九〇八年到美國。許勃的歷史足可使我們相信他是熟識列寧及其他俄國革命的領導人物的。他到美國之後，一直跟俄國的革命領袖們保持密切聯系，所以有關十月革命和列寧奪取政權的情形，相當熟悉。他說列寧從國外回到彼得格勒之後，立刻準備武裝暴動，以推翻克倫斯基政府。列寧根本不重視制憲會議的召集，同時在列寧心目中，布爾什維克與孟什維克左派、社會革命黨間爲組成一個社會主義聯合內閣的談判也是一種掩護工作，以便進行對克倫斯基的軍事行動。至一九一七年的十一月十七日，以李可夫（Rikov）爲首的若干布爾什維克黨人爲抗議列寧拒絕和所有社會主義黨派組織聯合政府而辭去部長職位，同時，康米涅夫也辭去全俄蘇維埃中央執行委員會的主席職。即使拿已經成功了的十月政變來說，許多老布爾什維克黨人在事後還表示反對，認爲是「荒唐的冒險」。但列寧不顧一切，悍然行之。

恐怖從列寧開始

老布爾什維克黨人克拉新（Leonid Krassin）一次對剛從史德哥爾摩回彼得格勒的沙洛蒙（Solomon）說：「那些包圍列寧的人都很畏怕他，他們不敢說一句反對他的話，這就使我們返回到舊時的專制主義去了。」沙洛蒙帶了外面的輿論去見列寧，碰了大釘子，給列寧責備了一頓，當沙洛蒙表示不服時，列寧竟說出「我對所有反革命份子毫不留情」的話。所以恐怖統治從列寧的時代早經開始，列寧認爲不能槍斃人，就不能算是革命。一九一七年十二月二十日，列寧訓令塞辛斯基（Felix Darszhinsky）組織一個「鎮壓反革命和投機份子」的特別委員會，當時的名稱是契卡（Cheka），爲今日蘇聯秘密警察的前身。有一次，列寧向塞辛斯基遞了一張字條，問他在監獄裏拘留多少反革命分子，塞辛斯基回覆說：「大約有一千五百人」。列寧看了以後，隨手在旁邊劃了個叉號，將條還給塞辛斯基，後者看後起身，走出辦公室，將那一千五百人全部處決了。許勃在書中稱列寧是獨裁者，所行的絕對是獨裁政治。

十月革命的眞相

德國前社會民主黨領袖考茨基（Karl Kautsky）也曾寫過一篇論文，題目是「一九一七年的俄國革命」。根據考茨基所見，一九一七年三月革命以後，俄國的環境對於社會主義政黨十分有利，照理社會主義政黨是可以結成聯合陣綫，共圖大業的，因爲它們有大同小異的政綱，但是列寧反對這樣做，考茨基說：「早在革命以前，他就在社會民主黨中建立了自己的組織，這個獨立性的組織是建立在軍事的基礎上的，並且列寧已經在這個組織中取得了獨裁的大權」。我們舉一個例，以見列寧的獨斷。三月革命後一個月，他從瑞士由德國軍部將他潛送回國，在他未到俄國前，全俄蘇維埃會議已經舉行過了，亦列有的社會民主黨派，討論聯合的團結問題，這項談判於列寧到後中止。考茨基說：「列寧在俄國革命中的目的，不僅是要破壞所有自治團體，並且要清除所有異己的政黨和社會團體。爲了達到這個目的，他使用欺騙、誹謗和殘酷的暴力來打擊所有反對他的人，他把所有的社會主義者都認爲是反對者，只有甘願服從他領導的人才是例外。最後，他終於在一九一七年十一月七日，以政變的手段粉碎了所有反對他的人」。

列寧當一九一七年時，和其他黨派的人士一樣，主張在普選的基礎上召開制憲會議，選舉結果，列寧所領導的布爾什維克僅獲得很少的議席，其他各社會主義政黨形成了絕大多數，但由於列寧的權力慾太大，社會主義聯合政府的主張被列寧、托洛斯基的武力所打倒，制憲會議被解散，這就是十月革命。

新的專制政體

考茨基說：「現在民主制度終於毀滅了，於是他建立起他自己的政權。他在民主的廢墟上，建立了一個新的軍國主義式的官僚警察國家，一個新的專制政體。這一機構的成立，給了他一個比無恥的謊話更爲有力的武器，來對付反對他的社會主義者。現在他的手中握有沙皇時代鎮壓人民的一種工具，再加上資本家以生產工具所有者的資格來壓迫工資奴隸的武器。」旣然，列寧的政權是以少數統治絕大多數的局面，暴力和恐怖便不可避免。又因爲創立秘密警察的人過去會和沙皇警察有過多年的鬥爭經驗，深知沙皇警察組織的方法和弱點，他們因此知道如何去加強這種方法和彌補弱點。

除以上各人對列寧的批評外，羅莎盧森堡（Rosa Luxemburg）也曾於一九〇四年批評列寧說：「列寧的意思在控制黨的活動，而非黨的發展；在助長限制，和窒息這一個運動，而非使之生長、鞏固和擴大」。一九〇四年托洛斯基還留在社會民主工黨，尚未與列寧的「布爾什維克」合流時說：「在列寧的計劃中，黨將代替工人階級的地位，黨的組織將代替黨的本身。黨的中央委員會將代替黨的組織，最後最高獨裁者將代替中央委員會。」

列寧反對集體領導

我們明白了這些情形之後，對於史大林在蘇聯所作的罪惡，不能不叫列寧也來分擔大部分的責任，無論是「個人崇拜」的獨裁政治或秘密警察的橫行殺人，列寧確是始作俑者，無法逃避責任的。在黨史上，列寧只有當俄國社會民主工黨召開第二次代表大會時，提過兩個三人團（中央委員三人，火星報編委三人），互相監督的主張，難道這就是列寧的「集體領導」原則嗎？當然不是的，因爲那時候，列寧在黨內的勢力很小，他自知無法操縱，故作兩個三人團的主張，而且，第二次代表大會是在一九〇三年召開的，我們看他在大會中固執己見的作風和一九一七年前後的表現，就知道列寧是反對「集體領導」的。其次，列寧是個策略家和陰謀家，他的主張時常更改，且前後衝突，他曾主張召集制憲會議，但指使用武力解散制憲會議的也是他！綜觀列寧一生的言行，有什麼東西值得世人來舉手擁護，高呼「列寧主義萬歲」呢？布爾什維克黨人，你們一面反對「個人崇拜」，一面却抬出列寧這個偶像來做護身符，你們怎能自圓其說呢？

台·灣·省——公路交通之成就

張健生

台灣通訊

（台北通訊）台灣省公路局局長譚嶽泉在今年首次動員月會中，公開檢討該局業務，並作了對將來的瞻望。公路局在近年來，表現不少進步，服務精神，亦爲旅客所贊揚。茲將該局進步概況擇要報導如下：

去年度在業務方面，該局曾有下述幾項成就：

（一）運輸成本減低：去年因台省物價上漲，運輸所需各種材料價格自亦相率上昇，按說運輸成本必然增高，但實則去年一月至十一月止，其每車公里營業成本爲三·六五五元。較之四十三年度營業成本三·七八三元，尚降低了〇·一二八元。前年修車材料費每車公里爲三角、四角、七角不等，去年修車材料費則降低到每車公里僅及二角餘。輪胎運用壽命之延長達到七萬公里，較五年前增加一倍以上。其他站務雜費等，亦均普遍減少，爲降低運輸成本創造了條件。

（二）客車裝配改善：改善客車，爲公路局服務旅客之最佳表現，年來由於修車廠設備不斷充實，施工技術改進，現在造一輛新車，僅須二十天即可完成，而車身內外部裝置亦較前新穎舒適。[illegible]新車輛正不斷增加中，破舊車輛已淘汰不復行走。

（三）路面養護進步：由於該局在養路上表現了成績，已受到各方重視，友邦人士並建議全省縣鄉道路統歸由公路局代爲養護。此固爲工作責任之增加，但亦爲該局養路員工之光榮。近年來台省公路行車數量逐年增高，而養路費用却未比例增加，實爲該局之一大成就。接管縣鄉道路以來，不過數月，若干地區已有部份顯著之成效出現。所以去年路面之養護成績較之前年尤爲進步。

（四）設計工作精密：有人謂近代土木工程進步甚緩，惟台灣方面却不然。如去年公路局橋樑首先採用預力混凝土設計，在自由中國尚屬創舉。其他橋樑亦多採用各種新式設計，多方比較，務求符合工程安全經濟兩大原則，北淡水河橋樑之設計圖樣，更爲國內外專家們所一致贊許。現爲各方所注意者，爲台省橫貫公路之興建，此偉大之工程，爲台省光復以來一重要建設。該局是身負其責的工程單位，希望能經常注意此一工程之研究及其進行之發展，不要坐待機會，聽其自然，應更積極爭取其實現，希望在今年內能夠動工興築。又花東公路之連接，爲環島公路最後之一環。該局因限於財源無着，致未能提早完成。該局希望有關方面全力支持，促使花東公路早日興工。台灣全省計有二千六百公里縣鄉道路，此外如大雪山卡車路，石門水庫公路工程，均由該局代爲興築，此等工程雖爲該局業務範圍之外，但因各界對該局工作極具信心，故皆委之辦理。

（四月四日）

台北速寫

維持物價穩定

政府爲了充裕國庫，不得已而提高煙酒價格，但又怕刺激物價，故抽緊收縮通貨，甚至使黃金美鈔的黑市價格都下落了。但如何維持長久，還要望各方面的共同努力了。

愚人節的新聞

某英文報紙以消息靈通著稱，它在四月一日愚人節捏造了一則毛澤東罵史達林的報導，立刻爲各報採登，並有列爲頭條新聞的。這事固然說明受愚者之糊塗，而造謠者自身所受之損失，恐怕更大。總之，愚人節眞的使大家都愚蠢了。

屋大書少

師範學院改名師範大學前後，新添建築甚多，尤以新建的圖書館最爲偉觀。不過，館中圖書甚爲缺乏，與宏大的建築，成尖銳的對比，究竟應該先擴大外形呢？還是應該先充實內容呢？這是辦教育者應該檢討的一點。

限制是否即開放

台灣一向禁舞，爲了舞禁應否開放問題，曾由黨政各方面多次研商，始終沒有結果。最近省政府突然頒佈了一個「限制舞場辦法」。根據以往公文用語的習慣，「限制」往往就是「開放」，是不是舞禁從此開放了呢？對於有舞癖者，這倒是無關宏旨，因爲在舞禁聲中，營業性的舞場始終存在。

資料公開

爲了去年大批國際反共友人來台訪問，情報當局特籌設中共資料展覽會，頗爲精彩，可惜不是人人可以看到的。最近當局將一小部分資料提出，另舉辦一個中共暴行大陸同胞展覽會，任人參觀，極受市民歡迎。許多情報本可供大衆參考研究，過去都太機密了。希望從此改變作風，免得一般人對於中共毫無認識。

·杜衡之·

中共聽命俄酋反史

「香港輿論界的反應」

對於俄共清算史達林的事件，沉默了一個月另二十日的中共終於開腔了，在自由世界看來，中共必然有此一着，問題是中共選擇一個什麼時間和什麼藉口來跟着俄共的尾巴而清算史達林而已。

附庸國的悲哀

不同於以赫魯歇夫、布加甯和米高揚這些俄共頭子爲首的清算史達林其眞正用意何在，爲自由國家所感到迷惑的，這次中共在「人民日報」利用「人民日報編輯部根據」所謂「中央政治局擴大會議的討論」名義，寫成一篇「關於無產階級專政的歷史經驗」的文章發表，則爲本港輿論界一致認定是中共作爲俄共附庸國的一種悲哀，因爲在整篇文章看來，對清算史達林祇是爲了給俄共勉強做一個交代而已，全篇文章，不倫不類，如果事先不知道俄共曾經給史達林鞭屍的事實，則從這篇文章中是無法看到有清算史達林的迹象。

中共爲什麼不敢堂皇的把史達林從棺材裏拉出來換一頓呢，問題非常簡單，因爲這個今天被清算的人，也就是昨天「最偉大的導師」，這個問題是永遠無法向人民解釋的。

「亞洲狄托」迷夢 該醒了

不過從中共對俄共清算史達林所表露的態度看來，我們可以對中共與俄共之間的關係有了新的看法，同時，我們也可以看到一個附屬國家的醜惡嘴臉。因此，當「人民日報」於四月五日發表了這篇文章後，本港的各主要報章都有所論列；香港時報指稱：「素以向俄共一面倒自豪，而以高呼「史達林爺爺」爲榮的俄帝在東方的一大貓腳爪——中共，對於俄共反史達林運動這回事，沉默復沉默，觀望又觀望，終於不得不有所表示了。它所表白的詞意，總路綫當然不敢逾越其主子的範疇，有如圈圈然，這是奴隸政權的本質，理所應爾，並不希奇。

狄托於俄共反史運動掀起之際，曾稱「這是蘇聯跟着我們的路綫走」，毛澤東固不足以語此。以英國爲首，總督共產大國之間有歧見，難望擴一「亞洲狄托」出現的西方各國政治家，經過這次的事實考驗後，總該知所覺悟，爽然自失了吧！

首先我們對於中共這項聲明的說法，該聲爲它除了理論上無法自圓其說以外，內心上充滿着矛盾衝突的苦悶情緒。它指斥史達林個人獨裁統治爲違反「民衆路綫」，謂「依從民衆意志的集體領導」，是共產國家唯一正確的政治哲學。這用意完全在迎合俄共頭目赫魯歇夫所強調的「集體領導」這句術語，以表示忠貞的奴性，却忘記了自列甯以來的共產政權，在暴力革命手段之下，根本就不容許「依從民衆意志的集體領導」情形發生，否則共產黨所奉爲聖經賢傳的階級鬥爭與思想改造等唯物政治哲學，豈不成了反革命的理論體系？中共自稱「個人崇拜從來就不是中國共產主義的制度」，又說史達林「獲得國家內外人民的崇敬後，竟肆行擴大他本人的權威，對抗集體領導」云云，但亦自知其勒令中國大陸人民「跟着毛主席走」，一切歸功於「毛主席的賢明領導」，以及「毛主席」又向史達林一面倒這些十足的個人崇拜各種事實，彰彰在人耳目，無可隱蔽的，如是乎，不得不承認自己亦曾經犯了「嚴重錯誤」。這是專門向赫魯歇夫們表白中共一向奉戴史達林爲「紅衣教主」，尊之爲「爺爺」的變料個人崇拜的悔罪之詞。雖然故意把這種「嚴重錯誤」的罪名加在李立三與高崗身上，藉以對內減輕派系鬥爭的成份，對外掩飾奴才政權的醜態，然徒見其欲蓋彌彰而已。」

只是一篇「遁辭」

工商日報稱：「俄共清算史魔後，中共經過了一段長時間的沉默，到了前天才由「人民日報編輯部根據」所謂「中央政治局擴大會議的討論」寫成一篇「關於無產階級專政的歷史經驗」文章發表，這篇文章，正是很辛苦地找出了一些話頭，作爲對幹部人民的一個很勉強的交代。要知道，中共一向是大吹大擂地捧史魔的，如毛澤東說過的：「中國人民革命，完全依循史達林同志所指示的路綫」，「對史達林同志的敬愛，是完全出於誠意，任何人的挑撥離間，造謠污衊，到底都沒有用處」。郭沫若說過的：「偉大的史達林，永恆的太陽不變的鋼」！「多謝史達林爺爺和蘇聯大伯伯們，把我們解放」！而現在一個轉變，如果中共也學俄酋一般一旦痛斥史魔爲「劊子手」，將何以自圓其說呢？這一點，的確是中共宣傳上大大的困難。

然則中共這一篇不敢出於正面的所謂「關於無產階級專政的歷史經驗」的文章，就可以交代得過去嗎？稍爲懂得看文章的人，都會覺得它是一篇「遁辭」。它的內容是：一、花了大半篇幅替俄共這一清史事件作辯，而認爲共產黨不能沒有錯誤；二、把史魔的罪行輕描淡寫過了，絕不像俄酋這般凌厲；三、說明中共也有過錯誤，但已經不斷改正了。這三點的說法，主要是要輕輕抹煞他們過去捧史的痕跡，而其實，矛盾與牽強，更足以使得中共宣傳的破產。」

利用死人附和鞭屍

星島日報說：「北平中共廣播電台發表冗長「官方」聲明，斥史太林的一人統治爲腐敗。謂人民路綫——依從人民意志的集體領導——乃共產國家的唯一正確的政治哲學。

這又來一次證明共黨說的跟做的兩樣，中共現在做的，根本違反「共產國家的唯一正確的政治哲學」——「人民路綫」——。」

「行相違的事實，中共不能不隨聲附和，斥責史太林。他們倒想出一個相當狡猾，詭辯的辦法。他們把一切罪惡推到李立三，高崗等身上。他們已被中共清黨了，無力反辯了，於是，他們便成爲毛澤東、劉少奇、周恩來、朱德等的代罪之羔羊。俄共利用死人，鞭史太林之屍；中共亦利用死人；跟着鞭屍。亦步亦趨，不失其爲一切向俄共「老大哥」學習的小弟弟。」

毛澤東向主子繳卷

爲了掩蓋這樣言

自然日報指稱：「毛澤東最後必要聽從俄共現正當權的巨頭們的指示，對他的「史爺爺」加上一棒，作「打落水狗」一般辦理，但是，他必要儘可能拖延到無可再拖延的時候才這樣做，因爲他確實難於對中共幹部以及大陸無數青年們開口，把曾經稱捧上天的史達林一摔而下地。

因爲朱德已經把莫斯科新統治者的聖旨帶回北平，而米高揚也要到北平去，毛澤東再沒法拖延下去了。前天由北平「人民日報」帶頭攻擊史達林的一篇文章是帶有取巧作用的。它故意拿李立三和高崗做清算事件作陪襯，明知李立三和高崗都絕對沒有和史達林相提並論的資格，也勉強用他們來做擋箭的盾牌，替毛澤東來遮羞，其遁詞而窮，牽強附會之處，正是共產黨說謊撒賴的典型之作，但，毛澤東總算向赫魯曉夫與米高揚繳了卷，對新主子演過三呼萬歲的一幕了。

奴才也無沉默自由

環球報指出：「胡適博士抨擊過共黨沒有緘默的自由，這回是逼毛澤東自己也身受其苦了。中共的反史文章，就是沒有緘默自由的表現，如其中共可以照史太林、他們是決不驚的，此時不驚不響到現在才開口，可以想見；而其不得不驚，所以討主人點頭者一也，所以歸毛澤東向來就走羣衆路綫二也，其痛苦可見，其爲奴才可見，其爲卑污可見！」

中聲晚報更認爲中共的一切，都仰賴蘇聯，受蘇聯的控制，沒有辦法不跟蘇聯現統治者說話，做「應聲虫」。誰是蘇聯的現統治者，他的政策如何，中共就非捧他不可，無論那統治者是史太林，馬倫可夫，抑是赫魯曉夫。

誰說中共「獨立」？能夠做狄托？中共，只有應聲虫，跟尾狗的份兒！

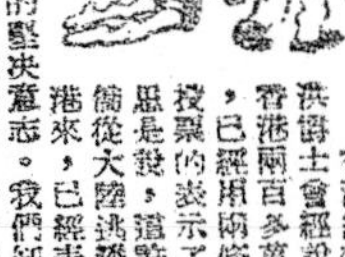

「粥」與「畜」的大陸生活

——一個小商人的血淚語——

・大冰・

香港總督葛量洪爵士曾經說過，香港兩百多萬華僑，已經用兩條腿做投票的表示了。意思是說，這許多華僑從大陸逃難到香港來，已經表示痛恨反對中共的堅決意志。我們知道，香港二百五十萬人民當中，十分之六七是由大陸逃難來的。到了香港，他們的生活不見得好，好幾十萬人沒有能力租房子，在山邊用竹木搭蓋木屋居住。凡而稱頌香港爲天堂，這是什麼道理呢？請看下面一幅大陸的流民圖。

中共最近開了竹幕，筆者的友人陳君於前幾日回大陸到了一趟又回來香港。陳君係高中畢業生，家鄉在廣東西江。他的哥哥在縣城裏開設西藥房，他回到故鄉看看哥哥。下面便是陳君的話。

『我的母親和兩個哥哥都在縣城，哥哥主持城裏的藥房。整個縣城只有兩間藥房，從前生意是很好的。

『船到了，跑上岸，心裏禁不住大跳。原來平靜的縣城，變成蕭條了空虛了。好像古墓一樣。回到店裏，門還是開着。不過貨物不多，幸還沒有關門而已。

『兩個哥哥都在店裏。但已經憔悴不堪。瘦了也老了。他們問我有什麼東西帶回來。我說，兩張洋氈，一張被袋，兩雙球鞋，都沒有准許進口。現在行李只有些少舊衫。他們說舊衫也很好。

『我問他們生意什樣？他們說，店子現在已經公私合營了，縣裏的商店全是公私合營的。什麼是公私合營呢？換句說話店子給「國家」沒收了。大哥仍然當經理，二哥當副理，此外還有三個伙計。大哥月薪十五元，二哥十二元，伙計每人十元。可是共產黨規定，店裏每月最低營業額，要達二千元。不及定額十分一，店員工資便得扣去二成，其餘類推，若果每月營業額只及半數，店員便沒有工錢可支。

『二千元的比額本不算高。可是因爲縣裏的人實在太窮了，沒有錢買藥。半年來沒有一個月的營業額達到一千元的。因此半年來他們全沒有支過工資。請求共產黨減低營業比額，總沒有得到批准」。

『縣裏每人每月配給糧食二十四斤，一半是米，一半是麥粉。油四兩，只有一兩是生油，三兩是桐油。桐油只堪點燈。年來家裏吃的全是粥。

『後來跑回家裏，見到母親。母親還沒有到六十歲，但已經沒有一根黑髮了。

『曉得我回來了，親戚故舊都跑來看我，頭一句話總問，「香港解放了沒有？台灣解放了沒有」。

『我搖搖頭，他們才吐一口氣。

『到家裏的第四天，剛好吃中飯，一個共黨幹部跑來了。指着我們碗裏的粥，問道，「粥燒得這樣稠，米從那裏來的」？我告訴他：我是歸僑，新購了六十斤米，他點頭，走了。這是共產黨的一種突擊檢查，每月總有三四次的。』

最後陳君說：『只有到過大陸的人們，才曉得香港眞是天堂。』

筆者問他，香港殖民地的中國人和大陸共產中國的中國人，生活上有什麼區別。

陳君說：『香港殖民地的中國人吃飯，中共統治下的中國人吃粥；香港殖民地的中國人是人，中共統治下的中國人是畜……』

「粥」「畜」兩字便是描寫大陸人民目前生活最簡潔恰當的字眼。中共揭開竹幕的一角，所能暴露出來的僞相便是如此。（四月二日）

「價值」「剝削」與「合作」

・樓桐蓀・

剝削是所有權的屬性

其次，在一般聖西蒙主義者，則反是，以爲剝削是我們社會制度一種「有機的」瑕疵。這種瑕疵是先天的伴隨着私產所有權而亦即爲私產所有權必然的結果，這不是地主反資本家的「謬見」，這是所有權的根本屬性——假若不能從中抽取一種不勞而獲的好處，就根本不成爲所有權了。是以剝削的對象並不限於用勞力的工人。凡須地主提供一筆資賦的人都可稱爲是被剝削，例如工業企業家之須放棄其一部份的利益於其廠屋的出租人，那企業家本人也即是個犧牲者。

反之，企業家的「利潤」，聖西蒙主義者却不認爲係從工人頭上剝削而來；這不過是他的管理工作所應得的酬償（工資）。無疑，做老板的也總不免會利用他的地位而任意過份的減少工人的工資，在這種情形上，則聖西蒙主義者亦和西士蒙地一樣，認爲工人是被剝削了。不過聖西蒙主義對於未來的工業社會很抱樂觀，以爲有若干特殊的能力，將受優厚的報酬。這也是聖西蒙學說的特點之一。

馬克思的不同論斷

末了，馬克思也完全以爲剝削是資本主義的瑕疵。但他所賦與這一個名詞的意義，則與一般聖西蒙主義者全然不同。他認爲剝削的根源生於交換的一種特別情況之中，這正如前面所說，係受有英國社會主義者們的濡染。在他，馬克思，以爲工人的勞動，單獨的創造各種產品的整個價值；因之，利息也罷，利潤也罷，都無非係從工人身上掠竊而來。企業家的利得，並不比資本家和地主們的利得更爲正當。

以上所述關於「剝削」這一個名詞各種不同的意義，可更就三家各自的觀點加以簡明的綜述如左：

（一）在西士蒙地，勞動者是被剝削了，因爲人家不給他以「足夠過着人的生活的工資」；但不勞動也可獲利過活，而且過得相當富裕的生活，他以爲這不是不正當的；

（二）在一般聖西蒙主義者，以爲一部份「勞動的有形成果」由於「社會制度」的關係，被所有權人侵掠而去，這就是剝削；

（三）末了，在馬克思，所謂剝削是指「勞動所創造的價值」之一部份，按照各種社會制度及各種「交換上的定律」被資本家掠奪而去。

徹底而脆弱的理論

這最後一種的說法，顯得比以前兩種更爲徹底，因爲除却工人的工資以外，其他一切利得均在被擯斥之列；可是實際上却以這個說法最爲脆弱。因爲只須有人證明各種產品的價值，並非由於勞力工作而生，則馬克思所築造在價值論上的龐形大物，便將全部坍台。這正是馬克思學說不久之後所即將遭遇的命運。關於馬克思「勞動價值」理論的錯誤，已被後來所有無私的經濟學家評駁得體無完膚，除却故意利用這種經濟以作爲政治資本的共產革命黨徒以外，全世界的人已再也不會受其欺騙。不過這問題幾乎包含着整個政治經濟學的理論，絕非在一次演講中所能畢其詞。俟把經濟思想上主要各派各所側重之點分述於後，以明此後人類經濟生活的歸趨。（四）

編者 讀者

留學政策，年來在台灣，爭辯甚多。近復有高中畢業生留學考試，今年將停止舉辦之說。本刊頃承陳紀瀅先生，撰寄一文，從理論與事實，作精湛的討論，結論贊同高中畢業生留學。此文將在本刊下一期發表，先此預告，請讀者留意爲幸！

△張健生、陳酒熙、王逢果、臧啟芳、田華、劍朋、羅稻仙、張洛園、王金城、袁修晨、龔希平、萬容覺、孫肆、周樹聲、常崇寶、王斌、紅綢繪、寧山樓、歐陽欽、李滔、辛植相，諸先生來賜稿至感幸。

代郵：西貢文甦先生：函悉，囑寄側嘉達的報紙，本報已按期寄出，餘另函詳。

自由談

人事可凍結乎？

報載「中國人事行政學會」最近為改良公務人員生活問題，曾向政府提出了若干建議，對於現行公務人員的待遇與福利事項，主張予以興革損益，用意甚善。但我認為當前尚有更重要的人事行政問題，值得商榷。

我國行政界的人事制度，最近四十年間，始終沒有重新樹立起來，更談不到健全與否。自中央政府播遷台灣後，却創建了一項非常的人事法規，即所謂「人事凍結」是也。有了這項人事凍結令，政治上必須發揮的賞罰黜陟，進賢退不肖諸作用，乃完全殭化窒息，而行政效率之說，自然變成廢話了。每個公務員只要堅守着「不求有功，但期無過」主義，便是鐵飯碗，大家鞠躬進退，死而後已。這樣倒省却了許多的人事行政工作——根本就沒有人事行政之可言哩！祗不知政府每年舉行高考普考大典所掄取的賢才，作何用場？而各個大學與專門學校逐年造就出來的知識份子，又有甚末請纓報國的機會呢？

在人事凍結中的行政機關，有如一池死水，既無活源流，即少活動力，必然的現象，就是沉沉靜態，微波不興。然國家又正是處於山嶽震撼的變動態勢之下，其將何以適應乎？古今中外的行政原理原則，可以裁員減政，可以停併業務與機構，唯未聞有凍結人事者。由人事凍結而思想行為亦必逐漸趨於凍結，如是乎政治上乃充滿着保守精神，惰性觀念，再也產生不出蓬蓬勃勃的興國氣象來。不能創進健全的人事制度，大家公忠體國，切實遵行，鍥而不舍，竟出之以消極而又消極的人事凍結這種姑息作風，實在令人大惑不解。中國人事行政學會對此關係政治隆替，國家盛衰的根本問題，諒不漠視，其亦有建議改進之意否？敢予望之。

馬五先生

養狗論

——士之所以不至，乃雞鳴狗盜之出其門也

胡簪雲

據說狗是最忠誠的動物，所以喜歡養狗的人很多，世上有不少狗所受的待遇，也往往比一些人，還要優厚得多，因此有不少窮途落魄的人，常有恨不生而為狗之慨。

但細細一想，狗亦確有一些非人所能及的美德，也就難怪有人甯養狗而不養人了。第一狗忠於其主，而人則不能。歷史上雖也不少忠臣義士，但他們實是忠於他的理想，而非狗之忠於某一人。人既有理想，他就有「是非之心」，如果他做的事情，是合乎他的理想，他可以拚命去幹，這並不是忠於你，而是忠於他自己的理想和意志，反之，他便說你「使之不以其道」，且更會站起來和你抬槓，輕則面折廷爭，重則倒戈兵諫。即使他不積極反對你，最少他也消極地不聽你驅使。屈原大抵可算得是歷史上忠臣的模範，但他的理想是叫做致君堯舜，你既不能為堯舜，他就甯願蹈汨羅而死，也不肯向你搖尾求憐。

春秋時有一位晉靈公，很討厭他的大臣趙盾，派了久經豢養的死士鉏麑去暗殺他，不幸那個鉏麑是一個「人」，他有「是非之心」，覺得害死一個愛國愛民的人，實違背自己的理想，他說：「賊民之主，不忠，棄君之命不信」，他甯願一頭撞死在大樹下，也不肯殺趙盾。你說養人，用人，是多麼難，多麼沒有把握呢，你聽，他把「賊民之主」叫做「不忠」，「棄君之命」，則僅是「不信」而已，而所忠的還是他自己的理想！狗就無此缺點。牠們沒有理想，以主人之意志為意志，無論叫牠做甚麼，牠都豎起尾巴來聽命，即使主子是一個比桀紂還要壞蛋的人，牠也一定全心全力地奔走。這樣的忠，才是最標準，最靠得住的。所以晉靈公再當趙盾上殿奏事的時候，便嗾使所豢的靈獒去咬他。那隻靈獒果然要得：一撲而前，直取喉頸，雖不幸被趙盾的衛士提彌明殺死，還給趙盾說了一句「棄人用犬，雖猛何為」的諷刺話，但靈獒一點耿耿的忠心，實在可昭日月。至於「棄人用犬」，則又為趙盾的書生之見了，實則晉靈公是人犬兼用的，壁廟中還伏有刀斧手哩，但人又有甚用，這些刀斧手中，就有一個叫做靈輒的，還倒戈相向，把趙盾救走了。

歷史上養人最熱心的，大抵要推孟嘗君了，他不養狗而養人，但除一馮諼外，數千賓客之中，結果還是那幾個會學幾聲狗「叫」的最為得力有用，便可知其中的消息，至於王安石那位腐儒大發空論，謂：「擅齊之強，得一士焉，宜可以南面而制秦」，實在是姑妄言之的忖測之詞，你信不信呀？其次，狗易養，人難養，狗的要求少，人的要求多，他不但要物質上的供應，還需要精神上的尊敬。楚王戊養申公，偶然幾次忘記為他另設甜酒，他便說[illegible]待士意怠，拂袖而去。齊宣王養孟子，祇因為和他談話時，不大注意，「顧左右而言他」，他就老大不高興。養狗便無此麻煩。喜歡的時候，拋幾根骨頭給牠，牠固然感恩戴德，就是有時忘記給牠東西吃，牠也會自想辦法，或到街上揀些糞來充飢，但仍然一樣對主子效死不去；不高興的時候，即走喝牠兩聲，踢牠幾腳，牠也一樣俯首帖耳。因為狗所求的，不過是有一個容身的門戶，使牠有勢可仗而已。因此，從養為已用言，則養人確不如養狗。

但養狗是否有百利而無一弊呢？我想來想去，覺得其弊固多，但最大的弊病就是牠不分好歹，見人就吠，你多養一兩條惡狗，人便不肯上門來受你的狗的狗氣，所以你養得狗多時，便會終日見不到一個人，誠如王荊公所謂：「雞鳴狗盜之出其門，此士之所以不至也」，似狗的人出其門，士且不至，何況養的是真狗呢？於是你終日所見，是搖頭擺尾的狗態，終日所聞，是吠影吠聲的狗聲，欲求「談笑有鴻儒，往來無白丁」的境界，則永不可得了。這還沒有甚麼要緊，最怕久而久之，你因終日坐對惡狗，便以為天下無「人」，而養成一種予智自雄，叱咤風雲，睥睨一世的醜態，那就真的養狗養出大毛病來了。

我對狗對人，全無成見。不過對於「養」，則記得孟子有兩句名言。他說：「養其小者為小人，養其大者為大人」，人總比狗大，故最後覺得欲成大事，做大人，似乎還是養人的好。

燕塵識小

·無負名·

自元至元四年於中都之東北建城，方六十里，分十一門。正南為麗正門，南之東為文明門，南之西為順承門；正東為崇仁門，東之南為齊化門，東之北為光熙門；正西為和義門，西之南為平則門，西之北為肅清門；北之東為安貞門，北之西為健德門。明洪武元年徐達經理元都，縮其城之北五里，廢光熙肅清二門，其九門仍舊，尋改崇仁曰東直，和義曰西直，安貞為安定，健德曰德勝。正統四年（明英宗）改麗正曰正陽，文明曰崇文，順承曰宣武，齊化曰朝陽，平則曰阜城。（直至今日仍有齊化門平則門之名）

由此可證皇明建制滿清沿襲，實在只有九門。何以劉詩稱為皇明十二呢？說來也很簡單。正陽門一共四門洞不是多了三座門嗎？九加三豈非恰和十二。何以又說「故開[illegible]闕[illegible]奇數」呢？袁氏折去了正陽門的東西二門，封閉了南門，仍餘九門。再新啓正陽左右雙門共四門，遂成十三奇數了。

提督九門非九門提督

因為內城實有九門，遂連帶而生了九門提督這一官名。其實是市井流傳於法無據的。按清通志職官略所載「步軍統領」一條，正名為「提督九門巡捕五營步軍統領」。止此而已，非真有一個九門提督實缺也。世人重視帝京的體統，原官又本有提督九門字樣，於是習俗相傳，九門提督四字，反奪步軍統領之名而代之。清末是烏珍任此官，民初則江朝宗久於其職。項城稱帝，甘為功狗，劉氏詩中，註之詳矣。

提督二字，勝朝文職亦有冠用者。例如放了貴州學台全銜為欽命，提督貴州全省學政是也。此處提督二字，是一動詞，實含提調督率之意，與提督九門正同。既曰全省，當然文武統轄，似不因兼考武童，而特予提督兼銜也。因談九門提督聯想及此，爰附述之。

外國雜誌上的描述

去年八月的TIME，有一篇「北京城內」。描寫一些故都舊事，中有一段，頗為新鮮，譯其大意云：

「約在五個世紀之前，蒙古人已被逐出境。北京城又須建起來。那是明永樂帝依從一位風水先生的計劃，將這一大城，做照「哪吒」神像的三頭六臂布置而成。因此神像的三頭，成為主要的前三門（正陽崇文宣武）。其餘六門就算六臂了（按這一句是譯者添入）神的腸子，成為陽溝，而肚臍眼成了玉泉。永樂帝褶歸海境，北京也成就了大城套小城的格局。絕似中國玩具，大盒子套小盒子」。

數十年來，北平有一班以導遊為業的專家。引導西方遊客觀光名勝，選勝士儀。這些人總不免張大其詞，故神其說，以示奧妙。三頭六臂之說，大概出於此輩之口，遊者不察，也就筆之於書，究竟是羌無故實，我以為未可盡信的。（三）

黨國前輩遺詩

·猬士·

楊篤生先生為早年同盟會人，留學英倫，與國父及吳稚老均有深交。辛亥三月廿九廣州之役失敗，楊氏在英聞耗，憤不欲生，投海殉國，留書云：「見中國之危狀，及人民不能協力推翻惡政府，似此衰弱之國民，實無顏與異國人相見」。按楊與章士釗友善，在英同住一屋，及後與章對國是問題意見日左，常常拍案相罵。楊卒後，章與楊兒書云：「篤生留英之年，神經亢不可階，往往小故，在他人不經意者，而篤生視與天崩無異，卒至親其所疏，疏其所親」云！楊為清末孝廉，詩文均佳，弔拜倫墓云：「碧紅衫服最少年，奮翠風度特翩翩，等閒花月成長恨，只與[illegible]曲曲傳。」巴拉特山行云：「入山雲物特廉纖，雨態晴容一例兼。細馬馱煙鷺進，萬松飛翠上眉尖。」

宋遯初（教仁）先生，詩極少見，楊篤生臨耗，傳至上海，宋氏時為民立報主筆，哭以詩云：「屈氏哀亡賈氏死，誰知歷劫又人間，鳳麟何必來塵世，猿鶴無時返故山。風雨黃花新鬼哭，英靈白馬夜潮寒。吾儕軀殼原無定，旋滅旋生任往還。」宋詩既傷廣州一役同志之犧牲，又痛悼楊氏之死，故詩中酸楚與熱血同奔也。

現任總統府資政馮自由氏，祖展揚以附太平天國被殺，父鏡如攜自由亡命日本經商，某年九月，國父偕陳少白鄭士良至日訪鏡如，商組興中會，自由年十四，加盟入會，自由紀以詩曰：「總理重陽唱大風，余生十四便從公，興中會創橫濱日，我是馬前一小童。」（下）

同光風雲錄

程學啓

程忠烈公，字方忠，桐城人。初陷太平軍中，隸玉成部，其勇，使守安慶。咸豐十一年率三百人來歸，曾國藩使領一營，每戰輒身先士卒，克安慶，厥功為最，擢游擊，賞戴花翎。

一河一營一橋一將

合肥李鴻章奉命規江蘇，擬招其為助，學啓慨然曰：『某受曾公厚恩，義當終始，然下游亦要事，且熟習情形，無若某者，曾公若允，願從行。』合肥請於國藩，國藩勉之曰：『江南人譽張國樑不絕口，汝好自為之，亦一國樑也。』合肥詢以入蘇方略，答曰：『下游水鄉，多橋，有一河即是一營，有一橋則是一將，得營得將，何功不成。』及功績卓著，或問其學何兵法？曰：『先有事，後有法，何今何古，在相地勢，得士卒之心而已。』

學啓圍攻蘇州時，所部僅三十二營，約兩萬人，而太平軍守城不下二十萬，學啓奮勇馳驟，攻陣奪壘，屢有斬獲，並於蘇城四郊，聯關立營，樹以旌旗，令各營將士，分番出入，或分日移駐，使竈烟炊火，日夜不絕，敵軍瞭望，不知多寡，因震懾而約降矣。

誅八王光復蘇州城

蘇城降王先請約定三事：一、劃半城以屯其衆，二、編為百營照給餉，三、給諸王總兵副將官職，但不薙髮。學啓一一佯許之。列約之敵王八人：雲官、伍貴文、汪安均、周文佳、范啓發、張大洲、汪懷武、汪有為。皆歃血為誓。學啓密陳合肥誅八王，合肥曰：『殺降不祥，且堅他敵之死拒。』猶豫不決。學啓曰：『今賊衆二十萬，徒以戰敗畏死而降，心固未服，分域而處，變在肘腋，何以善其後？』合肥乃許。

翌日，八王約期出城謁合肥，留宴軍中，溫語以接，酒半酣，左右報有廷寄，合肥起曰：『請程軍門陪客。』學啓遽入，揮健卒百人，挺矛刺殺八王，皆死。乃鳴鼓嚴陣入城，持八王頭示衆將士曰：『爾王詐降已伏誅矣，脅從無罪。』敵衆大驚擾，學啓揮兵殺其悍者數百人，餘衆分別遣留，皆帖服。於是乘勝克平望，攻嘉興，毀敵壘合二十餘。學啓揮軍肉搏登樓，中槍貫腦，踣而起，竟復城，以傷重致於軍。合肥疏陳學啓於兩年間，復江浙名城十數，敗蘇州為東南第一戰功。優詔賜卹，贈太子太保，於安慶，蘇州，嘉興建專祠，諡忠烈。曾國藩稱李鴻章處理蘇州降王事『眼明手辣』，不知皆學啓之謀也。（二十）

夢山樓

徵稿啓事

△本報擬徵求下列諸稿：

一、三千五百字至七千字左右的短篇小說，不限體裁和故事內容。一經選用，優先奉送稿酬。

二、台灣及海外各地自由文壇的動態報導，作家生活素描及過去文壇珍聞。每篇以不超過五百字為佳。

三、介紹海內外自由科學家、教育家、實業家、醫護、工礦業工作者的人物專稿。對象以現在從事於工作者為最佳。來稿不宜超過一千五百字。關於軍政界人物稿件，以散見各報者已多，請暫勿惠稿。

文壇動態·

作家下鄉

張健生

中國青年寫作協會，僅只有三年的歷史，她是自由中國文化界的後起的一支生力軍，曾在固有傳統文化上，在反共抗俄上，在文化清潔運動——除三害上，貢獻了無比的力量！因此，她的誕生，可說是應時代的需要而來，是時代的產物。

該會最近繼澎湖訪問團之後，又特再組織了「農村山地訪問團」，赴嘉義地區作為時四天的訪問。這一訪問團，共有團員二十六人，多為現今自由中國海內外名作家，由寫作協會理事耿修業率領，於二月廿日從台北乘車南下嘉義，由嘉縣分會總幹事邢鑑生陪同，分赴關子嶺，吳鳳鄉，阿里山，布袋港等地，訪問當地農民，漁民，鹽民，林場工人，是寫作家深入生產階層，考察體驗實際生活的首次。

該團團員北返後，大家均已返回工作崗位，皆準備着手將漁、林、鹽工人們的生活實況，為創作材料，寓于文藝作品中，反映於廣大的讀者，並作政府改善習俗和解決生產問題、社會問題的參考。團員鳳兮先生，已首先在百忙中，將考察體驗所得撰稿，在新生副刊上連續發表，實為不可多得的小品散文。

（本報歡迎此類文壇動態的短稿，請各地文友多賜佳作。——編者）

自由人

THE FREEMAN

（第五三四期）

中華民國僑務委員會
頒發登記證台教新字第一零二號
中華郵政台字第五〇〇號
執照登記為第一類新聞紙類
（半週刊每星期三 六出版）
每份 港幣壹毫
台北市售價台幣壹元
督印人：陳文華
地址：香港高士威道二十號四樓
3 rd. fl. 20 CAUSEWAY RD
HONG KONG
香港發行及事務接洽
高士打道66號 電話：七四〇五三
承印者：東南印務出版社
地址：高士打道六十四號
海外總經銷
友聯書報發行公司
香港：彌敦道中二十六號A二樓
台灣特派員辦事處
台北市館前街五十號
台灣總經銷處
台北市西寧南路壹壹叁號二樓
台郵劃撥儲金戶九二五二

論·留學·政策

——我贊成高中畢業留學——

·陳紀瀅·

高中畢業生留學的利弊，近幾年來在台灣文教界是經常引起辯論的題目。立法院教育委員會對於留學政策意見也極分歧。但過去幾年教育部舉辦高中畢業留學考試，立法院並沒有絕對不可以辦的主張。因之教育部歷年來所舉辦的高中留學考試，都極順利，尤其得到已取得獎學金學生家長的擁護。六年以來，大約已有千名以上的高中畢業生會得到機會，已去美國，日本或西班牙等國深造。

反對高中留學的理由

聽說今年這項考試將不再舉行，理由是國內大學已經擴充，有足夠的容量，可以使高中畢業生不致失學。這項決定雖尚未見諸明令，但在張部長談話中似乎已透露了這種意思。另外今年不再舉辦這項考試的原因，聽說還有兩項被人詬病，卻不願宣佈的事實：一、政府當局不贊成，認為有若干要人子弟到國外去不好好讀書，徒浪費金錢。二、是若干高中學生因缺乏國家民族觀念，恐其意志動搖。也有人說還有其他原因。但「其他原因」既無事實根據，且有點霧中傷之嫌，我們不應該以小人之心度君子之腹，輕於相信那些道聽塗說的謠言。我們應該根據事實來檢討一下，究竟高中畢業留學的利弊在哪裏？這種忽辦忽停的政策是否恰當？既不可以金錢放縱子弟跑到外國去度公子、小姐的揮霍生活；也不應因一念之差與個人情感，影響了無數子弟去國外深造的良好機會，方是正理。

我個人對於檢討這個問題，有幾項原則性的觀念，無妨先說出來，以做否定理論的借鏡。

第一、我覺得倘國內確有足夠的優良大學，可容納較大部份的高中畢業生，高中留學考試，的確可以停辦。

第二、拿着家長的錢去到國外不讀書，只顧揮霍，無論其家長是否要人，也不管他的錢來得是否正當，別說高中畢業不可留學，就是大學畢業也不可。因為這種風氣總不會有好影響，尤其失掉國家培養青年的本意。

第三、假若高中畢業生有充分就業的機會，高中畢業學生也不必一定都須升學。

我們試把以上三項觀念，依據事實，做一分析：

優良的大專學校太少

根據教育部發表：『本年度高級中等學校應屆畢業生，計高中七千六百名，師範生二千名，高級職業學校五千三百名。除師範生外，高職畢業生升學者以百分之十五計，約八百名，連高中畢業生共約八千四百名。以目前專科以上（包括文武學府）學校容納量而言，新生學額尚有餘裕。』

再看一看究竟有多少，專科以上學校？台大、政大、師大、法商學院、清華大學研究所等公立學校。又有東海大學、高雄醫學院、中原理工學院、東吳大學法學院、淡江英專等私立學校。再加上陸海空三軍官校，專科學校，在數額上，的確也夠多。但是若經仔細審查一下，除清華大學研究所招生名額過少不計外，其餘也僅有台大、師大、東海、政大、法商學院等數校、有較好設備與優良校譽，為一般家長希望其子弟受教之所。然而以上幾個學校招生總的名額，大概不會超過兩千人，那麼其餘六千多人，勢必投向其他設備欠佳，校譽較差的學校去受教。

打開天窗說亮話，儘管自已的子弟不成材，誰家的家長也不樂意他的子弟去讀蹩腳的大學，這不僅因人心向上，也確會影響他的前途。可是事實上，幾個較好的大學既不能完全容納這些學生；那麼，也就等於說非逼着大部份學生讀他不樂意讀的學校不可；這無異於剝奪了學生選擇學校的自由！

或者說，近幾年軍事學校招收學生情形欠佳、高中留學停辦及會考統一分發後，軍事學校招生可望改善。此處對於這一問題，暫不置論，單是高中留學停辦絕對解決不了這個問題，則非常明顯。

無論勉強就讀，不得已而入某校，就是對青年的精神打擊，也非家長的願望。至於某校好壞，教育部既准許它設立與立案，當然應一視同仁，無分軒輊，可是社會的看法則不然，好就是好，壞就是壞，毫分絲都有差別，毫無假借的餘地。

總之，目前優良大專還不能夠容納大部份高中畢業生是事實。尤其不能自由選擇學校也是事實。

留學生多數勤苦

其次，若干要人子弟到了外國不好好讀書，揮霍無度，種種浪費，我們自不敢保證其絕對沒有，但以我個人耳聞所及，這種學生絕對是少數中的少數。也並不一定全是高中畢業留學生。我曾接觸過將近七百名，由天主教與非宗教團體代請獎學金已去美國讀書學生家長。並經常和卅名以上的留美學生通信，我還沒有發現一個學生有越軌的行動，和有揮霍情事。相反的，這些學生無論全部獎學金或部分獎學金，都需要每天或每週做工幾小時，甚至有每週做工廿小時以上，才能勉強維持學校費用，以及日常零用。這些學生們男的給人家擦地板、拭玻璃、招呼飯廳，女的給人家看護小孩，當助理護士。每有兩三天假日，必事前找好工作，以便賺幾塊錢貼補零用。要知道這些孩子們在家庭中，其中有不少是所謂要人的子女，在國內，別說是生在富貴之家，即是中產小戶，大多數沒有勞動的習慣，到國外去讀書，還比在國內讀書辛苦些。大家都知道，美國因人力缺之，一般人都有勞動習慣，美國學生也同樣在課外尋找工作，以貼補學費，相沿成習，遂造成一種工作環境。假若一個學生不在課外做工，必有其課程繁忙的理由，否則會引人恥笑。這跟我們學生回到家，單等父母或下人給飯吃絕對不同。因此在這幾百人當中幾乎百分之九十以上都靠做工維持學業。

（下轉第三版）

海外通訊

（本報開羅特約航訊）中東局面，近日愈來愈壞，大家都明白這是共黨勢力滲入後，不可避免的結果。蘇俄擾亂中東，並不直接參予，而是挑撥和利用中東本身的複什矛盾。中共因要做蘇聯的幫兇，為虎作倀，因此對於中東也就不惜工本，大肆活動。

中共在埃化錢如水

年來中共對中東的各種活動，以埃及為其中心，先從經濟文化入手，傾其全力，大肆進攻，筆者過去已屢次在本刊有所報導。計自今年一月起至三月底止，中共在埃及所舉行的商品展覽，文藝戲劇表演等等，一連串宣傳工作，大有使埃及普通人士目不暇給之勢，尋且對中共發生錯覺，認為中共氣魄「偉大」。其實中國大陸在中共統治之下，已民不聊生，飢饉頻仍，災黎遍野。而中共派赴埃及的共幹官員，則揮霍逾恒，花錢如水，例如租用一所職員住宅，動輒每月美金兩三千元。中共在埃的經濟代表，購買埃棉已逾兩千萬鎊，（約合美金六千萬元）據說尚有續增之可能。做生意不講經濟利益，化錢不計國家能力，所為何來？無他，為求達共產國際在中東的政治利益耳。

共黨滲透智者心憂

埃及當局，對彼等活動，初時未嘗不有戒心，但貪圖目前利益，以為如此龐大貿易，機不可失，飲鴆止渴，在所不計。迨後，共黨種種滲透活動，日益加甚，聲勢逐漸浩大。加以蘇聯及其附庸國的軍火又源源運來，所謂經濟代表國，文化訪問團等，更絡繹於途，形勢逐漸改變，整個埃及已陷於赤禍包圍之中，而無從自拔矣。埃及有識之士，對此等傾向亦何嘗不憂心如焚，但勢孤力弱，何能為力？

埃及政要的牢騷語

筆者曾與彼邦朝野，縱論埃及危機。

中東風雲緊急
埃及無力應付共黨滲透
——埃記者團將訪台

·方劍·

綜合而言，造成目前局面的責任，埃及當局固屬責無旁貸，西方國家——尤其是美國，政策游移，缺乏遠見，實為最大原因。埃政府某要員曾告筆者，『中共忽然向我們購買如此大量棉花，當然有其政治原因，這還不是中共和蘇俄共同設下的圈套？雖明知如此，但我們要出賣棉花，也是鐵一般的事實。他們既肯出錢買，我們自然沒有不賣的道理。』他更進一步的慨嘆：『就因為我們要做這批生意，我們對共黨的文化宣傳就不得不稍為讓步了。他們的滲透也就隨着加緊了。』我對他說，你們這樣做生意，豈非引狼入室？他說：『不錯的，但責任不盡在我們呀？西方國家為甚麼不可以買我們的東西呢？共黨買我們的東西，並不見得是他們的需要。西方國家，尤其是美國為甚麼不可以買我們的棉花再轉賣到那些需要的國家呢？便是你們自由中國也可以這樣幫我們的忙呀？總之今日是講利害的世界，共黨國家竭其全力以貿易來「爭取」我們，西方國家只是袖手旁觀，不聞不問，又怎怪我們會上當呢？』這一席話，可以說代表了埃及政治圈子裏的一般意見。

筆者認為中東局面的穩定，必須美國先有其堅定和遠大的政策，英國在中東雖有其歷史上的地位，但現在已聲威大減，動輒得咎，此為今日談中東問題者所不可不加注意的。美國的外交家對中東情勢，也並非全不明了，但顧慮甚多，投鼠忌器，往往為盟國所牽制，因此若干有利時機，往往錯過，若干應有措施，往往不能實現。此亦可說是西方國家的內在矛盾，為共黨所最易利用之間隙。

應使文化藝術交流

不過中共儘管竭力活動，埃國朝野對我自由中國仍多存親善觀念。例如最近埃及共和日報刊載某記者訪問匪區通訊一則，曲解事實，經我方提出交涉，立即更正。該報並發起埃及記者團赴台訪問，該訪問團團員由三人增至四人，埃政府宣傳部業已正式同意，行期及團員人選，正在籌劃中，可見我對埃外交及宣傳，仍須不斷努力，未可稍為輕忽。自由中國對埃貿易以事實所限，或無大量開展之可能，惟文化藝術之交流，仍屬切要，自由影人，或其他自由文化藝術團體，似不妨多到此間，使中東人士能有機會認識我數千年傳統文化的優美與目前藝術的成就，勿令中共以馬列主義將中國文化蒙頭蓋面，以欺騙世人也。此舉不惟台灣文化界應負責任，港澳及其他海外自由文化人士似亦責無旁貸也。

中共續在中東活動

中共對中東的活動，除埃及外，其他阿剌伯國家，如沙地阿剌伯，蘇丹，敍利亞等，均為其進攻目標。中共的商業代表團與劇團已分別前往蘇丹活動。敍利亞情形複什，議會中並有共黨議員，共黨活動甚力，報載該國工團已接受中共邀請，前往北平訪問。于此可見情勢之一斑。自由中國決不宜輕視此種現象，蓋中東之反背，實為整個自由世界禍福之所關也。（四月四日開羅）

時事述評

·司馬璐·

急驚風遇慢郎中

埃及與以色列的衝突還在繼續。哈馬紹正在中東作預定為期一個月的訪問。哈馬紹訪問後，他要回到聯合國，向安理會寫報告，提計劃，開會，爭辯，不知又要吵到什麼時候才能得結論。那廂正待拚個你死我活，這廂還是「慢吞吞」，埃及的納撒這樣批評美國人，也不是沒有道理的。正是，急驚風遇到慢郎中！

病急亂投藥物

但是，美國或者整個聯合國，真是願意這樣「慢吞吞」嗎，不是的，他們也着急的，「慢吞吞」，不得已也。郎中既慢，於是環侍病榻的人就亂投藥物了。前些時為了美國遲遲對中東沒有決策，英國人大發了一頓脾氣；這次艾森豪承認中東局勢嚴重的談話一經發表，英國人又如釋重負！法國也表示了寬慰，並且建議召開英美法三國會議，商解決中東問題。美國也因此更受到鼓勵，他們表示必要時甚至會以出兵干涉與制裁中東的侵略者。

如何對症下藥

對症下藥，首先要找出病源，病源是不難找出的。根據一九二七年的「巴爾福宣言」，答應了猶太人在巴力斯坦建國的「便利」；一九四七年聯合國的決議，在此區域猶太人與阿拉伯人分區而治；一九四九年以阿戰爭結束，簽訂了休戰協定；一九五〇年英美法三國宣言，不得改變這一地區的現狀。以上這些事實說明，在法理上，巴力斯坦的猶阿分治，「問題」應該是不存在的。但是，猶阿分治以後，一九四八年有一百多萬阿拉伯難民自以色列逃出，阿人指猶人侵略，猶人說這些區域本來就是他們的家鄉，于是爆炸性的問題不斷發生。

犬牙交錯的矛盾

問題的另一方面：第一次大戰以後，英國人在中東驅逐了土耳其的勢力，控制了巴力斯坦，很久以來，英國是這一區域的安定力。第二次大戰以後，英國人一步步從這一區域後退，退出了蘇彝士，退出了蘇丹，退出了巴力斯坦，以及不久前的約旦事件和塞島事件。英國人敗退，蘇俄正向這一區域插進來。美國人在這一區域，經濟上，他們對石油一樣有興趣，和英國人有競爭；在政治上，他們要堵住蘇俄。因此在這一地區，英美之間，有時一致，有時衝突。法國人在中東等于沒有政策，誰支持北非，他就反對誰。

蘇俄下了毒手

在今日的中東，有共產黨的顛覆活動，有大國間的鈎心鬥角，有民族主義的衝突，有宗教間的傾軋，它集中了一切矛盾，總之，凡是屬于今天自由世界的病症，它一應俱全。當全世界尋求中東的和平時，蘇俄在這裏下了毒手，以軍火傳予埃及，遂使中東之症，愈陷愈深，蘇俄的「和平」到底是怎樣一回事，中東是一個最好的標本。埃及不是不知道，蘇俄的「援助」是不懷好意的，埃及不是不知道，跟蘇俄打交道等于飲鴆止渴，但是，只怪我們太過于「慢吞吞」了。

中東問題解決之道

治本方面：要依靠英美法三國的合作，特別是要執行一個開明的民族主義政策，逐漸消除這一地區人民對西方國家的疑懼，使他們認識今天民族主義唯一的敵人是蘇俄帝國主義。治標方面：第一、依速劃以阿之間的緩衝線；第二、加強執行一九四九年所規定的休戰監督工作；第三、對于一九四八年以來從以色列逃亡的阿拉伯難民，應有妥善長遠的安置辦法。

教授休假辦法欠公允 升等限制名額法無據

・陳志奇・

（本報台北通訊）國立台灣大學教授多人，以教育部現行「公立專科學校教授休假進修」辦法，及關于教員升等事件，均欠公允，有違施行此項規定之原意，乃於該校校務會議上，提請教育部作有效處理。但該校當局頃奉教育部核示：該辦法實施未久，暫從復議。教育部的答覆，很顯然的令到教授們失望，但他們除了失望，只有寄希望於「復議」二字了。

教課愈多休假反少

對於現行公立專科學校教授休假進修辦法表示不滿的，是許永綏，盛慶琜，馮偉諸教授。他們認爲該辦法第五條規定：「進修教授所任功課由同校其他教授分任之，不得因此增加員額」，依照此項規定，則雖同爲連續在校任專任教授滿七年以上，成績卓著，然担任課程較多之教授所獲得此項休假進修之機會反而減少。因担任數門課程者所任課程均能同時由同校其他教授分任，在目前這種教授缺乏的情形下，可以說是極其困難的；但担任課程較少，或僅担任一門課者，其所任課程同時由同校其他教授分任，當屬輕而易舉。因之，按前述第五條之規定，担任課程較多者，雖備極辛勞，而所獲優待，反居其末，其不公允之處至彰，其令人不平之處至明。「賢者多勞」，豈謂此乎？

限制升等堵塞賢能

根據「大學及獨立學院教員資格審查暫行規程」及其「施行細則」，教員升等，是不受預算及編制名額限制的。但教育部四十三年十一月廿七日及四十二年十月廿六日兩項命令，則對名額上有所限制。蘇孟武，梅仲協，陳國新，全漢昇，劉南溟，戴炎輝等教授認爲這與原頒暫行規程及施行細則之立法原意大有出入。他們的理由是：該規程第十二條載：「副教授講師助教於定期教務任滿後，得按照本規程之規定，由學校呈請爲升等之審查，合格後另給證書。」又同規程施行細則第二條第二項載：「各校擬聘及現不在職之教員，得由學校或其本人隨時呈請審查之。」同施行細則第五條載：「暫行規程第七條規定之審查辦法，除由學校呈請審查者外，其經學術審議委員會委員三人以上之聯合推薦者，得選提學術審議委員會投票表決之。」同施行細則第十條載：「在職之專任副教授、講師、助教完滿定期業務，經學校考查其成績確屬優良而有專門著作者，由校呈請爲升等之審查時，須繳下列各件……。」由上之，足見關于教員升等之事件，並無名額上之限制，教育部規定名額加以限制，實於法無據，顯將堵塞賢能之士升等之道。

檢討台省教育現況

炫耀一時 終將飲恨

教育當局，近年來作「革命性」整頓，雖毀譽參半，但亦不可一概抹煞，有若干改進確也呈現出不少的希望。然往往因方法之不善，至所得結果相反，教育事業總以務實爲本，不可走託形式，以致「金玉其外，敗絮其中」，如但求炫耀於一時，則終將飲恨於永恒。（四月九日）

・張超凡・

過去在大陸上辦教育，把教育辦錯了方向，使鄉下人向城裏跑，使受教育者知吃飯而不知種田，知穿衣而不知織布，一受教育，便成「人上人」，除了追求升官發財而外，別無出路，其結果造成「人人求事」而「事求人」的不合理現象，最近總統曾謂：我們在大陸上之失敗，主要的原因是由於教育的失敗。這是極明智高遠的見解。過去之失敗，既與教育攸關，今天在台灣辦教育，就應該深思熟慮，知所警惕，必須設計一套適合國情，有益國計民生的教育政策，妥慎實施，以覘成效，可是事實顯示，並非如此。試一檢討即可以見其危機所在。

高教發展過速的隱憂

高等教育，爲國家培植專才，以爲國用。近兩年來，台省高等教育發展過速，現在總計公私立專科以上學校達十七所之多，計劃成立中者，尚不在此數內。從學校數字看，不能不令人敬佩。可是盲目增加高專學校，卻又忽略了畢業學生的出路。據所知，自三十八年以來畢業生出路，一賴就業考試解決，但是近兩年來，就業考試錄取人數之比率，已由百分之九十，降到百分之六十，去年有一萬多大專及高職畢業生參加就業考試，結果因爲分發困難，僅錄取七千人，而分發工作，又是相當吃力，至今尚未全部分發出去。已分發的，則許多是被送到鄉鎮公所去當收發；跑公文，使青年的銳氣消磨於「等因奉此」之中，豈非與國家培植專材之原意相違。而公務員既是一個「官」，如果所有的大專高職畢業生，一律以「作官」爲出路，國家前途還有希望嗎？近兩年來，本省正勵行人事制度上的所謂「凍結政策」，出缺不補，虛位以待，分發就業考試的學生，台灣省府雖已竭盡全力仍不能使百分之六十就業考試及格的學生全部分發工作，那末，還有百分之四十的畢業生的出路又何在呢？學生畢業之後，所得竟是如此，又怎不令家長寒心，個人失望，這種現象無形中爲社會隱伏了危機。今已如此，兩年之後，豈不將更無法安排，青年爲國家命脈，青年不得安定職業，不能展其所長，積憤一旦爆發，如何得了，過去大陸上教育的失敗，不是完全這樣嗎？我們今天還能翻版這一套失敗的方法嗎？

中等教育亟待整頓

中等教育，在本省相當發達，以性質分，則有中學、師範、職業學校；以程度分，則有高中、初中、四年制、五年制之別。普通中學，優良者不多，師資水準參差不齊，勝任裕如者僅少數，大多數則程度不夠，由於中學師資不夠，省教育廳爲此開了一道方便之門，經由中小學教員檢定委員會，來充實師資，但以檢定失之過濫，師源蕪雜，水準降低，許多連課本也不一定懂得清楚，遑論教學經驗。其後果最吃虧的是中學生，所以本省中等學校畢業生，很少能寫明白一封信的，學生既無良師循循善誘，對功課自不感興趣，學校反成爲「太保」「太妹」的養成所了！

說到師範學校，原爲培養小學師資，可是現在九所師範學校，等於免費的中學，毫無教育氣氛。學生進入師範的目的，主要的是爲着「逃避兵役」。其次是由於師範學校可以吃三年不花錢的飯，出來可以有一個小學教員的職業。在求職困難的今天，這一點當然富有誘惑性的。至於職業學校，亦多有名無實，農職學生穿着鞋襪下田，工職學生不知使用機器，（有些學校連教師也不一定會使用）而文字知識又不能學好，照這樣教育，不僅是害了青年，更是斷喪了國家的元氣。

小學校裏的怪現象

中央及本省教育當局，動輒人以本省國民教育異常發達，可與歐美先進國家並駕齊驅，實際上本省國民教育內容，是值得教育當局冷靜地去觀察研究的。

以教育言，本省籍教員，多默守成規，不能自動改進，一切措施，均賴教育行政機構來領導；但他們的優點，是絕對聽話，而其負責和服務的精神，卻爲內地人所不及，所以如果有良好而正確的領導，他們確能爲國民教育做一點成績，若領導錯誤，那就不堪設想。外省籍教員，多爲半路出家，因工作困難而攀親求友，藉一紙八行，弄一個小學教員，混碗飯吃，既不懂教育，也無教學經驗，但過去舊的官場習氣和派系傾軋的經驗習染已深，他們在校，就專事控告校長，破壞行政，不與同事合作，使本省籍教員望而生畏。師資如此，又怎樣談得上改進教育。現在又因教室不夠，多推行「二部制」，「三部制」，「四部制」，兒童混六年畢業，結果男生不會寫信，女生不會煮飯，每年十五萬以上的畢業兒童，依去年的比率，有百分之卅六升學，百分之六十四就業，請問這許多信不會寫，飯不會煮的八九萬兒童，有甚麼業可就！這又是本省社會問題的一大危機！

應先檢討再謀改進

上述這三點，皆爲當前台灣教育上嚴重問題，且爲大多數人所共知，決非危言聳聽。爲政之道，貴在清本清源，而後逐言翻新，始能覘其成效，今不但根基未固，而且百孔千瘡，而意欲於沙丘之上，建立崇樓傑閣，稍具常識者皆知此爲徒勞之舉。其所以如此者，考其原因：第一由於中央教育當局不了解本省實際情形，而求功之心過切。第二由於本省教育當局，完全外行，他根本不懂教育爲何物，所以不明白其癥結所在，也就不敢反映實際情形給上級。因此，諱而不談，不思實事求是，針對現實，以謀改進之道，徒以一時之興奮，今天提倡九年義務教育，明天提倡免試升學，把國家大事，當作兒戲。須知教育事業，是國家百年大計，也是民族命脈所寄託，別的事可以馬虎，只有教育不應該馬虎，教育工作做錯了其影響是廣泛而久遠的，希望教育當局還是先多從檢討現況上去着手，待固本培元之後，再求改進吧！

董顯光論

・王斌・

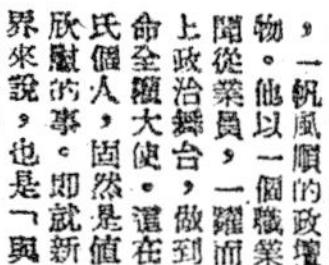

・人物・評述・

董顯光氏這幾年來，可說是時來運到，一帆風順的政壇人物。他以一個職業新聞從業員，一躍而踏上政治舞台，做到特命全權大使。這在董氏個人，固然是值得欣慰的事。即就新聞界來說，也是「與有榮焉」的。

翻開董氏的經歷：他出身於美國密蘇里新聞學院，在新聞界已有四十年的服務歷史，曾在京滬一帶辦報和任主筆等工作。政治的經歷是：中央宣傳部副部長、國際宣傳處處長、行政院新聞局局長、中國廣播公司總經理、和最近的駐日大使。從這些經歷看，董氏生平是搞宣傳的能手。董氏自己說過：「一個新聞記者做了外交官，就好像接受了新聞採訪使命，而加上對外的關係（Public Relations）。新聞記者做外交官，以消息供給本國政府。比較職業外交官更多更快」。他這段話，是受命做駐日大使的時候說的，可說「三句不離本行」。

不過外交官到底不是新聞記者，外交官決不是祗是以消息供給政府爲已足的。

董氏自民國四十二年九月前往東瀛，做中華民國的駐日大使，本月六日返國，已經整整四年。四年當中，他在中日邦交上，做了些什麼？表現了些什麼？這都是國人所極爲關懷的。二次大戰以後，日本由無條件投降而轉爲獨立自主。中日關係，亦由敵而爲友。董大使恰好在這最重要的時期，充任我國的駐日大使，責任之艱巨，使命之不平凡，可想而知。

記得四年前董氏赴日就任，機場臨別的時候。許多新聞界人士曾對董氏說：「董先生這次外放東瀛，是我們新聞界感覺光榮的事，我們希望董先生能將中日兩國的友誼，百尺竿頭更進一步，使中日兩國成爲亞洲反共最堅強的盟友」。當時董氏微笑點首，亦頗以此自期許。

董氏駐日四年，光陰如流水，沒有驚濤駭浪，似乎也沒漣漪微波。淡淡的便過去了。

筆者曾從若干返自東瀛人士，詢及對董氏四年駐日的觀感。幾於異口同聲，雖屬無功，但也無過。祇是覺得過於平凡一點。守成有餘，開創不足。規矩中繩墨，遺大投艱，似嫌魄力少差。這些人士說：董先生在宣傳工作方面，曾做過些事情的，例如發行一種周刊，中日文並列，向旅日華僑傳播消息，激發華僑對祖國的熱情。此外還刊行一種英文周報，供給國際人士，供他們對自由中國得到正確認識。這都是好的。但爲甚麼說不夠魄力呢？別的不說，比如最近二月二十八日在東京出現了一個所謂「台灣民主共和國」，爲首的叛徒廖文毅是台灣省人，他的身份是旅日華僑。一國的僑民在互有邦交的國家中成立僞組織，公然做出叛國行爲，這不能不說是妨礙兩國友誼的大事件。董大使身爲駐日的最高外交負責人，決不能熟視無睹，事前事後，應該遵循外交途徑着實向日本當局提出交涉的。然而廖文毅這一叛徒，竟在東瀛演出這樣的醜劇，董大使既不能事前銷弭於無形，事後似乎也沒有若何得力的處理。這實在是最使人遺憾的事。董氏應變之才，於此可見一斑矣。

往者已矣，現在董氏已正式發表繼顧維鈞氏而出任駐美大使，行將赴任。駐美大使的責任，自然要比駐日更重，我們希望董氏不要『不求有功，但求無過』。這祗是最普通的官僚心理。對美外交的成敗，關係自由中國的命運太大了。蹉跎不得，坐待不得。更不是辦兩個刊物，寫一兩本書，所能應付得了的。董大使勉乎哉！（四月八日於台北）

台北速寫

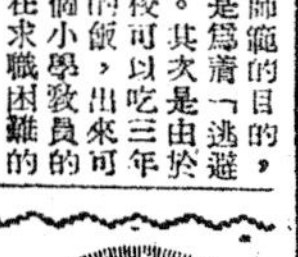

對訪問團的希望

由於日本朝野醉心中立路綫，從台灣去的幾個訪問團，可說都被冷落，而掃興以歸。最近由張道藩率領的一個親善訪問團，包括立監委及文教代表，陣容堅強。大家希望他們不虛此行，能挣回一點面子。而且，這個訪問團是應日本各保守黨派議員之邀而去，照理說是可以受到尊敬與重視的。

名政論家與輿論

凡是有關蘇俄的問題發生，此間向來是由陶希聖以名政論家的身份發表談話或專文。但是，一般人都把他看做國民黨的發言人，而認爲他的意見具有指導性，所以只要他一有表示，別的人就不便再發表不同的意見了。有人說，這種不成文的慣例是自由中國輿論不能發達的原因之一。若是，則不知道有無改善的途徑。

對策與錢

中共在香港的和平攻勢，此間各報要字不載，官方也無表示。但有心人頗引以爲憂。有位官員說，自由中國在海外的心戰工作，癥結在於經費不夠，換句話說，中共的統戰得力於錢多。話雖如此，我們仍盼望負責的方面有一套對策。（在我們的看法是，對策比錢更要緊，有錢而無對策，則錢再多亦屬徒然。——編者。）

漲！

物價有繼漲之勢，繼公共汽車及烟酒之後，郵電航空以及洗澡理髮都加了價。火車票價不久也將調整。甚至生意最好的電影，也要提高票價了。各報（包括中央日報）對於公營事業加價一致表示反感，不知負責當局能否臨崖勒馬，以順民意。

飛將軍的自豪

最近三軍之中，以空軍最活躍，時常有遭遇米格機，以寡擊衆的消息。空軍的制服也自本年起改爲藍色，給人一種新鮮之感。飛將軍們所傷腦筋的問題，乃在待遇，聞現在的待遇猶若一如陸海軍。惟一足以自豪的，是女孩子對飛將軍們還是敬仰之的。

・杜蘅之・

徵稿啓事

△本報擬徵求下列諸稿：

一、三千五百字至七千字左右的短篇小說，不限體裁和故事內容。一經選用，優先奉送稿酬。

二、台灣及海外各地自由文壇的動態報導，作家生活素描及過去文壇珍聞。每篇以不超過五百字爲佳。

三、介紹海內外自由科學家、教育家、實業家、醫護、工礦業工作者的人物專稿。對象以現在從事於工作者爲最佳。來稿不宜超過一千五百字。關於軍政界人物稿件以散見各報者已多，請暫勿惠稿。

吳克教授及其新著

搜集資料期間，曾與中國香港文化界廣泛接觸，對中國問題有深切瞭解。

最近美國教授吳克在倫敦出版了一本有關研究中共問題的新書，這本名為「共產主義下的中國——開始的五年」一書的問世，不但震動了英國的政治家，同時也備受到香港的重視，雖然這一本新著尚未運售本港，但據幾個著名的書商說，已有一個若干數量的新書在運港途中。

吳克教授對香港和自由中國說來，並不陌生而且有親切之感，由於當吳克教授在一九五四年期間正為這本著作搜集資料時，就曾到過香港和自由中國，並且和這兩地的文化界朋友交換過意見，當時他一方面從中共出版的報章雜誌以及各方面去進行理解中共的政策和這些政策在被統治下的人民所得到的反響，另一方面他又從事對自由中國的訪問，使他覺察了自由中國是一個怎樣的政府，同時也了解到知識分子對中國問題的批評。

因此，吳克教授這本新著資料的搜羅，是經過許多時間和心血的，這次經過整理出版後，據倫敦方面的消息，立即受到英倫知識界的重視，指為立論正確，而且也作為英國政治家對中共問題的一種寶貴參考資料。

香港的言論界甚至認為如果吳克的新著足以對英國有所影響的話，是英國從新檢討對中共政策的時候了，此間的言論界一再指出，英國的承認中共，開了西方國家承認此一共黨政權的先河，可是卻得不到預期的效果，相反的，反受中共若干的追迫，遠的不說，僅以近事而論，一個塞浦路斯的反英運動，已夠英國應付不了，跟着又有約但的反目，錫蘭的脫韁，都可以說是英國姑息中共直間接造成的後果。吳克教授的這本有關中共問題的新著能夠在英國出版，而且受到重視，那是不容易的，他雖然不能使英國馬上對中共問題加以檢討，但至少將為英國政治家的一種重要參考資料。

在吳克教授的新著中，指出了英國對中共所採取的政策是由於三種錯誤的觀念而起：一，英國以為北平政權是為中國人民謀「福利」，而受中國人民「擁護」的政權，英國有些左傾政客，到的「毛家店」[illegible]參觀一番，並在北平受了中共佳餚美酒的招待，回國以後，曾經放過不少這種荒謬的讕論；吳克教授書中兩個驚人的數字，就可以戳穿這種謬論，他說：根據中共自己所發表的統計，到一九五三年為止，中國大陸上無辜受戮的老百姓，至少有七百五十萬，一九五四年強迫勞動的奴隸，就有二千四百多萬。中國人民的遭遇如此悲慘，令人不禁有「人間何世」之歎。「福利」云乎哉？「擁護」云乎哉？

他認為共產黨眞正的目的，是在以恐怖手段來控制農民，而消滅他們對于農業集體政策的反抗，中國的農民除了被殺之外，還要受到餓死的威脅，因為不論豐收或荒歉，他們都必須交出米麥運往蘇俄，以供奉共產主義的主子。

吳克教授又說，這種恐怖現象，也不僅限於農村，依照中共的「懲治反革命份子條例」，任何一種農業工業或文化上的「破壞」份子，都可以處以死刑。

英國對中共的第二種錯誤觀念，就是牠還存着毛匪澤東會變成狄托的希望，但是吳克教授一再強調說明這種「中國狄托」的希望：是一個絕對不會實現的夢想，他指出從前南斯拉夫之與蘇俄破裂，完全是莫斯科逼出來的，當時蘇俄以為只要她和南斯拉夫斷絕關係，狄托就會立刻垮台，誰知狄托居然得到西方諸國的援助，而始終屹立不動，蘇俄受了這一次嚴重的教訓，現在還敢輕舉妄動來逼迫毛匪澤東變成「中國狄托」嗎？

此外英國又誤認中共是一國和平的政權，牠覺得自己總算得一個經濟基礎相當良好的國家，戰後為了民生問題，尚且不免弄得精疲力竭，中國那麼貧窮落後，人口衆多，北平政權要為人民謀立足之計，已屬不易，同時還要實現「五年計劃」的工業建設，那裏能有餘力再從事戰爭呢，吳克教授認為中共匪幫就是一個不顧國計民生，專為戰爭而起家，專為戰爭而存在的政權，他對于中共組織主要的結論這樣說：「這一個政權的基礎，是戰爭而非和平，從中國共產黨領袖們的談話看來，他們所有的重大方案的主要就是戰爭——階級戰爭，或者國內的戰爭，國外的戰爭；該政權的這一種特性，大約不致于改變。」

「價值」「剝削」與「合作」

·樓桐蓀·

（一）毫無疑義，我們的「政治經濟學之父」亞丹．史密士，在其不朽的「國富論」巨著中，係偏重於生產問題的研究，但卻也曾寫有下述這樣的名言：「消費是一切生產唯一的終點和唯一的目的……可是在重商主義的制度中，消費的利益幾已經常被生產者的利益所犧牲」。這個道理，在五十餘年後，特羅士（1773-1850）在其於一八二九年所發表的「政治經濟學或財富科學的原理」中，又有一句很著名的話，說得更為透闢：「看了有若干經濟學家的說法，幾使人信以為產品非為人而做，而人乃為產品而生（「物以役人」，非「人以役物」）。」

所有權與勞動分離

（二）西士蒙地則以社會的立場，着眼於財富的分配。發現近代進入於工業化的社會，即必分化為貧富兩個階級，實以西士蒙地為第一人。馬克思之把社會分為「無產階級」與「資產階級」，實際上不過拾其唾餘而已。由於其隨事實的審察，西士蒙地不能不對於經濟自由主義的基礎，根本上發生極大的懷疑。因為他說要在這樣的經濟體制之中，「工人已成了機器的奴隸。」而認為「一種這樣的工是社會的災禍」。其所以會有這樣演變，主要原因，在於「所有權與勞動的分離」。這眞是「一語破的」之談。他對於這種情形，憂若萬狀，不知所可，致使黎世德先生慨然說道：「假若西士蒙地而生於今之世，其必熱烈提倡合作，殆無疑義」。眞的，西士蒙地所揭櫫的「社會經濟」，並認經濟學為一種道德科學，要把人類的至情至性，灌注於經濟體制之中，實與合作經濟甚為接近。

自由的基礎在工業

（三）聖西蒙一方面極力攻擊私有財產權，特別是財產繼承權，認為非予廢除不可；另一方面則極力提倡工業及生產，由文化界，科學界，智識份子，工程師，藝術家及各種自由職業專家與工商巨子組成一種「聯合參謀本部」之類的經濟團體以主持全國經濟業務。他的著作，往往以「生產者」或「工業制度」作為標題，主張「全國結社」以從事於「工業企業」，改造社會。「自由的基礎在工業……自由只能因工業的擴展而擴展，因工業的鞏固而鞏固」。

這位被稱為「社會主義之父」的聖西蒙，是如此其重視自由；那裏知道一到了馬克思的所謂「科學的」社會主義，反而竟以人類的自由作為共產主義的祭品：馬克思如果眞是黎嘉道的「精神的兒子」，卻也是聖西蒙的「忤逆的兒子」。

剝削之謬誤

（四）馬克思根據他那面虛構的價值理論，並從而推演為「逾額勞動」及「剩餘價值」兩條規律，更從而倡為「剝削」——工人被廠主剝削，無產階級被資產階級剝削，一般羣衆被智識份子剝削的謬說，舉凡傳統文化及現代文明，社會體系及政治組織，不問青紅皂白，都一律務欲摧毀淨盡，以建立其所謂無產階級政權，史家雖也說馬克思之徒與一般古典派經濟學家具有「同樣的冷酷」，但自由經濟所加於人類社會的災禍，畢竟是局部的，而共產經濟所加於人類的災禍則將是全面的。除共黨的極少數幾個頭目以外，普天之下，將沒有一人能倖免於這種「科學的」「社會主義」之緊迫與奴役，觀於我大陸同胞及其他所有鐵幕內各國人民的慘若生活，在今日看來，眞正有了血淋淋的證明了！（五）

論．留．學．政．策

留學生坐汽車非浪費

（上接第一版）這幾百家長中，有部份被社會目為要人或擁有相當資產，確也是實情。除非他們昏瞶絕倫，我不相信他們肯把大批金錢交給子弟去到國外替他們消費。也許他們的子弟羣中，比窮苦子弟稍微富裕一點，可以不做工，談到揮霍，我也看不出他們有什麼新花樣？大不了，買輛汽車代步。大學生自駕汽車上學，若在台灣，不但成為奇談，輿論也必譁然。可是在美國，則絲毫引不起議論，因為人家工業發達，平均兩三個人就有一輛汽車。大學生駕車上學跟我們的學生騎腳踏車上學是同樣情形。二十年前，學生騎腳踏車也會被我們目為浪費奢華，如今則認為最普通的代步工具。何況，美國舊汽車價錢便宜，通常有一百美金就可以買到一輛，還可以分期付款。一個努力工作的學生，做兩個工作就可以積攢一百元錢。拿這點錢買部車子代步，並且比搭公車還便宜，難道就算浪費？除此之外，我們還聽不到別種花樣浪費的情形。我也不相信，我沒有接觸過的其他一半留學生（單從台灣去美國的留學生七年來總數約有一千左右），就會有揮霍的情形。退一步講，就是有，也僅是少數中的少數。這也如同台灣各大學內，也有少數闊學生一樣，但我們絕不能因這少數學生，主張以後大學不招考。

高中畢業祇有升學

至於高中畢業生是否全部升學或部份就業？這不是理論問題，而是實實問題。記得前某教育部長曾發表宏論，說：「世界任何國都沒有高中畢業後，全部升學之例。所以我們辦學校的目的，並不求人人上大學。」誠然，這話說得也很透闢。但若反過來問一聲：「人家高中畢業後，學生有充分就業技能，我們辦的高中（除少數職業學校外）學生，高中畢業後，能就什麼業？有什麼業可讓他們就？」

實際，近卅年來，我們辦教育的結果，高中畢業生，若論武，肩不能挑担，手不能提籃；若論文，既不能當書記，也不能任會計。除升學深造外，別無他途。若問這是誰的過？家長絕無責任！而教育制度與教育內容則難辭其咎！在這種情形下，再說「我們辦學校的目的，並不求人人上大學」的話，實在跡近殘忍！

國家民族的觀念問題

至於說到高中學生國家民族觀念不強，意志薄弱，怕他出國之後，投向共匪了，這種說詞，尤其欠通。按理一個小孩于接受了十二年之久的國民教育與中學教育，年齡總在二十歲左右。假若在這一階段，學生仍無國家民族觀念，已然不是學生本身問題，那是教育上有了毛病！倘若非等大學畢業，才有國家民族觀念，那麼，汪精衛、張治中之流，何止有大學程度？若干曾是堂堂政府要人，為什麼也賣國求榮，靦顏事敵呀？總而言之，大專學校容量也好，極少數學生揮霍也好，學生就業也好，國家民族觀念也好，都不能構成停辦高中留學考試的原故。

下邊再述說我特別贊成高中畢業生留學的理由：

不要辜負友邦好意

首先我願意說明「美國公私立大學，這幾年願意接受外國學生的心理因素。第二次世界大戰後，外國學生到美國留學的總數，年年增加。一方面出於世界擾攘不安，惟獨美國安定繁榮，另方面美國科學進步之故，一般學校均有够水準的設備，原先各國都到歐洲去留學，近幾年來則改到美國。美國學校不但設備好，教授人才也集中。同時為了抵抗共產主義，其先美國學校特別歡迎從鐵幕國家逃出的青年到美國去求學，後來又加上東南亞地區國家。每年他們都保留一部分獎學金名額給予這些反共國家的青年學生。因此，許多學校，尤其宗教團體辦的學校都爭着收外國學生，其立意之佳，彌足欽佩。有些人甚至於說美國學校以競收外國學生為提高學校地位的一種手段。這些話雖近乎誇張，卻非無根據。

據于斌總主教前年回台灣時親自告訴我，美國學校負責人對於中國不樂意送學生去上學，引為不可理解之事！他又說：「這兩年不但歐洲鐵幕國家青年都爭着去美國，連越南、印尼、印度、日本都竭力爭取這些名額！可是我們得到手之後，還要種種留難，寧非怪事!?」

試想拿着別人的錢（指獎學金）為自己造就青年，竟拒而不受，豈非天字第一號的大傻瓜乎？我每讀孩子們自美國來信報告，說本學期又添了若干日本同學及越南同學，韓國同學，日本男女孩子們在美國又是如何特別活潑情形，使我不禁憂思重重顫慄如抖。我們不竭力爭取更多名額已經失敗，更索性關閉這扇門，眞是愚不可及，

學習語文要在年輕時

其次再談我贊成高中留學的第二個理由。一般教育學者都說大學畢業後再去外國唸研究院比較有益處，這種說詞，我不反對。但我卻贊同高中畢業後，去唸他們的大學，再能唸研究院更好。我的理由是根據語文而來的。任何人都須承認，學外國語文（其實中國語文也是一樣），最好是從年輕時起，因為年輕的人，記憶力強，口齒比較伶俐，學什麼也比較容易。有許多大專學生，在國內大學原來不是學外國語的，到了外國，首先遭遇的困難便是人家說話自己聽不懂，就因為聽不懂話，就需要經過半年到一年的時間補習語文，但研究院的課程是高深的，而時間又只有兩年。這些學生只得抱着書本子努力研究。因此得到結果，學問也許求到了，但語文並未進步。語文既是求學問的工具，語文不好，至少學問是受影響的。中國大學生即使是在國內學習的是外國語文，但因在國內學習語文的環境不夠，方法欠缺，即使畢業，其語文成績，到了國外，仍有說話、聽講的困難，因之也需要一個短時間克服。

因此，一些年齡較大的留學生，從國外負笈歸來，洋文還講不流俐，這種情形並不奇怪。其主要原因，就是因為年齡較大，再加上留學時間太短，讀的是些名詞與方程式，語文更不會好。因此若干老留學生有不能講外國話，已不為奇談。

反之，若是高中畢業就去留學，年齡也不過十八九歲，正是學習語文較好時期，而且美國大學一年級，也和我們國內大學一樣不分科，利用這一年時間正好把語文基礎打好。同時因為年紀輕，口齒比較伶俐，記憶力強，與同學們比較容易接近，沒有繁重的課程羈着，而在學的時間又長，可以隨便找同學胡聊，或參加集體活動。這樣四年下來，語文方面一定容易進步。

基於此義，若不否認好語文是求學的工具，高中畢業去讀大學，比大學畢業後再去研究院，語文方面實在佔便宜得多。

留學生成績多優良

第三個理由，便是些實例。我不知道教育部會否調查過中國高中畢業留學生在美國大學的成績。據我五年來所接觸的五百名學生的家長所接到的成績報告單，有百分之九十以上的學生所得分數都列為最優，甚至於其中有百分之廿，在學校內取得榮譽生的地位。以我個人的學生而論，她們在國內外都有較優良的成績。其故安在？說穿了也沒有什麼了不起，因為國外高中課程比較深，國內高中課程比較淺，若把語文這一關渡過，再加上中國學生多數都用功，很容易比外國孩子讀得好。一般美國學校當局都認為中國學生智慧高。我的大女孩子於畢業後，在母校實習授課，半年後，她對於若干美國孩子比中國孩子還要拙笨一節，引為詫異！我寫信告訴她：「上帝造人時，絕沒偏向西洋人，只是中國人聰明反被聰明誤」！其實，聰明智慧何分國界？平均起來，中國人的智慧不低於任何世界強國，也是事實。

因此在三十九年高中畢業出國的學生，已有多人得學士學位後在讀碩士。平均成績都很優良，在若干特殊成績，受特殊褒獎的，也大有人在。

總之，以成績而論，高中學生在全體留學生中，不但無損於全體榮譽，毋寧還給添了不少光彩。

莫斷高中留學這條路

根據以上這些理由，教育部果若停辦這項考試，實屬不智之至！

我是兩個高中畢業生去到美國留學生的家長，我們曾受其惠。既感謝教育當局過去明智之舉，也感謝友邦學校的幫助。可是我們不樂意獨受其惠，盼望千千萬萬的家長也能得着同樣機會，使子女到外深造。因此不憚煩瑣，做一根據情理與事實，詳細論述，教育部無此決定，我算做了一次報告，如有此決定，我的話，即權做呼籲，祈求教育當局愼重考慮，千萬莫斷高中畢業留學一條路！（四十五年四月四日）

自由談

新聞自由問題

馬五先生

最近在日本東京舉行的國際新聞會議，沒有邀請自由中國新聞界參加，說我國不是新聞自由的國家。這話當然不能忍受，我們應該抗議的。

就一般的情形說，所謂新聞自由云者，是指新聞界自由批評政府得失和報導重要消息，而且事前不經官吏檢查，事後不受無理干涉之謂也。我們現在並無檢查新聞之事，人所共知，報章雜志對於政治人物及其措施，亦可以自由批評，也有公開的例證可舉。爲何以蒙此求全之毀呢？我看這是由於若干無關宏旨的小問題，被一些拿着雞毛當令箭，不識大體的人任意處置而招致的。

例如：在國內銷行的海外民營報章雜志，偶爾刊載着一種與共黨有關係的商業廣告——如電影廣告之類，或刊有批評現實政治措施，而言詞稍爲激切的文字，即有被扣禁發行的可能。這就是不必要的管制。內地一般讀者，何嘗知道海外的商店或戲院那家是與共黨有關的呢？民營報紙以廣告收入爲生命綫，管制它的廣告，殊無必要，且太多事，這類問題只可用通知告誡的方式，也就夠了。至於批評政治的文字，只要有事實，無論其意見對與不對，在自由中國的立場上，決不能加以禁制的。我相信政府當局自總統以及各個大員，並無忌諱的心思，都是一些不識大體者過分忠勇地幫倒忙罷了。

越是無關重要的過失情事，越就容易喧騰於社會大衆之口，致令不諳實情的外國人士驚怕有所指爲妨害自由了。前幾年美國杜威先生訪問台北時，聽說我們的警察可以隨便拘押人，或入民家搜查，乃將我們的警察派出所亦視爲特務機關。這次主持國際新聞會議那位朋友亦是美國人，他說我們沒有新聞自由，大概也與杜威的誤解差不多。然其原因，却只好怪自己因小失大，不能怨別人，希望大家虛心省察，知過必改爲上。

全國美展巡禮

·禾子先生·

（本報特寫）最近在台北有兩個規模較大的美展：一個是台灣全省美術教員作品展覽會；一個是本年的全國美術展覽會。而實際上後者僅爲慶祝本屆美術節而展出。就筆者參觀上述二美展所得印像，深覺其規模之小，連台灣省展，及私人團體所辦的美展都不如呢！

全場佈置未臻完善

教員美展會場在省立圖書館，作品有中西畫及雕刻品，表面掛得很整齊，實際上內容非常貧乏，稍可看的只是幾件雕刻品。

全國美術展覽會，地點分在貴陽街裝甲之家（即靜心樂園）及中山堂集會室。一個展覽會而分開兩地，也是罕見，何況裝甲之家，又是在偏處一隅的冷靜之區，更顯得小可憐似的了。

由於會場門口，吊着幾條字條，有已裝裱者，亦有未裝裱者，遠遠看去像是輓聯，此是佈置的缺憾。不過細視其中亦有不少佳作，如梁寒操、鍾考忱等作品是頗見功力的，可惜陳列不佳，致所得效果相反。

國畫作品參差不齊

國畫部門陳列亦參差不齊，把名作普通習作混在一起，雖說民主待遇，但使方均蒙損失，如黃君璧、何勇仁、馬壽華、梁鼎銘四名家的作品，不僅參雜各方，而且均掛於邊隙之處，致減少其表現之效果，殊爲可惜。國畫約百件，不少佳作，吳香、張谷華等的巨幅均經心之作。胡念祖的「微波蕩漾」似乎是嶺南折衷派；王逸雲的「水鄉」；林玉山的「木棉鳥」；李康的「仕女」；胡克敏的「清供」；袁亦華的「山水」；郭雪湖的「蘭花」；陳定山之「花果」均爲佳作。而其中爭我們同去欣賞的幾個華僑頻頻拍照的是黃君璧的「高山雲海」，何勇仁的「秋江洗馬」（原作無題名，姑代擬之）。黃畫神韻色彩均佳；何畫繪台灣高山族人洗馬，馬腳微伸，表情生動，用筆構圖均妙。

西畫出品嚴格整齊

西畫部門陳列極爲整齊，出品較爲嚴格，其中使觀衆感覺興趣者有梁鼎銘之「小孩」，構圖用色均極佳妙，梁又銘之「金門無愧亭」，頗有戰鬥氣息；吳兆賢之「風景」，新穎沉重；林聖揚之「靜物」，深刻結實；何鐵華之「自由防綫」，新趣華麗；袁樞眞之「春」；林克恭之「小女」及另一小張看瀑圖（忘作者名）均爲佳作。木刻畫數件，以楊英風所作爲佳，漫畫僅二件，平平不見突出。

雕刻多佳作

雕刻品質量均極豐富，以劉明德之雷神父像；劉獅之老太太像最受人重視。

攝影部門與文物資料混合陳列（在中山堂集會室陳列），以致影響了整個美術空氣，出品數十件，以郎靜山之「白鶴下人間」；徐德先之「落日漁舟」；陳漢濤之「海峽風雲」較爲佳妙，餘均平平無奇。

觀後感

綜合觀察，如嚴格說來，其中出品多數乃敷衍了事者，此實爲展會之重大損失，何以會如此，實乃一般作家精神低落所致。此問題涉及甚廣，如作家之生活不易解決，各作家之派系門爭，及主辦展會之方法不善，均有關係。而主持機關僅以教育部單獨負担，似力有未及，最好由教部與文獎協會分工合作，事先徵求全國有名藝術家共同致力此一運動，使力量擴大，大家每年以其最精采之作品貢獻於展會，則必可名副其實爲「全國美術展覽會」了。

江城子

詠中華民國　美國中學生查理屈克作

臧啓芳翻譯

中華旗幟蕩天涯。色玲瓏。白青紅。能使人間，長仰自由鐘。爲國爲民孫與蔣，勛業重，世推崇。

文明古國士奇雄。舊精忠。衆心同。智勇雙全，報國不邀功。破敵長城黃海外，天意助，福無窮。

前調

和查理屈克之作

臧啓芳

瀟瀟夜雨洒長空。覺酸風。透簾櫳。枕上離人，添恨五更鐘。想使人間離恨斷，先斷却，水流東。

邦家恨事更重重。問蒼公。長此蹉跎，何日靡黃龍。但得反攻傳號令，羞告老，趕從戎。

姑蘇臺近

即變調江城子，次臧教授韻。

王蓬累

一聲孤雁唳遙空。覺淒風。撼房櫳。倚枕無眠。驚耳寺樓鐘。雖寫中華人憤恨，拋骨肉，類西東。

自由人類恨重重。亂離中。向天公。誓掃蘇聯。一鼓搗黃龍。伐罪弔民誅禍首。齊奏凱。祝元戎。

燕塵識小

·無負名·

外城七門

其實故都何止九門，外城還有七門呢。據舊志載：

「外城環京城南面，轉抱東西角樓。長二十八里。爲門七，南爲永定，左爲左安，右爲右安。東爲廣渠，西爲廣寧。在東西隅而北向者，東爲東便門，西爲西便門。」

是爲外城七門。假如坐火車由天津來。一過豐台，漸漸看見了巍峨的永定門樓。便有一種「都城百雉」的氣象。再轉過永定、左安二門之間爲通火車而開的缺口（俗名豁子），東一進城，首先就看到天壇新年殿的圓頂。如再遇上一個雲淨天高落霞夕照的秋日，這一幅蓬萊仙境，眞是筆墨難以描繪。若非身歷其境，是不易體會得到的。昔日名都，今淪魔手，撫今追昔，百感蒼茫矣。

順治門的故事

北平前三門，正陽俗稱前門、崇文俗稱海岱今稱哈德，宣武俗稱順治門。按前條所引通志，可知元代以至明初，宣武原稱順承。依我推測，齊化、平則，可以流傳至今（見前條），則順承之名何嘗不能傳至明末。及順治進城，而由順承一音之轉，訛爲順治，沿用不衰。故曰先有順承後改宣武，再訛順治，似乎於史有徵，於韻可協，若云順治入關，而後宣武訛爲順治，實恐未必盡然。然而乾隆年間（或者嘉慶）竟有一位滿御史奏上一本。大意是說順治乃開國年號，何等隆嚴，今竟用作城門之名，任人叫喚，殊爲不合，應請釐正名稱，以崇體制，乾隆也很幽默，批了幾句「着侍衛某人帶領該御史，前往該門閱看，明白回奏。」大概該御史的前程，就此斷送了。（此事已見淸人筆記大意如此原文已記不淸了）。滿御史不學無術，類此者多。容後再談。

民國前後，順治門的形勢，也是今昔不同的，原來舊式，現在的門外，還有一個半圓形的圍牆，出了正門還須往東路轉，再出一門，然後再繞半圓圈，越過京漢路軌，才到順治門大街，這一大圈外圍牆，似乎維持了許久，民十前後，才拆除的，崇文門外的格局，應該與此相同，但宣統三年我到北平，已經改觀了。彼時京奉已經通車，而東軌正好鋪在崇文門的外門洞裏，因此留下此一門洞，而將南的大牆一折了。出崇文門越過京奉路軌直通大街，不必再繞半圓圈。京漢鐵路後來才修，鋪軌時注意及此，略略往南一點，不穿順治門洞，免致毀及原樣，所以宣統三年的崇文宣武兩門，已經大同小異了。（四）

幽默小品

某銀行有：不抽水的馬桶

·曉風·

馬桶，是人的衛生工具之一，進步到抽水化階段，它不止是使人的衛生，邁進了一步，連對它自己也衛起生來了。這是馬桶的進化，也更是人的進化。我們想想，幾曾見過沒有進化的人，懂得使用抽水馬桶。但如抽水馬桶不抽水了，我就要說，這是人退化了，而不是馬桶退化了。我服務的這個機關的抽水馬桶，正可說明這點。

以我到職之日起，五年於茲，那完整如新的抽水馬桶，就一直是徒有其名，不會抽過水。雖然，它的抽水設備健在，可是倦勤。誰使用它，誰就得在事後要用水去替它洗把澡。（外面另一備水池及水瓢）過到一些不講公共衛生的仁兄，「公」畢提褲過去——也許是一時疏忽，害得「晚」進之士，不是掩鼻以入代「它」沖洗，便就望望然而去之。

我們知道，抽水馬桶，不比土廁，與人作息地方，保持相當距離，裝置在屋內，係爲是就近取便的，本機關當不例外，例外的只是：不抽水了。這不獨對就近取便，失其效果，且反不若土廁之衛生。上面說過，土廁離人較遠，而臭亦不致登堂入室。其構造，無抽水之要求，故亦無不抽水之懸也。然這並不是說，本機關也去改用土廁，我祇是希望，能使抽水馬桶，物盡其用。

當我每次蹲上那不抽水的馬桶時，我就有種疑問，該馬桶之不抽水，是人之下能也？抑馬桶之下能也？如係人之下爲，何竟爲之冲洗而不爲之抽？捨簡就繁，喜勞惡逸？人之笨，似不至此；若屬馬桶之不能抽，是在患有疑難雜症，以本機關一堂堂銀行，用錢多矣，對將近百員之生活必需品，重要之如馬桶，似亦不至於吝爲之治。思不得其解，若謂潔白洋瓷之抽水馬桶，祇洋人配用，則我們無福享受，我除本行外，也用過不少抽水馬桶，未因我非洋人，而剝我冲洗過。難道本行之抽水馬桶，必須由使用人自行冲洗而不予之抽，是在啓示我們，也是一種「西學爲體，中學爲用」麼？

同光風雲錄

夢山樓

蔣溢澧

蔣果敏公，字薌泉，湘鄉人。少行不檢，不諧於鄉黨，乃客遊四方，亦無識之者。投湘軍，從征，屢建功，敘九品，隸羅澤南部，澤南奇其才，許列弟子籍。迨澤南殉難，輒與主將齟齬，益悒悒不得志。

主浙政事商農來歸

未幾，廣西太平軍熾甚，乞援於湖南，總督駱秉章以宿將盡出征，左右無可遣者，溢澧請行，乃令率千六百人赴之，屢克敵，授布政使銜。石達開窺湖南，掠全州，溢澧分兵守柳州，自回湘援省垣，累遷布政使，遇劾降道員。溢澧年少驕急，曾國藩素惡之，惟左宗棠特加器重。會，宗棠奉命規復浙江，疏請溢澧爲助。同治元年，調浙江布政使。嘗親臨前綫，辟易千人，一轉戰各地，連克強敵。宗棠追敵赴閩，以溢澧護理巡撫，乃疏陳善後事宜，築海塘，捕槍匪，減漕糧，裁關稅，增書院，設義學，興善堂，百廢俱舉，商農相率來歸。故東南各省善後之政以浙江爲最，溢澧之力也。

御部嚴任性不依例案

逾年，擢廣東巡撫，興教革政，雷厲風行。旋爲總督瑞麟疏劾，下閩浙總督吳棠按奏，以任性不依例案，議降四級，以按察使候補。

溢澧治粵，御部屬極嚴，輒微服出巡視。一日出，見賣餛飩者方捉一部兵相毆，詢其故，則曰，兵士食餛飩，向索錢不與，故與爭詬而毆，溢澧曰，此易解耳，即命隨從立斬兵，剖其腹驗狀，賣餛飩者驚駭求免，不可，已而，果見兵腹中餛飩流溢，乃斥賣餛飩者使去，其執法往往如此。誠如吳棠所奏任性不依例案者也。

洎夫日本窺台灣，廷旨起溢澧入京，將大用，未果，暴病卒。江蘇楊昌濬，梅啓照先後奏陳溢澧在浙有大功，詔建專祠，謚果敏。

先是，溢澧官浙時，延浙之文人爲記室，且請師之，折節讀書，寒暑無間，卒能操觚爲文，琅琅可誦。而一生馳驅軍政，迭經挫折，而不稍餒，卒建平亂之偉績，信乎能自樹立也。（二十一）

·文壇漫步·

蘇曼殊有妹居港

·紅纓槍·

我國文士而能以平生事跡搬上銀幕的，以曼殊爲第一人，國語片有之「櫻都艷跡」及粵語片爲「斷鴻零雁記」，惟兩片均以「斷鴻零雁記」故事爲中心。

「斷鴻零雁記」能否代表曼殊生平，在民國十至二十年間，不乏研究的人，且有人以研究「紅學」之姿態研究蘇曼殊，其唯一的貢獻，即後來那一部厚厚的「曼殊全集」爲當時撮羅蒐集而出版的。其中包括了曼殊的創作小說、書信、詩歌、翻譯……巨細兼備。然而，研究曼殊身世的人，也分兩派，一派以「斷鴻零雁記」代表其生平；一派則探否定態度，其間雖經若干爭執，後來也就沉寂下來了。如今，研究曼殊的人像柳亞子、柳無忌等亦已風流雲散，近日的青年也不見得像當年那麼對曼殊瘋狂了。

由於曼殊大師的電影上映，在本港教育界中曾轟傳曼殊大師之妹蘇德西至今尚健在，且執教鞭於某校。曼殊大師不乏之親友，此事如屬實，對他生平事跡之研究，定然有所幫助，不知有人願探求文壇信史否耳。我前曾獲悉蘇女士之鳳凰台寓址，本擬相訪探求曼殊大師生平，惟經查閱「曼殊全集」，似無一語與蘇德西三字發生聯繫者。人事匆匆，一擱又是半年，爾今已不再有訪問之念頭，但終不免對此有憾呢！

自由人

THE FREEMAN

（第五三五期）

中華民國僑務委員會
頒發登記證台教新字第一零二號
中華郵政台字第五○○號
執照登記為第一類新聞紙類
（半週刊每星期三 六出版）
每份港幣壹毫
台北市售價台幣壹元
督印人：陳文華
地址：香港高士威道二十四號四樓
3 rd, fl. 20 CAUSEWAY RD
HONG KONG
香港發行及事務接洽
高士打道66號　電話：七四○五三
承印者：東南印務出版社
地址：高士打道六十四號
海外總經銷
友聯書報發行公司
香港：德輔道中二十六號A二樓
台灣特派員辦事處
台北市館前街五十號
台灣總經銷處
台北市西寧南路壹壹號二樓
台郵撥儲金戶九二五二

中西醫藥問題

伍憲子

學問無分國界，本無所謂中西醫，但學問各有根源，亦不妨一說中西醫。最近立法院通過，由政府創辦中醫學校，及中醫藥物研究機構。本報在三月卅一日第五三零期，亦發表丁先生論文一篇，對此事有所評議，因此，觸動我的興趣，特寫此篇。

先從整理醫籍說起

中國醫籍，自漢志著黃帝內經，至清代四庫醫部所錄，凡二千四百餘卷，乾隆後迄今，又逾二百年，前後未著錄者，尤難計數。海通以來，西醫之風盛，本可以互相發明者，而褊狹之士，反不能相容。一方用科學之新機，一方抱殘守缺，失利蔽聰塞明，昧五根陰陽之哲理。以致醫學人才日趨貧乏，醫籍雖宏富，不能整理發揚。不只私家述作無人，政府亦不負責。殷周官，醫師掌醫之政令，聚毒藥以共醫事，凡民之有疾病者，造焉，分而治之，死終，則各書其所以，而入於醫師，歲終，則稽其醫事，十全為上，失一次之，失二失三又次之，失四為下，此明示以政府負醫事之責也。可惜周官之制，不能積極擴充於後代，翰林醫官使，太醫院，醫正，醫學生等，僅備數而已。政府既缺乏公共研究機關，於是私人各家其學，此是二千年來中國醫學不能發揚光大之原因。然二千年來，合官書與私人著述，醫籍之成就，亦相當宏偉，尋其系統而貫通之，實刻不容緩。此非私人所能獨任，國家社會應該負其責。故最近立法院通過，由政府創辦中醫學校，與中醫藥物研究機構，其用意未可厚非。

藥物研究尤關重要

醫與藥，原不能分離，然藥當分門研究。中國古代醫師，兼為選藥者，亦兼為採藥製藥者，故韓康賣藥，韓康就是醫師。後世醫與藥分離，往往許多名醫，診病之後，訂方了事。至方中之藥，眞偽既不負責，優劣更不負責，其責任似全諉於藥肆。而藥肆主人，既無醫師常識，採製難保其適宜，藥肆夥伴，又不如西醫藥劑師之受過相當教育，於是藥方與藥物分途，此是中國醫學衰落之一個大原因。我們試一讀傷寒論，仲景之用人參，救急之效力甚大，仲景之用柴胡，轉樞之功用亦偉。然到近代，柴胡受時醫之謗，幾於變成毒藥，所謗亦未必盡為無稽之言。因此，常令我們懷疑，仲景時代之柴胡，必與今日藥肆所售之柴胡，異其功效。故傷寒論之小柴胡湯，縱是神效之方，而藥肆所售之柴胡，或非神效之藥。試舉人參為例，仲景方所用之人參，在當時是用山西黨之黨參，而不是用吉林蔘之野生參。但現在之黨參，與吉林野生參比較，其力量遠不及，稍有常識者皆知。故仲景方中所用之人參，到現在仍有可以用黨參者，但有用黨參斷不能收效者。蓋年代遙隔，地力有異，稍具醫學常識之人，斷不謂黨參功用等於吉林野生參。所以我們不應泥執古方，忽略今藥，但亦不應迷信今藥，抹煞古方。我們應持平心之論。中國醫籍，確有整理發揚之價值，同時藥物之化驗，尤為重要。故發揚中醫，必用科學方法。用科學方法，以整理中國醫籍，用科學方法，以化驗中國藥物，此絕不成問題。若謂研究中國醫學，不能用科學方法，用科學方法，就不成其為中醫，此話說不通。

中國醫學衰落原因

人身如小天地，形體內之五官、四肢、五臟、六腑，固關重要，然所以運用此五官、四肢、五臟、六腑者，各有其氣化。患病不一定在形，故但憑剖解，有時錯誤，尤其是剖解死人之形體，不能察知生人之氣化。中國醫學，最先是研究人體之構造，有形之形，無形之氣，皆洞察無遺。後漢書方術傳，說華佗能用麻醉藥，使患者不覺，而刳破腹背，抽割積聚，滌洗腸胃，此是有形。但中國醫學之源不在此。中國醫學之源在針經，尤在素問，一是皆託之黃帝。然不一定是出自黃帝，劉向謂出於韓諸公子，其說無據。漢志載內經十八卷，皇甫謐以素問九卷，針經九卷當之。據仲景傷寒論序云，撰用素問九卷，是素問之名，漢人已言。但針經則至隋始著。王冰以針經為靈樞，或且疑靈樞為王冰所託。宋紹興中，史崧以家藏舊本靈樞九卷送秘書省，國子監，是靈樞之出在後。然無論如何，靈素為秦漢以前記述舊聞之古籍，則絕無疑問。素問通貫三方，包括萬變，靈樞所言俞穴脈絡之曲折，皆為中國醫學無盡精蘊，其深通氣化，以哲學而兼科學，稍具醫學常識者，皆不敢否定之。清代醫家喻昌嘗言，後世醫者，對靈樞，素問，甲乙，難經，無方之書，全不研究，而後來一切有方之書，則奉為靈寶」。此最能道出中國醫學衰落之原因。蓋謂後世醫家，不肯從源頭研究醫學，而惟執方書以治病，此是後世醫家之咎，非中國醫籍之本無價值也。明白此義，則中國醫學，不能[illegible]廢。

中西醫不應互相輕視

我不反對西醫，有時且歌頌西醫，但我不迷信西醫，以為萬能。我亦非偏袒中醫，我深知中國醫學之衰落，與許多中國醫家都是固陋無能，但我斷不詆毀中國醫學為無價值，並且相信中國醫家確有能起死回生，能西醫所不能，我試引述一件事實。友人某君，在十餘年前，其兒子患腦膜炎，就診於中央醫院，西醫束手，斷為不治。某君夫人，愛子情切，不忍坐視其子待死，乃轉求治於中醫。中醫原是一位不甚知名之針灸醫生，寓於南京市內之陋巷。用針為之救治，一針而雙目復明。再針而兩耳復聽，再加以中藥為之善後，某君之兒子，得慶更生。

【下轉第二版】

外交事務問答

外交重點在對美……董顯光不是理想的駐美大使，蔣廷黻大可兼任駐美大使，……培養訓練人才之道……對外宣傳和用錢……

施子美

台灣通訊

（本報台北特約通訊）自去秋我否決外蒙加入聯合國，獲得勝利後，全國上下對外交重要，已日增其注意力。最近外交人事迭有更動，自亦可視為政府為應適此種情勢，力求配合，以期爭取未來更大之勝利而來。惟外交事務，牽涉甚多，不僅人事一端，其他應待改革者，尚屬不少。筆者近訪外交界某人士，叩詢其意見，承賜長談，雖其所言，有等已成過去，惟大體上仍不失為切中事理之談，茲以問答方式，擷其要點如左：

外交重點與人事

（問）我國目前外交，應否有其重點？

（答）當然要有重點？目前重點實為對美，此已為人所共知。然余所謂重點尚與普通所認識者不盡同。余以為我們之重視對美外交，不僅以美為最有力之盟友。且必須對美外交先做好，然後可對其他友邦外交做得好。

因此，目前對美外交，必須加強組織，擴大活動，大量增加人力物力。否則不能符合重點外交之旨。過去實際上並未能做到這種地步。故組織不免鬆懈，精神亦多渙散。負責人員且不免有僥倖苟安心理，此固不僅余個人有此感覺也。

為人擇事抑為事擇人

（問）顧大使辭職，董顯光繼任駐美大使，閣下對此有無意見？

（答）目前外交重點在美，既如前述，駐美大使人選，當極重要，余對顧董兩先生之為人均屬欽佩。但顧先生年紀確實太大了些，體力固然衰退了，思想和作風似乎也有些趕不上時代，政府讓他退休，是很應該的。至於董先生是否為最適當的人選，在余個人看來，還是可以商榷的。大家對董先生的印象，是一個謹守繩墨，潔身自愛的好人，是毫無疑問的。但董先生的國際智識，政治才具，在今日複雜萬狀，變幻多端的國際環境中，再證諸董先生駐日四年的成就，是否是駐美大使最理想的人選，實在不無疑問。這疑問不僅余個人，亦不僅關心外交的我國人士，便是若干和董先生有過直接接觸的外國人士，也是有的。當然，政府的明令已經發表，我們只好看以後的事實如何了。

否則，余尚有一個淺薄的意見，駐美大使索性請蔣廷黻博士兼任，倒不失為「天時地利人和」的好辦法。蔣博士的才具和已有的成就，大家都是知道的，無待多說。聯合國與美國的關係這樣密切，紐約與華盛頓的距離又如此之近，聯合國大會每年只開會一次。以蔣先生的聲望地位，兼任駐美大使，雖說不免辛苦些。但為事擇人，我想蔣博士是應該不至於推辭的。如果這樣，對聯合國和對美外交，合而為一，兼籌並顧，一定更能夠發揮宏效。兩年前，此議似乎已有人提過，我想政府也不是不曾考慮過的，但不知何以未能見諸實行。是否還有其他更大的困難，則非余所知了。

培植新人之道

（問）關於培植外交人才，閣下的高見如何？

（答）外交人才的培養訓練，其道甚多，今茲所欲說者，即外交人員不能視同國內普通公務員，其次必須特別重視外國語文的能力。近來有等報刊，往往認為外交官員不必過重外國語文，實屬大為錯誤。外交工作，國內國外，迥不相同。國內不懂外國語文，或懂而不精，尚無大礙。若在國外，事事與所在國語文有關，故不獨要懂，並且還要精，否則成就必定有限，甚至要鬧笑話的。

目前，許多大學畢業生，入外交部工作幾年，足未出國門一步，官階已經甚高，動輒一等秘書或參事（許多國家參事為職業外交官之最高等級）外放。此等人員，外國語文既差，不惟不能出外活動應酬，即坐辦公室內，處理文件，力量亦多欠缺。此即由於把外交人員看做國內普通公務人員之故。既看成普通公務人員，則外交技術，如外交交際及交涉能力等都不注意。更談不到所謂遠見與作法了。這兩點，雖屬卑之無甚高論，實為目前所應注意之點。

宣傳與用錢

（問）對外宣傳，閣下有無意見？

（答）宣傳之道說來話長，現行辦法似過於呆板，不能應變。例如駐外使領館，有時因應付事實，加強對外宣傳，請求經常費，所得答覆往往祇是「通案辦理」，或「下年度開始調整」一句空話。有時需要特別宣傳費，雖然不是不給，但多是一點小數目，敷衍敷衍，便算了事。這樣不問事實，不計需要，對外宣傳之無力，又何待說？因此，許多人便覺得我們注意宣傳，或竟不曉得宣傳了。

（問）閣下是否對於外交部也覺得還未能好好發揮作用呢？

（答）未能充分發揮作用的又何止外交部？我覺得外交部近幾年來總算盡了最大努力了。不過財政困難，外交部是無可如何的。還有管錢的先生，更不是外交部所能指揮的。外交部用錢，動不動要拉外匯。外匯困難是事實，還有用外匯是容易使人眼紅的。管錢的人，總是想盡量節省外匯，要節省，往往對於事情的輕重緩急，便不暇計及了。外交部不管錢，管錢的「老板」和說話的人又多，處境困難，自然可想而知。我並不想替外交部說話，我祇希望，大家要注意外交是目前的要務，和反共抗俄的成敗利鈍攸關。外交更不是靠一個外交部所能做得好的。（四月十日台北）

時事述評

·司馬璐·

蘇俄大馬戲團

四月和五月，倫敦有兩件熱鬧的事情，今天（四月十八日），赫魯歇夫、布爾加甯的「訪英」到達倫敦；下個月，蘇俄的大馬戲團也從巴黎到達倫敦。

英國作家奧維爾曾經以蘇俄政治的背景，寫過一部著名的小說「萬牲園」，在這部小說中，蘇俄的政治領袖，全部赤裸裸地以牲畜的身份出場。

所以，赫魯歇夫、布爾加甯和蘇俄的大馬戲團差不多同時到達倫敦，這實在是很適當的安排。

這也是英國人的幽默吧！

空中飛人

蘇俄，這個萬牲之國，我們應該承認，他們每個政治領袖，都是一個好的馬戲團的團員，有說有做，馬倫柯夫的做功尤其好！

馬倫柯夫在英國表演的是一個丑角所担任的輕鬆的節目，他在英國見到女人就摘過去，見到孩子就抱就吻，有一英國報紙形容這種吻應該稱為「死吻」！

俄國人最近在英國又演過一齣「空中飛人」，主角是蘇俄特務頭子塞洛夫，那架恐嚇性的飛機曾使英國人感到「驚訝」！

大會串

赫魯歇夫、布爾加甯的訪英，是一齣「大會串」的演出。

赫魯歇夫、布爾加甯的訪英，是在英國人陶醉於所謂「日內瓦精神」聲中，發出邀請的，在這以後，當英國人漸次清醒時，這些不受歡迎而又不識時務的客人，已經變成英國人的一重累贅了。

赫、布到達英國前夕，倫敦的塔斯社遭到反共份子放火，馬克思像也被塗上白漆，憤怒的英國人，俄國和東歐的流亡份子，警告英國當局說：和你們握手的是一批滿身血污的殺人犯。

三套魔術

這項「大會串」中，赫魯歇夫、布爾加甯主要表演些什麼呢？目前的迹象，他們要表演三套魔術。

俄共的真理報說：這次赫魯歇夫、布爾加甯到英國談判的主要事項，一個是中東問題，一個是貿易問題，一個是裁軍問題。

為了要和英國人談判中東問題，因此俄國先在中東到處放火，造成他的發言地位，然後他威脅英國人說，解決中東問題，必須要召開一個包括蘇俄在內的日內瓦會議。

假如一鬆口

為了要和英國人談判貿易問題，蘇俄先則一步步分割與肢解英國在世界上的貿易關係（假如最近錫蘭事件對英國的打擊是政治的同時又是經濟的），然後他對英國人說，我們「經濟合作」吧，你要貿易，我這兒有大把合同；你要貸款也可以，只要英國一鬆口，蘇俄認為一切都好商量，生意經，還沒有談好，蘇俄已經先收到政治上的分化之効了。

「刺客指南」

為了要和英國談判裁軍問題，蘇俄在最近的裁軍會議中故意讓這一問題陷入了僵局。

總而言之，今天蘇俄對英國的政策是，一手留英國于死地，一手談判「合作」。

這樣一批不懷好意的客人，無怪乎在他們動身之前。先要特務頭子去佈置一番；當英國當局公佈了他們的「訪問日程」後，俄國人說，這個直是一部「刺客指南」。

展望英蘇巨頭會談

爲中東利益將擴大貿易　犧牲德國易取裁軍協議

李金晔

根據新聞報導，英蘇巨頭倫敦會談的重心，是貿易和裁軍問題。但比較廣泛的看法是還將涉及中東問題、德國問題、越南問題等，這些是可公開的。若雙方作一般性交換國際問題意見時，也可能涉及到台灣海峽和中共入聯合國問題，但其詳情將不爲雙方所公開。

本文只限於談貿易和裁軍問題與中東問題及西德武裝的關係。

英蘇關係檢討

本年二月間當英蘇兩國關係惡化到頂峯時，英議會和輿論均曾向政府提出拒絕蘇聯首腦訪問，艾登對此雖無表示，但卻可窺見英政府之態度。蓋自蘇聯於幕後介入中東糾紛以來，無異於使中東問題永無解決的希望。正因爲如此，英蘇關係迄今爲止，可謂仍是不愉快的。其情況已發展到使赫魯曉夫不得不在廿次蘇共大會的總結報告中表示「願意努力進一步改善我們同英國和法國的關係」了。

在艾登認爲，蘇聯既主動表示要實行修好兩國關係，則適時的提出中東問題，要蘇聯表明其對中東的態度和立場正是時候。因此，在禮貌上和實際需要上皆無法拒絕赫、布的訪問。

由於英國渴望中東問題早獲澄清，在蘇聯看來，藉此迫使英國擴大貿易或單獨放棄禁運也正是最適當的時機，因此，可以說英國提出了中東問題，蘇聯必然以貿易問題爲對案。但無論這次會談對中東問題有無結論，我們必須指出，西方國家在對東歐問題上將有一個相當時期屈居在被動地位上。

中東問題與貿易

中東問題明明是從捷克出售軍火予埃及，和中共購買埃及棉花，埃及在軍火和經濟上獲得新的支持後才爆發擴大的，共產國際著意把中東製造成爲一個新的緊張局勢的焦點，就在便於爭取國際關係問題上的主動；同時另有一點可資傍證，即共產國際在歐亞兩洲推銷的中立主義思想，始終未見在中東地區出現。共產黨一再宣傳中立可以緩和緊張局勢和避免戰爭，則何以此項宣傳卻未見在中東推展實行。則可見蘇聯存心使中東爲新戰亂之禍源，其居心險惡於此可見。（按：中立主義本爲蘇聯用以削弱自由陣營團結力的手法之一，但它未在中東出現卻反可得出上述之結論，蓋蘇聯本不欲見中東有所謂和平出現也。）

中東既已成爲新的緊張局勢之焦點，而英國也認定了解鈴還須繫鈴人，從英國經濟和國防利害關係上言，英國將無法不在禁運問題上重作考慮。

蘇聯最近的對外策略，已在赫魯曉夫的報告中指出，「貿易在擴大各國之間的事務性合作的基礎方面，應該起巨大的作用」，他還強調對於「保障歐洲持久和平和安全的利益」有關。他這話顯然含有詐欺性，即如果不能使東西問題雙方貿易獲得改觀的話，那麼蘇聯將絕不對任何國際問題讓步！

關鍵既在此，則若英國爲早謀中東問題獲得澄清，而接受了蘇聯的敲詐，單獨放寬了貿易範圍，或率爾放棄了禁運，那末將迫陷美國處境益加孤立了！

孤立美國，這正是蘇聯對外政策中的主要目的之一。

爲裁軍犧牲德國？

關於裁軍問題，我們的論斷是，這是個永無結論的問題，在日內瓦四巨頭會議上不能解決的問題，也無法使人相信可在倫敦會談上得出任何樂觀的結論。但雙方必須就此問題商談是一定的，蓋雙方均須宣傳無意表示自己反對裁軍。

在蘇聯看來，武裝西德並迫之加入北大西洋公約，是德國問題成爲僵局的主要因素，西德既已獲得武裝，裁軍問題骨子裏已發展到無法再有解決的可能。

但蘇聯單方面的努力，只是在宣傳西德武裝後對歐洲安全將產生新危機。自蘇共廿次黨代表大會以來，蘇聯更積極對歐洲國家宣傳說一個新的軸心集團已經出現，那就是華盛頓——波恩軸心，並且對法國人民宣傳說，從此法國人即降爲歐洲的三等國了！對英國則宣傳西德經濟的復甦，將影響英國貨的市場！

蘇聯一再不擇手段以詆毀西德，並挑撥美、英、法、德間的感情，不只在危害西德的復興，且在製造一種新的歐洲恐德病，並進而造成對西德的仇視。若此計得售，則德國統一永無法實現，而同時也可使用暴力來影響西德再武裝。蘇聯一方面破壞裁軍會議，一方面又設法破壞西德再武裝，結果是使歐洲成爲一個軟骨病者，迫使歐洲的國家左轉或中立，而便於蘇聯組織一個以莫斯科利益爲中心的「集體安全」組織。

迄筆者屬稿時止，路透社倫敦十六日的消息，已透露外交界人士的意見，認爲要想和蘇聯達到裁軍的目的，它的代價就是要保持德國的分裂狀態！換言之，艾登有可能在會談上被迫犧牲西德呢！這樣的消息，也太可怕了！

所希望於英國的

由於現實的形勢並不利於西方，我們只能希望這次倫敦會談英國能重視自由集團的利益，堅持以往立場，中東的情勢在美第六艦隊增強後，已足可備於應變萬一，而裁軍問題則根本是個無結果的問題，也絕不能以德國的統一爲交換，擴大貿易的結果，雖能予英國經濟危機以暫時的解救，但最後必將使整個自由國家的經濟陷於紊亂，並有助對共黨國家的擴軍。

因此，我們希望老練的艾登莫爲英國一己的利益打算犧牲了世界的安全。若今天憑實力地位和蘇共談判，即使會談無結果，那也是最好的結果，如若出賣盟友，犧牲集團利益，則終將自食惡果！

中西醫藥問題

【上接第一版】

某君驚奇，走告中央醫院當斷其子不治之西醫，請與針灸中醫細爲研究，或於腦膜炎之治法，有所裨補。不料該西醫一笑置之，謂是偶然，絕不留意，某君將此事告我，猶有餘憤，謂該西醫太不虛心，輕視中醫，爲他們之通病云。此事不過偶舉一例，我生平所見，所聞，諸如此類之事甚多，皆鑿鑿有據，並非嚮壁虛造。然我斷不因此而不信任西方醫學，西方醫學之進步，依然值得我們崇拜，但西醫中仍有不少驕慢自大，不虛心求長進者，我亦不能爲之諱。猶之中醫有不少淺陋無識者，但斷不能因此而輕視中國醫學，歸罪於中國醫學，如此持論，方算公平。

中西醫學亟當滙通

六十年前，有四川名醫唐宗海者，著中西醫學滙通，謂西藥針灸，無刳腸剔骨之險，有起死回生之妙，華元化剖割之法，已不傳，不如靈樞粗工，不及針灸之巧也。然針灸又不如方藥，所以中國醫學，至仲景而大進化，由內經所載奇偶兩方，演而爲七法具備，其後徐之才作十劑，後人又添寒熱二者，按證處方，可稱精細，西醫剖割，乃粗工耳。唐氏之論，實未的當。中國醫學，雖到仲景方藥而漸備，然仲景傷寒論，猶不廢先刺風府風池，可知針灸實不能棄。只惜後代徒注意於方藥，而不輕用針灸，致令怕針灸剖割之危險，剖割之術，漸以失傳。方藥誠然進化，但針灸剖割之術，則退化矣。唐氏乃視剖割爲粗工，其見解實錯誤。然唐氏亦有精當處，唐氏說，陝客某，患腹臌，西醫破其腹，放水數碗，縫之，旋愈，不久，又膨脹如故，西醫又復破之，連破三次，仍復脹三次，西醫以爲可治，豈知終不可治。夫不知水之何以生，從源頭治之，而但知治標放水，此西醫不識氣化之過也。明白此義，則中西醫學，亟當滙通，針灸，剖割，方藥，可交相爲用。不能謂針灸舊，剖割新，不能謂科學新，哲學舊，利用科學，益足以發揚哲理，識得哲理，方可以運用科學。我們不過將科學灌入西醫範圍，限制中醫不能用科學，如此，則中西永不能滙通。學術既無國界，科學是天下之公，中醫聰明，不讓西醫，但科學發明，稍落後耳，安知不可以急起直追。海通以來，中國人之自餒其文化，每有自卑之感，此實爲繼續失敗之原因，愈失敗，愈自卑，愈自卑，愈失敗，有志之士，應當稍自振拔，中醫在大地上，誠可以立足。但必須藉政府之力與社會之力，提倡扶助之，使個人不致自私其獨得之秘，有軌道可循，有地盤可用，賢明之西醫，當亦樂得有此也。

結論

故我對於立法院之通過，由政府創辦中醫學校，及中醫藥物研究機構，我表示贊同。我向來對於醫學，無中醫與西醫之界限。但我不能謂中醫即西醫，亦不認爲西醫可代替中醫，更不謂中醫是古醫，是舊醫，而西醫是今醫，是新醫，無論何種學問，皆應隨時代而進化，醫學亦何能例外。中國醫學，經數千年歷史，確有其所長，時醫固陋，不能發揚光大，但亦不能埋沒其精光。回憶民國初年，朱啓鈐長內務部時候，我曾一度進言，由政府辦理一間有規模之醫學研究院，集合全國醫學人才，以科學方法整理中國醫藥，以科學方法，化驗中國醫藥，不必分別中醫西醫之名，最好消弭中醫西方之見，集針灸剖割醫藥之妙，使數千年來博大精深之中國醫學，進於現代化，貢獻於世界，造福於人類。可惜此計劃終不能見於事實，悠悠忽忽，又四十餘年矣。今國難日急，軍事倥傯，台灣僻處一隅，財政窘竭，立法院雖有設立醫校研究醫藥之案，是否有此高瞻遠矚之規模，與宏偉之力量，尚不可知，然其志固可嘉，我們應樂觀厥成，而不必過於嘗試也。至於中國醫學，數千年來之經過，其成績如何，其不能進步又何在，此篇有詳述之必要，因篇幅太長，便不多寫，當另爲篇。

『一人競選』的謬論

·金革心·

讀本刊五二七期「八人候選七區長，台南競選有文章」一文，不禁想到基隆的九人候選七區長這件事，眞是無獨有偶了。

基隆一共有七個區，其中五區的區長候選人都是只有國民黨提名的一個候選人，即所謂「一票當選」者。另外兩區，有一區，國民黨內部並不提名，因此有兩名國民黨員登記競選；還有一區——中正區，國民黨提名候選人一人，非國民黨而參加競選的一人。這兩人一個有黨的支持，一個頗得民衆的擁護，雙方勢均力敵，旗鼓相當，因此，這一區的選舉，也就受到一般人的重視。

可是，這個唯一有兩個候選人參加競選的中正區，因爲有人主張「一人競選」，而發生了許多紛擾。

主張「一人競選」的人說：「最好的選舉，是國民黨提名候選人後，別的人不必競選了。這樣既可免傷感情，又可節約」，這一位人士是當地的有力人士，他不但有此主張，而且對該區候選人——闞爾鑑的競選，加以阻撓。以求貫徹主張。

他發動基隆名流蔡火炮（市議會議長）、黃樹水（行政院參議，前市議會議長）、葉松濤（前市議會副議長）等勸請闞爾鑑放棄競選。有一天夜裏，他還親自偕同警察局長王國棟去闞家，從夜間十時談到夜間一時，勸闞放棄競選。最後闞說：「我自己本來無所謂，不過里長和里民堅持要我競選，所以很爲難。」當時這位有力人士表示：「只要你（指闞）肯放棄競選，我可以請謝市長給你一個秘書或顧問的職位。至於里長方面，我可以請謝市長請他們吃飯，叫他們不要再來爲難你了」。後來國民黨市黨部張書記和市政府民政科朱科長拿着「放棄競選申請書」去找闞爾鑑蓋章時，闞又避不見面。兩天後，台北某巨公到基，對闞再加力勸，闞爾鑑終於放棄競選。

以上這事實，我覺得不很合理，民主政治爲什麼要提倡「一人競選」呢？「一人競選」還有什麼可「選」呢？我想老百姓的內心也會有反感的。

民主制度的競選，有如球隊比賽，球員比賽，當然希望勝利。但必須要有超越勝敗的心胸。羅家倫先生「新人生觀」一書，有一段故事記載：「當年我（羅自稱）在美國普林斯頓大學研究院讀書的時候，看過一次普林斯頓大學與耶魯大學盛大的足球賽。……他們於比賽前一晚，舉行『誓師』大典時，有一次禱告。普林斯頓球隊的禱告詞中有一句話：『我們祈求勝利，但是我們更祈求能夠保持清白的動作。』這句話當時我很受感動」。這是運動家的修養，而這種修養也正是民主政治的靈魂。

前年，台北市選舉第二屆市長時，國民黨提名的候選人，被無黨派的高玉樹擊敗，當時陳伯莊先生有「賀國民黨競選失敗」一文（本刊三三五期），陳先生說：「一個當局政黨的候選人落選其事小；選舉或者更理想些，『國內的自由競選』有了實現的鐵證，其踏上民主自由道路的意義太可寶貴、太可樂觀了，其事大」。他又說：「我們該昭告世界，我們的統治者不做操縱選舉、製造選舉的勾當」。如今——又過了兩年的今天，筆者偶檢該文，環顧「一人競選」之說，內心眞有說不出的悲憤和痛苦！

當然我並不希望國民黨在競選中失敗，但是我熱誠的希望國民黨必須遵念選舉的意義和競選的道德。這樣，就是失敗了也是光榮的；並且可以乘機檢討失敗原因。下次再來。（據本報台南通訊報導：對於「一人競選」，台南市議會在今次會期中已作出決議，並請該市市府建議省府「不必辦理投票，以符合節約」，詳情請參閱本版台南通訊）。——編者

台北速寫

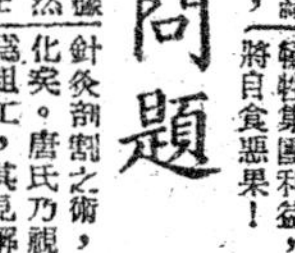

市政落後了

最近台北市人口已衝出七十萬大關（七十萬八千餘人），但是市政的設備恐怕還逗留在三四十萬人口的階段上。最顯見的，房荒，車禍多，馬路壞，看電影要排長蛇陣，這不是市政追不上人口的證據嗎？

醫生殺人案

本市台灣大學附屬醫院，院址最大，人手最多，設備最完善，可是管理上問題最多。近年經社會人士一再呼籲，已經改善不少。最近卻出了一個哄動社會的止血剪案，是一個孕婦的剖腹，而醫生把一把止血剪縫合在腹中，孕婦因此喪命。時隔數年，案發，醫師被控過失殺人。這件案子尚在偵查之中，結果還難逆料，大家希望該院勇於檢討自己，徹底改善。

文人清苦

百物漲價聲中，惟家家書店都在大減價，中西圖書減售至一折至七折不等。各報刊的稿費標準也仍照舊，最高的是官辦少數學術性的雜誌，也只每千字五十元。文人清苦，這是一例。

官價外滙與新車

政府不准轎車進口，街上最新型的汽車卻川流不息，原來是外賓帶進台灣來的。那些車子，顏色鮮豔，式樣新奇，爲本市增光不少。政府爲優待貴賓，特准他們返國離台時把車賣掉所得的台幣，照官價結滙，據估計一輛車子的賣價，變成美金之後，可購新車三輛。

西班牙文吃香

西班牙文在此大爲吃香。由於政府加強對南美的外交，外放南美的機會多了，外交部人員多在趕修西班牙文。又由於西班牙政府對自由中國的學生贈送大量獎學金，所以學西班牙文的青年也多了。

杜衡之

·西貢短簡·

日本作家在越活動　圖破壞中越韓關係

文甦

最近有一位日本作家KIYOSHI KOMATSU到了西貢，據說他是來自由越南作訪問，並搜集材料以便寫一本關於東南亞國家政情的書，他希望能夠和吳廷琰總統見面，但是他的態度和見解卻令人懷疑他是否是個不義的說客，據他自己表示，他將向吳廷琰進言不要與自由中國和大韓民國聯系。如果他眞是一個自由作家，而未受有任何囑託的，他的意見只能當作是謬論，如果他是有所爲而來越南的，那末他的話，就是代表了一種顯明的政治立場。因此他在此間的活動已受到了一般人士的注意。

筆者認爲如他是懷有特殊的立場在越南活動的，則中越雙方當局，似均應對他的活動加以注視，因爲他的言行足以危害中越，越韓的邦交。（四月五日西貢）

由葛師招生談師資

師範學院的程度是和師資不可分的，從葛師的中文試題可以看到它的水準。

本港對「暫准教員」的問題已由重視而付諸行動，私校聯會在最近的一次行政會議中通過了向教育當局聯名提出廢除「暫准教員」的請求，而代之以「檢定」、「審定」或「核准」之分，雖然實質上並無變化，至少在心理上求得安慰那是毫無疑問的。

最基本也是最實際的，一個「暫准教師」要獲得「合格教員」的資格，他必須要通過葛量洪師資學院受訓一年的關係，然而，一個暫准教員是否能不困難地達到這一關呢？

我們試觀其實際：在去年及今年報章所載葛師招生章程，均約相同，其規定之投考資格，爲持有中文或英文高中會考證書，對於此點，未免有過苛之處，雖然該簡章尚有註明，如校長對適合於教學者，得予通融，其意義即經無上述之資格，亦可投考，此需視乎該校長對於投考者以往之學歷認爲滿意與否而定。此項原意甚佳，然據本人所知，去年該校入學試，參加者約有二千人之衆，而其中有不少爲本港執教中之教師，或以往在國內曾受師範教育者，此種情形固然由於近年教學生涯異常艱困，且有部份知識份子請纓無路，乃欲轉換方針，向公立學校投考，希冀經過一年訓練後，即可獲得實際之職位，然而事與願違，去年所被錄取者，大部均爲本港學生，而非內地來港或中途出家之知識份子，雖然政府或學校當局有意照顧本港畢業學生之出路亦未可料？但有一事，實不容忽視者。

蓋葛師之學程制度，乃規定只受訓一年，期滿如考試及格，即可派出服務，以如此短時間而欲灌輸學員以各種教學方法，其困難處自可想見。以一般人的意見，國內不少曾受師範教育或已服務於教育界有深長經歷史者，彼等對於教學之方法及經驗，想或不會比僅受一年葛師師資訓練者差，如政府及該校當局能對彼等重視，及予彼等以機會，使其再入葛師受訓一年，則對於彼等之學能及知識，自有益處，將來服務於小學，亦較優勝也。

尤有進者，去年該校之試題分中英文兩項，而大部份參與考試者均認爲英文比中文艱深，由此可知該校所注重者爲英文，但事實上該校歷屆畢業之學員，均被分派往郊外或市區之中文小學負責教授中文而已。換言之，英文對於彼等全無用武之地，且據政府當局本意，羅富國師範學校之畢業生，始有機會教授英文，依此而論，葛師之招生實無需注重於英文，同時該校之試題，中文部份異常簡易，愚意誠恐未能測知學生對於中文之程度，若以一中文尚未通順者去充任中文小學教員，實有害於莘莘學子也。

况且本港一般人早已認爲香港之中文教育水準較國內低，倘能由葛師之畢業生力加提高，則當可除去此不美之名，故一般人亦以爲葛師對於中文程度亦宜注重及之。

今年葛師的入學試已經舉行了，參加者二千四百餘人，分四批考試，且看今年的中文試題是否能合乎一般水準呢？所考的中文試題是包括常識在內的，其中題目爲「香港正按察司爲何人」？「香港天主教主教何人」？「馬鞍山有何寶藏」？「香港戲院一元二角戲票，政府收稅多少」？「港九新界最大的島嶼爲何」？「鯉景灣因何出名」？「一元鈔票以何銀行發行出最多」？「五號風球是何種型式」？「宋皇台是紀念宋朝那一君（皇帝）」？「香港兵頭花園」？「何謂六部？」「何謂詩餘」？及解釋下列短句：（一）魚書寄意，（二）愛屋及烏，（三）登龍之術，（四）鬩牆之痛，（五）二豎相纏。

此外尚有將文言文之借款及求職信，加以標點及改爲語體文。

編譯館應注意：小學課本的刪減與補充

我是個教員：很多和我一樣在國民學校教課的先生，都常常被家長質問：「爲什麼學生買了國語課本不教，硬要學生回家要錢買補充材料？」關於這個問題，看來雖小，但卻不能不提出來和國立編譯館當局談談了。

台灣國民學校五六年級學生，領到國立編譯館主編的課本以後，還需再購買一本國語補充教材，爲的是課本上有些教材不適用了，須要在刪掉以後用補充教材來填空。看看那些被刪的，不是內容枯燥，就是不適合環境，補充教材當然無此缺點。讀本是去舊增新的措施，是再好不過了。關於刪減的篇次，在台灣省國民學校各科教材調整說明一書裏列的很詳細。

但使人奇怪的是：那刪減說明書是教育廳於民國四十一年十一月頒行的，現在已是四十五年了，課本亦幾經再版，但未曾選刪的課文，爲什麼予以刪除反而在修正後印行，例如高小國語第三冊第十二課，原題是史蒂芬，現修正爲史蒂溫森，是因內容枯燥乏味那課被刪減的，既是要刪減的，何以不在再版時就刪掉它。又如果補充教材可以選擇實際教學情況，可以編入課本內的，那末教課書在編訂時就該修正。何以編譯當局未曾根據實況研究改善。我們希望國立編譯館和教育廳共同注意，即速解決這個問題。（金城）

師大增添圖書

新書庫今夏可建成　將改善管理和流通

本報五三三期「台北速寫」欄內曾刊有「師大書少」短文一則，茲接台灣省立師範大學四月十三日來函，有所說明，特將原函刊出如下：

敬啓者：頃閱貴報四月十一日「台北速寫」一文，論及「本校圖書館「師大書少」情形，諒係投稿人不明本校實況所致。查本校係於民國卅五年五月接收日據時代之高等學校後所創設，原無圖書館之設備，圖書亦僅二萬七千冊，年來班級擴充，學生激增，乃由政府撥款，及社會捐助新建圖書館一幢。圖書方面每年均有添置，現已逾十一萬餘冊，較之接收之初增加已逾四倍，本年度本校又得教育部核撥清華大學基金利息美金七千元，及在美援項下分配新台幣二十五萬元，合計新台幣四十餘萬元，專供添購圖書之用，本校圖書館之建築，因限於經費係分期進行，現已完成者僅閱覽室部份，致歷年新增書籍均分由各系科度藏，俟本年暑期書庫工程完成後，即可將全部圖書集中保管，流通使用。總之，本校對圖書之添購，及房舍之擴充，均有一貫計劃，力求配合，以應需要，惟本校歷史甚短，一切均待充實，素仰貴報立論公正，關切教育，用將本校實情形，略陳如上，敬請惠予披露爲荷。此致

自由人報社

台灣省立師範大學敬啓　四月十三日

合作社會主義的前途

「價值」「剝削」與「合作」

——生產分配之合理調適——

·樓桐蓀·

（五）相反的，最人性，最和平，而又合於自來各家之崇高理想，捨短取長，折衷至當，隨時隨地都可見諸實施的，則有「合作社會主義者」一派，合作主義的祖師如羅培爾．歐文（一七七一——一八五八）；查理．傅理（一七七二——一八三五）等爲最著者。今天我們在這裏所合併舉行的盛會——台灣省第七屆合作節暨本會第九屆常年大會——可說就是這一主義在全亞洲及遠東地區規模最大，業績最佳，最光明燦爛，最有前途的一種社會經濟制度的改革運動。尤其當朱毛匪幫在大陸「大力」推行其所謂「農業合作化」，要以全面的控制和緊榨來配合他們那積極備戰的軍事工業以企圖武力侵略，甘爲蘇俄的「貓腳爪」妄想征服全球的時候，我們這集會就格外具有重大的意義，同時我們的責任亦就格外的顯得沉重。

在此大會中，這一屆猶之以前各屆，我們一致所信奉的是合作主義，所愛好的是平等自由，所期望的是要由全體社員以推及整個社會大家均足康樂的生活：大會所討論的一切提案，自不應越出這個輪廓，更不能違反這個精神。

合作主義與國父的民生主義，猶是異名而同實的。「我人知社會貧困，當求生產發達，何以生產既多而社會反致貧困乎？其中原因，實由於生產分配之不適當耳」。國父把「生產」「分配」相提並論，以求各得其當，以視亞丹士密、史密士、望西蒙，（均重生產）及西士蒙地（重分配）之各有所偏，見解之高，目光之遠，實超越千古。因國父「之所以主張民生主義制度者，蓋欲採用一種制度，使國民對於國事發生直接興趣，顧全國人民皆享受其生產之結果」。所以「吾人所主張者，並非爲文勵派所言，將產業實行分配之荒謬絕倫，但欲行一方策，使物產之供給，得按公理而互蒙利益耳」。故「思患預防，宜以歐美爲鑑，力謀社會經濟之均等發展，及關於社會經濟一切問題同時圖適當之解決……」老實說，要「由於生產分配之不適當」而「圖（社會經濟一切問題）適當之解決」，還有比合作經濟制度更爲「適當」的嗎？

還有一點也值得我們注意的：國父遺教雖在引及馬克思的學說時，依本人所知，似從不曾用過「剝削」這個名詞：民生主義（第一講）所引馬克思的話，都係用「剝奪」而非「剝削」，而馬克思所獨家發明的所謂「剩餘價值」，國父亦都說是「盈餘價值」，雖然都祗是一字之差，但若就科學用語講，思想上的出入可更很大！（六）

台灣通訊

烟酒加價平議

·江仁·

（本報台北通訊）台灣省的烟酒是由政府公賣的，除了糖米外銷，賺取外匯，同爲我國財政收入的一大源泉。因此，當財政上收支失衡時，烟酒公賣價格的調整，就成爲必然的了。就國家財政需要上言，對於調整烟酒的公價，是不應還豫的，但是由於技術上的失當和在事前不能絕對保守秘密一點，那值得提出來向主管機關研討：

據說此次烟酒調整售價以後，每年可使國庫收入增加三億餘元，估計今年的公賣收入，可能比四十四年度增加一成左右。

平均負担達一九〇元

據烟酒公賣局的統計：四十四年烟酒銷售總數量，較之四十三年度的銷售量菸類增加了百分之五點三六，酒類增加了百分之一三點五一。至於全省各地分局辦事處的收入則以台北分局爲最多，占全部總收入的百分之廿六點七八，最少的爲埔里辦事處占全部總收入的百分之九點六六。全年平均每人的消費數字爲一六二點四二元，經這一次加價後，如以增收三億元計算，則每人每年平均要增加負担五分之一强，即約爲一九〇元上下，這就相當於普通收入人家的戶稅負担了。

會不會刺激物價？

此次烟酒售價調整，幅度極爲廣大，最高的達百分之五十，最低的也在百分之十五以上。令人耽心的是，值此電力加價，水泥價格調整，浴室理髮業漲價及公共汽車加價後，烟酒大幅度的調整售價，勢將刺激一般物價的上升，而與政府當局喊出的低物價政策相衝突。

但主管當局則認爲「烟酒是直接消費品，不是其他產品的原料，烟酒漲價與一般物價沒有連帶的關係。」亦即謂烟酒加價不會刺激一般物價，像這樣的解釋，是成本觀點的說法，實則物價的問題並不如是簡單，這只要看財經當局愼重地選擇了市場淡季，作爲調整售價的時機，並同時抽緊銀根，即可證明烟酒漲價是足以影響一般物價的。由於上述原因，目前的物價雖是未有上漲，不過兩三個月以後，市場情況轉變了，銀根不能長期繼續抽緊的時候，物價是否仍能像目前一樣地平靜，是堪慮的。我們希望財經當局能及早預謀，不然到時又要將歸咎於「奸商們的投機操縱與屯積居奇了。」

何不爲小市民謀！

最後應當一提的是關於此次加價的技術問題：主管當局初在計議加價之時，似乎沒有顧到捐稅負担能力的原則；那些專供有錢人享受的高級烟酒，如雙喜烟，特級清酒等加價的百分比都比那些爲一般人享受的樂園烟，紅露酒所加者爲小，雙喜烟漲了百分之十八，而樂園烟則漲了達百分之四十，紅露酒漲了百分之四十五，而特級清酒卻只漲了百分之廿。事實上，有錢的人並不會爲了兩三塊錢而發愁，可是在一般老百姓來說，就深覺負担過重了。每包烟加價一兩元，當局何不在調整時多爲小市民謀？這是值得檢討的。

更有令人懷疑的是，爲什麼在加價之先一日，台省的南部，就傳遍了加價的風聲，已有搶購的事件發生？是否其中有不法的事？還有當四日夜晚十二時，公賣局送登加價公告到報館時，市面上就發生了深更半夜敲打烟酒舖的門大量搜購的事實，致使好多小販們吃了大虧。此事雖小，但似亦足爲主管當局注意呢！（四月十日）

粵共承認春荒嚴重

粵省春荒，日趨嚴重，粵共現正發動全省共幹，強迫各地農民，日夜進行搶救；但農民對搶救春荒的態度非常消極，雖在共幹督導下亦多陽奉陰違，敷衍從事。以致荒象愈弄愈嚴重，演成不可收拾之地步。

據最近南方日報透露：「在全省的農村中，成千成萬的農民羣衆，刻正不分晴天或下雨，進行着緊張的勞動，珠江三角洲上的農民，天還沒有亮，就已經跑到河裏去挖河坭做肥料。在鹽江平原乾旱土地上，每天都出動成千的農民挖水井」。該報又透露說：「……連縣閣橋村最近新修的一條河堤，堤身塞滿了樹枝，乾草，沙坭，羣衆形容它是「釀豆腐」。有些地區新修的河堤已經崩了，新挖的水井已經塌了」。（蘇）

編者讀者

關於「畫壇辛酸錄」

△李士珍先生等來函：

『……頃讀貴報四月四日五三一期「今日畫壇辛酸錄」內容精彩，事事確實，立論平允，爲我們畫人吐一口氣，謹致謝忱……即候撰安』

李士珍　王權　張夢衡　台北四月五日

△葛亮先生來函：

「頃讀貴刊「今日畫壇辛酸錄」其中談及何勇仁君捐款建築馬路曾受某報諷刺一節，貴報所言，確爲持平之論，茲將事實經過撮陳如左：

一、四十三年五月台北新生南路一〇三巷改建柏油路，當時由該路住戶共同開會決定，發起者另有其人，何君不過立於贊助地位。

二、該路建築費新台幣七萬餘元，何君捐出的數款約占總數之半，該款由建路委員會牛天文、施奎齡二君經手支出。

『該路美觀大方，有人稱爲藝術路，落成之後，鄰里莫不稱便，何君始終並不居爲己功，不諒者對何君加以惡意猜測，實失事理之平。爰陳崖略，乞在貴報發表爲幸。此頌著安』

葛亮拜上四月九日台北

△杜衡之，李孚學，王斌，余景文，潔流，宣健人，陳志奇，吳美樑，廖英鳴，王金城，陽明山人諸先生惠稿已收到，至感謝。傅中梅，楊海晏，李淑馨，張尚農，于長卿，陳志奇，杜爲，何元輝，費希平，胡鄉雲，杜衡之，蔣周諸先生承惠稿至感謝。

△更正：四月十四日五三四期第二版「教授休假辦法欠公允」一文內，第五行及第七項之「復議」二字爲「緩議」之誤，特此更正。

自由談

鬥人者人亦鬥之

馬五先生

全世界的共產黨，對於俄共清算史達林運動者有明朗的反應，而且都是由黨政當局者正式發言的。祇有亞洲方面的幾個俄帝附庸嘍囉，遲疑觀望了若干時日，才由北平的「人民日報」以社論方式發表了一種閃鑠其詞的聲聲。至於蒙共、韓共、越共這般小小的「馬仔」，始終噤若寒蟬，韓共偽金日成祇表示過自己檢討錯誤的話，根本就未提到反史問題哩！

日本東京的一些所謂「專家」和「權威觀察家」們，認爲中共之反應不熱烈，乃是抱有今後要與俄共分庭抗禮的心情。可是，話猶未了，而中俄共爲數美金六億元的經濟援助協定簽立了。請教中共有甚末力量與方法來跟俄共爭奪共產世界的領導地位呢？

毛酋澤東於俄共代表大會閉幕之次日，尚有親筆簽名的賀詞，經朱德在會中宣讀，將史達林尊奉爲「列寧的戰友」，恭維備至。不料第三天即由俄共頭目米高揚發難，攻評史達林，繼之即有赫魯歇夫清算「史皇帝」罪惡的連珠砲式之激烈演說。這可見毛酋事前並不知道克里姆林宮有這幕「宮闈鬧劇」演出，以致大感狼狽，羞怒迸發，一時無所措手足。毛酋自以托派罪名打擊陳獨秀起，二十年來，總是藉托派帽子爲排除異已的武器，甚至對於反共非共的人士，亦妄加以「托派」頭銜。如今俄共竟聲言要迎接托洛茨基夫人回國，恰襃大年，而對當年被史達林殘殺的若干被認爲托派老布爾希維克份子，如布哈林、金諾維也夫之類，表示要予以昭雪，這更使毛澤東芒刺在背，寢饋不安。他最怕的就是黨內今後因思想混亂而意志矛盾的對立，首先對自己的獨裁地位大不吉利，其次、是黨徒間的鬥爭激化，乃至於內潰。目前是他傾全力以消弭內部危機的階段，只有沉默，本年八月間的中共代表大會，將是生死鬥爭的關頭，我們還有許多把戲可看的。

這是極權獨裁政治的必然結果，鬥人者人亦鬥之，最後是一齊完蛋！

評「漢宮春秋」

萬香堂

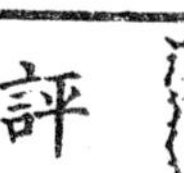

「漢宮春秋」在台北連演一個半月而盛況不衰，突破卅年來話劇演出紀錄。若從熱鬧上看，這次演出是成功的；但若從藝術觀點看，就有問題了，它的成功，也只止於演得熱鬧，很合觀衆的口味而已。這裏提出來討論的有以下各點：

全劇缺乏思想重心

劇本是文藝創作，其內容即爲思想的重心。王莽之大逆不道乃在其殘殺及篡位，而不在其推行新政。本劇既然不以他的新法爲然，不如不提到好。否則將予人以凡是新政皆是壞的印象。

整個劇情，因爲沒有重心，自不能收到預期的政治效果。即在藝術欣賞效果上也是失敗的。全劇以壓迫幼主勿迎其母爲中心而花費了很多的人力及時間，是很不聰明的，以大時代的思想來看，主題顯然太輕了。而王莽一生的奸惡事蹟在舞台上卻因此被輕輕地滑過了，翟義的反暴政，劉秀的興師也全無一點表現，這是大失敗呢！

管見以爲根據劇情，寫成一個四幕劇，最多加一個「序幕」便可以了。序幕的內容，可由原劇第一幕中層剛與何武君歌舞後的對話將故事承上引下即可。第一幕寫篡位；第二幕寫王莽的宮廷醜事及暴政；第三幕寫劉秀領導社會力量反暴興師；第四幕寫王莽的失敗與劉秀的成功。這樣編法似較爲適合。

人物典型與台詞

關於劇中人物典型，似不能如李曼瑰女士所說去留待「史家評述」。史家對他已是有了評定的。劇本應該依據史料和時代的需要，把他刻劃反映出來。

原劇所寫的王莽相當成功的，王珏演得也很好，井淼扮演的哀章還不够神怪的江湖氣，描寫曾亨利扮演的吳章則不够書卷氣；至於藍天虹所扮演的孝平皇帝，羅蘭所扮演的元后，扮演王英的夷光，王庭樹所扮演的老彭子，大致上是很不錯的。

這次演出的台詞，多未達到水準以上，由於人物典型沒有刻畫出來，至使台詞也無力了。不信，可翻開劇本，台詞不僅沒有走上典型化或立體化，而且參入許多文言及廣東話，在演出時使演員束手，使演員不能發揮，台詞參入了文言，在演員口中一一背誦出來，就像在唱平劇了。

關於王英·劉歆·老彭子

公演結束後，曼瑰女士對於王英劉歆老彭子三個人物非常困惑。據她自己說，觀衆對劇中的王英，目她爲愚孝，不辨是非，缺乏獨立的人格。這是對的，把它刻劃成爲典型的忠孝雙全，是不切合時代觀念的。再演時是值得「重新考慮」。至於劉歆呢？愚意以爲描寫劉歆的矛盾應該前後一氣揉成。劉歆應該是屬於神經質類型的人物，易於受騙的書獃子。好利好名，既變節後，又想留個忠名於後世，今世不乏此種典型人格足供我們參考，應是不難處理的。至於老彭子，據曼瑰女士說：「我自己卻覺得失敗了。」失敗在於觀衆的腦子裏並沒有這樣的一個人物，創造了一個世界上沒有的人物，從藝術觀點看，除了演歷史的詩劇是可以用假設的之外，站在現代文藝的立場，我們必須弄清楚人物的身份才可以創造的，現在我們首先研究「弄兒」究竟是什麼？漢書有云：『日磾子二人皆愛爲帝弄兒』。辭源的註釋是「弄兒乃幼童可供玩弄者」。其意義極爲明白，焉可把他描寫成像老彭子那樣的人物呢、我們希曼瑰女士在改編的時候，宜將這個人物改寫成一個十餘歲能彈詞的幼童，未知高明以爲如何？

最後，假定「漢宮春秋」沒有重編演出的必要，那麼，我最低限度希望在第二次演該劇時把最後的一幕重新排過，加重劇情最高峯的氣氛，使觀衆墮入於「感情移入」，勿使其如看平劇打鬥一般的而陷在熱鬧的低潮呢！至於曼瑰女士寫劇本的技巧是相當結實而高超，文字的修養也是很好的，順表敬佩之忱。

燕塵識小

‧無負名‧

前清未變法之前，一入黃昏，前三門是要關閉的，可是文武百官，待漏趨朝，要在子丑之間進城。所以到了半夜，又開正陽門，任人出入。遂有倒趕城之說，即是天黑關城不及出入的，乾脆等到半夜再走。宣統三年，前門已通宵不閉了。而崇文宣武二門夜十二點仍舊要關，民初未改。大約民二以後，才弛禁的。

中華門的滄桑

正陽門內不遠還有一座七百年歷史的門，近爲大清門，而今名爲中華門者是也。相傳，大明門的匾額，是一大塊藍寶石，清人入關，把它翻過來作成漢滿合璧的大清門匾‧齊東野人之語，自不必深信。而這一九龍縱護藍池金字的匾，我卻幸得仰瞻的。中華門額傳爲王鐸書。或云堆米爲字拘勒而成，未知孰是。中華門再進去就是世界知名的天安門了。然後午門端門，太和門，深入故宮，更是萬戶千門，不可勝數。我就不必再替這些宮門，閉綑帳了。

六部衙門

全國各省督撫司道，府廳州縣大小各衙門，大概全是坐北朝南。唯獨鑾殿之下，別有制度，不拘此格的。帝制時代，行政中樞，集中六部，吏部掌中外文職銓敍助階黜陟之政，古稱天官。戶部掌戶口財賦之計，古稱地官。禮部掌禮秩及學校貢舉之法，是爲春官。兵部掌中外武職銓選，簡覈軍實之政，是爲夏官。刑部掌刑法獄訟之事，是爲秋官。工部掌營造工作之事，是爲冬官。合而稱之，吏戶禮兵刑工六部大堂是也。（有一副刻薄的聯語云「吏戶禮兵刑工六科甲第，馬牛羊雞犬豕一類畜生」。附述於此。）按照舊制，這六大衙門，全設在正陽門內東西對峙，並不坐北朝南。宣統三年已經小有變遷，而大體規模仍在。從正陽門內東邊的戶部街北頭說起，共有四座老衙門。最北是宗人府，以次往南，吏戶禮三部，排列整齊，全是坐東朝西（戶部已改度支部）。至於西邊的法部街，只有一座由刑部改稱的法部，坐西朝東，巍然尚存。兵部已改設陸軍部移至鐵獅子胡同，工部併入農工商部移至粉子胡同，清末格局如此。

宗人府六部之首

民國肇建，吏禮兩部均廢，度支部改爲財政部仍維舊觀。其後遷至西長安街新廈，此處改爲菸酒事務署。吏部舊址爲京師警察廳佔用，而宗人府一變而爲保安隊了。禮部全拆，後之郵政總局巍峨大樓即其舊址。司法部仍在法部原址維持多年。後始遷入稍北之新廈，大理院大樓落成在先，此兩大建築同在法部街依然座西朝東，似即兵工兩部舊址。司法部街北頭有鑾儀街夾道。推測鑾儀街當年亦在此街，與宗人府東西相對，形成東西各四之局。因未目睹，不敢妄言。或云大理院新樓即鑾儀街原址。

宗人府是管理皇族事務的衙門，體制甚崇，列在內閣六部之前，所以它的位置實係第一位。（五）

空前的怪事

—疏散辦公—

台峽的風震，近幾年來，變化莫測，大家都很關心！防空疏散的口號，應時而興。

從三十八年以來，台北市經常是東邊開放馬路；西面建築防空壕洞；甲機關從城裏搬到鄉村；乙機關又從鄉村遷回城裏。機關如此搬來搬去，民衆也跟着「搬去搬來」。結果是人口反因疏散而直綫上升；北市的偉大建築也一棟棟地跟着出現。從都市繁榮的角度看，是欣欣向榮，從疏散的角度看，則是矛盾離奇，莫測高深！

從去年春天起，省府所屬各廳處局室就奉命利用各該單位的交通汽車，實行疏散起來，其辦法是：從上午九時左右，各單位的交通汽車，疏散各單位的一小部份職員，到郊外村鎮去辦公；十二時前，仍然全班人馬，用原車運回；下午二時左右，再開始疏散，到五時，仍然又再運回。

從北市開車到鄉間村鎮，通常已是十點鐘了，照例下車後是從吃茶抽烟聊天開始，不變此道的就看看報紙，一小時易過，而公事包尚未打開，待到汽車喇叭一響，大家就準備遊車河回機關，十二時下班，又坐汽車回家午飯。午後則又是重來一次。

開始時，大家覺得調調劑劑，蠻有趣。但日子久了，這樣拖去拖來，疏散人員的公事，開始有了積壓，在台北市區的各單位的工作，也受到很大的影響，常常因爲經辦人疏散去了，公事辦不通，也辦不了，行政效率，也跟着疏散一落千丈。而人呢，也因爲經常拖來拖去，相當時日後，生活失了常規，而日開始憔悴起來，祇疏散遊車河吃茶聊天爲若事，都表示不願參加這種疏散。又因爲據說這是最高當局的指示，各單位是奉命遵此的，於是主管分別集議，乃由指定疏制改爲輪流疏散制，並規定凡有參加疏散的可享受加班費，以加班費鼓勵輪流疏散，大家精神爲之一振，可是日久弊生，竟有人疏散在家裏而坐取加班費也居然無人過問！

究竟這樣的疏散，有什麼好處呢？如果一無是處，豈非是「空前的怪事！」

‧陽明山人‧

同光風雲錄

夢山樓

陳國瑞

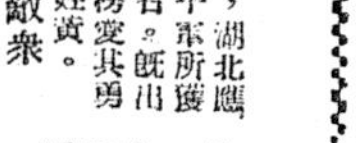

陳國瑞，字慶雲，湖北應城人。年十三，爲太平軍所獲，相從戰陣，便有勇名。旣出，投總兵黃開榜，開榜愛其勇，收爲螟蛉子，因冒姓黃。

紅孩兒善以寡敵衆

國瑞從征，每戰必衝鋒，善以寡擊衆。攻懷遠時，率七人夜渡河，蟻堞先登，擲火彈譙樓，城中大驚擾，殺悍將十餘人，遂克懷遠，自是以勇聞。欽差大臣袁甲三督師攻定遠，捻首李光率大隊來援，國瑞衝鋒陷敵陣，脅中槍，乃創裹甚創口，大敗敵於定遠，以功擢遊擊，乘勝東進，解揚州圍，進攻淮安，清江，斬敵首級千餘，晉授總兵，因以縱橫蘇、皖、贛、楚、魯、豫間。

惟是，國瑞雖勇悍無儔，然亦能用謀略，自戴紅纓小帽，狀頗怪異，敵軍呼爲紅孩兒，畏其驍悍，輒避不與戰。平時喜怒無常，而賞罰甚嚴明，所部器械犀利，糧餉加豐，故士卒亦樂爲效死。遇人無長幼貴賤，咸自稱『老子』。稱所部曰『孩子們』。常對兵衆宣言：『孩子們在老子部下，須要預備三個腦袋，第一個腦袋，要對得起國家，第二個腦袋，要對得起老子，第三個腦袋，要對得起百姓。』比其訓練大綱也。

奇傑不馴風流自大

國瑞身軀短肥而健，性淫，酷嗜女色，蓄夷女甚衆，每夜以三人當值，否則，不足滿其性慾。一日，戰於桐城，未攜女子，而淫慾大發，計無所出，懆欲死，左右以重金招一貧家女，頤以色供獄者，惟一經摧折，次日竟萎頓大病，再易以他女，亦無不病甲曳兵乞請告退也。

總督吳棠嘗疏劾其病癖，行軍無紀律，嘗發遣至新疆，宮中太監亦有因罪同遣者，見其貧，贈以金，國瑞憤然曰：『老子從不用沒××人的金錢』，竟叱之，未幾，免罪，起戍黑龍江，太監因罪，多發邊疆勞作，每至一人，國瑞必剝其衣，盡赤而後痛鞭之，且數之曰：『爾等沒××的人，得近太后，皇上，一旦受寵，得意忘形，無惡不作，甚至貽禍國家，非痛鞭一頓，不足以消老子心頭之恨。』如是，幾著以爲例也。道西捻張總愚犯畿輔，福臣張之萬疏薦國瑞赴援，至則力戰兩晝夜，大敗總愚，因擢頭等侍衛，將大用，李鴻章謂其性情未改，遂止。旋暴死，相傳爲人所害，並失其元云，總督張之洞疏陳國瑞戰功卓著，無敵不克，詔建專祠。昔漢高祖劉邦亦喜自稱曰：『乃公』。辛稼軒詞云：『……一邱，一壑，老子風流占卻。』蓋奇傑不馴之人，往往有自大狂，好居人上。得志者，則稱孤道寡，失志者，則屈爲末將，才云乎哉？命運爲之耳，千古同慨也！（二十二）

文壇讀物

不失書生本色的張道藩

在自由中國，數京兆冠蓋，當然離不了張道藩，不過，我卻要把他寫入「文壇人物之列，也許不至于被認爲「不經」吧？

道藩雖生長于萬山叢中邊徼的貴州，他可具有江南人的一表丰姿，三十年前和他乍相見時，我曾戲謔的稱他是貴州的梅蘭芳，即或時當今日，論年他該是近六十歲的「老人」了，可是「驟貌辨色」，至多不會估他是一個四十歲以上的人。尤其當他談笑風生際，一按捲在手看不出「老態」，固然額角鬢邊不免有些仔皺紋，但髮未星禿，加上整潔的服裝，仍然還不失爲翩翩佳公子，也仍舊是書生本色，說粗俗一點，仍舊是那樣的「吊兒郎當」，談東說西，無諱無忌，十足是個「文人」。

道藩在法國學畫，大約是「北伐」時期，回國參與「革命」，也許是黨國對他有重寄，累得他未能展其所「長」的用其所「學」，故甚少看到他的「畫」，不過，他卻有好幾篇小說，好幾個劇本，然而在「仕優」的官運亨通下，可惜把他這些個「心血」結晶品，掩而不彰了。

道藩和文藝界朋友，相處得特別好，自抗戰時間以至今天他一直和文藝界有聯系。聽說文藝協會，仍然由他在「幕後」策勵呢，如果是乎，我們數台灣文壇人物，張道藩這樣一「大亨」級的人物，還不該值得一談嗎？

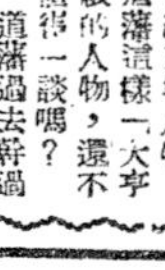

道藩過去幹過浙江省的教育廳長，也搞過教育部次長，說當年，道藩是被目爲CC的核心要角的。

道藩在台灣的公館，簡樸得不像「院長官邸」，有人說由此可見他爲人；同時也可想到立法院長之可爲而不可爲，總之張道藩在立法院同人的心目中，還夠得上說是一個乾乾淨淨的讀書人。

‧易與‧

自由人

THE FREEMAN

（第五三六期）

中華民國僑務委員會頒發登記證台教新字第一二號
中華郵政台字第五〇〇號執照登記為第一類新聞紙類
（半週刊每星期三、六出版）
每份港幣壹毫
台北市每份台幣壹元
督印人：陳文華
社址：香港高士威道二十號四樓
3 rd. fl. 20 CAUSEWAY RD HONG KONG
香港發行及業務接洽
高士打道66號　電話：七四〇五三
承印者：東南印務出版社
地址：高士打道六十四號
海外總經銷
友聯書報發行公司
香港：德輔道中二十六號A二樓
台灣特派員辦事處
台北市館前街五十號
台灣總經銷處
台北市西寧南路發售處二號二樓
台北郵政信箱金戶九二五二

立監兩院的憲法爭議

·陳志奇·

近幾年來，關於現行憲法的本身問題，除了少數幾個有關學會曾經提出作空泛的討論外，已不再使人普遍的發生興趣。但出乎意料的，最近五權憲法下之國家最高立法與監察兩機關，卻為了孰為中國「國會」代表機構之爭，發生了嚴重的歧見，似乎使得一向和善的兩院關係亦因此而引起惡化，總之，「憲法問題」又成為此間最令人注意的課題。

兩院爭議的由來

在兩院相持的形勢之下，監察院於本月十四日，第四百十六次該院院會時，經討論結果，決議報請總統依照憲法第四十四條之規定，召集兩院院長會同解決。其實，兩院這一項爭執亦並未自今日始。在一年前，世界各國國會聯合會曾函邀我國國會參加是項組織。但我國雖有「國會」之實，卻無「國會」之名稱。平時執行國會任務者，多為立監二院。且有不少人心目中常以監立二院等於英之上下兩院，或美之參衆兩院。然當世界各國聯合會會之邀請到達時，兩院事先並未取得聯系，即分別成立「籌備參加聯合會的專案小組」，又分別向聯合會接洽參加。嗣後監察院認為此事有與立法院統籌合辦之必要，於是去函商議。不意立院竟未同意，拒絕聯合採取行動。經過這一度不愉快的發展，接洽事項便告停頓下去。但這是必須解決的問題，否則不免影響到參加世界各國國會聯合會的機會。因此監院正副院長特於日前設宴邀請立院正副院長與「國會小組」委員等十五人，期在和諧的氣氛中打破此一僵局。惟立院被邀人員謝絕赴宴，又因此發生波折。故監院四百一十五次全體會議時，遂由監委陶百川、孫玉琳、吳大宇三人聯合提出前項決議案，報請總統召集兩院及有關院會首長會商解決。

立法院方面的理由

立法院的堅持，當然是有其理由的，括言之：（一）所謂「國會」一詞，是由人民選舉的代表組成，是代表人民行使政權的機關，憲法第六十二條：「立法院為國家最高立法機關，由人民選舉之立法委員組織之，代表人民行使立法權。」這與一般「國會」意義無甚出入；而憲法第九十條：「監察院為國家最高監察機關，行使同意、彈劾、糾舉及審計權。」顯為一獨立之治權機構，缺少一般政權機關的色彩，與具有立法權的美國參院，英國上院比較，顯然不同其性質。因此，監院並無「國會」的地位。（二）憲法第六十三條：「立法院有議決法律案、預算案、戒嚴案、大赦案、宣戰案、媾和案、條約案、及國家其他重要事項之權。」這足充分顯示立院的立法權是獨立的，除了有經行政院移請覆議外，不受任何牽制。監察院與美國之參院，英之上院，有牽制其衆院或下院之立法權者自不相同。故不能視為「國會」的另一院。（三）兩院制的國會，必須同時開會或休會，且在會期中，彼此公文往來頻繁，不能單槍匹馬，各行其是。今立監兩院會期長短不一，開會不必同時，縱令同時開會，亦與巧合無異，其間並無任何關聯，故不能謂監察院與立法院同為兩院制之構成份子。以上是立法院方面的看法。

監察院方面的理由

至於監察院方面的爭議，自亦有其憲法上的根據。（一）憲法第九十一條：「監察院設監察委員，由各省市議會、蒙古地方議會及華僑團體選舉之，其名額之分配，依左列之規定：（1）每省五人；（2）每直轄市二人；（3）蒙古各盟旗各八人；（4）西藏八人；（5）僑居國外之國民八人。」此與北美合衆國參議院之產生極其相似，故可視為「國會」之一院。（二）憲法第九十條，（見前）規定監院有同意、彈劾、糾舉及審計之權。」亦與英美之上議院或參議院的制度頗為相似。美總統任命官吏，除低級官吏無須徵求參議院之同意外，其餘高級官吏，憲法與法律均規定須獲得參議院同意，始得任命。英美國會之彈劾制度，雖彈劾案之提出屬於下院或衆議院，然審核彈劾案卻都屬於上議院或參議院。至於預算案，美國參衆兩院固各有其相同權力；然在英國上議院對於下議院通過之預算案，僅有一月時間拖延之力，毫無左右其內容或成立與否之權；可謂有若無。今監察院無議決預算案之權，則近於英制，與美制異曲同工。足見監院實具英美上院或參院之性質，不失其為「國會」之一份子。（三）立法院之任期為三年（六十五條），監察院之任期為六年（九十三條），兩院任期之長短，大有美制參衆兩院之風。（四）立、監委員在院內所為之言論及表決，都對外不負責任（七十三條，一〇一條）。立、監委員除現行犯外，非經立監院會許可，不得逮捕或拘禁（七十四條，一〇二條）。立委不得兼任官吏（七十五條）。監委不得兼任其他公職或執行業務（一〇三條）。於此可見立、監委員同樣享受「國會」議員的優遇，復同受一般的必然限制。以上是監察院方面的看法。

就以上兩院所持理由，可說彼此均振振有詞，各有法理根據。到底如何解決？實在不是一言可決的。

院外人士兩派理論

兩院以外的人士對於這一富有法理的爭議，亦有各種不同的看法，大致可分為憲法派與國父遺教派。

（下轉第二版）

俄取消情報局的詭謀

·曾風行·

蘇聯副總理米高揚十七日晚，宣佈證實解散共產國際情報局了。

倫敦方面稱此舉為大膽的政治行動，其實並不是大膽，而是處心積慮已久的陰謀。祗為適應其廉價政策，揚棄舊有極端，蛻變成為新的征服全球之詭計而已。

仍師史達林的故智

現在讓我先略說共產國際情報局（Cominform）的歷史。一九一九年第一次世界大戰結束後，列寧欲從歐洲進行其瓦解資本主義國家，聯合各國共產黨，成立一個核心機構，即「共產國際」（Comintern）。這個共產國際間諜及第五縱隊的核心，一直到三五年為止，還是共黨自稱為「世界革命的總參謀部」。

但蘇俄雖欲掌握統率世界革命的大權，而各國的實際情形，並不讓蘇俄實現此種野心。結果，祗有理論，不能實踐。當時「共產國際」的首領執行會主席是一個猶太人季維諾蓋夫，並非俄國人，列寧死後，爭權更烈。最後史達林和托洛斯基鬥爭。托氏抨擊史氏不能實行世界革命，企圖在一國之內建立社會主義，實違反馬列主義原則。史達林對此並不否認，他說「先把社會主義在蘇聯建立起來，然後向世界看齊」。結果，史達林勝利了。將「共產國際」加以肅清。本來史的政策已不符昔日「共產國際」的功能。但他仍要利用「共產國際」作工具。故名稱雖不改，其內容卻改變，而且加強了。那時德國的威脅日增，史氏便利用「共產國際」作「聯合陣線政策」的工具，向西方國家的社會黨和工黨拉攏。這是德國國會縱火案的保加利亞「英雄」狄米托洛夫的獻策。然而到了一九四三年，史達林為取悅於羅斯福及邱吉爾，不惜詐言「兩種競爭的經濟制度可以和諧共存」，遂解散「共產國際」。還能說是大膽的政治行動麼？「共產國際」祇是適應其「和平共存」的欺詐詭謀而已。

情報局成立經過

一九四五年大戰結束，世界起了巨大變化。蘇聯又與英、美、法對立，必須有一個領導各國共產黨的核心組織。因此一九四七年四月，於波蘭創立這個「共產國際情報局」。至同年十月五日，在南斯拉夫的首都貝爾格萊德正式組成。負責人是日丹諾夫。當時參加的國家有蘇俄、德國、義大利、捷克、波蘭、羅馬尼亞、保加利亞、南斯拉夫、及匈牙利的共產黨。

一九四八年六月，「共產國際情報局」宣佈南斯拉夫的狄托為共產黨「叛徒」後，即遷往羅馬尼亞首都布加勒斯，同時由於日丹諾夫之死，這個領導責任轉移到馬連可夫身上。

情報局與共產國際

「國際情報局」在組織上與「共產國際」有很多地方不同。「共產國際」的最高機關是共產黨世界大會，由此而選出一個執行委員會，再由執委會選舉主席團。此種組織有兩個缺點，第一是所謂「叛徒」可以滲入。在一九二八年所選出的三十名主席團中，至少有四人後來被控為「人民之敵」而被處決。其他六名被驅逐出境。第二個缺點，是過重宣傳，使他們的「敵人」知道莫斯科怎樣指揮，每每予以反擊。

國際情報局採取秘密政策。在宣傳上揚言「爭取永久和平」及「爭取人民民主」，而不再提「世界革命」了。在布加勒斯的國際情報局，乃一蒐集情報的總機構。在過去幾年間，世界各國共產黨所執行的戰術行動之互相配合，說明了該局在頒發命令，訓令，或命令的方法，與過去的「共產國際」是相同的。「國際情報局」與各國共產黨維持直接關係，乃是達成全球共黨統一政策的一種方法。另一種是取共同行動方針的方法，是舉行共黨區域會議。

「國際情報局」比「共產國際」更神秘。其組織之財政來源亦諱莫如深，從來沒有宣佈其預算案。其所以成為共黨之「神經中樞」，完全是賴刊物之宣揚為其媒介。

取消情報局三大原因

現在說到為什麼要解散「共產國際情報局」了。

第一、這個組織不能配合蘇聯的統戰政策。克姆林宮既揚言和平共存，而又讓這個組織推行「世界革命」的招牌存在，則無法推銷其糖衣麻醉藥。「聯共大會」早已對此深加批判，均認為它祇能做控制各國共黨的實際使用，不能成為公開運用的機構。好像已和統戰脫節，則俄共又何貴於有此工具。

第二、附屬國對「共產國際情報局」觀感不佳，自狄托被史達林驅逐出國際情報局後，該局已成為南蘇兩國不和之象徵。南斯拉夫的公然抗命，使該局聲譽大降。繼狄托之後，保加利亞、羅馬尼亞、波蘭，等國均有許多領袖，大有繼狄托而脫離蘇聯之勢？不肯聽從國際情報局領導。如南蘇兩國因該局之存在，而不能和洽，則該局反為附屬離心力的一個因素。故不若取消此局，而另起爐灶之為得計。

第三、最重要的原因，因為要加強分化自由世界，非將情報局改變不可。首先要廢除還些含有「共產」「情報」等惹人反感的字眼。我們推測蘇聯此後必然要花樣翻新，以一種能對好中立主義者和能迷惑西方人士的「愛好和平運動」之類的組織來做代替。其實仍是暗中秘密實行其統戰工作，而其總部則可能自羅馬尼亞的布加勒斯遷回莫斯科，以便於指揮，而不惹人注目。

這種新花樣，本來亦不容易欺騙明眼人。但可以配合其和平侵略的政策，且對自私苟安之政客可以發生效用，亦因此而更加強其統戰工作。我們相信情報局取消之原因在此。蘇聯選擇於布爾加寧及赫魯曉夫對英國談判之前夕，發表此一消息，可見其居心叵測之一斑了。（四月十八日）

時事述評

·司馬璐·

共產國際的兒戲

一九一九年一月，列寧發起組織共產國際，當時的布爾雪維克正在搖搖欲墜，國際干涉，內戰瀰烟，人民在饑餓瀕臨絕望之中。

三月二日，共產國際第一次大會在莫斯科開會，除了俄共代表外，其餘大部份來自前沙俄屬地愛沙尼亞、拉脫維亞、立陶宛及芬蘭。列寧另外從俄俘中揀選了幾個「代表」，於是這個共產國際的大會就如此湊合了「代表」三十五人草草開鑼。其中一個被列寧指派的戰俘「代表」開會後就捲款潛逃了。

這一史實是共產國際秘書巴拉邦諾夫記述的。

這一史實說明了，當初共產國際的建立是十分兒戲的。

這一史實又說明了，共產國際是俄共的工具，也可以說是俄共的一份「私產」，俄共和共產國際本來就是二而一的東西！

假如成了絆腳石

共產國際成立後不久，匈牙利的革命爆發了，列寧當時得意忘形的說：「我們無限歡欣鼓舞」，因為俄國以外的地區從此多事，俄共敵國的危機卻暫時得救了。

共產國際與俄共之間的關係既如此重要，為什麼又要解散呢？原因是，在另一種情況下，它又變成俄共發展中的絆腳石了。

例如在一九四三年五月，共產國際宣佈解散。因為當時蘇俄處於對德戰爭的危急狀態中，竭力爭取盟國的援助，它們懂得，盟國是不太歡喜這個共產國際的，他們想，這個共產國際已經暫時從「工具」變成「障礙」了，在這種情況之下，為了俄共的利益，他們就把這個共產國際的包袱摔下了。

解散，恢復，解散

摔下的，只是共產國際的外殼。實際上等于這個共產國際的組織，從公開的轉入地下活動了。

一九四七年九月，共產國際又以共產國際情報局的名義恢復了。

這個組織，時而解散，時而恢復，看來又是兒戲的！

但，共產黨人往往兒戲中藏着陰謀，包着禍心！

今天的情況是，為了俄共的利益，俄共正以貿易、裁軍、中東、德國、亞洲種種問題分化自由世界。他們又懂得，如果再摔下這個共產國際情報局的包袱，就更易以「和平」的姿態愚弄世人，貫徹它們的政策。

于是，又解散了！

新花樣，舊陰謀

這次共產國際情報局的解散，俄共眞理報總編輯謝米洛夫說：因為現在每一個國家的共產黨都能自行開展了。

一九四三年共產國際解散時也是這麼說的。

人們還該記得，在那一次共產國際解散前，蘇共為了特別爭取美國的好感，美共首先退出了共產國際，後來並且宣佈美共解散。

再以後的事實呢，那個當時忠實執行俄共政策的美共領袖白勞德，後來被美共宣佈整肅，因為俄共的政策又變了。

俄共總以為，人們太易於忘記歷史。赫魯曉夫要英國簽訂「蘇俄友好條約」，一年以前，他們不是單方面撕毀過嗎？

人們還該記得，一九四三年的戲法是史達林玩的，今天解散共產國際情報局是赫魯曉夫玩的，他們之間沒有什麼不同，祗是舊陰謀新花樣而已。

更正：上期「時事述評」有兩處誤排：
（一）第四節最後一句「包括蘇俄在日內瓦的會議」，「日內瓦」二字均係多排者。
（二）第五節括弧內「假如」為「例如」之誤。

談自由中國的財政

下年度預算收支可望平衡 教育經費將達九億元之巨

・陸浮・

台灣通訊

（台北特約通訊）這幾天立法院正在審議四十五年度國家總預算。現行的國家預算會計年度，是每年七月一日，至次年六月三十日。依照憲法規定，行政院須於年度開始前三個月，將預算編就，送到立法院審議。自從政府遷台以後，每年都能如限編送，而且預算也能嚴格執行，這是自由中國近年來財政穩定的最大原因。現在在編製中的四十五年度預算，我們固無法知其詳細數字與內容，但是有兩點，是我們可以推測得到的：（一）收支可以達到平衡，不會有什麼差額。其原因下面再說。（二）不會再以美援，作爲財政上的彌補之用。以後的美援，必將全部用於經濟建設事業。從這幾件事上可以看得出來的。

美援不再作財政彌補

第一件，譬如美援以往曾對於若干小學設備方面有所補助，教育當局就曾表示過，這樣會與民族精神教育的效果相違背，小孩子平常在學校中看到許多美國援助的東西，不免使民族自尊心發生不良影響？因之，提議此後不再在小學設備方面，接受美援。第二件，譬如北平故宮博物院從大陸運出來的國寶，至今還藏在某地的倉庫中，迄未啓封公開展覽，原因是沒有適當的房屋，可供展出之用。美援機關曾表示可補助八十萬元，作爲建築展覽場所之用，教育當局也認爲這應當由政府自行籌款，不便使用外國人的錢，來展覽自己的古物。何況，美援的目的，本來有四：（一）改善人民生活；（二）逐漸協助受援國家，達到財政上的自給自足；（三）增進受援國人民與美國感情；（四）遏止共產主義的宣傳與共黨的滲透。自由中國財政既已穩定，自無需要再以美援作爲財政上的彌補。這些見解是很有理由的。

都市平均地權問題

自由中國的財政，自民國四十二年以後，即採用中央省縣統一收支制度，這不但使稅捐稽征費用，大爲節省（從前在大陸時代，稽征費用，與稅收比率）曾高達百分之二十，通常亦常在百分之七左右；現在在台灣，只爲百分之二點五；而且中央地方，可以統籌調度。自收入方面言，民國四十五年度可以增加的，首爲實施都市平均地權之後，都市土地漲價可以歸公，而土地增值稅，也可有大量收入。有人說：都市平均地權，當時未能與耕者有其田同時辦理，乃爲一種缺憾。這也不無理由。惟今日成爲問題的，乃在於都市中若干地主，已在土地上建築有房屋，却故意將地價報得很低。遵照國父遺教，地主故意低報地價，政府就可以照價收買。但是土地上已經有了建築物，政府買了土地，既無法利用，更轉賣不出去。而地主反可以依據土地法，以建築物所有人的資格，對土地享有優先承租權。換言之，可以以法定最高租價（地價的千分之八）爲全年的租金，再向政府將原土地租回來。這一點，政府當局必須另定補救辦法，最好是遇有這種情形，連地上的建築物，也估計一個最低價格，予以收買，再照市價賣出去。這樣，地主固無法作弊，政府也更可以增加一筆收入。

證券稅與烟酒賣價

其次是證券交易稅，本爲以往所沒有的，四十五年度如果依照財政部新規定執行，每年收入五千萬，是沒有問題的。再其次是烟酒公賣的收入，已經公佈提高售價，其增收的數字，每年可達兩億八千萬。在新年與春節的時候，市上的烟草，曾告缺貨，並且發生黑市。直到現在，台製紹興酒，黑市的比牌價高一倍多，還是不易買到。又如春節期間，軍人之友總社發動台北市各酒家的酒女，出賣敬軍花，每朵十元，共收到五十一萬餘元。事實上顧客因而消耗在酒家的酒費，達千萬元以上。如再將市上私製，嚴格取締，與以提成獎勵辦法加以改進，對於國家財政的貢獻，一定更大。

所得稅與戶稅

再其次是愛國獎券的盈餘，過去每年可達四千五百萬元。現在因爲購買者多，獎券號碼，已經從六位數字增加到七位數字，發行既加廣，盈餘也自可增多。又如所得稅法經立法院修正後，對於各種所得稅，都有更詳密的規定，而綜合所得稅的開征，尤爲建立直接稅制的要着。其稅收的增加，乃屬必然之事。綜合所得稅開征之後，原爲鄉鎮主要收入的戶稅，是否繼續征收，台灣省議會正在研討中。戶稅雖爲日據時代遺留下來的名稱，但是現在的內容與精神，已經完全不是日據時代的原樣。過去在大陸上，鄉鎮恃攤派爲生，流弊極大。自收自用，台灣的地方自治，能有今日的基礎，端由於鄉鎮財政，有戶稅做固定的稅源，地方才可以致力建設。大勢所趨，戶稅將必繼續收取。再如各種規費收入，苟加以整頓，也可以大爲增加。

收支可望平衡

綜上所述，政府並不需要改變稅制，更動稅率，增加稅目，收入已可大爲增多，則預算自然不致再有差額了。

從支出方面言，自由中國正在從事反共抗俄大業，軍事用費，當然要佔一大部份。其次就要算是教育經費，據估計中央省縣鄉鎮，四十五年度用於教育方面的，將達九億元之巨。憲法規定省預算中，教育支出應達百分之二十五；縣市應達百分之三十五；這在台灣，都早已辦到了。有些縣份，教育支出竟高達全縣預算的百分之五十。其由私人興學，及各機關公司工廠礦場附設的各級學校經費，尚不在內。生聚教訓，用於教育的經費愈多，即爲反攻復國增加潛力，並爲日後收復大陸重建國家，多備人才，這也是極可稱道的。教育之外，則公共衛生，保健，防疫，交通建設，勞工漁民保險，民防選舉，以及四十五年度新舉辦的戶口普查，也一定要在支出方面，佔較多的數字。這些或者有關國家施政的根本，或者有關人民的福利，依照取之於民用之於民的原則，在立法院審議時，必定會充分加以注意的。（四月十五日）

張伯倫陰魂在歡迎他們　・魯午・

讀者論壇

論聯合考試的得失

錢思亮對此有意見　施行亦有實際困難

・楊志・

由於師資、經費、房舍等無着落，和各方批評，教育部第一個改革方案（即有關國校畢業生免試升學方案），只好付諸分期實施。

聯合考試決施行

至於仍爲各方矚目的第二個改革方案（即有關高中畢業會考升學聯合考試方案）。據本月十五日報載：「教育當局原則決定：高中畢業會考升學聯合考試，今年試辦一次，以一次考試方式解決上兩項問題。如此既可減輕學生報名費之浪費，又可節省學生考試時間。」閱後不免有些意見。我對於此方案，姑置其是否變更現行學制於不論，謹就技術上許多枝節問題而言，已足使主其事者傷透腦筋。

未採納各校長意見

據悉在本月初台灣省教育行政人員年會中，與會者曾就新方案之實際困難闡述備詳，教育當局不會不知；而前（十三）日教育部特別爲新方案所召開之大專學校校長及省垣各中學校長座談會上，出席人員亦多認爲新方案扞格難行，有的建議乾脆取消聯合考試，恢復以前各校單獨招生辦法。就中以台大校長錢思亮發言最爲剴切，錢校長曾經主持過兩次聯合招生，親身體驗箇中困難，其言自較肯綮。試問去年五院校聯合考試時，對於考生的分配問題尚感棘手，何況今年要聯合十五所不同性質的文武學校？揆諸上述兩個會議的結論，均以爲高中畢業考試與升學考試性質大不相同，不宜合併舉行。教部召開座談會的用意既在對此問題作集思廣益的探討，若非上述二個會議結論一無可取，否則教育部怎能抹煞諸校長的意見不顧（這是從教育部公報上分析所得），罔視實際困難所在，而堅決主張於下學期付諸實施，雖說是試辦性質，但這嘗試過於冒險，勉強採用，恐將怨讟叢生，再說「減輕報名費用」及「節省考試時間」事小，若不顧考生志趣願望，而生差池則事大矣。

樹人大業豈可孤行

教育爲樹人大業，其影響至深至鉅，其措施貴乎循序漸進，不宜率爾更張，而領袖羣倫、主持正計的教育當局更應實事求是，不可急功近利，基於此，我懇切的期望教部爲萬千青年學子着想，重加考慮。

溯自新方案公布後，輿論界多主慎重從事，造次不得，而教育當局似乎無動於中，誠屬令人費解。走筆至此，不禁想起已故教育總長蔡元培先生，他那種謙光至誠、虛懷若谷的待人，諮諏善道，察納雅言的處事，益使人嚮往不已了。

立監兩院的憲法爭議

・陳志奇・

（上接第一版）憲法派的人士認爲，此一問題應嚴格地在憲法上尋求答案，也即是說要在憲法條文裏去研究立監兩院是否同爲「國會」的代表機構。他們以爲從憲法賦與兩院的職權着眼，兩院均不失爲「國會」的一份子，雖監院的職權不能與英美的上院或參院完全相比，但一種制度不必完全與他種制度相同，且我們的憲法在性質上有其根本特殊之處，不可與英美的制度同日而語；因此，中國「國會」的代表機構，應該是立監兩院。

但國父遺教派的人士，却大不以爲然，他們認爲中華民國憲法是淵源於國父獨創五權憲法的原則，而五權憲法之精神，在於政權與治權分立。政府由行政、立法、司法、考試、監察五院分掌治權，國民大會代表全國人民行使政權。若照此種說法，則立法、監察兩院均爲治權機關，同爲政府之一部份，都不能視爲「議會」。惟有國民大會才是中國名實相符的「國會」了。

兩院的意見如此，院外人士的意見又如此。似乎還沒有折衷至當的理論，使問題容易得到迅速的解決。

國民大會應擴充職權

筆者以爲憲法乃國家根本大法，可百年而不廢，但不必百年而不修。筆者始終認爲「中華民國憲法」實與國父關於憲法遺教的精神權能分立之理論，未能脗合。其最顯著者，即使遺教中國家最高權力機關的「國民大會」成爲一選舉罷免總統副總統，及修改憲法的機構。國民大會的權有功能，反使治權機關之立監兩院取而代之！此次立、監兩院的爭議，實足以顯示「國民大會」應擴充其職權，亦即「中華民國憲法」應本國父遺教精神加以修正。立監兩院的爭議，必須從修正憲法下手，才能得到根本的合理解決。不過修改憲法是一件極爲繁重的事。目前兩院的爭執，到底應如何解決，以期適應參加「世界各國國會聯合會」的時機，還是很費腦筋的。（四月十六日寄自台北）

徵稿啓事

△本報擬徵求下列諸稿：

一、三千五百字至七千字左右的短篇小說，不限體裁和故事內容。一經選用，優先奉送稿酬。

二、台灣及海外各地自由文壇的動態報導，作家生活素描及過去文壇珍聞。每篇以不超過五百字爲佳。

三、介紹海內外自由科學家、教育家、實業家、醫護、工礦業工作者的人物專稿。對象以現在從事於工作者爲最佳。來稿不宜超過一千五百字。關於軍政界人物稿件以散見各報者已多，請暫勿惠稿。

台北速寫

外交仍須努力

中越文化經濟協會成立了，到越南去的訪問團先後派了幾個，但是中越建交換使之事消息沉沉。現在，爲加強中泰關係，又有組織一個强大的訪泰代表團之訊。當然同時也在籌組中泰文化經濟協會，效果如何，難說。說到駐日大使董顯光，就其駐日的勛績而言，此間一般印象不佳。所以對他出使美國一事，也並不驚奇。即使捧場的文字也少見。這顯示外交方面仍須努力。政府最近頒給葉公超外長最高勛章，這該說是種瓜得瓜，種豆得豆。

反對黨與賢達

在本省地方選舉中，已可看出民社黨及青年黨相當活躍。據說在各縣市，這二黨的分子也在激增之中。今日，在國民黨之外，既尚無一個足以對抗的反對黨，則民青二黨的活躍，是值得注意的。這次蔣廷黻返台，頗敢直言，大家印象很好，希望這些無黨無派的賢達之士，能進一步從民主政黨的運用上，對自由中國的實際政治作貢獻。

請慎選出國代表

凡是在國外有什麼國際性的會議，各機關即有人活動爭取被派出席機會，而當局對此似無定見。於是，有些無足輕重的會議，派代表四五人之多，有些重要的會議，反而無人出席。最值得檢討的，就是出國的代表人選其中不乏以鑽營及人事關係爲標準，徒使許多長袖善舞之流，拿了政府外滙，年年環球旅行一二次。

主席不知物價

烟酒加價，據嚴家淦主席的談話，對於一般物價沒有關係。此語頗引人驚異。嚴主席向來勤於出巡各地訪問民間痛苦，不知何以對於物價的現象如此昧塞。最近傳說嚴將出任駐美購料事使一職。大家對於今後省主席的人選，以能安定經濟爲最重要的標準。

穿在台北

時令轉暖，一般太太小姐們都換上了夏裝。台北最吃香的生意，恐怕數女裝成衣店爲第一，每條大街都有幾家，而家家櫥窗裏堆滿了新衣。一件鑲邊旗袍，工價在百元以上，而成衣店仍應接不暇。男子的西服店也不差，一襲三千元，還往往需時一個月才能交貨。總之，就穿而言，台灣已夠得上國際水準了。

杜衡之

共產情報局解散的魔術
——香港報紙的反應

最近蘇俄所要的一連串有如魔術般的手法，在若干國家看來，的確有看烟花之妙，可惜的，這一套手法並瞞不了人，相反地一連串的搬演，並未有說明共產黨多彩多姿，祇不過證明萬變不離其宗，一切的魔術都是騙人的。

總清算史達林之後，俄共又要了一套解散國際情報局的戲法，這實在是一套最經不起考驗的戲法，香港，這一個最敏感的地方，當共黨的魔術才搬出，所有的報章已一致指出這不過是一套劣棄的戲法。

香港時報引述台北觀察家的看法：指爲乃係俄帝爲配合其一連串之和平攻勢，以達成其侵略陰謀的一種運用，仍是一套換湯不換藥的僞裝把戲。觀察家指出：俄帝征服世界的基本策略，是永不變的；而其達成侵略目的所用的手段，則是隨時可以改變的。即能用武力達成其目的時，即使用武力；於不能使用武力時，遂改以僞裝和平手段來達成之。此次俄帝於布赫二魔訪英之際，突宣佈解散國際情報局，其眞正目的，實爲配合其和平攻勢一種策略運用，但實際上對其附庸國的控制絕不會絲毫放鬆，其征服世界之陰謀，更不會有絲毫改變。

華僑日報說：「蘇聯爲什麼要解散共產國際情報局？主要是希望用這種事實來取信於西方國家，證明蘇聯已放棄世界革命，放棄控制共產國際活動，而趨向和平共存了。因爲世人並不知道，自有蘇聯共產黨以來，即有共產國際的活動，而世人所最恐懼的，正是共產世界革命的政策。苟蘇聯能改變政策，亦未嘗不是緩和世界局勢的一種辦法。不過，蘇聯事實上是否眞的停止世界革命，放棄共產國際活動？這是誰也不能證明。亦是誰也不能相信的。在第二次世界大戰初期，德蘇協定崩潰，希特勒全力進攻東綫的時候，史達林即公開宣佈兩事：（一）取消共產國際活動，（二）准許蘇聯人民信仰宗教自由，歡迎西方國家教士到蘇聯傳教講道。當時西方國家的領袖們如羅斯福、邱吉爾等，亦未嘗不相信蘇聯已經實行改變政策了。但後來事實證明，史達林及蘇聯當局，由其宣佈取消共產國際活動之日開始，從未放棄過控制共產國際活動；換言之，共產國際一樣存在，一樣活動，一樣負起其爲推動世界革命的重大任務。

以昔例今，世人對於蘇聯今日之措施，當然有很大的懷疑。證諸過去蘇聯之作僞，吾人相信今日蘇聯所謂解散共黨國際情報局者，不過是一種手段而已，此種手段之運用，無疑是呼應整個和平攻勢所需要的。

工商日報說：「這一次俄共居然於此際爆出第二次宣佈解散「共產國際情報局」之舉（原來不叫情報局而叫共產國際）年。我們記得一九四三五月廿二日俄共爲了要獲得西方國家的援助，宣佈解散「共產國際」，到了一九四七年十月五日共黨集團又在波蘭秘密開會成立「共產國際情報局」。在俄共解散「共產國際」的時候，的確引起了西方國家對俄共的信任，但事實終於證明了這是一種把戲。這一次俄共之宣佈解散「共產國際情報局」，無疑是配合了這一次訪英和平攻勢的行動。由此可見它對於訪英一舉如何重視。因爲把握了英國，就是瓦解了整個西方集團，至少，離鍊了西方十年來的對俄政策，轉變了若干國際的觀念，這一手是相當毒辣的」。

星島日報說：蘇俄當年之恢復「共產國際」而改名「共產情報局」，完全是針對西方國家，尤其是美國，他們再由秘密而公開國際共黨的勾結活動，完全是向西方國家，尤其是美國示威。表示團結國際共產黨，一致對付西方國家，尤其是美國。

現在，俄共要施行「和平攻勢」，要施行「笑臉攻勢」，施行「登門拜訪，卑躬屈節」的攻勢。自然是舊戲新演，把史太林當年取銷「共產國際」的把戲重演一次，以迷惑西方國家。這同時亦可以收到對史太林鞭屍之助。

一切作爲解散共產國際情報局都是故作堂皇的託詞，用以誘惑及威嚇西方國家，尤其是美國。解散「共產情報局」祇是一種詐僞的手法，俄共棄明投暗，改用秘密方式，繼續控制各共產黨，推行「世界革命」，以圖統治世界。

華僑晚報說：「國際情報局的解散，一正和第三國際的解散一樣。蘇聯現在展開向世界的和平攻勢，而情報局卻是令人疑忌的，於是就乘機予以解散了。這一解散，無疑是安定人心作用，使世人減少其疑忌而發生對蘇聯的信任。所謂「已盡其功能」一句話倒是切實的，今日蘇聯是要採取另一手法了」。

中聲晚報說：「解散國際情報局這把戲，史太林時代已耍過一次了，時當一九四三年德蘇劇戰之中，蘇聯爲向民主國家示好，用解散共產情報局的手法，以表示共黨放棄世界革命，符合西方的民族自決原則。可是一九四七年那情報局又恢復了，越年開除狄托，殺害保加利亞總理，變本加厲。並在中國擴大侵略，以至發動韓戰。

抗日時期的中共，不亦是宣稱「服從三民主義，紅軍改編爲國軍」，參加抗日嗎？但戰爭剛告結束，共黨又翻臉不認人變了。

取銷共黨情報局之類，不過是手法、姿態而已。」

新生晚報說：「這一共產情報局的解散，大多數人已經指出，莫斯科「換湯不換藥」，並沒有放棄它的「世界革命」政策。

既然這樣，蘇聯又爲何多此一舉呢！

從外在的原因看，將是爭取「與國」好感，特別是獲得英國人的友情。

從內在的原因看，就有：

（一）莫斯科放棄了對社會黨作全面鬥爭的政策。

（二）國際局勢的演變，使共產地區大大擴大和加強。從這演化出來的理論，即是赫魯曉夫報告過的，「社會主義已經超過一個國家範圍而成」。

在這新形勢之下，老一套的組織機構已經是不通用了，須要有新的一套。」

自然日報說：「對於這次俄共之宣佈解散國際共產情報局，其作用既然不外是宣傳，那麼，對於這個操縱所有東歐附庸國的機構，一旦正式解散了，這是不是表示俄已放棄這些附庸國家的操縱？

這，雖然說來是個「謎」，但俄共事實上決不會讓東歐這些附庸國得到解放的。

所以，這次之宣佈解散國際情報局，只是一種手法，一種宣傳而已。可以斷言，他們是絕對不會讓東歐附庸國解放的！」

「合作化」下的農民刼運

中共自推行所謂「農業合作化運動」以來，實際情況如何，乃爲舉世所矚目，但綜合共區各種報紙分析，則不難看出大陸農民生活苦況之一斑：

工作過度疾病叢生

據三月十一日「人民日報」稱：農民從自由操作轉變爲集體操作以後，耕作時間延長了，勞動強度提高了，還原先不能勞動的人也被迫參加了勞動。農民在耕作之外，還經常被迫於夜間從事「義務勞動」，或聽取宣傳報告。勞動過渡的結果：遂普遍地發生了衰弱、水腫，夜盲等流行性疾病。也到處發生了因塌上，滾石等壓死農民和孕婦流產及老弱暈厥的情事；其因過度耗損體力以致精神恍惚，在耕作時誤以農具擊傷或擊死他人的意外事件，更層出不窮。

就目前中共對農村施用的壓力言，並不因事故之增加而從緩，「人民日報」的社論已飭令農村幹部將爲數約兩億的農村婦女組成所謂「農村婦女的生產大軍」，投入集體操作；而更指責幹部尚未充分利用農民的勞力，而必須將勞動強度或工作量提高三分之一。

學童退學下田耕作

大陸農民在「合作化」的奴役下實際上已由自耕農變成了中共合作社的傭工，其採用按日計工計酬，乃在減少農戶的收入，加深貧困，迫使爲了生存，不得不將原來並非勞力的家人，投入合作社供其奴役。而此等家人，大都像老弱婦孺兒童，既力不勝任，則痛苦不堪言狀。

農村學齡兒童，被迫投入勞動的結果是紛紛輟學退學，下田耕作。據「人民日報」、「瀋陽日報」、「廣西日報」及「黑龍江日報」等先後不完全的統計：大陸自去年冬季（「農業合作化運動」大舉展開之時）起至今年二月底止，湖南、江蘇、河北、河南、黑龍江、吉林、福建等七省一百八十九所中學中因被迫回鄉耕作而輟學退學的學生有九千四百餘人，平均每一中學達五十人之多；遼寧省三十九個縣市因被迫回鄉耕作而退學的中學學生有八千三百餘人，平均每一縣市達二百餘人之多；廣西省因被迫投入合作社耕作而輟學的小學學生有二十四萬餘人；黑龍江省因被迫投入合作社耕作而輟學的小學學生有十二萬餘人。

「人民日報」承認上述現象在其他各省大多類似，且尚有繼續發展的趨勢。

欺詐迫害怨聲沸騰

我國農民的生活資料，需要依靠副業收入是衆所週知的。農村手工業，小本販賣，或替人幫短工等等，是最普遍的現象，但農民在被迫納入合作組織以後，一切副業收入都被剝奪掉。由是，農民平時除由合作社配給糧食以外，已無餘力充實其生活需要。

中共曾坦率承認：大陸農民在「入社」以後因生活困苦加深，消極悲觀的情緒擴大，工作怠忽，怨聲沸騰。但中共除空言宣傳之外，並無意於作具體的解決。

此外，「人民日報」並透露：農民在入社以後，還有被幹部暗中勒索分配和被利用合作社營私舞弊的情事發生。彼等以掌握調派工作，紀錄工分，監視「政治思想情況」等大權，實已發揮奴主對農奴的暴力統治無遺。

按照中共「五年計劃」中規定年年加重的「糧食增產指標」加以推測，則大陸農民的劫運還正是在開始呢！

・沈秉文・

「價值」「剝削」與「合作」
・樓桐蓀・

分配社會化消滅壟斷

因爲「剝奪」及「盈餘」都分明僅僅是指我們社會經濟制度在實行上一種勢所不免的流弊（西士蒙地的說法），而非爲制度本身有機的缺陷，如同聖西蒙、馬克思輩之所言。國父在「鐵路計劃與民生主義」演講中所說：「近世資本主義之天然演進，對於勞動者」與不平之待遇。故害人當力避之」。請稍一玩味這「當力避之」四字，便可充份證明本人上述解釋之有據：「剝削」及「盈餘」云云，都不過是「生產分配之不適當耳」，都不過是實行上的一些流弊，而不是社會經濟制度本身的問題。所以國父毅然指出：「馬克思研究問題所有的心得，只見得社會進化的毛病，沒有看見到社會進化的原理……」，「現在世界天天進步，日日改良，如前所謂之分配社會化，就是新發明，這種發明叫做合作社……」又說：「但是照歐美近幾十年來社會上進化的事實看，最好的是分配社會化，消滅商人的壟斷；多徵資本家的所得稅和遺產稅，增加國家的財富；更用這種財富，來把運輸和交通收歸公有，以及改良工人的教育、衛生和工廠的設備來增加社會上的生產力」。

不重相爭重相助

依上所引，可知國父的經濟思想，實兼採各家學說的精華，並亦認爲只「可師馬克思之意」，以平貧富之過分的不平，而具體辦法則以「極有效力的組織」，可「用這種合作社來解決社會問題……」

國父的思想體系，精深博大，無所不包，而皆壹以道德爲本。「故不重相爭而重相助」，有道德始有國家，有：道德家必願世界大同與永無戰爭之一日，我們深信此心理，感受此學說，將來世界上總有和平之望，總有大同之一日。此吾人無窮之希望，最偉大之思想，承大會邀請作學術演講，願以此與諸君共勉，並祝大會順利成功！

（七）

——全文完——

選舉和土地問題
——台南市議會的幾項決議
・呂增勛・

【本報台南通訊】台南市議會第三屆四次大會，在延長三日後，已在本月十日閉幕。這次會議中有幾件較爲重要的質詢和決議，是值得提出報導的：

選舉問題

黃陽監議員建議，凡地方選舉，政府應以超然的立場，監督指導，不應將選舉給有權有勢的一方操縱把持，而使熱心爲國服務的人，追而無法出來爲民服務，以致氣餒。邵綵麟議員（女）建議，今後各種選舉，如僅一人參加選舉，請不必辦理投票，以符合節約。請市政府建議省府，研究辦理。

土地問題

顏與議員說：市有公地放租，多不公允，如南區八四坪公地，原爲保留公地，突然由議員杜德泉承租，議員應以身作則，何能與民爭利，何況杜議員有財產，公地應優先給貧苦市民租用。（聽衆熱烈鼓掌）。魏東安議員並提出甚多圖片及文件，證明其弊端，而使主辦該案的王延壽，瞠目結舌，一改魏議員的稱呼，而爲「東安先生」，「東安哥」。又據魏議員見告：陳花尾（即杜德泉議員太太），在租得市有公地後，向市府配購水泥一七〇三包，原計劃新建房舍卅坪，實建僅及廿六坪，所需水泥亦僅近六百包。又莊紹銘議員，建築地九十坪，實需水泥兩千餘包，而以三個兒子之名，配購水泥六千包。轉手之間，每包可獲利台幣四十元左右。許丙丁議員指出，議員不能利用自己的身份去營利，言外之意，勉同仁潔身自愛。

警察生日多

陳炎昆議員說：警察常有以太太或親屬名義，散發壽帖，做生日，做滿月，做週歲等。使老百姓接到請帖後，感到去也不是，不去也不是之難，這種形同打秋風之舉，應防止並糾正。

又議員王朝榮提案：建議政府，對愛國商人蔡智堪取得「田中奏摺」的事蹟，應加以整理發行專刊，及編成影劇，以資宣揚。至於男女同浴池一案，決議是：限定攜有身份證證明爲夫婦者始可同浴。

這次台南市議會期間最堪注意者，當爲議員是否可與政府官員串通作弊，如土地的糾紛，及水泥配購等，有等議員主張成立專案小組，有的主張移送法院。但兩者都不見實施時，法院檢察官是否可提起控訴？否則，也希望監察委員與議員合作，作澈底的調查。（四月十一日）

關於設立中醫學校案

△劉濟華先生來函：

編者先生：立法院於三月份院會中，通過了設立中醫學校的議案。這個議了很久的「中西之爭」問題，總算解決了。

在此非常時期，吾人所受的刺激自然頗多，但國粹的發揚總是令人高興的。所以，我們尚有一事想向教育當局進一言：（在台）中醫學校之設立，何以不能早日實現？（下略）

△本刊第四版第五三五期「人物」四欄，「人」字爲「讀」之誤，特此更正。

再談新聞自由

馬五先生

怎樣才算是眞正的新聞自由？這問題與怎樣才算是眞正的政治民主一樣，雖然都有其明確的義蘊和界說，但由於各人的立場之不同，觀念之互異，爭論不休，振振有詞。你說現在的新聞太無自由，政治不够民主，我說現在已經是太自由太民主了！不是嗎？我們的國家號稱自由中國，又有民主憲法以及依此而產生的責任內閣與議會等政制，新聞沒有檢查機構存在了。如此這般，那點不及歐美的民主國家呢？像這樣纏夾二的無謂爭論，我認爲是徒亂人意，多生是非而已。

新聞自由之中的主要條件，就是言論自由這一項，而最討厭言論自由的人，即莫過於紓青綰紫的文武顯貴，此無他，好諛惡諍，予智自雄，人性大抵皆然。在中國歷史上的皇帝羣中，所謂「禹聞昌言則拜」之說，頗成疑問，文獻不足徵故也。祇有唐太宗李世民，他確有容忍言論自由的種種事實可證，此外再找不出一個同樣的帝王了。幾千年來才有這末一位容許言論自由的統治主，其事之難可以想見，而中國政治上總是亂多治少的原因，言論不自由實佔重要成份。

所以，凡屬睿智有爲的政治家，對於民間「處士橫議」和「謗爛朝報」這類言論思想，只是注重疏導而不採取壓制的手段。理由很簡單，平常喜歡放言高論，批評政治得失的人，都是些知識份子，讓他們在言論和文字上表現意思，或者發發牢騷，他並不一定有甚末惡意，而且是出於愛護的動機，有時候說過就拉倒，事後連自己也忘記說的是甚末了。若必以防川的方法來防民之口，不許自由說話，那他們必然義憤塡膺，越是非說不可，「你說我反動，老子就反動！」書生固然百無一用，但他却有第一百零一項的本事，即成事不足，敗事有餘是也。古今來的一切禍亂，那一場禍事不是由書生們搞出來的呢？懂得這項道理的政治人物，自然就不會討厭言論自由，也就可以創造眞正的民主生活了！

麻將新論

・丁懿安・

麻將具有因緣互生之跡，變常離陳之相，其千奇百態波譎雲詭之處，遠輸于棋局。謂之爲藝術成品，實無可非讚。茲擬論者，爲何種時代宜于打麻將，何種時代則不宜爲之。鄙意以爲亂世宜戒；承平之世，則不妨多加提倡。

任公風度今難見

前見毛以寧先生爲文，提及梁任公打麻將時，能不計勝負而儘視爲有樂趣。此種風度，求之古今賢達中，亦難多覓，足爲高級戰友法。惟憶任公寄獨中趙香宋長詩中「……感激別有託，詎獨在文字。天步正艱難，民生日顚頓。銜石念海枯，入淵援日墜。吾徒乘願來，爲此一大事。君其體堅貞，走也當執鞭。……」之句，則又覺任公之廉頑立懦處，似在此而不在彼。

筆者有謂打麻將可以鍛鍊作戰（包括文戰武戰）人才，藉之養成知己知彼謀定後動之智才，就麻將之表現言之，不能斷言其無此效果。但是項效果是否可靠，恐有問題。否則軍官學校未將其列爲課程之一以利用之，將歸失着。惜無是類統計資料可供研究，未審古今來文武賢才中，其由麻將訓練成功者，究佔若何比數。倘此項百分比數，稍有可觀，則今日吾人之尋師訪友，爲國求賢，均可赴麻將學校探索，不必費事他求矣。

打麻將之利弊頗多。每人幾均能道其若干。茲擬略舉一二以覘其當否。

幾多英才止中途

亂世錢財，得之匪易，既以之作賭注，行勝負之數，豈能超然物外之心情，又何從詣藝術欣賞之領域。若謂打麻將爲藝術消遣法，恐有名實難副之感。況當局者置身牌場，目不斜視，耳不他聞。既積極于求己方之「三番」，「滿貫」，復提防戰敵之脫免而出。遊目俯仰，不離區區平面。前仆後繼，此起彼伏，流轉于東南西北之風中，不容身體有隨意卷舒之機會。情緒緊張時，惟作壁上觀者或能形容其一二。八圈之後，身心疲敝，遠逾八小時之上班工作。間常爲之，已足使心臟衰弱者、高血壓者或肺病者促其天年。經常沉溺，不僅健康者易罹上述諸病，且有形成血癌之危險。更不知幾多有希望之文學家、科學家或技藝家因之葬送，使其成就止于中途或擱于半渡。亂世生活，已難期其健康，更不宜以消遣方式增其摧殘力量。此愚之所以主張亂世戒打麻將也。

宵小縱橫牌場外

試一般而論，凡沉湎于打麻將者，多屬善良之輩。至少，於打牌之際，難以分身從事姦盜邪淫，反之，作奸犯科之徒，則少有心情時間以沉溺于彼。正因如此，代表社會正面之純良人士，既多耗力費時於方城之中，則狡黠之輩更可縱橫無阻于牌場之外，道消魔長，社會焉得不亂。此雖非治亂軌跡，但亦世態之一。此愚之所以認爲打麻將不宜于亂世也。

亂世英雄宜多打

承平之世，情形迥異。既無爭戰之虞，則龐大之軍備費用，自將移于民生建設。一般謀生既易，室家無累。閒來無事，不妨以麻將爲戲。彼時人壯體肥，不虞匱乏，勝負之數，不致斤斤計較。有此心境，亦易領得麻將藝術眞諦。偶約三四知己爲之，固屬人間樂事。縱使流連忘返，昨日夜遊，雖死亦可無怨。不特此也，芸芸衆生，稟賦各異。在千百純良者之外，難免不有一二生性狡黠精力過人之徒。倘教育技藝稍失調，則此類亂世英雄，未必係治世能臣。獨居深處，所爲所行，無非平地生波，擾動機會，求能騎于人民頭上以自豪。對于此等人物，最宜導之于麻將場中，舁與叱咤風雲之機會，任其在牌場上憑技術以縱橫馳騁，睥睨自雄，消磨心力。社會亦少若干亂[illegible]于治世不妨多加提倡也。

人生消遣方式，本不必小題大論。但苟相沿成習，相習成風，則已在羣生活中，樹立其重要性。影響所及，直接間接，勵關國家命運與民族前途，又未可以事小而忽之。

巧對

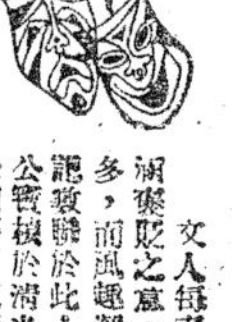

劍朋

文人每喜以聯語寓褒貶之意，蘊蓄不多，而風趣深遠，茲記幾聯於此：丁文誠公寶楨於清光緒初年任川督，適府班中有熊某兼數差，有廣某亦爲丁所寵，極一人者皆不滿於人口，某文士以拼字體聯語譏之，曰：能者多勞，忙落四條狗腿。苗而不秀，露出半截寓身。又康南海於民國十二年至西安，買臥龍寺唐經私自運去，紳商各界大憤，追回，有武君者戲集獄字聯曰，國之將亡必有，老而不死是爲，額曰，壽而康。又抗戰初期，四川文人劉思亮屢於小報發表譏誚劉湘文字，劉湘乃逮禁之，至劉開赴首都，始釋出，未幾，劉湘亡於漢口，思亮又於小報登一聯挽之曰，司令長官千古，中華民國萬年，次日，思亮坐茶肆中，其友人爭譽此聯幽默，思亮曰，吾覺此聯未妥，方擬改之曰，劉甫公千古，中華民國萬年，友曰，如此修改實不及原文，且劉甫公爲三字，中華民國四字，亦對不住，思亮笑曰，修改的妙處就在劉甫公對不住中華民國也。又徐世昌任總統時，北平有人於報端登二聯求對，聯曰，北有東海，南有西林，且看這兩個東西，如何收拾南北？惜迄無對者，又袁世凱設籌安會時，顧鰲薛大司之名，時見於報紙，有人戲以滿臚鄧小閒對之，此則譏而俳矣。

同光風雲錄

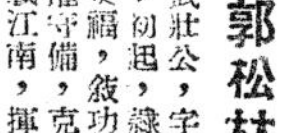

郭松林

郭武壯公，字子美，湖南湘潭人，初起，隸曾國藩，援江西克安福，敘功授把總，克吉安，擢守備，克安慶，擢游擊。轉戰江南，揮刀入敵陣，血染衣盡赤。每臨戰，敵皆潰走，論功以提督記名，旋晉總兵，大破敵三河口，敵軍爭道遁，尸塞，河水爲之不流。收復長興，厥功爲最。迫皂河一役，傷足踣地不能起，將士不見松林，復殺入陣，負而出，以創重乞假歸。越年，傷愈，合肥李鴻章令統萬人，號武毅軍，灘河一役，殺敵兩萬，俘萬餘，敵將徐昌先、范汝增、任定，皆伏誅。乘勝逐北，追敵至滑江，歷十六晝夜血戰，斬俘過半，西捻遂平。賞穿黃馬褂，擢湖北提督，旋調直隸。

松林貌奇偉，濃眉插鬢，風度瀟洒有致，及臨陣，縱橫奔馳，悍勇不可當，時人稱爲清代趙子龍。有馬名大白龍，能越溪流，四卒持其尾，隨之以渡。故不讓劉玄德馬躍檀溪專美於前也。

惟松林性好女色，「不可一日無此君。」有姬妾十六人，一爲揚州名妓，國色也，松林獨鍾愛之，夜夜幸焉。湖南所建之宅，共分十六處，每一宅，則居一妾，衣服器具，飲食起居，絕不少異。諸妾晨起，咸視揚州妓之裝束爲準繩。松林雖悍勇無匹，辟易千人，然一見此妓，則馴伏若小綿羊。及松林卒於直隸提督任，揚州妓，感其恩愛，吞金以殉，相國李鴻章嘆爲節烈，附片爲請旌，是又徐州燕子樓之盼盼也。（二十）

夢山樓

燕塵識小

・無負生・

翰林院敲騎縱橫

六部東西對峙，具如前述。更奇特的是翰林院衙門。院南朝北，面對宮牆。因爲翰林是文學侍從之臣，有點宮門待詔之意，才有此特殊的格局。翰衙在東交民巷，因劃入使館界，乃在西三座門外西長安街東頭重建新衙，正對南海園牆，與新華門遙遙斜對。民初，文官高等懲戒委員會設於此處，庭中碑碣甚多，亦略有竹石之勝。其後淪陷期間，日軍竟駐兵於內。玉堂金馬，淪爲敲騎縱橫。遂山話舊者，眞有不堪回首之嘆矣。

清代章服制

七八歲時，常聽先祖母講京朝掌故，有一首打油詩，記得最熟，至今不忘。詩曰：

金頂朝珠掛于貂，羣仙會上任逍遙。忽聞大考魂飛落，縱是神仙也不饒。

小時聽常歌唱，其實不知所云。後來愛看掌故書，漸漸明白。今爲解釋數語，以備中年以下的讀者解惑。至於金馬玉堂的前鑾，榮標甲榜的先生，身是過來人，原不待我多所嘵舌了。

歷代章服之制，最爲謹嚴。所以尊卑、辨等差，而肅朝儀也。滿人入關，自然有一套殊徽號易服色的制作。雖原則未改而形式大變。由紅袍紗帽，改爲翎頂袍掛，補服朝珠（明代已有補服）。在章服制度上可稱一大變局。紅纓帽上，用頂子的顏色質料來分別品官。一二品大員通用珊瑚頂，三品明藍寶石，四品暗藍，五品水晶，六品硨磲，七品至九品通用金頂（實是黃銅）。五品以上許掛朝珠。二品以上大員以至王公，隆冬始准翻穿貂皮外掛。此定制也。

翰詹大考魂飛魄散

惟獨翰林院編修檢討庶吉士，俱是七品（修撰六品，也算在內），只許頂戴金頂。但因翰苑羣賢，是文學侍從之臣，因此特加優禮，在國家鉅典，准許掛朝珠，於是「金頂朝珠掛于貂」。中朝大老，刮目相看，濟撫疆臣，聞名倒屣。莫笑草茅新進，七品卑官。一登龍門，如在仙境了。故曰「羣仙會上任逍遙」。話雖如此，然而有一件最可怕的事，即翰詹大考是也。何謂翰詹大考，雍正十一年諭曰「嗣後庶吉士等雖經授職，或數年以後或十年，朕再加考驗。若依然精熟，必從優錄用，以示鼓勵。若遺忘錯誤，亦必加以處分。」由此著爲定例，每隔幾年舉行一次，凡翰林出身的翰林院詹事府羣仙一體要考。這在博學能文者，正可及鋒一試，而文字荒疏的，不免魂飛魄散了。（六）

（五三三期作者筆名誤植爲「無負名」，特此致歉。）

酒的藝術

・秦思源・

我一生最遺憾的就是不能喝酒，最羨慕的人也就是那些能喝酒的人。每見其一杯在手，豪情奔放，高歌慷慨，萬慮全消。直如李白的詩：「古來聖賢皆寂寞，惟有飲者留其名。」蘇東坡的詩：「曉日著顏紅有暈，春風入髓散無聲。」其意境是何等的瀟洒，其人生涯是何等的輕鬆。

人言酒能亂性，這是不盡然的。世上的人，誰不是爾詐我虞，投機取巧？惟有眞正飲酒的人，才有眞性情。所謂「酒後吐眞言」，「酒中不語眞君子」，都是指吃酒的人，只要三杯到肚，一定會無忌憚的現出其本來面目，把裝腔作勢，阿諛逢迎那套假面具拋掉，由其至性中發洩他對人生的感觸，一怒、一喜、一哀、一樂之間，畢露其純眞天性而無遺。

如古來幾個飲酒有名的人：

酒怪：中國歷史上飲酒人物中，最怪的當推晉朝時代的劉伶，他一生放蕩不羈，宵讓歲月磨洗他的鉛華，不肯向當時士大夫去逐鹿奔競，只有酒才是他寄托生趣的侶伴，每次吃得爛醉的時候，他呼喚他的侍從說：「死便埋我！」眞是怪人怪行徑，其至性流露，令人有超塵出世之感！

酒狂：喜歡狂飲，且愛狂言狂語的，莫如李白。當其「冠蓋滿京華，斯人獨憔悴」時，已深深感到懷才不遇的痛苦，此後即寄其眞性靈於詩酒間，他每一有力的作品，無不縈之於酒，如其「月下獨酌」詩云：「舉杯邀明月，對影成三人」。又云「我歌月徘徊，我舞影零亂，醒時同交歡，醉後各分散。永結無情遊，相期邈雲漢。」不啻進入靈境，飄飄欲仙了。

李白的狂言，在其「將進酒」一詩中可見，云：「人生得意須盡歡，莫使金樽空對月，天生我材必有用，千金散盡還復來。烹羊宰牛且爲樂，會須一飲三百杯。」他並在「行路難」一詩中云：「金樽清酒斗十千，玉盤珍饈値萬錢……長風破浪會有時，直掛雲帆濟滄海。」直顯其狂放驕傲，無拘無束，難怪楊妃被迫其爲她捧硯，高力士爲他脫靴了。（上）

文壇漫步

出版界動態

・紅纓槍・

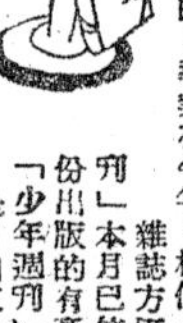

今年的出版事業，目前爲止，醞釀了不少新的出版計劃，而實現的，鎮沉的，像天空的殞星一樣昇沉的，亦不在少數。

籌備了很久的晨報，最初本擬出版日報的，人事也配備妥了，但是後來又有變化，結果改爲出版週刊，不過一個月左右，便停了下來，主持人似有捲土重來的決心，這些人，多是基督教人士。另一張「香港人報」，是道德重整會的刊物，屬週刊性質，現在聽說準備改以三日刊的姿態與讀者見面。

籌備中的中興日報，聽說資金頗鉅，是天主教人士所創辦的，還有香港夜報，亦已密鑼緊鼓，是本港一個社團主辦的，報業在今年，相信一定更蓬勃。

雜誌方面，「自由月刊」本月已停刊了，五月份出版的有高原出版社的「少年週刊」，這個刊物，是自由文化界所主持的出版物，另有一個叫做「知識」的綜合性刊物，是由一家書店出版的，一般相信是有背景的。醞釀中的雜誌，聽說還有幾個，不過名還未定出來，我們也不作過早的報導了。

自由人

THE FREEMAN

（第五三七期）

中華民國僑務委員會
頒發登記證台教新字第一零二號
中華郵政台字第五〇〇號
執照登記爲第一類新聞紙類
（半週刊每星期三　六出版）
每份港幣壹毫
台北市售價台幣壹元
督印人：陳文華
地址：香港高士威道二十號四樓
3 rd. fl. 20 GAUSEWAY RD
HONG KONG
香港發行及事務接洽
高士打道66號　電話：七四〇五三
承印者：東南印務出版社
地　址：高士打道六十四號
海外總經銷
友聯書報發行公司
香港：德輔道中二十六號A二樓
台灣特派員辦事處
台北市館前街五十號
台灣總經銷處
台北市西寧南路壹登壹號二樓
台郵撥儲金戶九二五二

布赫訪英難有成果

·丁文淵·

本月十八日蘇聯的總理布爾加寧偕同黨的第一書記赫魯契夫，乘坐蘇聯的巡洋艦「柯爾尼奇斯」抵達英倫樸資茅斯港，當即換乘一列專車，前往倫敦。英首相艾登和外相勞合，均親至車站，予以歡迎。據合衆社的報道：「不管俄人此來之『和平攻勢』姿態，英國今日甚至於蘇領袖一踏到英領土時，便發生抗議之新示威」。又謂：「在倫敦維多利亞火車站外，行人道上排列了數萬群衆當中，有反共之旗幟與標語豎起」云云。這十足表現了英倫人民對二人訪英的情緒。

。美國國務院研究共黨策略的專家，早已指出：這是蘇俄領袖向中立（！）和西方國家謀求「親善」的一種廉價姿態，因爲過去七年，共黨領袖，對任何嚴重的事件，都很少利用情報局。然則現在公開解散，對國際共黨的行動，又有什麼實際影響？

所提出新的中東和平計劃，最低限度，是一方想對中東問題，獲得正式的過問權，另一方面，則想借此破壞巴格達的公約聯盟。

我不相信，世人再會受他們的欺騙！

最大的戲劇性把戲，莫過於赫魯契夫在二月間清算史達林的那一套。他想要借此昭告全世界，你們請看，我們已經在清算我們的爸爸，你們還不相信我們嗎？我們清算他的獨裁，我們要集體領導，再加上些共產主義如何可以和資本主義共存的理論，好似他們眞眞厭惡專制獨裁的樣子！

清算史達林無關政策

如果我們細細把赫魯契夫攻擊史達林的罪惡一一分析一下，就覺得他所攻擊的，完全是歷史上一般無聊政客們，互相排擠傾軋的老調，與政治主張，絲毫無關。赫氏在他三小時半的演詞中，向代表們播述史達林的「猜忌，恐懼，恐怖」統治，完全是攻擊史達林對他同僚的個人行爲，而不是攻擊史的政治主張。他提及一九三七年杜卡契夫斯基元帥被控叛國，和被秘密審訊後得血浴及蘇聯最優秀的軍官五千名被屠殺，不過要拿來刺激軍閥，拉攏軍閥！而他清算貝利亞的時候，所被屠殺的秘密警察的數目，想來亦達此數，而其手段，則完全取法於史達林，他卻一字不提！他又說史達林密令將反對派，切實消滅；列寧死後，史達林侮辱並威脅其遺孀。請問布赫對於貝利亞的一派，是否也認爲是「反對派」？是否也曾「切實消滅」？與史達林的行爲又有何不同？史達林死後，他的子女何在？是否也曾受到布赫的侮辱與威脅？至於說：「恐懼和恐怖」的空氣，瀰漫於全國，布爾加寧被召去見史達林時，竟不知如何下場！和認伏羅希洛夫元帥爲間諜，不許參加政治局工作；莫洛托夫且被軟禁等等，也不過形容史氏的專橫無忌。請問布赫，這一次清算史達林，要他們的附庸統統附和，不也是同樣的專橫無忌嗎？

至於說：史達林在招待外賓中，曾公開侮辱赫魯契夫，呼之爲「柯柯爾」，命令他跳戈巴克舞。在當時赫魯契夫可能還認爲是一種特別的親密表示，深以爲榮呢？如果現在要借此發洩，則更十足表現出他本人的「奴性」！

赫氏傳史氏的衣鉢

史達林的罪惡，是不承認個人的尊嚴，換言之，就是不承認他人是人，因此不拿人當人，不僅僅對他的同僚如此，對任何世界上的人，都是如此。因此他奴役人民，數千萬人到今天還在勞工營的生活！何以赫魯契夫一字不提？也不取消這種非人的勞工營！

史達林罪惡，是不尊重法律，取消人民應享受的法律保障！何以赫魯契夫也一字不提，也仍然絲毫不尊重法律？

史達林的罪惡，是不顧及人民的生存，只知製造殺人武器！而不肯製造人生日用必需品！爲了要實現他的集體農場，就不顧烏克蘭的反對！讓他們餓死了三百餘萬人！這是世人都知的事實，何以赫魯契夫一字不提？所以赫魯契夫的清算史達林，不是清算史達林的非人道主義，而是清算他私人之間的恩怨。赫魯契夫之清算貝利亞，攻擊莫洛托夫，無情的責備馬倫科夫，均足十足表現他是史達林的一位標準繼承者。

赫魯契夫的苦衷

此外赫魯契夫卻有他不能不清算史達林的苦衷。因爲這一批喪失人性的奴才，一生都爲史達林的權威所籠罩，而不能自拔，這就是他們所稱道的「黨的路線」。現在他們自己執政，又有了他們「新的路線」。如果不將老的，一切人都被籠罩的「路線」，清算一番，則他們的「新路線」就無法成立。赫魯契夫現在還沒有力量做一個人的獨裁，他不得不聯合他的「同志」，組織一個「寡頭獨裁」。這是他不得已的苦衷。他還想借此欺騙世人，說是蘇聯確實在修改史達林的政策，這更是欺人之談了。

赫魯契夫要想一手掩盡天下人的耳目，是不可能的，這是他的愚而自用。以他的驕橫無忌，粗魯無恥，欲與艾登一見短長，眞可謂緣木求魚了。布赫之訪英，我認爲不可能有何成果！（四月廿一）

英國對布赫的態度

據路透社電，布、赫二人希望「擴大與英國的經濟聯繫，發展貿易關係，交換技術、科學及文化方面的情報」。而艾登則發表聲明，表示：「希望未來數日的會議，將有助於改進英蘇關係」，又說：「他們等待着將促進世界和平與繁榮的『軍縮會議』。」

而合衆社則認爲：「英首相審愼與俄人會商中東問題，並將提出：陷入僵局的倫敦裁軍談判，歐洲安全，貿易與德國重新統一問題」等等。「一般推測俄人將會答允以值一億美金的黃金，貸於英國，期促使英國解除不准戰略物資運往共黨國家的禁令」。

照這兩個大通信社的報道，我們可以明瞭，英國企圖使俄人能够充分瞭解，目前所急需解決的問題，就是世界和平問題。我說得明白一點，就是要告訴俄國人，關於中東問題，你們不可能再想從中取利，唆使「以」「阿」發動戰爭！關於裁軍問題，必須有一個眞確的解決，不能再施拖延！關於歐洲安全，你們更不能從事破壞！德國統一，更是事在必行，你們不可能再從事阻撓！

布赫的手法和企圖

蘇俄一向喜歡用戲劇性的方式，來作宣傳攻勢。在布、赫去英之前夕，蘇俄宣佈：一、解散共產國際情報局，二、提出新的中東和平計劃，仍然離不開他們戲劇性的作風。然世人均知：所謂共產國際情報局，早已名存實亡

而俄人的企圖，則想和英國單獨拉交情，不惜以一億美元價值之黃金，作爲賄賂，再以發展貿易爲餌，來引誘英國，以實行他們離間英美的計劃。

以艾登的政治經驗，我不相信他會輕易上布、赫的當。

陳嘉庚想作預言家

不久之前，在某報上看過一段引述陳嘉庚的說話，大意是說：「今後的中國，再不會有改朝換代的事實出現了。」

陳嘉庚以經營樹膠業起家，我做中學生時，就着過他廠裏製造的鞋子，知道他很會做生意，他如發表一篇關於如何發展樹膠經營的談話，即使說得如何不切實際，到底總還是內行人的說話，我們也就無話可說。但忽然他要作起預言家來，則未免使我們覺得有些驚異了。

這一方面使我想起了好幾位我先前鄰居的兒子。爲了在學校裏鬧翻，大抵是功課不大好，又偷了東西之類，給學校開除了，後來是忽然宣告失蹤，究竟是怎麼一回事，連他們的父母也很模糊，直到共產黨「得了天下」，這些小傢伙的事蹟終於調查出來了，說是參加了他們「革命行列」，在什麼地方舉義，業已壯烈殉職。接着便是開會追悼，印發他們的革命功績，照像也給豎出來了，全都十分英俊，有一臉的殺氣。但因爲我們原是鄰居，終於也分辨得出來。追悼會過後，我的鄰居就變成「烈屬」，門口上貼上紅紙寫的「光榮之家」的條子。

此外我又想起了先前讀私塾時，讀過一些奏摺，總少不了有：『奴才恭叩，願吾皇萬歲，萬萬歲。』的熟語，我不是考據家，不知道萬歲這一句祝賀的說話起於何時，大致是很古老了，很有些封建氣或奴才氣。但儘管每一個皇帝日日受臣民的朝賀都稱萬歲，而所謂皇帝之類，其壽命卻並不見得怎樣長久，有些反而是很「短命」的。如果以爲陳嘉庚會說過中國從此不再改朝換代，除非他眞正成了預言家，否則當然不外同先前的「萬歲」一樣，只是奴才恭維主子的套語。但在共產黨的宣傳技術底下，我的鄰居的小夥子們可以成爲英雄，則陳嘉庚之忽然變成預言家，其實也是毫不足怪的事情。

近來自從史太林被清算，我漸漸覺得這些英雄畢竟也很可憐，那情形並非像「狡兔死，走狗烹」，如果只如此，倒須恭順或超脫一點的人，自然可以設法避開。問題是一株大樹底下容不得小樹生存，要讓小樹長起來，就必須把大樹砍倒，這大抵也就叫做「革命」。如果大樹已經倒掉，旁邊的許多小樹中間，還沒有那一株比較特大的，那末可能就叫做「集體領導」，但那一株特大的，最後也終不免要砍掉，而且有時須要挖根——也有稱之爲鞭屍的。

論·共·黨·的——「高度融和」與「不斷革命」

·燕廬·

共產黨的社會進化觀

據我所知，凡是共產黨統治的地區，都有一本小冊子是每一個「人民」都該閱讀的，那就是所謂「社會進化簡史」，內容是：「人猿變人，雙手萬能，勞動創造世界，後來是出現了奴隸社會，奴隸社會之後是封建社會，資本主義社會，社會主義社會，共產主義社會……這些由什麼社會變到什麼社會之間，總有一場革命，凡是革命，又必須經過鬥爭，於是鬥爭便成了社會進步的力量。」共產黨從此得了一個對于歷史的結論，就是「不斷的革命。」因爲他們有此主張，所以反革命就成了最不可饒恕罪惡。但依舊有人要懷疑，就是共產主義社會出現之後，歷史是否仍然繼續發展？如果發展，又得是一個什麼樣的社會？共產黨既然要講進化，自然不會主張歷史停頓或循環的說法。他們的答覆是，社會進到共產主義時，階級矛盾，鬥爭全都無形消滅了，社會變成爲一種「高度融和的狀態」。這個「高度融和的狀態」，共產黨很少加以具體的描寫，但卻是他們在「不斷的革命」以外的另一個對於歷史的結論。

天堂和大同的觀念

在宗教方面，佛教有極樂世界，天主教有天堂，我們中國儒家的政治理想中也有一個「夜不閉戶」的大同之治。相信宗教的人，天天說法講道，但也僅能以「天國近了」的神話維繫着一般慕道者的信心。至於儒家的學說，歷史上似乎只有王莽跟王安石稍有此種抱負，想用一套制度來實現大同之治。除此之外，所謂大同云云，就只有些文藝方面的幻境，因此大同一詞，只是一個美麗的語彙，成爲政治學上的一種藻飾。

人類很不幸，就是近代的許多政治家，往往兼有宗教家的氣質，都過度神往於主義或制度之類。

【下轉第二版】

半週述評

·司馬璐·

貿易與裁軍

赫魯歇夫在倫敦反覆的說：如果一天戰爭爆發，蘇俄的飛彈幾分鐘就可以到達英國了。又說：我們快將擁有可攜帶一枚氫彈之導向飛彈。

俄共眞理報的倫敦通訊說：在這次英蘇談判中，貿易與裁軍兩個問題有直接的關係，「倘欲達成裁軍的企圖由其他的方法陪同在一起，則裁軍問題可能較快及較有效地獲得決定，這些方法就是更鬆弛緊張局勢以強化信心及國際關係，例如發展國際貿易便是鬆弛緊張。」該文又說：「這對英國而言，總是有利的。」

蘇俄的「秘密」

本月廿三日，休會多日的裁軍會議也恢復舉行了。裁軍問題與聯合國的成立有同樣長久的歷史，正如敦島說：「今日的政治家，應該中止走向地獄之門的因素，共謀廢止或限制核子武器。」

在基本上，我們對於眞正從事裁軍的努力是同情的。因爲祇有共產極權主義者，才是依靠暴力統治的唯武器主義者。蘇俄對裁軍問題根本沒有誠意，眞理報透露蘇俄對裁軍問題的「秘密」，不是最好的說明嗎？

宣傳的機會

我們有更多的事實證明：去年二月間，蘇俄提出了裁軍建議，即各國同時銷毀現有的原子武器，武裝部隊軍備和軍事撥款不得增加到一九五五年一月一日的水平，這項建議，美國不僅立刻表示贊同，而且進一步提出技術問題研究。蘇俄默不作聲了，因爲他們失去了宣傳的機會。

默不作聲

美國人說：裁軍很好，僅靠宣傳是不行的，我們必須有嚴密而有效的檢查制度。美國早提出過開放天空聽由雙方飛機互相攝影的意見。

三月廿六日，美國又提出，「在世界各處設立交通站，以查明裁軍公約國家的軍隊在境外的移動情況，以協助防止突襲。」但是，美國的建議一具體，蘇俄就裝聾作啞，又是默不作聲了。

「先禮後兵」

三月底，蘇俄又提出了新的裁軍意見說：他們要等慢慢研究過空中攝影的可能性以後，才能決定對「開放天空」的態度。這意見是滑頭的，結果如何，要待「研究」。正如蘇俄對英國表示的，如何裁軍，要看「貿易」。根據蘇俄的邏輯，豈不是：如果「貿易」不能令我們滿意，就休怪我們無禮，飛彈在幾分鐘內就可以到達英國了。這是俄式的「先禮後兵」！

等于開玩笑

裁軍談判中，蘇俄的陰謀還有：離間英法與美國。在裁軍問題上，英法方案和美國的意見並不完全一致。蘇俄提出貿易與裁軍同時談判，其故亦在此。擴大歐洲的「中立」圈，蘇俄在裁軍問題上主張在歐洲（特別是包括東西德），設立一個緩衝區。我們看，和極權國家談裁軍，實在近于開玩笑，當年希特勒的德國，還沒有今天的「鐵幕」，不一樣建軍嗎？

地方自治的隱憂

·張健生·

（本報台北通訊）最近各方指陳台灣地方自治各項選舉發生流弊，故有建議政府及國民黨以提名代替選舉者。而民主潮、世界評論、公論報、自由人、民聲日報、及其他報刊對最近台南市、台中市區長選舉，台中縣縣長選舉，均有所報導或評論。這實在是台灣地方自治前途的隱憂。

根據憲法規定，先訂定省自治通則，依自治通則，召集省民大會，制定省縣自治法，再依照省縣自治法，分縣分期，進行各種選舉。但惜在立法院尚未及時議定省縣自治通則，而台灣省政府，已頒行台灣省縣市實施地方自治綱要，以爲辦理地方自治依據，致貽「上無道揆，下無法守」之譏，開憲政史上不良之惡例，而今日地方選舉之混亂，實亦導源於此。

各縣選舉情況

對於國民黨黨內提名參加競選，本未可厚非。但少數國民黨幹部，因自私成性，任意爲之，致有不容他人競選之現象。台南市七個行政區，除國民黨提名而外，祇有西區有位吳森傳者，爲國民黨以外人士，參加競選。吳氏競選期間，因涉嫌「違反國家總動員法」及「囤積居奇」二罪併發，其妙也就妙在「巧」上，該案會在競選時期發生。幸吳氏未當選，不然，後果難說？現則災禍全免。台中市八個區長候選人，均爲國民黨提名入蟈聯，其餘二位非國民黨黨員候選人，均告落選。台中縣縣長候選人王地，若非想作七品官，恐亦不致被召入營，執政黨從政黨員對此事，將省府公報「第三十七期」作二種不同之解釋。國民黨候選人廖五湖則在無人競選下而膺選縣長。

選民對投票之不感興趣，可以台中縣清水鎮爲例，百人中祇有九人去投票。管子謂：「政之所興在順民心，政之所廢在逆民心。」逆民心而行之，焉有不敗之理耶！

黨內提名，旨在防止濫竽之徒，及有顧勢者之流弊。但是否執政黨從政黨員均係人才呢？略舉一二例以資說明：

基隆市長謝貫一，對於處置公產，已人言嘖嘖，對職員貪污，違法變賣公物，僅以行政處分了之。（四十五年四月十一日世界評論）台北縣長戴德發，對於用人及辦理選舉，均爲地方人士所不滿。今春淡水渡船傾覆，損失人命三十三條，追究責任，戴縣長尤不能輕加諉卸。

正本之道改善競選

上述民選縣市長，都由執政黨提名而當選者，但似已將競選時所發表之政見——計劃、抱負，置於腦後，且爲國民黨招來許多無益的批評。似此則執政黨地方黨務幹部實不能推卸選才不當之責。輿論雖對此類現象有所批評，民間亦有議論，無奈地方國民黨部既無承認過失之勇氣，且進而結怨於輿論，或以不正當手段，排除異己。

因地方選舉之不如理想，而危及地方自治步入常規。今後地方行政能否作有效之改進，正本清源，當在競選之能否合理，若「一人競選」之惡例不除，地方政治之欲求民主，不啻緣木求魚矣。

下一齣是什麼？

·魯午·

·讀者之聲·
禁映大批國片的抗議

·孫瑋·

最近電影檢查處召集全體國片商卅餘家到該處開會，由處長沈邁暉及業務科長劉德宣主持，即席沈氏宣佈：「因影人附匪關係擬即禁映的國片六十餘部，另有粵語改配國語者甚多，將分二三批辦理。計第一批名單爲滿庭芳、楊娥、茶花女、費貞娥刺虎等三十部。第二批爲碧血黃花、鄭成功、山地姑娘等三十一部。第三批爲臥薪嘗胆、半下流社會等六部；另有粵語改配國語者甚多，尚在調查統計中。」沈氏又說：「第一批的馬上下令禁映（禁映命令已於上月底發出），第二第三批俟詳加考慮後，再行決定。」

現實的諷刺

最妙的是沈處長說：「政府明知這樣措施是不合情合理，是商人的無辜損失，是扼殺國片的辦法，但因爲立法委員攻擊政府過去措施錯誤，故不得不如此。你們最好分向立法委員解釋後，政府便可改善辦法。」這好像把一個統一的政府說成一個不統一的政府。又立法委員人數千餘，教商人如何分頭解釋？又分明把政府內部的矛盾錯誤罪過，要商人來担當。

值得注意的是上述禁映影片中如碧血黃花、鄭成功、萬里長城、楊娥等多部，都是最高當局明令嘉獎的；山地姑娘還是自由影業公司最近在台灣拍攝的片子。如此檢查政策豈不成了極大的諷刺！

政令否定立法原旨

造成此錯誤的主要原因何在，簡言之，是積許多小錯不加改善而搆成了大錯。

查四十年九月廿五日內政部公佈之「戡亂時期國產影片處理辦法」（此項辦法係經立法院通過完成立法手續的）第二條規定：具有左列情形之一之國產影片一律禁演並依法沒收之：一、在匪區或在匪控制利用下攝製者。二、附匪影片公司廠商所攝製者。三、攝製時編劇導演及主要演員有附匪者。第三條，編劇導演及演員於攝製後附匪者應將附匪者之姓名在片頭删除，再予映演。第四條，附匪影片公司於附匪前已將其出品售與我方商人，其影片無第二條第三款之情形並遵行下列之規定者得予映演。一、影片片頭之附匪公司名稱予以删除。二、在海報告上不得將附匪公司名稱刊載。這辦法行了二年餘，尚稱允當。不料四十三年六月十四日行政院又頒佈一辦法，將原辦法第二條第三款之「攝製時」三字删去。並將原辦法第三條删去，而於新辦法第二條第三項規定爲「編劇導演及主要演員有附匪者」。第六條規定「經核准演之國產影片，倘發生影人或影片公司附匪情事，應由電影檢查之機關調回複檢，重予核定。」這等於說無論何時攝製及已否給照准演之影片，一經發現其編劇導演及演員有附匪情事，該片隨時禁映。此項辦法，與立法院通過之母法根本衝突，顯然推翻立法院立法原旨，造成對內對外之嚴重矛盾及惡果，更予人以利用之機會。試申論之。

雖非欺詐、跡近兒戲

影片係綜合藝術，職演員人數，少則數十人，多則千數百人，一部影片之攝製其製片人與編劇、導演及演員之關係，純爲雇用性質，影片拍成，付清代價，雙方權利義務便告終了，在拍製之初，選擇劇本及導演演員勿有附匪份子參加，這是製片人的責任。攝製完成後，職演員之個人行爲，非製片人所能過問，而亦與該部影片無干，此理至明。倘攝製時，製片人誤用附匪人員參加而招致禁映損失，咎由自取。而現辦法等於要製片人負該片職演員之永久責任，此豈合理？任何人亦絕對不能做到之事。又台灣片商向香港製片商購買影片，只能於事前慎選該片劇本及職演員無思想反動，或爲附匪問題，使予購買，至於該片職演員之事後行爲，更非片商所能負責，其理亦至明顯。是政府所要打擊附匪影人的行爲打擊片商，此又豈合理。商人既以合理手續將影片申請進口，繳納稅金；依法送檢領照，而政府則於收得稅金發給執照之後，隨時可以取消執照，禁止放映，雖非欺詐，迹近兒戲，此恐爲古今中外所無之事。

影人變節誰負其咎

寫到這裏，筆者想起蔣廷黻博士去月廿日在留美同學會那篇精美絕倫的演講詞，其中有一段大意這樣說：「從前中國商人喜歡在上海天津租界做買賣，現在喜歡選擇香港新加坡作爲住家和投資的地方，主要是在法律上生命和財產都有保障。今天正在設法吸引台灣外國人及華僑的投資，但必須注意到對投資人的保障。」又說：「我們從來抱有輕視商人的成見，這種成見不破除，便難求進步。」這是何等精闢獨到的見解，惜政府從不注意！

【下轉第三版】

【上接第一版】

但制度儘管說得很中聽，而我們卻一直覺得以往的日子好過一點。這也許是一種要不得的情緒，不過花生油比棉子油容易入口，則是極其顯淺的道理。至於宗教，我們但[illegible]道日日有人「魂歸天國」，祇可惜他們去不返，我們無從會晤一個曾經從天國中回來的朋友，那末天堂的生活到底如何，即使是如何虔誠的教徒，也必須是死後才能領會的事情。

共黨預言的失敗

照共產黨欽定的社會進化簡史的說法，社會主義社會的出現，原須在資本主義社會出現之後。這自然由於馬克斯以爲資本主義所造成勞資階級對立的結果而來。但這預言顯然已經失效，目前的蘇聯和中共，在共產黨得志之前，都說不上有了什麼資本主義或勞資對立之類的因素。就是已經爲共產黨所支配的東歐，以至於正待着手滲入的印度，中東，東南亞等地區；所謂資本主義云者，也還幼稚得很。於此可見共產主義所憑藉的許多歷史學說上的假定，其可靠的程度，原是十分薄弱，甚至是十分錯誤的。

論·共·黨·的——「高度融和」與「不斷革命」

「不斷的革命」論

他們說：「不斷的革命」，目的只在於爲共產黨開路，是一種煽動的手段；說：「高度的融和」，目的在於爲共產黨鞏固既得的利益，是一種壓制的藉口。不過，這兩個結論，憑我們起碼的邏輯常識判斷，它們原是兩個互相抵銷的命題。因爲它們不能全都是對的，甲命題對了，乙命題就須取銷。在不斷的革命的原則下，不能出現高度融和的境界，如說可以有高度融和的一天，則「不斷的革命」就不成其爲結論。然而共產黨到底也說對了一半，那就是「不斷的革命。」

我自知不够博雅，對於俄共的英雄譜很生疏，只知道托洛斯基給放逐了，後來在墨西哥給刺客用斧頭砍死。史太林死後，有貝利亞的被誅，馬倫可夫的垮台，最近又有了史太林的被清算，可見「革命」眞的在不斷地進行着。而且所謂社會主義的命，較之奴隸社會、封建社會的命，更短促，更脆弱了。

史太林屍體的處置

當史太林初死時，共產黨對於他的屍體，曾經用過什麼莊嚴神聖的形容詞去描寫，我記不起了，只記得報紙上屍體的照片是一大堆的鮮花圍着，而且又知道中共曾替他發喪、掛孝。今天在報上讀到了美聯社報導史太林的屍體被從列寧墓中移出的電訊上說：『史太林家屬，已表示願領回該屍體，將其葬在一墳場中。該屍體移出紅廣場後，克里姆林宮大概將發表一聲明，謂該屍體已應其家屬請求，交給他們了。』「該屍體」三字，在中文的語意上是相當「不敬」的字眼，使我們彷彿覺得在讀着警察機關處置「路屍」的文件，回想起史太林初死時，共產黨徒那種「不自殞滅」的情形，眞不免有些「隔世之感」了。他們這一下「革命」，眞革得使許多人都迷惘起來。

「高度融和」謊言一句

不過，據說史太林畢竟不失爲一英雄，因爲他到底把蘇俄統治了二十多年，直到老死爲止。那末以後這些沒有他那種才氣的人，並且曾經給他斥責羞辱過而不敢申辯的人，他們的前途也就可想而知了。於此可見所謂高度融和的遠景，明明是一句謊言。但我們很明白，世間原就有一等惟恐天下不亂的人物，那就是流氓。他們不治生產，又天生一副搗蛋的本領。大家試想想，世間不耕而食，不織而衣的人，除了先前的貴族，更還有比共產黨人更澈底的麼？但他們却可以天天叫人大力生產，發起增產挑戰，叫人超額完成，這騙局之大，比任何流氓社會的敲詐勒索都更高明，更進步些，因爲它是騙局，而且又有了槍桿，局外人無可奈何，便只好忍受。但局內人心裏雪亮，形勢迫使他們，不能不走「不斷的革命」這一路。只可惜我鄰居那幾位小流氓「殉職」太早一點，沒有分享到革命的果實。至於陳嘉庚之流，只不過像卦命如神的張鐵嘴一樣，在流氓社會裏混飯吃。流氓頭子的女兒要他算命，他准能推斷出一個一品夫人的格局來奉承一下，肉麻却另一回事。因爲他雖然叫鐵嘴，腦袋仍然是皮肉做的，而且也必須吃飯呢。（完）

台北速寫

成功的新政

年來在台灣最令人滿意的新政，是保險事業。現在全體軍人、勞工及漁民，都經強迫保險。這些人原是最清苦的，現在已不怕意外的災害。聽說當局正計劃擴大保險的範圍。台灣正在朝向工業社會發展，舊式的鄉土人情式的互助精神已日形衰退，進一步實施社會保險制度，是值得考慮的。

國會之爭

爲了參加世界國會聯盟，立監兩院之間掀起了誰算是國會的爭辯。立法委員認爲唯立法院才是國會，監察委員則以上院來比擬監察院。最近赴日訪問團未能以單純的國會議員姿態出現，這也是原因之一。我國憲法是五權制，而立監二院都與英美之國會不同，在此種爭執中，顯示大家離開了五權憲法的立場。

謠諑與保密

國防會議秘書長周至柔率高級將領數十人赴美作一月訪問，事前當局諱莫如深，事後又不許在報上公開報導，於是外間傳說中美軍事合作將有新開展。就該訪問團分子之龐雜而論，似無特別使命可能。軍事當局對於保密每每過分，此爲一例。影響所至，遂發生許多怪誕的謠傳。

加價而不改善

本市公共汽車之管理不良，向爲市民所不滿，最近加價之後，仍未見改善，輿情更憤慨了。最近竟有一車，因倒車不慎，軋斃行人。最叫人頭痛的，許多新車都裝設了特級喇叭，聲音超過火車鳴笛，驚嚇路人，莫此爲甚。這也是本市怪現象之一。

靡靡之音

此間收音機裏日夜播唱西洋流行歌曲，和靡靡之音，甚至「桃花江是美人窩」也在以閩南語大唱特唱。而猛步改用中文唱出，更爲肉麻。但是其影響力甚大，街頭巷尾的孩子們，也都在唱。不知主持教育宣傳諸公，有何感想！

·杜蘅之·

林仰山教授談：中國文化與將來

香港大學中文系主任林仰山教授，最近曾應聯合國香港協會之邀，以「中國文化與將來」爲題作專題演講。這一位英籍教授前曾旅華多年，對中國的歷史、文化都有深切的了解，而且他還一度訪問過自由中國，去年李鄭屋村古墓的發掘，也是在林氏的主持下進行的，他這次以這一個題目來引述他對中國文化的看法是頗有見地的，他用顯淺而不深奧的說法來證明他對中國文化偉大的態度，他並不會引經據典，但是他已達到他要說的目的，他指出中國的歷史文化傳統是悠遠的，在古老的世紀，這一個古老的國家文化已經影響及於異邦，在若干世紀來均居於領導世界的地位。

中國文化沒有存在可能嗎

林仰山教授說：提到中國文化與將來，我經常聽見朋友說：中國的文化沒有存在的可能，但文化是有理想的，不是講別的，是以物質爲最，尤其一般人，都認爲中國的文化等於是件老古董，沒有用處，因此對於這事也頗傷腦筋，這是否是對呢，當然各有各的見解，以西洋史來引說中國文化是很吃香的。但我喜歡中國的古文化，古歷史，但在外表上看，有一點地方不同，即是中國的文化是有理想的，有信心的，在近代的世界文化地位來說，中國文化還是星光燦爛。中國的文化，尤其以古代爲最，例如過去的長衫褂，和現在的普通一般的西方流行裝，前者我們在任何各地還可經常看見，也由此可知中國的文化，包含着過去與現在，也並不是古代的單在目前而應用它，當然我們也要明白現在知道過去。而中國文化在過去有什麼特徵呢？有什麼原則呢？可否用在這時呢？但以我看來，中國文化是有特徵的，是有創造力的，是中國人自有的，並不是學外來的，當然自己保留了自己的創造力，也可發揚光大，與智慧，過去中國古代的陶器等也是自己發明的，由此可見中國的文化，高度創造性，例如歷史、地理等，普遍都灌溉自己內部的創造力，這是中國文化最有力的表現。以及影刻，雕塑等，都不但影響到外國，同時也發揚到世界各地，我們可以看到世界性的印度洋房，一見便知道是模倣中國的。

不但有創造力，且有高度文化特徵

中國不但有這許多偉大的創造力，同時還有高度文化的特徵，即是所謂感情，不但感動自己本國，同時也感化了別人，例如蘇聯、西藏、蒙古等，都不分生活習慣與種族而同化了。其次是中國的文化也有接受力，吸收外來文化，例如唐朝接受印度的佛教，儒家的哲學以及佛學，也相繼影響，這是很重要的，也由此可見中西文化交流的良好影響。但目前許多國家以文化來說，要算是中國最古，因爲其中有一原因的，中國文化例如「北京人」的時候以及唐朝等，還是保守到現在，不論在任何環境，如何演變都是一樣，這是非常玄妙的，因此我知道中國文化是一種創造以及感情性的文化。但我們既然知道這些原因，但仍然也有些人說，中國文化是一件老古董，不適合目前的，它的奧妙似乎在這裏。

中國文化的精神與原則

中國文化的精神與原則，經常注意基本的事，這個是了不起，它的可貴處，也在這裏，追憶過去我參觀北京皇宮的時候，皇宮內不但有美觀感，同時也覺得有隆重的藝術氣氛，皇宮中間是皇帝寶座，其餘是翻者，房桌是漆紅色的，地板是舖砌花磚的，房門是彫花的，所以中國皇帝一見便道如何坐皇位，但有些地方，外國人是不得的，他們祇講究吃得好，穿得好，然而中國人最注意的是基本文化，突然換了什麼環境，中國人也一樣，從社會方面看，什麼社會是鞏固的，但我看來還算是中國，因爲其注重基本，這基本是出乎人的自然人性，孝順父母，敬愛親友，還是中國社會上最重要的目的，以孝順父母爲本。

外變而內不變

基于這個緣故，因此我認爲中國的社會，最爲鞏固，外邊的原則可以變，不過內面的原則，則不可變，國家打敗仗，政府跑掉，但人民當然不能在一起跑，因此社會的患難，還是通帶在一起，這種民意之相通，人心的良善，眞是上帝賜給他們的，這是民主的原則，所以我說中國人不但有基本的精神，同時也俱有民主正義的精神，在美術方面來說，中國人最歡迎欣賞大自然，在中國不論在何地方，任何鄉村，都喜歡在室內劃一點山水畫以及靜物之類來調和室內的裝飾，也由此可知中國人對于美術的基本準則。

本着「是非」心

中國文化本着「是非」心的，中國在心內卻是存在着「禮義廉恥」這四字聯起來，便是「仁慈之心」，這不是最近有的，而是古代遺傳下來的，中國人都以「良心」爲準繩，一切按照良心去做，等于天地大道一樣外邊的大道，即是道理，而良心認爲是好，「客觀的即是良心，主觀的是天道」因此我認爲中國的文化，基于這個緣故，一切要按照良心做，即便是現在的倫理，本着這倫理每一中國人都倡導這個藥，成一個基本的文化，這一切不但是此，同時全世界也需要的，現在的人爲了自己利益而忘其良心，雖則中國目前受了很大困難，但如果基于這個特徵，而保守這個原則，貫通全世界，便能發生一種更新的文化，例如西洋文化等等不過最重要的還是保守本國文化，但是預先發揚光大，我們要知道它有存在性的地方，即是內心以及本身的培養，然後再發揚全世界。

禁映大批國片的抗議

·孫瑋·

【上接第二版】再說，自由影人變節附匪，這難道是商人的罪過？這種不合道理的條例，叫納稅人如何心服？叫商人怎敢再投資買片拍片？叫國片的生產怎不低落？怎不凋零？叫從影人員不迫於生活而變節？

是扶植還是摧殘

最顯明的事例是自從政院頒佈此辦法後，香港國片生產便一落千丈，單拿王元龍來說，他四十三年參加演出的影片共三十五部，到四十四年僅拍了四部。這個差額何等鉅大，以王元龍這樣的傑出藝員尚且如此，則其他普通演員的悲慘生活可想而知。中共看準了這一點，故於自由影業千辛萬苦拍成一部影片之後，便從該部影片職演員中拉走一人，使該片成廢物，現在僅僅拉走了幾個人，便有百數十部片遭受損失，則今後怎樣再生產？自由影人又將怎樣生存？意志薄弱者迫於生活而將有更多的變節，這是必然的事。政府的政策口號是扶植國片，而執行出來的辦法則是摧殘國片，迫走自由影人，差之毫厘，謬以千里，這是何等痛心的事！

管理者多負責者無

誰爲爲之？孰令致之？究竟是什麼機關和什麼人該負這個重大錯誤的責任？說起來眞是天曉得，亦令人啼笑皆非。原來管理電影的機構，眞不止五花八門，除了表面上的電影檢查處外，尚有屯直屬的新聞局、行政院。此外又有中央黨部第四組、第六組、總政治部、保安司令部、教育部、內政部、警務處、教育廳、省新聞處、財政部、外匯小組、警察局……等等，最近又成立了一個輔導會，委員十一人由十一個機關派員組成之，表面看起來是很隆重其事，其實一切的毛病便出在這裏，蓋各機關主管人那裏有精神時間去理會這些事，橫豎各派一中下級職員參加，這些人學識經驗究竟有限，往往情感重於理智，利益重於責任，可是他是代表一個大機關，他的意見及他所定的辦法，除了主管上司之外，誰都不能否定他，於是辦法滿天飛，你有你的偉論，我有我的嘉猷，誰都管不了誰，你看你的一面，我看我的一面，你做你的，我幹我的，更不管有無衝突，亦不問生何後果，待發生問題了，你推我諉，誰都不負錯誤責任，也誰都不負改正責任。

譬如上述那個新辦法頒佈後，經香港回國勞軍的自由影人及台灣影片商公會向政府請求迅速改善，所接觸的機關，大家都認爲該辦法不合道理，——一如沈處長的口吻，應予改善，也滿口答應改善，請求改善的公文不知寫了多少，旅行了多少機關，但搞了一年多至今尚無眉目，這樣的行政情況，行政效率，怎不使人洩氣呢?!而大家又好像相誡不讓這種錯誤措施給總統知道，免招罪責，這樣做官又是何等可憐！

讓錯誤繼續下去？

其他尚有等於實際摧殘國片之中西影片檢查辦法嚴寬（中嚴西寬）不同問題，外匯問題，勞軍問題，放映戲院問題，眞是百病叢生，限於篇幅，不能盡說。總之，我們覺得一下子禁映百數十部國片確是駭人之舉，昨日受當局嘉獎，今日即受禁映之處分，確是極大諷刺！昨日在台灣受熱烈歡迎，稱爲愛國藝人，今日忽變爲附匪者，是莫大的恥辱！我們不禁再問：誰爲爲之？孰令致之？這種嚴重的錯誤，是否讓其繼續下去？

海外通訊

世運會加緊籌備工作
——僑界將盛會迎我健兒

希周

（本報特稿·雪梨特約通訊）將在澳洲墨爾鉢市舉行的第十六屆世運大會，距今已不過七個月，各項籌備工作正在加緊進行中。但澳洲是一個工潮最多的國家，罷工停工是家常便飯，世運籌備工作之究竟能否如期完成，還要靠一半運氣。

華僑關心我代表人數

這次世運大會參加單位之多已打破歷屆大會的紀錄，因此選手人數之多也將空前。共產集團國家似乎已有決心在這次大會中一顯身手。共產國家選手的「質」究竟有無稱霸實力，固待證實，但他們的「量」似乎已先聲奪人。據聞蘇聯選手將達四百人以上，波蘭及捷克將各有二百人以上，甚至傳說中共也將派一個二百人的「代表隊」。這裏的華僑們很關心自由中國究將派多少人來，但迄今仍無人知道。

籃球游泳等門票售光

大會各場門票早已在世界各大城市發售，已經賣了半年多了。迄目前爲止，下列各場的預售門票均已賣光：（一）十一月二十二日的開幕式；（二）十一月二十八日二十九日三十日及十二月一日的籃球夜戰各場；（三）十二月一日晚的拳擊決賽；（四）游泳比賽各場；（五）十一月二十六日的重量級舉重決賽；（六）十二月六日晚的摔角決賽。但最爲中國人所注意的足球賽各場票子還未賣完，由從賽各場票子所餘也已不多。大會爲了不使大衆失望起見，每日在會場門口依次發售（自開幕日起）提留入場券四萬五千張爲止。因此，有決心想看的觀衆，仍有機會一飽眼福。不過，屆時售票處門前的長龍是不免的！

世運委會將開始會議

國際世運委員會將利用大會時期在墨爾鉢召開會議，並由委員會主席美國的白朗代奇氏主持。已有四十四國代表復允出席。此外，至少另有十二個國際體育團體將利用這機會召開會議。世運會組織委員會已定於大會期間舉行一次盛大招待會，各國選手與職員被邀出席的將有四千人。

僑界將有盛大招待

在雪梨與墨爾鉢的若干華僑團體也已準備歡迎自由中國的健兒們。在雪梨的中國婦女聯合會擬在我國代表隊於大會閉幕後，由墨爾鉢返台，道出雪梨時，舉行一個招待大會，聞已與有關方面接洽確期。如能舉行，將爲雪梨僑界今年歲暮前一大盛會。華僑們目前所關切的，便是有關自由祖國參加這次世運的準備情形，我們知道得太少。（四月十六日寄）

（關於世運的籌備情況，以及世運期間的動態，本報已有專函請希周先生撰寫特稿，希讀者多多留意）。——編者——

新書評介

介紹「勵志文粹」

·金城·

去年六月間，中央日報社出版了一本勵志文粹，這本僅有一百餘頁的小集子，竟在半年之內銷去了二萬多冊，尤其青年學子，對這本書更有熱烈的愛好，都願人手一冊，從銷路上，可知道這本書在社會上產生了的效果與影響。

這本書的著者是英國人山姆愛爾·斯邁爾斯（Samuel Smiles），斯氏的著作甚豐，流行亦廣，有十幾種文字的譯本，宋瑞先生自斯氏自助、品性、責任三書裏選譯了關於人生品性的修養與道德的訓練的文字，以指導青年處世的途徑，全書共計四十二篇，都是在中央日報副刊上陸續刊載過的，以宋瑞先生流暢簡潔的譯筆，選材的適當，雖僅僅四十餘篇，亦可窺斯氏著作的全豹。

當你翻開目錄一看，『書信』、『模範』、『同情』、『自恃』、『勇氣』、『躁急』、『動作』……四十多個道貌岸然的篇名，也許使你感到是枯燥無味的說教文字，但你讀一下裏面的文字，卻是一篇篇優美雋永的散文，使你如嚼橄欖，不忍釋手。

現時代的人們，多不願讀十數萬言長篇大幅的東西，時間上，經濟上也不允許，因之有人主張刊印節譯本，如能節譯得好，亦一善舉。宋瑞先生能從斯氏多少文字中提煉出這一部份精華，對社會的貢獻實在不小，因爲能讀斯氏長篇原著的人究竟是少數。在這反共抗俄的大時代裏，這本書確能使人們在學問上思想上以及精神上實實在在的武裝起來，我願以此書介紹給海內外創造時代的中華兒女們。現宋瑞先生仍在節譯斯氏作品，不斷的在中央日報副刊上發表，將來也許有勵志文粹第二冊問世的。

（本報歡迎一千字以內之新書評介，請文友多惠佳作。——編者——）

共區醫院草菅人命

目前，共區的醫院，由於醫生大多係濫竽，其數者，再加上官僚作風，視病人生命如草芥，因而事故頻繁，並引起人民極端不滿。最近即有一人，向共報投書訴說如左：

八月三十日，一位孕婦來醫院剖子宮的手術。在做手術的時候，大夫們只顧閒談，沒有給病人注射縮宮劑，因此子宮柔軟而穿孔出血，後來婦科主任跑下來一看，發現病人的子宮被刮破了，破洞中已經漏出了腸子，他們爲隱瞞這個錯誤，又找了一個藉口給病人做了開刀手術，切除了一段腸子。

隔不到十天的光景，醫院裏又來了一位刮子宮的孕婦。當時，做手術的強笑梅大夫還說，這回可得注意啦！要是再把病人的子宮刮破了就說不過去了。簡直令人難於相信，這位孕婦的子宮竟眞的也被刮破了，原因同上次一樣，又是沒有注射縮宮劑。（平）

編者　讀者

△陳式銳先生「財政金融與經濟發展」一文，將在本刊下一期刊出。

△伍憲子先生前爲本刊撰「中西醫藥問題」一文，業經本刊五三五期刊出，茲續接伍先生「中國醫藥略述」一文，係詳述我國醫藥發展略史之作，全文約五六千字，將在本刊下期刊出。

△外埠郵票，香港不適用，惠稿文友請勿再附退稿郵票。長稿如不刊用，自當奉還。

△陳蘊鄭、毛一波、程外、張瘦碧、楊力行、高宗魯、杜蘅之、孫國華、張健生、賴愷元、田華、劉穎如、王世昭諸先生承惠稿至感。

△以微、萬思同、王斌、趙毓昌、易敏子、王家文、孫國華、張建生、刁抱石、杜衡之、胡羲之、紅纓槍諸先生惠稿均收到，謝謝。

△代郵：詹午先生請撥冗移玉本報一洽。

自由談

無聊的風涼話

·馬五先生·

美國民主黨總統候選人史蒂文生，最近發表演說，對於美國今後的外交方針，有所主張，他認爲：「若吾人欲使經濟援助有效，即應停止要求受援國作忠貞試驗，及停止以金錢賄誘意志不堅定之政府，成立支票式的軍事協定，當吾人要求兌現時，反成了顯眼」。

這些話說來很漂亮，事實上這類毛病就是民主黨執政時代釀成的。如今卻拿來指摘共和黨當局，可見政治人物爲着選舉奪權利即不擇手段了。美國要求受援國家作忠貞試驗的典範傑作，即以二次大戰後的援華政策爲首屈一指者。派遣特使，干涉內政，要中國依照美國務院那種經由共黨間諜之手所繪製的圖案行事，不成即翻臉，認爲不忠貞，不特停止一切援助，並且多方予以打擊，更鼓勵共產黨來控制中國。這類擺在眼前的史事，誰也沒法否認的。

我認爲美國若要使援外政策有效，今後必須要求受援國對於美國實施援外政策的目的，表示忠貞不二的決心與行動。美援的最大目的是在反抗共產極權主義，如其一面接受美援，一面又跟共產國家勾搭，而美其名曰「避免大戰」，甚至挾其與共產國家親交的姿態以威脅美國，如對印度尼赫魯所給予的美援，才眞正是「以金錢賄誘意志不堅決之政府」哩！至於跟美國成立支票式的軍事協定，臨到兌現而賴帳的，到現在爲止，祇有民主黨案所發崇的西方「強大的盟邦」幹過這種事，當年美國對越戰問題之臨時變卦，談稱爲「不單獨行動」，不是最顯著的例證嗎？美國跟一些「弱小的盟邦」所訂立的軍事協定，卻是美國常常賴賬不兌現，且不願給別人有兌現之自由，如以互助條約來限制中華民國與南韓對本國的統一行動，即爲很好的說明。

美國援外政策之無效，病因完全是民主黨政府種下來的，共和黨政府只是無識無能，未及拔除這項惡疾罷了。所以，史蒂文生的風涼話，我覺得無聊可哂！

今日畫壇

「江浙派」談：

·于長卿·

五三一期自由人（四月四日出版），載阿淑先生的「今日畫壇辛酸錄」，讀之而有不能已於言者，因就所見，以告關心自由中國畫壇者。

首先，我以阿淑先生所謂的「江浙派」的一份子，來說一說台灣的畫派：

「師院派」

所謂「師院派」（師院改爲大學後，當改稱「師大派」矣），實際上並不如此單純，師大各教授，無論中畫西畫，均各有其弟子，實不能一概而論，就中尤以黃君璧、溥心畬「二大畫師」之門人爲多。溥畫北宗，宗法南宋，黃學大千，自成一家，二人之畫風既迥不相侔，更嘗以微言失歡，至於避席，更不用說什麼同派不同派了。

「台灣派」

「台灣派」諸畫家之畫，多學自日本，故另有一種風格，與正宗國畫，截然不同，此亦猶之乎學黃君璧者似黃，學溥心畬者似溥，無足驚異。何者優，何者劣，見仁見智，原不能一，即無人加以抨擊，亦何必改變作風！阿淑先生謂台籍畫家「由楊三郎、郭雪湖等領導」，「自標榜爲現代國畫」，其實，楊三郎是西畫家，與「現代國畫」絕無關係的。

「江浙派」

至於所謂「江浙派」，筆者以「江浙派」的一員，竟至今乃自知爲「江浙派」，曷勝惶惑！筆者嘗以此詢諸「江浙派的中堅」陳小蝶、張穀年二師，亦均不自知其爲此派中人，更不知此派首創之開山祖師爲何人，門弟子爲數若干，所謂「江浙派」者如此。

至於所謂「因有外國報刊爲之宣傳，如華報及暢流、晨光等半月刊，均力爲支持，故凡參與該派者，即可享登該刊封面之機會」云云，似亦非盡然。晨光爲月刊（非半月刊），內容太半爲小說作品，其封面向用風景、人像照片，三年以來（該刊創刊於四十二年春間），從未一用國畫作封面。暢流封面雖爲國畫，但並不限於何家何派的作品；且該刊負責人非畫家，故所用之畫，水準亦頗不一致。因此，不論所謂「江浙派」的畫家也好，「師院派」（如黃、溥）的畫家也好，乃至「台灣派」的畫家也好（如藍蔭鼎），皆不分彼此的選用。至於華報，則係一家小型日報，更無所謂宣傳作用了。

是師承非派別

所以，事實上，台灣的畫壇，並不如所說的那樣三派鼎立，而是每一畫家均各有其一部份學生，而學生多肖其師，乃形成一型一型的不同面目，所謂「派」者，如此而已。

權威醜詆乃亂之源

不過，近年的台灣畫壇，確是有一種畸形的現象，亦即紛亂的眞正原因，則是無可諱言的，那就是畫人的不求實際，專務虛名，以致把個好好的藝術界搞得烏烟瘴氣。例如何勇仁專門僞造八大山人以欺騙世人；鐵華的以西洋畫家而大談其國畫創作途徑；「天才小畫家」何谷川的一幅畫標價五千元（四年以前）等皆是。此外學畫的人學了半年就開畫展的風氣，尤其不足爲訓的。這些當然不是好現象。

文藝評論家孫旗先生，嘗和我談起關於畫壇的紛亂，其主要原因，除如上述外，還有畫家的一意製造權威，你也權威，我也權威，大家都是權威，到頭來，互相醜詆，於是乎情勢乃從不可問了。

何不向外發展

以前常在「自由人」撰稿的韓名鋼先生，自去歲往南韓後，曾致函筆者謂：在韓國，也有人畫中國畫，惟爲數甚少，且亦不精。故寄語台灣那些權威自居者，不妨學學溥心畬的去日本，到韓國去宣揚國粹，實勝於大家你喊我罵。我覺得韓先生的話，是很有道理的。（四月十五）

燕塵識小

·無負生·

翰詹大考搜出夾帶

曾文正家書道光二十三年三月稟祖父母書中，有一段大考的掌故，可見當時嚴注。錄之於下：

「三月初六日奉上諭，初十日大考翰詹，在圓明園正大光明殿考試。孫初聞之，心甚驚恐。蓋久不作賦，字亦生疏。向來大考大約六年一次。此次自己亥歲二月大考至今，僅滿四年，萬不料有此一舉，故同人聞命之下無不惶悚。初十日卯刻進場酉正出場，題目另紙敬錄，詩賦亦另謄出。通共翰詹一百二十七人。告病不入場者三人，病愈仍須補考。在殿上搜出夾帶，比交刑部治罪者一人。其餘皆整齊完場。十一日皇上閱卷，二月十二日欽派閱卷大臣七人，閱畢擬定名次，進呈皇上欽定。一等五名二等五十名三等五十六名四等七名。孫蒙皇上天恩拔取二等第一名。湖南六翰林，二等四人三等二人。另有全單。十四日引見，共升官者十一人，記名者五人，賞緞者十九人。升官者不賞緞。孫蒙皇上格外天恩升授翰林院侍講。十七日謝恩，現在尚未補缺，有缺出即應孫補」。

右贊善作弊革職

觀此，對於當年制度，亦可略見一斑。至於書中所云交部治罪者究係何人；文正公自不便形諸筆墨。我於清續文獻通考中查出下落。據載道光二十三年諭云：

「大考翰詹，經監試王大臣查出，右贊善如山懷挾賦本。如山著即革職。交刑部照例治罪」。

眞可算「縱是神仙也不饒」了。這位詹事府右贊善官印如山，可巧與今天的齊如山先生同名。書名不書姓，知是位旗下一翰林。

由上引兩事合而觀之，可見宦海升沉，決於一旦，雖怪翰苑登仙，一聞大考魂飛魄散了。

張之洞考卷脫一字

南皮張文襄之洞，一生考試，所向克捷。十四歲進學，十六歲中解元，二十七歲會試中式，（中因族兄文達公之萬爲同考官迴避兩科）正大光明殿覆試列一等第一名。殿試中探花。朝考一等第二。二十九歲散館，又列一等第一，可謂極順，惟獨翰詹大考，不甚得意。同治五年公三十歲。而四月二十五日，翰詹大考，列二等第三十二名。因考卷脫一字故也。一字之差勵殊關得失，無怪乎科第中人，以調墨汁，寫大卷，磨盡半生精力，而梁任公詆爲以此亡國也。可是今天有人立意毀滅文字，那是罪不容誅的。（七）

酒的藝術

·秦思源·

李白飲酒作詩，雖時有大言，但他是懂得此中三昧的，「對酒」的第二首云：「勸君莫拒杯，春風笑人來，桃李如舊識，傾花向我開，流鶯啼碧樹，明月窺金罍……」像這種飲酒的境界，眞是美妙極了，藝術極了。

但眞正懂得飲酒藝術的，只有陶淵明。所以他說：「酒中有深味。」又說：「未言心相醉。」因陶淵明的飲酒，是適可而止，做到了「惟酒無量，不及亂」的聖人之言。

道學先生的韓文公，也不否認酒與人生的關係，他的詩云：「破除萬事無過酒」又云：「斷送一生惟有酒。」他對酒的好處和壞處，都有深刻的體會和描繪，其感慨萬千，溢於言外，無怪乎芸芸衆生，鎭日於黃鷄斗酒鄉往而迷惘吧。

元朝有個詩人楊鐵崖，他常常把妓女穿的紅繡花鞋，載着酒杯來飲酒，名之爲「金蓮杯」。不過，此中況味如何，恐怕祇有他自己才能體會得到。大概他這種怪癖，是與杭州胡大先生，甯波一峯和尚，以及辜鴻銘、趙倜人聲，愛嗅小腳女人的香袋，爲同一嗜好吧！

飲酒要有大量，有眞量的人，歷史上卻不多見。古來只有商紂王、齊景公，他們能七日七夜連續不停的飲酒，令人聞之不咋舌不置；趙襄子，他也能連續的飲五日五夜，始有醉意；後漢的盧植，能盡一石；唐人盡二三斗而不醉的，亦大有人在。雖則一般在酒量上似是每況愈下，一代不如一代，然唐代三斗已等於漢魏時的一石了。

我不能飲酒，但欣賞酒色，愛嗅酒香，愛交酒友，每見他們淺斟細酌時，有的綠如竹葉，有的紅如琥珀，一經手掌撫摩，輕輕旋動，發出來的陣陣清香，迷人欲醉；再看他們小飲用盞，大飲用杯，繼而豪飲用碗時，一個個酒酣耳熱，眞是其樂無窮。

我總覺得酒的好處，如音樂的甜蜜，如繪畫的美麗，引起人的感情來。難怪韓愈詩：「我歌今與君殊科，一年明月今宵多，人生由命非由他，有酒不飲奈明何」我之崇拜它，絕非偶然的。可惜我不善飲，否則，一定「呼兒將出換美酒，與爾同銷萬古愁」。（下）

同光風雲錄

·夢山樓·

聶士成

聶忠節公，字功亭，安徽合肥人。初從袁甲三軍討捻，補把總。同治初，改隸淮軍，隨劉銘傳分援江浙閩皖，累功至副將。東捻平，擢總兵，西捻平，擢提督。

單騎巡邊楊村剿匪

光緒十年，法關西援台灣，士成揮軍渡海，屢戰卻之。旋師北洋，統蘆軍，平熱河，朝陽教匪，聲威益壯，仍留盧台統軍。嘗單騎巡閱邊境，歷東三省，俄羅斯東境，及朝鮮等處，周其山川險要，著東游紀程。逾年，日朝戰起，率師平亂，屢著戰功。奉旨改編所部爲三十營，與袁世凱，董福祥，並爲統帥。

二十六年，拳匪亂興，殺教士，焚黃村鐵路，士成力救之，匪還仰擊，軍中大憤，痛剿之，殺甚衆。匪乃因其黨訴於朝，是時朝中匪黨已成，即擬劾，降旨痛斥。既念士成爲宿將，且所部爲久練節制之師，亦不願過[illegible]，乃諭所以和解之，始由滿籍大臣聯書勸勿妄勦。士成覆書曰：『拳匪害民，必至害國，士成身任提督，境內有匪，理宜肅清，事定之後，雖受大創，所甘死。』自是守楊村，遏匪南侵。

守天津三路拒聯軍

會英法聯軍至，士成欲擊之，榮祿不可，士成大憤，謂所部曰：『身爲提督，有匪既不能剿，有敵又阻，安用此軍爲耶？』乃分三路自守天津，劇戰十數次，相持八晝夜，炮聲不絕，外人謂自與中國交戰，過此悍勇者也。故自大沽失守以後，京津旦夕可危，而卒能延一月之久，使兩宮西幸，無意外之危者，士成爲之也。

孤軍奮戰中炮裂腹死

迨至各國大隊來援益衆，並燃放毒烟礮，衝軍以久戰之兵，又無繼援，勢始不支。士成憤然曰：「以滅洋爲口號上闕興，而亦以滅洋之拳匪，反目禍國殃民者，拳匪也。今遂事退讓，不敢出戰，然猶內竄忠義之名，外肆盜賊之行，而謂百姓，以害閭里，若不勦戮，無以獻罪」猛驟，乃下令，先攻匪，再拒敵兵，不知已造成內外受敵之局勢。而敵又[illegible]兵，顧謂將士曰：「此吾致命之所，踰此一步，非丈夫也。」果以身受數砲，腹裂腸出而死。天下聞而悲之，士成死後五日，京津陷。死有重於泰山，士成士成之謂耶？逾二年，事平，袁世凱疏陳其功，贈太子少保，諡忠節。（二十四）

澎湖文協誕生

·王家文·

一件事的成功，是要逐漸醞釀的，決不是一蹴可達的；更沒有[illegible]停。所謂：「百尺之臺起於累土，千里之行始於足下。」

中國文藝寫作協會澎湖分會，終於在孕育而誕生了；於本（四）月七日上午十時假救國團會議室開成立大會，由安季邦先生主持，會約四十餘人，並選出李夢龍、張尚農、蕭涵、胡嘉光、銀喜子……等理事十人，負責今後文化推進工作。復於九日下午四時在同一地點舉行第一次理事會議，討論有關今後文化活動問題，經決議如次：（一）每月開理事會議一次，研討一月來工作得失以資改進。（二）成立編輯委員會，編選「澎湖青年作家專輯」，包括：小說、散文、詩歌，但體裁必須健康，富有鼓舞性。（三）「澎湖月刊」逐增添副刊，力求普遍性。（四）舉行朗誦詩晚會，招待社會人士，藉增聯誼。（五）每月的情感聯歡，旅行，凡該會會友可自由參加。

徵稿啓事

△本報擬徵求下列諸稿：

一、三千五百字至七千字左右的短篇小說，不限體裁和故事內容，一經選用，優先送稿酬。

二、台灣及海外各地自由文壇的動態報導，作家生活素描及過去文壇掌故，每篇以不超過五百字爲佳。

三、介紹海內外自由科學家、教育家、實業家、醫學家、工礦業工作者的人物專稿。對象以現在從事於工作者爲最佳，來稿不超過一千五百字。

稿件以散見各報者[illegible]，請勿惠稿。

自由人
THE FREEMAN
（第五三八期）
中華民國僑務委員會
頒發登記證台款新字第一零二號
中華郵政台字第五〇〇號
執照登記爲第一類新聞紙類
（半週刊每星期三　六出版）
每份港幣壹毫
台北市售價台幣壹元
督印人：陳文華
地址：香港高士威道二十號四樓
3 rd. fl. 20 CAUSEWAY RD
HONG KONG
香港發行及業務接洽
高士打道66號　電話：七四〇五三
承印者：東南印務出版社
地　址：高士打道六十四號
海外總經銷
友聯書報發行公司
香港：遠輔道中二十六號A二樓
台灣特派員辦事處
台北市館前街五十號
台灣總經銷處
台北市西寧南路壹壹零號二樓
台郵撥儲金戶九二五二

財政金融影響經濟發展

陳式銳

四月的經濟新聞，最引人喜悅底是發現籌建中之「橫斷公路」可帶給台灣豐富之資源；然也有最使人苦惱底，如銀根奇緊及紗布的產銷困難問題。橫斷公路測探工作行將完成，而「資源調查團」却先已把沿路的蘊藏資源調查出來。

台灣經濟的偉大潛力

據透露：礦藏方面，可得砂金一百萬兩，值新台幣二十億元，開採工程費僅需一億元（其他略）；水電方面，可增加[illegible]力八十五萬瓩；將占全台灣最高發電量三分之一；森林方面，估計蓄材量二千一百萬立方公尺，以一半作儲備之用，可開發一千萬立方公尺，可得新台幣五十億元；農業方面，可能開墾農田面積二、四〇〇公頃，估計可容納農民五、二四〇人；畜收方面，可資擴建牧場面積一、五〇〇公頃，可殖乳牛一、一〇〇頭，毛用山羊四、七〇〇隻，耕牛九〇〇頭，並容納工人四一五人。就這一籠單數字，對於「橫斷公路」的開闢已是巨以鼓勵；況且，交通上的功用，及電力與水利對於工農的影響，可以想像其對台灣全面經濟的發展是具有多大底潛力了。

抽緊銀根的惡影響

自去年物價大波動之後，當時物價漲幅已至頂點，適逢中信局持所欠美援相對基金一億元向三商業銀行抽回歸還而成爲「抽緊銀根」，部份物價確爲「脫手求現」而下跌，當局也滿以通貨緊縮見效而沾沾自喜。惟停止民營企業貸款、商業貸款、及台銀限制對商銀的拆放，所影響於工商業的周轉，其弊害日趨嚴重了。四月十六日全國工業總會舉行座談會，對於銀根緊縮工業資金周轉困難，及工業產品外銷問題，均熱烈討論。其要點歸納如下：（一）由於政府抽緊銀根，各業工廠遭遇到嚴重之困難，短期內如不設法解決，將有三分之一工廠會因此而倒閉……（二）政府怕物價波動而抽緊銀根，但結果產品滯銷，因而買原料發工資都缺乏頭寸，因此亦影響再生產……（三）目前紗廠存紗八千餘件，政府既不收購，又不准賣出，已有三家紗廠停工。其餘深感周轉不靈；政府要煤礦業增產，既不貸予資金，而且將舊欠收回，使各礦業窒息，如何增產？……其結論：銀根愈抽緊，民間游資愈不存入金融機構，結果使銀根更緊：於是購買力薄弱，產品愈滯銷，則工廠資金更感周轉不靈（台北四月十七日徵信新聞）。另一方面，財政部次長馬潤庠却一再表示政府並未命令抽緊銀根，故亦無放鬆銀根之指示云云。

紡織業的危機

台灣對於紡紗織布的發展，可以說全由政府的「保護」而來，是功是過，此處不去說它。近來鬧着「棉紗滯銷」，而且「日形嚴重」。台灣有二十二萬餘紗錠，投資二千二百餘萬元（每錠一百美元），棉紗產量，平均每月一萬一千件；但是政府一方面盡力擴充紗布的生產力，而一方面却又設法限制其產量。在「配紗辦法」管制之下，用紗工廠的配額係就其用電量、進紗量、及營業額的任何一最低數爲計算標準，而且不准其存紗；生產工廠的棉紗，規定交由中信局配售，剩餘則由該局收購。也在如是管制之下，現各紗廠積存棉紗多達八千餘件；要求當局照規定收購，却又無意履行，要待外銷，又復遭遇到外滙貿易辦法的不利，僅存的出路是「減產」、「停工」或「倒閉」了。

開發優勢勿輕喪失

台灣橫斷公路的開闢，屬於發展經濟的基本事業。台灣的發展因地理的關係，向來偏重於西部，此路完成之後，東部當可賴以迎頭趕上，許多新事業將應運而生，是毫無疑義了。據透露，該路運用美援興築計劃，已獲美政府同意撥充美金一二〇萬元，新台幣二億八千萬元，第一期建築費美金四十萬元，新台幣三千萬元，已由公路局擬具使用計劃，在申請撥款中，下半年可以興工。我在研究台灣隱藏失業時，發現僅在農村方面就有一百二十萬人（四十一年），橫斷公路的興築，正是隱藏失業的一好出路；我又估計由此種失業的轉變工作，可以增加國民儲蓄率多至五%，由本路引用工人的數量，就可以推算其影響了。新開發的地方，新投資每有引起通貨膨脹之虞，尤其是基本事業或重工業；只有消費品生產的投資，其程度比較和緩而短暫，如果兩者有相當底配合與外資的引用，也不難有適當底調配。台灣的經濟發展已至農工並重階段，又有大量底美援，其優勢實爲東南亞任何地區所不及；如果再鬧問題，那末無可諱言底是人爲之不臧了。

財政不健全的影響

台灣的財政不健全，從而影響台灣金融失去機能；而金融在近代經濟社會所居的地位，已是有經濟常識底人都知道了。今日落後地區從事開發經濟，幾乎都有類似性質底開發銀行，以執行金融對於經濟事業的任務。台灣自光復以來，銀行制度迄未建立，銀行業務亦不正常；在這一情況之下，開發事業乃至工商百業，如何可以有軌道地發展呢？去年多物價波動末期，銀行收回並停止放款，迫使部分物價下跌，當時大官高吏咸以「抽緊銀根」爲得計，而輿論不少曾警告只可行之一時，不料一「抽」便是半載，其不使工商業出軌可得乎？今日發生問題，財政部官吏反出而否認其事；那末民營企業貸款，商業放款，是誰命令停止？台銀限制對商銀的拆放，又是誰的主張？目前營業所得稅繳庫，數在一億元以上；民營進口結滙，亦在一億元之譜；一方面積壓紗廠存紗八千件，又是一億元以上，民間的資金，全無挹注，日趨枯竭，何怪到處鬧着「周轉困難」？

論信用政策

讀杜衡先生的「論信用政策」說得好：「任何抽緊銀根的措施。（下轉第三版）

美國人對亞洲的看法

胡養之

亞洲人的亞洲

亞洲近十年來的每下愈況，多半是由於經濟落後，影響到各國政治不上軌道以及文化無法開展。

第二次大戰前，美國對亞洲可說沒有認識，戰後也是一知半解，錯誤百出，中國大陸便在這種錯誤之下犧牲了！

一九五一年，美前紐約州長杜威訪問亞洲以後，曾主張美國應揭櫫「亞洲的人亞洲」的口號，來抵抗共產主義的蔓延。他指出蘇聯的預算軍費，宣傳費，和用於煽動別國革命的活動經費，是三項均分的。而美國國防經費是五十八億，此外又用了幾十億元去援助自由友邦的自衛。但宣傳方面幾乎分文不花。以致蘇聯可以藉僞裝在六年之間（一九四四——一九五〇）不流一滴血而奴役了八億人民。

過去美國的宣傳事業，不是操諸於左傾者手裏，即是被糊塗蒜擁者流所把持，前者是替共黨敲邊鼓，後者則除了宣傳美國的物質文明之外，一無是處。這種經紀佬式的宣傳對於亞洲不僅不能產生眞正的精神抗共力量，相反的，恰好墮入共產黨的詭計。共產黨持之有故地說：「美國向亞洲傾銷，掠奪性的經濟侵略，是殖民地主義的化身」。

文化背景應受重視

杜威又指出過去歐洲的白種人濫肆優良的武裝佔領了亞洲地方。今天情形已經改變，亞洲人立意自治。而蘇俄却乘機在大量奪取亞洲土地，把不平等帝國主義條約，加諸於附庸國。例如統治毛澤東政權的便有蘇俄顧問二十萬人。日本對於蘇俄的危害也很清楚，只有東南亞地區的人民還未明白。

杜氏也建議美國，到了今天應該明白太平洋的國家，其背景與美國不同，他們不願放棄他們的背景，不願放棄他們的文化，也不願放棄他們的傳統，要他們將政府制度和社會關係完全模仿美國是不可能的。何況亞洲文化自有其燦爛輝煌的地方。如果批評亞洲的文化和他的領袖，簡直連菩薩也要嗔怒！因此，共產主義在短短的十幾年當中，勢力由蘇俄發展出去，現在亞洲奴役了八萬萬人。美國需要朋友，還有二億七千萬自由人民，發揚光大，猶未爲晚。

反抗種族歧視

另一位美國時事評論家毛勒，也曾經發表過有關亞洲的文章。他認爲亞洲的變亂，不盡是反抗饑餓和經濟掠奪，最大的原因還是反抗種族歧視。

他說由蘇彝士運河和伊朗，一直到印尼及菲律賓，這一片地方，以前叫作平靜的東方，現在已變成全球最大的變亂中心。有人說亞洲的變亂是反抗西方，美國已成爲衆矢之的。

亞洲的領袖們，雖然異口同聲的吶喊打倒殖民地主義，其實對殖民主義所包含的意義，見解不同。巴基斯坦認爲應包括法屬摩洛哥權限所受的限制；印尼認爲應包括荷蘭的霸佔新幾內亞。還南美洲的紅印度人，北美的黑人，都是亞洲反殖民地主義的題目。

然則亞洲變亂所反抗的又是什麼呢？因爲多半是反抗不平等地位，遇着發生經濟上歧視情形的時候，革命便是經濟性；遇着發生政治上歧視的情形，革命便是政治性。

應尊重亞洲國家地位

蘇俄固然缺乏民主，公開的殘暴，而且一樣的推行殖民主義，但是亞洲人對於民主關心不够，對蘇俄的殖民主義也認識不清，只知道蘇俄標榜廢止西方殖民主義和經濟掠奪及種族歧視。莫斯科不斷地說西方國家特別是美國，一貫的歧視有色人種。亞洲人民對於資本主義和貧窮饑餓，或者未盡存有反感，可是他們總覺得蘇俄也是反對種族歧視的。

美國假如想消除印度的中立主義，想消除日本似是而非的和平政策，埃及的瘋狂心理，印尼的國家主義；又假如美國要想協助亞洲的自由國家抵抗共產主義，那麼，美國除了在軍事、經濟、宣傳上痛下工夫而外，必須熟讀哲裴遜的人權宣言；至少必須承認以後對亞洲人民的一切來往，應該放棄驕橫的態度及其優越感，換上平等人類彼此表現的尊重。

說到「尊重」二字，上月美國務卿杜爾斯訪問亞洲十國後，在華盛頓電視廣播中，也曾提出：「亞洲各地人民都企望美國尊重他們的地位」。並且深信美國能够協助亞洲國家達成政治上的獨立，及藉此獨立而能改善其社會經濟的狀況。

杜爾斯又說：俄國和中共在亞洲的經濟侵略，固屬可怕，但是，如果美國有良好的表現，那麼，美國之企望於亞洲的，亦將佔得優勢。亞洲國家的領袖們，現在差不多都了解國際共產黨侵入的危險——俄國及中共以經濟爲餌。但也有許多國家不願意參加美國共同安全計劃，他們認爲美國沒有眞正尊重這些國家的地位。

就今天的情形來看，美國人對亞洲的認識，是在逐漸增加中，他們已經深自檢討了過去的錯誤，也明白了亞洲人所需要的是獨立自主和受尊重。從這方面所表示的是美國已能够找到亞洲所以混亂的病源，但可惜的是直到目前爲止，尚未見美國有完整的新的亞洲政策面世，甚而美國本身對付像中共這樣的附庸，也還搖擺不定，那末又怎能不令「中立主義」思想蔓延呢！

半週述評

·司馬璐·

布赫鎩羽而歸

英蘇會談這一仗，在基本上，英國已經打贏了！赫魯歇夫，布爾加甯這一趟失手了，他們像兩頭受傷的野獸，負創奔回山中。

英國人應付這一仗，沉着，堅定，他們以哀兵的心情，應付這一次敵人的挑戰！這一仗打得好，勝利的因素首先應該歸于英國人民不斷警惕，提防敵人的微笑攻勢！赫魯歇夫，布爾加甯在英國到處聽到的是喝倒采的噓聲！

無理取鬧

有這樣的怪客，他們一上門，就宣傳他們製造的飛彈，氫彈如何利害；有這樣奇怪的「貿易談判」，他們說，「讓我們做生意，把你們的東西賣給我們——但是，首先必須放寬你們的禁運，這意思就是，儘量把你們的武裝賣給我們，然後，貿易和裁軍的問題就可以同時解決了。」有這樣無理取鬧的事，在英國人的宴會上，赫魯歇夫說，希特勒攻蘇，全是你們要他幹的。

當頭一棒

英國人起初接待馬倫柯夫，還有幾分看馬戲的興緻；這回赫魯歇夫，布爾加甯表演技術之惡劣，竟遠在馬倫柯夫之下。這一仗是關係重大的，它使很多英國人從「和平共存」的催眠曲中醒來；這一次會談使英國人進一步認識了今天的蘇俄統治者的眞面目。

這一仗的影響不僅是對英國的，而且是具有世界性的，這是全世界的中立主義者的當頭一棒。

打中要害

在打敗蘇俄的這一仗中，英國工黨「參戰」了，而且打得很好，打得很出色！赫魯歇夫的理論說，民主國家可以經過議會方式和平走向社會主義，不必再用暴力革命了。這一理論本來就是第二國際的理論，赫魯歇夫表示「接受」這一理論，算是打得好，他想和各國的社會黨人重溫「人民陣綫」的舊夢。執政的保守黨和俄共在撕殺（談判），工黨殺出奇兵，這一支奇兵，正打中蘇俄的要害。

原形畢露

英國工黨對俄共說：好呀，既然咱們「和平」「友好」，你們又接受了我們的「議會政治」的理論，那麼，那些被你們禁錮的幾百個社會民主黨領袖，他們都是我們的同志，就請你們釋放吧。

英國工黨這一要求無疑是合情合理的，在「[illegible]獄之中，更是很平常的，但是赫魯歇夫却受不了[illegible]，工黨左派份子貝萬也承認，赫魯歇夫的態度粗暴，很出他的意料。

應該說，這是共黨的原形畢露！

配合作戰

由此可見，英國人民的沉着與團結，是打勝這一仗的主要因素。

尤其是，反對黨在緊要關頭，配合執政黨作戰，更使這一仗獲得決定性的勝利。

在這一仗中，美國也配合得很好。赫、布表示要訪美，美國人毫無反應，使俄共的離間不能發生作用；赫、布以氫彈[illegible]英國，美國人以行動答覆，下月便舉行以飛機投擲氫彈的試驗，這一事實等於以實力支持英國，使英國堅定信心。

這是一個包括美國到英國工黨的配合作戰，打敗共黨國際統戰和人民陣綫的好例子！

外籍居民納稅平議

外僑不納稅是錯誤的 如有誤會稅局應解釋

·言路·

台灣通訊

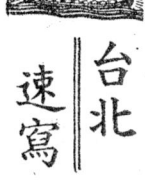

（本報台北通訊）本月十八日，台北市稅捐稽徵處，以「何以台北市外籍居民也應該納稅」為題，在英文中國郵報刊出一篇聲明。當日，合衆社即以之發出一則新聞，報導台灣省政府規定外籍居民必需納稅。外籍居民納稅，在現代世界各國本是一件極普通的事，然而此次在台北市，卻竟然成了一件不大不小的新聞了。

美僑反對的理由

自新修正通過的所得稅法實行後，台北稅捐稽徵處曾收到大批美籍居民的來信，詢問何以美籍居民需像中國人民一樣向中國政府納稅？歸納這些來信，反對繳稅的理由有三：

第一、吾人非中國公民，吾人所得非來自中國國內，何以吾人需向中國政府繳稅？

第二、吾人美國人民，已向吾國政府納稅，該等款項正援助中國，作為發展中國經濟之用，何以吾人尚需再付稅予中國政府？

第三、吾人多係傳教士，留此為中國窮苦人民福利而獻身，何以再課吾人所得稅？

縱觀以上三點理由，好像振振有詞。也許這是一個「誤會」，不過這個「誤會」卻由來已久了。

經援與納稅不可並論

在台北市稅捐稽徵處那篇聲明中大意謂，凡居留在中國境內之外籍居民應該與中國人民一樣遵守中國法律，現代各國法律在各國本土內有最高效力，中國法律自不例外。並言依照中國稅法規定，在台灣居留三個月以上之外人，不論國籍，其每年收入達新台幣一千五百元，或其資產值五千元者，有繳納戶稅之義務。如其每年所得收入超過二千一百元者，其超過部份另加徵綜合所得稅，除非享有外交豁免權者始可予免稅。所得來自國外者，不能免稅，如能提出在本國已納所得稅的證明書者，可予減收。聲明中並言，美國經濟援助中國，純係兩國政府政策問題，斷不能作為免稅之理由。中國政府根據中國憲法保障任何宗教活動，但絕無減免稅捐之理，縱然納稅人是從事傳教工作的。聲明中最後說，如有疑問，請再提出，本處盼望外籍居民的衷心合作。

外僑納稅是義務

台北市稅捐稽徵處以上之答覆，不能不算圓滿。事實上，根據國際公法規定，外籍居民，除非享有治外法權或其本國享有領事裁判權者，一律當遵守居留國之法律。居留國有保護境內外僑生命與財產的義務，外僑有向居留國納稅的義務。我國所得稅法第一條：「凡在中華民國國內，發生或取得左列所得之一者，依本法徵分類所得稅……」第二條：「……其綜合所得稅達起征點者，應加徵綜合所得稅。」我國遺產稅法第一條：「凡人于死亡時，在中華民國領域內遺有財產者……均應依本法徵遺產稅。」在其他各國，規定大致相同。在英國規定，凡在英國國內有正常住所的人，以其全部所得課所得稅，但如所得稅來自外國資產，課其滙回英國部份。在美國，聯邦所得稅是加諸于一切公民及居留民的淨所得上。同樣，中國在海外各國共有一千二百萬僑民，無不遵守當地政府法律而納稅，且有遭受苛捐雜稅不幸情形者。中國各種稅之稅率，也較諸他國為合理公平。

應遵守居留國法律

至于美籍居民已向聯邦政府納稅者，何以尚需向中國政府納稅？此本為一複雜的國際間複稅問題，各國所採征稅標準不一，有採居留地為納稅標準，有採財物所在地為納稅標準。但近代財政學者，一般認為，凡是不動產收入，採財產所在地收入的標準征稅，而動產的收入，採居留地的標準征稅。故依照此種原則，中國政府向外籍居民徵稅是合理的。何況我國對眞正複稅情形，已有減稅規定。

美國自立國以來，在反專制反暴力的陣營中，一向居重要地位。僅以美援一項言，對自由世界貢獻至鉅。環視今日，美國在中東的埃及、沙地阿剌伯，在東南亞的緬甸、印度等許多地區，善意的援助反共力量，引起當地人民的離心，不愉快和不歡迎的情緒。美國對中國所作之援助，中國人民深為感謝，永誌難忘。然而中國人民也希望中國法律在中國境內有其至高無上的獨立尊嚴。

孟子告子上篇：「一簞食，一豆羹，得之則生，弗得則死，嘑爾而與之，行道之人弗受；蹴爾而與之，乞人不屑也！」這是美國前任駐華大使司徒雷登在其回憶錄中，對大陸淪陷前夕，中國人的情緒所採用的解釋辭句。

吾人深望外籍居民納稅事是一個誤會，因為據稅捐當局稱，對外籍居民徵稅已順利地實行過四年了。但何以今日突生此一枝節，實令人不解。以前吾人推行之租稅政策（實在是任何政策），在法令宣傳上，在執行技術上，是否有不安而當改進之處。是值得自行檢討的。

記得在第五三〇期本刊易敏子先生「向美國朋友進一言」一文中有言：「我們對于美國朋友所給與的隆情盛意，唯一的酬答，該是從他們所不自覺的一些小關節也許是攸關大局的癥結所在，說幾句不亢不卑的老實話」。筆者深覺此言[illegible]末並有編者附註之幾句話，筆者要引出此，作為本文之結束：「……不過我們最重要的還是我們自己必需振作，不能全怪朋友，我們必需盡其在我。」（完）（四月廿日）

瘋狂的櫻花節

——戰後日人生活已大好轉——

·嚴森·

海外通訊

（本報大阪通訊）日本風景美麗是聞名於世的，氣候也很宜人，春秋兩季，更適宜於野外旅行，尤其是櫻花時節和秋天的紅葉季節，更是到處擠滿了人。就以本月十五日（星期日）到大阪附近櫻花名勝區觀光的人，竟達三百萬之多，佔大阪全區人口的四分之三（現有人口計四六〇餘萬），創造了罕有的記錄。

大阪的交通工具，除了國營的鐵道外，私人經營的有：阪急電車公司，阪神電車公司，京阪電車公司，近畿鐵道等，還有數以百計公私營的巴士公司，雖交通如此發達，但每逢星期假日，每一車站，仍是一列長蛇陣，而十五日更是人潮洶湧。關西一帶，櫻花的開放時期並不一致，這是種類及各地氣候不同的原故，有些地方的櫻花正在盛放，有些地方，則已花瓣飄落滿地矣。一般櫻花開放期祗時僅兩週，甚為時短暫，正如日本女人的早衰一樣，所以日本人民在這短短的時節中，到處掀起了賞花的熱潮，如醉如狂地極一時之盛。

在關西較有名的櫻花區是吉野山、京都、奈良、嵐山、宇治川、須磨、櫻島等處，因為今春雨量較多，各處櫻花頗受雨的摧殘，一般評論都說今年的櫻花不如往年茂盛，但吉野山的櫻花，在日本全國來說，今年是首屈一指的，而京都平安神宮的「紅垂櫻」的美艷在全日本亦負盛名。

筆者來日將近兩載，尚未能一飽眼福，初來時是五月底，櫻花時節早過。去年春天復因事務所羈，亦未克前往各地看花，甚引為憾，今年很早就下決心，以償宿願，十五日特攜眷邀友數人結伴前往吉野山，我等一行於是晨九時從大阪搭乘近鐵電車出發，車內幾無立足之地，是日復因久雨放晴，天氣溫暖如初夏，在車內站了二小時，而又汗如雨下，到達目的地後已疲乏不堪！稍息用餐後，即徒步登山，吉野山的櫻花，實名不虛傳，從山腳到山頂計分成上中下三段，稱為上四千本、中四千本、下四千本，其含義即是每段僅有櫻樹千餘株，眞是滿山遍野，「目之所及，除櫻花無所見，目所不及處，櫻花亦佈遍」。

日本人秉性樸儉，凡到各地遊覽的均自帶食物，像壽司（飯團內夾生魚生蝦，魚腥是不太合我們中國人口味的）或便當（飯盒）之類，這天到吉野山遊覽的人們，當然也不例外，亦且就在櫻樹下，道路旁鋪上席子報紙作為臨時的野餐席，男女老幼圍坐一團痛飲大嚼，半酣之際，則復談笑歌舞縱情狂歡，有等則藉酒裝瘋尋事生端動武鬥毆，更有些人大醉後即橫臥樹下或路旁，來往行人均視若無睹，警伯們也不加理睬，歸途上則見男男女女步履蹣跚，若癡若狂，且走且唱。而沿途所見家人坐待醉漢酒醒者，更不知凡幾，這一幅活生生的醉酒圖，勾畫出了日本人民嗜酒的衆生相。

在回程的電車上，不僅比來時更見擠擁，且空氣中混凝汗酸氣，酒臭氣，令人窒息欲嘔，而又有語無倫次，醉倒在車內走道上的，則更是醜態畢露了。

至於京都平安神宮的紅垂櫻，筆者亦於日前往觀，平安神宮是京都建築雄偉，環境優美的神社之一。平安神宮紅垂櫻的聞名是由於它像楊柳的形狀長垂在地，花亦較普通的半艷，大多認為，就櫻花之美來說，看過了平安神宮的紅垂櫻，其餘的櫻花就不值一顧了。紅垂櫻的種非常希罕，除平安神宮唯一種有三株外，日本全國其他[illegible]尚未聞有人見及。根據[illegible]言三株紅垂櫻具有百餘年歷史，亦足見其珍貴。

日本櫻花種類繁多，名種的除紅垂櫻外，尚有岐阜縣的夕涼櫻，山島縣的泣櫻，奈良的八重櫻，大阪櫻島的二重櫻等，普通的種類如山櫻、絲櫻、姬櫻、高峯櫻等。

日本在戰爭剛結束後幾年，一般人民生活困苦非常，日本人民虛度了幾個櫻花節了，迨至盟軍佔領結束，國民經濟情況好轉，生活比較優裕，現在一般人民對櫻花節的狂熱，已逐漸恢復到戰前的景況了。（四月廿日）

悼海外反共鬥士汪了儂

·王世昭·

今天，我以最沉痛的心情，寫這篇文字！

何以故？人生本來叫苦，生既不知其所自來，死亦不知其所自去。但有用的人才，死了未免可惜，這便是我寫這篇文字的由來。

我認識汪了儂先生，是在民國二十六年七七以後，那時我由越南到曼谷，正值蘆溝橋事變爆發。承他的熱情，到旅館來看我，請我吃飯，約我到他所辦的中華中學校去參觀，並邀我對學生講話，介紹他的太太和許多的朋友和我交往。那時陳守明先生任駐泰國商務專員，蟻光炎先生任中華總商會會長，李慕逸先生任星暹日報總編輯。以外，他陪我參觀進德學校，黃魂中學，新民中學，潮州公學等，他們也都分別請我講演。翻起日記一看，這些都像明日黃花，一眨眼，恰恰二十年。

抗戰期間，他除幫我的忙，協助泰國青年至星加坡來報考我所主辦的中央陸軍軍官學校第六分校十五期招生事宜外，又為我推動第五戰區雨衣的募捐。泰國的成績很優越，固因蟻光炎陳守明二先生的努力，而汪了儂先生的吹噓之功自亦不可沒。這個貢獻，不特前方將士受其賜，而我個人也算與有榮光了。

逮珍珠港事變前夕，為了不願做亡國奴，他由曼谷回國。先到廣西貴縣軍次來看我，總桓一週之後，他又到重慶去。不久，任大同銀行秘書。

勝利後，他自己由重慶買好了一輛車，帶了許多藥材，率領妻兒及幾個朋友，又到南甯來看我。那時我自己辦的黃花崗紀念中學，正在復員中，忙得不亦樂乎，沒有好好地招待他。可是他對朋友的熱情，與有始有終的親切之感，使我永佩不忘！

大陸淪陷後，我到香港，和他又聯繫上了。即管在商務不景中，他的事業不大如意，然而對文化教育工作仍不斷努力，如與朋友們集資印行潮流詩人姚行軒詩集，組織詩社，創立博杯耶學校等。為了不忘祖國，他號召文化界回到中華民國的台灣去觀光一次。總之，他的為人，有責任心，有正義感，而又愛國家，愛民族，數十年如一日。在海外我的朋友之中，汪了儂先生算是最知己之中的一位。可是從今天起，我失了一位心交，國家喪失了一位在海外「貧賤不能移，富貴不能淫，威武不能屈」的勇敢鬥士！為了心憂不已，為挽以聯云：

「二十年往事從頭訴說，猶憶湄海總桓，邕江話舊；

九千里家山何時歸夢，最憐異邦草冷，外域羈魂！」

台北速寫

七中全會的議題

五月五日國民黨將舉行七中全會，閱中心議題為檢討現行財政政策，所以財政部長徐柏園已在緊張準備中。年來各方面對財政政策批評甚多，建議亦多，[illegible]此作一番澈底的革新，此外關[illegible]改革及試[illegible]度一案，亦將討論，不過最高當局[illegible]有分區試辦的指示，大致也只是討論而已。至於一般人所希望的調整院省人事案，恐怕不在議程之中。

證券風潮有人操縱

最近台北證券交易又陷入混亂狀態，甚至因股價上漲劇烈，以致各證券商資金不能周轉。此次風潮內幕極為複雜，聞某立法委員發現有官吏操縱，已提出糾舉。此外，台灣銀行也有拋售官股之消息，當局雖保持秘密，但已弄得人心惶惶。總之，政府對管制證券交易之態度始終搖擺不定，是導致謠言及方便不肖官吏的一大原因。

內幕新聞無內幕

內幕性的雜誌自採取一元一本薄利多銷主義以來，每種雜誌平均每期可銷萬份以上，獲利甚豐。但是，所謂內幕，只是標題動人而已，實則並無眞正的內幕。所以，台灣雖已有六百種雜誌，卻並無名實相符的內幕雜誌。

婚姻不自由違憲

台灣各中學校向有一條不成文的法律，就是中學生不准結婚，結婚的必須退學。最近教育部根據憲法，認為結婚屬於人民基本權利之一，只須到達法定年齡，結婚即為合法，學校無權干涉。這一解釋極為民主。不過，有些企業機構仍視已婚婦女為眼中釘，甚至拒絕任用，不知是否違憲。

·杜蘅之·

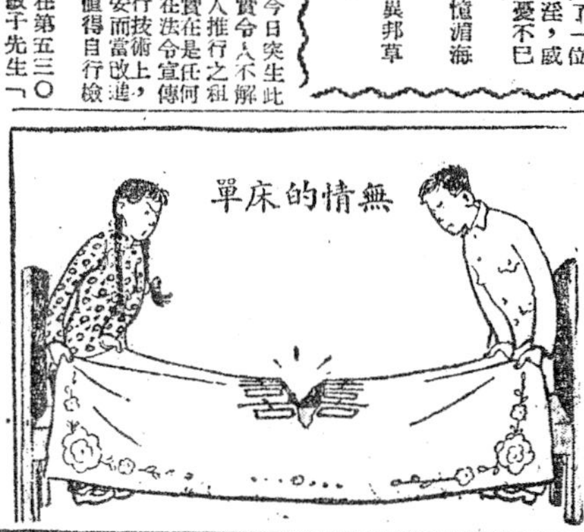

一對新婚夫婦，在「國營」內公司裏買了一條「國營」工廠出品的雙喜床單，這種床單雖是專為結婚用的，但是它的品質，就像所有「國營」企業生產出售的商品一樣的低劣。四月十九日的大津公報為它起了個名，叫「無情的床單」！

八所私立專上學院積極籌備合併
「聯大學院」實現在望
可能於今夏統一招生

香港八間私立專上學院合併的工作，在珠海、香江、廣僑、廣大、華僑、文化、光夏及平正各學院首長的努力下，已告積極展開，自來此間報章對「聯大學院」的進行過程，均有所記述，而且密鑼緊鼓，看似勢在必行，據最樂觀的說法，八院合併已無問題，且可望於夏季開始以「聯大學院」名義統一招生。

合併工作進行順利

但據接近負責籌劃此一工作的主要人士告筆者，合併的工作這半年來係在順利的情況下進行，由於客觀的環境均認爲有此必要，但一切的進行達到實際工作開展時，首先要解決的，就是經費，迄今日爲止，所需的經費猶無着落，雖然有一個甚至多個對象正在進行，可是距離成功還有一段長程，所以外傳夏季招生一切未免言之過早，目前尚無一人能肯定這一句說話，爲了對外間報導的愼重處理起見，八間專上學院聯席會議決定在最近一次委員會中推出秘書一名，專門負責新聞的發佈以示鄭重。

經費問題無碍合併

但儘管經費問題尚成懸案，但並無礙於合併工作在原則上的進行，據消息透露稱：八間專上學校之負責人，將於短期內簽署合約，而於下學年上學期（今年暑假後）開始，以「聯大學院」名義統一招生。此八間學院制度學校之合併，曾有一段相當長時期之考慮與商討，此項商討，包括合併之技術上問題及外間影響。

提高水準增加學生

合併計劃早在數月前已擬定，惟因人事及制度等複雜關係，經過五次以上之修改，始告完成。而此事之所以獲得成果，係基於兩個主要因素，其一爲適應目下之教育形勢需要，盼於合併之後，能提高目下之專上教育水準；同時，更盼能引起社會人士之重視，而增加目前之專上學院學生人數。蓋教育界人士一致認爲，本港之教育現況，殊無充份理由足以證明目下之專上學院學生人數之總和爲一合理之數字。第二主因，則在於經濟狀況之調整。

興建巨大學院兩座

關係方面復透露新學院之計劃及組織如下：將分假港九兩地興建大規模之學院兩座，在未建成之前，則在港九保持四處授課地點，在港方將設一處夜校，在九龍方面，則設兩處日校及一處夜校。學生可自由選擇上課地點。新學院之興建，將於合併成爲事實後開始進行。新學院所設之科系，初步決定爲將開設文史、經濟、國際貿易、外文、工商管理、會計各系，如感需要時，將增設新聞系及工程系。至原有各學院經已開辦之科系，將照舊辦理，使原日之各系學生得依照原定時間升學；換言之：即各學系盡可能有增無減，使新學院制度完備。

成立校董會

在組織方面，新學院之最高決策機構爲校董會，由廿五位董事組成，將設董事長一人，除原有之八校各派一人爲當然董事之外，其餘之董事將物色有關方面有地位之本港及國際人士担任。董事會最主要之責任，在籌募建校費用及常費，另担任學校之政策釐定。董事會之下，設校務委員會，負責執行一切校務，委員會設主委（其權力等於校長）一人，其人選由各校務委員互選決定，委員之組成，亦由各校各派一人充任，主委任期有所規定，期滿後再行選舉，合併後未建成新院前期間之四處授課機構，每處將設監督一人，由校務委員會委任，監督之下，又設校務、總務、訓導三部，分有主任一人，以輔導校務。

至原有八校之教授，在合併後仍保持其原日位置，各原日在孟氏獎學金會內爲講座教授或補助教授者，亦維持原狀。此外，孟氏基金會並可能將原日之教授名額擴大，同時因獲得某國際教育機構之經濟援助，各教授之待遇，及校內職員之待遇，可望獲得提高。

美教育機構已允援助

又據最後的消息傳出一項新的計劃，在未建新校舍之前，將保留港九四間學院，作爲聯大學院之授課地點（即香港一間夜校，九龍三間，其中一間爲夜校，二間爲日校）。至於新建之聯大學院經費問題，已獲得美國某教育機構予以援助，第三期款項爲三百萬元。關于聯大學院之行政，將由聯合委員會負責，昨日即席選出于右：主任委員黃麟書，委員王淑陶，陳炳權，朱夢曇，唐惜分，陳樹渠，王裕凱，黃毅芸，黃文宸等八人。又四學院各分派一委員兼院長，負責院務並設監督一人以督導校務，並決定劃分第一院院長唐惜分，第二院院長黃毅芸，第三院院長王淑陶，第四院院長陳樹渠，監督陳炳權。

中東糾紛的暗流
英美政策分裂，共黨軍火作祟，韓馬紹之行難獲持久和平

孫頤

在以前，以埃邊境加薩區的糾紛，似乎習以爲常，但最近西方則認定這可能是中東大戰的觸發地點。埃及砲兵沿加薩區向以色列巡邏隊開火，雖然從前亦有過這一類的事，不過這次以色列砲兵尚未還擊以前，巡邏隊偶促於峽谷間，損失了三個人。激烈報復行動於是開始，以色列砲轟埃及的鄉村，埃及向以軍四個前綫據點還擊，以軍又用重砲向埃及人烟稠密的市鎮轟擊。在聯合國監督委會下令停火以前，以色列死了四個兵，平民四人受傷。

加薩衝突發生時，恰當聯合國秘書長韓馬紹奉命赴中東調解，執行聯合國交付他的任務，美國希望他就地把邊區糾紛安定下來，並增加休戰委員會的權力。韓馬紹說他這次旅行，正是達到解決巴力斯坦糾紛的長遠路程中一個插曲，不過到目前爲止，韓氏已經過以色列、埃及、敘利亞、約但等國，至少已取得阿以雙方的保證，盡力避免首先開火，但仍保持還擊之權，至於永久性的中東和平，目前仍然十分渺茫，而邊境小規模衝突，也不絕如縷。

至於大戰的觸發，是不是還有可能呢？對這項基本問題，美國和英國已經有了明顯的歧見，美國政治家認爲，不論埃及或以色列都不想開火，破壞停戰協議。關於艾森豪總統下令美國軍隊開到中東採取行動的可能性，杜爾斯國務卿曾說：「我不知道有此必要。」

英國却不以爲然，而且對杜爾斯表示不滿，觀察者雜誌說：「除了杜爾斯先生之外，這件事，對每個人都十分清楚，不僅中東隨時可以鬧出事來，而美國眼看中東局勢惡化，還延袖手，已使西方國家的團結遭受最嚴重的損害」。

二個月以來，英國的態度已轉趨強硬，政府發言人鄭重的論及中東的油田對英國的生存是如何重要。像「決不安撫」這一類辭句，已被用以描寫中東「危機」。雖然艾登並未公開的說，但政府在塞浦洛斯的強硬路線，諸如放逐馬卡洛斯大主教而曾受世界輿論的批評等等行動，並不是專爲應付塞島一地的局勢的。英國需要對中東準備能夠迅速行動，英國擔心約但會發生新的反英暴亂，協助約但運傘兵，準備調年國王胡塞因弭亂。如果英國不能掌握約但，英國對鄰邦伊拉克廣大油田的控制，則將陷於危險。英國對中東終於已決定其立場，而美國則決繼續站在超然的立場，縱然並不穩固。英國所採取的路線，是親以反納撒的路線。這個卅八歲埃及軍事統治者，縱然從前曾被英國重視，縱然他把英國人從蘇彝士趕走，但現在英國人已說他爲中東的頭號惡人。

六個月以前，英國想爭取納撒，希望他參加巴格達公約，以穩定中東，與以色列言和，現在英國把他看做一個三位一體的舉足輕重的首領：他獲得共黨的裝備，沙地阿拉伯油稅的經濟支持，同時又有埃及本身的陰謀。最近納撒坦白的對紐約時報記者說：「他的主要希望，是毀滅英國在中東的計劃。共產黨的威脅，不像帝國主義和殖民主義的那麼極力要將中東劃爲他們獨佔勢力範圍。」

而對納撒所形成的顯明威脅，英國已打算供給以色列以軍火，並支持納撒的主要勁敵—伊拉克的親英總理蘇特。雖然英國高呼反對美國，但仍經過外交途徑，迫美國支持他們的政策。英國希望美國以經援支持巴格達公約，對阿剌伯國家的保證成爲西方國家的友人，是有收穫的，他們對美國拒絕參加杜爾斯國務卿自己所倡議的巴格達公約頗感不滿。甚至他們也不滿美國的說法，即如果美國供給以色列以軍火，則將引起軍火大競賽，而如果英國供給軍火，則僅爲「習慣上一種常態」。最近由於英國籲請，美國對支援巴格達公約，已作了一個比較積極姿態。在最近德黑蘭會議中，美國已答應參加巴格達聯盟的經濟委員會，反顛覆委員會等機構，並將派一個軍事代表團常駐公約總部，以加強合作。

美國對納撒的野心獨裁，也已採取了另一個想法，但還不準備把他一筆抹殺，仍認爲他是一個有才幹、誠實、有作爲的領袖，對開羅電台的惡意宣傳，煽動其他阿剌伯國家的仇視與反叛，則加以非難，但美國不願被誤會採取了不名譽的殖民立場，以致惹起各方的反感。

美國十分知道納撒正利用機會離間東西國家，但相信如果迫得他斷絕對西方國家的友好，反會使他完全投入共黨的懷抱—在最後的分析下，納撒自己亦不願意那樣。這些關於納撒的新疑問，再加上他自己企圖討價還價，已延擱了一億三千萬元協助埃及建造尼羅河大水壩協定的最後簽字。這項工程比金字塔還大，有無限的用途。納撒最近向美國記者暗示：「我尚未拒絕蘇俄的提議。這並不是威脅或是恐嚇。」

所有這些綜錯複雜的暗流，波動於英國的左袒立場及杜爾斯繼續保持中立地位的態度下，造成了這兩盟國的分裂。

前寫「中西醫藥問題」一篇，因篇幅太長，未能將中國數千年來醫藥發展之經過，略爲申述，茲特補寫此篇。

中國醫學畧述

·伍憲子·

中國醫學進化最先

世界上無論何種民族，最先皆迷信神權，故醫亦藉神權而起，中國古代所以有巫醫之稱。蓋巫是禱於神者，有病而禱神以求治，巫與醫所以同其職掌。徵於殷墟骨甲文，武丁之病，禱而得瘳。尚書金縢之篇，載周公禱告，躬代武王。就是論語，亦有「子疾病，子路請禱」之文，左傳載晉侯，召桑田巫，可見東周時代尚未能免。但孔子不迷信。斥子路之禱。孔子愼疾，季康子饋藥，答以「未達，不敢嘗」。可見巫與醫，此時已分，醫之見重，已過於巫。醫和醫緩之流，其神妙在用藥，而不在禱神矣。醫離巫而獨立，此是中國醫學進化最早之徵。

中國醫籍之最古者，當然是神農本草，黃帝內經。但本草確非出自神農，內經亦非出自黃帝，所謂神農黃帝，皆後人所託。然總是集周秦以前醫說之精，尤其是內經，比本草重要。張志聰謂素問所載，陰陽[illegible]，飲食居處之所攝，五運生制之所由勝復，六氣時序之所由逆從，靡不從其本而謹制之。靈樞所論，營衛氣血之道路，臟腑經脈之貫通，天地歲時之所由法，音律風野之所由分，靡不藉其針而開導之。蓋在二千年前，而能有此生理學、病理學、診斷學、針灸學等之完備，今日我們何忍失之。本草在世界之價值，不只可稱最早亘者，而且經過近代科學家之研究，多認爲功效能與實驗結果相符合，我們又何忍失之。中國爲世界所稱道，是開化最早之民族，醫學實爲豐富遺產之一部，此應當注意者。

張仲景爲醫門孔子

黃帝內經之後，醫籍之可寶貴者，當推張仲景之傷寒論，足以闡發內經之奧。本來在內經之後，傷寒論之前，尚有一部「難經」，「難經」著者爲秦越人，其書以問答體，引申內經秘旨。然難經不著於漢志，至隋唐志始載之，或疑秦越人之名亦託。據仲景傷寒論自序有云：「勤求古訓，博采衆方，撰用素問九卷，八十一難，陰陽大論，胎臚藥錄，並平脈辨證」，則「難經」爲仲景以前之書，可斷也。醫門之有仲景，猶儒門之有孔子，此言爲醫家所公認，故傷寒金匱，爲醫家必讀之書，亦爲內經後第一部醫書。然可惜建安以後，仲景之醫學，似無人注意，到晉時，有勞太醫令王叔和之搜集，傷寒論始復編次成書。夫謂之搜集，必經一度散失可知。王叔和爲晉太醫令，在何年代，今不可考，然皇甫謐卒於晉武帝太康三年，[illegible]叔和，於其撰次仲景選論甚精，則叔和搜集時，距仲景成書時，已八十年矣。以一部有價值之書，在八十年間，已散失，此可見當時之醫學人才，亦可見當時之社會風氣。仲景傷寒論自序，所謂「舉世昏迷，莫知覺悟，不惜身命，若是輕生」，故雖有名醫，仍未爲社會人士所認識，而所關中國醫學之前途非細。我們不妨進而一考漢後醫學之情形。（一）

財政金融影響經濟發展

（上接第一版）都一定會使利率（短期利率）高漲：……在緊縮之時，通常會發生下跌現象，但這只是一種非常的下跌；這一跌，是工商界爲爭取現金而不顧後果的拋售其存貨之所致：……產業界的活動範圍縮小，物資的供應因之短缺：……當此一新的平衡漸漸到達之時，生產是減少了，而物價却又回漲。到那時候，要恢復過去的平衡，恐怕不是簡單的說一聲放寬信用就能了事。因爲短期信用，如果政府或銀行決心要緊縮，就一定可以做到，而放寬却不是這樣容易」。他進而警告似地說：「信用機能之發展有助於產業之繁榮。但這必需經過一個相當長的時間（至少是幾年）才能收效；但銀行却能在極短時期（兩三個星期）內摧毀一個辛苦締造的繁榮」。所以他的結論是：「能使穩定與繁榮的矛盾減至最低限度的辦法是，在短期信用方面放寬，在長期信用方面收緊；信用應使之多用於周轉而少用於投資」（自由中國十四卷三期）。明乎此，希望當局正視此一問題而速作有效底處置。

應面對現實急加改進

至於紡紗與織布，四五年來一直鬧問題，在長期「保護」之下，却又遭遇產品沒有出路；最奇怪的，底是運在省內買賣也不能自由！這無他，是生產力過剩了。今日工業的市場，可由國內擴展至國外；台灣的紗布，果眞無法外銷嗎？此次泰國政府在美援商業採購項下採購卡其布一六〇萬碼，白斜紋布二〇〇萬碼，已由我國得標，價格每碼美金三角三分八厘。紡織界聞訊，憂喜參半；喜者可以解除呆滯之困；憂者以依現行外匯貿易辦法計算價格，則不及成本。但若以外幣之實際購買力核算，所得仍稍有盈餘，或以外匯全部進口棉花計算，亦有些許利。此外，倘有華僑願意以其他物資交換台灣的紗與布，不幸無法成交。那末，不還是「辦法」的問題嗎？我不明白當局何以不面對現實而有所改進，何忍讓整個經濟的運行日趨困難。

癥結在財政與金融

台灣的經濟，有其優良底基礎，儘可以放手開展，以提高人民的生活水準，而充實國家的力量。所謂興築「橫斷公路」及由其刺激的事業，只是一端而已；它的發展如配合得當，我以爲無所謂「飽和」之境。反之，如果政策及辦法不當，如銀行信用也好，紗布產銷也好，將不斷地多一事而多一困難，永無繁榮之期。根據多年的觀察，台灣經濟制度與政策年來逐漸趨於明朗化；惟最須改進者，仍舊是財政與金融方面。而這一方面，恰是財政部所主管，我只要引用一段新聞，就不難明瞭其內容：「目前立法院經濟委員會徵詢各工業之困難問題時，各經濟部、建設廳等機關均列席報告，某工業界人士對於立法院經濟委員會之關心工業表示感激；惟該人士認爲目前工業所遭遇之困難問題，實與財政關係甚大，例如工業原料外匯、工業貸金、外銷等問題，均係財政機關主管，非財政機關不能解決，故希望立法院如再有類似之會議，應請財政機關列席」（四月十八日台北徵信新聞）。明乎此，朝野也就知所用心了。

徵稿啓事

△本報擬徵求下列諸稿：

一、三千五百字至七千字左右的短篇小說，內容不限，經選用者，故事優先採用台灣及海外。

二、台灣及海外各地報導，自由作家生活素描，文壇珍聞，篇幅不超過五百字。

三、介紹海內外自由科學家、醫家、教育家及實業家工作者、譽人物，對象以現在從事工業工作者爲最佳。於工作超過一千五百字稿件，不宜過於超出政界人物以散見各報者，請勿惠稿。

自由談

書生之見

·馬五先生·

俄共赫魯歇夫、米高揚之徒，由俄帝史達林的心腹幹部，一變而為清算「大行皇帝」罪惡的英雄人物，這固然是可恥的事，卻亦是必然的事。因為在極權獨裁政治之下，把一般知識份子的自尊心與廉恥觀念摧蕩無餘，滔滔然攘往熙來於政治場中者，盡是些奴顏婢膝的無恥之輩，所謂「氣節」，根本沒人理會了。平日以無所不為的僉夫為幹才，以有所不為的耆士為迂漢，但求發抒一人的高度支配慾，而迫使社會大衆相率昧良寡恥，恬不為怪。史達林自種此因，自食此果，於赫魯歇夫、米高揚之徒何責乎？

在中國歷史上，這類因果律斑斑可稽，不勝枚舉，最顯著的例證就是宋、明兩朝。趙匡胤深諳逆取順守之義，以不隨便殺戮知識份子為家訓，傳之子孫，因而產生宋代的理學，提倡主敬存誠，認為「餓死事小，失節事大」。理學儘管也有若干可議之處，但其倡導氣節，培育民德的功用，能說是壞事嗎？朱元璋動則廷杖大臣，作踐士大夫，因而明代的文化精神最是墮落空虛，無可觀者。宋、明末葉一般知識份子所表現的行為，即係趙朱兩家平日施政馭士方法的總報廻。

民國肇建後，袁世凱以使詐的極權主義為治道，絕不計及民德之培養，一般知識份子乃視氣節為迂腐不合時宜的革命對象。如是乎，中國五千年來的一切文教思想，不管好壞，統統在「革命」口號之下，予以摧毀了。因此，民國以來的政治風氣，實比滿清末葉更糟，一般士大夫之不講究品格節操，可謂空前現象。這是袁世凱的罪惡，貽害至今猶烈！

西方物質文明發展到了原子時代，然他們若無宗教信仰的陶冶制衡，為其精神活動的潛力，會有那種安全繁榮的發展嗎？摧毀人類自尊心的氣節，而欲以忠貞行為責望於羣倫，此史達林之所以有赫魯歇夫這般「忠貞信徒」也，可不懼哉！

台北劇事

·張瘦碧·

台北劇壇，最近顯得活躍，話劇「漢宮春秋」的盛況，是近幾年劇壇奇蹟，雖然聽說在事實上還虧損了五萬元，但就技藝言，可算是成功的。最近中萬劇團，已先在中山堂預演「清宮殘夢」，招待各界，演員方面有古軍，王廷潤、崔小萍等，也全是當今第一流的話劇人才，是值得一看的好話劇，聞日內即將正式公演，勢必又將哄動一時了。

平劇方面，環球自戲綺霞輟演之後，即由小劉玉琴、張遠亭等先後搭班，最近正將胡少安、梁正瑩上演，胡之金臺子，頗得觀衆讚賞，尤以此次所貼戲碼，如打金磚、青風亭等劇，更是在台北不易見到的，使戲迷朋友，有過癮之機會了。

票界方面，值茲暮春好時節，相繼彩排。以物資局在警務處演出的一台同樂晚會，頗有成就，如郭樹忠之鹽頂珠，葉夫人之女起解，陳克家王友邨之大霸拜山，秦晉、孫昌鈺之鬧院殺媳，關榮小姐之大登殿，各有千秋。關蓉小姐出場時的鑼鼓點子，一聲「刀下留人」，水袖先後抖出，在台北除了金素秋、陳美齡以外，當以關為第三人，即內行見之，亦均為之折服。葉夫人尚係初次登台，已露頭角，前途似錦，未可限量。

商社亦在中山堂，為慶祝該社成立週年紀念，由社員合作彩排，計有陳美津小姐之借東風，茅承信、楊文鏞、王友關、夏雲生之黃鶴樓，沈聯臣、周麟聖之投軍別窰，李偉雲、梁冉勝、吳子聲之捉放曹，施麗君女士之三堂會審。其中以陳美津小姐，係一十五歲的小妹妹，刻尚在求學，工老生，唱幾句則頗有韻味。記得去年商社成立之時，也演過一台戲，戲碼中有新四郎探母，蕭太后出場，有八位達官，特商請名評劇家陳定公、劉慕耘、包緝庭、梅花館主、陳鴻年、蘇煦人……等人加入串演，哄動一時，為劇壇佳話。如今梅花老不幸竟遭意外，逝世已將半載，撫今追昔，不禁有人琴之感。

此外，省府所組織的員工平劇研究社，亦決定在五月五六兩日，舉行首次彩排，戲碼已定為陳晉克之黃金台，葉夫人之女起解，佘化龍、許乃蓮、馮兆奎、裴松林，……之羣英會。秦晉之轅門射戟，熊希超、李異現、郭樹忠：……之新四郎探母，搭配相當整硬，預料定卜好評。

並悉進出口商所組織之春秋劇社，合銀俱樂部，亦擬在最近期內，分別舉行公演。綜觀今春台北劇事，呈現一團蓬勃，眞是相當熱鬧也。

記者之友

·有女·待·嫁

·文武郎·

現任閣揆俞鴻鈞先生，與台省主席嚴家淦同享有「理財專家」的雅號。俞氏自聖約翰大學畢業後，最初在上海英文滬報做記者。他曾對朋友說：他服務國家的歷程中，最覺得可留戀的，就是三年的記者生涯，獲益最多的，也就是那三年的緊張熱烈生活。

自然，我們也可以這樣說，假使俞氏當年不做記者，也許後來不會做到行政院長。因為俞氏是個記者出身，故三十餘年來，他與新聞界的朋友，交誼十分密切。

他平常和記者朋友交談，範圍亦包羅萬象，幾乎無所不談，稱兄道弟，談笑風生，更不在話下。

俞氏當年任央行總裁，對跑經濟新聞的記者，最能給予方便，使經濟記者不致向報館交白卷，他在台省主席任內，也是一樣作風。省府的新聞究竟比央行來得多，他每天下班的時候，總交代負責人，該準備一兩條新聞，供給記者朋友。與其說是為政府宣傳，到莫如說是同情記者的工作。他從來不會對記者說「無可奉告」的。過去這樣，現在仍是這樣，因此新聞界都呼他為「記者之友」。

俞氏有一位千金，行三，長得端莊秀麗，近從美國回來。三小姐多才多藝，會在美國一家航空公司任執行秘書，英文速記成績冠儕輩。辦事能幹，不讓鬚眉。至今還是待字閨中。大政治家的小姐，往往難於談婚嫁，杜魯門小姐，三十尚未字人，便是一例。何況三小姐年紀還輕呢？

記得三年前俞先生還是台省主席的時候，有一天，在官邸內舉行一個簡便的記者招待會，主人以廣東魚生粥享客，新聞記者到的很不少。席間，賓主談笑風生，有說有笑，無拘無束，從世界大勢談到國家前途，從省政新聞談到家庭瑣事。當時俞氏曾向記者們開玩笑說：「今天在座的有那幾位還沒結婚呢？」大家說了！俞氏又笑着說：「好極了，好極了，我有三個女兒，都在美國，還沒有結婚，現在有這麼多的未婚記者，不怕她們沒有機會了。」這個招待會，這樣在說說笑笑之中，熱熱鬧鬧的結束了。

事隔三年，俞小姐從美國回來了，若干記者不免因此而記起當年這一番談笑。也因此而對於三小姐的行動，加以特別注意。最近三小姐參加了幾次公共場所的集會，有一次隨同俞氏在機場迎接蔣廷黻博士，第二天許多日晚報的花邊新聞，便有了三小姐的記載，不是說如何美麗，便是說如何活潑。

不過，新聞記者雖然對三小姐特別注意，俞氏是否眞的想他的掌上明珠嫁給記者，三小姐又是否有意託終身於記者，只是無從懸揣的，這有待以後的事實證明了。（四月十四日）

（按：據本月廿一日香港報載稱：廿五歲的俞筱婕三小姐訂於本月廿八日于歸菲僑李其昌，李氏現年四十七歲為馬尼剌中興銀行副理云。——編者）

浣紗溪

·臧啓芳·

賦贈鎏棐詞長二首。近讀君藻雪詞集，不勝頌佩。黃季剛昔評君詞，有：『小令擬香二主，長調胎息蘇辛，中調精妙，古今無兩，是能冶後主稼軒於一爐者。』等語。而集中鷓鴣天詞，有：『孤負了，寸心丹，高山流水為誰彈。』之句，牧第二首結句及之，言豈空彈耶？君家六世工詞，代有傳書，較之宋賢張玉田家世四代能詞者又過之矣。

為德不孤必有鄰。天涯此日幸逢君。可欽直諒亦多聞。

千載響。生花筆動萬家春。驚人不僅是清新。

文彩風流六代傳，羨君氣概吸長川。襟懷自與海天寬。

關運會。擲香二主勵哀憐。高山流水豈空彈。

同光風雲錄

·夢山樓·

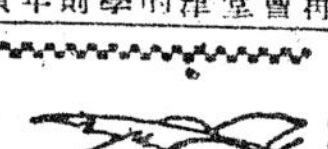

袁昶

袁忠節公，字爽秋，浙江桐廬人。博通掌故，以學平實中正，光緒間進士，擢總理各國事務衙門章京。旋授陝西按察使，未到任，改晉江甯布政使，又遷直隸，未幾，內調以三品京堂光祿寺卿任用，又轉太常寺卿。

爽秋幼貧，機杼以為生，後游學杭州，薛尉農院長，一見奇其才，妻以兄子，贅於薛氏。平時居書院，刻苦攻讀，無間寒暑。

廷奏力諫阻拳亂

庚子之亂，朝野士大夫，義憤填膺，輒思助義和團以求一逞，而所謂元老重臣者，又多昏庸頑固之徒，不明世界趨勢，且陰與拳匪通聲息，慈禧太后信而不疑。獨爽秋與侍郎許景澄，堅持不可，嘗三上諫章，力言奸民不可縱，外國使臣，教士，不宜殺，使館宜保護，此國際公法所載也。並痛詆執政大臣，釀亂禍國。當諫章初上時，景澄謂爽秋曰：『章上必死，公意如何？』爽秋朗誦李靈玉詩曰：『萬木自凋山不動，百川皆與海長深。』景澄意乃決。當時，拳匪蠭起，外兵紛至，南中各督撫徘徊觀望，並與外使簽訂東南互保之約，獨直隸提督聶士成，力任拒敵剿匪之任。廷議紛紜，莫衷一是。而爽秋、景澄，復於廷對時，慷慨陳詞，泣請皇上，乾綱獨斷，不可聽信妄言，與列國啓釁，致犯大臣端剛等之忌，目為洋黨。迨李秉衡參奏一上，即於庚子七月初三日，斬於菜市口矣。

從容就刑菜市口

監斬官為大學士徐桐之子承煜，因見二公尚衣冠齊楚，叱左右為脫去，景澄曰：『某等雖奉旨處斬，然未奉旨革職，照例當穿戴衣冠。』爽秋曰：『吾二人死固不足惜，然究犯何罪，而罹此大辟？』承煜叱之曰：『此非爾等分辯之地，尚敢嘵嘵耶？』爽秋曰：『吾二人雖死，留得清名於後世，史家自有公論，但洋兵一到，恐爾父子亦萬無生理，吾當候爾等於地下也。』於是二公從容就刑。未幾，聯軍陷京，徐桐自縊，承煜亦斬於市。迨宣統改元，始昭爽秋、景澄之冤，賜邺，追謚。事稽往史，凡國家將亡，自必賢人在野，僉壬擅權，派系傾軋，綱紀掃地，以至亡國而後已。漢之黨錮，唐之清流，明之東林，同受厄運，又豈僅袁許二公而已哉！（五十五）

文壇人物

女作家蘇雪林

——無愛也無恨

·阿淑·

蘇雪林安徽太平人，今年已經五十七歲了，但從外表看起來還是四十許人，據說她能駐顏歸功於：一、因研究文學，生活需要簡單，無欲；二、因是教徒，一切寄托於「主」，無憂；三、是獨身主義者，無愛也無恨；四、對事業很少野心，與人無鬥。有此四端，生活心情平和愉快，看起來就總是那麼青春常在了。不過說眞話，自從三十八年她隻身脫險來台灣後，身心不無影響，最近看到她的近照，覺得她蒼老了許多，兩眼的角度已失平衡，嘴巴也一面高一面低了，似乎是漸漸地走上暮年的斜坡了！

蘇雪林眞名「蘇梅」，她也是以筆名享譽文壇的。惟「梅」與「雪林」原不分離，她以此為名，便可推知其人生的性格，唐人崔櫓詠梅詩有「強半瘦因前夜雪，數枝愁向晚天來」眞可為雪林詠。

雪林的文章初見於北平晨報副刊，以散文及詩為多，當時許多稿子似以「蘇梅」之名發表，那時候，她就讀於北京女子高等師範學校，與以詩勝的謝冰心為同一時期的女作家。

她在致學上卻並不是沒有失敗的，如她第一次出國深造，是入法國里昂藝術學院習繪畫，但學成歸國後，還是以前長於寫散文的蘇雪林，而沒有成為畫家，而且誰也沒看見過她的畫，她也從不畫一筆。後來她又赴法研究神學兩年，回台灣後並不為神學努力，而是幹師範大學國文系教授呢！

雪林於北師大唸書時，因為能文，同學間皆尊稱之為「不櫛進士」，而當時中國文壇上各派門戶分得極清，最著者為「文學研究會」與「創造社」，前者的主幹是魯迅，後者的主幹是郭沫若，雪林卻以先知之才，不僅沒有參加那兩個系統，而且她的反魯迅的文章寫得又多又好。這不能不說是她有過人之才。不過，在她卅年來寫作的過程中，到現階段——榮譽獎金——為止，她還沒有一本被讀者所公認的代表作，不能不說是憾事。

年來又因頌揚詩大過於某一青年小說作家，及寫藝術論述時對漫畫太過恭維，遂使文壇爐邊多了談話的資料。但無論對她的評論如何，雪林卻為我們婦女界爭了這一份文壇獎金的光榮，使我們也間接得到光彩，希望她不以此自滿，更希望她能於最近之將來有一本偉大的作品面世。

△　▽

燕塵識小

·無負生·

蔡元培庚寅進士

前為本報寫「壬辰科場述舊」一篇。有兩位先生漏未述及。一位是庶常蔡元培先生，一位是殿撰劉福姚先生。

翁文恭日記，光緒十八年五月十七日，記云：「新庶常蔡元培號鶴青，紹興人，乃庚寅進士，年少通經，文極古藻，雋才也。在紹興徐氏校刻各種書。」由此可知蔡先生是光緒十六年庚寅會試中式，未會殿試。至十八年壬辰補行殿試，點的翰林，翁記數語，備極推許，可見先生早負盛名。後來畢生致士，望重儒林，並非偶然了。民國四十一年壬辰之冬，北大師友會於海濱。蔡先生的平生雖不待科名而增色。但六十年重宴瓊林，在士林究為佳話。先生而猶健在，亦將引為美談。故是之會，我有意提出此事，紀念蔡先生。恰巧那天胡適之先生海外歸來，有許多話要講，我若獨彈古調，似於空氣不諧，所以默然而止了。今姑述於此，以備為蔡先生作傳誌者之採摘云。

狀元劉福姚仕途不顯

清續文獻通考載云「光緒十八年壬辰科，試貢士劉可毅等三百一十七人於庭。賜劉福姚等進士及第出身有差。」這是一條照例的記載，但可知是科會元是劉可毅（說見前），而狀元是吾鄉劉福姚先生。宣統元二年間，先生奉使江南，曾過寒家。我以舞勺之童年，得覩鄉賢之光輝。歷久不忘。先生雖早擢巍科，而仕途不顯。迴翔滯秘，垂二十年。迄於辛亥，猶在詞曹。鼎革以後，旋歸道山。哲嗣端楚與我兩度同學。比年避地，同在海隅，而迄未一晤。壬辰之會我很想找端楚，談談壬辰舊事與故人多未果。不料前年亦已謝世。故交零落，言之憮然。（八）

自由人

THE FREEMAN
（第五三九期）
中華民國僑務委員會
登記證台教新字第一零二號
中華郵政台字第五〇〇號
執照登記爲第一類新聞紙類
（半週刊每星期三、六出版）
每份港幣壹毫
台北市售價台幣壹元
督印人：陳文華
地址：香港高士威道二十號四樓
3 rd. fl. 20 CAUSEWAY RD
HONG KONG
香港發行及事務接洽
高士打道66號　電話：七四〇五三
承印者：東南印務出版社
地址：高士打道六十四號
海外總經銷
友聯書報發行公司
香港：德輔道中二十六號A二樓
台灣特派員辦事處
台北市館前街五十號
台灣總經銷處
台北市西寧南路壹壹號二樓
台郵劃撥儲金戶九二五二

分析英蘇的倫敦會議

李金暉

英蘇倫敦會議後的公報表明兩國甚於現實主義精神，進行會談。但歐洲問題——德國統一，中東問題和裁軍問題，皆無結果。在最現實的貿易問題上，蘇聯擲出了一紙十億英鎊的購貨單，使英國朝野起了衝動，也引起了西歐各國的垂涎，影響了西方的反共意志。

四月廿六日英蘇會談結束，公報發表下來，西德總理阿登諾即迅速地發表了他對該次會談的評論。他說，兩國政府對於維持和平的方法不能取得一致，實爲公報中最重要之一部」，他進而對該項公報予以「實爲外交之傑作，其中毫無內容」的評價。

顯著的失敗有三

阿登諾對英蘇會議的評論是極正確的，因爲公報中既表明「兩國代表特別重視歐洲的安全」以及「確信歐洲的和平和安全對保持世界和平有決定性的重要意識」，但是「在實現這個目的的方法方面」，卻「沒有達成諒解」。西德特別重視英蘇會談，就在期待艾登能在德國問題上表明態度予德國統一以精神上的支持，現在公報卻已表明對此毫無結果，艾登在失望之餘，也只能認爲沒有結果才是最好的結果了。

歐洲安全問題，實質上是德國問題，對此既無協議，即可表明該次會談是失敗的，此其一。

對於中東和近東，蘇聯似乎是有了「讓步」的，但它的讓步只是表示「完全按照聯合國憲章所提原則」來解決該地區的糾紛，蘇聯從未尊重過聯合國憲章，而這次卻在中東問題上作此表示，並非讓步，而只是狡猾。聲明中東問題，不是聯合國根據憲章精神所能解決的。同時，在解決中東問題上最重要一環，即各國競以軍火供應中東國家一點，公報上並無任何規定，而反映出蘇聯對於共產集團以軍火售予阿拉伯集團還是堅持的。阿登諾說得好：「根據他本人所獲可靠的消息，阿拉伯的空軍正在波蘭接受蘇聯噴射機的飛行戰鬥技術訓練，蘇聯的中東政策就夠明顯了」！

公報對此既無共同協議，共產集團亦仍繼續其對埃及的軍火供應，中東形勢實已因以色列與阿拉伯間的均勢爲蘇聯所推翻，哈瑪紹奔走中東，實是對聯合國精神的諷刺。此即英蘇會談失敗之二——至於裁軍問題，公報只說「兩國政府將繼續進行努力，在裁軍小組委員會中促進有關國家就該問題達成必要的諒解」，但實際仍然無結果，這是會談的第三項失敗！

有此三項失敗，足以顯示未來的國際形勢，仍將一如以往「冷和」下去。在「冷和」的競爭局面下，惟一值得探討的，就是所謂東西雙方貿易問題了。

購貨單引起混亂

英蘇高級會談，這次會談中，蘇聯的最大希望就在欲獲取禁運的開放或放寬。艾登固然表示，此事非英國所能擅自行動，但布、赫臨行所提出的十億英鎊的購貨單，卻已予英國朝野莫大的衝動。甚至連工黨雖會因歐洲各國社會黨領袖被蘇聯囚禁，在宴會上對布、赫提出抗議，要求釋放，以至不歡，但對此次巨額貿易，也不禁怦然動心，竟出而支持主張開放禁運了。

根據英蘇會談公報，蘇聯欲購買的是機器、裝備和船隻以及原料和其它工業品。蘇聯並表示願首先購進價值三百萬美元的塑膠製品。（塑膠製品。在西方已進步到在若干生產建設上用來代替鋼鐵和銅製的器材應用了。但在蘇聯尚根本未有生產。赫魯曉夫在廿次黨代表大會的報告中，特別指示此類化學工業，包括人造纖維、尼龍等列入未來的生產計劃中。因此，在西方認爲無戰略價值的塑膠原料及其製成品，在蘇聯正是最感需要的。因爲它可以取代鋼鐵及銅類等金屬的地位，以節省金屬產品的消耗，在蘇聯已成爲今後建設中的重要物資。另一方面，節省金屬產品的消耗，意味着可以更多的移用於對軍備的生產。在此，我們不能輕視三百萬美元的塑膠品的交易，當蘇聯根本尚無此類化學工業之際，這筆交易作成之後，將縮短蘇聯在這方面投資生產的資金消耗，加速其成就是無異議的。因此，所謂戰略物資的界說和分別，實在不應從狹義的方面去解釋的。）

由於該項購物單，「艾登認爲約有三分之二」是不屬於禁運範例的，因此，這一貿易的風暴，已經影響到了西德、法國、荷蘭和比利時。換句話說，英蘇會談對眞正的世界和平問題，毫無成就，反因蘇聯的一紙十億英鎊的購貨單而引起了西歐的混亂。所有赫魯曉夫和布加寧在倫敦所遭受到的冷落和不愉快，亦已爲此貿易風暴吹散！於此，也同時清晰的暴露了，西方本身根本就缺乏反共的統一意志，大西洋公約的價值，對這點說，簡直還不如那張十億英鎊的購貨單呢！

從禁運到半禁運

自韓戰開始實行禁運以來，初期的成效，是亞洲方面較歐洲爲顯著，這是由於盟國在亞洲實施該政策較爲徹底之故，而蘇聯透過東歐和西歐國家進行違反禁運政策的貿易，則爲半公開的秘密。嗣後，美國不斷地受了英國的壓力——所謂「不要援助，要貿易」的口號，艾森豪威爾總統曾在一九五四年防衛協約裏，刪除禁運物資二百項。從此，像可供於分裂原子材料用的六萬匹的發電機、八萬五千匹馬力的渦輪以及大到一萬二千五百匹馬力的電氣馬達，一千五百匹馬力每分鐘轉動六百次的柴油機，均能經由貿易之途大搖大擺地運進鐵幕，而這些動力機械，對於軍火製造是迫切需要的。若照美國參議院調查小組所得材料，歐洲國家運製造飛機的主要零件和無綫電器材，都是經由東歐大批運往蘇聯呢！這可說是從禁運到半禁運的開始。

現在，蘇聯經由倫敦會談之後公開地提出了要買英的機器裝備和船隻了，切要點說，這不過是蘇聯覺得現已在進行的貿易途徑，雖具有實惠，但還不足以破壞西歐與美國的形式上的團結，她要用貿易來突破整個西方的陣營。而現在，西方的陣腳已經開始在發生動搖了。

開放禁運自毀長城

筆者在本報五三五期「展望英蘇巨頭會談」一文曾說，蘇聯一再強調貿易，是爲了孤立美國。這是她對西方攻擊的最後一個經濟性的政略。蘇聯很明白，禁運管制存在一天，東西雙方的實際敵對形勢也繼續存在一天；撤銷禁運，或是放寬禁運，就無異是毀棄了西方自衛的長城，只要這一層防綫爲她攻破，不僅西方本身內部將發生經濟競爭的矛盾，即就整個東西雙方的軍備競爭上言，蘇聯將可獲得大踏步地前進的機會。一方面是西方自身將因陷入經濟競爭的矛盾，而導致不愉快的衝突，另一方面是蘇聯集團的軍備將因自由貿易的結果而增強，這一結果對整個的西方言，將是自我削弱的開始。自由貿易，在短期內，當然可予西方國家的生產以刺激，經濟情況也可能因此而改觀，但最後的結果，必將是重蹈歷史的覆轍。蓋蘇聯既可主動地刺激西方的生產吸收其商品以助長共軍備，但當西方各國的經濟達到高度生產的競爭狀態時，共產集團，又可用拒絕購買來制約西方，待到共產集團緊縮其買納時。

（下轉第三版）

海外通訊

反攻大陸勢不容緩——對美國國會之觀感

·孟芝·

（本報華盛頓通訊）筆者到美考察已歷數月，大部份時間，均留在華府，去歲年底，曾赴美國南部，參觀美國全國立法人員協會會議，上月曾到紐約，參觀聯合國及市議會，預計五六月間再到各州考察。數月來與彼邦人士接觸既多，感慨亦深，茲就爲國內人士報告者二事。

美國國會的權威

第一：美國國會規模甚大，全國上下對國會之尊重，亦非親歷此間，未易完全領悟。國會職員，全數不下三千二百五十餘人，其中專家學者爲數甚多；即此一端，已可想見其工作範圍之一斑。國會職員，除一部份處理日常事務外，其餘從事研究工作，此種工作對國會立法貢獻至大。許多法案，聽其研究事項，國會議員均根據此等研究所得提出國會，製成法律。國會議員地位崇高，權力亦大，惟在會內發言，極其審慎，從不隨便「放砲」，發言之先，必與其秘書再三研究，又與其黨魁續密商談，然後決定。且議員發言大抵先由黨魁安排，並非臨時應付。因此每一議員之發言紀錄，均極有分量，不僅爲政府各行政部門及大學研究機構所重視，即其本區選民亦異常注意。若不幸過逝世，舉國各處即下半旗誌哀，於此可見美國國會議員地位之崇高。

立法院如何提高聲望

筆者曾與此間有地位之自由中國人士接談，論及我國國會——立法院。我國民選之立法院，時日尚淺，自難與美國國會相比。惟今後要提高立法院之聲望，仍須立法委員在言論上表現其卓越之見解與公忠體國之精神，與立法上有其優越之成績，捨此別無他途。聞蔣廷黻博士此次返國述職，曾發表相似之言論，此實爲吾人所亟特別重視者也。

友邦人士期望我反攻

第二：筆者所欲爲國人告者，則國民政府早日反攻，不僅爲國內外中國人民之願望，亦即爲友邦人士所深切期許者。筆者在此間所接觸之美、英、法，諸邦及其他自由世界人士，莫不同具此種見解。蓋目前國際局勢，依一般看法，均認爲短期內不至發生劇烈變化，如反攻遲遲不發，坐待情勢變遷，前途實甚險惡。即就此間參衆兩院議員之一般推測，共黨國家，明年定將盡力追使西方國家准許中共加入聯合國，到時美國是否能加阻止，頗成疑問。如不能阻止，恐亦惟有出於承認之一途。若然，則我在國際上必將陷於孤立。海外華僑擁護國府的心理亦不免因此而動搖。此實爲最可慮之一事。

兩個中國的論調未死

再者，現時美國當局，實有一部份人士主張造成兩個中國的事實，並追使國府與中共接受此一事實。此等人士雖對國民政府深具同情，惟彼等認爲國民政府已無反攻之可能，國際局勢亦不許反攻。此種主張現雖未能成爲美國國策，但我們應知美國向無堅定不變之對外政策，美國對外政策常隨國際情勢之變化及本身的利害所在而轉變。因此筆者覺得我此時必須以死裏求生，背城借一的決心，急速從事反攻。反攻初期，苟能在大陸沿海地帶先行建立一灘頭陣地，固守不失，國際局勢可能立即改觀，不僅美國援助可能源源而來，即英法及其他民主國家亦必將對我同情，加以援助。若計不出此，困守孤島，坐待世局變化，前途實未可樂觀也。

不宜再蹈覆轍

本來美國利害與我並不完全一致，美國國策，亦並不能與我一致，美國對外政策與我反攻復國政策，自然是不能相符合的。故反攻大陸，如要期待美國同意，乃必無可實現之事。過去在大陸執行反共政策，即因過於重視美國友人之意見，以至貽誤，今後反攻大陸豈能再蹈覆轍耶？

（四月五日華盛頓）

半週述評

·司馬璐·

序幕與正戲

來自維也納的報導說：「從希拉格到索非亞各附庸國首都的報紙，均反映貶抑史達林後的種種痛苦。」該報導又說：「各種直接的結果，是現在無人想接受個人的責任。同時在工業界與機關中的許多人一樣，均不願接受命令，因爲如果史達林可能有錯，則任何小共黨人均能有錯」。

一整個共黨集團今天止在嘗嘗他們自己製造的清算史達林的苦果。

事實上，清算史達林還祇是序幕，正戲還正開始。德國的觀察家相信：「由於整肅運動繼續不已，反史達林運動者亦可能垮台。」一杜爾斯說：「蘇聯的主義和歷史正在重寫。」「現在還沒有人知道歷史試題的正確答案。」

新整肅已開始

目前共黨集團內部鬥爭的形勢是：保加利亞的總理查文科夫以「史達林式的統治」的罪名，被鬥下台了。這個人的下台，立刻在南斯拉夫受到喝采，因爲查文科夫是共產國際情報局開除南共的簽字者之一。捷克的副總理兼國防部長塞比卡，以「野蠻的兇手」的罪名，被鬥下台了。這個人是當年捷共史蘭斯基，克里門提斯一案的審判者。捷共的「眞理報」又承認，最近在捷克有大批的共產黨員被整肅。波蘭的總理塞蘭克威茲正以指責自己的醜態，企圖逃過這場整肅的噩運，他的六個重要幹部已先被鬥下台了。……這些跡象都表示，共黨集團新的整肅已在開始。

制度問題

米高揚說：當我們沒有批評的時候，人家說我們獨裁，當我們有了批評的時候，人家又說我們不好。

問題不是「人家」說好與不好，而是「問題」不斷從共黨的內部發生。問題的根本關鍵是一個制度問題，然而這是米高揚們所不能理解的。

俄共的「布爾雪維克」雜誌最近警告他的黨徒說，自從清算史達林的事件發生後，他們的行動已經越出範圍了。

東德共黨的政治局說，許多共產黨員由於放棄了對史達林的崇拜，而引起了無政府主義的傾向。

匈牙利出版匈共機關報「北部新經濟報」甚至嚴重的指出：「帝國主義的特務現在正再次滲入我們的隊伍，並設法製造不和」。

這個烏烟瘴氣的黨，究竟誰是「帝國主義的特務」？「人民功臣」與「人民公敵」的區別，頃刻之間而已！這還不是一個根本的制度問題嗎？

正午的黑暗

匈牙利名作家柯斯特勒寫過一部著名的以俄共黨爭爲背景的小說「正午的黑暗」。在這部小說中，共黨的領袖盧巴索夫以「叛國」的罪名被逮捕，正受着秘密審訊，盧巴索夫認爲這些罪名是無稽的，他堅決抗拒着。主持審訊的都是盧巴索夫舊日的幹部，其中的伊凡諾夫用「說服」的態度對盧巴索夫說：「你過去對黨的功績沒有人能加以否認的，如果正如你所說的，你現在依然對黨忠誠，那麼，現在你承認下這些罪名，就是你對黨最大的和最後的貢獻了。」「因爲現在祇有你的犧牲，才可以便利黨執行一個新的路綫」。「盧巴索夫同志，如果易地而處，你也會如此勸我的。」另一個幹部格勒金對盧巴索夫說：「就我所有的歷史學識而講，我認爲人類沒有替死者就根本沒有辦法，我相信歷代以來，『代人受罪』是不可或缺的制度。」對於一個共產黨員的良心，這些所謂罪惡還不是由「替死制度」造成的嗎？

國外通訊

董去沈來之際——

再論駐日大使館的工作

·許俊·

（本報東京航訊）筆者曾在本報五三四期談到我駐日使館的工作，値此日本政府已同意我沈覲鼎氏繼任大使之際，願再略進數言：

董顯光調駐美大使已見諸明令發表，假如照台北輿論界的評述，曾一再說顧維鈞年老應該退休，可是顧的年紀實尚比董小一歲呢！可見顧去董繼，與年齡似無多大關係。有人說，顧維鈞畢竟是老了，在外交事務上是不能有所發揮，顧的辭職是中央暗示的，但如果以董氏在駐日大使任內的成績相比，則兩者之間堪稱伯仲，故董氏由東京調駐華府的內情，就不是我們旅居東京的人所能忖測的了。

華僑對大使人選關心

當局在尚未發表任命沈覲鼎氏繼任駐日大使前，東京的僑胞對繼任人選之注視和關心，不下於台北，當時一般的看法皆認爲何敬之氏將出任斯職，而有些僑胞也認爲以何氏與日本之關係及在國內之聲望，誠是最恰當的人選。此種願望實是感情的成份居多，而此種心理之造成實亦與董氏在任時之無表現有關。因此，海內外人士之注視何氏之膺選，實可謂是感情的心理因素較大。

對沈覲鼎的觀感

戰後的日本，人民對於民主政治之要求甚切，當舊日軍閥、政客皆已成爲階下之囚，以戰犯論罪後，日本政壇上的人物，可謂多數是新人，舊時人物參與實際政治，實已寥若晨星，何敬之先生在國內和日本之人望固高，但切實而論何氏與日本今日政壇之關係無異是稍有距離的，在目前國際情勢「冷和」的情況下，若何氏使日，恐亦將無所施展，且可能將招致日本若干人士之誤解。

至于沈覲鼎，他是留日學生，東京帝國大學畢業，其若干同學皆已在今日日本政府掌握實權，且有位至大臣者，在經濟界和產業界活躍之份子，也頗多爲其同學，沈氏在抗戰勝利後，曾一度在我駐日軍事代表團工作，其在外交界服務亦有三十餘年經驗，學識造詣頗高，且精通日德法等國語言。

因此，與其以元老級的何敬之先生周旋於今日日本政壇，不免有重輕懸殊之憾，則外交當局以沈覲鼎出使日本，不能謂遴選非人矣，

望沈氏多從小事着手

當然，在未見沈氏有所施展之前，而過早的對他作任何論斷，是不適當的，但是我們確有很多理由要求沈氏在到任之後，切切實實地有番作爲，以旅日華僑的普遍願望言，我們希望沈氏能從「小事」着手，這些「小事」本是董大使任內所不屑爲的，例如我們的宣傳不夠，包括自由中國的影片不能在日放映，過去使館與外務省的接觸太少，以及像日本容許應某些荒謬行爲在東京出現等等。在我們華僑的意識中，中日邦交和友好關係，不僅僅在於維持一種形式上的狀態，而是應該在若干所謂「小事」上作實際的互惠表現，和應有的條頂，否則所謂友好關係者，無非是空言而已。抑且，値此日本政府在對外政策上時有搖擺不定之勢，我們認爲日本現階段既不敢有任何輕率之舉，則我未來的駐日大使的工作重心，就應該如何在中日雙方的實質工作上作更大的努力，讓中日友好關係眞正的具體地表現出來，同時更希望沈氏多與僑界接觸，多與日本朝野接觸。

（四月廿八日）

讀者論壇

也論留學政策

——讀陳紀瀅先生「論留學政策」後——

聶文

「自由人」第五三四期刊載陳紀瀅先生的「論留學政策」一文，我讀後倒有些意見要說。

（一）

陳先生並非絕對反對停辦高中畢業留學考試。反對停辦的理由，是國內優良的大專學校太少，不足以容納較大部份的高中畢業生；許多學生勢必不得已而去讀那些蹩腳大學。這是家長所不樂意的，也無異剝奪了學生選擇學校的自由。所以只有讓他們到國外去選擇優良大學。停辦高中畢業留學考試當然不合理。

可是問題並非這樣簡單，兩件事實擺在眼前。（一）有那些國家的學校能每年保留若干千名額的獎金給中國學生呢？（二）出國往返的旅費勢必出自己拿出來。又不可能個個都拿得出。那麼陳先生希望青年學生都能上優良大學的理想，豈不受了客觀事實的限制，和大部份人的主觀經濟條件約束麼？況且外國大學的獎學金，多半是靠有人事關係的人才請得來的，絕大多數無此人事關係的人，安能得其門而入呢？

因此，絕大多數的學生，眼見留學千難，只奈出國無門，結果只有勉強就讀他們所不願就讀的蹩腳大學了。這豈不是陳先生的理想也要大打折扣了嗎？

其次，陳先生說留學生多勤苦，絕大多數的學生還要盡每週做工幾小時，乃至二十小時才能維持耗費，所以絕無拿家長的錢去揮霍的事實。我同意陳先生的說法，但我還認爲這個問題與教育政策本身並無密切關係，而且民主國家對私人，在不違反國家的經濟大原則之下這是不用過問的。用度的節約或揮霍，自有其家長去調節，所以用不着在此討論。

陳先生提出第三個理由說：「人家高中畢業後，學生有充分就業的技能，我們辦的高中，畢業後的學生，能就什麼業，有什麼業可讓他們就呢？……不能文，又不能武，除升學深造外，別無他途」。這樣說來，高中的畢業生便應當全部升大學，而且要升入優良的大學。換句話說，辦高中，就是爲學生升大學。假如沒有足夠的優良大學給全部高中畢業生升學，就應該少辦高中，根據這個推論，初中和小學亦復如此。教育當局豈非要比照優良大學所能容納的人數去辦高中，初中，和小學嗎？豈非要比照全國的兒童數量，先辦好夠得上優良的大學，才敢使全國兒童都進入小學嗎？所以我覺得陳先生的『目前高中畢業生祇有升學』這一課論，是很可懷疑的。根據這一理論而反對停辦高中留學考試，自然也値得商量了。

（二）

陳先生復列舉政府應該繼續辦理高中畢業留學考試的三項理由：

第一：美國學校爲東南亞反共國家（當然我國在內）每年保留一部份獎學金名額，友邦好意我們不該辜負。

第二：根據學習語文要在年輕的道理，應讓高中畢業生出國留學。

第三：高中畢業留學生的成績優良，有些在學校內取得榮譽生地位，給留學生添了不少光彩。

我以爲友邦好意，我們當然接受。但應該由那些青年學生去接受實惠？－是値得考慮的。就過去和現在的情形看，留學生約有兩類：第一，有人事關係，向外國學校取得獎學金的。第二，宗教團體學校所招收的學生。教會學校取錄學生，多是教徒或對宗教有信仰心的青年。我很憂心我們的青年學生，會爲了留學而讀教會學校，或勉強信教，改教。即使沒有這些顧慮，但一個國家的教育應有一個國家的宗旨和目的。留學政策不過是教育政策之一，我們絕對不能說，別人的學校有書給我們的青年讀，而且還給獎學金。假若不去接受，便是有負別人的好意。

我以爲我們接受那些獎學金，應由政府訂定一個原則，也即是是有條件的接受。若是沒有一個原則，難道對我們不友好的國家，甚或敵對的國家，他們的獎學金，也要接受嗎？我並不反對高中畢業留學生，我所反對的，是放任青年出國，一概不管。這又不是說，希望政府把青年全都拿在手裏，而是說政府對自己的青年要合理合法地盡其義務，行使應有的權力。

（三）

留學生的目的是求知識，做學問。該求些什麼知識，做些什麼學問？這就是留學政策的目的。陳先生贊成高中畢業留學的第二項理由，是高中畢業留學，是學習語文較好的時期。這明顯的說留學是以學語文爲重心。因此那些抱着書本子努力研究，結果學問也許求到了，但語文未進步的研究生，在陳先生看來是不足稱道的。高中畢業留學，若僅因爲是學習語文的較好時期，這理由似很充足。

最後說到高中畢業留學生的成績，我認爲國內高中課程比較深，國外課程比較淺，故高中畢業留學生的成績易見優良。即是說高中畢業生在國內的基礎比較好，也可說我們的高中畢業生比外國高中畢業生，程度要好些。陳先生說，『人家高中畢業後，學生有充分就業技能』，不知技能何所指？如果說是拖地板，擦玻璃，或者做助理看護的技能，那我便不敢恭維了。

我說到這裏，我要問陳先生，請告訴我你贊成高中畢業留學的三項理由，那一項是政府決定留學政策時應該採納呢？

（下轉第三版）

新書評介

傑·佛·遜·傳

·陳克文·

巴道維著　胡叔仁譯　香港高原出版社發行

本書編著者巴道維（Saul K. Padover）乃美國研究傑佛遜的專家。本傳外，他還編了一本「傑佛遜民主言論集」，也已經由胡叔仁先生譯成中文。

本書把傑佛遜總統的生平和理想分章作有系統的評述。全書十四章，首爲導言，共二百九十四面，約廿萬言，定價港幣三元。

代表美國理想與實際

傑佛遜（Jefferson）是美國第三和第四屆的總統，也是開國元勳之一，他的歷史地位不亞於華盛頓和林肯。他是數學家，測量師，建築師，古生物學家，音韻學家，律師，哲學家，農人，提琴師，也是一個發明家。他倡立教育制度，興建大學，創辦政黨，改革幣制，擴大國土。他對機械學，動物學，地質學，人類學，文學，法律，都有貢獻，所以他的才能和興趣是多方面的。

他做過議員，州長，駐外大使，國務卿，副總統，兩任總統，差不多所有重要公職，都曾經担任過。他是美國獨立宣言和維吉尼亞州宗教自由法案的起草人，又是民主黨的發起人，眞無愧一個坐言起行的偉大政治家。著者說：『傑佛遜以一身代表美利堅理想與實際的精華：…以美國民主的哲學家與理論家出人頭地：…在論著，演講，及會議中，闡揚有關進步，有關民主政府，有關人類自由的種種思想，其完整深刻，美好無瑕，殆無人可以超越。』又說，傑佛遜『和林肯一樣，是人類權利，自由，及尊嚴，的慷慨激昂鬥士；他以整個生命貢獻于傳佈及實現民主理想。』這些論斷和稱譽，自然是舉世同意，沒有絲毫溢美的。

傑佛遜的偉大，是無須我們再費詞的。我們讀了本傳，最令人感動崇拜的，是他爲實現民主理想而奮鬥的若干故事，和許多精深遠大的言論。

主張反對黨的存在

一七九〇年——九三年，是傑佛遜做國務卿的時代，這時代，美國獨立未久，政府圈子裏和社會上都充滿傾向君主政體，和反對民主的空氣。他却大聲疾呼，『我不能作一個變節的人，更不是一個僞君子，我始終是共和的唯一擁護者。』他和當時有力「帝制派」哈密爾頓，勢不兩立，至以去就向總統華盛頓力爭。

一七九七年到一八〇一年，傑佛遜做了副總統，他的民主思想始終如故。這時候美國有了政黨的紛爭對立，當時一般人，連華盛頓在內，都對政黨發生反感，認爲政黨是醞釀宗派主義的，是國事紛擾的淵源。只有傑佛遜深切認識政黨對立的價值，以爲是民主政府所不可或缺的制度。他說，『凡自由而好討論的社會，一定有敵對的黨派，一定免不了爭執紛擾。其中一派總有一個時期，駁倒另一派。然而黨派對立，正好使其互相監督，把對方措施，明白宣告國人。』這在當時的政治環境裏，又是何等勇敢而偉大的理論啊！他爲實現他的理想，便發起民主黨和當時最有勢力的聯邦黨對抗。

維護言論出版自由

一八〇一——〇九年是傑佛遜做總統的時代。他做了總統，位高權重，是否對於民主制度和理想便有了不同的看法，和不同的態度呢？不，絕對不。試舉兩件小事，可見一斑。

傑佛遜的總統競選勝利了，反對的聯邦黨因此從各方面肆意攻擊他，在報紙上發動攻勢，甚至污衊他的人格，竟公開刊載：『傑佛遜永遠掉在十八層地獄裏』，這樣的污辱話。當時有許多人憤憤不平，要求制裁這些濫用言論自由的人，但傑佛遜認爲無論報紙如何濫用他們的自由，爲保持民主政治計，這項自由是不可加以限制的。他說：『人是可以理智與眞理來治理的，我們應把一切通往眞理的大道開放給人民，最有効的大道，就是出版自由。』他還說過，『我在神壇上立過誓，對任何形式的壓制人心的暴政，永遠反對。』這又是何等偉大的民主風度！

取消致敬總統儀式

還有一件很有趣的故事，依照過去慣例，總統府每周有一次覲見儀式，是剿襲宮庭作風的，許多盛服的貴婦人依時到府，向總統覲見致敬，華盛頓和亞當斯做總統的時候便已如此。傑佛遜認爲這種儀式和民主精神不相符合，而且養成一種逢迎獻媚的風氣，是要不得的。因此他宣佈廢除這種儀式，可是許多貴婦人依然盛裝結隊到總統府來。總統騎馬外出了，她們還是堅守不去，一定要覲見。後來總統回來了，一身騎裝，滿身灰塵，點頭致謝，弄得貴婦們張皇失措，一窩風溜了。覲見儀式從此不再留存。不僅如此，傑佛遜對於席次及許多儀節慣例也力求簡化，他取消官式宴會，只舉行私人餐敍，餐桌是圓的，不分席次，任何人不問身份地位，便是他所說的「隨便」辦法。這雖是小事，也可看出傑佛遜做總統的個人風度，對於國人的民主生活是很有影響的。

傑佛遜於一八二六年七月四日，美國的獨立紀念日逝世。他在逝世前已預備好他自己的墓誌，墓誌寫道：『美國獨立宣言，維吉尼亞州宗教自由法案的起草人，維吉尼亞大學之父，湯麥士，傑佛遜長眠於此。』他終生念念不忘的是民主自由，有如此者！

這本書應該是愛好民主自由的人士，尤其是民主國家的政治領袖們所不可不讀的一本最好教科書。（完）

台北速寫

港報爲何受歡迎

艾森豪在美國編輯人協會的演說，以及杜爾斯在美聯社的演說，都是強調和平，強調蘇俄之轉變，此與自由中國人士的看法頗有距離。不過，經此間各報妥加標題及善爲摘錄之後，與原文面目全非。這種新聞編輯方法可算是超時代的。香港報紙在此間之所以能擁有大量讀者，其故在此。

新聞的道德與權威

一個報紙型的雜誌「×××報」，初出時頗具敢言的作風，銷數接近萬份，想不到該報主持人竟因勒索鉅款而被控訴，該報也就因此夭折。近年來類此不名譽事件，時有發生。這是輿論界的危機，因爲欲建立新聞權威，必須先講求新聞道德。

國大是國會！

立法委員與監察委員爲了誰是國會這一問題，正在熱烈爭辯，突然半路殺出了一個程咬金，國大代表認爲國大才是國會。從理論上看，各方都有理，也都無理，看樣子此事須待最高當局之決定了。（按：憲法的解釋應是大法官的事，編者——）

「民主初步」

江杓就任經濟部長之後，不久即在立法院會裏出言不愼，道歉了事，最近却又第二次激怒了立委。這說明今日做官的，除了懂得官場那一套之外，尙須讀一點「民主初步」之類的小册子呢。

·杜蘅之·

教員福利與教育計劃

——香港教員會的兩組大會

香港教師會英文組和中文組於四月下旬和五月初分別召開會員大會，這一個會員大會的意義是相當重大的，除了檢討過去一年的會務、會員間的經驗交流以外，並準備聆聽教育當局今後有關教員福利及其他教育計劃。

訓練合格教師

根據中文組的透露，教育司為使目前在各校服務中的教員訓練成為合格教師，令使待遇與葛師和羅師兩專科畢業生同等起見，在舉辦的合格師資訓練班中，特別撥出學額五十名，由教師會組成小組委員會負責挑選，實際上該項訓練班每屆報名參加者達數千人，而錄取者僅百餘人而已。

教師會中文組的會員大會將於本月六日召開，而英文組則早於去月下旬舉行，會議期間，助理教育司衞曉霞彼邀請述本港的「小學七年擴充計劃」，對小學教育的前途有一個確切的啓示，對教師本身而言，亦饒有意義。據唐氏稱：

小學擴充計劃

本港小學七年擴充計劃，關係香港的第二代，故為人父母者，對此必均關心。自一九四七年以來，因大陸上環境改變，本港人口激增，而適齡學童之問題亦形成本港教育上之一大問題，在一九五五年三月港督葛量洪爵士在葛量洪和專上宣佈了七年計劃，在一九五四年預期一九五五年將有適齡兒童四萬五千人，在一九六一年將有七萬七千人，但已上數字已經因材料上之證實已於今年一月改為一九五五年四萬六千人，一九六一年七萬六千人，較以前預算者猶多。

七年計劃之目的甚為簡單，期能在七年後擴充之學額適合出生率日逐增加適齡學童，其辦法有二，一為將目前可容小學學位增多至最大限度，一為建築新校。前者如將現有之多間小學改為上下午班制度，並將每班學生名額增至每班四十五人，後者則又分三種辦法：（一）建立新的官立學校，（二）對津貼學校予以財政上之援助使擴展新的校舍，（三）對辦理成績良好的私校予以無息貸款，或以優越條件撥地協助興建新舍。

尋找校址的困難

這個七年計劃中的建校一項，尋找校址是計劃中所遭遇的最困難問題，因為工廠，民居及其他公用建築，都在和學校競爭着將來可能有發展的地基，又須考慮到經濟上的問題，譬如在天后廟道之建築中商會小學建築校舍本身僅需四十五萬元，但在開拓地基方面竟耗費二十五萬元之巨。由於以上的原因，因此在七年計劃下所建築之新校必須對土地範圍亦當以極經濟的利用，故而新校舍只能向「多層建築」上設法，設計上新校多僅能在屋頂建立有頂之體操場，（推至少留出一戶外球場的地位），目前政府在建築中之摩理遜山道，巴富街，荷理活道各有二十四間課室之新官立小學即在此原則下興建，即以巴富街所建小學為例，該校佔地二萬三千平方呎，高三層，每層有八間課室，課室面積為二十五呎長，廿二呎闊，每間容四十五人，則上下午班各可容學生一千〇八十人，隨學童增多之問題之後者為師資需要增加的問題，政府對葛量洪師範專科學校已加擴充，對此將有裨助，最近師範學校校考者衆多亦為有益之好現象。

學額已增一萬餘

一九五五年三月終，全港小學生為十六萬九千四百廿一人，而至一九五六年三月終增至十九萬三千八百八十七人，增多了二萬四千五百名額，不過依據計劃一年來預算應增加二萬六千人始符合理想，由此足證一部份擴校計劃仍因環境關係而未能予以實現，但將來這起首一年成績尚算滿意，一年來新學校或僑校擴充者共有三十六間，增多了學額一萬〇三百人，但佔去年全部所增加之學額（二萬四千五百）猶不及半數，其餘者即因各官校改上下午班制度而增加者。

計劃的第二年又如何呢？除葛師在今年將完成所擴建之校舍外，三間有二十四個教室位在市區之官立小學，及一間有八個教室位在荃灣之官立小學將次第完成，這四間學校可增加小學生七千二百人，另外總數三百十四萬八百二十元的廿六張津貼市區學校建舍申請書已被批准，二十三張津貼鄉區學校建舍的申請書亦已批准，總數為六十四萬元。

申請貸款達六百餘萬元

申請無息貸款之學校申請書，現已有二十七宗，總數為六百廿萬〇二百五十元（去年僅二百九十七萬六千元），因事實上之須要，只能將其分為「即可興建」及「尚待覓妥址」兩種，前者佔其十六，後者佔十四。吾人均幸有機會得受教育，故當然希望在本港之得一兒童亦有同等之機會，並祈各位對此計劃亦能予以全心全力之合作。」

也論留學政策

（上接第二版）前面說過，留學政策是教育政策之一，是把自己的青年請人家代我們教育的決策。但請誰代我們教育？該教些什麼？現在有友邦願意代我們教育青年，我們應當先說清楚：我們的青年需要學些甚麼東西，如果給獎學金的國家或學校沒有具備我們所需要的東西，或者給獎學金的國家和我們在政治關係上是需要考慮的，就根本不必談了。很顯然的，國內大學不如別人的，是自然科學，至社會科學就很難說究竟誰不如誰了。文化各有優劣，國情更各有不同，各有所長，亦各有其短。所以教育當局決定留學政策，是在取人之長，補己之短。因此我主張，那些善意給獎學金的外國學校，若設有理工農醫各學院，設備又夠水準的，我們的大學畢業生固然可以送去留學，高中畢業生也同樣可以送去留學。但高中畢業出國學社會科學，則期期以為不可。因為這些學生沒有在國內大學，研究過自己國家的社會情形，對自己的民族文化，茫然無知，這樣決不能深入研究，亦不能判斷是非得失，知所取捨，將來回國，對自己國家社會，必無益處。所以選社會科學的，必須在大學畢業後。

（四）

至於怎樣考選留學生的問題，國外學校的獎學金，既多半是私人設法取得的，政府舉辦是項考試，祗是順水推舟，是與政策無關的。我認為，若國外學校給我們的獎學金如果是有政策性的，應該由教育當局統一接受，統一考選學生。或者由國內大學與那些給我們獎學金的大學直接商洽，某國外大學的留學考試由某國內大學負責辦理，而且考選名額，應規定於該校的某學系招生名額之中，以該學系新生考試成績最優良者作為選送的留學生。

另外旅費問題，也值得一提。考選的學生如果是有錢人的子女，當然該他們自己負責，如果是些窮苦學生，政府應該以貸款方式，支付往返旅費。

過去高中畢業留學多是些特權階級的子弟，現在希望政府改變辦法，為許多苦學或大才青年開一條出國求學的路子。

中國醫學畧述

· 伍憲子 ·

內經傷寒論皆不能發展，專搜方書，此為漢後，魏晉南北朝，至隋唐，七八百年間之一種風氣。大家所注意者，都是本草方書。自陶宏景，甄立言，孟詵，以至陳藏器，日華子，乃至通醫之顯者，如張華、裴頠、蔡謨、姚僧垣之徒，皆向本草方書研究，能用力於內難，知審察到病源，如巢元方全元起者，已不多見。故巢氏病源，王燾外臺秘要等書，在此時期，已算傑出。方書又雜入神仙，自壺公，費長房，封君達，甯奉，負局先生，以及葛洪，都是神仙中人，而葛洪集肘後方。孫思邈之千金方，亦借重眞人之號，所謂洞中之神，龍宮之秘。此則不只神仙，且入道藏矣。其原因就是仲景之學，無後起光大之人。自王叔和搜集編次成書之後，歷七百年，至宋開寶中，節度使高繼沖始編進傷寒論，嘉祐中，始命儒臣林億高保衡等校理，宣靖間，成無已始為之作注。然則由仲景至成無已，遙遙千年，雖不能說中國醫學中衰，但斷不能說有進步。李濂所謂內經之學，發明者少，本草方書之類，則詞益繁而理愈昧，方彌廣而法失眞也。然漢以後許多醫論醫方，藉以保存不少。全元起注素問，總算異軍特起，發揚經學，王冰繼之，至宋代遂放光彩。

宋代漸放異彩

宋初醫學，仍襲本草方書風氣，蓋太宗在藩邸時，留意醫術，藏名方千餘，及即位，召翰林學士陳明遇等，編成太平聖惠方一百卷，及政和中，又成聖濟總錄纂要，王袞之濟濟方，董汲之旅舍備要方等，皆是沿前代方書之習。然風氣到底要轉變。韓祇和之傷寒微旨，龐安時之傷寒總病論，錢乙之傷寒指微，朱肱之活人書，成無已之傷寒論注明理論，皆大啓內經之祕，闡仲景之學。又有高若訥者，據宋史本傳載，若訥徙家衛州，皇祐五年為觀文殿學士，强學善記，深通醫學，能屈服羣醫，時仲景傷寒論久不傳，若訥校刊之，世始知有是書，名醫多出衛州，皆本高氏學也。據此，仲景之論，確至宋代而始漸明。宋醫對於專科，亦能分途發展，如董汲推素問厥疾之旨，而著腳氣治法總要，陳自明採摭婦科諸家，而成婦人大全良方，陳無擇推金匱之意，而作三因方，嘉定太醫局之小兒衛生總微論方等，皆經過苦心。唐愼微之證類本草，集陶宏景以來本草之大成，許叔微之類證普濟本事方，張杲之醫說，開後來許多醫案之途徑。太醫局之程文，可見宋代考試醫學之大典，關於察脈製方之要，六氣與人身感應之理，針瘍之科，大小科之義，草木金石之性，皆辨析精微。熙甯間，又令高保衡林億校正內經，此尤為宋代醫學之光彩，於是而有金元諸家。（二）

台灣通訊

電價調整再起風波

· 楊志 ·

江杓部長前後矛盾

【本報台北通訊】一向融洽無間的行政、立法兩院，最近因電價調整案的討論，閣員與立委之間復顯蹩扭而顯出不睦之徵，有識之士深以為憂。

工業用電加價原誘

原來數年來台電發展多藉美援，去年起美方一再向台電提出改善計劃，並認為台電收入不僅不足支付各項成本，且無法償還到期債務，要挽救危機唯有出諸加價一途，並於去年七月起，暫停火力建設撥款，以示其意之堅決。政府當局考慮再三，乃經由行政院會通過提高工業用電價格，（由現行價格每度台幣一角六分提高至每度二角三分）隨將調整新案送立院審議。

審查會內起風波

上月十七日立院第六次秘密會議中，經濟部長江杓列席該會，曾就調整電價原因及新電價計算公式作歷時二十五分鐘的說明，與會立委多數認為調整電價原則上同意，惟對電價計算公式有值得斟酌的地方，如公式中所列之折舊率、維護費、利潤率等多不合理，且恐其他企業產品亦援例漲價。而立委黃煥如、陸宗麒二氏對於調整電價則不表同意，以為這次加價雖因於美方追還債務，主張以防衛捐及附加方式抵補，江部長答以原則同意，願加仔細研究，接着立委吳延環繼立發言，認為江部長既贊同黃陸兩委員辦法，可否將原案撤回。另送抵補辦法送會審議，江部長不作正面答覆，僅稱本案為政院院會決議且為政院名義送審，本人無權撤回，措辭遣字之間不免稍涉意氣，吳委員對此認為不滿。是時已至下午六時，乃由院會決議送交財政、經濟、預算三委員會審查。

上月十九日立院財、經、預三委員會開聯席會議，邀請江氏列席備詢，出人意料之外，江部長僅僅說明調整電價理由並盼立院速予通過，言畢即行離去，亦不說明離開會場理由，遂引起在場立委之非議，以為江氏有意逃避質詢，大失閣員風度。立委余凌雲、郭登敖、吳越潮、孫桂籍諸氏相繼發言，一致認為電價調整事關民生甚大，應另行定期召開聯席會議再度邀請江部長列席詳加說明，如果江部長不願列席時應請俞鴻鈞院長列席報告，並就整個政策詳加檢討。電價調整案方交付審議，即接連發生不愉快事件，上次尹仲容任內電價調整之遷延時日，大家記憶猶新，據熟悉立院內情人士表示此案在審議中不可能獲得順利通過。而吳延環氏不滿十七日秘密會中江部長所作之答覆，乃提出二項書面質詢，就正於俞院長：（一）行政首長所作承諾是否應照當兌現？（二）閣員之一代表內閣列席國會是否代表整個內閣？這二項質詢已列入大會議程。至是，電價調整案復節外生枝，將來發展如何，尚難逆料。

持平以論應相忍為國

不過，我們如能平心靜氣檢討一下，台電年來負荷過重，償台高築，董事長楊家瑜、總經理黃煇在歷次公私場合中均一再表示不加價不足以圖存，更談不到發展。其困難情形早為各方所深悉，況且這次加價僅限於工業用電，幅度不大，對於一般人民不會有多大的影響。江部長學有專長，於國防部長任內襄助俞大維先生，亦多建樹。可惜處事手段過於呆板，又復不嫻辭令，態度欠佳。是以歷次列席立院每每引起風波，殊覺可惜。

俞鴻鈞內閣向以篤實履踐見稱，而立院諸公從來審議案件所取之態度，不苟且，不草率，這都是民主政治良好的表現，我們希望行政、立法兩院對於此次電價的調整能有至當的斟酌，同時希望閣員與立委之間，相忍為國，事情是不難解決的。（四月廿六日）

分析英蘇的倫敦會議

（上接第一版）西方的經濟必將因而陷入深度的紊亂，所謂不景氣狀況，必將廣泛而深入地在西方國家內部展開，它所帶來的經濟危機，也將是共產國際第五縱隊活動的最好機會，屆時，就很難說蘇聯還是繼續和西方「和平共存」，還是選擇「世界革命」了！但這一發展趨勢，所帶給自由世界的最後結果，卻是「世界革命」的危機！

在英蘇會談的聯合公報中，有一句話是值得細加體味的，即「會談是由雙方抱着坦率而現實主義的精神進行的。」這「現實主義」四字已足表明此項會談的眞正意向了。

既是「現實主義」的，那末，自可無須以遠大的眼光和抱負來對未來的歷史演變負責，也可以根本無須顧及將來可能發生的惡果了。一個現實主義的國家，加上一個現實主義的首相，坐在兩個發詰惡徒的面前，談論國際大事，所得到的結論，就是最現實的擴大貿易。

從某一點看，我們承認這次布、赫倫敦之行是失威的說法，因為他們遭受到英國人民的普遍冷淡和奚落。但若就全面觀察，倫敦會談除了上述三項失敗之外，它最大的失敗，還是西方的反共精神受了影響，現實主義的利益，已經決定了未來的歷史發展了。

貿易與世界革命

一直到目前為止，還有人認為在清算史達林後，蘇聯的政策是改變了。但吾人的看法是，蘇聯今日的執政者和史達林一樣都是在執行列寧主義！在蘇共二十次代表大會後，已經明白顯示共產國際今後的對外政策是向自由世界作迂迴曲折的鬥爭，而最主要的策略之一，即所謂以貿易來調和蘇聯與資本主義國家的緊張關係

編者　讀者

△「燕園識小」作者無負生先生，為本報寫了一篇「五四滄桑」，該文記述五四運動前後情況至詳，對當時巴黎和會的分析，尤為精闢，是值得推薦的佳作，該文將在下期刊出，特先預告，請讀者留意。

△劉紹明、龔文、金城、陳志奇、楊忠樸、行素、孫步關、歐榮仁、諸先生惠稿均收到，至感。

自由談

談對日外交

這次自由中國各界組合的日本訪問團，在訪問期間似乎並未博得彼邦人士的熱烈歡迎，尤其是新聞界表示很冷淡，銷行最多的「朝日新聞」（性質有若紐約時報，常是代表官方意見的）。竟對訪問團的消息隻字不提。我們駐日大使董先生因此對日本記者表示詫異，說他始終找不出何以造成這種現象的原因來！實則原因顯然可見，即日本民族性的褊狹與勢利是也。

我們該記得：中日戰爭結束後，我政府尚在大陸直接統治着全國的時候，也曾派過經濟訪問團赴日本，團員包括吳鼎昌、周作民、錢新之等，但日本政府臨時忽然表示不便出面招待，理由是「軍人反對」。另有新聞界訪問團到東京時，首相吉田茂對訪客所表現的那種陰陽怪氣，至今思之，猶有餘憤！現在我們局促偏安於一隅，非復往年形勢了，日本人正要跟中共締交貿易，國際上充滿着「和平共存」的妥協氣氛，你能希望素性褊狹而勢利的鄰人，對自己燒冷灶嗎？

假使不是美國的關係，日本迄今不會跟我們媾和締交，而日本在戰後若不是以美國為衣食父母，反美情緒亦一定更普遍而濃烈，毫無疑問。

對於這種國家的正式外交行為，即應該亦以勢利為原則，第一是要處處表示對他無所求，其次是要以夠份量而有些才幹的人物派充外交使節，至少不致如當年駐日軍事代表團長之專鬧笑話，予人以輕視。最近我們的新任駐日大使發表談話，說是要「改善中美日外交關係」，這就是笑話！駐日大使與「中美外交」何干？日本並非仍在美國佔領之下，這類話使日本人聽到，能對我們發生好感嗎？日本自然也有許多真誠願與我們親善合作的人，這需要從國民外交做工夫，而以不拘形式的方法，真正懂得日本情形，認識日本文化語言的各階層各黨派人物承其乏，只問耕耘，不計收穫，自有相當效用。像這次的訪問團，既是各界合組的，而中日文化經濟協會的人竟未參加，不亦怪哉！

「行有不慊於心，則反求諸己」，談對日外交者，其識之。

馬五先生

養．鶴．論

．胡馨雲．

每一種動物，都有牠美妙的姿態，譬如鶴，那就很不凡，牠那種冠冕堂皇，高視闊步的神氣，我每逢看到牠，就會因牠那紳士型的氣派，而有肅然起敬之感。

鶴除了牠的姿態高雅之外，還有一種為其他動物所無的美德，那就是牠不愛管閒事，不大愛說話。牠於高視闊步之餘，終日都是縮起一條腿，半開閉的眼睛，愛理不愛理的，大有「不管他人瓦上霜」之意。

據說王羲之喜歡養白鵝，白鵝的姿態，本來是和白鶴差不多，其缺點就在乎多說閒話。我曾養過一對白鵝，終日囉囉嗦嗦，喋喋不休，討厭之至。我既沒有王羲之先生的雅量，結果祇有把牠們製成叫爐燒鵝，吃掉了事。

據說鶴之所以終日閉起眼睛，好像什麼都不在乎的樣子，其實是偽裝，如果有一條不識相的小魚，在牠面前游過，牠定顧不得甚麼高雅不高雅，一定會伸長了牠的長喙長頸，把牠一口啄上。相信這也是偽的，但祇要牠做得敏捷，做得乾淨利落，無傷於紳士的風度，我們做主人的，管牠做甚麼。

如果你有一個美麗的庭園，而且日長無事，那麼養幾隻矯矯不群的白鶴，點綴點綴，可以替你的園林生色不少，同時也可以引起你的許多雅興，與養滿身俗氣的肥豬自是不同。雖然鶴的食量，據說也是很可觀的，但無論如何，牠那瘦骨嶙峋的仙風道骨，總不會使人起「前方馬瘦，後方豬肥」之感吧。

養狗可以供奔走，養鶴則可以供欣賞及裝飾，養狗足人有「豪」氣，養鶴則可使人有「雅」氣，如你想馳騁中原，追狐逐鹿，則是養狗好，但如果你想養尊處優，歌舞昇平，則是養鶴好。

但在歷史上，養鶴養出毛病來的，也不是沒有。春秋時有一個衛懿公，他最喜歡鶴，他的鶴養得不少，他按其品級，封以高低不同的爵位，按位授俸，雖然共分為幾任，幾階，幾級，現已不得而詳，但大抵和當時士大夫的等級差不多。其中最滿公爵者，並可以「乘軒」出入。「軒」是當時的輴形馬車，是相當名貴的，平民大抵沒有機會乘坐，雖不如現在汽車之銷耗外滙，而鶴太太及鶴公子們，是否也可以乘公家的「軒」，史亦無明文，但當時國庫因此損耗不少，至令路人側目，則是事實。不幸當時衛有戎狄之患，有一次狄人大舉來侵，衛懿公急了，便倉皇徵兵迎戰。但當時的衛兵，都是老粗，不懂風雅，他們說：「鶴有爵位，我們沒有爵位，為甚麼不叫那些鶴去打仗，而叫我們去打仗呢？」結果因為軍無鬥志，勉強在熒澤和狄人打了一仗，結果當然一敗塗地，衛國被狄所滅，而一代風流的衛懿公，也給狄人殺了。至於這些「乘軒」鶴的下落，史無明文，但覆巢之下，安有完卵！而且那些狄人，都是未受王化的鬼子佬，焚琴煮鶴，自然是意中事。不過這種不幸的事件，在歷史上究屬少見就是了。

記得南宋詞人辛棄疾，有一首賀新郎詞還提及這件事，現在試把那首詞的後半闋抄在後面，詞曰：

「當年衆鳥看孤鶚，意飄然橫空，直把曹吞劉攫。老我山中誰來伴，須信窮愁有腳，似剪盡還生僧髮。自斷此生天休問，倩誰人說與乘軒鶴，吾有志，在溝壑。」

辛棄疾這個老兵，鬱鬱不得志，滿腹牢騷，此詞大有怪當時君相寵養多鶴，不養一鶚之意。但我除了在動物園之外，就未見過人家養「孤鶚」的，辛棄疾先生可以休矣。

老英雄為馬智禮作 有序

．許紹棣．

二二八事變時，初，鹿鄉山胞因暴民蠱惑，蠢蠢欲動；鄉中外籍人，命在旦夕。有卑南族山胞馬智禮者，慷慨誓言，有敢同室操戈者，吾先以老命死之，乃橫刀躍馬，親巡閭里，山胞羅拜，不敢仰視，暴民亦逡巡斂迹，一鄉獲安。乙未冬，行役過其門，聞其事，見其人，作此以紀之。

老英雄，馬智禮，能仗義，勇無比！豹牙飾冠豹皮衣，腰懸寶刀首雉尾。平居何所事？赤足韋帶潤耒耜；一鄉何所稱？排難解紛惠桑梓。昔者事變禍鬪牆，暴民蠱惑勢成颱；風鶴頻驚鬼夜哭，數百生靈齊待死。英雄赫怒伸大義，橫刀躍馬似虎兕；暴民山胞俱震懾，一鄉安宅亂未起；至今父老感再生，大名不脛走遐邇。昨過山鄉一盤桓，英雄自言肉生髀。吁嗟乎！十室之邑有忠信，猰貐之人猶能彌；深山大澤生龍蛇，壇坫英豪知有幾。

同光風雲錄

駱秉章

駱文忠公，字籲門，廣東花縣人，道光進士。咸豐初，巡撫湖南，適值太平軍興，曾國藩募練團勇，秉章佐其練兵籌餉，撫敵安民，深為國藩倚重。旋擢四川總督，平太平軍石達開，其功更著，其名更顯矣。

周旋羣賢休休有容

先是，秉章撫湘，太平軍勢頗囂張，湘人若曾、胡、江、羅等，先後著戰功，秉章與諸人共事，不掣其肘，不掩其長，以休休有容之度，周旋於羣賢薈萃之區，卒建偉功，亦非偶然也。迨總督四川，左宗棠實佐幕之。秉章折節與游，信任惟專，籌餉練兵，選將舉賢，故能屢挫強敵，兩敗石達開數十萬衆，固賴宗棠帷幄之功，亦秉章大度有以成之。

秉章得於公暇，輒適幕府，宗棠方與二三幕賓，慷慨論天下事，談辯風生，秉章不置可否，靜聽而已，其豁達宏量，往往如此。故宗棠以智略輻湊，得以盡展其所長也。

一日，秉章聞轅門舉礮，驚問何事？左右對曰：『左師爺拔軍報摺』。秉章憮然不知，亦頷之而已，旣而，徐曰：『盍取摺稿來，我也看看？』其信任之專，有如此者。故時人戲稱宗棠為左都御史，因秉章亦不過右副都御史銜耳。

主川政援滇黔濟秦隴

四川夙稱天府之國，然羣盜如毛，揭竿烏合之徒，所在屯聚，全省被蹂躪者四十餘州縣，秉章數行四方，驅除殄殲，日勞於戎馬間，摧陷廓清之功甚捷，未逾一年，而全蜀肅清。蜀人莫不仰其盛名，感之如父母，望之如神明。秉章乃發財賦，籌餉糈，南援滇黔，北濟秦隴。當是時也，曾國藩總督兩江，二公東西相望，朝廷倚之為重，凡有大計，必以諮之。而秉章疏陳計劃，亦多能統籌全局，故蜀中童謠有云：『若要川民樂，除非駱生角。』蓋俗稱駱字為馬各，而南方人又呼角同音也。

迨，秉章薨於位，成都為之罷市，居民皆野哭巷祭，每家各懸白布於門前，或書輓聯以誌哀思。尊崇之至，幾與諸葛武侯相等。秉章專祠，蜀民亦呼之作丞祖祠堂，雖三尺童子入其祠，亦無不以頭搶地者。或謂秉章外樸內明，於賢不肖，口雖不言，而辨之甚精，其接人也，神氣渾穆，人視之若蠍蝸無能，而所至功成，所居民愛，自湘在蜀，有賢護而效其長，豈便所謂大智若愚者耶？（二十六）

夢山樓

．文壇漫步．

詩壇形形色色

．紅纓槍．

台灣有一本詩雜誌發行到香港來，部份青年學生也有閱讀詩作品的興趣，這本雜誌叫做「現代詩」。

詩雜誌過去在大陸上，也有過出版，不過銷路比其他的雜誌為差，影響力也較小。在香港，也許愛詩的人比較多，詩的影響力也較大。已出版詩集到目前為止，大概總有三十冊左右，叫座力比較強的有徐訏、夏侯無忌、趙滋蕃、燕歸來、力匡等幾個人。在報刊發表頗受讀者歡迎而沒有專集出版的詩作品也並不少，[illegible]氣息的貝娜苔、現實諷刺的于琛，雅淡的李素、清麗的慕容羽軍、「改組」派的徐速，每一個人都各自擁有不少讀者。此外，還有一位年輕的詩人何中一，寫了一冊「藍夢」，出版了還不夠一月，文筆意境都覺得十分可愛，這，使我們相信詩的領域在不久的將來一定很興盛的。

詩的理論方面，致力的人比較少，目前貝娜苔偶然有寫一些，路易士亦有一「興到之作」，寫來都有清新的感覺，慕容羽軍在本年初出版了一冊「論新詩」，是近年詩的理論的第一本，力匡也在中國學生週報上寫詩的創作技術，一般的說法是視野比較狹了一點。

香港文壇是相當活躍的，但是，我們覺得仍欠一個詩雜誌。去年，據悉學生出版社曾有出詩雜誌的計劃，後來卻因限於經費，未曾實現。聽說高原出版社也擬出版一種詩雜誌，定名為「新詩壇」，但願她早日面世，好讓新詩人有活動的園地。

燕塵識小

．無負生．

元宵與罵曹

今天是丙申正月十五（此是寫稿之日）元宵佳節，家家戶戶大吃元宵。猛然想起四十年前的丙辰，身在故都的人們，可以吃元宵，不准喊元宵，可算是一段笑話。

民國四五年間乙卯丙辰之際，項城稱帝正亟。一班鷹犬爪牙，媚之惟恐不至。隆冬深夜有賣元宵的，漫聲長呼：……賣……元……宵……哎，悠然悅耳。不料觸動方有司（不管是誰吧）獻媚的材料。硬說元宵二字，音同袁消。命令小販，改呼湯圓，店門口也得大書湯圓，不准寫元宵。諸君疑吾言乎？有詩為證。

偏多忌諱觸新潮，良夜金吾出禁條。
放火點燈都不管，街頭莫唱賣元宵。

右錄景定成洪憲雜詠。

後來如何呢？八十三天做一夢，元宵依舊是元宵。越十年而有禁唱打鼓罵曹的笑話。

民國十二三年間，曹錕賄選，竊位故都。地方有司，又要找獻媚的材料。以為罵曹二字，雖不「干犯宸嚴」，卻也「罔識忌諱」。於是命令梨園公會不准唱打鼓罵曹。但這是一齣叫座的戲，焉能不唱。好吧，改改名字叫功臣宴，也將就唱下去了。再越三年又有禁唱鳳還巢之事。因為鳳奉同音，說是奉天回老巢，不吉之兆。應該禁止。然而鳥占一彈，老帥歸天，豈止還巢，直成瓦解矣。

不准賣元宵，不准唱罵曹，都是些無聊之人，幹些無聊之事。（在當時或許十分有聊的）洪憲虎威（項城任命曹錕為虎威將軍），而今安在，洹村延慶（馮玉祥倒戈，囚曹錕於延慶樓），一夢成烟。寫入燕塵，徒留話柄而已。（九）

補正：

五三一期本文的序文內末行於「海寬斗室」一語之上應加一「序」字。第二段小標題應為「前門樓子九丈九」。

五三三期第二段第十五行「欽命」二字下的逗點應予勾消。

五三四期第三段第十八行「京漢鐵路後來才修，」修正為：「京漢興工在京奉之後」又第七行「半圓形的圍牆」下添：「古之所謂甕城，俗名叫作甕洞，（西直門等門一直仍維舊觀全有甕城。）」一語。

五三五期第一段第十二行後，另起行加「明亡於崇禎，清亡於宣統。而崇文宣武各佔一字，若示先兆。清社既屋，始有人發現此一天機。雖云偶合，抑何巧也」。又同期內第三段小標題「宗人府六部之首」，修正為「宗人府巍然居首」。該段內第十七、十八及第二十行內有「鑾儀街」三字凡三處，該「街」字為「衛」字之誤，併此更正。

短篇小說

石榴河畔的風暴

．袁修農．

一、

五月裏喲麥子熟，
石榴河的石榴喲紅花開滿枝，
趙家屯的姑娘喲多美麗，
大大的眼睛喲濃濃的眉，
張開口來喲笑嘻嘻，
妳有情來喲我有意；
石榴下喲敘款情。

趙三小唱到這兒，不由得笑了，他的手撫摩着牛鬃，腮很親熱的貼在牛背上，細軟的牛毛，癢得他腮有些酸癢，彷彿觸到秀桃的鬢上，他想着媽媽的話『三小，如果秀桃作了你的媳婦，我死了也閉得上眼睛。』心就怦怦的跳了，在三小的眼裏，秀桃確乎是最美的，他已知道媽是肯賣掉兩畝田，來完成這門親事的。牛也彷彿懂得三小的心事，乖乖的沿着石榴河岸慢慢的嚼草，一點也不要三小分心，三小爬在牛背上，儘情的去想；去想他得意的事情。

在不遠的地方，有一個姑娘，兩腳浸在水裏，正一下一下敲着石砧上的衣服，那不是別人——正是三小心坎上的秀桃，三小趕着牛一步一步的走近，他見秀桃的臂膀和腿白得像藕，臉像蘋果，眼睛像秋夜裏的星星，當她抬起頭瞟他一眼的時候，三小趕緊從牛背上跳下來，像木人兒似的呆在那兒，他倆你看着我，我看着你，好大會兒，『嗤嗤』一聲，秀桃笑了，拾起衣服，一轉身，一溜烟地跑了，遠了，看不見了，只留下一個幻覺的影子，在石榴河的水面靜靜地漂動。（一）

自由人
THE FREEMAN
（第五四〇期）
中華民國僑務委員會
[illegible]登記證台教新字第一零二號
中華郵政台字第五〇〇號
執照登記爲第一類新聞紙類
（半週刊每星期三六出版）
每份港幣壹毫
台北市價台幣壹元
督印人：陳文華
地址：香港高士威道二十號四樓
3 rd, fl. 20 CAUSEWAY RD
HONG KONG
香港發行及業務接洽
高士打道66號　電話：七四〇五三
承印者：東南印務出版社
地址：高士打道六十四號
海外總經銷
友聯書報發行公司
香港：德輔道中二十六號A二樓
台灣特派員辦事處
台北市館前街五十號
台灣總經銷處
台北市西寧南路晉發書號二樓
台郵撥儲金戶九二五二二

從鞭屍到訪問英國

——俄共最近動向的分析——

·李秋生·

今年國際間第一件大事，是俄共對史達林身後的清算。這事發生在二月下旬俄共第二十次代表大會，其醞釀當遠自史達林桑斃於克里姆林宮之際，那延遲了六小時十分鐘纔發生的死亡消息，那因中委會部長會議和最高蘇維埃主席團共同簽署的聲明，都發現有許多疑竇，此事早經有人指出。但其醞釀卻無疑是史魔在世當權之時，當現在這批鞭屍的俄共巨頭們對他唯唯聽命諷歌獻頌的時候，大概早已想到只有等他身死之後，纔有機會發洩這些蘊蓄已久的怨毒。手握絕對威權，使四分之一世界絕對聽命，這不只在二十世紀絕無其匹，就連人類整個歷史上連成吉思汗也遜他一籌。然而他的威權也只到一九五三年三月六日便畢爲止，在今天的蘇俄，已經是差不多天下之惡皆歸之——那也許有些矯枉之處，但並不算過份，反而也許心存顧忌，所揭發者尚嫌不足。只有在他故鄉喬治亞，還有人表示一點「遺愛」；但那到底是出於鄉情之私，還是對於現政權的怨望，抑或感到自身遭受威脅而藉此自衞，還是疑問。四十年來的獨裁暴君，從列寧以迄貝璐亞，沒有一個有好的結局，甚至身後還逃百年之壇也難獲保全。獨裁者可爲而不可爲，這是個極深刻的教訓。

這一鞭屍案拖時已兩月有餘，其影響正方興未艾。據聞俄共已將二月二十四（六？）日那次聯共大會赫魯歇夫秘密演詞分發到各支部小組去討論。在共黨集體統治中，黨員絕對服從已成天經地義，自然很少有自由發表意見餘地，當然更難有人會替史達林辯護。但另一方面，連會獲史魔高度信任的赫魯歇夫，都沉痛的表示：過去當走進史達林房間時，沒有一個人敢確定他還能活着出來。在此等恐怖氣氛籠罩之下，一般黨員處境可知。則在這由上而下的鞭屍運動之下，在下級也可能比在克里姆林宮頭腦更表現得熱烈而激昂。然而無論如何，這對於俄共全體，特別是對於俄共寡頭統治者們，未必有多大利益，威脅却很嚴重。史魔罪惡確重，今日俄共主席團巨頭中有許多人都是有力的幫兇。卅年代的大整肅，那幾位布爾什維克的老衞士們誰也不能置身事外。據說赫魯歇夫在報告中曾諉過於已死的日丹諾夫，實則馬倫科夫纔是主持過後期整肅名單的人。赫魯歇夫自己，在烏克蘭厲行集體農莊制，雙手沾滿無辜農民的鮮血，米高揚在十五日大會中所代爲昭雪的前政治局委員柯西埃和「他的朋友們」，也正是死在赫魯歇夫手中。在史達林晚年，特別是將藉猶太醫生案宣興大獄之際，他是政治局（主席團）中和史氏關係最密切的人。至於首先提出清算史氏的米高揚，從早年就是史達林的擁護者，在北高加索，替史氏出過大力，用恐怖手腕削平反對派的活動。此次對史氏的鞭屍，倘若出自主席團中晚一輩的職業人員薩布洛夫貝爾烏辛，抑或蘇斯洛夫之流，一般人的觀感自當兩樣。即使俄人比較遲鈍，他們也會進一步去想一下：史達林的罪惡固應清算，他的同謀者和現在仍在繼續他的政策路綫的人，又該怎樣？史達林是從共黨蘇維埃體制中間產生出來的，同樣的體制是否還會產生第二個史達林？信仰這東西本來帶幾分神秘性質，在冥目崇拜之下，連木偶也能使人甘受驅使，但一旦看穿被擯到糞坑裏，決沒有人再相信她的靈驗，再去頂禮膜拜。推翻了的威權也再建立不起號召力量。共黨是憑籍絕對威權統治着的，不可能有眞的集體統治和民主。今後俄共寡頭們再也建立不起那樣的威權，同時却在共黨內部樹立了一種新的榜樣。

至於俄共這次爲何要這樣做，現在都還只能憑着揣測（外間至今沒有人見過赫魯歇夫報告的原文）。史達林比赫魯歇夫聰明，他隱匿了列寧遺囑，殺盡了列寧同僚（除了他自己和他的黨羽），但表面上仍把列寧當做神明去膜拜。這三年來，史達林的身後地位，在蘇俄一直昇沉不定，一時在報刊消聲匿跡，一時又被抬出來崇拜頌揚，這種昇沉無疑在反映着克里姆林宮內部權位之爭的發展。即在第廿次聯共大會中間和以後，仍可看出彼此相互間步驟參差凌亂。因此我始終懷疑在俄共內部一定孕育着重大危機，足以威脅其生存。清算史達林是利用替罪者的手法，其誇大蘇俄成就侈言共產主義勝利可期，是轉移國人視綫的策略。在三十年代，史達林因爲蘇俄孤立無助，內部又醞釀着大整肅清除，因此纔對外採取了人民陣綫策略，今日赫魯歇夫正是師史氏故智。否則，既然如共黨首領所誇稱，蘇俄內外都有重大進展和收穫，則前途應該是一往順利，又何必重採人民陣綫策略；甚至實大不慚恢復列共黨所根本反對的第二國際會議政策？更何況赫氏所稱共產主義將在全世界獲勝之說，顯然是誇大的狂囈。而米高揚則和馬倫科夫一樣，並不認爲西方世界崩潰已迫眉睫。

在今日克里姆林宮中，可以看出有四個派系的存在，而軍人尚不在內。第一派是赫魯歇夫布爾加寧，是現今當權者，他們的實力在共黨組織系，烏克蘭更是赫氏發祥地，這次大會選舉，連烏克蘭的共黨書記克利欽柯和真理報主筆蘇斯洛夫都成爲主席團正式份子，他倆都是赫魯歇夫的死黨。第二是莫洛托夫、喀幹諾維奇等老衞士，比較接近史達林，現在則顯見失勢。第三個是馬倫科夫，率領着主席團中的薩布洛夫貝爾烏辛，和部長會議中的馬利歇夫提烏西辛柯西金等一批工程技術人員，表面似乎失勢，實力却未可輕侮。另外比較奇特的是米高揚，他是大會中清算史達林的發動者，過去曾因和馬倫科夫同主張增加消費品生產而遭黜謫，近兩年聲勢却扶搖直上，但從其在大會上的表現看來，則與赫魯歇夫不只並不協調，可能還有重大紛爭。前秋到中共區，去年到南斯拉夫，都是布赫偕米高揚以俱；而去冬訪問南亞則不會同行，而在最近才派他到那地區一行，而訪問英國則由赫布二氏單獨前往。因此我更懷疑赫布二氏對於訪英一行懷有莫大期望，與其在聯共大會中侈談勝利的用心相同，而故意屏除了米高揚。（上）

論英國與星加坡的關係

·曾旭軍·

在倫敦舉行的星加坡憲法問題會議之成敗關鍵，繫於所謂內部安全管理權上，雙方是否能獲得協議。英國認爲：星加坡在戰略上，是一個與大英聯邦存亡有關的基地。若英國無權過問星洲內部治安，則共產黨的滲透顛覆將可暢所欲爲，甚而奪取政權。坐視星加坡基地落於共產黨國家手中是倫敦當局所絕對不能容忍的。

談判不能接近的癥結

在星加坡首席部長馬紹爾方面所持的理由是：星洲需要完全獨立。雖然目前還讓英國過問外交和國防，然內政方面須要有自主權，必須自己擺脫英國的干涉，使共黨無從藉口攻擊政府，然後可將共黨打敗。否則他的政府前後受敵。

此次英星倫敦會談，自四月二十三日開始。因上述的癥結難於解除，故在倫敦各黨各派組成的星加坡代表團，於二十七日與英國殖民部大臣關諾斯波德的談判，曾一度瀕於破裂。代表團領袖馬紹爾雖向星洲廣播稱：談判並未絕望，但五月一日的會議關係十分重大。

恐共又親共結局堪虞

從上觀之，對星洲問題英國引爲憂慮的，是「共黨滲透顛覆」。因爲從近年來發生幾度風潮，都是由中共滲透、煽動工會和華僑學校暴發的，而且星洲華人佔人口絕大多數。英國至今還斤斤計較，必須保有內部安全的管理權，顯然是惟恐最大多數的華人爲中共所利用以對抗新政府。倫敦的恐懼既在此，即充分證明英國承認中共政權，並未爲她帶來應有的安全保證。不從根本改變對共產黨的態度，——至低限度改變對中共的態度，——就是（一）撤銷承認中共，（二）定共產黨爲非法的組織。即使繼續保有星洲內部安全的權力，星洲也將難免不爲共黨滲透、煽惑、顛覆而終於脫離英國，至與英國爲敵的。星洲問題基本上也不是一個英聯邦內部的超然獨立的問題，它與自由世界對共黨鬥爭的大前提有密切的關係。除非英國能持堅確的對共態度，否則不易把握着星洲的問題要害，也就如泰晤士報所說，殖民地大臣只是一個同時對着幾方面下棋的棋手，到處應付，而又不免處處失着。

中立思想所起的影響

本來在六個月之前星加坡的聯合政府決定在一九五九年之前不考慮獨立。當時的進步黨在未合併成爲目前的自由社會黨之前曾估計還需分期逐漸到獨立需時八年，在去年七月立法局選舉成立即實現獨立。首席部長馬紹爾對此當了解此爲非一時所能辦到的，因而建議將「獨立」改爲「自治政府」，並經該立法局同意。

在過去一年內，英國對此問題所選用的，祗有兩個措施：第一是，去年八月即接受星洲立法局的要求，並表示歡迎代表團到倫敦討論。目前在倫敦舉行的會議便是履行這個諾言；第二是，在去年馬紹爾到倫敦作初步會談時，英國同意在本年四月的會議上，爲首的兩個議程是確定星加坡內部自治政府之定義和實行此種自治政府之日期。

這個「內部自治政府」的說法一直到去年十二月還是應用着，但現在星加坡却要求「獨立」了，馬紹爾對英國殖民部的解釋是，「內部自治政府」這個名詞是爲利便起見而沿用的，但不能阻礙星加坡憲法的產生，其意即謂獨立是不容還價的。並要求在今後一年內實現於大英聯邦體系中成爲一個獨立國。

星洲當局態度的急速轉變，可以說是由於蘇聯鼓吹「和平共存」的能騙術和美國無政治理想不領導反奴役甚至與中共談判大失威信鼓勵中立的最大影響。而在緬甸大選左翼聯盟致黨獲勝宣告採取中立政策，擺脫英國並要求英軍事基地撤後，也無形中予星洲以莫大的鼓勵。

英國年來在埃及，約但，塞普洛斯，錫蘭以至今天的星加坡問題上所吃到的苦頭，都是由於這些國家對共產黨鬆弛了，甚至消滅了警覺，反而給蘇聯及中共編織有利於共黨的煽惑民族主義所致。

英應重視香港的成效

若謂有華僑聚居之地，即有共黨危機，也不盡然，拿香港言，香港何嘗不是華僑佔大多數呢？而且比星洲更貼近中共的大陸。但一直到現在不是很穩定而可使港督葛量洪很滿意的說香港是不怕共產黨的顛動的。香港的穩定固有賴葛量洪總督的有力措施，但主要因素還是在香港的華僑絕大多數是深悉中共的殘暴，對共產黨具有遠大的警覺，所以不但不願要求獨立而且連自治也不願談。香港華僑決不是沒有民族思想的，我敢誇言居住在香港的華僑對共產黨的認識，其程度遠超過世界任何地方的人，他們了解到自由生活比一切都重要，這是事實給他們的體驗，他們的民族意識也是強烈的，而不必如星洲的偏激透顯裂。另一無形而有力的因素是，香港政府有鮮明的反共決心和明朗的態度，讓反共文化工作者有充分活動的餘地。根據香港的經驗，只要能讓反共的人士抬頭，則蛇鼠鬼魅才會絕跡。所以英國人如要星加坡維持安定，必須從頭改變對共黨的態度，以及香港政府反共的措施及成效，是值得英政府向其它地區推行的。

半週述評

·司馬璐·

重要的北大西洋會議

北大西洋公約國的會議昨天開幕了，杜爾斯說：「這是一個最重要的會議」。因爲這個大西洋公約「如不發展，便要死亡」了。

如何發展呢？杜爾斯說：「北大西洋公約組織，必須開始過問政治經濟事項，否則其地位將日見低落。軍事問題仍爲該機構之主要工作，但該組織此刻必須擴大範及其他事項。」

公約的變質

這就是說，這一次大西洋公約國的會議主要的特質是，以聯合的經濟行動，逐漸代替（至少在目前）這一公約組織的軍事防衞性質。

這就是說，這一大西洋公約國的組織，從某種意義上說，暫時要「變質」了。

這一「變」，是由於共黨的侵略方式而決定的，因爲在目前，共黨的侵略方式至少也暫時的變了，他們正以經濟滲透，貿易攻勢，假援助作爲主要的侵略方式。

缺少靈魂

敵人變，我們變，在前提上說，我們是被動的。敵人變，我們不變，我們就更感不可及了。

能有什麼事實證明我們不是被動的呢？大西洋公約產生于韓戰開始不久之後，產生於敵人軍事威脅的形勢下，大西洋公約的變質是在敵人微笑的和平的經濟攻勢之下。

我們爲什麼被動呢？因爲我們的公約是缺少靈魂的。

不變不行了

我們應該說，我們有最偉大的靈魂，保衞自由，實現解放政策。然而，這偉大的靈魂，並沒有指導我們的行動，支配我們的大西洋公約。

這個大西洋公約先天的是營養不良的，因此一遇到共黨的毒菌，披上糖衣侵入之後，瘟疫就會從內部而起了。

赫魯歇夫、布爾加寧到倫敦時說，我們有十億生意好做呢！

於是英國人立刻便被陶醉，被催眠，觸動到不堪了。

這樣大西洋公約還怎能打仗？不變又怎麼行呢？

嚴重的情況

事實上，這個大西洋公約，如果再不變，也等於名存實亡了。

英國人說，他們要在一九五八年四月前裁軍十萬人。

法國人因爲北非的戰爭，把駐在西德的兵力調走了十分之九，留下的已經不足五千人了。

德國的建軍也不順利，議會中甚至有人企圖把徵兵法取消呢？

冰島的國會會向美國提出一個照會，要求美國放棄冰島的軍事基地。

丹麥和挪威的動向都在搖動中。

爲了塞浦路斯問題，引起了英國、希臘、土耳其之間的爭吵。

從大政策着眼

如前所述，大西洋公約是應該變的。

但是，該怎樣變，才能解決問題呢？

前幾天，美國的議員先生們也在議論不休，又說要重估美援價值了。

這是問題的一方面，根本問題是美國今天要從大政策上着眼，無論談區域性的公約也好，集體防禦制度也好，都必須是有靈魂的東西。

總而言之，買來的「朋友」是靠不住的。

江杓與立委齟齬經過

立委吳延環的一篇質詢文章由電力加價牽涉到制度問題

·集芳·

（本報台北通訊）自由人「五三九」期載電價調整案，關於經濟部長江杓出席立院，答覆質詢，引起風波的事實，認爲江部長不善詞令，態度欠佳，自屬公平之論，然以筆者所見，則江部長對於質詢的意義及其作用，似亦認識不足，於此筆者願將江氏出席答覆質詢的幾項經過，再作較詳細之報導，想爲讀者所樂聞也。

本年二月二十一日下午五時十分立法院院會，立委程烈發言，提出十項問題質詢，認爲江氏就任以來，一無成就。程氏發言完畢，江部長登台答覆，他說程氏的詢問，正問到他內心痛苦之處。繼稱：本人就任後，總當已盡心力，問心無愧。又說：程委員所提，發展經濟，及管制價物等理論，或者是立法院諸委員聽得很膩的老調了。最後還表示：如果程委員對本人認爲不滿意，可以另請高明。當時會場空氣頓形緊張。程氏接着再度發言，聲明立委執行質詢權，係向行政院長提出，並未指定要江部長答覆。江部長所說「另請高明」，應向行政院長去說。後來由俞院長出面圓場，這一場質詢才告結束。但此事經過，已列入會議紀錄中。事後江氏亦自知措詞欠當，於同月二十三日，致函立院致歉。

到上月十七日立院第十七會期第六次秘密會議，江部長又因立委吳延環質詢行政院所提電力加價案，再生齟齬。吳委員因此向行政院俞院長提出書面質詢，要求答覆。吳氏於敘述質詢經過，說道：「不意江部長於答覆時，竟誤會本席駡他滑頭，以致語氣刺耳，諸多無理。答覆畢，本席因(一)江爲閣員之一，不願因此影響對整個俞內閣之公私情感。(二)散會時間已到，不願因再質詢影響電力加價案之付審。故逆來順受，一語未發。惟意氣可忍，法理不可不彰。情理可屈，惡例不可任攔，謹提二問，敬請指教？

（一）行政首長，在國會所作承諾，是否應照言兌現？在黃委員煥如之書面質詢，對加價問題，主張以防衛捐撥抵。陸委員宗騏主張以附加方式抵充。江部長於答覆質詢時，對前者之承諾爲「非常高明，原則同意」。對後者之表示則爲「非常之好，一定仔細研究」。在會場既已公開作過此等承諾，是否應將原案撤回，另行仔細研究抵補辦法，送會審議？抑或說說而已，事過即了。據江部長於答覆本席有關質詢時，謂所以作此承諾者，乃不好辯之意。夫議會乃辯論場合，不辯而表示同意，是否即須照行？此請教者一。

（二）閣員之一，代表內閣列席國會，是否代表整個內閣？本席質詢時因江部長曾作上述承諾，故會以既經贊成黃陸辦法，可否將本案撤回，另送抵補辦法相商。但江部長不作正面答覆，竟以本案爲行政院所送，行政院會所決議，本人無權撤回爲答！查本次會議，純爲質詢行政院所送調整電價案而開。而列席備詢之行政院代表，竟以無權代表行政院爲答！如此說來，是否將來質詢每一細故，均須請行政院長親自出馬，或請全體閣員均來列席，甚或另備一小型會場，隨時準備行政院開臨時院會？此請指教者二。

當此赤禍瀰漫之際，本席向來不願與自己陣營中朋友鬥氣，呼我爲牛，則默認爲牛，呼我爲馬，則默認爲馬。其他刺耳之語，本席自認尚有修養予以忍受。惟上述二事，如不速予澄清，惟恐將來無窮惡例，影響民主政治前途者甚大，故敢瀆問，幸垂察焉」！

於此，吳委員的質詢，乃於電力加價案外，涉及另外兩個制度問題矣。行政院如何答覆，此時尚未及知。

到了第三日（即上月十九日）立法院經濟，財政，預算三委會聯席審查電力加價案時，江氏又列席作簡短報告，說明理由數點，希望立法院能對該案速予通過。報告完畢，逕行離開會場，並不說明離去的原因，又引起與會委員大爲不滿。認爲江氏輕視聯席會議之意。

由前述數事觀之，江氏似對於「責任內閣」及「質詢權」之意義兩點，尚未能深切認識，不僅爲「不善詞令」與「態度欠佳」也。（四月二十六日）（台北）（完）

魚餌激起了浪花

·魯午·

台北速寫

需要新血輪

黨國元老何鍵(雲樵)於久病之後最近逝世。又一老成凋謝，自堪悼惜。今後爲國家中興，大家更感覺到培養新人之急不容緩了。近來許多人在攻訐各機關的人事凍結政策。又有人指摘國民黨不願向黨外尋求人才，恐怕都與此有關。

爲節約購新車

行政院經濟安定委員會建議撥美金十八萬七千元及台幣一千萬元，建築汽車場及購新車一百輛，爲政府官員用。立法院有人對此事提出質詢，認爲第一不合節約，第二此項汽車集中管理是否確保完善，仍屬疑問。現在政府厲行節約，禁止轎車進口，而政府用車不在此限，所以各機關首長多能添製新車，殊爲輿情所不滿。此次當局建築汽車場，究竟是爲管制，還是點綴門面，確是值得研究的。

公教人員的待遇

物價波動聲中，公教人員待遇之調整反而沉寂了。許多貪污事件不能不說是待遇太低所致。有些經費充裕的機關，就不免巧立名目，實行變相津貼；而縱容職員出差報旅費，也成了公開的秘密。至於有些高級主官每逢年節由上峯頒賜一大筆特別費，尤其要不得。

生命的威脅

台灣的衛生行政人員，似乎是獨立一系，不隨政潮去留。從好處說，這是優良的文員制度，但是事實上，却使這些人太老大，而不求上進。近年來僞藥密醫之發現，層出不窮。最近又發現所謂靜電治療器，原來也是一大騙術。這都是衛生行政當局應該負責整飭的。

電視與民主政治

最近常有人討論在台灣設置電視電台之計劃，幾日前教育部長發表談話，說已得美國無線電公司之協助，將於年內在台北建電視電台。這不但將擴大台灣民衆教育，大家也希望此一工具有助於民主政治之推行，儘量把政治上的一切措施放映於人民眼前。

·杜衡之·

憶昔日海外僑教

（台北通訊）三十一年前的一個多天，我懷着朝聖的心情，去夢想已久的佛國緬甸。緬甸僻處中南半島的西隅，是一個交通阻塞的國家，據說華僑先輩由陸路去緬甸，是沿雲南邊境出蠻允入野人山，水路是出麻六甲海峽飄海到緬南。無論水陸都很艱險，所以過去去的人不多，比不上南洋其他的地區。

儘管緬甸的華僑不多，但通都大邑或荒僻山村，仍到處有華人蹤跡，商店的市招隨風飄揚，潮汕的音樂悠揚演奏，你在這些地方旅行，彷彿置身國內，並無異域之感。我剛到緬甸的首都仰光時，所接觸的多是閩粵僑胞，（上緬甸多爲滇籍僑胞，下緬甸則爲閩粵僑胞的天下）言語不通，但默默相對中，仍流露親切之感。尤其一班華僑青年，和我學習在一起，工作在一起，他們那種天眞活潑熱情揚溢的性格和氣概，使我感動，使我興奮，不像過去在國內，有些道貌岸然，夾雜着濃厚的道學氣味的同學，使你無法親近呢。在這裏又應附帶一提的，即當時國內正提倡國語運動，海外更加起勁，老一輩的僑胞也熱心於ㄅ、ㄆ、ㄇ、ㄈ，年靑的已能南腔北調了。因此我和他們相處，毫無隔閡，彼此的感情一天天的增加，老母催歸的函諭儘管雪片飛來，却仍動不了我的歸思。至今回味起來，好像是一個甜蜜的美夢。

三十多年不算是一個短短歲月，甜蜜的夢影已隨時光消逝，不徒今日兩鬢已霜，又和海外青年晤聚一堂，舊夢重溫，以往的情景又復湧上心頭。

僑·生·問·題·種·種

——個人的一些體驗與建議——

·行素·

此間各校僑生很多，我忝爲教書匠之一，不僅教他們的課，而且還担任他們的導師。現在已經過一段時間，我曾反問自己，教育他們的成果究在那裏？

初回國僑生的困難

先就教學方面說，初回國的僑生對於國語既不會說也不會聽，其中也有少數是例外。而學校裏的教師們，語言複雜，更增加他們聽講的困難。我講的雖不是標準國語，但一般學生尚能了解，僑生則不然。我在課後會詢問一個僑生，對我講的是否了解？他說第一學期我講的他根本不懂，現在雖然漸漸懂了，但功課又要快結束了。他們費了一年的寶貴光陰，所得的竟是這樣，固然是吃的語言不通的虧，我們撫心自問，也有些慚愧呢。其次說到學校裏有些科目，僑生過去曾經學習過，並且有相當根柢，或者有些就根本沒有學過，於是困難又來了。譬如我現在担任的一班中，有廿幾個學生是畢業本省中學的，五十多個是來自海外的，因此我講授的內容，是遷就本地學生呢，抑偏重僑生呢？若偏重本地學生，則僑生過去沒有學過這門功課，聽了如墮五里霧中；偏重僑生嗎，則本地學生聽了味同嚼蠟，因爲他已讀過這門功課。在這樣一個學生程度懸殊的混合班級中，試問你如何安排教材？

如何與僑生更接近

復次說到指導方面。學校訓導處將僑生分成若干小組，由許多人分任導師，負責指導他們學習與做事做人的道理，並在可能範圍內幫助他們解決問題。像這種方法，如不是表面的所謂導師制，我想要實地去做，不能說對於僑生是毫無裨益。可是就我個人來說，做得並未成功。譬如我負責指導的僑生，也就是我班裏的學生，我曾經告訴他們：有功夫到我家裏來坐，隨時歡迎他們。而且我還說，每晚六時後，我一定在家，因爲不大信，所以無論有事無事，都在家裏呆着，可是他們姍姍來遲，第一學期已告結束，仍未作一次談話，而校方又限期送操行成績，這怎麼辦？好容易先先後後來了幾位，爲表示歡迎，並增加談話的興趣，略備茶水之類，也盡地主之誼。我想門已打開，其餘的也許聞風而來，可是還有幾位，一直到現在還沒有來，第二個學期又將完了，我的任務還未完成。當然談一二次話，或者來一次集體座談，並不能說已盡了指導的能事，不過談過話總比沒有談話的好，因爲始終避不見面，於是就難怪有些導師先生們不問青紅皂白，在操行成績單上一律劃上個「超」字或「優」字，（操行成績計分超優良可劣五等）於是照例通過，皆大歡喜。我們知道這樣做法，未免有點不負責任，而且要負責任亦無從負起。在「繳卷」主義的形式下，負責與否，似也無關宏旨。話得說回來，僑生不接近我們，是否因語言隔閡，彼此得不到了解；是否因我們的地位關係，不能夠幫助他們解決問題；又是否怕我們板起面孔說教，他們無法接受。總之他們自有他們的想法，在沒有弄清眞相之前，隨便下一結論，未免武斷，故此一問題，祗有暫存而不論。

檢討與建議

以上所說，都是實際情形，其癥結所在，值得我們加以檢討。據個人粗淺想法，如解決這些困難，最好辦一所華僑大學，專門容納海外僑生，使教者好學，且免使本地學生和他們攪在一起，彼此都有損失。關於指導方面，也可自成區域，針對實際，另定一套辦法實施。具體的說，他們不會國語，我們不妨定一個時間給他們補習，他們沒有學習過某種課程，或者程度跟不上，我們也不妨給他們一個補習機會。又有些課程如可以不修，索性讓他們不選，以減其課業担負。萬一我們不願降低大學水準，則不妨先辦一個先修班，給他們一個根本補充學力的機會。當然辦一所完備大學，不是一蹴而成的事，以我們目前人力財力物力，未免是一種奢望，既無可能，祇可求其次，即在現狀下，儘可能將僑生集中在一起，分班分組，使教者學者兩感方便，而且讓他們可以免受不及格，重修，或退學種種不必要的損失。當然分別教學，不是說沒有困難，我認爲這是技術問題，不是不能克服的。總之，僑生回國升學，一年比一年多，這是可喜的現象，不過以上所說的許多實際問題，我們務須加以改善，而後才能達到我們預期的目的，和不辜負他們遠道而來的願望。

民社黨發表——張君勱論中共憲法

【本報特訊】據民社黨方面發表消息，略謂該黨前曾對俄帝赫魯曉夫要求與各民主國家社會黨組織聯合陣綫之妄言，加以駁斥，茲復特將該黨主席張君勱所撰「中共憲法的奴顏婢膝」一文，予以發表，該文指斥中共之所謂憲法「不獨基本方針不敢稍異於蘇俄，即在制度方面，亦以亦步亦趨爲事，甚至詞句亦覺成俄憲之翻版」。文中列舉蘇俄憲法與中共所謂憲法之條文，兩相比較，確切指出中共所謂憲法之婢學夫人，依樣畫葫蘆的醜態。該黨於四月卅日舉行第九十一次中常會時，曾將該文提出討論，經略加修正，決議由該黨宣傳部正式發表。

張氏所作全文，計分：「引言」；「蘇聯和中共兩方所謂『立國』大原則」；「多民族的國家之名稱」；「蘇中兩憲中立法、行政」；「蘇聯中共兩憲中之司法」；及「結論」等六章。氏在結論中，以比較研究的方法指出：『……最後一事，可以窺見中共心理者，是爲憲法末章中之國旗、國徽、首都三條，與蘇憲之國旗、國徽、首都三條相同。』又說，「若以瑣事如國都一項，何嘗不可移之於第一章之中，何必不多不少，必同於蘇聯之三項乎」？此實爲張氏全文印證中共憲法抄襲俄憲之最有力、最簡明之證據。

文末，張氏並對毛澤東個人作一簡短之刻畫，他說：『毛澤東之詞曰：「秦皇漢武，略輸文采，唐宗宋祖，稍遜風騷」。然歷代帝皇尚能爲吾族開立國規模，保持其獨立風格，豈若毛之「紅妝素裹」以取媚於斯大林者可比哉？』

張氏全文，共近萬言，本報將從下期起連載刊出，以饗讀者。

救總及本港教育司 將舉辦大學先修班

解決兩類學生升入大學困難

與中國大陸災胞救濟總會決定在港舉辦一大學先修班同時，教育司署亦在進行籌備一個大學預科班，其性質與學生的對象雖然不同，但它的意義是相同的，它的目的是使青年學生在學科上普遍有升入大學求學的水平。

珠海設班收容流亡學生

大陸救總是以流港的知識青年爲對象，由於這一批青年在香港確不在少數，有高中畢業程度的最保守的估計約有二千人，他們間關南來，所有證件大多遺失，因此非但無法在香港的大專院校繼續升學，且欲進入自由祖國求學亦不可得，學籍因之荒廢，大陸救總有鑒於此，在最近的一次理監事聯席會議中，已決定補助本港珠海學院八千元，作爲舉辦大學先修班的經費。

據關係方面透露，當珠海學院接悉此項協助後，表示非常願意在最短期內使工作展開，一般深信大陸救總與珠海學院之這次合作，係與該院院長唐惜分於月前訪問自由中國之行不無關係，據說，這一個大學先修班如果進行得順利，可望於本年暑假後開始，目前最須考慮的是申請者的資格甄審問題以及先修班的期限及人數，按照情理先修班可能以六個月爲期，人數約一百人，當先修班畢業後即可獲得投考自由祖國各大學的資格，是否免收學費及關於詳細辦法尙有待於最後決定。

教育司津貼清貧學生

教育司署主辦之英文特別班及大學預科班，凡參加中文中學會考合格而英文科成績良好，及品行端正者，皆可申請入學。如屬家境困窘者，並可申請每月不逾於二百元之生活津貼費。當局主辦此特別班，今爲第二屆，其目的係使中文中學畢業生獲有資格以投考港大；同時更準備彼等參加英文中學會考之英文科目考試使能獲有資格膺任政府文員職務並考取羅師專校及其他需要良好英文程度之職位。此班期限共十個月，期滿後經參與英文中學會考之英文科考試成績良好；同時，其他學科亦有相當造就者，可升入大學預科班就讀，該班爲期一年，中文與英文之課程同時教授。凡學生自願經由此一方式升入港大者，當其高中畢業期滿後，當可獲得關係方面之鼓勵，使參加中國歷史及數學之普通級考試，及中國文學（翻譯除外）之普通或高級考試，其參加考試時間，一如其

參加中文中學會考 先修班學額可望放寬

此項新教育計劃，於去年實施後，反應異常良好，教育界人士，暨若干有地位之中文中學校長，去年曾對此計劃表示擁戴。渠等認爲在中文中學畢業生升學困難之今日，此政策之施行，實爲最適宜者；同時，對中文中學學生亦係一種鼓勵。茲多教育界人士，對當局規定該班之名額爲六十八人一學，認爲有待擴增，且主張分在港九兩地設立，以資普遍。查該班去年之入學申請者，共一九四人，入選者六十八人，假金文泰中學一部份課室上課。至本年度之續辦英文特別班，及大學預科班消息宣佈後，亦深獲教育界歡迎。至本年之特別班，名額決定爲六十名。惟據關係方面透露：此數字並非一毫不易，如投考人數踴躍擁擠，而其成績亦普遍優異時，則錄取名額尺度非無放寬可能；惟放寬之數字亦必不大，蓋須顧及該班於畢業後升入大學預科班，再考入港大時，可能引起之限制，此項限制，實基於港大適宜於該班學生就讀之學系名額所限之故。教育司高士雅於去年對該班之成立加以闡釋時，曾指出凡攻讀該班後，每一學生可改讀下列高級各科，而適應大學入學試之兩高級學科，三普通學科，各學科爲非高級英文，及下列之任何兩科：中國語文及文學，中國歷史、數學、物理、化學、生物學等。凡攻讀此等學科者，將有資格攻讀大學文科，特別是中文系，若其數學合格，亦有資格攻讀理科。關係方面認爲：該兩系並無太多之學位，以適應太多之曾攻讀英文特別班，再升入大學預科班之學生請求。

本年度之特別英文班，仍將於九月上旬開課，獲選者將有機會以研究中西文化之最高成就。副教育司毛勤於去年主持該班開課時，曾有下列之精闢句語，足爲該班學生警覺：「此項訓練將使彼等認識中國傳統生活方式，及中國哲學之優點；另一方面，可使彼等適用現代方法，傳授中國文學及歷史於下一代青年。……現代中國青年，每爲英文各學科所吸引，而常對其本國固有文學及傳統之優點，缺乏眞正認識」。

中國工程界的慧星凌鴻勛

·楊力行·

最近獲得中華民國四十四年度工科學術獎金新台幣二萬元及金質獎章的凌鴻勛氏，字竹銘，廣州人，現年六十二歲。民國四年，畢業於上海交通大學土木科，由交通部派赴美國實習三年，並曾入科倫比亞大學研究，民七回國，即在京奉鐵路任職。因成績優異，遞陞幫工程師，副工程師，旋又調任京漢鐵路正工程師，交通部技士，技正，路政司副科長。民十二改任上海交通大學教授。十三年至十六年，升任該校校長，十六年秋至十八年春，任廣西梧州市政委員兼工務局局長。

十八年至卅四年，十餘年間，在鐵道部，及隴海，粵漢，湘桂，天成，寶天，各大鐵路局，各大公路局，貢獻尤多，對全國交通事業之發展，厥功甚偉。

三十四年二月以勞績顯著，升任交通部常務次長，嗣還政務次長，兼代部務。

三十八年六月來台，改任中國石油公司董事長，迄今七年，建樹亦多。凌氏從事交通工程，綜計前後歷時四十年，工程學術造詣之深，經驗之宏博，在現代中國工程界，實爲不可多得之人才。有中國工程界慧星之譽，實當之而無愧。

凌氏曾於民國十四年出任總理陵園建設圖案三個選標顧問之一。民十九先後奉派赴美出席國際公路會議，又赴比京參加國際三合土會議，赴瑞典參加國際機械學術會議，以此蜚聲國際工程學術界。民廿四，被選爲國立中央研究院評議員，現爲該院院士。廿九年被選爲中國工程師學會會員，該會並授予該會最榮譽之「工程獎章」，四十五年來獲得該項獎章者，不及十人，其頒發之鄭重及領受者之榮譽可知矣。民國三十年，膺選爲中國工程師學會會長；同時，國際最有聲譽之美國工程師學會亦聘爲名譽會員。三十五年，被選爲國民大會職業團體工程界代表。

四十年中國工程師學會，與各工程專門學會，在台北市召開聯合年會，凌氏被選爲該會會長。凌氏於培植人才，向具熱誠，曾擴建工程圖書館，廣購中外工程圖書，盡日開放，以利工程人員之進修。四十一年九月，美國工程百年紀念，在芝加哥舉行紀念大會，凌氏應邀前往參加，備受彼邦人士及大會熱烈歡迎。現時兼任台灣大學工學院土木工程系教授。凡茲所述，具見凌氏在學術界，工程界之崇高地位，與其作育工程人才熱誠之一斑。

凌氏生平著作甚富，散見於中西工程雜誌；抗戰時期，曾主編「三十年來之中國工程」，來台後，又主編「國父實業計劃研究報告」。近著「中國鐵路志」，巋然巨著，鐵路之經營規劃建設備爲主，旁及鐵路運用與經濟，就八十年來中國鐵道建築之歷史，及其影響於中國國運之隆替及社會變遷，作綜合分析，盡取精用弘之能事，爲一極有價値之交通文獻。另有「鐵路談」之作，刊載於台灣省鐵路局編印之「暢流半月刊」及「長光月刊」中，以輕鬆之筆，寫鐵路掌故，別具風格。可以作爲「中國交通野乘」讀。

筆者服務交通界亦達十年之久，深佩凌氏生平，凌氏過去所獲之榮譽，不僅爲凌氏個人之榮譽，實爲中國工程界之榮譽也。謹就所知，略述大要，以示敬佩云爾。

在「社會主義競賽」中 中共奴役工人不斷死亡

補助金額又爲共幹括去

中共自稱是代表工人階級的，可是，今天在大陸上的工人階級，完全是奴役的工具，根本沒有享受工人福利的機會。因爲騎在工人頭上的共幹，只仰高級共幹的鼻息，而並沒把工人羣衆當一會事。此爲共報所自供者。

奴役工人的事實，可從現在全大陸各工廠強迫展開「社會主義競賽」，使工人不堪過度的勞力榨取而當場暈倒甚至死亡的事件中就可以看出。據上海「解放日報」三月十六日供說：「不少工廠在組織社會主義競賽中，只顧生產，忽視工人安全健康，因此工傷事故顯然增加。如中國紡織機械廠，一、二兩月份的傷亡事故，比去年同期增加了百分之四十八；楊樹浦發電廠二月份發生了三次事故；公私合營新恒泰鐵工廠從二月十九日到二十四日六天中，就連續發生了四件重大事故。」又指出：「有些工廠的領導幹部，爲了超額完成生產任務，單純加強工人勞動程度，實行加班加點。與亞紡織彈簧廠三月六日，內紡輪無防護罩發生爆炸。上海凍肉加工廠工人王長室，因加班加點，疲勞過度，死在機器上。李德大五金廠，在試製二十支囘光照電石燈的燈頭時，也發生爆炸」。其實，這些因漠視工人安全而引起的事故，造成的傷亡，在大陸是普遍的，該報所揭露者，只上海一地區幾個單位的現象而已，其嚴重程度，當可以想像了。

如上述的工人，不惜死亡爲中共做生產工具。而中共給予工人福利是什麼呢？共區的報紙也有很好的證供。

據最近天津「大公報」供認：「根據一九五四年初到一九五五年六月的一年半內的不完全統計，遼寧省百貨公司瀋陽地區批發站的「生活補助金額」共計八千零一十三元，其科級以上領導幹部平均每人補助一百四十元，一般幹部平均每人補助廿四元，領導幹部比一般幹部要多三倍半以上。」

該報並透露出：「職位越高之共幹，所領之「補助金」就越多，而眞正生活困難之職工，反而分文無有。如其中所指出：「該站原任經理劉瑞，和他愛人兩人的收入每月有工資七百分，負担也不太重，但他母親死後花了棺材費等二百五十多元，也予補助，並將還鄉所花的四十二元也給照數報銷。……「黨總支書記」李俊卿，因孩子病花了一百廿元，並未申請補助，該站竟自動補助他一百卅元。對於一般職工卻任意削減補助額，或拖拉積壓甚至乾脆不理。如職工呂顯生，工資只一百分，母親病死了，申請補助，遭了拒絕。工人王慶義收入少，負担重，父親死後欠了不少債，生活困難，申請補助三十元，該站認爲「困難不大」，最後始補助十元，……」例子太多，不勝枚舉，大陸工人，何時才得眞正翻身啊！（蘇）

中國醫學畧述

·伍憲子·

金元諸家

中國醫界恆言，金元四大家，曰，劉完素，張子和，李杲，朱震亨。其實金元諸家高明者尙多，史稱，劉完素病傷寒八日，頭痛，脈緊，嘔逆，不食，不知所爲。張元素往視之，予以藥，蘇，完素大服。然則張元素之識力，過於劉完素也。完素著素問元機，原病式，宣明論方等，好用涼劑，以降心火，益腎水爲主，張子和著儒門事親，用汗吐下法，亦喜寒涼藥，與完素同。張元素則不用古方，往往自出心裁而有效，李杲師事之。李時珍亟稱李杲，名出其師元素之上，論醫以脾胃爲主，著脾胃論，及內外傷辨惑論等，極言寒涼峻利之害，蓋針對劉張兩家末流攻伐之弊也。然杲亦非專用溫燥，觀其治王善甫之病，則反對陽藥，而投以陰劑，一服而愈，故知名醫辨證用藥，必不偏也。朱震亨則集劉張李三家之大成。採其長而補其短，著金匱鈎元，以補陰爲宗。餘外則有王好古，出張元素與李杲門下。著醫壘元戎，亦能守仲景之法，闡揚經旨。王履則出朱震亨門下，王履著醫經溯源，疑傷寒論有脫簡，於是爲醫學界懸起一個風球。

以上所說，醫學在秦漢時代，有內經及傷寒論，以奠定基礎，譬之儒家之有四書，五經。雖然經歷晉南北朝隋唐五代，諸醫無大發揚，亦總算循規蹈矩，平靜過去。到宋代，因內經傷寒論皆放異彩，宋醫總算有所作爲，此中國醫學界之光。至明代，則起大風颶。

醫學界之大風颶

明代醫學界之風颶，從薛立齋起，立齋不規規於金元四家，而自創溫陰之論，以六味，八味，開張景岳趙養葵等滋填之門，影響後來，流弊甚多。然薛氏只有醫案，對經旨尙未生異議。張景岳則除以賦補爲宗，大攻劉朱之外，並有類經之作，居然割裂古經。雖然景岳自有其條理，其見解亦許多適當。但其全書中，所謂與誤八陣等，師心自用，未免太過。於是方有執之對傷寒論，亦不客氣，直以爲王叔和成無已竄亂，其傷寒條辨一書，從新編定次序。其後喻昌之尙論篇繼之，此的確是自王道安懸起一號風球之後，至是風砲一響，大風颶吹到矣。同時吳有性之瘟疫論，謂疫邪從口鼻入伏膜原，與寒邪從皮毛入者不同，因而排斥先醫對傷寒論遡疑惑，此又是另一個風颶。當然，醫學界從此不寧靖，但醫學界從此亦大開研究之門。明代有幾部大著，雖不能說有大價値，亦可見其煞費苦心，如王肯堂之症治準繩，李時珍之本草綱目，孫一奎之赤水玄珠等。準繩分六摑，目至一百二十卷之多，採摭宏富，然不免蕪雜。本草，自謂積三十年之精力，窮搜博採，芟繁補闕，歷書八百餘家，其勤可知。（三）

海外文物亟待修葺

·觀遊·

海外通訊

【本報日本九州通訊】中共在大陸上加緊摧殘我固有文化道德，不遺餘力，是令人痛心的。但是我們卻不要忽略了，海外各地尙有很多極富歷史價値的我國文化寶物，也同樣不爲人所注意呢！實在應該特別加以保護和修葺的。

我與日本發生關係最早，尤以日本九州的長崎，向爲中日國民往返出入港口，在長崎鬧市尙有明朝時代我旅日僑商興建的倉庫，因年代久遠，已輾轉爲日人所有，雖然是磚瓦斑駁，然仍屹立，此外還有崇福寺、興福寺等等都是中國廟宇，規模大，佔地廣，當初都是僑資興建的，有二三百年以上的歷史，日本以之列爲自己的國寶，崇福寺尙有大鐘一座，據聞此鐘爲紀念日本某年大地震成災，我國曾撥款救助，特鑄此鐘以示勿忘之意。

長崎還有一座孔聖廟，有五十年歷史，一磚一木一瓦，都是由國內特選運日的，工人也是由國內僱來的，但第二次大戰中，受原子彈波及，大成殿兩旁偏殿的屋瓦全部飛去，現僅成空架，無錢修建，棟樑之材只好任其日曬雨淋，觀之實覺痛心，正殿受損雖微，但亦因受震關係，屋脊瓦簷均已歪斜有傾倒之處，下雨也漏，如不及時修補，將來勢成爛木瓦礫一堆。海外有如此極富歷史性的文化寶物，有關部門，早該注意保護修葺的，據聞也是錢的問題；老實說，政府每年少派一兩位酬應式的遊玩觀光視察人員到海外去走一趟的話，修理海外的文物，外匯也足夠的。

自由談

要像個國會！

馬五先生

據說，最近有人研究自由中國的民意機構，究竟誰算是國會？立監兩院自然當仁不讓，而國民代表亦想力爭上游。而區區忝為「國大代」之一，關於誰是擁有真正的國會資格這項疑義，未便贊詞，以免或有對自己臉上擦粉之嫌。

我認為誰是國會都無所謂，最重要的問題是要像個國會。國會是民主制度，蔣廷黻氏前月在台北某處講演，說是民主政治並不是有着一部憲法和一個議會就算完備了，更要緊的條件是作風，譬如議員們光是在開會時放放大砲，那就算不得民主。這話很有道理。希特勒時代也有國會，而且說他的制度才是個民主哩！民主國家的國會，起碼要有反對黨，對於國計民生的重大問題，必須經過國會辯論通過，政府才得施行，尤其關於錢財的事，沒有國會的認許，政府就休想自由動用分文，這是人民代表最珍貴的權力，絲毫不能放鬆，可亦不能任意胡來。議員在國會發言，必須特別慎重，言之有物，持之有故，否則勢將變成鬧劇場或茶子館。無論是執政黨或在野黨的議員，都有一位領袖，遇着重要問題辯論時，誰負出席發言之責，事前皆經過大家商量決定的。各黨議員在投票表決問題時，更須堅守着本黨的決策，絕不含糊隨便。這類起碼的條件，從中華民國肇建以來的議會裏，似乎始終沒有具備過，因而我們從來就未見有「像個國會」的民意機構。我們的現行憲法有一種與衆不同的創制，即政府不能解散議會，議會也沒有不信任政府當局的權能。我覺得這亦未可厚非，否則恐怕隨時要演出「解散」與「不信任」的把戲，更不成名堂哩！

民主政治是由一點一滴訓練而來，才可以止於至善的。今日我們不是缺乏真正的國會，而是缺乏「像個國會」的民主作風。大家與其研究誰是國會，倒不如努力創建國會之所以為國會的起碼條件吧！

台灣文壇　老作家剪影

·程外·

我寫這篇短文前，得先寫一個「楔子」。

自由中國文壇作家最多，只要寫過一篇千字散文，或是自費印過一本薄薄的風吹了就跑的小册子，也就把他自己「封」成「作家」，獨步文壇；好在作家不是官銜，也沒有薪水可領，還是靠文章認「貨色」。不過，也有例外的例外。

這兒抄襲的風氣很盛，他們不敢「抄」或「套」一外國第一流的名家文章，就揀外國三四流的作家文章抄，無人記得原來面目；這些「作家」可說是，「抄作等身！」恕我不列舉事實，「隱惡揚善」，是我們中國人的美德。

現在，我個寫的，不是他（她）們人是過去在文壇上已享有盛名在台灣的幾個老作家，（剔除自己「封」自己為老作家的）我所說的老作家，不是他（她）們人老了，而是他（她）們創作的年資「老」，並且，他（她）的著作流傳廣，讀者多。還有在人們的心目中，有一個極良好的印象。一一簡寫在下面：——

蘇雪林文債償不清

傳誦一時的「綠天」作者蘇雪林女士，得了去年教育部文藝獎金的散文獎。她現在在台灣師範大學教「楚辭研究」，偶而寫一兩篇小說，都是被逼出來的；她說：「文債償不清。」她寫作態度很認眞；先寫草稿，然後謄清。她說話很謙虛，沒有名作家的派頭。

黎烈文譯作暢銷

當年編上海申報「自由談」和翻譯過法國羅逖的小說「冰島漁夫」的黎烈文先生，現在是台灣大學教授。偶而有翻譯文章在報章雜誌發表，都是短篇的。他說，現在新書來源太少；已翻譯過的名著，不必再譯。他談話有濃厚湖南土音，生活很清苦。「冰島漁夫」現已翻版問世，依舊暢銷；可見黎先生的清麗文筆，使人有百讀不厭之感。

周學普與孟十還

譯過歌德的「浮士德」的周學普先生，也在台灣大學教書，上月譯完了一本十二萬字的長篇小說，書名未定。此書是承美國新聞處之請。他翻譯的文章比較多，雜誌報章，時可見到。

曾經編過「作家」雜誌的孟十還先生，僑居台灣，據說：他現在供職台灣航業公司，一個字的文章也不寫，好像讓人忘記他。

梁實秋練拳減肥

研究莎士比亞權威的梁實秋先生，他現在是台灣師範大學的文學院長。十年前的「雅舍小品」傳誦多時，但他現在很少寫一篇還須富於情趣幽默的文章。他發福了，每天舞劍練拳，據說是為了減肥作用，並且很有效呢。

「平老」卅年未停筆

最後，我個寫的是從事文藝工作三十年的王平陵先生。去年秋赴泰國編世界日報三個月，悲憤辭務。現在，他仍然不懈於他的文藝工作。他的創作力很驚人，有戲本，小說問世，頗精彩。文藝界的朋友們，都稱呼他為「平老」，他對人很和藹可親的。對他最難能可貴的是他三十年沒有停過筆，而且還繼續的再向四十年五十年邁進。並且，他是台灣文壇上極少數的「職業作家」之一，生活清苦可想而知了。

丙申歲朝

·潔流·

鄉思生白髮，疇泊遠忘年，將老欲人下，固窮如拍堅，菊從籬裏艷，梅以雪中妍，自有心高潔，悟彈儻然然。

爆竹催迎歲，雞鳴天下春，寸心懸故國，萬里念慈親，七載家書絕，兩行鄉淚頻，昨宵歸夢裏，猶是未歸人。

雁行傷折翼，猶鳧激飛濺，兄弟存三人，秀發欣蘭桂，高翔看鳳麟。如何勸去垢，欲飲屠蘇酒，愴然對一輪。

元日思離柑，鄉思何所寄，移株嫌味淡，厚種誇甜甘。繼序雜林封，培根萬木參，歸來植故土，十里綠波涵。

同光風雲錄

夢山樓

張之洞（甲）

『中學為體，西學為用，學術為一代之宗，身繫朝局疆寄之重者四十年。』

張之洞，字孝達，一字香濤，又號壺公，河北南皮人，生於道光十七年八月初三日。

穎慧可比蘇東坡

南皮幼穎慧，有神童之譽。九歲畢四書五經，鑽研思索，每至夜分，倦則伏案睡，既醒復思，必得其解而後已。此後服官治文書，亦往往達旦，自言乃幼時好夜坐讀書所致。十四歲應童子試，中秀才，十六歲北闈舉人第一名，即解元也。二十六歲入都會試中探花。廷試對策，指陳時政，不襲故常，洋洋數千言，識者以擬蘇東坡。先是，同考官范鶴生得卷，欣喜，擬大魁，以額溢被擯，鶴生為之竟夕永嘆。翁同龢日記云：『見范鶴生處一卷，沉博絕麗，繁徵博引，其文氣史漢之遺，余決為張香濤，竟未獲售，令人扼腕！』

剔弊養才砥礪名節

旋授翰林院編修，遷散館考試，列一等第一名。奉旨充浙江鄉試副考官，出闈返京，簡放湖北學政，奏報到任疏云：『學政一官，不僅在衡校一日之短長，而在培養平日之根柢，不僅以提倡文學為事，而當以砥礪名節為先。』又隨試院楹聯云：『剔弊何足云難，為國家培養人才，方名稱職。衡文只是一節，願諸生步趨賢聖，不僅登科。』

興學辦廠築路建軍

未幾，奉旨授翰林院侍讀學士，奏陳修政弭災，以去僉壬，廣言路，飭武備，嚴禁衛為當務之急。旋授山西巡撫，甫接任，即以清明強毅四字，樹立政風。兩年間，興利除弊，百廢俱舉。又奉旨授兩廣總督，兼任巡撫，乃修礮台，設防務，創設水師學堂，廣雅書院，所費浩繁，概不之計也。在粵甚久，遺愛頗多。調任湖廣總督，於是籌設織布局，鑄錢局，籌築鐵路，提勵蠶桑，開鑛煉鐵，開辦萍鄉煤鑛，選派學生赴比利時煉鐵廠學習，設譯書局，設兩湖書院，皆以造就通才，博約兼資，文行並重，以乾嘉以後漢宋學派之結局，斟酌於書院之間，小學為體，西學為用，以開後來學校之先聲。大刀闊斧，氣象萬千，湖廣風氣為之一變。

惟性好讀書，雖日理萬機，仍手不釋卷。是以，勞神苦思，無日不在荊天棘地之中，且其所興辦之事，多非朝廷所欲辦之事，所用之錢，亦非本省固有之錢，所用之人，又非心悅信服之人，只因，求治心切，一往無前，本諸中庸『勉強而行』四字，併力以赴之耳。（二十七）

蔣果敏公軼事

·李仲侯·

自由人第五三四期同光風雲錄載蔣公經濟事頗詳（原著誤為溢畫）筆者與蔣氏生同里閈，又與其文孫約請敦交好，憶幼時就讀世澤堂（蔣公宅名）聽鄉師耆老，嫂嫂談蔣公生前軼事，尤以謂陳姓婦為繫母一節，至今猶膾炙人口。

蔣公生有異稟，降世之夕，芸祥滿室，幼年貧甚，母挈其乞食鄉里，楓指蔣公生時事跡示於家曰：蔣二（蔣公乳名）異日必大貴，幸勿以其貧而輕視之也，此指張夫人少時與鄰居陳謝氏結為同年（湖俗凡男女同年生而又交好者稱同年，其子女則互呼為同年爺或同年娘），蔣母挈子乞食過其家，臨別陳氏必款留數日，陳家亦不富裕，然贈以斗米尺布，陳母嘗謂蔣母曰其子長貴，母誠其子曰，同年娘待汝厚，他日荷富貴，毋相忘也。蔣公從羅澤南軍，積功升把總後，書召陳母二子至大營中，長曰陳均，次曰陳李常，雖不識字，蔣公均以擢升，食必同席，不見必問，後來蔣公攻柳州內，不幸陳氏昆弟於十八嗣之役，先後陣亡，蔣公痛不欲生，誓欲報仇，親易甲白鐙，激勵士氣攻，親冒矢石，大破柳州，而不崇朝，以報陳母之心，乃綁縛無遺，以慰陳母，蔣公即遣人詣陳氏，迎陳母至軍中，與蔣母同居，蔣公事陳母，如事其母，誠所謂以陳母為宗，自外，行並大慰千戚族，終身悉心奉養。陳母後隨蔣公入閩，進剿浙匪，將授桂林，蓋以奏歸之日，陳氏二子均功，遂得以殊榮，陳母三代獲賜，蔣公八十二歲時始內，陳母逝世，計聞為慶，蔣公遣人往賀，設齋布奠，為服斬衰，七日方畢，各方前來會弔者，餘人，素車白馬，哀榮備臻，大營鎮地，並於靈前，翁仲與蔣母所葬墳塲，同其壯偉，至今過其下者，猶噓歎為難得。

五四滄桑

燕塵識小

愧不身與五四潮

提起「五四」，我很慚愧。老實說，我是五四時代，不曾參加五四運動的一人。此話從何說起，先談北大當年。

四十年前，北大宿舍，祇有東齋西齋八旗先賢祠等處，一部份隻身遠來的同學，分住尚感不敷，家在故都的，全是通學，住在家裏。有課便來，無課不到。因此住校同學，易於熟識比較團結。通學的各自東西比較散漫。而我恰是早來午去向不住校的一人。東齋西齋蹤跡絕少，八旗先賢祠偶往一談。所以除了同班之外，熟人頗少，因而消息也不靈通。五四前夕，飯廳大會，事出倉促，我既無從得信參加，因而次日開會遊行，當然也莫由附驥了。說來真是笑話，那天似是星期，下午三四點鐘，我方倘佯於中央公園，悠哉遊哉。遇見先五叔攜舍弟而來，遂偕同出城小飲於煤市街致美齋。（算到我的兒女寒家與此處已有四代交情。昔年吾家叔姪週友，常常閒飲於此），醉飽而歸，酣然入夢。彼時既無晚報，更無廣播。白天發生了這樣大事，而晚上未聞消息者覺大有其人，我即其一。次日一早照常上學，入門一看，園其無人。而徘徊中庭探聽消息者，卻不止我一個，這才曉得昨天的奇蹟，今天的絕蹤。慚愧得很，在我的週憶中，五四運動，只是如此激然一抹而已。

有人問我「公園就在天安門旁，你在公園，豈有不知天安門開會之理，你的話靠不住吧」。容我解釋一言。天安門大會約在一點多鐘，三點多鐘大隊已到趙家樓了，我到公園時，大隊可能已在趙家樓一帶，並不知方才開過會的。

層層密密擺鐵刀

過了十天半月，有一層幾張鐵頭，却是我身歷北遊的，今天回想起來，也無非演戲而已，原來我們這幾班，已屆畢業之期，大部份同學早晚開會電請，蔡斷力竭，吾敵辟焦（這是真話，我錫朋兄的磁啞不成聲），另外一部份人，開會之餘，也還打算畢業。（十）

石榴河畔的風暴

·袁修農·

石榴河的兩岸全是成行的石榴樹，常五月裏，花紅綠眼，濃葉滿枝，兩岸的草綠得像毯子，河裏的水又清又冽。趙家屯的姑娘跟趙家屯的少年偷偷溜出屯子，在這石榴樹底下談情說愛，他們從老一輩起就在這兒傳流了不少的韻事，所以誰家的老人兒也不大怪罪少年們的事。

石榴河的上游就是趙家屯，趙家屯的背後是一連串大山，石榴河的水就是從山裏流出來，山下是一片平原，這就是趙家屯的大生活的資託，每年產的大豆、麥子，自己吃不了，還到城裏去賣掉，買回自己應用的東西。九月裏，更是熱鬧，大批的人站在石榴河邊摘石榴，挑回屯子，一大筐一大筐的。「趙家屯的姑娘是上帝的驕子」，四鄉的人都說：「上帝都願意嫁給趙家屯的少年，可以一輩子不愁吃，不愁穿。」

趙三小是獨生子，家裏有一片不算小的山林，在屯子裏，還有二千株石榴樹，在屯子裏的好戶，他家也是一個數得上的好戶，三小唸過幾年書，認得一些字，他們勸他父親三小到城裏去唸學堂，他父親不同意說：『我有這麼大的家產，只要三小守得住，什麼也不用愁，唸多了書又有什麼用』，趙家屯的人都這樣想，只要老天爺照守下雨，莊稼長得好，趙家屯便永遠平靜安樂，他們除了隔五天到城裏趕一次集，再遠的地方便不想去。這幾乎是趙家屯的人共同的心理，這種古樸的習俗，一直傳流到這一代的年青人還沒有變換，趙三小的父親——趙百福，所期望於三小的，也同樣正是趙家屯的老年人所期望於下一代的：『養大成人，娶個媳婦抱孫子。』趙百福繼承父業，三小守田園，是他老人家一件頂要緊的事，他想：『只要給三小娶個如意媳婦，了了自己的大願，生下孫子，便了了心事。』就憑他有那麼多的山林、和石榴樹，還怕找不到，只是合心不合意。（二）

短篇小說

自由人

THE FREEMAN
（第五四一期）
中華民國僑務委員會
國發登記證台敘新字第一零二號
中華郵政台字第五〇〇號
執照登記為第一類新聞紙類
（半週刊每星期三 六出版）
每份港幣壹毫
台北市價新台幣壹元
督印人：徐文華
地址：香港高士威道二十號四樓
3 rd. fl. 20 CAUSEWAY RD
HONG KONG
香港發行及本埠接洽
高士打道66號　電話：七四〇五三
承印者：東南印務出版社
地址：高士打道六十四號
海外總經銷
友聯書報發行公司
香港：德輔道中二十六號A二樓
台灣特派員辦事處
台北市館前街五十號
台灣總經銷處
台北市西寧南路[illegible]號二樓
台郵撥儲金戶九二五二

羅素論馬克思的思想

·王厚生·

英國哲學家羅素（B. Russell）著「布爾什維克主義的理論與實際」（一九二〇年出版，一九四八年再版），第一部論俄國現狀，因羅氏曾懷抱期待和希望前往蘇俄訪問，但所獲印象不佳，大感失望。第二部論布爾什維克的理論，對歷史唯物論有所批評。

忽視非經濟因素

羅素首先指明哲學上的唯物主義與歷史唯物論沒有必然的關聯，在哲學意識上有無數的觀點都是唯物性的，但與經濟無關，更不足以證明經濟原因是政治的基礎。不過，我們如以寬際而不以形而上學的觀念來看歷史唯物論，也確能發現它是有一些真理的，例如工業主義對於現代人生的變化，曾發生很大的影響；又如經濟生活的依賴性和獨立性對於兩性道德觀念的關係也很大。

經濟在決定一個國家或一個時代的政治和信念上，固然有其基本的重要性，但我們如忽視了非經濟性的因素，就會發生不可挽救的錯誤。羅素指出最明顯的非經濟因素就是民族主義（筆者按：喬治亞反史示威運動可為羅氏的話作證）。照馬克思所說，戰爭的動機是經濟利益，資本家藉戰爭以獲其財，羅氏深不以此說為然，他說：「這種說法，凡注意心理事項的人們都會感覺是一種怪談。無數的資本家因戰爭而破產；大家經驗的資本家或資本家的子孫，和無產階級的人們同等的派往戰場去送命。英德兩國在商業上的競爭，當然是釀成戰爭的一項重要因素，然而競爭和尋找利益卻不能併為一談。英德兩國的資本家如能彼此合作，彼此所得的利益，大概總比彼此競爭來得大，可惜鬥爭是人性的本能，經濟形態能說是偶然的事項罷了。」又說：「戰爭動機完全起源於另一套人性動機，馬克思對於這一點，卻沒有適當的認識。」

依照馬克思的理論，人類之所以能結合成群，由於階級意識，即凡經濟利益相同者結合在一起。羅素以為這種理論只有一部分的真理。在人類悠長的歷史中，宗教對於人們的結合上才是最有決定性的媒介，一個信仰天主教的工人當投票選舉時，他寧選同教的資本家，而拒絕選舉一個不信神的社會主義者，美國的地方選舉，主要就是以宗教信仰的區劃作為分野的。

政治理想的基礎

羅素認為拿哲學理論來做政治理想的基礎，或把假定的哲學上去尋覓基礎以支持一種政治理想，都是無可採取的。所有政治問題，都受人類情欲的支配，所以要研究政治的動機，需要作心理上的分析。在討論到政治上的決定力時，羅素指出人類除基本本能（即原始欲望，如飲食，男女，衣着和住宅等）外，尚具有四種情欲：佔有、虛榮、競爭和愛權欲。此四者幾乎成為所有政治變化中的根本動機所在。而四種情欲之中，唯佔有欲（如富貴財產）和物質條件具有直接關係，其餘三種和社會關係有關聯。於是，羅素說：「馬克思解釋歷史，消極的認為佔有欲是所有政治動機的淵泉，我想他所犯的錯誤即在此。世間有許許多多的人，很明顯的甘願為權力和光榮而置財產於不顧，而許多國家又常為擊敗他國的敵對和競爭，以致犧牲國家的財富。從不同方式表現出來的優越感，也是一種情欲，凡係精明能幹的人，具有優越感，乃是很平常的事。任何一種社會制度如欲消除這種優越感，就難以保持安定，因為安適宜情的多數人，不是精明能幹的少數人的對手。」此外，他又說了一段精闢的話：「人類喜歡掌權，喜歡滿足他們的自負心和自尊性。他們喜歡勝過敵對者的情緒如此深邃，竟願製造出敵對者，達到他們下意識作用的勝利目的。所有這些動機，把實際上很重要的純經濟動機，都割裂紛碎以致於不起作用了」。（按：史達林的殘暴和他所謂『一手指即可弄垮南斯拉夫狄托政權』等事，可以為證）。

從鞭屍到訪問英國

——俄共最近動向的分析

·李秋生·

（續上期）至於軍人，勢力顯然在膨脹。他們過去對歷史達林，對黨部向無好感，布爾甘尼更是正面的老對頭。過去軍人在政治上沒有發言權，十九次聯共大會，沒有一個職業軍人當選做正式中委，主席團更沒有軍人的份（伏洛歐洛夫從一九二五年已與莫洛托夫同為政治局委員，應作別論，那是一個[illegible]）。現在朱可夫是主席團候補第一名，實際他的權勢決不會在蘇斯洛夫甚利飲柯等正式委員以下。最近的「昭雪」，特別着重到軍人方面，從杜哈切夫斯基發展到布魯歇爾和[illegible]克。甚至聯共大會清算史達林，有人認為動力主要在軍人方面（一月二十三日莫斯科軍區召開黨部大會，朱可夫出席致辭，從那天起，[illegible]錄上持續兩個月的崇拜史達林文字即不再出現）。軍人在克里姆林統治層中的地位[illegible]，但朱可夫的[illegible]很[illegible]羅馬的凱撒，召回巴黎的拿破崙，對於黨權，還是很嚴重的威脅。凡此種種，都可看出克里姆林宮內爭又趨於劇烈程度，「集體領導」之不斷被強調，就正說其間所缺少的正是「集體領導」。

過去國際間曾有以對外冒險轉移國內危機的先例，今日俄共卻是企圖以對外政治攻勢解救內部困難。誇張共產主義的勝利，揭櫫新的人民陣綫原則，採取議會政策路綫，以至在中東南亞亂放野火，都是急功近利的存心，為目的不擇手段，而尤以訪英之行為其最大期望所在。英國在式微中，殖民地紛紛脫離，市場狹隘和中東動亂是英人兩大煩惱，英國政治家又什九是現實主義者。唯其如此，此次赫布訪英鄭重其事，先派馬倫科夫試探風色，再遣謝洛夫作保安措施（這却是一個嚴重錯誤），然後在英人的歡迎款待中拋之以威（氫彈和長程飛彈），動之以利（十億鎊的貿易定單），態度誠懇而焦燥，內心則[illegible]其成功。然而十天訪問的結果，到處受到冷淡與敵視，明明是鎩羽而歸，談判沒有具體結果，俄報紙卻為誇耀成功，另一方面則謾罵工黨，說是工黨破壞了[illegible]社會黨聯合陣綫（[illegible]失敗的）。以英國今日處境，蘇俄政治攻勢假手英人以取消禁運，尚做不到，更不要說破壞英人基本國策了，現在更妄想向美國去施展和平攻勢。這不是愚昧無知，而是急不暇擇，只求能獲速效。

假若這些手法都收不到預期功效，則以今日俄共處境，那後果是嚴重的。在統治層中有劇化的爭端，在黨員大衆間醞釀不安的情緒，則其對外發動如果接連遭受敗績，則必會反映到內部，促進危機的發展。從鐵幕反抗運動的奮起，共黨暴政的解體，都不是意外的事。過去許多人認為鐵幕後發生革命運動不可能，是因為共黨擁有金字塔式的強固組織與無孔不入的特務鎮制。從貝里亞事件以後，有過三次大整肅，所清除的都是特務人員，今日的特務實力已非三年以前可比。另一方面，對史達林的清算，又必然促進黨員大衆間的離心運動。假如說蘇俄社會經濟文化已稍見提高，則此後會更覺得那種極權統治難於忍受。

這一龐大帝國表面上十分堅強，實際是罪惡之藪，並正有如歷史上其他大帝國一樣，孕育着解體的預兆。今日俄共寡頭們，推出列寧代替史達林為崇拜的對象，實則一切罪惡，列寧都不能不尸其咎。在二十世紀建立第一個獨裁政權者是列寧，首以殘酷手段大舉消除異己者也是列寧。從十八世紀洛克孟德斯鳩等哲人闡明政治自由民權主義與宗教容忍之義，歐洲統治者已逐漸走向開明一途。即使大陸一些君主仍掌握絕對權力不肯放鬆，知多能措意到人民福利，人道主義，廢除苛虐，例如所謂開明暴君，如普魯士腓烈德利克二世，帝俄喀撒琳女皇，吐斯坎尼（義大利中西部大公國）利奧波二世，特別是奧國約瑟夫二世都是如此，即在帝俄末季，被刺死的亞歷山大二世並非昏暴之主，尼古拉二世也只是有幾分糊塗。到了列寧，却發揮俄羅斯的黑暗傳統，遙師「伊凡恐怖大帝」為了政權而以[illegible]手段荼毒生靈，其禍患所及，空間上遍及歐亞大陸，時間持續近四十年，形成二十世紀最大的逆流與浩劫。英國名歷史家艾克頓說過：「權力會腐朽，絕對權力更絕對的腐朽」，這名言正驗於今日的蘇俄。四十年前列寧在俄羅斯所首創的罪孽，正臨到徹底清算的前夜，對史魔鞭屍只是序幕而已，這是任何極權統治所不能逃脫的命運，連中共與其附庸政權也不能例外。（下）

火焰上的和平

·魯午·

馬克思的哲學

羅素著「西洋哲學史」（一九四六年出版），於馬克思思想也有所批評。羅素說：「他自稱是個唯物主義者，但不是十八世紀的品類。在黑格爾派的影響下，他的品類是『辯證法的』，跟傳統的唯物主義在重要的方法上有着區別，而與現今所謂工具主義相近似」。馬克思的歷史哲學是黑格爾哲學和英國經濟的混合品（按：馬氏重視經濟學係受恩格斯、蒲魯東的影響），馬氏同意黑格爾的理論，相信世界是依辯證法方式發展的，但馬氏所不同意黑格爾者為發展的動機問題。黑格爾認為動機是精神（Spirit），馬氏則以為是物質（Maltov），不過所謂物質，不是原子學家所指完全不涉人性的物質，在馬克思心目中，推動社會發展的力量實際是人對物的關係，其間最重要的部分是生產的方式，這一來，馬氏的唯物主義在實用上變成了經濟學。（按：美國有塞利格曼氏 Edwin R. A. Seligman 曾於一九〇二年出版「經濟史觀」一書，他覺得「唯物史觀」這個名詞不恰當，還改稱「經濟史觀」）。

【下轉第三版】

半週述評

·司馬璐·

悼申翼熙先生

再過一星期，南韓的大選要開始了。不幸得很，正在這個時候，南韓民主黨的領袖申翼熙先生竟外地死了。

申翼熙先生是位六三高齡的韓國老革命家，他的死是韓國的大損失！

申翼熙先生過去長期流亡中國，他在中國有很多好友，他的死又是中韓友誼的損失！

在韓國人的心目中，申翼熙先生更富于民主的象徵的意義；他比李承晚先生年青，在政治生活上正是壯年，卻不幸在這個應該大有作為的時期死了。

東方傳統

申翼熙先生和李承晚先生，在反共意志上一樣堅決，一樣受到韓國人民的愛戴。

為什麼說，申翼熙先生更富於民主的象徵的意義呢？

因為南韓這個國家，乃至亞洲所有古老的或新興的國家，他們直至今天，都一時無法擺脫「東方傳統」，特別是像李承晚先生這樣的具有開國勳業的開創性的人物。

「東方傳統」的特點是權責集於個人一身，「個人負責」代替了一切的法律。

李承晚精神

這種「東方傳統」的「負責精神」，雖然也一樣可敬，但卻不是現代化的。

因為，「東方傳統」的「負責精神」表示自己一切都是「通人」；而現代化的「負責精神」應該是尊重專家的意見的。

南韓是我們眼前「東方傳統」的一個最典型的例子：「李承晚精神」帶給南韓一股光芒萬丈的民族主義的衝力。但是，容我們不客氣的說，南韓的一切建設進步卻是遲緩的。因為僅僅靠「衝力」是不夠的。

南韓的危險

今天的南韓是亞洲最危險的地區。不久以前，遠東盟軍統帥雷米澤說：共黨侵略韓國的危險益前嚴重。杜勒斯在參院的作證中也說到：中韓越是危險地區，隨時可遭到共黨的侵略。南韓的聯合參謀總長李亨根說：北韓將可能發動更大的攻勢。

我們不時聽到李承晚「揮師北進」、「統一韓國」的壯言，然而南韓今天卻沒有政治和軍事的進步相配合，相反的，共黨發動侵略的可能卻繼續增加。

北韓的兵力

美國助理國務卿羅伯遜向國會報告說：韓戰停後，在「中立國」的監督之下，北韓的兵力在繼續增加，北韓現有的兵力是：北韓軍三十五萬，中共軍三十五萬，新增加的戰機有四百五十架，連前共達七百七十架。新建的噴射機場有二十二處。

最近美國名記者蘇[illegible]斯特訪問亞洲後所作的報導中說：當我們的休戰委員會的先生們還在推敲文字，而實際上北韓早已無法無天了。

共黨正在尋隙

申翼熙先生死了之後，共黨報紙以挑撥的口吻報導南韓的事件說：申翼熙的死是「離奇」的。

其實，一個政治家死於興奮的演說中有什麼「離奇」呢？美國前副總統巴克萊最近不是也死於同樣的情形之下嗎？

但是，申翼熙先生之死，卻引起南韓一些騷動。

南韓、南越、自由中國今天[illegible]，共黨隨時都在尋隙製造事件的。

在前綫上，不僅軍事，在政治上我們[illegible]有待進步的。

東南亞反共司令台
鳳凰園及其主人
·李旭·

海外通訊

（本報新加坡航訊）英國遠東利益的中心是新加坡，以新加坡爲圓心，在一千五百海浬內，她與印度、緬甸、泰國、越南、香港、菲律賓、印尼和較遠的澳洲，發生直接或間接關係。當然，在她的北面與香港對面的中國大陸，對新加坡，更具有實際的利害關係。

千五百浬內的統領

在這一千五百海浬內，英國派了一位東南亞最高專員駐在新加坡，但實權上，人們皆以新加坡的鳳凰閣來代表他。因爲實際上說，東南亞最高專員是一個工作的領導者，而且在管轄治理的機構，鳳凰閣（是因爲東南亞總部的鳳凰徽而得名）。

在鳳凰閣裏，她包括有：東南亞高級專員公署、英海軍遠東司令部的辦事處、遠東防務司，安全情報司遠東區總局，倫敦工務部的支部和一個外交無線電台。

從倫敦發給東京、仰光、北平以及其他各地的訓令，皆以鳳凰閣爲轉接站。因此，鳳凰閣不僅要實際上治理新加坡、馬來亞，還要和英國遠東地區的各個總督、大使、領事保持最密切的聯絡。她的任務不只在處理東南亞的事務，而是倫敦在遠東的神經中樞。

過去與現在

當然，作爲這個神經中樞領導者的最高專員，他的工作自是煩瑣的，工作的內容，也隨着當時局的需要而轉變。

在二次大戰結束後不久，其工作重心是在協助戰後東南亞區的經濟復甦，如東南亞米糧、煤炭的調整供應，海上運輸，海港碼頭的管理，紡織品、醫藥及其它各種生活必需品的供應等，而在政治方面，當時的鳳凰閣還要深切地關顧到印度局勢的演變。

戰後，局勢轉佳，海運暢通，貿易恢復了。鳳凰閣也不必再遠從意大利、南非洲、印度、日本或全世界的其它各地去張羅物資來對東南亞作經濟輸血。

蘇葛德爵士的任務

一九四八年在政治、經濟和政行方面都有了進步，原來治理新加坡和馬來亞的總督和駐東南亞特別專員被廢除和綜合了，代之而興的就是現行最高專員這一職位（首任專員是麥唐納）。鳳凰閣的工作重心，在於使和英國政策配合，包括東南亞防務政策在內。他向倫敦的殖民部和外交部大臣負責。同時，他又兼任了大英國防調配委員會遠東分會主席，這些轉變，主要是受了中國政局演變的影響，爲適應新的亞洲局面，在一九五五年，最高專員又成爲東南亞公約機構聯合王國的代表。他除了還繼續照顧向外相和殖民部作報告外，他成爲英國首相的代表，直接向首相報告東南亞地區的一切動態。爲他實際直接關心注視的地區，包括了菲律賓、緬甸、香港、雅加達。照現任最高專員蘇葛德爵士（Sir Robert Scott）自己所說，他是英國東南亞地區處理各種事務的委員會的主席。他的額外的責任，有時還要伸張到東南亞區域以外。

因此，他每年在新加坡的鳳凰閣裏，召集所有東南亞區和太平洋上各地的英國最高長官，總督、大使、總司令以及聯合王國高級專員會議，討論處理有關整個地區的要事。此外，他還要參加東南亞公約機構的會議，和擔任英國與馬來亞防衛協約工作團的主席。

鳳凰園工作如何

在鳳凰閣裏，共有工作人員四百五十人，從人數上去看，處理這樣一個廣大地區的事務，該是相當緊張的。事實也是如此。如：安全情報司遠東區總局，是個聯絡與咨詢的機關，與遠東各地的警政當局保持接觸；倫敦工務部的支部，負責朝鮮、日本、北平、緬甸、印尼等地英使領館的建築工程；新成立的一個類似大使館參事室的政治機構，則專門密切關注着整個區域內英領土和外國領土上的一切政治和經濟的動態，並且另外有防衛及情報部門來協助該機構；此外還有一些專家、參贊、顧問，前者負責全東南亞的勞工和工會問題，並與英國的或外國的勞工部和職工會經常接觸；後者是海運和民航專家，是英國交通與航空部的代表，他們要爲英國海上運輸與航空利益，廣泛的與遠東各國聯絡。東南亞區新聞處則是鳳凰閣的對外聯絡組，担任翻譯印發各種語文的文件，供各地使領館需用；交通組轉發各大使與倫敦間的往來電訊；行政組負責代各地使館人員定購飛機船票，替鳳凰閣的職員及其家屬辦船車交通事宜，並管理帳目。

英國不會放棄它

因此，鳳凰閣就等於是倫敦白廳的派出所，它領導遠東大多數的英國大使館服務，也替各統帥、最高專員以及殖民地政府服務；它也以專家顧問政府的姿態在各統帥與東南亞最高專員間充作一種配合性質的機構，令英國在遠東方面的政治與防衛政策等各方面獲致和諧協調。因此，它得向英海外當局、大使或總督，提供一致的見解或建議；也得向唐寧街作類似的報告。

新加坡雖會一度誤傳英將放棄它，但在英國衛定大演習後，已表示了英國對她的態度是堅定的。值此馬歇爾左翼政府要求撤除英國基地之時，新加坡的地位就更見重要了。我們只要看倫敦當局堅持保有新加坡的治安權力一點，即可證明英國將不會放棄它的。在東南亞公約組織系統，它的地位也並次於曼谷，何況它還是曼谷的屏障呢！所以，新加坡在東南亞的反共陣線上是重要的一環。而新加坡的鳳凰閣也就成爲東南亞反共陣營的司令台了！

中共憲法之奴顏婢膝
·張君勱·

引言

孟子之言曰：「女子之嫁也，母命之，往送之門，戒之曰：『往之女家，必敬必戒，無違夫子』，以順爲正者，妾婦之道也」。嗚呼！號爲求自由平等之「中華人民共和國」，其所制定之根本大法，不獨於基本方針，不敢稍與蘇俄異，即在制度方面，除其便利於一己者外，亦以「亦步亦趨」爲事；甚至詞句之間，竟成俄憲之翻版。此眞孟子所謂「以順爲正之妾婦」也。

讀者倘以我爲過甚其辭，試取一九三六年之斯達林憲法與中共今日之憲法平列而比較之。

按劉少奇於共憲草報告有語曰：

「人民歡迎這個憲法草案，還因爲它正確地吸收了國際的經驗。憲法起草委員會在從事起草工作的時候，參考了蘇聯的先後幾個憲法和各人民民主國家的憲法。顯然，以蘇聯爲首的社會主義先進國家的經驗，對我們有根本的幫助。我們的憲法草案，結合了中國的經驗和國際的經驗。我們的憲法草案不只是我們人民革命運動的產物，而且是國際社會主義運動的一個產物。」

劉少奇之言令人驚異者，在置中國歷史於不顧。共認爲可取者，獨有蘇聯與各人民民主國家。文中所謂「中國的經驗」，亦專指人民革命運動言之，民國前後之艱辛締造，俱不足爲中共憲法前車之鑑。試問世界如是之廣，歷史如彼之長，而報告中獨以蘇聯先進國爲參考。眞難事也。

第一、蘇聯和中共兩方所謂「立國」大原則：

蘇、中兩方共產黨同爲馬克斯主義信徒，自爲理之當然。但考中共憲法第一章中各條之措辭，竟若小孩習字，似有一個達林氏之鬼，在背後爲之執筆者然。茲將兩方憲法第一章分上下列之：

蘇聯

第一條　蘇維埃社會主義共和國聯邦爲工農階級之社會主義國家。

第二條　蘇聯之政治基礎爲勞動人民所舉代表之蘇維埃，此勞動人民代表之蘇維埃，乃推翻地主與資本家與無產階級勝利之結果。

第三條　蘇聯之一切權力屬於城鄉之勞動人民，此勞動人民之代表爲其所選出之蘇維埃。

第四條　蘇聯之經濟基礎爲社會主義經濟系統與生產工具之社會主義所有。此制之確立，乃清算資本主義制度，廢除生產工具私有與消滅人對人剝削之結果。

第五條　蘇聯之社會主義財產，或爲國家財產之方式屬於全民所有，或爲合作社與集體農場財產之方式。（此爲集體農場之財產與合作社之財產）。

第六條　土地、礦產、水流、森林、工廠、礦、水運與空運、銀行、交通、大規模國家組織之農事企業，（國營農場）、機器站與耕具站）與市營事業與城市中工業地區之住宅，均爲國家財產，屬於全民。

第七條　集體農場與合作組織……將成爲集體農場與合作社組織之公有的與社會主義的財產。

第九條　除依於社會主義經濟系之經濟爲蘇聯經濟之主要方式外，法律准許個體農民與手工業者之小私人經濟來自其自身勞動力，並排斥對他人勞動力之剝削者。

第十條　公民之私人財產權，來自收入、儲蓄、房屋與其他家中補助營業或其他家用品與個人用品者，與夫私人財產之繼承權，受法律之保護。

第十一條　蘇聯之經濟生活，受全國經濟計劃之決定與指導，其目的爲增進公共富力，提高勞動人民之物質的文化的水準，鞏固蘇聯之獨立與防衛能力。

第十二條　蘇聯境內之勞動爲一切有勞動能力者之義務與光榮之事，依照不勞動者不得食之原則。

中共

第一條　中華人民共和國是工人階級領導的，以工農聯盟爲基礎的人民民主國家。

第二條　第二項：人民行使權力的機關，是全國人民代表大會，和地方各人民代表大會。

【下轉第三版】

讀者論壇

本國史地的重要性
·賴愷元·

四月初旬台灣省教育當局召集中學以上校長人員舉行教育行政會議，蔣總統於開幕之日親臨訓話，指示今後自由中國教育，應以國文第一。語重心長，敬佩無似。但據作者近年在台灣各校任課文史的體認，深覺當前在台灣教育中，對於本國史地，更應加強施教，似較國文尤爲重要。

此緣台灣被日本割據五十年，在當年是絕不容青年閱讀中國史地的，因是現在卅歲上下的台灣青年，對於本國史地常識，是頗爲隔閡的，也妨礙了民族意識之發揚。

作者昨識任教於台灣省立彰化工業學校，曾經出過一次作文題爲「我們對於本國史地應有之認識」。其時尚有學生起而僉稱此題無作文的價值之情事，後經懇切爲同學說明：須知一國的歷史，是國家和民族的結晶，一脈相傳，綿綿不斷，譬如人類的精神一般，精神是行動的主宰，所以歷史就是國家的行動。歷史上記載着列祖列宗開創版圖的艱功和先民先烈爲民族奮鬥的偉績，都是值得我們欽敬和寶貴的。

而地理即一國的版圖，是代表國家的體段。例如崇山峻嶺，是國家的[illegible]；平原湖沼，是國家的肺腑；長江大河，是國家的脈絡。而河流更與國家的文化有密切的關係，因爲文化的發達，是要靠着河流的溝道，所以印度的恒河，被稱爲文化水，我們的文化水就是黃河與揚子江了。國父屢次昭示我們要收回內河航行權，而宋朝的岳飛努力去做還我河山的事業，都是要保全國家的體段的意思。諸生試想一想，我們中國在元朝成吉思汗時代，版圖廣闊，跨有歐亞二洲，武功盛極一時。明朝有戚繼光，率領浙軍數次平定倭寇，威名遠震三島，當時就稱戚家軍。這是多麼值得我們景仰和崇敬的。

從縱的時間來看：我國有四五千年悠久的歷史文化；從橫的空間來看，我國有萬崙長江錦繡山河。我們振衣千仞岡，濯足萬里流，能不油然而生愛國之心嗎？我們前次全面對日抗戰，爲的是要保全我們四五千年光芒萬丈的歷史與一千一百餘萬平方公里金甌無缺的版圖，當然也就是要爲諸君爭回台灣返歸祖國的懷抱。現在諸君作文時，每到最後篇篇變用現在反共抗俄……作結，更須知現在反共抗俄的戰爭，打的正是本國史地的戰爭。觀於以上所說，諸君尚能說我此作文題無價值嗎？至是莘莘學子，莫不爲我感動，抓住題旨，振筆直書，類皆洋洋灑灑，有蹤機翔思洞多之概。謹以此義，質諸自由中國台灣教育當局及教鐸同人以爲何如？

台北速寫

七全會與人事

國民黨七中全會開幕了。會前各方揣測政府人事將有局部調整。其實，此項會議與政府人事並無關。這種種揣測只是人心思變之表現，大家對於內閣及省府，都有煩言，認爲須加調整。按向例，政府人事之變動，完全是最高當局之決策，果斷而獨行，並不經會議討論的。

避而不談者

自由中國訪日團之行，有人認爲日方之態度仍嫌冷落，但是就已往各次的訪日團而言，此次所受禮遇已算是最隆重的。關鍵不在這點，倒是日方此次避而不談中日兩國間的實際問題，該是遺憾。

寶島更美麗了

台灣是美麗寶島，很可吸引大批觀光遊客。但因台灣環境特殊，進出限制綦嚴，此種國際遊覽事業並非普通商人所能辦。最近蔣總統對興辦遊覽事業已有指示，此後的障礙當可消除。尤以出入境管制之放寬，不但便利遊客，對於一般文化經濟之交流，都將是最有利的措施。

窮文人的福音

張道藩主持的文藝獎金會，近舉行成立六週年紀念，據報告六年來獲該會獎金者共計二百三十七人，可說爲潛著的作者造福不少。尤以長篇創作（小說及劇本）得該會鼓勵最多。至於有人指責該會給獎標準不太公允，這也許是事實，希望文壇老將張道藩勇於接受批評，而有所改進。

不同的學生宿舍

不久本市將出現一所規模宏大及設備新穎的國際學生宿舍，這是美國資金所建，專供外國青年學生寄宿之用。若把台北各處學生宿舍分等級來看，則以此處爲第一級，台大的華僑學生宿舍爲第二級，而其他各處的宿舍爲第三級。

·杜衡之·

「向科學進軍」!?

中共近正號召「向科學進軍」，但實際上是有無窮的困難，而變成了用「命令主義」來推行。這幅漫畫原載四月十六日中共「中國青年」半月刊第八期。

嚴重的「問題兒童」問題

本港幾個教育專家發表處理「問題兒童」的心得

最近，「問題兒童」問題已成了本港教育界人士熱烈討論的中心，不單私校聯誼會和香港教師會都先後召開會議提付討論，而許多專家有關「問題兒童」問題的文章亦散見各大報章上，這一個現象是基於「問題兒童」的影響社會日益嚴重所致。

從香港報上的社會新聞上，我們經常可以讀到十二、三歲小童犯案的消息，而這些案是多方面並不單純的，即兩年來一直猖獗異常的「阿飛」問題，亦爲「問題兒童」的一端而已，茲就各專家的意見歸納一下，足以爲本港教育界人士與學生家長的參考。

香港教師會的會員，一位有經驗的教育工作者鄭合羽也談到問題兒童的問題，他說問題兒童行爲的成因，是受到遺傳、智力、生理，及環境各個因素的影響，而尤以環境因素影響最大。

問題兒童的成因

環境是影響兒童行爲最大的因素，可以分爲家庭方面、學校方面和社會方面。至於家庭方面而可以分爲：（一）溺愛或偏愛，（二）不健全的家庭關係，（三）家庭經濟困難，（四）父母無良好的示範行爲。

學校方面則可分爲：（一）學校設備的問題；（二）教師素質的問題。

社會方面：（一）不良的同伴，（二）社交的失敗，（三）問題情境的影響。

談到怎處理問題兒童，必先以一個問題兒童爲對象，知道其行爲問題的表現及其經過，然後系統的搜集關於他的一切生活資料，以澈底了解問題行爲的成因，然後根據科學的方法，施以補救或治療，這種方法的專門名詞就是「社會個案工作（SCEIAI CAESWORK）」。

一、調查：訪問兒童本人及與其生活有關的人物，（如父母、教師、親友及同伴等）搜集有關此兒童生活史之資料，如日記、成績表、及病情紀錄等；詳細紀錄其發展經過，健康、教育狀況、娛樂興趣、人格特徵及社交態度、其所處之家庭背景、社會環境，亦應詳細調查。

二、研究：將調查所得之各種事實詳加分析，再由兒科醫師檢查其身體有無疾病或缺陷，精神病醫師檢查其精神是否健全，心理學家或教育家測驗其智力，再由研究者分析研究這兒童所處的環境的影響，從這四方面的研究，進而了解其問題行爲的產生的由來。

三、治療：根據研究的結果，對症下藥，進行治療補救。若兒童問題的行爲是受身體疾病的影響，則立即由醫師診治，若由於人格失調或精神失常，則由精神醫師治療，若是與其智力及情緒發展有關，則由心理學家處理，如果兒童的行爲問題爲環境所影響，則由研究者（教師或社會工作人員）指導。又如家庭關係的調查，適宜學校及年級的安置，選擇優良的友伴，培養高尚的興趣，以改善其環境。

問題兒童的處理

已遊美研究教育的吳孝振就他的經驗說：我體驗到處理這類「問題兒童」時，應該：（一）一定要同他建立感情，然後說話方有效力。（二）要依據兒童的心理來處理，恐嚇和打罵，不但不能解決問題，反而增加問題的嚴重性。（三）教導兒童的最先決條件是要了解兒童。

九龍眞光中學校長馬儀英博士認爲做父母的應該給孩子有愛和溫暖的環境，將會減少社會上「問題兒童」的嚴重性，馬博士指出普遍的家庭都是心理問題的製造所，也是影響到「問題兒童」的重要一環，他並根據三派不同的心理學說來證明：

第一種原則，就是分析心理學派所主張的——兒童期的經驗影響最大。一個青年人，或成人的正常與否？或認爲身心愉快與否？視其童年經驗如何以爲斷。假如嬰兒或兒童生長於快樂的家庭，飽受父母之愛，家庭之溫暖，這個孩子會成爲一個身心健全的人。

第二種原則，就是行爲心理學派所主張的——環境對人影響極大；尤其是兒童時期，他們相信甚至可以將一個普通智力兒童，置於某種環境下能培養他爲一美術家；醫生，或其他專材，甚至成爲強盜。

第三種原則，就是葛斯德心理學派所主張的——人是整個的，有一部份不完整或感覺不妥善時，整個人將因之受影響。例如一首曲調，假如有一音與其他不相湊合，那首曲調來會不和諧。

「問題兒童」與家庭

總括以上所說三種心理原則；兒童經驗影響成年的行爲，環境的影響，和整個人格之重要性；同時，在家庭中有七種因素：（一）成人勉強兒童學習，影響身體健康和情緒。（二）管教過度嚴厲。（三）家庭中成人管教不一致。（四）父母的偏愛和偏憎。（五）缺乏父母的愛。（六）父母間不和。（七）分裂或破碎的家庭。在在可以影響兒童身體和心理的康健，所以我們做父母的或爲長者的，及當教師的，都不可疏忽我開始所提出的三個心理原則。我們要使嬰長成爲完全的人，就應給兒童一個富有愛心與溫暖和諧的環境；同時注意管教有方，要合理和一致，兒童長成於此種環境中，自然成爲一個正常的人，心理健全，身心愉快，相信社會一部份的問題也會因此減少。

兒童教育專家張一渠說：我們教育兒童，不是只注意社會環境就算完事。我們做家長的，還須隨時隨地留心到兒童活動各方面。要是兒童的行爲不正常，給我們發覺了，我們應該立即予以指導。指導的方式：解除比責罵有力量，溫和的笑容比嚴厲的怒容有效力。我們教育兒童，用誘導方法，啓示方法，鼓勵方法，比打罵來得有效。

「棒頭出孝子」，過去的中國社會有這樣的奇蹟。現在時代不同了，兒童所需要的是溫暖而不是冷酷。這是值得家長們特別注意的。

羅素論馬克思的思想

【上接第一版】羅素認爲馬克思主義和法西斯主義同爲適合現代工業國家的哲學，不過前者的哲學比較跟歐美承襲洛克、邊沁等自由主義派的哲學相接近，都是理性主義的科學的和經驗的，然一旦關到實際政治時，它們就截然不同了。馬克思主義的理性主義卻是有限制的，因馬氏不信說服力，但信階級鬥爭，因此爲強權政治和支配階級（Master Class）所累，理想爲現實的鬥爭、獨裁政治和思想道統所推蓋。法西斯主義的哲學是反理性的和反科學的，盧梭、費希特、尼采爲其哲學先驅，強調意志，特別是攫獲權力的意志，且相信只有某些民族和個人才有這種意志，故唯他們才有權利實行統治（按：列寧的無產階級專政的思想，其實與此頗相接近）。

馬克思的兩大錯誤

羅素認爲馬克思的歷史哲學有二點錯誤：第一、忽視政治，而偏重經濟是不對的，兩者必須同等受到重視，權力問題務須善加處理，而財富僅爲權力的一個形式而已。第二、一旦把各種問題變成組目化和專門化之後，社會的因果關係便不再能夠應用。關於第一點，羅素著有「權力」（POWER）一書，其中詳加說明。第二點與歷史哲學更有密切關係，羅氏舉了宇宙論，本體論和唯物主義三端對馬氏提出批評。首先是就宇宙論來說。這個問題最初由柏拉圖提出討論，亞里士多德、中世紀的經院哲學家、英國經驗論者和晚近的論理學者繼之。柏拉圖受了派門尼德（PARMENIDES）和奧菲斯姆（ORPHISM）的影響，要求有一永恒的世界，他不信現世流變的最終實在。亞里士多德是比較經驗的，但厭惡日常的世界。現代激底的經驗主義者有一反柏拉圖的傾向，他們覺得超感覺世界的思想是無趣的，避免去相信它。但是，這些相對立的各種偏見是不絕如縷的，和社會制度只有很疏遠的關聯。馬克思以爲對永恒的愛好爲寄生在他人勞動之上的有閒階級的特性。羅素懷疑其正確性。他說愛披克塔斯（EPICTETUS）和斯披諾莎（JHIN AZA）都不是有閒階級的紳士，同時，天國也決不會是一塊毋須勞動的地方。再就本體論來說，首由恩塞爾姆（ANSELM）發其端，被中世唯實論的代表人物亞坤納斯（THOMES AGUINAS）所排斥，繼爲法國笛卡兒所接受、德國康德所駁詰，復爲黑格爾所重振。羅素認爲可以斷然地說，由於對「存在」（EXISTENCE）概念加以分析的結果，現代邏輯已能證明其理論的脆弱。這不是什麼氣質或社會制度的問題，而純粹是一技術上的問題。反對的人未必就有理由認定上帝的存在這一結論的不確，否則，亞坤納斯就不致有拒絕之舉了。復就唯物主義的問題來說，唯物主義可作許多的解釋，馬克思將其意義做了急轉的改變。唯物主義是眞是假，依定義的不同，根據某一定義的說法，它是假的，但在另一定義的眼光中卻是假的，故是假乃是技術上的事，和社會制度沒有關聯。

不合科學的哲學

拿馬克思當做純粹哲學來看，他有着嚴重的缺點，他太實際，太被當時的問題所包圍；他的眼界只限於地球和地球上的人。自哥白尼以來，人沒有宇宙的重要性已很明顯，凡不能吸收此一事實的人，他就沒有權利稱其哲學是科學的（按：羅素的這種見解加上符號邏輯，大有助於晚近「科學哲學」Scientific Philosophy的興起）。不過，重視地球上的事爲十九世紀思想界的特色，和馬氏同時代的人都是如此。馬氏自認是無神論者，但仍抱有一種宇宙的樂觀主義，此種神唯有神論才能說得有理。廣泛言之，馬氏從黑格爾處得來的哲學皆是不科學的，無論用什麼理由都不能認爲是對的。馬氏給他社會主義所披的哲學的外衣對於他理論的基礎實際上很少有關，他所作大部分重要的理論和辯證法毫不相干，他爲百多年前英國所存在過的理論和辯證法毫不相干，他爲百多年前英國所存在過的工業制度驚人的殘忍的感慨不已（按：其實當時是工業制度尚未成熟時期的現象），他認此制度會從自由競爭走向獨占，其不公道必然招致無產階級的暴動，他又認爲在一個充分工業化的社會中，私有資本主義的唯一出路就是資本和土地的國有，凡此命題皆非哲學問題，羅素不在哲學史中討論其是非。

中共憲法之奴顏婢膝

·張君勱·

【上接第二版】序言：……中國人民……在共產黨領導下……取得了反對帝國主義、封建主義和官僚資本主義的人民革命的偉大勝利。

第二條 第一項：中華人民共和國的一切權力屬於人民。

第六條 國營經濟是全民所有制的社會主義經濟，是國民經濟中的領導力量和國家實現社會主義改造的物質基礎。國家保證優先發展國營經濟。

第五條 中華人民共和國的生產資料所有制，現在主要有下列各種：國家所有制，即全民所有制；即勞動羣衆集體所有制；集體勞動者所有制；資本家所有制。

第六條 第二項：礦藏、水流、由法律規定爲國有的森林、荒地和其他資源，都屬於全民所有。

第七條 合作社經濟是勞動羣衆集體所有制的社會主義經濟，或者是勞動羣衆部分集體所有制的半社會主義經濟。

第八條 國家依照法律保護農民的土地所有權和其他生產資料所有權。

第九條 國家依照法律保護手工業者和其他非農業的個體勞動者的生產資料所有權。

第十條 國家依照法律保護資本家的生產資料和其他資本所有權。

第十一條 國家保護公民的合法收入、儲蓄、房屋和各種生活資料的所有權。

第十二條 國家依照法律保護公民私有財產的繼承權。

第十五條 國家用經濟計劃指導國民經濟的發展和改造，使生產力不斷提高，以改造人民的物質生活和文化生活，鞏固國家的獨立與安全。

第十六條 勞動是中華人民共和國一切有勞動能力的公民的光榮的事情。國家鼓勵公民在勞動中的積極性和創造性。

試將以上第一章，與蘇俄憲法條文兩相比較，誰不驚中共憲法之起草者，如嬰孩之學步，步步要依傍父母之手以爲之扶持，絕不敢自己一人行走。如蘇憲第十二條爲「光榮之事」，中共憲法第十六條則爲「光榮的事情」，則非直譯翻版而何？全章中即有增益之處，如第十四條：「國家禁止任何人利用私有財產破壞公共利益」云云，此正所以擴大政府權力，遠不如俄憲之將社會主義經濟與私人經濟之界限明白規定，俄憲第七條，集體農場中之每家，其住宅前之一小方地，得視爲私人財產使用。又俄憲第八條：集體農場之土地，即永遠爲集體農場所使用，不付代價云云，中共憲法之所云者，豈敢作此斬釘截鐵之語乎？（一）

中國醫學畧述

·伍憲子·

至清代尤極縱橫奇恣之大觀

醫學至清代，尤極縱橫奇恣之大觀。蓋自王道安疑傷寒論有脫簡始，復經方有執之傷寒條辨，喻昌之尚論篇，對於傷寒論，皆從新編訂。清初，程應旄之傷寒後條辨又繼之。當然，他們表面上是尊王叔和，貶成無己，但無形中已搖動醫家對傷寒論之信心。至徐大椿，更謂仲景傷寒論，當時已無成書，叔和所搜集者，雖分定六經，而語無詮次，後人各生議論，每成一書，必前後更易數條，互相譏議，各是其說，愈更愈亂，終無定論。又謂傷寒論非仲景依經立方之書，乃救誤之書，遂作傷寒類方。夫不類經而類方，早視經爲不完備，是啓之而適貶之矣。雖然清代傷寒論專家不少，張志聰、張璐、魏荔彤、徐大椿、程應旄、尤怡、黃元御、陳念祖、柯琴、鄒澍、沈金鰲等，都是名家。姑無論割裂經方，如方喻柯尤沈黃等。能掃諸家割裂之非，以叔和原本爲較可信，如張志聰徐大椿等。他們都一樣有功於傷寒論。我們不應抱殘守缺，如曹禾醫學讀書志所說，「金元以降，立言愈工，去理愈遠，途日闢而道日晦」。我們主張學術自由，尤其是醫學，不能守一先生之說，固執不變，但亦不能自逞聰明，妄立門戶。清代醫學界有一就是自是非人之見太深，黃元御之素靈微蘊，除仲景孫思邈外，幾無通醫者，罵盡一切，謂泄火之論，發於河間，補陰之說，倡於丹溪，二悍作俑，遂因助虐。陳念祖亦專排擊金元，而推崇漢唐，都未免一偏之見。然而清代醫學界，總算放一異彩。傷寒專家之外，能樹立起溫病專家，吳鞠通之溫病條辨，王孟英之溫熱經緯，幾奪傷寒論之席。葉天士雖未動筆著書，然僞託葉氏之書者不少。葉香巖薛生白陳伯平章虛谷等，亦風靡一時。總是乘傷寒論失去時人信心之機會，古方不能治今病之說。當然，我不反對諸家，我承認諸家在清代醫學界中有其重要地位，但我總不贊成各立門戶以相非，我總想大家各用其長，虛心研究學理。

結論

序述至此，我應作一結論。海通以來，科學醫之說起，一知半解者，往往排棄中醫，打擊中醫，不知中國醫學，自有其專長，自有其不可磨滅且當日益發揚之精理。中醫亦不應輕視科學，應利用科學。華元化所曾表現之剖腹，破背，截腸，洗胃，今日正可利用科學，而再求進步。秦越人飲上池水之異事，今日正可藉X光鏡而求得之。然而上工治未病，許多察眉色，洞見先知，與隔二隔三之治，科學醫所束手無策，莫明其妙者，中國醫學可以解之。中國醫學是哲學而兼科學，今日正是發揚光大之最好時機。但非藉社會之力，與國家之力，不能收大效。私人閉戶潛修，爲力甚微。故政府應負責提倡，社會應合力協助，網羅人才，整理醫籍，合中西而研究之，藥物學須獨立研究，我信必能發現奇蹟。如此，則先決問題，在屏去門戶之見，痛除珍秘自私之習，炎黃之靈，應不滅也。（四）（全文完）

共區應付失業問題 一律派往邊區墾荒

中共解決失業問題的辦法，主要就是把他們遣送到邊遠的地方去墾荒。據說，已經有一四批人被送往墾荒去了。一批送到江西，有一批送到熱河，另兩批送到東北，總共約有一萬多人！現在，凡是到中共「公安局」去請求到別的地方去的人，共幹就說：「你還是到海南去墾荒罷：這是祖國的需要！」因此一般人雖想來香港，即有這種情形而被嚇得不敢去請求了。（寰）

國際賢達

由此談

北大西洋公約組織理事會議，決定由加拿大外長皮爾遜、義大利外長馬田諾，挪威外長蘭格三人，負責擬訂對北約組織的政治[illegible]，這就是所謂「國際賢達」之流了。

這三位國際賢達的錦囊妙計，不用說出來，我也可以猜中它一大半，總不外乎是蘇俄的「和平共存」一套，想從西方國家的團結，給它國際間找鬆懈，改行大規的經濟援外計劃，爭取那觀望中立的國家，但總然無論統一與否，却願意它不能簡單它走中立路線；現存的一國的國家，依然願意依然能維持，例如法國以及今之大軍進剿北非民族叛亂份子這類問題，自國存而不論，只要美國於叛亂敉平之後，給予經濟援助，但仍應該行動，仍須將經援交給巴黎政府支配處理，以保全北大西洋公約國家的「主權」！

我之有此預測，並非信口開河的。加拿大那位「賢達」皮爾遜，最近不斷地發出要承認中共政權的叫囂，義大利政府早有聯共的色彩，挪威也與蘇俄眉來眼去，要走中立路線。這三個鼻底吸式的「國際賢達」擬訂出來的政治鬥爭綫略，能否與其有關用心或的高見，真正可以達到「自由運動」的目的嗎？保全西歐一隅的安全，讓大家向俄共鬆懈自由貿易，讓取利潤，同時教美國拿出大把金錢來進行對外援助，拉住一些搖擺中立主義的國家，不要一面倒向共產集團。這是西方各國「和平共存」的心理狀態。三位「國際賢達」尤其是具有這種頭腦與作風的人物。他們所擬的方案，自不會越出心理狀態範圍以外的。

在國內有「社會賢達」，在世界有「國際賢達」，而號稱為「賢達」者，又一定須具備和事佬兩面人的姿態。越是有爭端的時候，越就多產「賢達」人物，「賢達」可算是與動亂相因相成的因果律了。噫！

馬五先生

談溥心畬問題

·四華·

國畫家溥儒自去年夏赴日講學後，迄未回台，因之引起種種傳說，而揣測猜疑之聲亦多，然據明確所知，直至最近溥的新夫人李墨雲女士奉命去把她的丈夫找回來，即證明溥儒不日將歸的傳說不是完全空穴來風了。

廣清皇族脾氣古怪

溥儒號心畬，今年雖僅五十歲開外一點，但外表老氣橫秋，很像鄰老學究，而其一舉一動，仍是顯人的氣味。溥儒對於長長髮辮，寬袍闊袖，個子胖胖像僧，臉孔有點似老婆相，從來不說一句外國話，但他是曾留學德國柏林大學八年的生物學碩士！溥儒出身於此，而他又是顯赫的皇族，前清道光皇帝的曾孫，他的祖父是恭忠王，恭忠王生了好幾個兒子，爵位傳給他的伯父，他伯父的鬍鬚是恭親王，而後又傳給了心畬的同堂哥哥，心畬似乎是庶出，因之無權承襲爵位。他的生母是廣東人，所以他生平對粵人有點好感，宣統與他是堂兄弟，且比他小十二歲，他是堂兄，他們是祖父一代才分開支派的，如果當時，他運氣好，許多人都死了，他也可能做皇帝的。心畬既有這樣不平凡的身世，養成他倔強的性格，古怪的脾氣，和封建所遺傳的不良習慣，而現代時勢不同，他的黃金時代早已過去，他既缺乏適應，又無權位，而又挾着這樣的脾氣及習慣，當然與潮流格格不入的，他在台灣之一再受委屈，故亦非偶然的。

作品送審兩度落選

溥心畬在台灣受氣，那確是事實，據我所知道的是：

一、他初到台灣時，經濟情況不好，常常想小辦法出售些畫件，弄幾個錢用用，當時台灣每年所舉辦大規模之省展，全操縱於幾個台籍畫家之手，審查出品全部是那幾人包辦，分派致府職員款的權力也落在那幾人手上。那時，心畬為了錢，顧不了自己的資格和身份，即將畫送去審查，希望展出後能夠售出，但結果不准第一年落選，第二年也落選了，當時他曾托人打招呼，請台籍人明了溥心畬是「南張北溥」的權威畫家，但台籍畫家全一概不管，認為他的畫是全無生命的，是抄襲的古畫的，全不合省展的標準的，心畬對此是氣極了，但也無可奈何啊！（後來政府為平息內地畫家與台灣籍畫家之門戶，才加派黃君璧溥心畬二人爲省展國畫部評審員）。

辟言逐溥確有其事

二、本報四月四日所載「今日畫壇辛酸錄」一文，內有述及心畬於「反共美展」時被人辟謠，幾乎驅其出境一事，經者為此曾向有關方面調查真相，證明確有其事。「反共美展」乃四十年春由國防部總政治部、教育部、文藝協會等五機關所主辦，規模空前偉大，主其事者乃總政治部副主任胡偉克，各部門主持者：西畫部劉獅，國畫部何勇仁，漫畫部梁中銘兄弟，攝影部郎靜山，書法部溥潛生，陳容之諸位皆所未有，而當時溥心畬初不願以畫參加，僅與何勇仁合作一件，由何作畫，由溥題詩（一幅牛一幅圖），當時國會各主持人非常不滿，認為溥之態度不明，乃於國會開幕盛典之日，由劉獅故[illegible]，驅逐溥氏出境，溥氏一時心慌意亂，即親自送畫到會場陳列和緩空氣，而溥氏自此即與內地畫家交惡，心境也日益不痛了。

溥黃暗門之起因

三、後來溥心畬受聘於師範學院藝術系，該系主任黃君璧素來禮賢下士，愈重人才，不過，說也奇怪，溥氏雖被聘爲該系教授，但初時該系並不要他教繪畫，只教些與繪畫有關之詩文，心畬當然又是一肚子氣，並且懷疑黃氏有意壓制他，打擊他，因之時有不平之氣，而對黃君璧之舊即有看不起之表示，他以爲黃君璧之畫缺少書卷氣，絕無一點石谿遺韻，並認爲黃君璧之畫不是中國畫，他曾對許多人說過這些話，也實在太欠客氣了。而黃君璧卻認爲很好，並未反擊他，但是，黃君璧焉能無介意於中，因此，溥黃二人暗門是難免的。溥之在該系任教，日感無趣，這可能是骨子裏的原因吧！而據師院藝術系的學生說，溥氏常常不上課，因之，學生亦習以為常不上課了，有時溥偶然到學校來，見沒有學生，他自己便也笑笑走了。他卻以為有人搗他的蛋呢！

他的家太需要錢了

以上三點可以看出溥心畬在台灣現狀的一切。至於其所學究竟如何，據深知他的人說，溥氏並無任何出版的著作，有人誤傳他是東方了不起的一個學者，這是客洞的，他所長的經史，仍待考驗，普通人所知道他是一個書詩畫三絕的傑出人才，中心論，他的詩的確很有功力，書法致力於李北海，但敗筆很多，至於他的畫是他所長的最弱的一環，他也擅長於臨摹，放手就差了。（他的作品多參照古畫印譜，再用做大尺放大後，再事舉繪）此次之留日不返台，傳說的重心乃謂其『有的說他去年郭沫若在東京已和他會上了綫，有的則說溥儒縱使不去大陸，也將在日本長住下去永不回來』，而他的如夫人李墨雲對新聞記者卻說：『我能自信把溥先生找回來』。究竟如何，是要待事實來解釋了。從溥心畬倔強的性格看，他是會臨陣勒馬的，當局若能表示對他的生活費可以優厚一點，或許會促進早點覺醒，他的家實在太需要現錢了！

燕塵識小

燕負生

約在五月下旬，仍在罷課期中，有一天上午，北河沿門譯學館舊址，當時所謂法科還不叫作第三院，院內清清淨淨，人跡寂寥。正記得是預約還是調過了，我們有十幾個人，同馬寅初氏在一間教員休息室內座談，（我們班上，馬氏的功課特多）談的是學業考試問題。正在此時，忽然門外人聲嘈雜，劍佩鏗鏘，闖進一夥京師警察廳的保安隊，一個個弓上弦刀出鞘，頂盔貫甲，殺氣冲霄，好不威風也。為首一員高級警官，全副警裝，腰橫長劍，鼻樑上戴一付小小近視眼鏡，嘴邊上還留有一撮很長的髭毛，還是此人之特徵，故都紙人不曉。是當時警界一位好員，官階不過督察之類。姓甚名誰，再也想他不起了。

此輩何來，遂集於北吧。據說是得到密報，是日又要在此開全體學生大會，發傳單，先發制人，一早派出大隊人馬，封閉校門，禁止開會，這位一撮毛先生，手揮[illegible]，却也頗夠派頭的。而我們這十幾人自然一鬨而散了。

還有一事值得一提。我們正在談話之際，軍警蜂湧而來，馬氏顏色爲之陡變。表現得十分驚惶恐懼，脫口而出說了一句「他們鬧吧，鬧出事情來了」。此言出彼之口毫不經意，而入我之耳，卅載不忘，視溯馬氏當時神情，對於學生運動，似乎甚不以爲然。還是只管教書不管別事的態度。何圖今日，惡化至此。人之善變，「亦何所不至哉」。後幾年閙總文班的同學說，顧孟餘先生當時的態度，也是只管教書，不管別事的。簡說之詞，確否難必，聊備一格而已。

（十一）

為中國道德勵進社講述選文周年感賦

·史次耘·

藹然痛邦瘵，淪溺憂患深。夷夏嚴大防，幾希辨人禽。承命爲述心，竊意感知音。輔世媲鈍椎，會友得麗澤。文章無定體，緝紹自縱擒。但當求其是，蒲龍羅胸襟。選文表彝訓，立誠天下心。證道酒不孤，研習轉深沈。無間風雨夕，好學孰能禁。倏忽已一載，溫故惜寸陰。世難重如山，堅忍百鍊金。興亡皆有責，匹夫敢自任。嬉貽以應我，報之以言箴。悅學貴有悟，自得即金鍼。若能積跬步，必能千里臨。希賢品弟一，道德無古今。

【附注：諸友生於周年時贈以大銀盾一，故有「嬉貽以應我」句。】

同光風雲錄

夢樓

張之洞（乙）

坤一瀚章全力支持

南皮以公忠體國之精神，負富國強兵之大任，朝野共識，中外交稱，然而，毀之者，亦復不少。故大理寺卿徐致祥嘗上疏以劾之曰：「……與居無節，號令不時，恣意揮霍，濫用人員，而敢之遷錯紕繆，用之如泥沙，固體說督生平，謀國似忠，任事似勇，秉性似剛，運籌似密，志大而言誇，力小而任重，色厲而內荏，有初而鮮終。徒博虛名，無裨實際，殆如晉之殷浩，而其堅僻自是，措置紛更，又如宋之王安石。此人外不宜於封疆，內不宜於政地，惟衡文較藝，識拔寒畯，是其所長……」奏上，詔令總督劉坤一、李瀚章確查具奏。坤一、瀚章以之洞當多事之秋，併力支持，日不暇給，譽之者則曰夙夜在公，毀之者則曰興居無節，號令不時，惟既未誤公，此等小節，無足深論，且開礦、設廠，本係仿效西法，事屬創辦，工作既未竣，勢用款不無稍費。至其他彼參各款，均係傳聞失實。覆奏上，事乃寢。

除夕三鼓治事不輟

迨兩江總督出缺，准命調署兩江，兼署江寧將軍，及南洋通商事務，兩淮鹽政，湖北煤鐵、織布各局，仍着遙領，責任繁鉅，[illegible]。及[illegible]孤危，外兵分踞金州、大連，乃疏陳國內外軍事籌備之策，一年之間，籌防造船諸務，無一日休息。而鑄造局、印書局等，亦先後成立，並設江楚編譯局於江寧。逾年，仍着回湖廣總督本任。除夕三鼓，猶在督府治事，元旦，亦在署竟日。其用心之專，治事之勤，數十年如一日。

唐才常之獄繩法濟寬

唐才常之獄，黨羽甚衆，在上海立會，曰國會，參加者多籍紳子弟，及一時奇俊之人才，間用洋學生列名黨籍者亦綦，南皮聞之，喟然而嘆，謂青年見解，涉及偏宕，繩之以法，終當濟之以寬。除主要人犯首外，僅死二百餘人，不忍株連網治，乃搜文躍之，刑及各省，腐蝕勸殺，相傳搜出名冊，亦密付一炬矣。

胡議變法之始，滋擾陳寶箴疏薦曰：「變法事體重大，必得通識老成重望、更事多而慮深者，始足參決機要，宏濟艱難，湖廣總督張之洞，忠勤識略，久爲聖明所洞鑒，其於中外古今利病得失，講求至爲精詳，請特召入都贊助新政。」識見易顯鼎，於召見時，亦奏留張之洞樞閣幹濟公忠，當代第一，請召入備顧問，慈禧皇太后甚悅，亦倚南皮爲人正派，但恐事繁不能離鄂耳。（二十八）

徵稿啟事

△本報擬徵求下列諸稿：

一、三千五百字至七千字左右的短篇小說，不限體裁和故事內容。一經選用，優先奉送稿酬。

二、台灣及海外各地自由文壇的動態報導，作家生活素描及過去文壇珍聞。每篇以不超過五百字為佳。

三、介紹海內外自由科學家、教育家、實業家、醫師、工礦業工作者的人物專稿。

石榴河畔的風暴

短篇小說

·袁修農·

趙百福在屯子裏是有聲望的人，他作過不少的好事，年青的一代都敬仰他的品格，他說的話也很受尊重，無論誰家發生個三長兩短，只要趙百福出場，天大大事也會解決，他肯幫人的忙，有求必應，簡直像個活菩薩，連老一代的人也都佩服他，說他心腸好。同樣的趙家的事，屯子裏的人，誰也都樂意幫忙。

三小喜歡秀桃，秀桃也愛上三小的消息被不久就傳遍了。爭着作媒的人便不斷地兩頭走動。三小的媽早就過顧娶秀桃作兒媳婦，現在既有人作媒，便樂得答應，這門親事也就成了，全屯的人都高興，彷彿給屯子添上吉祥。

二、

趙家屯的人過慣了平靜安樂的日子，誰也從沒想過會有大災大難，老一代人的記憶裏，多的是改朝換代的故事，但趙家屯從沒經過砲火。無故斫頭，拉走壯丁，搶走東西，這在趙家屯的人也簡直是不可信的，他們真幸運得叫人嫉妒。

在那年，忽然一陣暴風雨襲到縣上來，城門頭上插上了『太陽』旗子，縣城裏的人紛紛逃到趙家屯來避難，他們繪聲繪影的說日本人多麼厲害，屯子就像一泓靜水被攪動起來，他們的心理上被罩上一層恐怖的陰影，而後趙家屯的人親眼望見敵人的大砲彈落到鄰村冒起濃烟，又親眼看見被炸掉胳膊和腿的人抬上屯子來，他們才如夢大醒。漸漸的趙家屯成了游擊隊活動的地區，趙家屯的人也都參加了戰鬥行列，趙百福向大家號召：「有糧的出糧，有人的出人呀」！於是，趙家屯成了縣上抗戰的中心地帶。

那幾年趙家屯的大豆，麥子，還有石榴，都供應了抗戰，當戰爭進行到慘烈的階段，趙家屯的人都靠吃草根樹皮來充肚，省下糧食送給游擊隊吃。

八年時光挨過去，縣城裏又飄起青天白日顏色鮮明的旗子，趙家屯的人簡直像着了魔似的狂歡，趙百福又告訴屯子的年青人說：「你們都拿起農具到田裏去吧，好好照顧自己的莊稼，現在不需要再打仗了」，年青人都揹起犁耙，鋤頭，走向荒蕪的田園，勤奮的，親熱的，拔着野草，翻着新土。（三）

自由人

THE FREEMAN

（第五四二期）

中華民國僑務委員會
館發登記證台教新字第一零二號
中華郵政台字第五○○號
執照登記爲第一類新聞紙類
（半週刊每星期三 六出版）
每份港幣壹毫
台北市價台幣壹元
督印人：陳文華
地址：香港高士威道二十號四樓
3 rd. Fl. 20 CAUSEWAY RD
HONG KONG
香港發行及事務接洽
高士打道66號 電話：七四○五三
承印者：東南印務出版社
地址：高士打道六十四號
海外總經銷
友聯書報發行公司
香港：德輔道中二十六號A二樓
台灣特派辦事處
台北市館前街五十號
台灣總經銷處
台北市西寧南路壹零叁號二樓
台郵撥儲金戶九二五二

訪．日．觀．感——
我們沒有躭心日本赤化的必要

．左舜生．

在最近的二十年，我已經算是三次去過日本：第一次在民國二十五年的暑假，（一九三六）其時的華北已經充滿火藥氣味，我去日本的目的，原在探探行情，看看中日兩國究竟還有不有和平相處之道，一看到華北那班日本軍人的氣燄，我已經冷了一半，但當時的華北駐屯軍司令田代皖八郎，依然勸我不妨到東京去看一看，因此我由天津東渡門司，在東京住了十六，對各方面也略有接觸，知道日本軍閥斷然要發動戰爭，所考慮者只具時間與口實而已。果然，剛及一年，『七七』事變便已爆發。

前兩次個人訪日的回憶

第二次我去日本，乃在三年前的春天，（一九五三）原因是住在香港已經四年，幾乎不曾走動，確實想趁着櫻花時節，到日本去換換空氣；同時，日本在戰後復興的迅速，也隨時見於若干刊物的報導，我覺得：『百聞不如一見』，還是自己去看看的好，因此，借着中國旅行社所組遊日參觀團的方便，到日本足足蹓了一個月。這一次出遊，我抱定宗旨絕口不談政治，有朋友願意介紹我和日方若干與政治有關的人物見面，我也婉辭謝絕。日本畢竟是一個具有良好基礎的現代國家，儘管受着戰敗的嚴重打擊，經過六七年舉國一致的努力奮鬥，加上美國的大力援助，又碰着韓戰爆發的有利機緣，東京大阪一帶的繁榮景象，幾乎與十六年前我所看見的有過之而無不及。在這一個月當中，我除掉爲了流連光景在東京以外的若干地點跑了一個星期以外，其餘的三個星期便完全消磨在東京，除政府機構外，凡值得一看的，我總想方設計的跑去一看，但我尤其着重的，乃在他們的新聞事業，出版事業，廣播電視事業；參觀了各色各樣包括繪畫、雕刻、古今陶器、漆器，……的多次展覽；聽了好幾次古典和時髦的歌劇，欣賞了那[illegible]中國風的三味綫，也曾聽過那種百人以上純西洋風的合奏；至於日本式或西洋式的舞蹈，以及表現日本特色的電影，我也有過多度的接觸。總而言之，經過這一個月的旅日生活，我深深感到香港的呆板和陳舊，東京則確實是一個生動活潑的現代都會，即以二十多年以前我所見的巴黎與東京相比，法國人也僅能在精粹的一點上，略勝日本人一籌，至於內容的複雜，活力的充沛，恐怕也還有遜色。

這一次所得一般的印象

這一次，當我接到台北的電報，要我去參加這一『中華民國各界日本親善訪問團』的時候，我確實是相當的躊躇：第一，我剛剛布置了一個相當可以讀書的環境，不想走動；第二，半年來害着嚴重的胃病，剛剛停了五天不服藥，過於勞動，恐怕又要發生變化；第三，團體行動的拘束，於我的性格也不甚相宜。但經過一番仔細的考慮，覺得：與日本若干不同的方面去接觸，也可能於我對日本的研究有益；今天的自由中國，應從多方面講一點國民外交，也是我自己平日所提倡；對發動要我去參加的朋友們這番好意，我也覺得盛情難卻；因此，我還是於上月十三日乘民航機飛赴台北，於十五日即隨同訪問團一行十八人飛往東京。

從上月十六日開始，至二十六日爲止，我們以十天的時間，依照極度緊張的日程，在日本作了一次多方面的訪問。除東京以外，訪問團也還到過大阪，京都，熱海，橫濱這幾處地方。就大體說來，以大野伴睦爲首的歡迎委員會，實在懇懇可感；官方自鳩山重光以次，也禮貌有加；出席參眾兩院傍聽，得略窺日本近七十年來的憲政規模，（日本第一國議會，召集於明治二十三年，即一八九○年，去今已六十六年矣。）不能不使人怦然心動；參觀了他們的最高裁判所，防衛廳，警察廳，東京市府等處。（下轉第二版）

狄托的任務是？

．魯午．

分析有毒的『金蘋果』

曾旭軍

此次俄酋布爾加甯，與赫魯曉夫訪英，居然拋出「五年內購買英國貨十億鎊[illegible]值」的金蘋果。這本是蘇聯企圖離間自由世界、及鼓勵商人抨擊禁運政策的一種慣技，本不必多費筆墨去解釋。第以商人渴求貿易，不惜飲鴆止渴，此種共黨黔驢技，多少總有影響，尤其是必然引起自由世界之鄙夷。試看魯爾工業區最具有勢力的報紙「工業報」已宣稱：『英國既與蘇聯領袖正式談判貿易，德國又何必在與東方貿易（指與共黨之貿易）問題上尚斤斤於原則上討論呢？應該趕快把握實施的機會。』這不過是許多例證之一而已。

他們總是藉口攻擊禁運，卻沒有一點冷靜的頭腦去分析赫魯曉夫拋出這金蘋果，是紙製的或是泥造成的？

諾言祇兌現十分之一

在未分析這金蘋果之前，讓我們先回憶：一九五四年蘇聯也曾懸出一個假蘋果。當年二月英國商人代表團到莫斯科時，克姆林宮主人會許下三年內（一九五五－一五七年）蘇聯購買四億鎊的英國貨的一個甘美諾言。但要「英蘇貿易正常化」，換而言之要鬆弛對共黨禁運。那年蘇聯果然拚命挖出點英鎊購買一點紡織機器、電器、和其他的機器，共值三千萬英鎊。西方國家此時居然同意把戰略物資的管制鬆弛了。例如機器和銅一類的重要物資。但蘇聯說要購買英貨四億鎊的諾言怎樣呢？可憐得很。在一九五三年英貨輸蘇值三百三十萬鎊，一九五四年僅增至一千零一十萬鎊，一九五五年祇增至二千二百九十萬鎊，所謂四億鎊，實際不到十分之一。就此沒有下文。但蘇聯的收穫大了。禁運弛緩了，中立主義抬頭了，英美歧見加深，鄙隙愈來愈多了。

這一次赫魯曉夫拋出的十億鎊的美麗金蘋果又如何？最近一期的倫敦「經濟學人報」的社論分析得很清楚。指出這金蘋果比一九五四年的更「化學」。

輸出力與支付力比較

在赫魯曉夫的聲明中曾說：蘇聯有此信心，係因有幾項主要出口貨，即穀、木材、纖維素商品、棉、錳礦、生鐵、皮毛、和亞麻。

但其中生鐵、錳、皮毛在英國市場微小不足道，去年英國鋼工業輸入蘇聯生鐵錳礦祇五百六十萬鎊。英國輸入毛皮共四千六百萬鎊，蘇聯的佔六百萬鎊而已。棉與麻自蘇聯輸出的數不大。蘇聯的木材因國內自耗量大，生產技術落後，及運輸困難，所以不能迅速擴大輸出。

統計以上的蘇聯幾項主要輸出，在未來的幾年內，每年至多獲得二千五百萬鎊。

至於穀類，蘇聯本身已萬分缺乏，赫魯曉夫所倡導的開發中亞細亞處女地計劃，說到了一九六○年的穀出一億三千萬噸，增加到一億八千萬噸。但由於人力缺乏，難期如願以償。縱償所願，亦祇供蘇聯國內糧食所需量而已。退一步而言，縱使蘇聯能每年供一百萬噸的穀給英國，也不過增加二千五百萬鎊的外滙而已。是則從英國所獲的祇共有一億一千萬鎊，和赫魯曉夫的十億鎊購買力，相懸何如天壤。

在理論上說：蘇聯可用英鎊區獲得的英鎊購買英國貨，但從過去的事實上看，剛剛相反。蘇聯祇有拿從英國賺來的錢向別處購買貨物。

最後祇有從蘇聯的黃金轉念頭了。在戰前黃金是蘇聯運給英國的一宗大出口。蘇聯的儲備和每年出產的約值一億二千五百萬鎊之黃金，可以重新恢復戰前盛況。但大戰後除了史太林死後馬連可夫掌政權中短期間的好景以外，蘇聯卻吝惜的使用黃金。

藉貿易偷取科學技術

蘇聯實在不能在五年內購買十億鎊英貨的能力。反之英國能否供給蘇聯這樣多的貨呢？蘇聯是否當真需要這樣多的英國貨呢？還有極大的疑問。假如別處的價錢較相宜，則英人勿枉想蘇聯還向你購買。英國缺少鋼，不獨難以應蘇聯所需，而且製船造機器也缺乏鋼。然而此種工業又何從製出貨品以供蘇聯的要求呢？

赫魯曉夫所提及蘇聯向英國購買的貨物，不是完全從英國工業所能供給的。例如若干電器祇能從美國購得。

還有蘇聯購買最近發展的工業品，尤其是電子工業及化學工業的出品，蘇聯存心偷取新技能智識。蘇聯固不參與專利品國際法規，故也奈何她不得。

經過這種的分析，赫魯曉夫在倫敦大施其貿易誘惑騙術，已被折穿得很清楚。

中共手上有多少英鎊

最近英國貿易界人士說：中共大陸的英鎊，對外支付手段，估計最低數額也有一億英鎊。在香港的尾巴報便得意揚揚的說：中共有大把的英鎊可以購買貨物。作誘惑宣傳。

其實這種消息的真實性，固是可疑。是否係共產黨放出的宣傳，或英國商人爲了迫美國修改對中共禁運，故而發出此種論調，我們且不必去管它。祇從上面蘇聯對英貿易的情況來看，英國希望和中共貿易以求利益，更屬渺茫。

中共的國民經濟早已破產，祇是共酋手上握有自人民壓榨得來的黃金白銀和英鎊或美元大約有五億美元。這些人民脂膏，是供所謂「人民軍事委員會」，用來維持幾百萬軍隊的。中共先後與蘇聯捷克東德等國家簽訂了購買協定，這純然是取得軍火和軍要的飛機、戰船、機器配件爲主的，與普通的貿易自然不同。換言之，中共不能以土產來交換，必要拿黃金白銀或英鎊支付了。單是這一項恐怕非數億美元不辦。況自禁運以來，貿易大減，僑滙亦一落千丈。中共要獲取大量外滙，已不可能。大量糧食已被蘇聯收取，從奴工榨取的農產品及手工業製品，極其有限。所以該電訊所說的中共拿出超若干若干鎊，純屬猜測之辭。何從獲得鐵幕內真實數字作根據呢？何況共產黨所施的經濟政策，絕對沒有國際貿易互惠基礎。我們在香港看得很清楚，和中共貿易沒有利益可言。但願西方的商人勿懷飲鴆止渴之想罷！

半週述評

．司馬璐．

保護我們的僑胞

這一兩個月以來，我們在印尼的華僑，時時受到當地一部份人士的欺負，他們在街頭，在公共場所挨打，商店被無緣無故搗毀。

我們要問，我們的政府清楚這些情形嗎？我們考慮過與採取過有效的對策嗎？

不錯，我們與印尼之間並無外交關係，但是我們必須正視這個問題的嚴重性，採取一切可能的途徑，保護我們的僑胞。

華僑的奇恥大辱

印尼華僑在遭受凌辱中，中共並且擔當了幫兇的角色。

這是印尼華僑報紙所報導的事實：最近印尼岑厘廊埠的一次印尼人毆打華僑事件發生後，那些印尼暴徒向當地親共的僑領提出，要求被打的華僑張教師，在暴徒的跟前下跪，吻那個暴徒的腳尖。這一無理的要求，在中共「外交人員」的「指示」下，親共的僑胞居然接受了。

印尼的華僑說：這件事是全體華僑的奇恥大辱。

中共犧牲華僑

中共的幫兇和犧牲華僑，爲了討好印尼政府，爲了配合它的外交政策。

這是一個可恥的勾當，中共和「中立國」之間的「外交籌碼」，是要犧牲我們的華僑利益的。

不久前緬甸政府把一批流亡在緬甸的中國反共份子遞解給中共，也是這類的秘密交易。

我們要問，我們的政府清楚這些情形嗎？我們考慮過與採取過有效的對策嗎？緬甸政府的行徑等于「販賣人口」，在人道的立場，全世界的輿論都不容坐視的。

菲律賓自掘墳墓

我們必須提醒東南亞所有的國家，任何藉口之下的「排華」，最後必爲中共所利用。因爲華僑是今天東南亞主要的經濟的社會的文化的乃至一部份政治的安定力量，搖撼這個基礎，正是中共今天所要求的。

在我們的朋友中，菲律賓這個國家今天正在自掘墳墓。這個國家的「排華」，政府和國會往往處于公開策動的地位。僑校問題，由于華僑的讓步，承認菲政府的監督權，這一問題才暫告解決，「進口外滙菲化」問題又產生了。

馬共希望華巫糾紛

馬來亞籌備制憲的過程中，華僑正掀起爭取公民權的運動。本來，這個問題應該是不存在的，在整個馬來亞的人口中，華僑佔到百分之四十，他們擁有雄厚的經濟力量，他們對於這個新興國家的建設，是一個巨大的動力，有什麼理由拒絕他們的公民權呢？

巫統的叫囂在先，說什麼反對多種語言立法，說什麼反對出生地的公民權，接着，華僑也掀起爭取公民權的運動了。

華巫糾紛的局面，正是今天馬共所希望的。

動作不要遲鈍

華僑問題，今天可以影響整個東南亞的安定，也可能造成整個東南亞新的悲劇。

保護我們的僑胞是保衛整個東南亞的一個重要部份。我們的動作切不要過於遲鈍。

自由談

創造政治形勢

馬五先生

由於蘇俄拚命地施展「微笑攻勢」，正迎合西方列強的惰性發展，世界的冷和局勢已經鞏定了。俄帝本身不需要戰爭，西方各國更是畏戰爭如虎，而其國內的經濟情況亦相當安定，美國且有欣欣向榮之象，當然彼此高唱「和平共存」的調調兒了。不過，全面大戰雖不會有，局部小戰却隨時隨地可以發生，蘇俄皆附以置身事外的姿態，暗中各為其與國而盡力支持之。今後這種局勢之持續時間，多不敢說，三五載是可能的。

沒有全面大戰，我們的反攻復國希望豈不是更渺茫了？這也是惰性觀念，應予揚棄的。實則如有全面大戰，未必眞對我們有多大的益處。世異時易，過去抗戰時期那種「接收夢」，再也不能做了。我們祇有以局部戰爭的時機和方法來達成復國願望，比較是合理而可能的事。可是，這決非純粹軍事力量所能達到目的的。理由很簡單，既非全面大戰，友邦對我們的援助，一定是要具備「非援不可的條件」才行，而我們要反攻復國，又必須仰仗友邦的援助。

所謂「非援不可的條件」是甚麼？就是政治形勢，先要在政治上表現肯對自由世界不可缺之的比重實質，取得友邦的信賴和重視，認為援助我們就是保障自由世界的安全，即是發揚民主生活的光采，間接足以左右世人的視聽，因而逐漸地發抒「解放政策」的效用。

如不能創造使友邦刮目相看的政治形勢，就難以博得他們在物質上、精神上的熱烈援助，也就不容易達成反攻復國的願望。說不定還有犧牲的可能——至少亦將長期被凍結偏促於一隅！

世界大勢如此，對我並非完全不利，問題是我們要知己知彼，拋却惰性與幻想，先造就一種使民主陣營必然少不了我的政治形勢，才是最上之策。光是發宣言，貼標語，喊口號，而沒有事實來印證，那是無用的！

漫談空城計

·張瘦碧·

在老生戲裏，空城計是大家熟悉的。過去凡掛頭二塊牌子的生角，頭三天的打泡戲，總少不了這個戲碼。我們姑且不去管牠當年的諸葛亮，在他的一生中，究竟有沒有遭遇過這樣一次的困擾，因為這是研究歷史的攷證問題，與本文無關，暫且不說。這裏單就劇中的情節，演者應持之風度，及詞句方面拉雜一談。

按入川後的蜀漢，其聲勢，已在逐漸減退中，軍事人才，除年邁的趙雲外，後繼中幾無幹才。在平定南蠻後，統兵北伐時，正值曹魏起用司馬懿，諸葛亮心中，也認為他用兵如神，懂得天象，是一勁敵，故在臨陣攻防方面，無一刻不在愼重處置，惟既已將成騎虎，也唯有小心翼翼的去應付着。因此，空城計裏的諸葛亮，不論在客觀形勢上和主觀心理上，實已非黃鶴樓羣英會中的諸葛亮了。故縱有大賦本領，也實難想像他仍有輕鬆活潑的神情了。

起用馬謖守街亭，係屬無奈，故及至斬謖時，更是滿懷憂悶，對目前，想往事，終至忍不住老淚縱橫了。

設想，一位託孤的老臣，統率着只有老將而無大將的已軍，內心自是耿耿於懷，然而表面上還不能不鎮靜，必須保持沉默，還要做到不動聲色，以防被人識破了他當時的心機，造成不良後果。所以空城計裏的諸葛亮，始終必須沉着，平靜，莊重，甚至輔以深思遠慮，神態來演出。固不當過份現出畏縮，張皇，……以失三軍統帥的尊嚴，也不能像「妖道」「江湖」之流，行動過份瀟灑，則不免流入輕浮，反顯得成了膚淺浮躁了。這就是空計裏的諸葛亮，很少人能演成能不動聲色，兼有雍容嚴肅的風度，穩重到底的原因。

至於談到戲詞，平劇中的文字，好像本不為人重視，過去科班中授徒，多是口傳心授，嗣後雖然有唱本問世，也祇作參考之用，教師們也很少以之為藍本。由於濫着耳音記憶，輾轉抄錄，自是難免不失真，因此往往有不少欠通之處，尤以若干老戲更隨時能找出其中的錯誤，甚至還有不合情理的地方。一般內行羣友，也始終陳陳相因，將錯就錯，致使曾要被學者所識，說牠不能媲美崑曲，而瞠乎其後了。

茲再以空城計一齣為例，就個人愚見所及，略為敘述一二，求正於劇界先進，期能拋磚而引玉也。

（一）第一折，孔明上場引子，「：：保漢家，兩代賢臣……。」這「賢」字，似用得欠通，也是個語病，以諸葛的身份、學識、道德，……而自稱為「賢」，是不可能的，愚意不如改為「老」字，蓋其究竟是位託孤之臣，說老猶可，稱賢則似乎有失丞相的氣字了。

（二）第二折，派遣老軍掃宇畢，將上城樓之前，有幾句白口：「漢室興亡，就在這空城一計也。」之後，有些還加說：「琴童，帶領瑤琴寶劍，隨山人敵樓去者。」其實這一句尾巴，是畫蛇添足。記得前聆趙培鑫兄在台北所演之空城計，即無此道白，確有見地，值得效法。

（三）在上城樓之前，有大段搖板，中有一句：「國家事，用不着，爾等扭心。」雖在專制時代，對軍士們不妨如此口氣，不過這時正當兵雖無用武之際，背須老軍作一幌子，似應出以甜言蜜語。故不如改為：「國家事，自有我，隨機而行。」使老軍們心情，可以鎮定，不致慌張失措，貽誤軍機。

（四）在上城樓之後的一段慢西皮，原為全劇中的一段精粹唱詞，足以吸引台下情神貫注，而演者的優劣亦於此可見。中有兩句為「還陰陽，如反掌，保定乾坤」。另一句為：「東西征，南北剿，博古通今。」細看此兩句，也有欠通之處，照文字上的意義來說，不如改為：「還陰陽，如反掌，博古通今。」和「東西征，南北剿，保定乾坤」較妥。如此則文意，詞句俱通順。有說此兩句是一說法，過去習慣成自然，一般不過台演用，已經沒法改正過來了。也許尚有其他值得商榷的地方，且留待以後再說吧。

中華學術審議會今年以詩歌類榮譽獎金奉與于公右任賦二章誌喜

·樂寒操·

革命嘗辭亡草澤
大雄餘事成歌詠
扶民救國仁人願
時代心聲沉亦壯

匡時自合領騷台
亦是詩壇第一才
泣鳳傷麟大哲哀
喜公傾吐入詩來

詞說

孫步蘭

詞以天然本色語為治，所謂亂頭粗服總與絕代銷魂語合為一，傾城者，是其神態，而又利用長短句之錯綜，排盪之往返，以極其夷猶回盪之致，於寫情工具中較詩為進而益上。人能為詞之後，發舒其高尚靈感，將在於詞。詞猶靈婢，詩則忠僕而已。

高品多出短調

詞受韻律之束縛，較詩為嚴，淺學不察，以為解放便佳，終無悟處。技術家自來不畏束縛，束縛非惟熟練，將不再以為苦，而轉以狹路馳驟為樂。畏若不前非眞好技者也。

詞以若干碎句聯貫為複合整句，能於短短涵照無邊而又向背抑揚，不由平砌，故優柔獨至，詞中高品出於短調者多於長調亦以此。

學詞以發情為第一，必使情餘於譜，方無袖長妨舞之歎，情不足而取盈於詞，縱使嚬笑皆是，藻彩有加，依然讀不起而感不動。驟學長調不如且摩厲於短調之為得也。

高下决於所涵

詞中高境必將使清空與深刻合；輕靈與沉着合，高渾與細膩合；奔放與凝迥合；激昂與旖旎合，執一為勝，未是此道止處。

詞之句每一調各有其慣節，可依字數求之，而神機理趣變動不居，上下移屬，學者熟於胸中自能脫口如意，斷句而習讀，是讓之初境，非其貫穿之境也。

調者風懷之作，解者必歸之於忠愛，猶是文以載道之迂見。詞之高下固當視其所涵，不當視其所託，託卑而涵尊，奚若託尊而涵卑，豈必語大優於語小。

燕塵識小

無負生

三水譜年存信史

事隔卅年，到了卅八年五四，避地海濱，偶然得見一本三水梁士詒先生的年譜。關於五四，有一段紀述。當時錄存，自以為五四卅年的紀念。轉瞬八年，又逢此日。而「五四」已屆第三十八次紀念了。且錄原文，兼申吾意。

「民國八年第一次世界大戰結束，在巴黎凡爾賽宮召開和會。自四月下旬，我國在會中交涉失敗（山東問題）之消息，傳至本國後，全國憤怒。並聞交涉失敗原因，一部份係由於一九一八年九月間我國與日本所締結之「欣然同意」換文，（指山東問題換文）因而怒及與此約有關諸人。五月四日午後，北京方面，突有學生三千餘人，集於天安門，開示威大會，高呼「還我山東」，「懲辦國賊」等口號，意欲赴東交民巷向英美法諸國使館表示中國民衆，對於日本強佔山東之憤激，請求各國維持公理。至東交民巷西口，被巡捕阻止不許通行。學生因舉代表數名，分赴各使館接洽。大隊羣衆赴東城趙家樓交通總長曹汝霖私宅，要求見面，守衛警察勸阻不聽，偭開大門蜂擁入宅。時汝霖不獲，即將家中物品搗毀並縱火焚屋。駐日本公使章宗祥適歸國，時在曹宅，與學生相值，被毆受傷。旋警察及保安隊三百餘人到場彈壓，始散。警察捕去學生多名。此事發生以後，全國風靡。各地學生，相繼響應。雖窮鄉僻壤，皆紛起組織講演團，鼓吹抵制日貨。直至華盛頓會議後，排貨運動，始漸平息。此即世所謂五四運動也。」

此篇述說當時事態，頗能提綱挈領，要言不繁，持論亦殊平允，今人讀此，可於當年情況，略見端倪。就文論文，勉稱信史。然亦有數言，尚待商榷。就我個人當時觀感，只是我們學生感於外交失敗，痛恨曹陸章誤國，激於義憤填胸，必須一發而後快。並不人人盡知有所謂「山東問題換文」，更不深知文中有所謂「欣然同意」之句。當時動機，非常純潔，祇是愛國熱誠的激動而已。三水年譜乃事後之追述，不妨追源溯始，探出根由。如此下筆，亦無不可。（十二）

同光風雲錄

夢山樓

張之洞（丙）

日本伊藤博文游歷至北京，嘗為人言：『中國變法不從遠大始，內憂外患將至。中國辦事大臣，惟張香帥一人耳。』大學士李鴻章，亦有意奏請南皮入參樞密，然樞臣亦有尼之者。南皮致電自述病狀，謂精神不支，性情不宜，而江湖伏莽，隨時竊發，此時不宜離鄂也。

疏陳變法十二條

未幾拳匪亂作，八國聯軍陷北京，兩宮西幸，而南皮已先與劉坤一等與外國商定互保協約，故東南各省安謐如常。迨兩宮回鑾，加太子太保。南皮乃斟酌時勢，疏陳變法十二條，旋內調擢協辦大學士，體仁閣大學士，軍機大臣，兼管學部。奉旨釐定學堂章程，即以端正趨向，造就通才，忠孝為敷教之本，禮法為訓俗之方，練習技能致用治生之具，愛衆親仁，恕己及物，希賢慕善，詭於成才為立教之大本，中其要義，以為強生於力，力生於知，知生於學。其所擬章程，名似取法泰西，實則復三代以前之教法，文武合一之道，不僅有益於當時而已。

身居廟堂心繫江漢

南皮斯時，身居廟堂，而心縈乎江漢，深感老境頹唐，風雅凋謝，守舊者尊卑陋，言新者又多後進淺學之流，可與論者殆少。感慨之餘，厭於諸吟詠。一日無聊，約賓客數人往遊慈仁寺及西山，都人士聚觀此名滿天下之老相爺，途為之塞。西山一首云：『西山佳氣自葱葱，聞見心情百不同，花院無從尋道士，都人何用看衰翁？』感慨抱負，非前度劉郎之比也。

逾年，仍返湖廣本任，兼任湖北巡撫，籌設兩湖勸業場，增廣各級學堂。旋又奉詔入都，寓鐵獅子先哲祠，時袁世凱方為北洋大臣，凡外省來客謁世凱者，必問曰：『謁張中堂否？』對曰：『未見公，不敢往』。世凱怡然，且曰：『昨見中堂門牆，猶無汝名也。』其心慮之深，機詐百出，即此小節，已可概見矣。

不樹黨援不植生產

宣統元年，南皮年七十三，精力已衰，乃疏陳乞假，略謂：『平生以不樹黨援，不植生產自勵，他無所戀，惟時局艱危，民窮財盡，伏願皇上親師典學，發憤日新，所有因革損益之端，務審先後緩急之序，滿漢視為一體，內外必須兼籌，理財以養民為本，教戰以明恥為先，至用人養才，尤為國家根本至計。』旋以病篤，疏陳請去軍機大臣，大學士本缺，及所兼各項差使。監國攝政王親臨視疾，慰之曰：『中堂公忠體國，好好保養。』南皮曰：『公忠體國，所不敢當，廉正無私，不敢不勉。』又進諸子，戒以必明君子小人義利之辨，已而嘆曰：『吾生平學術，治術，所行者，十之四五，心術則大中至正，』語畢，乃整衣冠，索紙拭髭鬚，第嘆曰『國運盡矣！』目怒上視，而薨。一代儒臣，身繫朝局幾十年者，竟與世長辭矣。（二十九）

石榴河畔的風暴

·袁修農·

石榴河的水還是那麼清，兩岸的草還是那麼綠，五月時候的榴花還是耀眼紅，趙家屯的姑娘們又跟年青的小夥子們到石榴樹下來談情說愛了。

三小跟秀桃嘻嘻笑笑的在石榴樹下走着，他們還抱着一個週歲的孩子，這是他們婚後的結晶，太陽光暖暖的照着石榴河，雀兒在啁啁啾啾的唱着，蝴蝶蜜蜂隨着行人的腳跟嚶嚶嚶嚶的打圈子，年少的人兒唱着戀歌，大家歡笑愉悍的聲浪漾漾在石榴河上。

三、

縣上的人都沒從想到，趙家屯的人更不會想到；八年的苦戰剛過，創痛還沒有忘掉，新的戰爭已經接着開始，就在八月時候，縣城又接火了！來攻城的不是別人——是戴着『八角帽』的隊伍，所有縣上的老百姓都相信這只是小股乘兵作亂，誰知不到一星期，縣城被攻下了，接着到處出現着戴『八角帽』的人，這些人像蒼蠅，又像瘟疫菌，無處不飛，無處不侵！

縣上的人都疑惑着，趙家屯的人更疑惑着，這幫子人倒底是來幹麼的？看吧！到處貼着『大翻身』呀，『清算鬥爭』呀，的紙條兒，也不知是從那兒來的一些娘兒們，穿着怪模怪樣的，打着花鼓在大街上扭呀扭的，屁股扭得人怪難受的，這樣會呀，那樣會呀，搞得老百姓頭昏眼花。

從此趙家屯不斷出進着一些不三不四的人，其中有一個是當年偷摘趙百福家的石榴的毛小溜子。毛小溜子是外鄉人，但他總記得趙家屯的人在後邊追趕他的往事，一想到這個，他的臉上就罩着惱氣，彷彿趙家屯的人欠了他什麼似的。他大約是一個什麼小頭目，指着幾個同來的人，一會兒這樣，一會兒又那樣，弄得屯子的人臨在五里霧哩。

一個月，兩個月，……縣上和外界隔絕了消息，這個村子的人到那個村子還要到村什麼府裏去申請路條，村頭上都站着幾個人專門盤查出進村子的人，「變了」！人人都這麼詫疑着，這倒底是什麼年頭？大家還是搞不清楚！（四）

短篇小說

父母教師與兒童的關係

教育官劉麗賢和教育家何中中的看法

香港的教育工作者和學生家長在最近對兒童教育的重要性已有了進一步的認識，本港的好幾個婦女組織更作有計劃的邀請教育工作者向他們的會員講述兒童教育問題與如何善視其子弟的理論，這一種風氣的形成，與本刊上期所述的「問題兒童」的現象是分不開的，本港的婦女組織這一個計劃未嘗不是最基本的做法。

本港著名的女子中學何中中，最近就曾經以「父母是兒女的朋友嗎」爲題作專題演講，她說：

父母無不愛其兒女

世界沒有不愛其兒女的父母；但怎樣愛法？態度各有不同。普通的父母可分以下三種：

一、把兒女當做活的財寶。

二、把兒女當做玩好的物品。

三、把兒女祇當做用金錢來培養的物品。

以上三種做父母的態度，實在未免有些錯誤。然則應該如何呢，他以爲父母要作兒女的好朋友，才能盡了父母的天職。

一、因爲父母的責任：（一）不只養育，使兒女有健康的體魄，還要有良好的衛生習慣。（二）不祇教以學識，還要引導兒女有正確的思想和學習的態度。（三）不祇教以辦事能幹，還要培養良好的品格。除親子天然關係外，更要加上深厚的友誼，方能達到完美的境地。父母必須能作兒女的好朋友，才是好的父母。

二、作兒女的好朋友，彼此才有深刻的認識與了解。父母之間常有誤會，隔膜。原因多是父母對兒女未能了解。父母是成人，孩子時期的本性，思想、感情早已忘却，因此管教上未免失當。父母要先認識兒女的體質、個性和生理心理發展的狀況，才能運用適當的方法去教導。

三、能作兒女的好朋友，纔有辦法教導兒女，俗語說：「好師不如好友」。因爲人多數容易接受朋友的鼓勵和勸告，容易感受朋友的影響；尤其是青年時期對於權威、命令、不容易去服從。做父母的能像朋友一樣的一起生活，一起思想，和他們坦白誠懇的討論，研究，一切問題，同情一切困難，才易指導他們正確的思想和良好的態度；同時，在深厚友誼的氣氛內，給予兒女們以良好的榜樣，自能把兒女栽培成良好品格的人。

父母要得到兒女的信賴

四、作兒女的好朋友，才能得兒女的全心信賴，是家庭悲劇的起源。做父母的應該使孩子當你是他最知心最可靠的朋友，可以全心信賴。在你面前沒有一些懼怕，不會担心你會誤解，不必提防你會怪責他，使他在你面前得到絕對的安全可靠的慰藉，不獨把成功和優點坦白的告訴你和你共享，還可以把一切過失對你承認，一切失敗對你訴說，甚至心中不良的思想，都能向你陳述。因爲知道你無論怎樣都一樣的愛護他指導他，永遠是能忠實的父母和朋友。那麼，這樣的孩子才是你的兒女，才不會受到外界不良的引導和影響。做父母的想認識兒女，想好好的能教導兒女，想得兒女全心信賴，從兒女出生的時間起，便作兒女的好朋友，從小栽培好深厚友誼，那麼父母和兒女便有完美的親子關係，獲得完滿的幸福。

教師要了解兒童一切

教育司教育官劉麗賢亦提出了她對學生生活指導的見解，她認爲：教師每週工作雖繁，惟仍須注意及學生生活之指導。蓋現代教育以學校爲小型之社會，而教育之目標爲使學生有正常，勻衡，整統之品格。昔日之學校，注意知識之傳授，技能之訓練，重點在學科方面。惟最近之教育哲學，則承認知識技能之外，尙須教導兒童其他一切，使身體、智力、情緒、態度、社會能力等皆自均衡之發展，更認爲教育應適應時代需要，隨時代長進。個人行爲，須配合社會現實現象；苟缺乏適當的認識兒童容易發生不正常的心理及心理變態，甚至淪爲神經病狀、犯罪者等。故縱能教導學生使無所不知，而缺乏心理健康，及適應現實能力，則一切教導將歸徒然。

注意學生活動程度

自第二次大戰後，一般統計指出因缺乏適應社會能力而至心理不正常人數，日增無已，故心理衛生問題成當務之急，如教師在學校能及早發現兒童有種種適應不良現象。及早予以指正，則可避免許多不良後果。由於社會之進展，精神文明不能與物質文明並進，舊道德與行爲之標準既不爲時尙，而新標準尙未建立，此亦足使人類行爲發生不正常狀態，成人尙感惶惑，何況兒童？故教師必須能負起指導學生生活任務，始爲一良好教師。惟欲指導兒童作多方面發展，須先行了解兒童之一切，始易設法予以訓導。

至於學生活動程度，亦應注意。劉教育官認爲兒童參加活動之時間，須受合理支配，按照學生本人之智力、程度、環境、背境、經濟能力而實施，最佳辦法爲學校應聘教師爲導師，分組指導兒童，每一導師對其學生之一切，應知之深切，始易爲力。劉教育官繼述學生參加活動之範圍，謂對多方面均應有勻衡發展，團體可包括各種各式活動，只須適合當地風俗習慣，兒童興趣，適合兒童之智力及本能，而與教育原則無抵觸，合乎兒童發展等原則便可。講者繼對活動之種類舉出實例後，復揭示活動之目標，有如下各端：（一）使基本知識、技能與理想、態度聯合，而將所學而對現實。（二）給予娛樂性教育，利用空閒時間。（三）發展先天優點，發掘兒童才幹，培養特殊之天才，實能滿足兒童各種慾望。（四）滿足兒童各種慾望、成功感、安全感等。（五）養成兒童良好品格，（六）給予兒童社交之機會，（七）增加兒童之快樂與幸福。

·鐵幕生活·

女教師的丈夫的呼籲

·文抄公·

下班回到家里，又是這般令人不愉快的景象：不滿周歲的孩子在床上嘶啞着嗓子啼哭着，小臉通紅，手脚胡亂揮亂動。室中再沒有別的人，桌上擺着一張紙條，上面寫着：『今晚全區小學教師在實驗中學聽報告。我來不及吃飯和餵孩子了。請你八點來接我。玉芬。』

我照顧了一下孩子，七點鐘就開始往實驗中學走，從家到實驗中學有十幾里路遠，而且是黑洞洞行人稀少的路。爲了接我的愛人——玉芬，在一九五五年十二月份這個月內，光在這條路上我就跑了好幾趟了。

瀋陽市皋姑區小學教師開會開得夠勤！玉芬又是學校里的青年團支部書記，參加的會比一般人當然更多。這個月究竟開了多少次會，恐怕她自己也記不清了。從星期一到星期六都被各種會擠滿了。星期日爲了『解除』教師們的疲勞，還舉行了一個驚險小說報告會。

會議太多，教學時間不能占用，都得擠晚上業餘時間。偏偏皋姑區地方又大又偏僻，交通不便，於是給一些女教師的丈夫多加了一份責任——晚上接愛人。有人管這叫『女教師的丈夫義務勞動』。

在實驗中學禮堂門外，我們這樣『義務勞動』的老朋友們又會面了，跟我比較熟的有一位老老實實的公安幹部，還有那姓張的小個子。看到他們，我多少得到了一些安慰。因爲我的情況比他們還好一些。他們住在三台子、大安屯等地，離這還有二十多里，中間還要經過大片曠野。

我看看手表，已經八點十分了，禮堂的門還是緊閉着，那位公安幹部好像懂得我的心事似的說：『不慌，規定八點完的會，不到九點完不了……』小個子接過來說：『哼，這是他們的老規矩，文教科總是到臨開會時現修「麥克風」。教師們給編了兩句打油詩：「七點開會八點到，九點再來也不遲。」』

小個子講的這些事，我也知道一些。上個月聽五年計劃十四講之一『我國鋼鐵工業和有色金屬工業』的報告，到了規定散會的時候，報告人的稿子還沒唸完一半。有人實在忍不住了，遞上一張條子說：『我是四個孩子的媽媽，講師你總與一下吧！大孩子等着吃飯，小的等着餵奶呢。』

我們正在議論，從外邊跑進來一位懷抱着嬰兒的老太太，她鹵莽地拉開禮堂的門，站在門口高聲喊道：『鳳丫！鳳丫！孩子一天沒吃奶啦，你快出來餵餵吧。』禮堂內引起了一陣哄笑。接着，一位青年女教師紅着臉走了出來。

我悄悄從半開的門口向禮堂內窺視了一番。報告人還在像小學生背書似的唸着講稿，從擴音器里發出那枯燥的缺乏自信的聲音。台下有許多人在打瞌睡，有的無精打采地望着天花板，還有的三三兩兩交頭接耳的談論着什麼。玉芬坐在一個靠邊的坐位上，看來，她是像在那里靜靜地聽講。

九點，終於散會了。人們像潮水一樣湧了出來。那位公安幹部騎上自行車，他的愛人坐在車架上。有人開玩笑說：『你們公安幹部怎麼違犯交通規則呀！』他笑着說：『有什麼辦法，還有二十多里地呢。』

我和玉芬到家后，已經是十點鐘了。她一面餵孩子一面看學生作業，我趕緊去做飯熬菜。

早晨四點鐘左右，我被一陣熟悉的咳嗽的聲音驚醒了，玉芬已坐在桌前看書，準備天亮以后的課堂教學。（按本文原載本年三月廿四日中共小學教師月刊的終刊號。）

我們沒有躭心日本赤化的必要

日本不會赤化的幾點理由

（上接第二版）

一、共產主義只有在無民主，無自由的地方才容易生根，容易發酵，當前的日本政治，顯然已有相當的民主，而人民已享有高度的自由，人民可以自由研究，自由批判，自由抉擇，這豈是一般淺薄無聊的共產黨人所能輕易煽動。

二、以最近四十年來的教訓，共產主義只有在經濟落後的地區才能發生，日本目前的經濟情況十分良好，顯然與這一事實相反。

三、自從兩個保守黨合併，日本的政治顯然已經有了一種安定力量，而天皇制的保存，更是全國團結的象徵，共產份子想憑藉左傾政黨對這種安定力量加以搗亂，決不容易。

四、日本是一個富有自尊和自信心的民族，明治以來若干年前還的亞教，至今還能維持於不墜，叫他們相信一個不相干的異族，而甘心認其附庸，甚至叫出卑鄙無恥和『一面倒』這類的口號，這在日本國民的精神上，幾乎是絕無可能。

五、俄國的共產革命，實現已四十年，中共蟠踞中國大陸亦已七年，他們所造出這種殺人如麻和奴役清算的成績，日本的有識者莫不談虎色變，豈肯輕於附和？

六、在三四年以前，我已曾判斷蘇聯和中共必以全力爭取日本，同時我還相信他們將不惜對日本表示重大的讓步，以挑撥日美間的親善關係。可是遲延到了現在，即令蘇聯把所有侵佔日本的土地全部歸還，蘇聯和中共把所有拘禁的日俘，全部遣返，也還不容易換得日本的好感，何況他們並此而不肯幹呢？

七、在戰後若干年內，[illegible]接近蘇聯和中共的國家如越南，如朝鮮，如泰國，都以共產分化滲透之故，分裂得二，日本在地理和人種上得天獨厚，固然戰後的領土不無縮小，但全國人民的團結則如金石，至今還是一個[illegible]的統一，這豈是共黨所容易破壞？至於人民生活之[illegible]，全國失業者之不多，[illegible]教育之普及和[illegible]入提高，乃至文學、藝術、娛樂等等生活內容[illegible]自然都是日本[illegible]，但比之前[illegible]在讀裏辭加分了析。

中共憲法之奴顏婢膝

·張君勱·

第二　多民族的國家之名稱

多民族的國家之名稱，有其一定之程度與涵義。中國共產黨人自知之明，無過於認識中國之爲單一國，非爲聯邦國，是以中共憲法之起草者，將蘇憲第二章之規定蘇聯爲聯邦國云云。毅然排斥，不思曹隨，然其政府初成立時之大行政區，軍政委員會與東北人民政府，是否有意將蘇聯聯邦之制試行於中國，吾儕局外人，無由窺見，置之不論可矣。及大行政區制行之一、二年，而發見其成爲「獨立王國」（劉少奇之語），於是始則改軍政委員會爲行政委員會，繼則並大行政區而廢之，仍將各省直隸於中央，一如元代以來行省之制，此明明爲吾國素爲單一國之傳統，與民國以來軍閥割據之教訓，有以使之然者。此種歷史根源支配中共憲法之內容，豈劉少奇之否認所能否定者乎？所奇者，中共既知吾國之非聯邦性，奈何憲法第三條猶用多民族國家之名稱。蘇聯因各民族歷史語言、宗教之差異，不得不採聯邦之制。然在十一月革命後之初期，列甯猶以民族問題與斯太林爭執，其後列甯稍稍讓步，乃採納斯太林民族問題之見解而定爲今日之聯邦組織。其最高蘇維埃以民族院爲上院，人民院爲下院，即由於民族問題之存在而發生。吾國之內蒙問題，新疆問題與其他少數民族問題，僅爲限於一隅之地之非文化上之差異，故以自治區、自治縣、民族自治問題，自治鄉之制度足以了之，與蘇聯之十五、六個共和國平等共列者，不可相提並論。此多民族的國家之名稱，依年代有久暫與分量輕重言之，在國人視之，中共黨人不免內仰斯太林之鼻息而過於自卑。易詞言之，內心武斷之中，實則容慮徬徨，無鎰銖權稱之主張而已。

第三　蘇、中兩憲中，立法、行政。

蘇聯和中共兩憲中關於立法行政之規定則互異，謂中共憲法不甘於步趨蘇聯之後乎？則上所引劉少奇之言與中共憲法第一章所規定是爲反證，謂中共以步趨蘇聯之後爲事乎？何以中共憲法第二章中之人民共和國主席與國務院，敢於自出心裁，雖斯太林之所非者，而亦毅然爲之。何也，蓋凡不便於一己之私利者，對馬、列、斯主義之理論，得以教條主義，形式主義之辭譏了之，其便於一己之私利者，雖斯太林所斥以主張之，以堅持之。但藉情勢環境之變遷，「依己意之所便，以偶然爲藉口」，而獨歸之於胸中，以俾取而藏之，而曰「情者也」，此豈制憲所應有之態度乎？茲分析之如下：

（甲）人民共和國主席與國務院

一九三六年蘇憲討論之日，有提議將原草案中之最高蘇維埃主席團廢止，以代替由最高蘇維埃選舉之總統一人之意見，斯太林曾駁斥之如下：

我意此項修正是錯誤的，因其不合蘇憲之精神。依蘇憲之體系，蘇聯不應有一人總統（即主席），與全民選舉，且與最高蘇維埃立於平等地位，因此，一人總統可能挺身而出，與最高蘇維埃相對立，蘇聯今日之制爲集體的總統，即最高蘇維埃之主席團，乃由最高蘇維埃選出，且對最高蘇維埃負責者也。在歷史之經驗，最高機關之如斯構成，乃最民主的，且可以保證未來不測之事者也。

（一）

編者　讀者

△鄭逸萃先生，台端致吳憲子先生之函，已代轉奉，請察。

△刁抱石，李源際，何元輝，彭楚珩，王鴻泰，孫旗，杜衡之，楊淑宴，王家文，張維主，宣健人，無食生，林仲譽，楊忠棧，楊力行，金紹，紅樓樵，蔣周，黎蒸勵諸先生承惠稿至感幸。

△賈景德先生所撰寫之「秀才舉人進士」一文的單行本現已在排印中，不日即可出版，承讀者來函詢問，統此奉覆。

日工商業有進步 貿易界找新出路

中共以飢餓政策支持輸出 與日爭奪東南亞華僑市場

·嚴森·

海外通訊

（本報大阪航訊）日本在戰敗後，因爲生產和輸出均未恢復，財經狀況遂未能即見好轉，一般工商業也普遍呈現不景氣，尤以對外貿易因受環境的限制，幾完全陷於停頓狀態。

大陸不是貿易對象

迄至近幾年來，日本工商業逐漸恢復常態，欲積極擴展海外市場時，戰前原爲日本對外貿易主要對象的中國大陸，已陷於竹幕，無形喪失其在遠東最大的市場。對日本海外貿易的發展計劃影響極大，是以日本左傾黨派，乘機鼓吹要求政府與中國大陸通商，部份商人亦有與中共通商之幻想。可是擺在面前的事實，這種幻想無形成爲泡影。蓋近年來，日本曾有若干個所謂「代表團」訪問歸國後的人士表示，中共治下的大陸不僅不是日本商品的銷售市場，實際上中共正在積極輸出，以爭取東南亞的市場呢！因此，日本不僅將無法恢復大陸市場，如再因循作沉醉幻想，則更可能將失去在東南亞的市場。

加強宣傳開闢新市場

日本工商界鑑於國際情況之不利，於是遂盡最大努力向東南亞其他各國及中近東的國家擴展市場，以維持其必要貿易量，甚至減低輸出成本，以達其競爭目的，由此可見其用心之苦。

另一方面，日政府及日商間對國際貿易的宣傳工作亦不遺餘力，如在國內及海外不斷舉辦商品展覽會即爲一例。日本第一屆國際商品展覽會是於前年在大阪舉行，此爲日本戰後第一次舉行的國際性商品展覽會，第二屆則於去年在東京舉行。本年四月間，日本再度於大阪舉行第三屆國際商展。而此次之展出規模更見宏大，由大阪商工會議所，大阪府及大阪市政當局作經年的籌備，成爲遠東最現代化的展覽會場。被邀展出的計有自由中國、美、英、法、義、荷、比、奧、泰、西德、丹麥、古巴、瑞士、瑞典、錫蘭、巴基斯坦及鐵幕國家。我國展出的是台省特產，以茶、糖、香蕉等受注意。負責其事者爲東京華商貿易公會，係以民間團體資格參加。

去年輸出廿億美元

日本近二三年來產業界和商業上的發展，據日工商界及外國商界人士評論，進步是驚人的！尤以一九五五年的日本國際貿易，可謂戰後以來發展最爲順利的一年，根據有關方面的統計，上年間輸出額竟達廿餘億美元輸出量的激增，當歸功於日本政府實行的緊縮財政，但同時也反映出日本工業界在這方面的努力是不可忽視的。評論家們更進一步指出，雖則日本一九五五年的國際貿易獲得顯著的增加，尚不能謂其已具成就，蓋因日本國內商業競爭劇烈，此舉無疑予外商乘隙獲利之機會，日政府當局鑒於此風不可長，爲了撲滅此種不良風氣，更爲了進一步促進國際貿易起見，將制定「貿易業者法」，扶植有力貿易者擴大對外貿易，以資改善。工商界有力人士並相信，如果目前世界好景保持不變，日本擴展國際貿易的計劃，將可順利付諸實現。另據貿易界方面人士分析，日本近年來對外貿易雖獲致良好成績，然其在東南亞市場能否敵過英美等國尚難樂觀。

但筆者上文曾說，日本商品因價廉，在東南亞消費羣衆中，自有其固定的對象，但今者中共以更低的售價傾銷，無疑的其目的欲在華僑社會中抵制日貨，所以說，日本的貿易勁敵，該是中共，蓋無論如何，日本的輸出，是無法與中共的飢餓輸出政策相競爭的！（五月三日）

日本如何控制美匯？

值得財經當局參考——

觀遊

【東京特稿】就今日世界大勢以觀，美匯不啻是一個國家的經濟命脈，此不獨接受美援國家爲然，甚至共產集團國家亦復如是；美匯固然重要，倘若無精確之計算與絕對的控制，縱有大量外匯，遲早也是要化光的，所以與其說爭取美匯重要，勿寧說管制美匯節省用度，和多方開源尤爲重要。

管制有方杜絕黑市

日本恢復獨立後，其管制美匯有獨到之處。可以說得上是杜絕黑市的，無論是美金現鈔，或美金支票在日本都顯然無光，除了持向東京銀行照牌價兌換日幣外，欲尚黃價門沽是絕無可能的。除非私人與熟識可靠的朋友需要，可以成交，但也要互守秘密，通常的交易價格爲日幣三九五元至四〇〇元之間折換一美元，較牌價約高一成上下。此種交易千年難遇，絕不像一些國家拚命嚷着管制外匯，卻到處有黑市買賣，甚且黑市價格與牌價懸殊駭人。

美匯在日本市場上既不吃香，就反映出日幣幣值的穩定了。日本人爲什麼不存美金呢？語云：愛者是金錢，物以稀爲貴。既無人收藏，又乏人問津，即使手握美金也無法居奇，日本人民又何愛之有。日本官方同時也絕對禁止人民持有美金，違者嚴處，毫不循情，誰也不願自蹈法網，還有日本各地無論大百貨公司以至于小商店，俱皆出售日本貨，絕對沒有外國貨；要想買外國貨必須往指定之專售舶來品店去買，這種鋪子只有一兩家，既容易控制，又容易抽稅，日本人是從不上門的。再有日本人對能讓外匯的生意從不拒絕，而給予便利，例如，凡是到日本遊玩的外國人請求入境簽證的是從不拒絕，而是立予准許的，而每年從外國人旅行日本所賺外的匯，也是相當的一個大數目。

美商也遵守管制

日本並不因美國是其再造恩人對美國人特別，照樣是一絲一毫也要計較的。美國除了正常的美援不算，每年更特別予以食糧補助，據說數千萬美元的米、麥、豆、棉等都是計賬的，換言之，也是白送的；美國八大影片公司在日本放映片子所獲的利益，日本限制其匯回美國，日本的政策是，凡外商在日本賺的錢必須要留在日本，所以八大影片公司能請准匯回美國的外匯少得幾乎是牛身上的一毛而已。於是只好拚命在日本化、東京、大阪等大都市新型電影院一座又一座建立起來，這都是八大公司經營的。此外八大公司還聯合給日本政府定期五年的廿億日元貸款，利息小得等於零，協助日本開發水利。美國人當然也有美國人的打算，只要能將這些匯回美國，利息不利息，時間的遲早都無所謂，於此可見，只要有健全的管制制度，美國人也一樣遵守。

撙節使用 努力開源

至於必以美匯換取的工業原料，食糧，日本是不惜以大量的外匯去購買的。但也是有一定的計算，決不使有分厘的浪費；私營方面以美匯進口貨物，限制極嚴，多半是有一定的定額，原則上只可削減，不能要求增加，並且是以各種組合爲配給對象，由組合自行分配給會員，絕不容許會員以美匯轉手而獲利。

日本出口貨外銷是一律免稅的，其唯一用意是在賺美匯；日本出品的汽車，包括卡車、轎車、三輪貨車、摩托車；電氣方面收音機、電冰箱、洗衣機；其他縫紉機等，在遠東市場銷路不壞。因此，日本並不愁美元儲備不夠；第一在國內控制有方，消弭黑市；第二在國外開闢市場，賺取外匯，宜乎其幣值穩定了。（四月三十日）

台灣通訊

公務車引起的困擾

·楊志·

【本報台北通訊】去年監察院交通委員會曾對政府各機關的汽車使用狀況加以調查，認爲廠牌年份龐雜老舊，不特修理費用甚大，使用效率甚低，且管理有欠嚴密，造成公車私用不合理現象。乃經由該委員會第六十四次會議議決向行政院提出糾正案，要求行政院改善現行各機關首長用車辦法。（監院的糾正案只是在要求行政院改善使用辦法）。

摩托鋪計劃的內容

行政院於接到該糾正案後，即批交經濟安定委員會之工業委員會草擬具體可行辦法。該會遂會同交通部、省交通處、公路局、外匯貿易審議委員會等機構組成專案小組，參照監察院所提之糾正案加以研究，並徵求各機關意見，遂產生建立「摩托鋪」的計劃，其內容如次：（一）先由局部集中逐漸達到全部集中的目的。（二）計劃實行後，限制各機關不得再購置新車，統由集中管理之機構統籌調度。（三）第一次購進四座小車一百輛，集中管理調度，同時硬性規定將現有年份老舊車輛報廢二百輛。（四）設立修理廠，以免各機關事務人員不諳技術之困難，進而達到節省修理費用的目的。（五）集中管理調度可以使車輛充分使用，避免由少數人專用閒置之不合理現象。

爲該計劃算筆帳

該案提出後，四月二十七日的立法院院會中，立委鄧明候，即向俞鴻鈞院長提出了十項書面質詢。他認爲值此國家財政困難，而撥用外匯美金十八萬七千元及台幣一千萬元籌建無關宏旨的車房，購置豪華的小轎車，是要不得的。台北輿論界也響應鄧氏指責。五月三日工業委員會針對鄧委員的質詢，發表說明：該計劃是爲集中管理各機關小汽車，由政府設立修車廠負責車輛修護事宜，以節省修理費用，工業委員會並宣稱，該計劃完全在求去除浪費，提高使用效率，並謂，此後每年可節省公帑約美金二萬九千元台幣二八七萬元。不過，我們衡情論事，深覺該計劃是值得斟酌的。即以支出的十八萬七千元美金與「每年可節省」的「二萬九千元」美金相比，該款須在約六年又五個月後才可收回，但新購之車輛能否有六年使用壽命，卻是疑問，如若在六年內又須再事添購（因爲舊車須要不斷報廢），則國家支出勢將一再增加！而這種支出，不過是爲了給機關首長們以行的方便而已！

革除流弊無須新車

又目前用車辦法流弊很多，根據台灣省公路局的估計，目前各級機關公務車數達一七一五輛，其中除上下班開會外，幾乎成了機關首長私人財產，在娛樂場所、菜市場、飯館，都可發現公務車，並廣泛地使用於接送子女上學。

據監察院交通委員會於四十三年的調查，各機關公務車，每輛每年的維持費用竟達六萬元，以千餘輛計算，每年維持費用的支出總在一億以上，這數字實在是不必要的浪費。工業委員會能針對流弊而擬定辦法，用意本善，但是問題是在有無添購新車的必要，在此政府財政拮据之時，軍事、教育、建設需款亟切，何來鉅款建立「摩托鋪」？即使政府有此預算，建成「摩托鋪」，所云集中管理統籌調度能否澈底的實行也屬疑問，因爲在「人情味」濃厚的中國官海中，難保「摩托鋪」的新車不被變相換用，或化整爲零，化公爲私。

倡導節約鮮收實效

有人建議政府，可以報廢破損不堪的汽車，改用三輪車來替代，一方面建立適可汽車場，將完整的公務車集中管理，加上特別標誌非要公不能使用，使用時登記其用途、起訖地點、使用時間等，於是公車私用的弊病可以剔除。也許機關首長認爲坐三輪車有損威儀，然而今天我們既無汽車製造工業，連器材還須仰給舶來品，能夠用三輪車來代替，節省汽油可以供應軍需，也是很有意義的事。

不久以前，青年黨領袖之一，左舜生先生由日返港，曾在台北小住數天，據聞左先生對於這裏的觀感，是「工作不夠緊張」。這是實話，目下社會一般風氣仍是講排場，講求享受，政府年來倡導節約，鮮收實效，癥結所在，即在於只能坐而言，不能起而行。聽說建立「摩托鋪」計劃尚在經濟安定委員會第一組研議中，希望主事諸公能俯順輿情，從長計議才好。（五月七日）

我們沒有耽心日本赤化的必要

（上接第一版）也覺得條理整然，能使人相信他們的行政效率。但尤其使我感動的，乃在東京大阪兩處與他們一部分工商界領袖的會見，和一部分文化界人士的接觸，以及對大阪幾處工廠，和一個規模相當大的博覽會的參觀。我覺得日本第一流的人才，並不集中於政府，而是散在社會的各方面，以我個人的直覺，我更感到他們工商界人才的整齊。假定在一九四五年戰敗以後，日本全國公民不是在各方面領袖人物的領導之下共同奮鬥，而是終日經過苦驗，仰望着幾個浮在表面上的政府人物，則日本以十年短短的時間，造成了如今日這樣一種輝煌的復興成績，便成了一種不可思議的奇蹟啊！

當一九五三年三月我住在東京的時候，便有不少久留日本的朋友，向我談到日本左傾力量的如何發展，他們還舉出『日教組合』，『勞働組合』這類團體作爲左傾勢力的代表，甚至他們還危言聳聽的說：『就當前的情勢來講，日本已面臨着中國大陸淪陷的前夕，也許無須流血，我們便會看見無數紅旗，高懸在東京若干高樓大廈的屋頂。』我當時曾堅決的表示不敢苟同。經過了這一次的訪問，又眼見着最近三年日本在各方面的突飛猛晉，我這個日本不會共產的信心，乃更趨於堅定。在東京的文化座談會，以及在台北香港若干位新聞記者對我訪問的場合，我已曾把我的這種信心稍稍披露，可是因爲時間關係，語焉不詳，現在願把我構成這種信心的幾個基本理由補述如下：（下轉第三版）

台北速寫

金馬戰將誰

近來中共向金馬轟射的炮火似較前稠密，二地軍民的士氣却極旺盛；二地的最高軍事長官也都以必死之心，執行守土之職。不過，當局爲了保密，不許報紙刊露他們二人的姓名。事實上，人人都知道他們是誰。爲給他們二位一點精神的安慰，公開姓名似乎是有利無害的。

官吏也有人權

對公務員的保障，現已顯有進步。不過，仍有美中不足之處，如有些民選的地方首長，只要政府一紙命令就可停職（嘉義縣長李茂松停職案，送經議會質問，仍未糾正）。有些廉正的官員，無故則受停職處分，停職期滿後，也不予復職（如省府某室主官一案）。這些，在當局或視爲無關宏旨，實則是破壞了民主與法治的基礎。

反共的俄人

散佈在歐洲的俄人反共團體，與自由中國的連繫漸趨密切。已有自由俄聯的代表在台北，另一個叫做反布集團的團體，最近也將派代表來台。從好的方面看，這些團體將有許多反共工作的經驗，供給自由中國。但是，據聞這些團體是彼此不睦的，或許將給我國當局帶來不少的麻煩。

綁架疑案

我國憲法，有人身保護狀的條款，規定人民遭逮捕後，須於二十四小時內移送法院，在台灣頗能遵循，警務機關如需要延長押訊時，也多向法院先備案。惟最近有市民陳江明突於某日被四人以吉普車架走，而消息杳然，於是成了轟傳一時的綁架案。數日後報載謂因案被某治安機關傳訊。此說如屬實，便成爲不循法定手續捕人之惡例！當局應迅予糾正。

·杜衡之·

自由人
THE FREEMAN
（第五四三期）
中華民國僑務委員會
頒發登記證台教新字第一零二號
中華郵政台字第五○○號
執照登記為第一類新聞紙類
（半週刊每星期三　六出版）
每份港幣壹毫
台北市售價台幣壹元
督印人：陳文華
地址：香港高士威道二十號四樓
3 rd. fl. 20 GAUSEWAY RD
HONG KONG
香港發行及事務接洽
高士打道66號　電話：七四○五三
承印者：東南印務出版社
地　址：高士打道六十四號
海外總經銷
友聯書報發行公司
香港：德輔道中二十六號A二樓
台灣特派員辦事處
台北市館前街五十號
台灣總經銷處
台北市西寧南路壹壹零號二樓
台郵撥儲金戶九二五二

蛙人事件與英國民主

·陳克文·

布爾加寧與赫魯曉夫上月中初到英國，便發生了所謂蛙人失蹤事件。這事件初時祇是一種傳說，後來愈鬧愈兇，到現在真有滿城風雨之勢。一方面是蘇俄用外交公文提出諮詢，要求英政府解釋，並且在未得英政府同意前，便把來往公文發表。一方面是反對黨——工黨——提出本星期一日，在下院討論這一神秘案件。

外交方面，雖以蘇俄違反外交慣例，率爾發表公文，至艾登大為憤怒，惟英外交部已向蘇俄正式道歉，今後即使蘇俄繼續利用此一事件作為宣傳，大概亦不至於引起若何了不得的行動。則此一事件，僅為布赫兩氏此次訪問英倫之一小插曲，不值得吾人浪費筆墨，加以討論。然而工黨著著追逼政府，非提出下院討論不可；其意義何在實民主政制中饒有意義的事，今日談民主政治者所不宜輕忽視之也。

工黨苦苦追逼

本來此一事件發生後，工黨已經在上星期的下院提出質詢，當時首相艾登以「不符合公衆利益」為理由，拒絕透露事件詳情。又說，此事並未獲首相或任何部長之同意，政府即將採取「適當之懲戒措施」。所謂「不符合公衆利益」實在是一頂帽子；政府即將採取適當之懲戒措施，又是表示政府負責的態度。在這種堂堂皇皇的大帽子之下，政府又表示了負責態度。照理反對黨應該適可而止，不再與政府為難了。然而工黨偏要若若追逼，「打爛沙盆問到底」，非提出下院辯論不可。據路透社電訊，工黨還可能在技術上成為對艾登個人之不信任，即提出要求將首相兼職之國庫大臣減俸一百鎊，表示對他處理蛙人事件不當的彈劾。這在沒有民主素養，或只講政府威信，與領袖尊嚴的國家看來，這那裏是民主？直是胡鬧，搗亂，是絕對要不得的。

或者有人說，蛙人事件只是一件無關輕重的小案子，工黨舉動不過對保守黨政府開開玩笑而已。但本星期一的下院辯論還有一件大案子，即工黨將提出，要求政府把塞普路斯島被放逐的馬加里奧大主教送返倫敦，進行談判；並為此案而提出變相的彈劾政府案，要求把殖民大臣波德的薪俸減少一百鎊。可見工黨對蛙人事件和塞島事件一樣看待，並不是存心開玩笑的。

保守黨如何應付

于此，我們可以了解，站在反對地位的工黨，正要利用保守黨政府的困難問題的時機，揭發其弱點與失策，訴之於選民，爭取選民的同情，打擊保守黨政府，以期最後奪取政權。最近英國若干地方選舉，工黨已較保守黨顯示優勢，則此類事件，不論大小，工黨必定充分採取攻勢，已屬毫無可疑。保守黨又怎樣呢？保守黨政府欲繼續保持其政權，決不能以空言搪塞為可了事，亦不能僅恃其目前下院多數席位，便可穩坐唐寧街十號。惟一可循者，即於下院坦率闡明事實的真相，與辯護其政府所採政策的理由，以聽候選民之抉擇。此外已無其他途徑可尋。此即美總統傑佛遜所說的「黨派對立，正好使其互相監督，把對方措施，明白宣告國人」的道理。

反對黨的作用

筆者屬稿之時，英下院的辯論情形，尚無所悉。且相信在目前形勢下，工黨並無掀動政潮，推翻艾登政府之可能。惟可相信者，保守黨政府必不至輕視工黨質詢，亦必不能以空言搪塞、敷衍了事。一個真正的民主政府，必須隨時以其高度的智慧應付國外的敵人，同時亦須隨時以高度的智慧，和坦白的態度，應付其國內的政敵。民主政治不是一種理想，要期待有利的時間和有利的情勢才能去實行的。英國今日的憲政成績，都是從許多杌隉不安的局勢之下逐漸發展出來的。這案件的辯論，結果如何，雖未可知。憲政運用之原則，與反對黨為民主政治下所必不可缺少的制度，於此已可得一極簡單明顯的實例以證之說明。

現代的法家拂士

假使沒有反對黨——沒有有力的反對黨——保守黨政府大可在議會裏，以「不符合公衆利益」，和「政府即將採取適當之懲戒」為理由，輕輕的把這事件搪塞過去了。然而不滿意政府的情緒便無法宣洩，政府措施是否確實符合國家利益，更是無從辨別。這樣，政府的威信固然可以保全，政府領袖的威望自然不至受到損害。但這樣的政府能否是一個進步的和健全的政府？却是很大的疑問。外無敵國外患，內無法家拂士者，其國恒亡。法家拂士的力量，到了現代，已經不是個人的敢言直諫，甘冒個人生命危險，所能發揮效力的了。反對黨——有力的反對黨——才是現代政治的「法家拂士」。赫魯曉夫之流清算史太林，不論其動機如何，他們說在史太林生時，人人自危，沒有人敢說反對的話。這最足說明沒有真正有力的反對黨，是不會有法家拂士的，因此，蘇俄祗好養成史太林過去二三十年的個人專制。（下轉第三版）

不是門牌的時候

·魯午·

法蘇會談失敗即成功

·李金嶂·

戰後十年來，蘇聯對西方三強的態度，是以其不同的國勢而各別對待。對美國是怒目戟指的罵；對英國是笑臉拉攏兼施；對法國則是譏嘲諷刺，諷刺她是個三等國家。

三等國，在法國人的精神上是難忍的痛苦，法國的政潮即在這種精神狀態下此起彼伏，日內瓦會議後，越南的問題表面上得到了解決，法國人開始覺得法朗斯不錯，因為他沒有完全跟美國政策走；現任內閣對西方政策，尤其是美國的外交政策，也曾予以不客氣的抨擊，法國人覺得莫萊做總理的風度也不錯；蘇聯也開始覺得在歐洲問題上不能再一貫地打擊法國。今次莫斯科的法蘇會談，就是在互相需要下促成的，莫萊當然更需要這次會談，這樣可以更增高自己的聲望。

蘇聲明否定莫萊建議

但根據四月裏的英蘇會談來看法蘇會談，覺得會談同樣不可能有什麼好結果。十四日莫萊和畢諾啓程飛莫斯科的前夕，布爾加寧藉接見巴黎世界晚報記者而表示了對會談的態度：

一、裁軍問題不能和德國統一問題併為一談。這是根本否定莫萊的建議。

二、蘇聯政府歡迎用協商的方法解決突尼斯和摩洛哥問題。這說明北非法國殖民地的紛擾，蘇聯也有份，同時也間接抬高了狄托的身價，因為他在巴黎曾向莫萊表示，願為此問題向莫斯科說項。

三、表示要和西方共處，不然就是只有徹底毀滅性的戰爭。這顯示了蘇聯的基本態度是要西方讓步，不然就認為是西方不予共處的機會，就只有戰爭的一途。莫斯科的表示，不僅是予莫萊以當頭一棒，也是在警告西方，莫以為五月初的北大西洋公約理事會的決定——集中動員西方的財經資源來反擊蘇聯的和平攻勢——可以產生嚇阻作用。

莫萊此行價值何在

但吾人在此却要指出，儘管蘇聯的態度驕橫，莫萊此行還是有其價值的，它的價值在於使法國人了解，如果此行失敗，可以完全窺穿了蘇聯的原來面目。同時，更可刺激北大西洋公約理事會的新的政略決定，從速付諸實行。因此，可以說，法蘇會談若是無結果失敗了，反倒是它的成功。

以裁軍談判為例，五月四日倫敦的裁軍會議破裂後，在巴黎的北大西洋公約理事會上，法國的有關建議，迅即獲得了美英德等國的一致支持。這樣迅速而一致的決議，可以說正是受了蘇聯破壞裁軍會議的刺激影響。這一結果使西方國家不僅在裁軍問題上取得了協議，而且對德國統一，歐洲安全和對付蘇聯的和平攻勢，也同時產生了一致的協議，使本來各懷己見的西方，統一了對付莫斯科的步調。

這一大步的成功，却正是裁軍會議的失敗所換來。

在蘇聯對法國的策略上，她是一貫以製造歐洲的恐德病，來使法國人民心理上反對德國，同時反對西方扶持西德。但經過這次公約國的一致決定後，西歐的恐德陰霾，即已吹散，布爾加寧既已充分地強調裁軍與德國統一不能並行解決，那末德國的分裂和裁軍不獲實現，其咎概在蘇聯，而威脅歐洲安全的責任也同樣應該由蘇聯承担。

蘇破壞愈多愈利西方

至於所謂蘇聯單獨裁軍，乃是片面行動，其所以毫無價值者，筆者曾在本報五三○期論及。此次在莫萊到達莫斯科之前，而宣佈裁軍百廿萬，則純是宣傳，史塔生會謂，如果裁軍後的兵員，轉而投入軍火生產，製造「代替人力的新武器」，則裁軍的結果更為可怖！再者，根據共產主義的教條，當其退一步的時候，正是它在準備躍進二步。蘇聯的裁軍既不受國際有關組織的監督，則其真相如何，更值得懷疑了。

鑑於西方的裁軍建議不獲蘇聯贊同，莫萊訪英的最大意義已不復存在，至於發表共同聲明，改善兩國關係，促進文化、經濟交流等，它是可想見的，也只能視之為是紙上談兵了。

因此，我們可以得到一個結論，只要蘇聯對西方反對得愈多，破壞得愈多，西方的團結就更緊密。從最近發展的跡象看，這樣的趨勢，對自由集團却是有利的。

半週述評

·司馬璐·

馬共文件

馬來亞馬共部隊，不久前獲得一份馬共的原始文件，在這項文件中透露，馬共欲以所謂「和平鬥爭」達成三個目標：第一是「塞住敵人的咀」。第二是「分化敵方的陣營」。第三是「爭取中間分子」，團結「民主」分子」。為什麼馬共今天需要「和平」呢？文件中說：「在動員和組織羣衆來打退敵人來說：今天我們的力量，離開能打倒敵人的時候，還有一段距離」。「敵大我小，敵強我弱，目前，我方要在軍事上打垮敵人的日子，還有一段路程，因此，今天還不是在軍事上和敵人決戰的時候。」

「塞住敵人的咀」

馬共這一文件，無論就其措詞或證之馬共近年的行動，我們判斷，其真實性是沒有疑問的。

馬共這一文件的價值，不僅幫助我們了解馬共，幫助我們了解中共的動向，俄共的動向，整個共黨集團的動向，我們對於共黨的「和平」作態，都不妨從這一角度去判斷，它的任務是為了「塞住敵人的咀」，其實際的是為了產生宣傳效果。

蘇俄外交部最近宣佈說，它們要在明年五月前裁軍一百二十萬人。

產生宣傳效果

如前所述，共黨的目的是要產生一個宣傳效果，因此，它的裁軍着重在「宣傳」，而不是着重在行動。

假如蘇俄真有裁軍的實際行動與誠意，事先大張旗鼓的宣佈就變成多餘的了。

蘇俄最近又說，它們要在今後一年至一年半內，逐步撤銷奴工營。

這是俄共內政部對最近訪問蘇俄的法國社會黨代表團所作的表示。

假如蘇俄真有撤消奴工營的實際行動與誠意，事先宣佈又是多餘的。外交部宣佈「裁軍」，內政部向外國的訪問團宣佈「撤消奴工營」，不是全在宣傳上用功夫嗎？

朱可夫與法捷耶夫

蘇俄的某些作態，主要的在于對外宣傳，但是這種作態，有時也發展到對蘇俄內部發生影響。

例如，由于清算史達林而產生了蘇俄軍事刊物二次大戰蘇俄軍事失敗的檢討，這一檢討的嚴酷是可能繼續地打擊共黨領導威信的，于是，「紅星報」撰文駁斥，朱可夫也在同一時期生病了。

又如，法捷耶夫最近自殺了，他從史達林時代以來擔任「蘇聯作家協會主席」，在第二十次聯共大會上，他也被指責為擊過史達林的統治「扼殺作家」，結果他自殺了。共黨一天支配俄國，內部總變不出什麼名堂的。

「新的蘇聯」

杜爾斯說：蘇俄最後可能出現一個「對有教養與輿論負責的政府」。他同時又補充說，什麼時候有這種「改變」，在目前還不知道。

邱吉爾說：「最近蘇俄之否定史達林，已引起一個新的問題，如係出于真誠，則吾人與之週旋者，乃是一個新的蘇聯」。

我們今天所面對的是一個「新的蘇聯」嗎？或者，一個「新的蘇聯」正在出現嗎？

新俄國的產生，應該是經過俄國人民清算共黨，而不是經過共黨清算史達林。杜爾斯和邱吉爾的說法，是鼓勵俄國人民嗎？

日本華僑的經濟情況

資產總額逾百伍十億日元　對社會經濟有建設性作用

·許俊·

（本報東京特約通訊）我國華僑以集居在東南亞一帶的爲數最多；在東北亞的日韓境內，或許當以日本爲第一。

就整個亞洲區域內華僑對各國的經濟關係言，實已居於相當重要地位。在中共竊據大陸後，華僑受各國政府的注意，不僅在於嫉視其經濟的影響力，且還擴大一種恐懼的心理，即從恐共而轉變爲排華，這種現象當以東南亞地區爲最顯著。在日本，雖然華僑所得優遇，較諸東南亞任何國家爲好，但日本對於華僑入境的限制似有逐步地加以限制的趨勢。目前，除了商業考察或純消費的旅行觀光，可比較易於獲准赴日外，欲爲謀生而作東渡者，實鮮有被日本各駐外領事館批准的。日本藉此以限制華僑入境之最大原因，即着眼於經濟因素，但也有一說，即持有自由中國的護照者，可比較易於獲得日本外交機構之簽證，蓋日本政府深恐中共份子藉此滲透進入日本也。

華僑及其資產的分佈

在最近的每日新聞上，刊出了一篇特稿，題爲「白手資手」，該文之主要點，即在描寫外僑在日本的經濟活動，從該文的字裏行間分析，對於華僑在日本的經濟生活，似有曲解之處。本文即以該文爲主要材料，作更進一步的客觀分析：

根據每日新聞所載該文引用日本公安調查廳的資料，現居留在日本的華商，約有四萬六七千人；其中除有四萬四千人是辦妥「外人登錄」者外，其餘約二至三千人是「偷渡」到日本的。其居住分佈狀況是：東京約一萬三千人爲最高；兵庫爲八千四百人；京都一千三百人，餘者大部居住在六大都市。

華商總資產分佈，該文謂：東京有八十億（日幣）；神戶四十億；大阪二十億，在日本國內的總額可超過一百五十億。（僑資總額實則當不止此數）以此觀之，亦已可見及華僑資產對日本經濟的影響力是不可輕視的。

由於華商「不信任日本銀行和日本銀行也不大願與華僑交易往來」，遂促使華僑獨自開設金融機關，其主要者爲東京新僑的經濟合作社，神戶的華商信用金庫和大阪的華商銀行等。華僑既擁有偌大的資產，復因日本銀行界不願與之往來交易，而自行設立了金融機關，則華僑資金實已在日本的整個經濟和金融系統以外，另行自成系統了。造成這樣的事實，很顯然是互爲因果的結論，若謂「華商經濟在相互防衛體制下，將在日本經濟裏產生孤立的傾向」，則我們也畢竟不能不問孰令致之。

僑資動向或將受注視

在原文中還特別指出，「如果這些華商財力能集中起來活動時，可發揮相當的力量」。這話的含意的，究何所知，固無須忖測，但它可能是在提醒日本財經當局，今後須要對華商資金的動向予以注意。

日本人何以始到今天才開始注意到外僑資金的活動，客觀方面固無從證實是否受了東南亞國家對華僑政策的轉變的影響，但主觀的因素，該文却說得極清楚，它說，在戰後，日本只能夠食飽穿暖的時候，無暇顧到這些問題，但等到現在清醒時，日本經濟的組織裏，已滲透了外國資本。該文謂，大公司裏加增了藍眼的外國董事；酒吧、舞廳、飯館則大半由黃色的外國人所經營。該文對此强調說，這種現象是對日本經濟產生了「腐蝕」作用。

僑資腐蝕日本經濟嗎

筆者在上文曾說，該文對華僑資本有曲解者，亦即指所謂「腐蝕」這一點。蓋從好的一面去看，日本應該認識到華僑對日本社會經濟的積極作用，在戰後的幾年內，日本整個的繁榮，在逐步發展中不應該忽視了華僑也是同日本人同甘苦的。若是說現在有的華僑資產積累得可觀，那應該是歸功於其經營得法，這在自由經濟的社會裏是極其自然的現象，焉能指爲是腐蝕。該文也會指出，像在東京新僑匯的「夜來香」吃茶店的規模和設備之富麗豪華，並謂像這樣億萬富翁的華商在日本國內有三十多人，且說他們大都是「於戰後忙亂期中發的財。」在筆者看來，像這樣的僑商在日本固然是少數，而他們又既然是合法的營業，照樣須對日本政府負有完稅的義務，則其發財是另一回事，而絕不能說他們發了財就腐蝕了日本經濟！如果說必須强調他們的發財是不對的，而且是腐蝕了日本經濟，則此種不正確之觀點，如任其滲揚，則終必將益發導致使華僑與日本經濟系統對立，蓋作此類不正確之强調，顯有滑强歧視，使日本人民誤解華僑在日本經商發財全是不當的，且亦與該文所說「華商裏自然有良心的人很多」一語相矛盾，既是如此，就必須將所謂「合法與非法」兩者嚴格地劃分開來，而焉能將「腐蝕日本經濟」作概括的敍述。

所希望於日本朋友者

當前僑鄉注意的是，既然日本也有人在這方面做「文章」了，我們也應該作同樣的注視。在我們認爲，今天中日人民之間須要有更多的了解和合作，今天居留日本的華僑，多數已是日本的幾代生活於茲了，他們也很了解日本的繁榮或衰敗是和他們息息相關的，只要能遵守日本的法律，負担納稅的義務，就不應該從任何角度上來作對華僑不應有的歧視，我們希望更多的日本朋友能在這方面把問題看得更清楚點，庶能對中日人民之間建立更好的友誼。

·人物·

名音樂家朱永鎭之死

·楊力行·

本年四月應邀由台北赴泰國講學之我國著名音樂家朱永鎭教授，抵泰後，即下榻曼谷中華會館。五月八日，該會館突遭滲入泰國的中共分子放火焚燬，時朱氏適居該會館二樓，見火起，即奮身救火，致不及走出，遂不幸罹難逝世，各方聞耗，無不深表哀悼。現朱氏遺體暫厝曼谷中華會館對面佛寺內，將由僑團舉行盛大公祭後，再行運回台北。其生前友好：僑委會委員長鄭彥棻，聯勤總部政治部主任何志浩，及一女中校長江學珠等數十人，已在台北成立治喪委員會，推定鄭彥棻、叢世芳、江學珠、蕭心銘、何志浩、龍芳、王晁舟、李葉、龐如化、李煥生、黃天爵、陳元、王沛綸等廿五人爲治喪委員，鄭彥棻爲主任委員。咸以朱氏音樂造詣極深，尤以去年應邀前往越南、高棉等地講學時，對於傳播祖國文化，及指揮台唱「偉大的華僑」時，貢獻最大，僑胞的印象也最深。將由僑委會、教育部、中央黨部第三組、總政治部及台大等聯名呈請政府予以褒揚和撫䘏。

按朱氏係浙江青田人，現年四十三歲，出身上海音樂專門學校聲樂科及大廈大學化工科，爲世界名聲樂家蘇石林及名低音提琴家烏息斯金教授的高足，先後任中央大學、福建音專教授、勵志社交響樂團和上海市政府交響樂團指揮、空軍官校音樂教官和聯勤特勤班音樂教官。來台後，先後担任國防部總政治部康樂總隊上校音樂科長四年，及省立台北工專教授、政工幹校音樂教官、中央標準局樂器審查委員、民族舞蹈委員會音樂組長、教育部美育委員會委員等職。此外，朱氏自己另創辦有軍中音樂函授學校，三軍弟子已有數千人。

朱氏爲多產的交響樂作曲家，生前所作樂曲積有五千餘頁，聞將由其夫人整理出版。其中「陽關三叠」和「涼州詞」兩曲，刻正流行於美國音樂界，極爲彼邦人士所愛好。中央電影公司所拍「梅岡春回」和「碧海同舟」等影片中插曲，均出其手筆，亦風行於台灣及南洋僑界。其他「邊城曲」、「魔鬼序曲」、「反共歌曲」、「普通音樂曲」、及「中學音樂教材」和「聲樂教本」等著作甚多。他又是聞名的三B音樂家，即男低音歌唱家，及低音大小提琴和喇叭吹手。此次突遭不幸罹難，實爲我音樂界之巨大損失。夫人楊海雷女士現在台北一女中執教，遺有子女各一，均在稚齡。

·評述·

爲讀者請命

——談台灣文藝界——

·余怒·

近年來，常見港報發表有關對台灣文藝界的批評，這是好現象，如此或能使台灣的作家知所警惕，奮勉求進，期能寫下輝煌點的作品；可是，在事實上，台灣的作家們有沒有因此發奮自勉，而寫出令人滿意的作品呢？讀者的眼睛是雪亮的，有事實擺在眼前。

這裏，筆者擬就耳聞目覩的事實作綜合的報導，但是必須聲明的是，筆者只在舉些實例，反映某種事實現象，並無對個人攻訐之意。

台灣沒有職業作家

記得徐訏先生前在台灣逗留的幾天，曾說台灣沒有職業作家，使他感到驚奇。台灣何以沒有職業作家！有人說是稿費過低，靠寫稿不能養家，這是事實。因爲目前各報紙副刊及文藝雜誌最高稿費每千字新台幣五十元，亦有低至每千字二十元的（每千字八十元或一百元者，是極少的例外），而目前台灣的物價却並不算低廉。靠寫稿既難養家，職業作家難產也不足爲奇了。同時過去一些會有成就的作家，也都爲了生活的驅使，改行或兼任一點差事，致使他們不能專心創作，影響了文壇景氣。但是目下喜歡寫稿的人却仍相當可觀。

台灣現在有兩個文藝團體，一是中國文藝協會，據說會員中列爲文學創作委員會的有六百多人；另一爲中國青年寫作協會，是以有作品發表從事寫作者爲會員，該會負責人並曾公開聲明「青年」兩字的涵義是指作品生氣蓬勃，而非屬限於年齡的高低，所以會員中不乏花甲之年者，該會的會員數字，據負責人對外發表爲三千人以上。

有人靠鑽營成名

這兩個文藝團體的會員人數合計不下四千人，此四千人每月作品的產量約計不會少過二百萬字，台灣的刊物自然無法容納，於是有些作家就施展鑽營本領爲自已的作品找出路，鑽營的本領越高强，作品發表的機會也越多，主編的人礙於情面，不够水準的作品也勉强採用，以致影響作品水準的低落。據筆者目覩的事實，有某作家的一篇作品曾在某雜誌發表，隔些時又在「自由中國……」裏出現，結果某出版機構又將那篇作品刊在爲他出版的單行本裏。後來據筆者探聽事實眞象所得，原來此公乃「鑽營專家」，那篇作品收了兩次稿費及一次版稅，但至今尚未售出一百本，而某作家竟告名利雙收，一躍而成爲「名作家」。

作家既已成「名作家」，又可成爲一般不辨作品好壞的讀者的偶像，於是讀者也成了兩派，一派是因作品值得讀才讀，一派是看作者的名字而讀他的作品。同時，一些其他雜誌爲了爭取銷路，也拉幾篇文藝稿裝門面，但那些雜誌往往是只認招牌，受「名作家」三個字的誘惑。因此許多刊物上處處有「名作家」的文藝作品，那末，台灣的文藝作品水準低，就不是沒有原因的了。

摹仿的結果是公式化

由於讀者偶像心理所造成的結果，使一些夢想成作家的「作家」極力摹仿「名作家」的作品形式，再加鑽營得法，多多少少的設法顯自已的作品在刊物上露面，遂使台灣文壇造成公式化的寫作現象，自由中國以外的人士不知底細，致誤解自由中國的文藝作品是政府的宣傳工具。

至於有人說自由中國的文藝創作範圍受到限制一點，亦是誤會。就一般文藝作家的經濟環境來說，百分之九十九的作家生活很窘苦，有些作家是過着「住客棧，吃客飯」的生涯，自然談不到爲搜集寫作材料而作遠程旅行，生活圈子既小了，非但作品內容貧乏，無形中也呈現出創作範圍拘泥於某個小圈子裏了。

記得四十二年冬天，有某文藝團體組織「某某軍中工作團」作環島訪問，該團目的是爲搜集寫作資料，響應「文藝到軍中去」的號召，同時指導軍中愛好文藝的戰士怎樣寫作，所以每到一地，便舉行一個文藝座談會，由戰士們提出有關寫作的問題。該團出發時，報紙上的消息有過「該團陣容堅强，團員皆爲自由中國的名作家。」（大意如此）的報導，予人極好的印象，結果有些什麼收穫呢？我們可以從某團員一篇「軍中歸來談小說」（發表在新生文藝九十五期）中的兩句話看出來。一位戰士問：『小說結尾很難，要怎麼結法？』『你的小說尾巴和別人的尾巴不一樣就行了。』

綜合上述，自由中國文藝界的紊亂的現象及作品水準的低落，前因後果已有一個概，我們是否希望永遠這樣下去？不！不！因此，筆者誠爲讀者請命，希望自由中國的文藝工作者拿出良心來，千萬勿爲名利所誘，多創作些有價值的作品，完成文藝所負的使命，爲讀者竭誠心誠意的服務。

徵稿啓事

△本報擬徵求下列諸稿：

一、三千五百字至七千字左右的短篇小說，不限題材和故事內容。一經選用，優先奉送稿酬。

二、台灣及海外各地自由文壇的動態報導，作家生活素描及過去文壇珍聞。每篇以不超過五百字爲佳。

三、介紹海內外自由科學家、教育家、實業家、醫護、工礦業工作者的人物專稿，對象以現在從事於工作者爲最佳。來稿不宜超過一千五百字。關於軍政界人物稿件以散見各報者已多，請暫勿惠稿。

台北速寫

學者力主自由經濟

國民黨七中全會閉幕了。會中所通過之有關政治經濟決議中，以創立「外匯自由帳戶」，吸收海外資金，及運用「優惠匯率」，便利僑資外資二點，最爲重要，這掃除了多年來管制外匯的毛病，也是台灣走上自由經濟之路的第一步。聞此項措施初提出時，頗遭政府財經部門之反對，經一些經濟學者力爲陳說，才得提交大會通過。

待考驗的土地政策

台省都市土地申報地價之工作，至本月十一日截止，地主遵照法令自動報價的，達百分之八十以上，成績可說相當好。現在各都市之地價，都在繼續猛漲之中，所以此項土地政策之是否成功，還須看以後對於漲價歸公所收之增值稅，是否能如理想的做到。

林頂立仗勢鬥國法

台灣省籍要人林頂立，近年來在政治上極爲活躍，而且作風潑辣，曾與黃朝琴爭競選省議會議長，鬧得大翻滿裂。又曾以關遂林場案，以顯示其不畏官勢。他任××報的董事長是輿論界的大亨。最近却因他利用農林公司董事長兼總經理之職權，違反糧食管理條例之重大嫌疑，被台北法院扣押起來了。案情尚在偵訊之中，結果難說。林頂立雖有政治野心，但欠修養，不能潔身自好，竟挾勢而與政府作對，自難逃國法之制裁了。

公共關係

交通部首創「公共關係」室制度，聞政府各部門都將仿設。大概不久就有公共關係學之出版，公共關係學會之組織，以及公共關係訓練班之開辦了。公共關係即是如何親民便民，各機關能注意及此，自是好事。若是僅僅增設一個單位，任命若干官員，而不在實際方面去建立良好的公共關係，一切都是無用的。

民族舞蹈的陰影

·杜蘅之·

民族舞蹈賽舉行了多日，參加演員在七千人以上，眞是洋洋大觀。不過，演員之中多數是小學生。固屬有趣，却談不上舞蹈技藝。只講求服裝與故事，而不鍛練舞藝，這是年來高唱民族舞蹈運動中的一個陰影。

韓素英入大陸探親

——文學可以脫離政治嗎？——

以「生死戀」一書成名的女作家韓素英兩天前自星加坡經過香港進入大陸，韓女士之舉雖然係屬她個人的意旨，可是她亦無法避免外界人士對她此行的評論。

當韓素英進入大陸前，曾赴尼泊爾參加尼泊爾王國的加冕盛典，此時她即有心返回大陸，據她在尼泊爾對記者說，她此行單純是爲了探親，絕無任何政治作用的，她將閉了眼睛不看其它（電訊的報道大意如此）。

韓素英自此以後，對記者的發問一再表示大陸之行絕無政治意味，但韓女士這句話是非常值得商榷的，她今日所受到的評議也就是這句話。

韓素英是一個醫生，可是近年來她却專心從事於著作，正如不少盡賺外幣的中國作家一樣，她用英文寫出以中國人、事與歷史背景的小說，她的讀者對象並不是中國人，即以使她成名的「生死戀」一書亦沒有例外，「生死戀」出版後不久，很快就成爲暢銷書了，甚至由荷里活的製片家把它搬上銀幕，不過它在文學上的價值如何呢，却沒有得到很高的評價，尤其是它故事的眞實性與對中國人部份的描寫，使到中國人的自尊心受到損害。

這是一種非常奇怪而並不是偶然的現象，在許多以外國人爲對象的小說家，甚至劇作者，都歡喜從她的筆下出現一些令人可憎或者可笑的中國人，而這些中國人並不是現時代的中國人，爲什麼要這樣做呢，是爲了賺取外國人的錢而予以外國人最大的優越感吧，除此以外，實在也找不出更好的理由，或者說，這些小說家，畫家和劇作家之流對中國沒有很澈底的瞭解吧，如果是如此，那更是不可饒恕的。

作爲一個文化工作者它是有責任把本國的文化向國外介紹的，何況以這一科而成了他本人的職業的時候，他爲什麼不深入地了解了本國的情況才告下筆呢，他爲什麼把半個世紀以前的甚至一個世紀以前的中國人和中國的醜惡的事而向外國介紹了，這對於中國文化本身與及外國人對中國的了解都有莫大的損害。

今天，韓素英可能拿着英國人的護照，以英國人的身份而進入大陸，在她說來，這是一次非常有價值的旅行，但是如果照她所說，單純爲了探親而不光顧政治，則是一個無可挽救的損失，我們還記得韓素英說過她是準備把這次旅行所見寫成一個報道。這裏對韓素英以往在文學上所有的成就姑擬不論。但無論如何，她總是一個受人注意的小說家，她受人注意的程度，是外國人尤甚於中國人的。

因此，我們希望韓素英能夠好好地利用這一次旅行，把大陸的所見所聞眞相，把大陸的政治，非常客觀的向自由世界報道，如果她說不理政治，那是非常失策的，而且中共也不會放過像韓素英這一類宣傳的對象，要是受到了中共表面的一切所迷惑，則造成的錯誤將更甚於「生死戀」中對中國人的不敬。

是以，我們能見到韓素英進入大陸，感覺到這正是她的一個機會，希望她好好的利用這一個機會去認識中共，去看看她的家人，也看看大陸的政治，那到是非常值得的事，如果說不談政治，那就錯了。

文學世界復刊

（本報訊）「文學世界」終於復刊了，主編還是傑克，執行編輯爲黃思騁。本期作者融新舊老少於一爐，在香港藝文壇上可算是空前的。

復刊第一期就叫作「復刊號」，可謂名符其實。如果連前十二期合計起來，該是第十三期。

這一期理論中心放在詩歌上，計有謝扶雅的「唐詩新論」，鄭水心的「詩的觀型」，黃天石的「詩詞與新詩」。至於詩詞的創作，有易君左，曾克耑，饒宗頤，胡品清，張紉詩，燕歸來等作品十餘篇。

此外，關于小說之理論，有黃思騁的「短篇小說簡論」。至於小說，有：姚拓，舉薇，鍾梅音三位的作品，譯小說的有黃衫客二篇。傳記文學則有流金的「鄭伯奇評傳」，長青的「無名氏外傳」。書簡譯作有齊桓的「人性的呼籲」，文藝理論譯作有楚雲的「英國戲劇現代化」。散文則有徐速的「雪」與王是的「薔薇的弟子」，也可謂洋洋大觀了。

當文學世界初出版的時候，傑克先生寫有一篇「代發刊詞」，標題爲「世界文學與文學世界」；其立論觀點在「以世界文學來建立理想的文學世界」。這一次復刊，又有一篇「代復刊詞」，標題則爲「文學世界與世界文學」。

題目顛來倒去似乎很有趣，然而傑克先生却一本正經地說：『所謂「世界文學與文學世界」，是要以世界文學來充實「文學世界」的內容。所謂「文學世界與世界文學」，是要以「文學世界」來爭齊世界文學的進度』的。這個抱負却不小，於是他又具體加以說明：

「一、清理民族文學的遺產。二、吸收各國文學的精華。三、趕上世界文學的水準。」第三點他是很謙卑的，有雍雍大作家的風度。

看本期文學世界的陣容，是頗爲整齊的；再看內容，也是很有分量的。我希望改作季刊之後，來幾次專號，以某一藝文問題爲中心，多找幾位專家學者來執筆。一面披荊斬棘，一面播種耕耘，庶收單刀直入與雙管齊下之功！（王世昭）

開會多於上課。中共教育的怪現象！

（原載五月八日「光明日報」）

台北中央日報人事調整內幕

（本報台北通訊）據悉，在最近的台北中央日報的董事會議上，曾討論到人事調整問題，並迅即作出了決定。據消息靈通人士透露，該報董事長一職，已內定陶希聖。社長由現任董事長胡健中調任，並另聘李士英爲總主筆。

這次中央日報更動人事的原因，說起來該算是新聞界裏的新聞。緣在四月一日愚人節那天，台北英文中國郵報刊出了一節獨家報導：『毛澤東發出廣播文告，要將俄國鞭屍史達林運動，對史達林提出六點指控』新聞一則。第二天，中央和新生兩報，都在第一版上譯出轉載。沒料想到，也就在同一天，中國郵報，登出了一節更正啟事，謂該條新聞是他們愚人節的玩笑，但中央、新生兩家報社却對此無從解釋。這中央日報愚人節受騙的新聞引起軒然一大波後，也同時傳出了中央日報人事將有變動的新聞。

（五月九日）

蛙人事件與英國民主

陳克文

（上接第一版）

我們對英國這一次蛙人事件的發展，並不重視該案本身的內容如何，祇重視英國憲政運用的原則，與反對制度對國家政治的實際貢獻。

民主的形式與精神

於此，我們應該可以知道一個民主國家，並不在乎有沒有一部憲法，有沒有民選的議會，有沒有民選的政治首領，因爲這些却祇是形式。最重要的在反對的意見——不滿政府措施的意見，有沒有正當可循的途徑可以宣洩；或者說，能不能以訴諸選民，聽候選民的公平抉擇。政府的錯誤與失策，能否在不流血，不破壞社會秩序的和平狀態之下，受到彈劾，制裁，甚而至於推翻——這才是民主的眞精神。襲取形式，而竊竊然自命爲民主，這祇是共產黨一貫技倆，自欺欺人，終久要自食惡果的，蘇俄今日之清算史太林，以至進退失據，危機隱伏，即爲一最現實可徵的事例。

蛙人事件，雖是一件小事，見微可以知著，正可藉此以窺見英國民主政治的內容。

台灣省民政廳來函·

——關於陳篤光死後受獎一案——

本報四月十一日五三三期，時事述評欄內，評述台省民政廳長向已死桃園縣民政局長陳篤光發出獎狀一節，據本月十日台灣省政府民政廳當局來函有所解釋，用將該原函錄登如下：

編輯先生大鑒：敬啟者：頃閱四十五年（一九五六）四月十一日貴報「時事述評」刊載，桃園縣政府民政局長陳篤光死後受獎一節，查與事實稍有出入，茲將實際情形說明於後，台灣省政府民政廳地政局，爲辦理實施耕者有其田業務，每年督促各縣市政府征收放領耕地地價（並非田賦）上下兩期，對於是項催征地價人員之考核，訂有獎懲辦法，各縣市政府對前項征收地價成績，例於次年度內報省核獎，桃園縣政府催征四十三年度上期地價成績，於四十四年七月廿一日報送地政局，催征地價人員請獎名冊，亦同時送達，內列該縣已故民政局長陳篤光，督征公地部份，擬予嘉獎一次，私有耕地部份，擬予記功一次，經由民政廳轉報省政府核定發表，並未頒發獎狀，至省府核定陳員獎勵案時，陳員雖已身故，惟鑑其生前担任該縣催征地價副總督導一職，日夜奔忙，不辭勞瘁，爲獎勵有功起見，故按例仍予發表，並非不知其已身故也，用特專函說明，敬希惠予更正爲荷，祗頌撰安

台灣省政府民政廳
廳長　連震東敬啓
副廳長張騰蛟代行
四十五年五月十日

中共憲法之奴顏婢膝

·張君勱·

蘇聯之法學家解釋斯太林文中「未來不測之禍」指歷史中之先例如拿破崙三世之帝制自爲，如與豪傑之徂護「納粹」言之。斯太林之教訓，反對一人總統，一人元首，明顯如此，然中共憲法三十九條之規定，設主席一人，任期四年，公布法律命令，任免總理、副總理，其他部長，發佈戒嚴令，宣佈戰爭狀態，接受外國使節，派遣駐外代表，批准與外國所結條約。此其性質，明明爲一人領導，與蘇聯今日之加里寧在集體領導下之地位，決不相類，奈何劉少奇於其報告書中，爲之掩飾曰：

『我們的國家元首職權由全國人民代表大會所選出的全國人民代表大會常務委員會和中華人民共和國主席結合起來行使。我們的國家元首是集體的國家元首。同時，不論常務委員會，或中華人民共和國主席，都沒有超越全國人民代表大會的權力。』

劉少奇此種論調，眞可謂爲掩耳盜鈴。盜鈴則盜鈴矣，豈得因掩耳之故，而謂鈴不作響聲乎。斯太林豈不知選出一人總統，仍可令其受最高蘇維埃之監督，如劉少奇之所謂結合行使　共問題所在，爲主席者之爲一人或爲多人。目今毛澤東爲主席，是爲一人制，非多人制也。照中共憲法自三十九條至四十六條所規定主席之職權，苟毛不單獨行使，而與劉之爲常會主席者結合行使，是毛氏將自陷於違憲矣。主席之制，因黨內外形勢之需要而毅然爲之，與其說「此地無銀三百兩」，不如實行中共強令人民供認之「坦白」方法之爲得矣。

共產黨人爲討厭三權分立之說，而以議行合一之說自解於人，一若立法行政之不需分立者；然蘇憲五十九條明言最高蘇維埃爲蘇聯之惟一立法機關。其六十四條又規定部長，委員會爲蘇聯之最高執行與行政機關。是行政與立法之不能不分。蘇聯共產黨人已明白承認。惟蘇聯既認此二者之分，然仍令執行機關居於最高蘇維埃之下，故第六十三條云，蘇聯最高蘇維埃委派聯邦共和國（即蘇聯）之政府即部長委員會。是所以表示其尊崇人民代表機關之最高蘇維埃也。因此之故，國務總理以下，無一人不由於最高蘇維埃之決定。

依劉少奇之言，中共所行者爲人民代表大會制。其尊崇人民代表大會制與蘇聯之尊崇最高蘇維埃，可謂極標榜之能事。然既稱人民代表大會爲最高權力機關矣。何以決定國務總理，副總理與部長人選，不以之全屬於人民代表大會。而對總理之產生爲例外。讓主席一人先自提名。乃由人民代表大會繼之而作決定。因此，將蘇聯所劃定之一面爲立法權；另一面爲行政權之界綫，使之混淆不清，且令讀三十一條第八項在人民代表大會閉會期間，決定國務院副總理者。吾不知此時期內倘發生總理辭職問題，何以不許常會加以決定，而必限之於副總理以下之人選乎？所以爲國家立制者，貴乎有一原則，貫澈始終。今則副總理以下，可以由常會決定，而總理爲常會權力之所不及，豈能免因人立法之譏乎！

（乙）蘇聯和中共憲法中之最高蘇維埃與主席團人民代表大會與常會

中國共產黨人對於蘇聯一切制度之瞭解，自謂在吾輩反共者之上。然觀中共憲法第二章第二十七條全國人民代表大會職權之列舉與第三十一條常務委員會職權之列舉，不能不令人疑其對蘇憲雖讀而未通，雖解而實未解。何以言之？凡爲聯邦國者必有一中央與各邦間之權限分劃問題。蘇聯憲法第二章中各條，所以昭示蘇聯中央之權限，以第十四條中之廿四項爲限，其第十五條更重言以伸明之。而其立法機關（即最高蘇維埃）之權力，亦本第十四條之所列舉者爲限。蓋立法機關之權力所以需要列舉，乃由其爲聯邦組織中權力分割而來也。反而言之，其不爲聯邦者，其立法機關可不受任何限制，則不需將權力一一列舉。異哉中國共產黨人，既知其所立之非聯邦，將蘇憲之第二章，留之而不顧矣；何以於其憲法第二章第二十七條關於人民代表大會之職權，獨採列舉之法。易詞言之，既爲單一國，凡屬國家之事，立法機關無一不可討論，試查法國憲法，日本憲法，何嘗將國會所行使之權力有一一列舉之舉乎？其不舉者即無不可討論。反之，苟但舉甲、乙、丙、丁、戊、己、之不舉者，即不在其權力之內，則非無所不能之最高權力機關矣。如現時二十七條第九項列舉決定國民經濟計劃，既限於經濟，則軍事計劃，教育計劃之不列舉者，是否不在人民代表大會權力之內，其不明確如是，而反增掛一漏萬之病矣。

就蘇聯憲法言之，其所以免如中共所犯之病者，由於遵守西方通行之原則，將中央與各邦權限之劃分，列舉之於第二章中，而其第二章中最高蘇維埃之權力，（第三十一條）則以遵照第十四條一語了之。中共憲法既知聯邦權限分劃之不適用於吾國，乃偏以蘇憲第十四條中之權力，可以許人民代表大會行使者，如預算決算問題，（蘇憲第十四條第廿一項）宣戰問題（蘇憲第十四條第二項）大赦問題（蘇憲第十四條第廿四項）雜糅於其憲法二十七條之中，其爲不倫不類，爲有目所共見矣，然中共人士對於此種列舉法之不妥，又何嘗不有所覺察，惟其能自覺察，乃有第二十七條十四項之補充曰：「全國人民代表大會認爲應由他行使的其他職權。」此項補充規定，雖稍挽救列舉方法之缺點，然亦因此補充規定，而暴露其列舉方法之錯誤。何也，認爲應當由他行使的其他職權云云，即條文中雖不列舉，而另有其他隱藏之職權在，此即由於單一國家無一事不在其大會權力範圍內之故也。中共雖知國民代表大會可以行使其他隱藏之職權，一議之後，即成爲人民代表大會所認爲適當的職權，然不知單一國家立法權不必列舉之基本原則，乃效法蘇憲第十四條，略取其若干項，而移用於立法機關身上，其爲牛頭不對馬嘴，依然自若也。（三）

自由談

豈僅旗袍而已？

×馬五先生

最近報載：中國婦女所穿的旗袍式服裝，已風行於歐美各地，香港服裝店頻頻接得來自美、法、日本、東南亞等處附寄尺寸訂製旗袍的定單，數字直綫上升。據世界著名的女性服裝設計專家評判旗袍的好處，說是「襯托出天然的驅體，浮凸出自然的美態，給女性表露着一切可顯現的高貴和美麗，亦如女性心意地掩蔽了一切不可隱約得見的神秘，不用坦胸露背，毋須矯揉造作，即流露出女性的特質」。這些評語決非夸飾溢美之詞，旗袍確有此優點。

記得二十幾年前，美國一位著名的藝人范朋克游歷我國時，梅蘭芳曾在北平故宮內招待他，適逢冬令，把池塘式的火爐亦燃起。范朋克當時認稱中國婦女旗袍與池下火爐的優美，認爲超越西方多了，旗袍之美，固如上述各點，至於池下火爐，他指說既無西方「司蒂媽」熱氣管那種令人喉乾體燥的副作用，而滿室溫暖勻和，不現痕迹。這話也是事實，毫無過譽。

中國文化所孕育出來的文物章制，如果沒有些特殊的優越性，豈能立國五千年而巍然獨存的？只以未能適應工業革命以後的世界進化律，以致積弱積貧，乃被西方人盤爲「落後地區」了。於是乎，一般沉迷於洋化生活的中國人，竟覺得月亮也是西方的好，對於自己本國的一切文物制度，不分青紅皂白地概予以輕視，甚至根本否定，大有洋人放屁亦很香之概。我這話決不刻薄，有些知識份子的現象可以指證。譬如有人談經濟問題，指出社會上貧富懸殊之不合理，若僅以孔子所謂「不患寡而患不均」之說作論據，則一定被視爲陳腐落伍的思想。假使搶出社會主義這名詞來，再引用些馬克斯、牛克斯，或者甚末拉史基、凱恩斯這類洋人的說詞，那就是了不起的現代思想，要不完的名詞濟學者氣派了。試問孔子這兩句話，跟現代人所謂社會主義的概念，又有那點新鮮不同之處呢？若夫諸子百家的學說思想，與現代西方人士相比較，更無遜色。

如要振興民族精神，必須糾正盲目的洋化主義，中國文物的優點，豈僅旗袍而已哉？

×　×

今日繪畫與今日畫壇

—就教於于長卿先生

·孫旗·

讀自由人報（五三七期）于長卿先生「今日畫壇」一文，關於今日畫壇現象與根本問題，我也來狗尾續貂一下；但得聲明一句，我既不諳繪事，復不敢當「文藝評論家」，只以置身畫壇之外立場，提供一些拙見。

于先生係屬「江浙派」而談「今日畫壇」，雖然立論正確，不過多多少少有崇「江浙派」國畫，並對其他畫派或者西畫有所評論，我以爲主觀的色彩較爲濃厚些，所以願以置身事（壇）外的人來談今日繪畫，是站在客觀立場的，我對任何畫派與畫家均無成見，也根本談不到「愛」與「憎」，只認爲今日繪畫究應如何始可反映出「今日」的時代意義，才是頂頂重要的事。

派與師承均有碍發展

確然，我在兩年前偶遇于先生，殊不知于先生爲「江浙派」畫人，讀于先生文，談了自由中國畫壇的「師院派」，「台灣派」，「江浙派」等等，我最怕談「派」，千古以來的創作家（藝術家、文學家）只知兢兢於創作，並無自命爲「某派」，而「派」之爲世人所知者，乃出之於當時的藝術批評家或者後世藝術家的研究所得，只要好，不必要「派」，同時要「派」也未必一定好；如果不好，什麼「派」也無用；「派」的壞處是欺世惑人，「派」的好處，最多是自立門戶，束縛畫家的自我發展。因之，也就影響創作精神和作品了。

據于先生指出，自由中國只有師承而無派別，我以爲即使屬於師承，也非好現象，依照師承的情形說，永遠只有這些師承的藝術，而無獨立不倚的新藝術品產生，這顯然不是藝術（繪畫）的好現象了。

談繪事不應有界限

于先生認爲西洋畫家不必談國畫創作，準此，則國畫家也便不應該談西畫創作了。至於「天才小畫家」何谷川的一幅畫，四年前標價五千元，恐是失實，據我參觀四十一年「自由中國美展」，所見何谷川的一幅畫，標價只是五百元，一「〇」之差或是于先生記憶錯誤。其實畫家作品的有價與無價，非可議論，何況尚爲非賣品呢，這點權利應該是畫家所有的。東西方繪畫工具不同，作品風格有別，生活、精神、思想、事物殊異，作品風格自亦異，斷不能以工具、技術完全決定西畫與國畫，用國畫工具、技巧寫西洋生活、精神、思想、事物，亦非國畫；反之，亦不得謂爲西畫。所以，我認爲西畫與國畫與其取決於工具、技巧，莫如取決於生活、精神、思想、事物爲妥，不悉于先生以爲然否？

依我看，西畫家可以談國畫創作，國畫家也可以談西畫創作，只要他有見解，譬如我不懂畫事，也可以談畫，談得好不好，彼不愛畫人接受，那全不關係談者的動機和權利問題。但有一點，必須不是危言聳聽，或者攻訐他人以洩私憤，只要中肯且有見地，在藝壇紛亂的今日，或有裨益；未悉于先生以爲然否？

反映時代需要不夠

我認爲今日自由中國畫壇，崇尚古典主義氣息較爲濃厚，不論中國古典或西洋古典，反映時代，表現時代的精神還做得不怎麼夠；創造新的，反映時代精神的畫，應該是人類進步的一環，絕不需要落伍，或者死的拖住活的，我們今日的處境，與南宋殘局相似，因爲任何一個時代，文化思想的躍進，都來自大刺激，尤其在文學藝術方面，更爲顯著；南宋偏安江左，所諸臣痛哭流涕，鄭所南（？）作懸空蘭，寓意亡國之痛，亟思救國復國；以古視今，我們僻居海隅的孤臣孽子（畫家），雖有對中共極權統治的憎恨與反共復國的思想情緒，而以之表現於畫者，却不多見，但我不是說畫家未在這方面努力；畫之優劣，不在取決於被描寫的事物，却在物外之寓意，懸空蘭不在於蘭花畫的好壞，在於無根的含義，令人與亡國心情相聯係，在意識上相結合。這是今日繪畫之美學的認識與表現問題，而非「派」，談，標價等的末節，未悉于先生以爲然否？

哭伯老

刁抱石

曾伯雄先生，湖南長沙人，平生酷愛杯中物，隨吳禮公有年；近以腦溢血逝世。

人海藏孤客。他山借楚材。憂來新淌死。老去不停杯。眼是棺前閉。心爲劫外灰。嗟予多涕淚。一哭極悲哀。

雨中送友赴美

周樹聲

柳暗鶯啼日，輕裝獨往還。添愁雲黯黯，恨別雨潸潸；萬里橫超海，千尋俯瞰山；爲言匡復事，願共濟時艱。

燕塵識小

纖生

象山拒約復青膠

五四運動後果如何，却也值得一談的。這一運動，確令北方軍閥深感不安，竭力加以壓制。於是蔡校長在發表了「殺君馬者道旁兒」的通電之後，就翩然南下了。同時這一運動也震撼了世界的聽聞。亡友吳筱鵬兄時方留學英倫，據其所云，當時英國報紙，全以中國學生運動（Chinese Students Movement）大字標題，列於首頁。國際視聽爲之一驚，樽俎折衝，也就有所措手了。記得看過梁任公先生一篇文字，敍述當時巴黎和會我代表對於和約草案迎拒的情形。大意是說亭林陽明主張拒簽，安定主張持重。象山雖總持大綱，而心怍遲疑。此役我國代表是陸子欣，胡馨吾，顧少川，王儒堂諸公（還有施肇基先生），故任公以古之四賢，影射今之四代表（飲冰室文集未見此文，姑引大意如此。以下仍以象山代陸；亭林代顧。東施效顰，一笑一笑）。正在一髮千鈞，舉棋不定之際，國內學潮忽然暴發。這種羣衆示威的行動，直給外交上大增聲勢，於是亭林陽明持之愈堅，安定不復異議，而象山態度，也就毅然決然。對於此一列強勾結秘密分贓的巴黎和約，表斷然拒絕簽字。爲了維持國權，收復國土，我代表此一嚴正堅決的表示，卒使操縱秘密外交的列強，爲之失色，而日本繼承德國在山東一切權益的陰謀，爲之粉碎。要使美國有心助我，亦得以斡旋於其間（換言之，假如中國一簽字，美國也無從幫忙。）這才有繼之而起的華府會議。使青島領土重歸版圖，膠濟鐵路備價贖回。（這筆款日本根本不願我付，我也始終未付，容後再談。）在外交史上總是成功的一件大事。而可與去年一票否決外蒙入會，後先媲美的。

今天追述五四運動的效果，別的不談，單就「促成外交轉機，保全山東領土」一事而論，縱不居功，也庶幾可告無罪於天下了。

至於五四前夕北大飯廳如何開會；五四當天安門外如何遊行；東交民巷如何交涉；趙家樓（衙名，曹宅在此衙）如何放火。則並世諸賢，有躬逢其盛者在。自有宏篇鉅製，傳信千秋。固不待纖生一個置身事外之人，來作隔靴搔癢之談矣。（亭林引退，迴憶錄當可成書，當年眞象如何自必詳敍，我輩愛聞掌故者，不勝拭目以俟之。）（十三）

說鼠

秦思源

我最近又搬了一次家，搬到獅子山腹間一間木屋裏，那兒是沸九一些運動家們，作爬山比賽一顯身手的勝地。

住的雖是木板房，空氣好，光綫足，尤其夜景宜人，用不着說；其恬靜和安適，更是一般遍處於鬧市之鴿子籠式的洋樓中人，所享受不到的。像我這種日思補過的人，安貧若素，確是求之難得的好地方。可謂得其所哉。

惟美中不足，那兒鼠子很多；每當夜闌人靜時，打擾我的清夢，確使人夠受。我沒有養貓，事實上也不許可我養貓，萬籟俱寂，起而與鼠子肉搏，常常攪得天翻地覆，使鄰居側目，也不得安於枕席。

鼠子，牠白天躲在幽暗洞穴裏，無論[illegible]如何，[illegible]我無法[illegible]而逮捕牠，一到深夜，[illegible]，牠就[illegible]方八面，[illegible]後[illegible]我儲藏的食物，以及一般地[illegible]（上）

張之洞（丁）

南皮科名甚早，初入仕，兩年而躋二品，終至封疆宰輔，參贊樞密，書生之榮極矣。其爲人短身，巨髯，風儀峻整，從宦所至，必有興作，規模宏大，不問耗費之多寡。而一生趣事可紀者亦甚多。當其十六歲中解元後，大宴賓客，自撰一聯，懸諸中庭，聯云：『上巳之前，猶是夫人自稱曰。中秋而後，居然君子不以言。』蓋歇後語，小童領舉人也，妙在不出四書，構思之巧，眞有令人不可思議者也。

相傳南皮爲猿猴轉世，觀其遺像，亦疑近猿形，性淫甚，寵姬妾甚多。日間亦輒命將箋紙硯，移置某姨太房內做文章，其實爲狎玩耳，據其自爲人言，性交後，文思潮湧，可以一揮而就。故姬妾間嘗爲笑謔，每相問曰：『中堂在你房內做了多少文章？』

湘潭王闓運壬秋，以文章鳴於時，南皮亦雅視之，嘗在陶然亭讌談，指『陶然亭』三字命對，壬秋略不思索曰『張之洞』。又遙望閒滯者，即以『閒與滯』，命對，又應聲曰：『張香濤』。南皮不以爲侮，相與大笑不已。

合肥李鴻章與南皮不甚融洽，庚子年，東南互保時，合肥居京當外交之衝，日與德將瓦特西周旋，南皮貽書譏之，合肥語人曰：『香濤做官數十年，猶是書生之見也。』語聞於南皮，乃忿然曰：『少荃議和兩三次，乃以前輩自居乎？』時人以爲天衣無縫之聯也。

清末南皮與袁世凱同爲南北洋大臣，南皮資深望重，袁位其上，但北洋例居首席，故南皮，輒以輕慢過世凱。徐又錚祝昔軒遺稿，略云嘗親見張袁會晤之盛況，壬寅之春，南皮過保定，世凱時總督，設讌待張，徐亦陪席，世凱率文武官吏迎於百數，備極謙恭，態度謙然，滿座屏息，無敢稍譁，南皮則欲案垂首，若寐若醒，偶爾應命，席間士聯談詞林往事，因楊亦翰林出身，徧覩世凱無識者，南皮謂左右曰：『不意袁慰亭總督任內竟能有楊某其人者。』

宣統改元，攝政王載灃監國時，宣布[illegible]，國政[illegible]，均因袁世凱構陷而致，[illegible]大臣均[illegible]無敢言，獨南皮則[illegible]，謂世凱[illegible]發戰實地，[illegible]不得當，[illegible]，攝政王悍然不語，遂有袁世凱開缺回籍之事。南皮不念舊嫌，[illegible]，宅心可[illegible]。然而，洪憲之亂，遺中國無窮之禍者，豈其始料所及哉？（三十）

同光風雲錄

夢山樓

石榴河畔的風暴

·袁修農·

短篇小說

毛小溜子向屯子的人說，他奉了上級的命令要常駐趙家屯，趙家屯是他的工作地區，他辦公的地點設在趙家祠，吃的用的都由屯子供給，毛小溜子第一個傑作是將祠裏的神龕扔到院子裏，這個傑作是趙家屯的人不敢聽聞的事，但是他們忍下去了。毛小溜子第二個傑作是調查趙百福的罪行，一直從他爺爺那代算起，就連他的狗咬死誰家的一隻雞也算在內，這項工作進行得並不順利，毛小溜子問遍了全村的人，但沒人能說出趙百福有過一件壞事。

毛小溜子明白；如果找不出趙百福的罪行，他今後的工作便更困難，事實上，他來到趙家屯的工作目標，唯一還是趙百福，他想：如果不把趙老頭子打倒，趙家屯的人是不會服貼的！

一道命令，兩道命令，……傳到趙家屯來，毛小溜子便執行命令向屯子的人要錢；要糧，要草，要伕子，說是用來『支援』『解放』的，屯子上的人沒有一個敢提出抗議，只要能『擠』得出，但是，『豆子還有榨不出油的時候』！

屯子的人終到了不堪忍受的一天，大家唯一仰仗的還是抬出趙百福來，他想個辦法，一聚，趙家的院子集滿了人，趙百福向大家說：『趙家屯的人已到了末路，如果我們忍下去，便成了刀上魚肉，[illegible]

[illegible]

了，河水變得更紅了！（五）（完）

自由人

THE FREEMAN

（第五四四期）

中華民國僑務委員會
核發登記證台教新字第一零二號
中華郵政台字第五〇〇號
執照登記爲第一類新聞紙類
（半週刊每星期三　六出版）
每份港幣壹毫
台北市售價台幣壹元
督印人：陳文華
地址：香港高士威道二十號四樓
3 rd. fl. 20 CAUSEWAY RD
HONG KONG
香港發行及事務接洽
高士打道66號　電話：七四〇五三
承印者：東南印務出版社
地　址：高士打道六十四號
海外總經銷
友聯書報發行公司
香港：彌敦道中二十六號A二樓
台灣特派員辦事處
台北市館前街五十號
台灣總經銷處
台北市西寧南路壹壹零號二樓
台郵撥儲金戶九二五二

論現階段反共

這篇東西是爲決心和共產黨鬥爭到底的中國人看的

・黃震遐・

世界共黨自從俄共開始了清算史達林的運動以來，有一重大的發展。這是新近出現的一種敵情。中國人要反共到底，不能漠視這種敵情，是一常識問題，也是原則問題。

共黨向人民戰爭發展

在常識上，俄共之清算史達林精神（不一定是它的制度），祗有在共黨發現史達林的指導精神眞會變成爲共黨繼續向外發展的障碍時，才會認眞去推行到底。在目前，它所清算掉的史達林精神，實在有限。和平攻勢實際是史達林發明的，史達林在人民陣綫時代和德蘇協定時代，都曾有過笑臉迎人的表演。集體領導實際祗是新的個人獨裁未能形成以前的一種暫時妥協。赫魯曉夫在旅行印度和英倫時的表現，早已表露他是眞正的主人了。

在制度上，蘇俄絕不考慮取消史達林的奴工生產，特務制度，民族政策，及透過殖民地（廣義的）向西方迂迴的政策。絕不考慮削弱史達林的最大發明——「人民戰爭」。在常識上（撤開理論不談），俄共之清算史達林精神，實際祗有一種意義，此即是，世界共黨暫時承認負擔推行階級鬥爭無望，而乾脆和公開地宣示共黨今後將專向「人民戰爭」一條大路上去發展。

階級鬥爭的最後象徵

史達林在某種意義上，反而變成階級鬥爭的最後殿軍，不幸他落伍了，他的共產情報局和日丹諾夫是以階級鬥爭來向西方資本主義進攻的最後一次失敗的表現，而他的「人民戰爭」則在東亞（目前是西亞和北非）着着成功，此表示共黨非從歷史上（共黨的史觀）後退一步不可，非從「階級鬥爭」退爲「人民戰爭」不可。否則即是第三次大戰和共黨政權的必然喪失。今之共黨集體領導者（除掉熱狂的貝利亞）可能鑒此失敗主義的憂慮已久，毛澤東在中國的成功亦可能是一不小的刺激（證明單憑「人民戰爭」即可嚇退美國），而蘇聯國內由於史達林死亡所產生的某種「民主」願望，和紅軍中拿破崙主義的醞釀，更使俄共在鐵幕中的最高權力發生問題，凡此因素，皆令赫魯曉夫的黨不得不考慮直接佈置「人民戰爭」，並且要在蘇聯本身實行。

基此，才必須清除掉階級鬥爭的最後象徵——「史達林」，把一切階級鬥爭的罪惡，都一古腦兒推到史達林個人的偏差和瘋狂上去，以求鞏固政權。

人民戰爭的特點

赫魯曉夫等已經很明顯地表示蘇聯目前走的是新人民陣綫，萬一打起仗來，即是人民戰爭，不是世界革命了。因爲世界革命（階級鬥爭）的路綫，已經成爲世界共黨事業的顯著障碍，公開的階級鬥爭絕對樹敵，而含混的「人民戰爭」則可增加友軍，共黨過去雙管齊下，一管成全了毛澤東（後者），一管則奔向第三次大戰，和美國硬拚（前者）。因此非去掉「史達林的階級鬥爭」不可。這次向右轉，向後退（根據共黨看法），是整個鐵幕，整個共黨的戰略退却，是蘇聯後退向中共看齊，是蘇俄拱其經濟及軍事的總力向「殖民地」看齊。此變非同小可，爲一原則問題，我們必須把握這個原則。

人民戰爭代替階級鬥爭有什麼特點呢？第一、它可以動員並獲得更多的民族主義及民主主義者的支持。第二、它可以更進一步分化削弱世界民族主義及民主主義的反共力量。第三、它可以更進一步孤立美國（不談階級鬥爭，即對美國沒有直接威脅），避免大戰。第四、它可以更有把握地在軍事上準備作戰，透過個別的愛國主義來動員每一衛星國的人民，每一中立親共國家的人民，來保持共黨對自由世界各第一綫弱國的威脅。

列寧主義的沒落

在共黨的觀念中，「人民戰爭」是「落伍」的，在「人民戰爭」中，無產階級只是先鋒，不是主人，共黨的獨裁會打折扣。人民戰爭需要借重很大的傳統力量（復古的愛國主義），人民戰爭需要有一各階層共同服膺的原則，而此斷非共產主義，而是「祖國」。世界共黨如以人民戰爭爲世界擴張的新基礎，共黨一方面可有更多的武器，一方面却去目標更遠，也容易變質。這是救急的猛劑，不是沒有危險。可是克里姆林宮目前已顧不到危險。這是背叛列寧，可是列寧的「遺教」已證明不切實際，而克里姆林宮不敢失敗於美國之手。史達林無疑是一瘋子，但它的暴虐狂是列寧主義造成的，他的失敗正好象徵列寧主義的沒落；爲此，他們才會特別標榜列寧。

或以爲，赫魯曉夫的新人民陣綫（即新人民戰爭的準備），只是一種手段，本實上和史達林生前的和平攻勢是相同的。此已不够說明今日蘇俄的巨大變化，和國際局勢的現況。

從革命變成進化，多少要牽涉到共黨哲學的理論基礎，從無產階級性的前進退爲資產階級性的「進步」，多少會削弱共黨的在一個國家中的獨斷性。但共黨認此一變，却更能面對現實，實事求是，這使它有力量，特別是防禦上的把握。

如何對付人民戰爭

此種新的力量，即是人民戰爭的力量。共黨唯一保留其傳統優點的，是其上級號召和下級響應的動員技術。是它的虛心和忍耐，它的重視心理和人力。

人民戰爭不是總體戰，總體戰是由上而下來發動的。總體戰只有國民愛國心理傳統最強的少數先進國家（如過去的德日）纔能實行，那是軍國主義的產物。學不來的。

對付人民戰爭，不能單憑民主自由的思想和制度，因爲民主自由的革命思想只够反封建，不够反極權。而民主自由的制度不是每一國家生來俱有的。

（下轉第二版）

監察院的自肅運動

——由柴委員調閱案卷案引起——

・陳志奇・

立監兩院誰是「國會」代表的問題，現已無形擱置。惟最近監察院又發生一個很有意義的新運動。這運動起于本月四日監院的四十五年度總檢討會議。這本是一年一度的例行會議，但本屆的檢討會議意義特別深遠。

于院長語重心長

本屆總檢討會開幕之日，院長于右任先有一段語重心長的講演，至爲感人，他說，『行憲到今，我們監察人員，對憲法付予的職權，盡到了多少，做到了多少，大家要在此時虛心檢討，反省，更要勇于負起責任來！』又說，『今天的監察權不是僅靠憲法上的條文可以建立起來的，是要靠身負監察職責的人去努力實行的，是要苦幹的！』這位老政治家的話，當然不是無病呻吟，隨便感慨的。當然是有謂而發。這幾年來，留心到這一監察機構的人，都不免有一種感覺，覺得監察權的行使，往往有頭無尾，糾彈案件多是些無法了結的葛藤，工作過於渙散，而且消極性的糾彈案件爲多。促進政府興革積極的措施太少。再由，「審閱」是監院最重要的工作，然凡糾彈案件，各種書狀最先而最煩要的處理，就是「審閱」。然而現在的監察院，連一個審查案件的會議室都沒有，委員們欲求片刻寧靜時間細細翻閱文件，也不可得。凡此種種，于院長自然了解最深，感慨自然也最大。檢討會議宜一番沉痛的話，也便由此而生了。

自肅運動的心情

檢討會議中，不僅于院長有許多感慨，監委先生們也都有一種心情，認爲過去的作風要有所改革，要向實事求是方面邁進。不僅和立法院爭誰是「國會」代表毫無意義。並且覺得要認眞嚴肅的自我檢討，要展開一項劃時代的「自肅運動」。大家都深深覺得「不能正己，焉能正人」。因此這一次的檢討會議，便有了一個新的精神發展，和過去的例行會議，迥乎不同。這一新的精神發展，我們不妨姑名之爲「自肅運動」。

陶委員的臨時動議

這「自肅運動」，首先由監委陶百川揭開序幕。本月九日，該院第四百二十一次會議，陶氏提出臨時動議說：「本院柴委員峯調閱中國農民銀行總管理處案卷，屢催不還，是否構成違法失職，擬請院會推派委員澈查，請討論案。」接着曹啓文，吳大宇，王文光，曹德宣，劉耀西，侯天民，劉巨全，陳肇英，梅公任，陳訪先，葉時修，王潄霖，錢用和，劉行之，陳志明，趙季勳，金超光，于鎭洲等十餘委員，相繼熱烈發言。一致主張對此案應予澈查，以維監察權的威信，結果通過決議，派王文光，陳訪先二委員負責調查，提報院會。「自肅運動」便由此而產生了。

柴委員久假不歸

按照規定，監察委員查案，分由院方分配案件，及委員個人自行管理案件兩種。個人自行管理案件，須於受理後通知秘書處，且每一案件之查辦，均有一定期限，屆期如不提出報告，祕書處應去函催詢。查案委員，應將延緩理由答復秘書處。上述柴委員調閱農行案卷案，據此間某報透露：柴委員峯因案於數年前調閱中國農民銀行的案卷，全係該行重要賬目及傳票等八十四宗，不久以前，祗送還七十宗，尚欠十四宗迄未歸還。農民銀行屢經催詢，柴委員概置之不理。且柴委員受理控訴中國農民銀行一案，事前既未與監院秘書處聯絡，又未照規定期限查報。最近在院會舉行之前，秘書處去函柴委員請出席說明，柴委員亦以稱病爲詞，向院會告假。致監院對農民銀行之追索案卷，無從處理。前述陶委員之臨時動議即由此而起。此一動議，既決議派王陳兩委員調查，將來結果如何，此時自未能預加懸揣。然而筆者認爲此時最應爲吾人所注視者，即此種「自律精神」的發生，與其今後之演變與影響如何。

法律問題與先例

此次監察院在討論該案時，曾引起一項法律問題：即監察委員調查監察委員，於法是否有據？有無先例可援？設先例是有的：（一）不久以前，曹德宣委員在澎湖查案，曾和當地檢察官發生糾紛，曾由監委調查。（二）劉行之委員甫由匪區來台，亦曾經監院紀律委員會從事三個目的調查。至於法律方面，有人考慮到大法官會議的解釋：『民意代表不能彈劾民意代表，民意代表不是行使監察權的對象。』但有人認爲這顧慮是多餘的。因爲民意機關對構成本身的份子，施行紀律，與行使「監察權」並不是一件事情。只是民意機關本身應有的紀律問題。世界憲政國家，亦有事例可援。例如此種「自律」權的行使，在美國是有憲法規定的。美憲第五節第一款：『……並得依照各該議院所規定的程序與罰則，强迫缺席的議員出席。』又第二款：『各兩院各自擬定本院的議事規則；處罰本院議員中的擾亂秩序者；並於獲得本院議員三分之二同意時，開除議員。』再英國議會開會時，主席有權宣佈不守紀律的議員停止出席或退席。這可見監察院決議派出委員調查其他委員，並不至發生所謂法律問題。監院本身既有先例，援諸憲政先進國家亦不乏事例。我們希望監院此次的「自律」運動，不僅對於柴委員調閱農行案卷一案，能够迅速得到合理的解決。同時我們更希望此種「自律」的新精神能够逐漸發展，使一切監察工作更臻於完善有效。

抑更有進者，近幾年來中央與地方的民意機關，令人鼓舞欽佩之點固多，然而使人氣沮憤慨之處亦復不少。監察院此一「自肅運動」如能由此而影響及于中央和地方其他民意機關，則更爲筆者所馨香祝禱者矣。（五月十四日于台北）

半週述評

・司馬璐・

再談俄式「裁軍」

上期「時事述評」，筆者說到，蘇俄宣佈裁軍，志在宣傳，値不得大驚小怪。

但是，却有些頭腦不健康的人，他們自相驚擾，紐約的股票行市也受到了影響。

我們必須向這些不健康的人預先提出警告：俄式的「裁軍」把戲可能還繼續有鬧劇上演的。

蘇俄可能有一天對自由世界宣佈說：蘇俄「裁軍」澈底到全部軍人「解甲」了。

但是，他們却在裁軍會議上堅持反對嚴格的視察計劃。

根本的問題是個制度，在民主國家，我們雖然也有軍事秘密，但大體上我們的軍事力量是瞞不了人的。

不讓別人進房間

假如蘇俄對于「裁軍」眞有一點點誠意的話，它有什麼理由反對「開放天空」呢？

共黨的宣傳說，這是蘇俄第三次「裁軍」了。

赫魯歇夫說，蘇俄是不高興別人到他們的房間裏看看的。既然如此，蘇俄「裁軍」三次也好，三百次也好，有什麼道理呢？

我們甚至可以指出，像蘇俄這樣的國家，赫魯歇夫即使歡迎別人到他房間去看看，都是靠不住的。

因爲，在極權統治下，警察可以有公開與秘密之分，軍隊就不可以嗎？今天「退役」，明天「復役」，也不像民主國家那樣麻煩的。

誰是紅軍的靈魂

我們說，蘇俄「裁軍」主要在於獲致宣傳效果，這意思不是，它完全沒有對內的作用。

我們知道，這次俄共清算史達林，曾經牽涉到史達林的軍事領導問題。最近「紅星報」對「軍事先鋒」雜誌的反擊，證明史達林的幽靈還沒有完全從蘇俄紅軍中消失。

今天的俄共統治者面臨到一個問題，他們利用紅軍不滿特務的情緒，在紅軍的支持下鬥倒了貝里亞，但是，「紅軍不滿特務的情緒」根本的問題是：黨（過去的象徵是史達林）或者職業軍人（例如朱可夫）誰支配紅軍的靈魂。

俄共步驟的混亂

問題的微妙在于：赫魯歇夫這批人，爲了在紅軍的支持下穩定他們對俄共的領導，在某一個階段，他們不惜盡量牽就職業軍人，甚至在二十次大會上歷數史達林錯殺紅軍軍官的罪惡，討好紅軍。但是，當清算史達林的問題在紅軍中發展到影響黨對紅軍的領導威信時，則又不是俄共今天的統治者所能容許的了。

紅軍清算史達林，必然的邏輯是要牽涉到黨對紅軍的領導問題上去的。

于是，俄共統治者的步驟大亂，「紅星報」從清算史達林的立場轉而爲史達林辯護了。

杜卡契夫斯基的悲劇

當今天的俄共統治者沒有控制黨的領導以前，貝里亞的特務系統是他的主要敵人；當今天的俄共統治者控制了黨的領導以後，職業軍人的思想就變成他的主要威脅了。

裁軍，對外可作「和平」的宣傳，對內可作「整軍」的口實。

杜卡契夫斯基的悲劇，在今天的朱可夫等人身上不是不可能重演的。

逆耳之言

——我所望於立法委員者——

·德·

台北英文中國郵報於五月六日登載了一則立委胡秋原接見該報記者的談話，胡氏首就四月二十四日立法院十七會期第十六次會議否決了他的提案，認爲立法院不但背棄了憲法所賦予的任務，而且否認了其自身之立場，接着他呼籲所有的知識分子，團結起來維護憲法的尊嚴，支持憲法的文字精神。胡文發表後，震動一時，尤其是一般讀書人對胡先生忠於職守，孤軍奮鬥，不苟且，不妥協，深致景仰之忱。大家都認爲胡先生的言論風采足爲矜式，堪爲讀書人表率。五月十四日中央日報刊出立委馬濟霖之「追求民主與自由之途徑」一文，字裏行間對胡氏此舉多所指摘，言外之意，似乎有責備胡氏不宜太過倔强，操之太切，要適可而止。馬委員草此文的動機是出於一己感想，抑代表他人意見，我們無從得知。

敎部方案變更現學制

不過，我們就事論事，深感上月立院之否決胡氏提案，實是行憲以來立法院故意放棄職守最露骨的一次表現。根據憲法第六十二條、六十三條條文，立法院職有專司。本年三月一日教育部頒布之教育兩大改革方案，無論由任何角度看，都是變更現行學制（大學法、中學法）的舉措，立法院想過問，這是分內事，要求教育部將原案移送審議是立法委員的權利，也是義務。稍懂政治常識的人對於教部兩方案之變更現行學制，均能道其詳，如果硬要說並無變更，僅僅是權宜的措施，那簡直是顛倒黑白，自欺欺人。馬委員說：「不惟我爲知識分子，不能接受胡先生的呼籲，所有知識分子均無接受胡先生呼籲的必要。」這話未免過於武斷，我不敢苟同；殊不知儒者所爭，在於名實，名實已明，而天下之理得矣。胡委員於十七會期第十一次會議的提案完全在於辨明名實，這種探討眞理，服膺眞理的精神與勇氣，値得我們讀書人喝采，豈有不接受之理。

民意代表的責任

馬委員一再强調民主政治是以少數服從多數，誠然，民主政治的內涵是少數服從多數，但更可貴的是以多數尊重少數。我們國家容忍少數，今天尙乏强有力的反對黨，執政黨在立院中控有絕大多數的議席，少數意見往往無從表現。可是，我們卻願意提醒一下，民意代表除了向政黨負責外，還須向選民負責，向自己的良知良能負責。我深深感到我國民主政治到今天才略具規模——一個國民代表大會，一部較爲完整的憲法，以及根據憲法而產生的五權政府。民意代表受選民付託，代表人民督促政府實行憲政，身爲民意代表的立法委員應該如何竭精殫慮，勤於職守才是，而今乃不務出此，竟然放棄了自身權責，視憲法如具文，徒作多數少數之較量，像這樣的無是非，不負責，那我們又何貴乎有此立法院！

請立委諸公反省

在英美等國家的國會議員，他們的負責精神實有足多者，在會場中，對於政府措施如認爲有背於民意時，不僅是反對黨議員加以攻擊，即是執政黨議員也一樣的加以反對。在會場外，不畏跋涉，深入民間各階層，遍求民隱，以便提請政府注意與改善，這樣的言行，使人欽慕無已。反觀我們自己，不少立法委員平素養尊處優，過到會期開始時，辦一下報到手續，領一筆出席費車馬費，似乎責任已了，除了極重大議案外，會場中出席立委，寥寥可數，有的甚至經年不會露過一次面。去年某一會期中，爲了增加出席費不果，故意在審查國家預算案時與行政院多方留難，這一切早爲民間所詬病。今日大陸沉淪，格於客觀環境，民意代表無法如期改選，立委任期一再延長，立委諸公似乎大可不必顧慮選民的制裁。淸夜，我希望每當平旦清明靜根偶動之時，諸公不妨捫心自問一下：這些年來究竟有幾次誠心誠意地爲選民說過話，爲國家做過事。

我草此文時，內心的沉痛不言可喻，我是國民一分子，我自信我有資格向立法院進盡忠言，我們國家的民主政治方在舉步之時，「創業維艱，守成不易」，希望立委諸公珍惜自己在人民心中的信譽，明辨是非，負起應該盡的責任來！（五月十五日台北）

美蘇空軍孰强？

·譚天縱·

上月英蘇會談期間，蘇聯的一架TV—一〇四噴射民航機，在倫敦引起了航空界人士的注意，有人以爲蘇聯的航空工業已發展成爲世界第一，而俄共的附庸國家們，更把它形容到天衣無縫的地步，並以此誇稱蘇聯空軍已强大到無法抵禦的階段。

何謂進步與落伍

現代空軍在進入噴射化時代後，一切用引擎發動的飛機確已落伍了，但是我們卻不能從一架民航機上來推斷軍用機，也更不能以之來估計整個空軍的實力。像英國，彗星式噴射客機問世已久，而她的空軍則尙未全部噴射化；美國也正在設計建造一種可裝載一百多人的噴射民航機，那不比蘇聯的TV—一〇四還進步嗎。所以，除非三次大戰來臨，否則誰也無法論斷那個國家的空軍是第一。

目前，美國航空工業緊張情形是罕見的。他們正在埋頭苦幹的研究和改良各種機種，以保持空軍優勢。無疑地，對付侵略者，在原子攻擊的時代，如果當被襲後，才建立牠的空軍那是太遲了。因此，美國必需在現階段從事設計好和準備好他的武器，在飛機方面，更要不斷的研究，改良和生產，才能應付突然的襲擊。韓戰初期美國處於劣勢空軍狀態下的教訓，是難以令人忘懷的。

原子動力已在設計中

目前美國空軍第一綫的幾種飛機，比第二次世界大戰時所用的，不論火力或速度方面都已增加了幾倍。但是也正因牠的高速度和複雜的構造、使牠的生產比較遲緩，至於費用方面，當然貴得更多了，像B—52型越洲噴射機，每架竟達到八百餘萬美元，而每月產量不過四、五架而已。任務固是艱苦，空軍部門卻一直在任勞任怨的努力着，來維持一種平均水準的空中武力，使牠既能控制天空，又能協助地面部隊來粉碎敵人的侵襲。因此他經常保有一隊優良的飛機，像韓戰中聞名的軍刀式機，就是世界上現有的快速戰鬥機之一，牠保有每小時八百二十二哩的最高速度，這種軍刀式和其他種類的第一綫飛機，都是經過了五年或十年的研究和改良的。以前的設計，今日已見諸實行，而今日的設計，也將於數年後實現，擺在美國航空研究所和技術人員的設計板上的都是些新的計劃與原則，機器在試驗，新機在試飛，飛機工廠繼續加緊大量生產，更高速度和更强的武器佔據了最重要的地位，落伍的已漸被淘汰，新的F—104，和F—105型比軍刀式機的性能更加完善，牠不只速度高，還配備了雷達偵察器來幫助駕駛員搜索，用電鈕控制指示投彈目標，還有可以同時發射的火箭炮，甚至以原子爲動力的計劃已在設計中，那比噴射發動又不知相差多遠了。

然而這種航空工程，並非像紙上談兵，那樣容易，牠時時遭遇到無限的複什問題和困難，像軍刀機所用的J—57噴射發動器，在牠決定製造前，就經過了大大小小不下四百萬個問題要解決，才能開始製造，實非人們所能想像得到的呢！

蘇聯宣傳失敗

以美國這樣擁有雄厚的經濟潛力和人才集中，設備完善，航空工業發展尙且如此困難和緩慢，而要說蘇聯在戰後的十年八年間，已成爲世界的空軍第一强國，其誰信乎！可是共黨的宣傳伎倆是有他們的一套的，他們就把握着這次TV—一〇四噴射民航機到英國的機會，誇耀他的空軍力量，使自由國家震驚於他的空軍威力而接受其在裁軍會議上提出的條件。但從最近的情勢觀察，裁軍會議已在五月四日破裂，蘇聯的宣傳也緊隨其杯葛裁軍會議而同歸於盡了。

自由世界的危機　（轉載自由勞工新聞）

論現階段反共

黃震遐

（上接第一版）它需要時間，需要培養，更需要有它自己奮鬥成功的傳統。個人主義是民主的基礎，基本人權爲自由的基礎。這都不錯，但唯力是視的共黨卻從來不會重視過過個人主義和基本人權的力量，在實際鬥爭中對付一個極權的組織，一種二十世紀的人民戰爭，一切十九世紀式的零星思想制度和手法是無望的。僅僅移植一點思想和口號，更不用說了。今日民主自由傳統及制度之强，莫過於美國，而美軍打韓戰不會用此口號，第一綫殺敵之兵，是靠美國愛國主義。

除非選擇一個地區從頭做起，打定法治的基礎，一切效法西方最赤誠最具體的路子，空洞的民主「意見」是打不過人民戰爭的。

法西斯主義無用

法西斯爲共黨所懼怕，但它祇能推翻無能的民主政權（威瑪政府或意大利王室），不能立刻獲有對付人民戰爭的力量。故此今天不是應否而是能否定法西斯道路的問題，法西斯之興有五個必須的主觀上的條件，（一）是一種極端的民族主義。（二）是民族資本家而特別是重工業家的支持。（三）是要有一個光榮的軍事傳統。（四）是一套共黨式的鬥爭技術。（五）是它必須是一由下而上的社會運動。領袖倒是不重要的（自然會產生）。世界上同時具備這五個條件的國家太少了。法國的普遍特運動即缺乏二三兩項最重要的條件。撇開道德意義不論，這夢也最好不做，因爲做不成的。半調子的法西斯主義，共黨不但不怕，而且歡迎。

空洞的社會主義者（沒有工會沒有羣衆的），最後先檢討共黨從馬克斯以來的許多批判文字。過去由烏托邦主義通反封建都不成，還要去開闢新大陸。今天也有同樣的情形。

綜上，共黨從階級鬥爭回到人民戰爭，經此退卻，它是準備隱下去的，客觀上它能做得到麼？

鐵幕人民所需要的

目前赫魯曉夫毛澤東之徒的把握，不在它的極權制度（正在自行減輕中），而在它的集體主義。集體主義不是一種令人幸福的制度，但它是二十世紀五十年代人口激增，生產擴展，消費驚人，交通通信瞬息千萬哩，和氫彈集體破壞時代的不愉快產物。不論你喜歡它與否，它會出現的，這是世界共黨補救共全面落後的一種制度（以人口對工業），而集體主義的最高表現，即是人民戰爭，共黨在實際上經過很多的失敗和痛苦，才會從十九世紀式的階級鬥爭「發展」成爲人民戰爭。因此今天要反共，也必須集中目標，針對共黨的人民戰爭，此令中國的反共者不宜採取單純的復古主義和未來主義。也不能以單純的總體戰來對付人民戰爭。

赤誠的愛國主義，個人自由和人權保障，法治和效能，以及一個合理的社會政策，這些都是鐵幕人民所需要的。但這些理念透過五十年代的實際情況，並且要設法使之能夠十分有效地擊破人民戰爭，使它達到每一鐵幕人民的面前。尤其共的民族主義是種復古的保守主義，民主自由是一些無根的未來主義，總體戰是種命令主義。

共產黨最怕的是甚麼

這需要新智慧，新知識，新的動員熱潮和個人意識，新的開明和公正。共黨組織人民戰爭，是利用民族民主及社會主義的綜合力量。在這點上，共黨的人民戰爭和我們的人民戰爭的實際分別已經很小。和過去迥不相同。

因此，問題在理論上非不能解決，一切過去作風之不能生效，已經很清楚了。

一個榜樣，是自由俄聯（NTS）的存在，共黨十分怕它。因爲它的思想方式及其所致力和準備的工作，是可以拖垮人民戰爭的。自由俄聯的唯一缺點，是缺乏實力。其他都是進步的。

人民戰爭的巨大動力，巨大動員基礎，巨大的人民願望，是可以轉變過來的。克斯特勒在「正午的黑暗」中說：「共黨最怕的就是它所發動了的巨大社會動力，轉過來對付它們自己。」

我們畢竟比自由俄聯更有力量。問題在是否認識現實和能否開創歷史的新頁。（完）

台北速寫

·杜蘅之·

對放鬆銀根的希望

今春以來，政府爲防止物價波動，實行收縮通貨政策，銀根抽緊後，工商業都感到了困難。這種狀態當然不應過久。聞當局擬在最近又要逐步放鬆銀根了。譬如像台灣銀行成立了業務部，担任一般放款及美援貸款事宜。單就美援貸款一項，就達十億元。一般人對此的希望是，第一今後的貸款必須公允而合理，不要爲少數善於奔走者所專利，或再度發生官商勾結的事情；第二，七月間新預算年度開始，銀根必然寬鬆，到時政府仍應注意蓄久待動的物價問題。

喬治葉的苦悶

董顯光赴美，沈覲鼎去日，美日兩國是我們最重要的與國，由於這兩位大使之履新，大家對於外交人事之調整不免有許多感喟。熟於內幕者，則都知道葉外長對於外交部的人事調動，一方面須秉承上峯之意旨，另一方面須適應一班個人的願望，此外所能爲力之處就很少了。

兩個黨報之比較

中央日報社長一職，吃力而不討好，人人視爲畏途。最近胡健中又第三度出任社長。胡富機智，在前二任都還順利。不過，今非昔比，恐他也不能做多久。另一黨報中華日報，受牽制較少，所以容易有建樹，最近也頗多成就。

出差彌補生活

高雄縣政府職員二百四十三人，去年報支出差旅費達一百二十萬元，出差日數佔工作總日數百分之三十五，平均每三人中至少有一人出差。民政局長一年出差二百三十九天，縣長也出差一百四十天。對於這種怪現象，省政府已令查報。不過，報支出差旅費，以彌補生活費用，已成爲許多機關的公開秘密，根本之計似乎應從提高待遇着手。當然，對於居高位者，已有各種特別補助費，猶斤斤於此種小便宜，不可不嚴懲。

電話有黑市

本市因人口增加，現有之電話不敷需要，以致形成黑市電話交易。最近電信當局新增一千二百號，可稍調劑供求。但是距離實際需要之數仍很遠，須繼續增設新機。裝一架電話，收費七千八百元，也是政府一筆收入，爲什麼不多供應呢。

港大教授莫菲博士談：香港教育的展望

港大教育系教授莫菲博士前天被邀在公民協會席上演講，題爲「香港教育的展望」，莫氏原籍美國加里福尼亞大學教授，在港執教經年，對上述問題，有深刻研究，茲將其演詞摘錄如下：

香港教育有三件事。（一）戰後巨大擴展，與及此類擴展所引致難題。（二）教育方面有若干改進，若干問題有明顯進步。（三）教育界極大信念與信心。

在香港教育問題一歧見方面，値得進一步研究者，有如下列：（一）初級學校教育，如何能使普遍就學。一般同意至少有五萬名小學學齡兒童，無法就學，一般人認爲每一個人至少必須獲得小學教育，刻已有計劃，使在五至七年間實現，假如人口增加不超過目前估計，可能完成該一目的，至於收費問題，在稅收辦法不致改變前，恐難實施，次一目標，希望逐漸減收費用，最終做爲免費。（二）目前約有三份二兒童，就讀私校，設俾與成績之優劣，懸殊甚大，此一政策是否繼續或另謀辦法。（三）如何編製適應香港需要之小學課本，當然更需要較多輔導設施，如圖書館及「視覺聽覺教材」。（四）許多學校教育如何獲得改進，如若干教員不能運用現代知識與辦法，幾乎全靠問答辦法。（五）如何獲得標準教員適當供應——在葛量洪師範學院、羅富國師範學院及港大中，實難應付兩年俱增的就學需要，目前園籍展望獲得足夠標準教員，臨寫院現刻開辦一年訓練班，亦不得達到學校教學需要素質。（六）所有學校將如何維持合理水準，而不過份強調爲考試自修學。（七）各種不同的學童，對中文與英文究應學到怎樣程度。（八）關於中國與英國歷史文化，究應教到如何程度，對誰教究？（九）學生中有多少人必須進入中學，在那些學校中的學制，又應如何？（十）應如何採取進一步，以調整香港大學學程，以適應香港之需要。

走向解決途徑

在過去幾年中，教育司特別重視於改善校舍、教材與教學方面。儘管局面變化得很迅速，不僅在香港而且兼及整個世界，對於教育政策所有的主要現象，都將一一重行考慮了。

負責作教育研究的委員會，必須確定地担當了政策與設計工作，它將負責於決定研究的範圍，選拔工作人員，在必須時增設研究小組，全面綜合這一工作，並準備報告書。這一委員會須由一主席或執行秘書加以協助，這一主席或執行秘書，須同時在委員會或工作人員間工作。他必須斷然地是一個確當的人士。如以上所指出，看來有需要指派五六個小組委會，以研究教育方面的大問題，諸如標準、師資、學程等等，這樣的小組會，當須是從他們的報告書給研究委員會，研究會再根據這些小組報告，求得結論，並草擬研究報告書，在研究之際，無疑地將會有不同的意見，所以研究委會的目標就在盡可能解決這些歧見。職是之故，委會的工作人員，小組委員員，以及研究委員會委員，可以根據所有同的意見，必須清楚材料與建議，求取協地理解，負責此類研究的委員會，其作用是一顧問委會，因爲所有的建議，當須由政府置諸行動。

向現實挑戰

在過去一世紀內，香港的進步，獲得了全世界的注意，有很多理由可以相信，這類進步必須繼續，無論如何，將來的香港在很多方面比諸過去，大致將面臨較多的嚴重競爭，如果教育標準提高了，如果香港方面的教育工作做得很好，有各種理由可以相信，進步之處將會持續的，假如標準和工作落伍了，前途大致將會有困難的局面。

香港人對未來的希望，寄托在他們的教育機構上，唯有通過超特的教育制度，香港的人們才能期望發展所需要的領導才能和技術才能的技巧與質素，並適應未來世界的需要，較好的教育制度將可能保證在未來得有較確當的較高文化的人口。這樣，香港的繼續進步就依賴於儘可能的好的發展教育制度——這種制度必須仔細的計劃着，以適應現在以及將來的需要。

鄉鎮區長資格問題

——現行檢覈辦法欠妥善——

·張健生·

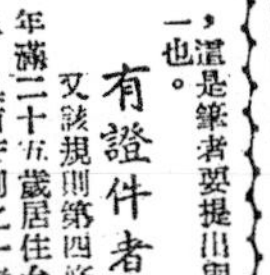

（台北通訊）去年考選部公佈之「台灣省鄉鎮區長縣轄市長候選人資格檢覈規則」，立法意旨，係依據建國大綱第十五條：「凡候選及任命官員，無論中央與地方，皆須經中央考試銓定資格者乃可。」而來的。但該規則公佈後，似不免發生流弊，略就管見所及與實際事實，略陳梗概，就正於考選當局：

重證件 輕考試

該規則第二條：「鄉鎮區長候選人資格之檢覈除審查證件外，必要時得舉行面試。」這規定與建國大綱第十五條：「……皆須經中央考試銓定資格乃可。」顯有出入，因該規則的重點係在「審查證件」，祗要有足資證明之證件，即可取得合格資格。所謂「必要時舉行面試」的規定，已使考試成爲附帶條件了。建國大綱十五條的眼光是以「考試」爲重點的。以證件代替考試，是否妥當，這是筆者要提出與考選部諸公商榷者一也。

有證件者未必是真才

又該規則第四條：「中華民國公民年滿二十五歲居住台灣省境內六個月以上，具有左列之一者，經台灣省鄉鎮長縣轄市長候選人資格檢覈合格後，取得候選人資格：……」第二款：「曾任村里長三年以上者……」第四款：「曾任鄉鎮區轄市民代表三年以上者。」這兩款的規定，無異爲考試開一方便之門。現任之村里長或鄉鎮區轄市民代表，多數只是粗識文字者，其中尚有文盲及不會講國語者。至受中等教育及大專教育者實在寥寥無幾。但彼等均有合格證件。這些人是否均有担任公職候選人的資歷，是否具有行政經驗，是很有問題的。試舉一二例證：此次台北縣鄉鎮長候選人中，就發現此種現象。板橋鎮長候選人之一林××者，爲一佃農出身，相當小學之日據時公學畢業，現經營米粉生意，連國語尚講不來。因曾當選一任鎮民代表，現即取得鎮長候選人資格，他的學經歷既極淺薄，將來若果當選，能否有好成績可想而知。此外另一位中學畢業，有十年以上行政經驗的某君，亦曾參加檢覈。但因未能提出有效證件，結果被取消資格。以證件主義論，前者確合規定。後者只有望洋興嘆。若以考試論，後者當較前者爲優。重證件，而輕考試，自不免失去眞才。此應與考選部諸公商榷者二也。

失去立法意旨，爲在野無遺才

。該項規則採取證件主義，則許多有眞才而無證件者，將永無參政之機會，亦恐因而招致許多無謂之糾紛。反之，無才能而有證件者，則從政之機會較多。此實非人盡其才之本旨。國父遺教中，曾引述一車夫與博士競選，博士失敗故事，以明候選資格必須考銓。値得令人深醒。如何做到野無遺才，此應與考選部諸公商榷者三也。

中共憲法之奴顏婢膝

·張君勱·

中共雖略窺見第二十七條列舉方法之病，然效法蘇聯之心甚切，於人民代表大會之後，繼之以常務委員會，其地位相等於蘇聯之蘇維埃主席團。然蘇聯之主席團，爲蘇維埃閉會期間之代理人，故蘇憲第三十一條中之列舉方法精神，（即第十四條）繼之而適用於主席團代爲行使者凡十六項之多。中共制定之所謂憲法亦惟恐常會之難於追隨蘇聯之主席團，亦列舉職權十九項。茲取蘇憲四十九條與中共憲法三十一條兩相對照如下：

蘇憲第四十九條：蘇聯最高蘇維埃之主席團

（甲）召集蘇維埃會議。

（乙）發佈命令。

（丙）解釋蘇聯法律之在運用中者。

（丁）依蘇憲四十七條解散最高蘇維埃，且命令新選舉。

（戊）舉行出於自行發動或出於一個共和邦之要求之全國總投票。

（己）取消部長、委員會與共和邦部長、委員會之決定與命令之不合於法律者。

（庚）在最高蘇維埃閉會期內對各部長、委員會之主席之推荐，任免各部長，准事後須得最高蘇維埃之核准。

（辛）規定蘇聯之勳章與榮譽稱號。

（壬）決定授予勳章與榮譽稱號。

（癸）行使大赦權。

（子）規定軍人稱號，外交官級及其特別稱號。

（丑）在最高蘇維埃閉會期間，如遇對蘇聯之武裝攻擊，或爲履行國際條約義務之關於對侵略之共同防禦時，宣佈戰爭狀態。

（寅）下令全部或一部動員。

（卯）批准或撤銷蘇聯之國際條約。

（辰）委派或召回蘇聯之國外全權代表。

（巳）宣佈分散地區或全國戒嚴，或爲國家防衛、或爲公共秩序、或爲安全。

中共所制定之憲法第三十一條：全國人民代表大會常務委員會行使下列職權

（一）主持全國人民代表大會的選舉。

（二）召集全國人民代表大會會議。

（三）解釋法律。

（四）制定命令。

（五）監督國務院、最高人民法院和最高人民監察院的工作。

（六）撤消國務院的同憲法、法律和命令相抵觸的決議和命令。

（七）改變或撤銷省、自治區、直轄市、國家權力機關的不適當的決議。

（八）在全國代表大會閉會期間，決定國務院副總理、各部部長、各委員會主任、秘書長的個別任免。

（九）任免最高人民法院副院長、審判員、和審判委員會委員。

（十）任免最高人民檢察院副檢察長、檢察員和檢察委員會委員。

（十一）決定駐外全權代表的任免。

（十二）決定同外國締結的條約的批准和廢除。

（十三）規定軍人和外交人員的銜級和其他專門銜級。

（十四）規定和決定授予國家的勳章和榮譽稱號。

（十五）決定特赦。

（十六）在全國人民代表大會閉會期間，如遇到國家遭受武裝侵犯，或必須履行國際間共同防止侵略的條約的情況，決定戰爭狀態的宣佈。

（十七）決定全國總動員或局部動員。

（十八）決定全國或部份地區的戒嚴。

（十九）全國人民代表大會授予的其他職權。

就以上兩憲言之，似乎中共制定之所謂憲法第三十一條之規定，冠冕堂皇，類似蘇聯之主席團。然不知中共既有主席與國務院之設置，而此二者之去留又非常務委員會權力之所及，則常務委員會權力之規定，不論如何週密，難於令人發生常務委員會即爲蘇聯主席團之感覺。伸言之，因爲國務總理任命不在常務委員會權力以內，雖有其他十九項之多，亦難與蘇聯之主席團相比矣。此無他，但知模擬他國於字句之間，而不敢自抒機軸有以使之然也。

第四：蘇聯、中共兩憲中之司法

中共之法院與檢察機關，亦模仿蘇聯，惟恐不肖，不須煩言，但取兩憲條文而比較之，便已一目瞭然。

蘇聯憲法

第一〇二條：蘇聯司法之執行，有最高法院，有各地各區……之法院，有特種法院。

第一〇三條：各法庭案件之審判，除案件之有法律特別規定者外，有人民陪審員參加。

第一〇四條：蘇聯之最高法院與特種法院，由最高蘇維埃選舉，任期五年。

第一一〇條：審判進行應使用共和邦，自治邦，與自治區之語言，其關係人不通曉當地語言者，許其使用譯人與本身語言之權力，俾得完全瞭解案件中之各種文牘。

第一一一條：蘇聯一切法庭上案件審理，除法律另有規定外，一律公開，被告人有辯護之權力。

第一一二條：法官獨立審判，祗服從法律。

中共憲法

第七十三條：中華人民共和國最高人民法院，地方各省人民法院和專門人民法院行使審判權。

第七十五條：人民法院審判案件，依照法律，實行人民陪審員制。

第七十四條：最高人民法院院長和地方各省人民法院院長任期四年。人民法院的組織由法律規定。

第七十七條：各民族公民都有用本族語言文字進行訴訟的權利，人民法院對於不通曉當地通用的語言文字的當事人，應當爲他們翻譯。第二項（略）

第七十六條：人民法院審理案件，除法律規定的特別情況外，一律公開進行，被告人有權獲得辯護。

第七十八條：人民法院獨立進行審判，只服從法律。

依中共所制定之所謂憲法第七十八條言之，似乎大陸上法官審判案件，可以但遵照法律，不必另有所顧忌。然第八十八條又規定曰：最高人民法院對全國人民代表大會負責並報告工作。……：地方各省人民法院對本區人民代表大會負責並報告工作。試問法院既對政治性之人民議會負責，其所謂獨立審判，只服從法律云云，只成爲塗飾人民耳目之字句可知矣。然其第二章第六節中之至險霸者，無過於第八十一條之最高人民檢察院之規定，此條之原文如下：

中華人民共和國最高人民檢察院對於國務院所屬各部門，地方各省國家機關，國家機關工作人員和公民是否遵守法律，行使檢察權。地方各省人民檢察院和專門人民檢察院，依照法律規定的範圍，行使檢察權。

此項條文，依字面言之，似乎屬於司法，實則特務頭子而已。此項最高檢察長，非司法部長所能委派，而由於政治性之全國人民代表大會所選舉，其職權所及，除主席與中央人民代表之外，無不受其檢舉，即國務院各部門，地方各機關，和國家機關工作人員，無不受其檢查，即法庭上業已受法官判決之案件，亦得由檢察官提出抗議。總之，法官之獨立判決，乃門面上之語，其實質上則一切案件乃至行政決定，須經特務頭子之批准。嗚呼！千百人之全國人民代表大會，經輕輕通過此八十一條之後，司法獨立之其他條文，歸於烏有矣。

結論

以上一、二、三、四各章，但舉蘇聯、中共所謂「立國」方針，與立法、行政、司法三項犖犖大端言之，其他地方機關，公民權利與義務，無一不可依蘇、中（共）兩憲之比較，而得其隱微曲折之所在。諒海內有心人可依同一方法爲之，無須我盡爲之代庖。但另有最後一事，可以窺見中共心理者，是爲憲法末章中之國旗、國徽、首都三條，與蘇憲之國旗、國徽、首都三條相同。若以瑣事，如國都一項，何嘗不可移之於第一章之中，何必不多不少，必同於蘇聯之三項乎？

上文所評，就蘇聯、中共兩憲範圍內立法技術言之，絕不牽涉及於其他民主國家。倘中共人士以資產階級與反動派等名辭，反脣相譏，惟有置之。

嗚呼！毛澤東之詞曰：「秦皇漢武，略輸文采，唐宗宋祖，稍遜風騷」。然歷代帝皇尚能爲吾族開立國規模，保持其獨立風格，豈若毛之「紅妝素裹」，以取媚於斯太林氏者可比哉？

（四）——全文完——

自由談

戒之哉！

·馬五先生·

據華盛頓傳來消息，白宮最近將要發表新的對華外交白皮書，闡明中國大陸淪於夷狄的眞象，看看這責任究竟應該誰屬？若以新聞記者或歷史學者的心情來說，對於這類珍貴史料，自然致予望之，先覩爲快。但我以「中國政治難民」的立場，却有不堪回首，不忍卒讀的感想。噫嘻！是亦不可以已乎？

中國儒學思想講究「躬自厚而薄責於人」的道理，無論神州陸沉之禍是怎樣來的，首先總要怪我們自己太不行，文恬而愛錢失職，武嬉而好貨惜死，以致民怨沸騰，士無鬥志，盜匪乘機竊發，而國危矣！這些基本因素，不須別人指述，我們清夜自思，良心上能夠否認嗎？若要光復中原，解救吾民，大家唯有痛改前非，盡其在我。不管國際友邦過去對我們的外交政策是何內容，誰教我們不爭氣自立自强呢？我們並非殖民地國家呀！所以，作爲一個自愛的中國人，今日並不期待友邦清算外交上的老帳，那種盈虧得失之數，核算起來，祇是徒亂人意罷了。

我們祇希望友邦懲前毖後，勿忘歷史教訓，今後對中國問題，好自爲之，莫再蹈覆轍而已。對華外交政策素來成爲美國總統競選中的主要武器，過去民主黨政府之垮台，它那本「中美外交關係」的白皮書，與有力焉。現在白宮當局不先不後，又要在最近一兩個月內，舊事重提，追溯中國大陸何以使共黨竊據的眞正原因，此時此事，得毋有甚於競選動機，取瑟而歌之作用乎？果如是，至少我這個中國政治難民就不甚感興趣哩！

因此之故，將來華府所公佈的對華外交新史料，我們僅能以「廉得其情，則哀矜而勿喜」的態度來觀察，倘認爲藉此即可以推卸過去喪失大陸的若干責任，那就是很危險的惰性觀念，戒之哉！

評：「乘龍快婿」

·萬香堂·

台灣掀起話劇浪潮後，繼「漢宮春秋」而起者，爲「乘龍快婿」，由總政治部康樂總隊演出，編劇沈瑛，導演陳力霖，總監督董心銘。

「乘龍快婿」是三幕喜劇，就故事的發展來說，雖然有點牽强，但在無巧不成書的條件下，似乎並無很大的毛病，然而不可否認的是該劇本身有不可掩飾的空虛，既不是人類的問題，又不是現在的社會問題，固不能因票房紀錄高而抹煞這點不言。

在舞臺裝置上來看，不僅花了不少錢，而且花了不少的心血。但也可說是出力不討好的，其原因不在技術之差，而在藝術思想概念之錯誤，因爲現代新藝術表現是在乎氣氛的擴張，而不在乎物質的複雜與華麗，舞臺一切裝置僅爲戲劇增强氣氛，何須堆砌！比如祁德生的家，並非一個文藝生活的環境，客廳何須掛中西畫三大張之多，供演戲用的花瓶，僅需一個，但台上有大小花瓶花盤四五個之多，而四方玻璃窗格上又弄了許多大圈圈，這是很不討好的，不僅刺激了觀衆的眼睛，而且在月夜的那一幕，也破壞了夫容的情調。

在演技方面，我們不應該過於苛求，而事實上是很不錯的，平心講，幾個要角都很好，絕不比那些名角差！如飾祁德生的趙振秋，演技熟練，很沉得着氣，態度與情緒變遷時都很自然。飾彭立恒的張方霞所刻劃的獃子很典型化，且始終維持一個樣子，實在難能可貴了。飾祁逸羣的傅碧輝也很能把握個性，演技也很熟鍊，但可惜她有時忍不住要笑，幾乎破壞了舞台氣氛，幸而她能低頭掩蓋着，不使觀衆盡看見，否則眞不堪設想了！飾祁太太的林偉琤的演技也是很好的，但可惜劇本所寫的人物也許不是那樣的一個賢妻良母呢！飾賈太太的錢璐是想學習顧八奶奶的典型也很不錯，飾羅遐生的林彬也很有趣，他出場時！我以爲他在扮演一隻猴子，社會上的確常見那樣的人物，惜動作稍欠自然，化裝也有很大的缺點，他如繼續演這一角色，應該再洗鍊呢！演周亦華的張玉琴在第三幕是很重要的角色，她雖然很賣氣力，但我覺得她沒有把戲演好，她出現於舞台，沒能使觀衆相信她是一個大明星，其原因不是她不漂亮或穿衣服不夠華麗，而是她沒有大明星的派頭及味兒，至少，那老牌的大明星，其人其齡豈能比初出學校之門的祁逸羣更年輕更稚氣呢！演大力士的曹健似乎體格差一點，夏麗秋索取皮包，曾提出要賠新皮包，那是劇本的錯處，以祁德生之富於財，既有所私戀，豈吝惜一手提包呢！

假定該劇徵求改善意見的話，我主張羅遐生趙天等角色改成政治上的危險份子，藉以增加大時代的政治氣氛，而事實上那樣改變一下，可能使全劇故事更合理一點，或者尚可減少牽强的成份，另外爲全劇的穿插活動，似應加多一個黨角，不僅能支持彭立恒演獃戲得到幫助，且對劇情變化時也得到協助。另外，燈光的變化不夠，燈光的設備可能也不夠齊全的，如最後一幕達於劇情最高峯的轉捩點時——一切混戰，彭立恒在全場黑暗中躲在沙發後，可以有點戲做，應該用「小燈光」幫助他表演呢！

蘇花公路上

·許紹棣·

蘇花公路險且仄，同行儔侶勸容色。坐不垂堂古所戒，況臨大洋深不測。羣車宛延若蛇行，司機無語復屏息；移時忽語我，此路有奇蹟。自有蘇花路，車行無遺失；腹夷人易齕，崎嶇莫敢忽。我聞此語憶堯戒：「莫躓於山躓於垤」。是以君子宜戰憐，臨深履薄終朝夕。君不見平地摧輈死，台北通衢常流血。

說鼠

·秦思源·

馬上竄回原來洞穴裏去了。還牠這一鬼祟的動作，我就無法打殺牠。往往被牠拖累得失魂喪魄。最初，還只是厭惡的咒詛牠；後來，也就感到對牠有三分懼怕了。

俗語說得好：「貓兒怕主人，主人怕太太，太太怕鼠子」，照此說來，我固然是個單身漢，但也沒有養貓，依現在的情形看，鼠子儼然雄踞於我這個斗室裏，使我非常懼怕牠，是無可諱言的。即在邏輯學理上說，並不會因我沒有太太，沒有養貓，對牠有抗衡的餘地。

但鼠子之爲患人間，令人可怕，亦不自今日始。老早已前，詩經上就說過這麼兩句話：「誰謂雀無角，何以穿我屋；誰謂鼠無牙，何以穿我墉。」足見當時牠們壁穿墉的技能，使人們感到沉痛而莫可奈何牠！

三國志上的孫權，雖是坐領江南，鼎立天下，不可一世的一屆霸主，想像他也曾經吃過鼠子煩擾的苦頭的，故當他痛恨公孫淵時，不由得他透露出由衷之言而大罵公孫淵說：「近爲鼠子所前欲，令人氣湧如山。」足見他對鼠子之深惡痛絕。

史記上還有這麼一段故事：「張湯傳：父出，湯爲兒守舍，還而鼠盜肉，其父怒笞湯，湯掘窟得盜鼠及餘肉，劾鼠掠治，傳爰書，訊鞫論報，並取鼠與肉俱磔堂下；其父見之，視其文辭如老獄吏，大驚，遂使獄。」以事論事，固然使張湯因禍得福，假使不是湯的機警與能幹，鼠子這一嫁禍，眞使他有冤難伸。

（中）

老人病的問題

·林宗華·

雖然新醫術和新藥不斷地發明問世，人類的壽命也逐漸地增長了，但是人還總不免要由衰老以至死亡。長保青春既是不可能的，而如何促進人體中的新陳代謝，維持中年人的精力，延緩其趨於老化的歷程，就成爲新醫學研究的主題。

老人病院

在美國有一所老人科醫院，專門以老人爲對象的。初創辦時，一部份醫生抱着懷疑的態度，認爲未必可以成功。誰知後來居然太大地發達起來。

美國老人科醫院，主要的醫師是內科醫師，他們對于內科各部門都是極嫻熟的，不像日本內科醫師，那麼專門化。例如一個病人患頭痛的，可能是腦的內部發生故障，因此必須施行眼底檢查，或耳目各部份的檢查，此外採用氣管支鏡，直腸鏡來檢查以及X光綫放射等等都是尋找病源的方法。然後開始治療，遇有必須動手術的，就立刻送到手術室去。所以在老人科服務的醫師必須是常識經驗豐富的才能勝任愉快。

老人危險期

一般老人的危險期間在四十歲至六十歲間。例如哮喘症，據福克斯的統計：過了五十歲才發生的佔百分之二十七。一九二九年派克調查的結果：老人病中百分之五爲循環器官障礙；百分之三十五爲呼吸器官障礙，及癌症；百分之八。五爲腎臟症；百分之六。五爲胃腸症，其餘百分之十才是其他病症。

除了心臟衰弱以外，老人還有其他症象作爲癌症的特徵。老人最怕疼痛，認爲比死還難忍耐，此外，失眠症也往往感覺到異常嚴重，所以服用適量的安眠藥或藥酒是有必要的。胃液分泌的緣故，或者因爲牙齒不良，以致食慾減退，這時可以注射一些維他命BI，可能有益。

生理病態的威脅

有些老人一得病便感到精神上的威脅，懷疑自己已得了不治之症，這是生理的病態。例如眼睛花了，就認爲已害了白內障，耳朵不靈，認爲動脈已經硬化，諸如此類的神經過敏的生理病態，倒成爲必須首先迅速加以治療的病症了。

「長生不老」原是人類的夢想，自從抗生物質療法被採用以後，所有「因性」（即病原菌由外侵入的症候），已逐漸減少。可是像因內臟退化而引起的各種病痛，就很值得研究了。

任何精巧的機器經過長期的使用，必然至虧損，人體的構造也一樣。一個人不論醒或睡，他的心、腦、肺以及血管各部分還是不停地在工作。所謂心臟老化，乃是心臟筋肉方面供給血液的冠狀動脈發生了硬化，引起了心臟筋肉的障礙。這種障礙採用心電圖的方法來檢查，就可以診斷。

呼吸器與腎臟老化

至于血管老化——即血管硬化的結果，以致血行困難，只要施行觸診或眼底檢查，詳察眼底的動脈，便可以明白。肺若是老化，呼吸之際，肺的伸縮運動，必感困難。有時肺伸縮呈固定的狀態，那就是肺氣腫症候了。肺內不能用呼吸來換氣，以致空氣停留過多，肺的小血管縮小，呼吸就漸呈微弱。

此外腎臟老化——即腎臟萎縮，排泄的機能漸弱的結果，澱內停滯着窒素和許多不必要的成份。筋骨也變成鬆脆，偶一不慎，脊椎骨受傷，各內臟器官都要蒙受影響，這是不能不注意的。

上了年紀的人每年至少要施行健康檢查一次至二次，荷爾蒙療法的評價過高，採用時最好遵從醫師的指導，就比較安全而可靠了。（譯自讀賣新聞）

同光風雲錄

·夢山樓·

陳寶箴附子三立

陳寶箴，字右銘，江西義寧人，辛亥舉人，少負志節，詩文皆有法度。嘗爲曾國藩所器重。從父偉琳治鄉團禦寇，著功效。已而，走湖南，參易佩紳戎幕，又爲江西席寶田贊畫防寇策，以功保知府，旋授河北道，創設致用精舍，招致學子，延名師教之，學風爲之一變。

推行新政不遺餘力

未幾，授按察使，又調直隸布政使，奉詔引見，入對稱旨。見上形容憔悴，奏請讀聖賢御纂周易，以期變不失常，上以爲忠，命治稽台，並准專摺奏事。追馬關和約成，痛哭而言曰：『國殆不國矣！』

明年，大學士榮祿奏薦擢湖南巡撫。湖南固閉塞，寶箴思以一隅致富强而爲東南倡，先後創設電信，置小輪，開槍彈廠，保衛局，南學會，並設時務學堂，延新會舉人梁啓超主講，而湘之志士，譚嗣同、唐才常、熊希齡等亦皆贊助之。又奏陳練兵，籌款，開風氣，正學術，德宗一一嘉納之。

戊戌變後人亡政息

是時，張之洞爲湖廣總督，名高位顯，司道以下，咸屏息以伺，獨寶箴輒與爭論得失，而無私見，之洞雖不懌，但亦無可如何耳。久之，深相契得，凡條陳新政，往往會銜以進。又嘗疏薦譚嗣同、劉光第、楊銳、林旭佐新政。迨戊戌政變，褫官永不敍用。其子三立，亦罷職。寶箴所經營於地方者，雖著成效，一律廢毀，人亡政息，大可惜哉？

三立隨父同遭罷黜

三立，字伯嚴，別號散原，丙戌進士，授職吏部主事，寶箴撫湘，三立從之，對於啓發民智，鼓勵民氣，羅致地方英才，尤不遺餘力。與湖北巡撫譚繼洵之子嗣同，福建巡撫丁日昌之子惠康，提督吳長慶之子保初齊名，天下稱四公子。而湖南氣象蓬勃，新政著效，實出其所贊畫。迨夫政變，同遭罷黜。自是肆力於詩，陶寫情性，呼之欲出，賦遺興一律云：『而我於今轉脫然，埋愁無地訴無天。昏昏一夢更何事？落落相看有數賢。傾訪溪山閑蠹軸，偶耽醉飽放歌船。詩聲尚與吟蟲答，老子頑癡亦可憐！』晚年，築室金陵，署曰散原精舍。銷理格物，益注力於實驗精神。作詩不喜用新異語，而眞氣磅礴，不假雕飾，沈憂積毀中，吐屬仍能閒適，雖宗山谷，實則承少陵之心脈。論者謂與印度泰戈爾稱東方兩詩聖。自宋以下，罕見其倫匹也。（卌一）

燕塵識小

·熙負生·

今年五四不蕭條

中華民國四十五年五月四日下午，國立北京大學師友一百四十餘人，會於海上小樓之一角，爲五四運動，舉行第卅八屆紀念，甚盛事也。座有長髯皓首，身經京師大學之前塵。亦有修髯少年，逃出鐵幕邊緣之隙縫。主席不勝感慨說「今之報章，無道五四之事者。」我向鄰座耳語曰：「不須着急，且看明日自由人。」時則有歐美漫遊，說士耳其保存唐宋明清歷代磁器，繼之以歸從日本，笑自民黨領袖鳩山重光四體不全。淸談之際，佐以烟茶。雖短短百廿分鐘，有虎虎當年生氣。如斯嘉會，何可不書。歸而誌之於此，用以實自由人。

問題來了。此篇拙作，小題四句，稍作安排。以爲可以交卷了。不料曲終雅奏，盛會宏開。我若隻字不提，未免負愧師友。如果一峯插入，題目無法安排。躊躇再三，忽發奇想，七言五句，自創新生。石破天驚，有何不可。其辭曰：

愧不身參五四潮，層層密密擺鎗刀。三水讚年存信史，象山担約復青膠。今年五四不蕭條。

非詩非詞，亦詩亦詞，讀起來也還讀得下去。浣溪沙可以七言六句，款乃曲可以七言四句，難道五四潮就不可七言五句嗎？後之作者，依讚倚聲，謂之「密調五四潮」可也。哈哈。

（本節完，全文未完。）

自由人

THE FREEMAN
（第五四五期）
中華民國僑務委員會
僑發登記證台教字新第一一二號
中華郵政台字第五〇〇號
執照登記爲第一類新聞紙類
（半週刊每星期三　六出版）
每份港幣壹毫
台北市售價台幣壹元
督印人：陳文華
地址：香港高士威道二十號四樓
3 rd. fl. 20 CAUSEWAY RD
HONG KONG
香港發行及業務接洽
高士打道66號　電話：七四〇五三
承印者：東南印務出版社
地址：高士打道六十四號
海外總經銷
友聯書報發行公司
香港：德輔道中二十六號A二樓
台灣特派員辦事處
台北市館前街五十號
台灣總經銷處
台北市西寧南路壹號二樓
台郵儲金戶九二五二

論埃及之承認中共

・曾旭軍・

埃及突然承認中共，輿論多指責我駐埃大使，事前懵然不知；亦有抨擊我外交部用人不當，或疵議外交工作不力者。憂憤國情，痛世局之危難，乃國人常情。惟平心而論，埃及存承認中共之心，由來已久，我國政府與駐外使節，不能挽救於事前，事變突發，又似未能早得情報，以至倉卒應付，自難免於輿情之不滿。但就事論事，此種批評，尚未爲探驪之論也。

埃及親共由來已久

首先筆者願指出，駐埃使館之工作，雖未能盡如理想，惟亦不無有其可原之處。本報自去年即屢次發表埃及被中共引誘之報導。尤其是方劍先生，屢次從開羅寄來通訊，至爲翔實。讀者試翻閱本報第四九六期方劍先生與何大使鳳山之一段談話。何氏指出：『埃及與中共之往還，最先由尼赫魯扯綫。迨至一九五五年四月間，亞非會議，埃及總理納薩與周恩來晤面，繼而埃及宗教部長及工商部長先後赴平訪問。嗣後中共又派商業代表團及朝聖團至埃及。此種發展，經過我埃及大使館洞悉，均隨時有詳盡報告，且曾隨時設法交涉勸止。』已可見駐埃使館，並非絕不注意此一問題之發展者。方劍先生又問：『中東局勢如此，埃及與中共私下交易又如彼，請問今後中埃關係究將有何改變？』

何氏答稱：『以中東的情勢看，有雄厚之實力的美國尚且不免束手。何況其他。埃及之外交政策完全建立在現實之上。中埃今後關係，誠無須悲觀，也不能樂觀，天助自助，一切要盡其在我。』『不能樂觀』，似已預示埃及政府終將有此一舉矣。

筆者素未與何氏謀面且無意爲其辯護。根據此等通訊，似可相信他已「盡其在我」。第以國際大局之趨勢，情形複雜，有時非一國或一人之力所能挽回。埃及雖早有承認中共之可能，惟何時實現實亦難以判斷。本月十五日的倫敦泰晤士報記者，亦言埃及內情，不易爲外人探悉，可見一斑。

中東變局之責任誰負

又本報第五三四期，曾詳細報導中東風雲緊急，埃及無力應付共黨滲透。該文曾稱：『中共在埃及，花錢如水，先傾全力從文化經濟入手，其宣傳使埃及普通人士發生錯覺，認爲中共氣魄偉大，其實中共統治之下，已民不聊生，飢饉頻仍，災黎遍野。而中共派赴埃及之共幹官員，則揮霍逾恒，用錢如泥沙。例如租用一所職員住宅，動輒每月美金兩千元。中共在埃及的經濟代表購買棉花，達兩千萬磅（約台美金六千萬元）顯然的不講經濟利益，而是求共產國際在中東的政治利益而已。』

我們甚易了解，中共的政策係依照蘇聯整個征服世界的策略，而且獲得蘇聯實力支持以進行的。共產集團彼呼此應，狼狽爲奸，一切附庸國家均受克姆林宮的鞭策。自由世界情形顯有不同，縱然是最具體的軍事同盟，也往往鬆弛不堪，同床異夢，自由中國固不能和中共一樣，不顧人民死活，花錢如水，以爭取埃及之同情。且中東局勢年來之惡化，自由中國所應負之責任，亦遠不如英美等國之大。此當爲今日盱衡世局者所同具之感。

蘇聯共產黨的第二十次大會，赫魯曉夫等曾已宣稱：要加倍努力實行其縝密計劃，去爭取所謂「不加盟不受約束的國家」（Uncommitted Countries）。去年蘇俄對萬隆會議之利用，對南斯拉夫之重修舊好，與及參加日內瓦高峯會議，布赫二酋之訪印，施惠於阿富汗，消除與芬蘭之宿怨，乃至供給武力予埃及，（包括沙地阿拉伯等）這一切都是蘇聯征服世界的一貫策略。依照赫魯曉夫等的計劃看，埃及與敍利亞，一如印度之與緬甸。因此，埃及之承認中共，是蘇聯推行其誘導「中立」政策的結果，決非埃及單獨對自由中國的問題。這也是自由世界，缺乏政治理想，政策動搖不定之惡果。也是國際鴇母尼赫魯扯皮條的「好事多爲」的「成績」。自由中國要負責任，英美法等國更要負責任。

亡羊補牢的政策

今日亡羊補牢之策，首在美國要改變其對付此等妄圖中立的國家的態度。

「中立」主義，完全由于利用美蘇的對立而存在。假如美國眞正中立，——事實上亦祇有美國有資格說中立。——則印度緬甸埃及……之流，非即立被蘇聯吞滅，淪爲中國大陸一樣的悲慘境遇不可。尼赫魯、宇努、及納薩之流，亦惟有被淸算殺戮，其子孫後人，亦惟有被遣往西伯利亞勞奴營受磨折而已。尼赫魯等，當然不是不明白這個道理，而其所以胆敢取巧，以「中立」爲標榜，從中漁利者，實美國之政策使然。

今舉一顯明之例，決心反共而切實負起反共責任之土耳其，並不能和投機取巧，標榜「中立」之埃及，反能取得美蘇兩方的援助。此種事實誠爲獎勵「投機」「中立」，自毀長城之愚策。（下轉第二版）

政府疏於外交宣傳

本月十六日，埃及承認了中共政權；翌日，我外交部即宣佈與之斷絕邦交關係。

埃及的轉變，並非是突如其來的，這一結果，早該在預料中。若謂吾人應爲此對埃及表示憤慨，或對政府當局有所譴責，除可供洩憤外，並無價值，似乎已可以不必了。但，吾人必須指出：政府當局過去和現在，在外交關係事務上一向忽視宣傳工作，且亦不作領導推動，這個責任應由外交和宣傳當局共同担承。由於忽視此項工作之重要，致使海內外國人，除對中美關係稍有認識外，至於我政府與其他國家的關係現狀，可謂一無所知。此次中埃關係之遽變，不僅使一般人震驚，且連帶予人以極惡劣之印象，認爲外交當局太過顢頇了！

因此，吾人願在此提請當局注意料正，在宣傳上，不應再有偏頗，應該切實注意將我與其他各友邦的關係現狀，不時向國人作系統的介紹。同時，還要求，切不可只介紹樂觀的一面，也應該將一些艱苦處，極公正地向國人報導，庶能使大家對事實眞相有認識，有心理準備。值此國際間謠傳除阿拉伯集團外，尚有法國、加拿大均有隨時承認中共可能之時，宣傳工作尤值得注意了。

中埃絕交的另一見解

此外，吾人也要提出一個對中埃關係轉變的另一見解，即與其說中埃斷絕邦交，是自由中國失去了埃及，莫如說是整個自由陣營失去了埃及；並且，也可以說，埃及與自由世界的關係，將因中埃邦交的斷絕而更趨惡化。在自由中國來說，這雖是一個預料會發生了的事，但從全盤國際關係檢討，它卻是一個尚在發展而無法估計後果的大問題！而更可能是自由與共產兩大集團，從冷和走向熱戰的開始！

中埃絕交後的新形勢

李奎暉

共產集團拉攏埃及，並非始於去年四月的亞非會議，發展到埃及與中共、捷克間以棉花、大米、油脂、軍火爲「貿易標的」的三角「商務關係」，已是最後的結果。應該說，早在一九五一年的一月，中共即已代表了共產集團的利益，向埃及伸手了。

埃及轉變始於五年前

一九五一年，正值韓戰緊張關頭。一月十七日，周恩來在其覆聯合國大會第一委員會主席阿彼拉茲的電文中，提出了在中國大陸「舉行包括中共、蘇聯、英國、美國、法國、印度和埃及的七國會議」的無理建議，主張以該會議來商談韓戰問題、台灣海峽問題和外國軍隊撤離上述地區問題。

在表面上看，這是一個爲解決遠東問題提出的建議，但深一層分析，中共提出印度、埃及，不只是在有意捧高印、埃的地位，也是藉此在把這二個國，從西方陣營裏拖出來加以利用！

從此以後，印度固已成爲中共在聯合國的「代理人」，而埃及在聯合國內的有關機構和會議中，只要是涉及自由中國與中共有關的問題，就每多以棄權表示其「中立」！於此可見，埃及對自由中國的態度，其轉變實開始於五年前。

中近東危機益增

目前，在發展中值得重視的情況是，共產集團將擴大對埃及的軍火供應，包括蘇聯的潛水艇和中共的輕武器；而供應對象，將遍及於和埃及較親密的阿拉伯國家。中共新華社「北京」十三日的消息，則已較早地報導「埃及等阿拉伯國家將統籌軍備生產」了。該消息具體地說，「埃及軍備部副部長拉加布於五月十二日說，埃及已與沙特阿拉伯、敍利亞和也門成立了聯合委員會，以統籌軍備生產，將使埃及能製造坦克和重型軍備。」

另一方面，西方也正同樣地在積極扶持以色列。值此東西雙方競以軍火投向中東爭摅之時，法蘇談判中，法國欲獲得蘇聯支持其北非政策的希望亦已消失，整個中近東的危機已告增加。西方初欲藉北大西洋公約、巴格達公約和東南亞公約，以包圍堵塞共產集團之計劃，至此，也因埃及的轉向，受到了破壞性的影響。

現在的情勢是，阿拉伯的集團，已由傳統的恐俄，和以泛回教主義的力量抗拒赤禍，一變爲强烈的反西方，西方今天在中東所遭遇到的敵人，不再只是共產主義的威脅，而且又加上了狹隘的民族主義運動。

退出中東抑保衛中東

西方如欲挽救中東頹勢，已不止於在如何宣傳反共，而變爲首先應該如何爭取阿拉伯集團的回頭。在中東，僅有西方的力量是不足以抵抗共黨的，如果仍然各行其是下去，對西方是堪憂的。最後總難免不因一戰，而又被迫退出中東。否則即演成三次大戰！

中東現局，刻實已成爲即將暴發的火山！西方正面臨退出中東抑保衛中東的決擇關頭。在共黨，只要中東能爲其控制，則西方經由地中海、紅海、印度洋以達遠東的通道，即隨時有被截斷的可能，西歐對遠東的關係，也將因此有欠靈活，受其害者，當以英國爲甚。

在埃及轉向之後，美國在遠東所受到的共黨壓力相應地增加了，也因之更加孤立了。

所以，吾人要說，自由中國失去埃及事小，自由世界失去埃及才眞是件大事呢！

蔣總統新著——「我的反共經驗」

（台北通訊）蔣總統近年來，雖工作甚忙，始終不忘讀書及寫作，據悉，最近已完成一部「我的反共經驗」新著初稿，該書內容係敍述其三十年來的反共經驗，及對於「和平共存」的意見。全書結論最重要部份，曾於五月八日，國民黨七中全會，予以宣讀。即將定稿，並由中央文物供應社印行，同時譯成英、法、德、日、俄等國文字，在海外發行。（五月十五日）

・楊力行・

半週述評

・司馬璐・

冷靜一陣以後

美國最近出版了一本研究蘇俄的書，這書的結論說，蘇俄的新面目出現後，危險性增加了。

英國外相勞埃德最近也說，蘇俄改換了鬥爭策略，對自由國家的危害更大。

美國中央情報局局長艾倫・杜勒斯在最近的一篇演講中說，「集中領導」這戲法，史達林最初上台時也曾玩過，所以，美國人經過冷靜一陣以後，發現這戲法並不新奇了。

社會黨的清醒

英國工黨領袖蓋斯基爾說：社會民主黨不可能再與共黨合作，共黨憎惡與恐懼社會民主黨，尤甚于保守性的資本主義。

我們不盡同意社會民主黨對于許多國際問題的看法，但是我們承認一件事實，最近英工黨在與赫魯歇夫短兵相接一場鬥爭中，打得很精采。

法國總理莫萊訪問蘇俄後，「公報」中對于每一個重要的國際問題也全部繳了白卷，莫斯科和巴黎都大失所望。

是的，社會民主黨過去在共黨手裏上過不止一次的當，如果再不清醒，也眞是自尋死路了。

「挾寇自重」之風

其實，我們可以相信，今天絕大多數的社會黨人的頭腦是清醒的，過去的英國工黨政府初期對于韓戰的反應，並不比後日的保守黨政府更富于妥協性。

今天主要的麻煩不是担心他們會不會再上當的問題，而是，「挾寇自重」之風，使于爲共黨多製造一些機會，使我們許多自命爲聰明的政治家，最後終陷于難以自拔的境地。

以日本爲例

例如像日本這個政府，今天誰也不信它會執行親共的政策；以日本人對中共的瞭解，它未嘗不知道，跟共產黨打交道的後果如何，但是，日本人對於我們的勸告不聞不問，它畢竟一再這樣做了，「挾寇自重」也。

河野一郎在莫斯科簽好「漁業協定」，不是立刻到華盛頓探聽行市嗎？

華盛頓的行市

糟就糟在華盛頓的行市太亂，有時眞是早晚市價不同的。

印尼的蘇哈諾總統到達華盛頓前夕，美國衆院剛剛通過一個對某些自動放寬禁運的國家限制美援的方案，後來蘇哈諾一番演說，打動了美國國會，於是議案立刻給推翻了。

華盛頓的行市這樣易於變動，對於「挾寇自重」者不是正給予鼓勵嗎？

埃及與何鳳山

「挾寇自重」之風，大行其道之下，埃及承認中共的事發生了。

我們的輿論界把怨責集中於我駐埃公使何鳳山一個人身上，這是有欠公道的。

何鳳山個人有沒有責任呢，當然有責任的。但是，他能在外交上補救的祇是戰術上的，目前我們更重要的失敗是戰略性的，已不僅僅是戰術上的失敗了。

利用所謂「例外程序」 盟國企圖破壞禁運

——美國對此莫可奈何

·風行·

五月十四日，英國外交部國務大臣那丁，突在下院宣佈對中共貿易禁運貨物名單，作有限度的放寬。將來在適當情形之下，更准許多運用此「例外程序」，使未在對蘇聯禁運貨物名單上之物資，可作合理的運輸給中共。他又解釋道：現在正繼續和美國商談戰略物資之管制。實則在今年的一月裏英國即在華府使用壓力要製定一張對蘇聯中共均適用的禁運物資表。

無可懷疑，「例外程序」的運用的同時，也即是宣告聯合國禁運案的死刑。

一九五一年二月一日，聯合國大會通過譴責中共爲侵略者。五月十八日根據聯合國憲章第七章第四十一條規定，對中共實施禁止運輸作戰爭之物資給她。自該案實施以來，欲飲鴆止渴的商人，因無法把這種莊嚴的議決案推翻，總是砌詞乖曲詭辯，說中共既可從蘇聯獲得禁運物資，則不如廢止禁運，或放寬禁運。否則應責成蘇聯不得對中共作轉運，或用其他方法徹底阻止輸給中共。又有人謂，韓戰已休戰，局勢已改變，故應廢止對中共禁運，這更是掩耳盜鈴的欺人之談。

根據英國「經濟學人報」說：本年第一季，英國對蘇聯貿易的出口增加四千九百萬鎊。列在新放寬的戰略物資中的銅，是蘇聯最感興趣的。她增購了四千七百萬鎊。爲新增加的四千九百萬鎊的四十九分之四十七！此不難可見，對共放寬禁運的後果了！

但是，北大西洋公約的國家（冰島王國除外）與日本在巴黎開會，重新檢討對中共禁運的貨物名單。但此舉雖與美國獲得協議，便在諮詢委員會，藉口現在適當情形之下，實行「例外程序」上協議。因此英國最近發出運輸拖拉機給中共的出口許可證。日本也運輸電鍍鋼片給中共，而這兩樣東西都載在對中共禁運的貨物名單上的。

吾人可不須指責「例外程序」是爲虎之倀。但無論用什麼方式摧毀對侵略者之禁運，實際上是西方的自殺而已。本刊前曾發表「分析蘇聯貿易金鎊葉的毒質」一文，對此實已用具體的事實及數字證明蘇聯及中共提出擴大貿易的目的和後果。

爲此，美國衆院外交委員會曾在五月十七日通過一項很明智的議決案，即：禁止美國政府援助此等「以禁運物資輸給共產集團」之國家。但十八日又自行推翻此議決案。誠恐怕因此失去盟國。但美國終有一天可能因不問是非只顧眼前利害，而給「盟友」拖垮！而蘇聯，即在利用西方之無一貫政策，與利害上的矛盾，來達到分化和逐個擊破的目的！

論埃及之承認中共

（上接第一版）今後因此而招致之禍患，尚不知伊於胡底也。

至若責備外交部用人及其政策，依前述分析，則此一事變之來，筆者亦雅不願作過份之苛求矣。

所望於美國當局者

筆者於此願忠告美國當局，今後美國外交政策之釐定應由此而得一事實教訓，應堅決不助親共之國家，而加倍援助積極反共的國家，如此，則尼赫魯之流自無從取巧投機矣。

或曰，此種政策足以驅使親共國家走入鐵幕。筆者以爲不然。當今之世，不患其親共，而患其畏共。親共者因畏共而來。如能積極援助反共，提高畏共者的信賴之心，必由畏共而變爲不畏共，由不畏共而變爲反共矣。

美國的援外政策，筆者總覺得是消極的成份多，故不能發生效果。西方有一種觀念以爲貧窮是共產黨的溫床，如能改善生活，便可防止共黨滲透。此理固屬無可反對，但未免把防共看得太簡單。須知滿足生存願望之外，尚須滿足民族自尊，和民族安全的願望，此爲今日言反共之最重要一點。美國不僅要自身有此精神，更要以其影響力量，使英法等友邦同時積極滿足反共國家此等願望。才能發揮偉大的力量，鼓舞一切反共國家的勇氣，奔向解放奴隸，維護自由的大旗幟之下！

蘇俄集團的政治魔術，時至今日，本已途窮，故不惜鞭撻史達林之屍，以作一時掩飾。其殘虐人民的經濟，亦已凋困不堪。國內怨懟叢生，統治權力已岌岌可危。今日惟有施用欺騙詭詐手段以期維繫於一時。因此，我們並無悲觀之理由。惟切盼友邦，急謀改變因循苟安政策，漫漫長夜之中，曙光必然會來臨的。

殖民地問題

——從法俄公報措詞爭執說起

·育·

殖民地問題又將成爲聯合國中的爆炸性的問題。所謂亞非集團正在商討再將北非的暴亂在聯合國提出。這問題會使法國一度憤然撤回全部出席聯大的代表，且揚言要退出聯合國，聯合國受到空前的挫折和考驗。後來雖然因撤銷原案法國恢復出席，但至今此問題尚未圓滿解決。法國總理莫萊此次訪俄結果所發表的公報，又引起雙方對其中關於阿爾及利亞局勢問題措詞上的爭執，蘇聯顯然正藉殖民地問題去離間自由國家，而美國偏又表示茫然無定見。

在要講現實利害的世界中，要大國們講政治理想，似乎是書生之見。但自由世界對付蘇聯共產集團，沒有把殖民地和民族主義的因素考慮，必然是失策。美國沒有殖民地，好像不關心這個問題。蘇聯擁有最多殖民地，而實行最凶惡殘暴的殖民地統治政策，但自誇沒有殖民地，而暗中利用「民族自決」的幌子製造傀儡政權，一旦吞併了，便拿出「不得干涉內政」的口號來保持其侵略的果實。

英國雖然是個較開明的殖民地宗主國，但祇注重己身現實利害，卻沒有把殖民地與民族問題和對共產黨冷戰決策聯繫起來。

法國對殖民地問題政策之錯誤，在不適應時代。舊殖民地時代已過去，民族醒覺，已非強硬手段可以鎭壓。又處在今日自由與共產世界對壘中，宗主國不能單獨解決其殖民地問題。

法國對殖民地問題，在時間與空間兩方面的看法都是孤立的機械的。在越南方面，她已早受過教訓，只是沉迷不醒而已。她甘心割半個越南給共產黨，抽調幾十萬兵回去，用於北非，以爲可以鞏固其地位，這是自欺自慰的做法。

首先我要說法國固守古老殖民政策。自一八三〇年，阿爾及利亞被法國併吞以來，阿爾及利亞開始祇要求享同等地位，但事實上，也做不到。原因是在北非落殖的法國人（COLONS），固守其祖宗傳下來的經濟特權和優勢。最招當地回教人民和土人的嫉恨。法國視阿爾及利亞爲原料出產地，所產出品及利潤，均運返法國，作工業投資。故阿之工業永無發展之希望。自從法國被德國打敗，及大西洋憲法成立後，回教人民紛紛要求獨立，加上一九四五年君士但丁暴動，當地土人被殺三萬人，阿爾及利亞人民已不甘與法國同化，而轉變到爭取獨立了。

現在我要說到阿爾及利亞問題不能孤立的看阿爾及利亞獨立黨又名極端的民族主義（MTLD），共領導者是哈傑（Hadj），雖然哈傑本人被因於法，而該黨遭列爲非法政黨，但該黨仍占很大勢力。哈傑被其同黨人的尊崇，有若蘇聯共黨之尊崇列寧。二十年前他是個共產黨。一九四五年哈傑因君士但丁暴動而入獄，共黨人乘機活動，在該年的地方選舉始有共黨的選票。哈傑久已與蘇聯集團取得聯絡。他的親共態度和義大利社會黨左翼魁首南尼相比，有過之而無不及。（南尼最近曾訪問莫斯科與中共。）他們成爲共黨的爪牙。阿爾及利亞的動亂顯然是有國際背景。西方國家有一個錯誤的觀念，一談到殖民地問題，總以爲對己不利。（下轉第三版）

讀者論壇

改革政治風氣的新運動

立委放棄職任負選民付託　監委自我檢討造成新風氣

·孟中嚴·

（一）

我國民主政治尚在學步時期，各級民意機關代表，難免良莠不齊，其中且有放棄自身責任者。例如最近台北市議會有些議員，勾結市府官吏，想於購買柏油皮時，從中舞弊，結果鬧得滿城風雨，至今糾纏未清。又如四月二十四日，立法院第十七會期第十六次會議，否決了胡秋原委員的提案（即要求教育部將頒布之教育改革方案移送立院討論案），至此間「自由中國」會以「喪鐘乎！喪鐘乎！」爲題，對立委有所評勸。凡此皆我國民主憲政發展過程中，令人痛惜浩嘆之現象。最近向稱寧靜的監察院，也起了風波，均値得吾人特別注意者。

（二）

原來一年多前，監察院外交僑政委員會之甘肅省籍委員柴峯女士，因爲某種案件調閱了一部分中國農民銀行的卷宗，事隔經年，柴委員始終無意歸還。農民銀行最近由於業務需要，請她歸還借去卷宗，她也不加理會，數次催索，置若罔聞。事後監委陶百川獲悉，這位骨鯁御史認爲柴委員調査卷宗，久閱不還，不特有損監委聲譽，且恐以後因案向各機關調閱卷宗時，將遭到阻難。乃於五月九日監察院第四二一次會議時，提出臨時動議：「本院柴委員峯調閱中國農民銀行總管理處案卷，屢催不還，是否構成違法失職，擬請院會推派委員澈査，請討論案。」這臨時動議經過陶委員說明後，在場各委員均熱烈發言討論，多數認爲對此應予澈査。經過二個小時討論，最後決議推請王文光、陳訪先二委員作詳確調査，並將實情提報院會。

（三）

筆者覺得，漢唐御史對庶政良窳得失，無不剴切直陳，即使皇帝之尊如有過失，御史大夫也無視身家生命而面折廷爭。孫中山先生即根據御史台諫制度，以創設監察權。監委與御史名稱雖不同，而職責則無二致。監察委員操糾彈大權，整飭綱紀，責重而位尊，學識素養固然重要，言論風采尤應謹嚴不苟，所謂有諸己而後求諸人，即是此意。行憲以後，監察委員對於各級政府官吏之枉法瀆職者，多能提出糾彈檢舉，于右任院長曾在某次集會[illegible]草紙書寫檢舉案件，監院[illegible]。這風範値得稱道，故此次監院[illegible]案的決議可以看出監委自[illegible]民主政制向心之[illegible]。大可[illegible]

（四）

本來民主國家，民意代表行爲的約束，政治紀律的力量實不可少。議員們爲了珍惜自己的政治生命，與取得下一次選民的信任，必須自我檢束，一言一行都要戰戰兢兢，[illegible]目前我國格於客觀環境，中央民意代表之任期，[illegible]屆期一再延長。如再無自我檢討，自我約束的力量，勢將[illegible]物議。立委胡秋原提案之被否決，立委不盡職守，有負選民付託，監院此次決議，誠爲民意代表自肅運動的開端，自律精神的發揚。我相信此舉必能成爲刷新現階段政治風氣的新運動，「見賢思齊焉！」監委之自我糾正，實足爲其他民意代表的借鏡。寄語立委諸公，及其他民意代表，愼毋讓監委專美於前，國家幸甚，民族幸甚！

（五月十七日台北）

台北速寫

且看闢謠之後

某港報所傳七中全會研究內閣局部改組之訊，業經國民黨中央黨部正式否認。最近蔣總統亦邀宴行政院及省政府全體首長，對過去一年之施政，慰勉有加。這都是當局澄清謠言之措施。但有些觀察銳利人仍認爲闢謠與調整人事往往並行不悖。

立院的「政黨壓力」

立法院院會對於胡秋原等人提議的審議小學及高中會考升學辦法一案，曾引起軒然大波，結果是表決不予審議。某雜誌認爲是立法院自敲「喪鐘」。胡秋原在報上的談話，則指責政黨運用壓力，所以他的提案被打銷。固不論這兩種論斷如何，問題的重要關鍵是在立法院中沒有一個有力的反對派意見，所以不能產生正常的政黨政治的作用。

訪美歸來

周至柔所率領的高級將領訪問團，在美國勾留一個月之後已經返台。各將領對於此行，都守口如瓶，新聞封鎖亦甚嚴。不過，有一點可報導，即各將領之中，許多是第一次出國，此行或可使他們第一，擴大眼界與胸襟，第二呼吸些美國的民主政治與自由氣息。

國民住宅利誰

出國考察可以賺一大筆外滙，所以已成爲許多人鑽營的目標。最近國民住宅興建委員會竟建議邀約各縣市派大批人員到香港及新加坡二地參觀房屋建築。難怪監察院已有人提出派員調查此事，以便糾舉。各縣市國民住宅之興建，已化了不少錢，卻大多爲有錢有勢者佔去，轉租或轉售圖利，至於一般急需住屋的小市民，反被擯開了。對於這種不合理的現象，希望也一併加以調查糾舉。

佛身遊樂場

本市近郊金龍寺開始建造遠東最大的釋迦牟尼佛像，高七丈餘，佛身中空，是一座七層大廈，可供遊客玩耍。建築費用在一百萬元以上。雖說是由私人捐助，在這年頭來看，也是一種無謂的糜費。何況佛身供遊樂之用，失去宗教的莊嚴意味，應該也是眞正信佛者所不取的。

·杜蘅之·

山姆叔叔的狼狽

·魯午·

芮陶菴博士主持下的

香港大專學生工讀計劃

「流亡學生不加以妥善適當的救助和教育，可能成爲失去的一代，不但對香港甚至於對中國和世界都屬有害。」大專學生工作委員會秘書及崇基書院宗教主任美國籍的芮陶菴博士在發表「香港大專學生工讀計劃」的演說中作以上的警語。

芮博士於演詞中大聲疾呼挽救學生，使其能够維持生活，繼續學業的重要意義，強調對流亡學生的資助，並不含有任何政治目的，亦沒有背景或條件，而是純然給學生一個深造求業的機會。因爲學生對慈善性的施捨，頗爲敏感，所以創辦了學生自助計劃，使學生所得的每個錢，都是用自己的勞力和智慧去換得的，從而養成學生的自尊。

每元錢都是他們勞力所賺

關於學生自助計劃的歷史和成長，芮博士說：「鑒於流落本港大專及中學學生，人地生疏，既不能求學，又不能獲得職業，以致形成一個極爲嚴重的課題。一九五四年春天，基督徒服務社，開始每月發給每名學生獎學金一百元，但因此等救濟金，任由學生應用，不足爲益，反足爲害，所以自六月起，國際基督徒服務社香港工作輔導委員會，推動了學生自助計劃，九月間成立大專學生工作委員會開始時接受自助計劃的學生，有五十人，現已增爲一百八十餘人，他們每星期工作十小時，每天二小時，所得工資爲每月八十元，剛可够吃够住，學生的工作大致爲：在免費學校教書，輔助社會福利工作，關冲舖草的勞動服務等，用流亡難民學生來幫助解決難民問題，學生的所得雖然很爲微小，這對自尊性極重的學生是適合的，他們不願接受任何施捨，但每元錢都是他們用勞力所賺，可以避免政治性的誤解，認爲這是別有作用的美國施捨。」

九專上學校掙扎情形

敍述香港大專學校的近況，他說明了流亡本港九間大專學校艱苦掙扎的情形，他說：「香港目前正在一個轉變的過程中，以前是國際貿易的一個據點，三四年來亦已成爲一個工業化的地方，並且亦是一個文化的中心，更是一個學術自由的所在，一個最好發展大學教育的地方，九間流亡本港大專，僅能收容二千餘的學生，還有四千至五千學生沒有機會可入學。大專學校近況是：有良好的教授，但設備不够。所幸今年還有點發展，崇基在寫料水的新校舍經已奠基，新亞亦將開始建築新廈，其餘珠海，文化，光夏，廣僑，廣大，華僑，工商及香江可能合併爲一個聯大，分別於港九設立四家分校，那時本港可有三間用中國語的大學，無法去美國，英國和台灣的學生都可有深造的機會可自由選擇研讀各方面的政治制度，思想，經濟等。」

其次，他說：「接受學生自助計劃的學生，是不分區域的，學生中包括有來自十八個省份的學生。亦不分宗教畛域的，這計劃雖是基督教所創，天主教，佛教或回教學生，都可受益。」

接受自助計劃學生不分畛域

芮博士猶以學生自助計劃的價值作爲結論說：「養成學生的自尊心，鼓勵學生的志氣，求取深造和完成職業準備，其在心理上的價值是無可計數的，同時，自助計劃的每一元錢是作二次用的，一次是用於學生所做的工作，一次是學生爲生活而付出，所以有其雙重價值。」他再向社會呼籲說：「對於學生自助計劃，我們雖還缺少經驗，但其動機是純正的，深望社會各界人士，如有適宜工作，可由流亡學生担任，還請互相合作。」

大陸東南經濟困難 二十萬人迫移邊疆

（本報訊）有近二十萬的人口被「移民到邊疆支援農業生產合作社」。這是中共新華社本月十一日透露出的消息。

根據該消息透露，這一龐大的人口是被移到黑龍江的羅北草原及其它地區；青海的西寧附近和柴達木盆地；甘肅的銀川專區和張掖專區，以及內蒙古。

這二十萬移民，大抵都是來自黃河以南地區的居民，和無法升學的中小學生，以及長期失業的青壯。

在河南，僅今年上半年，中共即規定了徵集伍萬五千人的名額參加邊疆墾植，但據新華社消息謂，「報名的人數達到了七十多萬」。有超過限額十倍以上的人要到邊區去，這足以證明河南在連年災荒之後，難以爲生的實況是如何的嚴重！

中共連年從事大量的徙置人口，當以本年這次規模爲最大，也充分顯示了東南地區經濟的困難。照新華社的電訊看，「還有極小部分正在旅途中」，那末，實際上這次的移民數字倘不至二十萬人呢！（裕）

羅家倫的幽默

民國卅九年印度政府承認中共後，我駐印大使羅家倫，當即奉召返國，時因台灣時局不定，人心惶惑不安，因此羅氏在返國前，即將其夫人及二位女公子送到澳洲去了。今已數年未曾團聚！兩地相思之苦，可想而知。這幾年由於民主國家對反共態度日趨堅強，台灣社會亦日漸安定，尤其在羅氏就任考試院副院長之後，曾常聽朋友說，羅夫人想回台灣來。可是只聽樓梯響，不見人下來，直到今天的未見到羅夫人的影子！

去年夏羅氏之長女公子九芳，爲了參加留學生考試而到台灣來，在台小住百日，已於去年十月間去美國米西根大學深造去了。就在這百日當中傳出了一些謠言，蓋羅氏自來台後，一向是獨人獨室。首則圓山飯店，次則自由之家，再則招商局招待所；現在雖在潮洲街九十三號獨立門戶，但除羅氏外孫及男傭人外，與前仍無差別；九芳回來可就不同了。有時她和爸爸一塊兒參加宴會，有時她自己去看朋友，早出晚歸！就在這種情形之下，驚動了街坊不相識的人，一傳二，二傳三的都說：「這位先生和一位小姐同居了，已年近古稀之人，還是不甘寂寞，看起來做大官的真有辦法」。後來此話傳到羅氏老友現任台大文學院院長沈剛伯耳裏，沈氏認爲如果真有此事簡直是荒唐，於是就找羅氏問個清楚。結果羅氏不但沒有否認，並且喊九芳出來與之介紹說：「這位是 Uncle 沈。」又指着九芳說：「這是我的大女孩子九芳，從澳洲回來的，」爲了參加留學考試，到此爲止才算結束了這段笑話。

馮　正

家鄉水菓人人愛 全部孝敬運蘇聯

此間文滙報刊登中共中國新聞社廣州三月四日消息，對於最近中共在廣州所舉行的「廣東省農業生產展覽會」作了一番介紹，在介紹中對於廣東所產的水果特多描述，說廣東爲我國的大果園，盛產各種水果達一百餘種，指出這些品種繁多的水果，各有不同的優點向爲人們所喜愛，文滙報且以「鳳梨香留頰，柑黃荔枝紅」與「家鄉水果人人愛」爲標題加以渲染。

「中國新聞社」的報導和「文滙報」的標題，自然是非常正確的，因爲如尚書懷、妃子笑、桂味、糯米糍、和掛綠等品種的荔枝、以及潮州、新會、四會等地的柑桔，就都是早已馳名中外的佳品水果，而的確也是「人人所喜愛的」！

但是這些「人人愛」的水果，中國人，特別是出產這些水果的廣東一般人民卻並不能享受到。據「中國新聞社」指出：這些佳品水果，大部分卻是製成了罐頭，或果子酒或運以生果，好好的包裝運銷到蘇聯與共產集團各國去了。

「中國新聞社」這一報導，對於中共，真是一絕大諷刺！（亞）

殖民地問題

（上接第二版）恐授人以柄，而讓蘇聯自詡，儼然以殖民地之救主自居。此最爲失策。其實半世紀以來，西方殖民地政策已蛻變，許多領屬已獲得自治獨立。但蘇聯假借「民族自決」之名，用「自治」「獨立」的誘惑製造傀儡政權，實行分割併吞，其對待殖民地人民更殘酷千倍。我們爲什麼怕談殖民地問題呢？目前聯合國經社理事會考慮人權憲章，辯論人權宣言中所規定的自決原則問題。而秘書長哈馬紹偏主張把這問題和阿爾及利亞問題移到特別組織的委員會討論。這是對蘇聯有利，因爲堂堂正正的討論殖民地問題正可以發展成對蘇聯殖民地罪惡的抨擊！

論中醫學之科學地位與整理方式

（·丁懿安·）

自立法院通過設立中醫藥兩機構後，于本報中得讀丁文淵伍憲子兩先生之文。兩論各有獨到之見解。尤以伍先生前後兩文，旁徵博引，提要鈎玄；而語重心長，更啓人良多。竊以中醫藥問題，實包含一連串之若干問題。其中至少可列舉爲四點。即一、中醫學是否有價值；二、中醫學是否合于科學；三、中醫學是否需要整理；及四、整理中醫學應如何着手。中醫學是否有價值與是否需要整理兩問題，凡曾讀伍先生文者，均不難對之得一正確之解答。茲不必再加贅述。其餘二問題，則擬一簡論之。

中醫學是否科學

中醫學是否科學（科學二字，作形容詞用），實一般觀念上之基本問題，含有兩點意義，即中醫學之本質是否與科學觀點有衝突，與中醫學之存在，是否依于迷信或機緣。討論之前，宜先一探「科學」之界說。就普通廣泛之概念言之，凡有一定之對象，對于取「樣」正確而具足代表性之資料，予以適當之處理，能得合理而圓有之結論。在逐步正確之處理中，因素不含機緣；在條件相同之情形下，結果應無例外。合乎此者，謂之科學；反之，則不科學。倘此界說得以成立，則請以衡論中醫學。

中醫學以治愈病體爲對象。其若干治理與方劑，行年有以千計者。用于國中之南北東西而皆准。其取「樣」之豐富，實無可嘗議。對于病體之處理，亦不陷于支離（即不頭痛醫頭腳痛醫腳之謂），而以人身整個有機體爲觀察對象。因而定出陰陽五行生剋制化諸理，以明此有機體中各機能之相關與制衡諸作用；並以虛補實瀉，補母瀉子等爲其治療法則。據此法則，以收「起沈疴」之效。歷代中醫學，必講證據。凡國人醫集之處，中醫藥療病愈疾之證據，幾無時無之，無地無之。既非神助，又非偶然。根據同一治理，施于相同病症，反復重演，均能收相同效果。豈能謂爲不科學。至于對症用方，古方活用，更爲中醫學之合于科學處。

以偏概全入主出奴

國人對此問題，其觀點之所以大有出入者，要不離乎二因。

1.一部分人之觀事論物，每喜以簡單之尺度出之。對于結構繁複者，仍一例以「是」「非」或「優」「劣」兩級囫圇衡定（缺乏中間級）。執其一點，隨意演繹，以論其全（缺乏分別性）。於是演成入主出奴，重之者奉爲珠玉，輕之者視如糞土。在觀察上既缺乏理智之細密，則論定上自不免流于感情之粗疏。因之，兩相極端之態度，在歷年來各地之中醫藥問題之討論上，已表現無遺。蓋忽視在此類繁複之內涵中，實潛藏有無數之是非優劣錯綜雜陳者在，焉能以簡單一理，定其全是全非，或優或劣。

診斷與釋理問題

2.另一原因，則基于下列諸端：

一、有認爲中醫之診病方法，未採用器械，不合現代科學。就局部之診斷言，器械誠屬正確可恃。但高明之中醫師，常憑寸關尺三部脈象之關係，以判斷繁複病象之癥結。其精到之處，有非玩聽診器之朋友所能想像者。然此等人才，究佔少數。吾人亦不必以特例作爲論據。蓋辨「證」云難，中西醫均有同慨。縱使器械聽診優于以手切脈，亦屬診斷程序中之輔助器問題。與中醫學本質之是否科學，不生基本上之影響。

二、有人認爲中醫學釋理玄晦，不能舉證自明，是其不科學處。實則此亦時代使然。古人根據當時之科學智識，成立假設，以樹立中醫學理論。五行之說，或嫌過簡。生剋關係，與實際生理現象容或有其出入。凡此均有待他日生理學上了然于人體全部機能之制衡情形後，始能證其確是確非。今日生理學之發展程度，尚未足以語此。

藥劑配製受非難

三、有謂中藥未曾提煉，有效成分，迄無精確標準，殊難視爲科學。查中藥成分，駁雜不純，固屬事實。但古人用藥，採複方劑，並于分量輕重之間，配合各有其分際，足使藥味因成分駁雜而可能引起之不良作用，減至極低程度。當藥味于提煉分離後，使用時不僅方劑之分量將有變動；甚至原方劑中之藥味有更換，亦未可知。凡此均待中藥方劑作化學上之定性與定量分析後，始能確定。（中藥方劑經化學分析後所得之結論，足資反證中醫理論能否成立。而其得以證明確立之治理，行將大有助于世界醫學之進步。筆者曾以「中藥煎法之商榷」與「由中醫之治愈盲腸炎談到中藥方劑之發秘問題」兩文，載于本港夏正儀中醫師主編之康健醫刊，對此問題，有所闡述。可供參考。又，中藥方劑之化學分析，實包含一繁複之程序問題存在。因程序之出入，結論之相距亦大。惟此不屬本文範圍，且非三言兩語所能概其要略，故不多贅）。

不宜否定中醫本質

由上列數端，雖可看出中醫藥之缺點，但不足以否定中醫學之本質。醫學爲應用科學之一，以生理學病理學藥物學化學等爲其基本科學。近數十年來，此類基本科學進步之速，呈空前之勢。而今日之中醫學，尚未能利用此等科學之成果，以充實或修正原有之理論與措施，則屬無可否認之事實。故謂中醫學尚未成爲二十世紀之科學則可。若論定其非科學，則尚待證明。

中醫學校從緩考慮

中醫學既須研究整理，始能步入時代科學之林；則整理之法，究應如何着手，方稱允當，實爲一切要之問題，亦不容或緩之工作。立院通過設立兩機構，固具有劃時代之意義。但兩機構間之分量輕重，適不相侔。縱令目前台灣之人力財力，均能承担兩機構之同時設置。鄙意仍以爲目前只集應中力量於研究機構，而應將中醫學校事從緩考慮。其理有二：

一、在中醫主要典籍整理完竣之前，中醫學校無適當教材可用　中醫藥典籍，既待整理。則在整理完竣之前，自不能視爲適當教材，但又不似其他應用科學之有外國材料可資迻譯充數。若由教授編撰講義，則又缺乏合乎時代之中醫學參考資料。況倉卒成編，絕難精當。茲于應用科學之性質，又不容許教者逞其興到神來，發爲不羈之論。故教材問題，無法解決。

二、在目前情形，中醫學校無法完成基本研讀工作　茲假想中醫學校爲專科三年制或大學四年制。其中課程，屬于基本性者如數理化生理學病理學生物學國文等，必佔相當份量。專門教材，既如前述，無法適當解決，勢必採用舊日典籍充數。縱使學生國文程度，能以研讀，毫無扞格。然醫學與基本學科之間，難致融通。畢業學生，不符理想。反不如受業出身之中醫，具有實技，可資信賴。

研究工作兩要点

至于研究機構之設置，鄙意以爲宜附設於中央研究院內，假擬其名爲中醫藥研究所，與該院之歷史語言研究所化學研究所等並列。由一博曉中西醫學之通儒主持其事。延攬適當之中醫學者若干人爲研究員，担任以現代科學知識整理中醫學典籍工作，釐定三年或五年計劃。公開徵集各地中醫團體提供研究意見。並聘請台大醫學院教授若干人（包含內外科及新藥學者）爲顧問，按期舉行討論會，以襄助其成。又延聘化學家（必須精通化學理論兼富實驗經驗者）一人担任方劑分析工作。分析計劃，則由上述全體人員組成委員會，商訂步驟進行。分析設備，宜借用化學研究所之實驗室，酌付費用，藉省開支。

中醫學之研究工作，必須就「整理典籍」與「分析方劑」兩者同時進行，方能窮中醫學之究竟。補苴罅漏，張皇幽眇，使其蔚然成爲時代科學。芻蕘之見，謹舉以就正高明。

自由談

相形見絀

馬五先生

當前韓國總統大選開始揭曉之際，李承晚先生聲稱：副總統人選如果屬於在野黨——民主黨——的人物，韓國即將發生混亂云云。這選舉票數計算工作已近完畢，只剩下「大邱」一地的票數尚未揭曉，李總統指揮下的內政部忽然指大邱發生了選舉舞弊情形，命令停止計票工作，而大邱乃是在野黨勢力最雄厚的選區。我根據這些言行，再證以李老總素來那種「全國一人」（OVER MAN）的專政獨斷作風，認爲副座人選如果落在民主黨人的身上，可能另有花樣，或許會演出紅臉殺進，白臉殺出的悲劇來吧！

然而，副座果然由民主黨的張勉先生當選之後，李老總却說是個人雖然感覺失望，但爲尊重民意，即歡迎張氏共負國家職責，充分地表現民主風度，前後判若兩人了。我始而驚奇，繼而贊佩，終爲大韓民國前途慶賀不置焉。

韓國這次大選，表現着兩點進步現象：在李承晚先生的硬派統治作風之下，居然產生了強有力的反對黨，而且得到人民支持，當選副總統，成爲監督政府的最高權力者。（副座依法兼任參議院議長與全國行政監察人）此其一；李氏對於極不願意的副手，俯於民意而表示接受，不復再用非常手段以拒之。此其二。我們當年土耳其共和國總統凱末爾，曾經拿錢教別人去創造反對黨，現在南韓自然而然地就出現了貨眞價實的反對黨，這不是比土耳其的民主憲政史更光榮嗎？我認爲特別可喜可賀的地方就在此。西方人每以「落後地區」稱呼我們東方國家，看看南韓這種民主憲政的演進事實，誰說東方人的民主生活是「落後」的呢？

大韓民國肇建不過十年光景，政治上即有這樣的成績，我們中華民國開國已近五十年了。民猶是也，國猶是也，而民主生活却瞠乎其後，相形之下，好不愧煞人也麼哥！

再談畫壇辛酸

君璧豈做大千學生？
名家僞製古畫的因果

·阿淑·

自拙作「今日畫壇辛酸錄」發表後，獲得多方面的響應，使我又增加了興趣，其中以葛亮的來函及于長卿的「江浙派談今日畫壇」，一則以表露正義感；一則以表露江浙派的喜惡，都能反影畫壇百態的種切；不過，于先生的大作的目的，仍似有攻擊粵派之嫌，我希望大家平心靜氣下來，不要再意氣用事了，合作比鬥爭好，還是大家握手歡談吧！

君璧大千各有所宗

于先生寫作技巧是很到家的，他有意無意的指出『師大各教授，無論中畫西畫，均各有其弟子，實不能一概而論，就中尤以黃君璧溥心畬「二大畫師」之門人爲多，而畫北宗，宗法南宋，黃學大千，自成一家，』這似乎是頌揚了君璧，而事實是貶透了君璧，因爲君璧自任中央大學藝術系教授後，聲譽日上，在昔即有與張大千競爭之趨勢，但惜在藝術上棋差一着，而自大陸淪陷後，君璧忠貞反共，乃得一躍而任師大藝術系主任，大千一度出任該系教授，這在張黃爭衡上對黃是有利的。而今于先生說『黃學大千，自成一家』，即黃君璧反變成張大千的學生了，這豈不使君璧先生啼笑皆非呢！撇置是非不講，以畫論畫，怎可以看得出君璧是學大千的呢？這眞是天曉得了。大千中年的畫，以仿石濤見重於時，近年則反常復古，專摹做宋元之筆，而君璧呢，據說他是學石谿的，但他近十餘年從事創作，已無絲毫石谿遺韻了，而豐富地表現着西洋畫的寫生味，或者這是他成功獨到之處吧！

仿古亂真
非辱實榮

名家僞古，爲千百年來畫人的玩藝兒，沿習如此，故一般畫家心理素不以爲古爲辱，反以能『仿古亂眞』爲榮。過去張大千僞造石濤畫，曾於其個展中陳列之，並在報章宣傳，沾沾自喜，而其畫名因之雀起，可見一斑，不僅此，即君璧之成就，也不免走此一途，現在港台不乏君璧之師友，都能暢談君璧昔年僞造石谿之能事，此又爲名家成名與僞古有關之一佐證！

釋何勇仁仿八大山人

至於于先生大作指出之「何勇仁專門僞造八大山人」，當然不是空谷來風，即張大千之僞造石濤，黃君璧之僞造石谿，何勇仁之僞造八大，便變成鼎足而三了！不過，有些老畫家却否定此說，他們認爲何勇仁無仿製八大山人之本領，認爲何氏所藏數十件八大山人畫件，約半數乃屬眞蹟，半數乃精而不眞者，大約多乃張大千兄弟在滬時所仿製，一般人不察，誤爲何仿製，「張冠李戴」，徒然使何氏得到八大山人正宗的榮銜，而又經過派系的鬥爭，敵派以此來攻擊他，使他受寵若驚，因禍得福，每年徒然增加了許多學生的修金，及促進畫展銷售順利，其有力數捐畫款數萬築路，豈偶然呢！

學溥外遊不敢贊同

至於于先生提倡名家向外發展，固然言之有理，但所說『寄語台灣那些權威自居者，不妨學溥心畬的去日本』，那，我有點不敢苟同，因爲溥先生去年出國，一去不回，已有許多謠言說他不穩，我們豈能仿效他的行動！淺見以爲目前自由中國藝術家應該大團結，切不能再攪派系，更不能尋仇報恨，絕不可以「一意製造權威，你也權威，我也權威，到頭來，大家都是權威，互相醜詆」，大家應該民主一點，不要都想做獨裁的領袖，至於機構最好是一元化，省得彼此磨擦，如「學藝」與「美協」應該合併，共同擁戴「文協」，或者雙方都自動撤消，豈不更單純呢！

羅鴻詔教授輓詩

·鍾應梅·

余昔與羅君同教授中山大學。君於儒道二家，所造至深，每一相逢，玄言有味。三十八年九月一日，余來居香港，無何，與君邂逅佐頓津渡。握手相勞。君曰：「子可謂知津者矣！」余問：「偕家人來否？」則笑曰：「余入世僧耳。」旋赴台，任自由中國編輯。君有智略，然詼奇自隱，世亦竟不能用其才也，惜哉！

一

海渡愴爲別，知津愧未能。天風眞浩蕩，子意尚飛騰。安用雕蟲技？難忘入世僧！玄言猶在耳，沾灑望雲層。

二

報國文章在，憂傷楚客吟。落花人共渺，知子我能深。慷慨英雄略，詼奇智者心。所嗟千里駿，遺骨待黃金！

丙申暮春

麗雲閃耀

·滌秋·

張瘦碧兄紀台北劇事，極言劇壇的活躍，話劇的漢宮春秋與乘龍快婿，均上演有三月之久，平劇的名票迭現，一場一場，均有未經露演之角色上台，好似麗雲閃耀，照映在自由中國的社會中，值得可喜。

其中已演者，如郭爾周繼曼兩小姐，繼演者，有陳津闊榮小姐，施江麗君羅鄭七雲吳田慧珠夫人，皆以前所無。尤其蔣宗淵熊希超辜振甫諸君，盡量發揮其余派麒調的舊韻，震動了台北的顧曲先生。但是聲勢驚人，要以施羅兩夫人的會審探母，尤稱特色。

溯自毛沈翟吳四夫人，謝絕劇壇不再露演，名票的彩子，僅有陳瑛夫人維繫不墜，餘則頓成空虛。商社第二次彩排，搬請施江麗君，多年不演，而特別獻串拿手之會審，中正廳上，熱鬧無比，其情景彷彿卅年前故都之堂會，商社斥資約在新台幣萬五以上，造成此花團錦簇景象，余在將軍夫人奏佳音一文，已予詳紀其盛。施夫人爲秦楨將軍之賢內助，其扮相漂亮，音調好聽，做作細緻，而桌圍椅帔，以及行頭，皆係自製，即此一端，估值已夠近萬。無怪其一出台後，全場鎮靜，萬頭攢動，爭睹顏色，亦近幾年來，未之有也。其映動與吸引之鉅，洵是可驚。

中廣公司劇社成立四週晚會，忽作新穎的思潮，擬定一齣全是坤票的探母回令，由顧朱瀛仙陳竇君陳光禮三夫人，分飾楊延輝，鄭玉華小姐的六郎，羅鄭七雲夫人演坐宮盜令的公主，金胡喬夫人演回令的公主。此中之七雲夫人，從前在上海，時常玩票，爲閨秀間的活躍者，唱青衣宗王瑤卿，年已五十餘，上裝依然風光旖旎，極爲娟秀。坐宮所唱，腔調並不低而有味，有邊氣九轉之妙。盜令的表情，細膩動看。待盜令歸來，與延輝分別，『再三叮嚀問婆婆安康』，有幾句唱詞，也是瑤卿的路子，台北其他人唱此劇，無此一節，實是名貴。瀛仙夫人的四郎，嗓子有本錢，故能工力悉敵。中部的四郎，由陳薰君來接唱，則斷輪老手，亦不含糊。後部的陳光禮，除手脚稍帶毛氣，大致平平。定山先生是日親自撰書一聯，金井鎖梧桐緬懷舊曲，仙音來縹緲再譜新聲，款落七雲夫人雅賞，定山居士撰書，此聯寫得異常瀟灑大方，一如其人，而此種寵遇，平常不易見之，亦藝林佳話，而七雲傳矣。

說鼠

秦思源

鼠子之令人可怕，是其有百害而無一利。雖先前文人們傳說鼠子之鬚可製筆，如筆經上所載，張芝和鍾繇所用的筆，就叫做鼠鬚筆，並形容這種筆，筆鋒勁強有芒。

享譽至今，以鐵畫銀鈎名世的大書家王右軍，他寫蘭亭序時，據說也用的是蠶繭紙和鼠鬚筆。我想這不過是形容而已，未必是我所怕的之鼠鬚做筆也。

再說當年王荊公居蔣山，修學養氣時，對陳秀公很景慕，聽說陳來訪，即命二人肩鼠尾轎，迎於江上。後來俞樾解釋這個鼠尾轎的名詞，是形容轎之小者的稱呼。當然，若眞把鼠尾裝飾在一乘轎的後面，讓大人先生們坐着，招搖過市，不僅不雅觀，那才是笑話哩！

總而言之，鼠子的害處說不完；鼠子的好處，即令如何牽強附會，實在也舉不出一件足可稱道的事來。像這種敗類，是善良者——不論人或任何動、靜物，都莫可奈何牠。能剋制牠的，除了貓，還有一種鼠鮎，據南越筆記說：南海有一種鼠鮎魚，每暴尾於沙際間，誘惑鼠子來嚙牠，俟鼠子一接近時，牠就捲起鼠子入水而去，當作一頓豐富的食料。

除此以外，鼠子晝伏夜出，鬼祟行事，總是害人害物的，使其防不勝防；即偶爾把牠弄死了，掩埋不愼，一定鼠疫流行，遺患人類，使整個社會也要騷動起來。

最不幸的是：由於鼠口日繁，鼠[illegible]定，越來越橫行無忌，使許多人由羨慕牠而學做牠，在人羣中也就鼠輩日多起來。於是鼠竊狗盜之徒肆行里閈；鼠目寸光之輩，坐拱高堂；像這種鼠言鼠行之爲禍人間，比我今日所遭遇的鼠擾淸夢，尤更爲可怕！（下）

同光風雲錄

夢山樓

黃遵憲

黃遵憲，字公度，廣東梅縣人，以舉人入貲爲道員。讀書有精識遠見，不囿於古，不徇於今，自成一家之言，以醫時敝。嘗隨使日本，充參贊，時日方維新，國勢驟強，我國人尙憒然不知日本之可畏，公度則悉心研求其致強之道，著日本國志四十卷，冀爲中國之借鏡。嘗言曰：『日本維新之效成，將霸，而首先受其衝者爲吾中國。』及後，其言果驗，以是人皆服其先見也。

伊籐博文緩頰免難

甲午喪師以後，淸廷明詔天下，改變百度，各省大吏奉行最力者，惟湖南巡撫陳寶箴，而相與助其成者，其子三立，及黃公度也。公度倡民治有曰：『自治其身，自治其鄉，由一鄉推之一縣、一府，一省，以迄全國，可以成共和之郅治，臻大同之盛軌。……』循斯以行，自可展布一切，以圖久遠，而戊戌變作，公度獲罪，淸廷嚴諭交兩江總督看管，得日本伊藤博文爲緩頰，免難，褫職放歸。向天下事益不可爲，一人之用舍，國家興亡之所關，其信然矣。

先是，公度嘗爲英之新加坡，美之舊金山總領事，竭銳殫精，實心任事，且於各國之情勢，洞幽察隱，故凡有所應付，莫不迎刃而解。自是以外交知名當世，嘗奉旨爲使德大臣，德人憚之，卒尼其行，又爲使日大臣，亦旋因政變而罷。遭際之艱，長才未展，竟以光緒三十一年二月二十三日，病歿於家。

公度論詩

公度嘗爲新會梁任公言：『四十以前所作詩，多隨手散佚，庚辛之交，隨使歐洲，憤時事之不可爲，感身世之不遇，乃始薈萃成篇，藉以自娛。』平生以詩人自居，但所著日本雜事，敍述風土，紀載方言，錯綜事跡，感慨今古，皆以七言絕句出之，確具詩史之價值，不讓杜工部專美於前。其紀日本先烈史跡一首云：『石塔光明照夜燈，武藏宮闕鬱觚稜。至今灑淚吾嬬語，擲酒相尋白鳥陵。』其詩往往取於佛理，而參以科學名詞入句，獨闢境界，爲詩壇一大解放，卓然自立。彼嘗言曰：『士生古人之後，古人之詩，號專門名家者，無慮百數十家，欲棄古人之糟粕，而不爲古人所束縛，誠戛戛乎其難，雖然，僕嘗以爲詩之外有事，詩之中有人，今之世異於古，今之人亦何必與古人同。……』遺著人境廬詩草一卷，佳篇甚多，以此詩世，固非公度之志，抑亦中國之不幸也。（卅二）

·文壇漫步·

黃色的妙用

·紅纓槍·

美國有許多雜誌以「眞人」、「眞事」的奇聞異行作吸引讀者的王牌，這是雜誌老闆抓住了讀者的心理，利用人類弱點以推廣銷路的手法。美國黃色雜誌的老闆覺得單是色情，吸引不了讀者；單是恐怖，也吸引不了讀者，只要加上點艷情，故事就更生動吸引了。

廿世紀印刷業的進步，出版物已經到了非圖片不能表達事情的眞相的年代了，因此，美國各州都有若干個專刊載色情恐怖圖片配合文字的雜誌，這些以「眞人眞事」作號召的刊物，眞實材料都是百分之百的假貨，由於美國模特兒的方便，他們可以僱用來拍攝他們所需要的圖片，像十多條大漢強姦一個女子，事後還用刀刺入陰戶等，圖片由頭至尾俱全，試問誰人遇此情形可以安閒地拍攝照片，而不急救被強姦的女人？這些破綻讀者一概不管，只相信它是「有圖爲證」的。

香港報刊，近年來也有幾家專門翻譯這一些假事情來吸引讀者，[illegible]計分兩類：第一類是左派報紙，他們有一個主要目的，就是利用譯自美國某一雜誌的名義而宣揚美國的色情腐化，既可培養厭惡心理，也兼可吸引讀者，手法甚見高明；第二類則是純爲生意眼吸引讀者而譯，像××晚報和××週報，都採用這些稿件，不過說也奇怪，凡是有這類稿件出現的報紙刊物，銷路都不會很好，像上述晚報和週報已是顯著的證明，畢竟讀者的眼睛還是雪亮的。

徵稿啓事

△本報擬徵求下列諸稿：

一、三千五百字至七千字左右的短篇小說，不限體裁和故事內容。一經選用，優先奉送稿酬。

二、台灣及海外各地自由文壇的動態報導，作家生活素描及過去文壇珍聞。每篇以不超過五百字爲佳。

三、介紹海內外自由科學家、教育家、實業家、醫護、工礦業工作者的人物專稿，對象以現在從事於工作者爲最佳。來稿不宜超過一千五百字。關於軍政界人物稿件以散見各報者已多，請暫勿惠稿。

自由人
THE FREEMAN
（第五四六期）
中華民國僑務委員會頒發登記證台教新字第一一二號
中華郵政台字第五〇〇號
執照登記爲新聞紙類
（半週刊每星期三六出版）
每份港幣壹毫
台北市售價台幣壹元
督印人：陳文藝
址：香港高士威道二十號四樓
3 rd. fl. 20 CAUSEWAY RD
HONG KONG
香港發行及業務接洽
高士打道66號　電話：七四〇五三
承印者：東南印務出版社
地址：高士打道六十四號
海外總經銷
友聯書報發行公司
香港：德輔道中二十六號A二樓
台灣特派員辦事處
台北市館前街五十號
台灣總經銷處
台北市西寧南路壹壹叁號二樓
台郵撥儲金戶九壹五二

預祝外滙貿易之改進

讀七中全會之決議而作

·陳式銳·

中國國民黨七屆中央委員會七次全體會議於五月五日至八日舉行，其決議案分：壹、內政部份，貳、財經部份，叁、教育部份；由此，可見此次會議之重心所在。關於財經方面，又分爲：一、關於外滙者。二、關於租稅者。三、關於僑資外資者；而其重心，尤在鼓勵出口及吸引僑資與外資。換言之，財經部份之決議，全屬財政部範圍之內，難怪五月十二日星島日報對財政部長徐柏園有所傳說，而有中央黨部秘書處的闢謠（台北五月十四日各報）。

財經決議富現實性

其實，今日台灣經濟發展的障礙，其關鍵甚在現行外滙貿易辦法，我早於本刊五二九期「經濟政策的實效性」及五三八期「財政金融影響經濟發展」予以申論，我那時也指出責任在財政部。此外，當七中全會進行中，台北新生報（五月七日）記者雪影先生亦以專訪稿長篇報導外滙貿易辦法對於出口的抑制，其坦率與中肯，深可代表一般輿論。

國民黨爲自由中國的執政黨，它應促使政府對全般經濟力求順利發展，藉以提高人民生活水準而增強反共抗俄力量；其有與此相反者，應急謀改善；此一問題既經輿論一再指出，尤宜尊重採納，才合民主政治之眞諦。我檢討此次之財經決議，富有現實性與建設性，遠非過去所能及；而其明確與具體，尤易於督飭實施。當去年三月一日政府有關外滙管理及對外貿易新辦法的改訂，其主旨在鼓勵出口，消除不當利得，吸引僑資外資；惟其相繼公佈之辦法，逐漸地把主旨抵銷無遺（參閱自由中國第十二卷第八期拙作「論台灣外滙貿易管制的改變」）。不幸，一年餘來，我們所談底問題依然如舊，使我執筆時不勝感慨萬千！

決議原文摘要

七全會的有關決議（摘其原文）如次：

一、關於外滙者：

（一）外滙政策之訂定，須顧及國內政策之安定與發展。而基本目標，在擴展貿易，由鼓勵出口中求增獲進口，並對於國內之投資，及僑資外資之流入，發生鼓勵及吸引之效用。

（二）管理技術及措施之改善，必須適應政策之要求，對於不勞而獲之進口牌照頂讓利潤，應予杜絕。對於一般出口利益應予維持；尤以製造加工之勞務出口，應予優惠之考慮。

（四）結滙證制度爲當前促進出口調節之重要手段，應儘量放寬其應用範圍，並透過自由買賣之機能，實現其合理之價格。

（五）創設外滙自由帳戶，以利資金之內流。

三、關於僑資外資者：

（一）爲解決華僑或外人來台，新創事業所必需調轉資金之困難，應准以自備外滙輸入出售物資變價動用，或以外滙滙入，應用優惠滙率。

如何杜絕不勞利潤

去年三月改訂之外滙貿易辦法，基本目標原亦在鼓勵出口以增加進口，其中心結構爲結滙證制度；惟執行辦法却把結滙證的效用予以抑制，爲結果「牌照頂讓」爲「實績買賣」之還魂，出口的蒙受損失如故，當局諱稱出口增加，僅是自欺欺人而已。此次決議指出「管理技術及措施」，必須「適應政策之要求」，因而明確提出「進口牌照頂讓利潤，應予杜絕」。而「杜絕」的有效辦法，乃在「儘量放寬其（結滙證）應用範圍，並透過自由買賣之機能，實現其合理之價格」。我以爲此處的關鍵在「儘量放寬」的「放寬」程度的一點，即爲「頂讓牌照」存亡的「儘量」到了極點，其那就等於「出進口連鎖」或「外滙保有」制了。唯有「出進口連鎖」，才合根本消滅「頂讓牌照」；亦唯到此地步，「不勞利潤」始得返本歸源。而管理制度化，使「不勞利潤」無法存在，不法之徒（包括官僚資本），亦乃能絕其非非之念體。

（下轉第二版）

透視蘇聯裁軍

·周濱聞·

蘇聯宣佈裁減武裝部隊一百二十萬人後，我官方和輿論的反響，大致認爲俄共此舉，又是欺騙行爲，完全是假的，這當然不是沒有理由。但筆者尚認爲此種觀點，似過於保守，茲將不同之看法，謹述如下：

革命性的軍事改革

俄共此次裁減兵員的計劃很可能是眞的；這意味將在軍事方面作革命性的改革。杜勒斯於五月十五日例行記者招待會上所說：這解除軍役的一百二十萬人，將隨時供驅使，和從事製造原子武器之工作。這看法也大致是正確的；但却還不夠深入！

吾人從研究二次大戰聯軍由敗轉勝的歷史可獲得下列的認識：第一、現代戰爭的勝負，非決定於兵員的數量，而是爲部隊本身機動力之強弱所決定；第二、部隊機動力之形成，除指揮官的運用技術外，厥爲其具有機動之特性；在今日言之，即必須發展現代化的軍事工器，及精練的戰爭資源，進步的軍事工器，故優越的機動部隊，乃戰勝敵人的基本要素；至於裝備組劣的武裝部隊，其數量雖屬優勢，也必如義和團之對抗八國聯軍，徒暴露軍事指導者之愚昧與無能。因此，蘇聯爲使其武裝部隊更臻於現代化，而減少其兵員數字，以增強其部隊的機動力，實非不智。

裁軍後的新面貌

照史塔生的估計，蘇聯現役兵員約爲四百萬人，削減一百二十萬人後，尚有二百八十萬人；試想，蘇聯裁減現有兵力的十分之三，其對減防經費使用於軍事工器之研究與發展，以改良其部隊之裝備，其水準將達到何種程度，固不敢臆測；但其部隊之性能必將更適合於担任未來大戰之任務，則爲無可置疑。同時，就其所宣佈之裁軍計劃看來，計劃裁減的爲六十三個師及旅，另爲三個空軍師及三百七十五艘艦艇；此一計劃，是意味着陸海空三軍都將從事改革；其改革的目標，可能是達到陸軍空運化，空軍飛彈化，海軍基地化。第一、裁軍後，武器過剩，除設法向某些落後國家傾銷外，利用空軍剩餘的裝備，改良之以增加陸軍的機動性，其可能性很大的；所以可能以陸軍空運化爲其改革的目標；好像第二次大戰時，各國都以部隊摩托化爲其建軍的目標一樣。第二、俄共準備退役的艦艇，其類型雖尚無法獲知；但在減少部份落伍過時艦艇後，必集中力量於新式艦艇的建造，俾形成無數的水底及水面的飛彈發射基地，這似乎也是非常有可能的。第三、則是自導飛彈及彈道飛彈的大規模積極發展，使空軍完全趨向於飛彈化。所以，我們說對俄共之裁軍，不應祗從保守觀點去觀察。

被裁兵員武器的出路

綜上各點分析，可窺見蘇聯與民主集團的軍備競賽，今後將着重於質的改進及更新的裝備研究與發展；而這也是其裁減兵員的最主要着眼之所在。現在，我們不妨站在共產集團利益立場，再進而對此次裁軍之現實利害上來探討，在其實施後，對自由陣營之影響。

第一、此次宣佈裁減兵員，必是在其關於改革軍事之準備工作已經完成之後；若謂裁軍而無完善的準備，不僅是徒然削弱國防實力，且會增加失業人數；故蘇聯自不會毫無善後準備之裁軍。俄共此次被裁減之兵員，除了將担任原子彈之製造外，其餘一大部份則很可能派往各附庸國工作，以加強對附庸國部隊之訓練與控制。

第二、武裝部隊數量削減後，兵器的剩餘必須有其出路，過時武器的數字既相當驚人；除將之分配於各附庸國家外，必向某些落後地區國家傾銷，至於大批裁減退役的艦艇，勢必將有一部份分配給中共海軍；所以不久的將來，在台灣海峽極有可能出現以俄艦爲骨幹的大型艦隊，此非危言聳聽，而是從其裁減人員與兵器後，勢必有其正當出路的邏輯結論，其必然爲害民主國家實可斷言。而對亞洲所發生的威脅也必遠較歐洲的爲大。

第三、上述二點是就裁軍的直接影響；至於其間接的影響是，民主國家若不早爲之謀作有效的對策，則將來可能遭受難以計及的損失。在蘇共二十屆全代大會後所出現的，無論是清算史達林，是解散情報局，是廢除集中營或裁軍，大家都知道皆是騙局；甚至於在能有效的增強其軍力的工作後，竟然受艾森豪的開放天空的計劃，或更宣佈與實施許多難以預料的事情；但鑒於過去的慘痛教訓，自由陣營不致爲其騙局所炫惑；而且，我們也可以斷言所有民主國家的人士，都會具有這樣的警覺。不過，這許多騙局所生的累積效果，在人類的潛意識中，却將產生一種不可抗拒的錯覺；除了少數的先知先覺及意志特別堅強的領袖人士外，很可能會有大部份人士對蘇聯改變觀感，而這才是最可怕的可能出現的思想戰的失敗！

心理戰的可怕陰影

因此我們認爲，蘇聯的裁軍，固然是笑臉攻勢的欺騙方式之一；但他主要的企圖，不在希望我們立刻受騙，而是希望在自由世界的人們中埋下一顆足以動搖反共信念的種子，以便日後滋長發芽。辯證法所謂的由量變而質變的定律，很可以說明共產集團目前一連串和平攻勢的眞正作用所在；故我們必須預謀對策，才不致使民主國家的堅強的反共意志，由漸變而發生突變。

就全文分析所得，蘇聯裁軍，也必然有其更久遠可怕的目的。所以我們應放棄對此問題觀察的保守觀點。而應着眼於今後的戰爭，其決定勝負的主要因素是依靠一種什麼樣式的兵力，而不能太過於重視俄共裁兵員的數量，應特別注視其裁軍後的研究與發展。因此，我們要以及其可能的方向，才能給我們帶來預謀有效的對策，才是一種較爲深刻的觀點。同時，就宣傳的立場來說，過於保守的觀點，它只可給人以落伍的麻痺的感覺，我們國際宣傳工作之不如理想，或許這也是主要原因之一。這雖是題外的話；但蘇聯今日是以裁軍當作宣傳攻勢的，則我們可覺自由國家有觀點中。因爲這一點在反宣傳和反心理戰上，更有其重要性的。（五月十九日）

在黑板上裁軍

·魯午·

半週述評

·司馬璐·

氫彈的威力

沒有人敢予否定這個事實：美國這次空投氫彈試驗是成功的。據試驗的報告是：一枚氫彈的爆炸力相等於一千八百萬噸黃色炸藥；相等於美國在二次大戰中所投炸彈及一切炸藥威力的五倍。一枚氫彈的爆炸，其震動力遠及三千里外地區，輻射塵雲散播一百方里。

參觀試驗的記者報導說：「該彈奇異的威力，這就是核子的力量，與太陽星辰的能力相同。」「其光彩若一千個太陽。」「在這一種奇異的欣賞中，感覺到地球也許已炸裂爲二。」

「福龍丸」事件

共產黨人有一種可笑的偏見，美國的氫彈試驗之前，他們主觀的肯定，「美國的氫彈遠落後於蘇聯」；試驗之後，他們仍然閉着眼睛，死硬的一口咬定這個偏見到底。

「死硬到底」之外，共產黨人希望日本出現另一個「福龍丸」事件。一九五四年美國氫彈試驗第一次在比尼基上空爆發時，曾經不幸的發生日本漁船「福龍丸」事件，日共推波助瀾，激起日本強烈的反美運動。

這一次，共產黨人失望了，試驗十次延期，美國小心謹慎，「福龍丸」事件並未重演。

但是，共產黨人却是不甘心的，他們還繼續在「輻射雨」問題上製造挑撥的口實。

共黨宣傳矛盾

共黨的這些宣傳手法，是十分矛盾的：在製造反美反戰宣傳的要求下，他們是承認美國氫彈的威力的；在安定內部人心爭取中立份子宣傳的要求下，他們必須把美國的氫彈說得一錢不值。

從共黨的宣傳中，我們充份可以看出，共黨心慌意亂，進退失據。蘇俄的氫彈競賽如果眞的搶在美國前面，他們應該鎮靜些，不必如此神色張惶，信口雌黃了。

但是，他們要把美國的氫彈說得一錢不值是無人可信的，因爲，美國氫彈的爆炸是生動的事實。

蘇俄的落後

蘇俄氫彈的威力究竟如何呢？蘇俄沒有舉行過公開的試驗。蘇俄既宣傳它的氫彈威力，爲什麼不可以舉行公開的試驗呢？或者可以回答，還是由于「秘密」；或者又可以回答，它的「威力」還是見不得人的。

直到今天爲止，我們只從共黨的宣傳中看到，蘇俄的氫彈還僅在赫魯歇夫的嘴邊爆炸而已。

從共黨這些心勞日拙的宣傳中，我們有充份理由可以這樣說，蘇俄的原子與氫彈競賽，遠遠落在美國的後面了。

美國面臨裁軍

由于美國氫彈爆炸的成功，今天美國倒眞的面臨到裁軍問題了。

核子武器發展到現階段，地面部隊的重要性相當減低。美國氫彈爆炸成功一經判定，三軍的摩擦也由潛在的變爲公開的，今後的美國政策，可以更集中于空軍的擴充與原子、氫彈的裝備，陸軍經費的削減，面臨到更大的威脅。

民主國家中，像美國三軍的這種爭論，是很平常的。但是，共黨的挑撥又在這一間隙濫力渲染了，不是更徒見其心勞日絀嗎？

國防部組織法十年未成

·尹伊·

台灣通訊

（本報台北通訊）自三十五年六月一日成立國防部以來，迄今已滿十年了、但據悉「國防部組織法」還沒有完成必要的立法手續。因此，立法院對於政院大表不滿，咸以「如此重大法案，久不送審，究竟有何理由？且國防部歷來經費，均佔總預算中最大數字，仍不能有一合法之組織爲其基礎，誠不知該部一切作爲，有何依據」？十年來迭向歷任行政院長提出質詢，已達廿餘次之多，迄無具體答覆。不能不說是政海奇聞！

查國防部成立後兩年，即民國三十七年二十四日，行政院會將「國防部組織法草案」送到立法院提報院會，不久，卻又被行政院撤回去了，此後的八年來，雖經立法院不斷催詢，迄無下文。

歷次質詢經過

回溯立法院第一次質詢本案，是在三十九年五月十二日，是由立法委員一百九十五人聯名提出的，到同年十月六日，又提出口頭質詢，四十年四月六日，提案質詢，同年十一月廿三日，又提出書面質詢；好容易才獲得行政院的書面答覆，但內容一味敷衍，不切實際。四十一年四月廿九日和四十一年十月十四日，先後兩次提出書面質詢，雖由行政院張副院長厲生代表陳院長答覆，但仍是在「拖延」。於是，立法委員們在四十二年四月廿八日，提出了措詞頗爲嚴厲的「一個『希望』」「緊接」一個再質詢」的書面質詢；接着又在同年十月六日，再度提出「提供『覆話』，要求新『答覆』的質詢」，緊接着，又提出口頭的補充質詢。四十三年二月九日，又提出：「怎樣了，國防部組織法案？」的書面質詢，至此，才由郭寄嶠部長代表答覆，仍是不着邊際。同年四月十三日，又提出口頭質詢，陳院長的答覆，措詞極爲婉轉。四十四年三月十五日，黃鎮球副部長代表答覆，亦無新內容。四十四年四月十二日，立委們「從新提出國防部組織法案的質詢」，於「四十四年度總預算審查報告書」中，特別指出國防部主管應請注意辦理及注意事項。結果，獲得了行政院同年八月廿六日的書面答覆，說是「該草案尚未臻至善」而又拖過去了。

最近俞院長的答覆

本年度的書面質詢，是二月七日提出的，題目是「國防部組織法案要問」，俞鴻鈞院長的口頭答覆是：「現在反攻復國，軍事第一，國防部組織之重要，不言而喻。該法迄未送審，貴院嚴詞指責，不敢辭；「藉詞延宕」，則不敢受。爲使該法得以完備，能適應事實，而遲未送審，求全之心，可獲諒解。本人願負責督促有關部份，儘速按照目前情況，草擬完成，送請貴院審議」。措詞是不亢不卑，但仍是不切實際的空洞之言。並且，除徵信新聞外，其他報刊竟隻字未提。

立院擬公開全部事實

直到本月十日，立法院預算委員會，會同國防委員會，全天在台北中山堂堡壘廳舉行聯席會議，繼續審查四十五年度中央政府總預算案第二組關於國防部主管收支部份案，該部馬副部長紀壯偕同有關主管人員列席說明，由預算委員會召集委員李鉅主席，會中係就國防部收支預算繼續詢問，委員多人發言詢問，均經馬副部長分別予以答覆，但對於國防部組織法案，馬氏仍未作正面答覆。決定下次會議繼續審查，聞立法院決將十年來有關國防部組織法案之質詢經過，彙印專書，公開發表，以明責任，並將於下次會議時，集中火力，提出嚴厲質詢云。

從上述的發展經過來看，令人百思不解的是：像這樣一個重大的組織法案，十年來尚未由院部草擬竣事，未知院部當局究有何種困難！又何以此項困難一直未能克服，其原因又何在？而於此所遲滯產生的影響是反映出立法院在這方面立法工作的遲不進，是由客觀的因素存在，如果說，此一因素也是一個無法突破的阻礙，那就更足以說明憲政的運行，已早有極嚴重的痼症隱伏在。成立了十年的國防部，至今仍是一個於法無據的私生子，令人關心，但是較此更嚴重的是憲政實際的推行情況，則更是值得令人關注的基本問題呢！（五月十四日）

五卅慘案追記（上）

·夢山樓·

五卅慘案，民國十三年爆發於上海，全國各地迅即響應，聲勢之大，初不弱於五四運動，工人階級繼知識分子而覺醒，滙結成爲革命的巨大洪流，對後來北伐影響甚大。夢山樓先生爲五卅南京學生運動領導人之一，本文追記當時情況，生動活躍，誠爲不可多得之文獻。茲分兩期刊出。—編者—

五四後的工人愛國運動

中國不是工業國家，工人沒有甚麼組織，也沒有甚麼工人運動，這是北伐以前的一般情形。

可是，五四運動以後，中國思想界已掀起一陣颶風，工人羣衆也受了感動，漸漸注意到國事和爲本身幸福而奮鬥的意識。這時，中國國民黨正在廣州積極的培養革命力量，同時，也注意到工人運動，因此之故，上海及各大都市，零星的罷工運動，便層見迭出了。

民國十三年，孫中山先生在廣州召集中國國民黨第一次全國代表大會，通過了依靠工農、扶助工農的工農政策，制定勞工法，改良勞工生活，保障工人團體，並扶助其發展的政綱。又於國民黨委員會中，增設工人部，從此工人運動，便奠定了基礎。

五卅慘案爆發於上海

次年，上海日本紗廠工人，不堪資方壓迫，突然罷工，這是五卅慘案的序幕。上海罷工發生在二月九日，參加罷工的有二十多個工廠，四萬多工人，在這次罷工中，工人所要求的條件，雖未完全達到，但，對於團體運動的重要，因此有了進一步的瞭解。所以，各工會會員亦激增到一萬人以上。日本資本家看到這種情形，非常焦慮，於是決心取締工會，並開除爲首工人，但工人爲反抗壓迫計，連續大罷工，不料，日本資本家竟用毒辣手段，打死工人顧正紅，於是五卅慘案發生了。上海各校學生，參加顧正紅追悼會，經過租界，與巡捕衝突，遭受傷害者不少，因此激動了上海數百萬市民之憤怒，全市商人罷市，學校罷課，以爲聲援。當時租界當局無日不逮捕工人和學生，兇燄所播，舉國震動。反帝示威運動，遂一發而不可遏止。

南京學生的示威聲援

南京接近上海，又是中國大都市，人文薈萃，民氣尤爲激昂，消息傳到後，各校學生即發動遊行示威運動，以東南大學爲中心，組織『上海五卅慘案南京學生後援會』，但是，這個組織，既限於學生，又爲一校所包辦，自然容易引起誤會。（下轉第三版）

王季薌先生事畧

·徐復觀·

（一）

傅君鍊侯，擬印行先師季薌先生所著重修湖北通志條議，囑余略述先生生平，以告讀者，弁之卷首。余固陋不學，何足以知先生；然板蕩以來，海外能言先生者絕少，乃受命不敢辭。竊惟先生博極羣書，其著作已刊未刊者都凡一百一十八種，窮搜遠紹，綜貫于四部之中；要以方志學一門，爲晚年用力最勤，所得亦最精最富。其鉅著方志學發微，民國二十六年春已繕成定稿；旋抗戰軍興，先生退隱鄉邑，無由付印。三十五年還都金陵，時先生已歸道山，余與同門涂君頌喬，謀將是書問世，而遺孤幼弱，其家人匿稿不肯出；因循之間，神州陸沉，其存沒遂不復可問。此條議一卷，雖僅爲湖北修志而作，然實係先生學以致用之結晶，亦即係方志學發微之縮本；故此編之出，乃不幸中之大幸；而傅君之有功于前修，嘉惠于士林者，誠非淺鮮也。

（二）

先生名葆心，字季薌，別字晦堂，湖北羅田縣人。民國三十三年四月十三日卒于原籍之東安鄉，時年七十有七，以此推之，則實生于同治六年也（一八六七——一九四四）。清末，張文襄公，設兩湖書院于鄂渚，先生以博洽受知爲高才生。癸卯舉于鄉，任學部主事，兼充京師大學堂及優級師範經學文學教授。時清政不綱，憂患煎迫，先生宿懷民族思想，顧惕惕不喜言革命，爰著宋季淮西六砦紀事一卷，明季江淮七十二砦紀事七卷，于宋明季義民抗拒異族之壯烈故事，搜訪豪逸，闡發幽微，蟄比鈎稽，勒成正史體製；其文字中感憤鬱勃之氣，讀之稜稜如可捫觸；故此二書，不僅可補史乘之所遺，實亦先生壯年的一段精神之所寄。民國紀元，先後任教于北京大學及武昌高等師範（後改武漢大學）。十二年秋，湖北創辦國學館，執教者皆一時耆碩，特推先生爲館長；先生分課程爲經史文理四科，日與諸生講習討論，一復宋明書院講學之遺規。十五年，北伐軍抵武漢，國學館亦因之廢棄；自是先生往來鄉邑省垣間，讀書著書，未嘗一日或間。生事寥素，然于民國二十三年二十四年間，以望七之年，遄至北平圖書館搜抄資料，一年間得二十四巨冊以歸。其平生治學之勤，大率類此。蓋先生一生，以讀書著書爲性命，此外殆無一足使其措意。故平生不立崖岸，而翛然遠引，如清風明月，凡與先生相接者，塵垢鄙吝之氣，自消融于光風霽月之中而每不自覺也。

（三）

先生晚年特喜留心地方文獻。對南北各地之文化之發展，恆人經地緯，以攷見其今昔演變之所由來。客有初次訪候先生者，先生問明籍貫後，雖僻鄉窮徼下邑，亦輒爲言其山川人物，條貫古今，如數家內事；偶舉與客家世有關者以問客，客則瞠目逡巡，唯唯而退；退而就先生所言者攷求之，無不駭怪先生何以能博聞強記至于如此也。嘗集湖北先正舊聞佚事，成江漢獻徵錄，凡數十帙，其取材多人間不經見之書。後修湖北文徵，先生與甘鵬樵氏担任宋明兩代編纂，實則先生獨任其勞。成書凡二百四十卷，並將江漢獻徵錄中有關材料，分列于元明作者小傳之後，自數百言至數千言或萬言不等；在張江陵一目下，敍錄當時江浙士大夫所以誣陷之前因後果，及當時爲江陵辯誣之各種材料，且數萬言。然後湖北元明兩代之人物風敎，始粲然完備。甘氏居北平，雄于貲，詭先生謂決獨力將稿付印，先生深信不疑，絜全稿畀之，乃甘氏得稿後匿不復出，時抗戰正劇，南北阻絕，報紙誤傳先生已死，甘氏遂揚言此稿乃其私著。先生聞之始知受欺，向甘氏覓索不應；旋平津之湖北人士，纔代先生向甘氏鳴不平，亦不應；遂使先生銜恨以沒。

（四）

三十五年春，余養病北平，甘氏亦已病故，其後人堅不承認家中藏有是稿。旅平諸鄉先生僉謂此稿一旦失墜，不但有負先生數十年之辛勤，且恐今後更無人能續成此盛業者。余乃商之當時北平市長鄉前輩熊哲民先生，設法自甘氏家中濟出，則二百四十卷之原稿，稿中先生之手澤及甘氏塗改勾勒之迹，固赫然具在也。遂攜之反鄂，原欲歸之通志館，而館長李某，乃甘氏之婿，正彷徨中，適居公覺生，何公雪竹，謂亟須印行以免再度湮沒。謀之徐公克成，徐公慨然以此自任，以其經營之事業中，有一規模宏鉅之印書館也。及武漢淪陷，徐公謂于退出時特將稿藏武昌私第夾壁中，則其能否僥倖于毀壁汲塚之餘，蓋益不可知矣。余從先生問業于國學館時，先生輒周其衣食，所以期望之者至殷且厚，乃數十年來，奔走生計，習業百無一成；且坐視先生之志業，零替殆盡；現手中所存者，僅先生所著古文詞通義，及二十六年武昌春遊時照片一幀耳。撫摸此編，益增余之愧疚也矣。民國四十五年五月受業徐佛觀謹誌于私立東海大學。

台北速寫

對外關係太迂緩

埃及承認中共政權，此間頗爲震驚。大家所焦急的是，因此，可能影響阿拉伯諸國在聯合國對中共代表權問題之態度。所以有人責備外交當局動作迂緩，未能及早對付。加強與中東國家之外交，聞早經中樞決定，而當局竟一無措施，殊爲憾事。

大使的大言

駐韓國的一位大使返台述職，在立法院大談中韓越軍事同盟之事，立刻成爲頭條新聞。外交部急加否認，因爲此事還只是一個理想而已。從這位大使的發言，就可知他在海外的政績如何了。我國外交官如此，可嘆，可嘆。

改變作風第一

國民黨七中全會後，主管心戰及宣傳各部門，正在研商對付中共海外統戰的辦法。不過，癥結仍在整個作風問題。換句話說，戰略不轉變，戰術之研討很少成效。

正義之聲

監察院舉行政治設施檢討會，發言紀錄充滿一片正義的吼聲。最精彩的是監委吳大宇痛陳今日政治風氣之敗壞，尤以財務人員爲甚。此語獲得輿論界一致的響應。

人言可畏

富商李×慶殺妻案，已在法院裏偵查了幾個月。外傳他在立法院化了不少錢，甚至法官帶他回家逗留數小時，也引起物議。按理說，如此轟動的大案，法院必定秉公辦理，不至有何偏袒。問題是爲什麼社會如此懷疑法院辦案，法院本身似亦應加檢討。

·杜蘅之·

預祝外匯貿易之改進

吸收僑滙外資問題

（上接第一版）投資，除租稅及其他問題外，最重要者乃在資金之進入。過去以滙率的不合理，乃有輸入「其他物資」作爲補救，惟此法仍限於建廠，此次決議，求其擴大至「流動金」，或代以「優惠滙率」，均屬切合實際，不失爲過渡的辦法。所謂過渡，即非根本之謂；蓋資金來台而須輸入「物資」，究非本務，而「優惠滙率」仍與「客觀價值」有距離也。依我們見解，結滙證果眞解放其束縛，讓其循自由買賣機能以尋求合理價格，相信華僑或外人必將直接把他們的資金滙入。到此時節，「外滙自由帳戶」，才能成爲僑資外資的「棲息所」；而它們以當地市場有利，隨時可以進入活動；到了「樂而忘返」時，那不都成爲我們的資金嗎？

消滅黑市金融之道

此外，財經部份決議之中，關於租稅者有爲「鼓勵僑資外資內流之目標，實現量能課稅與公平負担之原則」；此一原則付諸實施，無疑其有利於投資環境之造成至大，有望財政部善體其義，而切實執行。他如「健全金融市場，調整銀行利率，使立統一而協調之利率結構，使銀行確能發揮領導信用之機能，消滅黑市金融之活動」一節；在銀行利率與黑市利率有距離之今日，欲消滅黑市金融之活動，勢所不可能。而這一情勢所表現之事實，即銀行對工商界未能有效地供應放款，使它們不得不求之於黑市市場，黑市利率有利，民間資本益不願存入銀行。解開此結之道，亦唯賴僑資外資儘量進入，甚且容許私人開辦工商開發銀行；那末，正規資金供應有其來源，誰尙願意向黑市求高利貸？此時，利率自將逐漸趨於統一，而黑市金融活動也就不制自滅了。

有關外滙貿易之言論，公私發表甚多；此次執政黨的決議，應可爲財政部改變之根據。財政部長爲從政之黨員，他的抉擇，一爲執行，一爲辭職，方爲政黨政治之常規。此次決議，甚爲明確而具體，不可能作偏差或附會之解釋，以致重蹈過去之覆轍。爲台灣經濟之繁榮，我謹以十二分之虔誠，預祝其實施！

五月十五日

香港教育司的嘗試——舉辦成人教育中心

香港教育司正嘗試着一項不爲人所注意的工作，而却能收實效的，即爲成人教育中心，此一種成人教育中心在本港的社會環境說來是極其需要的，在消極的說來，成人教育中心的設立可以使成年的男女在工餘有一種正當的健康的娛樂，在積極方面而言，更藉此一種組織減少社會上的犯罪行爲，進而提高社會的道德水平。

我們不容諱言，香港許多不必要的輕微犯罪案件都是由於客觀環境所造成的，即以「遊蕩」一項而言，亦可以解釋作爲成年人缺乏一個適當的去處，而所謂黃色的電影及歌舞的繁興，其背景亦何嘗不是基於成年人適當缺乏一種正當的娛樂。

成人教育中心舉辦的意義是非常重大的，雖然目前香港參加這一項活動的成年男女祇有四百餘人，池區亦祇有兩個，這和事實上的需要還有一個很大很大的距離，不過循着這條正軌走去，加以成年人本身的自覺與社會團體的協助，則未嘗不可達到理想的目的。

成人教育班共分三班

教育司署主辦此類性質之教育中心其宗旨在於使年長失學者能在業餘獲得再求學之機會，並得享受正常之康樂活動，成人教育班共分三班：一爲普通教育班（教高級中英文等），一爲技術教育班，（授木工縫級等）一爲康樂中心即係在課餘作正常合羣娛樂者。其中負責輔導之教員部份係聘任受薪者，部份則係自願義助服務者。

最先開辦之一個，係於一九五五年十月十八日設在西營盤李陞小學，當時有男性五十六人及女性二十七人來到登記參加。到一九五六年四月底，登記人數共七百七十三名，其中男性佔五百八十四名，女性佔一百八十九名，每晚參加之人數，由八十三人至一百九十五人不等，平均約一百五十人。

第二個成人教育康樂中心，於一九五六年二月廿八日在香島道官立學校開辦。在第二星期每晚參加人數已增至一百二十至一百五十名，已登記之人數現有四百四十六名。

此等成人教育及康樂中心，每週開放五晚，由星期一起至星期五止，星期一晚，則爲職員舉行討論及訓練之時間。

參加者包括各種職業人士，惟月入超過百元者僅屬少數。以目前人數而論，約有百份之八爲失業者。參加者之年齡，自二十歲至二十五歲不等，亦有年逾五十歲者，惟僅佔少數，大部份均爲二十至三十歲之青年。

班內各種康樂活動

每晚舉行之活動，計有乒乓球，土風舞，健身操及各種集體遊戲，間或舉辦音樂欣賞會，合唱，體育，戲劇，故事講述及常識問答遊戲等節目。此外，並定每週放映電影一次，及每月舉行社交晚會及音樂會一次，其節目由參加該中心之人士擔任。

此外並講授特選問題

除上述活動外復設有訓導計劃，講授特選問題，查李陞小學及香港仔香島道小學，已設有初級美術班，參加者甚衆，國術班亦多人參加，在最近之將來，復舉辦育嬰、衛生、家庭工藝及公民演講，將來還希望發展文化娛樂以及一般爲會員所需之活動，爲會員健康，遊樂以及互相認識起見，每逢週末，又組織爬山運動，參加爬山者已有三十至三十六名，該班之後其中一課室，撥作文靜遊戲，如象棋等，復有一課室，用作閱書室及藏書室，藏有中文書籍七百二十二本，英文書籍一百四十六本，此等書籍，均經選擇及簡淺者，俾能適合教育程度稍低之成人閱讀。此外，復有雜誌、定期刊物及書報等，以備來賓閱讀，藏書室環境幽靜，至能吸引讀者前往閱書及寫作，有管理員一名，川陛協助解決問題。

復希望能印發季報，內載會員及職員之作品，以及發表意見，宣佈下期各種活動。該班目下，參加活動者，甚爲踴躍，（自動協助舉辦各種遊戲及比賽者亦有多人）蓋因許多初來參加遊樂，隨後則進而改善其教育，由是而主辦人，獲得鼓勵，對舉辦此種事業，獲得信心，取用此種方法，可使無意識及意志消沉之輩，重獲人生之眞諦。

五卅慘案追記

·夢山樓·

（上接第二版）

所以，在開成立大會時，南京法大學生代表，（就是鉄者。）先一日已聯絡京校半數以上之同意，臨時提出一個緊急動議案，指出這次組織，既是南京學校的大規模運動，就不應限於學生參加，況以一校代表，閉門立法，任意把持，更不足取信於人，將何以領導各界，負起救國的責任？當時附和者甚衆，大會遂分成兩派主張。一派主張維持原議，一派主張擴大組織，展開激烈辯論，久久不決。

汪同塵磕頭求表决

各方代表劇烈爭論時，慷慨激昂，聲震屋瓦，尤其是東大代表，看到會場空氣，很不利於他們，如果臨時動議案通過了，他們的包辦計劃，一定是失敗的，所以拚命反對。這時兩江民立中學校長汪同塵突然跑上講台，向大家磕響頭，號淘大哭，說道：『帝國主義兇燄萬丈，咄咄進逼，上海血跡未乾，我們何忍爭論不休，我哀求大家，放棄成見，趕快付表決吧？』眞個不錯，全場受了他的感動，停止爭論，由主席東大代表王會稼宣佈停止辯論，即付表決。臨時動議案『上海五卅慘案南京學界後援會』，得以過半數通過，即日組織成立。

和記洋行的大罷工

南京學界後援會成立後，假借門帘橋教育會地址辦公，決定展開輔導工運工作。下關和記洋行，爲英商所辦，買辦羅步周，對於國際工人，很有一套手法，後援會推宛希儼負責推動。希儼是東大學生代表，會說話，有魄力，對於工運，更是他看家本領，所以，能在很短期間，輔導和記工人大罷工，並挾出羅步周遊街，被警察搶奪去了。

學校呢！那更是熱烘烘一律罷課了，執小旗，貼標語，散傳單，呼口號。把一座古老南京城，鬧得天翻地動。政府方面，自然採取干涉辦法，但勸導是無效的，大批武裝警察，有時打工人，打學生，然而，始終不敢公開屠殺。後援會決定，一不作，二不休，橫豎丘九總比丘八大一歲，不暴動，不流血，終是不能成事的。

搗毀警務處

這時，江蘇全省警務處長王桂林，是一個不折不扣的軍閥走狗，可是，他很狡滑而有本領，從不殺害學生和工人，只是運用軟硬兼施的手段來對付我們。有一天，學生遊行，經過聽後街，與警察發生衝突，在熱情洶湧之下，群衆是沒理智的，大呼一聲，衝進警務處，逢人便毆，遇物便打，辦公桌子四腿朝天了，玻璃窗戶，雪片似的紛飛，當時王桂林躲起來了，否則一定帶他遊街的。

當時學生被捕去幾十個，各校當局趕到，聲明向政府交涉釋放，孫悟空大鬧天宮，遂暫時停止。

由於這一次的驚人表演，大家都認識青年愛國熱情，是不可以忽視的。丘九的勇氣，也不是鋼槍、白刃所能嚇倒的。聽說當時江蘇省長韓國鈞嘗扼腕而嘆曰：『學生行動，雖然有些越軌，但愛國熱情，可憫，可諒！』這位七十歲的老省長，始終未摧殘學生運動，而且，精神上是很表同情的。

新書評介

讀「大紅燈」以後

·程外·

文壇社印行　定價新台幣八元

許瑱女士到台灣以後，寫過不少文章。「大紅燈」好像是她印行的第二個短篇小說集。包括：「春霧」、「愛河上的相思」、「深深的鐘情」、「流鶯」、「大紅燈」等五篇。以往，她在亞洲出版社印行的有「毛澤東殺了我的丈夫」和「愛的清算」，雖未讀過。聽說：評價很好。我只好就我讀「大紅燈」以後寫下我對她作品的印象。

「春霧」——是寫兩個青年軍官阿陶和小林在極偶然的場合認識了朱莎麗，她是一個「十分酷肖好萊塢尤物阿娃加娜」的女孩子。這兩個年青軍官終於受了她的迷惑。但他們之間也因此起了不愉快的摩擦，阿陶竟不顧友情設計闔害小林，撕毀小林靈的軍事機密圖表、小林雖被逮捕了。但從這兒却把朱莎麗的本來面目顯現出來，一她是一個間諜」。

「愛河上的相思」——描寫一個隨着音樂旅行演奏隊從香港到高雄演奏的杜克夫，巧遇曾和他生了一個女兒，而迄未結婚的舊情人梅芳。可是，杜克夫却已有一妻二子，舊情不可續，使這次相遇，成爲杜克夫的終身遺恨。

「深深的鐘情」——是寫女作家、畫家和他太太間的不愉快的三角關係。

「流鶯」——故事發生在香港，一家報館副刊編輯，認識一位投稿的史雲，從相處中發現她原是一個無法靠稿費維持生活的流鶯。故事寫盡了知識份子悲慘的生命。

「大紅燈」——主角趙大娘是一位活了七十多歲的善良女人。十六歲她開始向人生奮鬥撫養她的兒子銀子。等到銀子在共產黨里當上了「地委」後，他滿以爲可以供養母親趙大娘，却想不到因此受到批評、清算；他除了只好硬着心腸把母親送回上海之外，本人還得「改造」。此後趙大娘接到了一個共產黨送她的大紅燈，「紅燈上寫金色的光榮媽媽」的大字。但趙大娘却堅決表示要兒子不要紅燈，並把它「摔到人頭兒上」。結果，「趙大娘以『反動母親』的罪名被逮捕了。」

在這五個短篇小說裏，我最喜歡「大紅燈」，文字有樸素的美，佈局平穩而謹嚴，並且，她刻劃出了趙大娘一個完整的奮鬥的人生。

就整個集子來說，我認爲：——

第一、作者喜歡玩弄寫作的技巧，巧設故事的「傳奇」，從微妙的關係上「發展」，雖然給人一些新鮮的感覺，但却損壞作品的份量。

第二、作者對於字句的段落不「清晰」，不能另行的另行了；往好處說，風格清新，往壞處講，沒有完整的美。

第三、作者對於「主題」描寫不夠有力，她要表現的人物往往沒有「發育完全」，而文字却已完了。「流鶯」就是這個情形，史雲出現的地方僅僅幾筆，顯得人物脆弱，也許作者故意用這種「驗筆」要讀者自己去追尋吧！

共區勞工控訴所謂職工福利

中共「人民日報」最近刊出了這篇「讀者投書」，不僅揭穿了中共欺騙工人的假面具，而且描述出今日大陸工人被剝削的實際情況：

「北京國營第一棉紡織廠」的食堂、托兒所、俱樂部等職工福利設施，都不是給職工解決困難的，因此，工人們提出這樣的質問，『咱們的職工福利在那兒呢？』

「這個廠的職工食堂經常有一、九〇〇多工人吃飯，絕大多數是單身漢，收入少，花錢吃飯却多，並且得不到好的伙食。這廠不僅把炊事用具、桌子、板凳以及採購人員用的自行車的折舊費等和屬于行政的非生產人員編制的食堂管理人員，炊事人員的工資等，都要由工人負担，而且連工會借用飯廳演劇、放映電影、開跳舞晚會等用的電費和五十四個炊事人員的一半的伙食費用，也要由在食堂吃飯的職工付出。光是這些，該廠財務科去年就從食堂收回了二三、三五六元，此外，食堂還再賺了一筆利潤，從一九五四年九月到一九五五年八月，食堂共『盈餘』了八、〇三五元。

「這個廠的職工宿舍租金和家具租金等也已經成爲職工的一筆不輕的負担。宿舍租金收費標準不明確，連房屋管理組十五個工作人員的工資，也由收回來的房租開支。住集體宿舍的和「福利補助費」鬥職工，在愛人來過星期六的時候，就得住到廠裏的「招待所」去，一宿要付四角錢（港幣八角）的房租。家屬和親戚來探望工人，住招待所也要收費，而且超過一個星期，租金還要遞增。

「這一個廠在城外，職工和職工家屬有急病就需要廠裏的汽車送他們到城裏的醫院診治，工廠行政在這方面也實行企業化了，汽車折舊費都要由乘車的人來負担；送一個病人到北大醫院，如果患病的是職工，收費二元，如果是職工家屬，收費五元。在這個廠的三千多人的職工和家屬住宅區，只安了一部電話，連這唯一的電話也企業化了，職工得打一次電話收費二分，家屬收費四分。這個廠的托兒站和幼兒園也處處要錢，因此有許多職工的孩子因爲交不起費用就不敢送，有不少已經送進去的孩子，也只好接回來。」

最後，該「讀者」總結說：「總之，這個廠的職工集體福利事實正像工人批評的那樣：福利是一塊招牌，它的背後長出了好幾隻手，向我們要錢！要錢！要錢！」

女權何在？

據說這次參加我國訪日代表團的左舜生先生，在日本對十幾位搞婦女運動的女性談話時，其中有一位主任幹事向左氏說「中共特別提倡女權，是不是？先生的看法如何？」

左氏答稱：「中共所提倡的女權，是以男性爲中心的招牌主義。如宋慶齡、李德全、許廣平、司霄瑛等。這些未亡人都是靠了先生的餘蔭享受中共的「女權」。

左氏的解釋是正確而一針見血的。如若不信，可以附圖爲證。該圖原載五月一日中共「新觀察」雜誌。題爲「奇怪的夫妻關係」。圖中完全反映出了中共幹部夫權的橫暴事實！

徵稿啟事

△本報擬徵求下列諸稿：

一、三千五百字至七千字左右的短篇小說，不限體裁和故事內容。一經選用，優先奉送稿酬。

二、台灣及海外各地自由文壇的動態報導，作家生活素描及過去文壇珍聞。每篇以不超過五百字爲佳。

三、介紹海內外自由科學家、教育家、實業家、醫護、工礦業工作者的人物專稿，對象以現在從事於工作者爲最佳。來稿不宜超過一千五百字。關於軍政界人物稿件以散見各報者已多，請暫勿惠稿。

編者　讀者

△袁咸續先生：台函悉，已函覆。

△刁抱石，陸珍年，王況裴，傅正，楊力行，張搜碧，張健生，紅纓槍，將周，劉毓如，陸詰賭先生惠稿收到，謝謝。

自由談

我主張自清運動

過去我們的執政黨曾經對黨員施行了一次「自清運動」，聽說有些人表示異議，成績並不如理想。黨務之事，未嘗學問，我對於黨員自清運動問題，好壞不敢贊一詞。但主張政府袞袞諸公，應該經常實行自清運動，卻爲大有益於國計民生的事。

譬如：最近埃及突然承認了中共僞政權，我們朝野人士頗爲震動，輿論界更指摘政府外交政策失敗，要追究責任所在，以儆來茲。此時此事，所有平時過問和執行外交事項的各色人等，都應該實行自清運動，大家平心靜氣地自己清查一番，究竟該負甚末責任？同時對於全部的外交政策及其利害得失關係，從決策到人事，也徹底予以自清，興利除弊，進賢退不肖，實爲當務之急。

還有些佔據茅房不解手的達官貴人們，平常總是抱着笑駡由人，好官自爲的官僚主義，除卻到立法院每年應付幾次質詢，在報紙上隨時發表些油腔滑調的談話，寫些不知所云的八股式文字以外，長久尸位戀棧，一事無成。這更要施行自清運動，教他向人民代表而前據實報告自己的成績安在？爲甚末恬不知恥以去，表示一點政治家的責任感呢？

此外尚有各色各樣的高級公職人員，連同師表人倫的大專學校校長在內，是否適才適任？凡在職一年以上者，有那些績業可以告人的？也得教他們各人拿出事證來表白一下，給民衆琢磨琢磨，看是眞情實話呢？抑是胡說八道？

事如果在這些考績嚴明，賞罰公允的法治國家中，自然用不着搞甚末自清運動的。然在目前的我國，卻有必要，因爲政黨黨員且要自清，政府官員豈可聽其混濁不清嗎？

有人說：你這自清運動的意義就是共產黨所謂「自我批評檢討」，跟黨員自清運動的內容有別。對曰：一點不錯！只因我憎惡自由人士專門剽竊共黨的名詞和方法從事反共，所以沿用我們自己發明的新名詞，聊表忠貞之意云爾。

馬五先生

我也談禪

·懺心·

禪是甚麼？一般人對之都不免有茫然之感，在佛教大乘十宗之中，禪宗爲獨立的一宗，自釋迦文佛于說法四十九年以後，末了在靈山會上，拈花無語，大衆惘然，祇有金色頭陀大迦葉尊者破顏微笑，世尊說：我有正法眼藏，涅槃妙心，實相無相，微妙法門，不立文字，教外別傳，付囑摩訶迦葉，是爲禪宗以心印心傳法之始。

禪宗是佛教的革新派

由迦葉經過二十七傳到菩提達摩，航海到中國，時在梁武帝時代，他和梁武帝見面談話不投契，過江到了北魏，在少林寺面壁坐了九年，後來傳法慧可，一直到惠能六祖，以下再開二派五宗，於是唐宋二代，禪宗大盛，高僧輩出，歷代帝王宰輔，莫不優加禮遇，因此有人說：禪宗是佛教的革新派，也就是將印度傳來的佛教中國化了。宋儒的理學，論起淵源來，可以說完全是從禪宗的思想中蛻化出來的。

禪宗不立文字，直指人心，見性成佛，實在自悟自證，自己悟到證到的才算眞是自己的，否則拾人餘唾，毫沒干涉。我們平常講到很高深很微妙的道理，每每說只可以意會，不可以言傳，但禪宗所參究的道理，便連意也不能會，如果用意識可以體會到的，決定不是，必須用力苦苦逼拶，逼到聰明意識都用不着處，無路可通處，忽然爆破，囫的一聲，方知原來如此如此，這般這般，今日方才認識主人翁，禪宗門下所謂桶底脫落，「一聲霹靂頂門開，喚起從前自家底」是也。

自悟自証　非傳非教

有人問我：禪宗何以重自悟自證，凡可以言說的和用文字表達出來的都不是的呢？這個很難答覆，因爲我這一答覆還是離不了用語言和文字，結果依然犯了上面的毛病。但是中國儒家的經書上不是說過：六經聖賢之糟粕，它的精華決不是文字可以表達出來的嗎？又說：大匠能與人規矩，不能使人巧，這巧是要由自己去悟得的，師無法傳之徒，父不能教之子，何況這假比喻並不恰切，禪宗所證到的境界，即是明自本心，見自本性，決不是和糟粕相對的精華，和拙相對的巧可以比擬，任你有千嘴萬舌也無開口處，而這並不是故弄玄虛，而是實際上的不可思議境界，所謂不可思議的解釋，就是不可用思想去探索，不可用言語來表達，只有自己悟到證到的，方知原來是這麼一回事也。

絕妙的比喻

有一個故事可以約略說明爲甚麼禪宗不能傳授只重自悟的所以然，有一個積賊的兒子，一天對老子說：你老人家已經上了年紀，但是你的本事並沒有傳給我，將來怎麼辦呢？這個做積賊的父親[illegible]答應道：我今天就開始傳授給你罷。是晚帶着兒子爬牆到了一個富家，指着房間裏一個大衣櫃說：這裏面珍寶衣服，應有盡有，你可隨意去取，等兒子爬進櫃去，父親砰的一聲，關了櫃門，並加上外鎖，越牆走了。兒子悶在櫃裏，才知上了大當，忽然急中生智，學老鼠叫和咬物之聲，主人聽得，起來開櫃，他一躍而出，主人隨後追趕，趕到郊外，看看追上，正走頭無路，見有一口井，趁着天黑，搬起一塊大石，拋下井裏，主人以爲賊已跳井了，搜索間，就被他逃走了。回去他埋怨父親，爲何不早說明，父親卻道：這才是傳你本事，一定要自己悟出來的才有用處，如果早說有甚麼用呢？看了這個故事，可以明白禪宗祖師爲甚麼要人去打啞謎參悶葫蘆的由來了。所以宗門有兩句話：「十方無壁落，四面亦無門」也。樂清南懷瑾，寫了一本禪海蠡測，將自古至今禪宗祖師所不肯說破的透露了不少，此書甚陸自由書店有售，每冊定價新台幣二十元，港幣四元，對此有興趣的不妨向該店購買一讀。

黃金縷

觀漢宮春秋公演後作用寒操先生賀燠生先生六秩韻

·孟玉·

中央爲提倡話劇，特以師大李雨初教授所寫漢宮春秋劇本演出於台北新世界戲院，連演四十餘場，場場滿座。（票價最高八元，黑市達五十元，中央每日要賠貼二千餘元，造成黃牛好機會）論藝術相當成功，論意識則與反共抗俄無關，筆者觀後有感，爰塡黃金縷以紀。

從昔盜名欺兩楚，館歌殘矣。對氈罷、春秋叢筆，感懷何似。金匱策書傳僞命，儘胡言、玩弄深宮裏。千古恨、訴流水。　梟雄不恤大倫理。想當年、風流自況，眼空朝市。隻手遮天闖一逞，佯作謙恭下士。究竟雛掩、蒼生眸子。討賊昆陽兵甫到，看狂夫、飲血干戈死。宜漢室、復興起。

于右任的蜀遊詩

·毛一波·

古來的大詩人中，幾乎沒有不到四川一遊的，或久居者。豈以劍閣天下雄，巫峽天下險，峨眉天下秀之故歟？唐宋以來，陳子昂，李太白，俱爲蜀人，自不必說。以外省人士而在川大做其詩的，則岑參，杜甫，黃山谷，陸放翁，是其著者。清末民初，王壬秋，易實甫，陳石遺，皆以一遊嘉州山水或峨眉青城爲快。而抗戰期間，詞人之入蜀者尤夥。較之南宋，則外省文化與四川文化之交流，其影響尤巨。

敗將西來作壯遊

右任先生，雖爲陝西人，但其先人新三公早歲即入蜀之岳池。而先生亦於民十一年五月，由隴入蜀。其「過白水江」詩云：「白水江頭未了僧，孤舟一夜入嘉陵。雲封古道無今古，鬼哭周原有廢興。野渡招搖村市酒，荒城出沒戍樓燈。陽平關下多雷雨，淨洗西南恐未能。」「渝城張家園夕照樓」云：「三面山圍夕照樓，樓前一角見江流。大江東去添新恨，敗將西來作壯遊。四野干戈爭避亂，小園花木亦生愁。蜀民似我貧兼病，戰伐何能解百憂。」時川中一二軍戰事起，劉湘楊森等延先生住重慶北郊外張家花園。先生名所寓樓曰夕照，留匝月，乃東赴滬。

載酒家山話國恩

到民國二十六年，抗戰軍興。二十七年再入蜀，有「南岸黃山道中」云：「山勢層層起復遭，偶看眞面亦莊嚴。雲來紫霧盤雄陣，霧隱蒼龍見老髯。工部詠懷其志著，孔明謀國以身殲。千年名世精靈在，安用君平爲我占。」又，「與子逸卓亭伯純同遊李氏園出浮圖關野望」云：「白首同遊慰李園，又經關上見平原。麥苗風動芒爭長，菜子花香實漸繁。騎上更番調戰馬，勞工三兩出荒村。何當破敵收功日，載酒家山話國恩。」

幾度沉吟萬里橋

民廿九年遊成都工部草堂云：「丹桂飄香迷古道，樓楠接葉入雲霄。老來詩聖門前過，幾度沉吟萬里橋。」遊金堂雲頂山句云：「林泉如意難逃隱，雷雨通宵正放晴。」又生日偕遊重慶銅鑼峽看瀑云：「乘興來遊已再三，南山之北北山南。今來新識沿江路，柞葉肥時看蠶蠶。」

民國卅一年「雲霧山紀遊」二首云：「飛橋躍得兩峯平，橋上僧人自在行。山月高高山鳥下，我來倚杖得雲生。」—李翰林來招酒壘。雲山人去剩樵青。名山自作新聞案，排列霄翁入畫屏。」自註「太白詩樵夫與耕者，出入畫屏中。」按山在四川彰明縣，爲李太白之出生地。

此外，先生還有許多有關抗戰的詩及汶川紀行詩，不暇一一介紹了。

昔太史公安遊名山大川，謂如此其學益進。于先生愛好自然，以「李杜爲師」（先生語），而詩作之飄逸處似李，工力似杜，氣質和愛國精神則過於放翁。宜其成就甚高也。

同光風雲錄

翁同龢（上）

「朝聞道，夕死可矣，今而後，吾知勉乎。」

——翁同龢自輓——

翁文恭公，字叔平，晚號松禪，一署瓶廬居士，江蘇常熟人，大學士心存之子。咸豐六年一甲一名進士，即狀元也。授修撰，典試陝甘，旋授陝西學政。父憂歸，服除，命在弘德殿行走。五日一進講於簾前，爲說治平寶鑑，兩宮皇太后嘉之，累遷內閣學士。

開忠諫杜倖進

同龢居講席，每以憂勤惕厲，啓沃聖心。當武英殿之災也，恭錄康熙，嘉慶，兩次遇災修省聖訓，並奏陳變不虛生，遇災而懼，宜停不急之費，開直臣忠諫之路，杜小人倖進之門，上覽奏動容。

先是，穆宗自幼穎悟，有成人之度，惟久居深宮，受制母后，又無適當之教育，故一旦親政，遂了無顧忌，爲所欲爲，更復秉承慈意，擬修圓明園，以娛母后之心。惟浩刦以後，大興土木，自爲國家財力所不能及，是以羣臣諫阻，帝俱不納。同龢乃從容面陳，以中外人心憂懼，帝遽領之，並引江南民間所傳一一詳陳之，且曰：『待十年或二十年，四海平定，庫項充裕，園工可許再舉乎？』諸王大臣皆對曰：『如天之福，彼時必當興修。』遂定停止園工，改修三海而退。尋下罷浮費，求直言詔，同龢之力也。

寧增賠款力阻割地

同治十三年，穆宗崩，光緒元年，授同龢刑部右侍郎，明年四月，上典學毓慶宮，命授讀，再辭不允，旋遷戶部尚書，充經筵講官，晉都察院左都御史，刑部尚書，軍機大臣，加太子太保，賜雙眼花翎。十年，法越事起，同龢主一面進兵，一面與議，庶有所備。又言劉永福一人不足恃，非增重兵出關不足圖變也。

德宗親政後，每事必問同龢，眷倚最篤。時日韓起釁，同龢與李鴻藻主戰，孫毓汶，徐用儀主和，會節敵海陸軍已敗，上問諸臣，時事至此，和戰皆無可恃，言及宗社，聲淚並發。及和議起，同龢力爭改約稿，並陳寧增賠款，不可割地，上亦曰：『台灣去，則人心皆去，朕何以爲天下主？』然而，軍事敗績，大勢終不可挽，割地賠款之約遂定。明年，授同龢兼總理各國事務大臣，旋以戶部尚書，協辦大學士，主張雖失敗，而恩眷猶未稍減。二十四年，德宗[illegible]覽工部主事康有爲變法，及著書進呈之摺，恍然於變法之條理次序，乃破格召見，議行新政。有爲則前席慷慨，痛陳時敝，上皆一一嘉納之。（卅三）

[illegible]山樵

記清末北京風尚

社會一時之風尚，每每爲治亂之先徵，非粗心人所能預覺耳。歷史所紀，不可計數，如晉時士大夫喜着深衣，未幾，有懷愍之禍；唐天寶末年，楊妃喜作墮馬髻，各地婦女競效之，旋有安史之變。北宋婦女喜剪髮覆額，（今號爲流海）識者謂爲「眼見亂發」（發與髮同音）未久，遂有徽欽之難。若此類者，皆所謂機動于不自知也。

清光緒末，京師八旗親貴子弟，好化裝爲乞丐，出入于酒肆飯莊，既而王公貝子之流，亦效之，每垢面蓬髮，披破衣，趿敗履，至娛樂場所，故意與茶役小販，斷斷爭分文，尤以忍受詬辱爲得意。迨爭論既畢，輒有翎頂輝煌，衣冠楚楚之侍衛官若干人，昂然自外而入，向化裝者長跪言事，並有華服侍役多人，捧冠服以進，然後乃徐徐盥面，起而更衣，爲左右數十人擁衛而出。必使滿場觀衆爲之駭訝，與之爭執之茶役小販，以爲快。迨丙午以後，北京戲院益多，此風亦因之瀰漫，諸戲院中最易露此風頭，故九城之中，幾乎無日無之。不及十年，而舊日王孫乞食市閭者，比比皆是，不待化裝爲之矣。

·劍朋·

·文壇漫步·

鹹濕作家的赤化

最近中共對海隅的文化圈發動了銀彈攻勢，自從×報「報變」以後，攻勢已付諸實際行動，「報變」的「來賓」，先後都是「中彈」的「戳花者」，從來賓名單中，可以數得出百分之八十是「鹹濕作家」，是以前中共指責的「小資產階級墮落根性的有閑的幫兒」，現在都不鹹濕了，像繪畫的區某，除了在××晚報經常寫漫畫外，還替由美×處資助的小×報寫插圖，是個左右咸宜的畫家。李××，以前是鹹濕小報的「公仔佬」，現在卻是曾得過米蘇里新聞學院獎狀的報紙的台柱；又一位的××以寫「夢斷××」那部交媾小說成名的，最近也交媾到他們的「好報」（是共黨圈內的稱謂）上去了。其他如「××少奶」的作者，「××情選」的作者，都成爲他們的座上客，這一記攻勢果然了得，把那些粵人所謂「鹽倉土地」請上了神台。

從各方面所得到的消息，他們正在發動一個大攻勢，以一對一的方式對付自由文化界，像新開的×報，是以成報爲對象，大××、文××對付工商、時報，×報對星晚，另外再創一份大型報定價二毫的對付星島和華僑，這個報內定鳥鴉才子曹某爲總編輯，以前在某大報任社長的林某爲社長，這一連串的有計劃行動，多少也會對香港這個小島有點影響的，看到自由文化界的過份保守，少不免令人有一番感嘆！「[illegible]」雖不必去爭取那些「[illegible]作家」，但有能力的個人或團體，總應該想辦法扶植才對，否則，他們將要被個別擊破了呢！

紅纓槍

自由人

THE FREEMAN

（第五四七期）

中華民國僑務委員會
頒發登記證台款新字第一一二號
中華郵政台字第五〇〇號
執照登記為第一類新聞紙類
（半週刊每星期三　六出版）
每份港幣壹毫
台北市價台幣壹
督印人：陳文華
地址：香港高士威道二十號四樓
3 rd, fl, 20 CAUSEWAY RD
HONG KONG
香港發行及事務接洽
高士打道66號　電話：七四〇五三
承印者：東南印務出版社
地　址：高士打道六十四號
海外總經銷
友聯書報發行公司
香港：德輔道中二十六號二樓
台灣特派員辦事處
台北市館前街五十號
台灣總經銷處
台北市西寧南路壹壹零號二樓
台郵撥儲金戶九二五二

使領人選與僑務

·李樸生·

怎樣才能領導僑胞，怎樣才能把僑務弄得好，千言萬語都不外「愼選使領人員」幾個字，過去許多毛病，也都是出在這幾個字上頭。李樸生先生這兩三年來，在海外走過不少地方，他對這一點感覺得自更眞切。現在給我們寫這一篇文章，舉出幾個好的使領人員做例子，得到一個結論，「僑務和反共救國的工作，一定要有好使領人員然後有好成績」。雖是「老生常談」，其實是眞理。——編者——

古巴的護僑工作

民國四十三年，我到夏灣拿 HABANA，中華商會，李崑玉、李仲諾先生等和蔣賜福先生等商量，招待我住在他們新購置的海濱別墅，風景很好，有游泳池，是我赴美洲旅途中最舒適的居停。

我在這別墅住了四十天，韓戰的反共義士到古巴，我在這別墅招待過他們。我所寫的『台灣與古巴』這本小冊子，也在這別墅編成的。

有一天，僑胞商與地談商，說是于焌吉大使（現駐西班牙）將經過夏灣拿，他是奉我外交部命，到南美各國拜謝他們政府年來在聯合國支持我國的好意的。他們決定招待于大使來這別墅住一夜。並且商量如何如何讓他很舒適，安靜。他們的態度非常誠摯。他們把于大使多年前在夏灣拿總領事任內替僑胞服務的事情津津樂道。特別對于大使在古巴改變時期，僑胞商店很可能受到內戰的大損害，而于大使却能多方盡力維護僑胞的利益，他們說，于總領事有朝氣，沒有官僚味，平時和僑胞很接近，戰時挺身出來照顧僑胞，在槍聲中巡視僑區，非常勇敢。是一個非常難得的好總領事！

橫濱的僑教成績

我從美國回台灣，經過日本東京。鄭彥棻先生命我在東京照料李樸堂先生之病，我便多留東京幾天。因此，我和東京橫濱的僑胞接觸，談話的機會較多。僑胞們非常稱道孫總領事辦事負責，反共努力。例如橫濱的僑校給共黨份子盤踞了，氣勢極囂張可怕，他却一步一步地把愛國的僑胞組織起來，收回僑校，把共黨份子驅逐，得抱頭鼠竄。從此，橫濱僑校學生學業的成績，品行，以及校舍清潔都比東京好得多。（我會親到兩校觀察過）橫濱僑胞反共的力量更有很具體的表現，這是中華民國各界今年訪問日本也看得出來的。但孫總領事的運氣似乎不大好。他在曼谷總領事任上，僑胞說他好，而上級却不高興，把他調走。去年我到曼谷，還有許多僑胞問我，爲什麼要把一個接近僑胞的好領事調走，現在他在橫濱，又得僑胞稱道他，我希望時代是進步了，不會又受到不高興。

菲國僑胞的團結

我今年四月到菲律賓，僑胞最高的領導機構——菲華聯合總會和岷里拉中華商會發生了爭論，又有若干非化的案件在折衝中，我駐菲大使陳之邁先生如果像以前的人事關係，必定遭受很多有意的、或不滿的攻擊。但，我見到陳先生在菲外交界上，在僑胞羣衆中，所受到的尊重，都使我驚訝！菲律賓著名的團體，無不請陳大使去演講，無不佩服他的口才與學問。僑胞有事情，無不願意聽陳大使的指導。例如商總與商會的爭論，兩方的人物都是很有名望，很有本領，很有謀議的領袖羣，他們自負很高，都不容易接受普通的影響力，所以風潮是堂堂正正地展開，趨勢是波翻瀾湧地變化，眞不容易處理。但如果處理失敗，便直接影響到僑胞的福利很大。陳先生却有信心，有耐心，有精神，有辦法，把商總和商會的對立，做到『不分彼此。打成一片』結果是一團和氣，握手言歡。這固然是由于僑胞們有了高度的警覺，大家共體時艱，力維大局。值得欽佩。但如果不是陳大使平日深得僑心，那能取得他們的信任？而我們臨時客串幾天功夫，更不會有這樣良好的收穫的。

僑胞希望有好使領

僑務和反共救國的工作，一定要有好使領人員然後有好成績，如果是不好的使領人員，沒有反共的信心，沒有服務的熱情，苟或意志消沉，行[illegible]，身體病發，仍然濫竽充數，縱卽中央有什麼好的計劃，也成了廢紙，縱使僑胞是十分愛國，對着他們也灰心！這幾年，我愈到海外的地方多，愈感對這個問題的重要。我最怕到某些地方，愛國僑胞質問我們：『你們說中央人才濟濟，總統又極重視僑胞的事情，和大陸時期大不相同。但爲什麼擺在我們面前的使領先生，是和大陸時期一樣？這些先生，難道也就是你們所稱人才濟濟中的人才嗎？如其不然，難道中央忘記了我們這些地方，人才不派到我們這裏來嗎？』

中央的人才確是不少，好使領也確是不少，但我們也不能說事實上若干僑胞的質問沒有根據。孫岩越先生（中國地理學的專家，苦學的成功者，現任教育部高等教育司長）到一個中共已派偽大使的國家，僑胞對他說：『從前我們要親近使領先生，使領先生不願親近我們，現在，匪偽使領要親近我們，我們不願意親近他們。』這幾句話，是傷心的。當然我們不夠相信這幾句話所指責是全合于事實；且認爲是近于牢騷。不過，如果在反共抗俄的嚴肅階段，這幾句話還有若干成分的眞確性，該國僑胞的苦悶與焦慮，是可以猜想的。我們對國家負有責任的人，心裏不夠不安麼？

『中立』與國際統戰

——分析尼赫魯的演說內容

·李金畔·

中立，在國際法上的意義，是指一個國家既不參加任何國家間發生的戰爭，也不參與各種軍事結盟，並且同所有的國家保持正常的和平關係。

中立思想被赤化

但是自從中立思想被「共產化」後，就完全失去了它的超然性。今天有些國家，如印度、緬甸和在轉變中的埃及等，顯然是和瑞士、瑞典的中立有絕大的不同。基本上說，這些國家接受的是共產主義化了的中立思想，是因畏懼共產集團的侵略，而又被共產國家懾服後，在其羽翼下，高唱中立的。在對國際問題上所作的發言，也因此有所偏向，而變爲共產國家的代言人了。

正因爲其自貶身價，甘爲共黨利益發言，所以從這些國家的執政者的言論中，不難發現共產集團的對外意向和主張。因而，我們雖可不必重視這些國家本身的事務，但對其所發表的有關國際問題的言論，却是值得注意的。

三月二十日，印度總理尼赫魯在該國的人民院發表有關外交事務的演說，同月廿九日，又在同一場所發表對東南亞公約和巴格達公約的抨擊。這兩個演說，在自由世界的新聞方面，甚少報導，而在共產國家的報紙上，却成爲極大的新聞。

尼赫魯表明附共

由於該項演說會涉及自由中國，故極有加以分析報導之價值。

首先，我們須要爲尼赫魯澄清他的立場。在抨擊東南亞公約及巴格達公約的演說中，他說：「這兩個公約，『在某種意義上說，有從兩三方面包圍我們的趨勢』！相信這兩個公約組織的假想敵是誰？尼赫魯不會不知道，既明知而又硬說它是爲了對付印度的，則其所指的含意有二：第一、他已自己承認了在對外政策上，依附共產集團，且把印度牽入共產集團體系；第二、表明了他對自由集團的對立關係，有意無意之間在引導印度人民對該二個公約組織作錯誤的認識。是否藉此以培養印度人民的仇恨心理，固不可即加斷言，但其用心所在，已可窺知。

尼赫魯和他的政府的立場，在此已得到了又一次肯定的證明，即他和他的政府，不是中立的；而是傾共的。他的言論，代表了共產國家利益的另一面。

願爲杜周拉綫

在三月廿日的外交事務演說中，則透露了以下各點：

一、他曾和前往喀拉蚩參加東南亞公約理事會的杜爾斯、勞埃德、畢諾，商談了亞洲問題，特別是「中國問題」，也就是關於金門、馬祖沿海島嶼及台灣的局勢」問題。

二、他表示關心日內瓦的詹森、王炳南會談。和願促成杜爾斯、周恩來會談。

三、他對越南將不能如期舉行選舉統一，而要勞埃德對該地區局勢另作檢討。

四、此外，和畢諾談北非問題，也和三位外長談了裁軍問題等。

他在對「中國問題」上，特別強調如果「中共不被接納入聯合國，東亞的局勢是不能恢復正常的」。這話的眞實意義，即是說，中共將以不斷破壞亞洲的平靜局勢，以達到循敲詐之途進入聯合國。他還表示了「台灣問題是易於處理的」，但「必要的第一着步驟是撤退這些島上的部隊」，並強調「把沿海島歸併成爲大陸的一部分」。

暴露詹王會談作用

尼赫魯的荒謬固於此一覽無遺，但在他的演說中却無形中暴露了極重要的一點，即日內瓦詹王會談的眞實目的！

他緊接「我相信如果沿海島嶼歸還中國（指中共），台灣問題能夠認爲易于處理」之後說，「關於這一點，我們一直在關切地注視着美利堅合衆國大使和中國（指中共）大使在日內進行的會談」。他並向人民院議員說「雙方大體上同意，他們應當通過和平的談判方法來解決它們之間的糾紛。現在的主要困難是把這個原則應用于台灣這個具體問題上」。

於此，我們了然美國迄今還願意留在日內瓦和中共談判者，實非無因。尼赫魯的話，雖然只是在反映杜爾斯意見的若干分之一給印度的人民院，但在中共聽來，無異是一種鼓勵，使中共對美糾纏和敲進聯合國的決心加強。

中立是國際統戰環節

一個所謂奉行「中立主義」的印度，她的總理的言行已表現得極不中立，已是面目可憎，而一個反共國家的國務卿，却又與他談關係到第三國家主權利益範圍以內的事務，誠然是令人遺憾的。

鑑於現代中立思想之被赤化，與夫「中立國」之被共產集團加以利用，吾人認爲東西兩大壁壘實已分明，像印度、緬甸、埃及等之所謂中立，基本上是共黨國際統戰策略形態之一種。事實上在受着莫斯科的指揮而「在一條統一戰綫上行動」。（見赫魯曉夫在廿次蘇共代表大會上的發言）。

因此，儘管吾人不值尼赫魯之流的所爲，但是若將之視爲共黨國際統一戰綫上的一端，則他們的謬論還是須要加以隨時注意和防範的！

納薩孵蛇蛋

·魯午·

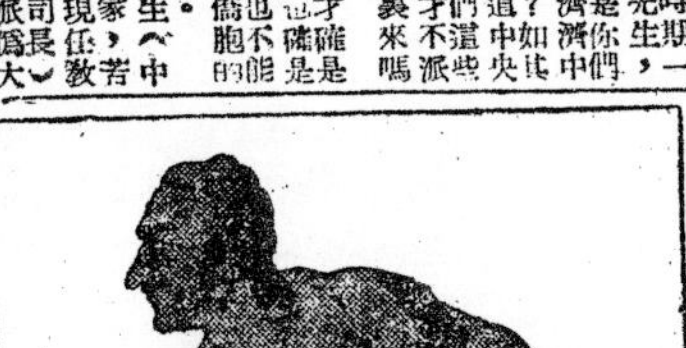

半週述評

·司馬璐·

四個書獃子

據法國報紙刊載來自莫斯科的報導說，蘇俄科學院有四個院士最近向黨中央建議另組一個第二黨，結果他們被開除了黨籍並被剝奪了所有的職務。

這是一個有趣的消息，它的「有趣」之處在于：蘇俄清算史達林的運動，俄共今天所標榜的「集體領導」，在黨內受到了考驗。

這四個書獃子，他們「向黨中央建議」，可見他們並無「叛黨」的動機，他們可能以爲，這是一個積極的迎合黨的新路綫的行動。

把這種行動看作是蘇俄內部的「民主力量」，還太早呢。

可能的動亂

俄國反共領袖波倫斯基說：最近蘇俄內部有「一種不安的情況越來越強烈，實際上隨時可能發生重大的動亂」。

蘇俄的種種作態都是從這個基礎上產生的。「可能」的「動亂」是什麼呢？一種是內戰，一種是人民革命。

「作態」對內的作用是冲淡「動亂」的醞釀。「作態」的最高峯，在今天蘇俄無「態」不「作」的要求下，「第二黨」的出現並非絕對無此可能。

但，那必須是出于黨和赫魯曉夫的命令。

「和平轉變」

四個書獃子的表情表錯了。共黨的新面貌，並非表示，他們眞的可以放鬆黨內的紀律。黨的命令之下，可以有各種「作態」，但是書獃子要主動的這樣做，就是「罪」了。

當狄托在自由世界身價最高的時候，南斯拉夫也有過醞釀組織第二黨的事件，結果那個主其事者，南斯拉夫議會副議長，不僅開除黨籍，而且受到了審判。

共黨政權下容許組織眞正的「第二黨」，這是不可思議的，否則，人民眞的要實行「和平轉變」了。

父女的爭論

當赫魯曉夫、布爾加寧訪問英國的時候，有一節這樣的故事：

布朗（英國工黨和俄共領袖爭論的發難者）同坐在他旁邊的小赫魯曉夫說：「你和你的父親也有不同意見的時候嗎？」

小赫魯曉夫搖搖頭，表示沒有。

布朗說：「我有個女兒，也和你一樣大，她就常常持相反的意見和我爭論的，這就是我們的國家和你們的國家之間的不同了。」

在民主國家，父子之間，弟兄之間，夫妻之間，可以爲不同的政見爭論，可以各自投不同的黨派的票，今天的蘇俄，怎說得上這個基礎呢？

一氣就完了

英國前職工大會主席奧勃連在最近一次演說中指出：蘇聯共黨在世界各地，到處告訴人家，他們要和社會主義者組織聯合陣綫。可是，在英國工黨的宴會上，當社會主義者領袖蓋斯基爾要求釋放在鐵幕後被囚的社會主義者時，赫魯曉夫勃然大怒，他說：蘇聯並無所謂社會民主黨人，至于在附庸國被囚禁的那些社會民主黨人，他們是勞工階級的敵人。

奧勃連說，赫魯曉夫脾氣一發就露出馬脚來了。

「作態」終究是「作態」，「脾氣一發」就完了。

藏民的抗暴運動

·楊力行·

自中共入據西藏後，即合蘇聯，加緊軍事部署，以圖控制全藏。近且假「自治」美名，繼新疆之後，將其出賣給蘇聯。

名為自治實則出售

據中共宣佈：「西藏自治區籌備委員會」的委員名單，共五十五人，由達賴任「主任委員」，班禪為「第一副主委」，而以「西藏軍區司令員」兼「西藏工作委員會代書記」張國華，任「第二副主委」；其餘五十二名委員中，還有譚冠三係「西藏軍區政委」，王其梅是「副司令員」，范明為「西藏工委會副書記」，都是漢人。餘者如赤江羅桑基等四十八名為藏人，在數量上藏籍委員雖佔了絕大多數，不過配位而已，實權仍舊操在張國華、譚冠三、王其梅和蔡生忠（「西藏軍區副政委」兼「自委會書記」）之手，除五十五名「委員」外，下設「辦公廳」「財經委員會」和「宗教事務委員會」，以及「民政」、「財政」、「公安」、「農林」、「畜牧」、「工商」、和「交通」、及「文教」等十餘個「處」。其組織可謂相當龐大了，窺其用意，不過在分散中下層權力，俾其互相牽制，使達賴形同傀儡。這充分證明中共旨在藉「自治」之名，希圖消弭藏人仇恨中共的情緒，僞於分化利用，以達其血腥統治目的。

破壞土改　拒用偽幣

惟自中共派「副國務總理」陳毅率領一個將近兩百人組成的「中共代表團」前往拉薩，祝賀其「自治」時起，即頻傳反共活動在西藏各地不斷發生。而此種廣泛的反暴活動，正表明五年以來中共在西藏的軍事、政治、經濟等方面都失敗了，比如：「土改」未能實行，偽人民幣仍被藏人拒用，而以盧比和銀元為通用貨幣。

一月來，從尼泊爾京城加德滿都和印京新德里傳出的外電報導，對藏民的反共情況已極詳盡。西藏僧民英勇攻擊共軍，前仆後繼，其勢已形成一股洪流，共軍的營地，運輸系統多被擊燬，康藏間的重鎮——昌都曾被攻入，康、藏間的交通也曾完全斷絕，雖共匪援軍先後抵達反擊，亦無濟於事，而必須出動飛機來實行轟炸。

吾人雖然深知西藏有其良好的地理環境和社會結構，中共實難能肅清西藏僧民反叛暴政的潛力；但如無外援，也難望其能長久支持下去。然而無論如何，藏胞的英勇是值得我們崇仰的。

面臨人為危機的：台灣公路

維持鐵路限制公路是否合理

·王沅裴·

台灣通訊

【台北通訊】台灣面積三五，九六一平方公里，現已修築公路一五，六七八，五公里，即每百平方公里內擁有公路四三，四公里。其密度在全國各省中佔第一位。自民國三十八年三月譚嶽泉接任公路局長以來，不斷改善路基路面，興造橋樑涵洞，增購車輛，新建車站。一切皆已現代化，遠非日據時代之草創可比。其在四十一年竣工的西螺橋，長達一，九三八公尺，在遠東大橋中又佔第一位。關於營業方面，該局更從撙節行車成本做起，自三十九年規定票價後，七年來沒跟着其他公營事業漲過價。姑以二十六年物價指數做基準：一般物價指數已由四十三年十二月之二十倍，增至四十五年四月之二十六倍；而公路票價仍始終保持最初之五倍不變。他如班車定時開行，定時到站，從無延誤脫點情事，更是餘事了。不僅台灣與論界公認公路比台北市區馬路還好；去年六月三十日美國紐約前鋒論壇社論版刊載W范艾倫和J范艾倫合撰「台灣良好印象」一文，亦稱「台灣公路優良，無疑為東南亞之冠」。

大哥連累了弟弟

陸上交通，通常以鐵路為主，公路為輔。台灣在光復初期，所有公路管理，仍襲日人舊制：工程則屬於建設廳公共工程局，運輸則屬於鐵路委員會汽車處。直到三十五年八月始成立公路局統籌辦理。在沿革上已顯示鐵路是大哥公路是弟弟了。祇因大陸淪陷，台灣特產無由內銷；通常以貨運為主的鐵路業務，不免稍見衰退。至於客運業務的榮枯，誠如民國五年，孫中山先生在浙江督署所說：「歐美惟長距離之往來，仍賴鐵路；而短距離則多用摩托車。往來行人，究以短距離為衆」。台灣是海島，先天上就具備促使人民愛乘汽車之地理條件。公路局專營客運，不營貨運。其業務蒸蒸日上，本是自然環境應有的結果。中山先生對此點看得最清楚，民國元年在江陰各界歡迎會上就這麼說過：「英國從前在很近的地方，也都造鐵道；現在已知道這鐵道的利益甚小，所以特地將近的地方的鐵道撤去，另造一條大馬路」。不料主管台灣公鐵路交通處不從大處着想，看到鐵路賠了本，公路賺了錢，便以為公路搶去了鐵路的生意。雖在歷年施政計劃上並沒有揚鐵路而抑公路之紀載；卻以作風變更政策，對公路加以種種人為限制；使它由不能維持現狀而底於日就萎縮。

限制新車購買

公路局接收日人可用的客車不過三十四輛；十年來自力更生，已先後購進客車六五五輛，這個數字雖已差堪自慰，但比起美國一個私家小公司還不如。最可憐的，還是這六五五輛客車中，行駛二十萬公里以至五十萬里早應報廢的，竟達四八三輛。公路局要把自己賺來的錢，去購買新車，增強陣容，本是天經地義的事。卻受了交通處「報舊換新」的限制，常常買不到足夠的新車。這個限制，不僅凍結了輛數，而且凍結了座位。亦即報廢一輛，才准新購一輛。報廢車是三十一個座位的，想買四十一個座位的也不行。殊不知報廢車是擺在眼前的事實，新購車卻是八個月乃至一年後的酸葡萄。於是這當中一段真空時間，便沒有車輛適應旅客的需要了。更不知台灣人口日趨增加，經濟日趨繁榮，在在足以刺激客運的發達。有錢時不增車，等到車齡老去賺不着錢時，要增車也來不及了。——這還是後話。至於限前的後果：第一，害得旅客延長候車的時間，減少工作的時間；第二害得學生不能普遍買着收費十分之一的月票，改乘火車，趕不上課；第三，現有車輛也沒有充分的保養時間，殊難保證行車的安全。這便是台灣公路面臨的第一個危機。

限制外滙數額

我國現在還不能自製汽車，祇能運用舶來的機件加裝車身；此外築路機械、汽油、車胎、乃至數達萬種的配件，均須仰給外國。公路局為減少外滙，已在保車、節油、翻胎、乃至再生機件上，有了很好的設備和成績。前文所謂「撙節行車成本」者，即指此類事實而言。但不能自製而又必需的器材，仍須申請外滙去買。因為先要交通處核准；這一關就比一般進出口商人還難過。姑以四十四年事實為例：公路局申請外滙預算數為一百五十餘萬美元（配油除外），而核准數僅為七十九萬餘美元，剛過半數。害得公路局牽蘿補屋，幾乎連車子都開不出。但在同一年度，台灣本身出產最富的「漁介及海產品」的進口外滙，就達到一百廿二萬餘美元，「蔬食罐頭食物日用雜貨」的進口外滙，就達到四十二萬餘美元。台灣四季蘿蔔，市面上成簍的乾蘿蔔絲卻是從日本買來的。抑何厚於私家商人而薄於省屬公路局？不僅過去如此，今後恐仍將如此。這便是台灣公路面臨的第二個危機。

限制路綫及班次

此外，交通處為進一步凍結公路局的營業，還限制了行車的路綫和班次。先是公路局為分級負責起見，在台北，台中，高雄，枋寮，蘇澳設了五個區運輸處，分別辦理各該區域內運輸事宜。其間路綫四通八達，初不因設區而梗塞。交通處便利用這個行政區域作為交通區域，明令如需越區行駛班車，必先呈經核准。事實上好些區域相互間早已行駛直達班車，如台北花蓮間，高雄台中間皆是。從而這個限制的主要目的，祇在不許公路局沿着西部南北幹綫柏油路面，由台北開車直達高雄，以免搶去鐵路生意。鐵路局為預防此着，已在台北高雄間加開「汽油飛快車」。據鐵路局設計人透露消息，其動機即在對付公路局。公路局自度既沒有足夠的車輛，更得不着交通處的核准：根本無意要和鐵路相競爭。但自旁觀者看來，台灣的煤正苦無銷路，火車不燒煤偏要燒汽油。正如擺着鮮蘿蔔不吃偏要吃日本的乾蘿蔔絲一樣不可解。尤可笑的，莫如增加行車班次，也要先行呈准。公路局怕各車站承辦人員日日挨旅客的罵，仍由他們照舊例辦理，不敢貿然實交通處的限。諸如此類不合理的指導，便是台灣公路面臨的第三個危機。

譚嶽泉目擊公路局的業務快要從顛峯狀態塲下來，曾於去年三度請辭。嚴主席要他繫通穿越中央山脈的橫貫公路，和接通環島公路花蓮台東間的最後三環，固留不准。早年我在湖南也曾一度客串過公路局長，總沒找着上述種種人為限制的理由。最近偶從台灣省參議會的紀錄裏，看到交通處長侯家源的報告：「鐵路投資多，當予維護；公路耗用外滙多，應加限制」。未嘗不掩卷太息，這又是一篇「留待歷史評判」的絕妙遁詞！（五月十六日）

讀者論壇

對美日兩國的外交政策

·傅正·

台北五月二十一日的「聯合報」，發表了一項獨家消息：「監察院外交委員會，對於我國外交政策方面，提出數點意見，要求外交當局特別注意……一、對美外交：以自動自主為最高原則，絕不宜隨人俛仰，尤其反攻大陸之時機與行動，我須確保自由決定之權。我國爭取美援，固須積極，但應本乎平等互惠之原則，勿損國體，不宜過事遷就……二、對日外交：今後應注意決策要主動、遇事勿放任，須防範而不排斥，應開導而不畏懼……」。此項意見，看似平淡，但卻十分中肯。值此美日大使調整甫定，監院有此決議，自不能視為無的放矢。不但卸職大使該反省，新任的大使更應該知所警惕，而外交當局尤應切實檢討。

一個國家，不僅維護國格，更不容背棄甚本利益。近幾年來，無論是對美或對日，那種委屈求全的神態，固然是用心很苦，但是也稍嫌過分，以至於降低了我們的國格，而又無助於實益！

今天的國際政治，在事實上，都是為自己的特殊利益打算。這固然是國際政治悲劇之由來，但不幸是事實的確如此。因此，我們的外交，就不能[illegible]道義基礎上。吃了大虧之後，再指責人家為不講道義，還對事實畢竟是無補的。

先就美國言，我們無論在精神或物質上，確也得到不少援助。不過，我們要認清，美國之所以援助我們，主要還是基於本身的利益，並非跟中國有甚麼特別的情分，所以不必過分的遷就。

我們總還該記得，一九四五年二月十一日，美國為了換取可能發生的一百萬美國人的犧牲，而在雅爾達協定中出賣過我們。我們也該沒有忘記，民國三十八年，當局勢最暗淡的時候，美國會經發表「美國與中國之關係」的「白皮書」，對我們落井下石。

現在，由於一九五〇年六月二十五日的韓戰爆發，美國發現了台灣的軍事價值，才派第七艦隊，協防台灣海峽，一面固然防止台灣受攻擊；但也阻止了對大陸的反攻。現在美國固不承認中共，卻又與之談判，且不積極支援我們反攻。這更證明，美國只是視台灣為基地。對於美國這種態度，我們就不能知而不言，因此在對美外交上，就必須始終堅持反攻，而絕不遷就。我們今天要美援，是為了復國建國，如因接受了美援，而自縛不能反攻，則美援對自由中國還有什麼價值？難道我們自己也以美國的基地自居嗎？難道爭取美援只是為了建設區區台灣嗎？果真如此，我們寧可放棄美援，而不能放棄反攻，此亦即監察院所決定的，「確保自由決定之權」的原則。

再就對日本而言，自從一八九四年八月一日，日本因朝鮮問題而發動戰爭開始，直到一九五五年八月十五日，因戰敗而宣佈投降為止，這一筆血仇放開不談。我們為了爭取與國，對於日本，自須盡力結交，但也不必降格以求，實際上這也是無補於事的。

日本在這次戰敗後，土地和資源之損失減少到戰前的二分之一以上，退回到四個本島，除了幾個小島以外。人口卻高達九千萬左右，現有的資源，當然無法解決現實的需要。更加以美軍的佔領，除掉政治上軍事上的壓力以外，即以美軍在日本留下了六萬混血兒而言，可知日本女性，也受到了重大的摧殘。日本民族所受的刺激，是空前的右派狹隘的國家主義派和左派的共產主義的民族觀，均迫使她走向現實主義的道路。

雖然自從日本投降起，我國便宣佈寬大政策，這比與日本原締約中立的俄國，在一九四五年八月八日，日本投降前夕，反而對日宣戰，那種趁火打刼的態度，相去何至天壤？但今天事實很明顯，我們對於一個急求復興的日本，不可能有大的幫助，所以縱然對之過事放任，也無法扭轉日本的態度。即以這次我赴日親善訪問團到日本，日本報紙隻字不提的情形，便可以想見一斑。日本雖或不至於完全赤化，但為了眼前的利益，跟蘇俄與中共做暫時的合作，似又是勢所必然的事。最近的日俄漁業協定，只是一個開端。對於這一發展，固不必提懼，但我們必須做到監察院所主張的「防範」。

最後，我們必須再強調的，國際政治是強力政治，誰有力量，便誰有地位。處在今天的形勢下，外交固然要注重，但如何充實自己的力量，實在是最根本的辦法，在這方面，當局也應加以深切的檢討才是。

台北速寫

實行與命令

繼監察院的自肅運動後，法院方面審理富商李積慶毀妻案，有法外施情之嫌，司法行政部谷部長也已下令澈查，並表示決心整頓司法界之風氣。今日風氣之壞，已無可諱言，整肅也好，整頓也好，首先要能勇於檢討糾正，這是個行政的問題，希望不要停留在下命令的階段上才好。

林政待整頓

森林調查工作，經中美合作歷時二年，現已完成。計現有林地佔全省總面積百分之五十五點一。過去，台灣的森林，由於管理不善，不斷的被官商勾結盜伐（最大的達一億元），甚至許多林場（即所謂林班）被當做禮品，贈送權要，以求掩護，遂使森林成了罪惡之淵。現在既已調查清楚，就看當局如何加強管理，嚴密防弊了。

黑市官價將統一

外滙價格紊亂，以目前最甚。美滙的法定官價十五元六角五分，法定市場價格是二十四元七角八分及三十三元二角八分兩種，法定對外人優惠價格是三十五元，至於黑市則在三十八元至四十元之間。價格之差異，規定之繁複，都可能是使誘造舞弊和貪瀆，聞當局已有調整各種滙率，使其併為單一價格的計劃。

信用問題

稅收機關要求各銀行供給存款人姓名，銀行方面為顧及存款人之反對，不願照辦。報上有兩位不露姓名的經濟學者發表意見，一位說存款人不願暴露姓名，是不信任政府，必須政府能切實保護人民財產，方能建立信用。另一位說，若要存款人公開姓名，應該由各銀行先把放款對象姓名公開（言外之意似乎放款大有文章）。

顯官子弟

名戰將黃百韜，獨子（廿五歲，大學生）在此間演出一幕哄動全島的謀殺焚屍案。事實上，現在台灣許多不良少年，多出自顯官之家，這給治安及執法機關感到棘手。

·杜衡之·

父兄們多有此見解——小學會考必須改善兩點

本年度小學會考，經過四天舉行以後，已告結束，參加會考的小學校係來自本港各中、英文小學約共四千餘人，經過這次考試後，將有三分之一左右成績優異者可獲進入官立學校攻讀。

常識範圍太廣

在這一次會考中，最受到一般人評議者，即爲常識測驗和中英文小學生的混合考試，關於常識測驗問題，由於試題的範圍過廣，使學生既無從答起，亦無從準備，起，即如一個何謂「J．P」，則已笑話甚多，按原來意思當爲「太平紳士」（JUSTIC OF PEACE），可是竟亦有答作「日本人」或「日本警察」甚至其他滑稽答案所在多有。又如「BC」有人答作「紀元前」，亦有答作「英殖民地」，這兩個答案亦未嘗不對，但事實上必有一個係錯誤者。比如有問英女王本年曾赴何洲旅行，一個小學生對此問題，只能從電影時事片看過英女王曾赴非洲者方能解答，此外許多問題更是小學生所無法了解者如：（一）希拉利爵士是最先攀登「——」，（二）愛因斯坦以其「——」知識著名於世。（三）北美洲在太平洋海岸方而之最大港口是「——」。

類似這一種問題，雖爲一個提高教育水準的善法，但出題者似應注意到赴考的小學生根本是小學生，其身體與思維均尚未完全發育，如果一個學生對課程發生畏懼或感到頭痛時，則對學生前途影響尤爲嚴重。

中文英文學校應分開

另一個問題是中、英文小學混合考試所造成的困難。記者獲得機會與許多赴考小學生之父兄晤談，根據彼等一致見解，認爲小學會考有改善之必要，應與中學會考看齊，則分中文小學會考及英文小學會考。因照目前小學會考而論，中文小學生對於英文試題認爲繁雜，每於規定時間內，未能完卷，且有連試題亦看不通者。至於英文小學生，則對於中文試題，又感覺過於高深，無法解答，換之言，每一試題，小學生解答，其程度相去甚遠，須知主考者事先必已顧慮到小學生之中英文程度，然後出題，既須顧慮中英文兩方面之小學生，不得不略將試題稍爲顯淺，於是中英文學生均無法試驗出其眞實程度，故唯一方法，應由下年度起，將小學生會考劃分爲中英文兩部，與中學生會考辦法相同，則與試者於出題時不必有所顧慮，而小學生之眞正學識程度乃可以表現。現港府所辦之中等學校，有側重中文者，有側重英文者，將來小學生會考結果，中文小學生成績優異者，則升入中文中學，英文優異者，則升入英文中學，庶幾合內勢和導而易收培育人材之效。至於算術方面，中文小學似比英文小學爲高，即就此點而論，亦有分試之必要。

共區各地高等學校推行變相軍事體育

「中共高等教育部」、「體育委員會」、「衛生部」和「中共青年團中央委員會」於二月廿日聯合發出一項「指示」，通令其「全國」各高等學校「進一步開展高等學校的體育運動」。二月二十二日光明日報以「必須加强高等學校體育工作的領導」爲題發表社論，這顯示中共刻正積極在各高等學校推行變相的軍事體育活動。光明日報的社論指出：「在一九五四年五月，中共即由其高等教育部、體育運動委員會等單位通令在各高等學校內推行變相的軍事體育教育，但各校的工作「開展得還不平衡，工作中還存在着不少缺點：有些學校還沒有計劃地開展體育運動，甚至有的學校連體育課的教學工作還沒有正常地進行；有的學校雖然制訂了計劃，但是卻缺乏貫徹執行的具體措施，不少的學校則體育教師數量不足，質量也差，甚至資產階級體育思想在部分體育教師中還有不同程度的存在。有些學校則行政領導和體育教師對學校「體育運動」的開展存在着「右傾保守思想」，有的學校則傷害事故，不斷發生！」

根據中共教育部的「指示」與光明日報社論，中共現在積極在各高等學校推行變相的軍事體育的辦法是：（一）要求貫徹執行校（院）長負責制；（二）由學校「行政」當局向全校教師和學生進行「思想教育」並積極領導建立學校中的體育團體；（三）由各省、市「體育運動委員會」負責監督和指導各當地的高等學校進行體育工作。此外，並在學校指派專職幹部負責此一工作之進行。（亞）

中共統治下：『有父母的孤兒』

無人照顧痛苦不堪言狀

中共自在大陸實行所謂新婚姻法後，一杯水主義，便在民間盛極一時，因此，造成了許多有父母的「孤兒」，現此輩「孤兒」因得不到其父母的照顧，在生活以及精神上，所受的痛苦，眞是不堪言狀。此爲本月十六日光明日報一署名閻玉書的讀者投書所透露者。

閻玉書是河北平山中學的教師，他在其讀者投書中說：「我在參加學校評定學生助學金工作中，看到一個值得注意的問題，那就是有些學生的父母在離婚以後，或父親娶了繼室以後，對過去生育的子女，就漠不關心，給這些學生在生活上和精神上帶來很大的痛苦，變成一種有父母的『孤兒』。」

閻玉書以該校學生爲例指出：如一名叫曹錫兆的學生，他父親曹興昌在太原建築工程公司第二公司工作，長期不給曹錫兆寄生活費，直到去年十二月間用學校名義給該公司去了公函，才勉强寄了十元錢給他，此後即不再寄錢給他，並來信表示斷絕供給。又如學生徐鑾芳，他父親是安徽屯溪市副市長徐步瀛，亦因與他母親離了婚，三年以來，只給他寄過八元錢。再如學生劉玉華，他父親在山西紡織工會工作，自劉玉華入學以來，就從未給他寄過分文。閻玉書指出：上述情形，不過是幾個例子而已，在其他各地各校，也都有此種情況存在。

閻玉書更指出：這些有父母的「孤兒」的父親，都是「國家機關的幹部」，亦即實行「婚姻法」最徹底者。這些孤兒常常暗自啼哭，眞是痛苦不堪言狀。（自聯社）

五卅慘案追記（下）

·夢山樓·

控告王羅三大罪

經過罷工，遊行，搗毀警務處後，後援會又作一個緊急決定，便是向江寧地方法院，以法定程序，控告王桂林，羅步周，教唆警察毆打工人學生的『妨害自由罪』，『傷害罪』，並有通謀帝國主義者，意圖以武力加害中國的『外患罪』。控告狀子，當時推筆者起草，宛希嚴加以修改，通過後向法院呈遞。並推宛希嚴，姚爾覺，及筆者三人爲原告。我們也明知法院是受而不理，延宕了事的。不過，藉以發揚正義，壯壯聲勢，給他們一種打擊而已。

五個「過激黨」的素描

當時在後援會工作的，都具有一種高度熱情，和不可思議的勇氣，其中最惹人注意的有五個人，警務處誣爲過激黨，我不明瞭他們所稱過激黨的意義，大約是包括國民黨與共產黨而言。後來聽說會派秘密偵探，追蹤我們，監視我們的行動，但並無危害的企圖。現在想起來，軍閥還有理性，要是在今天，不是被砍頭活埋，便是永遠監禁了。

五個人之中，要算宛希嚴最爲出色了，希嚴是湖北人，幹練沉毅，演說時，聲如洪鐘，有條有理，最富於煽動性，又會寫文章，矮胖個子，黑黑面孔，頭髮披散着，可能三四個月不知修理，一件藍布長衫，一雙牛皮鞋子，鞋帶跑掉了，都不知再扣，往往兩三夜不睡覺，還能繼續工作。聽說後來清黨時，被殺掉了，大約是個共產黨吧？

其次要算一農代表姚爾覺，他是徐州人，長得很漂亮，文縐縐一個小伙子，可是，說起話來，慢吞吞很有力量，個性非常[illegible]，在會議席上，最喜唱反對論調。與筆者慣好爭辯，往往爭得面紅耳赤，不過，彼此都是忠心愛國，絕無私人仇恨。因爲筆者是學習法律的，三句話不離本行，多少總是以法律觀念爲根據的。前年我在香港某報上見到他的大名，已做「南京陵園管理局長」了。他是共產黨？還是甚麼民革？我也鬧不清楚呢！

省立一中代表華豌，別號君實，這個小伙子，是不[illegible]之鬼，膽大包天，事事主張硬幹，實幹，快幹，衝鋒陷陣的本領，的確了不得！他常說：『不打人，不算好漢，不流血，不是英雄。』後來，在南京中央黨部門前，刺殺汪精衛，他是首領，化名胡雲卿，鼎鼎大名，舉國盡知的，現在，是否尚在人間？也無從得知了。

教職員代表王南生，這位先生，很圓通，工於詞令，在會議席上，最好發表折衷主張，如拿現代時髦名詞來形容他，到是一個道地的第三勢力。後來不知爲甚麼吸起鴉片來？筆者於三十七八年在南京開會時，經常會見他，形容憔悴，面目黧黑，一套中山裝，烟灰都染滿了。前後判若兩人，果何故哉？我生平最富於念舊，同情弱小的，但對他實在是愛莫能助。

最後要敘到筆者自己：我在後援會擔任宣傳組長，又主編『國民與外交』三日刊，終天開會，奔走，忙得焦頭爛額，連吃飯時間，幾乎都沒有，時常買四五塊燒餅，坐在人力車上，邊吃邊跑，經常通宵不眠，草計劃，編刊稿子，愈幹愈起勁，到今天追憶起來，簡直如中瘋狂似的。

記得有一天，我們校長召我談話，他說：『別的學生，國民黨，或是共產黨，他們都有後台，你是無黨籍的，何必過於出風頭，惹得政府加你一頂過激黨帽子呢？』我當時回答道：『我不管甚麼黨不黨？只是本着良心，作愛國運動，我不犯校規，校長何必限制我。』我們校長是位著道德，有學問的好好先生，也不過勸戒一番而已。不久，所謂後援會者，受到大局影響，雖然掩旗息鼓，無疾而終了。但是，它已在民族精神上，播下了革命種子，所以十六年北伐完成，未始不是這些種子繁榮滋長的呢！

當時參加運動的，自然不止於上述五個人，現在，有的在紅朝，紅得發紫，有的在自由中國，榮居顯位，有的恐怕潦倒不堪了；有的墓木已拱。想當年，二十左右的小伙子，有的龍馬精神，何其壯也！到而今，都是半百之人，垂垂老矣！只賸我這個沒長進的人，避地海外，荒山半角，小樓一椽，孤懷耿耿，形單影隻，賣文吃飯，文又不通。然而，寧可窮途潦倒，決不屈已求容，而曠觀世界風雲，憂心中原水火，有聲皆恨，無力回天，眞不知涕泗之何從也！（民國四十五年五月於沙田）

新書評介

讀「中國文化與中國知識份子」

——著者 胡秋原 出版者 亞洲出版社

·劉起·

胡秋原先生，以當代歷史、哲學名家，用其「學貫古今中外，不執一家之言，一時之說的見地，和一種現代的中國讀書人的眼光」（黃震遐先生序語），「考列邦得失之林，明歷代興衰之故」（成惕軒先生序語），費三年之力，完成「中國文化與中國知識份子」古萬言的鉅著（古代篇）；內容豐富，浩瀚如海，讀之如遊三代、秦、漢之間，恍若與諸子百家相接。淺學如我，只覺仰之彌高，何敢爲之贊一辭？但著者於此書之作，既意在「長讀書人之志氣，滅共黨之淫威……鼓舞生氣，吹噓薪火，俾得蔚爲鴻烈，會合風雲，見世運重開之盛」，他可能希望每一個讀書人讀此書而有所心得，就共命意所在發揚而光大之，共同推動中國文化機運的復興，撲滅共產邪說氾濫爲禍的狂流。此吾所以讀此書有所感，而不能已於言也。

知識分子的歷史責任

照著者所說，本書是「以知識份子爲中心的中國史，以中國文化爲中心的東洋史和世界史」，但如能善讀此書，則我認爲可把它視爲當今最具體的一本反共文藝看。它對一般從事反共文化工作者言，也有範式的作用。

本書對於知識份子在歷史上的地位，有極精闢的闡述。它指出眞正決定着國脈民命存亡的是知識份子動向的邪正。原著說：「沒有比知識份子妄自菲薄心理，更足以敗壞一人一民族之德性才智」，而「開萬世之太平」者，其正是「這一代中國人，尤其是讀書人的責任」。亦惟獨「中國文化有復興之機運，始能制共」。這些話，凡是留心國事演變，且在對共黨鬥爭上有經驗的人，當能有同感的。

危機在中共消滅文化

哀莫大於心死。現在中國最大的危機，不在中共得逞一時，而在於它要根本消滅中國文化。中國知識份子經中共之一度重大摧殘，並懾於共產邪說之淫威日益瀰漫，雖或不甘向共黨低頭，但已感中國文化爲戰敗緒餘，徬徨莫從。於是意志薄弱者，自甲到感於反共之無能爲力；反是，亦多鼓旋於叫囂式的反共八股歧途上；或者把反共希望寄託於國際局勢的好轉，從未使反共力量在中國人心中生根，時間證明，結果同樣無補於反共，且因時間的沉悶，表現爲悲觀與自餒。本書在這方面，針對此不健全心理病態，把握要指出：「今日神州陸沉，生靈塗炭，共禍乃一種結果，而非原因」，如能從文化復興上發揮『新的精神，新的氣魄，新的民德，新的民樂』，「相信我民族中必有越於先哲之著心造氣，番然於百世之下，拓家之未命運」，他這種信心，由以有復興民族的思想和無畏的反抗思想精神，振聾高呼，其於奮勵人心爲何如哉！

培養自信與責任

美國哲學家杜威博士曾謂：「當一個國家處於一種感覺到沒有出路與恥辱的非常狀態下時，往往使人民去歡迎任何一種形式的政府」。中共所以能乘虛而入，要抑此，而此病之根源，即在於近百年來對固有文化之生機不振，因思想的貧困，逐漸深入人民心於集體的錯覺，而置身共產主義之魔道，在於以「以道」之名目，在此以「改進」，「精神淪喪」之美名，「爲了「維持人的價值與尊嚴，保證文化之生存與進步」，我們必須抗議這一無下流的非人罪行」。同時提倡說：「我們所當努力的，即是發揚中國文化中的人文精神，理性精神，及寬容擴大精神，進而「會合中西文化以謀新文化之創造」，更期特別「發揮中國知識份子的責任心自信心以增强我們的氣力」。因爲時間並不一定全對我們有利，同時我們如不自振作，中國文化一天不得復興，則共黨之淫威日肆不已，中國人的苦難也益深，反共工作也將更加艱鉅。

文化不亡可以復興

「只要知識份子沒有完全失去其責任心自信心……根據一代亂世之教訓，教化自己與新的世代，創造新的學風，陶冶和培養未來的新種子，構成中國歷史與文化之再生力，文化不亡是可以復興的，細思這些話，眞有何等氣魄，何等魄力。這話看似平易，但在今日說來，則是別開生面，充滿活氣，因爲中國自近百年國勢積弱以來，所說的文化，所謂文明，都是表露着一種消沉，悲觀，絕望的徵象，影響人心於哀矜不振，此國人之所以不能自奮而爲異端所乘也。所謂文化，就在能鼓舞人心，廉頑立懦，起弱爲强。在今日國人普遍遭受共黨威虐而陷於無辜的情形下，尤須有堅貞剛毅不爲强暴所支的文化，爲之鼓盪興起，所謂疾風勁草，此書者所以發揚雄剛之民族精神而樹立反共言之爲可貴也。

編者 讀者

△關於中西醫藥問題的討論，本刊先後刊出丁人淵、伍憲子、丁懿安三先生的文章，亟承讀者注意，紛紛要求補購各該期本刊，以存報有限，無從一一應命，殊以爲歉，尚希亮察爲感！

△陸珍年、刁抱石、傳正、文一非、吳凝文、眞誠諸先生惠稿收到，至感。

▽ △ ▽ △

寧靖王墓——在台灣

姚兆如

沿着台灣南部岡山大湖站向西走去，在那荒草塞徑人跡稀少，離站約一公里地方，靜靜地躺着一座小丘，當地鄉民稱爲寧靖王宅者，其實就是明末寧靖王的坟墓。鄉民爲什麼要把坟地稱爲王宅呢？因爲這地方原係王邸故址的緣故。

英人曾加發掘無所獲

王墓畔有華山殿，右祠太子宮，左祠祀王靈。廟宇並不高大，中供神位。神位正中寫：「明寧靖王神位」。旁注：「家丁許竊奉祀。」每年農曆七月廿七日（寧靖王殉難之日），及九月廿五日（寧靖王生日），地方上舉行盛大祭典，四方來參拜者絡繹終日。

鳳山採訪册中有一段記載：「寧靖王廟，屋五間，創建無考。按舊志：王忠義炳蔚，竹滬是其墾田地，鄉民立廟祀之。光緒十七年，有鄉民名莊當者募修，廟租四十石。」台灣縣志裏也有一段記載：「寧靖王墓在鳳山縣維新里竹滬，與其妃羅氏合葬。」所謂竹滬即現在岡山大湖站西一公里之地也。據傳：王之遺物，當年曾全部保存在廟內，六十年前悉罹盜難。村民相傳：六十年前，有英人仰慕王之忠義，曾約伴來到此地，到處尋覓王墓，並試行發掘，結果一無所獲而返。

寧靖王是什麼人呢？

王名術桂，字天球，號一元子。明太祖九世孫，遼王之後，長陽郡王之次子。崇禎十七年，清兵攻京師，明太祖自縊，福王嗣立。永曆三年，擊偶浙西郡淪陷了，長陽郡王率眷入閩，而王以鎮國將軍名義堅守浙江寧海縣。當魯王監國時，王父長陽王生死不明，監國即封術桂爲長陽王，其後魯王又改封爲寧靖王。丙戌（明隆武元年）五月，浙東又被敵人佔領了，王只得從寧海乘船出石浦，經舟山南下廈門。其時鄭芝龍竟然北行，其子成功憤然在孔廟前焚燬儒服投筆從戎，揭「殺父報國」四個大字在旂上，提一旅忠義之師，收復了閩越等地，寧靖王是率所部來會。當明室朱由榔立於廣東肇慶時，寧靖王曾去廣東拜見朱由榔。永曆三年兵敗返閩，翌年又退守金門。等到鄭成功光復台灣，王乃攜帶了三十多個部屬也到台灣來了。一來台灣就住在鳳山竹滬，率衆墾田數十甲，不到數年，化荊棘爲沃土。從此自給自足，上下悅服，臥薪嘗膽，以待時機。

鄭君敗懸樑自縊

不久，清廷企圖襲台灣，康熙十二年六月，澎湖一戰不利，鄭軍敗回，寧靖王於是把田產全部分給佃戶，房屋分贈僧侶，偕妃妾五人各製新衣而俟死期。當鄭氏子齋降表出安平城時，王爲死期已至耳門，齋戒沐浴，提筆大書：

「自壬午流賊陷荊州，攜家南下，甲午避亂閩海，總爲幾莖頭髮，保全遺體。遠潛外國，今四十餘年，已六十六歲，時逢大難，全髮冠裳而死，不負高皇，不負父母，生事畢矣，無愧無怍！」

次日，戴上翼善冠，著了四團龍袍，束好玉帶，以王印送給成功之孫克塽。然後拜祖宗天地，別耆老兄弟，留絕命詞曰：

「艱辛避海外，只爲幾莖髮，而今事畢矣，不復爭薇蕨。」

書訖，以帛懸樑自縊；且曰「我去矣！」乃絕。衆扶下時，顏色如生。十日後乃與元妃羅氏合葬於鳳山縣長治里竹滬。府志稱「不封不樹」，想必是當年被清軍發掘過的緣故。

當寧靖王決心死節之前，曾經對他的五位妃妾說：「我的死期已近了，你們可各從其所欲。」五妃妾一致表示「吾王既然決心全節，我們也決不願失身。要活，大家活在一起；要死，大家死在一起」。於是，王死後，五妃亦同時殉難。五妃之屍，葬在離王墓之北三十華里之魁北山，即今台南大南門外也。

自由談

鷄口與牛後

馬五先生

近來中共在海外對中國人肆行統戰魔術，逢人裝笑臉，希望回到大陸去看看，並且指天誓日，絕不扣留你，說得儼然有价事。實則眞正有認識，懂得共產黨那套「騙死人不要償命」的把戲者，誰也心裏有數，不會受騙的。至於甘飲共黨的統戰迷魂湯，施施然踏上魔窟中的人，除却一些素無政治興趣，祇想藉機會回到鄉里去省親一下親眷戚友以外，（這類人十九都是華南籍）即係平日不甘寂寞，而意志游離、觀念模糊的知識份子，他們具有那一點點的剩餘價值，共產黨如果利用得着，充其量在報紙上宣傳一次，也就敝帚視之了。這般人若回到海外來，凡屬素無政治興趣的，依然如故，對共黨決不致發生好感；存有政治慾望的，縱想替共黨立功，亦無法博得別人的同情，因爲他的信譽品格掃地以盡了。

不料台灣方面却不先不後，似乎跟着共黨的魔術碍子團團轉，近來亦發佈聲明，希望到過大陸的人，再到台灣去看看。我不說這種用意要不得，假使在今年一二月以前有此號召，那就是殊堪贊佩的事。我所訝異的：爲甚末遇事要點襲共黨的章法，甘爲牛後，而不能採取主動的措施？如共黨有所謂「勞動英雄」，有「工模」「農模」，我們也跟着搞「克難英雄」，人云亦云，何若乃爾呢？

在海外有許多忠於中華民國的義士義民，想到自己政府所在地的台灣去走走，很不容易得到入境的許可，而一些可左可右，接受了共黨統戰催眠術的動搖份子——甚至於爲共作倀的人，倒被歡迎到台灣去觀光。難道這樣就算是對於共黨統戰魔術的有效反擊嗎？

改善台灣出入境的限制辦法，策由民主自由政治生活，表現國家中興氣象，構成天下歸仁的恢閎局勢，這才是擊破共黨魔道的有力武器，枝枝節節而爲之，吾未見其可也！

短篇小說　市儈

·正方·

（一）

大通紡織廠成立十週年慶祝酒會的會場，洋溢着一片歡欣熱鬧。四壁懸滿了屏聯、過道堆滿了花籃、大廳上擠滿了男女來賓。在人羣中本廠的秘書張君靈傑往來穿梭，不斷點頭舉杯，分外顯得他的活躍和重要。如果沒有人介紹，都會以爲他就是大通廠的總經理呢。

張靈傑的特長是，無論在思想、言談，舉止各方面，以慣能掌握重點自豪。就拿目前這個場合來說罷：環球紡織公司的李董事長兼總經理，在張靈傑眼中就是來賓羣中的一個重點，於是張靈傑沒等王總經理的招呼，便跑到李董事長的面前鞠躬如儀高舉酒杯，這時在傍的王總經理隨即介紹道：

「這是我們廠裏的張秘書」。

又轉向張靈傑道：「來，敬董事長一杯」。

張靈傑緊接着便說：

「承董事長的光臨，敝廠同人感到無限的光榮，敬祝董事長的健康愉快。」把杯子裏的酒呷了一口。

李董事長早就聽說過大通廠有一位精明能幹的張秘書，現在一見，也被他的翩翩丰采所吸引，不由的便說：

「久仰貴廠張祕書的才華，今日眞是幸會。來，祝貴廠業務發達，張祕書前途無量」。各人又呷了一口酒以後，張靈傑接着說：

「承董事長過獎，眞是慚愧，董事長是紡織界的前輩，以後還望多多指教提拔。」

「不要客氣，以後我們常常聯繫。」

從這次酒會以後，張靈傑和李董事長之間就建立了密切的關係。

（二）

王總經理是個忠厚人，忠厚到近乎懦預，他的頭腦和大通紡織廠新的機器設備相比，也顯得不大相稱。李順風時時表示對大通的業務關心，但他更關心的是大通的廠房和機器。因此，在他心目中，早就建立了一個合併經營的理想！

爲達到這個理想必須要有一個切實可行的計劃，擬訂計劃和推行計劃，必須先要澈底熟習大通內部的情況，和找一個幹練而且忠實可靠的人。李順風自與張靈傑接觸後，覺得他是一個合格的候選人。李順風主動提出「以後常常聯繫」便是有意在點化張靈傑。

第二天靈傑以代表大通廠答謝的名義，備誠拜訪了李順風，寒暄之間，張靈傑把昨夜想好的話着實給李董事長戴了幾頂不着痕跡的高帽子，董事長聽了，實在覺得悅耳賞心飄飄欲仙。到了適當的時間，靈傑留下了再來拜訪的地步告辭而去。

（一）

省府員工彩排記

張瘦碧

去歲九月間省府員工聯合所屬機關有志研究平劇同仁，組織了一個平劇研究社。收羅人才，極爲豐富，所有生，旦，淨，末，丑，可說是各色俱全，平時每逢星期二、四、六日，在館前街省物資局會場，聘由教師講授，數月以來，成績卓著，並已于五月初旬，在警務處大禮堂，舉行彩排兩晚，劇目緊硬，效果不壞，爰就觀後所得，追誌于後。

第一天開鑼戲爲該社社長陳奮克之黃金台，陳君具有舞台經驗，且勇于任事，供職省祕書處科長，熱心公益，却是幹才，即此次演出，奔走接洽，倍形忙碌，居然能抽暇一獻身手，殊屬不易，是日飾田單，身上許多動作，博得一致好評。葉夫人之女迎解，爲第二次登台，嗓音寬闊，字音純正，配以裴松林之崇公道，尤覺錦上添花，裴君咬字，雖時露土音，好在係丑角，不足爲病。大軸爲羣英會，蔣幹盜書，草船借箭，怒打黃蓋，至借風止，裴松林之蔣幹，舉止，形態，說白，尚有幾分可取，許乃蘧之周瑜，渠本小生名票，以年來身體發胖，不常露演，此次以同爲省府同事，無法推辭，余化龍之魯肅，一味學馬，尚能相似，惟「諸葛亮出大營」兩句搖板，忠厚有餘，神韻似嫌不足，借箭時在舟中原板，第一句「渾身顫抖」，拖腔過長，要得有些過火，使操琴者亦無法襯托，台下聽衆，爲他捏一把汗。其實余君確有眞才，唱工做工，均有根底，亦是不可多得之人才。借風時之孔明，由省府主祕馬吉甫先生担任，老腔老調，平穩無疵，老票友出場，畢竟不同凡響，隨時能保持嚴謹風度。

第二日，林文超之烏盆計，完全唱工，白又宜之珠簾寨，亦相當累人。施紹長是唱工戲，是日祗演解寶，票友究非內行，連續流水對唱，自有吃不消之感，沒有眞本錢，此等戲，似仍應極力避免爲是。大軸爲新四郎探母，熊希超飾前四郎，着重唱工，出場引子，原沉着動聽，三眼，原板，流水，各有韻味。中四郎楊承彬，這唱帶做，相當吃力，後四郎由宮愼之担任，宮亦老票友，以演出前後，曾受感冒，因此未能展其所長。李異琨女史之公主，一人到底，難能可貴，秦晉之蕭太后，出場幾步，大有芙蓉草氣派，慢三眼四句，並商請台北名票徐立民，潘振德二君分操京二胡，爲之生色不少。郭樹忠反串佘太君，兩段流水，台下掌聲不絕，純屬眞工夫，加以字眼清晰，格外動聽。沃奇峯之四夫人，扮相極美，可造才也。許震時，陳虹分飾宗保，尚能稱職，另有四蓬官，由物資局國劇社同仁担任，出場均有身段，添來不少精采。綜觀此次演出，頗有成就，聞該社將于秋涼後，再作第二次彩排，屆時將更有新人才出現，吾人當拭目以俟之。

同光風雲錄

萬土樓

翁同龢（下）

慈禧迫德宗放逐同龢

同龢居師傅之尊，言聽計從，亦極贊助有爲之主張。時頑固派諸王大臣，側目於旁，而陰狠之西后，又妒恨於內，於時，帝與同龢，則日謀維新，而西后與榮祿，則陰謀廢立之事，乃晴天霹靂，四月二十七日，西后忽將硃諭強迫德宗宣布，其諭曰：『協辦大學士戶部尚書翁同龢，近屢次經人參奏，且每於召對時，出言不遜，漸露攬權狂悖情狀，本當從重懲處，姑念在毓慶宮行走多年，不忍遽加嚴譴，著即開缺回籍，以示保全，欽此。』德宗見詔，戰慄色變，無可如何，同龢一去，股肱頓失矣。及其出京，榮祿贈以千金，且執其手，嗚咽而泣，問何故開罪於皇上？口蜜腹劍，其使倆眞可畏也。

政變後再遭革職

西后既放逐同龢，遂作一網打盡之計劃，而八月之政變突起，康有爲，梁啓超倉皇潛逃，譚嗣同等六臣，斬首菜市口，德宗幽禁，西后又復訓政。下詔兩江總督命殺同龢，經大學士王文韶長跪哭求，榮祿亦曰：『本朝尚沒殺過師傅。』乃止，改下硃諭云：『翁同龢，授讀以來，輔導無方，往往巧藉事端，刺探朕意，至甲午年中東之役，信口侈陳，任意慫恿，辦理諸務，種種乖謬，以致不可收拾，今春力陳變法，濫保非人，罪無可逭，事後追維，深堪痛恨，前令其開缺回籍，實不足以蔽辜。翁同龢着革職永不敍用，交地方官嚴加管束。』同龢不死，蓋間不容髮矣。

六十年間事淚兩行

自此，以逋臣之身，蟄伏故里，惟每日必詣衙門，簽名報到，以符地方官管束之旨。一日，偶出遊，遇一老僧，呼老太爺，而曰：『爾年不過六歲餘耳。爾功名中人也。』同龢訶之，一笑而已。不圖六年後，果以光緒三十年卒於家，年七十有五。卒前貽家人詩云：『……六十年間事，淒涼到蓋棺。不將兩行淚，輕向爾曹彈。』又遺摺略曰：『……伏念負疚如臣，固已言無足取，不敢復有所陳述，第思臣恩未答，遽世長辭，感悚之餘，難安瞑目。所願勵精圖治，馴致富強，四海蒼生，詠歌聖德。臣雖死之日，猶生之年。謹口授遺疏，不勝嗚咽依戀之至……』迨宣統元年，詔復原官，追謚文恭。惟一生無子女，據言一嗅女人氣味，便要作嘔，而夫妻情愛甚篤，同偕白首，抑亦奇事也。

同龢當同光兩朝，位居樞要，身爲師保。居恒宏獎人才，虛心禮士，維時強敵環陵，國勢孱弱，變法維新，新舊交閧。以一身措柱其間，而卒不能免，幾獲不測，遂抑鬱以終，而頭是亦不可爲矣。遺著瓶廬詩稿八卷，文稿二十卷，至其書法，自成一家，尤爲世所重，乃其餘事。誠一代之儒臣，江左之巨擘也。（卅四）

芋厂五十三歲初度詩和韻

·百閱·

宋王台畔綠楊絲，折與故人寬以詩。客裏乾坤常在握，域中豹虎正相持。安心肯向山窮處，裂胆能于鼎沸時；五十三年柯未爛，看他新沐道旁兒！

徵稿啓事

△本報擬徵求下列諸稿：

一、三千五百字至七千字左右的短篇小說，不限體裁和故事內容。一經選用，優先奉送稿酬。

二、台灣及海外各地自由文壇的動態報導，作家生活素描及過去文壇珍聞。每篇以不超過五百字爲佳。

三、介紹海內外自由科學家、教育家、實業家、醫護、工礦業工作者的人物專稿，對象以現在從事於工作者爲最佳。來稿不宜超過一千五百字。關於軍政界人物稿件以散見各報者已多，請暫勿惠稿。

自由人
THE FREEMAN
（第五四八期）
中華民國郵務委員會
開發登記證台執新字第一零二號
中華郵政台字第五〇〇號
執照登記內第一類新聞紙類
（半週刊每星期三 六出版）
每份港幣壹毫
台北市價台幣壹元
督印人：陳文華
地址：香港高士威道二十號四樓
3 rd. fl. 20 CAUSEWAY RD
HONG KONG
香港發行及事務接洽
高士打道66號　電話：七四〇五三
承印者：東南印務出版社
地址：高士打道六十四號
海外總經銷
友聯書報發行公司
香港：德輔道中二十六號A二樓
台灣特派員辦事處
台北市館前街五十號
台灣總經銷處
台北市西寧南路壹零號二樓
台郵劃撥儲金戶九二五二

中共配講「領土」「主權」嗎？

毛澤東能答覆中俄間的領土主權問題麼？

·張六師·

海內外自由中國朝野人士對菲律賓部份狂徒意欲侵犯南沙羣島，以至激起憤怒之後，事過十餘日，北平的所謂「外交部」也透過海外共黨報紙，發出什麼「領土主權不容侵犯」的「聲明」。

這到是一個頗饒興趣的問題，世人早在中共各種文字中看見他們歷經自己招供，他們的「革命」成功是由於「斯大林和共產國際的指示」；「偉大蘇聯的援助」；「源源給了許多詳盡的指導」而來的。所以他們必須是「一面倒」向蘇俄的「澈底國際主義者」。而且事實上中共聽命蘇俄對韓越作戰，這種附庸行為，也早已證明無獨立主權之可言。現在居然要站在「中國」的立場，對自由世界喊出「領土主權」的調子，這豈不是一個饒有興趣的事情麼？

中共也有領土主權嗎？

我們只要翻開中共的所謂國家根本法——「憲法」一看，通篇就找不出它的領土區域何在？國界何處？既是一個自稱獨立自主的國家，為甚麼「憲法」要特別訂明「偉大的蘇維埃社會主義共和國聯盟」，「建立了永久牢不可破的友誼」？這類可恥的文字呢？這就足以證明這個「國家」是受蘇俄支配的，不過是如共產國際條例中所規劃指揮的一個地方支部而已，所謂「領土主權」云云，還不是自欺欺人的宣傳名詞麼？這又如一九四五年八月蘇俄對日宣戰，八月十四日在王爺廟組織內蒙人民政府，十八日成立內蒙古人民革命黨，公佈暫行黨綱八條，其中第二條：「本黨以受蘇維埃聯邦，外蒙古人民共和國之指導，解放內蒙人民為目的」這樣的奴才口吻和身份有何不同之處呢？（事見當時各報和以後東北行轅與國府的專案）。（註一）世人幾時又見過蘇俄的憲法也會有對中共「如此這般」的字句呢？

今天在中國大陸上，盡人皆知的事實，是無論政治制度，經濟制度，國防制度，……乃至文化政策，外交政策，內政政策……以至於人民的生活方式，國家的教育方針，社會的風氣習尚，服飾、歌曲、舞蹈，……都無一不唯蘇俄是從，競趨俄化。凡屬「蘇聯先進」，「蘇聯老大哥」的一切一切，都應有百是而無一非；……上下競相標榜「向蘇聯學習」，「接受蘇聯領導」，其自卑的程度，比之日製的偽滿和汪記組織都還不如，還說什麼「國家領土主權」呢？

蘇俄侵佔中國領土史

以領土而論，中國遭受俄國的侵略逾二百年，到一九二〇年蘇俄才宣言願以八項原則另訂中俄新約。其第一項原則稱，「所有帝俄與中國所締結之條約皆屬無效，放棄侵佔所得之中國土地及中國境內之俄國租界，並將俄皇政府及俄國資產階級掠自中國者皆無酬的永久歸還中國」。但事實上如何呢？蘇俄卻比帝俄還要變本加厲，更加凶狠。如建立外蒙傀儡組織，誘惑東蒙由「自治」而「獨立」，併吞唐努烏梁海，武力進攻中東路，屠殺西伯利亞東部各地華僑十餘萬，（曾因此引起中國人民發動反俄援僑大會。）武力侵佔新疆，製造中國內部的第五縱隊——共產黨，這些是舉世皆知的，蘇俄侵犯中國領土主權的事實，毛澤東也沒有什麼理由可以否認這些事實。

中共未竊據大陸以前，蘇俄對華的侵略是透過布利亞蒙共和國和東土耳其斯坦之手，對外蒙、新疆、東蒙以民族主義為藉口，挑撥他們脫離祖國。到了中共變亂成功，則一切都指使中共冒着中國人的名義去執行蘇俄的侵略政策。在這個政策下，蘇俄把中國四千年來，原已團結一致，不分畛域的各個中國人，強稱為六十多個「少數民族」。在這個少數民族政策下，從中國人口中劃出三千多萬同胞，作為異族，（實際不止此數，因這個數目是他們公佈大陸人口的數字。）當然逐漸把中國三分之一土地由「自治」而隨外蒙、新疆、內蒙以逐漸「導」，最後則隨唐努「會主義聯盟」加盟了「受蘇維埃聯邦的指烏梁海「向蘇維埃社」。（下轉第二版）

「和平」鴿的妙用！
——木馬屠城的翻版——
·魯午·

菲律賓似在轉變中

·林裕厚·

（本報馬尼拉航訊）三月十七日，在克拉克美空軍基地上，發生了菲礦工被美軍扣押的事件。本可平息的誤會，但在經過民族主義意識激盪之後，事態開始了不平凡的演變。

三月廿五日，菲衆議院議長瞻何塞勞雷爾發表具有爆炸性談話，說菲律賓「並未被當作自主的民族看待」；同日的馬尼拉紀事報也說「民族自尊和主權都受到了侵犯」！廿七日菲律賓東方大學校長更對菲美貿易協定加以抨擊。發展到四月十三日的晚間，國會一致通過了要求重新審查菲美關係的決議，並組成一個九人的國會委員會籌劃進行此項工作。

菲美關係至此，雖不能說是惡化，卻已是極不愉快了。

民族主義意識的衝動

自菲化法案以後，菲律賓在經濟和政治上，充分表現出了狹隘的民族主義色彩。這一影響究係受何種因素之感染，說者莫衷一是。但也不是無跡象可尋，去年四月亞非會議通過了反對一切殖民主義，它對菲律賓人民心理上起了作用。但在反對殖民主義方面，菲人只求諸情感的發洩，而無視利害和輕重緩急，至少是，以自貶身價把自己國家看成是一個殖民地，而來進行排外，是不智的。退一步說，即使要反，也應該先反俄式的新殖民主義，更何況美國並非是一個殖民主義者。可是也有人說，馬格塞塞總統本人就是一個極端的民族主義者，他之能對付虎克黨，亦甚於此。這種觀察固亦有理，但是不顧一切地從狹隘的民族主義觀點出發，那究竟是危險的。

自菲化法案通過以來，華僑固是首當其衝，確也予其它國家僑民相當影響。本月廿五日，馬格塞塞總統且下令限呂宋島北部高山省華僑菜農於六月卅日前退出農場，將有廿五家華僑菜農投資約四五百萬菲幣的心血蕩然無存；同日，司法部長又聲明在美軍基地營商的外僑零售商亦受菲化法律的限制，影響所及者，也將有上千家華僑商戶。

因此，菲律賓人現在存在一種極時髦而幼稚的見解，以為政府能排外，而覺得增長了民族優越感。

南沙羣島事件，也可以說是在這種盲目前進的意識衝動下的結果。

南沙島事件的背景

菲政府對該事件，初曾表示非由政府授意，但是「探險隊」主持人馬洛克卻是菲律賓海事學校的校長，而且他在出發前，還得到了菲政府若干政要的宴會歡送。

及至到廿九日，由菲方外交、國防、海防測量局等機構所組成的聯合委員會，更自行推翻了廿五日第一次的決議，聲稱南沙羣島雖非屬於菲律賓，但也不屬於任何一個國家！這種前後矛盾的聲明，顯然在我政府致送非方明確的照會前是站不住的。但是菲官方竟然不顧事實地做了，那末其目的又何在呢？

自從陳之邁大使到任後，不僅菲僑界項行團結起來，在處理中菲懸案問題上，他也是盡力而為之的。他的成績如何，在目前來論斷，似尚嫌過早，但他卻是非政府人士有目共見的，至少非官方人士有一種印象，即此人絕非似陳質平之懣預。或許為了增加中菲懸案到對華僑資本的約束，南沙羣島事件分量和達成為便宜運用的因子了。

就筆者個人的管見。南沙羣島事件，絕不能使之列入已有中菲懸案之中，必須把此案單一的、強硬地向菲方提出不斷交涉。如果我們心存妥協或委屈求全，不但得不到好報，且將遭受菲人的輕視和僑胞的失望，不僅無助於解決已有的懸案，且反加重了對方堅持以不合理方式解決懸案的錯誤認識。

站在同一樣的民族主義意識上來說，我方若稍有讓步，那才正是有失民族自尊和實質的主權。菲方現在是以本無所失而橫加糾纏的態度欲藉端生事，雖不能謂係故意敲剝，但也可謂是無中生有。因此，我們萬萬讓步不得！

是排外而不僅排華

至於菲化法案和排華等問題，我們應該沉着應付，由於菲人已在開始反美了，可見其總目的是在排外，非僅排華，不過僑胞人衆財富，是為其排外敲剝對象的第一個。也因此，我們希望政府當局對於東南亞地區排華的風氣多加注意，和對各國政府人民多所宣傳解釋華僑對各國政治經濟以及社會秩序安定的重要性。此外，對於排華問題的應付，也不能僅寄託駐外人員，我們應該鼓勵他們善為應付，若只知一味寄託駐外人員，而忽視排華的背景，不祇是皮相之談，反會誤事的。

總之，菲律賓已在轉變中，除了排外，還有人主張與中共通商呢！對於一個在轉變中的國家，我們除了應該從其各方面深入觀察和了解之外，只有小心謹慎不亢不卑地應付，才能促進了解和增強友誼。當然我們也希望菲律賓當局以同樣的態度來對待我們。（五月卅日寄）

半週述評

·司馬璐·

狄托訪俄

美聯社在狄托訪俄的報導中說：「近來，一國領袖赴莫斯科訪問，已經是尋常的事。但是，在每一個去訪問的人中，西方領袖特別注意狄托的訪問。」因為「狄托的微妙訪問將對西方產生好的或者壞的影響。」

美聯社記者又對狄托的動向加以分析說：

如果狄托僅僅志在利用一方去對付另一方，他將成為西方的「奢侈品」；

如果狄托志在瓦解以蘇俄為中心的共產主義結構，他將有重大價值；

如果狄托志在列寧主義進向世界革命的路程中成為主要人物，他將是危險的。

南蘇交惡

二次大戰最後期間，所有的東歐國家都是由蘇俄征服者代替了德國征服者，南斯拉夫是例外的，他們是自己把德國侵略者打出去的，因此南共政權在當時還有一股「愛國主義」的動力，他們對于後來進入南斯拉夫的蘇俄紅軍任意強姦南國婦女不能忍受；他們對于蘇俄不信任南共的情報，而在南共之外，另外建立直接聽命于蘇俄顧問的情報網不能忍受；南斯拉夫一直認為，他們應該担任共黨集團中巴爾幹的小頭目（當時的保共領袖李米特洛夫也一度加以支持，後暴死），但蘇俄不能容忍（以上這些史實均見蘇南交惡期間，雙方所發表的文件）。

敲詐手段

但在另一方面，當共產國際情報局開除南斯拉夫以後，當狄托被西方國家捧得像一個寵兒的時候，南斯拉夫共黨政權從來沒有放鬆過它對內的獨裁統治；南共的機關報「鬥爭報」不止一次的提醒他的黨徒說，他們始終是共產主義者，列甯主義的忠實信徒。

後來狄托更發現到：他愈是如此喊叫，聲價愈高，於是他變成愈加放肆的用這個手段進行敲詐了。

又是「同志」

南共最初和俄共鬧翻的時候，史達林曾說：祗要他指頭一彈，狄托就垮台了。

在共產黨中，力量就是真理。現在史達林死了，而且被鞭屍，狄托活着，而且手上的力量處於舉足輕重的地位，這個現實的基礎，今天已經代替了所有馬克思列甯主義的教條了。

於是，狄托從「叛徒」一變而為克里姆林宮的上賓；蘇俄與南斯拉夫又「友好」了；過去罵「狄托匪幫」的俄共，今天又改稱「親愛的狄托同志」了。

耐人尋味

狄托動身赴俄前夕，義大利共黨領袖陶格里亞蒂趕到南斯拉夫去看他，這一方面也很富于歷史的諷刺：當義大利和南斯拉夫為的港問題爭執的時候，義大利共黨為了爭取羣衆，當時與南斯拉夫處于對立的地位，史達林又處于支持義共的地位；義共在後來開除南共出共產國際情報局，又担任了主要的角色，現在蘇史全翻案了，陶格里亞蒂只好向狄托「承認錯誤」了。

陶格里亞蒂的這副可憐相又說明什麼呢，這倒很可以供每一個共產黨員仔細玩味的。

梅蘭芳赴日演劇眞相

配合國際統戰工作 所獲留作資助日共

·樂觀·

國外通訊

【本報東京通訊】日本報紙連日來刊佈梅蘭芳率領八十餘人來日演劇的消息，日本文化界左傾人士更著文介紹，大事渲染。此次梅某除在東京大阪等大都市演出外，預定還要到九州南端的福岡去賣弄數天。

交換演出早有預謀

自中共配合莫斯科發動的國際統戰工作以來，在亞洲地區的首要對象即爲日本。「梅蘭芳劇團」此次之能赴日本活動，實爲中共之有計劃預謀。按去秋，中共曾首先邀請日本猿之助劇團到大陸表演，梅某此行赴日，名爲應朝日新聞主催邀請，實則預爲與猿之助劇團交換演出的結果。

中共爲要梅某在華僑羣衆中發生統戰誘惑力；雖謂盡量壓低票價，但仍高至日幣二千元以上，看情形除少數富有華僑可往觀劇者外，難以吸引更多的華僑。

映日片暴露陰暗面

當日本報紙露佈梅某赴日演劇消息的同時，列佈了中共將在大陸十大都市放映日本電影的消息，日期是自本月十三日至廿九日，放映的片子有「沒有太陽的街」——大意是貧窮人們生活的寫照；「愛」——描寫因爲誤於愛之深，所做出的種種罪惡的事；「二十四隻眼」——敍述一位教育家在鄉村教學的故事，二十四隻眼者是指其學生十二人云，「淚」貧窮悲劇。據說這些影片都是悲劇題材。中共選擇這四部反映日本社會陰暗面的片子在大陸十大都市循迴放映二週，用意在暴露戰後日本社會的矛盾衝突病態，以顯示日本政府之低能。因此，日本人及輿論因中共選映該等影片即「受寵若驚」，實爲無知之見。相反的，在自由中國不拘都市鄉村的大小影院，幾乎是天天有日本片子放映，日本人卻從未重視過，據說日本片子在自由中國放映是漫無限制的。尤妙者爲各影院老闆拚命出力向當局要求放映日片，到處上陳情書，並不要日本有關方面書面交涉的，由於日片放映備得來容易，又有「孝子賢孫」出力呼籲，日本人也落得坐收漁利了。寄語自由中國的片商經紀人和電影院老闆們，你們也要摸摸良心啊！

所獲留日資共

根據可靠方面的透露，中共爲投日本人所好，此次梅某演唱所獲將完全留在日本。這一着可眞夠陰險，用在日本賺的錢，留在日本以供週日共，助長其顚覆日本的把戲；自以爲聰明得計的日本人，對此不知作何感想！

自從日本報紙刊載梅某到日演出的消息後，結果掀動了日本社會，遠到像河野之流在這幾天內，在報紙上，也失去了簽訂日蘇漁業協定沾沾自得的光彩，倒是日本與中共通商，互派商務代表之說，又甚囂塵上了。這些問題，留待下次再談罷吧。（五月廿九日寄）

中共配講「領土」「主權」嗎？

中共爲蘇俄而叫囂

（上接第一版）今天凡是居住在大陸與海外的中國人，看見蘇俄督促着中共對「少數民族」實施一套國際主義的「階級鬥爭」訓練，替各少數民族編造仇恨的歷史，創造俄式拉丁化的新文字，（名曰「幫助」，「扶持」）另出「黨」出面來倡導擁護無產階級的祖國——蘇聯，人人都心裏明白這是蘇俄新殖民地主義在作祟。但許多已承認中共政權的國家當局，却不見得具有此種常識。因此，在「狄托主義」的幻想破滅後，還有人打算由供應戰略物資而慫恿中共加入聯合國呢。

本來在整個中國大陸已淪爲蘇俄附庸之後，民族主義問題，已和列寧在他所寫「論民族自決」裏所說，「民族自決和民族獨立，是資產階級的要求」，「一切民族運動，一切民族政策都必須服從階級利益和革命利益」，無所分別了。準此，各民族所生息的土地，便很清楚的應當隨着服從階級利益而變爲俄化了。但蘇俄到今天所恃以爲瓦解英國聯邦和各殖民地，與打擊法國、荷蘭，誘惑阿拉伯回教國家的主要武器，仍是「民族主義」這個口號。中共在俄國驅使下，叫囂「領土主權」的名詞，也無非是替蘇俄在太平洋作闢江山、闢土地的貓爪而已，實際上，中共本身決不能有所謂領土主權的。

中俄領土疆界懸案

中國大陸未淪陷前，中國政府和蘇俄之間爲着領土和疆界問題，爭執得最爲激烈。中共對這類問題，却一向是無動於中的。中國政府過去對這類問題，從未公開於國人之前，以引起國人的民族主義愛國情緒。（如雅爾達密約，與迫下的中蘇條約，蘇俄在東北的暴行等等）下面所提出的領土、疆界問題，即素爲國人所不甚熟知的事實——

（一）塔貝格尼戈壁地方——這是黑龍江省的土地，但在一九三九年八月，日蘇諾蒙坎戰爭後，被蘇蒙軍呼把倫貝爾的新巴爾虎旗西北的.1塔爾格尼戈壁，.2藤爾伊達沁烏拉，.3東烏克烏爾堆，.4西烏克烏爾堆，.5吉爾普穆戈壁，.6曼吉爾達鄂博北部各地佔領，並在各處設有電報電話聯絡站。

（二）穆爾努晉沙漠地方——也是黑龍江省的土地，在日蘇衝突後，被俄蒙軍把貝爾池以西的這個穆爾努晉沙漠南部地區的呼爾呼圖克，宮珠爾布爾婦等處佔領。（曾稱爲僞滿所同意。）

（三）哈爾郭汗勒地方——屬黑龍江省區的土地，也是在當民二十八年八月（一九三九）日蘇諾蒙坎戰爭時，爲俄蒙軍所佔領的。地在貝爾池以東喀爾喀河右岸，屬哈爾汗郭勒的地區，名「努烏爾翁都克」和「夫臘史達晉郭勒」，此地區介於喀爾喀河與呼倫池與貝爾池之間的烏爾順河與通貫兩河間的查理滋河，爲三河交錯的三角地帶，即喀爾喀爾所轄之地，爲滿蒙間軍事要塞，中國對俄的戰略地區，漁業頗盛，設有漁場。

（四）達里岡牧場——屬察哈爾省區的地方，自民國四年到八年，即發生中央政府與蒙古地方政府之間爲保存錫林郭勒盟的歷代牧場而起爭執，因爲這是察省數百年來著名牧場，佔全盟地區十分之二的面積，水源清澈，草原廣闊，出產牛羊佔內蒙第一位，但在俄蒙勢力下，竟強佔而去，成爲懸案。

（五）喀爾喀右翼北部地區——這是屬綏遠省的土地，也是俄蒙寇軍，乘中國對日抗戰末期所佔領，併入外蒙的東戈壁省。

（六）陶拉山丹——屬額濟納土爾扈特旗游牧地，位於策克北部一百四十諾里，爲該旗與外蒙的交界而屬於額旗的領地。水草豐富，是在蘇俄對日宣戰出兵時乘機佔領，設卡駐兵不退。

（七）布爾根——是屬新疆的阿山區，民國十四年既已設縣，由民國二十二年起到二十四年，即爲外蒙派兵佔領，是迭經交涉無結果的失地。

（八）察汗通古——也是新疆阿山區的地方，自民初即爲外蒙侵佔，以迄大陸淪陷時，從未爲國人所注意。（註二）

（九）呼納盟地區——屬黑龍江省，一九五〇年，中共在俄人指使下成立內蒙自治區，將此地併入內蒙。

（十）興安嶺盟和哲里木盟——此地舊屬遼寧省的西北省區，也是在中共成立內蒙自治區時，以命令強劃歸併內蒙。

（十一）昭烏達盟，與察哈盟——前者原屬熱河省北部，後者則屬察哈爾省的東北部，也是中共以命令強迫改屬內蒙的地區。

（十二）一九五二和五三年，中共廢除察哈爾省與綏遠省，索性一齊併入內蒙，把內蒙首府遷設於歸綏（中俄共改變土音爲「呼和浩特」的用心，即是脫離中國的先聲，否則將來內蒙變和國或蘇維埃聯[illegible]省的首府時，豈不仍留有中國的痕迹。所以庫倫，迪化，恰克圖，買賣城……都必改名。在這個歸併中，把住此兩省百萬以上的漢人，也變成「自治區人民」而受內蒙「兄弟民族」的統治和「蒙化」。（必須讀俄式拉丁化的蒙文，學蒙語，以趨向蒙古生活與風俗爲前進。）

（十三）北阿爾泰山德倫河，布爾根河與北塔山地區——這是新疆東北失地有關國防，曾起兵爭的地區，但現在會還屬於新疆嗎？（雖然新疆已宣佈爲維吾爾自治區，俄人也不會准許歸新疆的。）

（十四）奎屯山以東，承化縣以北的可里匯一帶地區，這是蘇俄在新疆經年挑撥民族仇恨和中國鬧糾紛地區。現在所謂「民族的獨立」當然已經「階級」和「反革命」的鬥爭而消滅，但土地主權是屬誰呢？

（十五）圖古里克，諾吉，大麥哥等地——這原是屬於綏遠的地方。又甯夏省額根以北的地區，這都變爲外蒙領土了。（註三）

（十六）最顯著的莫過於中俄共所建的戰略鐵路——「集二綫」的分界了。歷年以來，盡人皆知二連是屬於察哈爾省的中國領土。但這次中共發表修築集二鐵路時，突然把外蒙領土向南伸入越過烏得、合順等地，而把二連變成所謂「中蒙」交界的終點了。

中國人不應不問

以上十幾個懸案，在中國大陸還未陷入[illegible]，中國人還有[illegible]知到自己國土主權的情形，自大陸淪陷以後，其間喪權辱國，超過損失領土主權以上的事實，已經無從知悉。究竟以上所述的疆界，領土喪失情形和經過如何？是根據「條約」嗎？還是根據「國際主義」的「友誼」？這是毛澤東應向中國人交代清楚的事。

雖然今日大陸上的人民既無權，也不敢過問，但自由中國和海外三千萬中國人是不應該不問的，因爲這些領土的被蘇俄侵佔，其重要性大過於南沙群島。問題不知幾千萬倍了。

（註一）此事已見孫福坤著蒙古簡史新編。（註二）同上。（註三）參閱一九五五年十月十二日香港各報所載中國聯台新聞社消息。

台北速寫

我未棄而人已拾

前駐南沙群島海軍官員，爲什麼三十九年自動撤離，這是令人不解的。難怪菲律賓探險隊，在先後數次「探險」後，而認爲是無主之島了。此後，幾年來菲方不斷對南沙群島有所企圖，而我政府竟無所知，也無適當措置。而今引起外交上的爭執，行政院似應首先加以檢討。

最具氣魄的聲明

鄭彥棻氏一再表示：歡迎到過中共地區的僑胞，也到自由祖國來看看，請他們作一比較，政府歡迎他們組織觀光團來台，自由參觀，絕不限制。這幾句話是數年來得未曾有的最具有氣魄的聲明，該是心理作戰的最大表現。但不知對於出入境之管制，是一件已經加以簡單化了。

婦女界的恥辱

女監委柴峯，假公濟私，[illegible]四溢，爲監察院同人一致檢討。女立委程璘以敲詐罪經法院判刑，也已被內政部註銷立委資格。這都是婦女界之恥。我國首創「婦女保障名額」辦法，使民意機關婦女代表之多，創世界紀錄，但像柴程之不自檢點，却是有損婦女參政的光采！

公而忘私

國防部長俞大維（無黨籍）雖患嚴重的耳聾，其幹勁則在健康的人之上。在中央大員中，他到前線去的次數最多，而且都要到最危險地帶。這種作風，對於前線士氣甚大鼓勵。那些在風景區當寓公的黨國政要，不知有何感想！

本市臭氣冠全省

蔣總統在最近一次演說中，曾強調環境衛生之重要。但本市環境衛生之差，聽說爲全省之冠。警察，省警務當局曾通令各地糞車應於每晨九時前工作完畢。但是，本市在日間任何時間隨處都可碰到臭氣熏天的挑糞工作。市府對此將何以自解。

·杜衡之·

台南市長 控告雜誌誹謗

·昌增勛·

（本報台南通訊）最近台南市長楊請，控告在台南嘉義出版的革新雜誌發行人曾僑凡，社長林景南，誹謗名譽，妨害公務。又台南縣議會副議長蔡丁贊，亦於三日後向台南地方法院提起同樣自訴。這是台灣施行地方自治以來，一件極重要的法律案。

革新雜誌創刊已七年，曾在第六卷一期（本年三月卅一日出版）。刊載長文凡兩萬餘字，涉及台南市長楊請及副議長蔡丁贊，並附圖片與公文抄本多件。楊蔡兩人認爲該文有意誹謗，提起訴訟，委請律師二人代表出庭。經地方法院三讀審理，於五月廿五日宣判：林景南散布文字誹謗，處有期徒刑八月，曾僑凡無罪。林景南應在新聞紙內刊載恢復楊請之名譽與道歉啓事。又林景南反訴蔡丁贊妨害名譽妨害自由案，廿五日上午審理，當庭辯論終結，下午宣判該案不成立。審判之迅速，在台南司法史上，亦是空前的。

該兩案是哄動全台灣的官司，故宣判之日下午，台南地方法院內外及前後左右，擠集市民，竟達兩千人以上。宣判之後，交相議論，有謂爲判得太重，或不應判罪的。有等則謂爲判得公道的。又有等則推測林景南必然不服，將向高等法院上訴的。不過不論如何，大家都知到事執雙方，不論地位勢力如何，必須尋求法律途徑以求解決，再不像以前那樣，動不動便採直接行動，打報館，封報社，或打人或扣押記者這種野蠻舉動了。這是法治的現象，也是進步的現象，是値得稱讚的。不過以筆者意見，誹謗是一件事，批評又是一件事，市民對於地方政治雖不能造謠誹謗，毀壞地方當局的名譽，但對于地方政治的措施，仍應根據事實，提出證據，切實批評，這樣政治才能進步。因此我們不要把批評和誹謗混爲一談。筆者相信這次革新雜誌的誹謗案件，雖然得到了法院的裁判，但台南的地方行政還是不免有許多不能滿人意的地方。因此，負輿論責任的人，今後必須注意從嚴正的批評，以求盡其天責，不應以誹謗求一時之快意，否則自誤誤人，兩無是處。（五月廿六日）

關於劉銘傳之商榷

—△孫祖基先生來函—

自由人編輯先生：頃閱貴刊第五三二期夢山樓所撰同光風雲錄記劉銘傳事，其後段云：「（銘傳）初學作小詩，後竟通詞翰，有大潛山房詩鈔，皆銅琶鐵板之音，非一般文士所可及者，李鴻章序其詩鈔有曰：『省三有好勇過我之氣，無臨時而懼之心』蓋寓規於頌也。」按大潛山房詩鈔均爲劉銘傳（省三）三十歲前從軍之作，鄙人案頭適有是書，前刊曾國藩序文有云：「省三用兵能橫厲捷出，不主故常，二十從戎三十而擁麾旌，靡施偉然，爲時名將，惟所向有功，未遭挫折，良視此事之意多，臨事而懼之念少，若加以怵惕戒慎，藏俠而具歛退氣象，尤可貴耳。余嘗其詩卷既畢，因題數語以勗勉之。」觀曾序確有寓規於頌之意，惟李鴻章則無序文，夢山樓偶誤曾序爲李序，請賜更正爲荷。

讀者孫祖基敬啓
四五年四月七日

編者 讀者

△程外，竊一山，王企良，楊力行，于長卿，朱濂秋，杜衡之，蕭田，賴荊洲及東京樂觀諸先生：大作均拜收，謹致謝忱。

△王季鄉先生事略一稿

正誤

一、「以告讀者，弁之卷首」，按「弁之卷首」一句衍。

二、「實亦壯年的一段眞精神之所容」，按「的」字衍。

敬頌
大安

徐復觀上
五月卅日

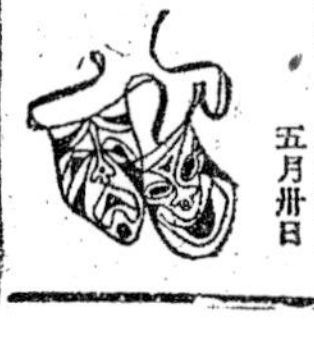

本屆英文中學會考——發現試題事先洩漏
有關當局在予嚴密調查中

最近舉行中的英文畢業會考，傳出了試卷內容事先洩漏了消息，這使到整個教育界都為之震動，事情發生於去年舉行默書筆試時，即有事前洩漏徵象，並有若干間學校學生曾發現有被兜售全部試題情形，此項指訴，雖未獲證實，惟據悉九龍某一間私立學校之學生，竟有廿一張試卷，內容同一，全部正確，而無錯誤。查上週星期三日，只舉行英文默書一科，其他主要科目，將在六月二日至十六日舉行考試。記者曾以此項傳聞，詢諸教育司，據高詩雅稱：渠認為極之不似有洩漏試題情形，惟為防止此種弊端之辦法甚多，故不疑有他，惟高司憲雖然未信果有此事，但渠對於此項指訴，即予注意，並作慎密調查。

試題洩漏不只默書一科

此一消息自報章透露後，即引起嚴重的反映，在若干報章的讀者投書中，均增加試卷洩漏的可能性，由於他們事前已獲知此一種消息，甚至身歷其事，由此可知只洩漏的試題並不僅係默書一科，其嚴重性可從幾間不同學校的學生投書中得之，據其中一人稱：關於盛傳本屆英文中學考試題目洩露一事，所有的題目都已傳遍了整個港九，幾乎每一個應考的中學生都知道。如果屬實，這樣考試，實屬太過兒戲了！

現在，我們將所聽到的英文作文試題，列者貴報「讀者版」內，以供社會人士批評。

英文作文所擬的題目如下：

（一）關於隧道，（二）死刑問題，（三）香港工業，（四）水的問題。

至於其他各科題目，我們亦有所聞，為敬試卷嚴起見，為教育神聖計，我們希望主管其事的人，從速追查此事，及重行訂製試題，以免流弊為感。

數年前亦發生同樣情形

這一次會考試題的洩漏不祇引起與考學生的不平，亦使社會人士深為反感，他們均希望有關當局能澈底調查，他們也認為有關當局是一定有辦法的，因為數年前也發生過英文會考，試題洩漏的情形，但教育當局一經發覺後，隨將主犯懲之於法外，並將全部已考成績一律取消，再行會考，此種果敢公平行動，至今仍為教育界中人所樂道，因此僉以為此次當局如果調查屬實，亦將會採取有效行動的。

從各報的讀者不平鳴中，下列的一函可作為一部份讀者的意見，而這個意見確值得重視者，據稱：

檢討會考的價值

本屆英文中學會考，弟亦是其中參加考試之一。而此次默書試題，俱皆承認較諸歷屆艱深；而九龍某私校，竟有廿一章全對者，可謂奇蹟矣。雖然全對也並不是不可能，偶然一班之中，有二三人也未可料，但如此多人，殊令人難以置信，豈是一「狀元班」耶？若言其進步招人更不入理由；因根據鄙人之同學（大約一百人左右），未有人能全部對者，豈其程度比諸此廿一差耶？況且默書試題，主考者選取一段文，其中最少有二三章，第二班之學生是無法知道或有機會閱讀者，以避免所得分數太高，偶然被少數學生「碰到」也可能；但斷無如此多人者。

且自會考制度實行後，學校為應付之而逼於在第三班之時，要全部完成會考所需要之範圍；而當其升至第二班時，則只是重溫其所學而不再教授其他不入範圍之課程以求獲取成績良好。如此，不獨學子們不能得較多之學問，而且失去教育之意義。雖曰「溫故而知新」，但不能以斷章取義而加以掩飾。於是教育之意義被染色矣。不是為教育而教育，而是為會考而教育，為文憑而教育。而且，據歷屆會考之成績，所合格者，總是在百分之六十左右，而其餘之百份率，是否不及程度而不合格？其中不及程度者佔極少數。此百份率之不合格者，大部份極有合格之可能。其不合格之原因，可能因人材過擠而被排斥。本屆有二千八百餘人參考，預料將有一千人左右不合格，而此等不合格者，以六年時光之肄業，而得此成績，其受打擊也大矣。進而言之，當局方面，對此等不合格者，未能採取任何良好方法安置之，例如：不合格後再行補考等，無怪不合格者，自殺者有之，或繼狂者有之，因不能畢業，即無機會得職業，其難堪可知矣。總之，會考制度改良，或用以別法代之，才不致有多處之弊端。

「青年墾荒隊」的真相

所謂移民墾荒政策，是中共在去年開始的，今春才大規模執行工作，從近距離到遠距離，一批又一批的移民羣中，差不多百分之八十的是青年，為齎練墾荒工作有突出的表現，和超額的成績，特別把青年挑選組成「青年墾荒隊」，俾與成年人中老弱有區別，嚴申其獎懲。這些被壓迫墾荒的青年羣，鎮日在荒山野嶺間，作牛作馬，餐風宿露。我們要明瞭所謂「青年墾荒隊」真相，究竟是怎末一回事，可從中共宣傳刊物上得到一些輪廓。不論遠在東北原野，近如廣東轄境，都有類似情形和鐵的事實，證明大陸的青年們被迫害得可怕。這些宣傳刊物，大都描寫某一地「青年墾荒隊」的工作實況，用意在「鼓勵」其他各地的青年向之「學習」；但其描寫內容，恰好證明中共驅迫青年往荒山開墾奴役之非人罪行，及指出這些墾荒青年處境之慘痛。

如一九五六年出版的第三期「中國青年」上，把一羣在黑龍江的「青年墾荒隊」，被描寫得成為了不起的英雄，他說：「北大荒（指黑龍江省蘿北縣以北地區）是寒冷的，冬天氣溫經常在零下二、三十度左右；青年們都遠離家鄉二千多公里來到這裏開墾。記得天津市青年志願墾荒隊到這墾區以後，當天晚上就接到一項緊急任務，要在一星期內燒荒兩萬公頃。第二天早晨四點鐘，墾荒隊員們就開始踏上征途，當太陽出來的時候，他們到達距離住址三十里以外的目的地，還裏一片荒原，沒有房屋，沒有水，隊員們渴了就吃坑裏的薄冰，當晚就宿在雪地裏，每天送去的飯經過三十里路早已凍成冰團；有一天燒火道跑了火，烈火被風一吹，比馬跑得還快，燈恐燒進森林，幹部下令馬上要制熄烈火，他們都奮不顧身，向烈火撲出，有的用自己的棉襖去撲火，有的用自己身體去撲火，在火裏爬火裏滾，向烈火展開搏鬥。這樣一直繼續到下午五點鐘，終把火撲滅，但結果燒傷了幾十人，燒死了十幾人。又到蘿北運木料的運輸隊員們，會遇到零下三十九度的嚴寒，但從不停止工作。在這樣冷空氣的襲擊下，一天晚上被凍死的有三十多人……」

這個宣傳刊物把這件事，儘量渲染，儘量誇張，誰知這渲染和誇張的後面，卻隱藏着無限的辛酸血淚。從這一事例中，我們不但看到那些被強迫的青年，派到邊區原野墾荒的悲慘遭遇，同時更看到中共奴役青年的殘暴行為。（蘇）

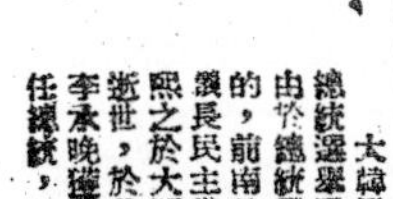

·人物·　·評述·

南韓副總統張勉
·楊力行·

大韓民國第三屆總統選舉已告揭曉，由於總統候選人之一的，前南韓國民議會議長民主黨領袖申翼熙之於大選前夕突然逝世，於是現任總統李承晚獲得蟬聯第三任總統，但其選票亦僅獲半數，同時也因申氏之死（雖已死去，仍獲選票二百餘萬，實為世界選舉史上的奇跡），而促成該黨副總統候選人張勉獲得以三百八十七萬一千九百四十七票（大邱區的選票尚未計入）擊敗了李承晚總統的搭檔李起鵬（他獲三百七十八萬三千一百零八票），當選第三屆副總統。

按張勉，漢城人，一八九九年八月二十八日生，現年五十七歲，他和他的父母都是虔誠的天主教徒，張老先生有子女五人，勉居長。一九一九年他畢業漢城青年會英語專科學校後，即赴美求學，獲得紐約曼哈坦學院文學碩士學位。一九三〇年返韓，從此任漢城中學校長迄，一直在教育文化界服務。

迨第二次世界大戰結束後，韓國獲得獨立之初，他便當選為臨時立法會議議員，在議會中能言善辯，深得朝野人士的贊佩。在一九四八年的大選中，他又代表漢城鍾路區當選為國民議會議員，並任外交聯誼會主席，週旋於外交界，從事國民外交的工作，成效卓著。因此，在一九四九年一月五日，便受命出任南韓第一任駐美大使，並兼任駐聯合國首席代表；他美丰儀，善詞令，又長於交際，外交手腕極為靈活，所以朋友遍天下，尤其是中、美兩國好朋友更多，的確是一位十全十美的外交長才。他的面貌和身材及談話的聲音和姿式，都很像胡適之博士，因此在美國的國際友人中，有些比較粗心大意的人，有時不免將張勉認作胡適，或將胡適認作張勉，此在美國過去幾年的報紙上，是時常可以見到的外交界趣事。

一九五〇年八月奉召回國，出任總理兼外交部長，一九五二年六月因與李承晚總統在外交政策上發生異見，於是請辭閣揆職務，當時就傳說張氏可能出任反對黨——南韓民主黨的總統候選人，但他本人卻一直沉默，不願對時局和他本人的出處問題，發表任何意見。此次出馬競選，一舉成功，實非偶然。

他在民主黨中的職位是最高委員，僅次於申翼熙的黨魁，今者，申氏逝世，無疑的，他已然是眾望所歸的民主黨領袖。在此次大選投票期間，他自信很有緊握李起鵬的把握，因此，他明哲保身地隱藏起來。

他於一九一六年在漢城讀書時，就與金曼麗女士結婚，夫妻情感至篤，而金女士也的確是一位標準的東方型的賢妻良母，現時已有子女七人。

國音字母推行了數十年，而仍未能廣泛應用？就因為受客觀環境的限制，使用的時候有困難。簡體字為的是在減少識字的困難，也會有不少人在提倡，可是僅足適應，並無補於文字通俗化。至於拉丁化，其用意與國音字母差不多，前後似乎也鬧了二三十年。到今天，附和的人雖有幾個，不過依我看，失敗是命定的！何以故？

中國文字的價值

一個民族因歷史文化的積累，好容易產生了文字，而這種文字又沿用了數千年，且又影響到日本、朝鮮、安南。即使日本朝鮮在運用中國文字上雖稍加變化，其下行左去的習慣與基本運用漢字的原則並沒有改變。中國文如果真的不好，何以日本人、朝鮮人，還照舊採用？安南人則迫於法國人的壓力，無可奈何地唾棄了漢文，改用拉丁字母，這是帝國主義殖民政策必然的結果，為什麼我們一定要向亡國滅種的路上去學習？

說國音字母不好嗎？全國中小學生早就學習過，可是，在社會上，始終沒有見到有人用作通信，或且寫文章？等而下的簡體字，以及文字拉丁化之不易於推行，蓋亦可以想見！

闡文字簡化與拉丁化
·王世昭·

為了方便起見，現在讓我談談簡體字與文字拉丁化。

簡體字之產生有兩種背景，第一種因方言不同，而產生簡體俗字。第二種因識字無多，自行減少筆劃，而創作簡體字。這兩種文字上的變化，都是順乎自然的，不必用人為的力量來推動；推動是多餘的。

我覺到今天要提倡簡體字的人，應該是集成家，不是創造者，也不是發明家。因為在中國無數方言中，已有不少老百姓自己發明的簡體字，也有無數的老百姓於不知不覺間創造了簡體字。政府今天應該做的工作，是把所有老百姓發明與創造了的簡體字，收集起來。比較其異同，研究其得失，分析其涵義，博采而彙集之，編成一部俗字典。既豐富了語類，也增進了內容，使中國的文字更加充實，更加美麗，更加光輝起來。這樣，可以節省無數無用的精力，可以增加無數有用的符號，豈不是好？

中國文字之產生，是形聲並重的，以

後乃有會意、轉注、假借、諧變化。獨立字體既成，積累多了，遂成文章。文章中又分為無韻體裁，這種種體裁，大別可二種，即散文與韻文是。中國的散文與韻文，任何識字的中國人一讀就懂，如果說到語言，那就糟糕透。拉丁化文字，在中國語言統一之前，或許可以行，但在中國語言尚未統一之前，即提倡拉丁文字，等於將中國分裂成幾個國家。所以，在今日主張提倡拉丁化文字的人，不是漢奸，就是走狗。

文字拉丁化可亡國

帝國主義夷滅一個國家的方法，一種是有形的，一種是無形的。有形的如政治、軍事、經濟、侵略等；無形的如思想、文字改造等。中共今天拚命提倡簡體字與文字拉丁化，這就是蘇聯在中國侵略政策第一步成功之後，進行第二步亡國滅種的勾當。讓中國人知識水準降低，讓中國人因言語不通造成文字隔閡，而後分裂成幾個國家，以便宰割與統治。使中華民族子孫永成俄帝的附庸。安南人自亡國後，法國人就壓迫他文字拉丁化，使與中國絕緣，以便於統治。中國如果一旦實現文字拉丁化，表面上亡了國，實際上亡了族。國亡了，可以救，民族亡了，救不得。

這就是我反對文字拉丁化最大的理由。

世界上最文明的民族、國家，皆有其獨立的語言與文字；世界上凡有歷史與文化的民族與國家，亦無不以其語言與文字自傲於文明國家之林。中國為亞洲最大的民族之一，亦最大的國家之一，其文化已為鄰近的民族所採用。今中共欲消滅文字，消毀歷史，而自臨於亡國滅種之邊緣，自當為全國之人所唾棄。

平心而論，國音字母為統一全國語言之工具，進而改造漢字，吾人不得而非之。簡體字便利平民，未必便利專家、學者，以之為臣尚可，以之為君則不可。回回文有七萬以上之單字，英文有五十萬以上，不同之語文，以視中國康熙字典所收之單字，回文近倍之，英文則約十二倍。故文化愈高文明愈進步之民族，其文字學乳漸繁，不會減少，只會增多，這是絕對的。我不反對簡體字，我歡迎由老百姓自己發明與創造的簡體字。我希望內政部與教育部配合起來，趕快收集散在民間的簡體字，編成一部俗字典，以補舊有字典與辭典的不及。

拉丁化中國文字，不特毀滅中國文字，也分裂了中國語言。語言製成的文字，廣東省最少要分：粵、潮、瓊、客四個國家，福建省最少要分：閩、廈、汀、建四個國家。說不定依語言的關係，福建的汀州人要與廣東的嘉應州人聯成一氣，而廈門人與潮州人也會聯成一氣。其餘吳語、甌語，苗、傜、侗、僮語也各自分裂，這便是拉丁化中國文字的必然後果。所以我說：「亡人國，滅人族，最高的手段，就是毀滅其文字。」

不贊成亡國滅種的變

若謂，為了中國語言不統一，所以要用拉丁字母，以拼音方法求中國語言與文字的統一。那何不用中國自己發明的國音字母，一定要用拉丁字母？因此，我的主張，要使中國教育水準提高，要使中國文明與文化向更高的階段發揚。第一普及教育，第二收集俗字編纂俗字典（包括各種方言俗字在內），第三特別注意國音教學。行之百年，可觀小成，行之五百年，可觀大成，行之千年，中國之語言文字或可求得一致。蓋中國之大篆，行於秦之前，凡千年以上。小篆及分隸，行於兩漢，凡四百年。章草行楷行於漢魏六朝及隋唐，凡六百年；宋元明清以來，現在科學進步，交通便利，全世界人類的接觸頻繁，變是必然的。我贊成合法的變，不贊成亡國滅種的變；變得合理，可以興國成家，變得不好，那就非亡國破家不可。

所以，我希望今後人不要妄談文字變革，如果要變革的話，也要將準備工作先行做好。千萬不要瞎馬臨池，或許是削足適履，致貽輕舉妄動之譏！

自由談

艾克的和平精神

美國官方人士發出聲明，說這次艾克總統之毅然核准空軍參謀長端寧接受蘇俄邀請，前往莫斯科參加俄共的空軍節典禮，是對盟邦和一般中立國家表示美國的態度並不猶豫消極云。原來美國這種「君命召，不俟駕行矣」的猴急相，還是爲的要向盟邦和中立國家表示積極的反共態度，阿彌陀佛！

艾森豪這位「和平總統先生」，早就宣言在案：爲着創造世界和平，他願意走到半路上去跟俄共們握手的。所以，俄共頭目要在日內瓦舉行巨頭會議，他就欣然參加，事後大談其「日內瓦精神」，雖然沒有絲毫成就，他個人的和平聲譽却大大地著稱於世了。中共要在日內瓦舉行大使級談判，他亦遵命辦理，雖然談上了八九個月毫無結果，但共匪周恩來已上書稱贊他的和平精神了。至於共黨最近三四年來在遠東、中東、以及東南亞各地區的逐漸擴張，許多自由國家之改取中立親共政策，以圖苟安偷存，那是共所謂的。共黨既未用武力進攻，即爲「和平」的行動，也就是符合艾克總統的和平精神。像這樣的世界領導者，將來在歷史上一定可以佔有前無古人的光榮地位，與聖誕老人媲美爭輝，猶賦凱歌，嘆觀止矣！

有人說，美國以特等的武力，由三等的政治人物來運用，實在是暴殄天物，誤盡天下蒼生。這未免是昧於艾森豪總統那種偉大的和平精神之說。共產主義者倡言「和平解放」，它若不大動干戈，便與艾總統的「解放政策」具有辯證的統一性，等到美國也「和平解放」之後，艾總統的和平精神就臻於超等的偉大境界了！那時候，艾森豪的銅像將在共產世界中到處矗立着，被禮讚爲「和平之神」，詎不懿歟？

馬五先生

小冬來茲

·婆婆生·

余近寫一本劇壇瑣話，敘述三十年來，平劇生行的派系衍宗，一貫相承，內有「嘉小冬」一篇，係記敍坤角孟小冬的如何學藝，以及如何挾技北上，迨至拜受叔岩衣缽，克享令名，聞李嘉猷兄曾以此書寄交寓居香港的杜夫人，或許見到。論到小冬的成功，有云，「叔岩之藝，幸得孟而光大，舞台下的聽衆，也渴望着她。這種渴望，是由於她偏能表演小余的神韻和風貌，是一個眞有氣派，有拔藝的宗匠。再則小冬感於月笙先生在患難之中，如何周濟葬母，恩重如山，故奉事以終老，卒使一代藝人，歸於忠義之門，於戲曲史上，長足留人以記憶。因此小冬的一生，有可歌可泣的事跡，爲伶界有拔萃的留痕，直得稱許。」

當月笙先生歸葬汐止以後，余曾詢小冬行止於維藩兄，聞其見告，已專函請其來台，擬爲其在台中覓屋以養，爲的是氣候適宜，可知杜府已準備迎接此一代名家。但是小冬迄猶未來，就余測料，主因爲身體孱弱，而兼嗜好，有關個人的健康，與法令所不許，誠有其苦衷　昨歲聞其已將宿嗜戒除，身體亦尚安健，似乎爲安月笙先生泉下之靈，宜即歸返祖國，與一家團聚，不必再依戀港九，而表其心跡，想小冬亦有自知之明，杜氏爲忠義之家，小冬於月笙先生，爲生平知己與感恩，既遵遺命，已不再唱戲，當可來茲，否則長留在港，恐泉下的月笙先生，也爲不安。倘能來茲，此間平劇界的伶票，皆十二萬分的歡迎，大家當能體杜先生遺命，決不累討登台，但是需要你來，可以增加一般伶票的識見，與腔調的校正，無非領導，使入正軌，而增生力，爲平劇發揚光大，將來在劇史，更留不朽的維護功績，實在是至美至善，國家有益，個人有利，易勿爲之，是爲切望其整裝歸來的要旨。

通日，陳定山謝明甫包明叔包緝庭陳鴻年諸君，紛紛長篇累牘寫文，多是勗冬皇盼冬皇等懇切妙文，目的是請小冬翩然

，究竟是誰愛國家，可以看出忠義和奸佞的分別，設使即來，則兩人的身價，便有天壤之別，吾茲臨

，讓梅蘭芳看看小冬，既感杜氏，更愛國家，藉撫猶疑，決定其心旨，回家返國，孟氏弟子與友好，可以準備一盛大的歡迎會，不分伶票，皆應參加。再冬皇之稱，係老友沙游天尊崇小冬而上的稱號，亡友梅花館主在半月戲劇爲出特刊以傳。如小冬來台以後，大家應改稱爲杜夫人，而不名，廢此稱呼，以表示劃一時代，余爲民國十二年的老顧曲者，爲寫此文，也竭誠望其回來，俾可一別卅年，乍自由祖國，猶得親聆謦欬，爲平生的欣幸，小冬其諒鑒之。

東遊拾瑣

·樂觀·

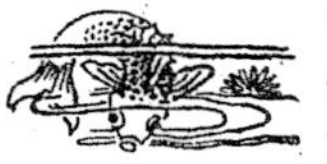

日本是島國，復多火山，象多急流，無怪是寸土寸金；房屋建築是一家連一家，有天井的人家百不得一，但學校，體育場大抵佔地極廣，建築亦考究；神社，公園等公共場所也極寬闊；由此可以看出「公」勝于「私」的。

日本提倡體育，在冬季即雨雪紛飛，着短褲做馬拉松練習者仍大有人在，至于打棒球，高爾夫球等運動，日本人無不上勁，所以日本的青年發育都很正常。

日本現在也有電視，電視機也係日本自製，一合電視機價約合美金三四元以上，日本還有一種交直流兩用收音機，體積小，攜帶便利，用皮包背起，彷彿照像機，既可以用喇叭放大，也可以用耳機聽，眞是新鮮玩意，價約五六十元美金。

尼龍製品，如西服，汗衫，襯衣，提包，日本都有出品，並且在各大公司做化裝表演，特別宣傳。

清晨在學校附近的交通道路兩旁，都有日本小學生手持紅白旗，口中吹哨，攔車輛，指揮交通，行人都服從其指揮；日本下一代的男女對交通秩序一定是遵守的了。

日本是車靠左走，人靠右行，反映出日本是左右逢迎的兩面政策了。

在日華僑有三把刀之稱；一把刀爲菜刀，謂華僑經營中華料理，生意不惡；一把刀爲剃刀，謂華僑經營理髮業，日人頗喜光臨，據聞日人喜歡挖耳，可以搔其癢處云；第三把刀爲剪刀，裁製西服，生意亦不惡。這三把刀在日本要的不錯，各有千秋。

前遊長崎的稻佐墓地：該墓地爲國際墓地，中國華僑先人的屍骨多埋葬於此，佔地也最廣，有三百餘年歷史，又有崇福寺，亦爲華僑管理之中國廟宇，佔地亦大，亦有三百餘年歷史；日本人視爲國寶；平時遊人如鯽，保管完善，觀此，好像日本人並不小氣。（五月廿二日寄自東京）

短篇小說

市儈

·正方·

一天，爲了大通廠想要向環球通融商借棉紗，靈傑又去拜會了李董事長，本題的話大致說完之後，李董事長慨嘆地說：「現在廠商的困難不在銷場，而是受有限的原料影響，進口原料少，不能充分開工，出品少，供求失調，商場自然混亂。但是只要廠家開工一天，工人及經常開銷不能減少，多維持一天，多一分煩惱，這情形彼此都差不多。」

張靈傑說：對李董事長的話甚表同感，他說：「這情形就整個紡織業來說，確是發展的障礙。但是……」他看了看李順風，正在注意他的說話，於是接着強調地說：「如果站在某一個紡織單位的立場上講，祇要把握時機，經營路綫正確，也不能不說當前是一個可開拓前途的機會。」

「這與整個國家經濟政策有關」，李順風又說：「國家經濟整個繁榮，國民生活水準才能提高，經濟進步不能一蹴而就，必須按着計劃的進度進展，紡織事業是經濟的一環，自然不能脫離整體，因此要說某一個廠能夠單獨自求發展，怕是很不容易的。」

「董事長必早已知道，現在世界經濟思潮是崇尚自由競爭，在美國已有人提出反對累進所得稅的理論，認爲違反物競天擇，個體不發達整體那能有前途，所以因循不決就必然坐失時機！……不過我也是一知半解，還請董事長指教。」

「你的話也很有見地，只是眞是實行起來，怕不能那麼簡單，要想各方面都能配合，這個計劃倒是不容易的呢。」

「不過我們可以先發起組織一個紡織事業研究會，從長計議，希望你也參加爲發起人之一，不知你的意思如何？」

「承董事長瞧得起，在我該是件幸事。」

自此以後，張靈傑以大通紡織廠秘書及紡織事業研究會理事的身份，經常出入於環球紡織公司的董事長室；並且認眞地進行他的專題研究，但它的主題是在研究合併大通以發展環球的計劃，這可算是眞正的吃裏爬外，當然，他不能將之公開。在經過幾度交換意見之後，張靈傑自然而然地就成了李順風的知心人了。

張靈傑運用了他那靈敏的頭腦，觀察大勢，預測發展，環顧當前的環境，最後，他擬定了幾條原則，幾點實施辦法，還附了資金原料之類的明細表，以及契約草稿等等，呈送給李順風。當他接過來一看，題目寫得是「救濟大通紡織廠及發展環球紡織公司計劃綱要草案」雖不免有些刺目，卻也就是稱心；再將全文看了一遍，不覺暗暗稱贊：這傢伙確是個不平凡的人物，若駕馭不了他，恐怕還要反受他的牽制呢！於是表面上淡淡的說道：

「大致很好，足見老弟平素用功研究，這種精神在現代青年之中很是難得；這個文件容我再詳細看看。不過，題目可否變動一下，就用「救濟大通紡織廠計劃綱要」那樣，以下幾個字不必要了，以免引起[illegible]人誤會。」

「題目[illegible]，這也不是提出研究會或董[illegible]計劃重心所在。董事長[illegible]來，不過是[illegible]的，我所以要寫出[illegible]了解之後，連整個題目都可不必要了。」（二）

洪鈞

附傅彩雲

洪鈞，字文卿，江蘇吳縣人，少穎慧，俊雅絕倫。同治七年，一甲一名進士，即狀元也。授翰林院修撰，出督湖北學政，歷典陝西，山東鄉試，旋遷侍讀。光緒七年，授內閣學士，因母老，乞終養，嗣丁憂，服除還官，出使英俄德奧比五國大臣，晉兵部左侍郎。

中俄議界寸土必爭

初，喀什噶爾續勘西邊界約，中國圖學不精，無善本可依，文卿蒞俄，以俄人所訂中俄界圖紅綫均與界約符，乃譯成漢字，以備不虞之需，攜之歸，命直總理各國事務衙門。會值帕米爾爭界事起，大理寺少卿延茂以文卿所譯地圖畫蘇滿諸卡置界外，以致邊事日棘，疏陳糾劾之，廷旨下總署察覆，同列諸臣左袒，以文卿所譯圖本，爲備考覈，非以爲分界，且非專爲中俄交涉而設，安得歸咎於此圖，事乃大白。然而，言官議論紛紜，仍主力求精確，文卿乃具疏論列，詳加說明，終謂必俟俄國退兵，始可議界，當更與疆臣合力經營，爭得一分，即進一分之益，上皆嘉納之。

同光風雲錄

賽金花隨侍使英

文卿嗜學，通譯史，於元史用力極深，所撰元史譯文證補，取材域外，爲時論所重。其與傅彩雲風流艷跡，尤爲世人所樂道焉。

傅彩雲，蘇州之名妓，艷幟噪一時，文卿見而悅之，以重金置爲簉室。持節使英，鴛鴦並載。時，英女王，年幾八十，雄長歐洲，而彩雲出入椒庭，獨與抗禮。嘗並坐照像，時人以爲榮。歸後居京邸，俄而，文卿物化，彩雲亦別抱琵琶。居無何，仍返上海，爲藏亮計，改名賽金花，未幾，蒞津門，仍操皮肉業，雖年已三十，而風韻猶存也。

纖纖一女斡旋朝局

庚子再入都，會八國聯軍佔北京，統帥爲德國瓦德西，則彩雲隨文卿使德時之舊相識也。至是，重逢續歡，同棲儀鑾殿，朝雲暮雨，繾綣日深。其時聯軍入京擄掠甚酷，清廷留守諸大臣結舌莫之誰何。而彩雲訴於瓦德西，止其淫亂，且凡關聯軍欲更中國過於難堪者，彩雲亦必力爭之。樊樊山彩雲曲有云：『彩雲一點菩提心，操縱夷旗在纖手。』殆指此歟？

未幾，儀鑾殿夜半火起，瓦德西抱彩雲裸體破窗逃。故後彩雲曲有云：『誰知九廟神靈怒，夜半瑤台生紫霧。此時錦帳雙鴛鴦，皓軀驚起無襦褲』。刻畫極爲艷膩。不圖，朝局之斡旋，民生之利賴，不在諸公之袞袞，而繫一女之纖纖，豈可以爲娼，而掩其志氣哉？

余之同學友王某，色徒也，賞彩雲之豔名，嘗腰纏一千金，獨往北平，欲觀其赤體，與此老門主，大戰三百回合，以壯生平。既見，則雞皮鶴髮，耳重聽，有目已瞎，極恨之，留二十金爲贈，掃興而返，吾嘗戲之曰，君眞過屠門而大嚼耶？（卅五）

一個土皇帝

秦思源

明清兩朝以前，在中國西南邊區各地，尚是些瘴癘蠻烟的不毛之鄉；留存在這些地方的人民，也是些未經開化的土著民族。不過，這些人，並不完全都是苗傜倮保等少數民族，且大半有道地的大漢種族的血緣。

在當時，除了苗傜倮保等族各有其組成的集團而外；與漢族血緣攸關的土著人民，則另成部落，維繫其生活競爭的團體。領導這種部落的權威者，就是史冊上所稱的「土司」，亦即封建政府默認其司理其土的名號。

如川湘接壤的許多地方，就有很多在「土司」領導下的大小部落。他們大半是一個族氏，即形成一個部落組織，多族多姓混合組成的部落，在那些地區裏是沒有的。一直延續到滿清中葉——乾嘉年代，尚遺存在此類部落不少的基礎。民國肇基，五族共和，邊區開化，一視同仁，這些部落的遺跡幾滅，纔漸漸地歸於消化而無影無蹤了。

尤以湘境澧水與沅水之間，組成此類部落而擁有雄厚實力者頗多。犖犖大者：在龍山桑植兩縣間的上河溪一帶，是向姓族衆部落的勢力範圍；在永順境內的陽鳳城、場塔溪一帶，是彭姓部落的生存圈子；在大庸境內神堂坪、七年寨一帶，是覃姓族人組成部落的基地。其他尚多，此處不必詳舉，我所要一談的，就是其中覃姓部落的一段興衰滄桑史，和許多荒謬的傳說，與及若干稀奇古怪的舊事陳跡。遠溯在朱元璋統治中國的初期，覃姓部落中產生了一位桀驁不馴的領袖——覃屋。（一）

讀紹棣先生感懷有感

（用原韻）

·吳經熊·

曲肱成眞趣，宣尼老更奇。知新緣好古，耳順正其時。
世亂心彌定，人歸天不欺。浮雲如是觀，樂道獨宜癡。

門前水田闢作馬路行

·許紹棣·

昨日稻秧今馳路，眼前風物已非故。驚飇捲地塵滿天，蕭齋聒耳朝復暮，憶昔卜宅此幽居，高梛細柳蔭我廬；池塘窈窕來明月，田中鷗鷺時相呼，滄桑變幻眞俄頃，海門忽覺長安近。長安大道世所趨，我馬已瘏何由騁，君不見東野蛾嘶大道旁，出門有礙非退方；長安小人智慮險，康衢突兀起太行。又不見杜陵疎頑嗟事拙，長安日暮涕垂血；頭白翻被年少欺，親交故舊禮數絕？八荒風雨時正危，掉頭欲去我何之！丈夫蓬累尋常事，鄙人譏口莫再譏。出門吟望古愛巢，失所窮黎誰爲郵；吾廬不廢敢自幸，長歌未竟中腸熱。

自由人
THE FREEMAN
（第五四九期）
中華民國僑務委員會
照發登記證台教新字第一一二號
中華郵政台字第五〇〇號
執照登記為第一類新聞紙類
（半週刊每星期三 六出版）
每份港幣壹毫
台北市售價台幣壹元
督印人：陳文華
地址：香港高士威道二十號四樓
3 rd. fl. 20 GAUSEWAY RD HONG KONG
香港發行及業務接洽
高士打道66號 電話：七四〇五三
承印者：東南印務出版社
地 址：高士打道六十四號
海外總經銷
友聯書報發行公司
香港：彌敦道中二十六號A二樓
台灣特派員辦事處
台北市館前街五十號
台灣總經銷處
台北市西寧南路壹壹零號二樓
台郵撥儲金戶九二五二

從英法外交人事制度論起

·吳本中·

政治工作者與行政工作者要分清楚；「法定權」與「私決權」要分清楚；「職業外交家」之定義亦要弄清楚；我國之「立監委」及「國代」應如何參加外交實際工作。

現世民主國外交人事制度之可稱為優良者必具有簡單之數原則焉。即：（一）在職權行使上，法定權與私決權一定要分清楚；（二）在人事運用上，政治工作者與行政工作者一定要分清楚；（三）外交專門人才，即此地所稱之職業外交家，也一定要真正合乎其定義，分清其界限，並非一入外交部即成為職業外交家，亦非「半路出家」即係職業外交家也。

政治工作與行政工作

英國外交以老謀深算聞於世，歷代外交，賢豪輩出，屢執世界外交舞台之牛耳。以英為例，其例至鮮。察英國外交人事制度，除高高在上之政治工作首腦為『英皇陛下外交秘書』以外，首為人所注意者有二位，均有『國務大臣』（MINISTER OF STATE）官銜，然其實職與『本行』乃均為國會議員。惟因其均為民意代表者。一位出席上議院（即英貴族院），另一位出席下議院，始能兼理外交事務。假若未被選為議員或中途失去議員職，則外交國務大臣之職責亦無所寄托矣。

現任此二職者，一為李丁（LORD READING），係貴族院議員，一為納丁（ANTHONY NUTTING）係衆議院議員。假如納丁於此次大選時未被選民選為議員，則雖其所屬黨——保守黨，獲多數掌權，彼亦不能為兼理外交國務大臣也。其使命係出席國際重要會議，執行一部分國家外交政策。其最近使命乃代表英國於裁軍會議。純粹政治性工作，且限於所負使命，不管其他外交事務，更不能涉及人事問題。此外英外部尚有『議會秘書』二位（PARLIAMENTARY UND R-SECRETARY）現由（LORD JOHN HOPE）及（MR. DODDS PARKER）担任，此職似可譯為『政務次長』。人事問題則由『長任副秘書』（PERMANENT UNDER SECRETARY）或勉強譯為「常務次長」，）負責，由SIR LYONE KIRKPATRICK多年主持。名曰PERMANENT者，表示永久在職，至退修為止。其行政工作不受政潮波蕩，部長可百換而彼可安如泰山而不動搖也。此亦正如法國外交部之設有『長任秘書長』，（法名SECRETAIRE GENERAL PERMANENT，或譯為總秘書），無論法國政潮如何詭譎變換，搞政治之外交部長可席不暇暖，然其外交部內之長任秘書長，可謂終身職，以不變應萬變。且其官銜亦終身，享有優權。他是法定的『法蘭西大使』（AMBASSADEUR DE FRANCE）有優厚之贍養金。他人則僅於在職時有大使名銜，離職銜亡，且永無法觸大使榮銜，雖部長、總理亦無此榮位，相等於軍職之「法蘭西元帥MARECHAL DE FRANCE」，國家神器，非可等閒視之也。

法外交部總秘書之制度及其職責，與英制度雖不盡同，然其外交政治工作與行政工作之分野可得而言也，制度不能同形，原則實無兩樣。

法定權與私決權不混

一個部長在他的所管轄部門內，對於人事及行政有兩種權可合法行使：一曰法定權，法文辭彙比較清醒，名為POUVOIR REGLEMENTAIRE，意即言由律例規章所確定之權，不容僭越，否則雖最低微職員亦可控之於行政法院，輿論譁然，更無論矣。二曰私決權，法文名POUVOIR DISCRETIONNAIRE，是則由該部長自由、酌衡，隨其個人好惡或興趣所在，私自決定之。二權之分，有制衡作用；蓋過於法定則有時行不通；任由其私人獨斷定奪，則豈非專橫？惟近世文明民主之邦，政府首長行使其職權，法定者多，不然亦多傳統有定，先例可循，私決權漸微乎其微矣。舉例以明，譬如法國外交部長僅對於他自己之「秘書室」（法文CABINCT DU MINISTRE），用人可謂有完全私決權，每一位新部長均自帶其新人或借調部內舊人，組成秘書室。不過，該部長去職時，其所帶來之私人，亦必帶走，並不能因而混入外交部。其所借調之部內舊人則仍回原職原位。絕不能『一人成仙，雞犬升天』。

何謂職業外交家？

外交工作者的種類應分清楚，其定義、界限、職責、素養、升降等等均迥有不同，不可魚目混珠，因而嚴重影響國家事務。簡短說來，可分：（一）領事及外交助理人員；（二）領事人員；（三）外交人員；（四）職業外交家。先簡言領事人員與外交人員之不同。領事人員即外交學上法文之AGENT CONSULAIRE，（AGENT 譯或『人員』本不甚妥當，惟此地無暇論及，餘名詞類推）乃派駐外埠之僑務官、商務員，舉凡登記證事、貨單簽證等等均係領事正務，彼並無執行外交政策，代表政府與駐在國當局有政治性交往之使命。是故無正式外交關係之國仍可有領事之交換。例之最鮮著者，如英與我國府無外交關係，我使領雖盡撤離英土，然英仍在台保有領事館。領事祇若在駐國本地當局得有『執行職務證』西名拉丁文稱EXEBUATUR，即可工作，並不必與駐在國政府直接來往。嚴格講，在國際公法上，領事不能享受外交治外特權（EXTERRITORIALITE DIPLOMATIBUE）。外交人員則反是。譬如一個大使是直接代表其元首及國家威嚴，他是有『不可侵犯性』的（INVIOLABILITE）。正因為這兩種駐外人員之大有分別，所以考取、任用，及升降等均不能合併隨便。法國之得有領事選試被取但未能經過外交考試而入外交部者，可做領事官而不能做外交官。至於外交各機關之助理人員如管機要者，理庶務者等等，其非真正外交人員更勿待煩言。

（下轉第三版）

無題

·魯午·

僑務政策的質疑

·鄧鏡人·

最近看到五月二十八日香港某報，責問自由中國僑務委員長鄭彥棻一封公開函。我覺得這封信是近年來很少見的好文章。所提到的問題也是嚴重的問題，為我們海外一千三百萬僑胞所最關心的問題。

想入台先還鄉

該報所載原函指出鄭先生公開宣布，政府歡迎曾到過大陸共區訪問的海外僑胞，回到自由祖國來觀光，請他們組織觀光團，自由參觀，絕不限制，僑務委員會準備為此類願意來台觀光的人士服務。這樣說法，我們感覺糊塗，去過大陸的人，被政府特別歡迎，流亡香港的則不聞不問，政府不是一再宣布共匪盤據大陸，危害國家，不久就要大舉撻伐嗎？為甚麼受了「還鄉號召」，與中共「親善」的人，倒反受特別歡迎呢？是不是要想入台，必先還鄉，要受歡迎，必先「親善」呢？

自從大陸淪陷後，百萬志士義民，九死一生逃到香港，文武官員，農工商學，文化人士等，六七年來，靠外國人救濟，救濟是不夠的，敲石子，挑垃圾，流浪街頭，伸手呼老爺，忍死無怨，期待投奔祖國。而鄭先生突然作這樣號召，是不是容易引起誤會，誤會政府注意活動份子，能到大陸走一趟，「親善」「親善」，便受政府特別歡迎，死守香港的，如調景嶺一萬義民，含辛茹苦，眼巴巴盼望入台，然而，台道之難，卻難於上青天的。

不可索解的理論

在鄭先生的看法，還鄉，觀光，親善，是一件事，死守香港，等待入台，又是一件事，可是，事雖是兩件，而人並不多，都是這些人。這些人之中，對大陸發生興趣，觀光親善，便是入台終南捷徑，這些人之中，抱定『寧死首陽，不食周粟，』抱定『里名勝母，曾子不入。』恐怕終無捷徑可走的？他們這種行為，是中國傳統的美德呢？還是『笨瓜』、『傻仔』呢？

現在也無法解釋了。總而言之，統而言之，鄭先生的僑務政策，很容易引起絕大的誤會？恕我說句，在中國先哲政論、政術上，尋不出他的根據來，也許是歐美政治家新發明的「原子政治哲學」吧？

這一個問題，卻是不大不小，而影響海外僑胞，對祖國離心向心的關係甚鉅，決不是少數人，或一個角落的問題。我們關心國家興亡，也關心僑胞出處，所以不忍緘默，特地提出疑問。假如說，鄭先生別具苦心，另有解釋，不妨拿出民主作風來，和我們海外僑胞開誠討論，以期僑務政策，折衷至當，以爭取最後的勝利。

希望大家討論討論

我們始終認定，凡是一個創業垂統的賢明政府，無不是『開誠心，布公道，明是非，嚴賞罰。』否則，祇講甚麼武力威嚇，欺騙利誘，宣傳拉攏，一面倒外交，縱能夠得意一時，終必演慘敗的悲劇。——我很希望這點意見，能夠引起當局研究，僑胞討論，我更希望自由中國最高民意機關，賢明的議郎，也注意到這個不大不小的嚴重問題，以求合理的解決。不然的話，不是逼人上梁山，便是教人投機取巧，這一來，國家前途，還有甚麼希望呢！心所謂危，不忍不言，事已至此，應謀補救。有言，責如有官守者，以為何？

半週述評

·司馬璐·

莫洛托夫

莫洛托夫的「辭職」是不值得重視的。

事實上，他早已不是蘇俄的外長了。

多時以來，蘇俄許多重大的外交行動是由赫魯歇夫、布爾加寧親自出馬的；代表蘇俄外交政策發言的常常正是這個新上台的謝皮洛夫。

最後一次的四外長會議中，莫洛托夫已經感慨地對法國外長說，我們都已經老了，應該讓位給年青一點的人了。

馬倫柯夫

莫洛托夫的下台，一個重要的意義是馬倫柯夫從此更要孤單了。

史達林死後，俄共三大台柱：馬倫柯夫、貝里亞、莫洛托夫，如今已去其二了。

正如我們一再指出的：共黨的基本精神與所謂集體領導不能一致的；但是，赫魯歇夫必須通過集體領導去各個擊破他的敵人，肅清「史達林時代」的人。

狄托

莫洛托夫的下台，在蘇俄目前內部鬥爭的形勢下，是一個早已決定的政策。

但是，蘇俄當局公開發表這一事件，必須選擇一個最有利的時機。

于是，在蘇俄一片「蘇南友好」聲中，在狄托抵達莫斯科的前夕，莫洛托夫成了共產國際情報局的替死鬼。

貝爾格萊德的電訊說：「南斯拉夫共黨人士以熱烈心情歡迎莫洛托夫之被免除蘇聯外長職務，並解釋這是對訪問蘇聯的狄托總統的致意。」

謝皮洛夫

蘇俄新一代的外交人員都受過特務訓練，例如前蘇俄駐中國大使潘友新，後來就曾被蘇俄投向自由世界的外交人員揭露，他原是蘇俄國際特務機關的一個重要幹部。最近在美國國會中被揭露的有蘇俄駐日代表團長蒂維辛斯基，蘇俄駐美軍要外交官員密基夫等。

李維諾夫時代，蘇俄的外交多少屬于技術性與事務性的；莫洛托夫時代，蘇俄的外交已經進一步適應史達林的機詐性；謝皮洛夫的上台，是在蘇俄將外交與國際特務活動進一步溶成一個東西的時候。

更危險

聯合國的外交觀察家說：他們希望謝皮洛夫上台以後，蘇俄「停止派間諜混入各國，不再使駐外使館中盡是情報人員」。他們同時又指出：「謝皮洛夫出任外長後，蘇俄外交政策將更為危險。」

謝皮洛夫確是一個「更為危險」的傢伙，他在沒有出任外長以前，就立了外交上的大功，他在南斯拉夫和埃及都曾表現過「外交天才」，但是，更正確一點說，那應該算是他的「特務天才」，在那些時日中，他從事的全是「地下工作」。

加盟

蘇俄政府又宣佈說，蘇俄政府今後將以較多的中央行政權移給地方政府。公佈中說：這是「根據俄共二十次大會的決議」，現在宣佈，又是為了配合「歡迎狄托」，做給狄托和所有的附庸國看的。

這一動向，說明了什麼呢，蘇俄希望附庸國加盟嗎？

台灣通訊

台・灣・鉅・室——對地方政治的影響

——林頂立案發後的教訓——

・孫瑋・

（本報台北通訊）林頂立案發後，各公私營報紙已有詳細報導，法院亦正在秉公處辦中，無須再加桔述。筆者所要說的是案外的一些極關重要而為朝野所知而不談的問題。希望藉此促起朝野的注意，改

林頂立與吳景徽

在林頂立被扣案發生後，筆者曾因事赴雲林，（林頂立是雲林人）在一個偶然的場合無意間聽着幾個素不認識的人在談論林頂立案，他們的結論是：「林頂立早該應該扣辦，違犯糧食管制條例案不過是林頂立違法行為中的小焉者，政府老是縱容他，林頂立眼中亦早已沒有政府了，像吳林案就是很顯明的事。」

本月廿九日公論報第三版載有讀者投書，題目是：吳景徽政績如何，雲林縣民盼望做一番總檢討。內容是：雲林縣長吳景徽過去有林頂立為政治背景，所以雖然縣政有許多不理想之處，沒有人敢過問，現在縣民希望對吳縣長政績來一番總檢討，如果辦理好，應該請上峯嘉獎，不好，應該糾正，如有不法，要檢舉懲辦。！：」云云，投書人是夏志剛。吳縣長為人如何，政績如何，夏未聞是什麼人？筆者完全不知道。惟縣民竟在林頂立被扣以後，要檢舉吳縣長，這意味着林頂立與吳縣長間過去存在有不平凡的影響力。實則林頂立不僅是雲林縣不折不扣的鉅室，也是台灣鉅室，他的作為代表了台灣一些鉅室人物的共同性。

無視政府法律的原因

林頂立為什麼敢於無視政府，說來話長，自從光復後當局對台灣以來，當局為撫慰台灣人過去五十年所受日本人的慘酷統治，致對台灣人格外扶植，加倍寬厚，如縣市長的民選，和積極於地方建設，農民生活的改善等等，盡凡日治時代所不能得到的權利和享受都普遍給予。試把目前台灣人的生活情形與日治時代比較，即可證明。

吳國楨主台時，他做官的秘訣是，第一、討好美國人，造成美國輿論對他說好話。第二、逢迎上級，取得上級對他的信任。第三、極力討好台灣人，尤其是台灣士紳，爭取台灣人對他的好感。在吳國楨本人來說運用此秘訣是相當成功，有一個時期，除了一些明眼人之外，幾乎內外上下都把他看成是一個中興的活寶貝，而他也藉此時機貪污枉法，無所不為。

由於他討好台灣人討好台灣士紳，便無形中把這些鉅室驕縱起來，其中明白事理了解政府對他們的德意，忠貞圖報。而一些不明白事理的，則恃寵而驕，錯認為政府是依賴他，怕他，於是也如吳國楨之得意忘形，目無政府，無所顧忌了。林頂立便是這一類中的典型人物，而政府中一些不肖官吏的貪污舞弊，與乎普遍性行政效率的低微，遇事的推諉責任，辦事手續的增附繁複等等，在林頂立等看來是政府的短處。他們拿這些短處去和日本人比較，便口口聲聲說「還是日本人好」，這句話，在上流社會的台灣人中可以聽到，在中下流社會中更可以聽到，這當然不完全是事實，而是他們的錯覺，但差不多已經「習非成是」了！

誤解民主政治真諦

當政府推行地方自治的時候，一些野心家便活動爭取做民意代表，一經當選，則縱橫捭闔，左右逢源，於是乎為所欲為，有些鉅室隱隱然成為特權階級，利益無窮。試舉一件小事為例：台中市成功戲院是接管日人的產業，幾年前由某甲標得經營，大約每月租金萬餘元，計積欠租金二十餘萬，政府屢催不繳而把他吊銷另標，由某乙（亦是鉅室人物）以每月壹萬八千餘元標得，先交按金四萬元。政府一面向法院訴追某甲欠租，某甲於法院中以一時無力全還為理由，經法官判決分期每月二萬還清，某甲亦表示還判與結了案，第一個月二萬元照繳，時適台中市選舉市議員，某甲深知市議員權勢之可濫用，斥資數萬為選舉活動費，結果入選，而他繼繳的月二萬元欠租亦從此不繳，政府沒奈他何。另外一方之某乙於標得該院後，照應按月繳納的一萬八千餘元租金分文不繳，計自去年七月一日至本年五月底止共積欠十一個月租金近二十萬元，就算把他原繳的四萬按金扣抵亦欠十五萬餘元，政府當然逐月向某乙催討，他回答得頗妙，他說：「上手承租人是市民，我亦是市民，他可以積欠，我自然也可以積欠，政府如能向上手收清，我也自然清繳，民主政治的法律人民是平等的。」妙極！政府呢？截至目前止尚無對策。台灣一部份人心中的民主政治便是如此，新興的鉅室勢力是如此，政府的能力是如此，以此類推，又何怪林頂立的目無政府，他是省參議會的副議長呵！

怕得罪鉅室的後果

像上述這些情形，比比皆是，不只筆者一人知道，長住在台灣的人都知道。不只我們老百姓知道，做官的恐比我們知道得更多，更詳細，但大家都不願公開提出，老百姓恐惹是非，不說。做官的怕得罪鉅室，恐暴露自己弱點，也不說。但筆者認為老是把好的事過分宣揚，壞的事極力掩飾，無異對國家民族前途埋下了計時炸彈，等到爆發起來，勢將成為嚴重的災害！（五月廿五）

讀者論壇

台省的國民教育平議

・王企良・

四月十四日本報第五三四期載張超凡先生作檢討台省教育現況一文，語重心長，感人至深。筆者淺陋，於高教及中學教育愧無所知，惟對國民教育，因該文而使我留意觀察者一月餘所得，稍抒意見於後。

這幾年來，全國各地人士分佈居住在台灣每一角落，而台省行的是學區制，所以每一班裏的學生家長，有販夫走卒，也有「達官貴人」，專家學者，國校教師如對作業批改錯誤「屢」出，就會遭到糾正、詰責。如此項糾正、詰責到達校長、教育主管那裏，甚或見諸於報紙上「讀者來函」一欄，則必然難於繼續「混」下去了。

國校教師不易混

張文在論及教員素質問題方面，固有極深刻處，所舉出的事實不能說沒有，但也並不如所說的嚴重。

擔任台省國校教師：在接受派委（由縣、市委派而非校長聘任）以前，不僅要到主管科、局面送證件，還要核對戶口名簿（如戶口名簿用的是別號，證件就不採用）。根據四十三年十二月十一日中央日報載，全省國校教師共二七、一九九人，計師範畢業的一四、七六〇人；檢定合格的一一、五三八人；專科出身的一七九人；未經檢定又非師範出身的（所謂代用教員）七百餘人。所以，濫竽以混飯吃的教員並非多數。至於少數無關係而又不稱職的人員，當然希望主管當局逐步嚴加淘汰。

台省國校教員，每年有兩次考試，一為國語測驗；一為思想測驗。這是二而一的，即國語與思想並重。台省國語教學不僅普及，且成績相當高，教部對國語測驗也極重視。本年台北縣蘆洲國校某教員因恐國語測驗成績不及格，由其女兒頂替赴考，經人檢舉，致受處分。這雖是病態行為，然也可見這項考試確非兒戲了。

教師責任是有限的

張文謂：「兒童混六年畢業，結果男生不會寫信，女生不會煮飯，每年十五萬以上的畢業生，依去年的比率，百分之卅六升學，百分之六十四就業；請問這許多不會寫信，飯不會煮的八九萬兒童，有甚麼業可就？這又是本省社會問題的一大危機！」在實行「二部制」、「三部制」情況下，對兒童學業確有阻礙，為一無可爭辯之事實。同時，社會就業文化水準日高（譬如過去台灣銀行所招考錄取的女工友，積資可以升為職員的，現在已停止升用，路局招考車掌，過去都是國校畢業生，現在有中學生參加，國校畢業生已很難錄取了。）一個國校畢業的學生就業的機會也減少了。不過，就同是國校畢業生言，程度距離也相當的大，原因是國民教育是義務教育，入學的多過畢業的。留級制度事實不存在，不論功課如何，讀完六年就算畢業。更由於學生家庭背景不同，經濟環境好的，不但不必做家事，還可以學芭蕾舞，學外國語，但最多的還是星期日要幫媽媽到各家去工作的洗衣婦的女兒；下午賣冰棒以助家庭開支的小販的兒子；長晚要割兩筐青草的牛車夫的弟弟！筆者會問過他們，知道天氣好賣冰棒每天可賺十餘元；兩筐青草時價約值八元，這樣的收入等於一個代用教員的薪金。所以，像用汽車送去學習芭蕾舞的女生之不會煮飯；課餘要以勞力賺一個代用教員薪金的貧苦男生不會寫信，實在是自然的現象，這也與社會經濟問題有關。為學芭蕾舞的學生不會煮飯，其責任也非盡在教員了。當然，學校如何恢復全日制和注意培植貧困大才生，在教育立場說是二個極值得受重視的課題。

總之，台灣省的國民教育算是有基礎的，教員們，也算是終日辛勞，而盡了其責任的。至於如何充實其基礎，增進其效能，似非一言可盡，也須各方面的合作努力才行。

台北速寫

救濟工程須謹慎

蔣夫人號召募捐建築軍人眷屬住宅四千幢，近日各方響應甚為熱烈，即外僑方面也普遍發動贊助。眼看四千幢之數，最近可達成目標。今後值得注意的是建築工程必須踏實無弊，因為事實所示，過去許多救濟性的工程，卻是肥了經手人。

改革應自上始

省府頒訂「鄉鎮市區里公文簡化基層機構辦事或請示事項簡復表」，以簡化基層機構公文。關於這類的改革，已不計其數。而省以下各級政府辦事之顢頇，始終為人詬病。其癥結是在作風，而作風之刷新應自上始，如果在上者有作為，不浪費時間，基層的行政效率，自可提高。

哀榮不如獎掖

音樂家朱永鎮在曼谷慘遭焚斃，此間公私各方都非常哀悼。音樂人才是自由中國最弱之一環，朱之死是國家的一大損失。希望有關當局對於音樂界新人之培養及台省音樂家之扶助，多下工夫。死後之哀榮究不及生前之獎掖，來得實際。

勿與民爭利

商人經營的美軍招待所，警察當局認為係私設將予查封懲辦。商人方面對此已向法院聲辯。此事發展如何，不可知。如有漏稅，自應依法處罰。至謂因是商人即屬不當，則現由官方專利的企業已經甚多，何必再在招待洋人方面與民爭利呢！

人間有是非

富商李樹隆殺妻案，由於輿論之密切注意，法院方面已特別謹慎，即李之律師三人也不願為李辯護，可見金錢並非萬能，人間仍有是非。

為權門修路

本市街道大多殘破不堪，但也有幾條路常年在修護完整如新。原來市政府對養路是採「重點主義」，自士林總統官邸至總統府的一條大道，列為第一，其次是有大人物住宅之街道，譬如最近某院長公館門前特修柏油路面一段，而同街其餘部分仍是塵飛土揚。

・杜衡之・

論台灣與東德

・張君勱・

本文為張君勱先生致美國哈佛大學丕理教授（Prof. R. B. Perry）之公開信。要點在反駁丕理教授三月廿六致函紐約時報，主張美政府應同意中共加入聯合國，並承認大陸沿海島嶼歸於中共，以易取蘇聯同意在東德舉行自由選舉，並許德國統一。茲將張氏全文摘要轉載如下：——編者——

一九四八年曾與閣下晤譚，頗引以為快，近讀三月廿六日閣下致紐約時報函，令我不勝駭異。閣下之函，予我以印象，似閣下對於美國的基本傳統——民主與自由——竟亦不復深信矣。（中略）

台灣為國民政府之所在地，暫置不論，此地已成為美國在遠東防線之一部份。假令台灣一旦移歸中共，則日本與菲律賓之左右兩翼，易受中共威脅。東南亞之其他國家亦無以自存，故美國對台灣之清理，將影響於多方面，猶之教堂鐘聲為東南西北四方之所共聞。

丕理教授！閣下眞以為此種安排方法可以安定東西兩方之世界秩序與解決緊力展開之原因乎？（此為丕氏函中原文）共產黨方以為共產主義定能征服全世界，資本主義與布爾喬亞民主終有被推倒之日。即令台灣歸於中共之手，閣下其以為毛澤東氏從此滿意且停止其世界革命之任務乎？依我觀之，美國此種行動無法變更共產黨世界革命之戰略。

再就德國問題言之。我以為蘇俄所堅持反對者為德國統一，因其不願見有一強大的德國為蘇俄未來之敵人，且將與蘇俄並駕以爭取東歐各國。蘇俄惟有待德國可以成為俄之附庸或德國成為中立化局面之下，再來考慮德國統一問題，我憶英國曾提出所謂羅伽諾條約計劃，以為北大西洋同盟，倘附加一項，即美英等決不參加對蘇戰爭云云，可以為緩和蘇俄之計。此項提議，確為西方國家之讓步，然蘇俄不樂于接受。蘇俄專自軍事觀點，決定對德統一問題之態度。惟其如此，非西方各國在軍事上有讓步外，難望蘇聯對東德之自由選舉，表示同意。如是美國即以台灣贈與毛氏，何能使蘇聯認為蘇聯之軍事安全得到保障乎？倘是國告毛氏曰：君可取得台灣。毛氏自欣然接受。然布爾加寧與赫魯曉夫必反問曰：毛氏之有所得，與蘇聯有何利益？毛氏之所得，何得謂為蘇聯之損？在對毛氏贈與之中，要求蘇聯同意于東德選舉，此決非布爾加寧等所能同意。台灣之移手，豈能與歐洲之羅伽諾條約相提並論乎？

俄且不同意于羅伽諾條約之訂立，何能以台灣之移轉為其替代乎？

閣下關于處理台灣與德國之方法，其所根據之原則如何，更難于窺測，如曰以既成事實為根據，則兩個德國兩個中國同為事實，何不認為事實而令其繼續存在如今日？如曰所依據者為自由之原則，故提出東德之自由選舉，且許德國統一，則用同樣要求大陸上舉行自由選舉，且主張共產中國改專政為民主。

自我觀之，閣下所根據之原則互相矛盾，就德國言之，閣下願意自由原則之實現，故提出東德自由選舉之議。就中國言之，閣下依從奴隸原則或曰極權主義之原則，願意將台灣交於中共之極權政府。

倘閣下答云蔣氏亦為極權政府。則我以為台灣政府與中共政府大有不同，因台灣未嘗有奴隸勞動未嘗要求大學教授自寫悔過書。不知閣下願予東德以自由，願令台灣立於奴隸制度下，其理由何在？

閣下關于東德與台灣之建議如此矛盾，無以名之，名之曰一時之利便政策而已。

最後我願與閣下討論者為美國政府之政策，凡政策必須確定與明瞭。蘇聯所採者為共產主義，故追隨之者，自知其方向如何。美國政府，倘如閣下之建議，承認中共且放棄台灣，是為表示美國漠然不關心于亞洲國家之運命。美國此種態度，將令亞洲國家惘惘若失，莫知所從。亞洲國家中有走向中立主義者，即由於此。我亦深知美國預聞他國政治問題，自為美國之一種担負，然就今日形勢觀之，似為不可避免之舉。美國預料未來之惡劣而為之備，比諸圖一較好之將來而終於失望者，似勝一籌也。

丕理教授乎？吾之答覆閣下者，簡言之，有如下三點（一）放棄台灣，不能為遠東與亞洲謀和平，反以招致禍亂；（二）關於台灣與東德之處分，其間不生連帶政治關係。對於中共之贈予，無法希望蘇俄在歐洲之讓步；（三）美國之領導應明瞭確定。不可令亞洲國家生一彷徨不知所適之印象。

丕理教授乎！吾人同為治哲學之人，應本公道與自由之原則，為人類奮鬥，不可為一時利便着想。惟有如此，不徒暫安一時，且真能造成長久和平局面也。

張君勱手啓　五月三日

本文轉載自六月一日出版再生復字第一卷第二期

香港私校素質如何？

教育界否定莫菲博士的見解

訪問本港中的美國加州大學行政系教育學教授莫菲博士，最近曾提出了他個人的見解。渠認爲：此等幾佔有全港三分之二學童之私校，有等成績甚佳，惟有等則甚至幾乎在任何地方都將不准設。因此，渠對現行政策之是否應予繼續，認爲應予考慮。

莫菲博士此語，曾引起若干僑教人士之反應，而對本身現正從事之事業，作一檢討。渠等之檢討範圍，頗爲廣泛，包括私立學校在香港教育界中所佔之地位，私立學校在教學成績上之表現，甚至私立學校教師之學歷資格問題。結果：認爲莫菲博士之批評，僅能代表其本人之見解，而未足以衡量私立學校之眞正成就。

香港政府釐定嚴密完善制度

數位校長幾乎皆同一之論調，認爲：本港私立學校有等雖未必盡能趕上水準，惟無論如何，當不至如莫菲博士所言之甚。渠等指出：香港教育事業之蓬勃，雖未能趕上歐美先進國家，惟以東南亞而言，實在三名以內。港政府有其嚴密與完善之教育制度，而此項制度之釐定，實與香港地位之特殊有關。其他各地之學校課程，多係以一種語文爲主，另一種或多種語文爲輔。然香港之學子，十居九爲華人，渠等不能忘懷，甚至不能稍忽本國優秀之傳統文化。就本地需要而言，渠等又須學習足以應用之英文，以爲畢業後之出路打算。在兩種語文並重之形勢下，對一個中學畢業生之成就，自難期望在此兩端均有平衡而水準上之成就；何況渠等尚須顧及其他課程。

同一方針前進　豈容相去極遠

教育界人士認爲：所有在本港立案之學校，均係在港府訂定之同一教育方針下前進，而各科之課程課本，亦均由教育司署核准，然後始予應用者。在同一制度及教學方式之下，若言校與校間水準之高下有相去極遠之分別，恐難爲智者所許。且港九新界無論任何一級之學校，均有教育司署視學官不斷到校視察一切，包括教學方法、教學效果在內，豈容成績特別差者能長久立足？故若謂有等私校差至幾任何地所不容一語，不特非任何私校所肯承認，且此舉有關本港教育事業甚大，即教育司亦未易許可也。

教育界人士，於述及私校在本港之地位時稱：在港府積極興學之下，尚有數以萬計之適齡兒童無法入學，故今日之教育責任，私立學校實擔承過半，不特指目前，即將來亦有任重道遠之感，是則，私立學校地位之重，需要之殷，實有其理，非淺視香港教育現勢者所盡知。

暫准教師之中　多爲良好師資

教育界人士又指出：私立學校對教師之聘請，尺度實不如外傳之寬，良以國內教育人材，自大陸易手後雲集本港，故欲覓良好師資，並不太難，抑辦學爲一種社會事業，對社會有其責任感，辦學亦爲一種職業，如何使此職業更趨穩固，自是辦學者之第一問題。基于此，則良好教師之搜羅，學校設備之部置，管教方法之改良，自爲任何一個校監或校長所重視。私立學校之教師因本港規例所限，甚多雖爲暫准名義，惟開明之教育專家，咸知此中大部份爲有經驗，有學識之良好師資。誠如是，則何以私校之水準有等竟差至如此程度？

教育界人士於結束其評論時，多認爲私立學校因經濟能力所限，在教學設備，校舍規模等方面，容有未如理想之處；然就事論事，誠不至如莫菲教授所言之差；否則，私立學校已不能在本港有如許長遠之歷史。

農民頭上的新貴

大陸上的農業生產合作社，是中共用以統治剝削農民的主要工具之一，因此管理機構大，非生產人員多，他們騎在人民頭上，成爲農村中的新貴。此插圖原載五月廿七日中共「人民日報」。

林千石將南行

揚國光于海外

（本報訊）中國現代畫家林千石氏，嚮往南島風光，將于本月初南航曼谷旅行，並以藝術與海外人士相切磋。林氏於書畫篆刻詩詞無不雅擅。書能百體，印有「林千石百體書法」行世。畫合南北二宗之長，深入宋元人堂奧，參以己法，變盡古人面目，山水，花卉，魚藻，蔬果，人物，無不精工。詩歌精警絕倫，純屬唐人法乳，蓋入陳后山而上溯杜子美也。長短句淵源夢窗白石，風流文采兼而有之。篆刻則爲五百年來第一高手，日人譽之爲中國印壇三石。惟齊白石頗效之，自謂弗如；蓋齊氏常云：「君治漢印千方，鄙人只做到三百也」，其推重可想。

聞林氏此行將先抵曼谷，次新加坡。如時間許可，亦可能到馬來亞各地與印尼北波羅洲一行云。（霄客）

從英法外交人事制度論起

（上接第一版）『職業外交家』原出法名詞 DIPLOMATE DE CARRIERE。CARRIERE 一字，英文變爲 CAREER，譯成『職業』並不甚通，但既已風行，只可照樣引用。演其意義，指如跑馬，必自出發點起，按守定綫馳驅前進，而是否有資格作跑馬，尤須未跑之前嚴格品定。豈可糊亂或僥倖衝入跑道即稱爲跑馬，且任其達到私人目的。以此爲喻，則所謂『職業外交家』之『職業』，亦可思過半矣。要之，『職業外交家』必先在學識、品格、儀表諸基本方面，經由政府法定考選機構就全國優秀青年中初選一次，再聚初選錄取者於山水靜修之處，或特種環境之所，加以相當時期之測驗，深入詳查其機警、反應、解難、節操等才能，然後決選，派其爲『外交學習員』，最後始能任用，令其『入跑馬道』（CAREER），『從出發點起賽跑』。漸成『職業外交家』。英國尤注意初選後之『測驗』。觀此，則可徵知何謂『職業外交家』。其名誠不可假借，吾更不欲思羅蘭夫人之言，『多少罪惡，皆假汝名以成』。

立監委可參加外交工作

我國情形自與泰西不同，如何符合現實與環境，憂國者固煞費斟酌。竊思立監委及國代，人數衆多，豈無外交政治人才，在執行其質詢，建議等權外，何妨略倣英制，由兩院甚至國代大會各推選有外交才能一人，經政府同意（行政院，考試院及大法官等）兼『外交助理部長』職務，爲期一年或兩年，最多不過其民意代表法定任期。協助執行外交政策或專司巡迴大使，或出席國際會議，或宣慰僑胞等使命。其意義之深遠與外交一新耳目之功能，似不可厚非。再加嚴選徵外交人才，組織一獨立委員會，選拔外交各階層，各不同使命之人才，無論部內部外，在朝在野，年青年老，海外國內，凡屬賢才必用，若係尸位必除，外交制度從新建起，國是庶有多乎。値此國難嚴重，民族大患日急之際，過事緘默，獨善其身，恐係罪人。區區愚忱，願國人諒之。

四五年五月末草

× × × ×

中共壓迫下的——

農民毀產洩憤

據最近共報透露，現大陸各油菜產區，業已發生農民因洩憤而普遍把快要成熟或已成熟的油菜翻毀的現象。

在過去幾年中，農民爲了洩憤，每當收獲時節到來時，亦曾發生毀損農產品之情事，然皆未如此次翻毀油菜情況之普遍與嚴重。

江西省永豐縣佐龍鄉曙光農業社原種油菜二千一百八十畝，現已翻掉一千零五畝；吉安縣桐因農業社按播種計劃多種了油菜五十畝，已全部翻毀；進賢縣前坊鄉種菜籽二百六十三畝，只保留五十畝，其餘全部翻毀；鄱陽縣廣州鄉則準備翻掉油菜一千二百二十三畝。

湖南省常德縣四個鄉墾掉油菜生長面積約百分之八十八，湘陰縣甲州鄉的一千八百九十七畝油菜，已被墾掉一千四百十四畝；華容縣第二區已墾掉一千四百五十畝；南縣、安鄉等縣一般均已墾掉百分之九十以上。

此外在湖北、河南等省，除墾掉油菜的現象普遍存在外，摘食油菜嫩葉菜苔的情況也很嚴重。湖北洪湖縣姚漢章農業社種了十三斤勝利油菜種，全部被摘食；河南舞陽縣七個區四十個鄉統計，原播種油菜八百二十九畝，已被摘食挖吃的達四百六十畝。因此，中共本年油菜增產無望，蓋可斷言。（自聯社）

太平天國叢書重印後記

蕭一山

（一）

民國二十三年，余自歐美考察歸國，爰就所蒐集之史料，編輯爲太平天國叢書，第一集爲太平天國欽定頒行之書，凡二十三種，（內一種英傑歸眞係國立中央圖書館所發見）交國立編譯館付上海商務印書館景印，翌年即出版，共十函十冊。研究太平天國史事者，多取資焉。時第二集中之太平天國詔諭，太平天國書翰二種，亦由國立北平研究院單獨印行，其散篇更見載於天津國聞週報。此二書印刷既精美，而內容又頗多新穎之問題，考據殊費功力，獲益當非淺鮮。今上海神州國光社排印向達等編輯之太平天國史料，幾將余三書——即叢書第一集及詔諭書翰——之文件全部採入，惟略去考證文字，使讀者無從辨明其由來，誠屬憾事。余原訂計劃，叢書凡分四集：第一集爲官刊諸書，已具述於序文；第二集爲散存之史料，經余編纂成書者，凡十餘種：首列詔諭，次書翰，復次則爲太平天國詔旨抄，太平天國兵册，粵匪起手根由，戈登文書，遐邇貫珍中之太平史料及資政新篇等，共十册。茲僅就記憶所及者，約言如下：

（二）

一、太平天國詔旨抄——原藏英倫不列顛博物院東方部，標題爲『抄各詔』。共三十五葉。實即太平天國之宮門抄或邸抄也。內中所有詔旨，均爲吾人前未經見之史料，彌足珍貴。如幼主詔旨所襃封授之爵職，可以見太平人物與官制之大略；天王詔旨所述夢兆誅妖進貢諸事，可以見其迷信程度之深。尤可異者，辛酉正月一詔，改太平天國爲『上帝天國』，然實際上並未舉行。爛羊之封，兒戲之命，蓋如是也。

二、太平天國兵册——原藏英倫博物院東方部戈登文書中，共三册。兵籍凡三十有六，皆屬護王陳坤書部下，尤以理天義隊內者居多。理天義者，即護王侄陳士桂之封爵也。按坤書廣西桂平人，本李秀成部將，因爲暴於蘇省，秀成欲殺之，逃據常州，賄封護王，儼然與秀成比肩。同治三年，李鴻章之軍合圍常州，坤書被俘，供辭稱：『欲保常州以爲金陵犄角，奈事不成，祇有盡忠』，其堅志若守，蓋亦有足多者。時陳士桂被派守徐市一帶，常州失後，不知所終。戈登於蘇州克復後，曾以殺降事與李鴻章意見不合，聲稱舉兵構釁，旋自悔悔，願告奮勇，由無錫宜興進兵，以助攻常之勢。此兵册大約在徐市一帶爲常勝軍所獲，故能存於戈登手中也。太平天國兵制爲其建國組織中之特色，此册關係軍制田制，甚屬重要。諸官爵，人物，名籍，職掌，館牌，兵數之大凡，組織之大凡，以及諱字之例，爛羊之爵，均可得而考定焉。

三、粵匪起手根由——原藏英倫戈登文書中，乃太平軍人供辭之類，實出當時俘虜手錄也。其中錯訛白字甚多，但以音義推之，可以考見洪楊起事之源流及兩方戰況。太平戰史藏於官文書之浮誇濫冒，多有不實，而李秀成供狀亦爲洪仁玕所詆毀，得此下級軍官之口述，足以比較而參證矣。所述洪秀全同學友王綸干事，疑即洪仁玕之音誤。因初起密謀，非其人不足以當此。石達開招降紅頭頭目周春李鴻昭等，可與余所發現之李鴻昭等致英法水陸軍提督等函參證，彌足珍也。

四、戈登文書——原藏英倫博物院，係戈登後裔所捐贈者。共十二册，前三册除李鴻章之手柬飭札外，均無關重要。後九册多係當時將領之往來書信，凡李鴻章批札十一通，程學啓崇厚等書函十五通，吳煦黃芳照會三通，至李秀成譚紹光等書信，另編太平天國書翰中，不重贅。按戈登爲清朝最著名之洋將，於咸同軍事，關係頗大，外人既交口稱譽，清廷亦視爲忠臣，惟李鴻章奏片函稿中，似微露不滿之意耳。因常勝軍借西洋砲火之利以立功，而驕橫之氣，需索之狀，軍紀不整，應付爲難，此文書足以表現當時實情，可謂有價値之史料矣。

五、遐邇貫珍中之太平史料——遐邇貫珍者，香港英華書院於咸豐三年八月創刊之新聞雜誌也。英文名 Chinese Serial's，先是，嘉慶十二年，倫敦佈道會（London Mission Society）派馬禮遜（Robert Morrison）來中國傳教，十八年，又派米憐（William Milne）爲之助，二人均精通中國語文，因在馬六甲創辦英華書院，教授中國人以英文，並設印刷所以印行書報。「察世俗每月統紀傳」（英文名 Chinese Monthly Magazine）即發刊於斯時，而爲吾國現代報紙雜誌之濫觴。統紀傳於道光元年停止。其中有數期由馬禮遜梁亞發代麥華陀（Walter Henrry Medhurst）三人編輯，餘均出米憐一人之手。梁亞發爲吾國受洗入基督教之第一人，其所著勸世良言，洪秀全讀之以入道，因建太平天國，麥華陀亦爲倫敦佈道會所派遣，東來傳教，曾撰三字經及天理要略諸書，別署「尙德者」。見法人考狄氏中國圖書目錄中，即太平天國頒行爲官書之三字經及天理要略二書之所從出也。太平天國所頒行之新舊遺詔聖書，亦爲馬禮遜米憐二人所譯耶教聖經之節本。此可見洪秀全與英華書院之關係。道光二十二年，英華書院即由馬來遷至香港矣。後十一年，始發刊遐邇貫珍，正太平天國建都南京之時。主筆政者，先爲麥華陀，繼爲奚禮爾（C. B. Hillier）與理雅各（James Legge），咸豐六年停刊。時麥華陀已移居上海，間爲英領事館服務。香港總督濮鈴（Sir George Bonham）曾以在天京所得官書十二種，交其翻譯審查，見一八五三年大英政府文書中。（上）

世故

迺恭

我們常常指摘性情鹵莽的青年「不懂人情世故」，也常常似讚美似譏諷的說某君「世故很深」。可見「世故」這一個名詞，在一般人的心目中，認為我們生存於這人情詭譎的社會中，必須學得「世故」一些，但又不可「世故很深」到老奸巨滑，令人不可捉摸。

所謂「世故」的涵義，可能有兩種不同的方法。從好的方面看，一個老於世故的人，一定通達人情，了解人與人間的心理，一言一動，都能使人們感到愉快，不會給別人許多麻煩，甚至還能夠設身處地的替別人設想。這是一種近於恕道的世故。從壞的方面看，一個世故很深的人，專會揣測別人的心理，利害相同時，便多方逢迎，博取對方的歡心，做出一些同流合污的行為；利害衝突時，便互相猜忌，鈎心鬥角的構成許多險謀和陷害。這是一種人情險惡的世故。這兩種世故，都必須通達事理，洞識人情，所不同的地方，便是在我們懂得世故以後，如果能夠拋開利害立場，專從道義方面去着想，那末我們處世接物，自然近於恕道。反之，我們只顧利害關係，專替自己打算，那末所表現的言行，不免流於險惡。好像一把利刃，可以斬荊披棘，開創一番事業；同時也可以殺人放火，無惡不作。完全看我們拿在手上如何的用法。

一個人的言行，處處表現謹慎、穩健、練達、諒解、體貼種種品德，乃是由於他能夠從懂得世故以後，知道世情誠然生惡，同時也認定社會人心具有光明的一面，自己願意力爭上流，與人為善，便養成了上述的美德。一個人時時存着陰險、詭詐、猜忌、怨恨、冷酷種種的心情，乃是由於他在懂得世故以後，認為社會本身便充滿了罪惡，到處都是驚濤駭浪，自己也不禁捲入漩渦，隨世浮沉做出許多不道德的行為。

因此，我們在做人的開始，便應建立自己對於人生社會正確的認識，具有健全的心理，才會妥善的運用許多世故經驗，來好好地完成這一個做人的課題。

湖畔詩人 蘇東坡

·刁抱石·

東坡因吟詩觸發執政者的瘡疤，謫居杭州，湖友譏之「西湖雖好莫吟詩」，但好吟如故，致終被目為政治犯繫身囹圄！

「三處西湖一色秋，錢塘江潁及羅浮，東坡原是西湖長，不到羅浮那得休！」因蘇東坡謫杭州、潁州、惠州，皆有西湖，故楊萬里有此一詩。又王暐作「西湖考」，謂天下以西湖名者，凡三十有一，然求其山水秀麗，風景優美，則未有如杭州者，故杭州之西湖特著。

東坡到杭州兩次，中間相隔十五年，前後歷時四載，為西湖與為西湖生活，創作了不少詩歌。所以中國湖畔詩人的桂冠，自非蘇東坡莫屬。

東坡築堤以通南北

「湖光瀲灩晴偏好，山色空濛雨亦奇；若把西湖比西子，淡妝濃抹總相宜。」這首七絕，是東坡給西湖一般而最美妙的寫照。但西湖在唐以前，不過一片荒烟蔓草而已，自李泌開挪六井，疏通湖流，再加白居易蘇東坡相繼建設，陸續整理，西湖面目一新，這纔成為東南勝境，引人注意，名聞全國。

蘇堤即為東坡所築，雖然為了點綴湖上風光，到底便利交通，裨益灌溉。楊升菴云：「東坡先生在杭州潁州許州，皆開西湖。而杭湖之功尤偉。其詩云：「我在錢塘拓湖淥，大堤士女爭昌豐，六橋橫截天漢上，北山始與南山通，忽驚二十五萬丈，老葑席卷蒼烟空」。此詩史也。」緣東坡到杭州，見湖中充滿葑草，湮塞河閘，又盡除葑菰，即將此葑草淤泥，築成長堤，以通南北，並植楊柳與芙蓉於其上，遠望如畫。

西湖十景與東坡詩

西湖十景，創自宋人，東坡在西湖寫景的詩特別多，如「望湖樓醉書五絕」，頗饒韻趣，其一云：「未成小隱聊中隱，可得長閒勝暫閒，我本無家更安往？故鄉無此好湖山。」另兩首寫景詩寫得更生動：「湖上棠蔭手自栽，問公更得幾時來？水仙亦恐公歸去，故遣雙蓮一夜開。」「詔書行捧縷金箋，樂府新歌唱府蓮。莫忘今年花發處，西湖西畔北山前。」東坡寫情詩也寫得極好，其「戲贈」云：「惆悵沙河十里春，一番花老一番新。小樓依舊斜陽裏，不見樓中垂手人。」與李義山的豔詩近似。至於寫人，有「九日，舟中望見有美，堂上魯少卿飲，以詩戲之，二首」云：「指點雲間數點紅，笙歌正擁紫霞翁。誰知愛酒龍山客，卻在漁舟一葉中，」「西閣珠簾卷落暉，水沉烟斷佩聲微。遙知通德淒涼處，擁髻無言怨未歸。」寥寥五十六字，把魯少卿左右逢源，歌聲旁觀的情景，完全反映出來。寫事的詩很難落筆，要體不深奧，不俚俗，不平凡，不空泛，方為得體，且看東坡寫「吉祥寺花將落而述古不至」：「今歲東風巧剪裁，含情只待使君來。對花無信花應恨，直恐明年便不開。」可是，第二天述古卻來了。高手必當於無題處着題，無句處着句，再看東坡成題得句如下：「述古聞之，明日即來，坐上復用前韻同賦」：「仙衣不用剪刀裁，國色初含卯酒來。太守問花花有語，為君零落為君開。」

偶然相逢再臨西湖

東坡第二次到杭州，賦詩云：「到處相逢是偶然，夢中相對各蒼顏。還來一醉西湖雨，不見跳珠十五年。」過了兩年即去，有題云：「予去杭十六年而復來，留二年而去，平生自覺出處老少粗似樂天，雖才名相遠，而安分寡求庶幾焉。三月六日來別南北山諸道人，而下天竺惠淨師以醜石贈行，作三絕句。」詩曰：「當年衫鬢兩青青，強說重臨慰別情，衰髮只今無可白，故應相對話來生。」「出處依稀似樂天，敢將衰朽較前賢，便從洛社休官去，猶有閒居二十年。」「在郡依前六百日，山中不記幾回來。還將天竺一峯去，欲把雲根到處栽。」

謫居原為好吟詩

蘇東坡謫杭，總算是湖山，試問東坡為何謫居？無非喜歡動筆桿，觸發了當權執政者的瘡疤。所以東坡赴杭，親友咸鄭重地建議，亦可說是嚴重地警告：「西湖雖好莫吟詩」！不料他積習難返，還是要吟，結果被告了一狀：「蘇軾出判杭州，專好做詩譏諷時事。陛下發錢以濟貧民，蘇軾則曰：「贏得兒童好言語，一年強半在城中。」陛下明法以課試士吏，則曰：「讀書萬卷不讀律，致君堯舜終無術。」陛下興水利，則曰：「東海若知明主意，應教斥鹵變桑田。」陛下謹鹽禁，則曰：「豈是聞韶解忘味，邇來三月食無鹽。」蘇軾不臣，乞下獄究治。」其實，這種劾奏，很有些文織羅致的，但東坡終因此繫身囹圄，做了政治犯。足證在皇帝下面，就是寄跡湖畔，縱情詩酒風流，放懷風花雪月，也非常不容易。

同光風雲錄

夢山樓

岑毓英

岑襄勤公，字彥卿，廣西西林人。以諸生治鄉團，擊土匪有功敘縣丞。咸豐六年，率勇赴雲南，助剿回匪，克宜良，即攝縣事。連破路南，澂江，兼署知府。親撫回酋馬如龍，曉以順逆大義，如龍獻所踞新興等八縣，巡撫徐之銘疏陳毓英安撫有大功，授布政使，加按察使銜，賞戴花翎。

總督雲貴威聲鎮南

自是，鼓其悍勇，掃蕩敵匪，所向無敵。又生擒賊酋楊榮，蔡廷棟，馬仲山於市磔，雲南平靖肅清，賜黃馬褂，未幾，全滇底定，加太子少保，一等輕車都尉世職。光緒二年，丁繼母憂，除服，授貴州巡撫，加兵部尚書銜，旋調福建，督辦台灣防務，開山撫番，濬大甲溪，築台北城，增軍械，嚴防務，朝廷嘉其功能，授雲貴總督。權威日增，雲貴各省，無不望風而服也。

是時，法越事起，自請出關赴前敵，奉旨節制關外粵楚各軍，乃屯兵興化，指揮軍事，節節勝利。不圖，中法和議成，遽下停戰詔，乃班師入關。否則，以毓英之聲威，輔以劉永福，馮子材之悍勇，則克法軍而揚國威，平越亂以固邊防，亦意中事耳。

雖喜兵事而知讀書

毓英本係土司親屬，初以訟累不直，逃避雲南，由縣丞而積功至封疆，其為人狀貌雄偉，善駕馭，治軍專用土人，親與士卒共甘苦，食不兼味，終日赤足芒鞋，履山險如平地，臥木榻，不用襯褥，即貴為督撫，教子弟亦如是。性好勤，習縱跳，如同猿猴，每克一城，縱兵士取財物，不以入己，故將士樂為效死，此在軍紀上，自有可議處，然在當時亦殺敵致果之術也。當其督滇時，英人馬加利探路遇害，致成交涉，傳為所嗾使而虛實莫辨，或詢其顛末者，但笑而不答！

為人雖喜兵事，而知讀書，頗有學問氣味，明於史事，而世故較深。嘗論邊事，大略營制宜改，弓矢可廢，專用鎗砲，砲台宜小，專用池營。與滇事相始終者數十年，霸才戡亂，竟成戡亂偉績，信乎識時務之俊傑，能自樹立者也。（卅六）

短篇小說

市儈

·方正·

這計劃實在吸引了李順風，兩人的話也越談越多，而且也越談越接近具體了。午飯的時候，張靈傑被留下了和李順風一同吃飯。兩杯白蘭地下肚，董事長的矜持態度，漸漸地減輕了，說話也漸漸地隨便了，計劃也漸漸地到了決定的階段，最後執行計劃的責任終於很自然地落在張靈傑的肩頭了。

（三）

大通紡織廠終於因為棉紗供應不足，資金週轉愈加困難，停工的機器日有增加。但為維持紙老虎不被戳破，且抱着等待轉機的希望，原有的工人不敢解僱，日常開銷也無法緊縮，王總經理是想盡了方法以圖打破難關。前次舉行十週年紀念酒會，固是掩飾真實情況的烟幕，同時也想藉此聯絡幾個可以幫忙的人物，但實際結果，收效甚微；而張靈傑雖經常與環球接觸，但他所知的是對方迄無肯定表示。

而張靈傑在廠裏向同人面前卻常常表現着憂心如焚，好讓別人知道他對廠是多麼關心，而實際好轉的希望又是多麼渺茫。經常的有些令人沮喪的消息由張靈傑嘴裏有意而無形地散佈出來，員工精神就愈加頹唐渙散。不久，員工福利社的職工福利基金被移用的消息也傳播開了，職工們愈形不安，擾攘吵鬧，不可終日，王總經理已經是面臨鍋焦水乾的局面。

這時，張靈傑又提出了原已被王總經理拒絕接受的計劃，並自告奮勇表示願再去環球要求放寬條件，另外又誇張了一則不知從何處得來的消息，說埃及原棉已經裝船，進口有日了。艱困窘迫下的王總經理，經不起張靈傑的心理作戰，終於同意接受環球的接濟。辦法是環球以棉紗一批，按黑市價格作為資金投入大通，以機器廠房為担保向環球貸一筆週轉金。

大通又開動了機器，恢復了全日生產，內部人心也漸漸安定下來，但是，環球也取得了對生產方針營運計劃的發言權。張靈傑也義不容辭的做了環球在大通的代言人。他成了兩方面的功臣。對於王總經理，禁不住時勢的演變，已是可以與之分庭抗禮了。

如此經過幾個月，大通內部的生產經營方面，處處受到環球的限制，在市場上和外銷方面又受到環球的暗中打擊，一度恢復了的生氣，又漸呈萎縮了。大通紡織廠終於由明蝕暗耗的盡途，陷入了絕境。環球公司以債權人的姿態承受了它改組為環球公司的第三廠。另一項聯帶的結果，便是將總經理一職改為廠長而由張靈傑接任了。

天下最得意的事，恐怕莫過於能一切都隨着自己的心意發展，而又得到預期的結果。張靈傑此時自是得意非凡。他又一次覺得自己確是精明過人。回家躺在床上的時候，他不禁微微地笑了。（三）

文壇漫步

出版新訊一束

·紅纓槍·

這兩個月，香港的雜誌界是很活躍的，復刊的雜誌，除了本刊已經報導過的「文學世界」之外，還的有「文藝新潮」、有「新青年」，新辦「知識」、「青年樂園」、「少年週刊」（按：知識和少年週刊前已報導過）。

復刊後的「文學世界」，在內容與形式，都較以前有鮮明活潑的感覺，據說這是「筆會」做背景的刊物。

復刊的「新青年」，是由路易士主編的，總算矯正了過去的粗淺作風，做到了思想的開路工作，但是，從復刊第一期到第三期，有幾篇文章受到一部份人士的不滿。這是很難避免的，因為據說路易士主編這本雜誌，完全是義務性質，出於個人對文藝的熱誠，因此「過度」的熱誠便不免引起一些比較「狹窄」的想法。而且因為寫稿的人也都是義務幫忙，選稿的範圍，便受到許多限制。如果能得到較廣泛的支持與鼓勵，相信這本雜誌現在的一些缺點，一定能迅速糾正過來。該刊最近一期有一篇關於現代詩的「來函」，提到現代詩的一些基本問題，頗受香港許多熱心於新詩運動的人所注意。這畢竟是一種好現象。

值得一提的是「文藝新潮」。這本純文藝月刊，據說並無任何背景，是以出版牟利性黃皮書、西點的環球出版社所出，因為該社有現成的排印設備，雖然已出的三期都蝕了些本，大致仍能支持下去，不致像一般純文藝刊物那麼易於夭折。這本雜誌的優點是介紹較好的世界名著，及歐美文壇動態。最近出版的第三期便報導了過去一年的世界文壇情形，雖然質量都仍稍嫌不夠，在今日的文壇已屬罕見了。該刊的編者和幾位「中堅份子」，為了節省開支，使它能出下去，也都不取稿費，在一般「職業作家」心目中，也許會被視為「書獃子」。可能正因為這個緣故，本刊所選的文章，似乎過份對西洋文學沒有相當修養的讀者，或會感到「太高」，但不論它有多少缺點，在今日的香港能夠多介紹些外國名作，一新氣氛，仍是值得一做的事。

「少年週刊」編得頗為活潑，部份也採用橡皮板套色，適合小學學生看。「知識」半月刊辦得很平庸，許多地方顯得在仿效別的雜誌編排方式，但很生硬。「青年樂園」好像以「中國學生週報」為藍本，甚致封面的綠色也相同，來勢頗像擁有雄厚資金和背景，使圈內人也摸不着是「何方神聖」。

一個土皇帝

思源

神話中傳說他呱呱墜地時，異香滿室，彩雲畢集，身有五色龍紋；這促起他長大後，充滿着一腦子的帝王思想。野心勃勃，銳意興革他承襲下的部落事務，果然日漸壯大起來，並進一步把近的小的異姓部落予以吞併，遠的大的部落，也用武力威脅納於其組織之下。

聲威遠播到當日的皇都，像朱元璋這種逐鹿中原，爭取政權的開國之君，臥榻之側，豈容他來鼾睡，赫然震怒。派了一支大兵，越過洞庭，把他當作反叛賊子征剿。

其時，眾星早有準備，除了把吞併的各大小部落做其外圍外，自己督率其族衆，在深山大澤裏，建立一個堅而且險的永久根據地。朱氏的皇軍，化了不少的氣力，才把他的羽翼剪除；及經接觸到他的根據地時，士氣已再竭三衰了，始終無法攻破他的巢穴。（二）

編者讀者

△答孫旭基先生：敬啓，半肩行李，避地香島，偶及多所記憶，雖未免錯，今用筆承道，始發掘授銘，傳關於大滑山房詩鈔一節，有所訂正，始至為先生感佩！自京江一別，忽忽二十餘年，不謂劫後餘生，得拜故人嘉言，此眞空谷足音也。夢山樓主謹白。六月五日。

△解答僑生升學問題：現在又到每年一度升學的時候了，關於僑生回國升學的各項問題，如承函詢，本報可代解答。來函直寄本報編輯部。

△「自由談」稿未到，暫停一期。

自由人

THE FREEMAN

（第五五〇期）

中華民國僑務委員會
頒發登記證台教新字第一零二號
中華郵政台字第五〇〇號
執照登記爲第一類新聞紙類
（半週刊每星期三六出版）
每份港幣壹毫
台北市售價台幣壹元
督印人：陳文華
地址：香港高士威道二十號四樓
3 rd. fl. 20 GAUSEWAY RD HONG KONG
香港發行及事務接洽
高士打道66號　電話：七四〇五三
承印者：東南印務出版社
地　址：高士打道六十四號
海外總經銷
友聯書報發行公司
香港：德輔道中二十六號A二樓
台灣特派員辦事處
台北市館前街五十號
台灣總經銷處
台北市西寧南路壹壹零號二樓
台郵劃撥儲金戶九二五二

論海外的文化宣傳運動

——請垂聽我三個要點的陳述——

·左舜生·

在最近的五六年以來，中國人在海外華僑集中地點所做包括出版、教育、講演、通訊、演劇、以及學術性組織等等的文化宣傳運動，確實是有相當進步的。但大家對這種進步是不是便會感到如何的滿足呢？據我看，這個問答恐怕是否定的。何以在多方面而設殷而且富有生氣的這一運動中，還不能發生較好的成績呢？我看除時間太短的一個理由以外，還有下述的幾個主要原因。

一個有力運動，至少要有無形的領導

第一，缺少有力而在無形中可起領導作用的重心。三十年前的五四運動，是由一種愛國運動擴大轉變而形成一種文化運動的。其時的北京大學，以一個全國最高學府的姿態，儼然對全國起了一種領導作用。其時的上海，以歷史、地點、人力、財力的種種關係，已儼然形成了一個出版界的中心，其力足以與這一次的文化運動發生了配合或呼應的作用。近年以思想、政治等等的原因，已使得人力無法集中，甚至也無法安心工作，因而這種有力的領導重心無法形成。我們目前所感到的，只是情況非常散漫，工作缺乏條理，因而人力與資力也流於浪費，其所以使得這種運動不能發生更大的力量，這恐怕是最主要的原因之一。

一種運動不可缺少的精神條件

第二，在這一次的運動中，缺少了一個主要的條件—靈魂。大凡對一種文化運動而期待其產生較偉大的功用，必須使得這種運動所產生的成績能適合此時此地的迫切需要，而且必須就其已有的文化基礎發揮擴充與銜接的作用，否則便難免廣泛而流於淺薄。近年從事這一運動的機構或個人，其資力的來源，大體得之於國際的助力，而代表這種助力的國際方面，其對於中國人當前的『迫切需要』，固已不甚了了，而對於中國所『已有的文化基礎』，所知道的更是非常模糊，但他們既是立在一個援助的地位，其勢對於這一運動的內容或工作的項目，便不能不表示意見，甚至還要加以參與，於是使得這種運動抓不着要點，樹立不起體系，因而減低了它應該發揮的力量。在過去的五十年，中國曾發生過三種有力的定期刊物：其一爲梁啓超所主辦的『新民叢報』，其二爲代表中國革命同盟會的『民報』，其三爲代表『五四』前後新文化運動的『新青年』。它們都能以獨立的姿態，發爲有力的批評，因而投合了其對大部分知識分子的需要，而各擁有多數的讀者，也產生了它們可能產生的影響。在今天，對於大陸，對於台灣，對於國際，——尤其是對於美國與蘇聯，我們都有一一攤以嚴格批評的必要，斷斷不能讓他們胡鬧、鬼混、欺騙到底。然而像這樣一種刊物的執筆者，必須富有一種高度的熱情，豐富的知識，大無畏的精神，尤其要能搜集各種可靠的資料而加以分析，然後才能發爲公正而有力的言論。老實說：在今天的大陸，今天的台灣，今天的國際，確實是充滿了黑暗一片，我們必須再來一次盡情的暴露，使得一切一切的魑魅魍魎無所遁形，然後，我們才能從容高談建設，否則只是無從說起。本來，像這樣一種工作，海外確實是比較適宜來做一做的地點，可是這種容去一切依傍而能發揮其獨立精神的刊物，（那怕從極小極小的規模做起也好）要如何才能開始，如何才能持續，這確實是今天一種迫切需要，而有待於有力者起來肩起這個責任的了。

分工合作確實有其需要

第三，太缺少合作精神。就一般的情形來說，今天在海外以個人或機構來從事文化運動的人們，好像都是各個孤立，互不相謀，質言之，便好像是彼此都在接受同一方面的援助，而實行着一種包工的制度，據我看來，這種情況似乎不是十分妥當的。毫無疑義：我們今天來從事這種運動，確有一個共同的目標。在這一共同的目標之下，可能有形形色色不同的工作，既不宜架床疊屋，浪費了人力與物力；更不宜粗製濫造，只着眼於量的擴充，而忘記了質的精進。因此我感到：從事這種運動的每一機構或個人，獨立的精神不可無，而孤立的形態不可有，最好由各方面最高的負責者，成立一協商的永久機構，在分工合作的原則之下，求出一個經濟有效的條理來，好比某方面已做的某種工作，成績已經相當的良好，便應該讓該方面就某一工作去盡量發揮，別方面無須去加以摹做；又好比某一工作，大家一致承認有做的必要，便不妨就人力財力的可能，推舉由某一方去試辦，行之有效，即不妨由某方而一直辦下去，而不必加以干擾，再就我所知道，今天海外的文化機構或個人的研究者，大抵分別的藏得有相當的書籍或搜集得有若干關於時局的資料，但規模都不很大，管理都欠良好，用錢也極不經濟，搜集的方面也往往重複，爲什麼不可以合併起來，大家斟酌其自身的財力，加以共同的支持，共同使用？照我的理想，像港九這樣一個地方，如果以各方面的合力，憑藉現有的基礎，成立一所五十萬卷的藏書樓，製定出十萬個到三十萬個各類資料的索引卡片，則不僅供各機構或各個人的運用可以效力大增，而這一個藏書樓的本身，也就可以在港九這一文化的沙漠上放一異彩！但這件事須各方面推誠合作，而加以一種相當的氣魄才能成功，可是一旦成功，卻可以爲今天這一大羣文化的流亡分子吐出一口怨氣，爲未來的青年也造福無窮！

上面這些話，我在別的刊物上，或對個人的談話中，大致都已說過，其所以強聒不捨，又在這裏重複的提到，確實是因爲我不欲眼看着這一大羣從事文化工作而以承先啓後自命的朋友們，便永遠是這樣因循就斷一直的混下去！

海外通訊

（本報開羅特約通訊）記者昨日和我駐埃大使何鳳山握別，他已前往亞歷山大港，取道美洲，探視家屬，將於六月底回台。何大使駐埃九年，對中東各國邦交，多所努力，今竟以局勢轉變，下旗歸國，在彼個人心情，自有許多感慨。記者瞻望世局，亦不禁悵惘萬端也。

藉承認中共對美洩憤

埃政府承認中共後，此間報紙與廣播迭有宣稱，我立法院對何大使責備甚厲，或謂平時不知努力，或謂事前毫無情報，並有不歡迎其回台之說，凡此種種是否埃報渲染過甚，抑純屬謠言，一時不可得知，惟平日與我國素有交誼之國際人士，竟有因此而引爲不平者，某同道語余云：「埃及此舉，實英美政策迫上梁山，任何人來此做駐埃大使，都不足以挽救此一局面，何大使過去工作，雖不能謂爲無可挺議，但最少已延遲了埃及承認中共的時間幾年，如果今日把一切責任加在何氏一人身上，不是不明事實，便是有意吹求，決非公平之論」。此一論調，固在對何氏表同情，然記者認爲最可注意者乃在「英美政策迫埃上梁山」一語，此語實說明埃及此次承認中共之原因，最爲簡單扼要，可謂一針見血之論。

英美迫埃及上梁山

埃及承認中共的因果

何鳳山對記者一夕話

·方劍·

埃及此次承認中共，與其謂爲納塞爾藉此對美國洩憤，無甯謂爲納塞爾痛恨英美對中東政策，而又無可奈何，故借承認中共以爲報復，在阿剌伯諸國人眼中，打擊自由中國，即不啻打擊美國，此點在自由中國一般人士，或尚多未了解耳，以記者個人意見，中埃邦交，如無其他因素參雜，原甚簡單易辦，又如果只有二三流國家與埃無甚利害關係者，從中挑撥離間，亦極易於應付，例如以往印度尼赫魯雖百般勸誘納塞，承認中共，始終不能成功，（記者去年曾有報導）即是此理，今英美政策參雜在內，且發生直接影響，則非我國外交所可單獨爲力，更非駐埃使節所易應付得了的。英美政策失，又絕非我國外交力量所輕易左右者，故記者曾言，我國外交之重心在美，決非過份之詞。故此次納塞承認中共，與其說是我國外交失敗，無甯說是英美政策的失敗。

記者于送別何大使前，曾與何大使作長談，承告以納塞承認中共之因果，其言至爲翔實，足以證明余上文之意見，茲撮述大要如下：

英國破壞援埃政策

一九五三年初，余（何大使自稱，下同）與納吉培往來甚密，當時拉氏告余，如美國爲埃軍裝備三師，精神當爲之大振，傾向西方之勢可成，余即商諸美駐埃大使，並言此乃爭取埃及千載一時之良機，三師裝備，在美輕而易舉，若恐埃及用以攻擊以色列，美國亦極易勸止，實有百利而無一害，美大使甚以爲然，允向其政府建議，余又將此意報告我政府，亦深得贊許，並囑余與美使合作，完成埃國願望，後美使告余，華府業已同意，是時埃國空氣極爲良好，開羅之約瑟夫報，且對余讚揚，認我國勸美助埃軍火，情誼可感，惜此議爲英方所知，力加破壞，竟至功敗垂成，時機一失，無法再行補救，納吉培亦因此失勢，以至去職，局勢由此漸趨轉變，至有今日，眞所謂失之毫厘，差以千里，嗣後每與美使談及，猶引爲憾事。

萬隆會議的影響

一九五五年，一月五日余自美返埃，曾與埃外長談印度等國所發起之亞非萬隆會議，余力陳埃及不可參加之理由，埃外長言，納塞事忙，恐難離埃，可能派人出席，並說埃政府已通知印度，不願使以色列及中共參加，後余晤納塞，彼對此事似亦不甚經意，且表示對尼赫魯作風，存輕蔑之心，彼是否出于僞裝，雖不敢說，惟相信彼初時並未決定參加此一會議，迨至二月，伊拉克宣佈簽訂巴格達公約，納塞大爲激動，態度始爲大變，三月初某日余與納塞同席晚餐，彼始告余，已決定取道印度，前往萬隆，當時彼情緒似極惡劣，惟詳加觀察，彼對此行，並未抱若何重大希望，不過借此對英人洩憤耳，詎知，到萬隆後，受共黨愚弄，尊埃及爲三強之一，此爲埃及有史以來所未曾有之最大榮譽，納塞本人亦頓然覺得已變爲國際偉人，爲阿剌伯世界獨一無二之英雄，氣燄不可一世，左傾信念，從此漸高，迨至九月，捷克軍火購買成功，繼之以中共經濟文化攻勢，潮湧而至，納塞遂爲之沖昏了腦袋，無從自主矣，故納塞之轉變始於萬隆會議，而彼之所以參加萬隆會議，則由于巴格達公約宣佈之刺激，納塞在猶疑彷徨之際，巴格達公約不啻一道催生符，迫其前往萬隆，在此種情勢之下，余究有何能，足以挽回局勢耶。（下轉第二版）

半週述評

·司馬璐·

禁運崩潰

根據最近大陸共報的報導，中共正在鼓勵各種搜集破銅爛鐵的運動和提倡代用品的運動，這些運動都替我們證明了一個事實；聯合國的禁運政策是有效果的，聯合國的禁運政策對敵人的打擊確是巨大的。

但是，這個時候，我們的禁運堤防卻崩潰了。

英國宣佈「放寬禁運」，他的動機是什麼呢，「見利忘義」而已。

政治宣傳

我們不看到共報這幾天在宣傳中失態的程度嗎？當某一個國家也有「放寬禁運」可能的動向的時候，共黨那種狂熱的程度就好像是表示，這個國家就快要「解放」了。又好像是表示，他們將要從絕望中「得救」了。

禁運堤防的崩潰，不僅增加了敵人的經濟力量和作戰力量，而且增加了敵人政治宣傳的資本。

鼓勵「中立」

禁運堤防的崩潰，是埃及承認中共以後，對自由世界的又一重大打擊。

然而這一次的拳頭，卻伸自我們最要的朋友——英國。

「放寬禁運」對于「中立主義」者無疑的又發生鼓勵作用；也可以說，由于我們放任「中立主義」者，而終于產生了禁運堤防崩潰的後果。

艾森豪說，美國同情新國採取「中立政策」，我們還繼續鼓勵「中立主義」者嗎？

商人撲空

中共的宣傳又說，由於「放寬禁運」，市場將趨活躍，商人將有大把生意好做。

事實上，普通商人倘使有此天眞幻想，是要撲空的。

第一、中共對外貿易，統籌統購，以搜購戰略物資爲主，主要貿易，普通商人是沒有份兒的；

第二、中共對外貿易，實施物物交換和高稅率的關稅政策，過去替中共做過生意的商人都有此經驗，不可能有多大利潤的。

商人撲空，工業方面所受的損害更大，因爲「放寬禁運」以後，同時也便利了中共貨物大量向外傾銷。

後果如何

可見，「放寬禁運」的國家對於普通商人並無好處，對于工業尚且會有被打擊的作用，那麼什麼人堅持「放寬禁運」的政策呢？

少數短視的而又有權有勢的商人而已。

「放寬禁運」的誘惑，今天還可能在一些國家引起風浪，它將招致一個後果，使我們的敵人利用我們的物資，獲得更多的武裝，再來屠殺我們。

太平洋戰爭以前，英國也曾資過戰略物資予日本，其後果是如何呢？

人類爲什麼如此易於健忘呢？

我所認識的——台灣師範大學

·陳志奇·

台灣通訊

現將屆暑假，許多海外中學畢業生都打算到台灣升學，香港各報，介紹台灣大專學校的文字很多，本刊頃接陳先生這篇文章，是報告台灣師大近年進步情形的，亟爲發表如後。——編者——

本年六月五日，乃台灣省立師範大學改制周年，也是誕生的十周年紀念。

十年時間不算長，也不算短。過去十年師大已經有過相當的成就，今後的發展，自當更加令人注意。

「師大」的前身是「台灣省立師範學院」，「師院」還有一個前身，那就是日治時代的「台北高等學校」。光復以後，台灣省政府才將原高等學校舊址，予以擴充利用，創設師範學院，三十五年六月五日，師院正式成立。

四十四年教育部爲貫徹「師資第一，師範爲先」的主張，於是年六月五日，改制爲「省立師範大學」。

現在的師範大學，是自由中國唯一的最高師範學府，是推廣自由中國中等教育的主要動力。現有教育、文、理三學院，一教育研究所，共十六系科，五十九班，學生一九六二人。教授陣容，就是與從前大陸上的有名大學相比，亦不會稍爲遜色，並與美國各大學及自由亞洲協會合作，交換教授或技術與物質的援助。

師大之能有今天，不是偶然的，教授，學生，與教育當局共同努力，功不可沒，而前後任職八年的現任校長劉白如（眞）先生，貢獻特多。回憶三十八年，停滯在草莽變中的師院，一片紛亂情形，假使沒有劉氏的勇於任事，犧牲奮鬥，是不會有今日的。當時劉氏奉命爲整頓學風委員會主任委員，兼代院長。他在短短數月之間，一面處理學潮，一面整頓院務。同時向各方面敦聘第一流教授，逾五十餘位之多。其中如陳大齊、梁實秋、楊亮功、田培林、陳可忠、劉季洪、沙學浚、沈亦珍、黃君璧、戴粹倫、黃建中、管公度、趙楷、蕭忠國、江良規、戈定邦、程旨雲、魏兆淇、王成椿、李辰冬、汪少倫、王偉俠、孫多慈、溥心畬、張大千等，都是那時新聘的教授。

從此「師院」面目一新，奠定了後來的基礎。然而，各方面對「師院」並不是沒有指摘的。有的說「師院」對學生管理過嚴，簡直是辦訓練班；有的乾脆說「師院」當局不懂辦教育。但當局對這些批評，平心靜氣的予以接受，虛心檢討，有則改之，無則加勉。從不向人作無謂的辯護，默默地苦心耕耘，至有今日。

今日的「師院」精神，已經漸漸爲社會所認識了。大家都知到「師院」裏一班工作者，是誠心誠意，有理想有作爲的教育家。

師大的過去如此，今後的遠景，也是十分光明的。據筆者所知，今年暑假後，將增設研究所，和設立隸份分校，添設專修科，加強實驗及輔導。又將開辦夜間部，成立國語教學中心。這些計劃的實現，無疑又將爲師大的歷史翻開新的一頁。自然師大仍有其不少的缺點：例如教室不夠，排課困難；實驗室太少，儀器缺乏；學生宿舍不夠分配等，這些都是經費問題，我懇政府一定會在這方面多加扶植的。於此，我們不僅對師大寄予無窮的希望，也籲請社會各界人士，本愛護師大即所以愛護國家教育的觀念，多予建議和協助！

（六月三日於台北）

人物評述

遙念馬步芳將軍

·楊力行·

埃及納薩政府承認中共後，僑居埃京開羅近郊的前西北軍將領馬步芳上將，近況如何，遂亦引起國人之關注。

（一）

馬將軍於大陸淪陷之初即隨政府遷台，到台後閉門讀書，精研韜略。其後攜眷，赴麥加朝聖之後，僑居開羅郊外。從事著作，聞已完成「往事如烟」回憶錄一巨冊，及兵學著譯數種。前月，中央曾托久居台北之馬繼援少將，專程赴埃，迎接馬將軍回國。聞馬將軍以氣喘宿疾未癒，行動不便，一時未能成行。埃政府承認中共後，馬將軍極爲憤慨。埃當局曾以此事乃埃國政治問題，馬將軍同屬回教徒，歡迎繼續在埃居留。惟馬氏決意離埃，以宿疾未癒，暫時移居中東其他國家，想一時尙不能回台。

筆者於抗戰末期，奉命視察西北軍事運輸。曾晤將軍於距西甯市東百里之樂都（近甘境）。相與共論天下事，談鋒甚健，且多卓識。馬氏性孝友，禮賢下士，推誠相與，毫無驕矜之態。今揆隔已逾十年，遙想風範，實不勝其馳念之情也。

（二）

馬將軍字子香，生於民元前十年（一九〇二）。世爲甘肅臨夏人，祖海宴公即以武功著聞當世，淸光緒廿六年庚子（一九〇〇）之役，曾轉戰京滬，屢著奇功。父麒，曾任甘邊甯海鎭守使，北伐完成，全國統一，因功膺靑海省政府主席，迭戡巨亂，治績甚著。靑民建祠祀之。子香將軍天性穎敏，事親至孝，幼承庭訓，常習騎射，健步如飛，克紹箕裘，慨然有澄淸西北大局之志。

（三）

及長，畢業於甯海軍官訓練團，嗣充甯海軍第一營營長，嗣劃甘肅游匪，積功升任旅長，尋又遞暫編第一師，新編第九師師長。民國十九年，隴海叛軍進襲蘭州，應甘省軍政當局之急電請援，率部戰於定西，大獲全勝，甘局得以轉危爲安。民二十，又以河西一帶爲叛軍所據，奉西北綏靖副主任電令剿辦，親率所部，由邊都藏進擊，大破於炒麵莊，叛軍潰退，次第克復山丹、張掖、酒泉等縣，窮追至猩猩峽，河西賴以奠定。二十二年孫殿英部抗命西進，以三師之衆圍攻寧夏，奉中央電令會同甯軍協剿，率部星夜兼程前進，時天氣嚴寒，冰雪載途，血肉相搏，時歷兩月，攻勢益猛，敵遂潰敗，追殺至磴口而還，以功升任陸軍第二軍軍長，時年僅三十三歲耳。

民二十四，中共流竄西北，徐向前由黔川竄擾甘肅，進攻武威，馬將軍全力抵禦，發動民兵前後夾擊，連克古浪、永昌、山丹等縣，旋探悉徐部退據甘州之米家營，立予圍擊，並跟蹤追殺至猩猩峽。徐部號稱二十萬衆，僅餘三百餘騎，狼奔豕突而逃。

二十五年，西安事變，張楊始以誘惑，繼以威脅，周恩來亦派員煽動。馬將軍始終不爲所動，隨且電請聲罪致討，率部待命。忠藎愛國，於此可見。

（四）

抗戰軍興，馬將軍首派騎兵兩師，轉戰陝、豫、晉、皖各省，戰功卓著。二十七年奉命主持靑海省政，決定六大中心工作：禁烟、築路、造林、編組保甲、訓練壯丁、推廣識字運動，成效大著。對于墾荒工作，貢獻尤多。

三十二年，升任第四十集團軍總司令，仍兼主靑政。三十三年主持建築靑藏公路，計長一千四百餘華里，僅歷時一載，即告完成。三十四年，因新疆局勢紊亂，奉命派所屬騎兵第五軍入駐新省，備受各族人民歡迎，而新疆問題暫時獲得和平解決。三十五年夏，所部奉命整編，在軍事復員原則之下，毅然遵令將其第四十集團軍總司令部依限結束，旋奉派爲西北行轅副主任。三十六年二月，中央以馬將軍所屬八十二師全部，及騎八旅，獨立騎五團等勁旅，駐平涼一帶，担任淸剿工作，以各部隊紀律嚴明，維護邊局，備受人民愛戴，迭令嘉獎，並授予景星勳章、勝利勳章及靑天白日勳章，此馬氏生平之大概也。

（五月廿七日台北）

英美迫埃及上梁山

（上接第一版）納塞以出席萬隆會議而增加其政治資本，故以後每次抨擊西方國家，總不脫「萬隆會議」一語，此爲納塞意料不到的收穫，亦爲尼赫魯所望塵莫及者，然而共產國際之詭計得售矣。

巴黎宣言激怒納塞

然此還不足以使納塞走向極端，共產國家供給軍火，蘇俄中共加緊經濟攻勢，已使納塞地位增高，隱然成爲阿剌伯國家之唯一領袖，甚至視同救星，所謂救星云者，即以「打倒以色列」爲全阿剌伯吐氣之謂，蓋埃及有了軍火有了經濟援助，自較以色列佔居優勢，納塞本人固然躊躇滿志，報紙言論，遂亦高唱「驅逐猶太人入海」之論調矣，後來，美且不肯軍火予以色列的表示，因此今年四月底，美埃關係，原已略爲和緩，埃及某軍要當局及某阿剌伯使節，且曾對余言，美埃關係能好轉，則埃政府對共黨關係將從現在的狂熱程度，逐漸減低，于此可見美埃關係不僅影響埃及與共產國家的關係，更直接影響埃及與我之關係，此消彼長，如影隨形，形勢至爲明顯。

不料五月中旬納塞正在巡視前線，興高彩烈之際，忽聞美國務卿杜爾斯在巴黎所發表之宣言，謂美國雖不欲對以色列輸送軍火，但亦同意英、法，加之輸送。納塞因此勃然大怒，認爲美國故弄玄虛，行同兒戲，蓋以色列如得軍火接濟，則埃及的軍事優勢，必然喪失，納塞對整個阿剌伯的威望亦將隨而動搖。納塞盛怒之下，決心報復，但又奈何美國不得，只好選擇美國盟友中，較爲軟弱可欺者，作爲洩憤對象，于是犧牲中華民國——承認中共之怪劇遂出現矣。埃及承認中共後之第二日，美大使前來過訪，余第一句即說，「我失敗了！」美使答云，「你失敗甚麼？這明明是打美國的臉的。」可見美國朋友也不是不明個中玄虛的。

巴格達公約對我影響

以上何大使分析幾年來埃及態度之演變經過，實最爲翔實，跟着他又對此事作一檢討，前事不忘，後事之師，所論亦殊精闢，再爲簡括述之如下：

綜觀此事經過，經緯已明，在第一階段中，西方國家原可防漸杜微，使埃及充分與西方合作，無如英國不知爲大局着想，專扯美國後腿，我國對美說話當然不及英人有力，以至功敗垂成，現在實亦無話可說，至巴格達公約與巴黎宣言兩事，我們實在無從爲力，甚至連正式建議的機會都沒有，但因此所生之惡果，卻使我國首當其衝，國人在悲憤之餘，指摘外交當局或駐外使節，余個人自不敢推卸應負之責任，亦不敢強詞爲自己辯護，惟吾人試平心思之，我們能阻止杜爾斯發表巴黎宣言乎？能阻止巴格達公約之簽訂乎？不惟如此，在巴格達公約宣佈之始，一部份國人心理與若干報紙輿論，或且認爲此舉對西方大有好處，備加讚頌，孰知事實上竟影響我國在中東的地位，至於如此乎？國際關係，複雜微妙，誠非易於判斷，即此亦可見一斑。

我對中東仍須努力

余濫竽駐埃使節，九年於茲，埃及承認中共之際，自一九五〇年起，即不斷發出，今竟見諸事實，余實愧對政府，亦愧對國人，惟幾年來，余個人與使館同人，固無時不爲此事竭其棉薄，過去曾極力勸阻埃國政府，勿聽英人與印度之引誘輕率承認中共，又不斷就阿剌伯聯盟各國之若干有利形勢，與運用若干外交技術，使阿盟每年所提出之「中共承認」問題，始終不能付諸討論，余之述此，非爲誇過，祗說明對此事並非毫無感覺，坐待變化者，至於向政府報告實情，則更爲職責所在，始終未敢懈怠，即以本年一月至三月之電報費言，已近三千美金，不過許多報告，未向外發表，或爲外間不察耳，余早主張，我國應派若干記者常駐中東，惜此事至今未能實現，否則國人對中東情勢，或能更多了解，余所作報告，不僅爲事實，亦多有關政治性及經濟文化性之建議，若干建議，政府在已付之實行，若干則以牽涉友邦或形格勢禁，未能見諸實行，凡此所談，非爲個人聲辯，所以示問題所在，埃及承認中共後，中東情勢雖已有鉅變，惟中東關係重要，阿盟諸邦，並未完全與埃採取一致行動，我政府今後仍須一本過去政策，與反共友邦敦睦友誼，此則余於離埃之際所厚望於我政府及國人者也。

納塞事前極端秘密

記者，頃讀來自香港台灣報紙，有責備我駐埃使館，對埃及承認中共一舉，事前未能得到確訊者，曾以此多方探詢，據悉，事起倉猝，不惟我使館事前不知，即以美使館言，人員衆多，情報素來靈通，亦事前無絲毫消息，且美使得知此事，尙係大使面告者，可見納塞之決定此事，事前極端秘密，聞何大使曾質問埃國外長，何以事前不先告知，據答：「事前極秘密，無人得知，亦並未提出阿盟討論」，問「貴外長知否」？亦含糊作答，據此間推測，埃外長亦僅于五月十六晚開會討論時，才知道的，大概納塞深恐此事一經洩漏，將和過去一樣爲若干阿盟國家所阻，故採極端秘密，並附於此，藉作此次通訊之結束。（六月一日開羅）

台北速寫

體罰與訓導

高雄女中一女生被訓導主任毆打昏厥，身受重傷，已引起各界之激憤。大家希望教育當局改正二種現象：一、各學校仍有體罰，尤以國民學校最普遍，對於小學生之身心健康戕害甚大；二、訓導人員及軍訓教官皆另有系統，有獨立職權，往往不受校長節制。有些素質較差之人員，更利用政治勢力，壓制學生。

聯大的陰影

由於聯合國大會會期延至美國大選後舉行，國際間關於中共入會可能性之傳說日盛一日，事態發展實不容輕視。但此間報紙還不敢率直報導。我們盼望政府方面不要因爲不見報導就加以漠視。

虎帥的出處

三軍首長及其同級主官，任期滿二年，得續任一期。本年七月一日又屆調整之期。令人注目的是空軍王叔銘總司令已經續任期滿，不知將調何職，以及何人繼任。又總政治部主任一職，大致是由副主任蔣堅忍升充，他也是最近隨周至柔訪美的高級將領之一。至於外傳軍事首腦部有一番大變動之說，此時還看不出有此跡象。

中菲友誼

菲律賓一批大學教授及新聞記者團邀來台訪問，此間歡迎至爲隆重。但是對於目前中菲間的懸案，如菲化案，僑教案乃至南沙主權案等，我方都避免正面提出商討。在禮貌上，這種態度雖說是漂亮，但從另一角度去看，不也正是空空放過一個致力國民外交的好機會。

稅率。稅吏

所得稅稅率之不合理，引起立法院之責難，辯論激烈，結果立委是勝利的。稅率之調整及稅額之減低，都含有愛護小市民的作用。不過，過去所得稅稅率之爲人詬病尙不及稅吏擾民之甚，而今日社會風氣之奢靡淫逸，也以少數不法稅吏之荒唐生活爲一大因素，不知立委諸公能否從法律上來尋求對策。

·杜衡之·

編者　讀者

△張健生先生來函

自由人報編輯先生：昔刊台灣通訊有位署名張健生作者，與本人姓名相同，恐另有其人，外界不明眞相的人士，誤爲本人所撰。尙有一二人，從中挑撥，散佈謠言，此輩都是恐天下不亂者，乘機中傷，實爲可恥。懇貴刊一角，披露此函，澄清謠傳，我與自由人毫無瓜葛，不勝感激。

編安

張健生敬上　五月三十日

地址：台灣台北縣板橋南雅西路十三號。

更正：

△本報五四九期第一版「從英法外交人事制度論起」一文頗有錯誤，茲更正如下：

第五欄第七行「職」字應爲界；第八行應爲「Maechal De France」。第六欄第八行「遏」爲「過」之誤。第九欄第四行應爲「Exequatur」；第十二行之「R」字應爲「Q」，第十七行「L」應爲「I」。第十欄第一行「E」應爲「Y」。第三版識該文第五欄第四行末一字應爲「R」，第九行「指」字爲「猶」字之誤；第八欄第二十三行應爲「法定」非「注定」。

△又同期第一版「僑務政策的質疑」一文最後一句應爲「有言責，有官守者，以爲如何」。

公部鏡人，江尚，杜衡之，馬丁，翟光，張瘦碧，刁抱石，王彥博，林國琅，及東京觀遊先生，承惠稿，均拜收，至感。

女學生在街頭賣花　贊成反對意見不一

女學生亦發表她的意見

自從聖士提反女校校長英純貞於旬前在本港女青年會作公開性的演講，表示反對女學生在街頭賣花，她的說法是這樣足以影響學生個性發展，與無形中誘發她們有求乞的傾向，由於這論調足以動搖數十年來施行中的女生協助賣花行動，引起各方面的反響。

午本港私立中文校聯會，亦對此問題加以討論。記者昨晨特訪若干知名女校校長，叩詢彼等對此事意見，茲分別作中立報導於后：據嘗因努力教育事業最近獲英女王頒賜M・B・E・銜之何光女校校長何中中女士稱：照事論事，彼以爲女生賣花足以影響其個性發展與有行乞傾向之論調，似乎言過其實，彼始終以爲爲慈善、爲服務社會，乃極讚助之事，且更可使彼等獲得體驗與實習機會。教育司已有明文規定，不足十四歲之女生不得出外賣花，故既已足十四歲，則頭腦已有根蒂，不易受職業影響。至於荒廢學業問題，一年中此行動並不算多，且正如上說可使彼等獲得社會體驗，並無重大損失。另據培道女中校長楊偉禧稱：彼同情英女士之論調，且此舉可能妨礙學生學業，以彼之培道女校而言，每六星期考試一次，學生如不斷抽出其時間賣花，實頗有影響，是次經約檢審僞驗定於十六日賣旗，彼等已接到函請協助，但校方已決定在課室內勸街，不再出外。

上述這些是有關各校長們對這件事的反應，但本港的女學生們，她們本人的意見是怎樣呢？下面是一個女生的投函：

編輯先生：

日前載報所載名教育家英純貞女士所發表：「女生不宜賣旗賣花，謂對女生人格發展有大影響」之偉論，因爲牽涉及慈善事業之發展的緣故，我認爲我有發表我個人對此問題的意見的必要，希望能費一些篇幅，把這封信公開發表。

我是一個普通的女學生，因此常有機會被派出去爲各慈善機關賣旗賣花，對於擔任此種工作的經驗，我寄得多了。當然，大家都可以想像得到，在街頭向不相識的人勸售旗花，是並不好受的事情：要整個上午地呆站、步行，甚至要看人家臉色，受別人的氣；然而，我却慣得這樣地呆站、步行、看臉色並不能使我失去半點的人格。固然，害羞和矜持是少女們所特具性格，她們的自尊心是最易被損害的，這種賣花賣旗時所受的氣，誠然是對她們的自尊心有所磨擦，然而，這自尊心被磨擦的感覺，不消半天便會消失了，而被一種完成任務的快樂所代替，我敢這樣斷然地說，是因爲我已經有過多次這處的經驗，貴報也曾表示，對英女士的偉論有所贊同，說賣花賣旗會做成女學生自卑或是虛榮的心理。我認爲這問題更不必顧慮。任誰都知道，「助人爲快樂之本，」爲着不幸大衆跑半天，受半天氣，算得什麼呢？難說對女生的自尊心有損害，這只是非常微少的感覺吧了，試問有誰會爲了去賣半天花便常常耿耿於懷，以致於人格之發展上有大改變的呢？不信的話，可以問問曾經出去賣過花的同學們，她們只會告訴你，那並非苦的工作，却沒有損害她們萬分之一的人格的。况且，向路人賣花賣旗，是爲別人做的，而且賣花賣旗又不是犯法，或是很羞恥的事情，因此根本不容有自卑感的存在。至於說這工作會使女生們有虛榮心，這我法更不合理，因爲用去賣花賣旗，只是穿着校服，並不是穿什麼美麗的衣服出去，而且，這又不是什麼了不起的工作，因此，她們便全沒有出風頭的機會了。不出風頭又那來虛榮呢？說虛榮，我覺平常慣用的演戲籌款，不是更多出風頭的機會嗎？爲什麼沒有人反對演戲籌款？那不是因爲爲了慈善和社會福利的緣故嗎？相反的，我們完成賣花賣旗的工作之後，會感到眞正的光榮，因爲我們已經貢獻了小小的力量爲別人的快樂而工作，這種快樂和興奮，不是身歷其境的人所能享受得到的。而且派女生在校外賣花賣旗，又能訓練她們多點服務精神和經驗，有了這許多原因，你能說賣花賣旗對女生的人格有什麼影響嗎？有的只是好的影響吧了！

以上只是我個人對英女士的偉論的意見，這並不能是完全對的，不過，在各慈善機關考慮還否再借重女生來賣花賣旗的時候，把我個人所得的經驗來提供參考，也未嘗無益的。敬祝

編安

讀者文淑鼓上　六月四日

・出版消息・

「客族文獻碎金」出版

印尼耶加達天聲日報張自銘所編印的「客族文獻碎金」經已出版。

「客族爲構成中華民族之重要單位，本屬中原民族的嫡裔，自宋南移粵閩各地以後聚族而居，雖因環境生活之不同，但對原有之優良傳統，勤奮精神，却始終保存，且多加以發揚光大，因而促成客族人士，對於近代中國國家社會許多卓越偉大之貢獻。」（見原書丘演興先生序）

客族不僅散居於粵、閩、湘、桂、贛、蜀、各省，且遍佈於海外東南亞及美、歐、非、澳、各洲。

本書係蒐集當代名人學者對客族源流、文化、習俗、文物等精心研究之著述以成。執筆者計有：何吟、徐旣生、張自銘、林雲谷、羅香林、鍾魯梅、梁錫佑、鍾幹才、丘演興、范錡、梁鑒材等。故爲了解研究客族之極有價值之參考書。

該書由耶加達天聲日報發行，定價印尼幣廿五盾。

中醫在國際上的地位

・楊日超・

中國醫學，在一部份洋學士們的心目中，被認爲一無是處的歷史陳跡。所以在三月廿七日立法院通過設立中醫學校及中醫藥研究機構一案後，同月卅一日丁文淵先生就在自由人三日刊，發表了一篇「辦中醫學校與中醫藥研究機構問題」一文。接着在四月廿日，「自由中國社」在「自由中國半月刊」內，也發表了一篇社論，題目是「不能接受的『籌設中醫學校』案」，論中醫爲中醫是歷史殘餘，提倡中醫就是不夠「現代化」，是「開倒車」，「復古」。迨五月五日，毛子水先生也以「論立法院通過籌設中醫學校」爲題，爲文投登自由中國半月刊，總爲自由中國社的社論是值得「辨護」，丁先生的文章是「通人之論」。龍達銘先生更認爲毛子水先生的文章是「入木三分」，「勁氣內歛」的絕妙好文，並高叫着「重整五四精神」；認爲設立中醫學校，是鑽進牛角尖去的「開倒車」，「反科學」的傾向。因此于五月廿日寫了一篇「由中醫學校想起」的文章，刊出于自由中國半月刊。另方面伍憲子先生讀了丁文淵先生一文後，曾寫了一篇「中西醫學問題」於四月十八日刊布於自由人三日刊，伍先生認爲中西醫學亟應當溝通，而不應予以歧視，絕不能以中醫有不少淺陋無識者，因此而輕視中國醫學，歸罪於中國醫學。並謂「不應將科學劃入西醫範圍，限制中醫不能用科學」。這的確是持平之論。

丁懿安先生於五月二十三日在自由人三日刊，發表了一篇「論中醫學的科學地位與整理方式」的文章，在大前提上指出了那些「以偏概全」「入主出奴」的不當。這一熱烈的討論，在民族健康上來說，的確是一個好的現象。因此，本人除就本題加以討論外，更願舉出一些例證，向關心此問題者供給一點「行情」；讓大家知道在二十世紀原子時代中國醫學的時價。更願藉此向本行內外的人們講幾句話。

德醫學界對中醫評價

德國許米特博士前年赴日學習中醫後，道經香港返國，在香港中醫藥界歡迎會中的演講詞曾有：「現在，德國有五十一個針灸學會。在法國有二千名針灸師，德國也有三百名。各針灸學會在春秋二季，教授學員學習針灸方法。目前針灸術在德國是非常盛行的。何以會有許多人研究針灸呢？此乃近百年來，在醫學上有新的轉向關係。原因是在過去五十年中，有二位生理解剖學專家，將生理解剖上的知識，應用到針灸方面去。這倆位專家，覺得非常成功，就是病理教授士巴爾斯基氏和解剖教授士得耳氏。根據這二位教授研究的結果，覺得第一針灸是有科學根據的；第二針灸與人體神經甚有關係。所以，本人對針灸甚感興趣。在歐洲方面，前述倆位法國專家所研究的，關於針灸方面多譯著，而且甚爲流行。但其所譯的內容，仍有未盡善之處。因此，我決定到日本去，想在日本再從事有關針灸文獻的搜索。何以我不到中國來呢？第一是在日本方面，我有私交的朋友；第二因日本方面精細高深的成就，本人感到興趣」。許博士又說：「日本有一萬五千人從事針灸，專門做針灸的也有八千人之多。另外有一百五十名正式醫生做針灸工作。針灸師在日本已獲得國家承認：在德國方面，已經有考試制度，以管理針灸學者」。

以上是許米特醫學博士對中醫針灸學術，在國際方面的報導。

至於中醫藥劑治療學術方面，許博士說：「我在日本也曾研究漢藥，在東京是跟大塚敬節先生，在京都是跟細野先生學漢藥的。：我在歐洲的時候，我甚熱心對中國東洋醫藥的實驗研究。將來如何使東洋醫學科學化，是另一問題。不過東洋醫學應用東洋方法解決之，研究之。：：是以東洋醫學的治療，是以整個人體治療的。」（上）

太平天國叢書重印後記

・蕭一山・

麥氏謂諸書頗多合乎教理，殊不知太平天國之宗教思想，即由於麥氏諸人之影響也。退遁所珍存藏於英倫博物院者，皆完好無闕。特抄錄所載說事之關於太平天國者，爲史料一卷，以西與括論冠首，次則近世雜記，又次則廣州新聞紙，而以上海新聞略殿焉。雖係傳聞之辭，頗能得當時假象，較之官書之諱飾，野史之虛妄，固不可同日而語也。

（三）

此外尚有六合叢談中太平史料，洪秀全來歷，洪仁玕自述等，即者爲上海出版之新聞雜誌；後二種爲英倫保藏之原件，係洪仁玕親書其與秀全早年學道事，及起義動機，足補史之缺文。已遞長於羅世半月刊中。至於資政新篇則洪仁玕刻於天京時之經義書也。書藏牛津大學圖書館，余攝歸以備複製，並爲之序略曰：

按洪仁玕爲洪秀全之族弟，早年教讀鄉中，與秀全最相得，秀全創教，仁玕與馮雲山首受洗禮。繼隨秀全赴廣州，學道於美國浸禮會（American Baptist Missior 牧師羅孝全（Rev. I. J. Ro' ）。太平天國起義後，仁玕以爲鄉不及參加，受名捕，展轉逃入香港，與瑞典傳教士韓山文（Theodore Hamburg 遊，服役於倫敦佈道會。（太平天國野史謂仁玕至倫敦，不確於英政府，退而爲牧師者數年，即以倫敦佈道會誤解爲倫敦之教會矣。）交遊旣廣，見聞亦博。至太平天國九年，始得達天京。時當內亂之後，楊韋已死，達開遠颺，朝內主政無人，而安福二王又庸愚不足任大事，秀全遂以國委之，封爲干王。故九年以後之政治，大半出仁玕之手。權位之隆，亞於太平初年之楊秀清也。仁玕頗嫻西學，尤富新知，所著書在國內外發現者，有開國精忠軍師干王洪寶製，資政新篇，英傑歸眞，軍次實錄，誅妖檄文，太平天日，已未九年會試題七種。其中最有文獻上之價值，且足代表其政治宗教思想者，莫若英傑歸眞及資政新篇二書，前者余已輯入太平天國叢書第一集中，後者爲仁玕條陳政見之作，即是書也。觀此書所陳，則知其智識之廣，見解之高，不特爲太平天國諸人所未及，即求之清方中興名臣，亦罕見其匹。無怪乎外人贊爲太平朝獨一無二之人物也。是書首爲干王謹論，述旨准刊刻之經過，次即作書獻陳之原奏，略謂：「小弟自粵來京，不避艱險，非圖爵祿之榮，實欲備陳方策，以廣聖聞，以報知遇。」又云：「昔周武有弟名旦，作周禮以肇八百之基，高宗夢帝賚弼，以致殷商有中興之盛。」是仁玕以周公傅說自況，而此書即擬於周禮也。其論治首在用人察失，禁朋黨之弊，謂「用人不當，適足以壞法，設法不當，適足以害人，于斯二者，並行不悖，必于立法之中得乎權濟」。因推其要爲三類：曰「以風風之」，「以法法之」，「以刑刑之」。所謂以風風之者：即草上之風必偃，風之以德之意也。如長指甲，養纏足，吉凶軍賓，瑣屑儀文，養鳥鬥蟀，打鵪鬥勝，戒睡手鐲，金玉粉飾，皆小人驕奢之習，在上者以爲可恥，鄙之忽之，則民自厭棄之，是不刑而自化，不禁而自革矣。以宗教爲上寶，有用之物爲中寶，詩畫金石爲下寶。所謂有用之物，如火船，火車，鐘錶，電火表，寒暑表，風雨表，日晷表，千里鏡，量天尺，連環鎗，天球，地球儀等，皆西洋科學之新發明物也。所謂以法法之者，如綱常倫紀，教養大典，則宜立法以爲準焉。首舉「由上而下，權歸於一（權力不可分說）上下情通，無蔽無障，莫若許賣新聞紙，或設暗櫃（即意見箱）」。下舉鐵道，公路，火船，汽船，銀行，器皿，技藝，礦產，郵亭，新聞館，書信館，錢穀庫，市鎮公司，士民公會，醫院，鄉官鄉兵，保險，丈量官，跛盲聾啞院，鰥寡孤獨院，以及屋宇街衢制度之辦法甚詳。並禁革溺女，賣子，煙酒，鴉片，廟宇，寺觀，修齋建醮，陰陽八煞，迷信風水，私門請謁等，謂惰民宜歸於正業，若每日無三個時辰（即六小時）工作者，即富貴亦是惰民。此非最新之市政建設與夫「勞動神聖」之說乎？所謂以刑刑之者，即大儆戒殺，善待囚犯，恩威並濟，有恥且格之意也。最後附論「將學」「將德」「將律」「將方」諸端，而以孔明「器使羣材，賞罰嚴，慣於本業，能任一時」爲原則，頗能闡革心之術，絕非紙上談兵矣。至於其中縱述各國大勢，若英，美，德，佛，瑞典，挪威，土耳其，猶太，俄羅斯，波斯，埃及，暹羅，日本，馬來，秘魯，澳大利，新加坡，印度諸邦，均能洞見肯綮。論外交則必有章程，許通商則禁入內地，謂：「今後所宜，量度時勢，當行當斷，變通爲律」，此全書之要旨也。綜其所陳，無論科學用品，或建設制度，皆屬歐美近代之文明，在當時吾國舊社會，不特爲一般人所未見，亦且爲一般人所未知，即後日有能見能知者而提倡之，又大遭一般人之反對，以致數十年來，革新事業，阻滯不進，國運日就衰微！倘使太平不亡，取滿清而代之，仁玕之說，早得推行，則中國或已步入世界列強之林；至少物質科學之建設，亦不必待數十年後而始積極提倡之矣！惜乎，秀全迷信天父，不顧人治，雖此書諸策，均加批獎，而終未果行。（批有是政，此審是也。或殺絕妖魔了，未邀諸）仁玕亦知已，所窺見之治法，爲前古未有」，而「領袖綱」，身任揆，並無法家任事之勇，徒令後人驚其遠識，佩其卓見，俾足供近百年來維新史料之一助而已。

（四）

資政新篇之內容梗概，已如余序中所云，足徵仁玕見解之新穎，頗能隨時代潮流以俱進。倘其說得行，吾國維新事業，或可提前十年也。以上所述第二集編刊諸書，無一不屬於重要之史料。余於二十五年，將全稿交國立編譯館，次年該館已付商務印書館影印矣，版成待校，即遭八一三滬戰起，敵機轟炸閘北，廠燬於火，版亦隨亡。幸原稿尚在，該館乃攜往香港續製，不料版甫製就，而太平洋戰事又起，香港隨即淪陷矣。豈天之不欲是書流傳人間乎？余於重慶曾面詢王雲五先生，繼又函詢何炳松先生，所得答復，均言原稿仍存該館，惟已無製版之能力。當時因人事忽促，亦未索回原稿。今忽忽十餘年，王君久卸館職，何君早歸道山，而中原板蕩，音訊阻絕，此書重遭磨難，不知下落何如耳。太平天國叢書第二集既有如此不幸之波折，存亡莫卜，倘得有心人爲之梓行，亦文物之幸也。是以第三集原爲外文史料之譯記，第四集原爲文物之蒐輯，均因此延宕，不克進行，迄今二十年，思之猶感痛恨。此現第一集幸得出版，亦未攜出，乃商諸從委員濟華先生，借付重印，台灣中央研究院亦有太平天國詔諭二書，將繼續借付梓，以廣流傳。今特記是書編印始末，以告關心者。（下・完）

自由談

「必須以變應變」

馬五先生

盱衡世界大勢，俄帝甚於鞏固內部，以期立於不敗之地的備戰關係，它所施展的對外微笑作態魔術，還要積極玩弄下去的。西方列強的惰性觀念本來深重，不自殞滅，所謂「嚇阻政策」，也必然自我陶醉，高唱入雲。除非英美本身發生了經濟大恐慌，或者俄共集團搞出一次突襲珍珠港的事變來，冷戰局面一定延續到一年兩年，乃至於三五年皆有可能。不管世人願意與否，現實形勢是這樣的一種發展，無法否定的。

就我們反共復國的希望來說，這形勢當然非所樂聞，更不願見。但從另一方面着想，我們也可以乘此時機，加強本身的準備工作和實力，以迎接世界未來的新變化，悲觀固然無用，坐以待變尤其危險。我們如其沒有自立自強的作法，在這玩弄和平魔術的階段中，就難免有被出賣犧牲之虞。「需者事之賊也」，我們開口閉口不離革命之說，究竟實際上做了若干革命工作呢？自由中國今日所處的環境和具備的力量，無論從那一方面講，都比當年中共的竊發篡主情形優越萬倍，它們能夠竊據大陸，我們豈不能光復中原？問題是在如何作法而已。

強化軍事力量，自係重要工作，然若政治不能配合，終屬事倍功半。尤其在此一面裝微笑姿態，一面談原子僵局，彼此競搶扣平帽子的局勢之下，創進政治形勢的需要性，實比軍事力量更爲迫切。政治形勢不會從天而降，必須憑人力和智慧來創造的。怎樣創造法？說來話長，萬言亦不足以盡其意。但有一種概念似屬絕對的必要，即澈底記取過去的失敗教訓，反其道而行之。最要緊的事，即莫過於勿使人們視反共大業爲「國共之爭」。能夠做到這一着，政治形勢馬上就氣象萬千，誰也不敢小覷我們了。不過，這非得羣策羣力，拋棄舊觀念與作風，下一番苦工夫不可，小心眼兒與小家氣派的仁兄們，還好是不必勞駕呀！

談：「傻人筆記」

·王世昭·

傻人筆記者，吾友谷懷先生之所著也。谷懷先生胡其姓，本名××，徐懷者諧音字也。他自己在傻人筆記第十九篇多烘先生文中曾說：『四個刊物，我經常寫稿，不過，這些都是現正「法身」，只有「聯副」用筆名，那就等同「化身」了。』理由如何？不必深究，是亦文人故弄狡獪，或興到隨筆之意也。

× × ×

說起谷懷先生，來頭却亦不小。論學位，他是法國巴黎大學新聞系畢業，回國以後，曾任報館社長，大學校長。不得意，乃寄身於禪悅，現今官拜中華民國反攻大陸委員會設計委員。最近在台北聯合報「聯副」發表了一篇文章，題爲「文藝總動員」，把我和黃天石、曾后希、謝冰瑩、林海音、都拉進去，大爲介紹一番，是亦有心人別饒懷抱者歟。

× × ×

寫文章，素來是自己的好，談老婆，自必是別人的好，可是谷懷先生對自己的文章，却發牢騷，謂是「傻人之言」。而對他的太太，却大爲讚美一番，謂爲：「食得食，推得着，就算升官發財，糟糠之妻也不應下堂。」對於現代「人心不古」或「自命不凡」的人，不啻一根大棒棒。

× × ×

秀才賣驢、書劵三紙，不見「驢」字，亦我之謂矣！如今讓我言歸正傳，說說「傻人日記」。

本書全文二十篇，都約八萬言，題目就很有趣，如「我的小朋友——螞蟻」，「我的小敵人——蚊子」，「我的小同志——蜘蛛」，「我的小情人——玫瑰」。還有：「子絕四毋與我的媽媽」，「雞話」，「芙蓉花下女人相」，「妙」，「鬼」，「鳥語」，「老學究過年」等篇，沒有一篇文章寫得不好。就拿芙蓉花下女人相來說吧，共計有五朵芙蓉花，沒有一朵寫法相同，道：

「一朵枝頭挺起，呼之欲出的半開芙蓉。論姿色，是嬌艷欲滴。論體態，是婀娜苗條。昂首迎風，似是驕傲。側面向人，又似嬌媚。……」

上面是第一朵，現在讓我介紹第二朵，谷懷寫道：

「是一朵盛開的芙蓉，粉臉迎人，似微笑，也似弄姿。紅妝搖曳，似招手，又似點頭，情切切，意綿綿，雖是晚秋，也有撩人的春色。」

第三朵寫得更恣肆，他說：

「是一朵開謝未落的芙蓉，色尚未衰，風姿宛在，象徵半老徐娘。風一來，擺兩擺，左顛巷，右顛街。風過了，還要抽兩抽，像氣喘，也像抨嘴，自然是怒氣未平。滿臉通紅，怪脹脹的，自然是脾氣很大。」

最後還有兩朵，看他怎樣寫法：

「剩下來的芙蓉，不是綳而欲墮的老太婆相，便是含苞未放的童女相。前者留戀已逝，後者憧憬未開，均不在小觀園選美之列，姑置不論。」

第一朵他喻如少女，第二朵他喻是蕩婦，第三朵他喻是潑婦，四五兩朵已如原文，恕不贅抄，眞可謂嬉笑怒罵皆成文章了，這不是遊記，還是散文，谷懷的散文寫得這樣好，實在出我意料之外，而且，引經據典，時有突梯，時而滑稽，有時入以禪宗理論，淺出深入，不是對於哲學文學，以及社會學素有修養的作家，是寫不出來的。

本書出版者：台灣台北國民出版社，總經銷處：香港荷里活道中國書局。定價台幣六元，合港幣一元餘而已。

台灣文壇——老作家拾遺

·程外·

我在本刊第五四〇期寫過「台灣文壇老作家剪影」一文，以後，我又陸續探訪到一些住在台灣的老作家來了。當時，我太疎忽，現在，我又以「拾遺」來寫出們，實在對這幾位老作家不恭敬。不過，我是「道遠心誠」一柱馨香也聊充敬意，——塡補我遺漏的過失吧。

臺靜農埋首故紙堆裏

「五四」以後飲譽文壇的老作家臺靜農先生，他現在在台灣大學教授「楚辭」和「中國文學史」，以其淵博的學問，深入淺出的講解，頗能博得同學們熱烈的歡迎與崇敬。

他到台灣以後，從來未爲任何刊物寫過一個字，凡是請他寫文章的一律婉拒；他也不作任何活動，埋首在故紙堆里，靜靜的研究。我想：臺靜農先生不久一定會有一部流傳不朽的著作。現在，他任教台大，是該校中文系主任。

虞君質主編「文藝創作」

梁任公的弟子之一虞君質先生，曾以「海」一劇得中華文藝獎金多幕劇第一獎；但他現在似乎專研究美學，很少寫文藝作品了。有，也是寫的文藝論文；他在「台大」「師大」都教美學，並且還是教育部的美術委員會的秘書。他從五月份起，兼中華文藝獎金委員會的出版組主任，主編「文藝創作」月刊。偶而還爲書商編書，可算是一位忙人了。

謝冰瑩埋首長篇創作

從「一個女兵的自傳」奮鬥三十年的作家謝冰瑩女士，她現在仍繼續寫散文和小說，報章雜誌時可見到。她現在正趕寫一部長篇小說，很少外出；除了去師範大學教書。她出版的集子很多，這幾年，有「聖潔的靈魂」，「紅豆」，「綠窗寄語」等等，但「女兵自傳」一書，仍受到讀者的歡迎。我們希望她以三十年的寫作經驗創造一部傑作來。

吳在民先生八豑之慶自北婆羅洲寄示感詠六章答此當祝

·梁寒操·

不須煩惱不須哀，偶値茲躬入世來；
歷史滔滔還道長，大江潮去復潮回。
天倫骨肉情終永，國變蜩螗志豈灰；
祝語寄公聊一笑，避秦猶得住蓬萊。

短篇小說　市儈

·方正·

張靈傑又會想到「自進大通做小庶務員，內跑總經理公館，取得了經常接近總經理的機會，改任員工福利社總幹事後，移用了福利社基金經營股票，又升到了秘書。現在，我是環球三廠的廠長」。接下去他又想，「我要成爲紡織界的鉅頭，我要成爲經濟界的聞人。聞人鉅頭並不須要什麼專門學問，只要有噱頭，能拉上關係，關係密切了，什麼都成，目前第一步是，必須先向管理經濟的幾個政府機關進攻，建立幾個據點，再聯絡幾個新聞記者做朋友，還要取得幾個學會、協會之類及同業公會之類的團體的理監事等等名義，慢慢地壯大自己的聲勢……」

想到美麗的遠景，又不禁微微地笑了。一股冷風從窗縫裏吹了進來，覺得有點涼意，隨手拉了拉被頭，想要閤眼睡去，但是急燥暴發的心情，無法使他甯靜，不知如何又想起了李董事長：

「李董事長是我一生事業的關鍵，不是與他建立了密切的關係，我何能有今日？今後欲圖發展，必須好好地掌握住他，必須好好地利用他，說穿了，他也不過是一具工具而已。說起工具來，我張靈傑豈不也是他的工具嗎？互相利用與互相合作有什麼分別？只要能收到最好的效果就行。李順風至少在今天比我兜得轉吃得開，今後必須全力捧他，水漲船自然會高，然後才能一帆風順。風順，順風，李董事長名字叫順風，我在紡織界裏必須提出一句『順風路綫』的口號來壯大他的聲勢。最可恨是公司裏那批眼紅心不忿的傢伙們說我是李黨，說我是勢利小人，在我背後伸小指頭，說我是李黨正能壯我聲威，說我是小人這是從何說起？今後我倒要給你們這批大人們瞧瞧我小人的顏色呢！又說我太太出入於董事長之門，我能做廠長是得力於太太……」

想到這裏，他拉了拉被頭靠近太太的身傍尋他的好夢去了。（四）

一個土皇帝

思源

朱元璋當然不肯就此罷休，逐在北隣近地方開縣設治，建立統治機構，並把重兵常川的圍困他那根據地。旨在以堅壁清野的手段來孤立他，使他屈服。

不料把他圍困達七年之久，他恃着廣袤百里的孤山大塹，仍屹然不動；嗣後發覺他那根據地內，雖是萬壑中的孤峯聳立，却原來是生產富饒的沃土，不僅柴米油棉等穿的吃的都有足夠的產量，連食鹽也如四川貢井一樣，從石穴中不斷地流出，不虞匱乏。這才使朱元璋死心塌地的解圍而去。此後的覃垕，又復活他的野心，眞過那九五之尊一幻夢。

終因當日被征服的各部落，已遭朱氏皇軍征剿而解體，周圍並建立了政府組織——設縣分治，使他的羽翼盡折，而活動範圍也並不如以前廣泛，年歲又一天大的大了，只好暫時收起這顆雄心，逐聊勝於無地在那根據地裏，預先做起「土皇帝」來。

在這段歲月里，曾遺留下不少地稱奇古怪的玩藝，爲河山裝點，爲人民留下不可磨滅的痕跡。茲舉其最顯著者：

第一，是覃垕的根據地——因朱元璋的部隊，把它圍了七年，始終沒有攻破，後來都稱它爲七年寨。寨有內城外城之分，外城依山險而建，蜿蜒曲折，如萬里長城般的雄偉。共七門，分東南西北及得勝、皇寶、飛橋等名稱，如今榛莽荒廢里，垛堞依然；內城僅四門，形跡模糊，而名稱已隱約不可復憶了。

內城有宮殿式的建築物多棟，類皆方石作牆，巨木作柱，上面覆蓋以土人自製的黃色瓷瓦，下則舖砌整齊石板，雖非琉璃式的宮廷，却也堂皇冠冕。最令人驚奇的是那些作柱的巨木，直徑有大過三四尺的，足見當日的原始森林，確是參天蔽地了。相傳有正殿偏殿之分，皇坐內宮之別，如今已找尋不到痕跡，不過，照這些房子的殘垣斷壁遺痕看，恰如南嶽山中的古剎梵宇。空氣與光綫，都是不合於現代建築的。

第二，就是那個古怪的覃垕洞。洞在懸崖絕壁間，先要渡潭水中一泓碧水的深潭，緣沿着石壁上鑿成的鳥道，攀登約百餘公尺高，始獲入洞門。洞口很狹窄，一入洞內，確海闊天空，別有天地。洞有三條貫穿全洞的大道：左邊一條路，是依着洞內御河（內面的小溪依土人稱呼）逆流而上，御河兩岸，排列如模型般的田畝，清水盈盈，飲如甘露，且芬芳於齒頰間經久不散；相傳是覃垕的四十八坵皇田。用神話證明它，田雖小如模型，豐收勝良田萬頃，覃垕當年被困山寨中，全賴此田供給軍糈。我姑妄記之。

中間的路，直入洞中可達七八華里，沿路有很多寬敞的洞穴，每穴皆有門如廚房間然，門外有石人，也有石馬，似多天然，不類人工。入洞較深，即發現每一洞穴的砂石裏，人類腳跡，宛然猶新，有的是纖纖金蓮，似不盈握，有的長及兩尺，五指分明。假如發現這些腳痕後，將之全數鏟毀，明日來時，又依然印上。因此引起進入其洞的人，莫不戒愼恐懼，誰也不敢去探個究竟，以致誰也不知道其中的究竟了。傳說此洞內爲覃垕儲藏金杯玉盞之所，故有此神物保護。我也姑妄記之。

右邊有一條路，曲曲彎彎的走去，可穿出另一洞門口，洞口外無路可通，但有人工砌成的石牆，事隔五百餘年，而牆壁如新，不能不說是怪事。洞門正中高約二十公尺的石壁處，有杉木桿插石壁縫中，相傳是覃垕當日的旗桿，惟此木至今能不朽腐，更令人神祕嚮往，而莫可理解了。（三）

同光風雲錄

夢山樓

張樹聲

張靖達公，字振軒，安徽合肥人。太平軍擾皖北，以廩生與其弟樹珊，樹屛，治團拒敵，復越境出擊，連克含山，六安，霍山，潛山，無爲，太湖一役，以五百人陷敵陣，破陳玉成衆數萬。故皖北雖破碎，而合肥獨安謐如常者，樹聲之力也。

揚名兩江再平桂匪

曾國藩嘉其功能，奏保知府，同治元年，從李鴻章援上海，鴻章立淮軍，與劉銘傳等分領其衆，從克江陰，晉授道員。次年，攻無錫，奪獲戰艦器械不可稱計，乘勝趨常州，連攻河干二十餘營壘皆拔之；敵軍聞風披靡，而樹聲之威名，遂揚溢於兩江矣。逾年，進復浙江湖州，敘功以按察使記名，旋署江蘇徐海道，又調直隸按察使，赴大名督辦防務。越二年，擢漕運總督，署江蘇巡撫，丁繼母憂歸里。光緒三年，起授貴州巡撫，會廣西匪熾，紛亂過於他省，廷旨調樹聲撫桂，整軍厲政，先後剿平西林苗匪，武宣積匪，而全省底定，晉授總督。

攝直督飛檄平韓亂

直隸總督李鴻章母喪歸葬，樹聲奉旨攝直督。時値朝鮮亂作，日使花房義質將兵五百人王京，迫朝鮮議約，樹聲乃飛檄吳長慶赴之，揮軍攻亂黨，悉殲其魁，亂遂平。即疏荐長慶戍朝鮮。清廷嘉其能，加太子少保。明年還督兩廣，會法越搆兵，即以法人狡黠叵測。迨北甯陷落，乃扼腕而嘆曰，侮如此猖獗，國將不國，若不大加撻伐，將何以立國，粵中空虛，而禦侮尤爲急務，於是疏陳解總督職，專治軍事，並馳赴越南督師，詞氣慷慨，一往無忌，致觸言官之怒，以報事不實，參准革職留任，未幾，憂憤病歿。諡靖達，予直隸，江蘇，及本籍建專祠。

樹珊，樹屛，以從征上海，復轉戰松江，蘇州，常州，及平捻亂，屢著勳功。樹珊則授廣西右江鎭總兵，樹屛爲太原鎭總兵，一門將星，棣萼流芳，至今猶傳人口，庶幾不失曾李之遺風歟？（卌七）

自由人

THE FREEMAN
（第五一五期）
中華民國僑務委員會
僑發登記證台教新字第一零二號
中華郵政台字第五○○號
執照登記爲第一類新聞紙類
（半週刊每星期三 六出版）
每份港幣壹毫
台北市價台幣壹元
督印人：陳文華
地址：香港高士威道二十號四樓
3 rd. fl. 20 CAUSEWAY RD
HONG KONG
香港發行及業務接洽
高士打道66號 電話：七四○五三
承印者：東南印務出版社
地 址：高士打道六十四號
海外總經銷
友聯書報發行公司
香港：德輔道中二十六號A二樓
台灣特派員辦事處
台北市館前街五十號
台灣總經銷處
台北市西寧南路壹壹號二樓
台郵撥儲金戶九二五二

犀照騙子集團
——史大林是騙子集團的首領——

·王厚生·

史大林在未死之前，我們早就說過：他是個騙子，以史爲首的共產黨是個騙子集團。史大林及其共產黨欺騙了民衆，驅使民衆爲實行革命和奪取政權的工具。共產黨又以打倒資本主義的騙人口號，將一國的財產集中到他們少數人的手中，自居於獨占資本家的地位，控制全國人民的衣食住行和思想。共產黨壓迫和剝削人民的殘忍是史無前例的。所謂「解放」，其實是束縛、壓榨和剝削，所以，共產黨是騙子集團，史大林從前是這個集團的頭子。

騙子集團的領袖

過去，我們對於史大林和共產黨的指責不免還有人表示懷疑，共產黨也可以說我們是「反動派」，故意在造謠在誹謗。共產黨反駁我們的言論是當然的事，因爲我們站在自由人的立場上，跟他們的專制統治是敵對的。那些懷疑我們的言論的人，一方面是因爲受了共黨的宣傳之毒，另一方面是因爲共黨所設的鐵幕阻礙了人們的觀聽，使人不能馬上相信我們的話是眞實的。

可是，從蘇聯共產黨第二十次代表大會以來，我們的言論已經證明是確實的，不是故意的造謠和誹謗，因爲我們所指責史大林和共產黨的話，蘇共今日的領袖們也都承認了，而且他們自己也作那樣說了，我們說史大林是個獨裁者、是個殺人不眨眼的魔王、是個膽小如鼠臨陣脫逃的懦夫，也說史大林濫主觀的成見竄改歷史，恬不知恥地將自己抬高到「天才」的地位。這一切不是已經明明白白地說明了史大林是個暴君和騙子嗎？當然，以史大林爲首的共產黨不可能不是騙子集團的。

自揭醜惡面目

目前，蘇共正在改寫歷史，史大林的醜事和騙子行爲一一被揭露出來，正是洋洋大觀，其內容之豐富無有出其右者，如果將這些材料編訂成册，讓全世界人民得閱覽的方便，是確實能開人眼界的。最近（五月三十日出版）的蘇聯「歷史問題」（Questions of History）雜誌中，發表了二篇論文，又一次和進一步暴露了史大林的騙人醜行。其中有一篇說：跟以前公佈的情形相反，史大林並不是沙皇統治下的高加索共黨地下組織的領袖；史大林曾於一九○五年領導石油城巴庫的罷工的說法也是不眞實的；史大林更從未參加過第夫利斯的一個秘密革命印刷所。但是，上述三件事是以前發表的史大林傳記中最動人的地方。

另外一篇論文說：在推翻沙皇政權和完成共黨革命之間的這段時期中，史大林還反對了列寧的政策而遵循了和中產階級革命黨派合作的政策，即史大林支持了主張這種合作的康米涅夫。

也揭發了列寧罪行

在作者看來，前一篇論文的內容當然對史大林十分不利，這道出了史的爲人虛僞和奸詐，使許多有志於共產主義事業的人誤信了他的「偉大和不朽」，在受騙的人當中，包含着上千上萬有着純潔心靈的青年羣衆，因爲他們過去所接受的共產主義教育都說史大林是「偉大和不朽」的。

後一篇論文固然對史大林也不利，但對列寧也甚有損害性，因爲在三月革命以後，列寧反對在俄國樹立社會主義黨派的聯合政府，而主張由共產黨用武力維持獨裁統治，這條路線決定了蘇聯從十月革命之後的歷史發展，史大林的「個人崇拜」和獨裁統治是走列寧路線的必然後果，所以，列寧是無論如何也逃不掉史大林犯「個人崇拜」和濫殺同志等錯誤的責任的。假使，照後一篇論文的說法是對的，即史大林曾支持康米涅夫、贊成和「中產階級革命黨派合作的政策」，那末，就歷史學的眼光來看，史大林這一支持康米涅夫的行動是正確的，假如當年的史大林能夠排除列寧的主張，而幫助康米涅夫的主張貫澈實行，也許蘇聯的歷史又是另一面目了，可惜史大林太不成話，他不能對一種主張抱持堅定的態度，列寧回到俄國之後，他的立場就動搖不穩了，他開始轉向列寧那一邊，大概因爲史大林有這種機會主義的作風，頗能投列寧的歡心，以後拔擢他出任黨的總書記。但作者不了解，爲什麼著論文的作者要那樣的挑剔史大林的過失？史大林有投機作風，和沒有主見，已是顯然的事實，但史之支持康米涅夫是在列寧回國之前，列寧既抵國境，史大林發覺列寧的主張似乎有理，轉而支持列寧，這是很普通的事，寫這樣的論文，最多只能說明一項歷史事實，證明史大林並不是一個「天才」，他沒有定見，完全以列寧的馬首是瞻，他還有什麼錯？但是對於列寧來說，重提這些往事，不禁使人想到列寧在當年替蘇聯所種下的禍根。

蛇鼠一窩何分彼此

老實說，主持蘇聯今日改寫歷史工作的當政者，那一個還有清白的身世和自始一貫的主張？我們只要稍爲查閱一下歷史，就可發見當史大林活着和顯赫的時候，他們都還是史大林的下手，一切罪惡都是經過他們的執行而造成的。換句話說，史大林是個大騙子，他們都是些小騙子，現在，讓我們看一看歷史上的事迹吧！

當二十年代蘇聯國內進行大清算時，赫魯歇夫是莫斯科區的共黨首領，他直接參加了血腥的清算工作。馬倫可夫是史大林的私人秘書。布爾加寧當時在契卡（Cheka，秘密警察）服務，是捕人和殺人的劊子手。

（下轉第二版）

海外通訊

日蘇關係發展經緯

·觀遊·

（本報東京航訊）日蘇關係的演變，正在不斷發展中，其間又夾雜中共問題在內，因此日蘇談判實已暗中成爲莫斯科、北平、東京間的三角關係，日蘇漁協的簽訂，和中共特派貿易代表駐日，皆是值得玩味的。

從吉田到鳩山：當吉田執政時對蘇俄是「不理睬策略」，儘量向俄國人頭上潑冷水，連續的照會蘇俄駐在東京的代表團從速撤離，逼着蘇俄代表團關上大門；從此蘇俄的態度逐漸軟化，揚言要逐步釋放日本戰犯戰俘，想以此爲餌，誘使日本上鈎，可是吉田不爲所動，充耳不聞，更沒有表示絲毫欲與俄國打交道的意向，蘇俄對日無計可施。迨鳩山組閣，口風一鬆，蘇俄正在走頭無路之際，即乘勢向鳩山伸手，在鳩山表示願改善日蘇關係的次日，蘇俄駐在東京的代表團就派人去見鳩山，也表明談和復交的願望，自然一拍即合，適時蘇俄駐在東京代表團關閉已久的大門又大開了，眞所謂絕處逢生。

離奇的照會：某次蘇俄代表團的代表往晤重光並且面遞一張照會，表示願對日復交，重光一看這是張無人簽署、沒有年月和沒有地點的照會，他不只是驚異，且亦認爲是污辱、荒唐，不予接受，蘇俄代表乃改口說這是非正式照會，也希望非正式接受，重光立斥其無誠意，終予拒絕。

蘇俄的圈套：赤化日本的現行政策是從談和復交做起，蘇俄切望能夠在日本作公開合法的活動，故並不因重光拒絕而罷手，旋改向社會黨議員進攻，透過該黨議員，鳩山竟滿口答允，並收下了張照會；俄代表立即聲稱，該照會是奉莫斯科指示辦理的，並承認是一張正式的照會，（至于是否補加簽署，只有鳩山才知道）於是日蘇和談之門打開。

和談地點之爭：蘇俄原擬藉口日蘇和談的機會，派出一個龐大的和談代表團，進駐日本，既可享受外交官待遇，又可乘機大作其宣傳、情報等活動，如和談能拖，則其活動更爲有效，並可助長日共顛覆政府的工作。日本外務當局爲預防此後果，故反要求以莫斯科爲談和的地點；而蘇俄則一口咬定必須要以東京爲談和的地點，竟至各不相讓；最後俄方深恐無法挽回，乃不得已提出以倫敦爲談和的折中辦法，因此可以說此爲日蘇和談過程中日本聰明之舉。

和談破裂：和談自去年六月三日在倫敦開始，一個月未見進展，俄方鑒於拖下去，並無獲益，於是又要了一個花槍，把已經集中管理的一批日俘突然疏散了，更絕口不提遣回日本的遣回事。而日本當時的要點則在要索還戰前的島嶼，蘇俄則堅持不還，談判即擱淺。日蘇雙方的全權代表都打着「回國請示」的旗子各歸其本土，其後雖曾再開，亦終於不歡破裂。

再生一計：蘇俄眼看上了鈎的日本脫了鈎，既不能放棄自己的利益，于是乃藉口日本在西北太平洋濫捕魚類。爲維護漁權計，聲明今後對日本漁船一律扣留及射擊；日本當局馬上商請各大學教授研擬對策，蒐集了很多蘇俄出版的漁業雜誌，找出蘇俄自己如何濫捕魚類的事實與數字；並將這些自供的資料送給蘇俄，予以反擊；這一來蘇俄乃提出要求進行漁業談判，實則藉此從事爲日蘇和談復交的談判開路。

漁業談判：日本爲了維護捕魚作業的安全，也不得不與蘇俄正式開談漁業問題，談判的要點爲：捕漁適水域，日本提出的範圍是西北太平洋，蘇俄則改爲西太平洋；對于鮭魚、鱒魚、鯡魚、蟹，及海帶等種類不同的魚類，而限制的區域亦不同，並要向俄當局領取特別許可證；因爲俄方所提條件過于苛刻，談判會中途觸礁。所以五月九日布爾加林單獨接見河野商談。他們都不通英語，河野既不通俄語，布爾加林也不通日語，試問怎麼談呢？遂引起該談判是在秘密中進行的傳說，事實也是，在河野晤見布爾加林以後，談判竟急轉直下，有立可簽字之勢。

再起變化：十一日突然發生了變化，蘇俄說這臨時漁業協定：（一）要在日蘇復交後或（二）日蘇和平條約生效後方有效力；河野說，這還談什麼，簽了字也沒用，於是通知蘇俄當局爲其預備專機回日不再談判了，河野態度之堅決，終於使俄方軟化，這兩點附加條款也在協定上剔除了，於是十四日傍晚協定，十五日上午四點十五分正式簽字，河野簽字後即飛華府會晤杜爾斯。行前並叮囑隨員回國後不得隨便發言。

日議會質詢：日蘇秘密交易的傳說，因爲一、河野單獨晤見布爾加林；二、參加談判的隨員們，據說從五月九日起一直至十五日簽字時的這幾天內，河野帶去的隨員們都睡眼惺忪，頭髮蓬亂，領帶歪斜，彷彿是通宵忙亂緊張萬分，使人更加深信其中定有秘密之處了。於是待到河野回國，日本議員在國會羣起質詢秘密交易經過。但河野卻矢口否認。

漁協要點：日蘇漁業協定的要點是：一、魚獲量限爲六萬五千噸。二、蘇俄發給捕漁許可證，簽字後即有效。三、設置調查委員會共同處理漁業有關事務等。但是俄方的附帶要求是日蘇必須在今年七月卅一日以前恢復和談，換言之，該協定是在雙方在這個要求下簽字的。由於漁業協定的簽署，也暴露了蘇俄的假面目，萬變不離其宗的目的，就是在日蘇和談恢復國交，但及今日本的明智之士，對日蘇和談的這件事仍抱着慎重的態度，至于和談的地點也仍在倫敦。由此可以想見日本對和談亦有所疑懼的。另外，從各方反映顯示中共貿易代表之將要正式進駐日本，也與漁協談判有關，據說還是該協定能夠簽字的交換條件之一呢！（六月五日）

半週述評

·司馬璐·

舉世祝福艾森豪

舉世注視艾森豪總統之病，舉世在爲他的健康祈禱；包括他個人的政敵，也包括自由世界的敵人在內，都不敢不做這個樣子。

美國民主黨領袖曾屢次說，艾森豪的政府削弱了美國的國際地位，今天我們無意對這一爭論作任何判斷，但我們必須指出，[illegible]美國大選的進行也總之一樣受到影響了。

同情？過時？鼓勵

這一次艾森豪總統之病，又成了共黨挑撥的口實了。有一家共報說，艾森豪八日發表了同情中立國的論調，隨即引起了國內對中立國問題的紛爭，九日艾森豪就病了，含沙射影，言外之意，不問可知。

不錯，艾森豪說過同情中立國；尼克遜說過，美國在中立國內必須進行一項爭取人心的鬥爭；杜爾斯又說過，中立國的觀念是過時的。

我們以爲，這三段有關中立國問題的話，正說出了一個完整的意思。那意思就是，我們應該以同情的態度，進行爭取中立國，但同時應該鼓勵中立國的傾向。

中立國內部不安

美國人這三個對中立國問題的觀念，說明他們對于中立國問題的認識已經大有進步。

假如美國內部對這一問題眞有所爭論，這是健康的，因爲這對于美國制定一項爭取中立國的完整的政策，一定有很大的幫助。

我們必須正視中立國家一個重要的事實：若干中立國家多爲內部的不安而採取中立政策；但是，假如在中立以後，這種內部的不安在繼續擴大，他們必然要重新攷慮。[illegible]就是一個突出的例子。吳努的辭職，並不意味着緬甸立刻改變他的中立政策；但是，吳努的辭職由于自由同盟在大選中的失勢，這個執政黨的失勢自然也反映一般人民對中立政策的不滿。

緬甸的內幕新聞

吳努辭職前二日，仰光一家與吳努接近的英文報紙「民族報」發表一封公開信，信中說：「過去數年中，吳努已然[illegible]」

[illegible]這段緬甸的內幕新聞，後來經過緬甸報紙普遍譯載，可靠性是沒有疑問的。這還不值得所有中立國的警惕嗎？

亞洲面貌正在變

[illegible]是一個重要的里程碑，中立主義又在[illegible]

江杓被質詢餘波未了

楊志

最近由於電力加價案引起的行政、立法兩院的爭論，乃是發因於江杓部長與立委吳延環對於內閣制的質詢權，持有不同的看法。

·台灣通訊·

四月十七日立法院十七會期第六次秘密會議時，江部長於應對之間，不惟有悖法理之處，甚且措辭遣字亦頗涉及意氣，招致多數立委非議。吳委員認為意氣可忍，法理不可不彰，情理可屈，惡例不可任樹。乃於四月二十三日向俞鴻鈞院長提出二項書面質詢：（一）行政首長所作承諾是否應照言兌現？（二）閣員之一代表內閣列席國會是否代表整個內閣？（經過會載本刊五三九——五四〇期）迨至六月三日行政院才以書面答復送往立法院轉致吳委員。

吳委員認答覆有疑問

該答覆關於第一點質詢：『據經濟部長呈稱：此次貴院審議電價，黃煥如、陸宗騏兩委員在原則上提出解決調整電價方式，當時對黃陸兩委員提出意見所作之表示，純係虛心贊佩之意，並非承諾。（筆者按當時江部長答稱：原則同意，一定仔細研究等語。）關於第二點質詢：「依照憲法規定，行政院向立法院負責，政院部會首長列席立法院會議，如係在政院既定政策範圍內所作之承諾，自足以代表政院之意見，應由政院負其承諾之責任。反之，不在既定政策範圍內所作之承諾，自不能認係本院之承諾，又此項承諾如有不當之處，本院當視其不當之程度尋謀改進或其他適當之措施。」』立委吳延環對行政院答覆他前次的質詢仍有疑問，特再於六月六日以書面向俞院長提出四項質詢。

依違兩可非負責態度

「一、民主政治即責任政治，內閣根據憲法對國會負責，乃當然之事。所謂負責云者，實不欺不騙，言出行隨之意，設不問黑白，均表贊佩，依違兩可，一味敷衍。事後如無人過問，固可說過即了，若有人質詢，即漫將一切承諾均諉為「虛心贊佩」。此種行徑是否負責態度。

「二、四月十七日江部長列席立法院會，代表行政院所提電力加價案備詢。揆諸「代表」與「負責」兩項原旨，如行政院院會議決該案之態度，非加不可，則江部長既為負責當局，對該項政策不贊成即應掛冠求去，對該項政策設然起草之官吏，並為參與表決之一員，則應為原方案多方辯護。茲既不見江部長退出內閣，又不見為原方案力加辯護，只見他「心貸佩虛」「以防衛捐撥抵」或「以附加方式抵充」之相反主張。事後又不見行政院書面或口頭上之澄清是否行政院在議決該案時，另有諒解？

作人之道負責之方

『三、作人之道，首在表裏一致，負責之方，尤宜言行相符。虛心贊佩，已須謀所表現，實已承諾，更須從速照行。江部長答覆黃煥如委員「以防衛捐撥抵」時，告以「非常高明」，固可諉為虛心贊佩，「原則同意」豈非「實已承諾」之意？實際既已承諾，揆諸負責原則，即應先將原案撤回，再將彼所「原則同意」之主張，加以縝密研究，妥定方案，依法定程序，提出行政院會討論議決之後，再送立法院審議。此項程序當為不爭之論。

閣員之承應代表內閣

『四、閣員之一代表內閣列席國會，來文已認為是代表整個內閣。惟對於其所作承諾則謂須視其是否根據或符合內閣之既定政策為前提。按我國行政院之政策，乃行政院會議所決定，但以電力加價一案而論，行政院會議記錄事前既未送立法院參考，江部長列席時所作之承諾，事後又未為行政院所否認，何者符合，局外人既難洞曉，從而何者有效，何者無效，更使人如墮五里霧中！如代表內閣列席國會之閣員，其在國會所作承諾如與內閣政策相符，固無論矣，如與內閣政策不符，則閣揆須即正式聲明否認。但設不立即聲明否認，則在聲明以前，在理論上當然仍認為是整個內閣之承認。此等觀點，不知所見略同否？』

望政院再予滿意答覆

以上為吳委員的質詢原文，筆者覺得該項質詢縱鋒銳犀利，持論公允，不能視為是對俞內閣的攻擊，要求俞院長澄清行政院對立法院負責的態度，亦為推進憲政之必須。這種致力於過問國事，樂於過問政事的精神，實值得國人衷心贊佩。江杓部長既不嫻辭令，在應對時即應從容，不宜激烈，宜謹切，不可侵游。措辭遣字既有欠公，事後應該勇於認錯，如此尚不失政治家風度，而今却一味執拗，以遁辭搪塞，貽人話柄，何若乃爾！字內所視者朝堂，朝堂所趨者主志，俞鴻鈞院長素以服膺民主，尊崇法治著稱，應知私誼公忠有輕重之別，我們相信絕不致對江部長有所偏袒，一定會給吳委員以滿意的答覆。

·人物評述·

憶陳茹玄先生

·邵鏡人·

近來僻居山村，很少和朋友往來，因此，對於各方消息，隔閡甚多。上月會見鍾應梅教授，他說：『一年間，我們廣東死了兩個學人，一是羅鴻韶，一是陳逸凡。』一聽到陳逸凡三個字，不啻晴天迅雷，使我膽戰心驚！但，希望這個消息，所傳失實。於是，專書立法院主任秘書陳鶴齡君，因為鶴齡是逸凡的忘年朋友，接到他的覆書，果然不幸，逸凡在去年十二月十二日病殁台北，年僅六十歲，夫復何言！

逸凡名茹玄，廣東興甯縣人，少負志節，所以，不遠數千里去到南京，進陸軍中學，但，畢業時，適值廣東省招考公費美留學生，他又變更初志，考取赴美，在依利諾大學畢業，得法學士學位，又入哥倫比亞大學，專治公法學，得博士學位。曾任美國司法院戰時書記局審核員，逸凡認以為耘人之田，有收穫，亦非報國之道，故在民國十一年，毅然辭職回國，任北京國立師範大學，法政大學教授。逾年，受南京東南大學之聘，任政治經濟系主任，曾一度代理校長。後來歷任上海光華大學主任教授，大夏大學文學院院長，孳孳矻矻，誨人不倦。

最够使人佩服的，便是他任國民政府建設委員會，和黃埔開埠督辦公署秘書長時，經常代表會署與外人簽訂各項工程合同，例得佣金，數目甚鉅，在一般人看來，也許是取不傷廉，但，清廉耿介的逸凡，却認為是可恥的私利，總是歸之於公家，不肯接受一錢，外人輒引為奇蹟，稱贊他的為人。對日抗戰軍興，他任軍事委員會駐滇工程委員會副主任委員，往來川滇湘桂各省，棲棲遑遑，心力交瘁，這是他對抗戰的貢獻。

抗戰勝利了，我國實行憲政，他獲得廣東選民擁護，當選中華民國行憲第一屆立法委員，並兼任外交委員會召集委員。平時很少發言，但，每遇重要議案，或有關國家的大事，他總是以沉着態度，慷慨陳詞，不偏不倚，折衷至當，超然於派系門爭之外，所謂『公忠體國，仗義執言。』逸凡是當之無愧。我和他同席幾年，所見到的很多，所知道的也很多的。

中共南犯，政府退守廣州，旋又遷至重慶，他攜眷避地澳門。三十九年，我從雲南微服逃到香港，寫信給他，接到他的覆書，情眞語摯，字亦娟逸可愛。略謂：『去年夏，接自桂林來書後，西南政局劇變，無法取得聯繫，時以吾兄行蹤為念。頃奉賜書，適遂天兄亦在座，（編者按：遂天，王俊字，軍事專家。）迴環傳誦，喜慰之餘，更相慨嘆，天地之大，幾難容吾儕一粟之身，此為乾坤何等時耶？觸心大難，滿目橫流，益切水深火熱之慮矣。……立院開會在即，弟擬俟入境證領到後，即赴港轉台，屆時當訪吾兄，暢敘別情，倘得結伴同飛，共赴國難，則更幸矣。』不幾天，他來到了，住在勝斯旅社，我們刼後重逢，喜極欲涕！是夕同在一塊吃飯，說不盡興亡之感。我留他多住幾天，他說：『行色倉卒，不便久留，以後總有會面機會。』想不到從此一別，便成人天永隔了！

逸凡擬撰論文，大多關於憲法，比較政治，及國際問題，散見於各報章雜誌，遺著有中國憲法史行世。畢生講學，畢生著作，雖然服官幾年，但因厭隔自勵，自然無甚積蓄。生平最惡政途奔競之風，一副峻嚴面孔，好像落落寡合，可是，久與相處，便覺熱腸古道，決非趨炎棄勢，利盡交疏，一般無恥小人所能瞭解他的。逸凡無子，有女一人，已適姚氏，夫人吳立英女士，亦留美學生，現在台灣，因年邁多病，依女及婿為生。

我對逸凡之死，為國家惜正人，為朋友悲直道。最堪遺憾的，是未得親臨執紼，而死後半載，才得到消息。天方夢夢，世尚滔滔，人慾橫流，國將不國，逸凡死而有靈，恐怕也不能瞑目啊！

中共用雅片毒化日本

一販毒者年獲六十億 死於烟毒者年約五萬

·許俊·

（本報東京特稿）根據最近的日本九洲每日新聞專欄文章所載：日本警視廳會於去年七月欲將世界最大的販賣雅片大王李金水和他的手下一網打盡，結果是李雖就逮，却因其緘口不言，致使其手下夥友得逃出日本，而在×港與李金水共同經營販毒的「×春行老闆陳××得免於罪」。

日韓共協助販毒

據該報透露，戰後相繼潛入日本經營販毒的有：徐垣祥、亭利陳、李秀峯和李金水，自李就逮後，「第五號」已潛抵日本，他一年販毒所獲可以賺日幣六十億元，日本每年死於烟毒的約有五萬人，雅片得一公分的售價是三千至四千日元。

日本，固是遠東毒品銷售的主要市場之一，但也是外銷的轉口站。雅片多經由曼谷、香港等地循密運和海船偷運入日本。據警視廳於本年二月初捕獲的魏榮清供述，他是利用從香港密運的報紙，每次夾入五、六公分，從他那里到吸毒者的手裏，要經過四、五個中間人轉手，販毒組織極為嚴密，對洩漏者則私下處以死刑！如此販賣一年約達三噸！

日本政府對於撲滅販毒吸毒是不遺餘力的，但是道高一尺魔高一丈。據九洲每日新聞稱，在「昭和二十五年十月，日共九洲地方委員會日貿人山本齊，從朝鮮人聯盟（韓共）幹部係×處領取海洛因四錫被檢舉，經查係之背景為朴孔隆，又中國人。受朴孔隆運用在各地販運毒品的則包括有女護士，她們利用雙底皮鞋、手提包為工具。」

中共大量生產輸出

鴉片的主要產地是中國大陸，主其事者是中共。根據國際麻藥委員會發表，中共耕作鴉片的土地面積有四百十三萬畝，每年生產量為二千五百噸，是全世界醫療需要量的四倍！

據日本當局所得情報，中共只限令偽殘兵員及邊族可種植雅片，由中共黨中央委員會統轄，經由對外貿易部專營出口，大規模的製造廠約有卅所，各省地方國營特產加工廠約有五十所；種植雅片由「人民銀行」放貸專款，「科學院」的農學院透過四川大學等傳授蘇聯的米邱林種植法改良雅片品種。

就該報所述各節觀察，中共對日本不僅從事思想的赤化，且進行販賣雅片的毒化政策，其危害之大已不言而喻矣。（五月卅一日寄）

種植面積達六百萬畝

編者按：根據六月七日香港報紙所載中央社的特稿，中共對世界的毒化政策正在積極擴大中，種罌粟面積已增至六萬畝，年產量達八千噸，運銷比率近半年來以日本佔首位，美國與東南亞地區為第二第三位。從大陸出口的主要路綫：華北綫以天津為主，威海衛，青島為輔，目的地為日本，南韓；以廣州為中心分由石歧、深圳、萬山羣島出口者，則以海隔兩大口岸為銷售集散地，遠銷全東南亞、歐洲、美國或台灣；從上海出口的則以中近東為售毒對象。由販賣雅片所得則資助各國共黨作政治鬥爭。就此項消息與本報特稿對照，可見中共毒化世界之概況矣。

台北速寫

還是一人競選

一人競選的現象，不僅有違民主政治的本意，且也是一種諷刺，迄今無法改進。聞國民黨七中全會對此曾加檢討，尋求對策。但事實是，最近各地鄉鎮長選舉，唱獨腳戲的幾及半數（如台南縣二十九個鄉鎮，有十四個鄉鎮皆僅有一人競選，台中縣二十鄉鎮，也有九個鄉鎮是一人競選的）。

檢討檢討

監察院已將對一般政治設施的檢討意見送給行政院去參考改進了，就報載所見各項意見雖都是原則性的，却頗能把握時弊，若能一一做到，也可使當前政治態勢，一新耳目。但監察院還須檢討一點，即對於歷年來的檢討意見，政府各部門究已做到了多少，否則，我行我素，各不相干，你檢討你的，我做我的，則檢討會對實際政治的作用就值得檢討了。

拜拜帳一篇

最近本市三重鎮市民舉行了春節最大的一次「拜拜」（祭祀），一日之內酒食耗費在一千萬元以上。其出方面的紀錄是：車禍八件，兒童走失者三十六人，醉倒路上者三十一人，家宅被竊者二十三戶，調戲婦女者七十件，敲詐者五件，誣告者三十四件，吵架者一百二十一件。從這裏反映出了些什麼？

律師與法官

高雄律師王逸公被一位推事傳害自由，官司打了一年，結果法院仍說推事有理。該事律師公會正在依法力爭中。律師、法官同為保障人權者，竟至因「侵害自由」而官司打不清不亦妙哉！

聽天由命者多

在台北，算命看相的生意日盛一日，北市近郊的一個小鎮上，有位摸手相的盲者，據說很靈。求其一摸者，以達官貴人最引人注目，這顯示台北的聽天由命的貴顯怕不在少數呢！

。杜衡之。

犀照騙子集團

·王厚生·

（上接第一版）在三十年代蘇聯的大清算中，赫魯歇夫是烏克蘭的共黨首領，他自己指揮對「人民敵人」的清算工作，因成績可觀，曾獲史大林的紅旗獎章一枚。馬倫可夫是莫斯科市市長，他在祝賀史大林六十歲誕辰的文章中說「以史大林同志為首的黨採行了正確的政策。」在這裏，可以見出赫、馬的政治地位因協助史大林有功都有了高升。

誰還會接受謊言

在四十年代蘇聯的大清算中，赫魯歇夫不但仍是烏克蘭的共黨首領，而且躋進了蘇共中央的政治局，成為政治委員，稍後，又成為政治局書記處的一員。馬倫可夫在一九四六年成為蘇共中央政治局的政治委員，根據眞理報所載，他在一九四六年二月八日曾說：「史大林的工作將永垂不朽，我們的後代將和我們今日一樣，尊敬史大林的名字。」一九四七年之前，布爾加甯是國防部的第一副部長，稍後，他晉陞為部長。

一九五三年以來，赫魯歇夫變成了蘇共中央的總書記。馬倫可夫曾繼史大林出任部長會議的總理職務，現為電力站部部長。布爾加甯是蘇聯今日的總理。

看了以上的歷史事迹之後，我們很快就可得到如下的結論：赫、馬、布等人的政治地位在已往的三十年中是步步高昇的，假使他們今天所說對史大林的作法會表不滿是確有其事的，不要說他們的腦袋早已搬了家，還能有今天的權勢嗎？這些人顯然沒有改變作風，依舊在做騙人的勾當！但我們可以斷然地說：接受謊話的人是愈來愈少了。（完）

×　×　×

東南亞電影節的前夕
銀色圈子裏發生炮戰
起因是大映總裁永田雅一的一席話

東南亞電影節揭幕的前夕，若干製片人之間曾發生了一連串的爭論，國語影星嚴俊甚至拒絕把他與李麗華合作的「娘惹與峇峇」按照原定計劃在電影節中參加評選，事後雖據大會的解釋，該片臨時退出參加的原因，係因爲未能及時攝竣所致，但由此我們亦可以看到這次爭論的嚴重性。

永田雅一的談話

不幸事件的發生，係由東南亞製片人會主席亦即日本「大映」總裁永田雅一，向記者發表的談話而起，當他提到有關他對香港出品影片的意見時說：「我願意給香港電影界一個忠告，香港出品的影片極壞，夠不上水準。一部好片子的產生，必須要有妥善的準備，要化大量的金錢，香港影片的成本，祇在二萬三萬美金之間，就不可能有好的影片，依我的意見，一部稱得上好的影片至少要化十幾萬美金。準備既不充分，資本又不充裕，當然不會有好的片子出產，沒有好片子，就是沒有市場」。

在講到日本電影開闢世界市場時他不禁有點自豪：「羅生門推銷到世界的原因，就是錢和準備。」在問他對於中國明星的意見，他說：「李麗華和林黛兩人很好，有天才，有演戲的技能，但缺乏好的製片人和導演，這是很不幸和可惜的事。」

港台製片家的反應

永田雅一的短短的談話，馬上得到了強烈的反應，來港參加電影節的自由中國中央電影公司製片人李業首先表示了他的意見，他說：「日本的電影公司可很輕易的投資數十萬美金在一部片子上，因爲日本全國有三千多家戲院，一次輪迴放映以後就可有卅萬美金的收入，向國外推廣市場，自然饒有餘力。如以台灣來說，僅有三百七十餘家戲院，票房的記錄雖高，每片以二萬美金計算，最多祇能得回成本的一半。勢必須依賴南洋各屬的收入來彌補成本，而在南洋各屬，印尼和緬甸都不能夠去，菲律賓的外滙又是頭痛問題，所以自然地限制了國片的市場。」他對本港的電影，認爲已有長足的進步。但他接上再說：「如能好好地努力二三年，一定能做製出超水準的影片。」

香港麗都公司的負責人杜道勸說：永田先生所說的話，有些地方對，有些地方卻大錯，香港影片因爲受着市場的威脅，不能化大量的資本，來創作一部十全十美的片子，國語片的市場，局限於南洋，預算的收入，將屬有限，這並不能歸諉於香港沒有好的製片人，好的導演或好的片子。譬如說：中國片子「蕩婦心」和「海棠紅」，單單在香港放映，每部片子的收入就超過卅萬元，南洋方面的收入，亦極爲可觀，反觀永田所自詡的並且得過世界影獎的「羅生門」，在本港的票房紀錄，卻遠不及「蕩婦心」和「海棠紅」，足證上述二部中國片子比「羅生門」還要好，每個國家的影片都有好有壞，「耶耶乎」（不好）的日本片子亦多的是，這當然不能夠說所有的日本片都是壞的，日本電影目前的企圖更明顯，自在前年發起影展，就想打進南洋市場，來影響香港的電影出品。本港的電影界，現在已是醒的時候了！不要再糊塗下去，要澈底的振作才是。」

永田趕忙道歉

然而永田雅一聽到一連串的反攻砲聲，連忙發表談話向本港電影界致歉稱：「我昨天對記者發表談話關於香港電影事業製片情形會引起香港一般人仕不愉快及誤會，我對此深感遺憾。我更遺憾者，爲我的談話被誤會曲解爲對香港製片家之不禮貌。

我爲此要申明，並無此意，更非攻擊香港製片家，然對此次不幸事件之發生，本人願負最大責任，不過本人特別申明此次談話之所以引起誤解者，除當時本人的秘書翻譯錯誤外，因爲日語要譯成中文及英文，亦有先天上之困難，希望我的談話千萬不要解說爲有對香港製片事業有輕視之處。

本人對香港電影製片事業及製片家過去和現在皆有最崇高敬仰，同時，對他們在今日困難情形下之努力，更感敬慕。第三屆東南亞影展會選決在香港舉行，在此短期中，香港製片家能籌備得如此完善，業已充份表示了他們對發展東南亞電影事業的偉大貢獻。

香港電影製片事業，和其他地區情形一樣的有缺點，但是我們大家都承認這些缺點，並未阻止香港製片家培養製片編導演員及其他技術方面人材的長成。又本人特別申明昨日報載，關於本人的談話，若對於本屆本會評判員之工作，有所不方便之處，則本人表示十二分歉意。」

論爭到這裏似乎應該告一段落了，事實上也應該告一段落了，雖然我是道許多香港的製片家礙於種種原因而不願加以置評，但永田雅一所說是不是絕無理由呢？

人慾橫流——共幹強迫婚娶

共幹仗勢強迫婚娶的事實在大陸上已成爲一個極普遍的現象，中共雖加以表面批評，但並無功效。根據中共「中國青年」半月刊第十期上的文章暴露說：「讀者來信反映：某些基層單位的領導同志，看中一個女同志，便不問對方是否自願，一定要對方與自己結婚，而這些單位的人事科、團支部則從旁施以壓力，形成強迫婚姻。」（附圖原載該雜誌）

星反共青年團
已獲廣泛同情

星加坡反共青年團爲星洲反共青年自動結合的組織。據該團負責人稱：星洲的局勢發展得非常惡劣，共黨滲透各部門極爲普遍，執政當局對於世界局勢缺乏堅定的信心，輿論界模稜兩可，共黨統戰份子因得乘間挑撥離間、造謠中傷、操縱新聞，致使熱心於反共者亦常被其蒙蔽。故該團之工作倍感艱巨，而環境亦極艱苦。

但該團在努力工作之下，現已引起普遍重視，組織亦已有迅速發展。在星洲各學校中，已皆有該團成員。不久以前，各校赤色份子曾與該團發生鬥爭，對該團成員大加攻擊，各學校當局，亦多偏袒左方，然該團人員迄未動搖，且已獲得若干中立者同情。現此項鬥爭，除華僑中學已告一段落外，餘如中正與南中等校，且尚在繼續中。

赤色份子曾對該團加以恐嚇，謂將採取最嚴厲手段對付該團人員，然該團人員不僅不爲所威脅，且決心將更積極與之週旋。

目前，該團的困難是經濟比較支絀。因該團純爲熱心反共青年的自由組合，絕無任何背景與外來的支持。

惟該負責人表示：不論環境如何，終將繼續支持下去。

該負責人並滿懷信心的對記者說：在不久的將來，他們將扭轉星洲人士普遍傾左的局面，將使赤色份子能翻然醒悟，投到自由陣綫裏面來。該負責人認爲：他們這種工作，對於星洲的安定、繁榮與發展，以及對世界和平都是極有裨益的。（自聯社）

中醫在國際上的地位（下）

○楊日超●

不是局部治療的，這是東洋醫學的特點。……我想將中國的醫學名辭，改爲現代的醫學名辭，使世界人士容易了解。……在日本時候，我曾將「同樣療法」和東洋的傷寒論，作相互的比對，覺得傷寒論有甚好的議論。……我的意思認爲中醫療法，並非臟器性的局部治療，而係對人體整個機能的治療。本人很想將這一個意見向世界人士發表。並且希望今後互相攜手進行，對東洋醫藥研究，將中國醫藥加以改進。……日本渡邊先生是漢藥專家，且在日本有最大的研究室。我在日本的時候，會在他那裏學習對肺病的治療」。

以上是許米特醫學博士對中醫藥物治療的評價。許博士的演詞係由陳存仁先生錄音保存，譯文刊於中國新醫藥第三冊。

日本西醫論中國醫學

許米特醫學博士雖然這樣說，但歐洲方面，使用中醫學治病的實際情形究竟怎樣呢？請大家再看看日本西醫坂口弘氏的來函報導吧！坂口弘氏是前年赴德國研究同樣療法的。當他到達德國後，曾有信致香港陳存仁氏云：「歐洲方面，研究中醫學，日益興盛。茲將弟所見聞與感想，匆匆走筆報告如下：從前由中國發明的針灸療法，最近在歐洲成爲有極高的評價，此種情形，中國友人，當然希望得知。……針灸學的國際針學會，擁有極多會員，得到各國針灸學者的參加。德國數年前明興市的拔希門氏和士吐格的許米特氏，則去法國德立夫氏的國際針學會，隨德立夫氏學習此方法。……一九五一年，德國針醫學會出版針學時報，隔月發行一次，每年開會員大會一次，將研究發表。我來德後在去年九月底，亦有出席此演講會一次；……會內大概第一有『中國醫學基礎理論的表釋』，『中國古代自然哲學思想之陰陽五行說』、『天地人等之研究』。柏林大學教授聰波特氏，係『中國醫學』一書的有名著作者，此書對中國醫學的介紹，非常詳細，對脈診、疝氣、積聚等的概念，及內經氣論亦有解說。許米特醫師，在日本所學根據五行論爲取穴法的學習，傳授與德國的醫師。五行論的相生相尅，與五臟器間的關係，最近已進步到認爲係病理學與內分泌關連，屬於極有興味之事。此等並非只係空論，如井穴的知熱感度測定，而知經絡的虛實。……其後十一月，許米特博士在『士吐格』地方，對於初學針醫者開講習會，有六十二名德國及瑞士的熱心醫師，集合聽講。同時有兩位係有大學教授銜的史狄夫花特氏及拔哈門氏，亦舉辦講習會。……歐洲的醫者，對氣、血的運行，陰陽的能，五臟六腑的調和等學說，在治療時極重視。……總之，法國德國的醫者，對我們東亞的中國古典考究精神，出乎意料之外的比我們更通曉，易經老子被翻譯，上文已有述及，內經、難經的內容，亦有詳細介紹，而且熱心學習。最近法國方面，有一本一千頁的中國醫學大綱出版。美國方面芝加哥地方大學的城女士，將內經翻譯。總之，以人爲小宇宙，將人與自然之間調和的中國醫學，在數十年間，可替代以往支配世界醫學的細胞病理學；歐洲人現在正相信今後新時代作爲另一新醫學的領導。……歐洲人在實際日常臨床方面，亦有極優秀臨床成績，如許米特氏的診病，常有病人預定到二至三週以後，方能輪到代爲診療者。……又日本少用奇經八脈，但歐洲則使用奇經八脈、而獲得成績者甚多。……我們東亞的醫者，信賴我們先人遺留下來的寶藏，因此有努力貢獻於世界醫學的必要」。（一九五五年一月六日）

以上是坂口弘氏自德國寄來的報導，原文見現代中醫藥第五卷第一期。去年端節，坂口弘氏已由德返日。在經過香港時，坂口弘氏還告訴我們說：「明年有德國醫師二人，法國醫師一人，赴日本研究中醫」。

中醫學是歷史殘餘嗎？

從上面兩段有關中醫學在國際上的「行情」來看，可知中國醫學，並不是像我們國內若干人士所說的那樣一文不值。德、法、日、瑞的科學，並不會比我們落後。如果中國醫學眞的是歷史殘餘的話，執世界醫學牛耳的德國醫師，斷不會一批一批的到講習會去學習；而且更不會遠涉重洋到東方來研究。中國醫學的盛行，也不是在經濟落後的狀況之下，不可避免的「剩餘」。中國古代的醫籍，並非像今天的若干人士所說的：「都是醫學歷史上最寶貴的材料」；而是切實可用的醫學。否則，富有科學頭腦，富有現代化設備的德、法、瑞的醫學教授、博士、醫師們，斷不會照足五行論取穴法，十二經絡，奇經八脈等去治病的。德國Dr. A.V. Rnack先生在「世界針醫學會」會誌第卅二號所發表的「旅居中國及日本十五年回憶錄」一文中說：「吾人驟看中醫之表面，診斷時並無吾人之複雜儀器，祇憑望、聞、問、切，似乎太簡單；然一經親臨學習？乃有無限奧妙藏其中。」由此可知，那些說中醫是「歷史殘餘」，甚至認爲設立中醫學校，就是「不够現代化精神」，是「開倒車」的，似乎都是「驟看中醫之表面」的皮相論者。

熱心科學的人請聽

科學者應有客觀的頭腦，換言之，即應摒除成見，虛心訪問，採觀察、實驗、比較、分類、演繹、證實等方法，始能獲得眞知識。若挾感情成見以研究學問，則研究所得的祇爲感情成見的結果而已。所以，病理教授士巴關斯基氏和解剖教授士得耳氏，就絕不以有了現代醫學知識而自滿，繼續虛心的將生理解剖上的知識，應用到中醫針灸學方面去，然後才獲得了中國醫學的眞知識。許米特醫學博士爲了探討中醫藥治病的價值，不惜跑到東方的日本，將他所研究的「同樣療法」和中醫的傷寒論作相互的比對，然後才下其定論。返觀我熱心科學的人士，很少能將從西方學到的科學知識，和本國有用的東西作一個深入的比較研究，而加以利用。或者更進一步的介紹到國際上去。今日中國醫學能够獲得國際醫學人士的認識和利用，還是靠德法國人在中國工作時，學習了中醫然後方能傳到外國去；而且在短短的幾十年，在德法兩國已有二三千個採用中國醫術去爲人治病的醫師。可是，今天中國醫學，雖然爲歐洲醫學界熱心學習，但我國熱心科學的人士，一聽到要設立中醫學校及中醫藥研究機構，對國際「行情」也不看一看，就忙着捧出科學的招牌，高叫「反對復古」，「反對開倒車」。甚且認爲不這樣反對，就會對不起我們的子孫。丁文淵先生更提出「中醫藥草中之有價值者，有許多已得現代醫學採用，而加精製了，現在所謂『中醫藥研究』，是否退步他們的後塵？」的問題。于此，不妨討論一下，不錯，中醫藥草中之有價值者，有許多確是已爲現代醫學採用，而且加以精製了，但是我倒要問一問，那些採用中醫藥草而加以精製的人們，究竟是由我國的科學家所倡導精製，抑或是由外國的科學家所倡導而加以精製？如果是屬於後者，那麼，我國熱心科學的人士，何以不能自己研究自己精製？至謂不反對中醫學校就會對不起我們的子孫；但照目前坂口弘氏考察中醫學在歐洲的報導來看，中醫學不但不會爲歐洲的科學家所輕視，反之，尙且爲他們熱烈採用。將來我們的子孫，看到了這一頁世界醫學史，我們這一代的「二世祖」又將怎樣的向他們交代呢？我們撫心自問，又對得起子孫嗎？抵怪伍憲子先生要感慨萬千的說：「海通以來，中國人之自視其文化，徒有自卑之感。此實爲繼續失敗之原因，愈失敗，愈自卑，愈自卑，愈失敗，有志之士，應當稍自振拔」了！不是嗎？中醫藥草已經有人採用而加以精製了，我們可以不必步人後塵。中國醫學儘管有德、法、日、瑞的幾千個醫學家，在那裏研究、實驗、使用，但在我們科學家的眼中呢，這是「歷史殘餘」；就是它的盛行，也是「經濟落後狀況下，不可避免的剩餘」。倘使長此以往，不要說「重整五四精神」，就是再來一個「六四」運動，在國計民生上又有什麼裨助？

中國醫學者應反省

中國醫學在近幾十年來，已經不斷的衰落，所以，我們在今天應加努力。不過，中國醫學是我們列祖列宗累積了幾千年的心血和經驗而遺留下來的，我們不要以爲中醫藥草有人採用，就感到自滿。更不要以爲中國醫學已有德、法、日、瑞的醫學教授、博士、醫師們，在那裏爲我們研究實驗，設會傳授，就可以坐享其成。我們應該知道，在中醫藥草中，還有無窮的寶藏，未爲世人所發掘採用，我們對這些寶藏的發掘，應親力親爲。就是在中國醫學方面，我們也應該根據科學方法，加以研究闡揚，不能完全靠人家爲我們的醫學去研究實驗。雖然醫學是無國界的，但我們畢竟是中國人，在研究本國醫學上，不但在文字上可以得到便利，就是對本國醫學的來龍去脈，也還會比那些初學中醫的外國人認識得淸楚一些。假使我們全國醫學界的人們，捨此不圖，將來中國醫學眞的爲歐洲人研究到可以作爲「今後新時代作爲另一新醫學的領導」時，恐怕我們的子孫也要到歐洲去學中國醫學了！不幸又眞的到此境地時，試問我們這一代的醫學者，將何以上對列祖列宗，下對億萬代的子孫！（完）

吳在炎先生畫展贅語

黃華表

吳在炎先生這次爲「人生叢書」而畫「畫趣」「畫品」，吳先生的「畫技」，稱讚的人很多，都已載「人生」第「一三五」「一三六」合號專刊中，不容我更贊一辭。我所最佩服的，是吳先生的爲人的，是吳先生的「人品」，也便是吳先生的「畫品」，也便是港督葛量洪爵士所稱「眞正藝術家的美善靈魂」。

吳先生的畫，有一點最容易爲世人所錯誤的，是吳先生所展出的，大抵皆是花卉蟲魚的小幅，山水大軸，絕無僅有。就一般人觀之，似乎不够「大畫家」的氣派。其實這種看法，正是「畫論」的外道。我國古代的畫家，誠有「大家」「名家」的區別。但所謂「大」，所謂「名」，只是論其「氣局體勢」，並非論其「工拙」。大家的「氣局闊大，魄力雄厚，有包掃一切之概」；名家則「神韻冲和，蹊徑幽秀，有引人入勝之妙」。但「詩世傳世，斷推後者」。（凡括弧皆桐陰論畫語）譬諸詩家的淵明，詞家的二主，斷不因其爲「冲淡」爲「小令」而[illegible]所不足。其實畫家多是有所偏長，能兼長的，一代之中，不能數人。我所最佩服吳先生的，正是吳先生的小幅。尤其是「小魚」「小鷄」「蝴蝶」「梅花細剔竹」等，雖古名家，無以遠過。齊白石最以畫蝦著名。試取吳先生所畫「小魚」相較，便見吳先生的工力。畫竹原有兩種，細剔竹則是最難的一種，所以古大名家，也往往不敢輕易着筆。試觀「勁節森森」，「粗竿大葉」之竹，遠如鄭板橋，近如黃玉柱，皆優爲之。細剔行竹，清一代所見僅南田石谷漁山三家，最得擅長。理由是細剔竹最要有逸趣，有瀟灑之致。一失，則爲纖弱，便與竹的本性相違。所以非其人「人品」「工夫」一毫至者不能爲。吳先生所以異乎尋常畫家的，就是這一種「逸趣」「天趣」。這一種「逸趣」「天趣」，關乎修養，也關乎天分。雖畫宗如石谷，亦只是「能品」；「逸趣」「天趣」尚嫌不足。吳先生當下筆作這些小幅時，也許是極不經意，隨手而出，但鑒賞者見之，都無不低首，擊節稱賞。越是識者，越是歎爲不可及。俗目只爲「大名」「大幅」所眩惑，當然不會，也不能欣賞此等畫的妙處，故此一見爲小幅，尤其寥寥數筆，一蟲一鳥，便要存着卑視的認見。我看吳先生在英美展覽，竟得這麼多英美藝人的傾倒，其得力處也恐怕正是這一類花卉蟲魚的小幅。因爲英美人所不常見的，正是這一類「逸趣」「天趣」的花卉蟲魚。若夫大氣磅礴十丈巨幅，是英美人所自矜異於人的，怎會這樣的衷誠佩服吳先生呢？由於吳先生這次在英美獲得如許榮譽歸來，我又想到近三十年來我們中國文化界所最畸形的事。我們這幾十年來無論「論學」「論藝」都無不要以「歐美」爲標準。「凡歐美之所有，都是好的」「歐美之所無，都是要不得的」。因之，定要「打倒孔家店」，才算是「進步」，是「新文化」。愈是「前進的文化人」，愈要揚棄「中國的傳統」。「前進」與「揚棄中國的傳統」，恰恰成爲正比例。現在大中以下的學生，要有一知半解，也大抵於歐美的。「文學」「藝術」自然更不是例外。這一種風氣，自胡適之先生倡之，盲目者遂翕然和之。我想定有不少恨不生爲「碧眼白面」的前進人物。現在吳先生却恰恰相反。吳先生自其外表，至其內心，可以說百分之百是「中國的傳統！」他的畫法，更是百分之百「中國的傳統！」他的畫品，又是百分之百金元以後文人的畫統！他的一切，都和「現代化」（其實是最淺薄的美國化）相反，在尋常過說是「中國人」都以爲恥辱的人，怎還有胆量和英美人相見？更敢向英美的文化社會大顯身手？現在吳先生的作確確已在英美獲得彼都文化界的崇高榮譽歸來，在這一班不敢承認是「中國人」的「前進份子」之中，是不是也會相信，「確有其事」？抑或疑是「完全虛僞」？所以我認爲吳先生這一轟動，在吳先生個人榮譽的意義上是有限的。其棒喝所謂「新文化人」，及鼓勵「中國的傳統」的兩方面的意義，更爲重大。我更願胡適之先生，平心靜氣，到英美的文化社會裏，聆聽一些關於「中國傳統」的議論！

自由談

談公式化作風

[illegible]五先生

任何事情，一經搞成公式化的作風，便已陷入無可救藥的痼症狀態了，如不急加醫治，祇有坐以待斃，別無希望的。

公式化作風之形成，不外兩種因素：一是缺乏責任感的鬼混主義，遇事得過且過，對付爲佳；二是別有用心的營私舞弊思想，一切講求「法定」手續，藉以間執他人之口，俾自身立於不敗之地。所以，公式化作風總是以政治生活爲最濃厚，即使是工商事業，祇要沾上了政治關係，如所謂「國營」「公營」企業之類，亦沒有不表現其十足的公式化現象者。試以都市間的書店爲例釋：普通商人經營此業，必以各學校的學生教員大衆爲其基本主顧，針對這般人的生活情況，予以方便，爭取其購買力。因此，週末與禮拜日即爲書店迎接顧客最忙碌，生意最旺盛的大好時光，決不錯過的。若夫公式化的作風却不然，週末下午與禮拜日整天當然照例休息，關門大吉，誰曰不宜？即每天吃飯時間把店門關閉兩三小時，亦爲理所當爾，振振有詞哩！

至於政治場中的公式化作風，這比「一加一等於二」的必然數理更有其絕對性，縱使智勇雙全之人，一旦涉身其間，亦未有不被同化者，祇是程度上可能表現若干差別而已。我雖思深慮官場生活何以必然公式化之所由來，再加以自己身歷其境的若干教訓，乃發覺釀造公式化作風的酵母，就是一般人所重視的卷宗主義。一切功過是非，完全以卷宗爲考核鑑定標準，祇要卷宗做得齊全妥貼，（其中以工作報告尤其重要）雖大奸巨惡，貪污非法已極者，亦係忠貞廉幹的模範之材，因爲卷宗俱在，無懈可擊。監察院如要糾彈，請調卷宗看看，準使你啞口無言。新聞記者若敢批評，根據卷宗鐵證，「依法」反訴，非請你吃官司不可！製造檔案，原爲官場生活中的首要之務，公式化作風又焉得而不盛行呢？所以，凡貪官污吏而在檔卷上被查出漏洞者，其人如非標準的「貪污低能」之輩，即係此道中的[illegible]鈎者流，二者必居其一也。

水龍吟

題吳在炎先生指畫

·曾鐵忱·

畫風追步江南，好花萬朵盈庭戶，蹤爲大匠，不濡毫楮。同嘆神工，獨超物外，神仙中取。是南村宗法，惲家風骨，除此外，誰堪與？

運腕如同潑乳，有烟波亦有清露。胸中丘壑，指尖雲霧，天花如雨。點翠描紅，許多神韻，性靈飛舞。願先生長壽，尋芳拾蕊，作園林主。

短篇小說

市儈

·方正·

（四）

環球紡織公司第三廠成立慶祝酒會，假本市最體面的禮堂開始了，門口的汽車川流不息，花籃、賀屏、鏡框等等堆集得無法安排，禮堂裏的賀客們更是摩肩接踵走動不開，這裏包括了有關機關長官、經濟界名流、紡織界聞人、新聞記者以及藝術家、歌星影星們等等的名男人名女人，眞是喜氣洋洋熱鬧非凡。主人是李董事長順風和張廠長靈傑，他們更是滿臉通紅忙碌異常，大家都向他倆舉杯祝賀。張廠長尤其顯得精神抖擻，分担着李董事長的光榮，接受了恭維祝賀。

正當在這亂鬨鬨與『恭禧』『健康』聲中，忽聽『拍』地一聲，李董事長手裏的酒杯碎落在地上，緊接着一具滿臉通紅鏈眼突出大腹便便的身軀癱倒下來了。全場賓客轟地一下全集攏過來，大家被這突發的悲劇刺戟得不知所措，全堂頓時啞場了片刻，直到李董事長太太『哇』地一聲哭了出來，這才有人七嘴八舌地主張送醫院，主張請醫生，也有人主張不得移動，人多嘴雜，意見紛紜。但這時誰也沒注意張靈傑的神情，手持酒杯面色慘白，一語不發好像泥塑判官一樣站在一旁發楞呢！

（五）

這幾天作冷作熱，天氣變幻莫測。據說天氣的晴陰冷暖的變動，會影響人們的情緒。張廠長這幾天的確也愁眉苦臉心神不寧。當然太突兀，太出乎意料之外的變動，儘管他爲人機警，李順風畢竟是天不假年，在他乃是事實的靠山倒了，夢也醒了，既定的計劃成爲泡影。今後如何對付職工同人？如何維持自己的地位？已使他六神無主懊喪非常。

事實發展如果到此爲止，充其量不過使他懊惱悲痛幾天，以後還有充裕的時間可以另起爐灶從頭作起，孰知事情的變化並未到此爲止，公司自李順風暴斃以後，由於新任董事長的稽查賬目及職工的揭發，查出李順風在淡濟大通紡織廠的一段時間內，曾以黑市放出大批棉紗圖利自肥，這是觸犯經濟法令的事，這是奸商的行爲，而這又都是張靈傑一手包辦的傑作。在李順風未死之前，這些都爲李所抑制所隱瞞，現在他死了，實際的責任落在張靈傑身上。輿論的攻擊，法律的追訊，使他陷入了悲痛的深淵恐懼的泥淖之中，幾天來，不見他走動，也不大說話，甚至不大睡覺，他是否又正運用那副靈活的腦筋計劃着如何重新取得新任董事長的歡心、如何來兩手搬門打動新董事長。如何找出轉彎的理由來大罵李順風把責任推到死人頭上以挽回自己的頹勢呢？那有待事實的發展。張靈傑像是垮了，但現在誰也不敢就此斷定，因爲如果這樣的典型市儈人物會失敗的話，那末，天下不是早該太平了？（五）—全文完—

一個土皇帝

思源

再一個奇蹟，就倒不是神祕的幾址，是罩匠的釣魚台。這一而是天造地設的山水之勝。

釣台的本質，是從石山中天然的伸出一根石椿，在瀘水河流的中央，上有平台方兩丈餘。周圍被高苔掩蔽，綠茵若織，四面八方都無路可直達於此釣台上；奇妙的設造，也就在這個無路可通的地方。原來在釣台的下面，有一道不大不小的瀑布，濺銀三丈餘高，如白色垂簾。就在這垂簾的內面，有個洞口，曲徑通幽，可以由此逕達於釣台上，怡然自樂地把竿垂釣，但穿入此瀑布而尋覓洞口時，必須駕舟渡河，否則無路可通。

其他：火藥庫，點將台，神弓台（相傳罩屋曾在此射了朱洪武一箭，惜開弓太早，祇射中朱的洗面架）……皆荒誕不經，莫可遽信，限於篇幅，不必詳談。再轉述到罩屋的結局方面。

罩屋有姊，諳習巫術，曾爲其龜卜休咎，說他要到雞飛狗上屋時，才能得登大寶。罩屋日近幾年暮景，而這種朕兆仍是渺茫，遂不免有點難耐起來。左右有知其心病的，爲討好他的歡心，潛將雞拴於高樹上，狗拴於屋頂上，一經他發覺後，不覺「龍顏」大悅，乃不分青紅皂白，大動干戈，向附近州縣騷擾，這完全是迷信而毫無準備的作戰，不久就打垮了。一個以英雄自命的「土皇帝」，也就糊里糊塗犧牲在此次戰役中。

罩匠死後，當時的政府，不顧對邊區人民以過份的摧殘；循其原有的部落組織，給以「土司」的封號，嘱其各司其土，各安其業。倒也相安了不少的時候。

迨到遜清乾嘉年間，罩姓部落這一脈，是其子孫罩鑾豐承襲了「土司」的職位，他也是個野心勃勃不亞乃祖的人物，竟還兵作起亂來。可是，清廷正當盛世，當然不會任其猖獗，一方面興動大兵，壓平了這動亂的苗變；一方面也就把瀘水沅水之間的各「土司」，予以徹底的廢除和改革。

罩鑾豐興亂未久，即被俘服定罪。清廷遂把他這個部落組織，徹底予以瓦解。但以其族大人衆，未能成服，並在其族人中樹立一種偶像，即封罩鑾豐之子朝輔爲世襲千總，另立衙門，限令只准帶親兵三十人，附近百里，不納粮賦於政府，全部供作罩朝輔的千總衙門的消耗。另設把總衙門兩個於其境內，各有百名兵勇，以資監視。

嗣至辛亥革命火花，引起邊區人民嚮應的熱潮，惟其中有不少誤解革命的眞理，竟以封建殘餘作藉口，將此有二百年歷史的千總衙門，也付之一炬。時千總世襲已傳至第十一代罩銘善；父子兩人，從此流離失所。至民國二十四年才變變死去。遺寡媳富氏，不久改嫁，孫二人，那時都在稚齡，以後也不知下落了。一代「土皇帝」，延續了五百年，其中滄桑與興廢，不由不令人感慨系之。（續完）

劉永福（上）

黑旗將軍劉永福，一名義，字淵亭，廣東欽州人。道光十七年九月十一日生。

不兵不賊依人度生

初貧，父母相繼逝世，零丁孤苦，惟以漁樵自給。是時，洪秀全，楊秀淸等，以反淸復漢，號召於天下，已建都南京矣。永福年二十，慨然曰：『大丈夫不能爲生靈造福，已可羞，况日夕啖稀粥不能飽，又焉可鬱鬱居此乎？』偶遇星相家陳元揚，顧謂之曰：『爾現業如何？』永福曰：『兵不兵，賊不賊，依人度生，日討兩餐，隻身以外，別無所有。』曰：『子之相，奇相也，亦貴相也。福祿壽三字，兼而有之，今雖未見，他日必驗。』永福益踴躍欲試矣。

同光風雲錄

夢山樓

不願附淸效力越南

先是，兩廣瀕越間，長髮黨縱行，此衰彼興，無歲不有。永福乃糾合鄉人留長髮，從軍，承長髮黨魁吳現之後，據雲南東境，稱黑旗黨，自爲首領。會淸廷乘破金陵餘勢，遣兵掃南中，永福知不可爲，又不願附淸，思於越南謀立功自效，於是歃血盟衆，揮兵入越，嚮爲越南剿平白苗猺。義旗所指，戰無不克，越民歡呼，簞食以迎。越王阮時，嘉其義而論其功，授七品千戶職。惟保勝土酋何均昌夙擁兵力爲一方之强者，懾永福居越，不利於己，遣兵以拒，永福大破何軍，乘勝攻克保勝據之。自此聲威遠揚，越之人，莫不知有黑旗劉將軍也。同時土酋石智子等，猖獗擾亂十洲，永福遣軍剿平之，越王大悅，授永福爲保勝防禦使。

法越失和再度出關

法越失和，法將安鄴進陷河內，越王亟詔永福速出兵，乃督軍冒死戰，大破法軍，斬首數百級。越王受法恐嚇，與訂法越親善條約，飭永福退兵。不得已遵之，旋以越境暫安，請返欽州省墓，歸途所經過者，越民歡送，萬人空巷，對此保國衛民之劉將軍皆依依不舍也。

越年，法人敗盟，攻南定，越王飛使詣欽州，促永福返越籌戰，遂別國人，再出關，而法軍抵山西，已陷南定矣。（卅八）

徵稿啓事

△本報擬徵求下列諸稿：

一、三千五百字至七千字左右的短篇小說，不限題裁和故事內容。一經選用，優先奉送稿酬。

二、台灣及海外各地自由文壇的動態報導，作家生活素描及過去文壇珍聞。每篇以不超過五百字爲佳。

三、介紹海內外自由科學家、教育家、實業家、醫護、工礦、業工作者的人物專稿，對象以現在從事於工作者爲最佳。來稿不宜超過一千五百字。關於軍政界人物稿件以散見各報者已多，請暫勿惠稿。

編者讀者

△張君勱先生的「論台灣與東德」一文發表後，唐君毅先生爲本刊續撰一稿，對比里敦教授及羅素教授這兩位新實在論的哲學家，他們對於中國的言論，有所批評，下期刊出，先此預告。

△本刊關於中西醫藥問題的文章，備承讀者注意，紛請補救過去各期，惟以存報有限，未能一一遵命，殊以爲歉。

△西貫文甦先生，六月九日手書及附件均悉，至感。謹覆。

自由人

THE FREEMAN
（第五二五期）
中華民國僑務委員會
僑發登記證台教新字第一第二號
中華郵政台字第五〇〇號
執照登記為第一類新聞紙類
（半週刊每星期三　六出版）
每份港幣壹毫
台北市售價台幣壹元
督印人：陳文華
地址：香港高士威道二十號四樓
3 rd. fl. 20 CAUSEWAY RD
HONG KONG
香港發行及事務接洽
高士打道66號　電話：七四〇五三
承印者：東南印務出版社
地　址：高士打道六十四號
海外總經銷
友聯書報發行公司
香港：德輔道中二十六號A二樓
台灣特派員辦事處
台北市館前街五十號
台灣總經銷處
台北市西寧南路壹壹零號二樓
台郵儲金戶九二五二

讀張君勱致丕理教授書有感

·唐君毅·

今天我同時收到再生復刊號第二期，及自由人五四九號，讀了張君勱先生致美國哈佛大學哲學教授丕理（R.B PENY）的一信，標題「論台灣與東德」。此信是張先生對於丕理主張以台灣交給中共，作為東德之自由的交換條件，反駁。此更我聯想到五年前羅素主張承認中共的事，不禁又為之感慨，故寫此短文。

根本不了解中國

羅素是國人所共知之世界哲學家。丕理一般國人也許多不知道。但學西方哲學的人常皆知道的。他現在年當已近八十歲左右。無論如何，是在美國哲學界佔第一流的地位的。他為詹姆斯與羅益思的學生。在四十六年前，他已同孟泰格等五人合著新實在論一書，反對實用主義與理想主義，提倡新實在論。他是美國新實在論創始人之一，而且是他們六人中，後來著書最多的。羅素曾自謂其新實在論思想，初是受他們的影響。而中國在大陸未淪陷前，如金岳霖馮友蘭諸人之哲學，亦都是承英美之新實在論來的。當我在大學讀書時，亦即讀了他的現代哲學之趨勢與現代思潮之衝突等書。他之反對德國之唯心論哲學，以唯心論之論證，皆為自我中心之論證。我當時亦曾極一度贊佩，後來才覺新實在論並無大道理。他比較精心之著，是三十年前之價值通論一書。前年還有在美國唸哲學的人寫信來說，其校指定此書為研習對象。他之近著，去年我亦曾要圖書館買一本。這些話是說明丕理的地位，及我對他亦有一點精神關係。但是覩了張先生的信，說他致紐約時報的政治主張，却不容我不生氣。再聯想到羅素五年前的話，我首先之判斷，是這些西方的代表哲學家，根本不了解中國，他們除了思辨的理性外，缺乏良心的理性。但是我的第二念，却想到我亦曾讀他們的書，他們都是八十歲左右的老人，依我們的敬老尊賢的道德，再想着他們的觀點，亦是為他們之文化傳統所限，他們或是另有一種良心理性。我在情感上，仍把他們原恕了。但是他們之缺之我們所謂良心理性，不了解中國，與其觀點，為其文化傳統所限處，仍不能不一一加以指出。

羅素與丕理的矛盾

丕理與羅素的這一類主張，出自一個普通西方政治家之口，不算什麼。但是出自一個相信人類平等，以自由主義民主主義為號召的哲學家之口，却是奇怪的。而羅素又是極讚美中國過去社會之無宗教戰爭，無階級緊迫，人民生活最多閒散的自由的人。中國人請他講學，譯他的書，許多中國學人自命羅素信徒，中國人總算對得住他。為什麼他自己愛慕自由，而一定要讓中國有萬萬人關在他所明認為無自由的鐵幕之中？這是我們無論如何依其哲學，所不得其解的。至於丕理，在他的書裏亦口口聲聲講自由民主，人類平等，他之反對德國唯心論哲學，最重要的理由，即德國唯心論哲學之絕對精神吞沒了個人，導致極權政治。然而在現在却主張為了東德人民的自由，美國應當任台灣的一切人民受共產主義的統治。這亦是我們依其哲學，所不得其解的。

缺乏良心理性的話

依中國人數千年來大家所共知的，人對人之一種簡單的道德原則。是己所不欲，勿施於人。西方的箴言，是己所欲者，亦施於人。實際上己所欲者施於人之原則，有時會生極大的毛病。因己所欲者，不必為人之所欲。但依此原則待人，亦是能人己一貫，不違良心理性的。西方人信基督教，故傳教東方，要東方人亦信，是能遵守己所欲者亦施於人之原則的。就是俄國共產黨，要赤化世界，亦是遵守此己所欲者亦施於人之原則的。依此原則，英美之哲學家如羅素丕理自己要自由，當然還當幫助東方人得自由。然後才能合於基督教之傳統精神，亦才趕得上共產黨。然而羅素丕理，則只要西方人自由而拔於共產主義的統治之外，却要東方人永遠陷於此統治之下，這是以不以己所欲者施於人，這是以己所不欲施於人。這是連俄國共產黨亦趕不上。這是既違悖西方之道德原則，亦違悖中國之道德原則。這是無論依東方人之天理良心，與依西方人之天理良心，都是不可理解的。此是謂缺乏良心之理性的話。

西方文化所無的觀念

但是我回頭一想，我還些責備的話，明是莫有用的。在羅素丕理決不會自認莫有良心。他們的良心在那裏？他們的良心，在西方文化西方國家的第一，在他們自己國家的利害的第一。再配上他們的理智的認識。

（下轉第三版）

亞洲工業化的展望

——兼論中共的經濟計劃——

陳克文譯述

文化自由會議的印度小組，今年五月一日，在印度新德里舉行一次關於「亞洲工業化」的座談會，參加的都是專家學者，富有學識和經驗。他們的討論，雖以印度的兩個五年計劃為基礎，但其所涉及的問題，多與亞洲一般工業化有關，茲擇要譯述如下：——

一九五〇年，佔全世界人口過半數的亞洲，其工業生產品，祇約佔全世界百分之四。而此百分之四的產品，半數出于日本，其餘則主要出于印度與中國大陸。自此以後，情形已有變更。

中共漠視人類價值

今日，亞洲已由經濟復興的計劃時期，進而處處有了經濟發展計劃的實行了。惟發展的計劃各有不同。日本計劃，祇是對於可能的趨勢作為統計的設計而已。錫蘭的計劃，並不包括私人投資，祇限於目前政府能力所能資助之部份；其目的對工業化遠不及其發展農業以求農產品之出口為重。中國（中共）適得其反，全部計劃只以百分之七稍稍注意農業，而特別強調迅速工業化。至於印度，則第一個五年計劃和錫蘭一樣，注重農業之發展。第二個五年計劃，則融合錫蘭與中共之兩極端，對農業和工業同樣並重。然而，印度計劃與中共計劃最大的差異，在印度採取民主方式以求達其經濟建設目的，而中共則欲以專制極權——完全漠視人類價值的方式，以求達經濟發展之目的。

日本，錫蘭，緬甸與印度的計劃性質都是穩健的。日本從一九四七至五四年國民收入的增加為百分之十至百分之十二；現在的計劃，則希望於一九五五至一九六〇年，實現少於百分之五的增加。錫蘭計劃，全部目標，且避免使用「國民收入」字樣。印度計劃的目標，也是非常溫和的，祇希望十年之內，每人的收入增加百分之卅而已。緬甸計劃則祇希望恢復一九三八年的水準。這些計劃當然都是極易於實現的。

亞洲與西方的差異

印度，非工業化不能談經濟建設，但表面上的工業增加，並不能增進人民的福利。蘇俄即其一例。史太林在經濟上的失敗，即因為他建立龐大的重工業，在軍事眼光看，使蘇俄強大了，但並不能改進人民的生活水準。因此，犧牲消費的輕工業而建立重工業，是否為一國的健全經濟政策，實不無疑問。印度計劃，無疑注意重工業的需要，但亦同樣注意農業的發展。故大體言之，印度第二個五年計劃是很健全的。

亞洲在工業化的長遠程途中，現時正在開端。亞洲與西方最相懸殊的地方，不在工業化，而在農村生活。今日，亞洲最迫切的問題，在提高農村人民的生活水準。亞洲的經濟需要，不僅在建立現代工廠，尤須使農業技術能有顯著的改進。中共而外，亞洲許多國家的計劃，最可稱道的，即發展工業與發展農業，能同時並重。尤其重要的，即採取民主方式，而不至絲毫蔑視人類價值。

東南亞的共通點

就東南亞各國，雖有許多顯著差別，但就工業化言，也有許多共通點。第一，必須國家辦事有效率，否則不足以應付此一迫切的需要，也不會有滿意的效果。其次，這一地區的工業化，社會意義比工業意義大，很明顯的這是與此一地區的社會基本變動有密切關係的事情。

第三，工業化的社會目標，應重視社會的基層，因此技術的改變必須以能適應此一地區國家人口稠密的事實為原則。這一地區，有數以百萬計的失業人口，農村裏從事生產勞動的人口，也因人口增加而不斷的增加。此種事實，可以說明，應有分散發展的許多小工業才能適應實際需要，故必須採用許多不同的技術，以期符合此一目的。此種發展路綫是最基本的，也是有極大可能的。

經濟落後國家，實行工業化，外國的私人資本實佔一極重要地位。如說東南亞各國，自身可以籌集資本，無需外國資本，是不可能的事。即西方各國實行工業化，外國資本也是極為需要的。資本能否輸入，政治空氣乃一重要的決定因素，雖說各國內政不容干涉，但投資者自有其心理因素，是不可以忽視的。

要使工藝適應人類

一個人必須先獲得人類尊嚴，然後生活水準的改良才有意義。現時許多的經濟計劃者，似乎有一種傾向，相信工藝的進步已進到無可控制的地步，因此，人類必須採用一種方法或步驟以求適應工藝的進步。其實，我們現在應加考慮，要使工藝適應人類的需要，不應使人類去適應工藝。

經濟的計劃者，往往祇知要提高生活水準，而忽略了心理和文化問題，這些問題是任何集中生產必然相隨而生的。大量集中生產的工業，其特質如何是亟需加以系統研究的。

經濟計劃，若其最終目的在求適合於人類，則唯一可循之途徑為分散生產的原則，分散生產的經濟並非開倒車，絕無退回過去的意思，若果人類不應成為機器的輪齒，則吾人的思想應注意於分散生產的原則之上。

中共計劃的全部面貌

以上為印度小組，對亞洲工業化問題的討論要點，大體上都是今日談亞洲經建問題所應特加重視事項。於此，尤可注意的，即他們特別指出中共的經濟計劃，僅以百分之七的力量發展農業，而且是用「非民主方式，絲毫不顧人類價值」以求經濟的發展。中共為甚麼有這樣的計劃，他們所指出的，有沒有事實根據呢？這裏我們可引用去年九月林孟工先生所著「論中共五年計劃」一書的話，作為補充說明：

林孟工指出：中共計劃，工業部門的投資為二百四十八億五千萬元，佔基本建設投資的百分之五十八點二；農業部門投資為八十二億一千萬，只佔百分之七點六；說中共輕視農業發展是一點不錯的。中共為甚麼輕視農業？林氏說，中共計劃的『中心任務是完成軍事建設』，『骨子裏祇是急急地要搞那些軍需工業』，『儘速強化兵工生產的設備，和完成共產集團內線作戰的交通部署，表面上勉強扯上一點輕工業和農業建設，偽裝經濟建設的面目。』

何以見得中共計劃是蔑視人類價值和非民主的呢？林氏根據中共所公佈的許多資料得到結論說：中共以經濟建設的新藉口「向所有農業手工業商業，加緊挖掘財源」，因此，以滿足他們「工業建設的野心」，「農業資金愈見枯竭，農民生活愈見痛苦」，「國民經濟所能負担的財政收入逐年膨脹，超過國民經濟的極限，儘管人民呼寒啼飢，所有經濟潛力都被挖掘盡了……」，中共仍不顧一切，銳意榨取，結果，農村已無不室不空，都市十室九空，這兩年，國民經濟的根基已被摧毀殆盡。……國民經濟是背道而馳的，與發展國民經濟的力量愈加強，國民經濟愈枯竭，中共奴役人民的力量愈加強，極權統治更可鞏固下去。」這一段話已把中共計劃的全部面貌，描繪無遺了。

賀亞盟大會

亞盟正在舉行第二屆大會，我們祝賀它的成功。目前的局勢正如最近西德總理阿登諾指出的：「今日蘇俄當局所使用的宣傳手法及笑臉攻勢，其危險程度遠在熱戰威脅之上。熱戰之威脅，並不能愚人，惟在冷戰中所使用之笑臉攻勢，則可使人受其欺騙而不自知。」阿登諾說，他「始終相信蘇俄沒有改變。」

反共要「變」！

是的，蘇俄和中共事實上「並未改變」，但是，共黨欺騙的方式，陰謀的手段，花樣百出，層出不窮，却是沒有人能夠否認的。敵人對我們的進攻，技術上天天在變，時時在變；我們呢，我們始終是很保守的。說得客氣點，反共的朋友太老實了。不「老實」又怎麼辦呢？我們是不是要學共黨的一套呢？我們沒有這個必要，我們應該有自己的一套。然而可惜的是，我們的反共是不成套的。

以自由中國的宣傳來說：

宣傳的對象

我們的反共宣傳，應該使朋友受到感動，在敵人內部發生影響。然而，我們却專門用心在使自己的「同志」和一兩個人聽得悅耳。

宣傳的重點全用心在自己人身上，特別是一兩個人身上，於是，我們要說的話愈說愈貧乏，反共的內容則變得始終停留在「匪」「偽」兩個字上用功夫了。

我們所提的口號，應使台灣的同胞，大陸的同胞，整個自由世界對我們發生「共鳴」，然而，我們的口號多是不夠生動有力的。因為這些提出口號的先生們，並未注意到對象，僅在「取悅」而已。

半週述評

·司馬璐·

迫我們「撤防」

又例如海外出版的反共書刊，如果希望我們的發行廣闊，甚至我們的敵人亦多能有接觸我們書刊的機會，我們宜用「公元年號」，「公元年號」根本與共黨不相干，如果一經共黨盜用，我們就放棄，這邏輯是不通的。如果根據這個邏輯，共黨盜用我們什麼，我們就被迫放棄什麼，到後來，本來屬於自由世界的一切寶貴的財產，由於敵人運用這個策略，我們將被迫一一撤防，乃至繳械了。然而今天台灣有一些人，却偏要迫我們從反共前綫上「撤防」！

與「整套」配合

當然，由於我們整個反共的辦法不能「成套」，所以，若干有積極性的宣傳，有時也給掩蓋了。例如不久前，鄭彥棻先生提出，歡迎到過大陸的僑胞，再到台灣觀光比較。原則上，這是一個有力的號召，但是，問題是，像台灣這樣一個「有力的號召」，能夠和它「整套」配合，就會顯得更有力，所謂「到過大陸就被歡迎，未去大陸就不該歡迎」的議論，也不致發生了。

兩個前提

我們的「整套」從兩個前提產生：

第一、「民主」「自由」的本身，就是一種動力。我們應堅信，充份發揮這種動力，我們對共黨的鬥爭，攻無不勝，戰無不克！這是一個根本問題。

第二、中立主義，機會主義的本身，誠然是不足道的，但是，當我們正和共黨作殊死戰中，能減少一個「可能的敵人」，對我們都是有用的。

西沙羣島是我國領土

政府應本中越傳統友誼　作嚴正聲明和歷史考證

·文甦·

（本報西貢航訊）自南沙羣島事件發生後，我政府已一再重申領土主權之不容侵犯，乃以中共於五月廿九日對西沙羣島提出荒謬之主張後，越南共和國外交當局，竟針對之再度發出公報，謂該國對西沙羣島有「傳統的主權」。據此間越新社訪問越外長武文牡後所發表之記錄謂：

關於黃沙羣島（又名西沙羣島）爲越南主權之島嶼，在歷史上已歷多個世紀矣。「大南一統志」史記，亦早已載明此羣島屬於越南國。至嘉隆皇朝（十九世紀初葉），成立一枝稱爲：「黃沙部隊」，俾鎮守此羣島。此枝部隊，在法國設立越中保護基礎後才解散，因爲自當時起，法國負責保衛越南之領土。至一九三一年，印支衛戍軍一枝隊伍獲派往黃沙羣島（西沙羣島）駐防，一直到一九三九年至一九四五年戰爭爆發才止。

此外，一個稱爲黃沙羣島行政代理區於一九三二年六月十五日成立及歸入承天省府所管轄。在二次大戰之中，日本軍隊雖然曾進佔黃沙羣島，但戰後日軍已撤退，而且在簽署舊金山和約時，日本已放棄此權利，在舊金山對日和約第二條中，日本宣佈完全放棄對黃沙羣島（西沙羣島）及長沙羣島之全部主權。同時，在舊金山和會中，越南代表團長曾發表談話，聲明該等島嶼爲越南領土之一部。職是之故，黃沙羣島（西沙羣島）無論在法理上及歷史上，均屬於越南之領土。

至於長沙羣島，島歸入越南，由來已久，其島名稱爲長沙羣島，西文稱爲：SPRVTLEY。一九二九年，此羣島獲歸入巴地省，至一九三〇年四月十三日，經過一場偵察之後，法國海軍正式佔領此羣島。法方並將佔領事態正式通知各有關強國如：美國、中國、菲律賓、荷蘭等國。當時，祇日本政府反對，並派出一遠征隊至該羣島。但是，自從簽署對日和約後，日本政府之藉口已再無任何法理價值。在法國歸還全部主權與越南之際，屬於南越之長沙羣島，自然要歸還給越南。」

鑑於中越兩國傳統的友誼，對於越南當局之談話，筆者不願過事分析，以免牽生刺激，惟一般旅越華僑則對此問題均甚重視，希望我政府當局能有明確的表示，並將西沙羣島與我國之歷史關係，作一詳確之考證，加以公佈，以俾對事態有所澄清。（六月九日）

台灣教育現象之一：惡性補習亟應補救

·張宗孟·

關於「免試升學」的利弊得失，本刊過去所發表的文章很多。本文作者張宗孟先生，似係贊成「免試升學」者，惟本文重心在於如何掃除「惡性補習之弊」立論極爲痛切，爰爲刊布如左　——編者——

當教育部公佈小學免試升學方案的時候，筆者認爲這確是針對時弊的改革。然而當我又看見小學生被補習逼迫走頭無路的狼狽情形，實是怵目驚心。

功課的担子太重了

繼免試升學的聲浪而興起的補習浪潮，目前已經達到了頂峯。一個初小六年級的學生書包裏有兩三本「初中算術升學指南」「算術圖解」「小學算術規範」這類的書是常事，每一本老師都選定題目指定去作。另外學校又印發二三本厚厚的算術題。一個小學生如果認眞的做，單是算術一項，每天便非要搞到夜闌人靜不可。此外還有「讀書」，這也是很繁重的一課，內容包含：詞句解釋，造句，填充，改錯，問答，破音字，相似詞，相反詞，辨別字形，標點，注音等。以這樣沉重的担子壓在一個十二、三歲兒童的肩上，無怪人人弄得筋疲力竭，萎靡不振了。友人自日本歸來，曾提到日本的小學生，個個面團團，白胖紅潤，精神飽滿，走在路上虎虎有生氣。他問：爲什麼台灣小學生大都骨瘦如柴，而有菜色，莫非營養不良？筆者相信我們子弟的營養不至於比日本還差，最大的原因是受繁重的功課拖累所致，失去了休息活動的時間，身體如何能健康？像目前這樣摧殘弱小者的心身，恐怕古今中外史無前例吧！

惡性補習的原因何在

在免試升學方案未普遍實施以前，對於眼前的惡性補習確應研求對策。但在提出糾正辦法之前，應先研究造成惡性補習的所以然。中學少，考中學難，並不是構成惡性補習的唯一原因，如果僅爲了這點，小學校便不應該加重兒童的負担，而小學老師又何需自找麻煩？可見還有其他的原因，其中最重要的不外下列幾項：

（一）試題的標準問題：關於這一點我們祇要翻開小學標準課本與歷年中學入學試題一比較，便可以清清楚楚的發現試題與課本間的距離太遠。有的試題既費解又無意義，怎怪小學老師把些難題像填鴨似的，叫小學生死背呢？

（二）試題的數量問題：近幾年來，中學入學考試，考題往往三四張，共幾十題。學生絕無考慮時間。小學惡性補習與此大有關係。因此平時不養成小學生死記死背，像機器般的迅速動作，考時已經被一大堆題目嚇呆了，還談什麼答案！我們這一輩的人，過去考中學，算術雖不免也有難題，可是考題僅有五題左右，與今日之動輒幾十題比較，相去不可以道里計！再以國文而言，過去僅考作文一題，有的學校間或附加一段標點，也不甚長。今日的中學國文考試，除作文外，還有問答，填充，改錯，造句，造詞，破音字，相似詞，相反詞，辨別字形，標點，注音等等。花樣之多，幾把文字學，語言學，語音學皆涉獵到。而其對象不過是一個十二、三歲的兒童，與我們這一輩考中學時平均年齡十三四歲比較，其負担之加重，何止倍蓰？

（三）考題的方式問題：不知從何時開始，採用了美國通行的「測驗式」考題。所謂「測驗式」即一條條的簡單問答，填充，改錯試題。這與「啓發式」的考題有很大的不同。「啓發式」考題不多，考中學四五題，大學往往僅一題（當然視科目而異）。鼓勵學生有自己的看法，不同的解答。考題的長處在於「啓發」，即鼓勵人在讀書時，注意比較研究，融會貫通，而不必讀死書。我們這一輩所經過的考試多半屬於這一類。歐洲許多國家也是如此。

測驗式考題的利弊

但，「測驗式」考題則不然，出這類試題必須遵守一個大原則：試題要簡單明確，而且僅有一個解答。這類考題的目的在於訓練「準確」，「迅速」，與「單一」，適合科學發達國家——如美國——的要求：其是否適合於我國國情，管見以爲實有商榷的餘地：第一、我國中小學現行的試題多半僅有「測驗式」題」的形式，而無其精神。譬如以算術而言，有許多問答，填充，改錯的題目非一看就可以立下判斷，必須經過演算，演算則費時，如果題目一多，小學生勢必弄得手忙腳亂。第二、因爲我國文字與英文不同，譬如以數學來說，英文可以用不多幾個字表示出很明確的意思，而以象形文字表示，即使對於文字運用非常熟練的人，也不見得處處可以像用英文寫的那樣清楚明確。中小學有許多數學測驗題，實在難於了解。所以小學生對於演算題並不怕。最怕的還是一般人認爲容易的問答，填充，改錯的測驗題。

消滅惡性補習之道

造成惡性補習的原因既如此，則糾正之道，最根本的還是迅速實施「免試升學方案」。在未普遍實行以前，應先針對上述原因，尋求治標辦法：（一）限制中學入學試題範圍務使其不出小學標準課程之外。（二）限制考題數量，務使其與兒童能力及考試時間相稱。（三）最好不再採用「測驗式」考題。如不能廢棄，至少也要使其合於「測驗題」的原則。因此我們主張請教育當局組織一個「中學入學考試督導小組」，由教育部領導，會同專家專門審核入學試題，或逕由此小組出題。

法哲盧梭曾主張：一個人十六歲以前，應注意其心身的發育，以後再促進其知識的增長。在發育時候，如果心身遭受摧殘，智慧即將受損，這在整個民族健康也是有害的。

讀者論壇

爲公教人員請命

·愚人·

四十五年度國家總預算案，業經五月廿九日立法院通過，以預算係屬機密，無從知其奧秘，而有關公教人員待遇問題，不審是否爲政府當局及立院諸公所垂注。

據同日財政部長徐柏園在監察院財務委員會報告，新台幣發行截至本年三月底止，爲十二億元，以政府有效控制預算，財政收支已接近平衡，政績昭彰，深屬可頌，殊不知一般低級公教人員，懷於物價之飛漲，緬於通貨之貶值，已拖到爲維持生活而喘不過氣了。

台幣貶值了嗎？

新台幣發行之初，限額爲二億大關，至卅八年十月後，基於財政環境，經濟需要，停止黃金交易及與新台幣之兌換，接着爲滿足工商業之需求，而有限內限外之發行，即以目前發行數字言，已超出原限額之六倍。可是公教人員待遇，卻仍凍結四十二年調整時之狀態。

貨幣之對內價值，決定於物價；對外價值，決定於滙價。以外滙言，三十八年六月十五日之外滙牌價，五元折合美金一元，現在已到二十四元折合一元，黑市約四十元折合一元，則是官價較原定滙價漲了約近五倍，黑市較原定滙價漲了八倍，這種現象，能不承認新台幣業已貶值？

物價節節上升

今天，物價上漲，弧度雖然不大，却總是節節上升，公教人員，已弄得無法生活，打掉了牙和血吞，和肚子鬧革命，于是大家都講現實，不注意遠景，無怪左舜生先生回港後發表對台灣的觀感時說「不够緊張」。公務人員，以支取出差旅費、維持費用已成爲公開的事實，本刊五百四十四期報導：「高雄縣政府職員二百四十三人，四十四年度報支旅費一百二十萬元，出差日數佔工作總日數百分之卅五」。這種怪現象，實爲薪給太少，不能維持生活造成。至于教員也有其維持生活之道，策勵惡性補習，因精力有限，對正式課程，反而馬虎了。本來師道爲人所尊，百年樹人，千古雅事，現在爲了生活，已弄得斯文掃地，這又何嘗不是待遇過低的結果。

爲什麼不調整待遇

最令人不滿的是待遇不公平，國家在非常時候，應該共體時艱，要苦須大家一起苦，然而現在苦的是低級公教人員，一般達官顯宦，委員代表，公營事業機構的特權者，依然錦衣玉食，優渥如故，這難道是中興的氣象嗎？公賣品成本過低，可以調整烟酒價格；電力公司成本過低，可以調整工業電價，難道通貨發行過多物價猛漲，不可以調整公教人員的待遇嗎？

在下基于謀國之忠，憂時之切，希望政府能早日爲改善公教人員生活，定出切實的辦法來。

李麗華一語震曼谷

·紉芷·

（曼谷航信）李麗華這次到曼谷義演，風頭之健，沒有任何中外明星可趕得上，她隨「海棠紅」登台五天，爲警察醫院籌款，十場戲票，早在她四號抵曼谷以前搶售一空，結果原價十銖（港幣二元五角）的樓下坐位，每張黑市炒到五十，樓上的榮譽券分五百銖、一百、五十及三十銖四種，由警察總監敦請各僑團協助推銷，單是中華總商會就承銷了六千張，京吞兩府的當舖，每家承銷五十張，此外各會館，僑團，也都撮力贊助，李麗華雖爲驚鴻一瞥，在曼谷只逗留短短的五天，但她爲泰國警察廳義演的收入，卻比泰海軍放映大陸片「秦香蓮」兩個月的所得還要多些。

她是熱愛自由的中國影后，曾經去過台灣祝壽勞軍，這裏的僑胞本來人人知道，但卻有一兩家另有企圖的僑報，硬把她在機場的談話歪曲一番，當時，她和嚴俊南下飛機，在機場貴賓室中，曾回答記者的詢問說，她之離開大陸，是因爲過不慣那裏的生活方式，有人緊接着問她，將來是不是回大陸去，她說那要看將來的情形再說，李麗華這幾句話講得很明白，明眼人一看就知道她離開大陸，是不願受共產黨的暴力統治，將來是否重返家園，要看國軍是不是已光復大陸，誰知第二天（五日）那一兩家灰色報紙登出來，卻完全歪曲了她的意思，故意強調李麗華的答問很圓滑，字裏行間硬說她很可能回大陸去。

李麗華見報後十分生氣，終於在六日的記者招待會上，坦率的宣佈了她的立場，她說她無論在甚麼時候，到甚麼地方，都是絕對反共的，理由是共產黨是反道德反自由的，而她本人卻酷愛自由與道德，她對一兩家報紙誤會了她的意思，給她硬罩上灰色的外衣引爲憾事，這話一出，七號左傾的光×報上，對她的招待記者和行蹤，嚇得也恨得隻字不提。

李麗華這種勇敢而正直的作風，已贏得此間廣大僑胞的喝采，她每到一處，道塗爲塞，爭睹她的丰采，泰國人和僑胞，六號她爲香港東方球隊和泰國世運選手足球隊的球賽行開球禮，觀衆人山人海，大家擠到場中看她，球賽幾乎無法舉行。東方隊遠征曼谷，雖然挾有雙料冠軍的榮銜，號召力不弱，但收入最多不過三萬銖，過去南華和奧國維也納隊，在泰國獻技也是如此。然而李麗華開球的那場義賽，觀衆却加了一倍有多，收入超過八萬銖以上，直把曼谷慈幼院的主持人，歡喜得合不攏口來。

台北速寫

外交的陰霾

南沙島事件，尚在交涉中，越南却對西沙羣島及南威島提出主權要求，但是更值得注意的是，日本朝野對蘇俄中共傾向日甚。外交當局究應如何設法撥開陰霾局面，已是刻不容緩了。

一案查四年

巒大山盜林案是一件極重大的貪污案，盜伐林木值一億元！本案經過四年調查方始公佈，再經半年，才於日前開第一次調查庭。稽延之久，實令人莫解。究是辦事顢頇所致，抑爲有人故意拖延以湮沒證據，實在值得各方加以注意呢！

從軍樂

本年應屆畢業高初中生，志願投考各種軍事學校，據初步估計，已有一千五百人。聞當局對於這些青年將有優待辦法，以示鼓勵。不過，教育界人士盼對於學力的水準必須加以維持，理由是今日軍事科學之進步，一樣需要豐富的智慧，僅憑熱情是不够的。

千古奇書

翻印無版權的古書，高價徵求預約，是目前一個發財之道。主其事者大都是軍政界知名之士，普通商人還沒這樣的魄力。最近又有人影印道家雜著，名爲「養生長壽祕訣集成」，以千古不傳秘典，萬世不朽奇書號召，眞是妙極。

·杜蘅之·

編者　讀者

孫秉乾調職原因

編輯先生：

前讀貴報五四七期李樸生先生「使領人選與僑務」一文關於「橫濱的僑教成績」一節內有「孫總領事的運氣似乎不大好。他在曼谷總領事任上，僑胞一說他好，而上級却不高興，把他調走。」一語[illegible]

撰安

台北讀者余克非上　四五年六月十日

△讀者來函——

△萬迪錡、倪古丁、李季諾、程外、刁抱石、張齡、嚴森、郭敏行諸先生惠稿收到，至感。

經葛量洪爵士「幽他一默」 東南亞影展會改名經過

港督說他不曾在東南亞發現過日本

第三屆東南亞影展在香港舉行了這麼多天，大致來說應該是成功的，當然會經發生過如永田雅一之類的不愉快事件，但在一個如此龐大與複雜的節目中像這一類事件可以說是免不了的。

這一次的影展會在「池主之誼」方面，該說是盡夠了，由港督閣遊會以至會長陸運濤的別墅餐舞會等，都極一時之盛，而新聞記者之捧場更不在話下，每一個參加單位所舉行的記者招待會，出席的記者總有四、五十名之多，這一種現象是罕見的，據傳說大會方面由籌備開始以迄結束預算要開銷到十萬美元，這個數字是不能說不鉅了。

港督一語就此改名

在會議中，有一個重要的決定，就是把「東南亞影展會」改名爲「亞洲影展會」，這一個「改名記」原來有一段插曲，乃係由港督葛量洪爵士的一語幽默而起，開幕那天當港督致詞時，他第一句就說：「我感覺很愉快，主持這個一九五六年東南亞電影節的開幕典禮，假如不因其他原故，那麼我就學習一課地理，因爲我從來不知道日本係東南亞的一部分。」

經港督此一語，大會諸公果然從善如流，在第二次會議時通過了一項改名爲「亞洲影展」的議案。

從港督的演詞中，我們也可以看到港督的淵博，而且他更語重心長，給電影從業人員一個無上的推崇與鼓勵。他說我以爲影片的產生，對于藝術發展，至爲重要，幾百年來，從歐洲中古時代，發現透視畫法，以及除用水彩顏色之外，從採用油畫，而脫胎製成影片。

當然，這是技術上或科學上的進步，開始仍須有賴於攝影學，由攝影而放映於一張幕上，當我還在學校那個時候，我們就叫它做一種幻燈，當然，對于我們在孩子的時候，認爲是很奇怪的。

更爲奇怪的乃是放映在銀幕上的活動電影。此後，又有彩色電影。或許本人弄錯了，先有有聲電影，然後才有彩色電影。

製片的人注意兩事

這對於我的論題，是一件很微小的事。諸位當中，凡是與製片事業同時長大的人，或是從事製片業多年的人，一定能夠注意下面的兩樁事實。

第一、必須有技術進步，例如消除光線閃爍。這種有損目光的光線搖閃，在早期電影時代是常有的。後來對於彩色及聲響，也有同樣的改進。

除了此等技術改進之外，製片家及導演必須學習如何使用新方法，藉以配合最佳的藝術表現。

例如，在有聲電影的早期時代，製片人對於銀幕上發生聲響，喜不自勝，然而那時的有聲電影，聲響實已超過藝術上所需要的程度，但是現在本人以爲諸位已經完全克服電影的技術，不論無聲或有聲，黑白或彩色影片。

立體電影等待解決

至於立體電影的發展，目前仍在科學研究階段。在這一方面，諸位祇好等待科學家的努力了。當然，他們遲早會解決這一問題，又將怎樣呢？

好像革命性的技術發展，今後是不可能再有了。本人可能錯誤。諸位或許記起威爾斯（H.G.WELLS）所著的一本書。書中除述及有聲、彩色及立體電影之外，又提及其「觸覺」電影。

辦法是這樣的：觀眾手撳壓旁的特別機鈕，就可以感覺到銀幕上演員的情感。

以個人來說，本人認爲這將是一項非常不舒服的發明，除非觀眾以可選擇所願意感覺的情感，譬如在打鬥片中，選擇殺人者而不是被殺者的情感。

諸位或許認爲本人所說的含義，推重製片家及導演的藝術家質素而不是科學或技術家的質素，不錯，雖然有人將藝術家、詩人、大學教授以及等而下之的人物歸爲一類，然而，這不過是他們自己的意見而已。

須製大衆愛好影片

再我個人認爲上而所述的人物，是我們人類最高尚的，或者諸位製片家、藝術家不能製造氫彈，但是你們是會生產美麗的東西的。

各位有時被人指責誘人溺於低級趣味，但是，大致上言之，以現時影片公司而論，這項指責，並不確實，不過各位現正遭遇困難，因爲無論各位如何審美，各位是不能夠空無所有的。」

一個畫家或作家，能夠爲他本身高興，偶然繪一幅圖畫或寫一本書，但是，製片家就不能夠這樣的浪費。

製片乃是一項太昂貴的生意，製片家不能忘記票房的收入。因此，他必須攝製爲大衆所愛好的影片。同時，他又受藝術片一項觀念所驅策。他必須將這兩件事合而爲一。他有時會成功，但有時則不然。

比之明星還要偉大

在好片裏面，（攝製一部影片的金錢數目，並不作爲好片或劣片的標準）會做到這兩件事，但是，在一部故事情節並不佳的影片裏面，也會做到這兩件事。實際上，只有文學上題材，例如莎士比亞劇本或美國西部小說才適合大衆的愛好及具有藝術上的價值。

其次，各位必須適應環境的變遷，以便迎合大衆的愛好。如果各位都有充份敏感的話，這不一定會感到困難的，因爲各位必須具有敏感，才能夠生存，以及須悟我們所生存的時代精神。

我現在以一個電影觀衆的資格，謹向各位對於人類的服務精神，備致讚揚。

一如我所說過的，各位已經努力希望成爲忠實藝術家，以及學習如何應用各位的工具，姑毋論這些工具係照相機，男演員及女演員等。各位比「明星」還要偉大，因爲各位給與他們以光輝，及使到他們發出光芒之故。」

日本造船業的發展及前途

·嚴森·

（本報特寫）日本造船業在戰前由於政府極端重視及強力的扶植，生產量及技術方面均達到一般國際水準，堪與歐美各國媲美，成爲日本最重要工業之一。惟戰時因造船廠的一切設備，幾全部爲盟機炸毀，損害極大，滿目瘡痍，造船業幾全陷停頓癱瘓。

國外訂單助長繁榮

戰爭結束後幾年來，經盟國之援助，經濟情形日漸好轉時，造船業在政府鼓勵扶植政策下，亦隨之而活躍，同時政府當局更擬訂了一項長期造船計劃，鼓勵造船業者向海外發展，以與他國競爭。由於政府之贊助與造船業界人士的努力，觀其每年出產量的激增，顯已獲致相當的成就，目前各主要造船廠的龐大產量，不僅已足夠供應本國之需要，每年且深造大量外國船隻，替政府賺進了大量美元外滙，甚至像巴拿馬、美國、挪威、希臘等船運先進國家，亦紛紛爭向日本訂造船隻，此皆因日本造船工資較他國爲低廉而其技術水準並不下於歐美各國。據造船界人士透露稱：像三菱、川崎等一流造船廠已拒絕接受在二、三年內交貨之任何訂單，其景氣旺盛情形，概可想見矣。

政府獎勵的辦法

日本造船事業戰後短短幾年內竟獲致如此神速的發達，究其原因一方面由於造船業本身的努力，但政府的扶助鼓勵政策之成功亦爲決定之因素。試以日政府不惜重大犧牲實施一項所謂「粗糖退銷制度」爲例，可窺其積極性之程度。所謂粗糖退銷制度即是以最低成本價格大量輸出船舶，拓展國際市場爭取外滙，日本政府爲了表示極力鼓勵起見，對於凡從事是項輸出廠商一概畀予輸入粗糖的特權（按粗糖輸入業務素爲政府一手抱攬）而以糖之盈利彌補各廠商因低價輸出所受之損失。日政府另一種間接扶助造船業的策略，是凡其他國家向日本訂造船隻時，特予以一種優惠，那就是訂造者如需日本造船用之鋼料等之價格昂貴不合算時，得准訂造者自行向他國採購所需的材料裝運來日（按日政府禁止普通鋼鐵輸入的），而以一種委託日方製造方式建造之，可見其用心良苦之一般。日本政府鑒於造船業之重要性，爲更進一步加強造船業的組織起見，特命運輸當局就有關造船工業事宜加以充分研究，並作全盤性的檢討，以資改進，同時設法勸誘少數中小規模的造船廠合併經營，以集中其力量，增加生產，並實行一種凡對造船事業有特別貢獻或技術優良有顯著表現之造船廠特別予以資助的激勵政策。

戰後建船五千萬噸

總之日政府無不處處盡其全力以扶助造船業。至日本造船業在戰後輸出船舶數量，據有關方面的統計，自西曆一九四八年起至上年爲止，其輸出噸數達二千餘萬噸，其供應本國內的出產量破三千萬噸。這無疑證明了日本造船業在戰後的發達盛況，實屬驚人。惟如果以其戰前之龐大生產規模而加以相較，無疑似相去甚遠，據權威人士分析，日本造船業倘欲恢復其戰前的記錄，由於種種環境因素存在，數年內恐將不易如願。

成功有賴全面規劃

從日本造船業在戰後的長足發展觀察，日本經濟之得以迅速復甦，固有賴其原有之工業基礎，但政府在整個財經政策與輸出入方面所作的規劃與魄力，是值得稱道的。若無一定的行之有效可供發展的財經計劃，日本造船業不僅將無今天之成就，即整個社會經濟亦將仍深陷在支離破碎中。此者實堪爲我國財經當局及企業家注意研究。（六月六日於大阪）

讀張君勱致不理教授書有感

（上接第一版）即只要台灣交與中共，西方的安全便可確保，他們家的負担，便可減輕，天下亦就太平了。至於建議以東德與外蒙交換，這個西方外交中的傳統手法，一直生根於西方傳統文化的商業精神。他們看來，並不是不道德的。他們的言論，正是根據了他們之良心理性的，依他們之良心理性來看我們之反對他們的言論，我們亦不過只是爲我們自己的國家，站在我們自己的立場，求我們自己的利益而已。對於他們之此種良心理性，是我們所無法與之辯論的。我們亦無法提出，春秋大義所謂興滅國繼絕世的精神，來期望當今之國際友人。因爲西方文化中，從來即未出現過此觀念。而我們如此期望，亦只有加深我們的恥辱之感。

反共的兩大理由

但是我要反過來正告這一類的西方哲學家們，就是第一如果哲學還有什麼可貴的地方，即是他能使人從天下萬世的人類歷史之過去與未來着想。你們的宗教，尚能以全人類之救贖爲己任，爲什麼哲學反趕不上宗教？第二，我留你們知道中國現在在台灣與海外的自由人士之反共的理由，重要的，只有兩個：一個是要保存發展中國數千年之文化精神，以通貫於世界文化；一個是要爭政治上的自由民主與人權的保障。這兩個理由，亦都是歸根到底，依於人的立場，依於人類文化中有中國文化，其客觀價值，不容抹殺，其歷史發展，不容截斷，一切人們亦當有自由的立場。而並非只是依於求中國一個國家的一時的權力之強大之立場。如果只爲這個，我們早已贊同共產黨了。我們求自由，我們決不會忘了一切人類的自由。我要告訴你們，今在香港調景嶺的難民，亦有立志在中國解放之後，去解放俄國的。中國人縱然在一無所有時，他的胸襟，還是能涵蓋天下萬世的。你們可說，這是妄自誇大，但是他之聊以自慰。妄自誇大，總有一道理，你們當在中國傳統思想文化中去理解。

中國人的世界精神

第三，如果你們了解第二層，便了解如果中國之赤化眞正完成，中國人亦即學會了己所欲者亦施于人之原則，必然要去赤化世界。中國人要自由，要全人類自由。反之，如中國人要赤化，亦要全世界赤化。二者不同，然有一同一之中國傳統的要天下一家的世界精神貫注于其中。這是西方人以至現在的中國人亦不了解的。中國共產黨之參加韓戰，爲什麼可與聯合國打個平手？是馬列主義之力嗎？不是。這是共黨之利用中國人之原有的世界精神，要爲人類打報不平的精神，幹出來的了。這個中華民族之潛伏精神與潛力，請你們不要忽視。這潛伏精神與潛力如果不能有正當的表現機會，牠便要作變態的表現。無論是正態的或變態的表現，牠必然要震撼世界。這理由可以說甚深甚深。一般政治家所不能了解的，哲學家于此應虛心求了解才是。

肯定強權威勢心理

第四，你們這種哲學家與你們之主張承認中共的政治家，總不免看中國問題，即肯服膺同一原則，即肯定既成事實之原則。而此原則之後，則有一肯定強權威勢的心理。你們之不惜違悖你們的哲學與普遍的良心理性，除西方人第一你們自己國家第一之觀念外，即此原則此心理在決定你們的言論政策。你們的科學精神，原是重事實之肯定的。你們的宗教精神，在東方人看則不免太重權威。羅素丕理本人亦同如此說。至于國際外交上之強權主義，你們自己更不否認。但是你們却多不了解中共之權力的來源，你們多不知你們所認爲已成的事實者，只是中國歷史發展過程中之一暫時的事實。

中共權力的來源

關于中共之權力的來源，我過去已寫了很多文章，說此是利用中國文化的潛力。支持中共的力量，只是中華民族要求站起來的力量。此力量要反抗百年來所受于西方之壓迫，于是才接受西方思想中之反西方資本主義帝國主義的馬列主義，以爲反西方的旗幟。從中華民族深心的要求看，牠根本上決不要信馬列主義。而中國共產黨則弄假成眞，以爲中國民族與文化眞可馬列主義化。實際上中國民族要站起來，中國文化亦必然要站起來，中國人亦要成爲頂天立地的自由人。此一個個站起來，是理論的當然與必然，亦是一歷史的當然與必然。

我們的信心

但對此點要看明白，却必須透入中共暫時統治之事實的底層去看中國文化的性質，中國民族的心理，中國百年來之歷史與其應有之趨向才行。把此點看明白，便知自由世界除了幫助中華民族在政治上文化上一齊站起來，中國人民人人成爲自由人，此外決無路可走。如果不幫助，自然現在反共的中國人要吃虧，大陸的中國人民還要受苦，世界亦將吃中國人之精神之一切變態的表現的苦。然而，我仍可以斷定，在一未來的時間，中國人民以至中國共產黨，仍將不斷清算他們自己的馬列主義思想，如今之清算斯大林，直到中國民族與文化一齊站起來中國人人成自由人爲止。除非西方人以氫彈毀滅中國人，此理不會更動。縱然氫彈毀滅了中國人，中國人仍將一齊到天國，將此理實現。這點信心我們是有的。至少此信心之存在，亦是一宇宙間的事實。我想你們亦當依肯定事實之原則，來加以肯定與同情的理解才是。不要太看重現實的政治權力了。

走出我們自己的路

我寫了上段的話，亦無意寄給羅素丕理，他們亦不會體諒了便肯虛心加以研究的。一切的話，仍只能說給我們自己的同胞聽。看看西方哲學家們之此類見解，我想我們數十年來之膜拜西方文化與西方哲學家，恐怕有些地方是錯了。羅素偶然著一二本書，稱道中國文化，中國人便處處加以徵引。我近年所寫的中國文化精神價值等書，其中許多比較評論中西文化的見解，實際上並不是讀西方書來的。但爲恐國人不信，亦多引西方人自己的話爲證。至于此外的一些人著作之視西方學人之言若神明，更是相習成風。實際上在西方學人心目中何嘗有我們中國人，何嘗眞求了解中國人與其文化？這自然是由于我們自己不行，國家太不像樣，學術文化的自信心全失了。但是這亦由我們自己太謙虛了。實際上，我們縱然什麼都莫有，但是天下一家的懷抱，與己所不欲勿施于人之德性，還是有的。爲什麼我們不能以此爲建立自信的開始呢？西方人與其文化之長處，固然是很多，值得我們學。但是看看大陸共黨之與聯合國作戰，大體西方之資本主義文化，西方人却另眼相看。這不能不使人疑心到，西方人多是祇認得現實力量的。而中國人現在所唯一應努力之事，仍是百年前人所想的使國家富強。我們似乎當贊同共黨對西方的態度才對。然而蘇俄又是道地的虎狼，視人如物的馬列主義，又非反對不可。如何在此重重艱難，重重困中，走出我們自己的路，值得中華民族的血性男兒共獻心力。（五月七日）

探母的派別

・張瘦碧・

平劇的老生行中，四郎探母這齣戲，一向是非常流行，當年科班裏面，都視此為看家戲，一般名伶，頭三天打泡戲裏，也必演此劇。全劇中有兩個生角（四郎與六郎），三個旦角（公主、蕭太后、四夫人），此外尚有老旦（佘太君），小生（楊宗保），丑角（二國舅），可算人才齊整，相當熱鬧的。

過去遜清宮廷裏，所謂內廷供奉，被召在宮內演戲的名角，不時以此戲博得宮內人士的讚揚，也就是因為場面熱鬧的原故，相沿迄今，始終受人歡迎！

該劇老本子內容，現以略有欠妥，已重加修訂，配合國策，曾首由大鵬劇團試演成功，今年在各晚會演出，新四郎探母，也已不下十餘次之多，確屬是本百看不厭的好戲。

過去曾聽人說，歷來老伶工唱探母者，各有不同，並曾記得有人論及前輩中演來，具能表現其特長之處，茲約略記其梗概於次。

（一）

汪桂芳　又稱汪大頭，咸同間，紅極京師時，他演此劇，講究滿弓滿調，雖然不用花腔，可是字正腔圓。「楊延輝，坐宮院……」以下，他是沒有小過門的，在小過門的空隙中，用腔調補上，將「自思自歎」四字，一氣呵成。沒有真正衷氣，是頂不下來的，汪派唯一的特色不僅此，並且拖腔都帶有鼻音，尤屬不易。後來祇有王鳳卿一人，尚能傳其衣缽，因唱中不用花腔，聽衆多不歡迎，記得民十以後，鳳卿在滬獻藝，終以曲高和寡，並不太紅，老腔老調，徒然吃力不討好也。

（二）

孫菊仙　天津人，世人皆呼之為老鄉親，因為他是樂觀派，唱戲純為取樂，故又稱他孫一樂。他特有寬亮的嗓門，和充沛的衷氣，一曲歌來，能聲震屋瓦，悲壯激昂，自成一家。演探母的最大特點，在於見娘時唱：「去到後帳，看一看娘的兒媳，兒的妻，去去就來！」之來字，能拖腔鋪進場，及入後台後，尤覺餘音嫋嫋，回味無窮。後來時慧寶演探母，有火車頭之稱，也是指「來」字的拖腔，特別拉長的原故。

（三）

譚鑫培　他的探母，以歎腔取勝，行腔前皆能把握住抑揚頓挫的妙處，哭堂的調門，更是悲愴欲絕，耐人尋味！余叔岩雖略有改進，但仍未脫譚之窠臼。譚富英，楊寶森，皆折衷於譚余之間，馬連良演來，雖有若干變化，仍不出譚的範圍，直到現在，也都宗譚宗余，最受人歡迎！

（四）

劉鴻聲　票友出身，探母一劇，是他的拿手傑作，聲調高亢，發音甜潤，沒有嗓子是學不來的。尤以「站立宮門叫小番」的番字翻高調，尖銳直上，毫不費力。哭頭處亦多用高調，適與譚派相反，胡琴調門，常在乙字以上，與之充配角者，祗有陳文啓、吳蕙芳、吳彩霞三數人而已，據說馬福仙曾配公主，竟因調高，下台後嘔血而亡。

（五）

許蔭棠　他是張二奎的弟子，所謂奎派老生，演選元戎（程咬金推薦秦英掛帥）為最擅長，無人能演。唱探母，則一本正經，純屬王帽老生韻味，吐字沉着，發音穩重，可是一曲歌來，終成笨唱，毫無韻味可言，以之最不受聽衆的歡迎，學許者，至今已無人矣。

自由談

聞過則喜

馬五先生

偶遇着最近曾經到過大陸魔窟參觀回來的一位民主人士，我問他是否跟一般投靠秧歌王朝的文化人有所接觸？談過甚末值得一提的人話嗎？

據說：在上海曾見到某一「老友記」（姑隱其名）略為談到海外的自由文化問題，對方以含蓄而感慨的心情說道：「我看海外的反共宣傳，多是以瑞金時代的共黨情形為中心資料，這種不切實際的玩藝，是引不起內陸人士之興趣的！」

「我相信此一「老友記」的內心深處，還是潛存着「不共」之思，因而有此寶善的暗示，我們應該檢討反省才是。

譬如前天自由中國立法院長在金門向大陸軍民的廣播演說，滿口「朱毛匪幫」，即其最好的例證。當年共黨在井岡山打家刦舍，原是倚靠朱德所統領的共軍為護符，毛澤東空擁着政治名位，不特毫無實權，並且隨時被排擠傾軋。事實上，毛酋之奄有共魁權位，是從突圍逃命之中，藉「遵義會議」纔取得的。現在共黨情況迥異往昔，而我們依然使用着歷史名詞來作反共宣傳，當然教一般知識份子感覺詫異。若謂沿襲這項歷史名詞的用意是要否定共黨現有的存在事實，亦不容易獲致社會大衆的共鳴，以其漠視了現實，僅憑一種舊觀念來號召反共，失之空虛也。

光是使用這種舊名詞倘無所謂，最可慮是由於這項舊觀念的存在發展，因而影響到一切的反共措施，終致遇事自我陶醉，不肯針對現實，力求改進。充此一念，則我們研究敵情時，亦將不免於先有結論，然後再找資料來配合的毛病，若照這樣的研究法，除了聊以自慰而外，於事實有濟乎？

我們的反共宣傳如其希望在大陸上發生號召力，即對於陷身魔窟而不甘心從賊的上海這位文化人的寶善之言，自須聞過則喜，予以拜嘉呵！

再談：「今日畫壇」

——兼答孫旗先生

・于長卿・

孫旗先生在五四三期「自由人」上，談到繪畫問題，「認為今日自由中國畫壇，崇尚古典主義氣息較為濃厚」，「反映時代，表現時代的精神，還做得不怎麼夠」，這見解，是有其獨到之處的。對於孫先生「創造新的，反映時代精神的畫，應該是人類進步的一環」的說法，筆者也極表贊同。不過，筆者也有一點淺見，願在此簡述一下。

首先，我得聲明，我的畫不屬于任何一派，也更不是所謂「江浙派」，我之聽說台灣畫壇有「派」，是讀了阿淑先生的「今日畫壇辛酸錄」後才知道的，事實上我也最怕談派，也更不敢自命為某「派」，更不敢替別人硬加個什麼派的帽子。

不應以學老師為滿足

其次，孫先生說：「師承非好現象」，關於這一點，筆者有點不敢苟同。唐人張彥遠「論畫」有言曰：「不知師資傳授，則未可議乎畫」，韓文公也說：「師者所以傳道授業解惑也」。可見不論是做學問也好，學藝術也好，沒有師承，是很難成功的。我認為，要學藝術，當有三個條件：一是師承，二是天資，三是學力。此三者缺一不可，而師承尤其重要。

不過，我之所謂師承，並不是說，以只學了老師的面目為滿足，而永遠不求變化，是說，先由老師傳道授業解惑，待有根抵後，便去自求創作，終而卓然自成一家。僅就民國以來的畫家說：吳湖帆宗郭河陽、董香光，吳子深宗董香光、王廉州，張大千宗二石（石濤、石谿），陳定山、吳待秋宗王麓台，馮超然、張穀年宗王石谷，皆各有師承，但卻並不為師法所囿，而皆保存了自我面目。

為何新藝術產生困難

自由中國的畫師們，教學生繪畫，多以自己的畫稿命學生臨摹，非至形似不止，令人一望即知，面目酷肖乃師。因此，若長此發展下去，要得獨立不倚的新藝術品，當然是很困難的。

至於筆者的畫，雖是從陳定山先生學來，但卻絕無定師的面目。所以，我不贊成只把老師的面目學來為已足，而主張得師資指點後，泛濫古人作品，而從古人中求變化。要知「作畫貴有古意，若無古意，雖工無益」，然「此可為知者道，不為不知者說也」（趙松雪論畫）。

國畫與西畫的分別

最後，我對於國畫西畫的問題，我的看法是：利用國畫工具、技巧產生出來的作品，便是國畫，即使它所表現的是西洋生活、精神、思想、事物；反之亦然。

至於國畫和西畫的最大分別是：西畫重寫實，以客觀事物為主；國畫重寫意，以主觀寫作者胸懷中的世界構圖。彼此的作畫工具，表現技巧，畫而取材，既截然不同，因之，西畫家未必能懂國畫，國畫家當然也未必能懂西畫；而談創作者，必須對所談的事物先有相當認識，然後才不流於空洞、虛浮。無根的蘭，「不在蘭花畫的好壞，而在於無根的含意」，此等含意，在懂得國畫的人看來，當然可由意會而得，但在西洋畫家的觀點，則蘭花無根，在根本上已是不通，更不必談什麼好壞問題了。

至於孫先生所謂：「畫之優劣，不在取決於被描寫的事物，卻在物外之寓意」，然此等表現問題，非可執一而論，亦非三言兩語可盡。畫家作畫，能將作畫時的心情，融入畫中，斯為上乘，石濤、八大的畫能名傳千古，名竟不在四王吳惲之下，亦即因為其畫中充滿了一種故國蒼涼之感。今日留台畫家之每以大陸河山為取材對象，亦含有一種懷念大陸的心情。周棄子「定山草堂讀畫絕句」：「讀書會向毫端畫，谿山觸我杭州憶，處處分明似臨安」。處在今日環境之下，我們要尋寄託，恐怕也只有向毫端以發洩其故國之思罷。

（關於這一問題的文章，先後已發表了很多，擬暫不再繼續刊載，惟歡迎藝術界的朋友，惠賜新問題的討論佳作，以保持藝壇的活躍和生氣。——編者——）

臨江仙近

王蓬累

老友羅稻仙六十學詞，賦此壯之，兼簡蟄軒。

老去填詞英氣在。大江滾滾東流。人間最好是高樓。雲山遮不住。千里入凝眸。

作計功名收拾了。翻從文字雕鎪。風懷堪與少年儔。燕來春又到。安穩下簾鈎。

臨江仙近

羅稻仙

原韻奉和蓬累見贈之作。

國破家亡心未死。不禁老淚橫流。愴懷身世怕登樓。匡時還赤手。扶醉覓青眸。

賸有才華何所用。相期故紙鐫鎪。尼山渭水壽可儔。詞場君獨步。共我垂釣鈎。

蓬累自信可壽躋尼山，雖病高血壓，不肯服藥，余笑謂之盍共我追隨渭濱釣叟也。

臨江仙近

臧蟄軒

蓬累以所作贈羅稻仙此調見示，次韻奉和，並簡稻仙。

心痛斯文將喪日。隻身起障橫流。竟能立上最高樓。高樓環眺裏。無遠不明眸。

從古騷人皆自得。詞章價重雕鎪。搴旗斬將歎非儔。吟成微醉後。含笑看吳鈎。

同光風雲錄

夢山樓

劉永福（中）

晝夜血戰斬法統帥

永福既返任，部署畢，親率部將楊智仁，吳鳳典，黃守忠，鄧士昌等，星夜進發，法軍統帥李威呂，亦著名宿將也。初戰不利，永福憤甚，親率健卒衝敵陣，血戰一日夜，殺敵五千人，中有一屍，袖飾七釁，驗之，法統帥李威呂也。又殺法偏將阿非利，是役楊智仁亦戰死。論功授永福提督，封義良男。

越軍雖勝法，而越王怯懦，又議和，仍飭永福退兵，初不奉命，志在掃平帝國主義侵略軍而後已。越王譴之曰：『若不退，是反朕，朕不認若為臣矣』不得已，乃再退。

法軍侵台永福再督師

法人雖與越南時戰時和，然仍不時擾我邊境，進而侵犯台灣，總督張之洞疏奏劉永福智勇堪大用。清廷至是始詔曰：『越南受我大清封二百餘年，載在典册，越南君臣私與法國立約，並未奏聞。劉永福雖抱忠懷，而越王昧於知人，未加拔擢。該員本係中國之人，著以提督記名簡放，統率所部，將法人侵佔越南各城，迅圖恢復。』於是永福受清諭，即督師，以『越南臣民，惟知有中國，不知有他國，……』傳檄中外矣。

是時清將馮子材，亦大敗法軍於鎮南關，克諒山，追奔逐北，法人已氣奪。然清廷以消息隔閡，昧於事機，遽與法人議和，下停戰詔，永福，子材皆憤惋不已。法人復要求，以永福不離保勝，法軍不撤澎湖，清廷令速退，時勢困英雄，天下皆痛惜之！張之洞復遣使勸入關，乃條陳善後辦法，之洞悉納之。遂簡部得三千人率以歸廣州，授南澳總兵。旋奉詔入京，引見，德宗殷勤慰問，仍返粵，駐欽州。未幾朝鮮事起，日軍侵台灣，乃詔永福赴台，幫辦軍務。既抵台，建堡壘，籌防戰，時唐景崧為台灣巡撫，與永福論事不諧，又慮永福勢盛不易制，乃令率部駐台南，而台北防務疏懈，日艦突進攻，遂不守矣。

拒倭保民與台共存亡

光緒二十一年中日議和成，割台灣畀日，台之名士邱逢甲率紳民抗拒，謀獨立，嘗詣永福詢可否？答曰：『與台共存亡！』旋立台灣為民國，推唐景崧為大總統，而日軍攻之益急，台陷，景崧逃歸。永福獨據台南，誓死守，台南紳民立議會，持大總統印授永福，永福曰：『今日事，軍事也，總統印無能為也！』議會再授印，永福勉之曰：『爾台民有銀出銀，無銀出米，無米出力，速來會，拒倭保民，責吾任之，印，吾不受。』

（三十九）

文壇漫步

曾復明的章回小說

・紅纓槍・

在華南，能寫章回小說的人不多，提煉故事，雕琢章目，兩者都做到佳境的更少。有之，就是現在仍在執筆的半月（曾復明）。

曾氏戰後任廣州大光報的總經理兼總主筆，對業務經營，頗有心得，那時，他執筆寫的社論，在同業中算是好手的了，在廣州所寫的一部章回小說「珠海月明」，人物刻劃十分生動，故事的安排得體，章目的對仗、音韻、字面都非常工穩典麗，一寫就是三年，全書還未連載完畢，便擱筆了。曾氏的章回小說，是可與張恨水比美的。

文化界人士避難香江，他卻轉業從商，由于體態癡肥，正式一名「大腹賈」，這兩年，忽然高興起來，又在工商晚報大寫章回小說了。他的筆名說來大有來歷，因為他名「復明」，所以筆名「半月」，另有一個筆名「夏芙紋」，是英文的「半」「月」的諧音。

曾氏好竹戰，平日與任畢明、李劍鋒同是戰友，此三人每日撰稿萬餘字，均自方城中尋得資料，此亦算文壇一景了。

文壇趣聞——

張恨水單戀冰心

在中共肅胡風之後，「風流才子」張恨水曾繼之遭殃，這位以「啼笑姻緣」一書而走紅的小說家即因為這部小說而被批判得「啼笑皆非」。

提起張恨水，不禁又想起他的這個名字，很多人都覺得他名字起得怪，何以要叫「恨水」呢？「恨水」也者，恨其不結「冰」也。

據說，張恨水曾一度對散文作家冰心深為愛慕，當年張讀冰心的作品，那種清麗婉約的文字，私臆其人之美當如其文，於是日思夜想，情不可禁，最後乃大膽地向冰心女士「放射」出一支愛情的箭」，但是這支箭並沒有射中冰心的心上，原因是當年冰心的聲譽遠較張氏為高，而且她也根本瞧不起這位鴛鴦蝴蝶派的「才子」，所以拒絕了他的愛。張於被拒後，羞憤之餘，遂改名為「恨水」，羞恨其不能結「冰」，並永誌此終身之辱也。

我想有不少人，會與張氏一樣，在想像中，認為冰心一定是位溫婉、娟秀的女子，所以當年冰心自海外歸國，在北京大學作第一次演說時，那些平時最不愛修飾的酸溜溜的教授們，據說也都特別的刮光鬍子，換上新領帶，以一睹這位馳譽文壇的女作家。可是見面以後，原來冰心又肥又黑，真是倒盡胃口！

・戈北指・

自由人
THE FREEMAN
（第五五三期）
中華民國僑務委員會
頒發登記證台僑新字第一第二號
中華郵政台字第五○○號
執照登記爲第一類新聞紙類
（半週刊每星期三六出版）
每份港幣壹毫
台北市售價台幣壹元
督印人：陳文赫
地址：香港高士威道二十號四樓
3 rd. fl. 20 CAUSEWAY RD
HONG KONG
香港發行及業務接洽
高士打道66號　電話：七四○五三
承印者：東南印務出版社
地址：高士打道六十四號
海外總經銷
友聯書報發行公司
香港：德輔道中二十六號A二樓
台灣特派員辦事處
台北市館前街五十號
台灣總經銷處
台北市西寧南路壹登峯號二樓
台郵撥儲金戶九二五二

僑胞的國家觀念

——南洋隨感錄之一

·謝永年·

你是那一國的人？你是土生華僑？你的國家觀念正確嗎？民族思想怎樣？政治立場如何呢？

約五年前我從椰加達乘輪船到孟加錫的時候，船上有一個在印尼大學念書的華裔僑生W君，他只知道他的祖父和父親都是來自福建的華僑，他自己是僑生，不會說中國話，於是英語成爲我們倆每天公用的語言，有時也滲用幾句法國話，我們談得很投機，船到了孟加錫，他算是回到家鄉了，而我呢，卻要登岸換輪赴帝文島，他很熱心地幫同我招呼行李，辦理海關檢查及登岸手續，如同小弟弟一般殷勤。之後，他又約我到他家，會見他底母親和姊姊妹妹，招待我喫茶點和午飯，他底姊姊能聽懂一點粵語，她母親很高興，拿出家裏珍藏的一副木刻鍍金的對聯，聯上寫着「采藻濱溪崇祖德，焚香清夜報宗功」兩句成語，叫我解釋，並逐字翻譯給他們聽，她們說還是祖父遺留下的唯一紀念品了。

還覺得自己是中國人

這種情形，喚起二十餘年前，我被留學荷蘭的許多荷印華僑學生邀請到荷蘭開旅歐中國學生會議的印象，那時他們大約有兩百多人，留學荷蘭幾乎全部不懂中國話，尤其是中國文，有人能用中文寫出自己的名字，已算是了不起了。然而他們還覺得自己是中國人，多少保存一點國家觀念，他們多願意和我們從內地來的大學生聯絡，希望將來有機會介紹他們回國服務。他們當中有不少的女生，長得眉目清秀，他們說「由萬隆來的女生最好，還是著名產美女的地方」，引得她們吃吃地發笑。

大家知道印尼華僑人數二百萬，幾乎掌握了印尼的經濟全權，獨立以後，謀生沒有以前方便。但是，想前往印尼的中國人，還是很多，一部份華僑因唐山來的女子少，[illegible]當地的土婦結婚，因此生下的孩子，連家鄉話都不會講，皮膚也比較棕黃些，地方偏僻，沒有華僑學校，更無其他機會受到中國的文化教育，這樣一代一代下去，也就慢慢失去了愛祖國的觀念，和自己是華族後裔的感覺，久而久之，血統，和風俗習慣，都自然會變成了印尼人。

這種同化於當地土人的中國移民，有此專家稱爲熱帶化的殖民方式，從國家立場來說，可說是「賠了夫人又折兵」！鄭委員長彥棻先生所提的「無僑教即無僑務」實有所見而云然的眞理。

這種情形，當不限於印尼，凡是有華僑的地方差不多都有這種現象，帝文島雖小，華僑學校按人口比例也不算少，但這種同化於土著民族的現象，也不能說完全沒有。

向未婚夫學中國話

記得我在倫敦，時間雖短，我也訪問了不少的華僑家庭，許多人娶了英國太太，生下了不少的混血兒，他們的英語自然頂呱呱，然而中文和國語就戛戛乎其難了，那裏沒有華僑學校，有些混血女和留學生訂婚，開始請未婚夫教他們說中國話，婚後要是嫁給英國人，這些「華僑妹」不是與國家毫無關係了麼？

當我在巴黎的時間，看見許多參戰的華工留住法國二十多年，與法國女子結了婚，混血兒約數十人都說法語，（巴黎也沒有華僑學校，到近來才聽說有所謂「識字班」教人學國語，成效如何不可知），相信這一代的中法聯姻的寧馨兒，多半還是留居法國和法國人通婚，一代一代下去，也就數典忘祖了。

在德國、在瑞士、在比利時、在意大利、這些地方，中國人雖少，但也有類似的這種現象，在日內瓦開中國飯館的老米，就是如此，其他各地有華僑的地方，大約也可以類推！

【下轉第二版】

論大學不談政治

——南洋大學聘書不許談政治

·莫可非·

在中國人心目中，今日的大學和大學一書，是否有絕對的關係，我不敢說，如說毫無關係，又覺得於心不安，雖今日的大學，其所具備的學術門類至爲博大，非「大學」一書（原本是禮記的一篇）所能盡包，但原則上，則今日大學施教之目的，「大學」一書確亦可以統括之。

學問的體和用

今日的大學，在社會上，有一種尊嚴，是別的政府機關所沒有的，那就是所謂學術的尊嚴。今天我們以講習高等教育之所稱爲大學。當然本之古時的太學，這大約是沒有什麼可疑的。而朱子序「大學」又說：「大學，古者太學所以教人之方法也。」「古時大學，教人以明明德，新民，治國平天下。所以大學也是大人之學。（見王夫之禮記注）明明德是修己；新民，治國，平天下是治人，因此大學所學的，也就是修己治人之道。今天的大學，有文學、哲學、史學、教育等學系之外，又加多了，理、化、工、醫等等。從某些角度看，似乎理化醫工對於一大學之所以爲大學更重要些，有些人便以爲大學大部份是學的科學技術，可以超脫於政治圈子以外，自行研究其所謂學術，這是一種錯誤，我們以爲：大學既教人以修己治人之道，則沒有理由可以超脫政治的關係。文學、哲學、史學，這些人文學科，目的在培養大學生的愛國情緒，是學問的體：理、化、醫、工各種自然科學，目的在培養大學生的建國能力，是學問的用。以整個大學來說，應當是一個體用兼備的學術機關，捨學問的體不談，專講學問的用，不僅是偏廢，而且也是很危險的做法，過去實際上因爲洩漏了原子秘密而要把科學家處死，就是一個很好的例證，可見科學家如果沒有國家民族的自覺，其所有的科學技術，即不必能爲其國家民族服務。因此，純技術觀點的大學教育，是沒有靈魂的教育，那末，以爲大學教育可以超脫於政治關係以外，自然也是一種不通的思想了。

怯懦的飾詞

最近，因爲南洋大學急於要開課，便有居留在香港學者，教授，被延聘去那裏執教。據說是因爲政治環境很複雜，所以必須在聘書上訂明不得在學校裏談政治，這自然不是對於教授們的人格有什麼懷疑的地方，所以很多人都「欣然同意」了。對於這些先生們我很同情，但也很躭心，不知道離開政治關係之後，如何講他們的學術，更深恐他們的名山絕業，從此要走上一條絕路。

今天整個世界的政治環境，很顯然的分成了民主與極權的對立，是每個人都耳熟能詳的事。說複雜，只是一種懦怯的飾詞，此說懦怯，是說這些人不敢對於民主極權兩者之間作一個抉擇，因爲不敢抉擇，便自欺欺人似的，幻想出一個可以撇清這兩種力量而獨立存在的烏托邦。像自鳴清高地說，我們只爲學術而學術，我們是不談政治的，但我們很願意指出，所謂不敢有所抉擇，除了懦怯之外，又可能會潛伏着一種危險，事實是不准談，只做成了某一部份人的烟幕，在不准談的禁令下，政治更增加了它的神秘性，而所謂某一部份人，他們本來已抉擇了，但目前的環境，不一定對於他的抉擇有利，因此便姑且躲在烟幕中，表面上不談政治，却老老實實的在暗地裏攪政治，等到時機有利，烟幕撤除，他們却早已攪的頭頭是道，米已成炊了。

談政治和攪政治不同

無論個人或團體，既有志要辦大學，自然須有一種理想，更加要有一種勇氣，撇開自身有政治企圖，想把學生製造成自己的政治資本的人不說，如果是比較開明的，我以爲必須讓大學裏可以談政治，談政治和攪不同。學校中談政治又與政黨中談政策不同，因爲今日的大學生，就是明天國家的人才，他們不能缺少政治的認識，更不能缺少對於政治的一種素養。此素養，即是治國平天下的抱負與嚮往。若一大學，僅教人致知、格物，誠意、正心、修身；則是祗採用了大學教人方法的一半，此大學只能稱之爲半間大學；此大學之學生亦僅可稱之爲半個大學生。

談政治的好處

此外，我還有一種見解，以爲愈是政治情形複雜的時候，愈應該讓大學可以談政治。大學裏，集中了許多對學術具有高度修養的學者，正須邀他們的講論，以求政治見解的澄清，或減少其神秘性，使存心攪政治的某部份人失却其憑藉。而且談政治也並不是卑汚的事，孔孟均不會有此主張，反而是棲棲遑遑，日日以政治爲事，以談政治爲卑汚，恐怕是一部份因爲在政治上失意的知識份子，於倦退之後的一種牢騷，一種偏見而已。因此，我以爲辦大學但先自不敢談政治是一種懦怯，不准其教授談政治則是一種愚昧，懦怯與愚昧，都是大學之道所不容的。

首相在指揮交通　·魯午·

半週述評

·司馬璐·

「齊放」與「爭鳴」

中共宣傳部長陸定一于五月廿六日發表了一篇講話，在這篇講話中，他提出了「百花齊放，百家爭鳴」的口號，接着，五月廿八日，表面上代表民盟及知識份子的光明日報，根據中共的意旨，爲文首先闡發這篇講話的內容，直到六月十三日，人民日報才正式公佈了陸定一的講話。

筆者敘述這段經過，旨在說明一個事實：所謂「齊放」也，所謂「爭鳴」也，開始全是陸定一代表中共中央先「放」先「鳴」的。

所以，本質上還是中共「獨家」的玩藝兒。

「反革命」帽子

陸定一說：「我們所主張的『百花齊放，百家爭鳴』是提倡在文學藝術工作和科學研究工作中有獨立思考的自由，有辯論的自由，有創作和批評的自由，有發表自己的意見、堅持自己意見和保留自己意見的自由。」「我們主張對反革命分子一定要實行專政，但是在人民內部，我們主張要有民主自由。」

陸定一在這裏指出「百花齊放，百家爭鳴」的範圍包括「文學藝術」和「科學研究」，但這項「特權」，如果中共給一頂「反革命分子」的帽子，也就完了。

奴才狠過主子

光明日報說：「百花齊放，百家爭鳴」，「必須要在政治上『劃清敵我界綫』」，「不能給階級異己分子有發言的機會。」

陸定一的講話中承認「唯物主義和唯心主義之間的鬥爭，將是長期的。」光明日報強調要以辯證唯物主義和歷史唯物主義作爲衡斷一切的標準，並主張加强對唯心主義者進行鬥爭。

試將陸定一的講話與光明日報的文章對照，我們不禁要說，奴才還要狠過主子！

黑臉與白臉

如前所述，光明日報的文章依然是根據中共中央的意旨執筆的。

由此可見，所謂「百花齊放，百家爭鳴」，不過是，在今後中共的「思想鬥爭」中，多一重「民主自由」的僞裝而已。

共黨的狡計是：隱蔽在「民主自由」的僞裝下，用罪惡和血腥，糟塌「民主自由」！

共黨的狡計是：在這場「隱蔽」的鬥爭中，他們要別人扮演黑臉，而自身竟要以白臉出現了。

「先進經驗」！

陸定一的講話中說：「對于思想問題，想用行政命令的辦法來解決，是不會有效的」。

因爲挑起知識份子自相殘殺，達到中共「思想改造」的目的，是更毒辣的手段。

陸定一的講話中說：「自然科學包括醫學在內是沒有階級性的。」

因爲，「有階級性的」的自然科學李森科的「權威」地位在蘇俄已隨史達林而倒了。

陸定一的講話中說：「除了朋友之外，我們也要向敵人學習。」

因爲，蘇俄的「先進經驗」，在今天的中國大陸，已經變成一種奇談了。

審計長被控案的發展

由監院鬧到立院牽連政院
姜純璧誣控已送法院偵辦

．楊明德．

（台北通訊）五月二十八日監察院本年度總檢討會上，僑政委員會監委柴峯女士將借自農民銀行之卷宗原璧奉還，於是轟動一時的卷宗案，乃告結束。不料繼此而起的又有審計部審計長被控案。該案內容錯綜複雜，爲自由中國近年來少見案件之一，其經過如下：

「叛亂瀆職」澈查無據

卅九年初，有雲南省審計處職員龐儀山者，自昆明輾轉逃抵香港，抵港後會以審計部屬員身份函呈張部長，請求給予適當工作，並代辦入境證。張部長覆信，以各機關均在削減經費，裁汰冗員，部中實無法安插，勸告龐某暫緩來台。聞該函內容某些地方措詞欠妥，爲立委白建民所悉，於四十三年二月間親向蔣總統報告，張承櫃有叛亂瀆職嫌疑。蔣總統批報，即批交于右任院長澈查。于院長遂指派老成持重的陳肇英，熊一山兩委員作詳確調查。調查結果，並無若何證據。于院長據情呈報最高當局，一場風波，本可平息。

詎去年年底，白建民委員在立法院中提出審計長任期問題，又指張承櫃棧官位，結果院會決議，白委員所提不予討論。

印發傳單再度倒張

至本年三月間，在台的民意代表，包括立監委，國大代表，都收到一份署名審計部員工印發的傳單，其內容除攻訐張部長「叛亂瀆職外」，又指控張氏每月受財政部賄賂八千元。該項傳單散發後，審計部員工立刻登報否認，財政部否認有津貼張部長的情事。張氏以個人聲譽攸關，函請有關機關作詳細調查，以明究竟。正當治安機關著手偵查之際。審計部第三廳職員姜純璧突具名向監院以及治安機關控告張部長「叛國瀆職」。于院長據報後，復指派陳志明、張維翰兩委員進行調查，當陳張兩氏到審計部向告發人姜某詢訊實情時，姜某竟以該案已由治安機關受理爲由，嚴詞拒絕答覆。監院以姜某身爲公務員，且爲告發人，竟敢藉詞拒絕調查，遂以妨害公務罪提出糾舉。上月審計部根據監院所提糾舉，將姜某移送公務員懲戒委員會議處，恰好這時治安機關核對筆跡，查出上回散發傳單者，即爲張某，乃以毀謗罪將姜某移送台北地院偵辦。

白建民質詢的風波

不料上月卅一日立委白建民又向行政院提出書面質詢，要求俞院長查明究竟本案眞相如何，治安機關以及法院對[illegible]情形結果如何，請詳細答覆。白氏的質詢，於六月五日提出立院院會時，立即引起[illegible]。立委魏惜言請求將此項質詢列入議程。

但立委張九如，郭[illegible]敖，楊一峯等二十一人則一致反對，認爲此項質詢不當。並另提一質詢案，措辭極爲凌厲。原文爲：「姜純璧誹謗審計長張承櫃，經台省警務處偵查移送法辦在案。茲悉姜純璧誹謗各節，與四十三年白委員建民向總統報告張承櫃各節大致相同，姜純璧此種罪行顯係受人教唆，實情如何，請行政院轉飭主管機關查明見覆。」此一質詢案不僅反對白委員所提質詢的內容，而且對白委員本人的動機，亦加以指責。討論結果，立法院院會決定將此兩項質詢案一併函請行政院查明詳覆。至是張案乃急轉直下，由監院鬧到立院，行政院也牽連在內。這確是很少見的錯綜複雜案子。

民意代表應潔身浴德

張承櫃部長，平日治事甚勤謹，今已年屆古稀。自本案鬧到立法院後，始終保持緘默，不作任何剖白與辯護，靜候司法機關秉公處理。殊爲可佩。將來法院如何判決，行政院又如何提出答覆，且待以後事實之證明。

（六月十二日）

僑胞的國家觀念

．謝永年．

國家觀念差異的原因

【上接第一版】於是我們可以得到一個結論：全世界有華僑聚集的地方，就有與居留地土著民族通婚的現象，特別是在南洋生下一些混血種。皮膚多好像染有咪啡的色素，他們多以母親的語言爲語言，而逐漸同化於異族，除非設有華僑學校來教育他們，否則一兩代之後，他們就會變成「土番」，同時也就喪失了國家觀念，他們甚至於祗知有母而不知有父，忘却了父親或祖父的姓名！自然，他們也就喪失了國家觀念！不知道自己原來是中國人。

所以從國家觀念的強弱、調查僑情的向背也可以察知「僑性」的強弱，和受中國文化洗禮之深淺。

因此，我們大概可以說：華僑底國家觀念的有無和深淺強弱，又可分下列數種程度：

第一種是根本沒有國家觀念的。

第二種是國家觀念很薄弱的。

第三種是國家思想頗濃厚的。

第四種是愛國精神極旺盛的。

這話怎樣講呢？

據我底觀察：

「甲」第一種人大概還沒有受過祖國文化教育的薰陶，不識中國語言文字，他們的母親可能是外國人，或混血種，雖知道自己是中國人或中國人的後裔，然而他們沒有什麼國家觀念，他們很可能變成「土番」，或加入了居留地的國籍，如果他們再進用外國語文的學校受教育，再和外人通婚，他們同化於異族，更爲容易了。嚴格地講，這種人只可說是「華僑的後裔」，而不是正式的華僑。另外一種人中了共產主義的毒，因而消滅了國家觀念和民族思想，他們的共同祖國，是蘇聯及共產國際。也可說沒有了國家觀念。

「乙」第二種人，本來自己有一點民族觀念，承認自己是中國人，也許還受過一些中國式的教育，但因爲國家地位低落，保護力不夠，或爲着某種方便而入了外國籍，而變成「雙重國籍」的人，在外國人看來，他在血統上是中國人，而在法律上不是中國人，在中國人看來，他保有雙重國籍和普通中國人沒有什麼大差別，還是照常來往，只是他已經不需用外僑身份證，所享受的權利和所盡的義務，和純粹的華僑有些不同罷了，這種人國家觀念當然不會很強。此外還有一些國家觀念薄弱的人，因爲他們教育程度尚差，認識不足，不知道大我小我，互助依存的關係，或許太自私愚蠢，只圖賺錢，不關心國家盛衰強弱，天下興亡的道理，只知「今朝有酒今朝醉，國家與我有何恩？」這些人有時還咒駡祖國和政府，認爲太不爭氣，做中國人不如做外國人好，他們一入了外國籍，心中往往看不起中國人，眞是「漢人學得胡兒語，高據城頭駡漢人」。

「丙」第三種人國家思想比較濃厚，稍讀書明理，相當地保存中國倫理道德，及生活方式，關心國事，經常收聽「自由中國之音」或「美國之聲」廣播，讀愛國的報紙，甚至還加入國民黨或繼續保留黨籍，做一個忠貞的黨員和愛國的僑民，這種[illegible]熱心贊助僑校和僑社公益事業，雙十節，或國定紀念日熱心擁護，升青天白日旗，簽名反共救國公約，加入「反共救國會」或其他類似的組織，經常希望反攻收復大陸，重建僑鄉的家園，有機會時也回去祖國觀光，或遣子女赴台升學或回台勞軍服務，這些都是正義士的愛國精神表現。

「丁」第四種人是更富有高度的國家觀念，三民主義的虔誠信徒，民主陣營的勇敢鬥士，以忠勇爲愛國哲學，以服務爲人生目的，常以孤臣孽子之心忱，爲苦難的國家貢獻其精力，爲神聖的國族，發揮其祖國愛和同胞愛，以維護民族生命與尊嚴，經常保持如德國哲人費斯特所說的「神聖祖國愛的火燄」，也就是曹子建詩裏「烈士多悲心……甘心思喪元」的人，他們國爾忘家，公爾忘私，不顧小我的利害，而一切以反共抗俄，國家民族的需要爲前提，這種人很難得，有之，大概都成爲各地反共救國運動的領袖或健將，同時這種人也就成爲各地共特顛覆活動誣蔑打擊的對象，當茲國族生死存亡的關頭，我中華民國很需要這種人去領導各地華僑，大力支援反攻復國的運動，將國家利益與華僑利益結合爲保持民族生命與歷史光榮而奮鬥！

以上根據自己的觀察的濃度約略分析這種華僑對自由中國的關係，我想也許可以提供關心僑務或海外僑情的人底參考。此外還可讓作爲華僑一分子的人自己反省和自我檢討，自己究竟是屬於那一種人？我想：全球一千三百萬僑胞如果多數人能養成正確的國家觀念，凡是措施以國家利益爲前提，那眞是中華民國復興的新運了！

四十五年五月寄汝

讀者論壇

祝壽運動的意見

．楊保羅．

每年十月卅一日爲蔣總統誕辰，海內外人士，屆時無不熱烈慶祝，今年是他的七十華誕，預料盛況當更爲熱烈，報載各縣市均在紛紛籌建銅像、中正圖書館、中正堂等，最有意義的是基隆市籌建的介壽堂一座，設計圖樣業經決定，預計可於七月初破土興工，此一新建之崇巍建築，在基市府大廈右側海濱，爲兩層之新型大廈，可容一千二百餘人，並附有民衆服務處及市立圖書館所需房舍均在內。介壽堂之講台，其深度爲六公尺餘，可供放映電影及公演話劇之用，值得稱道。

籌建銅像值得再攷慮

至於各縣市都籌建銅像一節，似乎值得慎重考慮一下。因爲現時台北市中正路上省府大廈前已有總統銅像一座，松山飛機場前亦有長袍馬褂銅像一座，雄偉聳立，巍然壯觀，其他如高雄、台南、屏東、花蓮、台中和台東及金門與澎湖等處也都建有總統銅像，而各級學校也多建有小型銅像和石像。如果各縣市再普遍建立，實在太多，也太浪費。總統或也未必同意。猶記蔣總統曾經諭示總統府秘書處轉知所屬：「不必再建銅像，以免多所浪費」。但言者諄諄，而聽者藐藐，我以爲崇敬總統與慶祝其華誕，不應徒具形式，而應有實效，才好。記得去年他六十晉九華誕時，各界所獻祝壽詞章甚多，海外僑胞亦紛紛組團回國祝壽，蔣總統於避壽之餘，曾經很委婉地說過：「如果大家不這樣熱烈爲我祝壽，也許可以早些打回大陸去」！肺腑之言，至誠之語，很值得大家深思的。

獻校祝壽意義重大

最近，我參加國民黨台北市某區黨員代表大會時，看見一位楊姓同志提議：「請求轉報中央改變祝壽方式，而發動獻校祝壽運動」。理由是「教育爲立國百年大計，台省教育雖云發達，但辦理並不夠理想，尤其是每屆中小學畢業生，能夠考取升學者，不及一半，其主要原因在於中小學應屆畢業生的數量，超過了大中校可能容納的新生人數，向隅的大半莘莘學子，既無書可讀，又不能謀得什麼工作，實在也沒有謀生的能力，其損失之大，實在無法估計」。辦法是：「蔣總統七十華誕躋屆，擬請層報中央革除所有一切虛文縟節的祝壽方式，仿照抗戰時期獻機祝壽辦法，而發動全面的獻校祝壽運動，俾各界以有用的金錢，能爲作育英才之用，不但利民益國，而且相信蔣總統一定會欣然接受的。」

此一極具建設性的提案，意義至爲重大，不知爲什麼？現在台北的報刊上，還沒有片紙隻字的刊載，也許又爲公文旅行所誤了！特爲揭出，並請「自由人」公開發表，想必海內外同胞一定熱烈贊同。

泰僑領籌建介壽中學

筆者寫完本文時，友人張君見之曰：我旅泰僑領雲竹亭先生（海南文昌縣人）有意在蔣總統七十華誕前，在台北近郊士林鎭創辦介壽中學一所，聘任第一流教育家担任教職員，男女學生兼收，重質不重量，所有員生一律住校，實行師生教學生活一元化，作爲全省的示範中學，其經費不受政府津貼，而由雲竹亭先生獨立負責籌措，若然那眞是一件可喜的事。筆者僅馨香以祝其早日成功。並望其他僑領繼起投資教育事業。

（六月十三日）

台北速寫

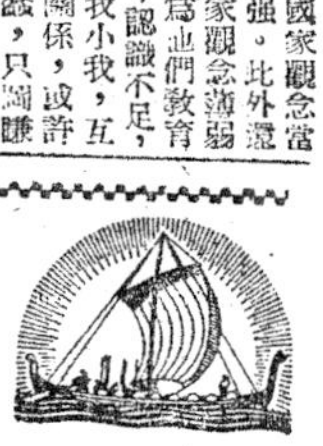

訪問團的人選

由葉外長率領的赴泰訪問團，構成分子太偏重軍事財政。聽說訪泰之後，將續有訪韓訪菲乃至訪越之行，希望訪問團人選多着眼於遴選能產生文化道德的號召及思想的溝通作用者，以達到團結反共的使命。

重理舊文章

台灣省原有各種短期訓練班，一部分已併於正式學校，納入教育正軌，是十分合理的步驟。但是另一部分又將於七月一日正式組成省訓團。回想在大陸時，各省也有訓練團。此時與其重理舊文章，不如還是想些新辦法吧。

僑資有待鼓勵

鼓勵華僑回國投資輔導委員會已正式成立。自從政府歡迎僑資回國以來，有一些人假借此種方便，進貨轉口，等於公開走私。而正當僑資則懾於法令之繁，裹足不前。現在有此一機構之成立，希望能對這些毛病痛下功夫。

飛賊與警政

價竊高金鐘，由於八次被捕而八次逃逸，成爲本省家喻戶曉的「飛賊」，甚至有人打算爲他拍攝一部電影，後爲政府不准。最近半年以來，這個「飛賊」更到處開警察機關的玩笑，始終逍遙法外。經某地警察局長三次拜訪懇談，三次通信，最近他才出來自首。除非高金鐘眞會「飛」，或是他有十萬嘍囉，否則這就是台灣警政的一大諷刺。

．杜蘅之．

促進國民友誼

我排球隊征日

福岡戰四場極獲好評

【本報日本福岡通訊】六月八日自由中國的男女排球隊一行四十餘人，由黃啓瑞、呂錦花等率領抵達福岡。此行遠征日本係應日本排球協會邀請，並由該會負責招待，故所排賽程極爲緊湊，球隊東征西討，僅有席不暇暖之概。

該日下午五時半，在福岡體育館舉行開賽典禮，全場席位未及四時即告滿座，九州地區華僑臨時兼程趕來福岡觀賽者大不乏人。典禮開始時，先後升起中日國旗，繼播放兩國國歌，歌聲甫息，全場即爲經久不息的掌聲所淹，同時並由華僑總會趙會長璋之女公子獻花，此時全場活躍，僑胞情緒激昂，感奮揚溢全場。

首賽由我女子隊（常盤隊）與福岡日田屋排球隊的選手隊揭起戰幕，戰情至爲緊張，曾一度出現拉鋸情勢，終賽比數爲16 21 19與21 14 21，常盤敗；第二場爲我男子隊（星隊）對抗福岡縣政府隊，比數爲21 21與17 18，我隊獲勝；繼着又爲我女子隊對福岡專賣局女子隊，21 10與21 21我方再敗；緊軸賽爲我男子隊戰小倉住友銀行隊，比數爲19 16與21 21，我隊敗。

綜觀是晚全部賽事，我方雖計敗三場，惟各健兒鬥志高昂，並不因旅途勞頓及賽事頻仍，體力疲乏之，而稍見鬆懈，故各場戰情精采演出殊多，而掌聲也自始不絕。待各場賽畢後，時已近十時，日本觀衆雖紛紛離去，而我僑胞與日本學生猶仍留該體育館紛持紀念冊要求我各隊員簽名留念，我隊員均以至高熱情接受日本青年學生和僑胞之要求。

在戰後我國與日本民間之接觸甚少，此次我國球隊遠征，要抑在促進兩國國民間之情誼，勝敗固無關宏旨，就八日球賽之熱烈情況言，實已播下極良好之友誼種子。

九日上午十時，全隊乘車赴廣島、吳市比賽，據悉，該隊尚須於十五日、十七日、十八日分赴大阪、川崎、東京出賽，尤其在東京出賽場數更多，該隊或將於本月底始能離日回台云。（游六月十日寄）

編者讀者

△賈景德先生著的『秀才、舉人、進士』一書，經已出版，由本報總經銷。售價爲港幣六角，台幣三元五角，包括平郵寄費在內，函購即寄。

△袁修讖、杜蘅之、楊力行、謝青、李偉漢、刁抱石、翟光、羅外、丁懿安諸先生惠稿均拜收，至感幸。

從中文中學畢業會考看中學生國文程度

一般以為這數年來進步甚速

香港高中學生的國文水準究竟如何，早已成為一般人研論的中心，由於香港積累的殖民地統治的影響，產生了一種獨立的、奇異的所謂「香港地文學」，而為人所詬，更使人對香港人的國文水準有了誤解。

顯然的，因為大陸人民的大量南來，已使這一種現象在有意與無意之間為之改觀，再進一步也提高了香港學生國文的程度，根據歷年台大專校在香港招收僑生的結果，發覺台、港兩地學生中，在學科上的程度大致可以略加區分，即台灣高中生多以數學與理化等科成績更為優異，而香港僑生則以英文與國文得分較多。

就英文而言，香港僑生較佳那是基於歷史環境的影響，是不足為異的，以國文一般而言，能超過高中畢業生的水平，可以說，這幾年來的努力不是白費的。

晉重耳何事涉險

本屆中文中學畢業會試開始舉行了，從他們的國文試卷中，我們多可略窺其程度：茲錄題目如下：

（甲）讀本問題（全部共答五題，每題十二分）。

一、晉公子重耳出亡，備嘗險阻，卒霸晉國。所歷何國？涉險何事？試分述之。

二、獄中雜記所記何事？要旨何在？作者與桐城派有何關係？（以上兩題，須選答一題）

三、概述國殤篇之要旨及作者在中國文學史上之地位。

四、張中丞傳後序，表彰大節，激勵百世，中丞何人？大節何指？試略陳之。（以上兩題，須選答一題）

五、建安七子，文名並傳，試本典論論文述其短長。

六、劉勰情采，有「為情而造文」「為文而造情」之說，試分別申述之。

七、墨子謂天下從事者不可以無法儀，其論據何在？

八、朱熹大學章句序稱孟子卒而大學之傳泯焉，試言其故。

九、試述孟子許行章所稱之「天下通義」。（以上五題，須選答三題。）

修身慎行恐辱先邊

（乙）普通問題

（一）改正下列各詞句之別字（全部佔十分）：

高占遠矚，事於顯達，權具緯晁，繪炙人口，標柄史冊，續日遲久，舍本讀末，倫霞互見，毫里千厘。

（二）解釋下列各句，（全部佔十分）。

A，博學，審問，慎思，明辨，篤行。

B，匹夫而為百世師，一言而為天下法。

C，修身慎行，恐辱先邊。

D，常人貴遠賤近，向聲背實。

E，文章經國大業不朽之盛事。

老殘遊記

作者何人

（三）文學常識（下列三題，須答二題，每題十分）。

甲，下列各書編著何人？書成於何代？老殘遊記，冰心散文集，儒林外史，文獻通考。

乙，試釋：消極修辭，積極修辭。

丙，唐詩可分為若干期？以何期最受推崇？試舉各期代表詩人兩人之姓名？

續考國文作文，自十一時開始至下午一時，作文題目如下：

國文科（試題分甲、乙兩部，甲部佔七十分，乙部佔三十分，兩小時完卷。文言語體任擇，字體務須端正清楚，注意分段及標點符號），（甲）作文：一、香港九龍陸上交通之安全問題。二、論現代青年應有之修養。三、游泳場雜記（以上三題任作一題，文言文不得少過三百字，語體文不得少過五百字）。（乙）應用文：一、致學友論升學與就業。二、為某校募捐增建教室啟。（以上二題任作一題）

讀者來函　有關西沙羣島之資料

編輯先生：

閱十六日「自由人」，得知「西沙羣島」主權問題仍有餘波，此一羣島，在典籍上有不少足以證明為我國領土者，此點自有專研史地之學者足以提出有力證據，惟關於勝利後之一切，弟有若干直接資料足為國際交涉之參考者。

大光報曾刊西沙通訊

民國三十九年，本人在海南大光報任副刊編輯，兼編通訊版，曾收到我國天文台工作人員託輪船帶至香港寄發之函件一通，內有關於西沙羣島風光及天文台人員生活一文，長約三千字左右，由本人編發於通訊版內，分兩日刊完，投稿者附帶要求寄贈舊報，以解除彼等離羣索居之枯寂生活。投函者姓名及轉信地址（係託一家香港輪船公司代轉，因當時仍無專船補給，政府支付薪餉，亦給出該船公司代收，改購實物，交轄下之輪船送去，大約每四個月補給一次）因我離開海南時係在共軍陷瓊之後易服偷渡離境，故並無留存，惟投函人姓名尚有可查線索，大光報社長陳錫餘先生現仍居港，渠存有大光報合訂本一份，若有必要，當可查出。

法艦曾圖脅制該島

自大光報刊出該通訊後，我曾與投稿人通過一次訊息，渠述赴西沙担任氣象觀測之經過甚詳，據云，彼為中大學生，任事未久，當局徵求志願人員前往西沙負責氣象觀測工作，彼毅然應徵，在西沙之一個主島居住，同仁共三位，小樓一所，自種菜蔬、養雞度日，每日工作為紀錄氣象，拍發氣象報告，兼管一燈塔，南太平洋氣象之報告，以法國受益最多，曾有一次法國一軍艦派人登陸，強迫彼改懸法旗，接受法國補給，彼等斷然拒絕，法軍因此大怒，要拘捕他們，他們乃閉門相拒，並拍急電呼救，三小時後，來了英、美艦各一艘，相率派人登岸，得知此情，乃就地調解，法軍在圍困天文台三小時後，失望而退。此一經過，充份說明當時法國在英、美軍艦人員所目覩之下亦不能遂其貪念，今越南竟圖侵奪西沙主權，實難覓出具體事實以證明其正確性。

有關資料之線索

此一資料能提供于我政府者：（一）查閱天文台檔案，當可覓出戰後在西沙設台之文件。（二）前粵省府委員蕭次尹等多人曾專船前往接收，如能覓得當時曾負此項任務者，亦可取得充份資料。（三）調查以前政府所托香港代轉薪餉，代辦補給之輪船公司，亦可提供更正確之資料。

作為國民一份子，謹略盡一分義務，提供所知者給國人參考，專此並候

編祺

弟李影

六月十六日

台灣出版界——翻印舊書的熱潮

台灣通訊

・止水・

【台北通訊】談起舊書，總使人憶起北平琉璃廠的舊書舖。那些販賣舊書的「書賈」們，目的雖是孳孳為利，但卻不少是懂得版本之學，了然典籍源流的；他們與知名之士談談，也能應對裕如，並知某一版本某頁較其他版本多幾個字，某一版本何處有衍誤、錯落，均能如數家珍，一一道出，不亞於著名的「圖書館專家」。對修補殘破的册頁，更是他們的絕技；雖被蠹蛀得千瘡百孔的孤本，經逐頁用舊宣紙襯裱，換封改裝，一樣能回復其古趣盎然的「珍品」面目。

以有「文化城」之稱的北平，自能培育和養活那許多「專家型」的書賈。然而，自中共變相的「焚書坑儒」後，古書遭受到了大劫，但在自由中國的台灣，這幾年來卻產生了翻印舊書的熱潮！

需要刺激了出版界

憶當三十四年台灣初回祖國懷抱時，學校和圖書館存下的都是日文書籍。經過四年左右的補充，在「學院」圖書館竟沒有一部百衲本二十四史；「著名中學」也沒有一部中學生文庫，基本參考書缺乏，教學上當然是極感困難的。

所以在三十九及四十年間，經常可以看到學校方面徵購舊書的廣告，甚而也有到日本、香港去採購補充的。

需要，引起了出版界的興趣，翻印古書，便成了新興的事業。翻印是開始於世界書局和啟明書局的十三經，世界還同時印有紅樓夢，儒林外史等幾種舊小說。因為自幾種排印時沒有選版，沒有精校，所以未引起文教界注意。四十三年有藝文印書館的十三經注疏和四史的影印，商務原來準備影印四部備要，因寄出去的樣本無甚反應就停止下來。在去年，有二十五史編刊館的影印二十五史，藝文也跟着擴充四史而為二十五史；世界印了樸學、史學、諸子集成、民族正氣、文學等叢書（均冠以第一集，示以後還有繼續）計經籍纂詁、史通釋義、孔子家語、文文山全集、文心雕龍注等四十餘種；新興書局有綱鑑易知錄、讀史方輿紀要和名人筆記叢書等五十餘種；最近商務印書館也急起直追的印了考據、史學、政法、藝術等叢書，計夢溪筆談、竹書紀年、管子、圖繪寶鑑等三十二種；佛教會則影印大藏經；自由出版社影印「道藏精華」養生長壽秘訣；省文獻會和若干縣、市文獻會也印了有關台灣的史料，……可以說是極林林總總之致。

事半功倍之道

就經濟言，現在影印書籍成本既輕，更無須吃力不討好的繁重的校對工作；就文化言，自中共實施新的焚書坑儒後，西方國家對中國的古籍更著意收集（前年英國要聘胡適博士去英，其意義是表示研究中國文化的不甘落後），於幫助東西文化的交流極大；就政治言，不啻供給國內學校及海外僑校以思想武器，誠是公私兩利的事業。不過，現在經營者彼此缺乏聯繫，所以只有競爭，沒有商討。在競爭立場就只希望對方失敗，沒有聯繫更難免重複、浪費。

同時，有者向公私機關弄到版本，恐別人也要借印，就登廣告預約，印了幾册後又擱起來轉印別種書籍，這是使讀者不愉快的。最近在康定路上的一家，影印了「綫裝性史」素女經，大登廣告說是由香港帶來，以高價出售，更不免使人搖頭嘆息了！所以，希望出版界能相互商討，或者由教育部所組織的學術審議會依古籍價值，公佈應印書目（由中央研究院、中央圖書館出借藏本更佳），由各經營者分別負責印刷，同時由部協助向海外僑校介紹，這功效就更大了。

教授學者諷刺中共科學進軍

最近中共為配合擴大其統戰工作之策略，不斷宣傳說要開展百家爭鳴，向科學進軍，但一般學者教授多洞悉其奸謀，不予信任，並紛紛發表言論，語多譏諷，暗示中共這種宣傳為自欺欺人之談，事實上是不可能辦到的。

清華大學教授錢偉長把中共的科學進軍，比做進了死胡同。他認為中共雖然說要開展百家爭鳴，而實際上是一切必須依照馬列主義的原則與辯證法的，依然是只能天下只此一家。他說：「天下的科學家的意見，如果某些科學家認為他們的東西是天打不破的，是最後真理，天下只此一家，那麼他就一定不能前進，就像走進了死胡同」。所謂「本來就是不一致的」，意即暗示如果不是中共一慣要一致，為什麼現在要來個什麼「百家爭鳴」呢？

「科學院實驗生物研究所副所長」朱洗則更明白指出中共搞科學是「只此一家，別無分店」。他說：「過去幾年來，中國學術上缺乏爭論的風氣。思想改造以前還稍好些，思想改造以後，爭論就更少了。沒有爭論，並不等於沒有意見，而是有意見不敢說。為什麼不敢說，主要是怕說得不對，會挨到『這是什麼思想』的批評。」

更妙的是，朱洗還指出，中國的蘋葉根本就比蘇聯的好，而中共卻偏要「科學工作者」學習米丘林的嫁接蘋葉方法。他說：「在蘇聯行得通的，在中國就未必行得通。」

「北京地質院」教授馮景蘭則指責中共一切都要講唯物主義，害怕出現唯心觀點，動不動就給人扣上唯心主義的帽子，這樣，怎能談到發展科學。他指出：中國歷史上，戰國時代，文化欣欣向榮，就是因為有學術思想自由。他說：「道理很明白，因為真理是愈辯愈明的。」又說：「這幾年來，我們沒有充分開展學術問題上的自由爭論，試問：這樣如何談到『爭鳴』？」

「科學院土壤研究所研究員」熊毅則指出中共不僅限制學術思想自由，而且限制科學工作者的研究方法，這樣也是不能做到「百家爭鳴」的。他說：要想「百家爭鳴」不僅要讓有不同的意見，而且也要讓科學工作者，能運用各種各樣的研究方法，不能限制科學家只可使用某種方法進行研究。他能夠使用兩把鑰匙來打開研究上的關鎖，那就不能限制他只使用一把。

此外，如「北京醫學院教授」馬文昭、「北京農業大學植物保護系教授」林傳光也都發表了類似上述的言論。（自聯社）

徵稿啟事

△本報擬徵求下列諸稿：

一、三千五百字至七千字左右的短篇小說，不限體裁和故事內容。一經選用，優先奉送稿酬。

二、台灣及海外各地自由文壇的動態報導，作家生活素描及過去文壇珍聞。每篇以不超過五百字為佳。

三、介紹海內外自由科學家、教育家、實業家、醫護、工礦業工作者的人物專稿、對象以現在從事於工作者為最佳。來稿不宜超過一千五百字。關於軍政界人物稿件以散見各報者已多，請暫勿惠稿。

大陸農民有消費的痛苦

（原載六月十日「人民日報」）

虛矯的政治家

自由談

美英政治家隨時把「實力談判」與「嚇阻政策」這兩個名詞掛在嘴唇上，自恃擁有「泰山石敢當」的優越實力，大有對俄帝表示「不和即戰」的英雄氣概。

然而，連年來西方列強與俄共集團所進行的若干談判，凡屬有結果的，都是美英以唾面自乾的屈辱精神，低首下心，等於城下之盟，如韓、越之戰的停火談判是也。沒有結果的，皆由於俄帝之無理取鬧，如裁軍與德國統一問題的談判是也。我們從來就未見美英政治家表現過以實力爲後盾的談判姿勢，祇是藉「避免大戰」之說來解嘲，自言自語，却不怕難爲情。至於所謂「嚇阻政策」，更是笑話一大堆。中共在一江山島放了幾鎗，即使美國嚇得魂飛魄散，趕忙教我們把大陳列島亦放棄掉；還害怕共軍追到台灣海峽來攻打第七艦隊，乃不惜在日內瓦低聲下氣，哀求共黨莫在台灣海峽用武。這不知道究竟是嚇阻了敵人呢？抑先是嚇倒了自己？

所以，「實力談判」與「嚇阻政策」云云，實際有如道士們所畫的驅鬼符籙，口中喃喃唸咒，像煞有介事，但自己若在黑暗地方遇見一種陰影，即以爲惡鬼在前，拚命逃跑，有如廣東人所說：「鈴鈴都丟埋」，可憐亦復可哂！

美英要與俄帝鬥爭，唯一的優勝條件，就祇有實力這一項，除此以外，無一而非敗徵。殖民地主義這項沉重的舊包袱，已教英法被壓得透不過氣來，美國又把它分負到身上，實非自找罪受？西方列強更爲爭奪貿易經濟利益，自相猜忌對立，互不相下。這些都是俄帝反擊美英的利器，沒法還手的。然美國偏偏舍長用短，要與俄帝搶「和平」帽子，吃飽無聊之餘，竟發出鼓勵中立主義的論調來，眞是駭人聽聞。自由世界各個國家都中立了，美國靜候俄帝來「和平解放」外，還有甚末辦法前途呢？「滅六國者，六國也，非秦也」。滿懷優越感的美英政治家，就不懂得這種義理，奈之何哉！

馬五先生

一個「失敗」者的自述
哭「文藝生命」

·楊海宴·

「年輕人，我的失敗，要是能作爲你的借鑑的話，我就非常安慰了。」——狄更斯——

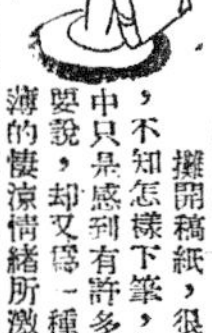

攤開稿紙，很久，不知怎樣下筆，心中只是感到有許多話要說，却又爲一種薄薄的悽涼情緒所激動着，話反而說不出來了。在經過壓制的自我抑制後，只感到一種疲倦後的清醒，一種時過境遷，沾戀和悵惘。然而，我確是獲得了一點正常的冷靜，但是我還是被一種慚愧、自責且復自憐的痛苦所佔有着。

去年十月間；我自以爲獲得了偉大的發現，如所有天眞而又「愚昧」的人一樣，堅認最抵希望的事，是美麗燦爛的遠景。與奮和無知的衝動，幾乎使我達到不可理喻的地步。最初，我把這個「偉大的」念頭就教陵老，我說我要辦一個小小的文藝刊物，篇幅只八開的正反二面。我把版面的設計，大致確定的內容，以及發行的估計，詳詳細細的告訴了他，尤其在誇張我那種自以爲別出心裁，將成爲風格冠絕一時的理想時，那點淺薄的躊躇滿志的神氣，至今回想起來，都覺得愧悔無地。我說篇幅雖小，也可淨容一萬九千個六號字，比目前任何一個日報的副刊都要大。而訂價每份只四角，擬定每十天出一期。使我充滿自信的是訂價，我認爲四角錢，在日常生活支出中，實在是非常小的，銷路方面，自然可能比較他刊物容易爭取讀者。我說只要發行到三千份，就可增大一倍篇幅，成爲晚報那麼大，而仍維持原價，如果發行到六千份，更可以增大篇幅，除了幣制有特殊變動，永遠是原價四角，而以銷路增廣之贏餘，用來不斷的擴充篇幅。我說開始時雖是八開單張，看去不像玩意，可能以後就會成爲八開的裝訂本了。我原以爲這一定會得陵老的贊同的，但不料反應却是非常冷淡，他在深思後問了我幾個問題，終結的意見是要我再多想想。我當時心裏非常不快，認爲老人作事不免畏三顧四的。

後來我又把這計劃，寫信告訴平日幾位比較接近的朋友，但沒有一個是贊同的，念慈兄平日寫信總是寥寥數語，但這件事，他却回了一封寫滿三張十行紙的長信，苦口婆心，委婉勸阻，在當時我固然感謝這種深情雅愛，但却沒有動搖我那幼稚的決心。

經過了一個多月的籌備，拉稿，印刷估價等，在資金方面，我以爲一期可以墊一期的，第一期出後收回的錢，當然可以出第二期，於是就在十二月五日出版創刊號，印了四千份。寫到這裏，我應該以虔敬的心情，特別感謝謝冰瑩先生，這位熱忱可敬的文藝工作者，對於後進的救助，眞是誠心誠意的，我問她要稿，馬上就寄了兩篇來，聲明不要稿費，表示支持，我更是獲得莫大的鼓勵。出版後，我寄了兩百份給她，她爲了拉訂戶不知操過多少心，並且把那兩百份，不管銷去未銷去，就照價寄了八十元來。如今我的這個「文藝生命」，看來是已經失去了生機了，然而謝先生的熱誠，却成了心頭上的負債，不知何日可以償還。

第一期只銷去四百多份，書店書攤，都認爲訂價低，單張子難得保管，不願代售。而這銷去的四百多份，還都是托朋友代爲幫忙的，可能刊物並未銷去，而都是朋友們自己代爲墊付的，想到這，我尤其不安。

第二期當然是繼續排印，却苦無法籌足印刷費，印一期需要五百多元，在第一期付印時，印了些信紙，以及添購些其他零星用具等，用出八百餘元，再要支付第二期印刷費，就只有當衣服當手錶了。我也永遠忘不了當舖先生那個面孔，當他把那衣服翻來覆去檢查的時候，完全沒有想到站在他對面的是一個可以說話的人。他說出的一個數目是絕不能更改的。留給你的是一個無法反抗的委屈，一個殘忍的傷害，一個痛及心靈，想咆哮而又決不能咆哮的尷尬。當我走出當舖的時候，只覺眼前是黑壓壓的一片，耳朵裏嗡嗡地發響。

刊物只出了兩期，已是當無可當了，自己在這期間又沒有心情寫稿，以是完全沒有收入。雖然也曾想掙扎一下，但是已到了絕境，這是實在的。尤其在這坐立不安的時期，還要忍受一些罪有應得的冷嘲熱諷。同時，讀者們在驗刊時紛紛來信詢問，以及一些關心我的朋友殷殷垂顧，更增內咎，不知如何作答才好。我尤其存在着一個矛盾的心理，一方面，事實上已無復刊之望，而我却心猶未死。這固然由於一種盲目的好勝，但最主要的還是思有以作爲，以報曾經雅愛我的前輩和朋友。很多朋友教我改變方式，殷勤告訴我，目前一般讀者的口胃，我只有感謝這些好意，但無法接受，因爲那是違背我的初衷的。

今年二月間，我計劃寫一個中篇，碰碰五四文獎會的運氣，說來眞是臉紅，我的東西，平常寫來已經就沒有把握，再加上那時思路紊亂，情緒不穩，又存着一份弄錢的心思，失敗後果乃是當然的。現在，我是一籌莫展了，眞正的走入了絕境了。這完全是由於個人的不自量力，當我清醒之後，祇感到疲倦和悲哀，記得狄更斯著的「塊肉餘生錄」裏面，有一位欠債專家密考伯先生，常對大衛高柏菲爾說：「年輕人，我的失敗，要是能作爲你的借鑑的話，我就非常安慰了。」我現在自知連這點安慰也沒有的，因爲除了我個人外，誰會去做這種愚不可及的事呢。

新書評介

殷虛文字外編

編輯者董作賓　出版者藝文印書館

·賓默園·

兩年以來董作賓先生出版兩部書，一是去年七月所印「甲骨學五十年」。一是最近編印的「殷虛文字外編」。甲骨學五十年是作者結集三十九年以後在「大陸雜誌」陸續發表過的一本小册，其中的論點，除了新增第四期貞人十七名，須重新論定以外——其中所謂四期貞人據魯實先先生考與貞人賓、韋、亘等同時，決非所謂第四期——其餘都是「殷曆譜」的縮影。而所謂殷曆譜已經有魯實先先生所著「殷曆譜糾譑」，作了相當詳盡的批評，假如讀者能舉一反三，這甲骨學五十年是無須論述的。

就體例方面作一論評

至於「殷虛文字外編」是編者畢生搜輯的結果，所收拓本四六四版。數量雖遠不及劉鶚、羅振玉、林泰輔、郭沫若、商承祚、孫海波、容庚、明義士、金祖同、方法斂、胡厚宣等所選印之多，但拓印之精却可與前人相埒。尤其在中央研究院遷檯二十多年的六十一版殘骨，也毫未保留的全部闢市，這不能不說是近年在甲骨資料方面，一部不容忽視的編纂。

本來僅有資料的考證與新釋，便不可能表現他的才識與學力，既乏是非可言，那末讚頌或批評都是多餘的。但關於甲骨的編印，從鐵雲藏龜出版至今五十四年之間，所出版的專編不下六十多種，就編輯體例說，已經由粗疏而達到相當成熟的階段，本書正是承諸家之後，加以編者盡力於甲骨三十年，也應當備極精密。因此筆者專就體例方面作一論評。

重複頗多難免亂目

綜合歷年所編印的甲骨材料，大約不外三種體例。

一、如羅振玉所編殷契續編，商承祚所編殷契佚存，以及任何一種拓本或摹本出版，雖有一部份與他書重複，但重複數量絕沒有達到全書的十分之一，這是因爲編者或致力研究經史，或分心探索金文，而不暇悉心檢校的無意之失。而董氏所輯本書，自一九七片至二〇二片，自二二八片至四一八片，共一九七版，全與胡厚宣所編「清暉山館所藏甲骨文字」重複。自四五二片至四五六片，又四五八片，共六版與胡氏所編「元嘉造像室所藏甲骨文字」之一二一片、一一二片、八四片、九八片、二七〇片重複，單就這已發現的重複片數說，便達到全書著錄的二分之一，這是五十年以來所少有的！至於重見於他書的尚多，並且其中還有重複到四次的，如三四七片初見於林泰輔龜甲獸骨文字二卷一葉一片，再見於殷契佚存八四三片，三見於清暉山館一〇二片，就是其中一例。像這樣的重複，豈不徒亂人目？

二、胡厚宣所編「甲骨六錄」將重見前人所著錄的片數一一註明，以免讀者重複引用，這是編輯甲骨的最好體例。本書既然每片列有釋文，何以不襲用這十一年前的舊例，使讀者知所考校？

似應加以考說

三、關於甲骨的編印，除了美國白瑞華方法斂於考釋無能爲役以外，其餘凡著錄甲骨的無不考釋兼備，不過體例互異繁簡不同而已。其中如羅振玉「殷契考釋」分別文例總釋異文，如葉玉森「前編集釋」備列衆說自抒新見，如王國維「戩壽堂殷虛文字考釋」要言不煩多陳新義，如唐蘭「天壤閣甲骨文存考釋」一筆之差委曲說明，這都是比較可以取法的考釋。所謂攷是窮其義蘊，所謂釋是詳陳異話，因爲甲骨文字往往異說多端，決不是僅憑孫海波「甲骨文編」之類可以直譯了之，而編者僅將每片文字錄爲今體，並無一言考說，也不免難繼前修！

釋文難免矛盾

在釋文方面，總觀編者歷年著作，都似乎是雜取衆說並無定見，以致有前後數年所引甲骨同爲一字而移錄爲今體，有時從甲說有時從乙說，而無定準，也有前後異釋而前後皆非的。例如所謂第三期貞人編者在「殷曆譜」中釋爲宄，（見下編卷二第十三葉）在「甲骨學五十年」中則從郭沫若說釋爲荷，（見一一三葉）在本書第八九片却改釋爲尧，但甲骨原文絕不從戈。又如吹字雖多異說，但以魯實先氏釋爲吁字最爲詳備，（見糾譑附錄三）而編者殷曆譜從郭沫若說釋爲毀，（見下編卷三第二葉）在本書第二七片及三四七片又從胡厚宣說釋爲酘，其實兩無一是。諸如此類的矛盾編者並未著論說明，這都令讀者感到非常困惑。

因此我希望董氏在本書再版時，將甲骨的重複部份予以剔除，並且綜合前人成例在考釋方面予以充實。尤其在解釋文字方面能建立一點新猷，因爲唯有如此才是研究古文字學的正鵠！

同光風雲錄

夢山樓

劉永福（下）

歸隱鄉曲杖遊山水間

台灣爲督樺山資紀移書永福，勸來降，永福覆書，曉以大義，嚴拒之，同時派員內渡，謁總督譚鍾麟，劉坤一，張之洞，欲得援，與日決死戰，然時勢無可爲，終無以應之者，糧盡援絕，俯仰無措，知不免，顧不願死於倭手，乃痛哭乘英艦，渡海歸，遄抵欽州。

明年，譚鍾麟令於南寧募舊部，得兵四營，仍號黑旗軍，後以病發解職，歸隱鄉曲，輒扶杖遊山嶺水涯間，與漁樵談往事，髮上指，聲震林谷，泣下數行，聞者咸爲動容。

與胡漢民一席談

宣統改元，清政日益敗，民族革命之呼聲，瀰漫全國，迨武昌首義，清室以傾。胡漢民爲民國元年廣東大都督，以永福爲民族英雄，遣使徵之出，迫而一見。永福曰：『我今年耙比壯歲不同，且部下少在左右，焉能担承如許重任？』漢民曰：『老先生勿論如何，總要幫忙，才是。』談甚久，辭出。

出任粵省民團總長

次日，都督公署，遞到公文，任爲廣東省民團總長，所有此次光復各民軍統領，皆歸其節制。十月三十日啓印任事。並發通告，昭示軍民，愛國愛民之熱忱，溢於言表，茲摘錄一二，其文曰：『……吾粵東接閩，西通桂，北枕五嶺，南濱大洋，風俗語言嗜好與中原異，固天然獨立國也，……所以謀善後者，何止萬端，而亟爲治標之策，莫如靖匪亂，籌軍餉，靖匪亂，則非鼓其忠義之氣，不足以奏功，籌軍餉，則非予以安樂之福，不足以集事，茲二策者，着手雖不同，收效實相倚。吾粵欲建偉業，博榮譽，必思所以啓人民希望太平之心，而後富者不惜其財，貧者不愛其力，舉而措之，易如反掌。辦理而善，則吾軍人應盡之責，不敢以爲功，辦理而不善，則吾軍人莫大之羞，宜引以爲罪。今日何日？今時何時？危急存亡，千鈞一髮，此烈士殉名，英雄報國，千載一時之機會也。……自維生平碌碌，惟推誠布公，愛國愛種，當艱難危險，歷萬劫而不少變，投身軍界以後，尤復嚴定紀律，與士卒誓死守。凡永福已往之歷史，當注力於抵禦外侮，不敢稍與同類相殘，而積誠積愛，士卒用命，亦實有以左右而始終之。……』是時財政困難，民軍十餘萬，事務繁多，糾紛頻仍，終以無法維持，懇辭，遄返欽州，以老病，考終里第，年八十。大總統明令褒揚，並將生平事蹟，宣付國史館立傳。

永福天賦異常，智勇兼優，忠貞在抱，百折不撓，冒險出關，抗法禦日，功雖未竟，而勳威赫然，啓民族之思想，樹革命之先聲，誠軍人之楷模，蓋世之英雄也。（四十）

文壇述舊

東方雜誌的笑話

·程外·

不可否認，二十年前上海商務印書館發行的綜合性的「東方雜誌」，可以說是雜誌中的權威刊物了；內容豐富自不必說，而且寫稿人都是國內知名的學者或專家，一個默默無聞的作者想在那上面發表一篇文章，其難如登青天。也因此，就鬧了一個笑話。——

樓桐蓀先生年青時，（我手頭沒有資料，僅就記憶所及，如有錯誤，特此預先申明致歉）寫給「東方雜誌」一篇文章，題目我已忘記，後來給「劇變」了，樓先生於是將稿存放在箱底。但樓先生繼續奮鬥，文名日盛；過了若干年，「東方雜誌」出版三十週年紀念特大號，徵文於樓先生；樓先生又以那篇在箱底被「劇變」的文章，一字未改寄給「東方雜誌」的主編人李聖五，而且，又一字不改的在特大號上發表了。後來，樓桐蓀先生還爲此寫了一篇文章說明此事。

自由人

THE FREEMAN

（第五五四期）

中華民國僑務委員會
頒發登記證台僑新字第一零二號
中華郵政台字第五〇〇號
執照登記為第一類新聞紙類
（半週刊每星期三、六出版）
每份港幣壹毫
台北市售價台幣叁元
督印人：陳文[illegible]
地址：香港高士威道二十號四樓
3 rd. fl. 20 CAUSEWAY RD HONG KONG
香港發行及業務接洽
高士打道66號　電話：七四〇五三
承印者：東南印務出版社
地址：高士打道六十四號
海外總經銷
友聯書報發行公司
香港：彌敦道中二十六號A二樓
台灣特派員辦事處
台北市館前街五十號
台灣總經銷處
台北市南寧路壹號二樓
台郵撥儲金戶九二五二

唾棄共黨·重建自信

·李金畔·

自米高揚、赫魯曉夫等發表了清算斯太林的演說後。初時，鐵幕外的人們，只知道蘇共清算的僅是他的政治思想，鞭屍的範圍只限於對他個人的公生活；後來，從鐵幕裏透露出來的消息，就涉及赫魯曉夫在另一次的報告中，甚至對他私生活的指責，毫無保留地控訴他是一個「可怖的性的邪行者」，是一個荒淫無恥，專以年青婦人與未成年女子，來滿足其獸性的「真實的縱慾狂者」！「他生前不僅無禮地對待列寧的妻子，（粗鄙地干涉她私生活，並加以辱罵嚴責），也同樣殘暴地開槍射擊並絞死他的第二任妻子黑狄達阿里留耶娃！（因為她反對以恐怖行動，推行集體農莊制和放逐農民。）」

（公報）五月廿五日，中共宣傳部長陸定一又對此發表講話，加以闡述。但遍覽陸定一的講話全文，所得結論是，中共只是在貫澈「專政」的基礎上，開放「自由」。他說得極明白，這種「自由」只能是屬於「人民內部」的，如果「放」和「鳴」脫離了「專政」的規道，或被認為有此可能，那就是「反革命的」宣傳活動了。既說「專政」，又說「自由」，無異妓女談貞操。

其實中共作此項決定，似是蓄意緩和內部對毛澤東作「個人崇拜」一類的氣燄，它的作用，是在藉此緊制黨幹部的議論紛擾。

中共作此轉變，正如蘇共之鞭屍斯大林，只不過是對付活人和對付死人方法上的不同而已。毛澤東如此做，當也有其不得已，但是在卅年的中共內鬨史上，毛不得意時，卻總能以極現實的忍耐，來應付現在，然後再逐漸地在黨內重建威信。故無論如何，在他，此時此地作此讓步，是比較聰明的，也可藉此沖淡黨外高級知識分子對黨的不滿情緒。但是能否挽回中共和他個人在人民心目中的深惡痛絕的印象呢？這須整個國際共黨問題的研討的對象，黨的真心固不在中共及毛澤東的本身。

共黨集團為何要變

自蘇維埃政權建立以來，蘇共的領袖也是國際共產國際的領袖，國際共產組織的勢力，在二次大戰後的膨脹，空前的，一切榮耀歸斯大林，各附庸國的共黨領袖，除在其本國，有一定的地位外，他必須服從莫斯科，斯大林生前之所以要造成緊張的局勢，也正是他自信足為其所控制所有附庸。因此，他無視狄托的存在，他也可以耳提面命毛澤東。他死後，蘇共繼起的領袖，無復有此威望，赫魯曉夫、布爾加寧，遂必須移尊就教訪問北平和南斯拉夫，而在斯大林死後不久，東歐一度的暴動，蘇聯自知對附庸國人民的控制是不可靠的；此外整個共產集團的後備戰和經濟的落後，使它無法再長期的作武力擴張。此可視為是整個國際共產黨內必須轉變的因素。（下轉第二版）

蘇聯共黨人格掃地

赫魯曉夫，在二十次代表大會作報告時，曾有若干位黨的婦女代表，聞而驚淚俱下。使他不得不在最後終結報告時，特地強調「不能把這些事實洩露黨以外，尤其是不能見諸報紙。我們不應資敵以糧，亦不在敵人面前，洗擺我們的污點」。

在過去，不論是那一國的共產黨，無不自詡共黨和黨員，純潔而能幹，標榜每個黨員皆具有「黨的高貴的品質」。但現在，可以用事實證明，共產黨內，固不乏少數潔身自好之徒，而其領袖，卻是自高、愚昧、獨裁、殘暴、荒淫無恥的大渾蛋！

赫魯曉夫揭露斯大林，不僅暴露了共黨組織本身的弱點，也暴露了斯大林的人格之卑鄙！赫魯曉夫不僅踐踏了斯大林，也踐踏了他的黨！這已在人們意識中植下惡劣的印象。

但蘇共及赫魯曉夫等人的地位和價值，並未因此而增高，西歐各共黨領袖，已經蘇共書記陶格里亞蒂之後指責他們將全部責任歸諸死者是不公平的。陶格里亞蒂著為文公開要求他們向世人說明蘇共容許斯大林變為暴君的錯誤理由。此一公開質詢，也無異指明今日蘇共的領導層人物，在當年也正是死者施行暴政的幫兇，與斯大林在本質上同為一丘之貉！

不論是指責或自辯，總之共產黨及其領袖的面貌和人格，均在這次鞭屍運動中掃地無餘了。

西歐共產黨的態度有了轉變，而中共又如何呢？

中共內部的矛盾衝突

在消滅「個人崇拜」中共應對文藝工作者的浪潮下，毛澤東主張「百花齊放」，對科學工作者主張「百家爭鳴」，（見天津大東會在最近的「最高國務會議」上宣佈了

中共的奴化經濟制度

曾旭軍

中共的經濟制度，正向着蘇俄的奴隸制度邁進：

上月倫敦泰晤士報特派通訊員前往赤色大陸旅行。他的結論是：「任何人預期中共成為一個較新較大的南斯拉夫，自己有其特殊的共產主義的民族形式，則他必然是抱着幻想。」

該通訊員會晤許多中共官員和記者說：「我們從俄國老大哥學習，但也從老大哥的錯誤得到教訓。」這些話並不意味着中共另有他們的經濟政策和制度。我們知道史太林第一個五年計劃，推行集體農場，所實施的恐怖慘劇，雖然在去年毛澤東推行「社會主義合作化」的時候未曾發生，但早在一九五〇年開始三反五反的時候，已實施恐怖殺戮幾二千餘萬人，造成鐵幕震驚，比史太林的手段還要來得暴戾！

中共安能學狄托

這一次狄托重返莫斯科懷抱，西方輿論界警惕狄托主義之不可靠。但要知道，狄托究非蘇聯完全控制下的附庸，究比中共勝一籌。中共豈能成為南斯拉夫第二？從政治軍事的形勢看，中共實完全在蘇聯掌握之中。可以說，中共朝蘇聯，夕死可也。

再從經濟上看，中共與蘇聯是亦步亦趨的。

南斯拉夫雖是共產主義的國家，不過他所實行的共產主義與莫斯科所實行的不同。例如，狄托執政後，農民可以自由退出集體農場，而且事實上，不屬於集體農場的農民，約佔全國百分之八十有餘。人民為國家服勞役，現在也不是強迫的了，是可以有拒絕的權利。工團的勢力亦逐漸抬頭，小型工業均有理事會之設。假如工廠獲爭勝利，獲有盈餘，理事會有權要求加派紅利。這些都是蘇聯人民所夢想不到的。

蘇聯剝奪人民所應享的一切權利，消滅了民間資本家，代之而起的是新官僚資本主義。故所謂社會革命的結果，祇使蘇聯人民的生活降到比世界任何國家都低。全國人民都變為奴隸化，所有一切礦山，都是用無代價的工奴去開發。所有農田，都是強迫農奴去耕耘。

蘇俄經濟的翻版

中共目前也正是朝着蘇聯過去的路線去加速進行。去年中共已開始作全國性的推行「革命新浪潮」經濟政策。過去數年中共將地主的土地分配給農民後，即使他們組成所謂「互助隊」。這時候，地主固慘被殺戮，農村農亦血流遍野，所有的農民都在恐怖中受中共的擺佈，指揮，與搾取，毫無反抗之可言。但農民為着飢餓，常常偷藏生產成果，而且懈怠工作，祇做到夠吃，絕不願替「政府」多生產。中共又認為農民各別分散，不易管制和搾取，不能多搾取農民血汗，于是又改成「半社會主義的合作社」，將農民聯合管制，並將他們的土地歸併。名義上雖規定，依照農民的工作，分給部份的收穫。並依照他們所湊入的土地價值，分占利益，但實際上，是由共幹操縱。吃不飽，穿不暖，困苦不堪。這當然是學蘇聯，而為南斯拉夫之所未有的。

以上是所謂過渡階段的情形。其後更進入所謂「合作更高階段」——即所謂完全的合作社。這時候，土地是屬於集體農場的，農民祇支取工資。去年七月，毛澤東命令加速進行。此一運動到了去年冬天最為激烈。到了今年三月，大約十分之四的農戶——即大約有五千萬家——已被迫加入完全集體農場。至此，大約有百分之八十五的農民，屬於所謂「半社會主義」或「完全社會主義」化的組織。現在據稱，已超過了百分之九十。這豈不是完全蘇俄經濟的翻版嗎？

農民怨憤的一斑

在鐵幕外的人欲知大陸農村詳情，是不能以外國記者所獲得的觀察報告作為準則的，因為外國記者被中共指定觀察的時間和空間。例如大多數被引導去北平近郊的農村參觀，這些地方，都是中共特興的「農村標本」，專供外人參觀的。

比較可靠的消息來源，還是從大陸逃出來的人所說的話。

然而就外國記者的報導，也已經可以看出中共統治下的農民，是如何怨憤了。據泰晤士報通訊員說：中共「勸服」農民的工作，做得很吃力。有一個三五千人的鄉鎮，起碼便要有二百餘共幹及候補黨員，與共黨青年團員，去實行大力的說服工作。

控制了人民的腸胃

目前，中共已做到了徹底控制人民的腸胃，因為人民沒有購買的自由，和出售的自由。無論買什麼，都要先得政府人員的蓋章，所有生產的東西，也統統給「政府」。

據自大陸逃出來的人說：「共產黨現在誇說，人民行動自由了。不必要政府寫路條，便可以越境。不錯，去年便取銷路條了。但人民的糧食和日用品，都要由「政府」發配給證，指定某時在某區才可以購買得到。一個人可以自由到天南地北，中共是不管的，但不能隨處有錢便可以買到吃的東西。中共控制了你的腸胃，你便插翼也難飛了！」

「你到大陸，可能看見某一處有人穿新衣服，但另一處，大家都是鶉衣百結，襤破不堪。這就是購買權的關係。沒有新布到，你有錢也買不到。如有新布到，則人人搶購了。」逃出來的人又說：「買豬肉，要擺長龍，往往等候了半天，每家只分購得半兩。冬季，比較容易有豬肉可吃。因為那時豬隻凍死的很多。」

「至於配米，凡耕田的每月可配三十六斤，十二歲以下的配十八斤。城市中的成人祇得三十斤。但是要天天去領取的。從事裏的公私合營，奪取了店主的財產。祇給一份小職員的工作給店主。底薪十八元，小孩不生產的僅領八元。」

「毛澤東未大呼『社會主義化的合作制度』以前，農民還可以偷存穀米。但現在不容易了，大家恨透了共幹搜出米糧。不准留存一顆穀米，人敢于互相幫忙，把穀米偷藏。若被搜出，非被槍斃，也要被送到奴工營去。現在祇有青菜一項，未被中共搜去，還可以自己收藏。所以有許多人把青菜和米同煮米吃，幾乎人人吃青菜粥。」

中共不會有獨立性的

「人民不但沒有購買的自由，也沒有出售的自由。合作社把你生產的東西，完全以賤價搜購，以高價售出。——不，他們未必售出的，他們如以高價售出，還算農民運氣好。農民還可以有得吃有得用。事實上他們大多數把農品運出國外套取外滙。所以中共有大量的花生油運來香港，而大陸的老百姓，則終年看不見一顆花生米。」

大陸人民因為沒有購買和出售的自由，中共便藉此盡量剝削榨取，人民只好過着非人的生活。所以一個人說：「我一到香港，一看見菜市那種繁賣的氣氛，和菜場上的陳設，真是喜極而泣。眼見到很久看不見的情形，人人可以買得到心裏想買的東西。我雖然肚子餓，也感到滿足了。不知不覺的流下眼淚來。想到大陸的家人，眼淚更滔滔不絕了。」

這些情形，你能說中共經濟和蘇俄經濟是兩樣的嗎？狄托所不屑為的，中共覬覦之，你能說中共是有獨立性的嗎？

半週述評

·司馬璐·

誰勝？

「蘇南宣言」發表以後，莫斯科和柏爾格萊得都說，他們和好如初了。杜勒斯說：「這是自由世界的勝利。」麥卡錫說：「這是自由世界的失敗。」究竟誰是誰非，這是一個有趣的問題。

我們要承認一個前提，敵人內部是有矛盾的，小之有潛存于人民之間，大之有系統權；再大之有狄托問題——共產國際主義與民族主義之間的矛盾，這一矛盾，是共產主義發展中的根本矛盾，也是共黨的致命傷。

誰敗？

沒有人敢說，敵人內部是團結無間的，甚麼我們的敵人有時也不敢說這是敵人內部的矛盾。但我們又要承認另一個前提，當敵人面對整個自由世界時，是可以「統一」的，至少是暫時的，或者是局部的。

赫魯曉夫在歡送狄托的集會上說：俄共和南共「即使彼此之間發生什麼隔膜，但是由于在主要的、基本的方面的一致，這些隔膜和誤解是可以很快克服的。」

球賽？

值得注意的是，赫魯曉夫承認俄共與南共之間，仍有「隔膜和誤解」，是在「蘇南宣言」之後。如所週知，這個「蘇南宣言」的簽字延遲了一天，莫斯科的解釋說，因為準備簽字的最後一刻，狄托看球賽去了。豈不是，這個「蘇南宣言」的價值，不及一場球賽？當然這是鬼話。合理的解釋應該是，狄托讓着失意的心情，藉看球賽去消磨時光。

賭徒？

那麼，這是不是可以說，這一次蘇南會談失敗了呢？不，一再強調，他們今後要作「廣泛的合作」。狄托是今天世界上買空賣空的一個最大的最富於冒險的賭徒。狄托這次蘇俄之行，是勝？是敗？是贏？是輸？他底牌是揭不得的，因為留下這些疑謎，無疑在今天對他是有利的。

賭本

狄托離開莫斯科以後，美國人說話了，美國國務院官員表示，美援將繼續給南斯拉夫，美國今天繼續執行的「賭徒政策」，美國早輸了，但是他不肯罷手，也不肯認輸，是不是該繼續賭下去呢？有人說，我們必可揭他的底牌。有人說，對手（狄托）既是買空賣空，他既偷我們的雞，再賭下去，對於（狄托）雖沒有足夠的賭本，但他和另一個賭徒（蘇俄）是串通的。杜爾斯和麥卡錫的基本分歧實即在此。

煩惱

圍繞在狄托問題上的，全是一羣賭徒。因此，狄托給自由世界帶來煩惱，也一樣給蘇俄帶來煩惱。當然，蘇俄起初是不高興這個狄托的，但是後來發現到這個狄托今天分化自由世界，擴大中立地區，對蘇俄大有用處，于是狄托的身價就不可同日而語了。但是，狄托又由此發生，其他的共黨份子將怎樣理解，昨天的「叛徒」，變成今日的貴賓這個問題呢？

暗示

豈不是暗示，老實的共產黨員，一輩子抬不了頭；「反」到最後才有如狄托一樣的得利的機會。莫斯科最近，不是英、法的共黨都有「反」的姿態嗎？真的反嗎？不是！奉莫斯科之命做戲嗎？也不是，至少他們受到狄托的鼓勵，懂得「撒嬌」了，有一天會不會假戲真做呢？過去還不敢呢！莫斯科當然是煩惱的！

海外通訊

梅蘭芳在福岡演出 對華僑作政治活動

・許俊・

（本報日本福岡航訊）我是上月中從東京來到福岡的，但為了商務上的事，一直滯留在這裏。梅蘭芳來日本的消息，初時並未在這裏引起注意，迨宣佈將作巡迴演出並於月中到這裏後，東京的偽「華僑總會」，就派人來活動了。

用反共傳單歡迎他

梅蘭芳在此作為期四天的演出，地點是大博戲院。

九號的早晨，在通達大博的幾點幹路上的電桿上，橋上，電車站前和大博戲院的門前，出現了反共的傳單，指出中共京劇團到日本來的目的是為了進行赤化工作。沒有人知道這些傳單是那方面張貼的，因為除了反共的華僑之外，日本民間也有反共組織。

團員作政治性活動

這個劇團顯然是以政治任務為中心的。除了演戲之外，曾舉行幾次茶會，惟出席該茶會的僑胞並不多，梅蘭芳本人在茶會上則默不作聲，坐在他旁邊的一個人，原是劇方伴隨他的（有人說那是個特務），那個人也未發言。但這個京劇團中卻有幾個人對出席茶會的僑胞的家庭狀況，知道得很清楚，其中有個不唱戲的團員，對某華僑說：「你的老母及孩子皆在大陸，是不是要買點東西帶回去？我們是可以負責替你帶到的。」另一個團員，則和幾個台灣籍的僑胞相周旋。總之，梅蘭芳雖未說話，但他的團員已經是做了很多工作了。

中共劇團這次到福岡來，主要是因為這裏是九洲地區的經濟中心，在這裏有一千多名僑胞。

梅蘭芳和他的劇團是住在帝國飯店，從九號起到十二號止，帝國飯店就成了中共在九洲地區活動的中心，而東京「華僑總會」派來的人，就顯得最為活躍。

政治外交攻勢的開始

在十二日演畢後，該劇團又到八幡製鐵廠，專演一場給該廠工人看。十四日離八幡[illegible]返轉道回東京。[illegible]因為和[illegible]大[illegible]會談[illegible]對此演出[illegible]的影響，一致認為[illegible]中共[illegible]權。梅蘭芳之來日本，只是對日本政治、外交攻勢的開始。中共要藉此試驗看一看日本朝野的反應和華僑對中共的態度。就一般表面情況說來，[illegible]已予日本社會刺激不小，華僑們[illegible]我們沒有能夠集中力量來打擊，該是一個遺憾！

「沒有能夠集中力量來打擊他」，打擊這個劇團，遂成為討論的中心話題。

檢討我們的反擊力量

據一位僑領說，「戰後迄今，我們對日本的宣傳一直做得不夠，國府遷台後，宣傳更顯得軟弱無力。平時，對這些問題很難看出它的重要，但在這次梅蘭芳的演出上，就顯出我們是屈居下風的。在形式上，中共利用了朝日新聞和各大報，在暗底下透過了僑務總會，作基層的組織活動。在九洲，我們的領事館還擺在長崎，但長崎已經是一個戰後的死港了。這裏（指福岡）才是今天九洲的經濟和政治的中心，日本的入國管理事務所（即移民局），最高法院，其它各國的領事館，現都設在這裏，這裏的華僑也最多，但我們的領事館卻從未有作遷移的打算。」這位先生的話很平淡，他也只是說出了現實的情況，但這已經可以看出我們在對日本宣傳的外交事務上始終未能掌握重心。

誠然僑胞是反共的多，但我們今天卻未能把他們組織起來，這現象本是普遍的，固不限於九洲，也不止日本一地，但似乎總不能永遠讓他這樣下去。比如梅蘭芳之來，中共是把它的政治目的隱藏在後面的。許多人只想到「我是去看梅蘭芳，不是去看共產黨」。這樣的模糊意識，自非一日造成，但如果我們這幾年來的真能發揮宣傳力量的話，僑胞的認識是可以提高一步的。

從今開始猶未為晚

正因為我們本身做得不夠，有時反引起了僑胞的憤濊，比如有人說，「看戲沒有政治作用，如果台灣省的劇團來，我也看，而且我還歡迎它，現在我只是看梅蘭芳的戲，我並沒有歡迎他。」退一步平心靜氣地思想，自由中國對海外的文娛活動如此之少，連國產的影片，也難看到，有許多人幾乎是一生也沒有看過京戲的，梅蘭芳來了，又怎能使他不去看。

戰後這幾年來，我們本可以在日本大作宣傳的，然而至今我們的電影還不能在日本放映呢！過去的事，是可以不必談的，從今開始，一切都不嫌晚，只要真能腳踏實地去做。

在日本，我相信各地的愛國僑胞都會自動地給他一些打擊，九號早晨福岡街上的標語，就是一個證明，但是這樣零零碎碎地打擊，畢竟是力量太小了。這確是可遺憾的事！（六月十五日）

唾棄共黨・重建自信

（上接第一版）素於外在的因素，雖然西方有時難免為某一問題爭吵不休，在原則上，已是認定了不能再容許共黨作絲毫進展的。從大處看，中立主義只是中立地帶，是國際共黨為其需要而設的，但也可以說是它在戰略上的卻步，這些中立國家，在反殖民地主義上本是積極的，但是接受共產主義的態度卻是保留的，相互間只為利用而勾搭，距離可供蘇聯驅使，則尚嫌過早。大體上說，整個國際環境，在目前對共產集團並非絕對有利。

要變和求變，遂成為現階段共產集團的首要工作。求變的目的，主觀上是為了要強化，但能否一如共所願的達到需要的強化程度，或竟得到相反的結果，事實是難料的。而整個關鍵也即在此。換句話說，這也正是我們應該須要注視的重點。

蘇共二度鞭屍之苦

共產黨的「偉大」，是依靠了馬列主義、黨組織、領袖權威、擊破每個民族、每個知識分子的自尊、自信而建立的。它主要的力量固不是完全依靠他自己的壯大，而是憑藉對手方的自我削弱，而自我削弱的致命傷，即是心理因素，即每個人的自我貶抑其自尊和自信，久而便變為盲目的信奉馬列，追隨共黨，崇拜領袖。因此不論是在政治形態上，或思想意識形態上，共產黨實已自我否定了「從羣眾中」來的口號，黨中央和領袖就像是一輛火車頭，當它稍具有理智時，運轉尚有節奏，但當它發展到自大、愚昧而瘋狂的時候，形勢就不堪收拾了。共黨和黨員都是習慣於崇拜領袖和妄自尊大的，在第一次清算斯大林後，喬治亞人民的示威暴動，即為精神上的反射作用，還有赫魯曉夫不得不以揭露其卑劣的私生活來壓制這種情緒，暴露斯大林的可恥的人格，來消蝕死者在人民心裏的崇高印象。

中共展開新整風

中共亦復如是，多年來清算胡適，梁漱溟（還有久已不聞其名的張東蓀），就為了要把大陸知識分子的思想定於一（定於毛澤東全集上），但是胡風事件，和蕭軍經長年勞改而不屈服的表現，皆說明，可怕的「反革命」力量却潛伏在內部，而黨外高級知識份子之不滿意黨幹部的權威領導，也在胡風事件之後，愈益顯露出來。蘇共清算斯大林的影響，對大陸人民的心理自是一種刺激，中共統治階層的威信，不容諱言自也受到相當打擊。前文曾比喻共產黨像是一列以高速度開行的火車，現在火車頭突然地出了毛病，操縱控制皆已失去「常態」，但列車本身的惰力運轉力量却正在瘋狂的全速程度上，勢非黨中央和領袖權威立即可以予以壓制的。多年來，中共從囂張自大而墜入官僚政治，黨又從官僚政治上開始進入腐化，基層幹部普遍在民間實行強迫婚娶，和高級幹部的享樂主義，以及黨員之間相互包庇貪污不法，皆足以說明建立政權已期不滿七年的中共，已經從腐化發展到了惡化的階段！黨的力量既不足以制壓幹部，列車自身的惰力運轉力量又如此之強大，機詐的毛澤東，自會考慮到在如何保持其個人聲譽，而又能發動對此的力量，用進行內部的鬥爭來整頓他的黨，是可以想象的。故可以說，「百花齊放，百家爭鳴」，實則無異是一次「整風運動」，只不過這次的「整風」，其範圍擴大到了非黨人士，手段比過去高明而已。惟中共能否如願獲得其意想的成績，乃屬疑問，因為我們必須把黨外人士，包括大陸人民不滿中共的心理因素作正確的估價，不可忽視他們對中共所放射的影響力量所產生的效果。

認識共黨重建自信

根據過去對共鬥爭的經驗來說，過去的失敗，不僅在於政治方法上的錯誤，而是我們心理上的懦怯和喪失了自信，許多知識分子因對政治的失望，而連帶失去了自信，因而喪失了對共黨作思想鬥爭的勇氣，遂使共黨在聲勢上佔了優勢，無形中把一個可以改革的政治環境放棄了，而去依附共產黨，這樣的錯誤教訓，是值得今天尚在海外作反共鬥爭工作的知識份子深加反省的！

過去，人們對共產黨的態度是怕它，怕它是因為覺得它有作為也厲害。現在，我們應該認識到共產黨是個什麼東西了。過去，共產黨用「高貴的品質」把它裝點成像個「英雄」，現在它自己揭穿了它的本來面目；過去它否定資本主義、否定自由主義，否定唯心哲學，現在形勢逼它要和這些妥協共存，儘管這是它的手段，但是就辯證邏輯來看，質量互變，內外影響的結果，對它該不是絕對的有利的，令它自掘墳墓的主因，當然還是在大陸各階層人民對它的心理上的轉變！

毛澤東要負歷史責任

這一新形勢的到來，應該說，對反共的前途是有利的，我們應該切實把握這絕好的時機，擴大宣傳和充實宣傳的內容，不僅要盡量揭發中共政權的暴虐，還要暴露它統治層人物的無恥行徑，一方面掃除人們以往對它的「希望」印象，一方面重建海外僑胞的民族自信和自尊，每一個知識分子應該抬起頭，睜開眼，重新看看中共的面貌，也要重新振作反共的信念，睡棄這個骯髒無恥的政權，我們要中共和毛澤東負一個歷史責任：殘殺了幾千萬同胞，禁錮學術思想自由，迫害知識份子，毀棄中國固有文化掠奪人民的財產，破壞社會倫常秩序，這一切都不能輕易放過它；基於人道的立場，我們要中共開釋在勞改中的蕭軍，胡風；要宣佈恢復張東蓀的自由；要恢復胡適，梁漱溟等人的學術地位，恢復現尚在勞動改造中的千萬同胞的人權！

我們應該擴大宣傳號召海外僑胞，對中共政權實作估價，睡棄這無恥荒淫愚昧的政權！（完）

讀者論壇

哲・學・家・的・責・任

—讀唐君毅先生論王理羅素後—

・鈍根・

碰到他所不歡喜的哲學家，（新實在論的丕理）說出每一個自由中國人所討厭的話，（送台灣給極權世界來換取東德）於是唐君毅先生動了眞火了。（見六月十六日自由人所載唐先生的大文）唐先生是我衷心敬愛的朋友，因而我讀這文如聞其聲，我於字裏行間處處聞其心聲！

帶有先知性氣的話

「我們縱然什麼都莫有，（莫，沒也，見礎到用「莫」代「沒」或「無」的都是「唐文」），但天下一家的懷抱，興己所不欲勿施于人的德性，還是有的。」這是唐先生的胸襟，是能「涵蓋天下萬世」的胸襟。反共第一個大理由是：『發揚發展中國數千年之文化精神，以適應世界文化。』這是唐先生的弘願。『我們判斷，在一未來的時間，中國人民對中國共產黨，仍將不斷清算他們自己的斯大林，直到中國民族與文化一齊站起來，中國人成為自由人為止。』

這是唐先生對中國文化力量的篤信。這樣的篤信所表現的心聲，證明了唐先生這一論斷，超出理智思維以外，又顯示了唐先生，濃厚地帶有先知者 Profet or Seer 的性氣。

歷史的動力之一

存於人心的信念，未必即為眞理的印證，而必為歷史的動力之一。唯先知者能賠人們以信念。然而「食」（經濟的利用）「兵」（政治的權力）「信」（理想 ideology 的功能）這三者都需要的。謨罕穆德的一手舉可蘭經，一手提寶劍，一「信」一「兵」也。「食」「兵」可去，無「信」不立，不是說不需「食」「兵」，而是說「信」非有不可。

陳獨秀詩：「龍虎片雲終王漢，詩書餘火竟燒秦！」唐先生深信每一個中國人心坎中，具有長存不減的詩書餘火者也。當然我拿這樣的圖畫語 Picture language 來稱唐，可能是「其味深長，最宜潛玩。」也可能是「不知所云。」但我要解釋一下我的命意所在。

新近我發現一意念，並不敢自信，姑且說說。我覺得科玄對轟的張君勱與胡適之都是道地的中國人，道地的孔子之徒。凡是具有「天下有道，丘不與易也」的入世精神的人士都是孔子之徒。張君勱用康德哲學來扶持孔子入世精神，胡適用杜威哲學來扶持孔子入世精神，所以都是孔子之徒。不過我們不要無視了一個歷史上的大教訓。周濂溪建立無極太極陰陽的哲理（形上論），所以能在當時，在當時的科學知識水平上，而對佛老兩家的形上論而能確然自立，因而能使人心安理得地恢復了孔子的入世精神。在這一點說來，宋代思想家的確恢復了中國文化精神。可是，自從牛頓的物理學到了中國，周濂溪的形上論垮台了，自從愛因斯坦的物理學到了世界，康德的形上論又垮台了。所以今日恢復孔子精神必須從建立一套面對現代科學而不垮台的形上論，此乃哲學家如唐君毅先生的責任了。我還要再申言鈍根如我的認識，就是：

「存於人心的信念，未必即為眞理的印證，而必為歷史動力之一。」

（完）

台北速寫

重整國民外交

亞洲人民反共聯盟中國總會開第二屆全體會員大會，頗為熱鬧，並通過重大號召性之議案多起（如召開全世界反共會議）。這是首屈一指的國民外交團體。其他許多團體，都困於人力物力之匱乏，陷於停頓狀態。我國如需要國民外交，先得把這些機構充實起來。

張天師的妙論

久無動靜的張天師，近來在各地為其道教會爭財產，他說佛祖是印度人，除供奉印度菩薩的寺廟屬於佛教之外，其餘供奉中國神的，如媽祖廟關帝廟城隍廟等，都屬道教，應該加入他的中國道教會。這段理論倘屬創聞，不知佛教會甘願接受否？

警察圍毆記者

台北市松山機場，是自由中國唯一國際民用機場，年來刷新建築，改進跑道，在形式上已經接近國際標準。不過，在管理方面，如檢查與警衛人員之態度，還距離國際標準遠甚。例如，最近嚴俊李麗華來台，就發生了一宗為各方面所注意的警察圍毆記者事件。

輿論在此

財政當局勒令各銀行呈報存款人名單一事，銀行本身為恐影響存款來源，三次申請收回成命，一般社會人士（並非存款人）也站在法理的立場，反對此舉。在輿論的督促下，聞當局已在考慮重緩辦。果若如此，倒足以表現當局尊重民意的作風。

黃牛猖獗

電影院票價漲價了。並又改變了購票入場的辦法，說是防止「黃牛」。事實上，黃牛猖獗如故，只是觀衆出更多的錢，受更多氣而已。總之，幾年來，在台北看電影是一樁最傷神的事，花錢，費時，又受氣。

・杜衡之・

美加州大學教授史泰那指出
美必須重訂對南亞政策
—因原有的政策不獲認識　而且不足應付目前環境—

美國對南亞洲的政策一向都是那麽猶豫曖昧和使人捉摸的，即以她的經濟援外方案，受援者不特不感到其好處，反而懷疑這種援助是有其目的的，這使到這種受援的國家走向相反的途徑，甚至以此而作爲要挾。

在美國現來這種吃力不討好的外援工作無法與若干受援國家建立一種友誼，這現象在南亞洲更爲顯著，美政府本身是否已看到這個趨勢的嚴重，是無法加以說明的，至於美國人民則早已充份地看到了這一點事實，尤其是曾經旅行過東南亞的人，像美加州大學教授史泰那就是其中之一。

史泰那教授最近在香港以「美國在南亞洲政策」爲題發表專題演講，他一再指出美國重新檢討她在南亞洲的政策是有其必要了。

三種情勢

「三種情勢聯合起來」，他說：「使美國在南亞洲政策地位需在這一時期加以重新檢討。第一、國家主義的精神在印度、巴基斯坦、緬甸及錫蘭已提至新的高度；而對那些政策被認爲和問題中抱負發生衝突的國家，其所表現的懷疑增加起來。

「第二、最近蘇俄一般政策的轉移及共黨在南亞洲復活的政治攻勢，使過去的政策有重新估價的需要。這個過去的政策，是假定蘇俄政策會在不同的形式表現出來。

「最後，在美國國內，當總統競選期近注意於臨界點的辯論的，美政府和民衆不得不把南亞洲（如同其他地方）的政策，在美國廣泛的國家宗旨之下，重新衡在一次。」

對美關係

「也許有人會說，南亞洲國家和美國的關係，僅在相互認識的過程中。每一方面對其他國家的社會體系和政治各制度，在過去沒有機會充分觀察和完全了解的情形下，是有着若干的誤解；但在很短的時間內，某種初步的誤解已經被矯正了，因此奠定了相互間較爲健康的基礎。」

這位美國政治科學家說：「在最近的過去，許多美國人曾經不幸地想像南亞洲需要好像美國生活方式一樣的保護。在這種態度存在的時日中，一切的誤會將無法解決。最近的經驗，已使美國在這一問題的意見快速地成熟起來。漸漸地，人們將完全了解：這些不同社會、宗教及倫理制度的南亞國家，一定會產生特出及特別民族形成的民主政府，又民主原則的大力量是存在能够用許多不同方式表現自已的能力。

「因爲，廣泛美國客觀的政策，是因加強民族固有傳統，而不是因削弱他們，才會强力地表現出來。」史泰那教授以爲這種態度被採取爲美國政策的基本原則是有希望性的跡象了。雖則這些態度改變本位上表現出來不是非常尖銳或是戲劇性的……

不受侵略

史泰那教授深信美國在南亞基本政策的目標，在精神上和南亞國家獨立的力量是完全一致的。這些目標有三個：它們可以肯定和否定假設的形式來闡述。

「第一、美國願見南亞國家不受外來的侵略，並考慮在共產主義經常威脅各獨立國家的世界內，美國的安全和南亞國家的安全如同手拉手的行走。但同時，每一國家的國防首先是該國的責任。美國對安全需要的觀念不能以命令加諸其他國家之上。所以，第一個政策的目標，是反映一個希望而非達成的事實，而這一個目標是開始外交關係而非結束外交關係的原則。

經濟繁榮

「第二、美國在南亞國家中，尋覓能夠產生高生活水準的情境，毫無考慮到美國經濟的繁榮，終須依賴世界一般水準的繁榮。但是，每一國家有決定如何利用自己資源和選擇經濟政策來滿足地方性需求的責任。美國站在外圍綫上，祇能提出諮詢意見和提供改良材料，但它不能假定使美國經濟繁榮的原則就一定會使其他國家經濟繁榮。

社會體系

「最後，美國政策的第三個基本目標，便是幫助南亞國家維持社會體系，使人類對自由的渴望得以確定地實現出來。這些渴望幾乎不能够在不安定和窮困時等世界內如願以償；因此，這基本目標的達成，好像其他的，依靠南亞洲人民和政府健全的判斷。

「因此，美國政策的目標一定要包括一種政策限制的理解，而美國將來在南亞洲政策的成功，一定要能運轉其能力，以肯定目標對自由國家國際關係固有的否定限制發生平衡作用」。

維持友誼

他又說明美國政策的特別困難處：是在美國尋求與南亞國家維持友誼關係，但南亞國家自己卻不在熱情的友誼下。他舉出印度和巴基斯坦的鬥爭，印度接到的經濟援助大於巴基斯坦，後者認爲很不公平。又美國在中東回教國家的政策，使巴基斯坦懷疑美國與巴基斯坦爲友是由於事實的需要，而非情感的關係。

反共政策

最後強調他是非官式的演講，史泰那教授結論指說：「我在南亞洲任何一個地方，都不能發現對共產黨政策方法有利的集體性的情感。只要美國反對共產黨的政策不是美國反對建設性社會改革及經濟進步於表現，能獲得人們的理解的話，共產黨的藍圖，無法在南亞洲發生左右的力量。美國政策主要的工作便是證明它反對共產主義的政策是表現自由的精神，而不是表現反動的精神。」

「尼龍」自序
◦丁懿安◦

民族之盛衰，國運之隆替，雖由于多種因素影響而致，但有關生活工具之生產力與生產方式，是否能配合時代需要，實爲具有支配力之因素。徵之史實，亦少例外。應用科學之發展，必須學理與技術相輔而行。捨學理而只言技術，則技術之進境有限；捨技術而專重學理，則無濟于民生。二者兩面一體，亦如車之兩輪，鳥之兩翼，未可偏廢其一。但推輪大略，又必以科學智識之普及爲其始基。否則植根淺薄，在整個社會上之作用，將如空際雲烟，易聚易散。

塑料工業，在近數十年中之發展，具突飛猛進之勢。使人類生活工具，在原料方面，起一革命性之改進。由民生以至國防，由落後地區以迄文明國度，幾無一不與塑料成品發生密切關係。而其密切之程度，又復與日俱增。溯者南來數年，多數時間，均耗費于此方面問題之研討與探索。原擬就其基本理論，證國人所適用之技術，參以若干經營斯業者之得失經驗，仿往日商務印書館大學叢書體製，編爲一册，而以三十餘萬言完成之。制以實習兩偏，不合現刻出版界之環境，因而置之有日矣。近邇友朋勸告，改爲近通俗性之小册，就原有資料分爲八卷，而先以其中之一付梓。所甚原因，尙有二端：

1.抗戰以還，由于世界局勢之未能安定，引致國人心理，多偏向于投機以求速效。凡「吹糠見米」、「一針見血」之利，則羣趨之；若事稍涉迂緩，或須計劃深遠始有利可圖者，則避之又惟恐不及。倘長此以往，科學技術又何能樹其根柢。學術之發展，誠有其先決條件。宜先培養其環境，普及其知識，始能蔚然成風。生產事業，亦惟有在此種基礎上，方能成放射式之進展。因之，較通俗性技術書籍之編印，亦有其基本意義。

2.舍姪輩自估白來等，負笈英倫工業學校。每有來書，輒讀述該地工業教育精神之卓越及參考書籍之豐富，並反復以宜將此種優點移植爲言。模質由衷之語，頗足動人。彼等年僅十餘，資亦中人，而能在學業上與彼邦學子一爭長雄。良師碩學之循誘，與參考書籍之豐富，自爲主要因素。因而感覺高低兩級之技術性參考書籍，在目前社會，均有同等需要。

本書敘述淺顯，兼及解釋，利便初學。內容則常識性與技術性兼顧。惟因兼顧，逕難專一而求其全。其中若干資料及附錄，雖可供塑料工業者之參考應用，但尤適合于在校學生及有意研究塑料工業者之閱讀。期助進修者窺其門徑，爲升堂入室者樹其始基。拋磚引玉，祈工業界先進碩學進而倡導之。

於此擬贅一言爲讀者告。工業技藝有其首尾一貫之性。理論與技術，常不可分。例如，尼龍之性質，甚于尼龍之構造成分與型式；而尼龍之應用與範塑，則又以其性質爲基礎。故不明瞭其構造成分與型式者，難以徹底了解其性質，因之亦不易掌握範塑技術，更難言乎改進。又如，本書中所附之注塑機圖式，其優點在簡單輕便，頗合于國人所經營之中小型工廠情形，能兼塑尼龍及其它塑料，只隨需用時換上一加熱裝置。而用于塑尼龍者，較用于一般塑料者，有三點不同之設施。即，其所用之分流梭，爲類似火箭型而不用凹槽式；其「管嘴」較一般所用者爲長；而該裝置底端，復裝設一小型濾器。各點改進，均係根據尼龍之構造型式與性質而來。舉此一例，以明工業技術之改進，係由其基礎階層所引致。而抱殘守缺，或舍本逐末，僅求近效，而不作遠謀，終難免于淘汰，而歸趨于失敗。展望我國工業前途，鑑於此而三致意焉。

大陸農村婦孺的刼運
◦沈　著◦

綜合最近大陸各報紙透露的消息，自中共強制推行所謂「農業合作化運動」以後，由於制度及人爲的種種因素，使各地農村婦女兒童的處境日益悲苦。

大陸農村婦孺在農業「合作化」後的悲苦之一，是破壞了原有的家庭秩序，變成了中共的農奴。

本來我國農村的婦女兒童，原極富有勞動精神。男子們下田耕作時，婦女們則在家中料理家務，當些子女，並從事飼畜、植蔬、紡織等副業生產；孩子們在求學之餘也幫做一些雜務，可說完全是存自動、合作、融洽的情形下，從事調和的生產。但在中共實行所謂「農業合作化」以後，首先即以「男女平等」或「婦女解放」等漂亮的口號爲幌子、以「依賴」、「剝削」、「落後」等惡毒的詞句爲打擊的武器，並用政治壓力，迫使婦女兒童脫離家庭，淪爲所謂「農業生產合作社」的雇傭，從事所謂「集體操作」。其次，農民的土地入社以後，中共並以「同工同酬」、「按勞取酬」、「無勞無酬」的工資制度作爲「分紅」的原則，無異爲沒收土地，變自耕農爲雇工，用經濟的壓力迫使農民的妻子兒女不得不爲生活（工資）而放棄家庭，聽受中共合作幹部的支配，爲中共勞動。

正因由於此種情由，故目前不但大陸農村的婦女已全部（中共「人民日報」的統計，爲農村總人口的三分之一，除去男子和老少，實等於全部）脫離家庭，淪爲中共的農奴；且連正在求學的中小學生，亦至少有半數光景（根據「人民日報」在黑龍江、山西、廣西等省不完全的統計推算）因家庭需要工資度日而不得不放棄學業，參加「合作化」勞動。

大陸農村婦女在農業「合作化」後的又一悲苦，即係因原有的家庭秩序被完全破壞以後，發生了種種慘劇。

首先，農民一律在由家庭的合作生產和共同生活轉變爲「合作社」的雇工之後，夫婦間已無法互相照顧生活，感情破裂。初則互相埋怨，繼則互相責駡，終至互相毆鬥，從而造成甚多不必要的血案。中共司法機關統計指出自去年秋季以來民間血案及家庭糾紛之所以直綫上升，原因即在此。

其次，農業集體耕作的結果，農村的社會關係日趨複雜，男女混雜日久，風化事件自然增多，隨之，夫婦間的猜疑亦層出不窮，而至於鬧出了很多拆散家庭的離婚悲劇。離婚的結果，首蒙其害者，即爲婦女與兒童。同時，由於中共幹部在基本教育上的否定倫理道德，無視他人痛苦，以致對於薄具姿色的農民婦女，不論其有無配偶，均濫藉其權勢加以脅迫奸辱，稍有不從，即以「落後」名義或剋扣工資等方法加之婦女，予以打擊。而婦女既爲苟全性命，又被處在完全無告的境地中，除了隱忍，別無掙扎餘地。

惟更慘的，還在夫婦同時放棄家庭，參加集體勞動以後，甚多的幼小子女失去了應有的照顧，於是跌斃、碰傷、或落水溺死等慘劇層出不窮。甚至有些兒童，因被其父母於去「合作社」上工時反鎖屋內，於是驚天啼哭，甚而在失火時被活活焚死。

大陸農村婦女兒童在農業「合作化」後的再一種悲劇，則完全爲共幹的殘酷成性及奴役制度所造成。

中共對於農村婦孺的奴役之慘，僅以上海「解放日報」所招供的情形而言，即已可見一斑。

該報說：中共各地的合作幹部凡是以提高勞動強度的手段都已施之於農村婦女之身。其一、是以「男女平等」爲藉口，激勵婦女與男子比賽勞動力，競爭工作量，因而男女農民一面在田間分隊競賽，共幹一面即在田壁間拿着播音筒吶喊助陣，將農民玩弄於股掌之上。其二、是以「同工同酬」爲理由，強迫婦女担負與男子同等沉重的工作。例如，男子挑担以兩百斤爲標準的，婦女亦須挑負兩百斤。男子下深坑工作時，婦女即須同樣下深坑工作。男子在連續操作十六小時時，婦女亦同樣須操作十六小時，孕婦或病婦亦不得例外，其三、中共規定「合作社」的農婦，凡屬整天勞動者，每年須做滿二百七十個工作日；凡屬半勞動者，每年須做滿兩百個工作日。其有不足者，即以「曠工」論處，非但扣除工資，還得遭受公開的檢討、批評。其四、有些「合作社」並規定孕婦在分娩期間亦須照常工作，而以加倍計工作爲共黨的「恩典」。

「人民日報」供認：大陸農村婦女由於上述等情的過度勞動，不但身體健康都已或輕或重的遭到摧殘，且不斷地發生了意外的傷亡事件。其中尤其是孕婦，更到處發生血崩、暈厥、流產、難產等慘事，傷亡不絕。至於因耗損過度，體力不支而疾病叢生，更是不言可喻之事。

總之，一如「人民日報」的社論所說：中共在實行了農業「合作化」以後，大陸農村的婦女兒童，業已在精神和身體兩方面受到了嚴重的傷害，陷入了空前悲慘的境地。

錢穆氏暢談南遊觀感

（本報訊）新亞書院院長錢穆博士，上月應星洲學術界之請，前往訪問，並作學術演講，前後共十三次，在星逗留月餘，深得華僑社會歡迎。錢氏回港後，前十六日出席本社同仁茶會，講述此次南遊觀感，歷時一小時餘，關於星洲的政治局勢，僑胞文化社會狀況，闡述甚詳。

錢氏認爲星洲華僑人口佔該地人口之半數，華僑文化社會情形，雖與香港大不相同，惟該地僑胞之熱心教育，則尤較香港爲甚。該地僑校，規模多甚偉大，學店風氣可謂絕無僅有。

關於南洋大學，錢氏講述更多，他對該校之規模設備，備加贊揚，他說該校不僅爲熱心僑領出錢出力，即下至小販車伕，亦以其血汗之資，參加創辦，此種精神，最爲動人，故今日之南大，實爲星洲及東南亞無數僑胞之精神中心所在。惟該校草創伊始，有待改進充實之處尙多。他認爲此一最高學府關係今後南洋華僑精神文化之培養發展者甚大，必須海內外之文化教育人士，一致努力支持。

另一令人注意之點，據錢氏觀察所得，星洲地位，無論在經濟，政治，或文化上，均爲東南亞之樞紐，其所能發生之影響力量，遠及印尼、泰、越、緬，乃至澳洲及印度。此一地位，決非香港之所能有。故今日談東南亞問題者，實不宜輕忽星洲之地位。

五角共幣（合港幣一元二角）一碟的炒肉丸！

（原載六月十六日天津大公報）

莫趨危道

自由談

俄共集團自從發動鞭屍運動以來，陸陸續續地表演出許多戲魔術，冀以淆惑世人觀聽，而達到它對自由世界和平滲透與內部顛覆的目的。其行可恥，其心可誅，而其事則殊可哂。

譬如中共近來亦高彈「學術思想獨立自由」的腔調，居然自詡爲「百花齊放，百家爭鳴」。但其所謂「獨立自由」的本質，是要以「愛國家，擁護社會主義」這項規律的「一致性」爲基礎。這等於在一根樹枝上要它「百花齊放」，在一個教條主義中要它「百家爭鳴」，豈非天方夜談乎？

共產黨就是這末一套，把古今中外一切美好的名詞術語一概撿拾利用，自說自話，企圖詐騙別人，恬不知羞，它們認爲普通人民都是「不識不知，順帝之則」的易與易欺者，而具有社會領導中心地位的一般知識分子，又多見其爲搖擺不定的小資產階級意識形態，可以利誘威脅的。因此之故，它們乃不惜好話說盡，壞事做絕。這就是我們何以要堅決反共的基本因素。若只就個人生活上的利害關係而論，至少我並不害怕共產，全國大小都市上，沒有我的尺地片瓦，任何中外各地區的銀行錢莊裏，沒有我的分文存款，鄉里雖有祖宗父母遺下來不到十畝的田產，反正自己不能耕種，分給農民，毫無所謂的。我們反共的目的爲要自由生存，要保持人性與人權，創進人類向上發展的理性世界，其他都是次要。

所以，凡是眞正反共的人，決不會接受共黨那類以「一致性」爲前提的僞自由宣傳，同時亦就不會因爲反共而接受其他任何「一致性」的極權主義，否則反共便成了無意義的勾當，何必多此一舉呢？這點卑之無甚高論的義理淺識，希望領導反共救國的政治人物，愼思之，明辨之，篤行之，千萬不可學習共黨的作風來反共，那是貽禍後代子孫的危道啊！

馬五先生

台灣漫畫家剪影

·程外·

我對於漫畫「外行」極了。但因欣賞各家作品多了似乎也懂得了三分；這裏是介紹漫畫家，偶而兼寫他們的作品，容有不妥之處，希望多多包涵。然而，爲了愛護本刊的寶貴篇幅，寫的文字有長有短，但決不是薄彼厚此。同時，我和這十幾位漫畫家有的稱兄道弟，有的對面不識；可是，我完全以純客觀的態度來寫的，沒有偏見與袒護，萬一有不對勁的字句，也是以愛護爲出發點的。

梁氏兄弟資格老

現在台灣的漫畫家，當以梁氏兄弟（又銘、中銘）的資格最老，年紀最大；都已是五十一歲的人了。這兩位賢昆仲是孿生兄弟。梁又銘爲兄，梁中銘是弟。兩人相貌相同，只是又銘嘴上留了一撮髭子。雖然兄弟兩人同是漫畫家，但風格並不一致。

梁又銘是以「土包子下江南」連載漫畫饗讀者嚼來。後來印行單行本，風行一時，那是四十年的事了。去年再度爲中央日報繪過「新鏡花緣」，但沒有「土包子下江南」吃香。

梁中銘是繪政治漫畫的，單行本有「中銘漫畫集」。馬星野在該書寫的序裏說：「梁中銘先生的政治漫畫，造詣之深，影響之大，不但近三十年來獨步中國，即與當代成名的國際政治漫畫家……相較，決無遜色，有時其意境之高，構思之巧，幽默感之濃厚，與筆觸之犀利有力，且超過當代第一流政治漫畫家之上。」的確，讀過梁中銘的漫畫，足可證明馬星野的序言沒有誇張。

梁氏兄弟現在都是中央日報的主筆。

張英超談笑風生

這兩年來自由中國的報紙雜誌，常可看到張英超的漫畫；他受西洋漫畫的影響很大，素描頗爲精采。他是大塊頭，手裏老是抓著一支煙斗，就是站在講台上，也不例外。他說話很有風趣，坦白眞誠。最近剛印一冊「漫畫技法講義」，着重理論的介紹，並有插圖對照，對初學漫畫的人，很有幫助。

廖未林擅長圖案

廖未林今年還不滿三十歲，可是他的漫畫功力很深，現在卻不常見其作品。他最擅長的是圖案畫，所繪的仕女，風格頗近唐、宋畫家。他曾開過幾次畫展，得到觀衆不少佳評。

牛哥是多產畫家

牛哥是台灣漫畫家中最多產的一位，以「牛伯伯打游擊」（連載）起家。他的漫畫（連載）台北各大報都有：中央，聯合、中華、大華晚報、民族晚報、還有雜誌。作品的綫條柔美，構圖樸素，喜用誇張筆法，常有諷刺作品出現於民族晚報「牛老二日記」上。

王小癡與「三叔公」

王小癡可以說是新生晚報提拔的新人。以「三叔公」長篇漫畫打進漫畫界。現由他編新生報「漫畫週刊」。作品的特點是綫條粗，構圖美，別饒風味。

藍戈壁風格清新

藍戈壁的作品不多，僅僅爲中央日報闢刊繪畫一些諷刺大陸共區漫畫；他的畫風格清新，深入淺出，頗得好評。

張有爲的歌謠畫

張有爲的漫畫採取民間的原始構圖，從他寫的「漫畫藝術」一書裏，全都表現他的「民族形式」（姑用此名形容吧）。他的漫畫是先有歌謠的，歌謠是他的漫畫材料。他畫也是誇用誇張的手法，不過與牛哥不同；兩人的漫畫路子各有千秋。但是張有爲的作品是少的太少了。希望他能多努力畫些溶鑄「民族形式」的漫畫。

題名的一羣漫畫家

台灣還有許多漫畫家，再剪也得剪成幾千字。現在，爲了節省篇幅，我把他們的芳名題在這兒。他們都是已經有成就的漫畫家。

他們的芳名：老夏、史麥美、席德進、梁乃予、劉成鈞、李太黑、李敬洪、方向、伯風、青禾等。

談：台灣新聞片！

·江南·

自由中國製片業，過去這幾年來，雖非繳白卷，但生產衰弱不振，殊非常人所可想像。有人統計過三廠（中影，台製，中製）七年內包括港台合作，以及民營投資等，總共拍了卅部電影。

爲甚麼不能振奮起來？抑或是受到了阻礙與限制？還是爲客觀形勢所迫？或者是主觀條件不夠？非三言兩語所可概括。但另一不容忽略的事實是「新聞片」「紀錄片」方面的成就，七年來卻是相當可觀的，以「台製」言，七年來攝製了「新聞片」達一四二輯，「紀錄片」也多至五十二部，膠片損耗達十一萬九千餘尺。其次「中製」也不在此數之下，幾乎等量齊觀。

「新聞片」在本質上，與報紙相似。但比報紙更具立體的生命。它本身通俗普遍，有報紙之長，而無報紙之短。這是「新聞片」在宣傳教育上的價值。例如：「雙十國慶」，報導反共義士投向光明的「奔向自由」，報導僑胞在祖國動態的「四海歸心」，以及「強大的國軍」等專輯，在海外各地上映，均予彼邦人士與僑胞，以新的認識與深刻的印象。到今年爲止，台灣的新聞片，且已發展到「新藝綜合體」「伊士曼彩色」的階段。

按理說，新聞片有全省二百餘家影院爲基礎，應該大有可爲。但事實是全省主要戲院放映的機會極少。除非正片不夠長，或者像國慶大閱兵等，礙於情面，不得不虛於應付一下，才加以放映。否則，戲院老闆，則純以漠視態度，置之不理。這種情形，特別是幾家公營事業的影院最爲顯著。

觀衆看不到新聞片，紀錄片，曾一度引起各方指責。兩大製片廠也自覺成年累月，不休不眠所拍的「新聞」「紀錄」片，到那裏去了呢？難道是見不得人？反而是在鄉村戲院裏，卻還能見得到它的影蹤。「新聞片」本身就是爲宣傳而攝製的，但不可否認，在內容形式上，卻缺少改進，過去的攝製例行性的鏡頭，觀衆已失去了對它的興趣。此「新聞片」現辦法的改良與推進實已迫不及待。本年四月廿八日兩廳及有關方面曾會同台灣省市影片公會，舉行聯合會議，予以研討。事後據報端公佈的新辦法是：（一）硬性規定各影院於午后第一場，晚間一二兩場，早場必須放映。外埠縣市竟日放映。（二）特別要求各加映「新聞片」之影院，於當日放映之影片廣告中加刊「本院加映×輯新聞片」等字樣，除此以外，乃是對生產單位的，規定每輯片長不超過六百英尺爲原則，以免影響營業。至於新辦法中最值得注意的是：假使戲院拒映漏映，不依規定，則由警察機關處以停映商業廣告一個月。

新辦法纔正實施，開始於五月中旬。大體上實施的效果尚好。

有人說：這祇是個短暫的現象，相信戲院方面，等「三斧頭」過去了，是仍可以我行我素的。

但無論如何說在目前，蹉跎七年的「新聞片」總算暫時解決了出路問題，可是我們也希望「台製」「中製」能切切實實地在攝製工作上下點功夫，不要以爲有了法令爲新聞片解決了出路，就馬虎起來。

同光風雲錄

馮子材（上）

『鎮南關，諒山，轉敗爲勝，尤光史乘。其人忠貞無私，淸廉正直，無愧古來名將。』——張之洞評語

鎮守衝要餉絀無怨言

馮勇毅公，字粹亭，廣東欽州人。初從軍討粵寇，補千總，後改隸張國樑部，從克鎮江、丹陽，一日間，攻克敵壘七十處，國樑撫其背曰：『子勇！余愧弗如。』積功授副將。國樑歿，代領其軍，克復溧水，晉授總兵。

同治初，將三千人守鎮江，是時，江北諸將領多自置卡抽釐稅，以裕軍餉。子材曰：『此何與武人事？』乃呈請曾國藩派員管理。守鎮六載，餉常絀，亦無怨言。待士卒恩威兼濟，士卒亦樂爲之用。故數載間，敵來攻者百餘次，而其堅不可拔也。

募勇禦法整軍鎮南關

事平，擢廣西提督，賞穿黃馬褂。光緒改元，調貴州提督，明年，稱疾歸里。迨法越戰起，張樹聲遣吏詣欽州勸駕，而子材方著短衣，赤足攜童子牧牛犢，誰識其爲赫赫提督也。使者啓來意，婉言以却。會彭玉麟，張之洞，方總制粵東西軍務，會奏起子材募勇禦法，而之洞尤殷殷以禮召。子材以外侮方極，上感忠誠，乃起，整軍至鎮南關，就關之險要，跨東西兩嶺築長牆，合王孝祺，王德榜，蘇元春，陳嘉，諸軍堅守。敵聲言來攻，子材乃先發制人，分兵紆迴，乘其不備猛攻之，斬獲甚衆。敵益憤，分三路攻關，重砲機槍，連續猛擊，彈烟彌天，不辨旗幟，牆後營壘，多被擊燬。子材顧謂將士曰：『法軍如入關，吾何顏見粵民，而報國家，必死守此關。』敵攻益急，砲聲震山谷，彈積障前厚寸許，與諸將迎頭痛擊之，敵軍稍却。

關外游勇樂爲助戰

越日，敵復湧至，彈火益烈，子材督將士屹立，陣勢不稍動，遇有敗退者，嘗手刃之。迨敵軍薄牆下，子材乃帕首、短衣、草履，率大刀兵千人，一躍出牆外，厲聲呼殺——山岳震動，全軍皆感奮，齊湧出，肉搏突衝，縱橫決盪，關外游勇見老將軍猶如此，俱樂爲助戰，法之將士首落墮果，遂大潰。乘勝逐北，克文淵，收諒山，分兵復松巖、長谷，子材之英勇，遂震動中外矣。（四十一）

夢山樓

也談「中副」

·曉風·

「中副」，在自由中國各報的副刊來說，誠如金城先生在自由人第五二八期上的「議談」：編排新穎，內容充實……那完全是事實，毋庸贅列。因爲筆者所要談的，是中副的另一面。

我記得大概是在四十年夏至第二年春，發現過她有兩次錯誤：一、在一篇好像是什麼「家庭化」的文章裏，引用過朱柏廬先生治家格言：「黎明即起，灑掃庭除」的句子。作者說是「朱子家訓」，當然也是對的，錯在他把「朱子家訓」認做就是「朱熹家訓」。按：朱熹是宋人，朱柏廬是清人，姓或同宗，然並非一人，是可斷言。二、似乎是一篇「陽明山遊記」，作者對陽明山之本名草山，以及陽明山之有今名，是蔣總統命定的，似均不甚了了。我很清楚記得該文有過：「山以王陽明先生來此讀書而名益彰」一語，查王陽明乃明時餘姚人，如果早在鄭成功來台之前，就先來過台灣，上過草山，豈不駭人聽聞。

上述兩點，筆者決不是存心找中副的錯，中副也不會因此降落了在讀者面前的身價，何況錯在任何人都在所難免。問題是在：以中副之尊，在今日之自由中國，她對讀者，是有很大的影響；讀者對她，是更抱有莫大的期許。中副有此疏忽，不無遺憾而已。

·文壇漫步·

「黃人之血」與黃震遐

·紅纓槍·

早些日子，有一位讀者要我設法借一本「黃人之血」，那位青年有讀絕版書的嗜好，因爲這本書的作者是文壇名宿黃震遐先生所作，他知道我和黃先生認識，向黃先生借大概可以借到。可是，這件事我一直沒有找過黃先生。

「黃人之血」這本書可惜我沒有看過，據說這是一部劇詩形式的作品，內容也有大氣磅礴之處，這，該是罕有的作品了，在目前，以劇詩形式來寫的書祇有「旋風交響曲」一種，現代的詩人似乎少有這種氣魄從事詩的創作，即使有，也難得有出版的機會，因爲大家都顧慮銷路的問題，祇有較大的出版社纔可以出版這一類作品。黃先生的「黃人之血」假如尚有存書或底稿的話，拿來再版發行，該正是時候吧！

黃先生近年來文藝作品似乎少寫了，寫的多數是軍事論文或時論之類，立論與筆法，都超出一般的見地，香港時報的社論，也有許多是出於他的手筆的。他現任亞洲出版社的總編輯，攬出版社的編輯行政工作是一件頂繁瑣的事，這也難怪他抽不出空來從事寫作的了。不過，一個文壇的老戰士是不該永遠沉默的，我們有理由要求他再站到火綫上來！

徵稿啓事

△本報擬徵求下列諸稿：

一、三千五百字至七千字左右的短篇小說，不限體裁和故事內容。一經選用，優先奉送稿酬。

二、台灣及海外各地自由文壇的動態報導，作家生活素描及過去文壇珍聞。每篇以不超過五百字爲佳。

三、介紹海內外自由科學家、教育家、實業家、醫藥、工礦業工作者的人物專稿，對象以現在從事於工作者爲最佳。來稿不宜超過一千五百字。關於軍政界人物稿件以散見各報者已多，請勿惠稿。

自由人

THE FREEMAN

（第五五五期）

中華民國僑務委員會
頒發登記證台教新字第一第二號
中華郵政台字第五〇〇〇號
執照登記爲第一類新聞紙
（半週刊每星期三、六出版）
每份港幣壹毫
台北市售價台幣壹元
督印人：陳文若
地址：香港高士威道二十四號四樓
3 rd. fl. 20 CAUSEWAY RD HONG KONG
香港發行及事務接洽
高士打道66號　電話：七四〇五三
承印者：東南印務出版社
地址：高士打道六十四號
海外總經銷
友聯書報發行公司
香港：德輔道中二十六號A二樓
台灣特派員辦事處
台北市館前街五十號
台灣總經銷處
台北市西寧南路壹壹壹號二樓
台郵劃撥儲金戶九二五二

拆穿赫魯曉夫的西洋鏡

‧羅稔仙‧

共產黨素以鬥爭作爲奪取國內政權和世界霸權的手段，本質上那是一個永遠不可和解的敵人。但其鬥爭方式，是暴力和笑臉並用——有時笑臉比暴力更兇。當年列甯看了克勞塞維茲「征服者最愛和平」一語，喜得拍案叫道，「這是何等機智的辯證法」！因此，蘇俄建國卅九年以來，單憑這個法寶，已渡過了無數難關，也得到了許多甜頭。

層出不窮的騙術

最能道出此中竅要的，莫如曼紐斯基（Mamuilsky）在一九五〇年搞和平運動時所說的那段話。他說：『共產主義和資本主義的全面戰爭，是無法避免的。在今天我們還沒有強大的力量來攻擊，所以一定要使布爾喬亞階級進入睡眠狀態。因此，我們要開始發動一個空前最大規模的和平運動。我們要發出最動人的言論，並作前所未有的讓步。昏庸腐朽的資本主義國家一定會樂於合作，去毀滅他們自己。一俟他們鬆懈了警覺，我們就要用緊握的拳頭，來打倒他們』。這傢伙曾做過赫魯曉夫的頂頭上司，赫魯曉夫此次發動空前的和平攻勢，可以說是秉承他的衣鉢真傳的。我們不必問這是對內的成分多，還是對外的成分多；總之他的真正動機，只在以「最動人的言論和前所未有的讓步」做手段；而以「布爾喬亞階級進入催眠狀態」做目的。故所謂「言論」和「讓步」的本體，也可斷定只是層出不窮的騙術而已。

搆成兵法上的陷阱

蘇俄在對外事務上，既從沒有履行過諾言，曼紐斯基又公開的揭穿了「和平運動」的底牌；因此，只要稍具記憶力和理解力的人，都是不會受騙的。但何以蘇俄在一九五三年七月韓戰停火後，竟還這個騙術，打贏了若干冷戰呢？例如鬆懈了英法的建軍計劃，中立了印度緬甸阿富汗錫蘭印尼埃及乃至冰島和琉球，爭取了南斯拉夫重返「蘇維埃家庭」（狄托語），現更進一步游說希臘巴嫩敘利亞等反共國家，想和英國平分地中海春色。這已超越了外交上單純騙局的功效，這因爲共黨在無形中構成了兵法上的複雜陷阱，容易使自由世界若干短視的政治家陷於羅網而不自知。

孫子說：「百戰百勝，非善之善者也；不戰而屈人之兵，乃善之善者也。」奪取別人的江山，而至於不要用兵；究竟要用什麼方法呢？孫子提出左列三原則：「屈諸侯者以害，役諸侯者以業，趨諸侯者以利」。用現代的術語：「屈諸侯者以害」，就是恐嚇政策；「役諸侯者以業」，就是中立政策；「趨諸侯者以利」，就是一面倒政策。這三原則同時並用，便足使主敵軟化，次敵中立，友邦跟進：這便叫做兵法上的陷阱。對方雖明知其所說所爲皆是策略上的詐術；但爲了眼前的利害，也就不得不事急且相從了。「亡六國者六國也」，這是很明顯的史例。

趨諸侯者以利

要使友邦跟着我走，孫子說餌之以小利，但不怕他不上鈎。而今蘇俄控制歐亞十六個附庸國，所使用的有三個法寶：第一是教條，第二是虛名，第三纔是小利。史達林說：「國際主義者，就是無條件地不猶豫地擁護蘇聯利益者」。史達林現在雖遭鞭屍，但這個教條早已深入各國共黨人之心，直認蘇俄是他們的共同祖國。否則，便會無情地受到整肅。此其一。又如中共爲政權自恃挾持下的人口多於蘇俄一倍以上，已多少有點尾大不掉的迹象。當年史達林之喪，各附庸國元酋皆遵召赴吊！惟毛澤東不往。蘇俄不得不因勢利導，赫布兩酋訪問北平，給以「亞洲革命領導地位」的虛銜；中共便從此拿着鷄毛當令箭了。又於赫布兩酋向狄托負荊請罪後，再給以與蘇俄平起平坐的虛榮；狄托便由中立而復歸一面倒了。此其二。此外，蘇俄對各附庸祇有剝削，沒有施與。流俗也把各該附庸國購用俄製軍火一事當做「俄援」，實係誤解。據東德傳出消息：由俄境西來的火車，都是空無所有的；由東德東去的火車，卻滿載而歸的；可爲明證。惟其如此，蘇俄祇要稍稍「高抬貴手」，甚或在緊急時施以小利小惠；附庸國便沒有不唯命是聽的。這叫「無毒不丈夫」；遠非美國善意的用美援購買友誼所可同日而語。此其三。蘇俄用這三個法寶控制附庸國，業已結成一條國際共產主義的陣綫——雖然鐵幕內人民百分之九十以上都反共，也無可奈何了。

（下轉第二版）

「開發落後地區」！
‧魯午‧

印度的命運

‧楊一凡‧

在一個偶然的機會下，遇到了一位由印度過境回日本的同業，彼此本不相識，但一經介紹交談，覺得他對印度的認識雖不十分深刻，但大體上他的談話還是有點新聞價值，故把他所認識的印度，與筆者個人的管見綜合作一概略的報導。

印反美潮不亞蘇聯

印度擁有三百多萬平方公里的土地和三億多的人口，她是亞洲僅次於中國的大國，也是共產集團赤化中國之後的次一目標。因此，在冷戰中她成爲亞洲的主要焦點之一。目前的情勢是：（一）美國在印度對蘇聯和中共進行的冷戰，已在逐漸敗退中；（二）共產主義的勢力在漸次增強。

要證明上述二個觀察的結論，最顯著的事實是：印度新聞界的反美浪潮，比諸蘇聯尚有過之。新德里的某共產系報紙公開指責美國「企圖破壞印度的自由」，而且更有知名之士大發「和平是由蘇聯支持的」謬論。這些現象證明印度的新聞大部被共產主義者所控制。印度所有的大學裏均有共產黨的細胞，海上運輸交通也大都爲共產主義者所操縱。

尼赫魯的辦法是對國內共產主義，採取強硬的態度，但對國際共產主義則有自我滿足的傾向，他是利用對蘇的關係來加强其外交政策，因此在某些方面，他必須跟着蘇聯走。他根本不考慮這種做法對自由世界的危害，卻說，氫彈已阻止了戰爭的發生，自信他的政策是和民衆的政治意識相成長，並贊同和平共存的體制，結束冷戰。但尼赫魯是有矛盾的，其所著的「講給孩子們聽的世界史」上述明資本主義和共產主義之間有基本的不可相容之處，「其間的和平僅是某一特定時間內的休戰狀態」。

受赤化的威脅而中立

印度是處於可能被赤化的邊緣上，她實行中立主義，是爲了想逃避立刻被赤化的危機，但在亞洲，印度實際上是長期的居於政治的危機中。大戰後人民由政治上清醒過來，連文盲農夫亦無意識的感到印度應該不必再忍受長年貧困和病苦了，但目前的經濟情況和政治覺悟間存在極長的距離，經濟生活不能改善，使人民的政治思想意識找不到正確的方向，如傾向極權主義可使亞洲的蘇聯、中共和印度成爲一大共產主義帝國；如傾向民主和平，印度即成爲亞洲自由的長城，可抑制中共勢力的擴張。但『我在印度尚未得到對後者的確信，如其不能轉變過來，亞洲將整個失去矣。』從這句話裏，也可以看出印度是深陷在矛盾的泥淖中！尼赫魯過份的自信，使他看不見自己在政治領導上產生的錯誤。

尼赫魯與印度的前途

在歐洲方面，對尼赫魯的評論是屬於不可解的政治人物之一。有的人說他由赤化中救出了印度，也有的人說他爲共產主義[illegible]了浸透印度的道路，所以他是自由亞洲的「偉大政治家之一」，但也是第一流的危險人物，至於他的敵人則評他爲有色人種的劣等感的傳染知識者的俗人，他自己的最小的妹妹則預言他，將成爲未來印度的獨裁者。這是因爲鑒於尼赫魯的社會民主主義政治體制有轉化爲國粹主義或共產主義的可能性在。

總而言之，『我與尼赫魯會見後我所獲的印象是：只要尼赫魯在指導的地位，印度是不會赤化的，他對西歐民主主義和共產主義似有精神的優越感，他確信自己的政治可使印度成爲黃金時代，如他的想法正確也許會如此，但如有錯誤時也許印度將難免不成爲共產主義或極權主義。』

綜合上述各點歸納，對印度可以得到這樣的認識：一方面尼赫魯個人英雄主義的矛盾，使他徘徊在自由民主與極權共產之間，一方面是人民的政治思想覺悟提高了，而經濟生活無法改善，經濟的落後性，現阻礙了印度不能在短期間內成爲一個真正的大國，則由於政治與經濟間相互關係之不獲調適，印度人民可能在尼赫魯的矛盾錯誤的政策領導下暴發「革命」，如果印度的共黨在此時能獲得蘇聯或中共暗中的武裝支援，我們也可以相信，尼赫魯的政府將束手無策，那樣的結果，印度的命運就不問而可知了！

印共如何進行顛覆

另外，我們還可以看一看印度共產黨在第四次代表大會上所作的決議（註），也就可以窺見目前印共如何配合共產國際在從事腐蝕印度了。

該決議的八項綱要中最值得注意者爲下述各條：

一、贊成禁止原子武器和大規模毀滅性武器，贊成裁軍；
二、反對東南亞公約和巴格達公約；
三、贊成締結亞洲太平洋地區的集體和平條約；
四、贊成中共進入聯合國；
五、贊成同英聯邦脫離關係。

除上述各項外，並決定堅決進行擴大統戰活動，組織包括國大黨在內的「統一的民族運動」，但同時強調印共必須以「獨立的」民族力量的姿態，充當現政府的反對黨，和印度的所有黨派和革命力量相「合作」！

根據印共目前的決議態度，更足以使吾人相信，印度未來的命運，將難逃避由共黨掀起「革命」而被赤化的邏輯發展，尼赫魯的過於自大和自信，所造成的錯誤，以及印共在不斷的壯大發展中的態勢，均足以支持吾人這一論斷。除非國際情勢在短期內有新的轉變，中立而容共是亞洲任何國家自取滅亡的道路；最近緬甸政府的改組和前總理宇努在交卸後所發表的憎恨共黨干涉內政的談話，該足以使印度人民和尼赫魯的頭腦清醒了。（註）見五月三日中共「新華社」新聞稿。

半週述評

‧司馬璐‧

備戰的預算

中共公佈了一個一九五六年預算，總收入和總支出都是人民幣三百零七億四千二百七十七萬元，按照當前中共的美滙牌價折算，應該是一百三十一億二千一百十一萬美元。

這一龐大的預算中，國防費計人民幣六十一億四千一百三十九萬一千元。

一九五三年，韓戰最激烈的一年，中共的國防費決算是人民幣五十億六千萬元。

這就是說，中共這個平時的預算比戰時的預算還大。這就是說，這個預算是個備戰的預算。

響亮的耳光

李先念在中共的人代會上承認，一九五五年全國之總收入爲人民幣二百七十二億元，支出爲二百九十三億四千七百萬元，赤字二十億元。

李先念指出：造成赤字的原因，是由于上年預算成立後，農業因水災之損失，農民購買力低落，工商業萎縮，影響總收入所致。李先念又說，今天中共「必須繼續加强國防。」

中共在海外的宣傳說：中共的預算，表示「和平」與「繁榮」，以上我們所舉出的簡單的事實，等于給他們一個響亮的耳光。

無名的支出

根據中共一九五六年的新預算，國防費佔百分之十九．九八，稍有常識的人都知道，這一比例是極不可靠的。

中共的國防費歷來都不能包括各項軍事費用的開支，並且每年都移用文化教育經濟建設等項作爲國防支出，這一點，在歷次中共的預算或財經報告中，都有透露過。

去年中共的決算中，在經濟建設一項中，有人民幣十三億七千九百萬元的支出，說不出名堂來。那裏去了呢？是國防費？是特務費？還是貪汚？

戰時的體制

根據中共一九五六年的預算，經濟建設中支出最多的是重工業，試就李先念所列舉的今年一一七個重大建設單位，那一個不與軍需工業有直接的關係？其次中共支出最多的是交通運輸，試就李先念所列舉的今年趕修的二十五條鐵路，那一條不是爲了適應中共戰時運輸的需要？

我們有什麼理由不可以說，從中共這一預算中可以看出，中共的經濟結構，正澈底按照戰時體制組織，準備一個更大的戰爭？

特務的費用

中共是個特務政權，特務費在中共預算中所佔的數字是一個重要的比重，但是這是一個比國防費更要秘密的項目。

中共的預算報告中，關于特務經費有兩項透露：

對內的，包括公安、司法、檢察經費支出共爲二十四億一千零九十三萬五千元，佔預算總支出百分之七．八四。在地方行政預算中，更要佔到百分之二十四。

這裏給我們一個重要的啓示是，中共政權的脆弱性，愈到「地方」愈要依靠特務。

對外的，包括「對外援助和其他支出」共六億六千九百三十一萬五千元，佔預算總支出百分之二．一八。

這裏給我們一個重要的啓示是，目前中共爲掩護他的備戰陰謀，正加强微笑和滲透攻勢。

如前所述，這種特務經費，我們所能舉出的僅僅是這點「透露」而已，絕大部份是極端秘密的，而且隨時可以從別的項目中任意挪用的。

公‧務‧人‧員‧的——

升等考試儲備登記及銓敘問題

‧嚴鑫‧

台灣通訊

【台北通訊】公務員未經考試及格者不得任用已經明文規定，在以往對公務員的任審，大多出於引荐及經學歷證件的審核；出於考試任用的實屬寥寥無幾，於是奔進之弊層見迭出。政府遷台後厲行新政，此一弊端已予改革，規定凡非經考試及格者即不得任用。

四十四年十一月，考選部舉辦首屆現職公務員升等考試，並規定考試及格即可升等，予委任及雇員職員有相當年資者以進取機會，同時亦無異對以往資歷作一次總測驗，故此一制度在當時頗獲嘉譽。然荐任升簡任則不在此限，此與軍職之上校晉升少將者憑功績而不靠年資似稍類同。舉凡考試，總是選賢才實學取士，予無人事關係及不善營鑽者以競爭及進取之機會。論方法；至臻公允，論手段；杜絕宵小之徒奔進而正官箴，使人事制度趨於正軌。

對報名費等的意見

考選部在辦理報名時需報名費委任三十元雇員二十元，考試及格後又要再補繳證書費（該項證書迄今尚未頒發）委任四十元雇員三十元，前後合起來是七十元和五十元。數目不算不大。在待遇菲薄的狀況下，這數目已去了薪入全部的五分之一，應考人爲欲升等亦無法不忍痛出此鉅數。對現職人員的考試，考選部似應編列預算，可況數目畢竟不大，難道說立法院在審核預算的時候有理由可以剔除不成。軍職人員參加軍方舉辦的升等考試自始未聞有需要報名費證書費的事情，而目前軍事機構的經費並不一定會比行政機構寬裕，考選部對此應該多多參考。

現職者寧願參加考試

公務員儲備登記的目的，在於應付將來收復大陸後政府能有大量的行政人員可以派用。當時銓敘部爲了需要登記費簡任六十元、荐任四十元、委任二十元曾引起社會很不良的反應，輿論所及，該部不得不減收一律二十元，當時銓敘部弄得幾乎焦頭爛額。一班營鑽之徒以有機可乘，誰不願謀得一任用資格，於是四出奔走；找證件，請證明。接着便有僞造文書圖利的莊案發生，在莊寓並搜出大小印章達數十顆之多。莊某的製造大量假印章，也就是利用社會心理的弱點，幸經有關單位迅速破案，可是已經有不少人向其購買了，一時成爲社會詬病。該部對證件印信有懷疑時均送總統府印鑄部門鑑定眞僞，鑑定結果出於僞貨者百不得一，其假證件之夥於此可見。他們所僞造假證件，全是大陸上機關或早已撤銷的機關，以爲如此可以死無對證。幸而有鑄印單位可資辨認，（該部對假證件除拒絕計算年資外，並不依法處理。）否則阿貓可以當科長，阿狗也可以做專員了，其後果簡直不堪設想。但是投機取巧的仍繁有徒，他們仍可利用種種方式取得任用資格。在這種狀況下，有些人不願走左道旁門，便不屑爲之。此非不能也，是不爲也，否則又何必經考試之一途？故現職人員甯願參加升等考試而不去儲備登記，其動機純正，其精神至堪欽佩。

考試及格升等的實況

升等考試及格後照考選部規定有缺即可升爲荐任或委任。但事實上並不如此單純，雖然考銓單位有及格名單行文到服務單位，但仍須應考人之小單位專案報經長官核准提升；同時再辦理送審手續，這好像並不是考試及格升等而是出於長官的恩賜了。俟銓敘部核下的結果，始得爲荐任十二級試用，奇怪的；經過儲備登記以荐任試用的却可以以荐任十級試用，前後相差達二級之多。該部固有其法規可資引用，然一憑考試及格；一憑紙證件登記，相差如此懸殊，寧非獎勵奔進而抑考試乎！銓敘部引用法規固無可厚非，但事實又確是如此，如不謀補救此一缺點，即使不會遭致不平之鳴，但憤慨之情將不難溢於言表，該部對此一問題應有補救之道而倡人事於正軌，實爲不容稍緩者也。

拆穿赫魯曉夫的西洋鏡

‧羅稻仙‧

役諸侯者以業

（上接第一版）蘇俄以征服全世界爲目標，不僅不能容忍反共非共國家的存在，也不能容忍中立國家的存在。中立國家一時的存在，祇算托庇於反共非共國家的存在而已；否則，這些沒有起碼國防的中立國家，早已籠罩在鐵幕之下了。所以中立一詞，祇是征服者的一種策略，並不是中立者的本身策略。但蘇俄又怎能爭取那些採取中立政策的國家呢？即蘇俄抓住了這些游移的沒有自衛能力的小國的弱點，使知順我則生，逆我則亡。于是就不得不坐觀成敗，甚且供其役使了。此之謂「役諸侯者以業」。「業」即事，亦即「雜於利害之事」。常人莫不愛利益而懸禍害，重現實而忽遠見；雖明知中了敵人的詭計，還以苟安一時爲得計。不僅前述印埃等國業已走上蘇俄心目中並不存在的中間路線；就是西歐各國除西德和英國外，也幾乎普遍瀰漫着中立思想：其病根即出於苟安一時之一念。最奇怪的，英國對歐陸防務雖甚積極；但對亞洲則採中立政策。這不僅妨碍了美國的歐亞並重策略，甚至鼓勵了蘇俄的西守東攻政策。孫子說：「形之，敵必從之；予之，敵必取之」。蘇俄循此原則，無形中遂使英國的遠東政策，不決於唐甯街十號，而決於克里姆林宮。好像英國對亞洲事務也甘心受了蘇俄的役使；足見孫子在此處下一個「役」字的妙用。

屈諸侯者以害

怎樣纔能逼迫主敵屈服呢？祗須更知不屈服所招來的禍害比屈服更大且速；也就不得不兩害相權取其輕了。此之謂「屈諸侯者以害」。自赫魯歇夫在倫敦口中爆炸了氫彈之後，除美國和西德至今尚絲毫無屈服迹象外，法國要算是最沉不住氣的了，英國也怕毀了具有千餘年歷史的白金漢宮。法外長畢諾看到俄共廿屆全會總決議沒有把世界任何國家——自由中國和大韓民國除外——當作假想敵，且由布爾甯透函與英法簽訂廿五年互不侵犯邊條約；便認爲此後可以放鬆軍備，祗須以社會主義對付共產主義便夠了。英國近因蘇俄問鼎地中海，此後可能提高警覺；但本土地區狹小，工業集中，直覺上最怕吃原子彈。最近華府官方對大西洋聯盟聲望與力量之下落，頗表憂慮，其裏內即基於「屈諸侯者以害」。

蘇俄運用此不戰屈人的戰略原則，正如投奔自由的波蘭共幹貝亞勒所說：「蘇俄現階段對自由世界進行鬥爭策略，是以促進中立主義、分化自由國家，爲主要目的。它最怕戰爭——筆者按蘇俄祇怕大戰，不怕小戰——惟冷戰對它最有利」。故中立毒燄愈高漲，便愈足以壯大共產集團，而削弱自由世界。倘不幸仍按韓戰停火三年來的進度向前走；縱使羅斯福死而復生，邱吉爾返老還童，也難免不使自由世界由孤立而趨於孤危的。雖然冷戰的失敗，並不等於熱戰的一併失敗；試問「爲虺弗摧，爲蛇將奈何」？孫子說：「善將兵者無赫赫之功」。爲其能不戰屈人，或以小戰代大戰也。此種反敗爲勝的高度戰略的運用，是所望於自由世界領導者的美國了。（完）

梅蘭芳聲譽凌駕郭沫若

‧樂觀‧

（本報東京通訊）中共的梅蘭芳劇團，在東京作第一度演完之後，即出發作巡迴演出，約在本月下旬可再返東京。

在東京演出所售的票價最高是一千八百日元（約合港幣三十元），最低是二百五十元。由於多數人對梅的好奇，日本新聞界的宣傳，在野黨人物如片山哲、鈴木茂三郎的捧場和左翼的華僑總會的活動，應該說確是相當轟動的。

衝破政治界綫

中共對日本的統戰，打出梅蘭芳這張牌，其目的就在「衝破政治界綫」。「衝破了政治界綫，讓人們陶醉在梅蘭芳京劇的藝術中」，這是一個日本左翼人士說的話；另一個日本作家德永直更說，「從對日本人民的影響來說，梅蘭芳比去年郭沫若訪日的影響還要廣泛」。從這兩句話裏，已經可知中共的用心所在了。

去年郭沫若到日本，他的活動只限於在學術界、文化界；現在梅蘭芳來了，他對日本社會投下了一個紅色的炸彈。一九一九年和一九二四年梅某曾二度到日演出，那只是個人的藝術。這次來，他是代表了中共政權對日本人和華僑宣傳的。

梅蘭芳無發言權

但是，梅蘭芳在公衆面前出現時，很少講話，發言權在歐陽予倩手上。據福岡回東京的朋友說，梅某到了福岡演出，在座談會上也是不發一言的。從這裏得到一個概念，即梅蘭芳還是一個純粹賣藝的角兒，只管在台上演，可不能對公衆講話。他只是中共用來對日本社會「衝破政治界綫」的工具。

他在東京演出的幾天，因爲擠，票難買，無法看到，月中則他又到福岡演出，據福岡來的朋友說，梅某畢竟是老了，他現在是以做工戲爲主，盡可能避免唱。

他在福岡演完後，還將到名古屋、大阪等地，然後再回到東京。（六月十日）

讀者論壇

談今日的大專教育

‧楊志‧

自三月初教育部頒布之教育兩大改革方案後，輿論極爲激動，尤其是對於第三方案（即有關高中畢業會考方案）各方批評甚多，許多學生家長咸認不可操之過切，要慎重將事。

研究所統一招生

六月二十日下午教育部長又召開了一次學術研究合作委員會會議，與會者計有行政院、省政府有關機構首長以及各大學校長等三十餘人，會中決定本年度各大學附設之十九個研究所招生事宜，也採用聯合方式。以期齊一水準，與國防、經濟、交通等部所屬研究機構加强互助合作。並推台大校長錢思亮、師大校長劉眞、私立高雄醫學院長杜聰明、經濟部工業研究所長沈觀泰，以及各大學教授鄒運軌、黃正銘、凌鴻勛、鄭塑厚等組成專案小組，擬訂詳細辦法（如報考日期，應考科目及合作途徑等）。

教育部繼高中畢業會考升學聯合考試後，又規定大學研究所的招生也採取同樣辦法，這是很值得討論的，憶二年前春天胡適先生返國時，對我國現行教育措施時有針砭之言。記得某次公開集會上，胡先生讚譽美國所以富强，應歸功於教育，最可貴者即是美國立國迄今百餘年來，聯邦政府始終未設有教育部，對於各級教育採取放任自由態度，而後百家爭鳴，學術思想乃易發揚，至有今日的成就。胡先生這一番話語重心長，很值得教育當局反省。

志趣願望不容抹煞

有人說教育部之所以主張中學生升學考試，採用聯合招生辦法，是因爲許多優秀中學畢業生多集中普通大學，而軍事學校却不能招到足額學生，文武學校不能均衡發展的緣故，這說法不無理由。儘管張部長一再聲稱：採用聯合方式完全爲考生減輕報名費用，節省考試時間。但是由四十五年度公私立大專聯合招生簡章看來，本年度共有文武院校聯合招生達二十五所之多，報名費用除師大半價，軍校全免外，一律收取台幣六十元，所謂減輕報名費用，似並不盡然。故這次聯合招生有人說是使優秀中學生勿集中於普通大學是有道理的。今時極艱危，我們絕對贊成優秀青年多多報考軍事學校，但爲達到此目的必須用種種鼓勵辦法方能收到實際效果，諸如提高軍人待遇，改善軍事學校管理待遇方法，以鼓舞青年榮譽感與自尊心，平時多多注意培養青年國防思想，以陶冶青年崇尚武德的情操。若僅僅藉聯合考試方法，恐非根本之圖。根據畢業會考聯合考試實施要點的規定：『考生應依其志願升學，就所有參加招生學校包括文、理、法、醫、農、工、商、教育及軍事九類，排列順序，以便錄取分發。』考生之志趣願望不容抹煞，入學試驗委員會如果不按考生志趣願望分發的話，恐要引起怨讟的。

不可勉强求劃一

再說大學研究所聯合招生，實在值得討論。研究是大學的靈魂，研究所負有崇高的使命。目前各校研究所性質均不一致，若要勉强採用聯合方式，是否行得通，不無疑問。考生之資禀與趣，個性特長，不盡相同，如用同一尺度，同一模型，以求天下之不齊，歸於齊，是很有疑問的。

疲於上課無暇研究

又今日台灣號稱大學林立，但名實不符者在在均是。我以爲專門學校不應該混大學招牌，淆人視聽　大學與專門學校功用不同，前者在培育淘身浴德，特立獨行之士，以促進文化。後者則注重職業訓練，以應社會各方面的需求。此爲今日談教育者所應注意者第一點。

其次，目前大學每週上課時數過多，本月初監察院年度總檢討會所草擬之「對一般政治設施之意見」中，就此種弊端陳述備詳。試問一個學生每週聽課時數高達二十小時乃至三十小時，精力既疲於上課，稍有餘閒也只能應付講義課本筆記，要想將學理作自由的探討與印證，那何啻緣木求魚？此爲今日談教育者所應注意者第二點。

大學缺乏人格教育

最後，我以爲今日社會上士風的敗壞，學殖的淪荒，敷衍苟且積習的形成，都可以說是因爲大學缺乏人格教育所致。現行教育制度使師生之間無從發生情誼，教育是人性的接觸，沒有人性做基礎，無論制度如何周密，設備如何充足，都很難收到實際的效果。此爲今日談教育者應注意者第三點。

教育爲樹人大業，大學教育更是一國文化命脈之所繫，要不計近功，着眼於大處遠處。希望教育當局不可諱疾忌醫，針對時弊，痛下決心，漸次作由近及遠由淺入深的改進。這將較舉辦聯合招生更有裨益，更有意義。

日蘇漁業談判插曲

身份不明自稱公使

【東京通訊】現以蘇俄駐日本公使自稱的前蘇俄駐英大使館參事撒夫拜恩斯基以及另外一位新派助手查蘇夫利可夫書記官的資格問題，已使日本政府感覺頭痛，而正在加以研究中，日本政府認爲，日蘇既未正式建交，何能以外交使節的名義進駐東京？所以撒夫拜恩斯基的公使資格成了疑問；日本政府是承認也不好，不承認也不好。然而妙就妙在日本政府何以當初會簽發予這位所謂公使的撒夫拜恩斯基以入境簽證；尤妙的是撒夫拜恩斯基向日本政府官員說：我的公使的資格只要日本人民承認就夠了；言外之意，根本無視日本政府的尊嚴，他是蓄意藉此挑撥日本人民與政府的對立。據日本政府的官方透露說：現在日本政府對於撒夫拜恩斯基的資格問題，不擬再加審查了，因爲蘇聯政府授權他簽發捕漁證，迫使日本當局必須和他商談有關北太平洋捕魚事宜。

從這一件事情的發展和不了了之的結果，可見蘇聯對日本所施用的手段是相當狡猾的，她要在事實上使日本承認其官員在外交上的地位。此者可視爲是日蘇鬥法的插曲之一。（觀‧六月廿日寄）

大陸水災正厲

蝗害又已到來

大陸水災正尚緊張之際，江蘇、河北等省現竟又發生蝗虫等虫災。

人民日報報導說：江蘇蝗災地區極廣，五月二十三日，「農業部」派出了滅蝗飛機於五月二十五日根據蝗區偵察員的偵察情況開始噴粉。從二十六日到二十七日上午止，總共噴殺的面積已有兩萬二千八百多畝。

中國青年報報導說：河北省滄縣專區，從五月廿日到二十五日，發動了六萬八千多名青年，積極開展除草防虫活動。現並已展開「根除虫害」的競賽。河間南三里屯鄉亦發動了三百三十一名「團員」、青年組織「突擊隊」，開展了除虫除草的紅旗競賽。

天津大公報亦報導稱：浙江溫州、青田、麗水等地也發生了蚜虫，桑螟等虫害。（自聯社）

香港各大專校的學生 免費學生超過一半

熱心人士經濟支持的成功不可抹煞

一般說來，在香港高中畢業的學生升讀大學的機會比較整個東南亞和自由中國各地學生為多，除了香港有足夠的大專學院以外，熱心教育人士對學生作經濟上支持這一點成績更是不可抹殺。

如果沒有熱心教育者經常地設置獎學金與助學金予以大學中求學的學生，則今日香港的十間最高學府是否有足夠的學生尙成疑問。

港大二百五十人免費讀書

即以香港唯一的一座大學「香港大學」而論，在該校的八百五十名學生中，領受助學金或獎學金之類經濟援助的，至少有二百五十名。許多不願公佈姓名的熱心者，暗地裏捐出一個或多個獎學金，使向學的青年受益。至於公開的，即有一個每年撥出三萬元的基金，供給四十名左右勤奮向學的青年，何東爵士生前並有一個每年八百元的獎學金指定撥給一名攻讀中文系的學生，這項獎學金於何東爵士逝世後仍然繼續，香港政府對每年參加大學入學試考試成績優良的十名至十五名學生亦予以免費的優待。

根據報章最近的調查，以目前本港九間私立專上學院的學生而論，在二千四百名學生中，平均每兩人中就有一個受到社會熱心教育人士的資助，獲得免費求學的機會。有等學生非但免了學費，而食住和另用問題，亦一併獲得解決。以新亞書院而言，全校二百十八名學生中，獲資助的學生達到百份之八十以上。

孟氏基金會

孟氏教育基金委員會與孫氏圖書館均被認為本港兩個私人獎學金最大的組織，最近這兩個基金會鑒於就學人數的激增，因此都在考慮將名額擴大，孫氏獎學金決定由一百名增至二百名，已成為事實。孟氏基金會則準備在最近一次董事會中通過將原三百名擴至三百三十名。

孟氏教育基金會本來分助學和獎學兩種，本學年助學金二百十一名，包括全免及半免，此項學金係由各校組小組委員會審查其思想、學科及家庭環境而無須經過考試，但獎學金則必須經過考試，在計劃中的辦法，下學期不但名額增加，而且金額亦增加，使受助的學生的經濟上獲得若干彌補。此外，並撥出三十個左右的獎學金名額，由中等學校負責人從各該校優良學生中挑選及推薦。

孫氏助學金

關於孫氏助學金，係以來自大陸的流亡學生為主要的援助對象，這個獎學金大部份係由自由中國熱心教育人士所捐出，他們指定品學兼優、思想純正，自大陸流亡來港的青年可以優先獲准，每一受助的學生得五十元一月，並以半年為一期。

此外，個別的獎學金亦甚多，如美國西雅圖彬爾祺夫人獎學金，本港受惠的學生十名，每名每年贈美金一百元。商會除了本港獎學金外，而且還有指定專為馬來亞學生而設的獎學金，現在享受這種獎學金的有六名馬來亞僑生，每人每年可以得到二千港元。

至於每一間學校祗限本校學生申請的獎學金，亦有甚多名額，如珠海學院的「伯南獎學金」、「芳浦獎學金」、「珠海助學金」、「蘇氏助學金」一等。新亞書院除本校助學金外，還有「耶魯獎學金」等，崇基學院亦有基督教團體贈與的獎學金。此外，廣僑書院、香江書院、光夏書院、廣大學院、華僑工商學院，文化專校等均有個別的助學金，以使清寒向好的學生得以繼續求學。

學術自由氣氛

據教育界人士對記者說：香港學校的助學金辦法對一般學生說來是有着很大的幫助的，不少學生依賴獎學金的協助而完成大學四年學業。但最主要的目的還是培養與發揚學術自由的氣氛，自由學術的氣氛今天實在太重要了，而年來香港的學生與家長都已切實也了解到這一點，故造成了各學院學生不斷增加的現象。

扶植乎！摧戕乎！

國產影片的前途在那裏？

·孫瑋·

（台北通訊）儘管香港國片自由影人迫於生活，受中共誘惑而陸續轉向，國片生產一落千丈，輿論一再呼籲政府提高警覺，切實執行最高當局扶植國片之決策，莫奈軍床疊屋五花八門的執行機關，公文旅行沓滯，曠日持久，負責無人，對於摧殘國片致命癥結的檢查條例，也未儘速修改公佈，而今又即將施行劃分戲院等級，分別增減票價辦法。此無異是摧殘國片的一把利刃。台北市影業公會為此特於本月九日召開緊急會議，即席決議發出請願書，分向有關機關呼籲，提出如下理由及辦法：

一、近代國家，無不釐定政策，抑制外片，扶植國片，如提高外片關稅，限制進口量，管制外匯等，最重要為硬性規定戲院上映其國片，如英國規定各戲院映英片不得少於百分之四十五，香港各戲院於七十天內要映英片七天，法國戲院每十三星期內至少映法片四星期。

二、政府公佈之戲院分等及調整票價辦法，戲院分甲乙丙三級，甲級照原價平均增百分之卅六，乙級平均減百分之七，丙級平均減百分之卅二。向例，甲級戲映外片，國片則十之八九上映乙丙級，照新辦法推異，國片收入減少百分之七至百分之卅二。三、政府向對甲級戲院無配映國片之硬性規定，故國片到台，每經年累月，不得上映，自新世界改演話劇後，國片映地僅餘美都麗、明星、寶宮三家，美都麗明星今被列丙級，故今後國片排映更難，收入亦更少。此與扶植國片主旨益相違背，國片之益趨凋零，自無待言，為救亡圖存計，建議救濟辦法：（一）仿照各國保護其本國影業配映國片制度，限令全省所有戲院按指定辦法配映國片。（二）台北市甲級戲院以西門區大世界、萬國、國際、台灣、台北五家得輪流配映國片之需要戲院，（因每片必需由西門區戲院及其他各區戲院配合聯映，不能在其他區戲院單獨上映）而以第一、國泰、中央、三家為輔助聯映戲院。（三）西門區甲級戲院配映國片按次序輪流循環放映，不得中斷，每片映期必須含有星期六星期日，不得少於六天，如第五天賣座超過戲院總票數百分之四十者得延長第七天，餘類推，院片雙方均不得採取包底制度。（四）甲級戲院映畢即由乙丙級戲院衔接放映，如乙丙「聯映時得均按乙級票價售票，因丙級與乙級聯映時票價必須一律，否則無法聯映。（五）為實現輔導國片目的，酌予減低國片之捐稅——包括關稅，娛樂稅，防衛捐，及行商稅等。

上述請願書已分送有關機關請求，語重心長，固為熱心維護國片之大多數愛國人士所贊許，亦確為挽救垂危國片之良劑，但以政出多門負責無人之現行管理機構情況論之，恐又終不免有長夜漫漫之感。蓋「急病而遇慢郎中」，況這慢郎中不只一位，何況已不易施救，他們還要往返磋商，公文旅行呢！

新書評介

文論

鍾應梅著 香港亞洲書局 金強印務公司印行 九龍集成圖書公司經售

·邵鏡人·

最近看到鍾應梅教授新著的『文論』，抑是一部有價值的名作。全書約計六萬言，共分十章，最後附錄怎樣研究國文一篇。

中國文學卷籍，浩若烟海，文士、老儒，往往窮年累月，皓首鑽研，但依然摸不着門徑，說不出道理，更寫不出具體方式啓迪後學。到了劉勰的『文心雕龍』才把前人所有關於文學上的議論，都包括起來，幾乎成為千古論文的宗主。清末，民初，桐城姚永樸的『文學研究法』，閩縣林紓的『畏廬論文』，及以前桐城派領袖方苞，姚鼐的義法之說，湘鄉曾國藩的太陽，少陽，太陰，少陰四象之說，都是論文學的專著。不過，他們所作，偏於泥古，雖博大精微，但，初學的人，不易領略，而且，專講原理原則，還是不易運用到創作上去，此鍾氏所謂：『苟固執某種原理原則，雖名家不能有佳作，此乃原理原則出於文學，非文學出於原理原則故耳。』所以鍾氏本於他三十年研究心得，對文學證用，文學義理，及往古各家文學論著，探本尋源，一爐而冶之。並參酌時代精神，以簡淨流暢的文字，發表出來。

× × ×

原書共分十章，第一章引論，二章論研究文學之法，三章論文學之定義，四章論文學與感情，五章論文學與想像，六章論文學與思想，七章論文學與道德，八章論文章之外美，九章論史記之文，十章論古人論文之說。最後附錄，說明怎樣研究國文的方法，各章之中，有源有本，不蔓不枝，並引用前人精闢的議論，以證明他研究的心得。他說：『巧匠不能舍規矩，而規矩不能致人於巧匠。』以我看來，學者得到他所指示的規矩，悉心研究，鍥而不舍，終必能成為巧匠的。

文學是時代的寫照，要配合時代，適應時代，因此，時代治亂興亡，亦往往從文學中可見，然而，文學亦能產生時代。魏晉以還，道喪文弊，昌黎韓氏『文起八代之衰，』以代表唐代的隆盛。而桐城派古文，又流於疏闊，積弊太深，新會梁任公鑑於八股文體，於是創新民體，鼓盪時代思潮。以開白話文的先河。績谿胡適之，倡文學革命，主張廢古文，用白話，以期語文一致，在文學上看來，自然是合乎邏輯具有進步性的演進。但是，不學之徒，避艱深，趨淺易，以為白話易作，從此不肯用工夫講求章法，義理，東拉西扯，信手亂寫，反而叫人看不明白，甚至有拾外人的唾餘，綴三數十個字為一句，更叫人無從索解，凡此之作，皆是胡氏的罪人，也許為胡氏始料所不及的？

× × ×

文字為一切學術的工具，首先要求通順，要求適用，說一事，使人了然首尾，說一理，使人明白眉目，記一境，使人如到其境，記一物，使人如見其物。古人所謂：『辭達而已。』又曰：『言之無文，行之不遠。』因為廣東人用粵語寫出來的，北方人看不懂，江浙人用土語寫出來的，南方人也看不懂，因此，文貴明白，貴適用。明白適用而後，才能够做到『清楚』，『有力動人』，『美』，文學上三個要件。顧亭林曰：『文之不可絕於天地間者，曰明道也，紀政事也，察民隱也，樂道人之善也。』亦即鍾氏所說：『文學者，寫自我之情志，明人事之幽微，其辭則達，其用則遍者也。』故鍾氏文論，已够教人通順，教人適用，教人清楚，有力動人，美，三個要件。特地介紹，希望大學，中學的學生，人手一卷，不但了解文學的淵源，而更明白文章的作法，喜研文學的人，備此一册，作研究參考，發揚光大，鼓舞羣倫，以擴大文學的功效，對於世道人心，國家民族，亦必有莫大的影響。

最後還有一點要提到的：就是這書是文言文寫的，但它能典雅而不流於艱深，能簡潔而不流於晦澀，能暢達而不流於散漫，尤足為現代習文言文的讀本。

編者讀者

「關於審計長被控案」

△立法院新聞室來函：

編輯先生：

逕啓者，頃閱六月二十日貴報第〃五三期第二版台北通訊「審計長被控案的發展」新聞一則有關本院會議討論經過內容與事實並不相符，茲分別說明於後：（一）文中關於「本院委員「白建民在立法院中提出審計長任期問題……結果院會決議白委員所提「不予討論」一節，白委員於十六會期（四十四年十二月）休會前確曾提出有關審計長任期一案，且已列入院會議程，未及討論，至四十五年三月二十日，白委員將原提案自動撤回，本案自無「院會決議白委員所提不予討論」之決議。

（二）上（五）月三十一日立委白建民又向行政院提出書面質詢，院會對該案之處理情形，貴社通訊中所述各節，與事實經過頗有出入，緣當時委員魏惜言、趙家煒、商文立等依照議事規則，提請將此項質詢列入議程，蓋議事規則對質詢案之處理有明白規定，並非「請求」列入議事日程，且不止委員魏惜言一人，委員張九如、郭登敖，提另一質詢案之連署人，亦無委員楊一峯在內。

以上兩點，在貴通訊中未盡翔實，恐外界不明眞相，用特函請惠予更正，是為至幸。此致。

立法院新聞室啓

六月廿三日

立委楊一峯先生來函：

編者先生：

頃閱貴報五五三期，見刊有「審計長被控案的發展」一稿，就中涉及本人，稍與事實不符。查一峯於六月五日立法院會議時曾發言，認為白委員建民關於張審計長之質詢，未盡稽妥，望白委員自動撤回，並無與張郭諸委員另提一質詢案之事。素仰貴報記載翔實，是用函請改正。順頌

撰祺

楊一峯 六月廿二日

洪根松已着令回國

外交部來函：

編者先生：

敬啓者，貴報本年三月廿一日載西貢讀者投書內中，曾提及『洪領事』其人。查洪根松曾任我國駐西貢總領事館隨習領事銜帮任主事。經本部於四十四年九月間令調回部。嗣該員滯留國外，久假不歸，本部復於本年三月間令知着毋庸回部，仍着回國。用特函請查照惠予更正為荷。此致。

自由人報

外交部啓

△慕容羽軍、魯午、紅纓槍、羅稻仙、謝宗安、原子、公生丑、小輪、倪古丁、思古、天生、崔外、張瘦碧、雨辰、陳宇澄、顧樹型、張文普諸先生賜稿均已拜收，至感幸。

△代郵：鍾靈先生函悉，大作如不急於刊出，可請先寄下。

× × ×

改制後的陸軍官校

·天生·

（台北通訊）六月十六日，是陸軍軍官學校成立卅二週年紀念。該校的前身是黃埔軍官學校，在廣州成立，後來遷校南京，改名陸軍軍官學校。抗戰時遷校成都，直至民國卅九年，大陸沉淪，才第三度在台灣鳳山復校。

回顧陸軍官校校史 眞可說是在革命中誕生，在革命中成長，在戰鬥中壯大。歷屆該校的畢業生，在捍衛國家的立場上，也大都能發揚我中華民族磅礴剛正的傳統革命精神。去年該校奉命改組，仿照美國西點軍校的優點，實施四年制的大學教育。其目的在造就復國建國的通才及培養軍事大才。教育內容有科學，兵學，哲學，及生活教育四種。其中尤以科學教育為最重要，佔全部教育百分之九十。畢業後可取得國家軍官資格外，並授與理學士學位，亦即成為國家建設的工程人才。

軍校的教育方法 是採用一課一習的方式，每授一課之後，跟着就是自習和討論，教授始終不離教室，勤加輔導，務求學生對每一課程都能融會貫通。此在一般大學是沒有的。關於軍校教育設備，經數年來的努力，已頗具規模，理工科的各種儀器設備，比之一般大學毫無遜色，凡曾往參觀過軍校的中外人士，莫不交口讚譽。

至於教授陣容 學術界也一致認為相當堅强，教務長林一民氏，是有名的老教育家，歷任中正大學校長，復旦大學教務長，及台中農學院院長等職，有廿多年的教育歷史，桃李遍天下，其餘各科系主任和教授，也都是國內外知名學者，教學經驗均甚豐富。

關於教育費用 據該校副校長張明少將透露，改制後的軍校，教育出一名學生要化費十一萬元，如果設備費計算在內，每一名學生就要化費四十萬元。國家培育人材不易，故教學極為認眞，務求每個學生都要教育成功，以擔當國家大任。

總之：改制後的軍校教育，是一劃時代的軍事教育，它將為陸軍開一新紀元，也將為中興復國奠定深厚的基礎。因此投考軍校的資格，一定要高中畢業，其品格，儀態尤為注重。希望有志於此的青年朋友，前往投考。

自由談

知識分子的道行

馬五先生

最近中共對海外猛力發動統戰攻勢，而以知識分子爲主要對象，有些過去在大陸上恃國民黨爲衣食父母，曾經煊赫於黨政各界的人物，偶爾接觸到共黨的統戰臭味，心旌即不免搖搖欲墜，因而牢騷滿腹，認爲現在台灣的國民黨執政當局負我良多，頗有「不南走粵即北走胡」之概。

我過去讀這類朋友的文字，即揭示一項問題請教他：今日中國人的反共鬥爭，究竟是國共之爭呢？抑是全民族的自由與奴役之爭？如果是前者，那就無話可說，既不滿意國民黨，自不妨投靠共產黨，誰給我糖吃，我就擁戴誰，沒有甚末。如屬後者，那就是思想與信仰問題，天下人皆去投共，我爲要爭取自由生存，亦非反共不可。反共並不是替那個野心家或某一黨派爭權奪利，而是爲着自己的自由生存啊！大家祗要揚棄了「國共之爭」的觀念，對於共黨的統戰魔術，便如道行修煉有素的高僧法師然，眼前所見的一切妖魔鬼怪，惡形美色，都不過是些幻相，爽然無動於衷的。有了這種認識和修養，才算是有爲有守的知識分子，才可以避免小資產階級意識形態之譏。至於不滿現狀，那是社會進步的動力，我們要以這種動力來批評、建議、糾彈、或者改造它，再不然，更可以創造時勢，以反共大業爲己任，有爲者亦若是，何竟因爲個人一時的利害得失，而不惜盡喪其所守，自暴自棄呢？

不過，要消除「國共之爭」的不正確觀念，今日領導反共救國大業的執政人物，責任也很重大。在野的人士縱然否定這種觀念，然在朝者若遇事不知不覺地給人以如此這般的不良印象，那就不啻是前面產生薑，後面喊不辣。我所數陳的這些道理，乃變成一堆文不對題的廢話了，吾爲此懼！

溥心畬先生二三事

陳宇澄

天海茫茫冰輪夜湧，中原不見山河影，待將旋轉舊乾坤，極目登台風雲近黃昏。關塞千重邊疆萬里，暫陽龍會風雲起，澄清宇宙，鑒金甌楊柳春風重上酒家樓。——踏莎美人詞，留月，心畬先生旅日作

心畬先生上年春，應韓國擅學院之邀前往講學，歸途經日，小住倏已經年，歸期在即。爰憶先生二三事，拉雜記述：

一、

卅七年國大在南京開幕，心畬先生爲少數民族代表離平，留京數月。國大閉會後，即赴蘇杭一帶遊覽，在杭，舉行畫展，盛況空前，書畫訂購一空，得款法幣二億，倒沒有官家捧場。西子湖光山色，他也就一住兩年，流連忘返。遍遊天目富春，兩浙名勝。觀潮賞梅，及時行樂，訪古探幽，遊常人所不常遊的地方，江南諸勝，儘多遜清聖祖（康熙）和高宗（乾隆）的遊蹤和手澤，憑弔唏噓，不無故國之思！暢遊之餘，作詩作畫。好讌飲，近乎饕餮，却怕官式議會。這一般時間的生活，過的似乎十分愉快。

卅八年四月，大陸局勢逆轉，杭垣突然緊張，走避無法，乃自某招待所匿居西湖昭慶寺一民房小樓上，一桌一榻，夜來風雨，正是小樓昨夜又東風之概。時客來很少，若閻侯嚴某三數知己，却是風雨無阻，論文觀畫，縱談古今，非過子夜不散。獨此小樓，似乎尚存一息悠閒氣氛，蟄居月餘，尚無驚擾，蓋戰事未止，所謂「約法八章」，尚未露出眞正之猙獰面目也。旋上海不守，滬杭公路通車，某晨化裝古董商人攜眷搭運貨卡車走避上海，以圖南行。途中經過數度檢查，抵滬投宿新亞飯店，恐人所知，連夜遷揚子飯店，不數日再遷愛文義路某公寓，公寓居停主人已離滬，遺有床桌瓦斯灶，可以省宿舉炊，深居簡出，生活頗爲困窘，不得已將文徵明蠅頭楷書全唐詩兩册，低價出售，以維生活。

不數月，西南戰局迅速逆轉，乃決定飄然渡海，九月某夜，攜書畫行李，僅攜書畫稿數捆，短裝如小販，自楊樹浦搭一葉漁舟漂海舟山，舟小人擠，默然相對，各懷生死搏鬥沈重之心，隨海浪起伏，自吳淞出海，忽轉北風，鼓帆疾馳，雨絲撲面，天昏海黑，人臨危急存亡的時候，反把生死置之度外，如遇匪艇截劫，不若葬身魚腹。迷濛間，天忽破曉，有小島在望，風息浪平，飄然滑入一荒涼漁港，轉赴定海，舟山情勢顯已十分緊張，守軍司令談漁舟若不依照規定港口泊岸，便遭射擊，此舟却不知不覺中已闖進此荒涼漁港，未遭意外，眞是托天之福了，次日搭機飛台，甫離魔掌，一夜驚濤險浪，機飛晴空，碧海眼欲眩，正是飄飄然羽化登仙。這是逃離大陸來台的經過。

二、

先生於民初自德留學歸國，居平郊西山二十年，故號西山逸士，七七抗日戰起，倉卒不及出走，困居西山，敵僞恐香脅迫，相不出山，卅一年（歲次壬午）於天津大公報刊登「臣篇」一文，痛詆敵僞，表明心志。（筆者按：臣篇一文近又刊載於台北暢流十三卷八期）困居西山的生活，極度困苦，自比伯夷叔齊，在先生詩文中常可得見。卅三年秋，遜清侍郎陳蒼虬先生經天津擬投「滿洲國」，先生曾去函勸阻，今錄其原函如次：

「前聞有遼東之行，復以不合而去，甚善，易曰：知進退存亡而不失其正者，其惟聖人乎，又曰吉凶悔吝生乎動者也，動不以時，且曰不可，況當存亡之際，行止之間哉，今滿洲國家，日本所立也，名不正矣，言不順矣，而又剪刈我公室，羈策我人民，申其符命，領其軍器，彼方奮累世之業，逞武人之志，並吞大國，萬里趨利，西遠德義，爲天下敵，料其敗衄，將不旋踵。我助其虐，同其禍天下，誰能與之，諸公忘其累卵，安於積薪，鄭無待晉之謀，獨絕通吳之使，坐俟其敗，不使無虞，儒竊惑焉，且夫三省之利，日本與俄共之，日本不能有，則俄取之，猶外府也，將於此時，觀釁而起，因其弊而乘其利，若劫乘輿，挾其臣民，北狩之禍，必見於今日矣，而於此時致身其間，將與其難，非智士也，不與其難，非忠臣也，殺身則傷仁，保身則害義，足下將何居焉，易曰介於石，不終日，今滿洲危亡，見其幾矣，足下之堅貞介於石矣，去之不待終日，則猶可及也，得七月十日書知又有遼東之行，近揆事勢，遠引易道，敢盡言於足下，亦惟少垂察焉」。

陳蒼虬先生便止於天津，從這封信裏，回想當時情形，再看今日東北情形，可以知道先生的學問人格是如何了不起了。

三、

自古讀書人都有一種超然不可攀的氣質，眞知灼見，是非分明，不爲利害所動，更無求於人，激遊林下，寄情詩畫，或者講些不合時流的話，著些不合時流的書，話不投機，竟渾然不辨東西的模樣，在台灣數年，著有六書辨正，爾雅釋言經證，四書經義集證，新千字文等，都沒有付刊，去年一册畫論，授「獎」二萬元，獎得叫人不好受，先生旅日經年，歸期遲遲，東京來客云，彼邦有推崇先生爲朱舜水先生第二云云，惟先生來信，俟書畫展後，將於本月底返台。

漫談三娘教子

——並述薛保之唱做——

張瘦碧

教子，原爲雙官誥中最精采之一折，頗能感動人心，記得梆子腔，崑曲弋腔中，亦有此劇，實因劇情，太富於人情味，處處表現出中國的固有道德，所謂表忠除奸，彰孝倡義，尤以薛保之義，三娘之節，終將倚哥導入正軌，發憤求學，功名成就，結果父子榮歸，闔家團聚，足以警惕人心，矯正世道，促使衆心向善，養成優良風紀，是值得稱譽的劇本。

我們看，在機房中訓子這段情節裏，有老生，青衣，和娃娃生，唱做，白口都很吃重，尤其在各人的身段和表情上，要保持身份，風度，一定要遵守範圍，隨時流露出溫暖的人情，和誠摯的忠義，在薛保的老生一角，對三娘奉爲主母，對倚哥視若骨肉，此等忠厚長者的作風，在社會上可說是不可多得的一位忠義之僕。就扮相言，掛白滿，穿薄底鞋，是位年紀够老的人了，所以不論是唱，是白，是身段，都要力求沉着，應該崇尙穩重。換句話說，唱的味兒，應該避免花腔，白口要斬釘截鐵，乾脆利落，雖然不能暴露龍鍾之態，但決不能過分賣弄，做到爐火純青，實屬不易之事。前人謂老生與鬚生，本不可混爲一談，皆有差別，如今已經甚少人在此點上去講究了。

薛保在此劇中的唱詞，有兩段二簧原板，和一段搖板，比較重要，唱得適當，皆可傳神，能够悟得其中三昧，自然能毫不費力，博得不少采聲。「小東人，下學歸……」之原板，要能顯出滿腔疑慮，袒護小東人，一方面勸三娘不要生氣，有丈二和尙，摸不着頭腦之感。第二節原板，仍在疑慮未釋中，所以依舊未減愁雲。即至看到三娘眞的把機頭割斷，更是着了慌，一時手足無措，這時一段搖板，含着沉痛的悲憤心情，每一個字都在十分愴痛中流露出來，沉吟低徊，純屬眞情實感，處處打入心弦。照理說這段唱詞，應該多用悲腔，少用高調，才能表現出悲壯愴懷，眞是一位忠義之僕。有人說第一句「見三娘，他那裏，把機頭割斷」之斷，可以翻成高音來一嚼調，可以博一個滿堂采，我總認爲這是畫蛇添足，何必使用大勁，弄得不合劇情。

等到「聽罷言來才知情，回頭埋怨小東人」，這時的薛保才恍然大悟，迅即囑咐東人到三娘面前領責，而內心又不忍小主被打，一連串□面，都在激發忠義，感動人心。或云這部雙官誥可以稱爲「忠義節義」，此語誠確。

上海最早的報紙

瘦影

在遠東最著名的地方，是上海和香港，上海有東方巴黎之稱，香港是南中國的門戶，都有「近代化」的建設。上海是擁有全中國半數人口揚子江的門戶，不僅商業發達，且爲實業甚地，它對中國社會的影響力頗巨，如此之環境，故爲全國最大的新聞紙發祥地而僅次於香港。

中外新報創刊於一八五八年，爲中國最早的現代新聞日刊。其次是上海新報。上海新報早申報創刊一世紀，比上海最有權威的英國日報「字林報」（NORTH CHINA-DAILY NEWS）的週刊北華捷報（NORTH CHINA HERALD）亦早，它僅有十二年的壽史。

上海新報創刊於一八六一年十一月下旬，初爲週刊。次年五月七日以後，改爲每週二、四、六出版，十年後改爲日刊。新報的「第一等新聞」，是藉着外人和教會的關係，而刊載當時太平軍與清軍的交戰消息。因爲政治上的關係，外人既支持滿廷，新報亦立在清政府方面報導消息。新報第一任總主筆是華美德（M.F.WOOD），次爲傅蘭雅（J.F. S[illegible]），再次是林樂知（Y.J.ALLEN）。華美德和林樂知是美國監理公會遣派到上海來的宣教士。傅蘭雅是英國教會的差士。林樂知曾創設萬國公報，和中西書院。新報助編爲國人董明甫氏。

新報獨占上海華文報壇約十年。後來申報在一八七二年四月三十日創刊，新報遇着這位勁敵，於是不得不力圖奮鬥競爭，首先援減定價，由四元減到二元銀洋一年，增闢副刊，種種改革，費盡心機。

同光風雲錄

夢山樓

馮子材（下）

越民簞食壺漿以迎

越南人民苦法軍之慘虐久矣，至是皆踴躍起，有力者糾衆樹馮軍旗幟以助戰，無力者亦簞食壺漿而勞師。故所部過之處，無不遮道歡呼，途爲之塞，子材一一嘉勉而撫慰之，且毅然以保國疆，定越亂，抗敵國自任。於是派軍攻郎中，分兵規北甯，當是時劉永福亦在他處敗法軍，法人乃大懼。然而，昏庸無能之清廷，竟與法議和，遣下罷戰詔。子材憤極，仍請戰，不報，乃率師返，去之日，越人號泣送別，如喪考妣，子材亦揮淚不已。既入關至龍州，軍民拜迎者三十里，奉旨會辦廣西軍務，晉太子少保，授三等輕騎都尉，旋調雲南提督，稱病懇辭不准，又加尙書銜。維時，邊境盜賊如毛，此剿彼竄，亦時遁入越南，聯合越匪，猖獗更甚。子材乃密檄副將劉玉成，吳天興，參將黃興仁，各率勁旅，分途剿辦，亦嘗親臨前綫督師，未逾一年而匪亂平矣。

中日事起待命江南

惟越南土匪，依舊竊起，越王咨乞廣西巡撫蘇鳳文代奏，請兵援剿，朝廷命子材率三十營，共一萬三千人，入越勦辦，途由鎭南關進發，剿撫並用，所向無敵。正擬班師凱旋，而已撫之匪又復叛變，子材怒甚，乃再剿辦，始平。會値中日事起，奉旨率部至江南待命，未幾，和議成返防，仍回本官。

越年，拳匪亂作，戕教士，毀使館，演成險惡之局勢，子材聞而慨嘆，乃疏陳願督師入衛，德宗雖嘉其忠勇，而格於時勢，不報。旋以老病解職歸故里。次年，廣西土匪滋擾，岑春煊奏請子材出治團防，方募練成軍，率二子前往，詎料中途遘病而歿，時年八十六，諡勇毅，優卹。

治軍四十年寒素如故

子材軀幹不過中人，而朱顏鶴髮，矍鑠雖少壯弗若。性豪邁，有氣誼，大義當前，冒死不少怯，生平不解作欺人語，愛軍餉，躬自監視，但稍短，輒罪司軍餉者。治軍四十餘年，寒素如故，惟每念故舊官退不稱，未嘗不涕淚下。中法之役，擢强敵，揚國光，實爲中西戰爭史上第一紀錄，倘使清廷不下罷戰命，其成功不更巨歟？卒後，張之洞電兩廣督部云：『萃亭軍門，戰績甚多，鎭南關，諒山，兩敗法寇，以軍門爲首功，允光史乘，其人忠貞無私，淸廉正直，無愧古來名將。』一誠定評也。（四十二）

徵稿啓事

△本報擬徵求下列諸稿：

一、三千五百字至七千字左右的短篇小說，不限體裁和故事內容。一經選用，優先奉送稿酬。

二、台灣及海外各地自由文壇的動態報導，作家生活素描，及過去文壇珍聞。每篇以不超過五百字爲佳。

三、介紹海內外自由科學家、實業家、醫護、教育家、工礦業工作者的人物專稿，對象以現在從事於工作者爲最佳。來稿不宜超過一千五百字。關於軍政界人物稿件以散見各報者已多，請暫勿惠稿。

△▽　△▽

丙申修禊歷史文物美術館

林熊祥

決驟駒陰去苦多，花開花落奈春何，五年山館臺修禊，此日闌樓又放歌，舊德諸朝留美術，吾儕四教育文料，艱危玉汝彌增氣，欲挽頹波踵永和。

前題

毛一波

蘭林鶴有亭台勝，文物衣冠異昔多，思古幽情於此發，渡江故事奈之何，七年一艾心爲病，斗酒雙柑髮已皤，望眼長安傷道阻，水邊指點麗人過。

江城子

即姑蘇台近次臧懷軒玉蓬果兩先生韻

刁抱石

一彎眉月嵌天空，亂微風，過簾櫳，好夢難成，喧枕數聲鐘，靜夜捫心心欲裂，人久客，水長東。

春深恨事漸重重，寂寥中，盼諸公，團結精誠，早日搗黃龍。自信文章能報國，邀執筆，等從戎。

自由人

THE FREEMAN

（第五六五期）

中華民國僑務委員會核登記證台教新字第一第二號
中華郵政台字第五〇〇號
執照登記爲第一類新聞紙類
（半週刊每星期三六出版）
每份港幣壹毫
台北市售價台幣壹元
督印人：陳文華
地址：香港高士威道二十四號四樓
3 rd, fl, 20 CAUSEWAY RD HONG KONG
香港發行及事務接洽
高士打道66號　電話：七四〇五三
承印者：東南印務出版社
地址：高士打道六十四號
海外總經銷
友聯書報發行公司
香港：德輔道中二十六號A二樓
台灣特派員辦事處
台北市館前街五十號
台灣總經銷處
台北市西寧南路登賢號二樓
台郵撥儲金戶九二五二

中共和平攻勢之分析

·伍憲子·

不必說到世界，只說中共，在此數月間，以參觀廣州所開之蘇俄工業展覽會，與捷克工業展覽會爲名，放寬港澳僑胞歸鄉之禁。因而附帶邀請不少知識分子返大陸，回港之後，就不免議論紛紛。此篇所記，即根據他們所言，再參加我的判斷。

從一篇杜詩說起

「意外忽傳收薊北，初聞涕淚滿衣裳，却看妻子愁何在，漫捲詩書喜欲狂，白日放歌須縱酒，青春結伴好還鄉，便從巴峽過巫峽，直下襄陽到洛陽」，此唐代詩人杜甫爲避安史之亂，入蜀數年，夢寐之間，猶想收復兩京，忽而聞收薊北，意外之喜，至於涕溺，此是歸鄉之一種現象。至於今日港澳僑胞之歸鄉，則情形全異此。當然，他們亦盼望大陸之收復，然盼之久而失望，屈指經已七年，懷念故鄉，人之常情。不得已而思其次，能歸鄉，其所濶，雖爲時甚暫，亦勝於遠隔懸念也。中共就利用此點，放寬歸鄉之禁，以發動和平攻勢。但此種攻勢，不能滿港澳僑胞之所欲，亦不能引起港澳僑胞之普遍注意。只是不得已而思其次之短時期刺激，而且去時尚懷滿腹疑團。在此種情形下歸鄉，到底中共所得利益何在，能否藉此減輕港澳僑胞厭惡之心，懈怠反共人士之意志，對於做統戰工作者，便利多少，我們不妨細心考察。

普通人歸鄉的心理

在鐵幕重重封鎖之下，許多謠言，皆足以震撼其心靈，雖不必一定深信爲事實，然好奇之心，總想一查眞相，此港澳僑胞所懷抱之普通心理，利用放寬入口之機會，以求一實現之。故在中共言之，放寬入口，引誘歸鄉，是一種和平攻勢。在歸鄉人方面言之，懷抱百聞不如一見，求細查究竟之願望，亦可說歸鄉者之和平攻勢。聞此數月間，歸鄉隊伍，均有二十萬人，中共所得歸鄉者帶回之款項，平均每人以港幣二百元計，已得四千萬元，此是中共所收之利益。然此二十萬之歸鄉隊所得印象如何，其入腦最深，永久不能忘者，則是所有親戚朋友之貧窮狀態。粗糲不飽，敝衣不暖，絡繹排隊，購不到一家數口一月分配數兩之油，營養不足，體日特盲，除相抱痛哭幾場之外，說不出一句安慰之話，此是最普遍之現象。蓋經多次清算，與巧取豪奪之後，人民肉盡見骨，所有肚皮，皆受共黨控制，其毒辣殘酷之手段，比秦始皇卅萬倍。秦始皇只控制武器，收天下兵器鑄金人，十家尚有一刀，粮食尚算豐裕。今中共計口配給，幾不許人民有隔宿之糧，歸鄉親朋，多住幾天，便無食料，要申請配給。傳曰：「室如懸磬，野無青草，何恃而不恐」，此種情形，入於二十萬歸鄉隊眼中，比之被十師敵兵侵入，其損失或更大，此則中共所忽略而不自知者。

中共所自驕傲者爲何

增加生產，是中共之口頭禪。事實上則土改之後，所謂集體農場，耕具缺乏，耕牛多死，人力偸懶，農產品之成績不佳。工商業則以壓力吞併商股，名爲合作，實則充公，合既假名，作於何有。所謂商股，偶然亦分得些潤，然不許私蓄，依然存在公家，有等於無，利又安在。故合作只是空名，離心到是事實，有耕地，而無得力之耕丁，有工廠，而無充足之原料，有商店，而無暢銷之貨品，一切都是宣傳粉飾，國內幾個最大都市，光景如何，以廣州例之，當然亦同一冷淡。蓋人民皆缺乏購買力，「百姓不足，君孰與足」，無論在政治上，與經濟上着想，均不是好現象。最近中共財政部長李先念，在其「人代會」之報告，謂工業生產，只是量的增加，而質的低減，又生產的成本增高，利潤的計劃，歸於幻滅，此話已不啻將數年來之虛僞宣傳，到圖窮匕現時，自已戳穿。蓋中共根本政策之錯誤，是疲民力以供軍，民族資本破產，現在將所有大陸出產品盡量運港，套取外匯，致內地人民求四兩油而不可得，此已到二世祖變賣傢俬賣米階段，試問再有何能力支持下去。百聞不如一見，此種衰弊情形，已一一呈露於二十萬歸鄉隊眼中，再掩飾已不可得。

萬里長城與大監獄

中共之和平攻勢，在歸鄉隊之意識中，有認爲差強人意，值得稱道者。如馬路之修理，鐵路之通車，河堤之修築，河道之開掘，市街之潔淨，盜賊之斂迹，乞丐之減少，諸如此類，在普通人眼中，總認爲有辦法。其實拆穿西洋鏡，是極爲殘暴者一時間必然之現狀。因爲挾雷霆萬鈞之勢，假借人民名號以行之，比專制帝皇來得巧妙。故秦始皇可以築萬里長城，隋煬帝可以開掘運河，在歷史上大工程，總算成功。共產黨之濫用民力，比秦始隋煬尤暴，區區修道清穢，開河築堤，算得什麼辦法，至於盜賊乞丐之減少，不顯得是政治修明，祇顯出是民窮財盡，蓋已盜無可盜，乞無可乞，而且在暴力統治下，等於在大監獄之中，監頭手段刻酷，斷不許監犯在獄中偷盜，乞其他監犯之囚糧。故稱讚監獄中無劫案發生，無乞兒強乞，此話不能使人發生興趣，更不能作爲監獄官之德政。然而二十萬歸鄉隊中竟有認此爲可稱道者，中共對人民之和平攻勢，惟此比較收效。

瞞騙文化人的手段

蘇俄工業展覽會中何所見，不聞有人稱道。捷克工業展覽會中何所見，更不聞有人稱道。惟是廣州博物院中，陳列康南海梁任公之相片，與許多墨蹟，則有人嘖嘖稱奇，驚爲意外。因爲共產黨是排斥黨外一切文化人者，中共當亦不能例外。尤其是繼國民黨二十年專政之後，康梁久受攻擊，梁任公蔡松坡雲南起義，打倒洪憲之史實，亦有人想抹煞之。不意中共在博物院中，有此出人意想之表演，雖然，此是博物院中人，到底不敢抹煞歷史，此種手段，似比國民黨高明。近數年來，中共對中國近代歷史，似相當重視，如太平天國掌故，戊戌維新掌故，皆大量收羅，列印數鉅冊，爲之流通。對太平天國之宣揚不足奇，國民黨尚能做到，對戊戌維新之宣揚，則國民黨所不做者。回憶數年前，友人在北京郵寄我一本梁任公舊著，北京郵政局特蓋了一個免檢查印章，當正在嚴格的改造思想，變換人的頭腦之時，我以爲此種涉嫌反動之書。

【下轉第三版】

社會領導者的歷史考驗

·陳克文譯·

現在旅居南美阿根廷的蕭立坤先生，爲提倡科學救國之最力者，他對於今日提倡儒家學問，常示不滿。頃郵寄美國管理學會會長布雷休（F. F. Bradshaw）去年十月在該會會刊上所發表的短文一篇，原題爲「高尚乎，抑廢物乎」，囑譯刊「自由人」，並附一函，中有句云：『如能譯刊「自由人」，當使那些醉心「固有文化」，「中醫」，「易經」的先生們，略改眼界，當較弟人微言輕，功效較大』。

布氏此文涉及我國科舉考試，不知何所根據？科舉取士早在一九〇二年（光緒廿八年，壬寅），已經正式取銷，布氏竟謂一九〇五年尚以科舉取士，且所說的考試方法亦與科舉制度不符，蓋吾人從未聞有所謂逐句背誦經典之事。惟此可見若干西方人士談中國文化，往往道聽塗說，羌無故實，殊可笑也。惟布氏認爲談生活方法（文化），非倚恃「保存」，「醃藏」，或「防腐」所能爲力，必須能「轉變」與「生長」，必須創作；固爲今日從事文化工作者金石之言。

「管理學」爲美國現時極力提倡的一門學問，以今日美國工商業之蓬勃發展，此當爲適應實際需要的自然發展，布氏認爲此一學問足以對付共產黨的挑戰，則不免是美國人對反共方法的天眞想法之一例。茲譯全文如左，藉供參攷。

——譯者——

社會進步與工藝進步

人類差不多經過二百萬年的時間，才眞正知道用火，經過二萬年才知道用水蒸汽發動機器，經過二百多年才建立現代的工廠，經過二十年才知到分解，融合，電化，和計算，然後有了第二次的工業革命。故工藝進步的速率是依照幾何級數的速率，愈來愈快的。因此，人類的社會進步如果落在工藝進步之後，則其結果祇能變成歷史的陳迹。

歐洲、用幾何學和火器，使那些祇知使用算術和弓箭的印第安人退居於特定的居留地。現在的印第安人雖然已經知到使用幾何學，也會計算了，但已經太遲，不能夠恢復他們大陸的故土了。他們老一代的人直至死亡（或被殺戮），都不能夠應用新的工藝。

一九〇五年的時候，中國每年有二十五萬青年參加政府職位的考試。考試方法包括逐句背誦中國文學中的十一經（有些爲數千年前作品），和製作古詩，其形式和內容都和古典無異。（譯者按，所謂十一經或爲十三經之誤）這便是廿世紀，中國選取政府行政人員管理國家事務的方法。這種管理方法發展的結果，隨之而來的，便是革命，殺頭，貪污，苦難，殺人，放火，洗腦。

工藝的進步，將使古典從「高尚」變而爲「廢物」。在這動力——電子——時代，我們生活方法的勝利，並不是倚恃「保存」，「醃藏」，或「防腐」所能爲力，必須倚賴「轉變」與「生長」。這種任務之完成必需創作，而且不能限於少數的中心，必須擴及各方面。

文化的發展，從中心以至於邊緣，必須由卅年縮短爲五年，管理的人，若祇知蕭規曹隨，而不能具備領導精神的，如非受譴罰，即須引退；不然，必須能夠發展進步。唯一的美國方式，在於能夠發展，但止限於分析並無發展之可言，必須朝乾夕惕，自求進步，才能發展。

要把權威分散

教育，以「保存文化」來替代「管理」的力量，則社會的領導者必將受到譴罰，茲已有歷史的明證。本世紀中期又是我們這一代的社會領導者受到歷史試驗的時期了。

今日，在美國，我們獻身於自由。自由的意義乃把權威分散；使個人，團體，和社會，能自行創作，自行選擇；個人的行動出自本身的決定。然而創作的分散必須先有智慧和技術的普及。除非個人，團體，和社會能了解現代技術及其發展，否則無從爲力，勢必和印第安人挾弓箭之力以與我們的祖先相周旋無異。將來，必定日趨暗淡，和中國的讀書人不能長保其「高尚」地位一樣。

接受赫魯曉夫挑戰

管理協進會（Society for Advancement of Management）每一分會所重視的，都在於他們自己的團體管理，管理的原則不能採取因循，模彷，徘徊，開倒車，或沉淪的方式。而且要協助他們的管理，改進他們的公司或團體的工藝技術。

赫魯曉夫說，共產主義的蘇俄不需要戰爭。他說，蘇俄能夠從科學，工藝，工業生產，和工業家的努力，以打倒資本主義，而贏得和平。

管理協進會接受赫魯曉夫這一挑戰，因此號召六十個分會的七千信徒——一致奮起，但非爲戰爭，乃爲自由工作，與分散領導精神。（完）

半週述評

·司馬璐·

何謂「統戰」？

最近北平中共「人代」舞台，演唱「統戰大戲」，中共「總理」周恩來，統戰部長李維漢皆親自登台，連梅蘭芳的鏡頭也被他們搶了。

何謂「統戰」？「統戰」本身是極權主義的產物。在民主國家，每一個人都是獨立的「個人」，從來沒有「統戰」這個名詞，所以「統戰」政策從來也沒有人想過，你「統」我或者我「統」你。「統戰」是與極權主義俱來的，「統戰」者，必先有一個完整的主體，去「統」零星的散漫的個別的對象。

「小統」與「大統」

事實上我們知道，所有的共產黨從成立的第一天起，就採取「統戰政策」。俄共在奪取政權的過程中，先有二月革命，後有十月革命，「統戰」也。中共成立後不久，即要求參加國民黨，統戰也。毛澤東說過，中共的勝利，得力于三樣武器，即黨的組織，武裝鬥爭，與統一戰線。共黨之有「統戰」，並非自今日始。但是，嚴格的區別，則有「小統」與「大統」之分。

何謂「小統」？「小統」泛指共黨在未奪得政權前的滲透活動與僞裝姿態。

妓女與老鴇

例如當年毛澤東舉手高呼「蔣委員長萬歲」；郭沫若寫過一篇「在轟炸中來去」，把蔣先生頌爲神明的文章，在性質上都屬于「小統」。

共黨的「統戰」，本身是一種下流的政治行徑，形容這種下流，只好也用一個下流的譬喻。「小統」等于是街頭拉客的妓女；「大統」則是開窰子的老鴇。

李維漢說，共產黨答應對黨外人士「給職給權」，換句話說，就是「給飯吃」，不過「給飯吃」三字說來不雅，有些即使肯做妓女的也是不愛聽的。

「顧慮」與「保證」

出賣青春是有時間性的，何況，中共今天勾引的對象又都是些「人老珠黃」的貨色呢！

李維漢說，很多黨外人士都顧慮，共產黨能和他們合作多久？

換句話說，這些人「顧慮」的是，他們的「色相」能賣多少時候？共產黨（老鴇）什麼時候不要他們？李維漢針對這些人的「顧慮」，提出所謂「民主黨派長期共存」的保證。

李維漢這「保證」靠得住嗎？

「寬大無邊」嗎？

假如試做一個統計，共產黨過去的「保證」一共有多少？然後再證之他們的行爲，那數字一定是駭人的！

因爲共產黨人欺騙的話，我們全忘得乾乾淨淨了！人們如果不健忘的話，當還記得，過去有許多在中共「既往不究」的「保證」下回到大陸的人，後來並未逃過清算鬥爭，共產黨怎樣解釋這樣的事實呢？當中共需要你的「既往」要「究」的時候，他們說：「人民不容我們寬大無邊」！

爲李維漢担心

再說李維漢這一「保證」其實是很滑稽的，他應該懂得，在共產黨的組織之下，他能「保證」他自己的地位「長期」「存」到什麼時候呢？李維漢担心，不是沒有理由的，陳紹禹、高崗、潘漢年過去都是中共黨內以「統戰」見長的領導者，他們「長期」「存」到什麼時候呢？

筆者意向李維漢指出：如果你想「保證」你自己，祇有「立功贖罪」一條生路，自由世界對你「既往不究」，而且「立功受獎」！

交通展覽會紀實

——半月觀衆逾廿萬

·高宗魯·

台灣通訊

（台北通訊）清光緒五年（一八七九年），因軍事需要，李鴻章倡議架設天津到大沽口砲台的有綫電報綫路，後又修至上海，稱爲津滬綫。光緒七年（一八八一年）開放民用。同年，直隸開平礦務公司爲運煤便利，鋪設由唐山到胥各莊長十八華里的一條鐵路，初用騾馬拖車，次年，該公司製成第一輛機車行駛，爲北甯鐵路最早之一段。這兩件事情至今均屆七十五年。爲紀念鐵路與電信正式創辦七十五周年，現代郵政與交通大學六十周年校慶，交通部于台北市省立博物館特別舉辦交通展覽會，于六月九日開幕，並于六月廿四日圓滿閉幕。

展出項目包括交通十一項事業及交通教育部門，圖表模型照片等各約數百件。

劉銘傳詹天佑的貢獻

在鐵路之部，首先看到的是全國已成鐵路路綫圖，紅黃藍綠四色霓虹燈管表示出由前清到抗戰勝利後各時期修建的鐵路，顯見我國鐵路過去在西北西南邊疆地區尚未全力發展。此外尚有許多台灣鐵路電動圖表和電動模型。在鐵路歷史文獻中有台灣鐵路創辦人清巡撫劉銘傳油畫像多幅，劉銘傳于光緒十年督軍台灣大破法軍，光緒十三年開始興築台灣鐵路，光緒十七年基隆台北段通車，三年後再通車至新竹，奠定今日台灣鐵路之始基。

劉氏當年建築鐵路時，曾數度親臨工地監督指揮。這位才氣縱橫的巡撫，他的「一隅之設施，爲全國之範」，「以一島基國之富强」之抱負，正待今日國人去實踐。詹天佑氏留美歸國主持平綏鐵路工程，爲國人自建鐵路之始，今日平綏路青龍橋車站有詹氏銅像，而對蜿蜒而過的鐵路神采翩翩如生，吾人緬懷先賢創路之艱辛，怎能不肅然起敬。

在電信之部有各種電信原理表演，例如無綫電傳眞的表演，觀衆極感興趣。

公路建設獲好評

在公路之部有橋樑模型，其中最著名的有西螺大橋，該橋位于雲林縣西螺鎮，橫跨濁水溪，長約二公里，火車汽車均能通行，橋樑爲遠東第一公路長橋，耗費新台幣一千四百六十四萬元，美金一百四十六萬元。台灣省公路局在一片漲價聲中，始終未調整票價，且車輛車站均有擴充頗得旅客好評。此次展覽會中，並發售各主要路綫回數車票，按定價八折優待，可謂別出心裁。

在郵政之部，因爲郵政六十周年紀念展覽會剛結束不久，一般觀衆對於此部都比較熟悉。

港口建設雄視遠東

在水運之部有世界航綫圖，有輪船模型多座，其中以新近在日本下水是遠東第五位的我國巨型油輪海光號模型最引人注目。在港務之部，有大陸港灣全圖，台灣基隆港新建的散裝倉庫美侖美奐，可算爲台灣最高的建築物。全部設備購自西德，耗資頗鉅，在遠東除日本外我國算首先使用該種新式設備之國家。今後對美援小麥的輸入起卸包裝運輸費用節省甚大。高雄港新建的儲鹽倉庫，耗資三百多萬台幣，以台鹽每年輸出二十多萬噸而論，每年可節省包裝起卸運費一百多萬台幣。可比美與基隆港之散裝倉庫，這一雙輸出輸入的「姊妹倉庫」對本省貿易極具重大價值。

在民用航空部，民航空運公司服務遠東各地成績卓著蜚聲中外。

氣象對本省人民生活影響至大，觀衆對氣象部門展出物品也頗爲注意。

自由中國之聲具威力

在廣播之部，中國廣播公司陳列有出品的各型收音機。並有强大廣播中心模型，自由中國之聲中央廣播電台的七五〇千週像一把利刃直刺入中共的心臟，贏得心理作戰戰場的勝利。此外中國廣播公司並在會場內豎起一座交通展覽會廣播電台，它的台音是火車機車的開動聲和電報機機聲，這一段日子台北市數萬架收音機轉換指標都指向一〇二〇千週，這座異軍突起的電台，除却作交通事業宣傳，並有極精彩的音樂歌唱和地方劇節目。最後三天並請電影明星担任節目，有數千觀衆圍在播音室外，透過玻璃一睹男女明星的豐采。這座電台在本月二十五日已與她的聽衆告別了，她可能是世界上領有正式執照播音時間最短的電台，因爲她播音只有十六天，但却使聽衆們永難相忘。

打撈、旅行猶待開展

打撈工程之部，對一般觀衆是有新穎的感覺。難船救險與沉船打撈無論在平時與戰時，對航運事業密切有關。

旅行事業部門，尚有待推廣，台灣近幾年來遊覽汽車公司是如雨後春筍，以後國家公園的建立，使台灣能成爲世界觀光事業中心之一，對本省經濟也甚有裨益。

最後是交通教育之部，今年是國立交通大學六十周年校慶紀念，交通大學歷屆畢業生對我國交通事業貢獻至巨，光復大陸後支離破碎山河之重建尚有待交通工程人員的努力。

展出資料贈科學館

此次交通展覽會無論在會場設計展出內容上都可算是近年來最出色的一次展覽會，十六日來觀衆逾二十二萬人可爲明證。「藉此介紹過去大陸交通之史蹟，現在台灣改進之實況，以喚起社會人士光復河山之壯懷，增進交通知識之瞭解。」就大會展出宗旨而言，可謂已圓滿達成使命。

展覽會結束後決定將一部份資料送贈國立科學館，供各界人士長期參觀，展覽會閉幕之日，教育部電影製片廠曾將會場全部展覽情形拍成新聞紀錄片，分送各地放映，吾人深願能早日運送海外以饗海外千萬僑胞們。（六月廿五日于碧潭）

悼念逸凡兄

·梁寒操·

昔孔子以友直友諒友多聞爲益者三友。余平生交友頗廣，然能如逸凡兄之眞足稱爲三益之友者爲數實尠。今竟捨余先去，每一念及輒悽愴不能自勝也。

逸凡兄死了，爲肺結核菌入腸。去年春間，以經吳靜博士診察後始發覺原有肺結核老病。家人即爲延醫注射肺病特效藥，然久久無效。至六月大便不通，病況日趨嚴重。乃送台灣大學附屬醫院診治，經詳細診察後，斷爲肺結核菌入腸。病甚危險，須立施手術，或冀萬一。醫施手術後，余數往視之見其日有起色，恰兩月出院，返家休養。余方爲額手稱慶，其能留此身以備國家他日之大用也。

逸凡兄脫險出院之後，余曾聞院中醫師言，此病實無法根治，且渠年已逾六秩，恐數月後病將復發，醫藥亦難有效耳。余自不敢遽以相告，唯勸其宜即擺脫塵鞅，還居鄉村，務靜養一年。並曾擬爲借居曾于進兄租而未用之北投小屋，惜於數星期前已爲淵汝租用，事遂未果。逸凡兄出院後數月，體重日增，其家人咸欣欣有喜色，不料至去冬，病竟復發，以十二月六日復入台大醫院，至十二日晨遂宣告不治而與世長辭矣。十一日下午余曾赴醫院視之，逸凡兄見余時，呼吸甚促，已不能言，僅向余微頷其首。眼光悵然，似謂將永別然者。余忍淚即出。適是日余家眷方由港飛台，須赴機場接之。及明晨於北投寓中接鶴齡兄長途電話，知其已於昨夜二時逝，即驅車赴南京路極樂殯儀館，祇見其遺容，目瞑如甚安適者。此爲余與逸凡兄最後之一面矣，能不悲哉。余生飽歷憂患，於生死之道，自謂已能看破。惟每念平生益友如逸凡者，實甚難得。今人天永隔，而音容宛然，羊曇之痛過西州，此情彷彿似之。

逸凡兄之操足使余永慕者，爲其合直與善之人格。余與訂交廿餘年，知其從不妄語，與朋友交，能推誠相示，此實爲叔度所罕見者。與逸凡爲友者，輒稱道其與人無忤，與世無爭，是固衆口一詞矣。然逸凡固非鄉愿一流人也。當其年僅十六，讀書黃埔陸軍小學之日，黠會黃士龍以事忿驕暴名；逸凡乃敢於對其學生訓話曆曆駁議，卒使黃亦無如之何，一時直聲才名震於全校。此豈遇事隨和者可能哉。爾後於讀書見事，閱歷漸多，固不無氣質變化，然與逸凡稔交，恂恂儒雅，清輝可撲，中有凜然不可犯者在。固非貧賤能移，富貴能淫，威武能屈者。中國學者以士君子大丈夫爲理想，逸凡實可當之而無愧也。

其次逸凡兄之堪受余敬佩者爲其博洽貫通之學問。逸凡當年少時即以能文見稱於儕輩，此自由於其天資之高懸與家學之淵源。及民國成立考取官費留學美國以後，轉而捽其全神以研究西方政治之學，深入堂奧。民十一返國即任南北大學教席，今日政府中各部要員多有曾受其教澤者，於其學問之博洽中西，授課之勤拳不苟，咸猶憶之。余與逸凡同事立法院中逾十年，當起草憲法時，常聆其於憲法中許多重大問題之見解，多鞭辟入裏，又平易近人，輒佩其學養俱到，非時流所易企及。猶憶在重慶時，余正離立法院任職宣傳部。當中蘇友好商約立法院通過之日，逸凡與和定璋樓佩蘭兩兄同集余舍午餐。三君蓋皆不贊同此一協定者，而逸凡危言尤多，心甚憂之。余亦與有同感，謂二十年前曾有幣原石井協定，美國承認日本在滿蒙有特殊權益，遂種下九一八之禍根，而二次大戰終於爆發。今復有雅爾達協定，英美又不啻承認蘇聯在滿蒙有特殊權益，復逼使中國訂此中蘇協定，其必將種下禍根，殆所難免。逸凡當時深韙吾言，不圖今未及十年，乃不幸而竟皆料中也。逸凡之於學術，最不喜者其一爲束書不觀游談無根之士，其二爲別有用心大言欺世之士。其於當代所謂學術界權威者中有一二乃爲逸凡所深惡。然非遇同道則絕不言及。於此亦足徵其於學問之篤實也。

復次，逸凡兄之堪受余敬佩者，乃爲其綜覈名實埋頭苦幹之事功。逸凡自國府建都南京後，即以曾養甫兄之薦舉出任建設委員會秘書長職。時張公靜江初創此業，恒以革命家即無錢而亦可以創業自壯。謂手有萬金即可着手做百萬金之事業，蓋憑信仰與毅力，當爲即爲，不稍徘徊瞻顧，斯爲革命家本色也。逸凡深受其感動，竭誠佐之爲之籌擬計劃，羅致人才，運籌帷幄之中，實逸凡任之。而大胆無畏，悉力邁進，則屬諸養甫。於是南京電廠、江南汽車公司，及京蕪鐵路等事業，建設委員會均陸續舉辦，且皆能穩健進展，此逸凡兄居中策劃之力爲多也。抗戰軍興，逸凡兄復佐養甫兄籌建滇緬公路，通得以運用外援，卒收抗戰勝利之果者，逸凡兄之勞勣，又歷歷可覩也。至於立法院之歷年法案，心血猶見於條文。與各大學之人才作育，桃李幾遍於天下。其功業之所表見，即其人格學問之所表見也。

嗟乎！自古人生，誰能不死。人死雖可悲，其實又無足悲也。受天地父母之恩，以有此生。祇能無忝所生即可以死。不愧於心，即可以死。逸凡兄雖未不至廢世無稱，更可以死。逸凡雖無臻於聖域，然已入乎賢關。逸凡雖無於爲英雄，然實足稱爲雋傑。其於人格事功學問之成就，亦庶幾無愧於古人之所謂三立。今軀殼已化灰塵，而其精神固長在人間也。且逸凡兄享年已六十又三，於人中已得中壽，所猶有遺憾者，則其救國之志尚未竟，用世之才亦未竟。中原大陸，正淪魔手，而逸凡撒手遽去，又不及見神州之重光。陸放翁『死去原知萬事空，但悲不見九州同』絕筆之句，正不啻爲逸凡兄詠耳！中華民國四十五年四月九日脫稿

粵四十萬小販陷絕境

強迫「改造」下：

·沈著。

據「南方日報」披露：粵共自於去年秋間實行「社會主義」改造以來，已陷全省小型商店、手工作場、攤販、流動小販，三十一萬餘戶計四十三萬餘人於困境中！

中共用什麼方法去消滅粵省這些大數衆多的小商小販呢？

根據該報資料綜合分析，計有四種方法：

酝滯銷貨　愚弄商販

其一，由「國營公司」控制全省貨源，並用截斷貨源直接或變相的停止給小商小販批發貨物，並故意將滯銷難銷的貨品批給小商小販，迫之不但實際上等於無貨可賣，且積壓了他們的資金。同樣的，「國營食品公司」亦不將熟銷易銷的食品批給小商小販，却硬將上等的紙烟，高價的餅乾等物配給農村小販，使之在農村中無法兜售。至於「國營水產公司」及「蔬菜合作社」等等，則更乾脆不准將水產蔬菜等物批給魚販菜販，而使彼等根本無貨可賣而停業。

另一種是故加舉弄，即各種「國營公司」故意提高批發額的起點，和故意將批貨的手續加繁，時間拖長，使批貨者無力批貨和損失營業的時間。據說此一結果，使荳腐漿販因無錢買進成担的黃荳而停業，熟食攤無錢買進成籠的雞鴨而半停業，雜貨販無錢買進成箱、成盒、成打的雜貨而停業，即使有些小商小販勉力買進了一樣貨物，也因無錢再批購另一些貨物而成爲半停業者。至於批貨的麻煩，據說由申請、調查、對保、審核、批准、簽單、付款、提貨等經過一連串的手續，最快就須五天，慢則半月一月未定，逼使甚多小商小販因不堪刁難而放棄申請批購。

利薄稅重生計無着

其二　規定小商小販的各種貨物利潤過薄，而課稅過重，逼其無利可圖，自行淘汰。

據說：中共規定小商小販販售的百貨及加工食品，一般不得超過利潤百分之五（俗語即半分利），抽稅者要抽去百分之二。一般含有水份的貨物，規定的利潤雖有百分之十至十二，但通常均要損耗百分之五至十，並且還要抽稅百分四左右，以致非但根本無利可圖，還要虧蝕。至於一些小型商店，如果營業額在旺季略有上升，營業稅便加倍上升。例如廣州市郊東盟鄉一間烟酒雜貨舖在旺季上升了營業額百分之二十八，而稅額均上升了百分之五十四。又如果有些貨品因爲積壓難售而加以改裝或加工，還須再繳百分之五以上的「加工稅」。此外，有些所謂「夫妻店」，原足可維持一家生計，但也被迫和同類的夫妻店合併「聯營」，工資降低後，亦已無法生活。

限制地區不准流動

其三，中共不准小商小販跨縣進貨，跨鄉售貨。

硬性規定原在某一鄉居住的小販，只准在某一鄉內兜售貨物，原在鎮內的小販，也不准下鄉販售，而某一縣的小販，則祇准在該縣的中共「國營公司」批發站中購貨，該縣無貨可辦時，亦不准去鄰縣辦貨。實行此法，無疑逼他們於死路。據該報公佈之統計：僅佛一鎮因此種情形而被迫不得不放棄營生的小販，即達七百六十四戶之多。

總之，中共自己的報紙亦已不能完全抹殺一種殘酷的事實，即廣東省的四十餘萬小商小販在中共有計劃的虐殺之下，已有百分之六十陷入半失業狀態，百分之四十陷入全失業狀態。而基本上，則均已在不同的程度下飽受飢餓！

台北速寫

通才與專才

當局爲倡導「通才教育」，下學期起台大一年級分院不分系。東海大學則一二年級都不分系。這種改革不是沒有理由，事實上讀完一年級而請求改系者比比皆是，一年級不分系可無此種麻煩。但是「通才教育」是否應列爲教育政策的一個重心，則有商榷餘地，因爲目前我們的專才也未見得多啊。

統帥才難

本欄前曾報導本年七月一日空軍總司令王叔銘任期屆滿，調升何職甚成問題。結果是國防部奉令將任期二年改爲二年至三年，才解決了這項困難。空軍統帥人材之難概可見矣！

立院通過軍法

最近立法院通過了軍事審判法。自從幾年前軍法局長包啓黃伏法以後，大家對於軍法制度之改革，都認爲刻不容緩。不過，這一法案之通過，還只是一個改革的基礎而已，重要的是如何在執行方面有切實的表現，使這法律條文並不能產生奇蹟。

黃清石攀親

我國旅日歌唱家黃清石在日本結識女影星岡田茉莉子。此間日本影片公司代理人則發表聲明否認黃清石與岡田茉莉子有深摯的友情。但黃清石却公開聲明他倆的友誼已有多年，並以照片爲證。像這樣的否認與直認不諱，似皆非正常的心理狀態！

·杜蘅之·

響應國際編輯聯會動議 本港展開反色情運動

各界人士已痛下決心以挽頹風

國際新聞編輯聯會發出正義呼聲，建議取締各地誨淫文字，來一個聯合的大運動，此間文化工作者已予熱烈響應，呼籲全港各社團馬上起來聯合領導此一全面的「反色情運動」。記者曾作幾個公開場合實際訪問，一般人士對這問題的熱烈反應，咸認爲色情文字及誨淫圖畫的泛濫，造成許多姦淫罪惡，嚴重毀壞了社會道德，亟應予以糾正，在社會上重將人類與禽獸的界綫分開，並認爲文化工作者有此自覺與自救救人的勇氣，是值得欽佩的。至其他各大小社團的反應，亦同在醞釀中，彼等正各自集議，討論對此事應如何表示其嚴正的態度。與研究可能提供之有效遏止淫風的意見，相信各界僑領團體對此事將於日間陸續有明朗表示，而屆時一般有心世道人士所形成之力量，不難能互相呼應而獲得合流，共向社會人士發出怒吼般的呼籲，而行將破壞的本港社會現象，或將從此結束而重新寫過歷史的一頁。

文教人士將發表宣言

國際新聞編輯聯會，於本月四日至十一日在義國佛羅稜薩舉行第十五次大會，出席代表建議組織一委員會，從事國際性規定行動，以取締各地誨淫之文字。該會委員以編輯及新聞撰述者選任，其基本工作，將爲決定對文字上採用之標準，尤其關於兒童與青年之讀物，倘此項計劃獲各會員國編輯聯會接納，則將提交聯合國教育科學及文化機構，其最終目的，爲取締誨淫文字成立國際協議，由一切簽字國家支持。上項消息傳到本港後，此間一部份文化工作者極感注意，咸認爲黃色毒素泛濫，不獨影響青年兒童心理，且足以影響整個社會風化之頹喪，蓋此等誨淫文字讀物，極易深入每個家庭中，甚至遍佈每一角落，其遺害慘重，實無以復加。尤以近年本港此種誨淫文字流行，姦淫案件，無日無之，至使社會道德蕩然無存，故爲本港社會計，爲下一代青年着想，對此種誨淫文字之黃色毒素，究應如何根絕問題，實爲文化工作者之能否具有決心予以改變之一項考驗，而而對當前社會之色情淫靡頹風，究應如何使其遏止，每個從事文化工作者，均已責無旁貸，彼等對此種移風易俗之改革，已下大決心，日前經過各發起人兩次座談後，即分別由各人出發徵求同業意見，並定日間推派代表與教育界、宗教團體及學生家長會聯絡，使能互相呼應，一齊發出正義宣言，同作挽救末世頹風之共鳴。

新書評介

「搖籃曲」和「大陸現象記」

·謝永研·

「在中國大陸所見」（Vu en Chine）是一位天主教神父Louis Dransard氏早三年在巴黎出版的一部描寫「大陸現象的實錄」，份量雖不太多，但作者的觀察卻很具體而且透闢，還可以代表天主教教士對中共的批判。

在開宗明義第一章裏他說：「中共以戰爭恐怖征服大陸，而僞裝民主及土地改革者欺騙美國，這回遠東的紅禍，美國至少要負一部份責任，竹幕內百分八十以上的人民，都希望另一次大戰把他們解放：……」

第二三章描寫土地沒收後集體農莊對農民之奴役，以及三反五反後商人的破產和中等階級的消滅，大家變成無產赤貧，到處表現着血和淚與死亡，悲劇。

第四章寫一個新的軍隊在蘇聯控制下對亞洲和自由世界的威脅。第五章寫宗教的受迫害和天主教士的抵抗，用較多的篇幅。這裏有英勇可敬的故事和悲壯的史詩。從下面我所譯出的「孤兒院搖籃曲」，就可以看出共匪怎樣殘暴地驅逐女修士，使她回到加拿大以後，在「滿地可修女會」所出版的「先驅者」雜誌上，發表她對孤兒們乃至整個中國的關懷。這是人性憎恨共產主義底自然流露的心聲，現在就請讀者諦聽這一顆慈悲的心對傳統中國文化的愛慕和沉吟！

——孤兒院搖籃曲

（加拿大籍女修士原作）

啊！我底第二故鄉——中國呀！
我對你做錯了什麼？快說！快說！
爲什麼要驅逐我，到底爲什麼呀？
當作我是一個犯罪的賤人嗎？
然而我用了二十年的心血，
使你底，孤兒們得到了幸福。
唉！這些弱小的生物——
你若不加照顧，
他們可能死於道路，
或許被太陽曬乾了他們的皮膚，
或許給凛冽寒風冷到週身骨絲，
還有那兇惡的狼狗，
要撕破他們的皮肉！

× × ×

於是，我用搖籃裝載他們回來，
也有些用很少的錢買來，
當他們生存的時辰，
我至少用了一點精神，
恰似慈母一般仁惠——
既嚴肅而又溫存。
他們的肉體已爲死神所覬覦，
而我卻洗浴那孱弱的身軀，
用繃帶綁着老鼠咬過的傷痕，
彌補他們手腕上的缺陷和斷筋，
用水洗淨他們的額頭，
那些水呀都變得又髒又臭，
然後將他們安放在竹籃當中，
蓋着一些棉布，
讓他們穿夠衣服，
喫飽牛奶和食物，
於是我底孤兒們，
一個一個地安然睡熟，
他們睡得那麼穩好呀！
好像找着了自己的媽媽，
又好像坐大轎的官員一般舒服，
還有人爲他們唱着搖籃曲：
「寶寶睡呀！寶寶睡呀！
只有上天堂的蔚藍空中
纔會醒起來呀！」
又有小天使在他們身旁巡禮，
有時還陪着他們遊戲，
孤兒們都生活在幸運的天地！

× × ×

啊！我底第二故鄉——中國呀！
我到底做錯了什麼？快說！快說！
對，於被遺棄的人施展愛心，
也該算是發揮你底仁慈吧！
在那些灰暗的命運上面，
我布施了聖神的火焰！
可愛的中國呀！
當你良心明白的時節，
該是那害人紅星烈焰的消滅！
那時再召喚我回來吧！
我要在那裏等候着你，
因爲我時時哭念我底那班孤兒！

× × ×

讀這首曲，好像聽到白居易「慈烏夜啼」的哀音，使人淚下沾襟呢！然而失了人性底匪徒，他們果能有動於中嗎？

在第八章以後，作者希望全世界基督徒大家起來，以有效的方法援助中國，爲自由中國祈禱！在作者末了，並大聲疾呼：

『四萬萬人呻吟於虐政的慘酷，衰弱，貧苦，不敢言，亦不敢怒！許多人在集中營，在洗腦改造在集中營，在牢獄裏作囚徒，生命和每天的生活受了威脅，靈魂和精神更受着煎熬的痛苦。沒有自由——尤其不能自由思想和信仰宗教，爲着告密，受「公審」和殘酷的肉刑。做了奴隸，造成仇恨，還爲着進行「世界革命戰爭」而犧牲！

四萬萬人關在紅色的牢獄，
可憐他們呀，整天受壓迫和垂楚。
可憐孩兒們，思想也中了毒，
唉！這些殉難的和受害之徒！
爲中國的基督徒祈禱吧！
爲全中國人民甚至於爲那些殺人的暴徒祈禱吧！
看呀！聽呀！
這呼聲，這控訴！這一幅一幅的流亡圖，
都是竹幕大陸悲慘世界的備忘錄，
讓我們向自由世界一切人類的面前大聲疾呼！』

× × ×

以上是「大陸現象記」的輪廓素描，和「搖籃曲」的譯詩，事隔三年，大陸的現象，不獨沒有好轉，而且只是變本加厲，如水益深，如火益熱，這現象記，這搖籃曲，出於天主教神父和修女的手筆，絕對是信而有徵的寫照，至今天似乎還有介紹出來，供自由人士參考和吟誦的必要啊！譯者現正着手翻譯這本書，打算最近期間把它出版，也許可以加強讀者的反共認識和復國的信念吧！

讀者論壇

鄉鎮「國民住宅」應緩建

汪廷瑚

在鄉鎮興建尚非其時

近閱報載，中部某縣已選定縣內三鄉鎮，興建百萬元之「國民住宅」，所需材料已運至各該地，只待地皮洽妥，即可動工興建。讀了這條新聞，看各地響應興建「國民住宅」熱烈之情緒，令人費解。

「國民住宅」是爲了對無力建築新屋的貧民，給予低利貸款，興建公共住宅，以十年或廿年的分期付款，求改善都市貧民居住的嚴重問題。這在西方已行之甚久了。

台灣興建「國民住宅」，是近年來的事。首先倡導爲台北市，漸漸推廣到各縣市。興建「國民住宅」在工商業發達的都市，是應該的。但在非工商業發達的城鎮，則頗有考慮的必要。

「國民住宅」既是工商業發達都市的產物。而台灣可稱工商業發達的都市，也僅有台北、基隆和高雄市。都市裏的工人、店員，佔都市人口的多數。他們的經濟環境較差，大部份居住在擁擠污穢的陋巷。沒有能力建築合乎現代衛生要求的房子，政府予以低利貸款建築公共住宅，改善他們的生活，從基本上消除傳染病，不道德和犯罪的場所，是爲多數人謀福利。至於各縣的人口，以農村的人口爲大多數，城鎮的人口是縣內的少數。在城鎮能夠有力購買「國民住宅」的，又是少數中的少數。民主的政治是爲多數人謀福利。各縣政府似不應該拿從來自多數貧苦農民身上的納稅錢，爲少數又少數的有錢人謀福利。

應將此款興建校舍

今天台灣各縣城鎮的公共建設是落在都市之後的，其中尤以教育事業爲最顯著。而教育事業，對人民生活改善具有密切關係。城鎮的教育事業，雖不能和都市相比。但今天台灣都市與城鎮間教育事業，相差之大，是想像不到的。城鎮教育經費，並不比都市少，而且各地方的人士，對教育事業的協助，也甚於都市。例如各地學校的興建，有半數或一部分爲地方熱心教育人士所捐贈。然而，爲什麼都市與城鎮間的教育事業會有懸殊呢？乃是地方政府，不重視百年樹人的教育事業，甚而阻礙教育事業的發展。如筆者所在的縣。去年增班的經費，到今天沒有着落；國校用竹子蓋的臨時教室，經過幾年的風吹雨打日曬，已不能應用，同時教職員的配給，學校的經常費，往往拖上兩三個月。而興建「國民住宅」的百萬元，卻即可籌足。所以都市城鎮教育事業的懸殊，完全是人爲的，是地方政府無視於發展教育。

根據上述情況，權衡輕重緩急，城鎮的地方政府，不應該在此時興建「國民住宅。」而應積極從事地方公共建設，有餘力才能談到興建「國民住宅。」現在再讓我們看看台灣農民的居住情況：

農民住屋亟待改善

自政府實行三七五減租、公地放領、限田以來，農民生活却已改善多了。農民的生活，的確比以前好，但到今天能夠建築新屋的人並不多。他們仍然居住在潮濕陰暗，缺乏陽光，不通空氣，和臭氣沖天的房子裏，甚而有的農村沒有電燈。如筆者現在所住的斗南鎮言，它是台灣中部縱貫鐵路公路的中心。但郊區的農家，比較貧苦的還不能享用電燈，而用豆大的油燈。據說是電力公司不裝電錶，用包燈每盞每月六元，而他們點油燈每月只要兩元左右，因此捨棄光明的電燈，而用暗淡的油燈。何況有的農村還根本沒有電燈呢！故農村人民住宅的問題也急待政府改善。

宜先建農民住宅

筆者服務的中學，已被教育廳指爲試辦社會中心教育的學校，農復會主任委員蔣夢麟博士，曾至斗南，與周校長談辦社會中心教育，期望學校在下學年度，辦理社會中心教育中，試辦改善農村衛生問題，尤以農家的廚房、廁所、浴室爲主。由此可知，農復會已注意到改善農村住的問題。如果地方政府肯爲農民服務，不妨與農復會洽商美援，共同努力改善農民生活中的住的問題，捨建「國民住宅」而興建「農民住宅」而也較有更大的意義。

區區愚見，希望能促起各方的共同討論和注意。

中共和平攻勢之分析

·伍憲子·

【上接第一版】應予扣留不予寄出之列，不料中共乃如此寬大，免檢放行。凡此種種都是中共和平攻勢之比較聰明者，當然，此是手段，但不少文化人已被騙過。

如何應付和平攻勢

中共之和平攻勢，不祇對港澳華僑，而是對海外所有華僑。周恩來於五月七日在人民政協會議全委會雞尾酒席上，特別舉杯對海外僑胞遙祝，表示十分關懷。同時郭沫若亦說，「國外僑胞，與港澳同胞的愛國熱情和努力，是分不開的，我們向僑胞表示衷心的感謝和敬意」。故無論其言是否由衷，總是對僑胞已引起注視。須知國民政府之在台灣，人民八百萬之外，尚有一千餘萬之華僑，是將來復國之最大基礎。華僑爲政府之命脈，此語在今日，無論何人，不能否認，所以中共亦改變政策，爭取華僑，其目的就是想斬斷國民政府之命脈。假令國民政府而喪失華僑之擁護，其損害甚於失去台灣。故國民政府應急將華僑團結起來，絕無疑義。團結華僑，是應付中共和平攻勢之第一要義。於此有一事，亟當明白者，半世紀來，華僑中之黨派，各有數十年歷史，其痕迹至今不能埋沒，但彼此皆愛國，假令能發揚愛國，而不是發揚黨故，則可以泯去黨之痕迹，而以國家名義團結之。否則紛糾必多。因爲應付華僑，與對國內人民不同，國內人民尚可以利用政府之權力，以行使黨政二權，海外則不能。二十年來在國民黨專政之下，海外辦黨者皆不識善處華僑，尤其近數年間，大陸淪陷之後，政府尚未覺悟，往往借政府權力行使黨意，如召開華僑會議之類，黨外人多中共和平攻勢之一個不與聞，此是團結華僑之最大障礙，給予一大裂痕。

民心第一

若以爲應付中共之和平攻勢，祇有集中兵力，其餘一切，皆不重要，此是萬二分錯誤。當兵力雄厚之時，尚且不能如此，何況今日。今日應當是人心第一，不是軍事第一。識得運用此祕訣，而後可以撲滅中共之和平攻勢。否則雖有雄厚兵力，人心一去，兵力亦隨之崩潰，前車既覆，殷鑒不遠，善謀國者當不至昏憒到底。

中共爲什麼採取和平攻勢，當然，他亦自知兵力之不足恃，不欲從難以進攻處進攻。然重點尤在他已知民主力量之久不團結，人心漸已渙散、故欲從其易入手處分化之。此是明顯事實，謀國者應看清楚。術識從此點以應付中共之和平攻勢，自然游刃有餘。（完）

編者 讀者

△代郵：

△劉士復先生：關於令親赴台升學高中問題，因本報所備資料爲升學大專者，一時未能詳盡答覆，已向有關方面查詢，俟得覆當儘速轉知令親。

△孔先河先生：台端所詢升學大專問題，已另函奉覆。

△金城、萬香堂、吳忠、王敬羲、王泥裘、鹹三、林一新諸先生：惠稿均已拜收。

△更正：本報五五二期第四版，于長卿先生作「再談今日畫壇」文內，「定山草堂讀畫絕句」，其第四句，應作：「佳處分明似理安」。原刊「佳誤住理誤臨」有誤，承周棄子先生惠函指正並致謝忱！

自由談

談政治小組織

·馬五先生·

近代的政治人物，每喜歡搞小組織，這在個人是走入魔道，在國家是大亂之源。

所謂「小組織」，與一般政治黨派不同。黨派之形成，是以共同的政治理想爲前提，人事關係只是副作用而已。小組織却完全是以「人」的關係——即個人在政治上的利害關係——爲結合因素，根本就是勢利之交，談不上政治理想，更無所謂政治節操，一是皆以個人利慾爲本，有奶便是娘，見利即忘義。一人得勢，雞犬皆仙，一人失勢，鳥飛獸散。

凡是政治小組織盛行國家，必不注重人才，也無所謂人事制度。如不能以賣身投靠的言行，奔鑽鑽營，參加小組織活動者，即使才學超羣，亦爲無用之長物。反之，雖資花異調，孤竹不知，或敗政殃民，昧廉鮮恥，亦係忠貞幹練之才，不可多得之士。小組織既是一種基於私人利慾的結合體，因而排他性特別強烈，門戶之見極深，動則以有色眼鏡來看人，疑神疑鬼，杯影干戈。然一般真正有智能與學問的人，又多不屑降身辱志，狗苟蠅營，直尺枉尋，爲目的不擇手段。如是乎，小組織所能網羅的同志，十九都是些文不能等因奉此，武僅知立正敬禮的半吊子式人物，懷才自愛者，莫不避之若浼，此劣幣驅逐良幣之理也。

小組織盛行的結果，首先是國家的教育喪失了功用，大家覺得何必讀書，然後從政呢？其次是民德澆漓，正氣消沉，失節事小，富貴事大，最後乃在政治上造成「天地閉，賢人隱」的形勢，而天下大亂矣！

所以，任何一個懷抱着滿腹經綸的政治家，只要他走進了以小組織治天下的邪徑，即是沒出息的象徵，儘管他因緣時會，煊赫若不可一世，然，但其敗亡可立而待焉。世之通達政理，明析治道者，得不以吾言爲迂闊不合時宜也歟？

記花蓮女中話劇公演。

·小輪·

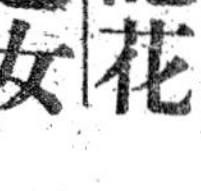

（本報花蓮通訊）東台灣的花蓮，背負中央大山脈，面臨浩瀚太平洋，但她本身却缺乏巍峨入雲的姿態，和狂濤怒吼的聲響，平靜、安詳，像一個深閨的少女。

然而，近來花蓮的文化藝術圈裏却掀起了一股狂瀾，先有第四文化工作隊的到來，載歌載舞，風靡了花蓮，繼着省立花蓮女子中學在六月初公演了三幕喜劇：「原來如此」。而文化工作隊的台語劇：「荒唐小姐」。也跟着演出；另一個台語劇「天倫淚」馬上也要出籠。同時花蓮師範學校，農業學校也分別在排練話劇，預計在這個月裏殺青，這一連串的演劇潮流得平靜的花蓮憑添幾許生氣，花蓮市民一個個眉飛色舞，感到無限的歡欣。

「原來如此」轟動花蓮

在這些已演出未演出的話劇中，較爲花蓮各界熱愛的是花蓮女中的劇社。花女青年劇社歷屆所獻給觀衆的如「女魔」，「愛與仇」，「翡翠花」，「入獸之間」等劇，早已獲得了好評，此次該校負責演出的師生在「原」劇中所下的功夫更多、故成功是意料中事。

演出的那幾天，花蓮街頭巷尾，找票的找票，批評的批評，開場前校門口排着長蛇陣，禮堂擠得水洩不通，天氣熱，一個個汗流夾背，看完了却都大呼：「過癮！過癮！」

演出「原」劇，是爲了勞軍，同時也爲響應目前在花蓮掀起的文化運動，所以劇本既要順應三軍興趣，又要符合社會要求，更要配合時代潮流，「原」劇是由一個外國劇改編的，西洋的喜劇風格，插入中國的幽默對話，主題在暴露中共的虛偽宣傳與偶像崇拜，對以上三點可說是都顧慮到了，所以一經演出，自然雅俗共賞，得到一致的讚揚。

演導化粧 均有成績

「原」劇除了導演化粧係聘請校內外的先生之外，其餘演職員全部由學生担任。劇中的六個男角，有戰鬥的大鼻子，大腹便便的富商，老奸巨滑的地頭蛇；女角中有共匪典型人物，「一杯水主義」的交際花，妖冶的電影明星之類，這些角色由十來歲的女學生飾演，一是外型的問題，一是對劇中人的生活體驗的問題，但幸虧化粧與導演的精心努力，終於把這兩個問題解決了。

化粧方面，運用特徵化，印象派手法，兩撇斜眉，一雙歪眼，脖子上一塊傷疤，刻劃出一個機器型的共幹，橡皮糖裝成一個大鼻子，烟絲裝成滿腮的鬍子，於是一個新拉夫基良的嘴臉就勾出來了，於此可見在化粧方面運用匠心之苦，在台灣的中學多是男女分校，從事中學劇運的人員，多有一個共同的痛苦，就是化粧的困難，但由花女此次演出之化粧技巧看來，證明只要肯下功夫，這困難仍然可以解決的。

「原」劇的導演是一位政工幹校戲劇系的畢業生，年青人，肯賣勁，爲了協助演員對劇中人的體會，也廢寢忘食地對每一個角色都細細加體會，一再誘導着演員去揣摩自己的戲，本來演員的「戲」應該各自體驗，導演是不宜干涉的，但對缺乏演出經驗的同學們，這原則是不適用的，故這次的成功與導演的悉心努力，是有關的。

希望獲更多的協助

燈光設備太差，舞台深度不夠，景片太破舊是「原」劇最大缺點，這也是一般中學劇團所深感到頭痛的問題，譬如說聚光燈，學校自然製不起，全花蓮都沒有一個，舞台恐怕全台灣的中學都難得有一個比較適宜話劇演出的舞台，這些問題，政府或社會負責文化和宣傳的機構是應負起輔助的責任。

由花蓮女中此次演出之獲得社會一般讚譽與重視，使我們覺得，話劇仍然爲社會所需要，提倡話劇實屬文化宣傳刻不容緩的工作，而對於學校劇運尤應特別獎助，因爲青年學生，有熱情，有活力，有未經發掘的人才，善加輔導，必然能發出光彩，而且目前學校有美術，音樂，體育等課程，獨缺乏戲劇課，台灣戲劇團也鬧着人力荒，我們實應利用課餘，對有戲劇天才與興趣的青年，加以培育，則中國劇壇庶幾乎能有新的血輪，我們的宣傳隊伍也更能堅強壯大了。（六月廿日）

三妹媚

用道鄰先生韻

·孟玉·

春山剛過雨。看綠茵如油，繁枝香架。燕蹴鶯銜，任畫堂簾捲，暗窺朱戶。瀟鼓聲喧，楊柳外，正酣歌舞。睨雲天，百結離腸，故園何處。最是臨安情苦。縱目盡江頭，怎尋歸路。掩抑幽愁，便淺吟低唱，細翻詞譜。萬里關河，滴淚漬，頻傳心素。斷袂分襟人遠，書空自語。

水龍吟

懷岳陽樓

·孟玉·

登臨遠矚空溟，洞庭南極瀟湘渺。岳城東峙，巴陵西拱，江流北繞，氣象萬千，夢魂飛越，幾番驚悼。念自然景物，雄渾詭譎，此中意，誰能料。見說純陽三到。醉醺醺，仰天長嘯。少陵感喟，孤舟戎馬，憑軒涕淖。憂樂同關，希文胸次，月明星皎。想當年滕子，興修巨殿，正深懷抱。

短篇小說　沈園春

傷心橋下春波綠，曾是驚鴻照影來

·慕容羽軍·

禹跡寺香烟繚繞，進香的男女，擠迫異常。這時，正值國家多難，大宋高宗皇帝駕幸臨安，江北混亂得很，人心惶惶之下，少不免乞神賜福。這所禹跡寺在這近畿馳名的，進香的人，着實不少。

這一天，陸母和她的甥女唐蕙仙帶了香燭，擠進了人堆，想佔一個空位，向這位疏通九河的大禹祈求，一保家鄉安寧，再保丈夫康健，三保兒子功名成就。這位兩鬢斑白的主婦，帶着一顆善心在人堆裏擠，甥女唐蕙仙，年紀輕輕，生來十分胡鬧，做姑母的一手要拿着香燭，一手又要拉着這位頑皮的姑娘，眞是弄得一頭大汗。好容易擠進了寺門，眼見神龕前空出一個拜墊來了，她忙上前佔位，空出手來點燃香燭，插到爐上，回頭正要呼喚唐蕙仙一齊下拜，豈知一轉眼，這位小妮子已不知去向了，陸母大驚，心裏在說，偌大的女兒家，這樣侮慢神靈，眞是罪過。她心裏雖是不悅，可是覓個位置太不容易，也就不再管這個頑皮的女兒了，她虔敬地跪在拜墊上，默禱了她預定的三願，之後，叩了三個響頭，正擬起立，忽然又喃喃的禱告說：

「神靈在上，四保甥女唐蕙仙成人轉性，並且原宥她侮慢神祇！」

禱告完了這附加的一願，這纔立了起來，上過香油，回身覓唐蕙仙去了。

唐蕙仙此刻蹦蹦跳跳，却走到寺後的空地去摘初紅的楓葉，她正摘了一片拿到手上欣賞，陸母氣喘吁吁的走了過來，厲聲喝道：

「你看，十六七歲的姑娘，還是這末孩子氣，到了神前不拜神，看你一生的福壽都要折盡了哩，老實說，我就不喜歡你這個任性頑皮成精。」

姑母的話，這回是第二次了，記得前回上大悲閣，她不肯向菩薩跪下叩頭，就已狠狠地被指着額頭痛罵了一頓，這一次，記起了前事，倒使她對菩薩恨起來。

唐蕙仙無言地跟着姑母回家……

陸游剛回來，一眼看到母親臉露慍怒，表妹唐蕙仙兩眼隱有淚痕，心下便料到又是那回事了，他知道母親平日絕不責備人的，除非是不向神祇禮拜。他悄悄向唐蕙仙招手，示意她到屋角的林陰下細見。

唐蕙仙看着姑母到房子裏做別的事情時，她便一溜烟似的奔出了院子，朝石板路轉過屋角那一帶林陰深處跑來，那塊長石，陸游早已端坐在上面探頭探腦了。唐蕙仙走了過來，半晌不言不語：（一）

同光風雲錄

·夢山樓·

唐景崧（上）

唐景崧，字維卿，廣西灌陽人，同治四年進士，選庶吉士，改吏部主事。光緒八年，法越事起，景崧感越南事亟，憤然有請纓意，又以熟諳同鄉之黑旗將軍劉永福已於越南，建立戰功，屢挫法人，聲威卓著，以爲必可與約共圖大事，以安邊疆。乃奏陳籌護藩邦一摺，並自請投筆出關，以事前得御史李鴻藻向朝中疏解，故摺上，奉旨交雲貴總督岑毓英差序。

出關獻策助永福

景崧襆被出京，先至廣東謁曾國荃，國荃韙其言，資之入越。明年，陳來意，見劉永福爲陳三策：『據保勝十州，傳檄而定諸省，請命中國，假以名義，事成則王，此上策也。次則提全師擊河內，中國必助之，此中策也。若坐守保勝，事敗而投中國，策之下者也。』永福從中策，戰紙橋，大敗法。僞越王爲法所脅，莫能自振。景崧乘間勸永福內附曰：『子能存亡繼絕，即所以報故主。且越王已薨，嗣君無能，亦無背主嫌。某見時不可失，特來相助，捷速行事，不可失此良好機會。』永福曰：『忠臣事君，切忌欺偽，欺偽尚且不可，而況身受國恩，遂爲此反逆篡位乎？』兩人意見，終不諧也。

越事有功擢台布政使

清廷念景崧宣勞域外，賞四品銜，乃再奏陳越事云：『越南半載內，三易國王，欲靖內亂，莫如遣師直入順化，扶翼幼君，以定人心，若不爲藩服計，不妨直收爲我有，免爲法人所得，否則，首鼠兩端，未有不敗者也。』而越事益混亂。會張之洞命景崧入關，募勇編爲四營，號景字軍，爲規越軍之一。廷旨授景崧五品京卿。遂率軍取道牧馬，千餘里，再入越。既至接敵，屢奏其能，撥滇軍屬之，勢益壯，而罷戰詔遂下矣。

論功，晉二品，除福建台灣道，旋授台灣布政使，又擢巡撫。會中日釁啓，台灣局勢日益不寧，景崧部李文奎變作，欲殺景崧，景崧出而叱之，士卒不敢下手，文奎亦氣餒乞宥，仍命爲營官，使出駐基隆，此其寬大明智之處理，故能轉危爲安也。（四十三）

酒量

·劍朗·

俗謂酒有別腸，其說良是，每見善飲者，一飲輒二三十斤，決非腸胃所能容納，而飲者不聞言脹，大抵飲酒既多，生理上已另有變化。先伯父鹽承公能飲紹興酒卅餘斤，終不見醉狀，惟飲至半酣，輒脫左足之襪，以脚心半置地面，迨飲竣，地上濕痕顯然。六十以後，終以傷酒得痰喘症，歲餘，不飲滴酒，遂歿。又嘗見不能飲者，無論何種酒，入唇即醉，同鄉姚君萊波曾仕陝省，爲秘書長，潼關監督，能詩詞，工書畫，凡文人集會，無不參加，惟點酒不能入口，某年歲首，余與同往友人處賀年，坐定後，主人以湯圓進，湯中有甜酒釀（又名酒娘，陝人呼撈糟），姚誤吞半勺，竟暈不能起，扶臥一時許，始勉強登輿去；又一次，在友人家同飯，菜餚多爲清淡品，而姚食次忽面紅頸赤，主人力言未加料酒，竟不知何以致此，嗣詳詢庖人，始知曾于清蒸鴨中，加酒半勺以去其腥，而姚食其湯，遂立有感應，此則眞不能飲者矣。

×　×　×

文壇話舊

·程外·

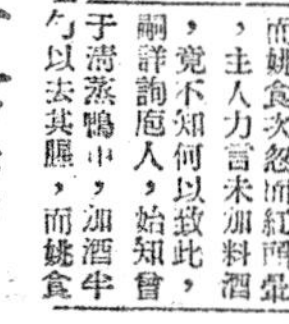

南宗北孫

中國報紙有「副刊」，始於民國初年。那時，一般人稱副刊爲『報屁股』，可見當時無人注意它。它只是茶餘酒後助消化的玩意兒。文字也儘量迎合讀者的口胃，以趣味爲主，一直到今天也不能更改？

但是，誰能說出「副刊」創始於誰？

據說：南方報紙有「副刊」，是上海時事新報的「學燈」，當時主編人爲宗白華。北方報紙有「副刊」的，是北平晨報的「晨報副刊」，當時主編人爲孫伏園。所以後來說起副刊的歷史，稱之爲「南宗北孫」。

詩人朱湘的自殺

朱湘的詩，在民國二十二、三年，的確，很受人歡迎的。上海第一流的文學刊物，都爭相披露。但他自從美國留學回國，到安徽大學教書後，一直爲經濟所困惱，詩的稿費又少；而能預先看面子支付稿費的，只有「青年界」（北新書局發行，趙景深主編）；面「安大」薪水不能按月實足支放，時常欠薪，詩人朱湘不能忍耐了。於是辭去「安大」教授，搭輪船回滬；在途中，他大概感慨萬千；對現實生活又不能振奮，遂縱身於揚子江，結果，連他的屍首也沒有撈到，使他青年的妻子痛哭不已。後來，有人把朱湘比爲李白，詩人的命運亦可悲也。

史地傳記類　PC0270

自由人（五）

編　　者 / 陳正茂
責任編輯 / 邵亢虎
圖文排版 / 彭君浩
封面設計 / 陳佩蓉

法律顧問 / 毛國樑　律師
印製經銷 / 秀威資訊科技股份有限公司
114台北市內湖區瑞光路76巷65號1樓
電話：+886-2-2796-3638　傳真：+886-2-2796-1377
http://www.showwe.com.tw
劃撥帳號 / 19563868　戶名：秀威資訊科技股份有限公司
讀者服務信箱：service@showwe.com.tw
展售門市 / 國家書店（松江門市）
104台北市中山區松江路209號1樓
電話：+886-2-2518-0207　傳真：+886-2-2518-0778
網路訂購 / 秀威網路書店：http://www.bodbooks.com.tw
國家網路書店：http://www.govbooks.com.tw

2012年12月復刻版
定價：2500元

國家圖書館出版品預行編目

自由人 / 陳正茂編. -- 一版. -- 臺北市 : 秀威資訊科技,
2012. 12-
冊； 公分. -- (史地傳記類)
BOD版
ISBN 978-986-326-020-2(第1冊 : 精裝). --
ISBN 978-986-326-016-5(第2冊 : 精裝). --
ISBN 978-986-326-017-2(第3冊 : 精裝). --
ISBN 978-986-326-018-9(第4冊 : 精裝). --
ISBN 978-986-326-019-6(第5冊 : 精裝). --
ISBN 978-986-326-022-6(第6冊 : 精裝). --
ISBN 978-986-326-023-3(第7冊 : 精裝). --
ISBN 978-986-326-024-0(第8冊 : 精裝). --
ISBN 978-986-326-025-7(第9冊 : 精裝). --
ISBN 978-986-326-026-4(第10冊 : 精裝). --

1. 報紙 2. 香港特別行政區

059.92 101021409

讀者回函卡

感謝您購買本書，為提升服務品質，請填妥以下資料，將讀者回函卡直接寄回或傳真本公司，收到您的寶貴意見後，我們會收藏記錄及檢討，謝謝！

如您需要了解本公司最新出版書目、購書優惠或企劃活動，歡迎您上網查詢或下載相關資料：http:// www.showwe.com.tw

您購買的書名：________________________________

出生日期：________年________月________日

學歷：□高中（含）以下　□大專　□研究所（含）以上

職業：□製造業　□金融業　□資訊業　□軍警　□傳播業　□自由業

□服務業　□公務員　□教職　□學生　□家管　□其它_____

購書地點：□網路書店　□實體書店　□書展　□郵購　□贈閱　□其他

您從何得知本書的消息？

□網路書店　□實體書店　□網路搜尋　□電子報　□書訊　□雜誌

□傳播媒體　□親友推薦　□網站推薦　□部落格　□其他__________

您對本書的評價：（請填代號　1.非常滿意　2.滿意　3.尚可　4.再改進）

封面設計____　版面編排____　內容____　文／譯筆____　價格____

讀完書後您覺得：

□很有收穫　□有收穫　□收穫不多　□沒收穫

對我們的建議：________________________________

____

____

____

請貼
郵票

11466
台北市內湖區瑞光路 76 巷 65 號 1 樓

秀威資訊科技股份有限公司　　　收

BOD 數位出版事業部

....

（請沿線對折寄回，謝謝！）

姓　　名：＿＿＿＿＿＿＿＿　年齡：＿＿＿＿　性別：□女　□男

郵遞區號：□□□□□

地　　址：＿＿＿＿＿＿＿＿＿＿＿＿＿＿＿＿

聯絡電話：(日)＿＿＿＿＿＿＿＿　(夜)＿＿＿＿＿＿＿＿

E-mail：＿＿＿＿＿＿＿＿＿＿＿＿＿＿＿＿